Lieber Leser

Der Rote Michelin-Führer Deutschland liegt nun schon in der 29. Ausgabe vor.

Er bringt eine in voller Unabhängigkeit getroffene, bewußt begrenzte Auswahl an Hotels und Restaurants. Sie basiert auf den regelmäßigen Überprüfungen durch unsere Inspektoren, komplettiert durch die zahlreichen Zuschriften und Erfahrungsberichte unserer Leser.

Die in diesem Jahr eingeführte farbige Gestaltung des Führers ist ein weiterer Schritt in unserem Bemühen um Modernisierung und Aktualisierung.

Bemüht um aktuellen Service für den Benutzer bringt dieser Führer eine erweiterte Auswahl von Hotels und Restaurants in den neuen Bundesländern. Nur die neueste Ausgabe ist wirklich zuverlässig – denken Sie bitte daran, wenn der nächste Rote Michelin-Führer erscheint.

Gute Reise mit Michelin !

Inhaltsverzeichnis

Wahl
eines Hotels, eines Restaurants

Die Auswahl der in diesem Führer aufgeführten Hotels und Restaurants ist für Durchreisende gedacht. In jeder Kategorie drückt die Reihenfolge der Betriebe (sie sind nach ihrem Komfort klassifiziert) eine weitere Rangordnung aus.

KATEGORIEN

⌂⌂⌂⌂⌂	Großer Luxus und Tradition	XXXXX
⌂⌂⌂⌂	Großer Komfort	XXXX
⌂⌂⌂	Sehr komfortabel	XXX
⌂⌂	Mit gutem Komfort	XX
⌂	Mit ausreichendem Komfort	X
⛱	Bürgerlich	
garni	Hotel ohne Restaurant	
	Restaurant vermietet auch Zimmer	mit Zim

ANNEHMLICHKEITEN

Manche Häuser sind im Führer durch rote Symbole gekennzeichnet (s. unten.) Der Aufenthalt in diesen Hotels ist wegen der schönen, ruhigen Lage, der nicht alltäglichen Einrichtung und Atmosphäre und dem gebotenen Service besonders angenehm und erholsam.

⌂⌂⌂⌂⌂ bis ⌂	Angenehme Hotels
XXXXX bis X	Angenehme Restaurants
« Park »	Besondere Annehmlichkeit
🐎 (rot)	Sehr ruhiges, oder abgelegenes und ruhiges Hotel
🐎	Ruhiges Hotel
< Rhein	Reizvolle Aussicht
<	Interessante oder weite Sicht

Die Übersichtskarten S. 36 – S. 44, auf denen die Orte mit besonders angenehmen oder ruhigen Häusern eingezeichnet sind, helfen Ihnen bei der Reisevorbereitung. Teilen Sie uns bitte nach der Reise Ihre Erfahrungen und Meinungen mit. Sie helfen uns damit, den Führer weiter zu verbessern.

Einrichtung

Die meisten der empfohlenen Hotels verfügen über Zimmer, die alle oder doch zum größten Teil mit einer Naßzelle ausgestattet sind. In den Häusern der Kategorien , und kann diese jedoch in einigen Zimmern fehlen.

30 Z	Anzahl der Zimmer
50 B	Anzahl der Betten
	Fahrstuhl
	Klimaanlage
TV	Fernsehen im Zimmer
	Haus teilweise reserviert für Nichtraucher
	Zimmertelefon mit direkter Außenverbindung
	Für Körperbehinderte leicht zugängliche Zimmer
	Spezielle Einrichtungen/Angebote für Kinder
	Garten-, Terrassenrestaurant
	Freibad, Hallenbad oder Thermalhallenbad
	Fitneß-Center – Kneippabteilung – Sauna
	Strandbad – Liegewiese, Garten
	Hoteleigener Tennisplatz
18	Golfplatz und Lochzahl – Reitpferde
25/150	Konferenzräume (Mindest- und Höchstkapazität)
	Hotelgarage, überdachter Parkplatz (wird gewöhnlich berechnet)
P	Parkplatz reserviert für Gäste
	Hunde sind unerwünscht (im ganzen Haus bzw. in den Zimmern oder im Restaurant)
Fax	Telefonische Dokumentenübermittlung
Mai-Okt.	Öffnungszeit, vom Hotelier mitgeteilt
nur Saison	Unbestimmte Öffnungszeit eines Saisonhotels. Häuser ohne Angabe von Schließungszeiten sind ganzjährig geöffnet.

Küche

DIE STERNE

Einige Häuser verdienen wegen ihrer überdurchschnittlich guten Küche Ihre besondere Beachtung. Auf diese Häuser weisen die Sterne hin.
Bei den mit « **Stern** » ausgezeichneten Betrieben nennen wir maximal drei kulinarische Spezialitäten, die Sie probieren sollten.

✿✿✿ **Eine der besten Küchen : eine Reise wert**

Ein denkwürdiges Essen, edle Weine, tadelloser Service, gepflegte Atmosphäre... entsprechende Preise.

✿✿ **Eine hervorragende Küche : verdient einen Umweg**

Ausgesuchte Menus und Weine... angemessene Preise.

✿ **Eine sehr gute Küche : verdient Ihre besondere Beachtung**

Der Stern bedeutet eine angenehme Unterbrechung Ihrer Reise. Vergleichen Sie aber bitte nicht den Stern eines sehr teuren Luxusrestaurants mit dem Stern eines kleineren oder mittleren Hauses, wo man Ihnen zu einem annehmbaren Preis eine ebenfalls vorzügliche Mahlzeit reicht.

SORGFÄLTIG ZUBEREITETE, PREISWERTE MAHLZEITEN

Für Sie wird es interessant sein, auch solche Häuser kennenzulernen, die eine sehr gute, vorzugsweise regionale Küche zu einem besonders günstigen Preis/Leistungs-Verhältnis bieten. Im Text sind die betreffenden Restaurants durch die rote Angabe Menu kenntlich gemacht, z. B Menu 29/41.

Siehe Karten der Orte mit « Stern » und « Sorgfältig zubereitete, preiswerte Mahlzeiten » S. 36 bis S. 44.

Biere und Weine : siehe S. 45, 47 bis 49

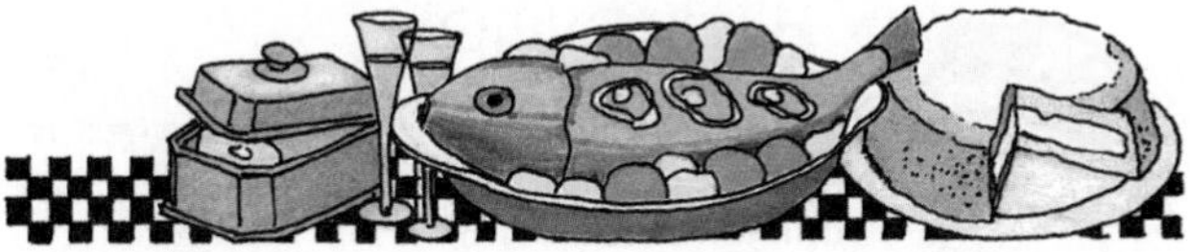

Preise

Die in diesem Führer genannten Preise wurden uns im Sommer 1991 angegeben. Sie können sich mit den Preisen von Waren und Dienstleistungen ändern. Sie enthalten Bedienung und MWSt. Es sind Inklusivpreise, die sich nur noch durch die evtl. zu zahlende Kurtaxe erhöhen können.
Erfahrungsgemäß werden bei größeren Veranstaltungen, Messen und Ausstellungen (siehe Seiten am Ende des Führers) in vielen Städten und deren Umgebung erhöhte Preise verlangt.
Die Namen der Hotels und Restaurants, die ihre Preise genannt haben, sind fettgedruckt. Gleichzeitig haben sich diese Häuser verpflichtet, die von den Hoteliers selbst angegebenen Preise den Benutzern des Michelin-Führers zu berechnen.
Halten Sie beim Betreten des Hotels den Führer in der Hand. Sie zeigen damit, daß Sie aufgrund dieser Empfehlung gekommen sind.

MAHLZEITEN

→	**Mahlzeiten** (3-gängig) **unter** 25 DM
M 25/65	**Feste Menupreise :** Mindestpreis 25 DM, Höchstpreis 65 DM
M à la carte 44/82	**Mahlzeiten « à la carte »** – Der erste Preis entspricht einer einfachen Mahlzeit und umfaßt Suppe, Hauptgericht, Dessert. Der zweite Preis entspricht einer reichlicheren Mahlzeit (mit Spezialität) bestehend aus: Vorspeise, Hauptgericht, Käse oder Dessert.
🍷	Preiswerte offene Weine
Fb	Frühstücksbuffet, im Übernachtungspreis enthalten (gelegentlich wird jedoch ein Zuschlag erhoben).

ZIMMER

14 Z : 27 B	Zimmer- und Bettenzahl mit
25/64 - 45/95	Mindest- und Höchstpreisen für Einzelzimmer – Mindest- und Höchstpreisen für Doppelzimmer inkl. Frühstück.
5 Fewo 70/120	Anzahl der Ferienwohnungen mit Mindest- und Höchstpreis pro Tag.

HALBPENSION

1/2 P 58/89	Mindestpreis und Höchstpreis für Halbpension pro Person und Tag während der Hauptsaison. Es ist ratsam, sich beim Hotelier vor der Anreise nach den genauen Bedingungen zu erkundigen.

ANZAHLUNG - KREDITKARTEN

Einige Hoteliers verlangen eine Anzahlung. Diese ist als Garantie sowohl für den Hotelier als auch für den Gast anzusehen.
Es ist ratsam, sich beim Hotelier nach den genauen Bedingungen und Preisen zu erkundigen.

AE ⓓ E VISA | Vom Haus akzeptierte Kreditkarten

Städte

In alphabetischer Reihenfolge (ä = ae, ö = oe, ü = ue, ß = ss)

7500	Postleitzahl
✉ 2891 Waddens	Postleitzahl und Name des Verteilerpostamtes
☎ 0211	Vorwahlnummer (bei Gesprächen vom Ausland aus wird die erste Null weggelassen)
☎ 0591 (Lingen)	Vorwahlnummer und zuständiges Fernsprechamt
L	Landeshauptstadt
413 R 20 987 ③	Nummer der Michelin-Karte mit Koordinaten bzw. Faltseite
24 000 Ew.	Einwohnerzahl
Höhe 175 m	Höhe
Heilbad Kneippkurort Heilklimatischer Kurort-Luftkurort Seebad Erholungsort Wintersport	Art des Ortes
800/1 000 m	Höhe des Wintersportgeländes und Maximal-Höhe, die mit Kabinenbahn oder Lift erreicht werden kann
2	Anzahl der Kabinenbahnen
4	Anzahl der Schlepp- oder Sessellifts
4	Anzahl der Langlaufloipen
AX A	Markierung auf dem Stadtplan
	Rundblick, Aussichtspunkt
18	Golfplatz mit Lochzahl
	Flughafen
7720	Ladestelle für Autoreisezüge - Nähere Auskünfte unter der angegebenen Telefonnummer
	Autofähre, Personenfähre
i	Informationsstelle
ADAC	Allgemeiner Deutscher Automobilclub (mit Angabe der Geschäftsstelle)

Sehenswürdigkeiten

BEWERTUNG

★★★	Eine Reise wert
★★	Verdient einen Umweg
★	Sehenswert

LAGE

Sehenswert	In der Stadt
Ausflugsziel	In der Umgebung der Stadt
N, S, O, W	Im Norden (N), Süden (S), Osten (O), Westen (W) der Stadt.
über ①, ④	Zu erreichen über die Ausfallstraße ① bzw. ④, die auf dem Stadtplan und der Michelin-Karte identisch gekennzeichnet sind
6 km	Entfernung in Kilometern

Reiseinformationen

Deutsche Zentrale für Tourismus (DZT)
Beethovenstr. 69, 6000 Frankfurt 1, ☎ (069) 7 57 20, Telex 4189178, Fax 751903.

Allgemeine Deutsche Zimmerreservierung (ADZ)
Corneliusstr. 34, 6000 Frankfurt 1, ☎ (069) 74 07 67, Telex 416666, Fax 751056.

ADAC : Adressen im jeweiligen Ortstext
Notruf (Ortstarif, bundeseinheitlich) ☎ (01308) 1 92 11

AvD : Lyoner Str. 16, 6000 Frankfurt 71 – Niederrad, ☎ (069) 6 60 60, Telex 411237, Fax 6606210, Notruf (gebührenfrei) ☎ 0130-99 09.

ACE : Schmidener Str. 233, 7000 Stuttgart 50, ☎ (0711) 5 30 30, Telex 7254825, Fax 5303212, Notruf : ☎ 5 30 31 11.

DTC : Amalienburgstr. 23, 8000 München 60, ☎ (089) 8 11 10 48, Telex 524508, Fax 8116288.

Stadtpläne

Hôtels
Restaurants

Sehenswürdigkeiten

Sehenswertes Gebäude mit Haupteingang
Sehenswerter Sakralbau
Kathedrale, Kirche oder Kapelle

Straßen

Autobahn, Schnellstraße
Anschlußstelle : Autobahneinfahrt und/oder -ausfahrt,
Hauptverkehrsstraße
Einbahnstraße – nicht befahrbare Straße
Fußgängerzone – Straßenbahn
Karlstr. P P Einkaufsstraße – Parkplatz
Tor – Passage – Tunnel
Bahnhof und Bahnlinie
Standseilbahn – Seilschwebebahn
F Bewegliche Brücke – Autofähre

Sonstige Zeichen

Informationsstelle
Moschee – Synagoge
Turm – Ruine – Windmühle – Wasserturm
Garten, Park, Wäldchen – Friedhof – Bildstock
Stadion – Golfplatz – Pferderennbahn
Freibad – Hallenbad
Aussicht – Rundblick
Denkmal – Brunnen – Fabrik
Jachthafen – Leuchtturm
Flughafen – U-Bahnstation, unterirdischer S-Bahnhof
Schiffsverbindungen :
Autofähre – Personenfähre
③ Straßenkennzeichnung (identisch auf Michelin-Stadtplänen und -Abschnittskarten)
Hauptpostamt (postlagernde Sendungen), Telefon
Krankenhaus – Markthalle
Öffentliches Gebäude, durch einen Buchstaben gekennzeichnet :
L R Sitz der Landesregierung – Rathaus
J Gerichtsgebäude
M T Museum – Theater
U Universität, Hochschule
POL. Polizei (in größeren Städten Polizeipräsidium)
ADAC Automobilclub

Die Stadtpläne sind eingenordet (Norden = oben).

Ami lecteur

Le présent volume représente la 29e édition du Guide Michelin Deutschland.

Réalisée en toute indépendance, sa sélection d'hôtels et de restaurants est le fruit des recherches de ses inspecteurs, que complètent vos précieux courriers et commentaires.

La couleur, introduite cette année dans l'ensemble de l'ouvrage, est un nouveau pas vers la clarté et l'agrément de son information.

Soucieux d'actualité et de service, le Guide propose cette année une sélection d'établissements dans les trois provinces orientales d'Allemagne.

Seul le Guide de l'année mérite ainsi votre confiance. Pensez à le renouveler...

Bon voyage avec Michelin

Sommaire

Le choix
d'un hôtel, d'un restaurant

Ce guide vous propose une sélection d'hôtels et restaurants établie à l'usage de l'automobiliste de passage. Les établissements, classés selon leur confort, sont cités par ordre de préférence dans chaque catégorie.

CATÉGORIES

⌂⌂⌂⌂⌂	Grand luxe et tradition	XXXXX
⌂⌂⌂⌂	Grand confort	XXXX
⌂⌂⌂	Très confortable	XXX
⌂⌂	De bon confort	XX
⌂	Assez confortable	X
⌂	Simple mais convenable	
garni	L'hôtel n'a pas de restaurant	
	Le restaurant possède des chambres	mit Zim

AGRÉMENT ET TRANQUILLITÉ

Certains établissements se distinguent dans le guide par les symboles rouges indiqués ci-après. Le séjour dans ces hôtels se révèle particulièrement agréable ou reposant.
Cela peut tenir d'une part au caractère de l'édifice, au décor original, au site, à l'accueil et aux services qui sont proposés, d'autre part à la tranquillité des lieux.

⌂⌂⌂⌂⌂ à ⌂	Hôtels agréables
XXXXX à X	Restaurants agréables
« Park »	Élément particulièrement agréable
⌂	Hôtel très tranquille ou isolé et tranquille
⌂	Hôtel tranquille
< Rhein	Vue exceptionnelle
<	Vue intéressante ou étendue.

Les localités possédant des établissements agréables ou tranquilles sont repérées sur les cartes pages 36 à 44.

Consultez-les pour la préparation de vos voyages et donnez-nous vos appréciations à votre retour, vous faciliterez ainsi nos enquêtes.

L'installation

Les chambres des hôtels que nous recommandons possèdent, en général, des installations sanitaires complètes. Il est toutefois possible que dans les catégories , et , certaines chambres en soient dépourvues.

30 Z	Nombre de chambres
50 B	Nombre de lits
	Ascenseur
	Air conditionné
	Télévision dans la chambre
	Établissement en partie réservé aux non-fumeurs
	Téléphone dans la chambre, direct avec l'extérieur
	Chambres accessibles aux handicapés physiques
	Equipements d'accueil pour les enfants
	Repas servis au jardin ou en terrasse
	Piscine : de plein air ou couverte
	Salle de remise en forme - Cure Kneipp - Sauna
	Plage aménagée - Jardin de repos
	Tennis à l'hôtel
18	Golf et nombre de trous - Chevaux de selle
25/150	Salles de conférences : capacité des salles
	Garage dans l'hôtel (généralement payant)
	Parking réservé à la clientèle
	Accès interdit aux chiens (dans tout ou partie de l'établissement)
Fax	Transmission de documents par télécopie
Mai-Okt.	Période d'ouverture, communiquée par l'hôtelier
nur Saison	Ouverture probable en saison mais dates non précisées. En l'absence de mention, l'établissement est ouvert toute l'année.

La table

LES ÉTOILES

Certains établissements méritent d'être signalés à votre attention pour la qualité de leur cuisine. Nous les distinguons par **les étoiles de bonne table**.

Nous indiquons, pour ces établissements, trois spécialités culinaires qui pourront orienter votre choix.

✿✿✿ **Une des meilleures tables, vaut le voyage**

Table merveilleuse, grands vins, service impeccable, cadre élégant... Prix en conséquence.

✿✿ **Table excellente, mérite un détour**

Spécialités et vins de choix... Attendez-vous à une dépense en rapport.

✿ **Une très bonne table dans sa catégorie**

L'étoile marque une bonne étape sur votre itinéraire.

Mais ne comparez pas l'étoile d'un établissement de luxe à prix élevés avec celle d'une petite maison où à prix raisonnables, on sert également une cuisine de qualité.

REPAS SOIGNÉS A PRIX MODÉRÉS

Vous souhaitez parfois trouver des tables plus simples, à prix modérés ; c'est pourquoi nous avons sélectionné des restaurants proposant, pour un rapport qualité-prix particulièrement favorable, un repas soigné, souvent de type régional. Ces restaurants sont signalés par Menu en rouge. Ex. Menu 29/41.

Consultez les cartes des localités (étoiles de bonne table et repas soignés à prix modérés) pages 36 à 44.

La bière et les vins : voir p. 45, 47, 50 et 51

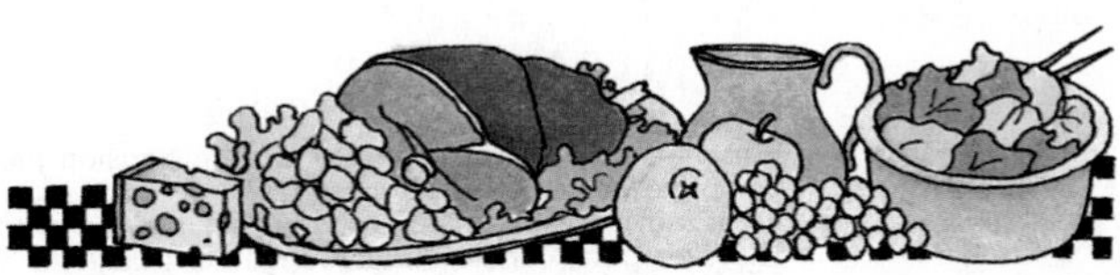

Les prix

Les prix que nous indiquons dans ce guide ont été établis en été 1991. Ils sont susceptibles de modifications, notamment en cas de variations des prix des biens et services. Ils s'entendent taxes et services compris. Aucune majoration ne doit figurer sur votre note, sauf éventuellement la taxe de séjour.
A l'occasion de certaines manifestations commerciales ou touristiques (voir les dernières pages), les prix demandés par les hôteliers risquent d'être sensiblement majorés dans certaines villes jusqu'à leurs lointains environs.
Les hôtels et restaurants figurent en gros caractères lorsque les hôteliers nous ont donné tous leurs prix et se sont engagés, **sous leur propre responsabilité,** à les appliquer aux touristes de passage porteurs de notre guide.
Entrez à l'hôtel le Guide à la main, vous montrerez ainsi qu'il vous conduit là en confiance.

REPAS

←	Établissement proposant un repas simple à **moins de** 25 DM
M 25/65	**Menus à prix fixe :** minimum 25 maximum 65
M à la carte 44/82	**Repas à la carte –** Le premier prix correspond à un repas normal comprenant : potage, plat garni et dessert. Le 2e prix concerne un repas plus complet (avec spécialité) comprenant : entrée, plat garni, fromage ou dessert.
🍷	vin de table en carafe à prix modéré
Fb	Frühstücksbuffet : petit déjeuner-buffet, compris dans le prix de la chambre.

CHAMBRES

14 Z : 27 B	Nombre de chambres et de lits
25/64 - 45/95	Prix d'une chambre pour une personne : minimum/maximum – prix d'une chambre pour deux personnes : minimum/maximum, par nuit, petit déjeuner compris
5 Fewo 70/120	Appartements avec cuisine, destinés aux séjours. Prix minimum et maximum par jour.

DEMI-PENSION

1/2 P 58/90	Prix minimum et maximum de la demi-pension par personne et par jour, en saison. Il est indispensable de s'entendre par avance avec l'hôtelier pour conclure un arrangement définitif.

LES ARRHES – CARTES DE CRÉDIT

Certains hôteliers demandent le versement d'arrhes. Il s'agit d'un dépôt-garantie qui engage l'hôtelier comme le client. Bien faire préciser les dispositions de cette garantie.

AE ⓓ E VISA	Cartes de crédit acceptées par l'établissement

Les villes

Classées par ordre alphabétique (mais ä = ae, ö = oe, ü = ue, ß = ss)

7500	Numéro de code postal
✉ 2891 Waddens	Numéro de code postal et nom du bureau distributeur du courrier
0211	Indicatif téléphonique interurbain
0591 (Lingen)	Indicatif téléphonique interurbain suivi, si nécessaire, de la localité de rattachement
L	Capitale de « Land »
413 R 20 987 ③	Numéro de la Carte Michelin et carroyage ou numéro du pli
24 000 Ew	Population
Höhe 175 m	Altitude de la localité
Heilbad	Station thermale
Kneippkurort	Station de cures Kneipp
Heilklimatischer	Station climatique
Kurort-Luftkurort	Station climatique
Seebad	Station balnéaire
Erholungsort	Station de villégiature
Wintersport	Sports d'hiver
800/1 000 m	Altitude de la station et altitude maximum atteinte par les rémontées mécaniques
2	Nombre de téléphériques ou télécabines
4	Nombre de remonte-pentes et télésièges
4	Ski de fond et nombre de pistes
AX A	Lettres repérant un emplacement sur le plan
☼ ←	Panorama, vue
18	Golf et nombre de trous
	Aéroport
7720	Localité desservie par train-auto. Renseignements au numéro de téléphone indiqué
	Transports maritimes : passagers et voitures, passagers seulement
i	Information touristique
ADAC	Automobile Club d'Allemagne

Les curiosités

INTÉRÊT

★★★	Vaut le voyage
★★	Mérite un détour
★	Intéressant

SITUATION

Sehenswert	Dans la ville
Ausflugsziel	Aux environs de la ville
N, S, O, W	La curiosité est située : au Nord, Sud, Est, ou Ouest
über ①, ④	On s'y rend par la sortie ① ou ④ repérée par le même signe sur le plan du Guide et sur la carte
6 km	Distance en kilomètres

Les plans

□	●	**Hôtels**
■	●	Restaurants

Curiosités

Bâtiment intéressant et entrée principale

Édifice religieux intéressant :
 Cathédrale, église ou chapelle

Voirie

Autoroute, route à chaussées séparées
 échangeur : complet, partiel

Grande voie de circulation

Sens unique – Rue impraticable

Rue piétonne – Tramway

Karlstr. **P** **P** Rue commerçante – Parc de stationnement

Porte – Passage sous voûte – Tunnel

Gare et voie ferrée

Funiculaire – Téléphérique, télécabine

Pont mobile – Bac pour autos

Signes divers

Information touristique

Mosquée – Synagogue

Tour – Ruines – Moulin à vent – Château d'eau

Jardin, parc, bois – Cimetière – Calvaire

Stade – Golf – Hippodrome

Piscine de plein air, couverte

Vue – Panorama

Monument – Fontaine – Usine

Port de plaisance – Phare

Aéroport – Station de métro, gare souterraine

Transport par bateau :
 passagers et voitures, passagers seulement

③ Repère commun aux plans et aux cartes Michelin
 détaillées

Bureau principal de poste restante – Téléphone

Hôpital – Marché couvert

Bâtiment public repéré par une lettre :

L R Conseil provincial – Hôtel de ville – Préfecture

J Palais de justice

M T Musée – Théâtre

U Université, grande école

POL. Police (commissariat central)

ADAC Automobile Club

Les plans de villes sont disposés le Nord en haut.

Dear Reader

The present volume is the 29th edition of the Michelin Guide Deutschland.
The unbiased and independent selection of hotels and restaurants is the result of local visits and enquiries by our inspectors. In addition we receive considerable help from our readers' invaluable letters and comments.
Full colour has been introduced this year throughout the guide in order to make the presentation of the information much clearer and more attractive.
In accordance with our aim to provide the most up-to-date information and to be of greatest service to our readers, this year we have included a selection of establishements in the new "lander" of eastern Germany.
As only the Guide of the year merits your complete confidence please remember to use the latest edition.

Bon voyage

Contents

Choosing
a hotel or restaurant

This guide offers a selection of hotels and restaurants to help the motorist on his travels. In each category establishments are listed in order of preference according to the degree of comfort they offer.

CATEGORIES

🏨🏨🏨🏨🏨	Luxury in the traditional style	✗✗✗✗✗
🏨🏨🏨🏨	Top class comfort	✗✗✗✗
🏨🏨🏨	Very comfortable	✗✗✗
🏨🏨	Comfortable	✗✗
🏨	Quite comfortable	✗
⌂	Simple comfort	
garni	The hotel has no restaurant	
	The restaurant also offers accommodation	mit Zim

PEACEFUL ATMOSPHERE AND SETTING

Certain establishments are distinguished in the guide by the red symbols shown below.
Your stay in such hotels will be particularly pleasant or restful, owing to the character of the building, its decor, the setting, the welcome and services offered, or simply the peace and quiet to be enjoyed there.

bis	Pleasant hotels
bis	Pleasant restaurants
« Park »	Particularly attractive feature
🐦	Very quiet or quiet, secluded hotel
🐦	Quiet hotel
Rhein	Exceptional view
⋞	Interesting or extensive view

The maps on pages 36 to 44 indicate places with such peaceful, pleasant hotels and restaurants.
By consulting them before setting out and sending us your comments on your return you can help us with our enquiries.

Hotel facilities

In general the hotels we recommend have full bathroom and toilet facilities in each room. However, this may not be the case for certain rooms in categories , and .

30 Z	Number of rooms
50 B	Number of beds
	Lift (elevator)
	Air conditioning
TV	Television in room
	Hotel partly reserved for non-smokers
	Direct-dial phone in room
	Rooms accessible to disabled people
	Special facilities for children
	Meals served in garden or on terrace
	Outdoor or indoor swimming pool
	Exercise room – Kneipp cure service – Sauna
	Beach with bathing facilities – Garden
	Hotel tennis court
18	Golf course and number of holes – Horse riding
25/150	Equipped conference hall (minimum and maximum capacity)
	Hotel garage (additional charge in most cases)
P	Car park for customers only
	Dogs are not allowed in all or part of the hotel
Fax	Telephone document transmission
Mai-Okt.	Dates when open, as indicated by the hotelier
nur Saison	Probably open for the season – precise dates not available. Where no date or season is shown, establishments are open all year round.

Cuisine

STARS

Certain establishments deserve to be brought to your attention for the particularly fine quality of their cooking. **Michelin stars** are awarded for the standard of meals served. For each of these restaurants we indicate three culinary specialities to assist you in your choice.

✿✿✿ **Exceptional cuisine, worth a special journey**
Superb food, fine wines, faultless service, elegant surroundings. One will pay accordingly!

✿✿ **Excellent cooking, worth a detour**
Specialities and wines of first class quality. This will be reflected in the price.

✿ **A very good restaurant in its category**
The star indicates a good place to stop on your journey.
But beware of comparing the star given to an expensive « de luxe » establishment to that of a simple restaurant where you can appreciate fine cuisine at a reasonable price.

GOOD FOOD AT MODERATE PRICES

You may also like to know of other restaurants with less elaborate, moderately priced menus that offer good value for money and serve carefully prepared meals, often of regional cooking.
In the guide such establishments are shown with the word Menu in red just before the price of the menu, for example Menu 29/41.

Please refer to the map of star-rated restaurants and good food at moderate prices (pp 36 to 44).

Beer and wine : see pages 46, 47, 52 and 53

Prices

Prices quoted are valid for summer 1991. Changes may arise if goods and service costs are revised. The rates include tax and service and no extra charge should appear on your bill, with the possible exception of visitors' tax.

In the case of certain trade exhibitions or tourist events (see end of guide), prices demanded by hoteliers are liable to reasonable increases in certain cities and for some distance in the area around them.

Hotels and restaurants in bold type have supplied details of all their rates and **have assumed responsability** for maintaining them for all travellers in possession of this guide.

Your recommendation is self-evident if you always walk into a hotel, Guide in hand.

MEALS

✦	Establishment serving a simple meal **for less than** 25 DM
M 25/65	**Set meals –** Lowest 25 and highest 65 prices for set meals
M à la carte 44/82	**« A la carte » meals –** The first figure is for a plain meal and includes soup, main dish of the day with vegetables and dessert. The second figure is for a fuller meal (with « spécialité ») and includes hors d'œuvre or soup, main dish with vegetables, cheese or dessert.
🍷	Table wine at a moderate price
Fb	Frühstücksbuffet : breakfast with choice from buffet, included in the price of the room.

ROOMS

14 Z : 27 B	Number of rooms and beds
25/64 - 45/95	Lowest and highest prices for single rooms – Lowest and highest prices for double rooms for one night, breakfast included
5 Fewo 70/120	The hotel also has apartments with kitchen for stays of some length. Prices given are the minimum and maximum daily rates.

HALF BOARD

1/2 P 58/90	Lowest and highest prices per person, per day in the season. It is advisable to agree on terms with the hotelier before arriving.

DEPOSITS – CREDIT CARDS

Some hotels will require a deposit, which confirms the commitment of customer and hotelier alike. Make sure the terms of the agreement are clear.

AE ⓓ E VISA	Credit cards accepted by the establishment

Towns

in alphabetical order (but ä = ae, ö = oe, ü = ue, ß = ss)

7500	Postal number
✉ 2891 Waddens	Postal number and Post Office serving the town
☎ 0211	Telephone dialling code. Omit O when dialling from abroad
☎ 0591 (Lingen)	For a town not having its own telephone exchange, the town where the exchange serving it is located is given in brackets after the dialling code
L	Capital of « Land »
413 R 20 987 ③	Michelin map number, co-ordinates or fold
24 000 Ew	Population
Höhe 175 m	Altitude (in metres)
Heilbad	Spa
Kneippkurort	Health resort (Kneipp)
Heilklimatischer	Health resort
Kurort-Luftkurort	Health resort
Seebad	Seaside resort
Erholungsort	Holiday resort
Wintersport	Winter sports
800/1 000 m	Altitude (in metres) of resort and highest point reached by lifts
2	Number of cable-cars
4	Number of ski and chairlifts
4	Cross-country skiing and number of runs
AX A	Letters giving the location of a place on the town plan
✱ ⩽	Panoramic view, view
18	Golf course and number of holes
✈	Airport
☎ 7720	Place with a motorail connection, further information from telephone number listed
	Shipping line : passengers and cars, passengers only
i	Tourist Information Centre
ADAC	German Automobile Club

Sights

STAR-RATING

★★★	Worth a journey
★★	Worth a detour
★	Interesting

LOCATION

Sehenswert	Sights in town
Ausflugsziel	On the outskirts
N, S, O, W	The sight lies north, south, east or west of the town
über ①, ④	Sign on town plan and on the Michelin road map indicating the road leading to a place of interest
6 km	Distance in kilometres

Town plans

	Hotels
	Restaurants
	Sights
	Place of interest and its main entrance
	Interesting place of worship: Cathedral, church or chapel
	Roads
	Motorway, dual carriageway Interchange : complete, limited
	Major through route
	One-way street – Unsuitable for traffic
	Pedestrian street – Tramway
Karlstr.	Shopping street – Car park
	Gateway – Street passing under arch – Tunnel
	Station and railway
	Funicular – Cable-car
	Lever bridge – Car ferry
	Various signs
	Tourist Information Centre
	Mosque – Synagogue
	Tower – Ruins – Windmill – Water tower
	Garden, park, wood – Cemetery – Cross
	Stadium – Golf course – Racecourse
	Outdoor or indoor swimming pool
	View – Panorama
	Monument – Fountain – Factory
	Pleasure boat harbour – Lighthouse
	Airport – Underground station, S-Bahn station underground
	Ferry services : passengers and cars, passengers only
(3)	Reference number common to town plans and Michelin maps
	Main post office with poste restante and telephone
	Hospital – Covered market
	Public buildings located by letter :
L R	Provincial Government Office – Town Hall
J	Law Courts
M T	Museum – Theatre
U	University, College
POL.	Police (in large towns police headquarters)
ADAC	Automobile Club

North is at the top on all town plans.

Amico Lettore

Questo volume rappresenta la 29esima edizione della Guida Michelin Deutschland.
La sua selezione di alberghi e ristoranti, realizzata in assoluta indipendenza, è il risultato delle indagini dei suoi ispettori, che completano le vostre preziose informazioni e giudizi.
I colori, introdotti quest'anno nella Guida, costituiscono un nuovo passo avanti verso la chiarezza e una gradevole presentazione delle informazioni.
Desiderosa di mantenersi sempre aggiornata per fornire un buon servizio, la Guida propone quest'anno una selezione di esercizi della Germania nelle tre provincie orientali.
Soltanto la Guida dell'anno merita perciò la vostra fiducia. Pensate a rinnovarla...

Buon viaggio con Michelin

Sommario

La scelta
di un albergo, di un ristorante

Questa guida Vi propone una selezione di alberghi e ristoranti stabilita ad uso dell'automobilista di passaggio. Gli esercizi, classificati in base al confort che offrono, vengono citati in ordine di preferenza per ogni categoria.

CATEGORIE

	Gran lusso e tradizione	XXXXX
	Gran confort	XXXX
	Molto confortevole	XXX
	Di buon confort	XX
	Abbastanza confortevole	X
	Semplice, ma conveniente	
garni	L'albergo non ha ristorante	
	Il ristorante dispone di camere	mit Zim

AMENITÀ E TRANQUILLITÀ

Alcuni esercizi sono evidenziati nella guida dai simboli rossi indicati qui di seguito. Il soggiorno in questi alberghi dovrebbe rivelarsi particolarmente ameno o riposante.
Ciò può dipendere sia dalle caratteristiche dell'edificio, dalle decorazioni non comuni, dalla sua posizione e dal servizio offerto, sia dalla tranquillità dei luoghi.

a	Alberghi ameni
XXXXX a X	Ristoranti ameni
« Park »	Un particolare piacevole
	Albergo molto tranquillo o isolato e tranquillo
	Albergo tranquillo
← Rhein	Vista eccezionale
←	Vista interessante o estesa

Le località che possiedono degli esercizi ameni o tranquilli sono riportate sulle carte da pagina 36 a 44.

Consultatele per la preparazione dei Vostri viaggi e, al ritorno, inviateci i Vostri pareri ; in tal modo agevolerete le nostre inchieste.

Installazioni

Le camere degli alberghi che raccomandiamo possiedono, generalmente, delle installazioni sanitarie complete. È possibile tuttavia che nelle categorie , e alcune camere ne siano sprovviste.

30 Z	Numero di camere
50 B	Numero di letti
	Ascensore
	Aria condizionata
	Televisione in camera
	Esercizio riservato in parte ai non fumatori
	Telefono in camera comunicante direttamente con l'esterno
	Camere di agevole accesso per i minorati fisici
	Attrezzatura per accoglienza e ricreazione dei bambini
	Pasti serviti in giardino o in terrazza
	Piscina : all'aperto, coperta
	Palestra - Cura Kneipp - Sauna
	Spiaggia attrezzata - Giardino da riposo
	Tennis appartenente all'albergo
18	Golf e numero di buche - Cavalli da sella
25/150	Sale per conferenze : capienza minima e massima delle sale
	Garage nell'albergo (generalmente a pagamento)
	Parcheggio riservato alla clientela
	Accesso vietato ai cani (in tutto o in parte dell'esercizio)
Fax	Trasmissione telefonica di documenti
Mai-Okt.	Periodo di apertura, comunicato dall'albergatore
nur Saison	Probabile apertura in stagione, ma periodo non precisato. Gli esercizi senza tali menzioni sono aperti tutto l'anno.

La tavola

LE STELLE

Alcuni esercizi meritano di essere segnalati alla Vostra attenzione per la qualità tutta particolare della loro cucina. Noi li evidenziamo con le « **stelle di ottima tavola** ».

Per questi ristoranti indichiamo tre specialità culinarie che potranno aiutarVi nella scelta.

✿✿✿ **Una delle migliori tavole, vale il viaggio**

Tavola meravigliosa, grandi vini, servizio impeccabile, ambientazione accurata... Prezzi conformi.

✿✿ **Tavola eccellente, merita una deviazione**

Specialità e vini scelti... AspettateVi una spesa in proporzione.

✿ **Un'ottima tavola nella sua categoria**

La stella indica una tappa gastronomica sul Vostro itinerario. Non mettete però a confronto la stella di un esercizio di lusso, dai prezzi elevati, con quella di un piccolo esercizio dove, a prezzi ragionevoli, viene offerta una cucina di qualità.

PASTI ACCURATI A PREZZI CONTENUTI

Talvolta desiderate trovare delle tavole più semplici a prezzi contenuti. Per questo motivo abbiamo selezionato dei ristoranti che, per un rapporto qualità-prezzo particolarmente favorevole, offrono un pasto accurato spesso a carattere tipicamente regionale. Questi ristoranti sono evidenziati nel testo con Menu in rosso. Es Menu 29/41.

Consultate le carte delle località con stelle e con il simbolo di pasto accurato a prezzo contenuto (pagine 36 a 44).

La birra e i vini : vedere p. 46, 47, 54 e 55

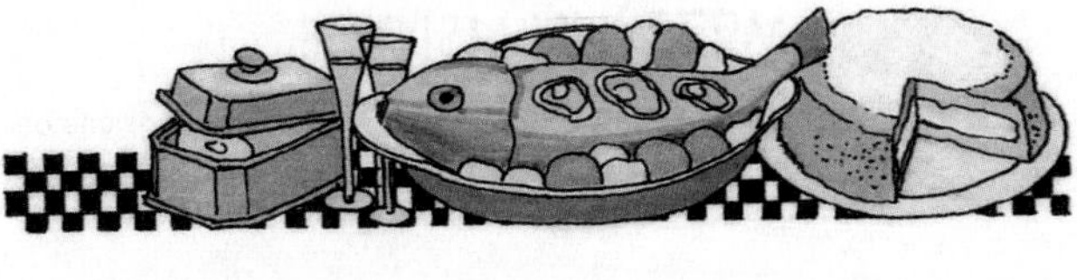

I prezzi

I prezzi che indichiamo in questa guida sono stati stabiliti nell'estate 1991. Potranno pertanto subire delle variazioni in relazione ai cambiamenti dei prezzi di beni e servizi. Essi s'intendono comprensivi di tasse e servizio. Nessuna maggiorazione deve figurare sul Vostro conto, salvo eventualmente la tassa di soggiorno. In occasione di alcune manifestazioni commerciali o turistiche (vedere le ultime pagine), i prezzi richiesti dagli albergatori possono subire un sensibile aumento nelle località interessate e nei loro dintorni.
Gli alberghi e ristoranti vengono menzionati in carattere grassetto quando gli albergatori ci hanno comunicato tutti i loro prezzi e si sono impegnati, **sotto la propria responsabilità,** ad applicarli ai turisti di passaggio, in possesso della nostra guida.
Entrate nell'albergo con la Guida alla mano, dimostrando in tal modo la fiducia in chi vi ha indirizzato.

PASTI

⬅	Esercizio che offre un pasto semplice **per meno di** 25 DM
M 25/65	**Menu a prezzo fisso :** minimo 25 massimo 65.
M à la carte 44/82	**Pasto alla carta –** Il primo prezzo corrisponde ad un pasto semplice comprendente : minestra, piatto con contorno e dessert. Il secondo prezzo corrisponde ad un pasto più completo (con specialità) comprendente : antipasto, piatto con contorno, formaggio o dessert.
🍶	Vino da tavola a prezzo modico
Fb	Frühstücksbuffet : prima colazione con ampia scelta servita al buffet, inclusa nel prezzo della camera.

CAMERE

14 Z : 27 B	Numero di camere e di letti
25/64 - 45/95	Prezzo minimo e prezzo massimo, per una camera singola – Prezzo minimo e prezzo massimo, per una notte, per una camera occupata da due persone, compresa la prima colazione
5 Fewo 70/120	L'albergo dispone anche di appartamenti con cucina, destinati a soggiorni. Prezzo minimo e massimo giornaliero.

MEZZA PENSIONE

1/2 P 58/90	Prezzo minimo e massimo della mezza pensione per persona e per giorno, in alta stagione : è indispensabile contattare precedentemente l'albergatore per raggiungere un accordo definitivo.

LA CAPARRA - CARTE DI CREDITO

Alcuni albergatori chiedono il versamento di una caparra. Si tratta di un deposito-garanzia che impegna tanto l'albergatore che il cliente. Vi raccomandiamo di farVi precisare le norme riguardanti la reciproca garanzia di tale caparra.

AE ⓓ E VISA | Carte di credito accettate dall'esercizio

Le città

Elencate in ordine alfabetico (ma ä = ae, ö = oe, ü = ue, ß = ss)

7500	Codice di avviamento postale
✉ 2891 Waddens	Numero di codice e sede dell'Ufficio postale
☎ 0211	Prefisso telefonico interurbano. Dall'estero non formare lo O
☎ 0591 (Lingen)	Quando il centralino telefonico si trova in un'altra località, ne indichiamo il nome tra parentesi, dopo il prefisso
L	Capoluogo di « Land »
413 R 20 987 ③	Numero della carta Michelin e del riquadro o numero della piega
24 000 Ew	Popolazione
Höhe 175 m	Altitudine
Heilbad	Stazione termale
Kneippkurort	Stazione di cure Kneipp
Heilklimatischer	Stazione climatica
Kurort-Luftkurort	Stazione climatica
Seebad	Stazione balneare
Erholungsort	Stazione di villeggiatura
Wintersport	Sport invernali
800/1 000 m	Altitudine della località ed altitudine massima raggiungibile con le risalite meccaniche
2	Numero di funivie o cabinovie
4	Numero di sciovie e seggiovie
4	Sci di fondo e numero di piste
AX B	Lettere indicanti l'ubicazione sulla pianta
☼ ≤	Panorama, vista
18	Golf e numero di buche
✈	Aeroporto
7720	Localitá con servizio auto su treno. Informarsi al numero di telefono indicato
	Trasporti marittimi : passeggeri ed autovetture, solo passeggeri
i	Ufficio informazioni turistiche
ADAC	Automobile Club Tedesco

Le curiosità

GRADO DI INTERESSE

★★★	Vale il viaggio
★★	Merita una deviazione
★	Interessante

UBICAZIONE

Sehenswert	Nella città
Ausflugsziel	Nei dintorni della città
N, S, O, W	La curiosità è situata : a Nord, a Sud, a Est, a Ovest
über ①, ④	Ci si va dall'uscita ① o ④ indicata con lo stesso segno sulla pianta
6 km	Distanza chilometrica

Le piante

Alberghi

Ristoranti

Curiosità

Edificio interessante ed entrata principale

Costruzione religiosa interessante :
Cattedrale, chiesa o cappella

Viabilità

Autostrada, strada a carreggiate separate
svincolo : completo, parziale,

Grande via di circolazione

Senso unico – Via impraticabile

Via pedonale – Tranvia

Karlstr. Via commerciale – Parcheggio

Porta – Sottopassaggio – Galleria

Stazione e ferrovia

Funicolare – Funivia, Cabinovia

Ponte mobile – Battello per auto

Simboli vari

Ufficio informazioni turistiche

Moschea – Sinagoga

Torre – Ruderi – Mulino a vento – Torre idrica

Giardino, parco, bosco – Cimitero – Calvario

Stadio – Golf – Ippodromo

Piscina : all'aperto, coperta

Vista – Panorama

Monumento – Fontana – Fabbrica

Porto per imbarcazioni da diporto – Faro

Aeroporto – Stazione della Metropolitana, stazione sotterranea

Trasporto con traghetto :
passeggeri ed autovetture, solo passeggeri

③ Simbolo di riferimento comune alle piante ed alle carte Michelin particolareggiate

ufficio centrale di fermo posta e telefono

Ospedale – Mercato coperto

Edificio pubblico indicato con lettera :

L R Sede del Governo della Provincia – Municipio

J Palazzo di Giustizia

M T Museo – Teatro

U Università, grande scuola

POL. Polizia (Questura, nelle grandi città)

ADAC Automobile Club

Le piante topografiche sono orientate col Nord in alto.

DIE STERNE

LES ÉTOILES

THE STARS

LE STELLE

✿

✿ ✿

✿ ✿ ✿

ANNEHMLICHKEIT

L'AGRÉMENT

PEACEFUL ATMOSPHERE AND SETTING

AMENITÀ E TRANQUILLITÀ

Ortstext le texte text il testo	Karte la carte map la carta
(rocking horse)	◇
(houses) .... (house)	◈
(houses) ... (house) + (rocking horse)	◆

SORGFÄLTIG ZUBEREITETE preiswerte MAHLZEITEN

REPAS SOIGNÉS
à prix modérés

GOOD FOOD
at moderate prices

PASTI ACCURATI
a prezzi contenuti

Menu 29/41	▬

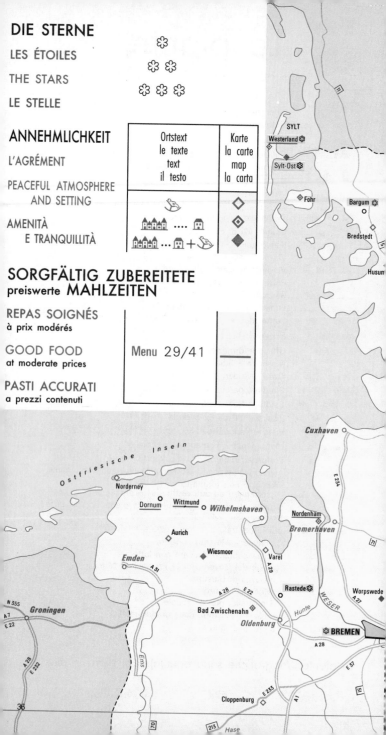

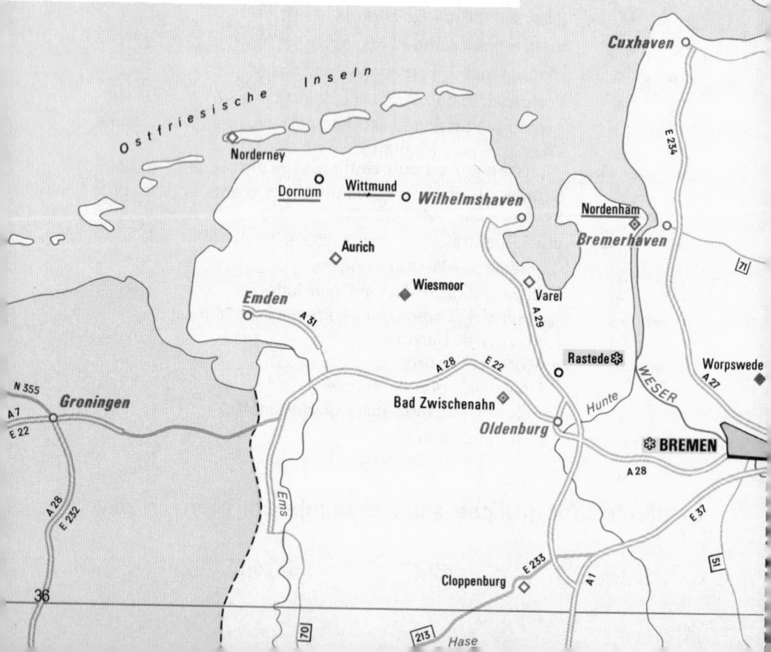

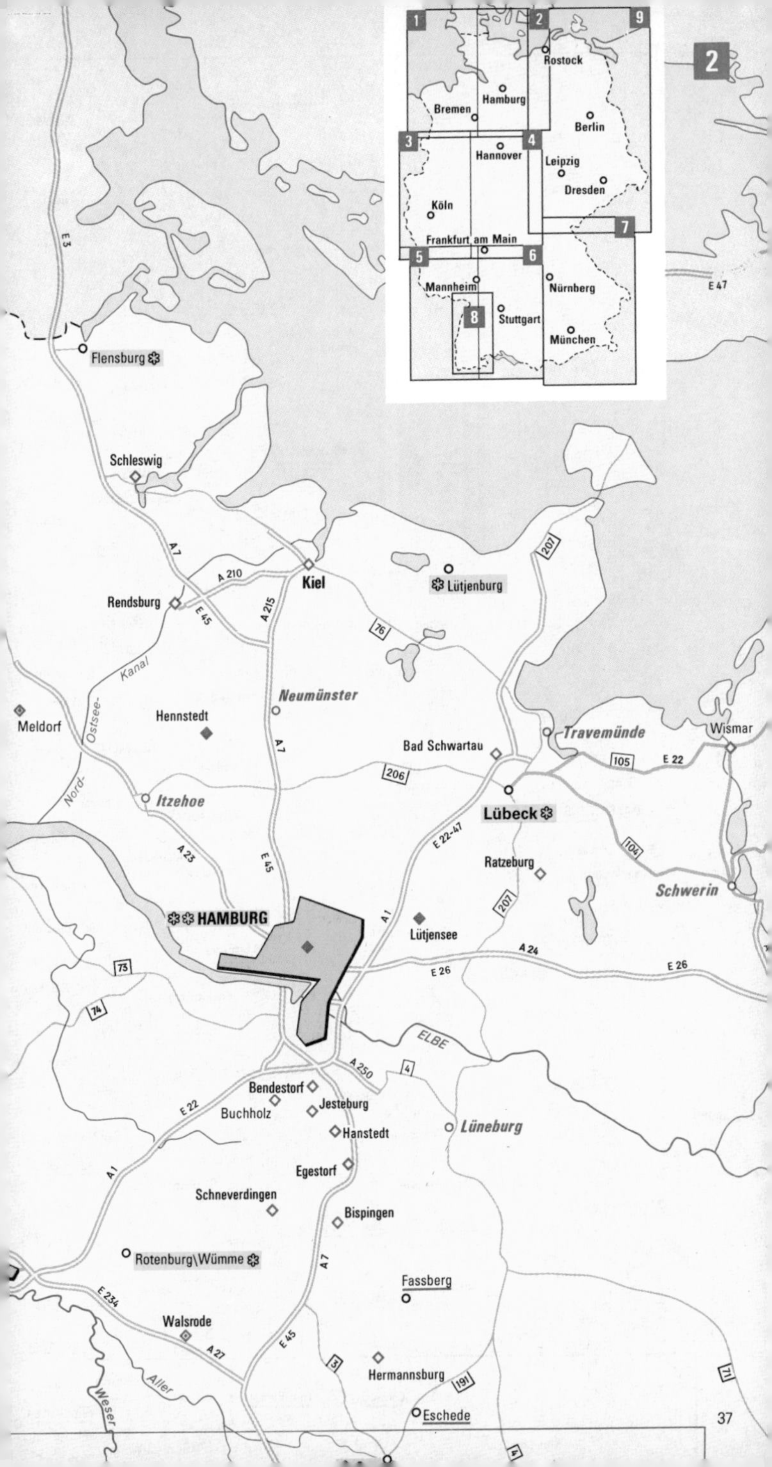

2
1
2
9
Rostock
Hamburg
Bremen
Berlin
3
4
Hannover
Leipzig
Dresden
Köln
7
Frankfurt am Main
5
6
Mannheim
Nürnberg
8
Stuttgart
München
E 3
E 47
Flensburg
Schleswig
A 7
A 210
Kiel
Lütjenburg
Rendsburg
E 45
A 215
207
76
Kanal
Ostsee-
Nord-
Meldorf
Hennstedt
Neumünster
A 7
Bad Schwartau
Travemünde
Wismar
105
E 22
206
Itzehoe
Lübeck
E 22-47
104
A 23
E 45
Ratzeburg
Schwerin
HAMBURG
A 1
Lütjensee
207
A 24
E 26
E 26
73
74
ELBE
A 250
4
Bendestorf
Jesteburg
Buchholz
E 22
Hanstedt
Lüneburg
Egestorf
A 1
Schneverdingen
Bispingen
Rotenburg\Wümme
A 7
Fassberg
E 234
Walsrode
A 27
E 45
3
Hermannsburg
191
71
Aller
Weser
Eschede
4

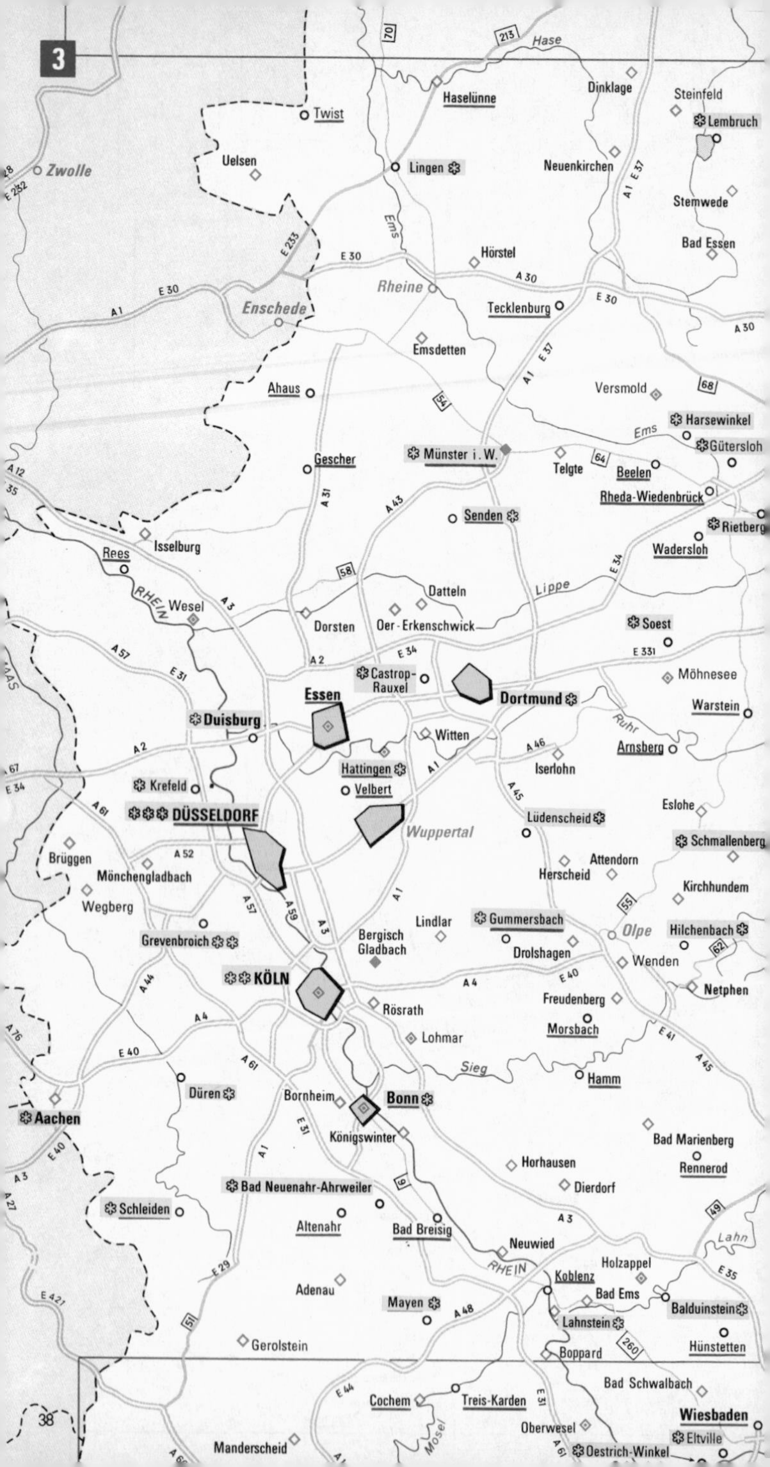
3
70
213
Hase
Haselünne
Dinklage
Steinfeld
Lembruch
Twist
Uelsen
Zwolle
E 232
Lingen
Neuenkirchen
A1 E 37
Stemwede
Bad Essen
E 233
Ems
E 30
Hörstel
A 30
Rheine
E 30
A1
Enschede
Tecklenburg
A 30
Emsdetten
A1 E 37
Versmold
68
Ahaus
54
Harsewinkel
Ems
Münster i. W.
Gütersloh
Gescher
64
Telgte
Beelen
A 12
Rheda-Wiedenbrück
A 31
A 43
Senden
Rietberg
Isselburg
Wadersloh
Rees
E 34
58
Datteln
Lippe
RHEIN
Wesel
A 3
Dorsten
Oer-Erkenschwick
Soest
A 57
E 34
E 331
A 2
Castrop-Rauxel
Möhnesee
E 31
Essen
Dortmund
Warstein
Duisburg
Ruhr
Witten
A 2
A 46
Arnsberg
Hattingen
Iserlohn
Krefeld
Velbert
A1
E 34
A 61
A 45
Eslohe
DÜSSELDORF
Lüdenscheid
Wuppertal
Schmallenberg
Brüggen
A 52
Attendorn
Mönchengladbach
Herscheid
Kirchhundem
Wegberg
A 57
A 59
A1
55
A 3
Lindlar
Gummersbach
Bergisch Gladbach
Olpe
Hilchenbach
Grevenbroich
Drolshagen
62
Wenden
A 44
KÖLN
A 4
E 40
Netphen
Freudenberg
Rösrath
A 4
Morsbach
Lohmar
A 76
E 40
A 61
E 41
A 45
Sieg
Hamm
Düren
Bornheim
Bonn
Aachen
E 31
Königswinter
Bad Marienberg
E 40
A1
Horhausen
Rennerod
A 3
Dierdorf
9
Bad Neuenahr-Ahrweiler
A 27
Schleiden
A 3
49
Altenahr
Bad Breisig
Lahn
Neuwied
RHEIN
Holzappel
E 29
E 35
Koblenz
Adenau
Bad Ems
E 421
Mayen
A 48
Balduinstein
Lahnstein
51
260
Gerolstein
Boppard
Hünstetten
Bad Schwalbach
E 44
Cochem
Treis-Karden
E 31
Wiesbaden
Oberwesel
Mosel
Eltville
A 61
Manderscheid
Oestrich-Winkel

4
Celle
Aller
Gifhorn
E 45
A 352
214
E 30
A 2
E 30
Bad Nenndorf
HANNOVER
Braunschweig
Stadthagen
Minden
Bückeburg
Porta Westfalica
A 2
217
Hessisch Oldendorf
1
Hildesheim
Salzgitter
Vlotho
WESER
Hameln
E 34
Lutter
Leine
Lage
Lügde
1
Schieder-Schwalenberg
Bevern
Holzminden
Wernigerode
E 45
Altenau
Horn-Bad Meinberg
A 33
Braunlage
Hövelhof
Bad Lauterberg
27
Paderborn
Northeim
68
27
Nordhausen
Göttingen
247
80
Hofgeismar
E 331
Weser
Marsberg
Hann-Münden
A 7
Brilon
Bestwig
Kassel
A 44
Mühlhausen
Eschwege
Willingen
Waldeck
Melsungen
Eder
Winterberg
Spangenberg
Bad Wildungen
Gotha
Fulda
Herleshausen
Eisenach
E 40
252
A 4
Knüllwald
Bad Laasphe
E 40
Hohenroda
Schmalkalden
Oberhof
Werra
Marburg
62
Alsfeld
A 7
3
A 48
Suhl
Andenhausen
Grossenlüder
Hofbieber
Biebertal
E 40
Grünberg
Fulda
Poppenhausen
Giessen
Wetzlar
Neuhof
Schönau a. d. B.
A 45
40
E 45
A 5
E 451
E 41
Bad Kissingen
Schmitten
Bad Homburg
Bruchköbel
A 86
Kronberg
Maintal
Hammelburg
Hanau
Schweinfurt
Main
Kelkheim
Alzenau
FRANKFURT
E 48
Lohr am Main
A 3
E 42

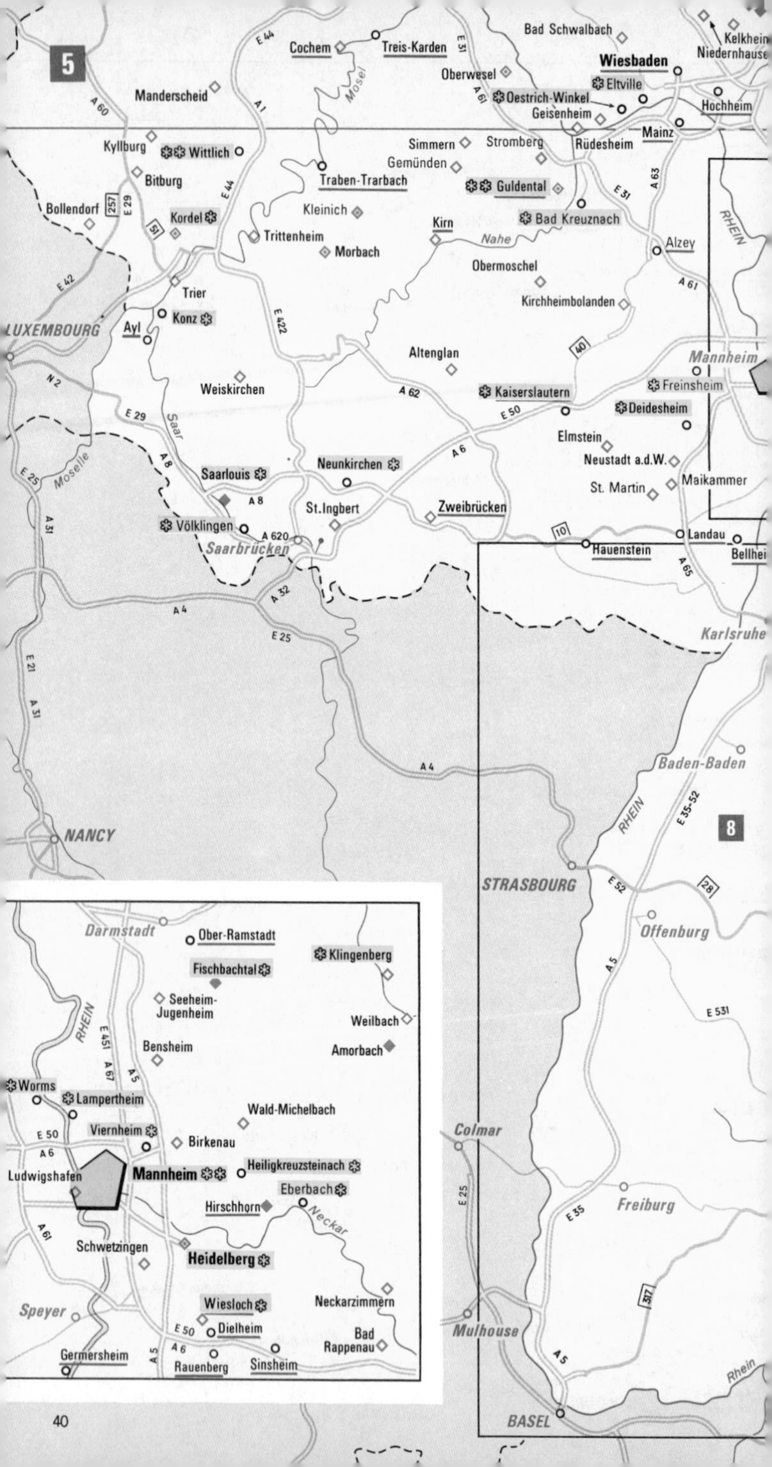
5
Manderscheid
Cochem
Treis-Karden
Mosel
Bad Schwalbach
Wiesbaden
Kelkheim
Niedernhausen
Oberwesel
Eltville
Oestrich-Winkel
Geisenheim
Hochheim
Rüdesheim
Mainz
Kyllburg
Wittlich
Bitburg
Simmern
Stromberg
Gemünden
Traben-Trarbach
Guldental
Bollendorf
Kordel
Kleinich
Bad Kreuznach
Trittenheim
Morbach
Kirn
Nahe
Alzey
RHEIN
Obermoschel
Kirchheimbolanden
Trier
Konz
Ayl
LUXEMBOURG
Altenglan
Mannheim
Weiskirchen
Kaiserslautern
Freinsheim
Deidesheim
Saar
Elmstein
Neustadt a.d.W.
Moselle
Saarlouis
Neunkirchen
Maikammer
St. Martin
St.Ingbert
Zweibrücken
Völklingen
Saarbrücken
Landau
Hauenstein
Bellheim
Karlsruhe
Baden-Baden
NANCY
8
STRASBOURG
Offenburg
Darmstadt
Ober-Ramstadt
Klingenberg
Fischbachtal
Seeheim-Jugenheim
Weilbach
Amorbach
Bensheim
Worms
Lampertheim
Wald-Michelbach
Viernheim
Birkenau
Ludwigshafen
Mannheim
Heiligkreuzsteinach
Eberbach
Hirschhorn
Neckar
Schwetzingen
Heidelberg
Colmar
Freiburg
Wiesloch
Neckarzimmern
Speyer
Dielheim
Bad Rappenau
Mulhouse
Germersheim
Rauenberg
Sinsheim
BASEL
Rhein

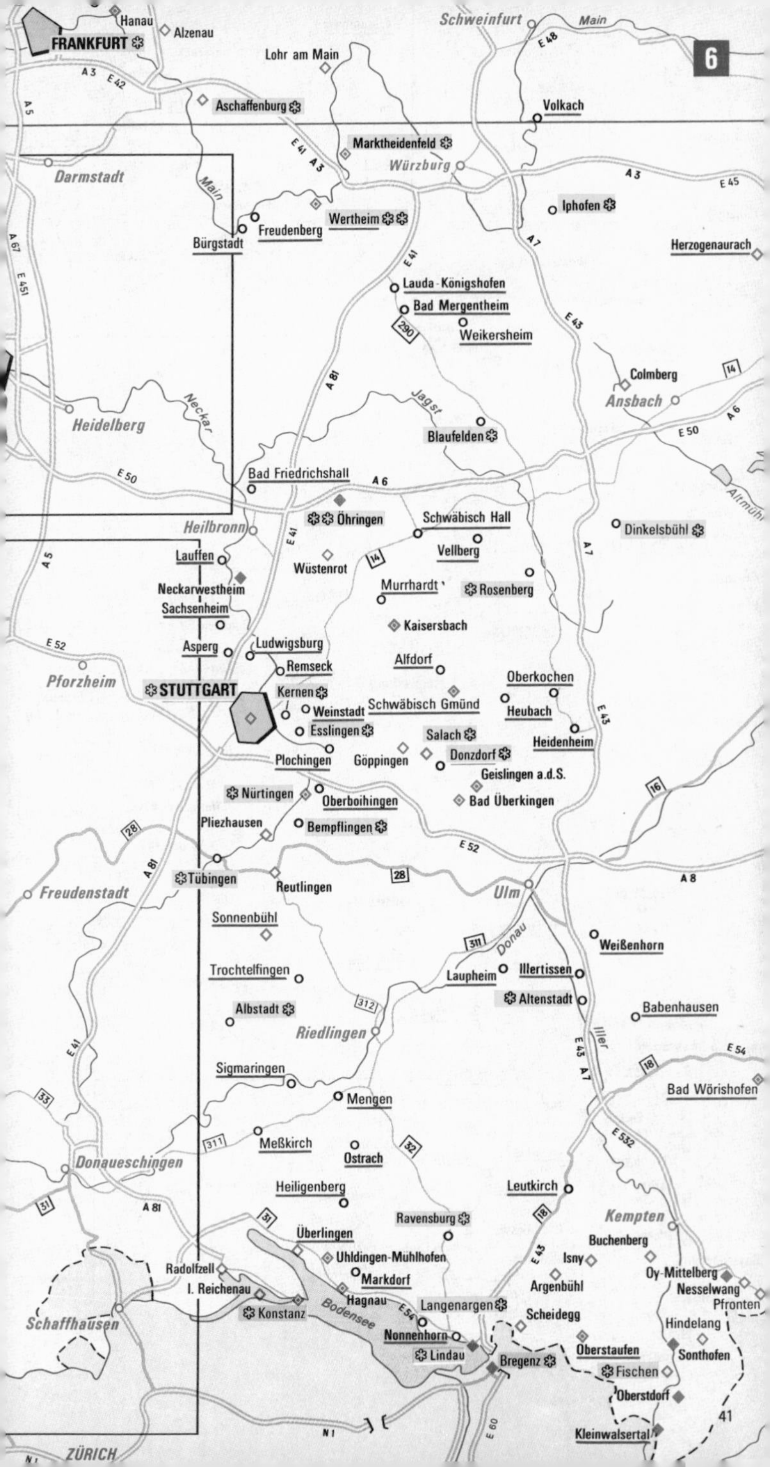
Hanau
Alzenau
FRANKFURT
Schweinfurt
Main
Lohr am Main
A 3
E 42
A 5
Aschaffenburg
E 48
Volkach
Marktheidenfeld
E 41
A 3
Würzburg
A 3
E 45
Darmstadt
Main
Iphofen
Wertheim
Freudenberg
Bürgstadt
A 7
Herzogenaurach
A 67
E 451
E 41
Lauda-Königshofen
Bad Mergentheim
290
Weikersheim
E 43
A 81
Colmberg
14
Ansbach
A 6
Jagst
Heidelberg
Neckar
Blaufelden
E 50
Altmühl
Bad Friedrichshall
A 6
E 50
Öhringen
Schwäbisch Hall
Dinkelsbühl
Heilbronn
E 41
Vellberg
A 7
Lauffen
Wüstenrot
14
A 5
Murrhardt
Rosenberg
Neckarwestheim
Sachsenheim
Kaisersbach
Ludwigsburg
Asperg
E 52
Alfdorf
Remseck
Oberkochen
Pforzheim
STUTTGART
Kernen
Schwäbisch Gmünd
Heubach
Weinstadt
E 43
Esslingen
Salach
Heidenheim
Plochingen
Göppingen
Donzdorf
Geislingen a.d.S.
Nürtingen
16
Oberboihingen
Bad Überkingen
Pliezhausen
Bempflingen
28
E 52
A 81
Tübingen
28
A 8
Reutlingen
Ulm
Freudenstadt
Sonnenbühl
311
Donau
Weißenhorn
Trochtelfingen
Laupheim
Illertissen
Altenstadt
312
Albstadt
Babenhausen
Riedlingen
E 41
Iller
E 43
A 7
E 54
18
Sigmaringen
Bad Wörishofen
Mengen
33
E 532
311
Meßkirch
32
Ostrach
Donaueschingen
Heiligenberg
Leutkirch
31
A 81
31
Ravensburg
18
Kempten
Überlingen
Buchenberg
Uhldingen-Muhlhofen
E 43
Isny
Radolfzell
Oy-Mittelberg
Markdorf
Argenbühl
Nesselwang
I. Reichenau
Hagnau
Pfronten
Bodensee
E 54
Langenargen
Konstanz
Scheidegg
Schaffhausen
Hindelang
Nonnenhorn
Oberstaufen
Lindau
Bregenz
Sonthofen
Fischen
Oberstdorf
N 1
E 60
Kleinwalsertal
N 1
ZÜRICH

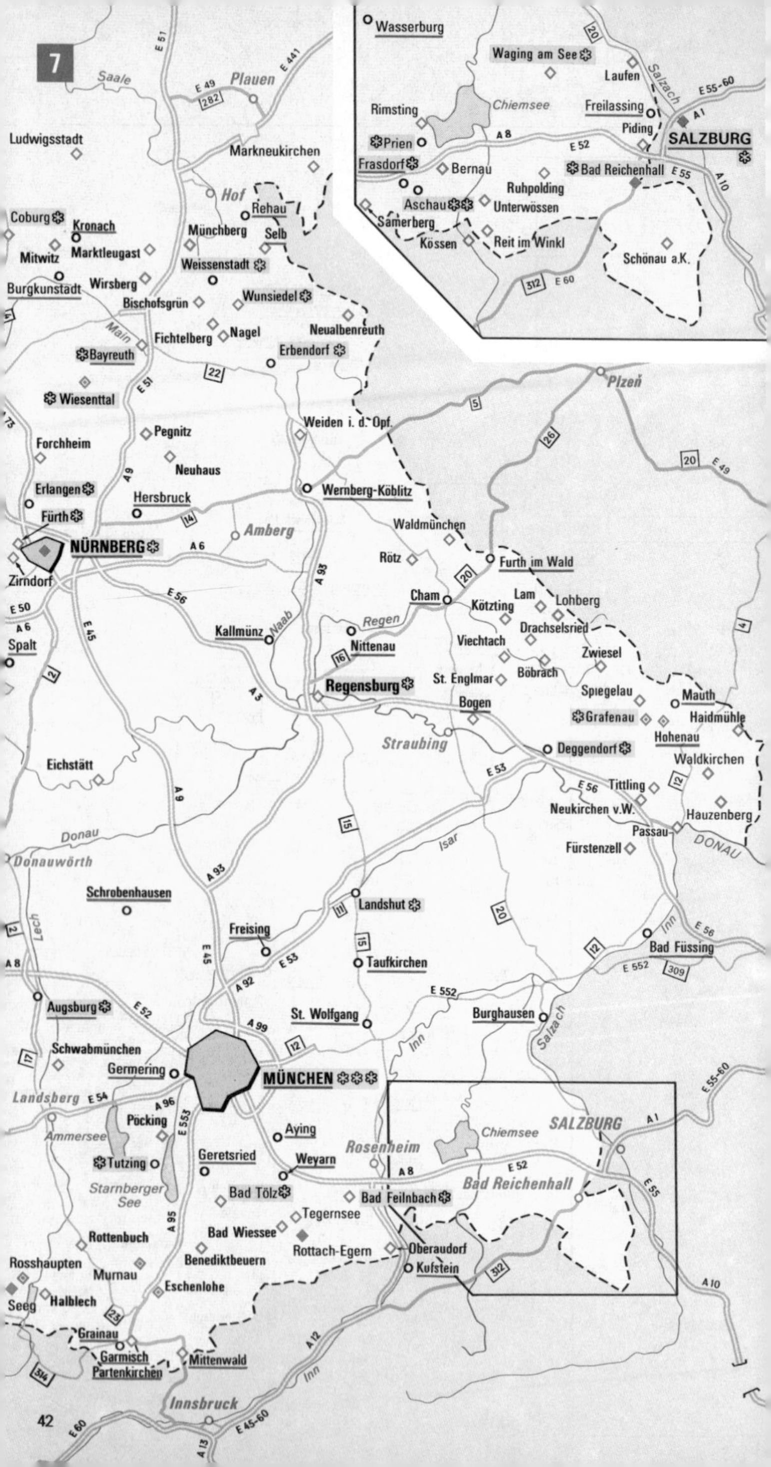
7
Saale
E 51
E 441
E 49
Plauen
282
Ludwigsstadt
Markneukirchen
Hof
Rehau
Coburg
Kronach
Münchberg
Selb
Mitwitz
Marktleugast
Weissenstadt
Burgkunstadt
Wirsberg
Bischofsgrün
Wunsiedel
Main
Fichtelberg
Nagel
Neualbenreuth
Bayreuth
Erbendorf
22
Wiesenttal
E 51
Weiden i. d. Opf.
Pegnitz
Forchheim
Neuhaus
A 9
Erlangen
Wernberg-Köblitz
Hersbruck
Fürth
14
Amberg
NÜRNBERG
A 6
Zirndorf
E 56
A 93
E 50
A 6
E 45
Kallmünz
Naab
Spalt
2
A 3
Eichstätt
A 9
Donau
Donauwörth
Schrobenhausen
A 93
Lech
2
A 8
Freising
E 45
E 53
Augsburg
A 92
E 52
A 99
17
Schwabmünchen
Germering
MÜNCHEN
Landsberg
E 54
A 96
Ammersee
Pöcking
E 553
Tutzing
Starnberger See
A 95
Rottenbuch
Rosshaupten
Murnau
Seeg
Halblech
Eschenlohe
23
Grainau
Garmisch Partenkirchen
Mittenwald
314
Innsbruck
E 60
A 13
E 45-60
Wasserburg
20
Waging am See
Laufen
Salzach
E 55-60
Rimsting
Chiemsee
Freilassing
A 1
Prien
A 8
Piding
SALZBURG
E 52
Frasdorf
Bernau
Bad Reichenhall
E 55
A 10
Ruhpolding
Aschau
Unterwössen
Samerberg
Kössen
Reit im Winkl
Schönau a.K.
312
E 60
Plzeň
5
26
20
E 49
Waldmünchen
Rötz
Furth im Wald
20
Cham
Lam
Lohberg
Kötzting
Regen
Nittenau
Drachselsried
Viechtach
16
Zwiesel
St. Englmar
Böbrach
Regensburg
Spiegelau
Mauth
Bogen
Grafenau
Haidmühle
Hohenau
Straubing
Deggendorf
Waldkirchen
E 53
Tittling
E 56
12
Neukirchen v.W.
Hauzenberg
15
Passau
Isar
DONAU
Fürstenzell
4
Landshut
11
20
Inn
E 56
15
Taufkirchen
12
Bad Füssing
E 552
309
E 552
St. Wolfgang
Burghausen
Salzach
12
Inn
E 55-60
Aying
Chiemsee
SALZBURG
A 1
Rosenheim
Geretsried
Weyarn
A 8
E 52
Bad Reichenhall
E 55
Bad Tölz
Bad Feilnbach
Tegernsee
Bad Wiessee
Rottach-Egern
Oberaudorf
Benediktbeuern
Kufstein
312
A 10
A 12
Inn

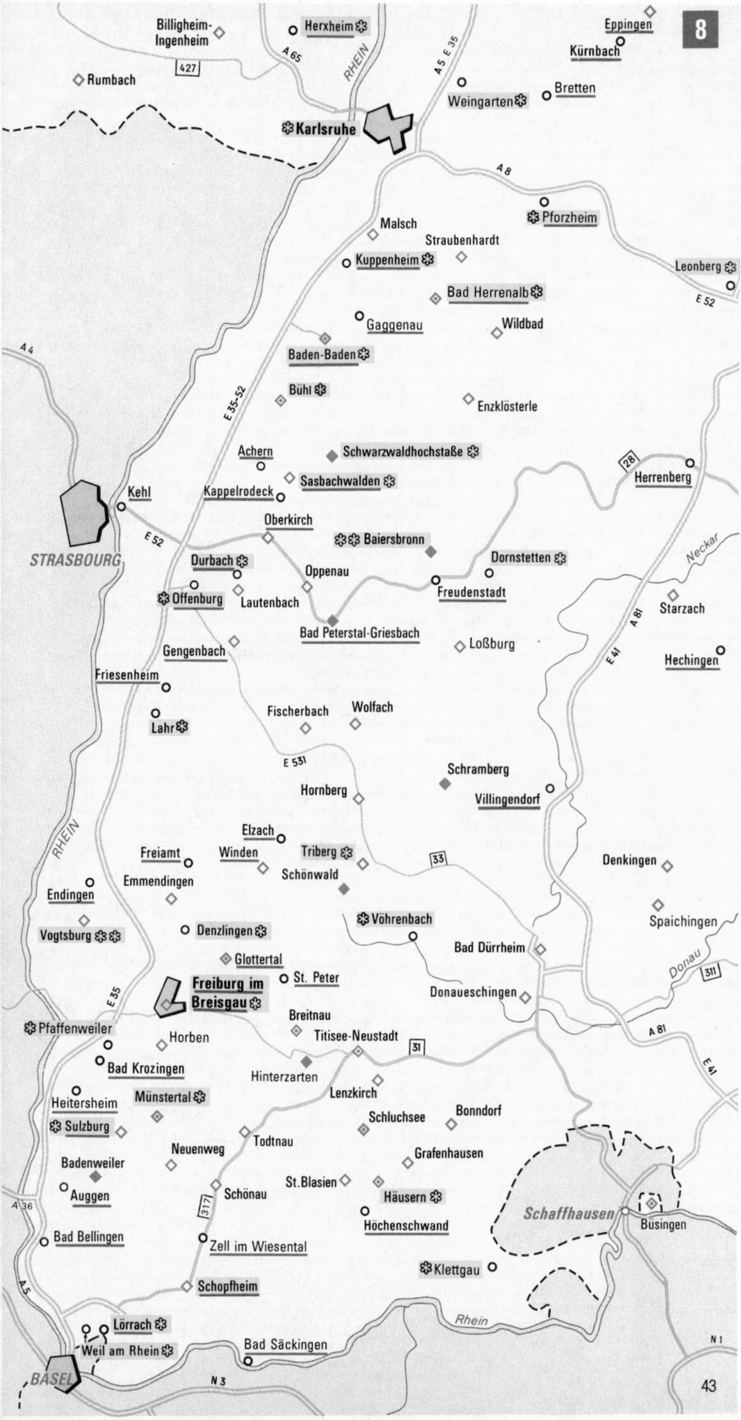
8
Billigheim-Ingenheim
Herxheim
Eppingen
Kürnbach
427
A 65
RHEIN
A 5 E 35
Rumbach
Weingarten
Bretten
Karlsruhe
A 8
Pforzheim
Malsch
Straubenhardt
Kuppenheim
Leonberg
Bad Herrenalb
E 52
Gaggenau
Wildbad
A 4
Baden-Baden
E 35-52
Bühl
Enzklösterle
Achern
Schwarzwaldhochstaße
28
Herrenberg
Sasbachwalden
Kehl
Kappelrodeck
Oberkirch
E 52
Baiersbronn
Neckar
STRASBOURG
Durbach
Dornstetten
Oppenau
Offenburg
Lautenbach
Freudenstadt
Starzach
A 81
Bad Peterstal-Griesbach
Loßburg
Gengenbach
E 41
Hechingen
Friesenheim
Fischerbach
Wolfach
Lahr
E 531
Schramberg
Hornberg
Villingendorf
RHEIN
Elzach
Freiamt
Winden
Triberg
33
Denkingen
Schönwald
Endingen
Emmendingen
Spaichingen
Vöhrenbach
Vogtsburg
Denzlingen
Bad Dürrheim
Donau
Glottertal
311
St. Peter
Freiburg im Breisgau
Donaueschingen
E 35
Breitnau
Pfaffenweiler
Titisee-Neustadt
A 81
Horben
31
Bad Krozingen
Hinterzarten
E 41
Heitersheim
Münstertal
Lenzkirch
Schluchsee
Bonndorf
Sulzburg
Todtnau
Neuenweg
Grafenhausen
Badenweiler
St.Blasien
Schönau
Häusern
Auggen
A 36
317
Schaffhausen
Büsingen
Höchenschwand
Bad Bellingen
Zell im Wiesental
Klettgau
A 5
Schopfheim
Rhein
Lörrach
N 1
Weil am Rhein
Bad Säckingen
BASEL
N 3

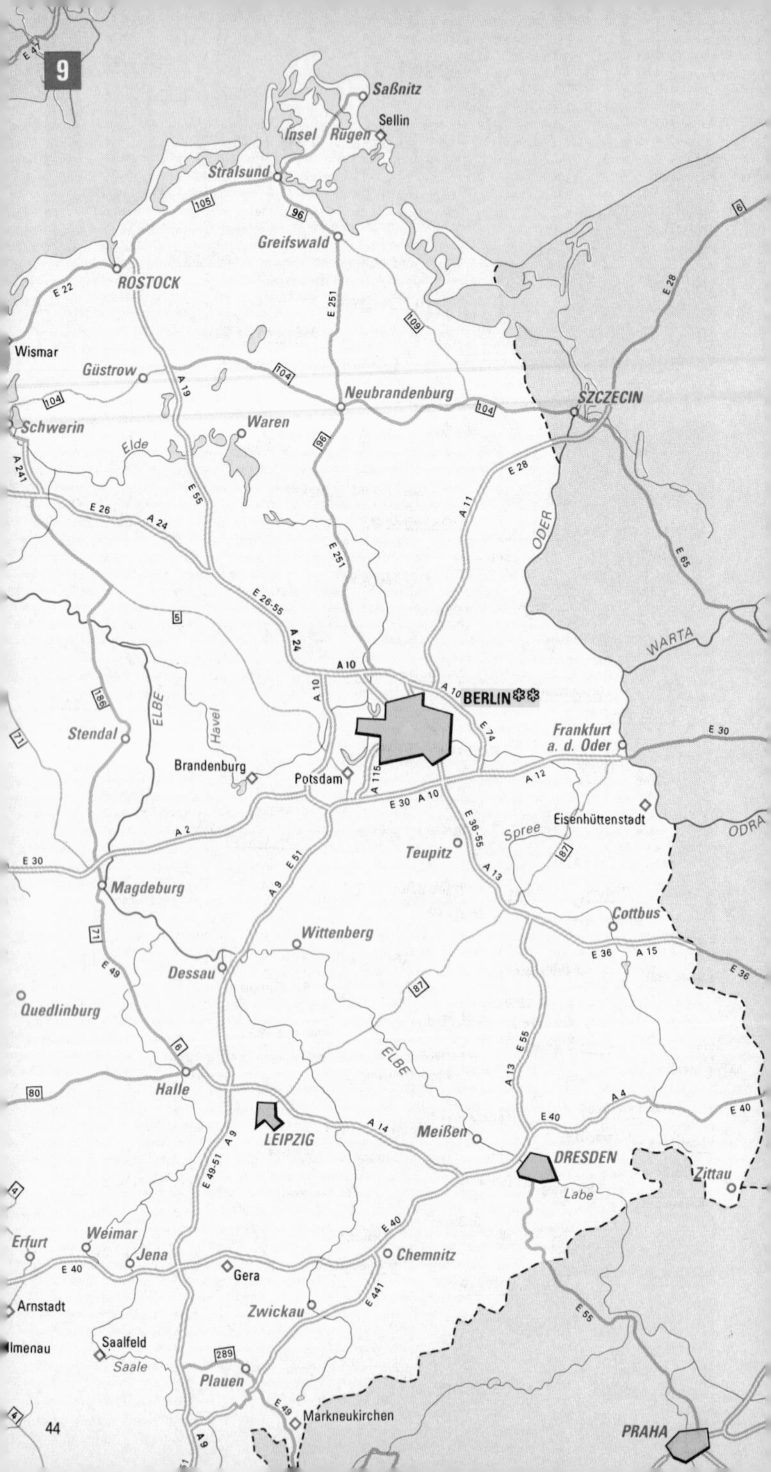
9
E 47
Saßnitz
Sellin
Insel Rügen
Stralsund
105
96
Greifswald
ROSTOCK
E 22
E 251
109
6
E 28
Wismar
Güstrow
104
Neubrandenburg
SZCZECIN
104
A 19
104
Schwerin
Waren
96
Elde
A 241
E 55
E 28
A 11
ODER
E 26
A 24
E 251
E 65
E 26-55
5
A 24
WARTA
A 10
A 10
A 10
BERLIN
186
ELBE
Havel
E 74
Frankfurt a. d. Oder
E 30
71
Stendal
Brandenburg
Potsdam
A 115
A 12
E 30
A 10
Eisenhüttenstadt
ODRA
A 2
E 36-55
Spree
E 30
E 51
Teupitz
87
A 9
A 13
Magdeburg
Cottbus
71
Wittenberg
E 36
A 15
E 49
Dessau
E 36
87
Quedlinburg
ELBE
E 55
6
A 13
80
Halle
A 4
E 40
E 40
LEIPZIG
A 14
Meißen
A 9
DRESDEN
E 49-51
Zittau
Labe
E 40
Erfurt
Weimar
Jena
Chemnitz
E 40
Gera
E 441
Arnstadt
Zwickau
E 55
Ilmenau
Saalfeld
289
Saale
Plauen
E 49
Markneukirchen
A 9
PRAHA

BIERE

Die Bierherstellung, deren Anfänge bis ins 9. Jh. zurückreichen, unterliegt in Deutschland seit 1516 dem Reinheitsgebot, welches vorschreibt, daß zum Bierbrauen nur Hopfen, Gerstenmalz, Hefe und Wasser verwendet werden dürfen.

Etwa 1 400 Brauereien stellen heute in Deutschland ca. 4 000 verschiedene Biere her, deren geschmackliche Vielfalt auf den hauseigenen Braurezepten beruht.

Beim Brauen prägt die aus Malz und dem aromagebenden Hopfen gewonnene Würze zusammen mit dem Brauwasser, der Gärungsart (obergärig, untergärig) und der für das Gären verwendeten Hefe entscheidend Qualität, Geschmack, Farbe und Alkoholgehalt des Bieres.

Die Vollbiere (Alt, Export, Kölsch, Märzen, Pils, Weizenbier) haben einen Alkoholgehalt von 3,7 % bis 4,2 % und einen Stammwürzegehalt (= vor der Gärung gemessener Malzextraktgehalt der Würze) von 11 % bis 14 %.

Die Starkbiere (Bock- und Doppelbockbiere) liegen im Alkoholgehalt bei 5,3 % bis 5,7 % und im Stammwürzegehalt bei 16 % bis 18 %.

Durch den höheren Malzanteil wirken vor allem die dunklen Biere (Rauchbier, Bockbier, Malzbier) im Geschmack leicht süß.

LA BIÈRE

La fabrication de la bière en Allemagne remonte au début du 9e siècle. En 1516 une « ordonnance d'intégrité » (Reinheitsgebot) précise que seuls le houblon, le malt, la levure et l'eau peuvent être utilisés pour le brassage de la bière. Il en est toujours ainsi et le procédé utilisé est le suivant :

Le malt de brasserie – grains d'orge trempés, germés et grillés – est mis à tremper et à cuire en présence de houblon qui apporte au moût, ainsi élaboré, ses éléments aromatiques. Grâce à une levure, ce moût entre en fermentation.

Aujourd'hui environ 1 400 brasseries produisent en Allemagne 4 000 sortes de bières diverses par leur goût, leur couleur et également leur teneur en alcool.

Au restaurant ou à la taverne, la bière se consomme généralement à la pression « vom Fass ».

Les bières courantes ou Vollbiere (Kölsch, Alt, Export, Pils, Märzen, bière de froment) sont les plus légères et titrent 3 à 4° d'alcool.

Les bières fortes ou Starkbiere (Bockbier, Doppelbock) atteignent 5 à 6° et sont plus riches en malt.

Elles sont légères dans le Sud (Munich, Stuttgart), un peu plus fermentées et amères en Rhénanie (Dortmund, Cologne) douceâtres à Berlin.

Les bières brunes (malt torréfié) peuvent paraître sucrées (Rauchbier, Bockbier, Malzbier).

BEER

Beer has been brewed in Germany since the beginning of 9C. In 1516 a decree on quality (Reinheitsgebot) was passed which stated that only hops, malt, yeast and water should be used for brewing. This still applies and the following method is used :
Brewer's malt – obtained from barley after soaking, germination and roasting – is mixed with water and hops which flavour the must, and boiled. Yeast is added and the must is left to ferment.
Today about 1400 breweries in Germany produce 4000 kinds of beer which vary in taste, colour and alcohol content.
In restaurants and bars, beer is generally on draught "vom Fass".
Popular beers or Vollbiere (Kölsch, Alt, Export, Pils, Märzen and beer from wheatgerm) are light and 3-4 % proof.
Strong beers or Starkbiere (Bockbier, Doppelbock) are rich in malt and 5-6 % proof.
These are light in the South (Munich, Stuttgart), stronger and more bitter in Rhineland (Dortmund, Cologne) and sweeter in Berlin.
Dark beers (roasted malt) may seem rather sugary (Rauchbier, Bockbier, Malzbier).

LA BIRRA

La fabbricazione della birra in Germania risale all'inizio del nono secolo. Nel 1516, un « ordinanza d'integrità » (Reinheitsgebot) precisa che, per la produzione della birra, possono essere solamente adoperati il luppolo, il malto, il lievito e l'acqua. Ciò è rimasto immutato e il processo impiegato è il seguente :
Il malto – derivato da semi d'orzo macerati, germinati e tostati – viene macerato e tostato unitamente al luppolo che aggiunge al mosto, elaborato in tal modo, le sue componenti aromatiche. Grazie all'apporto di un lievito, questo mosto entra in fermentazione.
Oggigiorno, circa 1400 birrerie producono in Germania 4000 tipi di birra diversi per il loro gusto, colore e la loro gradazione alcolica.
Nei ristoranti o nelle taverne, la birra viene consumata alla spina « vom Fass ».
Le birre comuni o Vollbiere (Kölsch, Alt, Export, Pils, Märzen, birra di frumento) sono le più leggere e raggiungono una gradazione alcolica di 3 o 4°.
Le birre forti o Starkbiere (Bockbier, Doppelbock) raggiungono una gradazione alcolica di 5 o 6° e sono le più ricche di malto.
Esse sono leggere nel Sud (Monaco, Stuttgart), leggermente più fermentate e amare in Renania (Dortmund, Colonia), dolciastre a Berlino.
Le birre scure (malto torrefatto) possono sembrare dolcificate (Rauchbier, Bockbier, Malzbier).

WEINBAUGEBIETE – CARTE DU VIGNOBLE
MAP OF THE VINEYARDS – CARTA DEI VIGNETI

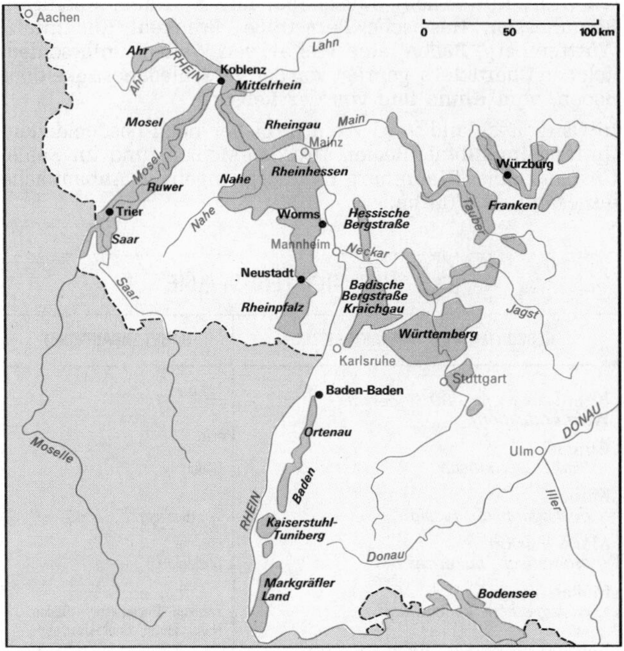

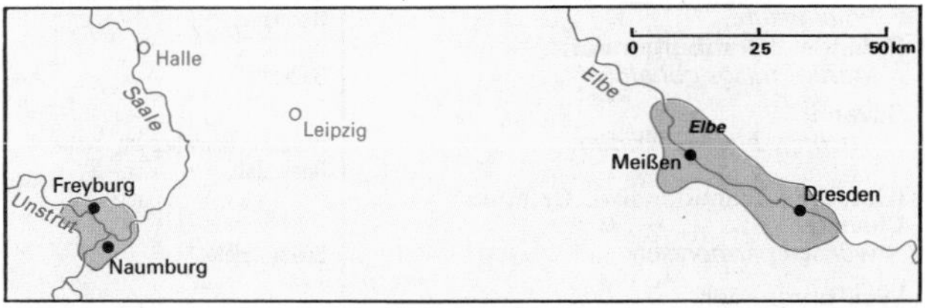

Neben den Spitzengewächsen gibt es in vielen Regionen gebietstypische Weine, die – am Ort verkostet – für manche Überraschung gut sind.

En dehors des grands crus, il existe en maintes régions des vins locaux qui, bus sur place, vous réserveront d'heureuses surprises.

In addition to the fine wines there are many wines, best drunk in their region of origin and which you will find extremely pleasant.

Al di fuori dei grandi vini, esistono in molte regioni dei vini locali che, bevuti sul posto, Vi riserveranno piacevoli sorprese.

WEINE

Auf einer Gesamtanbaufläche von ca. 91 000 ha gedeiht in Süd- und Westdeutschland in den elf bestimmten Anbaugebieten (Ahr, Mittelrhein, Mosel-Saar-Ruwer, Nahe, Rheingau, Rheinhessen, Hessische Bergstraße, Franken, Rheinpfalz, Württemberg, Baden) eine Vielfalt von Weinen unterschiedlichsten Charakters, geprägt von der Verschiedenartigkeit der Böden, vom Klima und von der Rebsorte.

In Ostdeutschland wird Wein in bisher noch bescheidenem Umfang im Elbtal (Region Dresden-Meißen) und im Saale-Unstrut Gebiet (Naumburg-Freyburg) angebaut. Anbaufläche insgesamt ca. 700 ha.

DIE WICHTIGSTEN WEINE

REBSORTEN UND CHARAKTERISTIK	HAUPTANBAUGEBIET
Weißwein *(ca. 80 % der dt. Weinproduktion)*	
Gutedel *leicht, aromatisch*	Baden
Kerner *rieslingähnlich, rassig*	Württemberg
Morio-Muskat *aromatisch, bukettreich*	Rheinpfalz
Müller-Thurgau *würzig-süffig, feine Säure*	Franken, Rheinhessen, Baden, Nahe, Elbtal, Saale-Unstrut
Riesling (in Baden: Klingelberger) *rassig, spritzig, elegant, feine Fruchtsäure*	Mittelrhein, Mosel-Saar-Ruwer, Rheingau
Ruländer (Grauburgunder) *kräftig, füllig, gehaltvoll*	Baden
Silvaner *fruchtig, blumig, kräftig*	Franken, Rheinhessen, Nahe, Rheinpfalz
(Gewürz-) Traminer (i. d. Ortenau: Clevner) *würzig, harmonisch*	Baden, Elbtal
Weißburgunder *blumig, fruchtig, elegant*	Baden, Elbtal, Saale-Unstrut
Rotwein	
Lemberger *kernig, kräftig, wuchtig*	Württemberg
Portugieser *leicht, süffig, mundig frisch*	Ahr, Rheinpfalz
Schwarzriesling *zart, fruchtig*	Württemberg
(blauer) Spätburgunder (in Württemberg: Clevner) *rubinfarben, samtig, körperreich*	Ahr, Baden
Trollinger *leicht, frisch, fruchtig*	Württemberg

Rotlinge

Badisch Rotgold
Mischung aus Grauburgunder und blauem Spätburgunder, meist im Verhältnis 3 : 1.

Schillerwein
Aus roten und weißen Trauben, die gemeinsam gekeltert wurden.

Weißherbst
Aus roten Trauben, die nach der Weißwein-Methode (nach dem Mahlen kommen die Trauben sofort auf die Presse) gekeltert wurden

Das Weingesetz von 1971 und 1982 teilt die deutschen Weine in 4 Güteklassen ein :

deutscher Tafelwein muß aus einer der 4 Weinregionen stammen (Tafelwein, ohne den Zusatz « deutscher » kann mit Weinen aus EG-Ländern verschnitten sein).

Landwein trägt eine allgemeine Herkunftsbezeichnung (z. B. Pfälzer Landwein), darf nur aus amlich zugelassenen Rebsorten gewonnen werden, muß mindestens 55 Öchslegrade haben und darf nur trocken oder halbtrocken sein.

Qualitätswein bestimmter Anbaugebiete muß aus einem der deutschen Anbaugebiete stammen und auf dem Etikett eine Prüfnummer haben.

Qualitätswein mit Prädikat darf nur aus einem einzigen Bereich innerhalb der deutschen Anbaugebiete stammen, muß auf dem Etikett eine Prüfnummer haben und eines der 6 Prädikate besitzen :

Kabinett, Spätlese, Auslese, Beerenauslese, Trockenbeerenauslese, Eiswein.
Eiswein wird aus Trauben gewonnen, die nach Frost von mindestens – 7 °C gelesen wurden.

LES VINS

En Allemagne du sud et de l'ouest, le vignoble s'étend sur plus de 91 000 ha. Les vins les plus connus proviennent principalement des 11 régions suivantes : Ahr, Mittelrhein (Rhin moyen), Mosel-Saar-Ruwer, Nahe, Rheingau, Rheinhessen (Hesse rhénane), Hessische Bergstraße (Montagne de Hesse), Franken (Franconie), Rheinpfalz (Rhénanie-Palatinat), Württemberg (Wurtemberg), Baden (Pays de Bade).

En Allemagne orientale, le vignoble, encore modeste, s'étend dans la vallée de l'Elbe (entre Dresde et Meissen) et la région drainée par la Saale et l'Unstrut (entre Naumburg et Freyburg). La superficie totale exploitée est d'environ 700 ha.

PRINCIPAUX VINS

CÉPAGES ET CARACTÉRISTIQUES	PRINCIPALES RÉGIONS
Vins blancs *(80 % de la production)*	
Gutedel *léger, bouqueté*	Pays de Bade
Kerner *proche du Riesling*	Wurtemberg
Morio-Muskat *aromatique, bouqueté*	Rhénanie-Palatinat
Müller-Thurgau *vigoureux, nerveux*	Franconie, Hesse rhénane, Pays de Bade, Nahe, vallée de l'Elbe, région de Saale-Unstrut
Riesling (dans le pays de Bade Klingelberger) *racé, élégant, au fruité légèrement acidulé*	Rhin moyen Moselle-Sarre-Ruwer, Rheingau
Ruländer *puissant, rond, riche*	Pays de Bade
Silvaner *fruité, bouqueté, puissant*	Franconie, Hesse rhénane, Nahe, Rhénanie-Palatinat
Traminer, Gewürztraminer *épicé, harmonieux*	Pays de Bade, vallée de l'Elbe
Weißburgunder *bouqueté, fruité, élégant*	Pays de Bade, vallée de l'Elbe, région de Saale-Unstrut
Vins rouges	
Lemberger *charnu, puissant*	Wurtemberg
Portugieser *léger, gouleyant, frais*	Ahr, Rhénanie-Palatinat
Schwarzriesling *tendre, fruité*	Wurtemberg
(blauer) Spätburgunder (en Wurtemberg : Clevner) *de couleur rubis, velouté*	Ahr, Pays de Bade
Trollinger *léger, frais, fruité*	Wurtemberg

Vins rosés

Badisch Rotgold

Assemblage de Grauburgunder (pinot gris) et de Spätburgunder (pinot noir) dans la plupart des cas dans la proportion 3 : 1.

Schillerwein

Raisins noirs et blancs pressurés ensembles.

Weißherbst

Raisins noirs pressurés immédiatement, puis fermentation du moût sans la râfle.

La législation de 1971 et de 1982 classe les vins allemands en 4 catégories :

Tafelwein ou deutscher Tafelwein, vins de table, sans provenance précise, pouvant être des coupages, soit de vins de la C.E.E., soit de vins exclusivement allemands.

Landwein porte une appellation d'origine générale (ex. Pfälzer Landwein), et ne peut provenir que de cépages officiellement reconnus ; il doit avoir au minimum 55° Öchsle et ne peut être que sec ou demi sec.

Qualitätswein bestimmter Anbaugebiete, vins de qualité supérieure, ils portent un numéro de contrôle officiel et ont pour origine une des régions (Gebiet) déterminées.

Qualitätswein mit Prädikat, vins strictement contrôlés, ils représentent l'aristocratie du vignoble, ils proviennent d'un seul vignoble d'appellation et portent en général l'une des dénominations suivantes :
Kabinett (réserve spéciale), Spätlese (récolte tardive), Auslese (récolte tardive, raisins sélectionnés), Beerenauslese, Trockenbeerenauslese (vins liquoreux), Eiswein.
Les « Eiswein » (vins des glaces) sont obtenus à partir de raisins récoltés après une gelée d'au moins –7 °C.

WINES

The vineyards of South and West Germany extend over 91 000 ha – 225 000 acres and 11 regions : Ahr, Mittelrhein, Mosel-Saar-Ruwer, Nahe, Rheingau, Rheinhessen, Hessische Bergstraße, Franken (Franconia), Rheinpfalz (Rhineland-Palatinate), Württemberg, Baden.

In eastern Germany modest wine growing areas covering 700 ha – 1730 acres are located along the Elbe Valley (Dresden-Meissen) and in the country bordering the rivers Saale and Unstrut (Naumburg-Freyburg).

PRINCIPAL WINES	
GRAPE STOCK AND CHARACTERISTICS	**MAIN REGIONS**
White wines *(80 % of production)*	
Gutedel *light, fragrant*	Baden
Kerner *similar to Riesling*	Württemberg
Morio-Muskat *fragrant full bouquet*	Rhineland-Palatinate
Müller-Thurgau *potent, lively*	Franconia, Rheinhessen, Baden, Nahe, valley of the Elbe, Saale-Unstrut region
Riesling (in Baden : Klingelberger) *noble, elegant, slightly acid and fruity*	Mittelrhein, Mosel-Saar-Ruwer, Rheingau
Ruländer *potent, smooth, robust*	Baden
Silvaner *fruity, good bouquet, potent*	Franconia, Rheinhessen, Nahe, Rhineland-Palatinate
Traminer, Gewürztraminer *spicy, smooth*	Baden, valley of the Elbe
Weißburgunder *delicate bouquet, fruity, elegant*	Baden, valley of the Elbe, Saale-Unstrut region
Red wines	
Badisch Rotgold *noble, robust, elegant*	Baden
Lemberger *full bodied, potent*	Württemberg
Portugieser *light, smooth, fresh*	Ahr, Rhineland-Palatinate
Schwarzriesling *delicate, fruity*	Württemberg
(blauer) Spätburgunder (in Württemberg : Clevner) *ruby colour, velvety*	Ahr, Baden
Trollinger *light, fresh, fruity*	Württemberg

Rosé wines

Badisch Rotgold

Blend of Grauburgunder and Spätburgunder, mostly 3 parts to 1.

Schillerwein

Red and green grapes pressed together.

Weißherbst

Red grapes are pressed immediately then the must is left to ferment after extraction of the stems.

Following legislation in 1971 and 1982, German wines fall into 4 categories:

Tafelwein or deutscher Tafelwein are table wines with no clearly defined region of origin, and which in effect may be a blending of other Common Market wines or of purely German ones.

Landwein are medium quality wines between the table wines and the Qualitätswein b. A. which carry a general appellation of origin (i.e. Pfälzer Landwein) and can only be made from officially approved grapes, must have 55° "Öchslegrade" minimum and must be dry or medium dry.

Qualitätswein bestimmter Anbaugebiete, are wines of superior quality which carry an official control number and originate from one of the clearly defined regions (Gebiet) e.g. Moselle, Baden, Rhine.

Qualitätswein mit Prädikat, are strictly controlled wines of prime quality. These wines are grown and made in a clearly defined and limited area or vineyard and generally carry one of the following special descriptions:
Kabinett (a perfect reserve wine), Spätlese (wine from late harvest grapes), Auslese (wine from specially selected grapes), Beerenauslese, Trockenbeerenauslese (sweet wines), Eiswein.
Eiswein (ice wines) are produced from grapes harvested after a minimum –7 °C frost.

I VINI

Il vigneto della Germania del Sud e del Ovest si estende su più di 91.000 ettari. Esso comporta 11 regioni : Ahr, Mittelrhein (Reno medio), Mosel-Saar-Ruwer, Nahe, Rheingau, Rheinhessen (Hesse renano), Hessische Bergstraße (montagna di Hesse), Franken (Franconia), Rheinpfalz (Renania-Palatinato), Württemberg, Baden.

Nella Germania Orientale la coltivazione a vigneto, ancora modesta si estende nella valle dell'Elba (tra Dresda e Meissen) e nella regione drenata dalla Saale e dall'Unstrut (tra Naumburg e Friburgo). La superficie coltivata è, in totale, di circa 700 ha.

VINI PRINCIPALI

VITIGNI E CARATTERISTICHE	PRINCIPALI REGIONI
Vini bianchi *(80 % della produzione)*	
Gutedel *leggero, aromatico*	Baden
Kerner *molto simile al Riesling*	Württemberg
Morio-Muskat *aromatico*	Renania-Palatinato
Müller-Thurgau *vigoroso*	Franconia, Hesse renano, Baden, Nahe, Valle di Elbe, regione Saale-Unstrut
Riesling (Nella regione di Baden : Klingelberger) *aristocratico, elegante, fruttato leggermente acidulo*	Reno medio, Mosella-Sarre-Ruwer, Rheingau
Ruländer *forte, corposo, robusto*	Baden
Silvaner *fruttato, aromatico, forte*	Franconia, Hesse renano, Nahe Renania-Palatinato
Traminer (Gewürz-) *corposo, armonico*	Baden, valle di Elbe
Weißburgunder *aromatico, fruttato, elegante*	Baden, valle di Elbe, regione Saale-Unstrut
Vini rossi	
Badisch Rotgold *aristocratico, robusto, elegante*	Baden
Lemberger *corposo, forte*	Württemberg
Portugieser *leggero, fresco*	Ahr, Renania-Palatinato
Schwarzriesling *tenero, fruttato*	Württemberg
(blauer) Spätburgunder (nella regione di Württemberg : Clevner) *colore rubino, vellutato, pieno, corposo*	Ahr, Baden
Trollinger *leggero, fresco, fruttato*	Württemberg

Vini rosé

Badisch Rotgold
miscela di Grauburgunder (pinot grigio) e Spatburgunder (pinot nero), nella maggior parte dei casi in proporzione 3 : 1.

Schillerwein
miscuglio di uve nere e bianche pigiate insieme.

Weissherbst
pigiatura immediata di uve nere, seguita da fermentazione del mosto, senza graspi.

La legislazione del 1971 e del 1982 classifica i vini tedeschi in 4 categorie :

Tafelwein o deutscher Tafelwein : vini da tavola, senza provenienza precisa, possono essere di taglio, sia per i vini della C.E.E. che per vini esclusivamente tedeschi.

Landwein : in termini di qualità è una via di mezzo fra il vino da tavola e il Qualitätswein b.A., è contrassegnato da denominazione di origine generale (es. : Pfälzer Landwein) e proviene esclusivamente da uve ufficialmente riconosciute ; deve raggiungere minimo 55° Öchsle e può essere solo secco o semi secco.

Qualitätswein bestimmter Anbaugebiete : vini di qualità superiore, sono contrassegnati da un numero di controllo ufficiale e provengono da una delle regioni (Gebiet) determinate (Mosel, Baden, Rhein...)

Qualitätswein mit Prädikat : vini rigorosamente controllati, rappresentano l'aristocrazia del vigneto, provengono da un unico vigneto di denominazione e sono generalmente contrassegnati da una delle seguenti denominazioni :
Kabinett (riserva speciale), Spätlese (raccolta tardiva), Auslese (raccolta tardiva, uve selezionate), Beerenauslese, Trockenbeerenauslese (vini liquorosi), Eiswein.
Gli « Eiswein » (vini dei ghiacci) si ottengono a partire da una raccolta dopo una gelata di almeno –7°C.

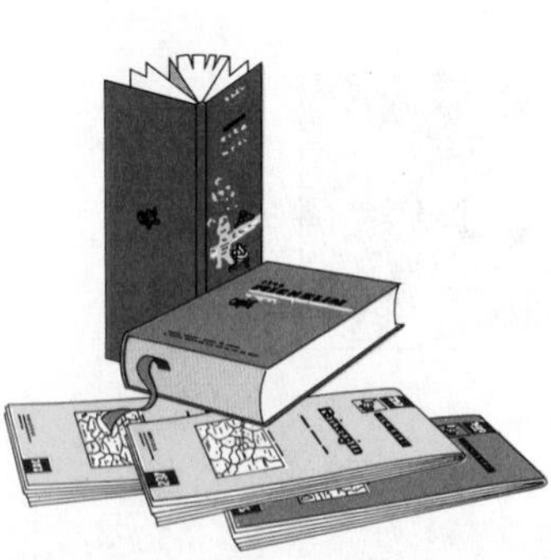

Städte

in alphabetischer Reihenfolge

(ä = ae, ö = oe, ü = ue)

Villes

classées par ordre alphabétique
(mais ä = ae, ö = oe, ü = ue)

Towns

in alphabetical order
(but ä = ae, ö = oe, ü = ue)

Città

in ordine alfabetico
(se non che ä = ae, ö = oe, ü = ue)

BREGENZ, KÖSSEN, KUFSTEIN, SALZBURG (Österreich) sind in der alphabetischen Reihenfolge,
BOTTIGHOFEN, ERMATINGEN, GOTTLIEBEN, KREUZLINGEN (Schweiz) unter Konstanz erwähnt.

AACHEN **5100.** Nordrhein-Westfalen 412 B 14, 987 ㉓, 409 L 3 – 246 000 Ew – Höhe 174 m – Heilbad – ☎ 0241 – **Sehenswert** : Dom★★ (Domschatzkammer★★★, Ambo Heinrichs II★★★, Pala d'Oro★★★, Karlsschrein★★★, Marmorthron★ Karls des Großen) BZ – Couven-Museum★ BY **M1** – Suermondt-Ludwig-Museum★ CZ **M2** – **Ausflugsziel** : Kornelimünster (Abteikirche★) ④ : 10 km.

⛳₁₈, Aachen-Seffent (über ⑨), Schurzelter Str. 300, ✆ 1 25 01 ; ⛳₉ Aachen-Vaalserquartier (über ⑧) Dreiländerweg 105, ✆ 8 23 00.

🚗 ✆ 43 33 28 – Kongreßzentrum Eurogress (CY), ✆ 15 10 11.

ℹ Verkehrsverein, Bahnhofsplatz 4, ✆ 1 80 29 65 – ℹ Verkehrsverein, Friedrich-Wilhelm-Platz ✆ 1 80 29 60, Fax 1802931 – **ADAC**, Strangenhäuschen 16, ✆ 1 80 28 28, Notruf ✆ 1 92 11.

♦Düsseldorf 81 ③ – Antwerpen 140 ⑨ – ♦Bonn 91 ③ – Bruxelles 142 ⑥ – ♦Köln 69 ③ – Liège 54 ⑥ – Luxembourg 182 ⑥.

AACHEN

Adalbertstraße	CYZ	
Alexanderstraße	CY	2
Friedrich-Wilhelm-Pl.	BZ	10
Großkölnstraße	BY	
Hartmannstraße	BZ	13
Kaiserplatz	CZ	
Kapuzinergraben	BZ	17
Kleinmarschierstr	BZ	23
Komphausbadstr	BY	28
Markt	BY	35
Peterstraße	CY	
Ursulinerstraße	BZ	36
Bergdriesch	BY	3
Blondelstraße	CY	4
Buchkremerstraße	BZ	5
Büchel	BY	6
Burtscheider Straße	BZ	7
Driescher Gäßchen	BY	8
Friedrich-Ebert-Allee	CZ	9
Hansemannplatz	CY	12
Karmeliterstraße	BZ	19
Katschhof	BY	20
Kleinkölnstraße	BY	22
Kockerellstraße	BY	24
Königstraße	AZ	27
Krugenofen	BZ	29
Kurhausstraße	CY	32
Lagerhausstraße	BCZ	34

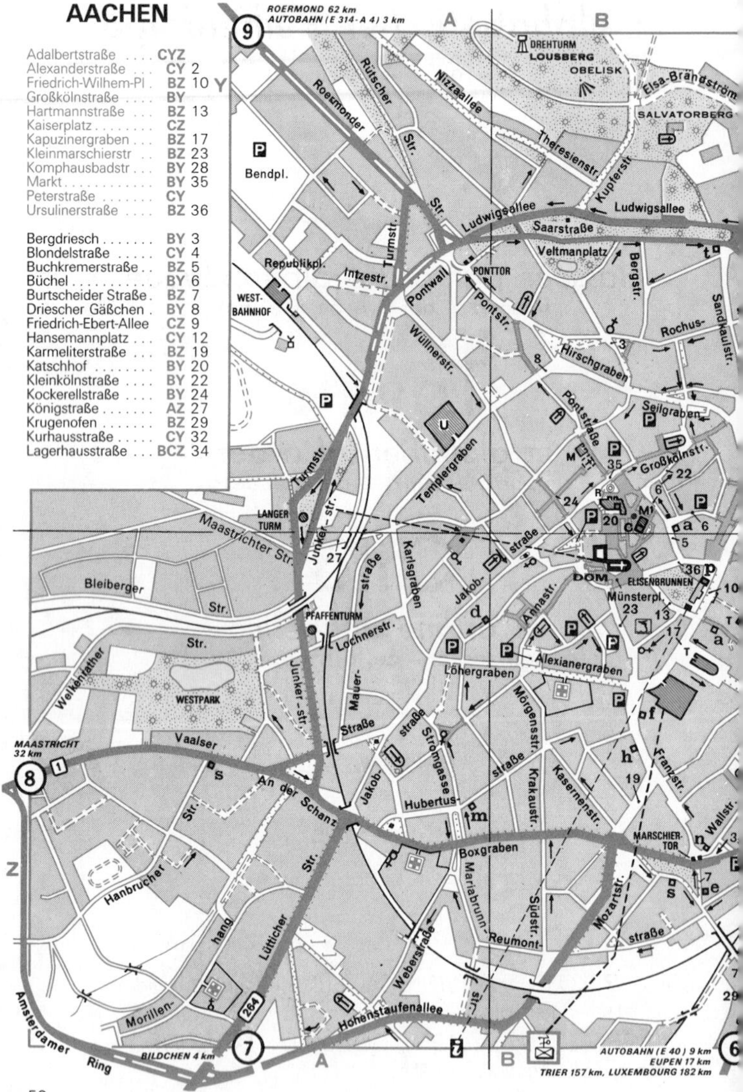

🏨 ✿ **Steigenberger Hotel Quellenhof,** Monheimsallee 52, ✆ 15 20 81, Telex 832864, Fax 154504, « Großer Park, Terrasse mit ≤ », direkter Zugang zum Kurmittelhaus – |♦| ⅍ Zim 📺 ♿ 🚗 – 🎤 25/1800. AE ⓓ E VISA CY **a**
M *(26.Juli - 23.Aug. geschl.)* a la carte 59/98 – **Parkstube** *(nur Abendessen, Montag geschl.)* **M** a la carte 43/70 – **160 Z : 240 B** 170/270 - 270/390 Fb – 5 Appart. 550/850

Spez. Terrine von geräuchertem Wels, Medaillons vom Lamm in Thymian, Grießpudding.

🏨 **Aquis-Grana-Hotel,** Büchel 32, ✆ 44 30, Telex 8329718, Fax 443137, direkter Zugang zum Thermalhallenbad Römerbad (Gebühr) – |♦| 📺 ♿ 🚗 – 🎤 25/60. AE ⓓ E VISA BY **a**
23.- 28. Dez. geschl. – **M** *(nur Abendessen, Samstag - Sonntag und Feiertage geschl.)* a la carte 36/72 – **94 Z : 165 B** 165/185 - 205/235 Fb.

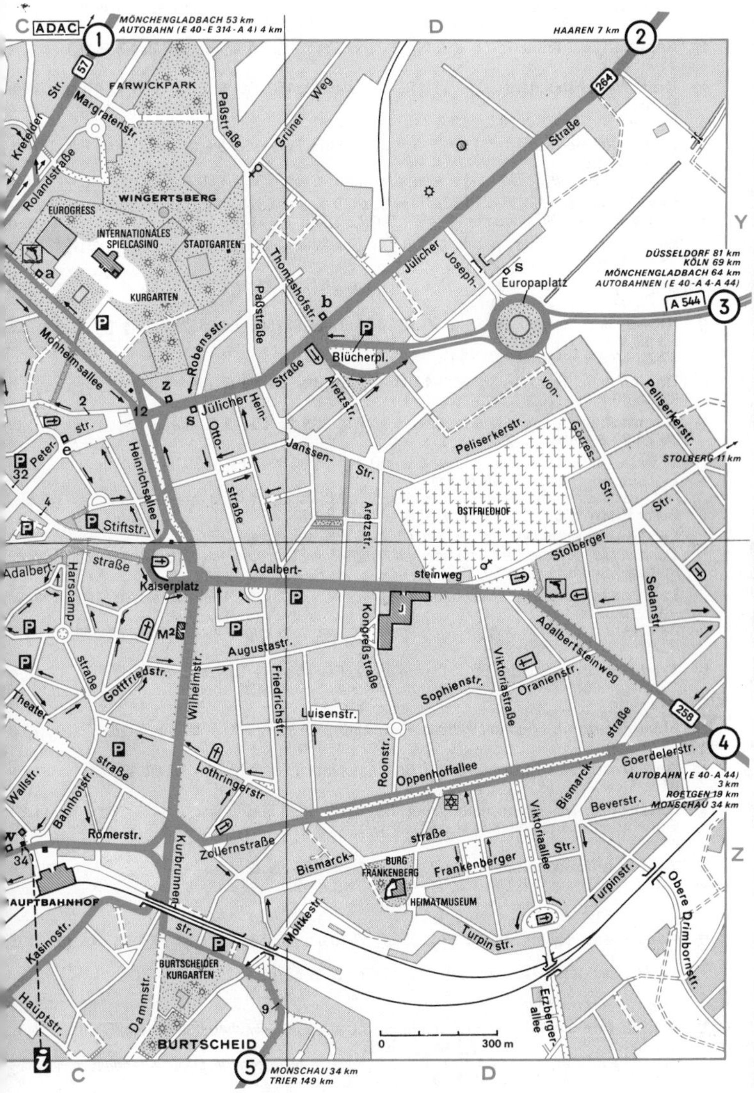

Pannonia Hotel Aachen, Jülicher Str. 10, ✆ 5 10 60, Fax 501180 – 🛗 ⇔ Zim 📺 ☎ 🚗 – 🏛 30. AE ⓓ E VISA. ✻ Rest CY **s**
M 25/Buffet (mittags) und a la carte 40/64 – **103 Z : 165 B** 145 - 205 Fb.

Regence (Japanische Küche), Peterstr. 71 /Ecke Peterskirchhof, ✆ 4 78 70, Telex 8329449, Fax 39055, ≘s – 🛗 ⇔ Zim 📺 ☎ 🚗. AE ⓓ E VISA CY **e**
M *(Montag geschl.)* a la carte 32/60 – **60 Z : 110 B** 155/220 - 230/280 Fb.

Novotel, Joseph-von-Görres-Straße (Am Europaplatz), ✆ 1 68 70, Telex 832435, Fax 163911, 🏞, 🏊 (geheizt), 🌳 – 🛗 ⇔ Zim ▤ 📺 ☎ ♿ Ⓟ – 🏛 25/250. AE E VISA
M a la carte 34/60 – **117 Z : 234 B** 168 - 196 Fb. DY **s**

Hotel am Marschiertor garni, Wallstr. 1, ✆ 3 19 41, Fax 31944 – 🛗 📺 ☎ – 🏛 30. ⓓ E VISA – **50 Z : 80 B** 98/125 - 150/170 Fb. BZ **n**

Burtscheider Markt 🐌 garni, Burtscheider Markt 14, ✆ 6 60 45, Fax 66048 – 🛗 ⇔ Zim 📺 ☎ ♿. AE ⓓ E VISA über Dammstraße CZ
24. Dez.- 7. Jan. geschl. – **30 Z : 45 B** 100/180 - 160/260 Fb.

Benelux garni, Franzstr. 21, ✆ 2 23 43, Fax 22345 – 🛗 📺 ☎ 🚗 Ⓟ. AE ⓓ E VISA BZ **f**
33 Z : 55 B 110/140 - 135/195.

Krott, Wirichsbongardstr. 16, ✆ 4 83 73, Telex 832150, Fax 403892, ≘s – 🛗 📺 ☎. AE ⓓ E VISA BZ **a**
M a la carte 46/78 – **20 Z : 33 B** 110/150 - 150/215.

Royal, Jülicher Str. 1, ✆ 1 50 61, Telex 8329357, Fax 156813 – 🛗 ⇔ Zim ▤ Rest 📺 ☎. AE ⓓ E VISA CY **z**
M *(nur Abendessen, Indische Küche)* a la carte 30/55 – **31 Z : 60 B** 135/160 - 185/210 Fb.

Ibis, Friedlandstr. 8, ✆ 4 78 80, Telex 832413, Fax 4788110 – 🛗 📺 ☎ ♿ Ⓟ – 🏛 25/50. AE ⓓ E VISA – **M** a la carte 33/48 – **104 Z : 156 B** 114/149 - 163 Fb. BZ **s**

Lousberg garni, Saarstr. 108, ✆ 2 03 31, Fax 22047 – 🛗 📺 ☎ 🚗. AE ⓓ E VISA BY **t**
29 Z : 41 B 95/127 - 140/173.

Marx garni, Hubertusstr. 35, ✆ 3 75 41, Fax 26705 – 🛗 ☎ Ⓟ AZ **m**
34 Z : 59 B 60/120 - 120/160.

Krone garni, Jülicher Str. 91 a, ✆ 15 30 51, Telex 832505, Fax 152511 – 🛗 📺 ☎ 🚗. AE ⓓ E VISA DY **b**
37 Z : 60 B 98/130 - 120/180 Fb.

Danica garni, Franzstr. 36, ✆ 3 49 91 – 🛗 ☎ 🚗. AE ⓓ E VISA BZ **h**
26 Z : 40 B 85/120 - 130/140 Fb.

Danmark garni, Lagerhausstr. 21, ✆ 3 44 14 – 🛗 ☎. AE ⓓ E VISA CZ **w**
19 Z : 30 B 85/100 - 120/140 Fb.

XXXX ✿ **Gala,** Monheimsallee 44 (im Casino), ✆ 15 30 13, Fax 158578, « Modern-elegante Einrichtung » – ▤. AE ⓓ E VISA CY
nur Abendessen, Sonntag - Montag geschl. – **M** (Tischbestellung ratsam) a la carte 93/125 – **Palm-Bistro** *(nur Abendessen)* **M** a la carte 50/80.

XXX **Le Canard,** Bendelstr. 28, ✆ 3 86 63, 🏞 – AE ⓓ E VISA AZ **d**
Donnerstag - Freitag 19 Uhr, Ende Feb.- Mitte März und Anfang - Mitte Juni geschl. – **M** 49 (mittags) und a la carte 80/103.

XX **La Bécasse** (modernes Restaurant mit französischer Küche), Hanbrucher Str. 1, ✆ 7 44 44 – AE ⓓ E VISA AZ **s**
Samstag bis 18 Uhr, Sonntag - Montag 18 Uhr und Juli - Aug. 3 Wochen geschl. – **M** a la carte 72/95.

XX **Tradition,** Burtscheider Str. 11, ✆ 4 48 42, Fax 44842 – AE ⓓ E VISA BZ **e**
Dienstag - Mittwoch 18 Uhr und Aug. 2 Wochen geschl. – **M** (abends Tischbestellung ratsam) a la carte 35/65.

XX **Elisenbrunnen,** Friedrich-Wilhelm-Platz 13a, ✆ 2 97 72, 🏞 – AE ⓓ E VISA BZ **p**
M a la carte 40/64.

XX **Da Salvatore** (Italienische Küche), Bahnhofsplatz 5, ✆ 3 13 77 – AE ⓓ E VISA CZ **w**
M a la carte 30/65.

XX **Ratskeller,** Markt (im historischen Rathaus), ✆ 3 50 01, Fax 30442, 🏞, « Rustikale Einrichtung, Ziegelgewölbe » – AE ⓓ E VISA BY **R**
M a la carte 31/63.

X **Zum Schiffgen,** Hühnermarkt 23, ✆ 3 35 29 – AE ⓓ E VISA BYZ **c**
Sonntag, Montag und Dienstag jeweils ab 18 Uhr geschl. – **M** a la carte 23/53.

In Aachen-Brand ④ : 7 km :

Haus Press, Trierer Str. 842 (B 258), ✆ 52 10 01, Fax 562236, 🏞 – 📺 ☎ 🚗 Ⓟ. AE E VISA
M *(Montag geschl.)* a la carte 28/66 – **14 Z : 31 B** 68/80 - 120 Fb.

In Aachen-Friesenrath ④ : 14 km :

XXX **Schloß Friesenrath** 🐌 mit Zim, Pannekoogweg 46, ✆ (02408)50 48, Fax 5049, « Ehem. gräfliches Palais, Park » – 📺 ☎ Ⓟ. AE E
Juli - Aug. 2 Wochen und 24. Dez.- 21. Jan. geschl. – **M** *(wochentags nur Abendessen, Montag geschl.)* a la carte 62/83 – **3 Z : 6 B** 160 - 320.

In Aachen-Kornelimünster ④ : 10 km :

Zur Abtei, Napoleonsberg 132 (B 258), ✆ (02408) 21 48, Fax 4151 – TV ☎ 🚗. ⓓ E VISA. ✻ Rest
M 40 /98 – **12 Z : 20 B** 100/180 - 140/240.

XX ✿ **St. Benedikt,** Benediktusplatz 12, ✆ (02408) 28 88
nur Abendessen, Sonntag - Montag, 20. Juli - 16. Aug. und Weihnachten - Anfang Jan. geschl. – **M** (Tischbestellung erforderlich) 75/98 und a la carte 63/85
Spez. Bretonischer Salat, Kaninchen mit Senf-Sahne-Sauce, Dessertteller "St. Benedikt".

In Aachen-Lichtenbusch ⑤ : 8 km :

Zur Heide, Raafstr. 80, ✆ (02408)20 85, Fax 6268 – TV ☎ P – 25/50. AE ⓓ E VISA
M a la carte 38/63 – **29 Z : 63 B** 89 - 130 Fb.

In Aachen-Walheim ④ : 12 km :

XX **Brunnenhof** mit Zim, Schleidener Str. 132 (B 258), ✆ (02408) 8 00 24, Fax 81559 – TV ☎ 🚗 P. AE ⓓ E VISA
M a la carte 57/74 – **10 Z : 14 B** 70/95 - 100/140.

An der B 258 Richtung Monschau ⑤ : 12 km :

Relais Königsberg, Schleidener Str. 440, ✉ 5100 AC-Walheim, ✆ (02408) 50 45, Fax 59184, – | TV ☎ 🚗 P. E
20. Dez.- 20. Jan. geschl. – **M** a la carte 36/67 – **25 Z : 40 B** 85/95 - 125/145.

XX **Gut Kalkhäuschen** (Italienische Küche), Schleidener Str. 400, ✉ 5100 AC-Walheim, ✆ (02408) 5 83 10 – P
nur Abendessen, Montag geschl. – **M** (Tischbestellung ratsam) a la carte 58/70.

An der Straße Verlautenheide-Stolberg ③ : 9 km :

XXX **Gut Schwarzenbruch,** ✉ 5190 Stolberg, ✆ (02402) 2 22 75, « Stilvolle Einrichtung » – P. AE ⓓ E
M a la carte 54/80.

Siehe auch : *Würselen* ① : 6 km

AALEN 7080. Baden-Württemberg 413 N 20, 987 ㊱ – 64 000 Ew – Höhe 433 m – Wintersport : 450/520 m 1 2 – ✆ 07361.

Sehenswert : Besucherbergwerk in Aalen-Wasseralfingen.

i Informations- und Verkehrsamt, Neues Rathaus, ✆ 50 03 58, Fax 66750.

ADAC, Bahnhofstr. 81, ✆ 6 47 07.

♦Stuttgart 73 – ♦Augsburg 119 – Heilbronn 131 – ♦Nürnberg 132 – ♦Ulm (Donau) 67 – ♦Würzburg 135.

Antik, Stuttgarter Str. 47, ✆ 5 71 60, Fax 571625 – TV ☎ 🚗 P. AE ⓓ E VISA
(Restaurant nur für Hausgäste) – **60 Z : 120 B** 58/118 - 120/180 Fb.

Aalener Ratshotel garni, Friedrichstr. 7, ✆ 6 20 01, Fax 66060 – | TV ☎ P. AE ⓓ E VISA
40 Z : 70 B 72/85 - 120 Fb.

Grauleshof, Ziegelstr. 155, ✆ 3 24 69, Fax 36218, Biergarten – ☎ P
März und Juli - Aug. jeweils 2 Wochen geschl. – **M** *(Montag geschl.)* a la carte 27/50 – **8 Z : 13 B** 60/65 - 85/90.

Weißer Ochsen, Bahnhofstr. 47, ✆ 6 26 85 – ☎ P. ✻
M *(Samstag geschl.)* a la carte 25/47 – **7 Z : 13 B** 58 - 100.

XX **Roter Ochsen,** Radgasse 9, ✆ 6 25 17 – AE ⓓ E
Sonntag und Aug. 3 Wochen geschl. – **M** a la carte 29/60.

X **Waldcafé,** Stadionweg 1, ✆ 4 10 20, « Waldterrasse » – P
Dienstag - Mittwoch geschl. – **M** a la carte 36/58.

X **Im Pelzwasen** mit Zim, Eichendorffstr. 10, ✆ 3 17 61, Fax 36463, ≤, , – ☎ 🚗 P. E VISA
Mitte - Ende Juli geschl. – **M** *(auch vegetarische Gerichte)* (Montag - Dienstag 17 Uhr geschl.) a la carte 30/64 – **10 Z : 14 B** 75/85 - 138/142.

In Aalen-Röthardt NO : 4 km :

Vogthof , Bergbaustr. 28, ✆ 7 36 88, – TV ☎ 🚗 P. AE E VISA
Juli - Aug. 3 Wochen geschl. – **M** *(Freitag geschl.)* a la carte 24/55 – **14 Z : 19 B** 60 - 100.

In Aalen-Unterkochen SO : 4 km :

Asbrock - Goldenes Lamm, Kocherstr. 8, ✆ 81 82, Fax 88282 – | TV ☎ 🚗 P – 25/150. AE ⓓ E VISA
M a la carte 36/69 – **50 Z : 79 B** 88/128 - 128/158 – 7 Appart. 188/208.

Scholz, Aalener Str. 80, ✆ 81 21, Fax 8126, – TV ☎ 🚗 P – 25/60. AE ⓓ E VISA. ✻ Rest
M *(Freitag geschl.)* a la carte 25/48 – **54 Z : 80 B** 70/95 - 112/140 Fb.

Kälber , Behringstr. 26, ✆ 84 44, Fax 88264, ≤, – TV ☎ 🚗 P. AE ⓓ E VISA
M *(Sonntag ab 15 Uhr geschl.)* a la carte 32/57 – **20 Z : 33 B** 69/89 - 98/130.

In Aalen-Waldhausen O : 9,5 km :

XX Adler mit Zim, Deutschordenstr. 8, ✆ (07367) 24 26 – Ⓟ
8 Z : 12 B.

In Aalen-Wasseralfingen N : 2 km :

X **Waldgasthof Erzgrube,** Bergbaupfad (O : 2 km, in Richtung Röthardt), ✆ 7 15 24,
« Betsaal der ehemaligen Grubenwirtschaft a.d.J. 1852 » – Ⓟ. AE E
Montag 18 Uhr - Dienstag und Mitte Feb.- Anfang März geschl. – **M** a la carte 23/45.

Siehe auch : *Oberkochen* (S : 9 km)

ABBACH, BAD **8403.** Bayern 413 T 20 – 7 200 Ew – Höhe 374 m – Heilbad – ✆ 09405.
Kurverwaltung, Kaiser-Karl V.-Allee 5, ✆ 15 55.
♦München 109 – Ingolstadt 62 – Landshut 63 – ♦Nürnberg 112 – ♦Regensburg 10 – Straubing 56.

Pension Elisabeth garni, Ratsdienerweg 8, ✆ 13 15, , – ☎ Ⓟ
23 Z : 29 B 42/46 - 75/90 Fb – 8 Fewo 60/80.

Zur Post, Am Markt 21, ✆ 13 33, Biergarten – ☎ Ⓟ
20 Z : 28 B Fb.

Café Rathaus, Kaiser-Karl V.-Allee 6, ✆ 10 48, Biergarten – Ⓟ
23 Z : 32 B.

ABENSBERG **8423.** Bayern 413 S 20, 987 ㉗ – 10 100 Ew – Höhe 371 m – ✆ 09443.
♦München 89 – Ingolstadt 39 – Landshut 46 – ♦Regensburg 34.

Jungbräu, Weinbergerstr. 6, ✆ 68 74 – Ⓟ. AE ⓓ E VISA
Juli - Aug. 2 Wochen und Weihnachten - Neujahr geschl. – **M** *(Donnerstag ab 14 Uhr geschl.)* a la carte 19/45 – **25 Z : 30 B** 30/60 - 62/85.

Zum Kuchlbauer, Stadtplatz 2, ✆ 14 84
24 Z : 39 B.

In Siegenburg **8427** S : 6 km :

X **Bräustüberl,** Hopfenstr. 3, ✆ (09444) 4 53, – Ⓟ. ⓓ E VISA
Montag und 14. Feb.- 5. März geschl. – **M** a la carte 25/50.

ABENTHEUER **6589.** Rheinland-Pfalz 412 E 18 – 450 Ew – Höhe 420 m – Erholungsort – ✆ 06782 (Birkenfeld).
Mainz 116 – Idar-Oberstein 22 – ♦Trier 57.

XX **La Cachette,** Böckingstr. 11, ✆ 57 22, « Ehem. Jagdschloß a.d. 18. Jh. » – Ⓟ
Montag und Mitte Jan.- Mitte Feb. geschl. – **M** a la carte 45/60.

ABTSDORFER SEE Bayern siehe Laufen.

ABTSWIND **8711.** Bayern 413 O 17 – 700 Ew – Höhe 265 m – ✆ 09383.
♦München 249 – ♦Nürnberg 79 – ♦Würzburg 36.

Weinstube Zur Linde garni, Ebracher Gasse 2, ✆ 18 58 – Ⓟ
9 Z : 16 B 48/50 - 79/85.

X **Weingut Behringer,** an der Straße nach Rehweiler (O : 2 km), ✆ 8 41, Fax 7129, – Ⓟ
Montag - Dienstag und Mitte Dez.- Anfang Feb. geschl. – **M** a la carte 18/50.

ACHERN **7590.** Baden-Württemberg 413 H 21, 987 ㉞, 242 ⑳ – 20 600 Ew – Höhe 143 m – ✆ 07841.
Reisebüro der Sparkasse, Hauptstr. 84, ✆ 64 15 11, Fax 641518.
♦Stuttgart 127 – Baden-Baden 33 – Offenburg 26 – Strasbourg 36.

Götz Sonne-Eintracht, Hauptstr. 112, ✆ 64 50, Telex 752277, Fax 645645, , , – TV Ⓟ – 25/80. AE ⓓ E VISA
M a la carte 55/89 – **55 Z : 90 B** 89/180 - 170/290 Fb.

Schwarzwälder Hof, Kirchstr. 38, ✆ 50 01, Telex 752280, Fax 29526, – TV ☎ Ⓟ – 25/50. ⓓ E VISA
Juli - Aug. 2 Wochen geschl. – **M** *(Sonntag ab 15 Uhr geschl.)* (auch vegetarische Gerichte) a la carte 28/74 – **22 Z : 42 B** 78 - 110/150 Fb.

In Achern-Oberachern SO : 1,5 km :

XX **Zum Hirsch** mit Zim, Oberacherner Str. 26, ✆ 2 15 79, – TV ☎ Ⓟ. ⓓ E VISA
Menu *(Mittwoch, Ende Feb.- Anfang März und Anfang - Mitte Okt. geschl.)* a la carte 33/69 – **5 Z : 9 B** 75/100 - 140.

In Achern-Önsbach SW : 4 km :

XX **Adler** (Restauriertes Fachwerkhaus a.d.J. 1724), Rathausstr. 5, ✆ 41 04, – Ⓟ. E
Sonntag - Montag sowie Feb.- März und Juli - Aug. jeweils 3 Wochen geschl. – Menu 36/95

ACHIM **2807.** Niedersachsen 411 K 7, 987 ⑮ - 29 000 Ew - Höhe 20 m - ☎ 04202.
◆Hannover 102 - ◆Bremen 20 - Verden an der Aller 21.

Stadt Bremen, Obernstr. 45, ✆ 89 20, Fax 82960, ≘s - |♦| TV ☎ P - 🔼 40. ✈
M a la carte 24/58 - **43 Z : 58 B** 63/95 - 100/170 Fb.

Gieschen's Hotel, Obernstr. 12, ✆ 80 06, Fax 2711, ☂ - ☎ P
24 Z : 30 B Fb.

In Achim-Uphusen NW : 5,5 km :

Novotel, Bremer Kreuz zum Klümoor, ✆ 60 86, Telex 249440, Fax 84457, ☂, (geheizt), - |♦| Zim ▤ TV ☎ ♿ P - 🔼 25/320
116 Z : 232 B Fb.

ACHSLACH **8371.** Bayern 413 V 20 - 1 100 Ew - Höhe 600 m - Wintersport : 600/800 m ⛷1 ⛷2 - ☎ 09929 (Ruhmannsfelden).
◆München 163 - Cham 41 - Deggendorf 19.

In Achslach-Kalteck S : 4 km - Höhe 750 m

Berghotel Kalteck ⛰, ✆ (09905) 83 26, ←, ☂, ≘s, ▭, ⛷ - ☎ P
11. März - 27. April und 28. Okt.- 20. Dez. geschl. - **M** a la carte 19,50/44 - **23 Z : 42 B** 58/65 - 83/96 Fb - 3 Appart. 134.

☞ *Keine bezahlte Reklame im* ***Michelin-Führer***

ADELEBSEN **3404.** Niedersachsen 411 412 M 12 - 3 200 Ew - Höhe 180 m - ☎ 05506.
◆Hannover 131 - Göttingen 18 - Hann. Münden 27.

Zur Post, Mühlenanger 38, ✆ 6 00 - ☎ 🚗 P
Juli geschl. - **M** a la carte 20/42 - **13 Z : 19 B** 45 - 86.

ADELSDORF Bayern siehe Höchstadt an der Aisch.

ADELSRIED **8901.** Bayern 413 P 21 - 1 500 Ew - Höhe 491 m - ☎ 08294 (Horgau).
◆München 76 - ◆Augsburg 18 - ◆Ulm (Donau) 65.

Schmid, Augsburger Str. 28, ✆ 29 10, Fax 2910, ☂, ≘s, ▭, - |♦| TV ☎ P - 🔼 25/120.
AE ⦿ E VISA
Weihnachten - Neujahr geschl. - **M** a la carte 30/64 - **96 Z : 180 B** 105/145 - 140/180 Fb.

ADENAU **5488.** Rheinland-Pfalz 412 D 15, 987 ㉔ - 2 800 Ew - Höhe 300 m - ☎ 02691.
ℹ Verkehrsamt, Markt 8, ✆ 3 05 16.
Mainz 163 - ◆Aachen 105 - ◆Bonn 48 - ◆Koblenz 72 - ◆Trier 95.

Zum Wilden Schwein, Hauptstr. 117, ✆ 70 61, ☂ - TV ☎ 🚗 P. E
M a la carte 33/58 - **10 Z : 15 B** 80/100 - 180 Fb.

Hof Hirzenstein ⛰, Hirzensteinstraße, ✆ 21 66, Fax 13684, ←, ☂, , 🐎 - P
M *(Montag geschl.)* a la carte 29/52 - **8 Z : 16 B** 70 - 110 Fb.

Historisches Haus - Blaue Ecke mit Zim, Markt 4, ✆ 20 05, Fax 3805, « Schönes Fachwerkhaus a.d.J. 1578 » - TV ☎ 🚗 P. AE ⦿ E VISA
13. Jan.- 29. Feb. geschl. - **M** *(Nov.- April Montag geschl.)* a la carte 32/58 - **7 Z : 14 B** 70/100 - 100/135 Fb.

An der B 412 O : 9 km :

St. Georg ⛰, ✉ 5488 Hohe Acht, ✆ (02691) 15 16, Fax 7441, ←, ☂ - ☎ P - 🔼 30.
✈ Rest
Nov. geschl. - **M** *(Montag geschl.)* a la carte 34/65 - **18 Z : 35 B** 65/100 - 96/120 Fb.

AERZEN Niedersachsen siehe Hameln.

AHAUS **4422.** Nordrhein-Westfalen 411 412 E 10, 987 ⑬ ⑭, 408 M 5 - 29 000 Ew - Höhe 50 m - ☎ 02561.
⛳18 Ahaus-Alstätte, Schmäinghook 36, ✆ (02567) 4 05.
ℹ Verkehrsverein, Schloßstr. 16a, ✆ 2 77 84, Fax 72105.
◆Düsseldorf 116 - Bocholt 49 - Enschede 26 - Münster (Westfalen) 55.

Ratshotel Rudolph, Coesfelder Str. 21, ✆ 20 51, Telex 89761, Fax 2055, ☂, ≘s, ▭ - |♦| Zim TV ♿ P - 🔼 25/150. AE ⦿ E VISA
Menu *(auch vegetarische Gerichte)* a la carte 39/63 - **39 Z : 75 B** 95/130 - 150/170 Fb - 3 Appart. 180/210.

Zur Barriere, Legdener Str. 99 (B 474 ; SO : 3 km), ✆ 38 00, ☂ - P. AE E
Montag geschl. - **M** a la carte 25/45.

In Ahaus-Ottenstein W : 7 km :

XX **Haus im Flör** mit Zim, Hörsteloe 49 (N : 2 km Richtung Alstätte), ☎ (02567) 10 57, – TV ☎ P. AE ① E VISA.
M *(Samstag bis 17 Uhr, Montag und Juli - Aug. 3 Wochen geschl.)* a la carte 38/74 – **11 Z : 20 B** 80 - 140.

In Ahaus-Wüllen SW : 3 km :

Hof zum Ahaus, Argentréstr. 10, ☎ 88 21, Fax 8437 – ☎ P. AE E
M *(nur Abendessen, Mittwoch geschl.)* a la carte 19,50/42 – **14 Z : 30 B** 50 - 90 Fb.

AHAUSEN Niedersachsen siehe Rotenburg (Wümme).

AHLEN **4730.** Nordrhein-Westfalen 411 412 G 11, 987 ⑭ – 51 200 Ew – Höhe 83 m – ☎ 02382.
♦Düsseldorf 124 – Bielefeld 67 – Hamm in Westfalen 13 – Münster (Westfalen) 34.

Gretenkort, Oststr. 4, ☎ 52 76, Fax 2181 – TV ☎. AE ① E VISA
M *(Samstag geschl.)* a la carte 39/65 – **23 Z : 40 B** 40/80 - 90/150 Fb.

In Ahlen-Vorhelm NO : 7 km :

Witte-Vorhelmer Dorfkrug, Hauptstr. 32, ☎ (02528) 88 86, Fax 3110 – TV ☎ P. AE E VISA
M *(Dienstag geschl.)* a la carte 30/60 – **17 Z : 27 B** 60 - 98.

An der Straße nach Warendorf NO : 7 km :

XX **Alte Schänke Samson,** Tönnishäuschen 7, ✉ 4730 Ahlen 5, ☎ (02528) 14 54, – P AE ① E VISA
Dienstag geschl. – **M** a la carte 30/58.

AHORN Bayern siehe Coburg.

AHRENSBURG **2070.** Schleswig-Holstein 411 N 5, 987 ⑤ – 27 000 Ew – Höhe 25 m – ☎ 04102.
Am Haidschlag 45, ☎ 5 13 09.
♦Kiel 79 – ♦Hamburg 23 – ♦Lübeck 47.

Ahrensburg garni, Ahrensfelder Weg 48, ☎ 5 15 60, Telex 2182855, Fax 515656 – TV ☎ P. AE ① E VISA.
24 Z : 42 B 105/119 - 150/230.

Am Schloss, Am alten Markt 17 (B 75), ☎ 8 00 50, Fax 1801 – TV ☎ – 40. AE ① E VISA
M *(Sonntag geschl.)* a la carte 32/55 – **54 Z : 88 B** 90/130 - 150/180 Fb.

In Ahrensburg-Ahrensfelde S : 4 km :

Ahrensfelder Hof, Dorfstr. 10, ☎ 6 63 16, Fax 64023, (Halle) – TV ☎ P. E
1.- 20. Jan. geschl. – **M** *(Montag geschl.)* a la carte 38/59 – **9 Z : 14 B** 90/140 - 150/220.

AIBLING, BAD **8202.** Bayern 413 T 23, 987 ㊲, 426 I 5 – 13 400 Ew – Höhe 501 m – Heilbad – ☎ 08061.
Tuntenhausen, Aiblinger Str. 1 (N : 8,5 km), ☎ (08061) 14 03.
Städt. Kurverwaltung, W.-Leibl-Platz, ☎ 21 66.
♦München 63 – Rosenheim 12 – Salzburg 92.

Romantik-Hotel Lindner, Marienplatz 5, ☎ 40 50, Fax 30535, « Stilvolle Einrichtung », – TV ☎ P – 25. AE ① E VISA
M *(26. Dez.- 6. Jan. geschl.)* a la carte 40/63 – **22 Z : 34 B** 90/140 - 160/280 Fb – ½ P 80/170.

Schmelmer Hof, Schwimmbadstr. 15, ☎ 49 20, Fax 492551, , Bade- und Massageabteilung, , , – ☎ P – 25/100
M a la carte 34/52 – **110 Z : 165 B** 99/129 - 158/210 Fb – 8 Fewo 79/119 – ½ P 104/159.

Kur- und Sporthotel St. Georg, Ghersburgstr. 18, ☎ 49 70, Telex 525902, Fax 497105, , Bade- und Massageabteilung, , , , – TV ☎ P – 25/50. AE ① E VISA
M a la carte 36/60 – **226 Z : 452 B** 125/144 - 188 Fb – 14 Appart. 255.

Moorbad-Hotel Meier, Frühlingsstr. 2, ☎ 39 90, Fax 39999, Bade- und Massageabteilung, , , – TV ☎ P. AE ① E VISA. Rest
Ende Nov.- Mitte Jan. geschl. – **M** *(nur Abendessen)* a la carte 24/51 – **52 Z : 70 B** 70/95 - 120/155 Fb – ½ P 75/110.

Kurhotel Schuhbräu, Rosenheimer Str. 6, ☎ 20 20, Fax 398355, , Bade- und Massageabteilung, , , – TV ☎ P. AE ① E VISA
M 15 /29 (mittags) und a la carte 39/60 – **51 Z : 82 B** 70/100 - 130/180 Fb.

🏠 **Parkcafé Bihler** 🦢, Katharinenstr. 8, ℰ 40 66, 佘, ⇔, 𝄐 – ☎ ⇔ 🄿. 🛇 Zim
Mitte Jan.- Mitte Feb. geschl. – **M** *(Donnerstag geschl., Nov.- April wochentags nur Abendessen)*
a la carte 28/50 – **23 Z : 34 B** 53/75 - 80/120 Fb.

🏠 **Pension Medl** 🦢, Erlenweg 4 (Harthausen), ℰ 60 19, 𝄐 – 📺 ☎ 🄿. 🛇 Zim
➔ *Mitte Dez.- Mitte Jan. geschl.* – **M** *(Mittwoch geschl.)* a la carte 24/40 – **13 Z : 20 B** 45 - 80.

🍴 **Ratskeller** mit Zim, Kirchzeile 13, ℰ 23 29, Biergarten
M *(Mittwoch geschl.)* a la carte 31/54 – **6 Z : 10 B** 48/54 - 96.

AICHACH 8890. Bayern 𝟜𝟙𝟛 Q 21, 𝟡𝟠𝟟 ㊱ – 15 500 Ew – Höhe 445 m – ✪ 08251.
◆München 59 – ◆Augsburg 24 – Ingolstadt 53 – ◆Ulm (Donau) 98.

🏠 **Bauerntanz,** Stadtplatz 18, ℰ 70 22 – 🛗 ☎ 🕐. 🗚 🗧
Mitte - Ende Juli geschl. – **M** *(Sonntag 14 Uhr - Montag geschl.)* a la carte 28/48 – **16 Z :
25 B** 60 - 100 Fb.

🍲 **Specht,** Stadtplatz 43, ℰ 32 55, 佘 – ☎ 🄿. 🛇
➔ *20. Aug.- 5. Sept. und 24. Dez.- 6. Jan. geschl.* – **M** *(Sonntag ab 14 Uhr und Samstag geschl.)*
a la carte 13/38 🍷 – **20 Z : 37 B** 45 - 80 Fb.

In Aichach - Untergriesbach :

🏠 **Wagner** 🦢, Harthofstr. 38, ℰ 29 97, 佘 – 🄿 – 🔬 25/40
➔ **M** *(Dienstag geschl.)* a la carte 19,50/36 🍷 – **31 Z : 52 B** 40/45 - 70/75 Fb.

AICHELBERG 7321. Baden-Württemberg 𝟜𝟙𝟛 L 21 – 850 Ew – Höhe 400 m – ✪ 07164 (Boll).
Ausflugsziel : Holzmaden : Museum Hauff★, W : 3 km.
◆Stuttgart 43 – Göppingen 12 – Kirchheim unter Teck 11 – ◆Ulm (Donau) 51.

🏠 **Panorama** 🦢, Boller Str. 11, ℰ 20 81, ≼ – ☎ ⇔ 🄿 – 🔬 30. 🗧
M a la carte 30/58 – **20 Z : 25 B** 65/75 - 120/135.

AIDENBACH 8359. Bayern 𝟜𝟙𝟛 W 21, 𝟡𝟠𝟟 ㉘ ㊳, 𝟜𝟚𝟨 L 3 – 2 500 Ew – Höhe 337 m –
Erholungsort – ✪ 08543 – ◆München 155 – Passau 35 – ◆Regensburg 103.

🏠 **Bergwirt,** Egglhamer Str. 9, ℰ 12 08, 佘 – ⇔ 🄿. 🗚 🗧
➔ *2.- 31. Jan. geschl.* – **M** a la carte 24/35 🍷 – **16 Z : 30 B** 42 - 78.

AITERHOFEN Bayern siehe Straubing.

ALBERSDORF 2243. Schleswig-Holstein 𝟜𝟙𝟙 K 4, 𝟡𝟠𝟟 ⑤ – 3 700 Ew – Höhe 6 m – Luftkurort
– ✪ 04835 – ◆Kiel 72 – Itzehoe 37 – Neumünster 59 – Rendsburg 36.

🏠 **Kurhotel Ohlen** 🦢, Weg zur Badeanstalt 1, ℰ 3 51, Fax 1079, 佘, 𝄐 – ☎ ⇔ 🄿. 🗧
Jan. geschl. – **M** *(Montag geschl.)* a la carte 41/54 – **8 Z : 16 B** 60/65 - 110/120.

🍲 **Ramundt,** Friedrichstr. 1, ℰ 2 21 – 📺 ☎ ⇔ 🄿
M *(Sonntag geschl.)* a la carte 26/48 – **13 Z : 27 B** 40/60 - 65/110.

ALBERSHAUSEN Baden-Württemberg siehe Göppingen.

ALBSTADT 7470. Baden-Württemberg 𝟜𝟙𝟛 K 22, 𝟡𝟠𝟟 ㉟ – 48 000 Ew – Höhe 730 m –
Wintersport : 600/975 m ✑5 ✑5 – ✪ 07431.
Ausflugsziel : Raichberg★, ≼★, N : 11 km.
🅱 Städtisches Verkehrsamt, Albstadt-Ebingen, Marktstraße, Rathaus, ℰ 1 60 12 01, Fax 1601480.
◆Stuttgart 98 – ◆Freiburg im Breisgau 132 – ◆Konstanz 104 – ◆Ulm (Donau) 97.

In Albstadt-Ebingen :

🏨 ✿ **Linde,** Untere Vorstadt 1, ℰ 5 30 61, Fax 53322, « Elegante, individuelle Einrichtung » –
📺 ☎
Juli - Aug. 4 Wochen und 23. Dez.- 7. Jan. geschl. – **M** *(Tischbestellung ratsam)* (Samstag sowie
Sonn- und Feiertage geschl.) a la carte 53/92 – **23 Z : 30 B** 98/135 - 170/200 Fb
Spez. Gänseleberterrine, Hummergerichte, Lammrücken mit Kräutern gebraten.

🏠 **Alt Ebingen,** Langwatte 51, ℰ 5 30 22, Fax 53024 – 📺 ☎. 🗚 🗧. 🛇 Zim
Juli 2 Wochen geschl. – **M** *(Samstag geschl.)* a la carte 31/59 – **16 Z : 22 B** 75/85 - 110/130 Fb.

🏠 **Kutsche** garni, Poststr. 60, ℰ 30 17, Fax 3019 – ☎ 🄿. 🅾 🗧 𝚅𝙸𝚂𝙰
14 Z : 24 B 68/75 - 110/130 Fb.

🏠 **Maria** 🦢, Mozartstr. 1, ℰ 44 63, ⇔, 𝄐 – 📺 ☎ ⇔. 🅾 🗧 𝚅𝙸𝚂𝙰
Juli - Aug. 3 Wochen und Weihnachten - Anfang Jan. geschl. – (nur Abendessen für Hausgäste)
– **19 Z : 24 B** 62/78 - 110/145 Fb.

🍴 **In der Breite** mit Zim, Ferdinand-Steinbeis-Str. 2, ℰ 29 10, 佘 – 📺 ☎ 🄿. 🅾 🗧 𝚅𝙸𝚂𝙰
Juli - Aug. 3 Wochen geschl. – **M** *(Samstag bis 18 Uhr und Montag geschl.)* a la carte 25/55
– **5 Z : 7 B** 55/60 - 95.

In Meßstetten-Oberdigisheim **7475** SW : 15 km ab Albstadt-Ebingen :

X **Zum Ochsen,** Breitenstr. 9, ✆ (07436) 12 10 – P
Montag 14 Uhr - Dienstag geschl. – **M** (abends Tischbestellung ratsam) a la carte 26/52.

ALDERSBACH **8359.** Bayern 413 W 21, 426 L 3 – 3 500 Ew – Höhe 324 m – ✆ 08543 (Aidenbach).

♦München 158 – Passau 32 – Regensburg 111 – Salzburg 122.

Mayerhofer, Ritter-Tuschl-Str. 2, ✆ 16 02, Fax 1604, Biergarten, – TV ☎ P. E VISA
29. Aug. - 21. Sept.geschl. – **M** *(Freitag ab 14 Uhr und Montag geschl.)* a la carte 22/43
– **25 Z : 37 B** 48/70 - 96/140 Fb.

ALEXANDERSBAD, BAD **8591.** Bayern 413 T 16,17 – 1 250 Ew – Höhe 590 m – Heilbad – ✆ 09232 (Wunsiedel).

Verkehrsbüro und Kurverwaltung, Haus des Gastes, Am Kurpark 3, ✆ 26 34.

♦München 262 – Bayreuth 46 – Hof 58.

Alexandersbad, Markgrafenstr. 24, ✆ 88 90, Telex 641170, Fax 889461, Bade- und Massageabteilung, – TV ☎ P – 25/130. AE E VISA
M *(auch vegetarische Gerichte)* a la carte 38/62 – **112 Z : 220 B** 121/124 - 193/199 Fb – ½ P 148/151.

Am Forst garni, Zum Nagelbrunnen 18, ✆ 42 42, – P
Nov.- 20. Dez. geschl. – **22 Z : 36 B** 41 - 78 Fb.

Bei Übernachtungen in kleineren Orten
oder abgelegenen Hotels empfehlen wir, hauptsächlich in der Saison,
rechtzeitige telefonische Anmeldung.

ALF **5584.** Rheinland-Pfalz 412 E 16, 987 ㉔ – 1 200 Ew – Höhe 95 m – ✆ 06542 (Zell a.d. Mosel).
Ausflugsziele : Marienburg : Lage★★ (≤★★) S : 2 km.

Mainz 108 – ♦Koblenz 84 – ♦Trier 61.

Mosel-Hotel-Alf, Moselstr. 1, ✆ 25 81, ≤, – P. AE E VISA. Zim
März - 10. Nov. – **M** a la carte 25/49 – **15 Z : 30 B** 46/58 - 72/96.

Bömer, Ferd.-Remy-Str. 27, ✆ 23 10, Fax 1275, – P. E VISA
M *(Montag bis 17 Uhr geschl.)* a la carte 24/40 – **33 Z : 60 B** 42/48 - 74/86.

ALFDORF **7077.** Baden-Württemberg 413 M 20 – 5 700 Ew – Höhe 500 m – ✆ 07172.

Alfdorf-Haghof, ✆ 30 40.

♦Stuttgart 49 – Schwäbisch Gmünd 12 – Schwäbisch Hall 40.

In Alfdorf 2-Haghof W : 5 km :

Haghof, Welzheimer Str. 3, ✆ (07182) 5 45, Fax 6394, – TV ☎ P – 25/50. E VISA
Menu (auch vegetarisches Menu) 65 und a la carte 39/69 – **40 Z : 65 B** 95/127 - 125/165 Fb.

ALFELD (LEINE) **3220.** Niedersachsen 411 412 M 11, 987 ⑮ – 23 800 Ew – Höhe 93 m – ✆ 05181.

♦Hannover 52 – Göttingen 66 – Hildesheim 26 – ♦Kassel 108.

City-Hotel garni, Leinstr. 14, ✆ 30 73 – TV ☎ . AE E VISA.
Juli - Aug. 3 Wochen geschl. – **28 Z : 34 B** 60/70 - 100/130 Fb.

Deutsches Haus, Holzerstr. 25, ✆ 30 98, Fax 26100 – TV ☎ – 25/80. AE E VISA
M a la carte 28/56 – **28 Z : 50 B** 58/78 - 110 Fb.

X **Ratskeller,** Marktplatz 1, ✆ 51 92 – AE E
Samstag geschl. – **M** a la carte 26/58.

In Alfeld-Hörsum SO : 3,5 km :

Zur Eule, Horststr. 45, ✆ 46 61, – ☎ P. E
M *(Montag bis 17 Uhr geschl.)* a la carte 24/47 – **27 Z : 45 B** 45 - 90/100.

Haus Rosemarie garni, Horststr. 52, ✆ 34 33, – ☎ P
12 Z : 22 B 45 - 90.

ALFTER **5305.** Nordrhein-Westfalen 412 E 14 – 18 000 Ew – Höhe 173 m – ✆ 0228 (Bonn).

♦Düsseldorf 74 – ♦Aachen 89 – ♦Bonn 6 – ♦Köln 24.

XXX **Herrenhaus Buchholz,** Buchholzweg 1 (NW : 2 km), ✆ (02222) 6 00 05, Fax 61469, « Gartenterrasse » – P – 25/50. E
M (Tischbestellung ratsam) 52/114.

ALKEN **5401.** Rheinland-Pfalz 412 F 16 – 700 Ew – Höhe 85 m – ☎ 02605 (Löf).

Mainz 93 – Cochem 28 – ◆Koblenz 23.

- **Landhaus Schnee,** Moselstr. 6, ☎ 33 83, Fax 8126, ≤, – Rest TV. **P**. E
  4.Jan. - Feb. geschl. – **M** *(Mittwoch ab 15 Uhr geschl.)* a la carte 24/50 – **20 Z : 40 B** 50/80 - 100/120.
- **Zum Roten Ochsen,** Moselstr. 14, ☎ 6 89, Fax 707, ≤ – **P**.
  4. Jan.- 15. Feb. geschl. – **M** *(Montag geschl.)* a la carte 20/44 – **31 Z : 62 B** 45/70 - 80/90 Fb.
- XX **Burg Thurant** mit Zim, Moselstr. 15, ☎ 35 81, « Restaurant in einem alten Turm » – **P**. E
  Feb.- 3. März geschl. – **M** *(Montag - Dienstag 18 Uhr geschl., Okt.- Ostern wochentags nur Abendessen)* a la carte 42/74 – **5 Z : 10 B** 90 - 90/100.

ALLENBACH Rheinland-Pfalz siehe Idar-Oberstein.

ALLENSBACH **7753.** Baden-Württemberg 413 K 23, 987 ㉟, 427 L 2 – 6 200 Ew – Höhe 400 m – Erholungsort – ☎ 07533.

Allensbach-Langenrain, ☎ 51 24.

Verkehrsamt, Rathausplatz 2, ☎ 8 01 35.

◆Stuttgart 173 – ◆Konstanz 11 – Singen (Hohentwiel) 21.

- **Haus Regina** garni, Gallus-Zembroth-Str. 19a, ☎ 50 91 – **P**
  16 Z : 24 B 56/75 - 98.

ALLERSBERG **8501.** Bayern 413 Q 19, 987 ㉖ – 7 400 Ew – Höhe 384 m – ☎ 09176.

◆München 139 – Ingolstadt 65 – ◆Nürnberg 29 – ◆Regensburg 94.

- **Traube,** garni Gilardistr. 27, ☎ 3 67 – **P**
  29 Z : 50 B 45/65 - 72/75.
- **Café Kattenbeck** garni, Marktplatz 12, ☎ 2 74, Fax 1702 – **P**. E VISA
  12 Z : 25 B 60/65 - 85.

An der Straße nach Nürnberg N : 6 km :

- XXX **Faberhof,** ✉ 8501 Pyrbaum, ☎ (09180) 6 13, Fax 2977, – **P**. AE E
  Dienstag geschl. – **M** a la carte 53/82.

ALPE ECK Bayern siehe Sonthofen.

ALPIRSBACH **7297.** Baden-Württemberg 413 I 21, 987 ㉟ – 7 500 Ew – Höhe 441 m – Luftkurort – Wintersport : 628/749 m 2 5 – ☎ 07444.

Sehenswert : Ehemaliges Kloster★.

Kurverwaltung im Rathaus, Marktplatz, ☎ 61 42 81.

◆Stuttgart 99 – Freudenstadt 18 – Schramberg 19 – Villingen-Schwenningen 51.

- **Rößle,** Aischbachstr. 5, ☎ 22 81, Fax 2368 – **P**. AE E
  10.- 20. März und 8. Nov.- 1. Dez. geschl. – **M** *(Montag geschl.)* a la carte 25/46 – **26 Z : 51 B** 55/57 - 90/92 Fb.
- **Waldhorn,** Kreuzgasse 4, ☎ 24 11 – TV **P**. AE E VISA
  M a la carte 26/55 – **20 Z : 38 B** 48/66 - 90/120 Fb.

In Alpirsbach-Aischfeld O : 5 km :

- **Sonne,** Im Aischfeld 2, ☎ 23 30, Fax 2353, – **P**. E VISA
  M *(Dienstag geschl.)* a la carte 25/51 – **21 Z : 40 B** 48/52 - 81/85.

In Alpirsbach-Ehlenbogen :

- **Adler,** an der B 294 (N : 2 km), ☎ 22 15, – **P**. AE E
  M *(Mittwoch geschl.)* a la carte 22/40 – **16 Z : 29 B** 40/50 - 65/80.

ALSFELD **6320.** Hessen 412 K 14, 987 ㉕ – 17 100 Ew – Höhe 264 m – ☎ 06631.

Sehenswert : Marktplatz★ – Rathaus★ – Rittergasse (Fachwerkhäuser★).

Städt. Verkehrsbüro, Rittergasse 3, ☎ 18 21 65.

◆Wiesbaden 128 – ◆Frankfurt am Main 107 – Fulda 44 – ◆Kassel 93.

- **Zum Schwalbennest** , Pfarrwiesenweg 12, ☎ 50 61, Telex 49460, Fax 71081, – TV **P** – 25/100. E VISA
  M a la carte 24/54 – **65 Z : 130 B** 70/80 - 120/130 Fb.
- **Krone,** Schellengasse 2 (B 62), ☎ 40 41, Fax 4043 – **P** – 25/50. AE E VISA
  M a la carte 27/58 – **38 Z : 70 B** 60/90 - 95/115 Fb.

Klingelhöffer, Hersfelder Str. 47, ✆ 20 73, Fax 71064 – TV ☎ ⇐ P – 25/90
M a la carte 34/56 – **40 Z : 75 B** 50/73 - 89/125 Fb.

Zur Erholung, Grünberger Str. 26 (B 49), ✆ 20 23, Fax 2043 – ☎ ⇐ P – 25/120. AE ① E VISA
M a la carte 21/56 – **29 Z : 52 B** 45/60 - 90/100.

In Alsfeld-Eudorf NO : 3 km :

Zur Schmiede, Ziegenhainer Str. 26 (B 254), ✆ 60 31, – TV ☎ ⇐ P – 25/300
M a la carte 23/42 – **53 Z : 98 B** 50/60 - 88/98.

In Romrod 1 **6326** SW : 6 km über die B 49 :

Sport-Hotel Vogelsberg, Kneippstr. 1 (S : 1 km), ✆ (06636) 8 90, Telex 49404, Fax 89522, (Halle) – TV ☎ P – 25/100. AE ① E VISA. Rest
M a la carte 30/65 – **104 Z : 186 B** 120/150 - 200/250 Fb.

ALSHEIM **6526.** Rheinland-Pfalz 412 413 I 17 – 2 700 Ew – Höhe 92 m – ☎ 06249.
Mainz 32 – Alzey 19 – ♦Darmstadt 34 – Worms 16.

Hubertushof, Mainzer Str. 1, ✆ 41 00, (geheizt), – P
27. Dez.- 20. Jan. geschl. – **M** *(nur Abendessen, Montag geschl.)* a la carte 25/48 – **9 Z : 15 B** 35/50 - 70/94.

ALTBACH Baden-Württemberg siehe Plochingen.

ALTDORF **8503.** Bayern 413 R 18, 987 ㉖ – 12 900 Ew – Höhe 446 m – ☎ 09187.
♦München 176 – ♦Nürnberg 22 – ♦Regensburg 80.

Alte Nagelschmiede, Oberer Markt 13, ✆ 56 45, Fax 8234 – ☎ P
Mitte Aug.- Anfang Sept. geschl. – **M** *(Tischbestellung ratsam)* (Sonntag - Montag 17 Uhr geschl.) a la carte 24/50 – **22 Z : 28 B** 60/65 - 80/90.

Rotes Ross, Oberer Markt 5, ✆ 52 72 – ① E VISA
Donnerstag ab 15 Uhr, Montag, Mitte Aug.- Mitte Sept. und 24. Dez.- 5. Jan. geschl. – **M** (Tischbestellung ratsam) a la carte 24/46.

ALTDORF Bayern siehe Landshut.

ALTENA **5990.** Nordrhein-Westfalen 411 412 G 13, 987 ⑭ – 22 100 Ew – Höhe 159 m – ☎ 02352.
♦Düsseldorf 88 – Hagen 25 – Iserlohn 16 – Lüdenscheid 14.

Burg Altena, Fritz-Thomée-Str.80 (in der Burg), ✆ 28 84 – P.

In Altena-Dahle O : 7 km :

Alte Linden (restauriertes Fachwerkhaus a.d. 17. Jh.), Hauptstr. 38, ✆ 7 12 10, Fax 75094, – TV ☎. E
M *(wochentags nur Abendessen)* a la carte 28/55 – **11 Z : 22 B** 70 - 105.

In Altena-Großendrescheid SW : 7 km, in Altroggenrahmede rechts ab :

Gasthof Spelsberg, Großendrescheid 17, ✆ 5 02 25, – TV ☎ P
M *(Dienstag und Weihnachten - Anfang Jan. geschl.)* a la carte 29/48 – **10 Z : 22 B** 80 - 120/140 Fb.

ALTENAHR **5486.** Rheinland-Pfalz 412 D 15, 987 ㉔ – 1 900 Ew – Höhe 169 m – ☎ 02643.
Verkehrsverein, im ehemaligen Bahnhof, ✆ 84 48.
Mainz 163 – ♦Bonn 30 – Euskirchen 29 – ♦Koblenz 62 – ♦Trier 113.

Central-Hotel, Brückenstr. 5, ✆ 18 15, – P.
15. Dez.- 15. Jan. geschl. – **M** *(Montag geschl.)* a la carte 26/59 – **25 Z : 47 B** 45/60 - 80/100.

Zur Post, Brückenstr. 2, ✆ 20 98, Fax 2095, – TV ☎ P – 25/50. AE ① E VISA
20. Nov.- 20. Dez. geschl. – **M** a la carte 24/52 – **55 Z : 90 B** 50/85 - 90/130.

Cafe Lang, Altenburger Str. 1, ✆ 20 91, Fax 2090 – TV ☎ P – 25/50. AE ① E VISA
3.- 31. Jan. geschl. – **M** a la carte 26/53 – **29 Z : 58 B** 59/69 - 118/138 Fb.

Ruland, Brückenstr. 6, ✆ 83 18, Fax 3162, – P
M a la carte 21/45 – **43 Z : 80 B** 35/55 - 70/100.

Wein-Gasthaus Schäferkarre (restauriertes Winzerhaus a.d.J. 1716), Brückenstr. 29, ✆ 71 28, bemerkenswertes Angebot von Ahrweinen – AE ① E
Montag und 20. Dez.- Ende Jan. geschl. – Menu a la carte 33/62.

ALTENAU **3396.** Niedersachsen 411 O 11, 987 ⑯ – 2 900 Ew – Höhe 450 m – Heilklimatischer Kurort – Wintersport : 450/900 m ⛷3 ⛷3 – ☎ 05328.

Kurverwaltung, Schultal 5, ✆ 8 02 22.

Hannover 109 – ♦Braunschweig 61 – Göttingen 71 – Goslar 18.

- **Moock's Hotel**, Am Schwarzenberg 11, ✆ 2 22, – TV ☎ P
  14 Z : 25 B Fb.
- **Landhaus am Kunstberg** garni, Bergmannsstieg 5, ✆ 2 55, ←, – TV ☎ P.
  4. Nov.- 18. Dez. geschl. – **14 Z : 26 B** 58/75 - 78/118 Fb – 7 Fewo 45/95.
- **Gebirgshotel**, Kleine Oker 17, ✆ 2 18, – ☎ P. Rest
  29. Nov.- 20. Dez. geschl. – **M** a la carte 20/40 – **39 Z : 62 B** 49/52 - 82/88.

ALTENBERGE **4417.** Nordrhein-Westfalen 411 412 F 10, 987 ⑭ – 8 000 Ew – Höhe 104 m – ☎ 02505.

Düsseldorf 138 – Enschede 49 – Münster (Westfalen) 15.

- **Stüer,** Laerstr. 6, ✆ 12 12, Fax 3747, – TV ☎ P. AE E VISA
  M *(Dienstag - Freitag nur Abendessen, Montag geschl.)* a la carte 30/48 – **43 Z : 82 B** 48/80 - 86/150.

Se dovete far tappa in una località climatica,
o comunque di interesse turistico,
preavvisate telefonicamente, specie in alta stagione.

ALTENGLAN **6799.** Rheinland-Pfalz 412 F 18, 242 ③ – 3 500 Ew – Höhe 199 m – ☎ 06381.

Mainz 102 – Kaiserslautern 27 – ♦Saarbrücken 72 – ♦Trier 94.

Beim Wildpark Potzberg SO : 7 km – Höhe 562 m

- **Turm-Hotel**, Auf dem Potzberg, ✉ 6791 Föckelberg, ✆ (06385) 56 77, ← Pfälzer Bergland, – P – 25/50
  15. Jan.- 15. Feb. geschl. – **M** *(Montag geschl.)* a la carte 24/52 – **31 Z : 65 B** 50/60 - 85/90.

ALTENKIRCHEN IM WESTERWALD **5230.** Rheinland-Pfalz 412 F 14, 987 ㉔ – 5 300 Ew – Höhe 245 m – ☎ 02681.

Mainz 110 – ♦Bonn 49 – ♦Koblenz 56 – ♦Köln 65 – Limburg an der Lahn 50.

- **Haus Hubertus,** Frankfurter Str. 59a, ✆ 34 28, « Garten » – ☎ P. AE E VISA
  2. Jan.- 3. Feb. geschl. – **M** *(Freitag geschl.)* a la carte 25/52 – **13 Z : 21 B** 49/55 - 90/100 Fb.

In Altenkirchen-Leuzbach SW : 2 km :

- **Petershof,** Wiedstr. 84, ✆ 29 83, Fax 70283, – P. AE
  M *(Freitag geschl.)* a la carte 23/44 – **7 Z : 11 B** 35/50 - 80/90.

In Weyerbusch **5231** NW : 8 km – Luftkurort :

- **Sonnenhof,** Kölner Str. 33 (B 8), ✆ (02686) 83 33, – TV ☎ P – 25/100. AE E
  M a la carte 27/51 – **12 Z : 23 B** 48 - 85.

ALTENKUNSTADT Bayern siehe Burgkunstadt.

ALTENMARKT AN DER ALZ **8226.** Bayern 413 U 22,23, 987 ㊲, 426 J 5 – 3 300 Ew – Höhe 490 m – ☎ 08621 (Trostberg).

♦München 82 – Passau 113 – Rosenheim 44 – Salzburg 60.

- **Im Trauntal,** Grassacher Str. 2, ✆ 40 05, Fax 4009, – TV ☎ P. E
  M a la carte 22/52 – **14 Z : 25 B** 78/88 - 126.
- **Angermühle,** Angermühle 1, ✆ 30 26, – P
  M *(Freitag - Samstag geschl.)* a la carte 24/46 – **25 Z : 54 B** 35/55 - 65/85.

ALTENMEDINGEN Niedersachsen siehe Bevensen, Bad.

ALTENSTADT **7919.** Bayern 413 N 22, 987 ㊱, 426 C 4 – 4 500 Ew – Höhe 530 m – ☎ 08337.

♦München 165 – Bregenz 93 – Kempten (Allgäu) 58 – ♦Ulm (Donau) 36.

- **Zur Sonne,** Bahnhofstr. 8, ✆ 14 02, Fax 9112 – ☎ P
  M *(Sonntag und Aug. 2 Wochen geschl.)* a la carte 18/35 – **32 Z : 60 B** 30/55 - 50/90 Fb.

In Altenstadt-Illereichen :

Landhotel Schloßwirtschaft, Kirchplatz 2, 80 45, Fax 460, –
. AE E VISA
M *(abends Tischbestellung ratsam)* (Sonntag 15 Uhr - Montag geschl.) a la carte 80/100
11 Z : 23 B 96 - 140/160
Spez. Jakobsmuscheln auf Erbsenpüree, Gefülltes Täubchen, Lammrücken in der Thymiankrust

ALTENSTEIG **7272.** Baden-Württemberg 413 I 21, 987 ㉟ – 10 300 Ew – Höhe 504 m
Luftkurort – Wintersport : 561/584 m 1 1 – 07453.

Städt. Verkehrsamt, Rosenstr. 28 (ev. Gemeindehaus), 66 33.

♦Stuttgart 68 – Freudenstadt 25 – Tübingen 48.

Traube, Rosenstr. 6, 70 33, Fax 7037 – . AE E. Zim
26. Okt.- 21. Nov. geschl. – **M** *(Montag geschl.)* a la carte 23/44 – **33 Z : 52 B** 36/56 - 66/9

Deutscher Kaiser, Poststr. 1, 85 58 – . AE E
Okt. geschl. – **M** *(Freitag geschl.)* a la carte 24/44 – **9 Z : 15 B** 35/48 - 68/92.

In Altensteig 4-Berneck NO : 3 km – Erholungsort :

Traube, Hauptstr. 22, 80 04, , – – 25/40. E
M a la carte 29/60 – **54 Z : 85 B** 45/75 - 75/130 Fb.

Rössle (mit Gästehaus,), Marktplatz 8, 81 56, , , – . Zi
10.- 25. Jan. und 7.- 21. Dez. geschl. – **M** *(Mittwoch geschl.)* a la carte 20/42 – **26 Z : 42**
75 - 140 – ½ P 86.

In Altensteig 5-Spielberg SW : 5 km :

Ochsen, Römerstr. 2, 61 22, Fax 1448, –
M *(Montag - Dienstag geschl.)* a la carte 26/44 – **16 Z : 31 B** 35/50 - 70/100 – ½ P 34/5

In Altensteig 1-Überberg NW : 2 km :

Hirsch, Simmersfelder Str. 24, 82 90, , – . AE
M *(Dienstag geschl.)* a la carte 26/57 – **18 Z : 36 B** 38/52 - 75/98 – ½ P 58/70.

In Altensteig 6-Wart NO : 7 km :

Sonnenbühl , Wildbader Str. 44, (07458) 77 10, Telex 765400, Fax 771522, , Bad
und Massageabteilung, , , , – – 25/200. AE E VISA
M a la carte 42/65 – **112 Z : 220 B** 130/170 - 175/205 Fb.

ALTÖTTING **8262.** Bayern 413 V 22, 987 ㊲, 426 JK 4 – 12 000 Ew – Höhe 402 m – Wallfahrtso
– 08671.

Wallfahrts- und Verkehrsbüro, Kapellplatz 2a, 80 68, Fax 6303.

♦München 93 – Landshut 64 – Passau 83 – Salzburg 66.

Zur Post, Kapellplatz 2, 50 40, Fax 6214, , , – – 25/180. AE
E VISA
M a la carte 30/65 – **100 Z : 160 B** 105/190 - 145/270 Fb.

Parkhotel garni, Neuöttinger Str. 28, 1 20 27 – . AE E VISA
1.- 10. Jan. geschl. – **18 Z : 28 B** 80 - 130 Fb.

Schex, Kapuziner Str. 13, 40 21, Fax 6974, Biergarten – . AE E VISA
Anfang Jan.- Mitte Feb. geschl. – **M** a la carte 21/47 – **45 Z : 75 B** 80/85 - 110/130 Fb.

Plankl, Schlotthamer Str. 4, 65 22, Fax 12495, – Zim
M a la carte 22/38 – **78 Z : 100 B** 45/80 - 80/160.

Zwölf Apostel, Bruder-Konrad-Platz 3, 59 22, Fax 84371, –
20. Jan.- Feb. geschl. – **M** *(Nov.- April Montag geschl.)* a la carte 22/43 – **60 Z : 120 B** 55/7
- 95/105.

In Bräu im Moos SW : 9,5 km, über Tüßling :

Bräu im Moos, Moos 21, 8261 Tüßling, (08633) 10 41, Fax 7941, Biergarten, Brauere
Museum, Hirschgehege –
Montag und 6. Jan.- 10. Feb. geschl. – **M** a la carte 22/51.

In Teising **8261** W : 5 km :

Gasthof Hutter, Hauptstr. 17 (B 12), (08633) 2 07,
Dienstag 14 Uhr - Mittwoch und Nov. 3 Wochen geschl. – **M** a la carte 23/37.

In Tüßling-Kiefering **8261** W : 6 km über die B 299 :

Landgasthof zum Bauernsepp, (08633) 71 02, Fax 7994, « Innenhofterrasse », –
 – 25/70. AE E
M a la carte 28/60 – **40 Z : 80 B** 60/80 - 95/120 Fb.

ALTRIP Rheinland-Pfalz siehe Ludwigshafen am Rhein.

ALZENAU **8755.** Bayern 412 413 K 16, 987 ㉕ – 16 000 Ew – Höhe 114 m – ✆ 06023.

Städt. Verkehrsamt, Am Marktplatz 2, ✆ 3 02 30.

München 378 – Aschaffenburg 19 – ♦Frankfurt am Main 36.

In Alzenau-Hörstein S : 4 km :

Käfernberg ⛰, Mömbriser Str. 9, ✆ 26 26, Fax 2822, ≤, ⛱, « Weinstube im alpenländischen Stil », ⌂ – |♦| TV ☎ P. AE ◑ E VISA
M *(Sonntag und Ende Juli - Mitte Aug. geschl.)* a la carte 43/70 – **31 Z : 58 B** 75/118 - 118/158 Fb.

In Alzenau-Wasserlos SO : 2 km :

Krone am Park ⛰ garni, Hellersweg 1, ✆ 60 52, Telex 4188169, Fax 8724, ≤, ⌂, ⛱, ✗ – TV ☎ ⇔ P – 🏛 25
28 Z : 37 B 89/129 - 154/174 Fb.

Schloßberg im Weinberg ⛰, Schloßberg 2, ✆ 10 58, Fax 30253, ≤ Maintal, ⛱, ☒ – TV ☎ P – 🏛 25/50. AE ◑ E VISA
2.- 25. Jan. geschl. – **M** a la carte 39/70 – **19 Z : 31 B** 82/120 - 125/180 Fb.

Krone ⛰, Hahnenkammstr. 37, ✆ 60 25 – TV ☎ P – 🏛 25/50
Mitte Juli - Mitte Aug. geschl. – **M** *(Sonntag 15 Uhr - Montag 17 Uhr geschl.)* a la carte 26/55 – **22 Z : 34 B** 65/95 - 120/140 Fb.

ALZEY **6508.** Rheinland-Pfalz 412 H 17, 987 ㉔ – 15 800 Ew – Höhe 173 m – ✆ 06731.

Städt. Verkehrsamt, Fischmarkt 3, ✆ 65 03, Fax 495555.

Mainz 34 – ♦Darmstadt 48 – Kaiserslautern 49 – Bad Kreuznach 29 – Worms 28.

Alzeyer Hof, Antoniterstr. 60, ✆ 88 05, Fax 8808 – |♦| TV ☎ ⇔ – 🏛 25/60. AE E VISA
M *(Sonntag geschl.)* a la carte 40/64 – **25 Z : 56 B** 95 - 125 Fb.

Rheinhessen - Treff, Industriestr. 13 (O : 1 km, nahe der Autobahn), ✆ 40 30, Telex 42461, Fax 403106, ⛱, ✗ (Halle) – TV ☎ P – 🏛 25/110. AE ◑ E VISA
M a la carte 31/52 🌡 – **94 Z : 121 B** 105/115 - 145 Fb.

Am Schloss ⛰, Amtgasse 39, ✆ 86 56, Fax 45605 – TV ☎ P – 🏛 25/50
M a la carte 40/65 – **24 Z : 45 B** 85/100 - 120/140 Fb.

Krause, Gartenstr. 2, ✆ 61 81, Fax 45613, ⛱ – TV ☎ ⇔ P. E
1.- 14. Jan. geschl. – Menu *(Samstag bis 18 Uhr und Dienstag geschl.)* a la carte 30/62 🌡 – **10 Z : 15 B** 75 - 110.

AMBERG **8450.** Bayern 413 S 18, 987 ㉗ – 42 000 Ew – Höhe 374 m – ✆ 09621.

Sehenswert : Deutsche Schulkirche★ AZ **A** – Wallfahrtskirche Maria-Hilf (Fresken★) BY **B.**

Fremdenverkehrsamt, Zeughausstr. 1 a, ✆ 1 02 39.

ADAC, Kaiser-Wilhelm-Ring 29a, ✆ 2 23 80, Notruf ✆ 1 92 11, Telex 631247.

♦München 204 ⑤ – Bayreuth 79 ⑥ – ♦Nürnberg 61 ⑤ – ♦Regensburg 64 ③.

Stadtplan siehe nächste Seite.

Drahthammer Schlößl, Drahthammer Str. 30, ✆ 8 50 88, Fax 88424, ⛱ – TV ☎ P. AE ◑ E VISA — BY **a**
Aug. 3 Wochen geschl. – **M** *(Dienstag geschl.)* a la carte 32/65 – **37 Z : 58 B** 90/110 - 125/160 Fb.

Fleischmann garni, Wörthstr. 4, ✆ 1 51 32 – TV ☎ ⇔. E — AZ **f**
24. Dez.- 6.Jan. geschl. – **31 Z : 42 B** 69 - 110 Fb.

Casino - Altdeutsche Stube, Schrannenplatz 8, ✆ 2 26 64, Fax 22066 – 🏛 25/200. AE ◑ E VISA — AZ **T**
Montag und Aug. 3 Wochen geschl. – **M** *(auch vegetarisches Menu)* a la carte 32/68.

In Freudenberg **8451** NO : 10 km über Krumbacher Straße BY :

Hammermühle ⛰, Hammermühlstr. 1, ✆ (09627) 6 11, Fax 1409, ⛱, ⌂, ⛱, ✗ – ☎ P – 🏛 25/50. AE ◑ E VISA
M *(Jan.- März Freitag geschl.)* a la carte 22/50 – **28 Z : 52 B** 78/84 - 124/136 Fb.

AMBERG

Bahnhofstraße	BZ	
Georgenstraße	AZ	
Marktplatz	BZ	
Rathausstraße	BZ	40
Untere Nabburger Str	BZ	
Äußere Raigeringer Str	BY	2
Barbarastraße	BY	4
Berliner Straße	BY	5
Bruno-Hofer-Straße	BY	6
Dr.-Filchner-Straße	BY	7
Drahthammerstraße	BY	9
Fleurystraße	AYZ	12
Franziskanergasse	AZ	14
Hallstätterstraße	BY	15
Kasernstraße	BZ	17
Kastler Straße	AY	18
Katharinenfriedhofstr	AY	19
Kleinraigering	BY	21
Kochkellerstraße	AY	23
Kümmersbrucker Str.	BY	26
Langangerweg	AY	28
Malteserplatz	AZ	29
Merianstraße	BY	31
Nabburger Torplatz	BZ	32
Nürnberger Straße	AY	34
Obere Nabburger Str.	BZ	36
Pfistermeisterstraße	BY	37
Raigeringer Straße	BY	39
Regierungsstraße	AZ	4
Roßmarkt	AZ	4
Salzstadelplatz	BZ	4
Schießstätteweg	AY	4
Schlachthausstraße	BYZ	4
Schloßgraben	AZ	5
Schrannenplatz	AZ	5
Sebastianstraße	AY	5
Sechserstraße	AY	5
Seminargasse	AZ	5
Steinhofgasse	AZ	5
Viehmarktgasse	AZ	6
Vilstorplatz	AZ	6
Werner-von-Siemens-Str.	AY	6
Wingershofer Straße	AY	6
Ziegeltorplatz	BZ	6

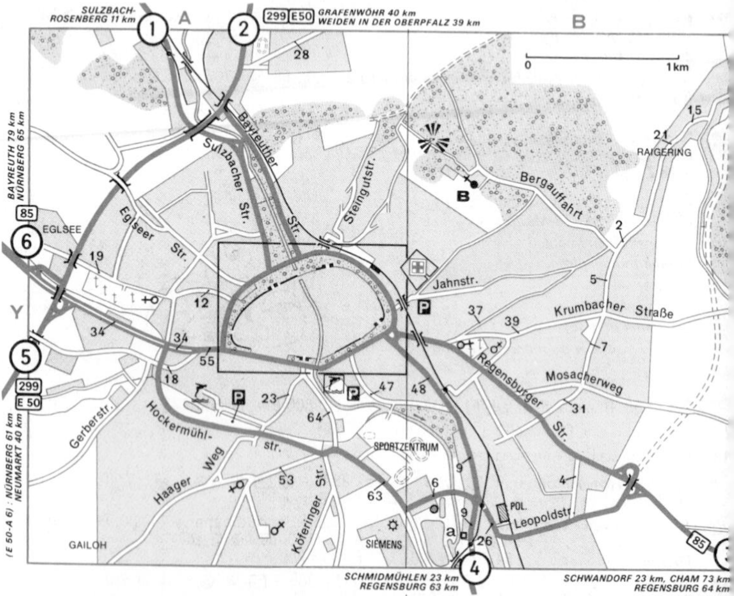

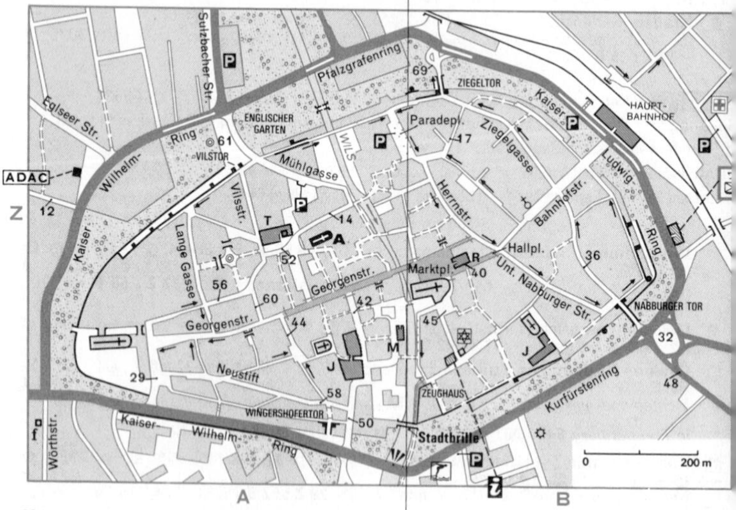

AMELINGHAUSEN **2124.** Niedersachsen 411 N 7, 987 ⑮ – 2 700 Ew – Höhe 65 m – Erholungsort – ☎ 04132.

Verkehrs- und Kulturverein, Lüneburger Str. 50 (Rathaus), ☎ 92 09 19, Fax 920916.

♦Hannover 104 – ♦Hamburg 57 – Lüneburg 26.

Schenck's Gasthaus (mit Gästehaus Bergpension), Lüneburger Str. 48, ☎ 3 14, Fax 8998, – 50. E VISA
M a la carte 30/45 – **29 Z : 54 B** 60/85 - 75/135 Fb.

Fehlhaber, Lüneburger Str. 38, ☎ 3 76 –
M *(Mittwoch geschl.)* a la carte 24/52 – **11 Z : 22 B** 55 - 98 – ½ P 68.

In Wriedel-Wettenbostel **3111** SO : 8 km :

Zur Erika, Brunnenweg 1, ☎ (05829) 5 29, –
März geschl. – **M** *(Mittwoch geschl.)* a la carte 24/42 – **15 Z : 28 B** 45 - 84/92 – 2 Fewo 60/70.

AMERDINGEN **8861.** Bayern 413 O 20 – 750 Ew – Höhe 530 m – ☎ 09008.

♦München 132 – ♦Augsburg 66 – Nördlingen 17 – ♦Ulm (Donau) 67.

Landhotel Kesseltaler Hof, Graf-Stauffenberg-Str. 21, ☎ 6 16, « Renoviertes ehemaliges Bauernhaus », – . E
M *(Montag geschl.)* a la carte 30/56 – **13 Z : 28 B** 60 - 98/125 Fb.

AMMERBUCH **7403.** Baden-Württemberg 413 J 21 – 10 000 Ew – Höhe 365 m – ☎ 07073.

♦Stuttgart 44 – Freudenstadt 51 – Pforzheim 67 – Reutlingen 25.

In Ammerbuch 1-Entringen :

Im Gärtle, Bebenhauser Str. 44, ☎ 64 35, « Gartenterrasse » –
Montag und 10. Jan.- 15. Feb. geschl. – **M** a la carte 44/86.

In Ammerbuch 2-Pfäffingen :

Lamm, Dorfstr. 42, ☎ 30 50, Fax 30513, – . AE E VISA
24. Dez.- 6. Jan. geschl. – **M** *(auch vegetarische Gerichte)* (Samstag bis 18 Uhr und Montag geschl.) a la carte 31/68 – **20 Z : 35 B** 75/95 - 105/125 Fb.

AMMERN Thüringen siehe Mühlhausen.

AMÖNEBURG **3572.** Hessen 412 J 14 – 4 800 Ew – Höhe 362 m – Erholungsort – ☎ 06422.

♦Wiesbaden 125 – Gießen 34 – Bad Hersfeld 71 – ♦Kassel 97 – Marburg 14.

Dombäcker, Markt 18, ☎ 37 55, Fax 51495, – E VISA
Montag bis 18 Uhr sowie Jan. und Okt.- Nov. jeweils 1 Woche geschl. – **M** a la carte 60/78.

AMORBACH **8762.** Bayern 412 413 K 18, 987 ㉕ – 5 000 Ew – Höhe 166 m – Luftkurort – ☎ 09373.

Sehenswert : Abteikirche★ (Chorgitter★, Bibliothek★, Grüner Saal★).

Städt. Verkehrsamt, im alten Rathaus, Marktplatz, ☎ 7 78.

♦München 353 – Aschaffenburg 47 – ♦Darmstadt 69 – Heidelberg 67 – ♦Würzburg 77.

Post, Schmiedstr. 2, ☎ 14 10, Fax 1456, – . AE . Rest
Mitte Jan.- Mitte Feb. geschl. – **M** a la carte 45/63 – **30 Z : 53 B** 60/85 - 94/115 Fb.

Frankenberg, Gotthardsweg 12 (Sommerberg), ☎ 12 50, Fax 4628, ←, – . . Rest
5. Jan.- 15. Feb. und 15. Nov.- 20. Dez. geschl. – **M** a la carte 22/43 – **20 Z : 37 B** 65/75 - 98/105 – ½ P 63/88.

Badischer Hof (mit Gästehaus), Am Stadttor 4, ☎ 12 08, –
32 Z : 50 B.

Victoria, Johannesturmstr. 10, ☎ 17 50 – E
Dienstag geschl. – **M** a la carte 39/64.

In Amorbach-Boxbrunn NW : 10 km :

Bayerischer Hof (mit Gästehaus), Hauptstr. 8 (B 47), ☎ 14 35, Fax 3208 –
Juni 2 Wochen und Jan. geschl. – **M** *(Donnerstag - Freitag geschl.)* a la carte 21/44 –
15 Z : 28 B 34/45 - 68/80.

Im Otterbachtal W : 3 km über Amorsbrunner Straße :

Der Schafhof (ehem. Klostergut), ✉ 8762 Amorbach, ☎ (09373) 80 88, Telex 689293, Fax 4120, ←, – – 35. AE E VISA. Zim
M *(bemerkenswerte Weinkarte)* a la carte 56/85 – **16 Z : 32 B** 135/235 - 185/285 Fb.

AMPFING **8261.** Bayern 413 U 22, 987 ㊲, 426 J 4 – 5 100 Ew – Höhe 415 m – ☎ 08636.
♦München 74 – Landshut 60 – Salzburg 89.

Fohlenhof, Zangberger Str. 23, ✆ 8 88, Fax 7691, – ☎ P. AE E VISA
M *(Freitag - Samstag 17 Uhr und 17. Aug.- 6. Sept. geschl.)* a la carte 29/51 – **31 Z : 47 B** 68/8 - 115/140 Fb.

AMRUM (Insel) Schleswig-Holstein 411 H 3, 987 ④ – Seeheilbad – Insel der Nordfriesischen Inselgruppe.

Ausflugsziele : Die Halligen* (per Schiff).

von Dagebüll (ca. 2 h). Für PKW Voranmeldung bei Wyker Dampfschiffs-Reederei GmbH in 2270 Wyk auf Föhr, ✆ (04681) 80 40.

Nebel **2278.** – 1 045 Ew – ☎ 04682.
Kurverwaltung, ✆ 8 81.

Ekke-Nekkepenn Waasterstigh 17, ✆ 22 45 – P
Mittwoch, 5. Jan.- 12. Feb. und 4.- 18. Nov. geschl., außer Saison nur Abendessen – **M** a la carte 31/50.

Norddorf **2278.** – 900 Ew – ☎ 04682.
Kurverwaltung, ✆ 8 11.
Nebel 4 – Wittdün 9.

Hüttmann, ✆ 8 68, Fax 595, ←, – TV ☎ P.
Jan.- 9. April geschl. – **M** a la carte 37/69 – **26 Z : 50 B** 53/100 - 96/200 Fb – 4 Fewo 105/150 – ½ P 73/125.

Seeblick (Appartment-Hotel), Strunwai 13, ✆ 8 88, Fax 2574, , Badeabteilung, , – TV ☎ P – 80. E VISA
7. Jan.- 16. Feb. geschl. – **M** *(Nov.- März Montag und Dienstag geschl.)* a la carte 29/59 – **22 Z : 44 B** 115/135 - 200/240 Fb – 15 Fewo 110/190 – ½ P 135/145.

Öömrang Wiartshüs, ✆ 8 36, Fax 1432, « Altfriesische Kate, Seemannsstube », , – TV ☎ P. AE
7. Jan.- 21. Feb. geschl. – **M** *(im Winter Mittwoch - Donnerstag geschl.)* a la carte 38/55 – **12 Z : 26 B** 70 - 140 Fb.

Graf Luckner, ✆ 23 67, Fax 2467 – P
8.- 25. Feb. und Nov.- 24. Dez. geschl. – **M** *(Okt.- April Dienstag - Mittwoch geschl.)* a la carte 35/62 – **18 Z : 29 B** 70 - 140 – ½ P 95.

Wittdün **2278.** – 680 Ew – ☎ 04682.
Kurverwaltung, ✆ 8 61.

Ferienhotel Weiße Düne, Achtern Strand 6, ✆ 8 55, Fax 2039, , , – TV ☎ P
Mitte Nov.- Mitte Dez. geschl. – **M** *(Montag geschl.)* a la carte 37/79 – **13 Z : 40 B** 135 - 180/260 Fb – ½ P 128/173.

Ensure that you have up to date ***Michelin maps*** *in your car.*

ANDENHAUSEN **O-6201.** Thüringen 412 N 14 – 350 Ew – Höhe 600 m – ☎ 0037 67394 (Dermbach).
Erfurt 109 – ♦Berlin 373 – Bad Hersfeld 57 – Fulda 44.

Rhöngasthof Katzenstein (NO : 1 km), ✆ 80 32, ←, – TV P
9. Nov.- 24. Dez. geschl. – **M** a la carte 19/26 – **25 Z : 54 B** 30/36 - 44/54 Fb.

ANDERNACH **5470.** Rheinland-Pfalz 412 F 15, 987 ㉔ – 28 000 Ew – Höhe 65 m – ☎ 02632.
Touristinformation, Läufstr. 11, ✆ 29 84 56.
Mainz 120 – ♦Bonn 43 – ♦Koblenz 18 – Mayen 23.

Parkhotel Andernach, Konrad-Adenauer-Allee 33, ✆ 4 40 5, Fax 493441, ←, – TV ☎ P – 25/300. AE E VISA.
M a la carte 42/70 – **28 Z : 56 B** 90 - 150 Fb.

Fischer - Restaurant Puth, Am Helmwartsturm 4, ✆ 49 20 47, Fax 45547 – TV ☎. AE E VISA
M *(Tischbestellung ratsam)* (nur Abendessen, Sonntag geschl.) a la carte 61/80 – **Bistro** (nur Mittagessen, Samstag - Sonntag geschl.) **M** a la carte 45/55 – **20 Z : 40 B** 115/160 - 180/240 Fb.

Villa am Rhein, Konrad-Adenauer-Allee 31, ✆ 4 40 56, Fax 1435, ←, – TV ☎ P – 25. AE E VISA
Jan. 2 Wochen geschl. – **M** a la carte 37/63 – **25 Z : 50 B** 85 - 140 Fb.

Altenhofen - Alte Kanzlei (historisches Haus a.d.J. 1677), Steinweg 30, ✆ 4 44 47, Fax 494865, – TV ☎. AE ⓓ E VISA
22. Dez.- 6. Jan. geschl. – **M** *(nur Abendessen, Sonntag geschl.)* a la carte 34/55 – **10 Z : 20 B** 85/95 - 130/150.

Meder, Konrad-Adenauer-Allee 17, ✆ 4 26 32, – TV ☎. AE ⓓ E VISA. Rest *(nur Abendessen für Hausgäste)* – **10 Z : 19 B** 85/90 - 140/150.

Am Martinsberg garni, Frankenstr. 6, ✆ 4 55 22, Fax 1406 – Ⓟ. E
28 Z : 45 B 55/68 - 95/120.

Bagatelle, Hochstr. 92 (Eingang Obere Wallstraße), ✆ 49 33 81, – AE ⓓ E VISA
Sonntag geschl. – **M** a la carte 48/75.

ANGELBACHTAL **6929.** Baden-Württemberg 412 413 J 19 – 3 600 Ew – Höhe 154 m – ✆ 07265.

◆Stuttgart 91 – Heilbronn 40 – ◆Karlsruhe 47 – ◆Mannheim 44.

In Angelbachtal-Eichtersheim :

Schloß Eichtersheim (Wasserschloß in einem Park), **Schloßstr. 1,** ✆ 72 00 – Ⓟ
Montag-Dienstag 18 Uhr, über Fasching und Juli-Aug. 3 Wochen geschl. – **M** a la carte 50/86.

In Angelbachtal-Michelfeld :

Schloß Michelfeld, Friedrichstr. 2, ✆ 70 41, Fax 279, – TV Ⓟ. AE ⓓ E VISA
M *(Montag - Dienstag 18 Uhr, über Fasching 1 Woche und Juli - Aug. 3 Wochen geschl.)* a la carte 45/75 – **18 Z : 34 B** 105/120 - 180/210 Fb.

ANGER **8233.** Bayern 413 V 23 – 3 800 Ew – Höhe 500 m – ✆ 08656.

Verkehrsamt, Dorfplatz 4, ✆ 3 63, Fax 7171.

◆München 122 – Bad Reichenhall 15 – Rosenheim 75 – Salzburg 19.

Alpenhof, Dorfplatz 15, ✆ 5 91, – TV ☎. E
27. Jan.- 12. Feb. und 16. Nov.- 9. Dez. geschl. – **M** *(Montag - Dienstag geschl.)* a la carte 21/46 – **14 Z : 28 B** 42/45 - 84/90.

ANIF Österreich siehe Salzburg.

ANKUM **4554.** Niedersachsen 411 G 9 – 5 400 Ew – Höhe 54 m – ✆ 05462.

◆Hannover 149 – ◆Bremen 103 – Nordhorn 62 – ◆Osnabrück 40.

Artland-Sporthotel , Tütinger Str. 28, ✆ 4 56, Fax 8732, , , (Halle), (Halle) – TV ☎ Ⓟ – 25/200. AE ⓓ E VISA
M a la carte 31/60 – **57 Z : 117 B** 75/95 - 120/140 Fb.

Schmidt, Hauptstr. 35, ✆ 88 90, Fax 88988, – TV ☎ Ⓟ – 25/50. AE ⓓ E VISA.
20. Juli - 5. Aug. und 27.- 30. Dez. geschl. – **M** a la carte 29/56 – **19 Z : 34 B** 70/80 - 110 Fb.

Raming, Hauptstr. 21, ✆ 2 02 – Ⓟ
M a la carte 20/33 – **17 Z : 29 B** 30/50 - 60/90.

ANNABERG-BUCHHOLZ Sachsen Sehenswürdigkeit siehe Oberwiesenthal.

ANNWEILER **6747.** Rheinland-Pfalz 412 413 G 19, 987 ㉔, 242 ⑧ – 7 000 Ew – Höhe 183 m – Luftkurort – ✆ 06346.

Ausflugsziel : Burg Trifels (Kapellenturm ✻★) O : 7 km.

Verkehrsamt, Rathaus, ✆ 22 00, Fax 30120.

Mainz 125 – Landau in der Pfalz 15 – Neustadt an der Weinstraße 33 – Pirmasens 33 – Speyer 42.

Bergterrasse garni, Trifelsstr. 8, ✆ 72 19, – Ⓟ.
25 Z : 42 B 45 - 70/90.

Richard Löwenherz, Burgstr. 23, ✆ 83 94 – E VISA
Jan. geschl. – **M** *(Mittwoch geschl.)* a la carte 20/50 – **12 Z : 20 B** 38 - 76.

Stadtschänke, Landauer Str. 1, ✆ 89 09, Fax 1415 – Ⓟ – 25/300.

Zur alten Gerberei, Am Prangertshof 11, ✆ 35 66, .

ANRÖCHTE **4783.** Nordrhein-Westfalen 411 412 HI 12 – 9 300 Ew – Höhe 200 m – ✆ 02947.

◆Düsseldorf 134 – Lippstadt 13 – Meschede 30 – Soest 21.

Café Buddeus, Hauptstr. 128, ✆ 39 95 – Ⓟ
M *(Freitag geschl.)* a la carte 22/40 – **25 Z : 35 B** 30/45 - 58/80.

ANSBACH **8800.** Bayern 413 O 19, 987 ㉖ – 40 000 Ew – Höhe 409 m – ✆ 0981.
Sehenswert : Residenz★ (Fayencezimmer★★, Spiegelkabinett★).

Schloß Colmberg (NW : 17 km), ✆ (09803) 2 62 ; Lichtenau, Weickershof 1 (O : 9 km), ✆ (09827) 69 07.

Städt. Verkehrsamt, Rathaus, Martin-Luther-Pl. 1, ✆ 5 12 43.

ADAC, Promenade 21, ✆ 1 77 00, Notruf ✆ 1 92 11.

♦München 202 – ♦Nürnberg 56 – ♦Stuttgart 162 – ♦Würzburg 78.

Am Drechselsgarten, Am Drechselsgarten 1, ✆ 8 90 20, Telex 61850, Fax 8902605, Zim – 25/100. *Anfang Jan. 1 Woche geschl.* – **M** a la carte 49/75 – **85 Z : 170 B** 135/180 - 170/250 Fb.

Bürger-Palais, Neustadt 48, ✆ 9 51 31, « Modernisiertes Barockhaus, elegante Einrichtung » – **M** a la carte 26/53 – **10 Z : 20 B** 140 - 190/260.

Der Platengarten, Promenade 30, ✆ 56 11, Fax 5610, « Gartenterrasse » – *20. Dez.- 6. Jan. geschl.* – **M** *(Samstag geschl.)* a la carte 31/56 – **22 Z : 36 B** 50/95 - 75/200 Fb

Christl garni, Richard-Wagner-Str. 39, ✆ 81 21 – **18 Z : 31 B** 75/99 - 120/139.

Schwarzer Bock, Pfarrstr. 31, ✆ 9 51 11, Fax 95490, – **M** *(Sonntag ab 15 Uhr geschl.)* a la carte 33/55 – **19 Z : 31 B** 70/95 - 120/155 Fb.

Windmühle, Rummelsberger Str. 1 (B 14), ✆ 1 50 88, Fax 17980 – **M** *(Samstag geschl.)* a la carte 22/46 – **40 Z : 60 B** 43/85 - 92/135.

Augustiner, Karolinenstr. 30, ✆ 24 32, Fax 2413 – *23. Dez.- 6. Jan. geschl.* – **M** *(Donnerstag geschl.)* a la carte 18/39 – **14 Z : 23 B** 50/60 - 90/100

Orangerie, Promenade 33, ✆ 21 70, Fax 13897, – *Jan. und Sonntag 18 Uhr - Montag geschl.* – **M** a la carte 35/60.

In Ansbach-Brodswinden S : 7 km über die B 13 :

Landgasthof Keßer, Brodswinden 23, ✆ 73 18, Fax 94307 – Zim **M** *(Samstag geschl.)* a la carte 16/31 – **19 Z : 35 B** 68 - 116 Fb.

ANZING **8011.** Bayern 413 S 22 – 3 100 Ew – Höhe 516 m – ✆ 08121.
♦München 22 – Landshut 65 – Salzburg 148.

Zur Ulme garni, Amselweg 4, ✆ 50 56, Fax 46546, – **14 Z : 26 B** Fb.

Kirchenwirt, Hoegerstr. 2, ✆ 30 33, – **M** *(Montag, 1.- 8. Jan. und Aug. geschl.)* a la carte 21/48 – **17 Z : 28 B** 55 - 90.

APOLDA **O-5320.** Thüringen 984 ㉓, 987 ㉖ – 2 000 Ew – Höhe 180 m – ✆ 0037 620.
Ausflugsziel : Naumburg : Dom St. Peter und Paul★★ (Stifterfiguren★★★, Lettner★) – St. Wenzel-Kirche★ NO : 27 km.
Erfurt 37 – ♦Berlin 255 – Gera 54 – Leipzig 96.

Zur Post, Bahnhofstr. 35, ✆ 22 08 – **21 Z : 35 B** Fb.

APPENWEIER **7604.** Baden-Württemberg 413 GH 21, 987 ㉞, 242 ㉔ – 8 800 Ew – Höhe 137 m – ✆ 07805.
♦Stuttgart 143 – Baden-Baden 47 – Freudenstadt 50 – Strasbourg 22.

Schwarzer Adler garni, Ortenauer Str. 44 (B 3), ✆ 27 85, Fax 5216 – **22 Z : 40 B** 45/75 - 90/125 Fb.

Hanauer Hof, Ortenauer Str. 50 (B 3), ✆ 27 48, Fax 5365 – **M** *(Dienstag geschl.)* a la carte 26/56 – **31 Z : 56 B** 35/55 - 55/85.

ARENDSEE **O-3552.** Sachsen-Anhalt 984 ⑪, 987 ⑯ – 3 500 Ew – Höhe 26 m – ✆ 0037 92287.
Magdeburg 116 – ♦Berlin 151 – Schwerin 119.

Waldheim, nahe der Lüchower Straße (W : 3 km), ✆ 2 37, – 25/60. Rest – **M** a la carte 18/30 – **120 Z : 240 B** 46/51 - 78/88 Fb.

ARGENBÜHL **7989.** Baden-Württemberg 413 MN 23, 24 – 5 200 Ew – Höhe 600 m – Erholungsort – ✆ 07566.

Verkehrsamt, Rathaus in Eisenharz, Eglofser Str. 4, ✆ 6 15.

♦Stuttgart 194 – Bregenz 38 – Ravensburg 34 – ♦Ulm (Donau) 98.

In Argenbühl-Eglofs :

Zur Rose, Dorfplatz 7, ✆ 3 36, – *Mitte Nov.- Weihnachten geschl.* – **M** *(Montag geschl.)* a la carte 20/45 – **19 Z : 34 B** 35/41 - 70/82 – ½ P 55/61.

In Argenbühl-Isnyberg SO : 5 km ab Eisenharz, über die B 12 Richtung Isny und Straße nach Lindenberg :

Bromerhof ⑤, ✆ (07566) 23 81, Fax 2685, ≤, 余, Bade- und Massageabteilung, ≘s, ☐, 🐎, 🎾 - |♦| TV ☎ P - 🔑 25/150. AE ⓓ E VISA
M a la carte 29/55 - **40 Z : 80 B** 65/110 - 120/180 Fb.

ARNSBERG **5760.** Nordrhein-Westfalen 411 412 H 12, 987 ⑭ - 78 000 Ew - Höhe 230 m - ✆ 02931.

Neheim-Hüsten (NW : 9 km), ✆ (02932) 3 15 46.

Verkehrsverein, Neumarkt 6, ✆ 40 55, Fax 12331.

ADAC, Lange Wende 42 (Neheim-Hüsten), ✆ 2 79 79, Notruf ✆ 1 92 11.

♦Düsseldorf 129 - Dortmund 62 - Hamm in Westfalen 42 - Meschede 22.

Menge, Ruhrstr. 60, ✆ 40 44, « Kleiner Garten », 🐎 - TV ☎ 🚗 P. E
Menu *(nur Abendessen, Sonntag und Juli - Aug. 3 Wochen geschl.)* a la carte 34/60 - **19 Z : 33 B** 65/85 - 110/140 Fb.

Landsberger Hof, Alter Markt 18, ✆ 33 18, Fax 12183 - TV ☎ 🚗 P. E
M *(Mittwoch geschl.)* a la carte 31/52 - **10 Z : 20 B** 58 - 96.

Swora garni, Nordring 30, ✆ 1 23 39, Fax 22144 - TV ☎ P. E
10 Z : 19 B 60 - 100.

Zur Linde, Ruhrstr. 41, ✆ 34 02 - P. AE ⓓ E VISA
21. Dez.- 21. Jan. geschl. - **M** *(Freitag geschl.)* a la carte 27/58 - **14 Z : 24 B** 40/50 - 80/95.

Mand, Neumarkt 6, ✆ 44 00, Fax 22168 - AE ⓓ E VISA
27. Dez.- 6. Jan. geschl. - **M** a la carte 38/65.

In Arnsberg 1 - Bruchhausen NW : 4 km :

Zur Post, Bruchhausener Str. 29, ✆ (02932) 46 25, Fax 34088, 余, ≘s - |♦| ☎ 🚗 P - 🔑 25/80. AE ⓓ E VISA - **M** a la carte 21/55 - **48 Z : 82 B** 28/50 - 55/90.

In Arnsberg 1 - Neheim-Hüsten NW : 9 km - ✆ 02932 :

Dorint-Hotel ⑤, Zu den drei Bänken, ✆ 20 01, Fax 200228, ≤, 余, ≘s, ☐ - |♦| TV ☎ P - 🔑 25/120. AE ⓓ E VISA. ✻ Rest
M a la carte 40/70 - **165 Z : 330 B** 140/160 - 195/290 Fb.

Waldhaus - Rodelhaus ⑤, Zu den drei Bänken 1, ✆ 2 27 60, Fax 22437, ≤, ≘s - TV ☎ P. ⓓ E VISA. ✻
M *(Dienstag sowie Jan. und Juli - Aug. jeweils 2 Wochen geschl.)* a la carte 29/49 - **21 Z : 36 B** 54 - 95 Fb.

Krone ⑤, Johannesstr. 62, ✆ 2 42 31 - |♦| ☎ 🚗 P. E. ✻ Zim
Juli - Aug. 2 Wochen geschl. - **M** *(nur Abendessen, Sonntag geschl.)* a la carte 19/40 - **25 Z : 48 B** 30/47 - 60/90.

Haus Risse, Neheimer Markt 2, ✆ 2 98 89, 余 - AE E
Montag geschl. - **M** a la carte 41/62.

ARNSTADT **O-5210.** Thüringen 984 ㉓ - 30 000 Ew - Höhe 285 m - ✆ 0037 618.

Sehenswert : Neues Palais (Puppen-Sammlung★).

Erfurt 18 - ♦Berlin 282 - Coburg 87 - Eisenach 63 - Gera 85.

In Holzhausen NW : 5 km :

Veste Wachsenburg ⑤ mit Zim, ≤, 余 - TV ☎
20 Z : 43 B.

ARNSTEIN **8725.** Bayern 413 M 17, 987 ㉖ - 8 000 Ew - Höhe 228 m - ✆ 09363.

♦München 295 - Fulda 100 - Schweinfurt 24 - ♦Würzburg 25.

Goldener Engel, Marktstr. 2, ✆ 3 05, 余 - P
ab Aschermittwoch und Aug.-Sept. je 2 Wochen geschl. - **M** *(Montag geschl.)* a la carte 18/35 - **13 Z : 21 B** 29/37 - 58/74.

An der Autobahn A 7 Würzburg - Fulda :

Rasthaus Riedener Wald-West, ✉ 8702 Hausen-Rieden, ✆ (09363) 7 01, 余 - TV ☎ 🚗 P
12 Z : 24 B.

Rasthaus Riedener Wald-Ost mit Zim, ✉ 8702 Hausen-Rieden, ✆ (09363) 50 01, Fax 1435, 余 - TV ☎ 🚗 P
M a la carte 24/54 - **6 Z : 11 B** 85 - 130.

☞ *Benutzen Sie für weite Fahrten in Europa die* **Michelin-Länderkarten :**

970 *Europa,* 980 *Griechenland,* 984 *Deutschland,* 985 *Skandinavien-Finnland,* 986 *Großbritannien-Irland,* 987 *Deutschland-Österreich-Benelux,* 988 *Italien,* 989 *Frankreich,* 990 *Spanien-Portugal,* 991 *Jugoslawien.*

AROLSEN **3548.** Hessen 411 412 JK 12, 987 ⑮ – 16 500 Ew – Höhe 290 m – Heilbad – ☎ 05691.

Kur- und Verkehrsverwaltung, Haus des Kurgastes, Prof.-Klapp-Str. 14, ✆ 20 30.

♦Wiesbaden 205 – ♦Kassel 46 – Marburg 85 – Paderborn 55.

Residenzschloß-Schloßhotel, Königin-Emma-Str. 10, ✆ 80 80, Telex 994521, Fax 808529, Bade- u. Massageabteilung, – Zim – 25/600. AE E VISA
M a la carte 33/67 – **175 Z : 400 B** 119 - 178/198 Fb.

In Arolsen-Mengeringhausen – Erholungsort :

Luisen-Mühle, Luisenmühler Weg 1, ✆ 30 21, Fax 2578, – E VISA – **M** *(Freitag geschl.)* a la carte 22/47 – **22 Z : 40 B** 55/68 - 95/120 – ½ P 62/82.

ASBACHER HÜTTE Rheinland-Pfalz siehe Kempfeld.

ASCHAFFENBURG **8750.** Bayern 412 413 K 17, 987 ㉕ – 65 000 Ew – Höhe 130 m – ☎ 06021.

Sehenswert : Schloß Johannisburg★ Z.

Hösbach-Feldkahl (über ②), ✆ (06024) 72 22.

Tourist-Information, Dalbergstr. 6, ✆ 3 04 26.

ADAC, Wermbachstr. 10, ✆ 2 78 90, Notruf ✆ 1 92 11, Fax 29511.

♦München 354 ① – ♦Darmstadt 40 ③ – ♦Frankfurt am Main 40 ④ – ♦Würzburg 78 ①.

Stadtplan siehe gegenüberliegende Seite

Romantik-Hotel Post, Goldbacher Str. 19, ✆ 2 13 33, Telex 4188949, Fax 13483, – 25/40. AE E VISA Y p
M 29/110 – **71 Z : 100 B** 90/130 - 180/220 Fb.

Aschaffenburger Hof, Frohsinnstr. 11 (Einfahrt Weißenburger Str. 20), ✆ 2 14 41, Telex 4188736, Fax 27298, – Y a
65 Z : 100 B Fb.

Wilder Mann, Löherstr. 51, ✆ 2 15 55, Telex 4188329, Fax 22893, – 25/80. AE E VISA Z e
22. Dez.- 7. Jan. geschl. – **M** a la carte 32/63 – **70 Z : 140 B** 95/145 - 145/200 Fb – 10 Appart. 230/275.

City Hotel garni, Frohsinnstr. 23, ✆ 2 15 15, Fax 21514 – AE E VISA Y e
22. Dez.- 5. Jan. geschl. – **29 Z : 58 B** 78/128 - 138/248 Fb.

Zum Ochsen, Karlstr. 16, ✆ 2 31 32 – 30. AE E VISA Y b
M *(Montag bis 18 Uhr und Juli - Aug. 4 Wochen geschl.)* a la carte 29/48 – **39 Z : 57 B** 75/85 - 110/130 Fb.

Fischer garni, Weißenburger Str. 32, ✆ 2 34 85, Fax 29727 – Y r
19 Z : 40 B Fb.

Syndikus, Löherstr. 35, ✆ 2 35 88, Fax 29280 – Z u
19 Z : 30 B Fb.

Hofgut Fasanerie mit Zim, Bismarckallee 1, ✆ 9 10 06, Fax 98944, Biergarten, « Ehem. Hofgut in einer Parkanlage » – E über Lindenallee Z
26. Okt.- 10. Nov. und 22. Dez.- 12. Jan. geschl. – **M** *(nur Abendessen, Donnerstag geschl.)* a la carte 32/60 – **6 Z : 12 B** 75/90 - 105/120.

In Aschaffenburg-Schweinheim über ② :

Altes Sudhaus garni, Schweinheimer Str. 117, ✆ 96 06 09, Fax 91752 – AE E
15 Z : 30 B 72 - 118 Fb.

In Goldbach **8758** ① : 3,5 km :

Russmann, Aschaffenburger Str. 96, ✆ 5 30 40, Fax 540568 – Rest AE E VISA
M *(Sonn- und Feiertage ab 15 Uhr geschl.)* a la carte 39/70 – **21 Z : 31 B** 85/100 - 135/145 Fb.

Frankenstube, Aschaffenburger Str. 42, ✆ 5 41 44, Fax 540892, – AE E VISA
1.- 10. Jan., 10.- 25. Juni, Samstag bis 18 Uhr und Montag geschl. – **M** *(auch vegetarische Gerichte)* a la carte 37/72.

In Haibach **8751** ② : 4,5 km :

Spessartstuben, Jahnstr. 7, ✆ (06021) 67 96, Fax 66190, – E VISA. Rest
M *(Samstag sowie Feb. und Aug. jeweils 2 Wochen geschl.)* a la carte 37/66 – **28 Z : 50 B** 85/95 - 125/135 Fb.

In Hösbach-Bahnhof **8759** ① : 8 km :

Gerber-Restaurant Gewölbe, Aschaffenburger Str. 12, ✆ (06021)5 20 05, Fax 52000, – 35. E VISA.
22. Dez.- 5. Jan. geschl. – **M** *(nur Abendessen, Sonntag geschl.)* a la carte 33/52 – **40 Z : 75 B** 85/105 - 130/195 Fb.

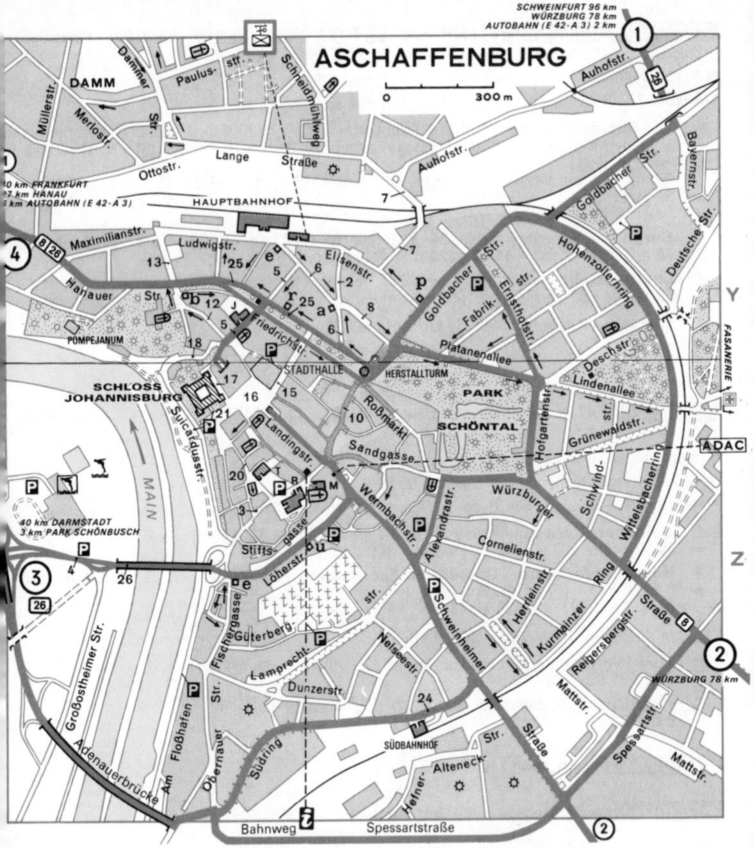

Herstallstraße . . . . . Z 10
Roßmarkt . . . . . Z

Bodelschwinghstraße . . . . . Y 2
Dalbergstraße . . . . . Z 3
Darmstädter Straße . . . . . Z 4
Erthalstraße . . . . . Y 5

Frohsinnstraße . . . . . Y 6
Glattbacher Überfahrt . . . . . Y 7
Heinsestraße . . . . . Y 8
Karlstraße . . . . . Y 12
Kolpingstraße . . . . . Y 13
Luitpoldstraße . . . . . Z 15
Marktplatz . . . . . Z 16

Riedingerstraße . . . . . Z 17
Schloßberg . . . . . YZ 18
Schloßgasse . . . . . Z 20
Schloßplatz . . . . . Z 21
Südbahnhofstraße . . . . . Z 24
Weißenburger Straße . . . . . Y 25
Willigisbrücke . . . . . Z 26

In Hösbach-Winzenhohl **8759** ② : 6,5 km, in Haibach-Ortsmitte links ab :

Klingerhof, Am Hügel 7, ✆ (06021) 64 60, Fax 64680, < Spessart, Biergarten, – 25/60. AE (D) E VISA
15.- 31. Dez. geschl. – **M** a la carte 39/64 – **50 Z : 95 B** 119/142 - 162/180 Fb.

In Johannesberg **8752** N : 8 km über Müllerstraße Y :

XX ✿ **Sonne - Meier's Restaurant** mit Zim, Hauptstr. 2, ✆ (06021) 47 00 77, « Gartenterrasse » – AE (D) E VISA – *Ende Aug.- Anfang Sept. geschl.* – **M** *(Tischbestellung ratsam)* (Montag geschl.) 88/118 und a la carte 62/90 – **8 Z : 13 B** 68/78 - 108
Spez. Gemüsesuppe "für Makart", Gänseleber mit Korinthenschaum, Potpourri von Meeresfrüchten.

In Johannesberg-Steinbach **8752** N : 8 km über Müllerstraße Y :

Berghof, Heppenberg 7, ✆ (06021) 4 38 31, <, –
M *(wochentags nur Abendessen, Freitag - Samstag und Aug. 2 Wochen geschl.)* a la carte 27/50 – **18 Z : 27 B** 42/58 - 64/100.

XX ✿ **Gasthaus Fäth,** Steinbacher Str. 21, ✆ (06021) 4 69 17 – AE (D) E.
Freitag bis 18 Uhr, Montag und 10.- 30. Aug. geschl. – **M** (abends Tischbestellung ratsam) 59/120 und a la carte 57/90
Spez. Mousses und Terrinen, Roulade von Zander mit Hummer, Lammrücken mit Kräuterkruste.

ASCHAU IM CHIEMGAU **8213.** Bayern 413 TU 23, 987 ㊲, 426 I 5 – 5 200 Ew – Höhe 615 m – Luftkurort – Wintersport : 700/1 550 m 1 15 5 – 08052.

Kurverwaltung, Kampenwandstr. 38, 3 92, Fax 4394.

♦München 82 – Rosenheim 23 – Salzburg 64 – Traunstein 35.

Residenz Heinz Winkler, Kirchplatz 1, 1 79 90, Fax 179966, Kampenwand « Modernisierter bayerischer Landgasthof a.d. 16. Jh. » – Zim TV P. AE E VISA. Rest
M *(Montag geschl.)* 140/195 und a la carte 92/120 – **30 Z : 55 B** 240/350 - 350/580
Spez. Emincé vom Steinbutt in Schnittlauch-Caviarsauce, Bresse-Taube souffliert mit Petersilienmousse, Birne überbacken mit Mandelschaum.

Burghotel, Kampenwandstr. 94, 17 20, Fax 1722, – TV P. AE E VISA
M a la carte 36/63 – **112 Z : 220 B** 80/119 - 140/250 Fb.

Edeltraud, Narzissenweg 15, 40 95, – P.
Ende Okt.- 20. Dez. geschl. – (nur Abendessen für Hausgäste) – **16 Z : 30 B** 53/63 - 96 Fb.

In Aschau-Sachrang SW : 12 km – Höhe 738 m

Sachranger Hof, Dorfstr. 3, (08057) 3 83, – P
11 Z : 24 B Fb.

ASCHEBERG **4715.** Nordrhein-Westfalen 411 412 F 11, 987 ⑭ – 13 600 Ew – Höhe 65 m – 02593.

Nordkirchen, Golfplatz 6 (SW : 5 km), (02596) 30 05.

Verkehrsverein, Katharinenplatz 1, 6 09 36.

♦Düsseldorf 116 – Dortmund 50 – Hamm in Westfalen 24 – Münster (Westfalen) 24.

Goldener Stern Appelhofstr. 5, 3 73, Fax 6405 – TV P. E VISA
M a la carte 20/37 – **13 Z : 25 B** 60 - 102.

Haus Klaverkamp - Gästehaus Eschenburg, Steinfurter Str. 21, 10 35 (Hotel) 8 84 (Rest.) – TV P. E
M a la carte 23/49 – **29 Z : 46 B** 53 - 95.

In Ascheberg 2-Herbern SO : 7 km :

Zum Wolfsjäger garni Südstr. 36, (02599) 4 14 – TV P – 40
13 Z : 25 B 65/70 - 100/110.

Wesselmann, Benediktuskirchplatz 6, (02599) 8 56 –
9 Z : 18 B.

ASCHHEIM Bayern siehe München.

ASENDORF Niedersachsen siehe Jesteburg.

ASPACH Baden-Württemberg siehe Backnang.

ASPERG **7144.** Baden-Württemberg 413 K 20, 987 ㉕ ㉟ – 11 400 Ew – Höhe 270 m – 07141.

♦Stuttgart 20 – Heilbronn 38 – Ludwigsburg 5 – Pforzheim 54.

Adler, Stuttgarter Str. 2, 6 30 01, Telex 7264603, Fax 63006, – Zim Rest TV P – 25/100. E VISA
Menu *(Tischbestellung erforderlich)* (Montag und Juli - Aug. 3 Wochen geschl.) a la carte 38/85 – **Adler-Stube** *(nur Abendessen, Sonn- und Feiertage geschl.)* **M** a la carte 31/48 – **64 Z : 89 B** 129/159 - 200/280 Fb.

Landgasthof Lamm, Lammstr. 1, 6 20 06, Fax 660162, « Modern-rustikale Einrichtung » – TV P
Juli - Aug. 3 Wochen geschl. – **M** *(Montag geschl.)* a la carte 30/64 – **18 Z : 33 B** 95/120 - 140/160 Fb.

Bären, Königstr. 8, 6 20 31, Fax 65478, – TV P. E VISA
Aug.- Sept. 3 Wochen geschl. – **M** *(auch vegetarische Gerichte)* (Montag geschl.) a la carte 23/48 – **10 Z : 19 B** 79 - 129.

Alte Krone (Fachwerkhaus a.d.J. 1649), Königstr. 15, 6 58 00, Fax 65143 – E VISA
Samstag bis 18 Uhr, Sonntag und Anfang - Mitte Juni geschl. – **M** (Tischbestellung ratsam) a la carte 50/70.

In Tamm **7146** NW : 2,5 km :

Historischer Gasthof Ochsen, Hauptstr. 40, (07141) 6 09 01, Fax 601957, « Restauriertes Fachwerkhaus a.d. 18. Jh. » – TV
18 Z : 29 B Fb.

During the season, particularly in resorts, it is wise to book in advance.

ATTENDORN **5952.** Nordrhein-Westfalen 412 G 13, 987 ㉔ – 21 400 Ew – Höhe 255 m – ☎ 02722.

Sehenswert: Attahöhle★.

ℹ Reise- und Fremdenverkehrs GmbH, Kölner Str. 12a, ☎ 30 91.

♦Düsseldorf 131 – Lüdenscheid 37 – Siegen 46.

Rauch, Wasserstr. 6, ☎ 20 48 (Hotel) 22 67 (Rest.) – TV ☎ 🚗 P. E
M *(Sonntag geschl.)* a la carte 32/60 – **13 Z : 21 B** 75/85 - 125 Fb.

Zur Post, Niederste Str. 7, ☎ 24 65, ≘s, 🏊 – |♦| P. AE E
M *(Sonntag 16 Uhr - Montag 17 Uhr geschl.)* a la carte 22/50 – **40 Z : 70 B** 40/70 - 80/180.

Außerhalb O : 3,5 km, Richtung Helden :

Burghotel Schnellenberg ⑤, ✉ 5952 Attendorn, ☎ (02722) 69 40, Telex 876732, Fax 69469, « Burg a. d. 13. Jh., Burgkapelle, Burgmuseum », 🎾 – TV P – 🏟 25/80. AE ⓓ E VISA
1.- 24. Jan. und 19.- 27. Dez. geschl. – **M** 45/115 – **42 Z : 81 B** 130/165 - 200/280 Fb.

In Attendorn-Mecklinghausen O : 6 km :

Schnepper, Talstr. 19, ☎ 82 96 – P
14 Z : 28 B.

In Attendorn 3-Neu Listernohl SW : 3 km :

Le Pâté ⑤ mit Zim, Alte Handelsstr. 15, ☎ 75 42, Fax 70136 – E VISA ⚒
Juli - Aug. 3 Wochen geschl. – **M** *(Tischbestellung ratsam)* (Montag geschl.) a la carte 46/74 – **3 Z : 6 B** 45 - 80.

In Attendorn 11-Niederhelden O : 8 km :

Sporthotel Haus Platte, Repetalstr. 219, ☎ (02721) 13 10, Fax 131455, 🏠, ≘s, 🏊, 🌳, 🏇 (Halle) – TV 🚗 P – 🏟 25/80. AE ⓓ E VISA
22.- 25. Dez. geschl. – **M** a la carte 29/65 – **53 Z : 104 B** 85/100 - 138/200 Fb.

Landhotel Struck, Repetalstr. 245, ☎ (02721) 1 39 40, Fax 20161, ≘s, 🏊, 🌳 – TV ☎ 🚗 P – 🏟 25/150. AE ⓓ E
M a la carte 25/60 – **54 Z : 105 B** 81/96 - 145/196 Fb.

AUE **O-9400.** Sachsen 984 ㉓, 987 ㉗ – 25 000 Ew – Höhe 343 m – ☎ 0037761.

♦Dresden 122 – Chemnitz 34 – Zwickau 23.

Blauer Engel, Altmarkt 1, ☎ 2 29 38, Fax 23173 – TV ☎. AE E. ⚒
M a la carte 25/40 – **54 Z : 94 B** 85/140 - 120/160 Fb.

Ratskeller, Goethestr. 5, ☎ 2 37 75
M a la carte 16/29.

AUERBACH IN DER OBERPFALZ **8572.** Bayern 413 R 17, 987 ㉗ – 8 900 Ew – Höhe 435 m – ☎ 09643.

♦München 212 – Bayreuth 42 – ♦Nürnberg 68 – ♦Regensburg 102 – Weiden in der Oberpfalz 49.

Romantik-Hotel Goldener Löwe, Unterer Markt 9, ☎ 17 65, Telex 631404, Fax 4670 – |♦| ▤ Rest TV ☎ 🚗 P – 🏟 25/80. AE ⓓ E VISA. ⚒ Rest
6.- 20. Jan. geschl. – **M** 35/120 – **23 Z : 42 B** 74/176 - 124/250 Fb.

Federhof, Bahnhofstr. 37, ☎ 12 69 – 🚗 P
22. Dez.- 15. Jan. geschl. – **M** *(Freitag ab 13 Uhr geschl.)* a la carte 21/46 🍷 – **22 Z : 30 B** 45/70 - 90/100.

AUFSESS **8551.** Bayern 413 Q 17 – 1 400 Ew – Höhe 426 m – ☎ 09198.

♦München 231 – ♦Bamberg 29 – Bayreuth 31 – ♦Nürnberg 61.

Sonnenhof (Brauerei-Gasthof), Im Tal 70, ☎ 7 36, Fax 737, 🏠, 🏊 (geheizt), 🌳 – P
Jan. 2 Wochen und Mitte Nov.- Mitte Dez. geschl. – **M** *(Dienstag geschl.)* a la carte 18,50/29 – **18 Z : 36 B** 36/45 - 60/78.

AUGGEN **7841.** Baden-Württemberg 413 F 23, 242 ㊵, 87 ⑨ – 2 000 Ew – Höhe 266 m – ☎ 07631 (Müllheim).

♦Stuttgart 240 – Basel 31 – ♦Freiburg im Breisgau 44 – Mulhouse 28.

Gästehaus Krone garni (mit Gästehaus Kutscherhaus ⑤), Hauptstr. 6, ☎ 60 75, ≘s, 🏊, 🌳 – |♦| TV ☎ P. AE E
28 Z : 50 B 90/120 - 130/180 Fb.

Zur Krone, Hauptstr. 12, ☎ 25 56 – P
Mittwoch, Feb. und Mitte - Ende Juli geschl. – Menu 29 und a la carte 38/63 🍷.

Bären mit Zim, Bahnhofstr. 1 (B 3), ☎ 23 06, 🏠 – P
Jan. geschl. – **M** *(Donnerstag-Freitag 15 Uhr geschl.)* a la carte 30/55 🍷 – **7 Z : 15 B** 45/60 - 70/95 Fb.

AUGSBURG **8900.** Bayern 413 P 21, 987 ㊱ – 250 000 Ew – Höhe 496 m – ☎ 0821.

Sehenswert: Fuggerei★ Y – Maximilianstraße★ Z – St.-Ulrich- und St.-Afra-Kirche★ (Simpertuskapelle: Baldachin mit Statuen★) Z – Dom (Südportal★★ des Chores, Türflügel★ Prophetenfenster★, Gemälde★ von Holbein dem Älteren) Y – Städtische Kunstsammlungen (Festsaal★★) Y **M1** – St. Anna-Kirche (Fuggerkapelle★) Y **B** – Staatsgalerie in der Kunsthalle★ X **M4.**

Bobingen-Burgwalden (④ : 17 km), ✆ (08234) 56 21 ; Stadtbergen (3 km über Augsburger Straße), ✆ (0821) 43 49 19 ; Gessertshausen (SW : 15 km über ⑤), Weiherhof, ✆ (08238) 78 44.

Tourist- und Kongreß Service, Bahnhofstr. 7, ✆ 50 20 70, Fax 5020745.

ADAC, Ernst-Reuter-Platz 3, ✆ 3 63 05, Notruf ✆ 1 92 11.

♦München 68 ① – ♦Ulm (Donau) 80 ⑥.

Stadtplan siehe gegenüberliegende Seite

Steigenberger Drei Mohren-Hotel, Maximilianstr. 40, ✆ 5 03 60, Telex 53710, Fax 157864, « Gartenterrasse » – Zim Rest – 25/170. Rest Z
M a la carte 45/72 – **107 Z : 170 B** 185/260 - 276/330 – 5 Appart. 475/525.

Augusta, Ludwigstr. 2, ✆ 5 01 40, Telex 533853, Fax 5014605, – 25/140. Y
M a la carte 43/75 – **111 Z : 220 B** 135/155 - 175/315 Fb.

Ost garni, Fuggerstr. 4, ✆ 3 30 88, Telex 533576, Fax 35519 – .
21. Dez.- 7. Jan. geschl. – **46 Z : 85 B** 95/125 - 160/185 Fb. Y

Fischertor - Wirtshaus im Zuckerhof, Pfärrle 16, ✆ 15 60 51, Fax 30702 – X
M *(Sonn- und Feiertage geschl.)* a la carte 37/57 – **21 Z : 33 B** 88/118 - 128/158 Fb.

Dom-Hotel garni, Frauentorstr. 8, ✆ 15 30 31, Fax 510126 – .
44 Z : 77 B 85/105 - 120/150 Fb. Y

Augsburger Hof, Auf dem Kreuz 2, ✆ 31 40 83, Fax 38322, – X
M a la carte 35/68 – **37 Z : 68 B** 85/125 - 110/170 Fb.

Ulrich garni, Kapuzinergasse 6, ✆ 3 30 77, Fax 33081 – – 25. Z
31 Z : 50 B 120/135 - 175/185 Fb.

Hotel am Rathaus garni, Am Hinteren Perlachberg 1, ✆ 15 60 72, Telex 533326, Fax 517746 – . Y
32 Z : 60 B 120/130 - 160/170 Fb.

Riegele, Viktoriastr. 4, ✆ 3 90 39, Fax 510419 – . X
M *(Aug. 2 Wochen geschl.)* a la carte 28/60 – **31 Z : 54 B** 105/150 - 155/200 Fb.

Langer garni, Gögginger Str. 39, ✆ 57 80 77, Fax 592600 – .
25 Z : 60 B 80/98 - 100/175 Fb. X

Ibis, Hermanstr. 25, ✆ 5 03 10, Telex 533946, Fax 5031300 – – 25/80.
– **M** a la carte 25/46 – **104 Z : 152 B** 114 - 158 Fb. Z

Post, Fuggerstr. 7, ✆ 3 60 44, Fax 33664 – – 25/60. Y
21. Dez.- 10. Jan. geschl. – **M** a la carte 29/55 – **50 Z : 75 B** 80/100 - 120/170 Fb.

Von den Rappen garni, Äußere Uferstr. 3, ✆ 41 20 66, Fax 416430 – .
41 Z : 61 B 38/60 - 65/95. X

Gästehaus Iris garni, Gartenstr. 4, ✆ 51 09 81 – Y
Aug. geschl. – **10 Z : 14 B** 55/75 - 130/140.

XXX ✪ **Zum alten Fischertor,** Pfärrle 14, ✆ 51 86 62, Fax 30702, bemerkenswerte Weinkarte – X
nur Abendessen, Montag, Sonn- und Feiertage, 7.- 21. Juni sowie 1.- 15. Aug. geschl. –
M (Tischbestellung ratsam) 95/135 und a la carte 67/95
Spez. Kohlroulade vom Bachsaibling, Pfefferpotthast vom Rehbock, Quarksoufflé mit Beerensauce.

XX **Die Ecke,** Elias-Holl-Platz 2, ✆ 51 06 00, Fax 311992 – Y
M a la carte 40/75.

XX **Restaurant im Feinkost Kahn,** Annastr. 16 (2. Etage), ✆ 31 20 31, Fax 516216 – – *Sonn- und Feiertage geschl.* – **M** a la carte 45/89. Y

XX **Fuggerkeller,** Maximilianstr. 38, ✆ 51 62 60 – . Z
Sonn- und Feiertage ab 15 Uhr und 27. Juli - 17. Aug. geschl. – **M** a la carte 31/50.

X **Fuggerei-Stube,** Jakoberstr. 26, ✆ 3 08 70, Fax 159023 – Y
Sonn- und Feiertage ab 15 Uhr sowie Montag geschl. – **M** (Tischbestellung ratsam) a la carte 30/70.

X **Zeughaus-Stuben,** Zeugplatz 4, ✆ 51 16 85, Fax 513864, , Biergarten – . Z
Sonn- und Feiertage jeweils ab 16 Uhr geschl. – **M** a la carte 25/54.

X **7-Schwaben-Stuben** (Schwäbische Küche), Bürgermeister-Fischer-Str. 12, ✆ 31 45 63, Fax 513767 – Y
M a la carte 30/56.

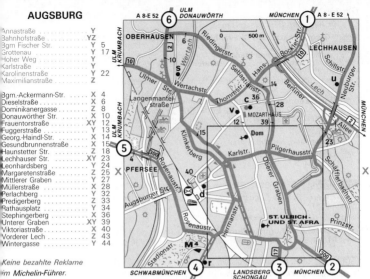

AUGSBURG

Keine bezahlte Reklame im Michelin-Führer.

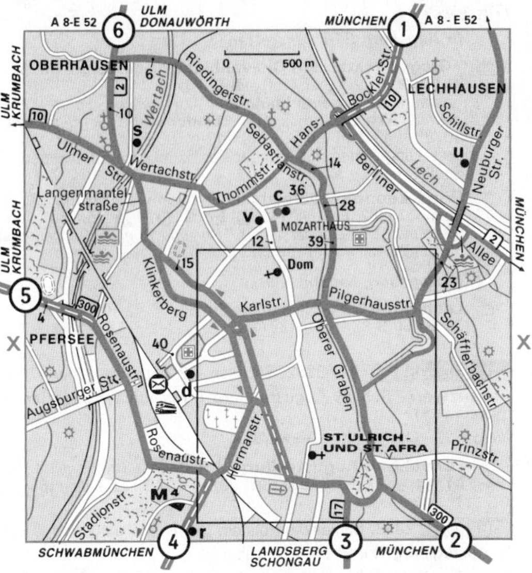

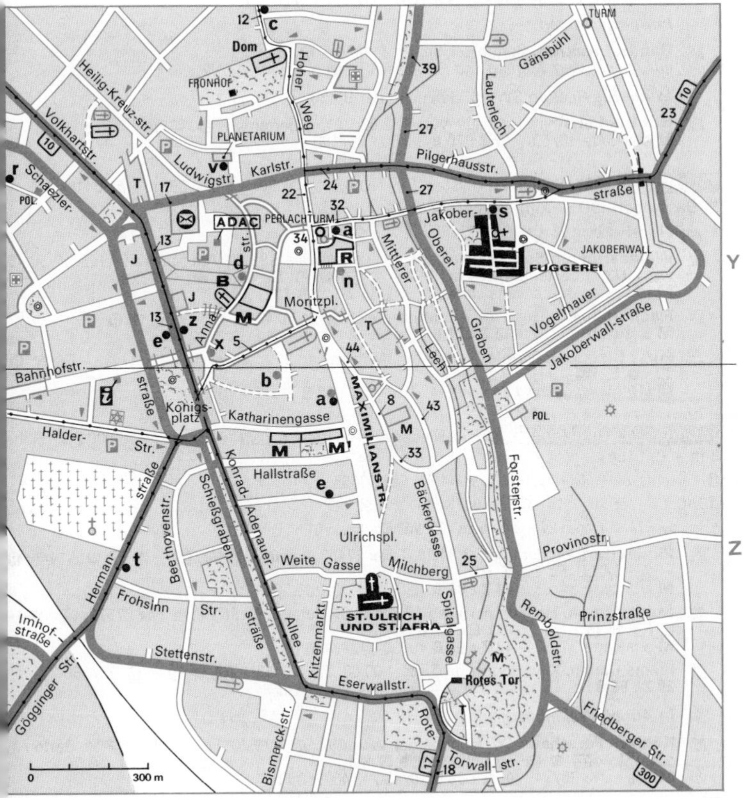

In Augsburg 21-Haunstetten ③ : 7 km :

Gregor-Restaurant Cheval blanc, Landsberger Str. 62, ✆ 8 00 50, Fax 800569, – – 25/150. E VISA
Restaurants : **Cheval blanc** *(nur Abendessen, Sonn- und Feiertage, Montag sowie Aug. geschl.)* **M** a la carte 62/100 – **Lindenstube** *(Sonn- und Feiertage geschl.)* Menu a la carte 30/65 – **40 Z : 60 B** 80/110 - 128/160 Fb
Spez. Langustinen mit Orangen-Basilikumsauce, Crepinetten vom Lammrücken, Vanille-Quark-Soufflé mit Beeren.

Prinz Leopold, Bürgermeister-Widmeier-Str. 54, ✆ 8 40 71(Hotel) 81 25 64(Rest.), Telex 533882, Fax 84314 – – 25/150
M *(Mittwoch - Donnerstag 17 Uhr und Aug. 2 Wochen geschl.)* a la carte 27/51 – **38 Z : 69 B** 105/135 - 150/180 Fb.

In Augsburg-Lechhausen :

Lech-Hotel garni, Neuburger Str. 31, ✆ 72 10 64, Fax 719244 – . AE E VISA
39 Z : 60 B 88/105 - 138/158 Fb. X u

AUGUSTUSBURG **O-9382.** Sachsen – 2 200 Ew – Höhe 470 m – 0037 7291.
Sehenswert : Schloß Augustenburg (Museum für Jagdtier- und Vogelkunde★, Motorrad-museum★★).
Dresden 96 – Chemnitz 16 – Zwickau 52.

Ferienhotel Augustusburg, J.-R.-Becher-Str. 15, ✆ 8 10, Fax 549, – . E
M *(nur Abendessen)* a la carte 20/45 – **23 Z : 33 B** 100/165 - 135/165 Fb – 9 Appart. 180/220.

AUKRUG **2356.** Schleswig-Holstein 411 M 4 – 3 400 Ew – Höhe 25 m – 04873.
Aukrug-Bargfeld, ✆ (04873) 5 95.
◆Kiel 44 – ◆Hamburg 71 – Itzehoe 26 – Neumünster 14.

In Aukrug-Innien :

Gasthof Aukrug, Bargfelder Str. 2, ✆ 4 24 – . E
nur Abendessen, Montag und Feb. geschl. – **M** a la carte 43/72.

In Aukrug-Bucken SW : 6,5 km nahe der B 430 :

Hof Bucken (mit Gästehaus), ✆ 2 09, , « Garten » – . E VISA
M a la carte 30/60 – **11 Z : 20 B** 38/50 - 76/100.

AUMÜHLE **2055.** Schleswig-Holstein 411 NO 6 – 3 500 Ew – Höhe 35 m – 04104.
Dassendorf (SO : 5 km), ✆ (04104) 61 20.
◆Kiel 104 – ◆Hamburg 26 – ◆Lübeck 57.

Waldesruh am See (ehemaliges Jagdschloß a.d. 18. Jh.), Am Mühlenteich 2, ✆ 30 46, Fax 2073, « Gartenterrasse mit ≤ » – . AE E VISA
M *(Dienstag geschl.)* a la carte 34/60 – **15 Z : 21 B** 70/110 - 120/170.

Fischerhaus mit Zim, Am Mühlenteich 3, ✆ 50 42, ≤, –
M a la carte 38/72 – **12 Z : 21 B** 82 - 125.

Fürst Bismarck Mühle mit Zim, Mühlenweg 3, ✆ 20 28, Fax 1200, –
AE E VISA
M *(Mittwoch geschl.)* a la carte 42/75 – **6 Z : 12 B** 70/90 - 105/140.

AURICH (OSTFRIESLAND) **2960.** Niedersachsen 411 F 6, 987 ⑭, 408 N 1 – 36 000 Ew – Höhe 8 m – 04941.
Verkehrsverein, Norderstr. 32, ✆ 44 64, Fax 10655.
ADAC, Esenser Str. 122a, ✆ 7 29 99, Notruf ✆ 1 92 11.
◆Hannover 241 – Emden 26 – Oldenburg 70 – Wilhelmshaven 51.

Piqueurhof, Burgstraße, ✆ 41 18, Telex 27457, Fax 66821, , –
– 25/250. AE E VISA
M a la carte 34/65 – **40 Z : 80 B** 70/100 - 110/200.

Stadt Aurich, Hoheberger Weg 17, ✆ 43 31(Hotel) 6 65 56(Rest.), Fax 62572, , –
– 25/60. AE E VISA
M a la carte 31/57 – **47 Z : 92 B** 70/90 - 120/140 Fb.

Brems Garten, Kirchdorfer Str. 7, ✆ 1 00 08, Fax 10413 – – 25/350
29 Z : 53 B Fb.

In Aurich-Wallinghausen O : 3 km :

Köhlers Forsthaus , Hoheberger Weg 192, ✆ 1 79 20, Fax 179217, , « Garten »
, – – 25/80. E VISA
M a la carte 35/74 – **48 Z : 88 B** 70/130 - 140/250 Fb.

In Aurich-Wiesens SO : 6 km :

XXX **Waldhof** mit Zim, Zum alten Moor 10, ✆ 6 10 99, Fax 66579, « Park, Gartenterrasse » - TV ☎ P. AE O E VISA
1.- 22. Feb. geschl. - **M** *(wochentags nur Abendessen, Montag geschl.)* a la carte 49/78 - **8 Z : 12 B** 60/65 - 120.

AYING **8011.** Bayern 413 S 23 - 3 000 Ew - Höhe 611 m - Wintersport : 1 - ☎ 08095.
♦München 26 - Rosenheim 34.

Brauereigasthof Aying, Zornedinger Str. 2, ✆ 7 05, Fax 12053, « Rustikale Einrichtung » - TV ☎ P - 25/200. AE O E
13.- 31. Jan. geschl. - Menu a la carte 38/76 - **18 Z : 38 B** 110/175 - 190/210 Fb.

AYL **5511.** Rheinland-Pfalz 412 C 18 - 1 200 Ew - Höhe 160 m - ☎ 06581 (Saarburg).
Mainz 178 - Merzig 28 - Saarburg 3,5 - ♦Trier 21.

Weinhaus Ayler Kupp, Trierer Str. 49, ✆ 30 31, Fax 2344, « Gartenterrasse », - TV ☎ P. O E VISA. Rest
15. Dez.- Jan. geschl. - Menu *(Sonntag - Montag 17 Uhr geschl.)* a la carte 31/61 - **13 Z : 22 B** 35/65 - 65/100.

BABENHAUSEN **8943.** Bayern 413 N 22, 987 ㊱, 426 C 4 - 5 000 Ew - Höhe 563 m - Erholungsort - ☎ 08333.
♦München 112 - ♦Augsburg 64 - Memmingen 22 - ♦Ulm (Donau) 39.

Sailer Bräu, Judengasse 10, ✆ 13 28 - P
M *(Donnerstag, 19. Jan.- 7. Feb. und 19. Juli - 7. Aug. geschl.)* a la carte 32/44 - **18 Z : 35 B** 33/45 - 62/81.

XX **Post,** Stadtgasse 1, ✆ 13 03 - AE O E
Montag - Dienstag und 16. Aug.- 3. Sept. geschl. - Menu a la carte 32/68.

BABENHAUSEN **6113.** Hessen 412 413 J 17, 987 ㉕ - 14 000 Ew - Höhe 126 m - ☎ 06073.
♦Wiesbaden 63 - Aschaffenburg 14 - ♦Darmstadt 26.

Deutscher Hof garni Bismarckplatz 4, ✆ 20 11, Fax 2013 - TV ☎ P. AE E VISA
19 Z : 32 B 75/90 - 135/160 Fb.

BACHARACH **6533.** Rheinland-Pfalz 412 G 16, 987 ㉔ - 2 600 Ew - Höhe 80 m - ☎ 06743.
Sehenswert: Markt★ - Posthof★ - Burg Stahleck (Aussichtsturm ←★★).
Städtisches Verkehrsamt, Oberstr. 1, ✆ 29 68.
Mainz 50 - ♦Koblenz 50 - Bad Kreuznach 33.

Park-Café, Marktstr. 8, ✆ 14 22, Fax 1541, - ☎ . E VISA.
März - Anfang Nov. - **M** a la carte 25/58 - **23 Z : 46 B** 75/90 - 98/150.

Altkölnischer Hof, Blücherstr. 2, ✆ 13 39, Fax 2793 - . AE O VISA
April - Okt. - **M** a la carte 28/55 - **22 Z : 40 B** 60/95 - 90/130.

Gelber Hof, Blücherstr. 26, ✆ 10 17, Fax 1088, - ☎ - 30
32 Z : 50 B.

Zur Post, Oberstr. 38, ✆ 12 77, Fax 1277 - AE Rest
Mitte März - Okt. - **M** *(Dienstag geschl.)* a la carte 24/48 - **16 Z : 33 B** 45/75 - 65/130.

Im Malerwinkel garni (Fachwerkhaus a.d.J. 1696), Blücherstr. 41, ✆ 12 39, - P
25 Z : 45 B 30/60 - 60/80.

BACKNANG **7150.** Baden-Württemberg 413 L 20, 987 ㉕ - 30 000 Ew - Höhe 271 m - ☎ 07191.
♦Stuttgart 32 - Heilbronn 36 - Schwäbisch Gmünd 42 - Schwäbisch Hall 37.

Schwanen, Schillerstr. 9, ✆ 81 31, Fax 64588 - TV ☎ . AE E VISA
M *(Samstag und Juli - Aug. 3 Wochen geschl.)* a la carte 34/62 - **14 Z : 25 B** 115/150 - 170/200 Fb.

Bitzer garni, Eugen-Adolff-Str. 29, ✆ 6 53 09, Fax 87636 - TV ☎ P. AE O E VISA
32 Z : 49 B 68 - 96.

Holzwarth garni, Eduard-Breuninger-Str. 2, ✆ 81 94 - TV ☎ P
22. Dez.- 7. Jan. geschl. - **15 Z : 28 B** 68/75 - 107/115.

XX **Weinstube Mildenberger,** Schillerstr. 23 (1. Etage), ✆ 6 82 11 - AE E VISA
Sonntag - Montag und Aug. 2 Wochen geschl. - **M** a la carte 49/80.

XX **Backnanger Stuben,** Bahnhofstr. 7 (Bürgerhaus), ✆ 6 20 61 - 30. AE O E VISA
Dienstag geschl. - **M** a la carte 26/56.

X **Königsbacher Klause,** Sulzbacher Str. 10, ✆ 6 62 38
Donnerstag ab 14 Uhr, Samstag und 2.- 16. Juli geschl. - **M** a la carte 15/39.

In Aspach-Großaspach **7152** NW : 4 km :

XX **Lamm,** Hauptstr. 23, ☏ (07191) 2 02 71 – P. E VISA
Sonntag 15 Uhr - Montag, 24. Dez.- 6. Jan. und Juli - Aug. 3 Wochen geschl. – **M** a la carte 39/67.

In Aspach-Kleinaspach **7152** NW : 7 km :

Sonnenhof, Oberstenfelder Straße, ☏ (07148) 3 70, Fax 37303, (geheizt), – P – 25/60. E
M a la carte 25/55 – **142 Z : 300 B** 58/80 - 90/110 Fb.

BAD...

siehe unter dem Eigennamen des Ortes (z. B. Bad Orb siehe Orb, Bad).
voir au nom propre de la localité (ex. : Bad Orb voir Orb, Bad).
see under second part of town name (e.g. for Bad Orb see under Orb, Bad).
vedere nome proprio della località (es. : Bad Orb vedere Orb, Bad).

☞ *Keine Aufnahme in den Michelin-Führer durch*
- *Beziehungen oder*
- *Bezahlung*

BADEN-BADEN

7570. Baden-Württemberg 413 H 20, 987 ㉞ ㉟ – 50 000 Ew – Höhe 181 m – Heilbad – 07221.

Sehenswert : Lichtentaler Allee★★ BZ.

Ausflugsziele : Ruine Yburg ★★ über Fremersbergstr. AX – Merkur ★ AX – Autobahnkirche★, ①: 8 km – Schwarzwaldhochstraße (Höhenstraße★★ von Baden-Baden bis Freudenstadt) – Badische Weinstraße (Rebland★).

18 Fremersbergstr. 127 (über Moltkestr. AZ), ☏ 2 35 79.

Kurdirektion (Abt. Information), Augustaplatz 8, ☏ 27 52 00, Telex 781208.

ADAC, Lange Str. 57, ☏ 2 22 10, Notruf ☏ 1 92 11.

♦Stuttgart 112 ① – ♦Freiburg im Breisgau 112 ① – ♦Karlsruhe 39 ① – Strasbourg 61 ①.

Stadtplan siehe gegenüberliegende Seite

Brenner's Park-Hotel, Schillerstr. 6, ☏ 90 00, Telex 781261, Fax 38772, ←, « Park, Caféterrasse », Bade- und Massageabteilung, (Brenners Spa), – – 25/80. AE E VISA. Rest BZ **a**
Restaurants : **Park-Restaurant M** a la carte 74/109 – **Schwarzwaldstube M** a la carte 65/100 – **100 Z : 170 B** 304/544 - 418/1350 – 12 Appart. 1650/2550 – ½ P 294/639.

Steigenberger-Hotel Europäischer Hof, Kaiserallee 2, ☏ 2 35 61, Telex 781188, Fax 28831, ← – Zim P – 25/90. AE E VISA. Rest BY **b**
M a la carte 62/89 – **135 Z : 201B** 175/360 - 252/450 Fb – 4 Appart. 500/2000 – ½ P 181/330.

Steigenberger Hotel Badischer Hof, Lange Str. 47, ☏ 2 28 27, Telex 781121, Fax 28729, Bade- und Massageabteilung, (Thermal), – Zim – 25/150. AE E VISA. Rest BY **e**
M *(auch vegetarisches Menu)* a la carte 60/86 – **140 Z : 235 B** 185/260 - 290/450 Fb – 5 Appart. 520/840 – ½ P 195/310.

Quisisana, Bismarckstr. 21, ☏ 34 46, Fax 38195, « Elegante Einrichtung », Bade- und Massageabteilung, – – 30. E VISA. Rest AX **n**
M a la carte 47/70 – **60 Z : 90 B** 175/250 - 270/330 Fb – 9 Appart. 380 – ½ P 195/280.

Der Quellenhof, Sophienstr. 27, ☏ 2 21 34, Telex 781202, Fax 28320, – Zim Rest – 25/50. AE E VISA CY **s**
Restaurants : **s'Badstüble** *(auch vegetarische Gerichte)* **M** a la carte 29/54 – **Das süße Löchel** *(nur Abendessen, Sonntag - Montag geschl.)* **M** a la carte 44/81 – **51 Z : 100 B** 165/194 - 230/250 Fb – 4 Appart. 450.

Golf-Hotel, Fremersbergstr. 113, ☏ 3 60 10, Telex 781174, Fax 3601100, « Park », – P – 25/100. AE E VISA. Rest AX **m**
April-Okt. – **M** a la carte 45/72 – **85 Z : 140 B** 140/260 - 190/280 Fb – 6 Appart. 320/480 – ½ P 135/235.

Queens Hotel, Falkenstr. 2, ☏ 21 90, Telex 781255, Fax 219519, – Zim P – 25/110. AE E VISA. Rest AX **e**
M *(auch vegetarische Gerichte)* a la carte 45/85 – **121 Z : 200 B** 190/260 - 274/310 Fb – 5 Appart. 400/500.

Fairway Hotel, Fremersbergstr. 125, ☏ 21 71, Telex 781407, Fax 26215, « Gartenterrasse », Bade- und Massageabteilung, (geheizt), – Zim P – 25/60. AE E VISA über Fremersbergstr. AX
M a la carte 51/80 – **113 Z : 200 B** 200 - 300 Fb – 18 Appart. 330 – ½ P 188/238.

BADEN-BADEN

ernsbacher Str	BCY	8
reuzstraße	BZ	23
ange Str	AX, BY	25
ichtentaler Str	AX, CZ	28
uisenstraße	BY	
ophienstraße	CY	
euerner Str.	AX	2
urgstraße	BY	3
ichstraße	CZ	6
eroldsauer Str.	AX	9
öttengasse	BY	12
unzenbachstraße	AX	13
auptstraße	AX	15
erchenbachstraße	AX	16
irschstraße	BY	18
aiser-Wilhelm-Straße	AX, BZ	19
atzensteinstraße	AX	22
eopoldstraße	AX	26
udwig-Wilhelm-Platz	CZ	30
arkgrafenstraße	CZ	32
arktplatz	CY	33
erkurstraße	CZ	35
oltkestraße	AX	36
rinz-Weimar-Straße	CY	38
heinstraße	AX	39
onnenplatz	CY	42
teinstraße	CY	43
Verderstraße	AX	45
burgstraße	AX	46

Si vous devez faire étape dans une station ou dans un hôtel isolé, prévenez par téléphone, surtout en saison.

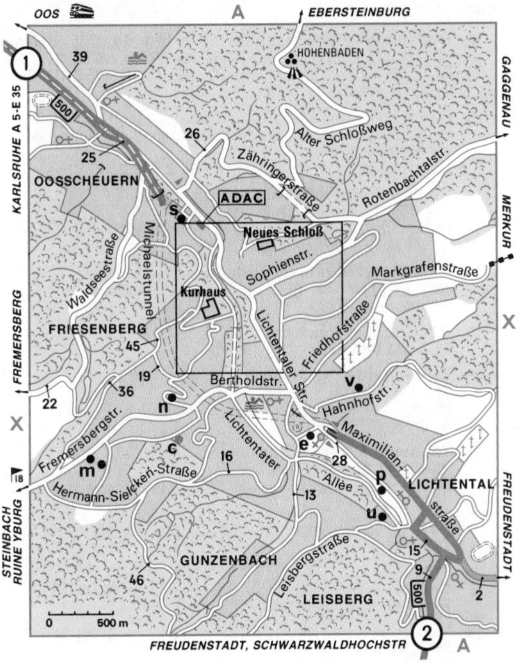

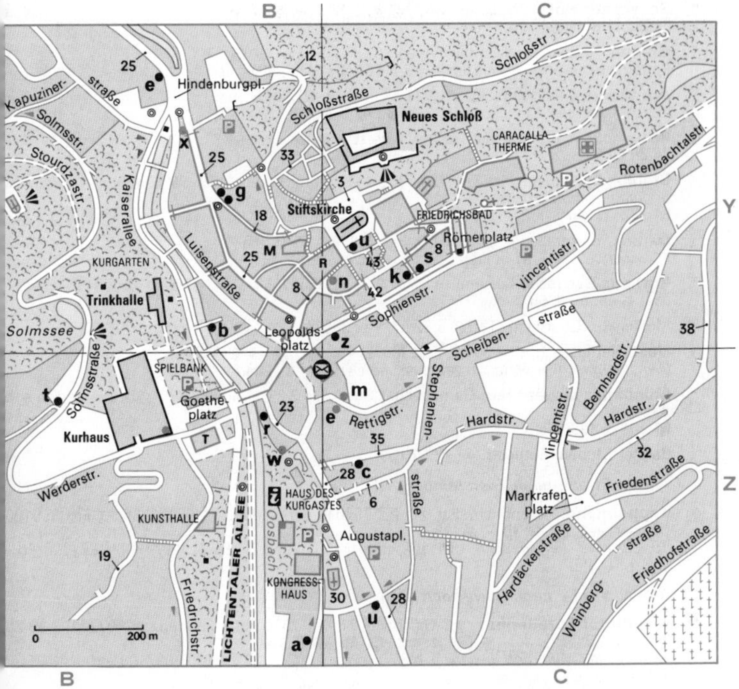

Holland Hotel Sophienpark, Sophienstr. 14, ✆ 35 60, Telex 781368, Fax 356121, « Park », – ♿ – 25/70. AE E VISA. Rest CY z
M 30 /Buffet (mittags), abends a la carte 45/88 – **75 Z : 111 B** 140/220 - 205/245 Fb – 5 Appart 330.

Bad-Hotel Zum Hirsch, Hirschstr. 1, ✆ 2 38 96, Telex 781193, Fax 38148, « Antike Einrichtung, Ballsaal », Bade-und Massageabteilung – Zim – 25/120. AE E VISA. Rest BY g
(nur Abendessen für Hausgäste) – **58 Z : 82 B** 113/163 - 198/268 Fb – ½ P 141/205.

Romantik-Hotel Der kleine Prinz, Lichtentaler Str. 36, ✆ 34 64, Telex 781433, Fax 38264 – . AE E VISA. CZ u
M *(Montag - Dienstag 18 Uhr und Jan. 3 Wochen geschl.)* 80 /130 – **33 Z : 60 B** 150/250 - 225/300 Fb – 9 Appart. 350/500.

Allee-Hotel Bären, Hauptstr. 36, ✆ 70 20, Telex 781291, Fax 702113, ←, « Parkterrasse », – – 25/60. AE E VISA AX p
M a la carte 64/80 – **81 Z : 120 B** 115/320 - 190/350 Fb – ½ P 135/235.

Atlantic garni, Sophienstr. 2a, ✆ 2 41 11, Fax 26260 – . AE E VISA BZ r
51 Z : 71 B 98/250 - 197/285 Fb.

Falkenhalde, Hahnhofstr. 71, ✆ 34 31, , , , – . AE E VISA AX v
M *(nur Abendessen, Montag - Dienstag und Dez.- Feb. geschl.)* a la carte 36/60 – **35 Z : 60 B** 150/175 - 195 Fb.

Tannenhof, Hans-Bredow-Str. 20, ✆ 27 11 81, Fax 2764141, ←, – – 25/40. AE E VISA AX m
M *(Samstag - Sonntag und Juli - Aug. 3 Wochen geschl.)* a la carte 39/60 – **27 Z : 47 B** 95/200 - 180/300 Fb.

Süß garni, Friesenbergstr. 2, ✆ 2 23 65, Fax 28772, ←, – . AE E VISA BZ t
Mitte März - 10. Nov. – **40 Z : 62 B** 55/120 - 95/160.

Colmar garni, Lange Str. 34, ✆ 9 38 90, Fax 938950 – . AE E VISA BY g
24 Z : 40 B 98/130 - 145/190 Fb.

Merkur garni, Merkurstr. 8, ✆ 3 33 90 – CZ c
29 Z : 48 B Fb.

Schweizer Hof garni, Lange Str. 73, ✆ 2 42 31 – . E VISA AX s
29 Z : 42 B 48/60 - 95/140.

Greiner garni, Lichtentaler Allee 88, ✆ 7 11 35, ← – . AX u
Mitte Nov.- Anfang Dez. geschl. – **33 Z : 54 B** 50/75 - 80/100.

Am Markt, Marktplatz 18, ✆ 2 27 47 – . AE E VISA CY u
(nur Abendessen für Hausgäste) – **27 Z : 42 B** 44/80 - 85/110.

Römerhof garni, Sophienstr. 25, ✆ 2 34 15 – . CY k
24 Z : 40 B.

XXX **Stahlbad,** Augustaplatz 2, ✆ 2 45 69, « Gartenterrasse » – AE E VISA BZ w
Sonntag - Montag geschl.
M a la carte 70/118.

XXX **Oxmox,** Kaiserallee 4, ✆ 2 99 00, Fax 26289 – AE E VISA BY x
nur Abendessen – **M** 50/98.

X **Kurhaus-Betriebe,** Kaiserallee 1, ✆ 2 27 17, Fax 29557, – AE E VISA BZ
M a la carte 39/66.

X Molkenkur, Quettigstr. 19, ✆ 3 32 57, Fax 38579, – AX c

X **Nest,** Rettigstr. 1, ✆ 2 30 76, Fax 28672 – . AE E VISA CZ m
Dienstag geschl. – **M** *(auch vegetarische Gerichte)* a la carte 28/58.

X **Münchner Löwenbräu,** Gernsbacher Str. 9, ✆ 2 23 11, Fax 26320, , Biergarten – E VISA CY n
M a la carte 31/65.

X Badner Stuben, Rettigstr. 4, ✆ 2 20 39 CZ e

An der Straße nach Ebersteinburg NO : 2 km :

Kappelmann, Rotenbachtalstr. 30, ✉ 7570 Baden-Baden, ✆ (07221) 35 50, Fax 355100, , – – 25
15. Jan.- 15. Feb. geschl. – **M** a la carte 33/65 – **42 Z : 65 B** 120/160 - 180/200 Fb – ½ P 120/190.

An der Straße nach Gernsbach ②: 5 km :

Waldhotel Forellenhof, Gaisbach 91, ✉ 7570 Baden-Baden, ✆ (07221) 7 10 25, Fax 270270, , – . AE E VISA
Anfang Jan.- Mitte Feb. geschl. – **M** a la carte 41/67 – **27 Z : 50 B** 99/109 - 150/200 Fb – ½ P 105/139.

In Baden-Baden - Geroldsau S : 5 km über Geroldsauer Str. AX :

Sonne garni, Geroldsauer Str. 145, ✆ 74 12 - ☎ Ⓟ
18 Z : 36 B 70/85 - 110.

Hirsch, Geroldsauer Str. 130, ✆ 7 13 17, Fax 72598, Biergarten - TV Ⓟ. E VISA
M *(Mittwoch geschl.)* a la carte 28/50 - **12 Z : 24 B** 50/60 - 80/110.

In Baden-Baden 23 - Neuweier SW : 10 km über Fremersbergstr. AX - ✪ 07223 :

Rebenhof , Weinstr. 58, ✆ 54 06, Fax 52321, ≤ Weinberge und Rheinebene, ,
- ☎ Ⓟ. Zim - *Mitte Jan. - Anfang März geschl.* - **M** *(Sonntag - Montag 18 Uhr geschl.)* a la carte 30/62 - **17 Z : 29 B** 70 - 117/147.

Heiligenstein , Heiligensteinstr. 19a, ✆ 5 20 25, Fax 58933, ≤ Weinberge, Rheinebene und Yburg, - TV ☎ Ⓟ - 25. E
M *(nur Abendessen, Dienstag geschl.)* a la carte 35/60 - **24 Z : 48 B** 85/110 - 130/270 Fb.

Pension Röderhof garni, Im Nußgärtel 2, ✆ 5 20 44, - ☎ Ⓟ
10. Jan.- 15. Feb. geschl. - **15 Z : 30 B** 55 - 80/110.

Zum Altenberg (mit Gästehaus), Schartenbergstr. 6, ✆ 5 72 36, Fax 60460, , ,
- Ⓟ
M *(Donnerstag und 20. Nov. - 20. Dez. geschl.)* a la carte 28/58 - **19 Z : 25 B** 42/80 - 82/130.

Zum Alde Gott, Weinstr. 10, ✆ 55 13, ≤, - Ⓟ. E VISA
Donnerstag - Freitag 18 Uhr und Jan. geschl. - **M** 85 /140 und a la carte 75/110
Spez. Kaninchen und Entenleber in Weißherbstgelee, Salat von Hummerkrabben und Seeteufel, Gebratene Ente mit Linsen und Spätzle.

Schloß Neuweier, Mauerbergstr. 21, ✆ 5 79 44, Fax 58933, « Gartenterrasse » - Ⓟ. E
Dienstag - Mittwoch 18 Uhr, Jan., Juli - Aug. 1 Woche und 22.- 25. Dez. geschl. - **M** a la carte 54/90.

Traube (mit Zim und Gästehaus), Mauerbergstr. 107, ✆ 5 72 16, Fax 6764, - TV ☎ Ⓟ. E
M *(Mittwoch geschl.)* 35 /130 - **15 Z : 23 B** 75/95 - 90/168.

Zum Lamm mit Zim, Mauerbergstr. 34, ✆ 5 70 38, Fax 52612, « Rustikale Einrichtung, Gartenterrasse » - ☎ Ⓟ. AE E VISA
10. Jan.- 15. Feb. geschl. - **M** *(Montag - Dienstag geschl.)* a la carte 50/70 - **Weinstube M** a la carte 34/45 - **12 Z : 21 B** 80 - 95/140 Fb.

Rebstock mit Zim, Schloßackerweg 3, ✆ 5 72 40, , - Ⓟ. E
24. Juli - 5. Aug. und 23. Dez.- 10. Jan. geschl. - **M** *(Montag - Dienstag geschl.)* a la carte 40/65 - **4 Z : 8 B** 60 - 95.

In Baden-Baden - Oberbeuern über ② Richtung Gernsbach :

Waldhorn, Beuerner Str. 54, ✆ 7 22 88, « Gartenterrasse mit Grill » - TV ☎ Ⓟ. AE E VISA - **M** *(nur Abendessen, Montag geschl., Nov.- April garni)* a la carte 28/50 - **13 Z : 21 B** 68/100 - 105/130.

In Baden-Baden-Oos NW : 3 km über Rheinstraße AX :

Karlshof garni, Ooser Bahnhofstr. 4 (im Bahnhof), ✆ 6 16 76, - TV ☎ Ⓟ. AE E VISA
9 Z : 20 B 87 - 128/143.

In Baden-Baden 24 - Sandweier ① : 8 km :

Blume, Mühlstr. 24, ✆ 9 50 30, Fax 950370, , , , - ☎ Ⓟ - 25/60
M a la carte 33/56 - **29 Z : 60 B** 70/90 - 120/160.

In Baden-Baden 11-Umweg SW : 8,5 km über Fremersbergstraße AX :

Bocksbeutel mit Zim, Umweger Str. 103, ✆ (07223) 5 80 31, Fax 60808, ≤ Weinberge und Rheinebene - ☎ Ⓟ. E VISA
Menu *(auch vegetarisches Menu)* (Montag geschl.) a la carte 35/85 - **10 Z : 20 B** 75/85 - 100/140.

In Baden-Baden 22-Varnhalt SW : 6 km über Fremersbergstr. AX - ✪ 07223 :

Haus Rebland, Umweger Str. 133, ✆ 5 20 47, ≤ Weinberge und Rheinebene, , ,
- TV ☎ Ⓟ
15. Nov.- 15. Dez. geschl. - **M** *(Mittwoch geschl.)* a la carte 24/53 - **24 Z : 43 B** 55/70 - 95/140 - ½ P 70/92.

Pospisil's Restaurant Merkurius mit Zim, Klosterbergstr. 2, ✆ 54 74, Fax 60996, ≤ Weinberge und Rheinebene, , - TV ☎ Ⓟ. AE E
M *(Montag - Dienstag 19 Uhr geschl.)* a la carte 65/95 - **4 Z : 8 B** 80/100 - 110/130.

Zum Adler mit Zim, Klosterbergstr. 15, ✆ 5 72 41, ≤ Weinberge und Rheinebene, -
Ⓟ. E VISA
15.- 30. Jan. und 20.- 30. Nov. geschl. - **M** *(Donnerstag geschl.)* a la carte 30/79 - **9 Z : 15 B** 65/75 - 120/140.

An der Autobahn A 5 über ① :

Rasthaus Baden-Baden, ✉ 7570 Baden-Baden 24, ✆ (07221) 6 50 43, Fax 17661, - Zim TV ☎ Ⓟ - 25/50. E VISA
M (auch Self-Service) a la carte 30/55 - **39 Z : 73 B** 113/158 - 175 Fb.

BADENWEILER 7847. Baden-Württemberg 413 G 23, 987 ㉞, 216 ④ ⑤ – 3 400 Ew – Höh 426 m – Heilbad – Das Kurzentrum ist von März bis Okt. für den Durchgangsverkehr sperr Fahrerlaubnis nur für Hotelgäste oder mit Sondergenehmigung. – 07632.

Sehenswert: Kurpark★ – Burgruine ≤★.

Ausflugsziele: Blauen : Aussichtsturm ★★, SO : 8 km – Schloß Bürgeln★, S : 8 km.

beim Grenzübergang Neuenburg (W : 16 km), (07632) 50 31.

Kurverwaltung, Ernst-Eisenlohr-Str. 4, 7 21 10 ; Fax 72170.

♦Stuttgart 242 – Basel 45 – ♦Freiburg im Breisgau 46 – Mulhouse 30.

Römerbad, Schloßplatz 1, 7 00, Telex 772933, Fax 70200, « Park », Massage, (Thermal), – 25/80. Rest
M a la carte 60/90 – **107 Z : 142 B** 240/400 - 350/450 – 7 Appart. 500/590 – 3 Fewo 250 ½ P 235/380.

Schwarzmatt, Akazienstr. 4, 60 42, Fax 6047, – 5(Rest
M (Tischbestellung ratsam) a la carte 64/86 – **45 Z : 80 B** 175/195 - 310/390 Fb – 4 Appar 400.

Parkhotel Weißes Haus, Wilhelmstr. 6, 50 41, Fax 5045, ≤, « Park »,
März - 15. Nov. – (Rest. nur für Hausgäste) – **40 Z : 60 B** 110/150 - 200/250 Fb – 3 Appart. 30 – ½ P 115/150.

Blauenwald garni, Blauenstr. 11, 50 08, –
20. Nov.- 15. Feb. geschl. – **38 Z : 46 B** 62/85 - 130/135 – 3 Appart. 200.

Eckerlin - Mirador Garden, Römerstr. 2, 75 09 01, Fax 750990, ≤, « Garten » –
6. Jan.- Feb. und 15. Nov.- 15. Dez. garni – **M** *(Dienstag - Mittwoch geschl.)* a la carte 29/5 – **63 Z : 90 B** 95/150 - 190/280 Fb – ½ P 115/145.

Sonne, Moltkestr. 4, 7 50 80, Fax 750865, – Zir
Mitte Feb.- Mitte Nov. – **M** *(Mittwoch - Donnerstag 18 Uhr geschl.)* a carte 40/70 – **40 Z 60 B** 85/130 - 160/220 Fb – 8 Fewo 110/150 – ½ P 105/123.

Anna, Oberer Kirchweg 2, 50 31, Fax 6510, ≤, « Dachterrasse », – Rest
Mitte Feb.- Mitte Nov. – (Restaurant nur für Hausgäste) – **34 Z : 52 B** 100/120 - 170/230 Fb

Ritter, Friedrichstr. 2, 50 74, Telex 774105, Fax 5073, « Garten », Bade- un Massageabteilung, –
M a la carte 40/63 – **70 Z : 95 B** 80/220 - 150/260 Fb – ½ P 100/165.

Post (mit Gästehaus), Sofienstr. 1, 50 51, Fax 5123, –
Mitte Nov.- Jan. geschl. – **M** 18 /25 (mittags) und a la carte 31/51 – **55 Z : 87 B** 70/105 130/240 Fb – ½ P 85/125.

Am Kurpark-Villa Hedwig, Römerstr. 10, 2 20, Fax 6036, « Ehemalige Villa mi stilvoller Einrichtung », –
6.- 31. Jan. und 1.- 15. Dez. geschl. – (nur Abendessen für Hausgäste) – **15 Z : 25 B** 85/12 - 140/160 Fb – 4 Appart. 180 – ½ P 100/120.

Daheim, Römerstr. 8, 75 80, Fax 758276, ≤, Massage, –
Dez.-Jan. geschl. – (Restaurant nur für Hausgäste) – **43 Z : 70 B** 100/120 - 200/250 Fb.

Schnepple garni, Hebelweg 15, 54 20, –
Mitte Feb. - Mitte Okt. – **19 Z : 30 B** 66/90 - 120/160 Fb.

Schlößle garni, Kanderner Str. 4, 2 40, ≤, « Geschmackvolle Einrichtung » (geheizt), –
Dez.- Mitte Feb. geschl. – **15 Z : 20 B** 60/75 - 120/140 Fb.

Schloßberg, Schloßbergstr. 3, 50 16, ≤, –
Mitte Feb.- Mitte Nov. – (nur Abendessen für Hausgäste) – **26 Z : 37 B** 85/95 - 158/195 Fb

Eberhardt - Burghardt, Waldweg 2, 50 39, Fax 1281, –
M a la carte 27/53 – **38 Z : 54 B** 60/95 - 120/170 Fb – ½ P 78/103.

Badenweiler Hof garni, Wilhelmstr. 40, 3 44 –
19 Z : 32 B 65/85 - 120/130 Fb.

Försterhaus Lais, Badstr. 42, 3 17, Fax 6056, –
M *(Sonntag geschl.)* a la carte 33/58 – **36 Z : 58 B** 58/95 - 116/190 Fb – ½ P 77/114.

Haus Christine garni, Glasbachweg 1, 60 04, –
7. Jan.- 16. Feb. und 1.- 21. Dez. geschl. – **15 Z : 21 B** 65/92 - 120/148.

Haus Ebert garni, Friedrichstr. 7, 4 65, –
Mitte Feb.- Mitte Nov. – **15 Z : 20 B** 48/56 - 100/110.

In Badenweiler 3-Lipburg SW : 3 km :

Landgasthof Schwanen, E.-Scheffelt-Str. 5, 52 28, Fax 5208, –
7. Jan.- 25. Feb. geschl. – **M** *(Donnerstag geschl.)* a la carte 30/58 – **18 Z : 28 B** 50/65 90/110 Fb.

In Badenweiler 3-Sehringen S : 3 km :

▥ **Gasthof zum grünen Baum** ⊱, Sehringer Str. 19, ℰ 74 11, ≤, ☂ – ⇌ **ⓟ**. ✗ Zim
Mitte Dez.- Anfang Feb. geschl. – **M** *(Montag geschl.)* a la carte 27/57 ⅃ – **14 Z : 24 B** 31/60
- 62/110 – ½ P 59/88.

Auf dem Blauen SO : 8 km – Höhe 1 165 m :

☂ **Hochblauen** ⊱, ⊠ 7847 Badenweiler, ℰ (07632) 3 88, ≤ Schwarzwald und Alpen, ☂,
☂ – ⇌ **ⓟ**
Mitte März - Anfang Nov. – *(Rest. nur für Hausgäste, für Passanten Self-Service)* (Mittwoch
18 Uhr - Donnerstag geschl.) ⅃ – **15 Z : 25 B** 35/52 - 68/98.

BAHLINGEN 7836. Baden-Württemberg 4ⅡⅢ G 22. 242 ㉜ – 3 400 Ew – Höhe 248 m – ✪ 07663
ichstetten).

Stuttgart 190 – ◆Freiburg im Breisgau 22 – Offenburg 48.

▥ **Lamm**, Hauptstr. 49, ℰ 13 11, Fax 5433, ≋ – 📺 ☎ ⇌ **ⓟ** – ▵ 25/80. ▦ ▤
M *(Sonntag geschl.)* a la carte 35/60 ⅃ – **29 Z : 54 B** 56/78 - 96/134 Fb.

BAIERBRUNN 8021. Bayern 4ⅡⅢ R 22 – 2 400 Ew – Höhe 638 m – ✪ 089 (München).

München 15 – Garmisch Partenkirchen 72.

▥ **Strobl**, Wolfratshauser Str. 54 a, ℰ 7 93 06 79, Fax 7938969, Biergarten – 📺 ☎ ⅃ **ⓟ**
M *(nur Abendessen, Samstag, Sonn- und Feiertage sowie Jan. geschl.)* a la carte 25/40 –
47 Z : 96 B 75/95 - 115/130 Fb.

In Baierbrunn-Buchenhain NO : 1,5 km :

▥ Waldgasthof Buchenhain, ℰ 7 93 01 24, Fax 7938701, Biergarten – |⋕| ☎ **ⓟ**
42 Z : 70 B Fb.

BAIERSBRONN 7292. Baden-Württemberg 4ⅡⅢ HI 21. 987 ㉟ – 15 800 Ew – Höhe 550 m –
uftkurort – Wintersport : 584/1 065 m ✚11 ✚14 – ✪ 07442.

Kurverwaltung, Freudenstädter Str. 36, ℰ 25 70, Fax 7087.

Stuttgart 100 ② – Baden-Baden 50 ① – Freudenstadt 7 ②.

Stadtplan siehe nächste Seite

▥ Falken, Oberdorfstr. 95, ℰ 24 43, ☂, ≋, ☛ – |⋕| 📺 ☎ ⇌ **ⓟ** AY **s**
21 Z : 36 B Fb.

▥ **Rose,** Bildstöckleweg 2, ℰ 20 35, Fax 4396, ≋, ▨ – |⋕| 📺 ☎ ⅃ ⇌ **ⓟ** – ▵ 25/40. AX **h**
▦ ▤ **VISA**. ✗
20. Nov.- 20. Dez. geschl. – **M** *(Dienstag geschl.)* a la carte 28/60 – **41 Z : 70 B** 65/80 -
110/130 Fb – 3 Appart. 160 – 2 Fewo 75.

▥ **Rosengarten** ⊱, Bildstöckleweg 35, ℰ 20 88, ≋, ▨ – ☎ **ⓟ**. ✗ Zim AX **a**
23. März - 9. April und 9. Nov.- 17. Dez. geschl. – **M** *(Mittwoch - Donnerstag geschl.)* a la carte
24/48 – **27 Z : 50 B** 50/60 - 96/120 Fb – 2 Fewo 60/90 – ½ P 67/77.

▥ Miller-Wagner, Forbachstr. 4, ℰ 22 57, ☂ – |⋕| **ⓟ** AX **e**
20 Z : 30 B Fb.

▥ **Café Berghof** ⊱, Bildstöckleweg 17, ℰ 70 18, Fax 7349, ≤, ☂, Bade- und Massage-
abteilung, ≋, ▨ – |⋕| ☎ **ⓟ**. ✗ Rest AX **f**
30. März - 12. April und 4. Nov.- 24. Dez. geschl. – **M** *(Montag geschl.)* a la carte 24/47 –
33 Z : 52 B 44/90 - 88/110 Fb – ½ P 61/87.

▥ **Pappel**, Oberdorfstr. 1, ℰ 22 08 – |⋕| **ⓟ** AY **t**
April 2 Wochen und Nov. geschl. – **M** *(Mittwoch geschl.)* a la carte 26/49 – **18 Z : 38 B** 45 -
90 Fb.

▥ **Hirsch**, Oberdorfstr. 74, ℰ 30 33, Fax 50323, ≋, ▨, ☛ – |⋕| 📺 **ⓟ** AY **d**
28. Nov.- 19. Dez. geschl. – **M** *(Donnerstag geschl.)* a la carte 21/49 – **33 Z : 50 B** 51/59 -
102/126.

▥ **Krone,** Freudenstädter Str. 32, ℰ 22 09, Fax 4408, ≋, ▨ – ⇌ **ⓟ** AY **r**
10. Jan.- 5. Feb. und 25. Okt.- 10. Nov. geschl. – **M** *(Montag geschl.)* a la carte 24/50 ⅃ –
47 Z : 75 B 50/70 - 96/124 Fb – ½ P 65/77.

▥ **Panorama-Hotel** garni, Forststr. 1, ℰ 24 85, ≤ – **ⓟ**. ✗ AY **k**
Nov.- 15. Dez. geschl. – **27 Z : 44 B** 40/42 - 76/80.

In Baiersbronn 1-Tonbach :

▥▥ **Kur- und Sporthotel Traube Tonbach** ⊱, Tonbachstr. 237, ℰ 49 20, Telex 764394,
Fax 492692, ≤, « Gartenterrasse, Hauskapelle », Bade- und Massageabteilung, ⌧, ☂, ≋,
▨ (geheizt), ▨, ☛, ✗ (Halle) – |⋕| 📺 ♨ ⇌ **ⓟ** – ▵ 30. ✗ BZ **n**
(Restaurant nur für Hausgäste) (siehe auch Restaurant Schwarzwaldstube und Köhlerstube) –
182 Z : 300 B 153/394 - 294/488 Fb – 8 Appart. 600/1500 – ½ P 177/251.

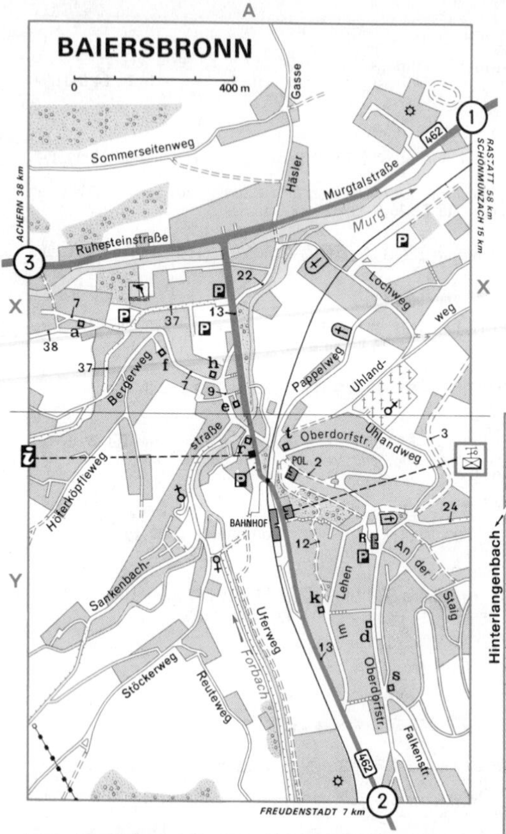

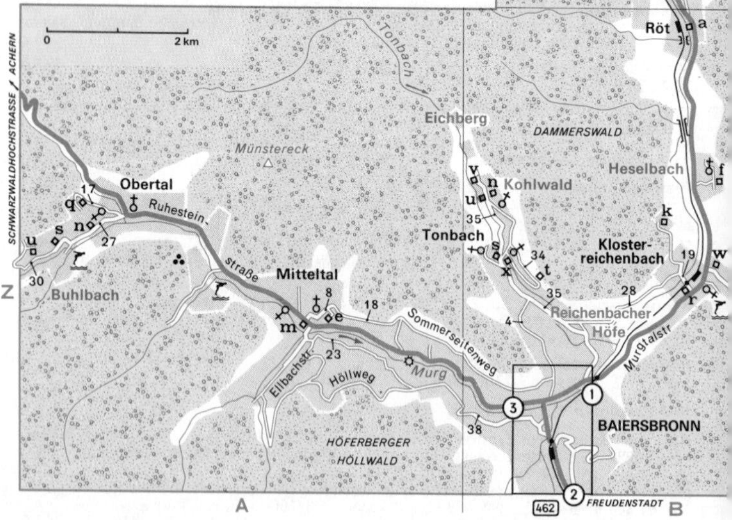

Forbachstraße . . . . AX 9
Freudenstädter Straße . . . . AXY 1
Oberdorfstraße . . . . AY

Alte Gasse . . . . AY 2
Alte-Reichenbacher-Straße . . AY 3
Alter Tonbachweg . . . . BZ 4
Bildstöckleweg . . . . AX 7
Eulengrundweg . . . . AZ 8
Forststraße . . . . AY 1
Kirchstraße . . . . BY 1
Kraftenbuckelweg . . . . AZ 1
Labbronnerweg . . . . AZ 1
Murgstraße . . . . BZ 1
Neumühleweg . . . . AX 2
Orspachweg . . . . AZ 2
Panoramaweg . . . . AY 2
Rechtmurgstraße . . . . AZ 2
Reichenbacher Weg . . . . BZ 2
Schliffkopfstraße . . . . AZ 3
Schönegründer Straße . . . . . BY 3
Schönmünzstraße . . . . BY 3
Sonnenhalde . . . . BZ 3
Tonbachstraße . . . . BZ 3
Wilhelm-Münster-Straße . . . . AX 3
Winterseitenweg . . . . . . AX, BZ 3

Kurhotel Sonnenhalde, Obere Sonnenhalde 63, 30 44, Fax 50192, ≤, – TV . Rest
5. Nov.- 15. Dez. geschl. – **M** *(Mittwoch geschl.)* a la carte 31/52 – **33 Z : 58 B** 52/115 - 144/218 Fb – ½ P 96/124. BZ **t**

Waldlust (mit Gästehaus,), Tonbachstr. 174, 30 28, Fax 2127, – TV BZ **x**
Anfang Nov.- Mitte Dez. geschl. – **M** *(Dienstag geschl.)* a la carte 27/58 – **45 Z : 80 B** 58/95 - 104/145 Fb – 4 Appart.196 – ½ P 77/120.

Kurhotel Tanne, Tonbachstr. 243, 20 69, Fax 7657, ≤, Bade- und Massageabteilung, – TV – 30 BZ **v**
60 Z : 96 B Fb.

Alte Mühle garni Tonbachstr. 177, 26 05, – . – **16 Z : 28 B**. BZ **s**

XXX ✿✿ **Schwarzwaldstube** (Französisches Restaurant), Tonbachstr. 237, 49 26 65, ≤ – . AE E VISA. BZ **u**
Montag - Dienstag, 7.- 30. Jan. und 6.- 30. Juli geschl. – **M** (Tischbestellung ratsam) 135/170 und a la carte 85/125
Spez. Muschelgelee mit Kaviar (Sept.- Feb.), Chartreuse von Gänseleber, Trüffel und Wirsing, Karamelparfait mit marinierten Früchten.

XX **Köhlerstube,** Tonbachstr. 237, 49 26 65, ≤, « Behaglich-rustikale Restauranträume » – . AE E VISA – **M** (Tischbestellung ratsam) 48/100. BZ **u**

Im Murgtal, Richtung Schwarzwaldhochstraße :

In Baiersbronn 2-Mitteltal :

Kurhotel Mitteltal, Gärtenbühlweg 14, 4 70, Fax 47320, ≤, « Gartenterrasse », Bade- und Massageabteilung, – Rest TV . Rest *(Restaurant nur für Hausgäste)* (siehe auch Restaurant Bareiss) – **100 Z : 190 B** 190/308 - 360/602 Fb – 9 Appart. 750/950 – ½ P 200/328. AZ **e**

Lamm, Ellbachstr. 4, 30 15, Fax 2528, – TV . AE E VISA AZ **m**
Mitte Nov.- Mitte Dez. geschl. – **M** a la carte 24/65 – **46 Z : 76 B** 60/120 - 115/170 Fb – ½ P 78/110.

XXX ✿✿ **Restaurant Bareiss,** Gärtenbühlweg 14, 4 70, Fax 47320, ≤, bemerkenswerte Weinkarte – . AE E VISA AZ **e**
Montag - Dienstag, 9. Juni - 10. Juli und 23. Nov.- 24. Dez. geschl. – **M** (Tischbestellung ratsam) 140/180 und a la carte 94/127
Spez. Salat von Hummer mit Olivenvinaigrette, Milchlammrücken mit Artischocken, Apfel-Mohntarte mit Rumsahne.

In Baiersbronn 1-Obertal – 07449 :

Zum Engel, Rechtmurgstr. 28, 8 50, Fax 85200, Bade- und Massageabteilung, – TV . Zim AZ **n**
M (auch vegetarisches Menu) a la carte 47/82 – **68 Z : 121 B** 105/150 - 200/380 Fb – ½ P 138/184.

Waldhotel Sommerberg, Hirschauerwald 23, 2 17, Fax 8014, ≤ Obertal, – TV – 25/40. AZ **q**
M a la carte 27/52 – **40 Z : 70 B** 70/180 - 120/240 Fb – 2 Fewo 75/85.

Pension Sigwart, Am Hänger 24 (Buhlbach), 6 96, Fax 698, ≤, – TV
10. Nov.- 18. Dez. geschl. – (Restaurant nur für Hausgäste) – **17 Z : 30 B** 49/71 - 98/132 – 3 Fewo 72/90 – ½ P 67/84. AZ **u**

Blume, Rechtmurgstr. 108 (Buhlbach), 3 83, – TV AZ **s**
Mitte Nov.- Mitte Dez. geschl. – **M** *(Mittwoch geschl.)* a la carte 20/42 – **23 Z : 38 B** 30/50 - 80/130.

Im Murgtal, Richtung Forbach :

In Baiersbronn 6-Klosterreichenbach :

Heselbacher Hof, Heselbacher Weg 72, 30 98, Fax 3090, ≤, – TV . Zim BZ **f**
Nov.- 15. Dez. geschl. – **M** *(Montag geschl.)* a la carte 26/51 – **26 Z : 50 B** 64/78 - 98/152 Fb – ½ P 73/87.

Landhotel Ailwaldhof, Ailwald 1, 24 84, ≤, – . BZ **k**
Mitte Nov.- Mitte Dez. geschl. – **M** *(Donnerstag geschl.)* a la carte 30/60 – **15 Z : 30 B** 90 - 160/170.

Schützen, Murgstr. 1, 35 94, Fax 50278, – . Zim BZ **r**
20 Z : 34 B.

Ochsen, Musbacher Str. 5, 22 22, – . Zim BZ **w**
April 3 Wochen und Ende Nov.- Mitte Dez. geschl. – **M** *(Dienstag geschl.)* a la carte 18/43 – **17 Z : 30 B** 40 - 74/82 – ½ P 52/57.

In Baiersbronn 6-Röt :

Sonne, Murgtalstr. 323, 23 86, – BZ **a**
Mitte Nov.- Mitte Dez. geschl. – **M** a la carte 26/60 – **40 Z : 62 B** 60 - 102/150.

In Baiersbronn 6-Schönegründ :

Löwen ⑤, Schönegründer Str. 90, ☎ (07447) 4 33, ≤, 🏔, 🍴 – 🅟 BY
18. Okt.- 8. Nov. geschl. – **M** *(Dienstag geschl.)* a la carte 20/38 ⑤ – **17 Z : 30 B** 40/45 - 74/8

In Baiersbronn 9-Schwarzenberg :

Sackmann, Murgtalstr. 602 (B 462), ☎ (07447) 28 90, Fax 289400, 🏔, Bade- und Massag abteilung, 🏋, 🏊, 🏊 – 🛗 📺 🚗 🅟 – 🏛 25/50 BY
M *(Sonntag - Montag geschl.)* a la carte 32/82 – **59 Z : 105 B** 70/98 - 130/220 Fb – 7 Few 106/120 – ½ P 90/130.

Löwen, Murgtalstr. 604 (B 462), ☎ (07447) 10 47, Fax 1049, 🏔 – 🛗 📺 ☎ 🚗 🅟 BY
13. Jan.- 1. Feb. geschl. – **M** (auch vegetarische Gerichte) a la carte 35/75 – **26 Z : 50 B** 50/ - 100/150 Fb – ½ P 80/105.

In Baiersbronn 9-Schönmünzach – ☎ 07447 :

Sonnenhof ⑤, Schifferstr. 36, ☎ 10 46, Fax 2033, 🏔, 🏊, 🏊 – 🛗 📺 ☎ Rest BY
Mitte Nov.-Mitte Dez. geschl. – **M** a la carte 26/53 – **42 Z : 70 B** 50/79 - 102/142 Fb – ½ P 68/9

Kurhotel Schwarzwald, Murgtalstr. 655, ☎ 10 88, Fax 1004, Bade- und Massageabt lung, 🏋, 🏊, 🏊, 🍴 – 🛗 📺 ☎ 🚗 🅟. Rest BY
15. Nov.- 15. Dez. geschl. – **M** *(Dienstag geschl.)* a la carte 27/56 – **27 Z : 45 B** 53/8 112/182 Fb – ½ P 71/102.

Carola, Murgtalstr. 647, ☎ 3 29 – ☎ 🅟 BY
Mitte Okt.- Mitte Nov. geschl. – **M** *(Montag geschl.)* a la carte 24/44 – **13 Z : 23 B** 45/6 90/120 Fb.

In Baiersbronn 9-Hinterlangenbach W : 10,5 km ab Schönmünzach BY :

Forsthaus Auerhahn ⑤ (mit Gästehäusern), ☎ (07447) 3 90, Fax 2035, 🏔, Wildgeheg 🏊, 🏊, 🍴, 🎾 – 📺 ☎ 🚗 🅟
23. März - 2. April und 16. Nov.- 17. Dez. geschl. – **M** *(Dienstag ab 14 Uhr geschl.)* a la ca 28/44 – **14 Z : 30 B** 57/100 - 114/158 Fb – 10 Fewo 85/99 – ½ P 75/118.

BAIERSDORF Bayern siehe Erlangen.

BALDUINSTEIN **6251.** Rheinland-Pfalz 412 G 15 – 610 Ew – Höhe 105 m – ☎ 06432 (Die
Mainz 69 – Limburg an der Lahn 10 – ♦Koblenz 62.

Zum Bären - Kleines Restaurant, Bahnhofstr. 24, ☎ 8 10 91, Fax 83643 – 📺 ☎ 🅟. DC E VISA
3.- 24. März und 19.- 27. Okt. geschl. – **M** *(Tischbestellung ratsam)* (nur Abendessen, Mont - Dienstag geschl.) 92 /140 – **Kachelofen** *(Dienstag geschl.)* **M** a la carte 38/80 – **10 Z** **18 B** 67/72 - 134/140
Spez. Gefüllter Tintenfisch mit Pestosauce, Kalbsbries mit Trüffel-Risotto, Rehmedaillons m Walnuß-Trauben-Sauce.

BALINGEN **7460.** Baden-Württemberg 413 J 22, 987 ㉟ – 31 500 Ew – Höhe 517 m – ☎ 0743
Ausflugsziel : Lochenstein ≤★ vom Gipfelkreuz, S : 8 km.
ADAC, Wilhelm-Kraut-Str. 46, ☎ 1 03 33, Telex 763626.
♦Stuttgart 82 – ♦Freiburg im Breisgau 116 – ♦Konstanz 116 – Tübingen 36 – ♦Ulm (Donau) 134.

Hamann, Neue Str. 11, ☎ 25 25, Fax 5123 – 🛗 📺 ☎. AE DC E VISA
M *(Samstag - Sonntag und 24. Dez.- 6. Jan. geschl.)* a la carte 29/60 *(auch vegetarisch Gerichte)* – **50 Z : 70 B** 85/135 - 140/200 Fb.

Stadt Balingen garni, Hirschbergstr. 48 (Nähe Stadthalle), ☎ 80 21, Telex 763621, Fax 51 – 🛗 ☎ 🅟. AE DC E VISA
59 Z : 79 B 98/120 - 160 Fb.

Thum, Neige 20 (B 27), ☎ 87 93, Fax 15627, 🏔 – 🛗 📺 ☎ 🚗 🅟. DC E VISA
Mitte Juli - Mitte Aug. geschl. – **M** *(Samstag geschl.)* a la carte 28/56 ⑤ – **22 Z : 32 B** 58/ - 110/165.

Lang, Wilhelm-Kraut-Str. 1, ☎ 38 19 33 – ☎. AE E
23. Dez.- 10. Jan. geschl. – **M** *(Samstag geschl.)* a la carte 26/46 – **26 Z : 38 B** 40/65 - 76/1

Zum Hirschgulden, Charlottenstr. 27 (Stadthalle), ☎ 25 81, Fax 22364, 🏔 – 🅟. DC E V
M a la carte 33/70.

BALJE **2161.** Niedersachsen 411 K 5 – 1 100 Ew – Höhe 2 m – ☎ 04753.
♦Hannover 218 – Bremerhaven 74 – Cuxhaven 38 – ♦Hamburg 114.

In Balje-Hörne SW : 5 km :

Zwei Linden, Itzwördener Str. 4, ☎ 3 24, Fax 8186 – 📺 ☎ 🚗 🅟. E
M a la carte 22/39 – **8 Z : 13 B** 45 - 80.

BALLRECHTEN-DOTTINGEN Baden-Württemberg siehe Sulzburg.

BALTRUM (Insel) **2985.** Niedersachsen 411 F 5, 987 ④ – 500 Ew – Seeheilbad – Insel der Ostfriesischen Inselgruppe, Autos nicht zugelassen – ☎ 04939.

von Neßmersiel (ca. 30 min.), ☎ 2 35.

Pavillon am Anleger, ☎ 80 48.

Hannover 269 – Aurich (Ostfriesland) 28 – Norden 17 – Wilhelmshaven 70.

Strandhotel Wietjes, Nr. 58, ☎ 2 37, Fax 457, ≤, – TV ☎
26. Feb.- 16. Okt. – **M** a la carte 20/49 – **45 Z : 80 B** 75/110 - 150/220 Fb – 25 Fewo 80/200 – ½ P 85/120.

Dünenschlößchen, Ostdorf 48, ☎ 81 90, Fax 81913, ≤, – ☎.
Mitte März - Okt. – **M** *(Montag ab 13 Uhr geschl.)* a la carte 26/56 – **43 Z : 72 B** 70/100 - 120/150 Fb – 8 Fewo 100/220 – ½ P 90/100.

Strandhof, Nr. 123, ☎ 8 90, Fax 8913, – ☎.
Mitte März - Okt. – **M** a la carte 28/46 – **37 Z : 63 B** 75 - 150 Fb – 20 Fewo 140/170.

Witthus (mit Zim. und Gästehaus), Nr. 137, ☎ 3 58, ≤, – TV
15. Jan.- 15. März und Nov.- 25. Dez. geschl. – **M** a la carte 28/60 – **12 Z : 24 B** 50/60 - 90/120.

BALVE **5983.** Nordrhein-Westfalen 411 412 G 12,13 – 10 800 Ew – Höhe 250 m – ☎ 02375.

Düsseldorf 101 – Arnsberg 26 – Hagen 38 – Plettenberg 16.

In Balve 6-Binolen N : 5 km :

Haus Recke mit Zim, an der B 515, ☎ (02379) 2 09, « Tropfsteinhöhle (Eintritt DM 3,00) » – TV. E VISA
10.- 28. Feb. und 10.- 30. Nov. geschl. – **M** *(Montag geschl.)* a la carte 28/56 – **6 Z : 12 B** 69 - 105.

In Balve 6-Eisborn N : 9 km :

Zur Post, Dorfstr. 3, ☎ (02379) 6 66, Fax 248, – ☎ – 25/100. AE E. Zim
18. Juli - 7. Aug. geschl. – **M** a la carte 30/60 – **50 Z : 75 B** 73/80 - 124/134 Fb.

Antoniushütte, Dorfstr. 10, ☎ (02379) 2 53, – ☎ – 25/40. E
M a la carte 34/65 – **36 Z : 71 B** 70/80 - 130/140 Fb.

BAMBERG **8600.** Bayern 413 PQ 17, 987 ㉖ – 70 000 Ew – Höhe 260 m – ☎ 0951.

Sehenswert : Dom★★ (Bamberger Reiter★★★, St.-Heinrichs-Grab★★★) BZ – Altes Rathaus★ BCZ – Diözesanmuseum★ BZ **M** – Alte Hofhaltung (Innenhof★★) BZ – Neue Residenz : Rosengarten ★ BZ.

Gut Leimershof (NO : 16 km über ⑤), ☎ (09547) 71 09.

Fremdenverkehrsamt, Gayerswörthstr. 3, ☎ 2 10 40, Fax 21998.

ADAC, Schützenstr. 4a (Parkhaus), ☎ 2 10 77, Notruf ☎ 1 92 11.

München 232 ② – Erfurt 154 ⑤ – ♦Nürnberg 61 ② – ♦Würzburg 96 ②.

Stadtplan siehe nächste Seite

Residenzschloss, Untere Sandstr. 30, ☎ 6 09 10, Telex 662424, Fax 6091701, – Zim TV – 25/300. AE E VISA BY **r**
M a la carte 60/80 – **148 Z : 300 B** 160/220 - 210/270 Fb – 4 Appart. 420.

Bamberger Hof - Bellevue, Schönleinsplatz 4, ☎ 2 22 16, Telex 662867, Fax 22219 – TV – 25/120. AE E VISA CZ **e**
M *(Juli - Sept. Sonntag geschl.)* a la carte 46/72 – **47 Z : 90 B** 105/175 - 160/240 Fb.

Romantik-Hotel Weinhaus Messerschmitt, Lange Str. 41, ☎ 2 78 66, Fax 26141, « Brunnenhof » – TV ☎ – 40. AE E VISA. Zim CZ **x**
M a la carte 42/72 – **14 Z : 24 B** 68/115 - 175/205 Fb.

St. Nepomuk (mit Gästehaus Steinmühle), Obere Mühlbrücke 9, ☎ 2 51 83, Fax 26651, ≤, « Ehemalige Mühle in der Regnitz gelegen » – TV ☎ – 35. E VISA CZ **a**
M a la carte 40/76 – **35 Z : 59 B** 110/140 - 160/280 Fb.

Barock-Hotel am Dom garni, Vorderer Bach 4, ☎ 5 40 31, Fax 54021 – TV ☎. AE E VISA BZ **k**
6.- 31. Jan. geschl. – **19 Z : 36 B** 75/80 - 110/125.

Wilde Rose, Keßlerstr. 7, ☎ 2 83 17, Fax 22071 – TV ☎. AE E VISA. Zim CZ **e**
M *(Sonntag ab 16 Uhr geschl.)* a la carte 28/50 – **29 Z : 48 B** 70/90 - 120/130 Fb.

Alt Ringlein und Gästehaus garni, Dominikanerstr. 9, ☎ 5 40 98, Fax 52230 – TV ☎. E VISA – **54 Z : 100 B** 85/115 - 120/140 Fb. BZ **n**

Brudermühle, Schranne 1, ☎ 5 40 91, Fax 51211 – TV ☎. E VISA BZ **b**
M *(Montag geschl.)* a la carte 25/57 – **16 Z : 28 B** 90/98 - 130/138 Fb.

Bergschlößchen, Am Bundleshof 2, ☎ 5 20 05, ≤ Bamberg – ☎
8.- 30. Jan. geschl. – (nur Abendessen für Hausgäste) – **14 Z : 26 B** 75/100 - 120/140 Fb.
über St.-Getreu-Straße BZ

BAMBERG

Gruner Markt	CZ	13
Hauptwachstraße	CY	15
Lange Str.	CZ	
Luitpoldstraße	CY	
Maximiliansplatz	CY	
Obere Königstraße	CY	34
Untere Königstraße	CY	55
Äußere Löwenstraße	CY	2
Am Kranen	BZ	3
Bischofsmühlbrücke	BCZ	5
Buger Str.	AX	7
Dominikanerstraße	BZ	8
Domstraße	BZ	9
Geyerswörthstraße	CZ	12
Heiliggrabstraße	AX	17
Herrenstraße	BZ	18
Judenstraße	BZ	20
Karolinenstraße	BZ	23
Ludwigstraße	AX	24
Luitpoldbrücke	CY	26
Magazinstraße	AX	27
Marienstraße	AX	29
Mittlerer Kaulberg	BZ	30
Nonnenbrücke	CZ	32
Obere Karolinenstraße	BZ	33
Oberer Kaulberg	AX	35
Obere Sandstraße	BZ	36
Regensburger Ring	AX	38
Residenzstraße	BZ	40
Rhein-Main-Donau-Damm	AX	42
Richard-Wagner-Str.	CZ	44
St-Getreu-Str.	BZ	45
Schillerplatz	CZ	47
Schönleinsplatz	CZ	48
Sodenstraße	AX	50
Untere Brücke	BZ	52
Unterer Kaulberg	BZ	54

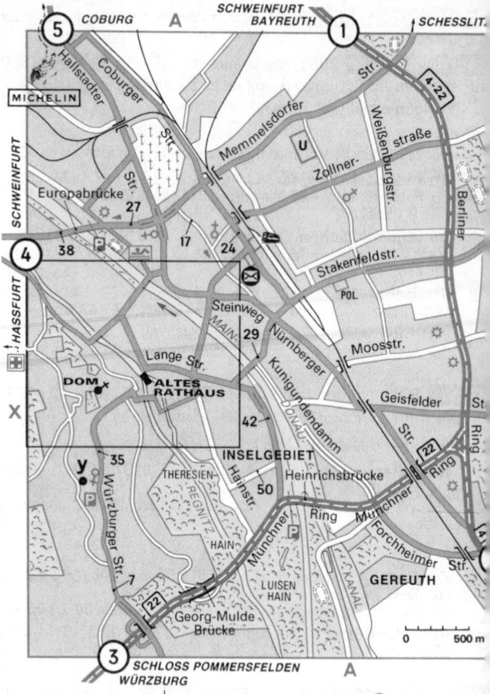

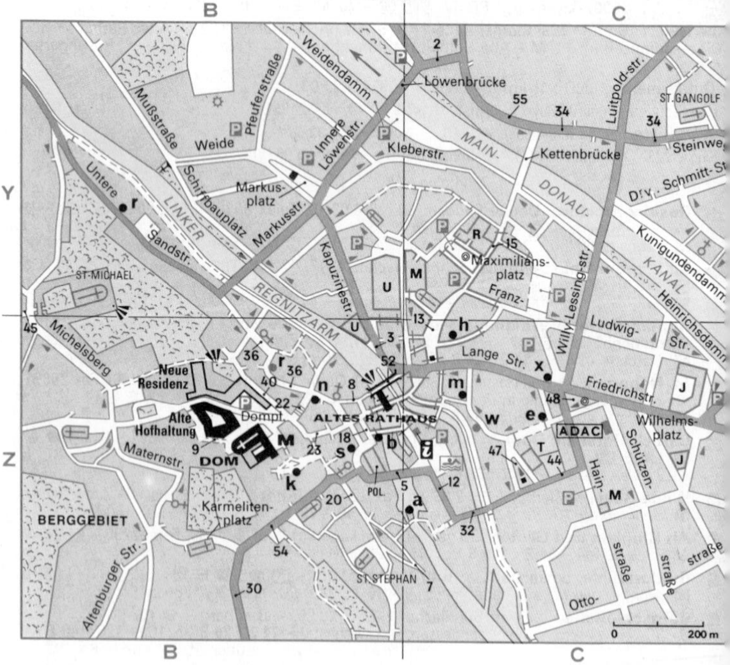

Weierich, Lugbank 5, ✆ 5 40 04, Fax 55800, « Rest. in fränkischem Bauernstil » – TV ☎ BZ **s**
M *(Sonntag ab 15 Uhr geschl.)* a la carte 24/45 – **23 Z : 47 B** 80/100 - 100/120 Fb.

Altenburgblick garni, Panzerleite 59, ✆ 5 40 23, Fax 56201, ← – ☎ P. E AX **y**
46 Z : 56 B 60/80 - 110/125 Fb.

Alt Bamberg garni, Habergasse 11, ✆ 2 52 66 – TV ☎. AE E VISA CZ **m**
21 Z : 33 B 50/70 - 98/140.

Bassanese (Italienische Küche), Obere Sandstr. 32, ✆ 5 75 51 – BZ **r**
1.- 12. Jan., 7.- 21. Juni und 30. Aug.- 13. Sept. geschl. – **M** 65 /125.

Würzburger Weinstuben, Zinkenwörth 6, ✆ 2 26 67, – AE E VISA CZ **w**
Ende Aug.- Mitte Sept. und Dienstag 15 Uhr - Mittwoch geschl. – **M** a la carte 28/62.

In Bamberg-Bug ③ : 4 km :

Lieb-Café Bug, Am Regnitzufer 23, ✆ 5 60 78, – P
20. Dez.- Anfang Jan. geschl. – **M** *(Sonn- und Feiertage ab 17 Uhr sowie Freitag und Mitte Okt.- Mitte Nov. geschl.)* a la carte 20/43 – **15 Z : 23 B** 40/65 - 70/100.

In Hallstadt **8605** ⑤ : 4 km :

Frankenland, Bamberger Str. 76, ✆ (0951) 7 12 21, Fax 73685 – TV ☎ P. AE E
M *(Freitag - Samstag 17 Uhr geschl.)* a la carte 21/40 – **38 Z : 65 B** 60/64 - 94/98 Fb.

Siehe auch : ***Breitengüßbach und Memmelsdorf***

MICHELIN-REIFENWERKE KGaA. 8605 Hallstadt (über ⑤ : 5 km), Michelinstr. 130, ✆ (0951) 79 11, Fax 791248.

Jährlich eine neue Ausgabe,
Aktuellste Informationen,
jährlich für Sie !

BANNESDORF Schleswig-Holstein siehe Fehmarn (Insel).

BARGTEHEIDE **2072.** Schleswig-Holstein 411 N 5, 987 ⑤ – 11 000 Ew – Höhe 48 m – ☎ 04532.
Gut Jersbek (W : 3 km), ✆ (04532) 2 35 55.
Kiel 73 – Hamburg 29 – Lübeck 38 – Bad Oldesloe 14.

Papendoor (mit Gästehaus), Lindenstr. 1, ✆ 70 41, Fax 7043, – TV ☎ P. E
M *(nur Abendessen, Sonntag geschl.)* a la carte 35/63 – **27 Z : 56 B** 100/120 - 140/160 Fb.

Utspann, Hamburger Str. 1 (B 75), ✆ 62 20, – P. AE VISA
Jan. und Montag geschl. – **M** a la carte 35/65.

BARGUM **2255.** Schleswig-Holstein 411 J 2 – 800 Ew – Höhe 3 m – ☎ 04672 (Langenhorn).
Kiel 111 – Flensburg 37 – Schleswig 63.

✿ **Andresen's Gasthof** mit Zim, an der B 5, ✆ 10 98, « Geschmackvoll eingerichtete Restauranträume im friesischen Stil » – TV ☎ P. E VISA.
M *(Tischbestellung erforderlich)* (außer an Feiertagen nur Abendessen, Montag - Dienstag geschl.) a la carte 80/100 – **5 Z : 10 B** 95 - 165
Spez. Geleering mit Lamm und Basilikum, Steinbutt im Selleriemantel, Grießkaltschale mit gebackenem Pflaumenknödel.

BARK Schleswig-Holstein siehe Segeberg, Bad.

BARNSTORF **2847.** Niedersachsen 411 I 8, 987 ⑭ – 5 300 Ew – Höhe 30 m – ☎ 05442.
Hannover 105 – Bremen 52 – Osnabrück 67.

Roshop, Am Markt 6, ✆ 6 42, Fax 641, – Rest TV P – 25/200. AE E VISA
M a la carte 32/66 – **62 Z : 106 B** 75/100 - 125/160 Fb.

BARSINGHAUSEN **3013.** Niedersachsen 411 412 L 10, 987 ⑮ – 35 000 Ew – Höhe 100 m – ☎ 05105.
Fremdenverkehrsamt, Deisterstr. 2, ✆ 77 42 63, Fax 65632.
Hannover 23 – Bielefeld 87 – Hameln 42 – Osnabrück 117.

Sporthotel Fuchsbachtal, Bergstr. 54, ✆ 30 04, Fax 65029, – TV ☎ P – 25/150
57 Z : 85 B Fb.

In Barsinghausen-Hohenbostel NW : 2 km :

Flegel, Heerstr. 15, ✆ 14 28, Fax 2947 – P.

BARSSEL **2914.** Niedersachsen 411 G 7 – 9 500 Ew – Höhe 9 m – ☎ 04499.
ℹ Fremdenverkehrsverein, Rathaus, Lange Str. 25, ✆ 81 40.
♦Hannover 208 – Cloppenburg 53 – Oldenburg 37 – Papenburg 36.

Ummen, Friesoyther Str. 2, ✆ 15 76 – 📺 ☎ 🅿
20. Dez.- 15. Jan. geschl. – **M** a la carte 23/41 – **13 Z : 25 B** 50/60 - 90/110.

BARTHOLOMÄ **7071.** Baden-Württemberg 413 MN 20 – 1 800 Ew – Höhe 642 m – Wintersport
4 – ☎ 07173.
♦Stuttgart 74 – Aalen 16 – Heidenheim an der Brenz 18 – Schwäbisch Gmünd 21.

An der Straße nach Steinheim SO : 3 km :

Gasthof im Wental, ✉ 7071 Bartholomä, ✆ (07173) 75 19, – 🅿 – 30/6
Zim
25 Z : 38 B.

BASDAHL **2740.** Niedersachsen 411 J 6 – 850 Ew – Höhe 30 m – ☎ 04766.
♦Hannover 92 – ♦Bremen 57 – ♦Bremerhaven 34 – ♦Hamburg 92.

Sethmann's Gasthof, Kluste 1 (NO : 1 km, an der B 71/74), ✆ 10 21, Fax 1023, –
🅿 – 25. AE ⓓ E VISA
M *(Montag geschl.)* a la carte 18/44 – **16 Z : 32 B** 45/55 - 75/100 Fb.

BASEL Schweiz – siehe Michelin-Führer "France" (unter Bâle).

BASSUM **2830.** Niedersachsen 411 J 8, 987 ⑭ ⑮ – 14 000 Ew – Höhe 46 m – ☎ 04241.
♦Hannover 91 – ♦Bremen 30 – ♦Hamburg 137 – ♦Osnabrück 88.

Brokate, Bremer Str. 3, ✆ 25 72, Fax 3217 – 🅿. AE ⓓ E VISA
Juli - Aug. 3 Wochen geschl. – **M** *(Samstag geschl.)* a la carte 24/45 – **13 Z : 17 B** 40/65 - 75/9

BATTENBERG AN DER EDER **3559.** Hessen 412 I 13, 987 ㉕ – 5 400 Ew – Höhe 349 m
☎ 06452.
♦Wiesbaden 151 – ♦Kassel 85 – Marburg 31 – Siegen 71.

Rohde , Hauptstr. 53, ✆ 32 04, Fax 3702 – 🅿. AE E
M a la carte 21/45 – **10 Z : 20 B** 34/70 - 68/80.

BATTWEILER Rheinland-Pfalz siehe Zweibrücken.

BAUMHOLDER **6587.** Rheinland-Pfalz 412 F 18, 987 ㉔ – 4 500 Ew – Höhe 450 m – Erholungso
– ☎ 06783.
Mainz 107 – Kaiserslautern 52 – ♦Saarbrücken 75 – ♦Trier 76.

Berghof , Korngasse 12, ✆ 10 11 – 📺 ☎ . AE ⓓ E VISA
M *(nur Abendessen, Mittwoch und Juli 2 Wochen geschl.)* a la carte 21/47 – **16 Z : 43 B** 6
- 100/110 Fb.

BAUNATAL **3507.** Hessen 411 412 L 13 – 25 400 Ew – Höhe 180 m – ☎ 0561 (Kassel).
♦Wiesbaden 218 – Göttingen 57 – ♦Kassel 11 – Marburg 82.

In Baunatal 1-Altenbauna :

Ambassador, Friedrich-Ebert-Allee, ✆ 4 99 30, Telex 992240, Fax 4993500, – 📺 ☎
🅿 – 25/1000. AE ⓓ E VISA
M a la carte 30/59 – **120 Z : 240 B** 160 - 210 Fb.

Scirocco, Kirchbaunaer Str. 1, ✆ 49 30 21, Telex 992478, Fax 4912760, Biergarten,
📺 ☎ 🅿 – 25/80. AE ⓓ E VISA
M a la carte 31/56 – **61 Z : 114 B** 83/102 - 125/155 Fb.

Baunataler Hof, Altenritter Str. 8, ✆ 49 68 21 – 📺 ☎ 🅿. AE E. Zim
18 Z : 36 B Fb.

BAUTZEN **O-8600.** Sachsen 984 ⑳, 987 ⑱ – 50 000 Ew – Höhe 219 m – ☎ 003754.
Sehenswert : Dom St. Peter★.
ℹ Bautzen-Information, Fleischmarkt 2, ✆ 4 20 16.
♦Dresden 53 – Cottbus 75 – Görlitz 45.

Lubin, Wendischer Graben 20, ✆ 51 11 14 – 📺 ☎
131 Z : 270 B Fb – 8 Appart.

Ratskeller, Innere Lauenstr. 1, ✆ 4 24 74 – E
M a la carte 22/40.

BAYERBACH **8399.** Bayern 413 W 21 – 1 400 Ew – Höhe 354 m – 08563.
München 140 – Landshut 90 – Passau 34.

In Bayerbach-Holzham NO : 1,5 km :

Landgasthof Winbeck, nahe der B 388, (08532) 78 17, – . Zim
16 Z : 25 B.

BAYERISCH EISENSTEIN **8371.** Bayern 413 W 19, 987 ㉘ – 1 800 Ew – Höhe 724 m – Luftkurort – Wintersport : 724/1 456 m 7 5 – 09925.
Ausflugsziel : Hindenburg-Kanzel ★, NW : 9 km.
Verkehrsamt, im Arberhallenwellenbad, 3 27, Fax 656.
München 193 – Passau 77 – Straubing 85.

Sportel garni, Hafenbrädl-Allee 16, 6 25, , – . E.
Nov.- Mitte Dez. geschl. – **15 Z : 30 B** 45 - 90.

Waldspitze, Hauptstr. 4, 3 08, Fax 1287, , , –
56 Z : 112 B Fb.

Pension am Regen garni, Anton-Pech-Weg 21, 4 64, Fax 1088, , , – . E
Mitte April - Mitte Mai und Mitte Okt.- Mitte Dez. geschl. – **20 Z : 36 B** 28/45 - 78 – 6 Fewo 58/88.

Neuwaldhaus, Hauptstr. 5, 4 44, Fax 776, , , – . AE E
M a la carte 17/40 – **33 Z : 60 B** 38/43 - 75.

Pension Wimmer garni, Am Buchenacker 13, 4 38, , , , – .
20 Z : 32 B 27/38 - 50/82 Fb.

In Bayerisch-Eisenstein - Seebachschleife S : 4 km :

Waldhotel Seebachschleife , 10 00, Fax 646, , , –
50 Z : 100 B Fb.

BAYERISCH GMAIN Bayern siehe Reichenhall, Bad.

BAYERSOIEN **8117.** Bayern 413 PQ 23 – 1 000 Ew – Höhe 812 m – Luftkurort und Moorkuren 08845.
Ausflugsziel : Echelsbacher Brücke★ N : 3 km.
Kur- und Verkehrsamt, Dorfstr. 45, 18 90, Fax 9000.
München 102 – Garmisch-Partenkirchen 31 – Weilheim 38.

Parkhotel , Am Kurpark, 1 20, Fax 8398, , , Bade- und Massageabteilung, , , , – Rest – 40. E – **M** *(auch Diät)* a la carte 36/57 – **92 Z : 180 B** 115/130 - 150/170 Fb – 44 Appart. 190 – ½ P 103/148.

Metzgerwirt, Dorfstr. 39, 17 53 – . E VISA
10.- 30. Nov. geschl. – **M** *(Mittwoch geschl.)* a la carte 24/44 – **10 Z : 21 B** 50/57 - 80 Fb – 10 Fewo 78/110.

Haus am Kapellenberg , Eckweg 8, 5 22, , , –
Mitte Nov.- Mitte Dez. geschl. – **M** a la carte 23/42 – **15 Z : 30 B** 41/45 - 86/90 – ½ P 54/60.

Fischer am See garni, Dorfstr. 80, 87 91 – .
24. Okt.- 20. Nov. geschl. – **20 Z : 39 B** 35 - 70 – 2 Fewo 60.

BAYREUTH **8580.** Bayern 413 R 17, 987 ㉖ ㉗ – 72 000 Ew – Höhe 340 m – 0921.
Sehenswert : Markgräfliches Opernhaus★ Y – Richard-Wagner-Museum★ Z **M1**.
Ausflugsziel : Schloß Eremitage★ : Schloßpark★ 4 km über ②.

Festspiel-Preise : siehe Seite 8
Prix pendant le festival : voir p. 16
Prices during tourist events : see p. 24
Prezzi duranti i festival : vedere p. 32.

Bindlacher Berg, ① : 7 km, (09208) 85 22.
Fremdenverkehrsverein, Luitpoldplatz 9, 8 85 88, Fax 88538.
ADAC, Hohenzollernring 64, 6 96 60, Notruf 1 92 11, Fax 58170.
München 231 ③ – ♦Bamberg 65 ⑤ – ♦Nürnberg 80 ③ – ♦Regensburg 159 ③.

Stadtplan siehe nächste Seite

Königshof, Bahnhofstr. 23, 2 40 94, Fax 12264 – . AE E VISA Y **f**
M a la carte 36/68 – **35 Z : 65 B** 85/145 - 170/280 Fb.

Bayerischer Hof, Bahnhofstr. 14, 2 20 81, Telex 642737, Fax 22085, , , – – 35. E VISA Y **e**
M *(nur Abendessen, 1.- 29. Jan. und Sonntag geschl.)* a la carte 43/78 – **54 Z : 103 B** 75/200 - 165/320 Fb.

BAYREUTH

Bahnhofstraße . . . . Y 4
Kanalstraße . . . . Y 15
Kanzleistraße . . . . YZ 17
Ludwigstraße . . . . Z 20
Maximilianstraße . . . . Y
Opernstraße . . . . Y 30
Richard-Wagner-Str. . . . . . . YZ 32
Schulstraße . . . . Y 33
Sophienstraße . . . . Y 35

Am Mühltürlein . . . . Y 3
Balthasar-
Neumann-Str. . . . . Z 5
Bürgerreuter Str. . . . . Y 7
Erlanger Str. . . . . Y 8
Friedrich-von-
Schiller-Str. . . . . Y 10

Josephsplatz . . . . Y 1
Karl-Marx-Str. . . . . Y 1
Luitpoldplatz . . . . Y 2
Markgrafenallee . . . . Y 2
Muncker Str. . . . . Y 2
Nürnberger Str. . . . . Z 2
Wieland-Wagner-Str. . . . . . Z 3
Wilhelminerstraße . . . . Z 3
Wittelsbacherring . . . . Z 3
Wölfelstraße . . . . Y 4

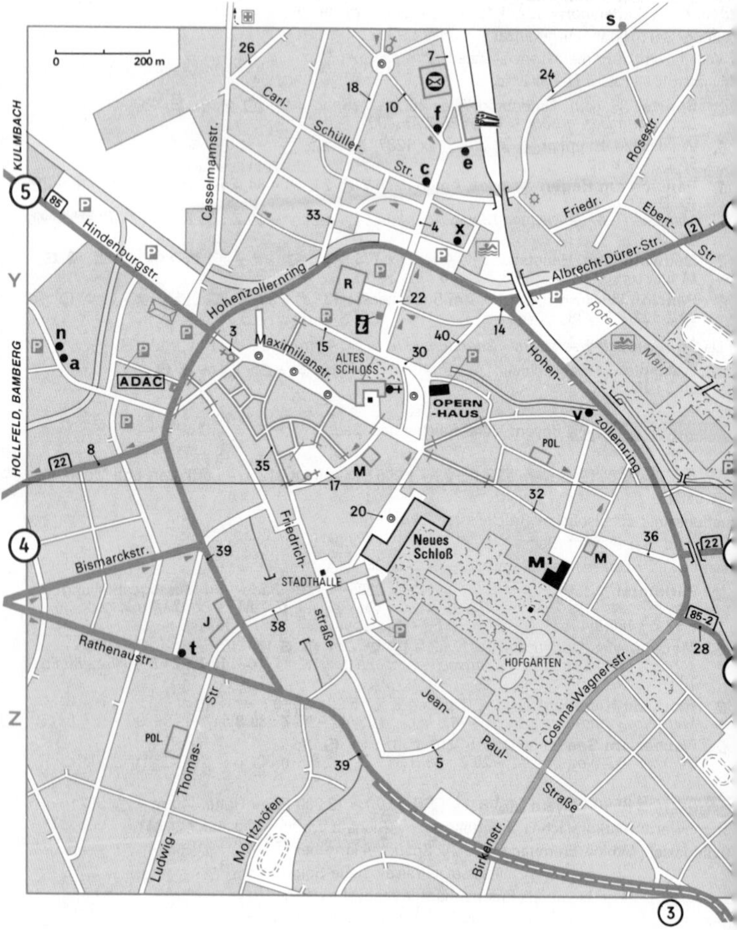

Zur Lohmühle, Badstr. 37, ✆ 5 30 60, Fax 58286, – 30. VISA
M *(Sonntag ab 15 Uhr, Feb.- März und Aug.- Sept. jeweils 2 Wochen geschl.)* (abend Tischbestellung ratsam) a la carte 28/56 – **42 Z : 65 B** 90/120 - 150/180 Fb. Y

Goldener Hirsch garni, Bahnhofstr. 13, ✆ 2 30 46, Fax 22483 – Zim
30. Y
40 Z : 80 B 65/150 - 95/190.

Kolping Hotel, Kolpingstr. 5, ✆ 8 80 70, Fax 880715 – Zim – 25/350. VISA Y
M a la carte 28/57 – **34 Z : 70 B** 90/150 - 140/210 Fb.

Goldener Löwe, Kulmbacher Str. 30, ✆ 4 10 46, Fax 47777, – . AE VISA
24. Dez.- 10. Jan. geschl. – **M** *(Sonntag und 1.- 15. Sept. geschl.)* a la carte 24/38 – **12 Z : 21 B** 65/75 - 95/110 Fb. Y

Fränkischer Hof, Rathenaustr. 28, 6 42 14 – Z t
M *(Mittwoch geschl.)* a la carte 19/59 – **12 Z : 20 B** 65/85 - 100/155.

Spiegelmühle, Kulmbacher Str. 28, 4 10 91 – Y a
6.- 28. Juni geschl. – **M** *(nur Abendessen, Sonntag geschl.)* a la carte 26/56 – **13 Z : 18 B** 70/85 - 120/140 Fb.

Cuvée, Markgrafenallee 15, 2 34 22, Fax 82607 – Y s
nur Abendessen, Sonntag und 31. Aug.- 16. Sept. geschl. – **M** a la carte 55/81.
Spez. Entenleberparfait in Sauternesgelee, Lammrücken mit Senfkruste, Geeiste Terrine von weißem Nougat.

Bürgerreuth mit Zim, An der Bürgerreuth 20, 7 84 00, Fax 21708, Biergarten – über Bürgerreuther Str. Y
Ende Aug.- Mitte Sept. geschl. – **M** *(Italienische Küche)* (Mitte Sept.- Mitte Juni Dienstag geschl.) a la carte 35/64 – **8 Z : 14 B** 98/130 - 120/298.

In Bayreuth-Oberkonnersreuth ③ : 3 km :

Zur Sudpfanne, Oberkonnersreuther Str. 4, 5 28 83, Biergarten –
Montag - Dienstag 17 Uhr geschl. – **M** a la carte 32/66.

In Bayreuth-Thiergarten ③ : 6 km :

Schloßhotel Thiergarten mit Zim, (09209) 13 14, Fax 1829, – 25.
Mitte Feb.- Mitte März geschl. – **M** *(Sonntag 18 Uhr - Montag geschl.)* a la carte 70/100 – **8 Z : 16 B** 120/180 - 240/300 Fb.

In Eckersdorf-Donndorf **8581** ④ : 5 km :

Gästehaus Teupert garni, Bayreuther Str. 1, (0921) 3 00 12, –
15 Z : 25 B 60/90 - 90/120.

In Bindlach-Obergräfenthal **8589.** ⑤ : 8 km, in Heinersreuth rechts ab :

Landhaus Gräfenthal, Obergräfenthal 7, (09208) 2 89, Fax 57174 –
Dienstag, 10.- 20. März und 29. Sept.- 21. Okt. geschl. – Menu a la carte 32/55.

BAYRISCHZELL

8163. Bayern 413 ST 23, 24, 987 ㊲, 426 HI 5,6 – 1 600 Ew – Höhe 802 m – Heilklimatischer Kurort – Wintersport : 800/1800 m 1 20 – 08023.

Ausflugsziele : Wendelstein ★★ (ab Bayrischzell-Osterhofen) – Ursprungpaß-Straße★ (von Bayrischzell nach Kufstein).

Kuramt, Kirchplatz 2, 6 48, Fax 1034 – ♦München 77 – Miesbach 23 – Rosenheim 37.

Haus Effland garni, Tannermühlstr. 14, 2 63, –
5.- 30. April und Nov.- 15. Dez. geschl. – **14 Z : 22 B** 62/65 - 104/142.

Alpenrose, Schlierseer Str. 6, 6 20, Fax 1049, Biergarten, –
Mitte Nov.- Mitte Dez. geschl. – **M** a la carte 24/54 – **30 Z : 60 B** 60/90 - 96/132 Fb – ½ P 70/107.

Deutsches Haus, Schlierseer Str. 16, 2 02, –
Mitte Nov.- Mitte Dez. geschl. – **M** a la carte 22/47 – **26 Z : 45 B** 39/62 - 78/124 – ½ P 57/80.

Gasthof zur Post, Schulstr. 3, 2 26, Fax 775 –
April 3 Wochen und Ende Okt.- Mitte Dez. geschl. – **M** *(Dienstag geschl.)* a la carte 25/54 – **46 Z : 71 B** 67/125 - 124/150 Fb – 8 Fewo 85/140.

Wendelstein, Ursprungstr. 1, 6 10, Fax 1044, Biergarten – – **22 Z : 40 B**.

In Bayrischzell-Geitau NW : 5 km :

Postgasthof Rote Wand , 2 43, Fax 656, ≤, « Gartenterrasse » –
1.- 10. April und Nov.- 18. Dez. geschl. – **M** *(Dienstag geschl.)* a la carte 19,50/44 – **30 Z : 50 B** 45/60 - 90/110 Fb – ½ P 67/75.

In Bayrischzell-Osterhofen NW : 3 km :

Alpenhof, Osterhofen 1, 2 87, Fax 586, ≤, – 25.
26. April - 14. Mai und 20. Okt.- 23. Dez. geschl. – **M** *(Montag geschl.)* a la carte 23/61 – **42 Z : 68 B** 67/88 - 120/154 Fb – ½ P 69/85.

BEBRA

6440. Hessen 412 M 14, 987 ㉕ – 16 500 Ew – Höhe 205 m – 06622.

Wiesbaden 182 – Erfurt 120 – Bad Hersfeld 15 – ♦Kassel 64.

Röse, Hersfelder Str. 1, 80 26, Fax 42462, Biergarten, – – 25/40.
M a la carte 27/58 – **27 Z : 62 B** 79 - 129/260 Fb.

Hessischer Hof, Kasseler Str. 4, 60 71 –
Weihnachten - Mitte Jan. geschl. – **M** *(Samstag geschl.)* a la carte 23/44 – **20 Z : 33 B** 55/75 - 95/120.

In Bebra-Weiterode SO : 3 km :

Haus Sonnenblick, Sonnenblick 1, ✆ 30 58, Fax 42208, ☂, ⇌, ⊠ - TV ☎ P 25/120. AE ⊙ E VISA
M a la carte 32/57 - **45 Z : 90 B** 72/99 - 116/158 Fb.

BECHHOFEN **8809.** Bayern 413 O 19, 987 ㉖ - 5 600 Ew - Höhe 425 m - ✆ 09822.
•München 189 - Ansbach 19 - •Augsburg 131 - •Nürnberg 67 - •Ulm 127.

In Bechhofen-Kleinried NO : 5 km :

XX **Landhotel Riederhof** ⛰ mit Zim, ✆ 58 51, ☂ - P
M a la carte 34/52 - **6 Z : 12 B** 50 - 80.

BECKINGEN Saarland siehe Merzig.

BECKUM **4720.** Nordrhein-Westfalen 411 412 H 11, 987 ⑭ - 38 500 Ew - Höhe 110 m
✆ 02521.
Bauernschaft Ebbecke (S : 7 km über die B 475), ✆ (02527) 81 91.
Stadtinformation, Markt 1, ✆ 2 91 71.
•Düsseldorf 130 - Bielefeld 56 - Hamm in Westfalen 20 - Lippstadt 25 - Münster (Westfalen) 41.

Am Höxberg S : 1,5 km - ✉ **4720** Beckum - ✆ 02521 :

Höxberg ⛰, Soestwarte 1, ✆ 70 88, Fax 3410, ☂, ⇌ - TV ☎ ♿ ⇔ P - 25/4
AE ⊙ E VISA
M a la carte 40/63 - **40 Z : 67 B** 107/115 - 179/185 Fb.

Haus Pöpsel ⛰, Herzfelder Str. 60, ✆ 36 28 - ☎ P. ✻
1.- 18. Aug. geschl. - **M** *(nur Abendessen, Mittwoch geschl.)* a la carte 22/39 - **7 Z : 11 B** 4
- 82.

XX **Zur Windmühle** mit Zim, Unterberg 2/33, ✆ 34 08 - ⇔ P. AE ⊙ E VISA. ✻
Juli - Aug. 3 Wochen geschl. - **M** *(Samstag bis 18 Uhr und Montag geschl.)* a la carte 41/7
- **11 Z : 16 B** 55/60 - 95/100.

In Beckum-Vellern NO : 4 km :

Alt Vellern Dorfstr. 21, ✆ 1 45 33, « Gemütliche Stuben im westfälischen Stil » - |≑|
☎ P. AE ⊙ E VISA
Juli - Aug. 2 Wochen geschl. - **M** *(Dienstag geschl.)* a la carte 34/52 - **14 Z : 24 B** 98/108
150/168.

BEDBURG-HAU Nordrhein-Westfalen siehe Kleve.

BEDERKESA **2852.** Niedersachsen 411 J 6, 987 ④ ⑤ - 4 300 Ew - Höhe 10 m - Luftkurc
- Moorheilbad - ✆ 04745.
Kurverwaltung, Amtsstr. 8, ✆ 7 91 45.
•Hannover 198 - Bremerhaven 25 - Cuxhaven 39 - •Hamburg 108.

Waldschlößchen - Bösehof ⛰, Hauptmann-Böse-Str. 19, ✆ 94 80, Fax 948200, ≤, ☂
⇌, ⊠, ✻ - |≑| TV ⇔ P - 30. AE ⊙ E VISA
Restaurants : **Wintergarten M** a la carte 32/46 - **Böse's Restaurant M** 40/85 - **30 Z**
51 B 61/110 - 134/180 Fb - ½ P 89/123.

Seehotel Dock, Zum Hasengarten 2, ✆ 60 61, ⇌, ⊠ - |≑| TV ♿ P - 25/40
M a la carte 29/52 - **43 Z : 77 B** 60/70 - 110/150 - ½ P 75/105.

Hotel im Sport- und Freizeitzentrum garni, Zum Hasengarten 9, ✆ 70 61 - TV ☎
E VISA
13 Z : 24 B 70 - 120.

BEEDENBOSTEL Niedersachsen siehe Lachendorf.

BEELEN **4413.** Nordrhein-Westfalen 411 412 H 11 - 5 000 Ew - Höhe 52 m - ✆ 02586.
•Düsseldorf 148 - Bielefeld 37 - Münster (Westfalen) 37.

XX **Hemfelder Hof** mit Zim, Clarholzer Str. 21 (SO : 3 km, B 64), ✆ 2 15, ☂ - TV ☎ ⇔
- 25/40. AE E. ✻
Juli - Aug. 3 Wochen geschl. - Menu *(Freitag 14 Uhr - Samstag 18 Uhr geschl.)* a la car
36/70 - **11 Z : 17 B** 49 - 90.

BEERFELDEN 6124. Hessen 412 413 J 18, 987 ㉕ – 7 000 Ew – Höhe 427 m – Erholungsort – Wintersport : 450/550 m, ✖5, ✖1 – ✦ 06068.

☎ Beerfelden-Hetzbach (NW : 5 km), ✆ (06068) 39 08.

🅓 Städt. Verkehrsbüro, Metzkeil 1, ✆ 20 71, Fax 3529.

•Wiesbaden 106 – ◆Darmstadt 61 – Heidelberg 44 – ◆Mannheim 58.

🏠 **Schwanen,** Metzkeil 4, ✆ 22 27, Fax 2325 – 📺 ☎. 🎴 ⑩ E VISA. ✸ Zim
Feb. und Okt. jeweils 2 Wochen geschl. – **M** (auch vegetarisches Menu) (Montag geschl.) a la carte 29/55 ᷍ – **8 Z : 15 B** 49/55 - 94/98.

Auf dem Krähberg NO : 10 km :

🏠 **Reussenkreuz** ⑤, ✉ 6121 Sensbachtal, ✆ (06068) 22 63, Fax 4651, ≼, 🍴, ⓕ, 🐎 – 📺 ☎ 🚗 ⓟ. ⓞ E VISA
16. Nov.- 24. Dez. geschl. – **M** a la carte 29/60 ᷍ – **15 Z : 30 B** 50/55 - 98 Fb – 5 Appart. 118.

☞ Utilisez le guide de l'année.

BEILNGRIES 8432. Bayern 413 R 19, 987 ㉗ – 8 200 Ew – Höhe 372 m – Erholungsort – ✦ 08461.

🅓 Touristik-Verband, Hauptstr. 14 (Haus des Gastes), ✆ 84 35.

•München 108 – Ingolstadt 35 – ◆Nürnberg 72 – ◆Regensburg 51.

🏠 **Fuchs-Bräu,** Hauptstr. 23, ✆ 2 95, Telex 55404, Fax 8357, 🍴, ⓕ, 🔲, 🐎 – 🛗 📺 ☎ ᷍
ⓟ – 🔥 25/180. 🎴 ⑩ E VISA
M a la carte 26/52 – **67 Z : 120 B** 70/95 - 100/150 Fb.

🏠 **Gams,** Hauptstr. 16, ✆ 2 56, Fax 7475, ⓕ – 🛗 📺 ☎ ⓟ – 🔥 25/60. 🎴 ⑩ E VISA
M a la carte 26/53 – **65 Z : 125 B** 85/105 - 110/150 Fb.

🏠 **Gasthof Gallus,** Neumarkter Str. 25, ✆ 2 47, Telex 55451, Fax 7680, ⓕ – 🛗 📺 ☎ ⓟ
– 🔥 25/80. 🎴 E VISA
M a la carte 26/48 – **40 Z : 72 B** 75/110 - 96/130.

🏠 **Goldener Hahn** (Brauerei-Gasthof), Hauptstr. 44, ✆ 4 19, Fax 8447, 🍴 – 🛗 ☎ ⓟ. ⑩ E ← VISA
M a la carte 24/40 – **38 Z : 72 B** 45/68 - 76/98 – ½ P 57/88.

BEILSTEIN 7141. Baden Württemberg 413 K 19 – 5 400 Ew – Höhe 258 m – ✦ 07062.

•Stuttgart 41 – Heilbronn 16 – Schwäbisch Hall 47.

✗ Alte Bauernschänke Heerweg 19 (Ecke Wunnensteinstraße), ✆ 33 27 – ⓟ.

✗ Burg Hohenbeilstein Langhans 1, ✆ 57 70, 🍴, « Burg a.d. 13. Jh., Burgfalknerei » – ⓟ.

In Beilstein-Stocksberg 7156 NO : 11 km – Höhe 540 m

☌ **Landgasthof Krone,** Prevorster Str. 2, ✆ (07130) 13 22, Fax 3224, 🍴, 🐎 – ⓟ – 🔥 30.
✸ Zim
über Fastnacht, Juli und vor Weihnachten jeweils 2 Wochen geschl. – **M** (auch vegetarische Gerichte) (Mittwoch - Donnerstag geschl.) a la carte 28/54 – **10 Z : 16 B** 48/69 - 85/135 Fb – 3 Fewo 56.

BEILSTEIN 5591. Rheinland-Pfalz 412 E 16 – 150 Ew – Höhe 86 m – ✦ 02673 (Ellenz-Poltersdorf).
Sehenswert : Burg Metternich ≼★.

Mainz 111 – Bernkastel-Kues 68 – Cochem 11.

🏠 **Haus Burgfrieden,** Im Mühlental 62, ✆ 14 32, Fax 1577, ⓕ – 🛗 ⓟ. ✸ ← 10. April - Okt. – **M** a la carte 19,50/46 – **38 Z : 72 B** 50/60 - 100/110.

✗ **Haus Lipmann** mit Zim, Marktplatz 3, ✆ 15 73, ≼, « Rittersaal, Gartenterrasse » – 📺 ⓟ
15. März-15. Nov. – **M** a la carte 25/47 ᷍ – **5 Z : 10 B** 65/70 - 85/90.

BELL Rheinland-Pfalz siehe Mendig.

BELLHEIM 6729. Rheinland-Pfalz 412 413 H 19 – 7 000 Ew – Höhe 110 m – ✦ 07272.

Mainz 126 – ◆Karlsruhe 32 – Landau in der Pfalz 13 – Speyer 22.

🏠 **Bellheimer Braustübl,** Hauptstr. 78, ✆ 7 55 00, 🍴 – 📺 ☎ 🚗 ⓟ – 🔥 50. E
30. Dez.- 14. Jan. und Aug. 2 Wochen geschl. – Menu (Dienstag geschl.) a la carte 28/66 ᷍ – **7 Z : 11 B** 60 - 94 Fb.

✗✗ **Lindner's Restaurant,** Postgrabenstr. 54, ✆ 7 53 00, 🍴 – ⓟ. E
Montag - Dienstag 18 Uhr, 2.- 10. Jan. und Juli 3 Wochen geschl. – **M** (Tischbestellung ratsam) a la carte 33/58 ᷍.

✗ Wappenschmiedmühle, an der B 9 (O : 2 km), ✆ 23 57, 🍴 – ⓟ.

In Zeiskam **6721** NW : 4,5 km :

Zeiskamer Mühle, Hauptstr. 87, (06347) 67 67, Fax 6193, Innenhofterrasse – . AE E
M *(Montag und Donnerstag jeweils bis 17 Uhr sowie Ende Juli - Mitte Aug. geschl.)* a la cart 36/55 – **17 Z : 30 B** 75 - 110 Fb.

BELLINGEN, BAD **7848.** Baden-Württemberg 413 F 23, 216 ④, 242 ㊵ – 3 400 Ew – Höh 256 m – Heilbad – 07635.

Bade- und Kurverwaltung, im Kurmittelhaus, 3 10 00, Fax 310090.

♦Stuttgart 247 – Basel 27 – Müllheim 12.

Paracelsus, Akazienweg 1, 10 18, Fax 3354, Massageabteilung, – TV .
Dez.- Jan. geschl. – (nur Abendessen für Hausgäste) – **23 Z : 34 B** 78/92 - 122/175 Fb.

Landgasthof Schwanen, Rheinstr. 50, 13 14, Fax 2331, – . E
20. Dez.- 25. Jan. geschl. – Menu *(Dienstag - Mittwoch 17 Uhr geschl.)* a la carte 32/65 **13 Z : 20 B** 51/85 - 94/110 Fb – ½ P 66/85.

Burger, Im Mittelgrund 5, 94 58, Fax 3546, , – TV . AE E VISA
M 24 /35 und a la carte 33/59 – **14 Z : 23 B** 70/105 - 110/140 Fb – ½ P 78/128.

Markushof, Badstr. 6, 10 83, Fax 3639, – TV . E.
Mitte Dez.- Mitte Jan. geschl. – **M** *(Mittwoch geschl.)* a la carte 29/65 – **27 Z : 37 B** 66/12 - 110/150 Fb – ½ P 79/99.

Kaiserhof, Rheinstr. 68, 6 00 – .
10. Dez.- 20. Jan. geschl. – **M** *(Donnerstag geschl.)* a la carte 28/53 – **20 Z : 30 B** 42/5 - 96/110.

Birkenhof, Rheinstr. 76, 6 23, – .
15.Dez.- Jan. geschl. – (Restaurant nur für Pensionsgäste) – **15 Z : 25 B** 48/60 - 96.

Eden, Im Mittelgrund 2, 10 61, – .
(Restaurant nur für Pensionsgäste) – **23 Z : 29 B** 50/60 - 90/120 Fb – ½ P 66/76.

Therme garni, Rheinstr. 72, 93 48, –
Nov.- 27. Dez. geschl. – **16 Z : 26 B** 53/70 - 87/110.

Römerhof garni, Ebnetstr. 9, 94 21, – .
15. Dez.- Jan. geschl. – **21 Z : 32 B** 54/60 - 98/104.

In Bad Bellingen 4-Hertingen O : 3 km :

Hebelhof-Römerbrunnen, Bellinger Str. 5, 10 01, Fax 3322, , Massage, ,
– TV . E.
6.- 30. Jan. geschl. – **M** *(Donnerstag geschl.)* a la carte 36/73 *(auch vegetarisches Menu)* – **18 Z : 32 B** 70/90 - 130/190 Fb – ½ P 95/125.

BELM Niedersachsen siehe Osnabrück.

BEMPFLINGEN **7445.** Baden-Württemberg 413 K 21 – 3 100 Ew – Höhe 336 m – 0712

♦Stuttgart 34 – Reutlingen 13 – Tübingen 21 – ♦Ulm 71.

XXX ✿ **Krone,** Brunnenweg 40, 3 10 83, Fax 35985 – – 25/50
Montag, Sonn- und Feiertage, über Ostern 2 Wochen, 19. Juli - 10. Aug. sowie 20. Dez 7. Jan. geschl. – **M** (Tischbestellung ratsam) a la carte 45/95.

BENDESTORF **2106.** Niedersachsen 411 M 6,7 – 2 000 Ew – Höhe 50 m – Luftkurort – 0418

♦Hannover 130 – ♦Hamburg 30 – Lüneburg 40.

Landhaus Meinsbur, Gartenstr. 2, 7 79 90, Fax 6087, « Ehem. Bauernhaus m geschmackvoller Einrichtung, Gartenterrasse » – TV . E VISA
M a la carte 54/82 – **15 Z : 32 B** 125/150 - 190/250.

Waldfrieden, Waldfriedenweg 17, 66 55, « Waldterrasse », – – 25/4
M a la carte 25/50 – **15 Z : 26 B** 45/65 - 100 – 4 Fewo 130.

BENDORF **5413.** Rheinland-Pfalz 987 ㉔, 412 F 15 – 15 800 Ew – Höhe 67 m – 02622.

Mainz 101 – ♦Bonn 63 – ♦Koblenz 10 – Limburg an der Lahn 42.

Berghotel Rheinblick, Remystr. 79, 1 40 81, Fax 14323, < Rheintal, , ,
– TV – 30. AE E VISA
20. Dez.- 10. Jan. geschl. – **M** *(Freitag geschl.)* a la carte 32/59 – **21 Z : 36 B** 55/85 120/135 Fb.

XX **Weinhaus Syré**, Engersport 12, 25 81 – . AE E
Montag - Dienstag 18 Uhr, Ende Feb.- Anfang März und Juli - Aug. 3 Wochen geschl. – **M** la carte 53/78.

XX **La Charrue**, Bergstr. 25, 1 02 12, bemerkenswertes Weinangebot – . AE E
nur Abendessen, Donnerstag, Jan. 2 Wochen und Juli - Aug. 3 Wochen geschl. – **M** 49/9

BENEDIKTBEUERN **8174.** Bayern 413 R 23, 987 ㊲, 426 G 5 - 3 000 Ew - Höhe 615 m - Erholungsort - ☎ 08857.

Sehenswert : Ehemalige Klosterkirche (Anastasia-Kapelle★).

Verkehrsamt, Prälatenstr. 5, ☎ 2 48, Fax 9470.

♦München 61 - Garmisch-Partenkirchen 44 - Bad Tölz 15.

Alpengasthof Friedenseiche ⑤, Häusernstr. 34, ☎ 82 05, - P - 25. AE E
10. Nov.- 20. Dez. geschl. - **M** *(Mittwoch geschl.)* a la carte 21/47 - **30 Z : 50 B** 51/70 - 92/99.

BENNINGEN Baden-Württemberg siehe Marbach am Neckar.

BENSHEIM AN DER BERGSTRASSE **6140.** Hessen 412 413 I 17, 987 ㉕ - 37 000 Ew - Höhe 115 m - ☎ 06251.

Ausflugsziel : Staatspark Fürstenlager★★ N : 3 km.

über Berliner Ring (S : 1 km), ☎ 6 77 32.

Städt. Verkehrsbüro, Beauner Platz (Pavillon), ☎ 1 41 17, Fax 14127.

ADAC, Bahnhofstr. 9, ☎ 6 98 88, Fax 67687.

♦Wiesbaden 66 - ♦Darmstadt 26 - Heidelberg 35 - Mainz 59 - ♦Mannheim 32 - Worms 20.

Bacchus-Restaurant Boccaccio, Rodensteinstr. 30, ☎ 3 90 91, Fax 67608, - TV P. AE E
M *(Italienische Küche)* (Montag geschl.) a la carte 26/45 - **22 Z : 38 B** 80 - 120 Fb.

Hans garni, Rodensteinstr. 48, ☎ 21 73, Fax 64682 - TV P. AE E VISA
23. Dez.- 6. Jan. geschl. - **15 Z : 24 B** 77 - 112.

Präsenzhof, Am Wambolter Hof 7, ☎ 42 56 (Hotel) 6 11 86 (Rest.), Fax 38273, - TV . AE E VISA
M *(Mittwoch geschl.)* a la carte 19/42 - **28 Z : 50 B** 70/75 - 105.

Stadtmühle, Plantanenallee 2, ☎ 3 80 08 - . AE E VISA
M a la carte 21/46 - **7 Z : 12 B** 70/95 - 110.

Dalberger Hof, Dalberger Gasse 15 (Bürgerhaus), ☎ 47 47, Fax 63795, . AE E
M a la carte 35/62.

In Bensheim 3-Auerbach - Luftkurort :

Parkhotel Krone, Darmstädter Str. 168 (B 3), ☎ 7 30 81, Telex 468537, Fax 78450, , , - TV P - 25/120. AE E VISA. Rest
M *(auch vegetarische Gerichte)* a la carte 41/65 - **55 Z : 110 B** 135/200 - 175/250 Fb.

Poststuben ⑤ (mit Gästehaus), Schloßstr. 28, ☎ 7 29 87, Fax 74743, , « Behagliches Restaurant » - TV . AE E VISA. Zim
M *(Sonntag 15 Uhr - Montag 17 Uhr und Juli - Aug. 2 Wochen geschl.)* a la carte 38/62 - **18 Z : 30 B** 85 - 130/140 Fb.

Parkhotel Herrenhaus ⑤ mit Zim, Im Staatspark Fürstenlager (O : 1 km), ☎ 7 22 74, Fax 78473, , - TV P
M *(Abendessen nur nach Voranmeldung)* a la carte 33/64 - **9 Z : 17 B** 100/160 - 140/190 Fb.

Burggraf-Bräu (eigene Hausbrauerei), Darmstädter Str. 231, ☎ 7 25 25, - P. AE E VISA
M a la carte 33/60.

BENTHEIM, BAD **4444.** Niedersachsen 411 412 E 10, 987 ⑭, 408 M 5 - 14 500 Ew - Höhe 96 m - Heilbad - ☎ 05922.

Verkehrsbüro, Schloßstr. 2, ☎ 31 66, Fax 7354.

♦Hannover 207 - Enschede 29 - Münster (Westfalen) 56 - ♦Osnabrück 75.

Großfeld ⑤ (mit Gästehäusern), Schloßstr. 6, ☎ 8 28, Fax 4349, « Brunnengarten », , , - P - 25/40. AE E VISA. Rest
M a la carte 34/70 - **100 Z : 196 B** 90 - 180 Fb.

Am Berghang ⑤, Am Kathagen 69, ☎ 20 47, Fax 4867, , , , - TV P. AE E.
Jan. geschl. - **M** a la carte 32/58 - **27 Z : 54 B** 105/125 - 155/225 Fb - ½ P 108/145.

Altes Wasserwerk ⑤ garni, Möllenkamp 2, ☎ 36 61, , - TV P.
20. Dez.- 4. Jan. geschl. - **10 Z : 15 B** 35 - 70.

Steenweg, Ostend 1, ☎ 23 28, Fax 1490 - P. AE E VISA
Jan. 3 Wochen geschl. - **M** *(Donnerstag geschl.)* a la carte 24/49 - **17 Z : 26 B** 40/45 - 75/85 Fb.

Schulze-Berndt, Ochtruper Str. 38, ☎ 23 22 - P
M a la carte 31/65.

In Bad Bentheim-Gildehaus S : 4 km :

Niedersächsischer Hof ⑤, Am Mühlenberg 5, ☎ (05924) 5 67, Fax 6016, , , , - TV P - 30. AE E VISA. Rest
2.- 16. Jan. geschl. - **M** a la carte 37/66 - **25 Z : 35 B** 80/90 - 160/180 Fb.

In Bad Bentheim-Hagelshoek W : 3 km, nahe der B 65 :

XX **Heuerhaus,** Wasserwerkstr. 7, ✆ (05924) 69 13, Fax 1891, ☂ - **P**. AE ⓓ E
nur Abendessen, Montag - Dienstag geschl. - **M** a la carte 34/72.

BERCHING **8434.** Bayern 413 R 19, 987 ㉖ ㉗ - 7 500 Ew - Höhe 390 m - Erholungsort -
✆ 08462.

♦München 114 - Ingolstadt 41 - ♦Nürnberg 66 - ♦Regensburg 45.

X **Brauereigastgof Winkler,** Reichenauplatz 22, ✆ 13 27, ☂ - **P**. AE ⓓ E VISA
Dienstag und Sonntag jeweils ab 16 Uhr und 28. Aug.- 10. Sept. geschl. - **M** a la carte 23/3
(Hotelanbau mit 50 B ab Sommer 1992).

BERCHTESGADEN **8240.** Bayern 413 V 24, 987 ㊳, 426 K 6 - 8 200 Ew - Höhe 540 m -
Heilklimatischer Kurort - Wintersport : 530/1 800 m 2 29 - ✆ 08652.

Sehenswert : Schloßplatz★ - Schloß (Dormitorium★) - Salzbergwerk.

Ausflugsziele : Deutsche Alpenstraße★★★ (von Berchtesgaden bis Lindau) - Kehlsteinstraße★★★ - Kehlstein ✻★★ (nur mit RVO - Bus ab Obersalzberg : O : 4 km) - Roßfeld-Ringstraße ≤★★ (O : 7 km über die B 425).

Obersalzberg, ✆ 21 00.

Kurdirektion, Königsseer Str. 2, ✆ 50 11, Fax 63300.

♦München 154 ③ - Kitzbühel 77 ② - Bad Reichenhall 18 ③ - Salzburg 23 ①.

BERCHTESGADEN

Griesstätterstraße 7
Marktplatz 16
Metzgerstraße 18
Weihnachtsschützenstraße 21

Angergasse 2
Bahnhofstraße 3
Bergwerkstraße 5
Franziskanerplatz 6
Hasensprung 8
von-Hindenburg-Allee 9
Kälbersteinstraße 10
Koch-Sternfeld-Straße 12
Königsseer Straße 13
Locksteinstraße 14
Ludwig-Ganghofer-Straße 15
Maximilianstraße 17
Ramsauer Straße 19
Salzburger Straße 20

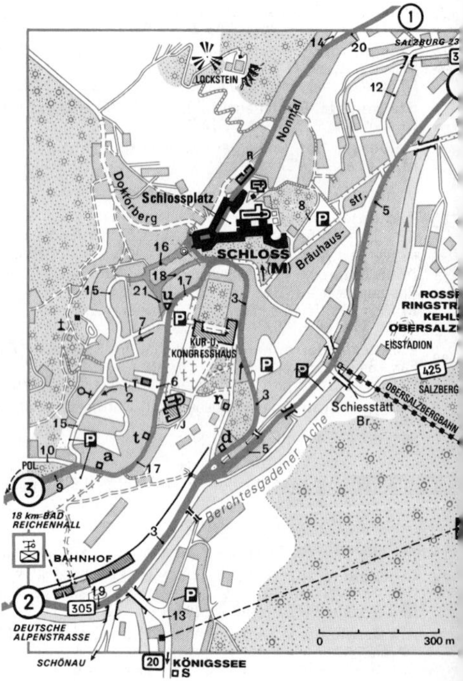

Geiger, Stanggass, ✆ 50 55, Telex 56222, Fax 5058, ≤, ☂, « Park », ≘s, ⛱ (geheizt),
- |♦| TV - **P** - 25. VISA. ✗ Rest über ③
M a la carte 40/75 - **51 Z : 90 B** 110/180 - 150/300 Fb - 3 Appart. 450 - ½ P 130/215.

Fischer, Königsseer Str. 51, ✆ 40 44, Fax 64873, ≤, ≘s, - |♦| TV ☎ **P**. AE E. ✗ Res
28. März - 10. April und Nov.- 20. Dez. geschl. - **M** *(nur Abendessen)* a la carte 28/57
57 Z : 100 B 74/129 - 138/187 Fb.

Krone , Am Rad 5, ✆ 6 20 51, ≤, « Gemütlich eingerichtete Zimmer im Bauernstil »
- Rest TV ☎ **P**. ✗ über Locksteinstraß
Nov.- 20. Dez. geschl. - (nur Abendessen für Hausgäste) - **24 Z : 42 B** 65/77 - 120/150
½ P 72/89.

Wittelsbach garni, Maximilianstr. 16, ☎ 50 61, ≤ - |♦| TV ☎ P. AE ① E VISA t
Nov.- 15. Dez. geschl. - **29 Z : 52 B** 70/100 - 130/160 Fb - 3 Appart. 240.

Post, Maximilianstr. 2, ☎ 50 67, Fax 64801, Biergarten - |♦| TV ☎. AE ① E VISA u
M a la carte 33/58 - **42 Z : 80 B** 90/120 - 160/240 Fb - ½ P 99/139.

Vier Jahreszeiten, Maximilianstr. 20, ☎ 50 26, Fax 5029, ≤, ≘s, ☒ - |♦| ☎ ⇔ P - 🏔 25/60. AE ① E VISA a
M a la carte 28/60 - **61 Z : 97 B** 88/180 - 140/230 Fb - ½ P 96/146.

Alpenhotel Kronprinz ⑤, Am Brandholz, ☎ 60 70, Telex 56201, Fax 607120, ≤, 🏔, ≘s - |♦| TV ☎ ⇔ P. ① E VISA. ✻ Rest über Kälbersteinstr.
M *(wochentags nur Abendessen)* a la carte 34/64 - **65 Z : 131 B** 85/123 - 134/196 Fb.

Rosenbichl ⑤, Rosenhofweg 24, ☎ 56 00, Fax 5541, ≤, ≘s, 🌲 - TV ☎ P. ✻
(nur Abendessen für Hausgäste) - **13 Z : 26 B** 85 - 150 Fb - ½ P 95. über Lockensteinstraße

Demming, Sunklergäßchen 2, ☎ 50 21, Fax 64878, ≤, ≘s, ☒ - |♦| TV ☎ P. AE ① E VISA r
5. Nov.- 18. Dez. geschl. - **M** a la carte 23/50 - **35 Z : 64 B** 78/100 - 146/166 Fb.

Sporthotel Seimler, Maria am Berg 3 (NO : 1,5 km), ☎ 60 50, Fax 63200, 🏔, ≘s, ☒ - |♦| TV ☎ P über ①
M *(Mitte Nov.- Mitte Dez. geschl.)* a la carte 25/50 - **75 Z : 150 B** 58/103 - 104/206.

Weiherbach ⑤ garni, Weiherbachweg 6, ☎ 6 20 93, Fax 64944, ≤, 🏊, ≘s, ☒, 🌲 - ☎ P. ✻ über Locksteinstraße
10. Nov.- 20. Dez. geschl. - **25 Z : 49 B** 60/88 - 117/126 Fb.

Bavaria, Sunklergäßchen 11, ☎ 26 20, Fax 64809, ≤ - TV ☎. E VISA d
10. Nov.- 19. Dez. geschl. - (nur Abendessen für Hausgäste) - **27 Z : 45 B** 49/90 - 90/130 - ½ P 59/83.

An der Roßfeld-Ringstraße O : 7 km :

Grenzgasthaus Neuhäusl ⑤, Wildmoos 45 - Höhe 850 m, ✉ 8240 Berchtesgaden 3, ☎ 6 20 73, Fax 64637, ≤ Untersberg, 🏔, ≘s, 🌲 - ☎ P. E
20. Nov.- 20. Dez. geschl. - **M** *(Dienstag geschl.)* a la carte 21/40 ♂ - **23 Z : 50 B** 55/72 - 102/120 Fb - ½ P 69/86.

Alpenhotel Denninglehen ⑤, Am Priesterstein 7, Höhe 900 m, ✉ 8240 Berchtesgaden-Oberau, ☎ 50 85, Fax 64710, ≤ Watzmann, Hochkalter u.Reiter-Alpe, 🏔, Bade- u. Massageabteilung, ≘s, ☒, 🌲 - |♦| ✻ Rest TV ☎ P. ✻ Rest
15. Jan.- 1. Feb. und 26. Nov.- 18. Dez. geschl. - **M** *(nur Abendessen)* a la carte 33/51 - **24 Z : 48 B** 79/105 - 150/210 Fb.

Pension Meisl ⑤ garni, Wildmoos 42 - Höhe 850 m, ✉ 8240 Berchtesgaden 3, ☎ (08652) 39 91, ≤ Untersberg, 🌲 - P
19 Z : 36 B 33/43 - 60/80.

Siehe auch : ***Schönau am Königssee, Ramsau und Bischofswiesen***

BERG Baden-Württemberg siehe Ravensburg.

BERG 8137. Bayern 413 R 23, 426 G 5 - 7 000 Ew - Höhe 630 m - ☎ 08151 (Starnberg).
Berg-Leoni, Rottmannweg 5, ☎ (08041) 32 10.
München 30 - Garmisch-Partenkirchen 69 - Starnberg 6.

Park- und Strandhotel ⑤, Am Ölschlag 9, ☎ 5 01 01, Fax 50105, ≤, « Seeterrasse », ≘s, ✻ - |♦| TV ☎ P - 🏔 35. E
M a la carte 34/70 - **53 Z : 100 B** 70/180 - 120/220 Fb.

In Berg 3-Leoni S : 1 km :

Dorint Hotel Starnberger See ⑤, Assenbucher Str. 44, ☎ 50 60, Telex 526483, Fax 506140, ≤ Starnberger See, 🏔, ≘s, ☒, 🏖 - |♦| TV ☎ P - 🏔 40. AE ① E VISA
M a la carte 42/70 - **72 Z : 142 B** 155/190 - 235/285 Fb - 3 Appart. 350 - ½ P 153/225.

BERG 8683. Bayern 413 S 15 - 2 800 Ew - Höhe 614 m - ☎ 09293.
München 286 - Bayreuth 57 - ♦Nürnberg 142.

In Berg-Rudolphstein N : 7 km 987 ㉗ :

Vogel garni, Am Bühl 50, ☎ 14 49, 🌲 - ⇔ P. E
50 Z : 100 B.

BERG bei Neumarkt (Oberpfalz) 8438. Bayern 413 R 18 - 6 000 Ew - Höhe 406 m - ☎ 09189.
München 145 - Amberg 50 - ♦Nürnberg 29 - ♦Regensburg 71.

Lindenhof, Rosenbergstr. 13, ☎ 5 40, 🏔 - TV P
M *(Montag bis 17 Uhr geschl.)* a la carte 18/32 - **25 Z : 40 B** 35/40 - 75/80.

BERGEN **8221.** Bayern 413 U 23, 426 J 5 – 3 800 Ew – Höhe 554 m – Luftkurort – Wintersport 550/1 670 m 1 5 4 – ☎ 08662 (Siegsdorf).

Verkehrsverein, Dorfplatz 5, ☎ 83 21, Fax 5855.

♦München 105 – Rosenheim 46 – Salzburg 42 – Traunstein 10.

Säulner Hof, Säulner Weg 1, ☎ 86 55, Fax 5957, – Ⓟ. E
Nov. geschl. – **M** *(wochentags nur Abendessen, Donnerstag geschl.)* a la carte 23/49 – **15 Z 30 B** 55/65 - 85/105 Fb.

In Bergen-Holzhausen NW : 4 km :

Alpenblick, Schönblickstr. 6, ☎ (08661) 3 18, « Terrasse mit ≤ » – Ⓟ. Zim
13 Z : 26 B.

BERGEN **3103.** Niedersachsen 411 MN 8, 987 ⑮ – 12 500 Ew – Höhe 75 m – ☎ 05051.

♦Hannover 67 – Celle 24 – ♦Hamburg 94 – Lüneburg 68.

Kohlmann, Lukenstr. 6, ☎ 30 14, Fax 2240 – TV ☎ Ⓟ. AE E VISA.
M *(Montag bis 18 Uhr geschl.)* a la carte 25/56 – **14 Z : 21 B** 55/60 - 90/110 Fb.

Bergen 2-Altensatzkoth siehe : *Celle*

BERGHAUPTEN Baden-Württemberg siehe Gengenbach.

BERGHAUSEN Rheinland-Pfalz siehe Katzenelnbogen.

BERGHEIM Österreich siehe Salzburg.

BERGHEIM **5010.** Nordrhein-Westfalen 412 C 14, 987 ㉓ – 56 500 Ew – Höhe 69 m – ☎ 0227

♦Düsseldorf 41 – ♦Köln 26 – Mönchengladbach 38.

Parkhotel, Kirchstr. 12, ☎ 4 15 60 – ☎ – 50.
25 Z : 43 B Fb.

Konert, Kölner Str. 33 (B 55), ☎ 4 41 83 – Ⓟ
24. Dez.- 4. Jan. geschl. – **M** *(Sonn- und Feiertage geschl.)* a la carte 18,50/40 – **11 Z : 16** 45/55 - 90.

BERGHÜLEN Baden-Württemberg siehe Merklingen.

BERGISCH GLADBACH **5060.** Nordrhein-Westfalen 412 E 14, 987 ㉔ – 104 000 Ew – Höh 86 m – ☎ 02202.

18 Bensberg-Refrath, ☎ (02204) 6 31 14.

♦Düsseldorf 50 – ♦Köln 17.

In Bergisch Gladbach 2 (Stadtzentrum) :

Zur Post garni, Hauptstr. 154 (Fußgängerzone), ☎ 3 50 51, Fax 36846 – TV ☎ Ⓟ. AE E VISA.
33 Z : 55 B 105 - 180.

XXX **Eggemanns Bürgerhaus,** Bensberger Str. 102, ☎ 3 61 34, Fax 32505 – Ⓟ. AE E
Montag, 1.- 8. Jan. und Juli - Aug. 3 Wochen geschl. – **M** (Tischbestellung ratsam) a la car 44/84.

X **Diepeschrather Mühle** mit Zim, Diepeschrath 2 (W : 3,5 km über Paffrath), ☎ 5 16 5 – Ⓟ
18. Juli - 11. Aug. geschl. – **M** *(Montag ab 14 Uhr und Donnerstag geschl.)* a la carte 26/5 – **11 Z : 14 B** 50/60 - 90/110.

In Bergisch Gladbach 1-Bensberg – ☎ 02204 :

Waldhotel Mangold, Im Milchborntal, ☎ 5 40 11, Fax 54500, – TV ☎ Ⓟ 30. E VISA.
M *(nur Abendessen, Montag, Sonn- und Feiertage, 12. Juli - 14. Aug. und 20. Dez.- 10. Ja geschl.)* a la carte 53/73 – **20 Z : 34 B** 125/150 - 175/240.

Goethehaus, Am Markt 3, ☎ 5 40 31, Fax 56122, ≤, – TV ☎. AE E VISA
M a la carte 53/90 – **14 Z : 24 B** 90/165 - 160/210 Fb.

X **Tessiner Klause,** Wipperfürther Str. 43, ☎ 5 34 63, – Ⓟ
Samstag bis 18 Uhr, Dienstag, 24. Dez.- 7. Jan. und Juli - Aug. 3 Wochen geschl. – **M** a la carte 26/45.

In Bergisch Gladbach 2-Gronau :

Gronauer Tannenhof, Robert-Schuman-Str. 2, ☎ 3 50 88, Fax 35579, – TV ☎
Ⓟ – 25/80
M a la carte 34/74 – **34 Z : 70 B** 110/145 - 165/220 Fb.

In Bergisch Gladbach 1-Herkenrath :

Arnold, Strassen 31, ✆ (02204) 80 54, Fax 83406, 🏞 - ☎ 🅟. E
M *(Freitag geschl.)* a la carte 39/60 - **20 Z : 38 B** 80/90 - 130/140.

Hamm, Strassen 14, ✆ (02204) 80 41, Fax 85001, 🏞 - TV ☎ 🅟 - 25/60. AE ⓓ E VISA
M *(Montag bis 18 Uhr und Juli - Aug. 3 Wochen geschl.)* a la carte 28/60 - **26 Z : 53 B** 75/115 - 115/150.

In Bergisch Gladbach 1-Refrath :

Tannenhof Refrath garni, Lustheide 45a, ✆ (02204) 6 70 85, Fax 21773 - ☎ 🅟. AE ⓓ E VISA
34 Z : 65 B 80/140 - 120/180.

In Bergisch Gladbach-Sand :

Schloßhotel Lerbach - Restaurant Dieter Müller (renoviertes Schloß in einer Parkanlage), Lerbacher Weg, ✆ 20 40 - |‡| TV ☎ 🅟 - 25/100. AE ⓓ E VISA. ✽ Rest
M a la carte 80/135 - **Schloßkeller M** a la carte 41/68 - **30 Z : 55 B** 205/505 - 270/520 -(Eröffnung vorgesehen Frühjahr 1992).

BERGKIRCHEN Bayern bzw. Nordrhein-Westfalen siehe Dachau.

BERGLEN Baden-Württemberg siehe Winnenden.

BERGNEUSTADT **5275.** Nordrhein-Westfalen 412 F 13, 987 ㉔ - 18 500 Ew - Höhe 254 m - ☎ 02261 (Gummersbach).
♦Düsseldorf 95 - ♦Köln 57 - Olpe 20 - Siegen 47.

Feste Neustadt Hauptstr. 19, ✆ 4 17 95 - ☎ 🅟
22. Dez.- 4. Jan. und Mitte Juli - Anfang Aug. geschl. - **M** *(Sonntag ab 15 Uhr geschl.)* a la carte 27/58 - **14 Z : 20 B** 50/55 - 100/110.

In Bergneustadt-Niederrengse NO : 7 km :

Rengser Mühle mit Zim, ✆ (02763) 3 24, 🏞, « Rustikale gemütliche Einrichtung » - TV ☎ 🅟
4 Z : 8 B.

BERGRHEINFELD Bayern siehe Schweinfurt.

BERGZABERN, BAD **6748.** Rheinland-Pfalz 412 413 G 19, 987 ㉔, 87 ② - 7 700 Ew - Höhe 200 m - Heilklimatischer Kurort - Kneippheilbad - ☎ 06343.
ℹ Kurverwaltung, Kurtalstr. 25 (im Thermalhallenbad), ✆ 88 11, Fax 5484.
Mainz 127 - ♦Karlsruhe 38 - Landau in der Pfalz 15 - Pirmasens 42 - Wissembourg 10.

Petronella, Kurtalstr. 47, ✆ 10 75, « Gartenterrasse », Bade- und Massageabteilung, ≘s, 🌳 - |‡| ☎ ♿ 🚗 🅟 - 30
48 Z : 74 B Fb.

Rebenhof, Weinstr. 58, ✆ 10 35(Hotel) 22 07(Rest.), 🏞, 🌳 - ☎ 🚗 🅟
M *(Montag - Dienstag 18 Uhr geschl.)* a la carte 25/53 - **16 Z : 32 B** 65/85 - 95/160 Fb.

Pfälzer Wald, Kurtalstr. 77 (B 427), ✆ 10 56, Fax 4893, ←, 🏞, 🌳 - TV ☎ 🅟. AE E VISA. ✽ Zim
M *(Jan.- Feb. geschl.)* a la carte 23/52 ♨ - **25 Z : 40 B** 45/60 - 100/120 Fb - ½ P 70/80.

Seeblick, Kurtalstr. 71, ✆ 25 39, 🏊 - |‡| 🅟. ✽ Rest
(Restaurant nur für Hausgäste) - **60 Z : 90 B** Fb.

Wasgau 🐚, Friedrich-Ebert-Str. 21, ✆ 84 01, 🌳 - 🅟. E
Jan. geschl. - **M** *(Donnerstag bis 17 Uhr geschl.)* a la carte 32/48 ♨ - **24 Z : 38 B** 50/70 - 100/110 Fb - ½ P 63/66.

Zum Engel, Königstr. 45, ✆ 49 33, 🏞, « Restauriertes Renaissancehaus a.d. 16. Jh. » - 🅟
Montag 14 Uhr - Dienstag, Feb. 2 Wochen und 23. Juli - 7. Aug. geschl. - **M** a la carte 23/43 ♨.

In Pleisweiler-Oberhofen **6749** NO : 2,5 km :

Schloßbergkeller 🐚 mit Zim, Im Bienengarten 22 (Pleisweiler), ✆ (06343) 15 82, 🏞 - ☎ 🅟. E
Jan. geschl. - **M** *(Mittwoch geschl.)* a la carte 24/44 ♨ - **9 Z : 21 B** 43 - 78 Fb.

In Gleiszellen-Gleishorbach **6749** N : 4,5 km :

Südpfalz-Terrassen 🐚, Winzergasse 42 (Gleiszellen), ✆ (06343) 20 66, Fax 5952, ←, 🏞, ≘s, 🏊, 🌳 - |‡| TV ☎ 🅟 - 25/50. E
6.- 31. Jan. geschl. - **M** *(Montag geschl.)* a la carte 28/55 ♨ - **53 Z : 110 B** 65/75 - 96/130 Fb - ½ P 68/95.

BERKHEIM **7951.** Baden-Württemberg 413 N 22, 987 ㊱, 426 C 4 – 2 000 Ew – Höhe 580 m – ☎ 08395.

♦Stuttgart 138 – Memmingen 11 – Ravensburg 65 – ♦Ulm (Donau) 46.

Ochsen, Alte Steige 1, ☎ 6 57 – Ⓟ
Ende Juli - Anfang Aug. geschl. – **M** *(auch vegetarische Gerichte)* (Sonntag geschl.) a la carte 18/37 – **15 Z : 22 B** 42 - 80/100.

BERLEBURG, BAD **5920.** Nordrhein-Westfalen 412 I 13, 987 ㉔ – 20 000 Ew – Höhe 450 m – Kneippheilbad – Wintersport : 500/750 m ⛷2 ⛷9 – ☎ 02751.

ℹ Verkehrsbüro, Im Herrengarten 1, ☎ 70 77.

♦Düsseldorf 174 – Frankenberg an der Eder 46 – Meschede 56 – Siegen 44.

Kaiser Friedrich, Ederstr. 18 (B 480), ☎ 71 61, Fax 2862 – TV ☎ Ⓟ. AE E VISA
1.- 17. Nov. geschl. – **M** *(Donnerstag geschl.)* a la carte 24/52 – **9 Z : 16 B** 50/65 - 100 – ½ P 60/75.

Westfälischer Hof, Astenbergstr. 6 (B 480), ☎ 4 94, Fax 2882, Bade- und Massageabteilung, ♨, ≘s – ☎ 🚗 Ⓟ – 🏛 30. AE ⓓ E VISA. ✻ Rest
M a la carte 23/49 – **40 Z : 60 B** 42/69 - 78/108 – ½ P 62/79.

Zum Starenkasten ⛰, Goetheplatz 2, ☎ 39 64, ≤, 🌳, 🌲 – TV ☎ Ⓟ. ⓓ E VISA
M *(Montag und 1.- 15. Nov. geschl.)* a la carte 24/49 – **19 Z : 30 B** 48/52 - 96/104 – ½ P 60/64.

Wittgensteiner Hof, Parkstr. 14, ☎ 72 02, Fax 3552, 🌳, ≘s – Ⓟ. ⓓ E VISA
M a la carte 26/60 – **30 Z : 50 B** 40/70 - 78/109 Fb – ½ P 45/63.

An der Straße nach Hallenberg NO : 6 km :

Erholung ⛰, ✉ 5920 Bad Berleburg 1-Laibach, ☎ (02751) 72 18, Fax 2866, ≤, 🌳, 🌲 – 🚗 Ⓟ
Mitte Nov.- Anfang Dez. geschl. – **M** a la carte 23/60 – **17 Z : 31 B** 41/71 - 78/126.

In Bad Berleburg 5-Raumland S : 4 km :

Raumland, Hinterstöppel 7, ☎ 56 67, 🌳, 🌲 – 🚗 Ⓟ. ✻ Zim
M a la carte 28/50 – **12 Z : 20 B** 39/46 - 77/92.

In Bad Berleburg 6-Wemlighausen NO : 3 km :

Aderhold, An der Lindenstr. 22, ☎ 39 60, ≘s, 🌲 – 🚗 Ⓟ. ✻
Okt. 3 Wochen geschl. – **M** *(Montag geschl.)* a la carte 20/40 – **16 Z : 28 B** 31/35 - 62/70 – ½ P 37/40.

In Bad Berleburg 3-Wingeshausen W : 14 km :

Weber ⛰ mit Zim, Inselweg 5, ☎ (02759) 4 12, 🌲 – Ⓟ. ✻ Zim
15. Nov.- 15. Dez. geschl. – Menu *(Montag 17 Uhr - Dienstag geschl.)* a la carte 23/57 – **8 Z : 13 B** 38/40 - 76/80.

Berlin

1 000. [L] Berlin 987 ⑰ ⑱, 984 ⑮ ⑯ – 3 200 000 Ew – Höhe 40 m – ✆ 030 (00372 für den Ostteil)

HAUPTSEHENSWÜRDIGKEITEN

Museen, Galerien, Sammlungen : Pergamon-Museum★★★ PY – Alte Nationalgalerie★ PY **M¹** – Bode-Museum★★ PY **M²** – Altes Museum★ PY **M³** – Kunstgewerbemuseum★ NZ **M⁴** – Neue Nationalgalerie★ NZ **M⁵** – Schloß Charlottenburg★★ (Reiterstandbild des Großen Kur fürsten★★, Historische Räume★, Porzellan-Kabinett★★) ; im Knobelsdorff-Flügel : Nationalgalerie★★, Weißer Saal★, Goldene Galerie★★ EY ; Antikenmuseum★ (Schatzkammer★★★) EY **M⁶** ; Ägyptisches Museum★ (Büste der Königin Nofretete★★) EY **M⁶** – Museum Dahlem★★★ (Gemäldegalerie★★, Skulpturen★★, Kupferstichkabinett★, Museum für Völkerkunde★★ BV – Museum für Verkehr und Technik★ GZ **M⁸** – Käthe-Kollwitz-Museum★ LXY **M⁹** – Berlin-Museum★ GY – Kunstgewerbemuseum★ DV **M¹³**.

Parks, Gärten, Seen : Zoologischer Garten★★ MX – Schloßpark Charlottenburg★ (im Belvedere : historische Porzellanausstellung★) EY – Botanischer Garten★★ BV – Grunewald★ AUV (am Grunewaldsee : Jagdschloß★ BV **M¹⁶**) – Havel★ und Pfaveninsel★ AV – Wannsee★★ AV.

Gebäude, Straßen, Plätze : Brandenburger Tor★★ NZ – Unter den Linden★ NPZ – Platz der Akademie★ PZ – Deutsche Staatsoper★ PZ – Neue Wache★ PY – Arsenal (Zeughaus)★★ PY.

⛳9 Berlin-Wannsee, Am Stölpchenweg, ✆ 8 05 50 75.

✈ Berlin-Tegel, ✆ 4 11 01.

✈ Berlin-Schönefeld (S : 25 km), Stadtbüro, Alexanderplatz 5, ✆ 2 10 91 81.

🚘 Berlin-Wannsee, ✆ 31 04 33.

Messegelände am Funkturm EY ✆ 3 03 81, Telex 182908.

ℹ Berlin-Tourist – Information im Europa-Center (Budapester Straße) ✆ 2 62 60 31, Telex 183356. Fax 21232520.

ℹ Verkehrsamt, Am Fernsehturm, 1020 Berlin-Mitte, ✆ 2 12 46 75.

ℹ Verkehrsamt im Flughafen Tegel ✆ 41 01 31 45.

ADAC, Berlin-Wilmersdorf, Bundesallee 29 (B 31), ✆ 8 68 61. Telex 183513, Fax 8686289, Notruf ✆ 1 92 11.

♦ Frankfurt/Oder 105 – ♦ Hamburg 289 – ♦ Hannover 288 – ♦ Leipzig 183 – ♦ Rostock 222.

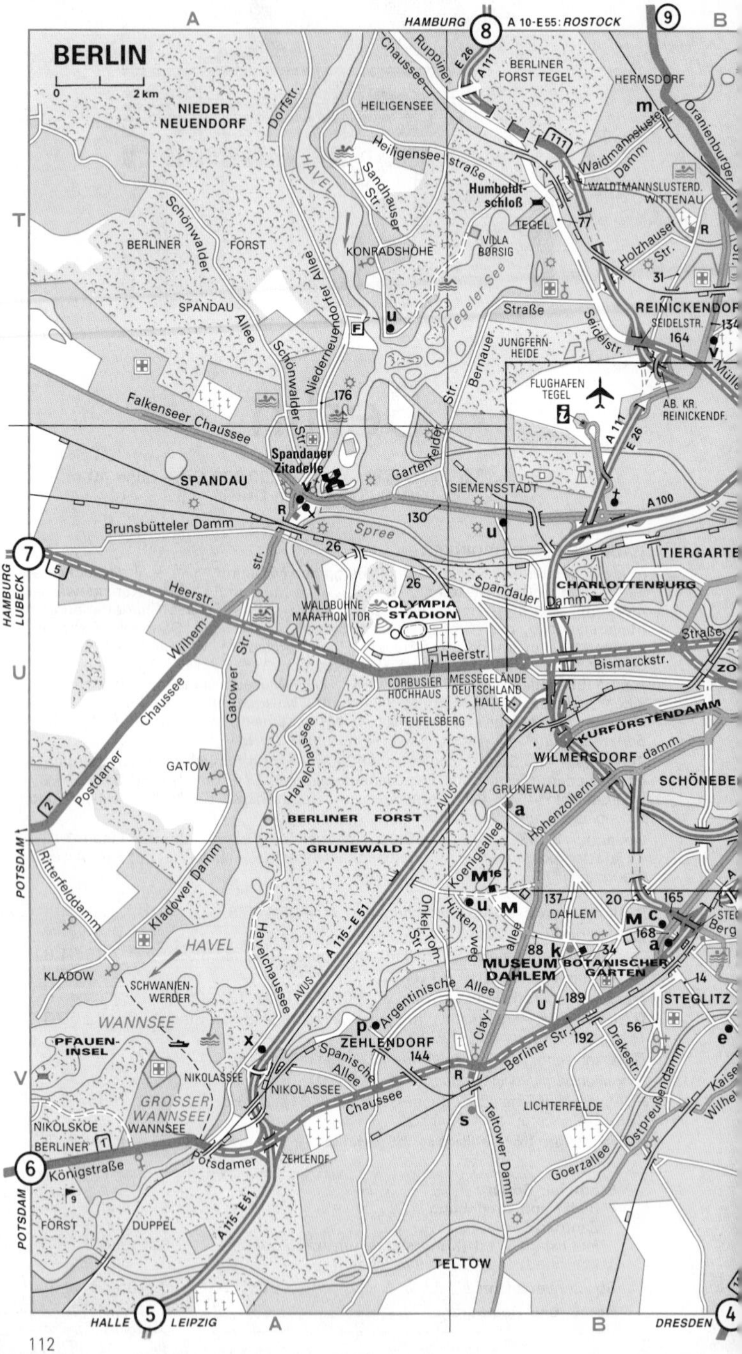
BERLIN
0
2 km
A
B
T
U
V
HAMBURG
A 10-E55: ROSTOCK
HAMBURG LÜBECK
POTSDAM
POTSDAM
HALLE
LEIPZIG
DRESDEN
NIEDER NEUENDORF
HEILIGENSEE
BERLINER FORST TEGEL
HERMSDORF
WALDTMANNSLUSTERD.
WITTENAU
Humboldt-schloß
TEGEL
KONRADSHÖHE
VILLA BORSIG
Tegeler See
REINICKENDORF
SEIDELSTR.
JUNGFERN-HEIDE
FLUGHAFEN TEGEL
AB. KR. REINICKENDF.
BERLINER FORST
SPANDAU
Spandauer Zitadelle
SPANDAU
SIEMENSSTADT
Falkenseer Chaussee
Brunsbütteler Damm
Spree
HAVEL
TIERGARTEN
CHARLOTTENBURG
WALDBÜHNE
MARATHON TOR
OLYMPIA STADION
Heerstr.
Bismarckstr.
CORBUSIER HOCHHAUS
MESSEGELÄNDE DEUTSCHLAND HALLE
TEUFELSBERG
KURFÜRSTENDAMM
WILMERSDORF
SCHÖNEBERG
GATOW
GRUNEWALD
BERLINER FORST
GRUNEWALD
Hohenzollerndamm
Koenigsallee
DAHLEM
MUSEUM DAHLEM
BOTANISCHER GARTEN
STEGLITZ
KLADOW
SCHWANENWERDER
WANNSEE
PFAUENINSEL
NIKOLASSEE
GROSSER WANNSEE
ZEHLENDORF
LICHTERFELDE
NIKOLSKOE
WANNSEE
Königstraße
Potsdamer
ZEHLENDF.
DÜPPEL
FORST
TELTOW
A 115-E 51
AVUS
Argentinische Allee
Spanische Allee
Chaussee
Berliner Str.
Teltower Damm
Goerzallee
Ostpreußendamm
Drakestr.
Clay-Allee
Onkel-Tom-Str.
Hüttenweg
Havelchaussee
Kladower Damm
Ritterfelddamm
Postdamer Chaussee
Wilhelmstr.
Gatower Str.
Schönwalder Allee
Niederneuendorfer Allee
Schönwalder Str.
Heiligensee-straße
Sandhauser Str.
Ruppiner Chaussee
Dorfstr.
Waidmannsluster Damm
Holzhauser Str.
Oranienburger
Bernauer Str.
Seidelstr.
Gartenfelder
Spandauer Damm
Straße
A 100
A 111
E 26
8
9
7
6
5
4

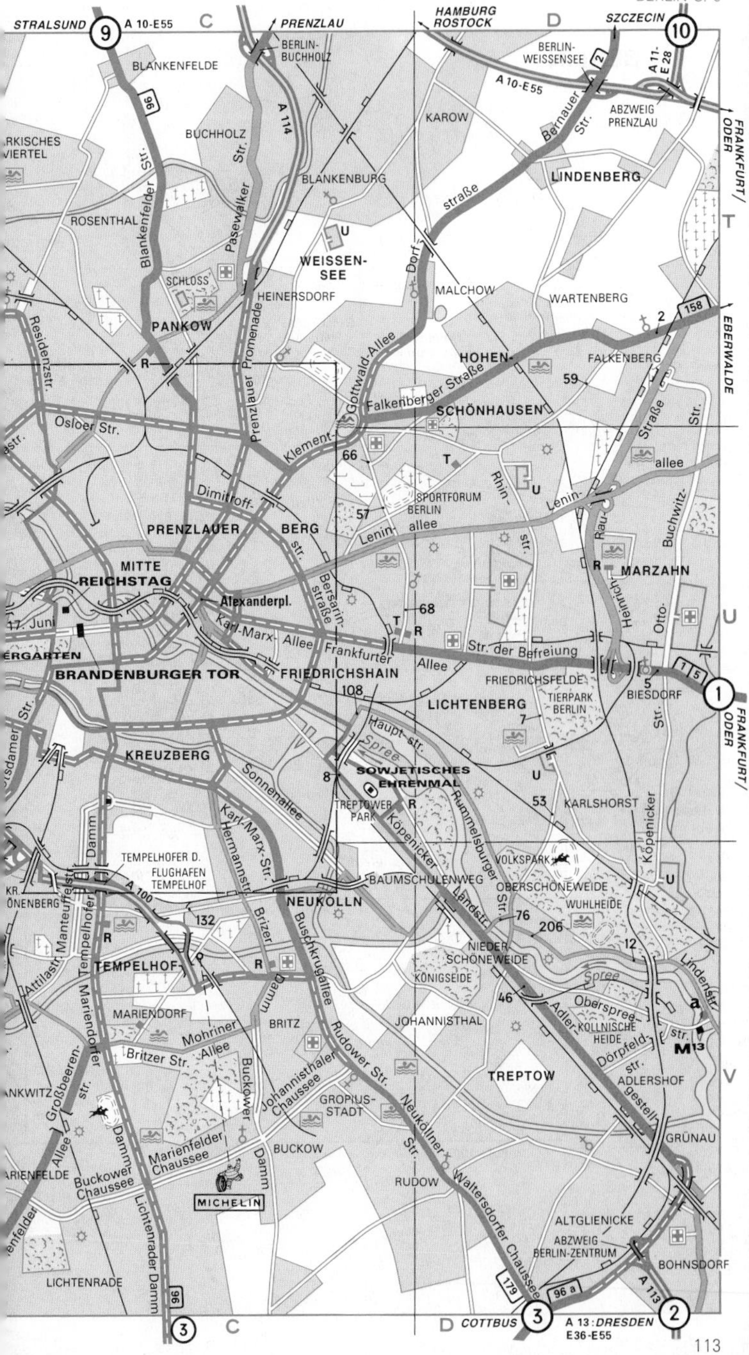
STRALSUND
9
A 10-E55
C
PRENZLAU
HAMBURG
ROSTOCK
D
SZCZECIN
10
BLANKENFELDE
BERLIN-BUCHHOLZ
BERLIN-WEISSENSEE
A 10-E55
A 11-E 28
ABZWEIG PRENZLAU
FRANKFURT/ODER
BUCHHOLZ
A 114
KAROW
Bernauer Str.
LINDENBERG
BLANKENBURG
Blankenfelder Str.
Pasewalker Str.
ROSENTHAL
WEISSEN-SEE
straße
Dorf
T
SCHLOSS
HEINERSDORF
MALCHOW
WARTENBERG
PANKOW
Prenzlauer Promenade
Gottwald-Allee
HOHEN-
SCHÖNHAUSEN
FALKENBERG
EBERWALDE
Residenzstr.
Falkenberger Straße
Osloer Str.
Klement-
66
SPORTFORUM BERLIN
57
Rhin-str.
Lenin-allee
Straße
allee
Dimitroff-str.
PRENZLAUER
BERG
Bersarin-straße
Rau-
Heinrich-
Buchwitz-
MITTE
REICHSTAG
Alexanderpl.
MARZAHN
17. Juni
68
Otto-
U
ERGARTEN
Karl-Marx-Allee
Frankfurter Allee
Str. der Befreiung
BRANDENBURGER TOR
FRIEDRICHSHAIN
FRIEDRICHSFELDE
108
LICHTENBERG
TIERPARK BERLIN
BIESDORF
1
7
5
Haupt-str.
Spree
KREUZBERG
SOWJETISCHES EHRENMAL
8
Sonnenallee
TREPTOWER PARK
Rummelsburger Str.
53
KARLSHORST
Karl-Marx-Str.
Hermannstr.
Damm
Köpenicker Landstr.
Köpenicker
TEMPELHOFER D.
FLUGHAFEN TEMPELHOF
VOLKSPARK
A 100
BAUMSCHULENWEG
OBERSCHÖNEWEIDE
KR.
ÖNENBERG
Manteuffelstr.
NEUKÖLLN
WUHLHEIDE
132
Brizer
76
206
Buschkrugallee
NIEDER-SCHÖNEWEIDE
12
TEMPELHOF
KÖNIGSEIDE
Lindenstr.
46
Oberspree-
Attilastr.
a
Mariendorfer
MARIENDORF
BRITZ
JOHANNISTHAL
KÖLLNISCHE HEIDE
Mohriner Allee
Dörpfeld-str.
M13
Britzer Str.
Rudower Str.
TREPTOW
V
Buckower
Johannisthaler Chaussee
ADLERSHOF
Adler-gestell
ANKWITZ
Großbeeren-str.
GROPIUS-STADT
Neuköllner Str.
Allee
Damm
GRÜNAU
Marienfelder Chaussee
BUCKOW
ARIENFELDE
Buckower Chaussee
RUDOW
Waltersdorfer Chaussee
MICHELIN
ALTGLIENICKE
ABZWEIG BERLIN-ZENTRUM
BOHNSDORF
LICHTENRADE
Lichtenrader Damm
96
179
96 a
A 113
COTTBUS
A 13: DRESDEN
E36-E55
3
2

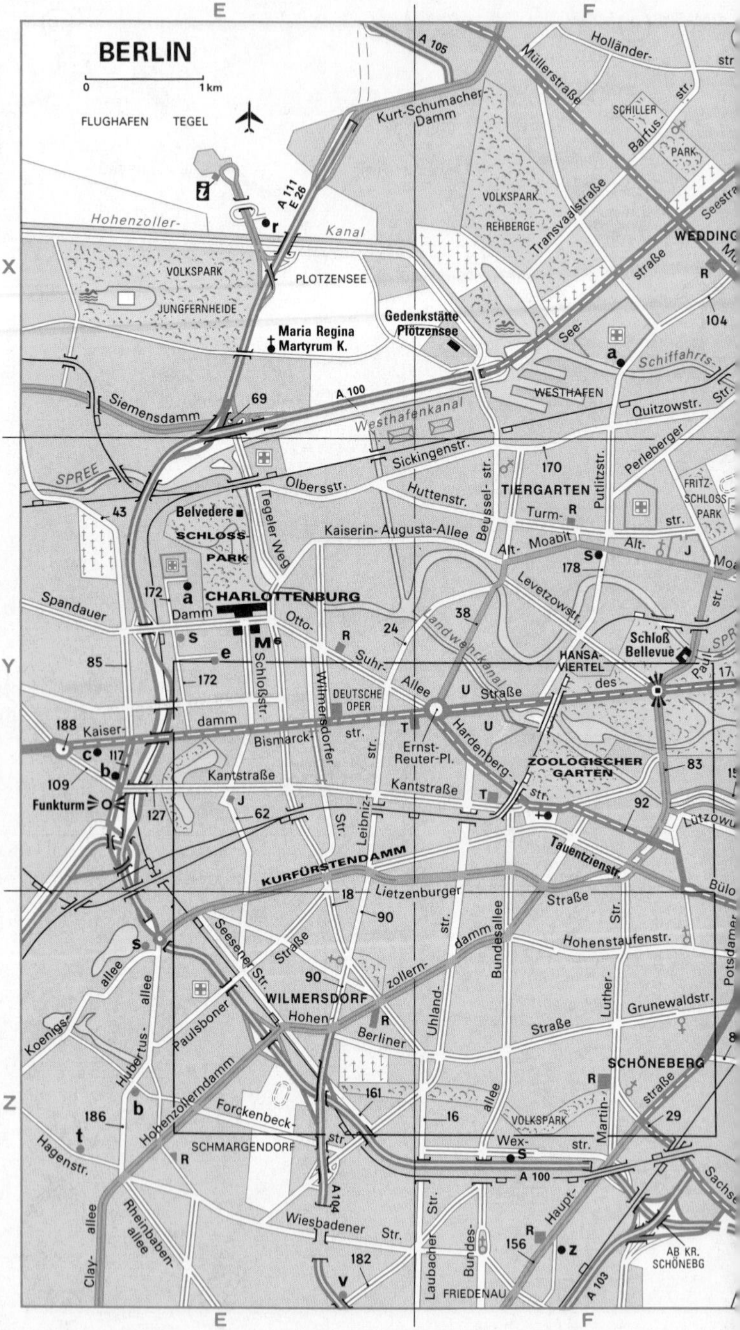
E
F
BERLIN
0
1 km
FLUGHAFEN TEGEL
A 105
Holländer-
Müllerstraße
Kurt-Schumacher-Damm
SCHILLER PARK
Barfus-str.
A 111 E 26
VOLKSPARK REHBERGE
Transvaalstraße
Seestr.
Hohenzoller-
Kanal
WEDDING
X
VOLKSPARK JUNGFERNHEIDE
PLOTZENSEE
straße
R
Gedenkstätte Plötzensee
Maria Regina Martyrum K.
See-
104
Schiffahrts-
69
A 100
Siemensdamm
WESTHAFEN
Westhafenkanal
Quitzowstr.
Str.
Sickingenstr.
Perleberger
SPREE
Olbersstr.
Huttenstr.
Beussel-str.
170
TIERGARTEN
Putlitzstr.
FRITZ-SCHLOSS-PARK
43
Belvedere
Tegeler Weg
Turm-str.
SCHLOSS-PARK
Kaiserin-Augusta-Allee
Alt-Moabit
Alt-
J
Moa
S
178
172
a
CHARLOTTENBURG
Levetzowstr.
Spandauer Damm
38
Otto-Suhr-Allee
24
Landwehrkanal
Schloß Bellevue
S
R
M6
e
HANSA-VIERTEL
Y
85
Schloßstr.
Wilmersdorfer Str.
des
172
DEUTSCHE OPER
U
Straße
188
Kaiser-damm
Bismarck-str.
T
Ernst-Reuter-Pl.
Hardenberg-str.
U
c
117
ZOOLOGISCHER GARTEN
83
b
109
Kantstraße
Kantstraße
92
Funkturm
J
127
62
Leibniz-str.
T
Lützowu
Tauentzienstr.
KURFÜRSTENDAMM
18
Lietzenburger
Straße
Bülo
90
Seesener Str.
Straße
Uhland-str.
Bundesallee
Str.
Hohenstaufenstr.
Potsdamer
s
allee
allee
90
zollern-damm
WILMERSDORF
Hohen-
Berliner
R
Luther-
Grunewaldstr.
Straße
Koenigs-
Hubertus-
Paulsboner
Hohenzollerndamm
SCHÖNEBERG
R
Z
b
161
allee
VOLKSPARK
Martin-
straße
29
186
t
Forckenbeck-str.
16
Hagenstr.
SCHMARGENDORF
R
Wex-str.
S
A 100
A 104
Haupt-
Sachs
Clay-allee
Rheinbaben-allee
Wiesbadener Str.
Laubacher Str.
Bundes-
R
156
z
AB KR. SCHÖNEBG
182
v
FRIEDENAU
A 103
E
F

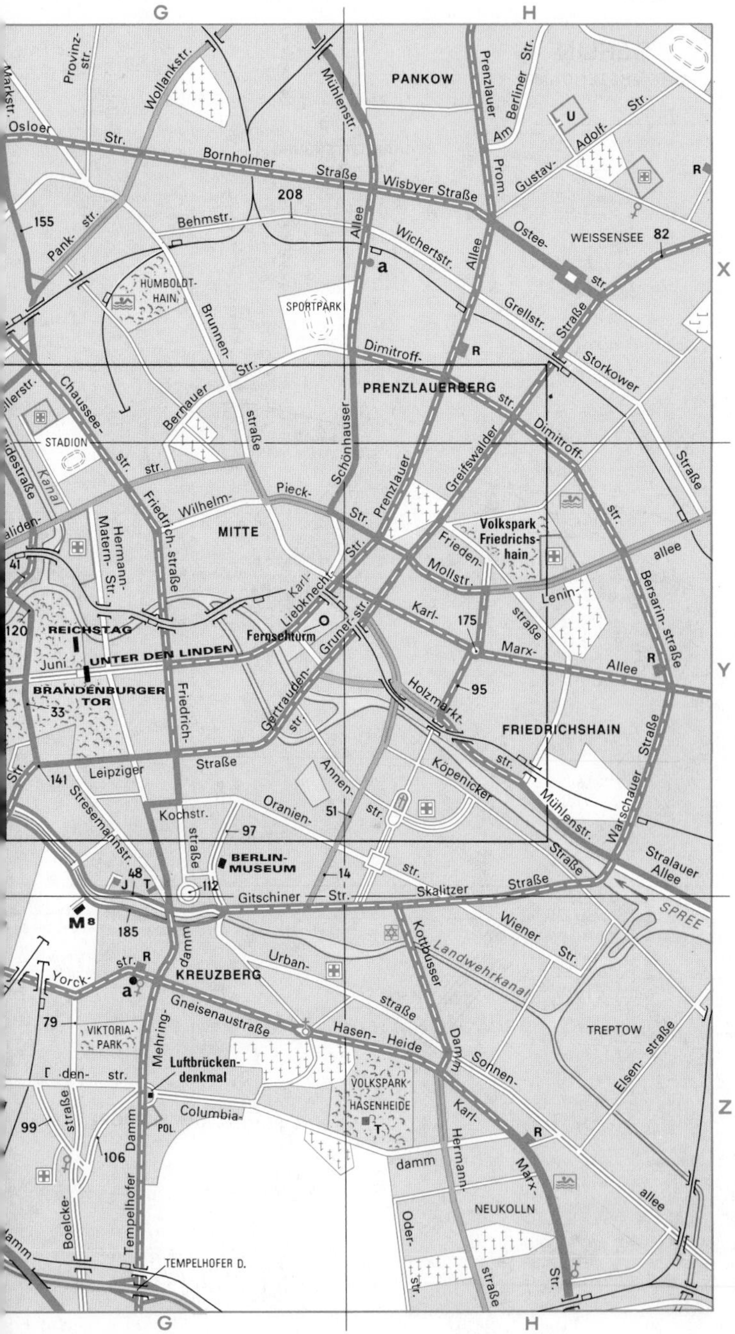
G
H
PANKOW
WEISSENSEE
PRENZLAUERBERG
MITTE
FRIEDRICHSHAIN
KREUZBERG
TREPTOW
NEUKOLLN
HUMBOLDT-HAIN
SPORTPARK
STADION
Volkspark Friedrichshain
REICHSTAG
UNTER DEN LINDEN
BRANDENBURGER TOR
Fernsehturm
BERLIN-MUSEUM
VIKTORIA-PARK
Luftbrücken-denkmal
VOLKSPARK HASENHEIDE
TEMPELHOFER D.
SPREE
Landwehrkanal
Kanal
Osloer Str.
Bornholmer Straße
Wisbyer Straße
Ostsee-str.
Behmstr.
Wichertstr.
Grellstr.
Storkower Straße
Dimitroff-str.
Schönhauser Allee
Prenzlauer Allee
Prenzlauer Prom.
Am Berliner Str.
Gustav-Adolf-Str.
Greifswalder Straße
Mühlenstr.
Wollankstr.
Provinz-str.
Pank-str.
Brunnen-straße
Bernauer Str.
Chaussee-str.
Wilhelm-Pieck-Str.
Friedrich-straße
Hermann-Matern-Str.
Karl-Liebknecht-Str.
Gruner-str.
Gertrauden-str.
Frieden-straße
Mollstr.
Karl-Marx-Allee
Lenin-allee
Bersarin-straße
Holzmarkt-str.
Köpenicker Str.
Mühlenstr.
Warschauer Straße
Stralauer Allee
Leipziger Straße
Stresemannstr.
Kochstr.
Oranien-str.
Annen-str.
Gitschiner Str.
Skalitzer Straße
Wiener Str.
Urban-straße
Kottbusser Damm
Yorck-str.
Gneisenaustraße
Hasen-Heide
Sonnen-allee
Elsen-straße
Mehring-damm
Columbia-damm
Tempelhofer Damm
Boelcke-straße
Karl-Marx-Str.
Hermann-straße
Oder-str.
208
155
82
175
95
41
120
33
141
97
51
14
48
112
185
79
99
106
a
R
U
J
T
M
POL.
X
Y
Z

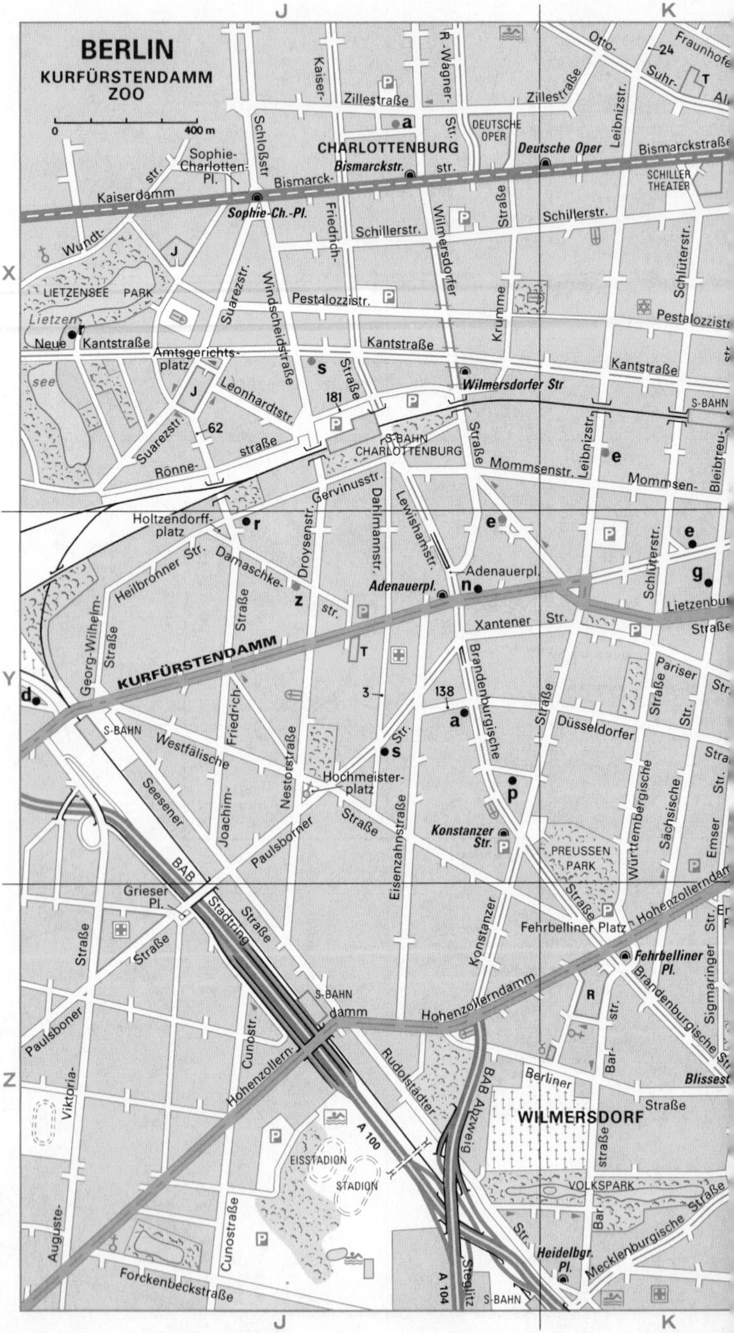
J
K
BERLIN
KURFÜRSTENDAMM
ZOO
0
400 m
X
Y
Z
Kaiser-
R.-Wagner-
Otto-
-24
Fraunhofer
Suhr-
T
Zillestraße
Zillestraße
a
Schloßstr.
Str.
DEUTSCHE OPER
Leibnizstr.
CHARLOTTENBURG
Deutsche Oper
Bismarckstraße
Sophie-Charlotten-Pl.
Bismarckstr.
str.
str.
Bismarck-
SCHILLER THEATER
Kaiserdamm
Sophie-Ch.-Pl.
Friedrich-
Wilmersdorfer
Straße
Schillerstr.
Schillerstr.
Wundt-
J
Schlüterstr.
Suarezstr.
Windscheidstraße
LIETZENSEE PARK
Pestalozzistr.
Pestalozzistr.
Krumme
Lietzen-
r
Neue
Kantstraße
Kantstraße
Kantstraße
Amtsgerichts-platz
s
Straße
see
J
Leonhardtstr.
Wilmersdorfer Str
181
S-BAHN
62
Suarezstr.
straße
S-BAHN CHARLOTTENBURG
Straße
e
Rönne-
Mommsenstr.
Mommsen-
Bleibtreu-
Gervinusstr.
Dahlmannstr.
Lewishamstr.
Holtzendorff-platz
r
e
e
Heilbronner Str.
Damaschke-
Droysenstr.
Adenauerpl.
g
z
Adenauerpl.
n
str.
Schlüterstr.
Lietzenbu
Georg-Wilhelm-Straße
Straße
Xantener
Str.
Straße
KURFÜRSTENDAMM
T
Brandenburgische
Pariser
Str.
d
Friedrich-
3
138
Straße
Str.
S-BAHN
a
Düsseldorfer
Westfälische
Str.
s
Stra
Nestorstraße
Hochmeister-platz
p
Seesener
Joachim-
Württembergische
Sächsische
Str.
Straße
Eisenzahnstraße
Konstanzer Str.
Emser
Paulsborner
PREUSSEN PARK
BAB
Grieser Pl.
Stadtring
Straße
Straße
Hohenzollerndamm
Straße
Konstanzer
Fehrbelliner Platz
Straße
Fehrbelliner Pl.
Straße
Sigmaringer
S-BAHN
damm
Hohenzollerndamm
Brandenburgische
R
Paulsboner
Cunostr.
Rudolstädter
str.
Hohenzollern-
BAB Abzweig
Bar-
Blissest
Viktoria-
Berliner
Straße
WILMERSDORF
A 100
straße
EISSTADION
STADION
VOLKSPARK
Straße
Cunostraße
Bar-
Mecklenburgische
Auguste-
Str.
Heidelbgr. Pl.
Forckenbeckstraße
A 104
Steglitz
S-BAHN

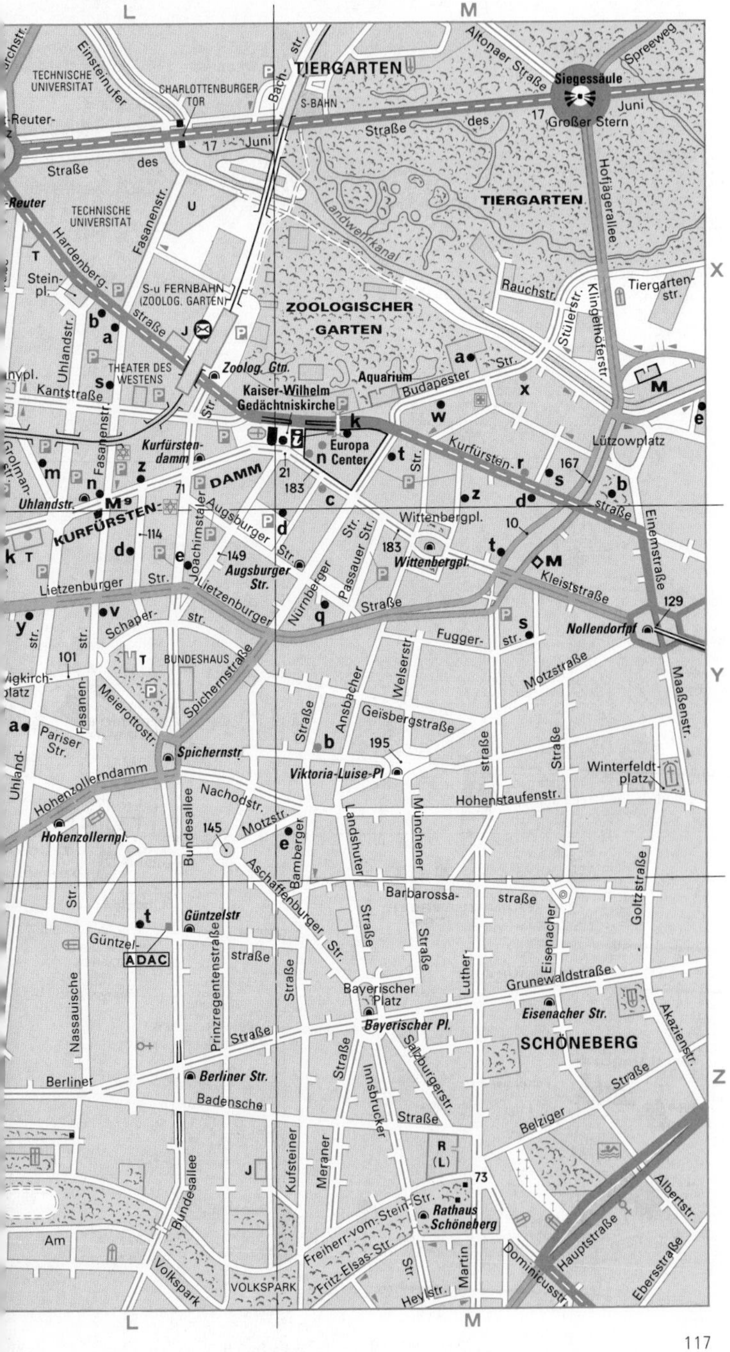
TIERGARTEN
Siegessäule
Altonaer Straße
Spreeweg
Großer Stern
Straße des 17. Juni
TECHNISCHE UNIVERSITAT
Einsteinufer
CHARLOTTENBURGER TOR
S-BAHN
Bachstr.
Hofjägerallee
Landwehrkanal
Fasanenstr.
Hardenbergstraße
Stein-pl.
S-u FERNBAHN (ZOOLOG. GARTEN)
ZOOLOGISCHER GARTEN
Rauchstr.
Tiergartenstr.
Stülerstr.
Klingelhöferstr.
Uhlandstr.
THEATER DES WESTENS
Kantstraße
Zoolog. Gtn.
Aquarium
Budapester Str.
Kaiser-Wilhelm Gedächtniskirche
Europa Center
Kurfürstenstr.
Lützowplatz
Kurfürstendamm
KURFÜRSTENDAMM
Uhlandstr.
Augsburger Str.
Wittenbergpl.
Kleiststraße
Einemstraße
Joachimstaler Str.
Lietzenburger Str.
Nürnberger Str.
Passauer Str.
Nollendorfpl
Fuggerstr.
Schaperstr.
BUNDESHAUS
Spichernstraße
Motzstraße
Maaßenstr.
Meierottostr.
Pariser Str.
Ansbacher Straße
Welserstr.
Geisbergstraße
Spichernstr.
Viktoria-Luise-Pl
Winterfeldtplatz
Hohenzollerndamm
Nachodstr.
Hohenstaufenstr.
Hohenzollernpl.
Bundesallee
Motzstr.
Bamberger Str.
Landshuter Str.
Münchener Str.
Goltzstraße
Aschaffenburger Str.
Barbarossastraße
Eisenacher Str.
Güntzelstr
Güntzelstraße
ADAC
Prinzregentenstraße
Luther Str.
Grunewaldstraße
Bayerischer Platz
Bayerischer Pl.
Eisenacher Str.
Nassauische Str.
Salzburgerstr.
SCHÖNEBERG
Akazienstr.
Berliner Straße
Berliner Str.
Badensche Straße
Innsbrucker Straße
Belziger Straße
Kufsteiner Straße
Meraner Str.
Albertstr.
Freiherr-vom-Stein-Str.
Rathaus Schöneberg
Fritz-Elsas-Str.
Hauptstraße
Dominicusstr.
Ebersstraße
Heylstr.
Martin-Luther-Str.
Am Volkspark
VOLKSPARK
L
M
X
Y
Z

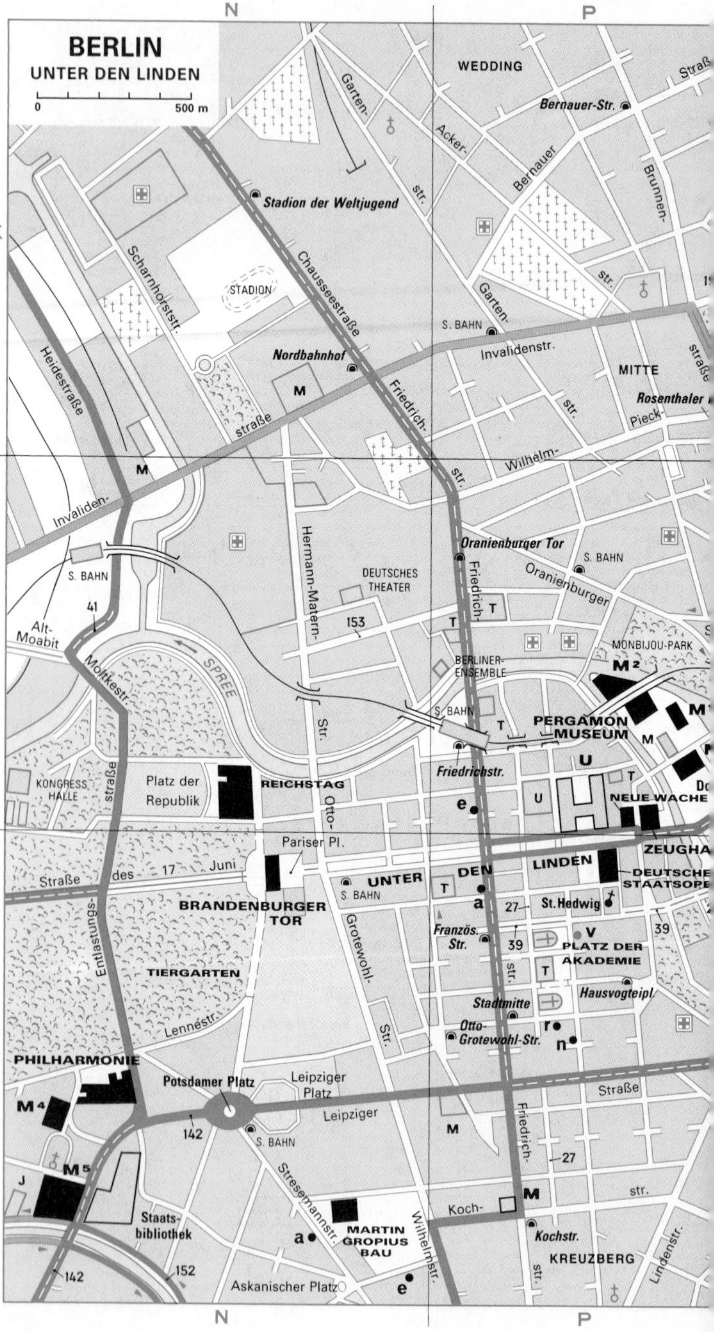
N
P
BERLIN
UNTER DEN LINDEN
0
500 m
X
Y
Z
WEDDING
Bernauer-Str.
Garten-
Acker-
str.
Bernauer
Brunnen-
Stadion der Weltjugend
Scharnhorststr.
STADION
Chausseestraße
Garten-
S. BAHN
Invalidenstr.
MITTE
Rosenthaler
Pieck-
Nordbahnhof
M
Friedrich-
straße
str.
Wilhelm-
Heidestraße
M
Invaliden-
Oranienburger Tor
S. BAHN
Oranienburger
Friedrich-
str.
S. BAHN
DEUTSCHES THEATER
153
Hermann-Matern-
Str.
T
T
41
Alt-Moabit
Moltkestr.
SPREE
MONBIJOU-PARK
BERLINER-ENSEMBLE
M2
S. BAHN
T
PERGAMON MUSEUM
M
Friedrichstr.
U
KONGRESS-HALLE
straße
Platz der Republik
REICHSTAG
Otto-
e
U
T
NEUE WACHE
Pariser Pl.
ZEUGHA
Straße des 17. Juni
UNTER
DEN
LINDEN
DEUTSCHE STAATSOPE
S. BAHN
T
a
27
St.Hedwig
BRANDENBURGER TOR
Grotewohl-
Französ. Str.
39
V
39
PLATZ DER AKADEMIE
Entlastungs-
str.
T
TIERGARTEN
Stadtmitte
Hausvogteipl.
Lennéstr.
Str.
Otto-Grotewohl-Str.
r
n
PHILHARMONIE
Potsdamer Platz
Leipziger Platz
Straße
M4
Leipziger
142
S. BAHN
M
Friedrich-
27
M5
J
Stresemannstr.
str.
M
Koch-
Staats-bibliothek
a
MARTIN GROPIUS BAU
Wilhelmstr.
Kochstr.
KREUZBERG
Lindenstr.
142
152
Askanischer Platz
e
str.

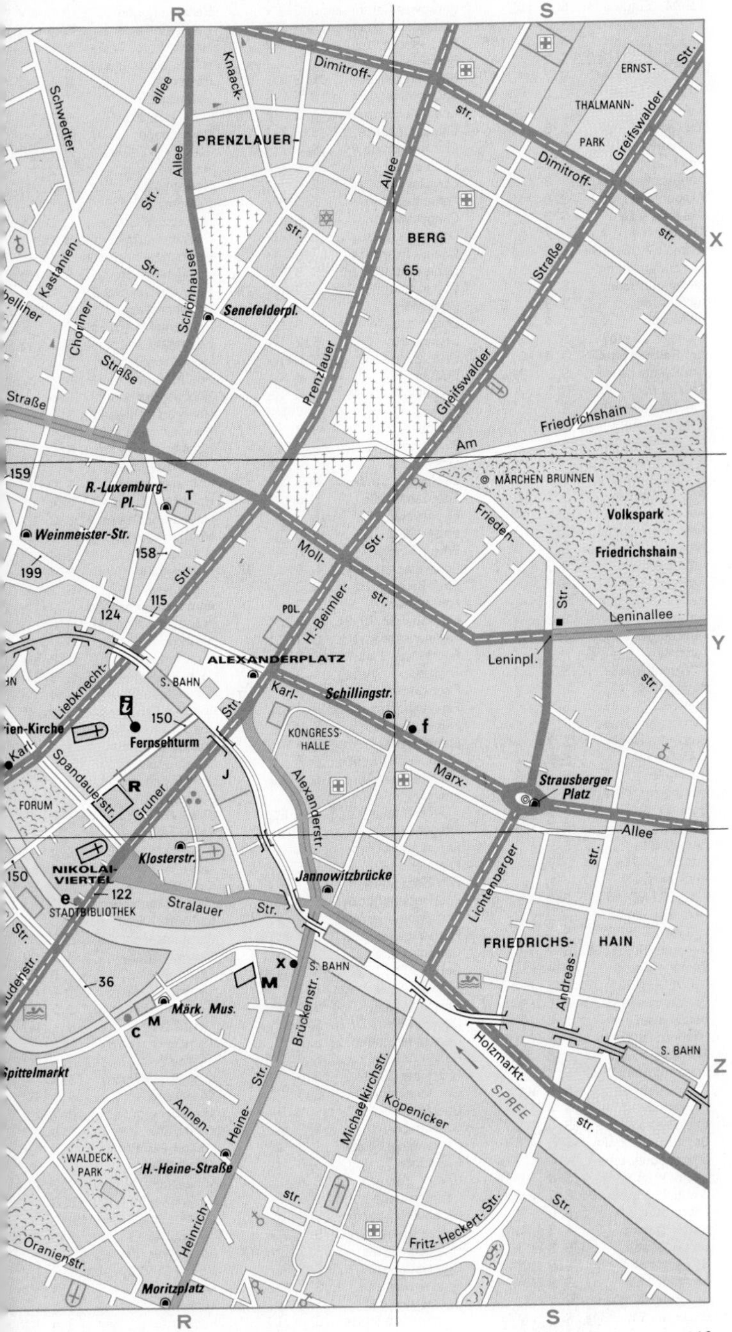
R
S
X
Y
Z
Dimitroff-
str.
Knaack-
Schwedter
allee
PRENZLAUER-
BERG
ERNST-
THALMANN-
PARK
Greifswalder
Str.
Allee
Schönhauser
Kastanien-
Choriner
Straße
Senefelderpl.
Prenzlauer
Greifswalder
Straße
65
Am
Friedrichshain
MÄRCHEN BRUNNEN
Volkspark
Friedrichshain
Frieden-
R.-Luxemburg-
Pl.
T
Weinmeister-Str.
158
199
124
115
159
Moll-
str.
H.-Beimler-
POL.
Leninallee
Leninpl.
ALEXANDERPLATZ
S. BAHN
Karl-
Schillingstr.
f
Liebknecht-
150
Fernsehturm
KONGRESS-
HALLE
Alexanderstr.
Marx-
Allee
Strausberger
Platz
Spandauerstr.
R
FORUM
Gruner
J
Klosterstr.
NIKOLAI-
VIERTEL
122
e
STADTBIBLIOTHEK
Stralauer
Str.
Jannowitzbrücke
Lichtenberger
FRIEDRICHS-
HAIN
Andreas-
X
S. BAHN
M
36
Märk. Mus.
C
M
Brückenstr.
Holzmarkt-
SPREE
S. BAHN
Spittelmarkt
Michaelkirchstr.
Köpenicker
Annen-
Heine-
Heinrich-
H.-Heine-Straße
WALDECK-
PARK
Oranienstr.
Fritz-Heckert-Str.
Moritzplatz
R
S

BERLIN S. 10

STRASSENVERZEICHNIS

Die Angabe (B 15) nach der Anschrift gibt den Postzustellbezirk an : Berlin 15
L'indication (B 15) à la suite de l'adresse désigne l'arrondissement : Berlin 15
The reference (B 15) at the end of the address is the postal district : Berlin 15
L'indicazione (B 15) posta dopo l'indirizzo precisa il quartiere urbano : Berlin 15

Im Zentrum (Berlin-Mitte, -Schöneberg und -Tiergarten) Stadtplan Berlin : S. 6 - 9 :

Bristol-Hotel Kempinski, Kurfürstendamm 27 (B 15), 88 43 40, Telex 185651, Fax 8836075, , Massage, , - Zim - 25/300. AE VISA LX
Restaurants : **Kempinski-Grill M** a la carte 69/105 – **Kempinski-Rest. M** a la carte 60/9 – **Kempinski-Eck M** 28 (mittags) und a la carte 48/64 – **315 Z : 605 B** 447/627 - 514/654 Fb – 32 Appart. 850/1854.

Grand Hotel, Friedrichstr. 158, O-1080, 2 32 70, Fax 2294095, , Massage, - 25/100. AE VISA PZ
Restaurants : **Coelln** (bemerkenswerte Weinkarte) **M** a la carte 47/88 – **Le Grand Silhouette** *(nur Abendessen, Sonntag und 20. Juli - 20. Aug. geschl.)* **M** a la carte 79/9 – **Goldene Gans M** a la carte 41/59 – **350 Z : 500 B** 325/425 - 480/680 Fb – 35 Appart. 1000/3450.

Inter-Continental, Budapester Str. 2 (B 30), 2 60 20, Telex 184380, Fax 26028076, Massage, , - Zim - 25/800. AE VISA. Rest
Restaurants : **Zum Hugenotten** *(bemerkenswerte Weinkarte)* **M** a la carte 77/98 – **Buffet Restaurant Brasserie M** a la carte 49/68 – **507 Z : 1000 B** 390/510 - 460/590 Fb – 70 Appart. 810/2600. MX

Grand Hotel Esplanade (modernes Hotel mit integrierter Sammlung zeitgenössischer Kunst) Lützowufer 15 (B 30), 26 10 11, Telex 185986, Fax 2629121, Massage, , - Zim - 25/450. AE VISA. Rest MX
M *(Sonntag geschl.)* a la carte 62/86 – **402 Z : 804 B** 365/385 - 440/495 Fb – 17 Appart. 720/1850.

Metropol, Friedrichstr. 150, O-1086, 20 30 70, Telex 114141, Fax (030) 3919108, , Massage, , , - Zim - 25/150 PY
Restaurants : **Friedrichstadt – International – Grill – 340 Z : 690 B** Fb – 34 Appart.

Schweizerhof, Budapester Str. 21 (B 30), 2 69 60, Telex 185501, Fax 2696900, Massage, , , - Zim - 25/400. AE VISA. Rest MX
M (auch vegetarische Gerichte) a la carte 48/90 – **430 Z : 800 B** 390/480 - 460/560 Fb – 7 Appart. 660/2060.

Palace, Budapester Str. 42 (im Europa-Center) (B 30), 25 49 70, Telex 184825, Fax 2626577, freier Zugang zu den Thermen – Zim - 25/260. AE VISA. Rest MX
M *(nur Mittagessen)* a la carte 32/77 – **La Réserve** *(nur Abendessen)* **M** a la carte 60/9 – **252 Z : 424 B** 364/474 - 438/548 Fb – 7 Appart. 548/748.

Domhotel, Mohrenstr. 30, O-1080, 2 09 80, Telex 113401, Fax 20988269, Massage, , , - Zim - 25/400 PZ
Restaurants : **Mark Brandenburg – La Coupole – Beletage** *(nur Abendessen)* – **357 Z : 616 B** Fb – 12 Appart.

Berlin, Lützowplatz 17 (B 30), 2 60 50, Telex 184332, Fax 26052716, Massage, - Zim Rest - 25/500. AE VISA MX
M 27 /Buffet (mittags) und a la carte 41/88 – **490 Z : 900 B** 294/524 - 368/598 Fb – 6 Appart. 698/1548.

Steigenberger Berlin, Los-Angeles-Platz 1 (B 30), 2 10 80, Telex 181444, Fax 2108117, , Massage, , - Zim - 25/600. AE VISA DV
Restaurants : **Park-Restaurant** *(nur Abendessen, Sonntag - Montag geschl.)* **M** a la carte 62/105 – **Berliner Stube M** a la carte 33/59 – **397 Z : 710 B** 356/546 - 442/572 Fb – 11 Appart. 902/2452.

Savoy, Fasanenstr. 9 (B 12), 31 10 30, Telex 184292, Fax 31103333 – - 30. AE VISA. Rest LX
M a la carte 46/67 – **130 Z : 200 B** 340/445 - 475/530 Fb – 6 Appart. 570/950.

Mondial, Kurfürstendamm 47 (B 15), 88 41 10, Telex 182839, Fax 88411150, , - - 25/65. AE VISA. Rest KY
M a la carte 52/77 – **75 Z : 125 B** 190/350 - 260/400 Fb.

Palasthotel, Karl-Liebknecht-Str. 5, O-1020, 24 10, Telex 115050, Fax 2127273, , Massage, , , - - 25/420. AE VISA RY
Restaurants : **Märkisches Restaurant M** a la carte 32/61 – **Rôti d'or M** a la carte 33/8 – **Domklause M** a la carte 21/42 – **600 Z : 1000 B** 250/320 - 360/450 Fb – 40 Appart. 490/1050.

Berlin Penta Hotel, Nürnberger Str. 65 (B 30), 21 00 70, Telex 182877, Fax 2132009, Massage, , - Zim - 25/120. AE VISA. Rest
M a la carte 59/75 – **425 Z : 850 B** 318/363 - 391/436 Fb – 20 Appart. MX

Ambassador, Bayreuther Str. 42 (B 30), ☎ 21 90 20, Telex 184259, Fax 21902380, Massage, ⌂, ▢ - |⇕| ⇹ Zim ▤ Rest ▢ ⇔ Ⓟ - 🪑 25/80. AE ⓘ E VISA. ✗ Rest MX **z**
Restaurants : **Conti** *(Sonntag - Montag, 1.- 15. Jan. und Juli 2 Wochen geschl.)* **M** a la carte 69/81 – **Schöneberger Krug M** 25 (mittags), abends a la carte 32/60 – **199 Z : 398 B** 280/290 - 340/440 Fb.

Alsterhof, Augsburger Str. 5 (B 30), ☎ 21 99 60, Telex 183484, Fax 243949, Massage, ⌂, ▢ - |⇕| ▢ ⇔ Ⓟ. AE ⓘ E VISA. ✗ Rest MY **q**
M a la carte 47/68 – **144 Z : 250 B** 185/310 - 280/330 Fb.

President, An der Urania 16 (B 30), ☎ 21 90 30, Telex 184018, Fax 2141200, ⌂ - |⇕| ▤ ▢ Ⓟ - 🪑 40. AE ⓘ E VISA. ✗ Rest MY **t**
M *(Samstag ab 15 Uhr geschl.)* a la carte 43/68 – **132 Z : 243 B** 275/295 - 325/355 Fb – 6 Appart. 450/465.

Art-Hotel Sorat garni (modernes Hotel mit Ausstellung zeitgenössischer Kunst), Joachimstalerstr. 28 (B 15), ☎ 88 44 70, Fax 88447700 – |⇕| ▢ ☎ ♿ ⇔. AE ⓘ E VISA. ✗ – **75 Z : 150 B** 216/236 - 277/297 Fb. LY **e**

Am Zoo garni, Kurfürstendamm 25 (B 15), ☎ 88 43 70, Telex 183835, Fax 88437714 – |⇕| ▢ ☎ Ⓟ - 🪑 30. AE ⓘ E VISA LX **z**
136 Z : 240 B 160/405 - 285/420 Fb.

Berliner-Congress-Center, Märkisches Ufer 54, ✉ O-1026, ☎ 2 70 05 31, Telex 114810, Fax 0161/3610740, 🏖, ⌂ - |⇕| ▢ ☎ - 🪑 25/350 RZ **x**
110 Z : 196 B Fb – 12 Appart..

Berlin Excelsior Hotel, Hardenbergstr. 14 (B 12), ☎ 3 19 90, Telex 184781, Fax 31992849 – |⇕| ▤ Rest ▢ ☎ ⇔ Ⓟ - 🪑 25/120. AE ⓘ E VISA LX **b**
Restaurants : **Peacock M** a la carte 46/80 – **Store House Grill M** a la carte 33/60 – **320 Z : 610 B** 268 - 318/398 Fb.

Residenz - Restaurant Grand Cru, Meinekestr. 9 (B 15), ☎ 88 44 30, Telex 183082, Fax 8824726 – |⇕| ▢ ☎. AE ⓘ E VISA. ✗ Rest LY **d**
M a la carte 60/88 – **92 Z : 184 B** 220 - 300/380 Fb – 10 Appart. 560.

Hecker's Deele, Grolmanstr. 35 (B 12), ☎ 8 89 00, Telex 184954, Fax 8890260 – |⇕| ⇹ Zim ▤ Rest ▢ ☎ ⇔ Ⓟ. AE ⓘ E VISA LX **e**
M a la carte 32/63 – **52 Z : 104 B** 275 - 340/360 Fb.

Sylter Hof, Kurfürstenstr. 116 (B 30), ☎ 2 12 00, Telex 183317, Fax 2142826 – |⇕| ▢ ☎ Ⓟ - 🪑 25/120. AE ⓘ E VISA MX **d**
M a la carte 42/73 – **154 Z : 250 B** 225/255 - 350/404 Fb – 16 Appart. 550.

Bremen garni, Bleibtreustr. 25 (B 15), ☎ 8 81 40 76, Telex 184892, Fax 8824685 – |⇕| ▢ ☎. AE ⓘ E VISA KY **g**
53 Z : 84 B 250/310 - 310/330 Fb.

Curator garni, Grolmanstr. 41 (B 12), ☎ 88 42 60, Telex 183389, Fax 88426500, ⌂ - |⇕| ▢ ☎ ♿. AE ⓘ E VISA LX **m**
100 Z : 190 B 220/240 - 280/350 Fb – 3 Appart. 500.

Kronprinz garni (restauriertes Haus a.d.J. 1894), Kronprinzendamm 1 (B 31), ☎ 89 60 30, Telex 181459, Fax 8931215 – |⇕| ▢ ☎ - 🪑 30. AE ⓘ E VISA JY **d**
53 Z : 96 B 180/205 - 250/285 Fb.

Park Consul garni, Alt-Moabit 86a, ☎ 39 07 80, Fax 39078900 – |⇕| ⇹ Zim ▢ ☎ ⇔. AE ⓘ E VISA FY **s**
52 Z : 103 B 235/265 - 265/315 Fb.

Domus garni, Uhlandstr. 49 (B 15), ☎ 88 20 41, Telex 185975, Fax 8820410 – |⇕| ⇹ ☎. AE ⓘ E VISA LY **a**
24. Dez.- 2. Jan. geschl. – **73 Z : 95 B** 125/190 - 170/230 Fb.

Hamburg, Landgrafenstr. 4 (B 30), ☎ 26 91 61, Telex 184974, Fax 2629394 – |⇕| ⇹ Zim ▢ ☎ ⇔ Ⓟ - 🪑 25/100. AE ⓘ E VISA. ✗ Rest MX **s**
M a la carte 40/63 – **240 Z : 330 B** 211/273 - 228/290 Fb.

Berlin-Plaza, Knesebeckstr. 63 (B 15), ☎ 88 41 30, Telex 184181, Fax 88413754, 🏖 - |⇕| ▢ ☎ ⇔ Ⓟ - 🪑 30. AE ⓘ E VISA. ✗ LY **c**
M a la carte 35/50 – **131 Z : 221 B** 210 - 250/300 Fb.

Krone garni, Kronenstr. 48, ✉ O-1080, ☎ 20 98 82 55, Fax 20988269 – ⇹ ▢ ☎ PZ **n**
148 Z : 214 B Fb.

Arosa Parkschloß-Hotel, Lietzenburger Str. 79 (B 15), ☎ 88 00 50, Telex 183397, Fax 8824579, 🏖, ⛱ - |⇕| ▢ ☎ ⇔ - 🪑 40. AE ⓘ E VISA LY **y**
M *(Sonntag geschl.)* a la carte 45/76 – **90 Z : 140 B** 173/230 - 255/314 Fb.

Castor, Fuggerstr. 8 (B 30), ☎ 21 30 30, Fax 21303160 – |⇕| ▢ ☎. AE ⓘ E VISA. ✗
M *(nur Abendessen, Samstag - Sonntag und Juli geschl.)* a la carte 34/54 – **78 Z : 138 B** 180/245 - 235/260 Fb. MY **s**

Astoria garni, Fasanenstr. 2 (B 12), ☎ 3 12 40 67, Telex 181745, Fax 3125027 – |⇕| ▢ ☎. AE ⓘ E VISA LX **a**
32 Z : 54 B 189/360 - 256/360 Fb.

Kurfürstendamm garni, Kurfürstendamm 68 (B 15), ☎ 88 28 41, Telex 184630, Fax 8825528 – |⇕| ▢ ☎ Ⓟ - 🪑 25/45. AE ⓘ E VISA JY **n**
34 Z : 56 B 145/208 - 205/228 Fb – 4 Appart. 250/295.

Atrium-Hotel garni, Motzstr. 87 (B 30), 2 18 40 57, Fax 2117563 – . E MY
22 Z : 40 B 90/120 - 140.

Berolina, Karl-Marx-Allee 31, O-1026, 2 10 95 41, Telex 114331, Fax 2123409 –
– 25/60. AE E VISA SY
M a la carte 26/42 – **344 Z : 602 B** 130/160 - 160/220 Fb – 11 Appart. 330/390.

Ristorante Anselmo, Damaschkestr. 17 (B 31), 3 23 30 94, Fax 3246228, « Moderne italienisches Restaurant » – AE JY
Montag geschl. – **M** a la carte 51/78.

Bamberger Reiter, Regensburger Str. 7 (B 30), 24 42 82/ 2 18 42 82, Fax 214234
– AE VISA MY
nur Abendessen, Sonntag - Montag, 1.- 13. Jan. und 2.- 24. Aug. geschl. – **M** (Tischbestellung ratsam) 115/155 und a la carte 87/105 – **Bistro** *(auch Mittagessen)* **M** a la carte 45/6
Spez. Marinierte Gänsestopfleber in Trüffelgelee, Bretonischer Hummmer in Sauterne Lammrücken im Kartoffelmantel.

Mövenpick, Europa-Center (1. Etage) (B 30), 2 62 70 77, Fax 2629486, – AE E VI
M a la carte 35/64. MX

Ephraim-Palais, Poststr. 16, O-1020, 21 71 31 64 RZ

Französischer Hof, Otto-Nuschke-Str. 56, 0-1086, 2293969, Fax 2293152 – PZ

Du Pont, Budapester Str. 1 (B 30), 2 61 88 11, – AE E VISA MX
Samstag bis 18 Uhr, Sonn- und Feiertage sowie 24. Dez.- 2. Jan. geschl. – **M** a la carte 52/7

Ermeler Haus (rekonstruiertes Patrizierhaus a.d. 18. Jh.), Märkisches Ufer 10 (1. Etage),
O-1026, 2 79 40 28 – RZ
M a la carte 38/80.

Daitokai (Japanische Küche), Tauentzienstr. 9 (im Europa-Center, 1. Etage) (B 30
2 61 80 99, Fax 2616036 – MX

Ming's Garden (Chinesische Küche), Tauentzienstr. 16 (Eingang Marburger Str.) (B 30
2 11 87 28, Fax 2118914 – AE E VISA MX
M 15 (mittags) und a la carte 38/60.

Ristorante IL Sorriso (Italienische Küche), Kurfürstenstr. 76 (B 30), 2 62 13 1
Fax 2650277, – AE E VISA MX
Sonntag geschl. – **M** (abends Tischbestellung ratsam) a la carte 49/71.

Peppino (Italienische Küche), Fasanenstr. 65 (B 15), 8 83 67 22 LY
Montag und Juli - Aug. 4 Wochen geschl. – **M** a la carte 47/68.

Stachel (Restaurant im Bistro-stil) Giesebrechtstr. 3 (B 12), 8 82 36 29, – AE E VIS
nur Abendessen, Feiertage geschl. – **M** a la carte 48/75. JY

Kopenhagen (Dänische Smörrebröds), Kurfürstendamm 203 (B 15), 8 81 62 19 – .
E VISA LY
M a la carte 35/60.

Hongkong (China-Rest.), Kurfürstendamm 210 (2. Etage,) (B 15), 8 81 57 56 – AE
E VISA LY
M a la carte 26/70.

In Berlin-Charlottenburg Stadtplan Berlin : S. 4, 6 und 10-11 :

Seehof , Lietzensee-Ufer 11 (B 19), 32 00 20, Telex 182943, Fax 32002251,
« Gartenterrasse », , – Rest – 25/50. AE E VISA. Rest
M 41 /65 (mittags) und a la carte 60/80 – **77 Z : 130 B** 195/350 - 320/450 Fb. JX

Kanthotel garni, Kantstr. 111 (B 12), 32 30 26, Telex 183330, Fax 3240952 –
. AE E VISA. JX
55 Z : 110 B 199 - 239 Fb.

Schloßparkhotel , Heubnerweg 2a (B 19), 3 22 40 61, Telex 183462, Fax 325886
, – – 50. AE E VISA EY
M a la carte 32/58 – **39 Z : 77 B** 149/194 - 204/275 Fb.

Kardell, Gervinusstr. 24 (B 12), 3 24 10 66, Fax 3249710 – . AE
VISA JY
M *(Samstag bis 17 Uhr geschl.)* a la carte 45/65 – **33 Z : 49 B** 115/160 - 200 Fb.

Am Studio garni, Kaiserdamm 80 (B 19), 30 20 81, Telex 182825, Fax 3019578 –
. AE E VISA EY
80 Z : 156 B 135/158 - 170/210 Fb.

Ibis garni, Messedamm 10 (B 19), 30 39 30, Telex 182882, Fax 3019536 –
40 EY
191 Z : 350 B Fb.

Ponte Vecchio (Toskanische Küche), Spielhagenstr. 3 (B 10), 3 42 19 99 – JX
nur Abendessen, Dienstag und Juli - Aug. 4 Wochen geschl. – **M** (Tischbestellung erforderlich a la carte 55/80
Spez. Insalata di coniglio alle noci, Tagliolini al nero con cappe sante, Filetti di branzino carciofini.

Alt Luxemburg, Pestalozzistr. 70 (B 12), 3 23 87 30 – VISA JX
nur Abendessen, Sonntag - Montag sowie Jan. und Juni - Juli jeweils 3 Wochen geschl.
M (Tischbestellung ratsam) 98/130 und a la carte 71/90.

XX **Ugo** (Italienische Küche), Sophie-Charlotten-Str. 101 (B 19), ☎ 3 25 71 10 - AE EY **s**
nur Abendessen, Sonntag - Montag und Juni - Juli 3 Wochen geschl. – **M** a la carte 57/75.

XX **Trio,** Klausenerplatz 14 (B 19), ☎ 3 21 77 82 EY **e**
nur Abendessen, Mittwoch - Donnerstag geschl. – **M** (Tischbestellung ratsam) a la carte 47/65.

XX **Funkturm-Restaurant** (|$|, DM 3), Messedamm 22 (B 19), ☎ 30 38 29 96, Fax 30383915, ≤ Berlin – P. AE ⓓ E VISA. ✻ EY
M (Tischbestellung ratsam) a la carte 53/81.

In Berlin-Dahlem Stadtplan Berlin : S. 5 :

Forsthaus Paulsborn ⛰, Am Grunewaldsee (B 33), ☎ 8 14 11 56, 🍽 – TV ☎ P. AE ⓓ E VISA BV **u**
M *(Montag geschl.)* 28 /35 (mittags) und a la carte 47/72 – **11 Z : 22 B** 105/150 - 160/190.

XX **Alter Krug,** Königin-Luise-Str. 52 (B 33), ☎ 8 32 77 49, « Gartenterrasse » – P. ⓓ E VISA BV **k**
Donnerstag geschl. – **M** a la carte 38/77.

X **La Vernaccia** (Italienische Küche), Breitenbachplatz 4 (B 33), ☎ 8 24 57 88, 🍽 – ⓓ E VISA
Montag und Juni - Juli 3 Wochen geschl. – **M** a la carte 41/66. EZ **v**

In Berlin-Friedenau Stadtplan Berlin : S. 5 :

Hospiz Friedenau ⛰ garni, Fregestr. 68 (B 41), ☎ 8 51 90 17 – ☎ 🚗 P. ✻ FZ **z**
Ende Juli - Mitte Aug. geschl. – **16 Z : 25 B** 70/80 - 95/125.

In Berlin-Grunewald Stadtplan Berlin : S. 4-6 :

XXX **Hemingway's,** Hagenstr. 18 (B 33), ☎ 8 25 45 71 – AE ⓓ E VISA EZ **t**
Samstag bis 19 Uhr geschl. – **M** (abends Tischbestellung ratsam) a la carte 65/83.

XX **Chalet Corniche,** Königsallee 5b (B 33), ☎ 8 92 85 97, Fax 4328094, « Terrasse über dem Ufer des Halensees » – P. AE ⓓ E VISA EZ **s**
wochentags nur Abendessen – **M** *(bemerkenswerte Weinkarte)* a la carte 60/90.

XX **La Cascina** (Italienische Küche), Delbrückstr. 28/Ecke Hubertusallee (B 33), ☎ 8 26 58 83, 🍽 – ✻ EZ **b**
Mittwoch und Mitte Juli - Mitte Aug. geschl. – **M** (Tischbestellung ratsam) a la carte 46/72.

XX **Castel Sardo** (Italienische Küche), Hagenstr. 2 (B 33), ☎ 8 25 60 14, 🍽 – AE ⓓ E VISA
Montag geschl. – **M** a la carte 43/71. BU **a**

In Berlin-Kreuzberg Stadtplan Berlin : S. 7-8 :

Stuttgarter Hof, Anhalter Str. 9, ☎ 26 48 30, Telex 183966, Fax 26483900, ≘s – ✻ Zim TV ☎ 🚗 – 🏛 30. AE ⓓ E VISA NZ **e**
M a la carte 46/70 – **110 Z : 204 B** 245 - 305/410 Fb.

Riehmers Hofgarten garni, Yorckstr. 83 (B 61), ☎ 78 10 11, Fax 7866059 – |$| TV ☎. AE ⓓ E VISA GZ **a**
21 Z : 40 B 186/226 - 226/246.

Hervis garni, Stresemannstr. 97 (B 61), ☎ 2 61 14 44, Telex 184063, Fax 2615027 – |$| TV ☎ P – 🏛 30. AE ⓓ E VISA NZ **a**
73 Z : 140 B 110/190 - 195/240 Fb.

In Berlin-Lankwitz Stadtplan Berlin : S. 5 :

Pichlers Viktoriagarten, Leonorenstr. 18 (B 46), ☎ 7 71 60 88 – ☎ P BV **e**
Juli - Aug. 4 Wochen geschl. – **M** *(Montag bis 17 Uhr geschl.)* a la carte 22/48 – **24 Z : 32 B** 48/135 - 90/160.

In Berlin-Prenzlauer Berg Stadtplan Berlin : S. 3 :

XX **Aphrodite,** Schönhauser Allee 61, ☎ 4 48 17 07 – AE E VISA ✻ HX **a**
nur Abendessen, Sonntag - Montag und Juli geschl. – **M** (Tischbestellung ratsam) a la carte 40/56.

In Berlin-Reinickendorf Stadtplan Berlin : S. 5 :

Rheinsberg am See, Finsterwalder Str. 64 (B 26), ☎ 4 02 10 02, Telex 185972, Fax 4035057, « Gartenterrasse am See », ≘s, 🏊, 🏊, 🚣 – |$| TV ☎ P. E VISA CT **e**
M a la carte 40/71 – **80 Z : 160 B** 155/200 - 220/295 Fb.

Central-Hotel garni, Kögelstr. 12 (B 51), ☎ 49 88 10, Telex 182637, Fax 4988 1650 – |$| TV ☎ P. AE E BT **v**
70 Z : 120 B 145/160 - 190 Fb.

In Berlin-Siemensstadt Stadtplan Berlin : S. 5 :

Novotel, Ohmstr. 4 (B 13), ☎ 38 10 61, Telex 181415, Fax 3819403, 🏊 – |$| TV ☎ ♿ P – 🏛 25/200. AE ⓓ E VISA BU **u**
M a la carte 48/65 – **119 Z : 238 B** 189 - 236 Fb – 5 Appart. 279.

In Berlin - Spandau Stadtplan Berlin : S. 5 :

Herbst garni, Moritzstr. 20 (B 20), ☎ 3 33 40 32, Fax 3337365 – TV ☎ AU **v**
21. Dez.- 2. Jan. geschl. – **22 Z : 31 B** 120/165 - 180/190 Fb.

In Berlin - Steglitz Stadtplan Berlin : S. 5 :

Steglitz International, Albrechtstr. 2 (Ecke Schloßstraße) (B 41), ℘ 79 00 50, Telex 183545, Fax 79005550, Massage, – 25/400. VISA
M a la carte 43/65 – **212 Z : 400 B** 190/230 - 244/350 Fb – 3 Appart. 560. BV a

Ravenna Hotel garni, Grunewaldstr. 8 (B 41), ℘ 7 92 80 31, Telex 184310, Fax 7924412 – VISA BV c
48 Z : 71 B 125/170 - 170/190 Fb – 3 Appart. 280.

In Berlin-Tegel Stadtplan Berlin : S. 5 :

Novotel Berlin Airport, Kurt-Schumacher-Damm 202 (über Flughafen-Zufahrt) (B 51), ℘ 4 10 60, Telex 181605, Fax 4106700, (geheizt) – 25/250 VISA EX r
M a la carte 36/57 – **185 Z : 370 B** 199 - 260 Fb.

In Berlin-Tegelort Stadtplan Berlin : S. 4 :

Igel garni, Friederikestr. 33 (B 27), ℘ 4 33 90 67, Fax 4362470, – VISA – **50 Z : 100 B** 118/150 - 168/195 Fb. AT u

In Berlin-Waidmannslust Stadtplan Berlin : S. 5 :

Rockendorf's Restaurant, Düsterhauptstr. 1 (B 28), ℘ 4 02 30 99, Fax 4022742, « Elegante Einrichtung » – VISA BT m
Sonntag - Montag, 22. Dez.- 7. Jan. und 28. Juni - 21. Juli geschl. – **M** (Tischbestellung ratsam) 95/160 (mittags), 160/200 (abends)
Spez. Gelee von Berliner Krebsen, Irish Stew mit Lammrücken, Schokoladensoufflé auf Gewürzkaffeesauce.

In Berlin - Wedding Stadtplan Berlin : S. 7 :

Gästehaus Axel Springer garni, Föhrer Str. 14 (B 65), ℘ 45 00 60 – VISA. FX a
35 Z : 54 B 129 - 184 Fb.

In Berlin-Wilmersdorf Stadtplan Berlin : S. 10-11 :

Queens Hotel garni, Güntzelstr. 14 (B 31), ℘ 87 02 41, Telex 182948, Fax 8619326 – VISA LZ
110 Z : 150 B 189/260 - 280/360 Fb.

Pension Wittelsbach garni, Wittelsbacherstr. 22 (B 31), ℘ 87 63 45, Fax 8621532, « Geschmackvolle Einrichtung » – VISA JY p
37 Z : 65 B 115/220 - 160/280 Fb.

Prinzregent garni, Prinzregentenstr. 47 (B 31), ℘ 8 53 80 51, Telex 185217, Fax 8547637 – VISA (Berlin : S. 6) FZ s
35 Z : 63 B 110/135 - 150/160.

Franke, Albrecht-Achilles-Str. 57 (B 31), ℘ 8 92 10 97, Telex 184857, Fax 8911639 – VISA JY s
M a la carte 28/45 – **69 Z : 90 B** 150 - 220.

Lichtburg, Paderborner Str. 10 (B 15), ℘ 8 91 80 41, Telex 184208, Fax 8926106 – JY a
M a la carte 27/45 – **66 Z : 100 B** 130/160 - 200/250.

In Berlin-Zehlendorf Stadtplan Berlin : S. 5 :

Landhaus Schlachtensee garni, Bogotastr. 9 (B 37), ℘ 8 16 00 60, Fax 81600664, – VISA AV p
19 Z : 36 B 160/250 - 205/280 Fb.

Cristallo (Italienische Küche), Teltower Damm 52 (B 37), ℘ 8 15 66 09, – VISA
Dienstag geschl. – **M** a la carte 54/80. BV s

An der Avus Stadtplan Berlin : S. 4 :

Raststätte - Motel Grunewald, Kronprinzessinnenweg 120 (B 38), ℘ 8 03 10 11, Fax 8033189, – VISA AV x
M a la carte 27/53 – **44 Z : 70 B** 120/165 - 175.

Am Wannsee Stadtplan Berlin : S. 4 :

Blockhaus Nikolskoe, Nikolskoer Weg (B 39), ℘ 8 05 29 14, –
Donnerstag geschl. – **M** a la carte 27/64. über Königstraße AV

Am großen Müggelsee SO : 15 km :

Müggelsee, Am Müggelsee (südliches Ufer), ✉ O-1170 Berlin-Köpenick, ℘ (00372) 6 60 20, Fax 6602263, Massage, – 25/200. VISA – **M** a la carte 34/54 – **175 Z : 366 B** 200 - 280 Fb – 7 Appart. 440/600.

Seehotel Belvedere, Müggelseedamm 288 (nördliches Ufer), ✉ 1162 Berlin-Köpenick-Friedrichshagen, ℘ (00372) 6 45 56 82, « Terrasse am See », Bootssteg – – 25/100. – **M** a la carte 36/59 – **32 Z : 66 B** 175/195 - 195/215 Fb – 8 Appart. 220/240.

Am Peetzsee SO : 31 km über Köpenicker Landstraße NS :

🏨 **Seegarten Grünheide** ⌁, Am Schlangenbuch 12, ⌁ Grünheide, ⊠ 1252 Grünheide, ℘ (0037357) 61 29, 🛋, 🚗, 🚗 📺 🕿 ⅋ 🅿 – 🔥 40. 🖭 E 𝒱𝐼𝑆𝐴
M a la carte 27/44 – **22 Z : 40 B** 80/170 - 205 Fb – 14 Appart.

MICHELIN-REIFENWERKE KGaA. Niederlassung Berlin 42 - Tempelhof, Saalburgstr. 3 CV, ℘ 6 06 22 09 Fax 6063770.

BERNAU AM CHIEMSEE 8214. Bayern 𝟦𝟙𝟥 U 23, 𝟫𝟪𝟩 ③⑦, 𝟦𝟤𝟨 J 5 – 5 400 Ew – Höhe 555 m – Luftkurort – ✪ 08051 (Prien).

🛈 Kur- u. Verkehrsamt, Aschauer Straße, ℘ 72 18, Fax 89683.
◆München 84 - Rosenheim 25 - Salzburg 59 - Traunstein 30.

🏨 **Alter Wirt - Bonnschlößl,** Kirchplatz 9, ℘ 8 90 11, Fax 89103, Biergarten, « Park », 🚗
→ – 🛗 🕿 🚗 🅿
Mitte Okt.- Mitte Nov. geschl. – **M** *(Montag geschl.)* a la carte 19/48 ⅃ – **44 Z : 87 B** 50/65 - 80/120 Fb.

🏨 **Talfriede,** Kastanienallee 1, ℘ 74 18, Fax 7702 – 🅿. 🖭 ⓞ E 𝒱𝐼𝑆𝐴. 🕸
April - Mitte Nov. – (nur Abendessen für Hausgäste) – **29 Z : 50 B** 88/135 - 125/183 Fb.

In Bernau-Reit SW : 3 km – Höhe 700 m

🏨 **Seiser Alm** ⌁, Reit 4, ℘ 74 04, ≤ Chiemgau und Chiemsee, 🚗, 🛋, 🚗 – ⅃ 🚗 🅿
→ *2.- 14. April und 20. Okt.- 22. Nov. geschl.* – **M** *(Donnerstag - Freitag geschl.)* a la carte 20/37 ⅃ – **25 Z : 45 B** 40/70 - 70/100.

🏨 **Seiserhof** ⌁, Reit 5, ℘ 72 95, Fax 89646, ≤ Chiemgau und Chiemsee, 🚗, 🛋, 🚗 – 🚗
→ 🅿
Mitte - Ende Jan. und 19. Nov.- 21. Dez. geschl. – **M** *(Dienstag - Mittwoch geschl.)* a la carte 24/46 – **24 Z : 44 B** 40/65 - 80/95 Fb.

BERNAU IM SCHWARZWALD 7821. Baden-Württemberg 𝟦𝟙𝟥 H 23, 𝟫𝟪𝟩 ③④, 𝟦𝟤𝟩 I 2 – 1 900 Ew – Höhe 930 m – Luftkurort – Wintersport : 930/1 415 m ✠ 7 ⅏ 4 – ✪ 07675.

🛈 Kurverwaltung, Bernau-Innerlehen, Rathaus, ℘ 16 00 30, Fax 160090.
◆Stuttgart 198 - Basel 59 - ◆Freiburg im Breisgau 47 - Waldshut-Tiengen 35.

In Bernau-Dorf :

🏠 **Bergblick,** Dorf 19, ℘ 4 24, ≤, 🚗, 🚗 – 🚗 🅿. 🕸
26. Okt.- 25. Dez. geschl. – **M** *(Dienstag geschl.)* a la carte 28/48 ⅃ – **12 Z : 23 B** 53 - 96 - ½ P 55/60.

In Bernau-Innerlehen :

🏠 Schwarzwaldhaus, Innerlehen 134, ℘ 3 65, 🚗 – 🚗 🅿
14 Z : 25 B.

In Bernau-Oberlehen :

🏠 **Schwarzwaldgasthof Schwanen,** Oberlehen 43, ℘ 3 48, 🚗 – 🕸 Zim 🕿 🚗 🅿. ⓞ
→ E 𝒱𝐼𝑆𝐴
Mitte Nov.- Mitte Dez. geschl. – **M** *(Mittwoch geschl.)* a la carte 24/49 ⅃ – **18 Z : 35 B** 40/75 - 70/100 Fb – ½ P 55/80.

🏠 **Bären,** Oberlehen 14, ℘ 6 40, 🚗 – 📺 🕿 🅿. 🕸
→ *5.- 30. April und 5. Nov.- 20. Dez. geschl.* – **M** *(Montag geschl.)* a la carte 24/51 – **12 Z : 22 B** 50/75 - 90 - ½ P 67/72.

BERNE 2876. Niedersachsen 𝟦𝟙𝟙 I 7, 𝟫𝟪𝟩 ⑭ – 6 900 Ew – Höhe 2 m – ✪ 04406.
◆Hannover 158 - ◆Bremen 37 - Bremerhaven 54 - Oldenburg 25 - Wilhelmshaven 64.

XX **Weserblick,** Juliusplate 6 (an der Fähre nach Farge), ℘ 2 14, Fax 6809, ≤, 🚗 – 🅿. 🖭
ⓞ E 𝒱𝐼𝑆𝐴
Montag und 2.- 11. Jan. geschl. – **M** a la carte 42/73.

BERNECK IM FICHTELGEBIRGE, BAD 8582. Bayern 𝟦𝟙𝟥 RS 16, 𝟫𝟪𝟩 ㉗ – 5 000 Ew – Höhe 377 m - Kneippheilbad - Luftkurort – ✪ 09273.

🛈 Kurverwaltung, Rathaus, Bahnhofstr. 77, ℘ 89 16, Fax 8936.
◆München 244 - Bayreuth 15 - Hof 45.

🏠 **Kurhotel Heissinger** ⌁ garni, An der Ölschnitz 51, ℘ 3 31, ⅃ – 🛗 🚗. 🖭 E
10. Jan.- 15. Feb. und 15. Nov.- 15. Dez. geschl. – **17 Z : 25 B** 48/56 - 96/110 Fb.

🏠 **Haus am Kurpark** ⌁, Heinersreuther Weg 1, ℘ 76 18 – 📺 🕿 🅿. 🖭 ⓞ E 𝒱𝐼𝑆𝐴
→ *25. Nov.- 14. Dez. geschl.* – **M** *(nur Abendessen, Montag geschl.)* a la carte 21/36 – **13 Z : 23 B** 55/85 - 95/140 Fb – ½ P 65/85.

X **Hübner** mit Zim, Marktplatz 34, ℘ 82 82, 🛋 – 📺. 🖭 ⓞ E 𝒱𝐼𝑆𝐴
→ *Feb. geschl.* – **M** *(Donnerstag geschl.)* a la carte 24/61 – **3 Z : 6 B** 50 - 80.

In Bad Berneck-Goldmühl SO : 3 km :

🏠 **Schwarzes Roß,** Maintalstr. 11, ℰ 3 64, Fax 5234, 🍴 – ☎ ⇌ 🅿 – 🔏 30
⬤ *28. Okt.- Nov. geschl. –* **M** *(Ostern - Okt. Sonntag ab 14 Uhr, Dez.- Ostern Sonntag ganztägig geschl.)* a la carte 20/42 – **24 Z : 45 B** 35/80 - 70/120 – 6 Fewo 65/130 – ½ P 47/78.

In Goldkronach 8581 SO : 5 km – Erholungsort :

🏠 **Zum Alexander von Humboldt,** Bad Bernecker Str. 4, ℰ (09273) 61 96, Fax 8395, ⇌s
▨ – ⌷ 🆃🆅 ☎ ⇌ 🅿 – 🔏 25/80. 🆀🅴 ⓞ 🄴 𝚅𝙸𝚂𝙰, ⅋ Rest
M *(Nov.- Mai Montag und 10. Jan.- 10. Feb. geschl.)* a la carte 28/58 🍷 – **40 Z : 70 B** 78/128
- 128/168 Fb.

BERNKASTEL-KUES 5550. Rheinland-Pfalz 𝟺𝟷𝟸 E 17, 𝟿𝟾𝟽 ㉔ – 7 200 Ew – Höhe 115 m –
Erholungsort – ✪ 06531.
Sehenswert : Markt★.
Ausflugsziel : Burg Landshut ⩽★★, S : 3 km.
🛈 Tourist-Information, in Bernkastel, Gestade 5, ℰ 40 23, Fax 7953.
Mainz 113 – ◆Koblenz 103 – ◆Trier 49 – Wittlich 16.

Im Ortsteil Bernkastel :

🏦 **Zur Post,** Gestade 17, ℰ 20 22, Telex 4721569, Fax 2927, « Gemütliche Gasträume », ⇌s
– ⌷ 🆃🆅 ☎ ⴕ – 🔏 25/40. 🆀🅴 ⓞ 🄴 𝚅𝙸𝚂𝙰
Jan. geschl. – **M** a la carte 36/62 – **42 Z : 85 B** 85/95 - 130/150 Fb – ½ P 95/130.

🏦 **Doctor Weinstuben,** Hebegasse 5, ℰ 60 81, « Innenhofterrasse » – ⌷ ☎ – 🔏 25. 🆀🅴 ⓞ
🄴 𝚅𝙸𝚂𝙰, ⅋ Zim
5. Jan.- Feb. geschl. – **M** *(Donnerstag geschl.)* a la carte 34/61 – **19 Z : 38 B** 85/95 - 130/160 Fb

🏠 **Römischer Kaiser,** Markt 29, ℰ 30 38, Fax 7672 – 🆃🆅 ☎. 🆀🅴 ⓞ 🄴 𝚅𝙸𝚂𝙰
Jan.- Feb. geschl. – **M** a la carte 34/69 – **35 Z : 66 B** 65/85 - 90/140.

🏠 **Behrens** garni, Schanzstr. 9, ℰ 60 88, Fax 6089 – ⌷ 🆃🆅 ☎ ⇌. 🄴 𝚅𝙸𝚂𝙰
2. Jan.- Feb. geschl. – **25 Z : 48 B** 48/85 - 84/150 Fb.

🏠 **Binz,** Markt 1, ℰ 22 25, Fax 7103 – 🆃🆅 ☎. 🄴
⬤ *15. Dez.- Jan. geschl. –* **M** *(Feb.- Juli Dienstag geschl.)* a la carte 24/49 – **10 Z : 20 B** 35/65
- 70/100.

🏠 **Moselblümchen,** Schwanenstr. 10, ℰ 23 35, Fax 7633 – 🄴
15. Jan.- 15. März geschl. – **M** *(Montag 15 Uhr - Dienstag geschl.)* a la carte 29/53 🍷 – **22 Z :
40 B** 46/66 - 74/102.

🏠 **Kapuziner-Stübchen,** Römerstr. 35, ℰ 23 53
⬤ *Ende Feb.- Anfang März geschl. –* **M** *(Montag geschl.)* a la carte 19/36 🍷 – **10 Z : 17 B** 28/45
- 56/80 – ½ P 42/54.

✕ Ratskeller Am Markt, ℰ 73 29.

Im Ortsteil Kues :

🏦 **Moselpark** ⑤, Am Kurpark, ℰ 50 80, Telex 4721559, Fax 7311, 🍴, 🎱, ⇌s, ▨, 🍴
⅋ (Halle) – ⌷ 🆃🆅 ☎ 🅿 – 🔏 25/300. 🆀🅴 ⓞ 🄴 𝚅𝙸𝚂𝙰
M a la carte 34/63 – **110 Z : 220 B** 139 - 184 Fb – 40 Fewo 140/230.

🏠 **Drei Könige** garni, Bahnhofstr. 1, ℰ 20 35, Fax 7815 – ⌷ 🆃🆅 ☎ ⇌. 🆀🅴 🄴 𝚅𝙸𝚂𝙰
Mitte März- Mitte Nov. – **40 Z : 75 B** 80/100 - 140/160.

🏠 **Panorama** ⑤, garni, Rebschulweg 48, ℰ 30 61, ⇌s, 🍴 – 🆃🆅 ☎ 🅿. ⓞ 🄴
15. Jan.- 15. Feb. geschl. – **15 Z : 30 B** 55/70 - 90/130.

🏠 **Am Kurpark** garni, Meisenweg 1, ℰ 30 31, Fax 1245 – 🆃🆅 ☎ 🅿. 🆀🅴
15 Z : 28 B 65 - 98.

🏠 **Weinhaus St. Maximilian** garni, Triniusstraße, ℰ 24 31 – 🅿. 🄴 𝚅𝙸𝚂𝙰
Mitte März - Mitte Nov. – **10 Z : 20 B** 65/70 - 90.

✕ **Café Volz** mit Zim, Lindenweg 18, ℰ 66 27, 🍴 – 🆃🆅 ☎ 🅿. 🆀🅴 ⓞ 🄴
2. Jan.- 5. Feb. geschl. – **M** *(Montag geschl.)* a la carte 27/48 – **8 Z : 15 B** 45/50 - 80/100.

Im Ortsteil Wehlen NW : 4 km :

🏠 Mosel-Hotel ⑤, Uferallee 3, ℰ 85 27, ⩽, 🍴, (bemerkenswertes Angebot regionaler
Weine), 🍴 – 🅿
nur Saison – (nur Abendessen) – **15 Z : 30 B.**

BERNRIED 8351. Bayern 𝟺𝟷𝟹 V 20 – 4 100 Ew – Höhe 500 m – Wintersport : 750/1 000 m ⬧3
⬧5 – ✪ 09905.
🛈 Verkehrsamt, ℰ 2 17, Fax 8138.
◆München 160 – Passau 57 – ◆ Regensburg 65 – Straubing 33.

🏠 **Bernrieder Hof** ⑤, Bogener Str. 9, ℰ 83 97, Fax 8129, 🍴, ⇌s, 🎱 (geheizt), 🍴, ⅋ –
⬤ 🆃🆅 ☎ 🅿 – 🔏 25/80. 🄴
7.- 31. Jan. geschl. – **M** a la carte 20/46 – **33 Z : 60 B** 46/52 - 92 Fb.

In Bernried-Rebling NO : 10 km :

Reblinger Hof, Kreisstr. 3, 5 55, Fax 1839, Damwildgehege, - P. E
Mitte Nov.- 24. Dez. geschl. – **M** *(Montag - Dienstag geschl.)* a la carte 23/47 – **15 Z : 29 B** 60/80 - 100/140 Fb.

BERNRIED AM STARNBERGER SEE **8139.** Bayern 413 Q 23, 426 F 5 – 2 000 Ew – Höhe 633 m – Erholungsort – 08158.

Verkehrsbüro, Bahnhofstr. 4, 80 45.

München 47 – Starnberg 20 – Weilheim 18.

Marina, Segelhafen 1, 60 46, Fax 7117, Yachthafen – P – 25/80. E VISA
20. Dez.- 7. Jan. geschl. – **M** a la carte 41/65 – **57 Z : 114 B** 145/250 - 185/350 Fb – 18 Fewo 130.

BERTRICH, BAD **5582.** Rheinland-Pfalz 412 E 16, 987 ㉔ – 1 400 Ew – Höhe 165 m – Heilbad – 02674.

Verkehrsamt, im Thermalhallenbad, 12 93.

Mainz 118 – Koblenz 93 – Trier 60.

Staatl. Kurhotel, Kurfürstenstr. 34, 8 34, Fax 837, « Gartenterrasse », Bade- und Massageabteilung – – 25/50. AE E VISA
M a la carte 28/58 – **40 Z : 51 B** 75/130 - 150/180 Fb – ½ P 95/115.

Fürstenhof, Kurfürstenstr. 36, 3 66, Fax 737, direkter Zugang zum Kurmittelhaus, –
M a la carte 30/61 – **38 Z : 65 B** 75/105 - 150 Fb – ½ P 93.

Diana, Kurfürstenstr. 5, 8 91, Bade- und Massageabteilung – P.
März - Okt. – **M** a la carte 30/53 – **15 Z : 23 B** 65/100 - 138/160.

Alte Mühle, Bäderstr. 46, 1 80 80, Fax 188404, « Terrasse am Park », – P – 40
M a la carte 28/57 – **40 Z : 55 B** 54/96 - 108/128 Fb.

Café Am Schwanenweiher garni, Am Schwanenweiher 7, 6 69, – P.
12 Z : 24 B 60 - 110 – 3 Appart. 140.

Haus Christa garni, Viktoriastr. 4, 4 29, Fax 1558 – AE E VISA.
10. Jan.- Feb. und 20. Nov.- 20. Dez. geschl. – **24 Z : 36 B** 55/70 - 95/150.

Am Üßbach, Kurfürstenstr. 19, 3 69, Fax 1299, – E
M *(auch vegetarisches Menu)* a la carte 20/45 – **50 Z : 70 B** 58/63 - 116/126 Fb.

BESCHEID Rheinland-Pfalz siehe Trittenheim.

BESIGHEIM **7122.** Baden-Württemberg 413 K 20, 987 ㉕ – 10 000 Ew – Höhe 185 m – 07143.

Stuttgart 30 – Heilbronn 20 – Ludwigsburg 14 – Pforzheim 60.

Ortel, Am Kelterplatz, 30 31, Fax 32623 – AE E VISA
M *(Dienstag geschl.)* a la carte 27/49 – **7 Z : 14 B** 82 - 118 Fb.

Hotel am Markt garni, Kirchstr. 43, 38 98, Fax 35141, « Renoviertes Fachwerkhaus a.d.J. 1615 » – P
22. Dez.- 6. Jan. geschl. – **9 Z : 19 B** 70/82 - 110/130.

Ratsstüble, Kirchstr. 22, 3 59 41 – E VISA
Montag, März 1 Woche und Juli - Aug. 3 Wochen geschl. – **M** a la carte 34/57.

In Freudental **7121** W : 6 km :

Lamm, Hauptstr. 14, (07143) 2 53 53, Fax 28213 – P
Feb. geschl. – **M** *(Donnerstag - Freitag 17 Uhr geschl.)* a la carte 24/40 – **11 Z : 20 B** 50/60 - 70/90.

BESTWIG **5780.** Nordrhein-Westfalen 411 412 I 12 – 12 000 Ew – Höhe 350 m – Wintersport : 500/750 m 3 4 – 02904.

Verkehrsamt, Rathaus, an der B 7, 8 12 75.

Düsseldorf 156 – Brilon 14 – Meschede 8.

In Bestwig 7-Andreasberg SO : 6 km :

Andreasberg, Dorfstr. 37, (02905) 6 13, « Garten », – P – 30. Rest
März und Juli - Aug. jeweils 2 Wochen geschl. – **M** a la carte 25/45 – **18 Z : 35 B** 50 - 90.

In Bestwig 2-Föckinghausen N : 3,5 km :

Waldhaus Föckinghausen, 22 62, – P
17 Z : 30 B Fb.

In Bestwig 4-Ostwig O : 1,5 km :

Nieder, Hauptstr. 19, ☎ 5 91, « Gartenterrasse », 🏊, 🌳 - 🛗 ☎ 🅿 - 🎤 30. E. ⚡ Rest
2.- 26. Jan. geschl. – **M** *(Montag geschl.)* a la carte 26/56 – **35 Z : 60 B** 69 - 110/120.

In Bestwig 2-Velmede W : 1,5 km :

Frielinghausen mit Zim, Oststr. 4, ☎ 5 55, Biergarten – ☎ 🅿. AE ⓓ VISA
Feb. und Aug. jeweils 2 Wochen geschl. – **M** *(Montag geschl.)* a la carte 37/58 – **8 Z : 12 B** 48 - 80.

BETZDORF **5240.** Rheinland-Pfalz 412 G 14, 987 ㉔ – 10 700 Ew – Höhe 185 m – ☎ 02741.
Mainz 120 – ◆Köln 99 – Limburg an der Lahn 65 – Siegen 23.

Breidenbacher Hof, Klosterhof 7, ☎ 2 26 96, Fax 4724, Biergarten – TV ☎ 🚗 🅿 – 🎤 25/60. AE ⓓ E VISA
1.- 6. Jan. sowie Juli - Aug. 2 Wochen geschl. – **M** *(Samstag und Feiertage jeweils bis 18 Uhr sowie Sonntag geschl.)* a la carte 35/65 – **19 Z : 34 B** 60/130 - 110/240 Fb.

Bürgergesellschaft, Augustastr. 5, ☎ 10 41, 🌳 – TV ☎ 🅿
8 Z : 14 B Fb.

Alt Betzdorf, Hellerstr. 30 (Stadthalle), ☎ 2 55 55, Biergarten – 🅿 – 🎤 25/300.

In Kirchen-Katzenbach **5242** NO : 5 km :

Zum weißen Stein 🌙, Dorfstr. 50, ☎ (02741)6 20 85, Fax 62581, ≤, 🌳 – ☎ 🅿 – 🎤 40. AE ⓓ E VISA. ⚡ Rest
M a la carte 30/56 – **31 Z : 58 B** 72/85 - 144/162 Fb.

BETZENSTEIN **8571.** Bayern 413 R 17 – 2 300 Ew – Höhe 511 m – Erholungsort – ☎ 09244.
◆München 211 – Bayreuth 41 – ◆Nürnberg 45 – ◆Regensburg 125 – Weiden in der Oberpfalz 65.

Burghardt, Hauptstr. 7, ☎ 2 06 – 🚗
Feb.- März 3 Wochen geschl. – **M** *(Mittwoch ab 14 Uhr geschl.)* a la carte 19/30 – **13 Z : 21 B** 30/35 - 60/70.

BEUREN **7444.** Baden-Württemberg 413 L 21 – 3 300 Ew – Höhe 434 m – Erholungsort – ☎ 07025 (Neuffen).
◆Stuttgart 44 – Reutlingen 21 – ◆Ulm (Donau) 66.

Beurener Hof 🌙, Hohenneuffenstr. 16, ☎ 51 57, Fax 4487, 🌳 – ☎ 🅿
Mitte Jan.- Anfang Feb. geschl. – **M** *(Dienstag - Mittwoch 18 Uhr geschl.)* a la carte 49/78 – **10 Z : 17 B** 75/85 - 116/140.

Schwanen 🌙, Kelterstr. 6, ☎ 22 90 – 🅿
Juli - Aug. 2 Wochen und Weihnachten - Anfang Jan. geschl. – **M** *(nur Abendessen, Montag geschl.)* a la carte 23/44 🍷 – **12 Z : 18 B** 36/44 - 62/76.

Schloß-Café, Am Thermalbad 1, ☎ 32 70, 🌳 – 🅿
Montag, jedes letzte Wochenende im Monat und Juli 2 Wochen geschl. – **M** a la carte 28/49

BEURON **7792.** Baden-Württemberg 413 J 22, 987 ㉟ – 900 Ew – Höhe 625 m – ☎ 07466.
Ausflugsziel : Donautal★ (Richtung Sigmaringen).
◆Stuttgart 117 – ◆Freiburg im Breisgau 114 – ◆Konstanz 64 – ◆Ulm (Donau) 113.

Pelikan, Abteistr. 12, ☎ 4 06, 🌳 – 🛗 ☎ 🚗 🅿
7. Jan.- 8. März geschl. – **M** a la carte 23/45 – **30 Z : 50 B** 48 - 80/88 Fb.

In Beuron-Hausen im Tal NO : 9 km :

Steinhaus, Schwenninger Str. 2, ☎ (07579) 5 56 – 🅿. ⚡ Zim
Nov.- 24. Dez. geschl. – **M** a la carte 28/41 🍷 – **11 Z : 20 B** 42 - 84.

In Beuron-Thiergarten NO : 14,5 km :

Hammer mit Zim, Zum Hammer 3, ☎ (07570) 4 76 – 🚗 🅿
7 Z : 14 B.

Berghaus Alber 🌙 mit Zim, Waldstr. 1, ☎ (07570) 3 93, ≤, 🌳, 🌳 – 🅿. E
Jan. geschl. – **M** *(auch vegetarische Gerichte)* (Dienstag geschl.) a la carte 32/54 🍷 – **7 Z : 14 B** 50 - 82.

BEVENSEN, BAD **3118.** Niedersachsen 411 O 7, 987 ⑯ – 9 600 Ew – Höhe 39 m – Heilbad und Kneipp-Kurort – ☎ 05821.
⛳ Bad Bevensen-Secklendorf (N : 4 km), ☎ 12 49.
ℹ Kurverwaltung im Kurzentrum, Dahlenburger Str. 1, ☎ 5 70, Fax 5766.
◆Hannover 113 – ◆Braunschweig 100 – Celle 70 – Lüneburg 24.

Fährhaus 🌙, Alter Mühlenweg 1, ☎ 4 20 22, Fax 43781, 🌳, Bade- und Massageabteilung, 🏊, 🏊, 🌳 – 🛗 ⚡ Rest TV ♿ 🅿 – 🎤 25/40. AE ⓓ E VISA
M a la carte 31/68 – **49 Z : 82 B** 87/139 - 140/174 Fb.

Grünings Landhaus, Haberkamp 2, 30 06, Fax 43332, « Gartenterrasse », Bade- und Massageabteilung, , , - .
7.- 31. Jan. und 1.- 17. Dez. geschl. - **M** *(Tischbestellung erforderlich)* (Montag - Dienstag geschl.) a la carte 68/82 - **25 Z : 38 B** 90/105 - 166/190 Fb - ½ P 108/130.

Kieferneck, Lerchenweg 1, 5 60, Fax 5688, Bade- und Massageabteilung, , - Rest .
M a la carte 45/80 - **52 Z : 85 B** 73/105 - 160/220 Fb - ½ P 95/132.

Zur Amtsheide, Zur Amtsheide 5, 8 51, Fax 85338, Bade- und Massageabteilung, , , , - . Rest
23. Nov.- 13. Dez. geschl. - (Restaurant nur für Hausgäste) - **95 Z : 140 B** 75/160 - 140/182 Fb - 18 Fewo 150.

Sonnenhügel, Zur Amtsheide 9, 4 10 41, Bade- und Massageabteilung, - .
(Restaurant nur für Hausgäste) - **37 Z : 55 B** 70/90 - 132/184 Fb - 8 Fewo 110/140.

Heidekrug, Bergstr. 15, 70 71, -
Mitte Jan.- Feb. geschl. - **M** *(Dienstag geschl.)* a la carte 26/63 - **17 Z : 21 B** 59/74 - 104/138 Fb - ½ P 73/95.

Karstens (mit Gästehaus), Am Klaubusch 1, 4 10 27, - .
M a la carte 31/55 - **28 Z : 40 B** 79/102 - 124/130 Fb - ½ P 85/102.

Sonnenhof, Krummer Arm 23, 70 37, - .
Dez.- Mitte Feb. geschl. - (Restaurant nur für Hausgäste) - **25 Z : 40 B** 62 - 114 Fb - ½ P 75/80.

In Bad Bevensen-Medingen NW : 1,5 km :

Vier Linden, Bevenser Str. 3, 30 88, Fax 1584, , Bade- und Massageabteilung, , , - - 25/100.
M a la carte 31/63 - **43 Z : 74 B** 75/150 - 120/195 Fb - ½ P 84/174.

In Altenmedingen **3119** N : 6 km :

Fehlhabers Hotel, Hauptstr. 5, (05807) 8 80, Fax 88222, , , -
- 25/80.
M a la carte 30/57 - **43 Z : 75 B** 58/86 - 116/154 Fb - ½ P 76/104.

Hof Rose (Niedersächsischer Gutshof), Niendorfer Weg 12, (05807) 2 21, « Gartenanlagen », , , , -
6. Jan.- Feb. geschl. - (Restaurant nur für Hausgäste) - **16 Z : 28 B** 68/98 - 120/130 Fb.

In Altenmedingen 2-Eddelstorf **3119** N : 8 km :

Hansens Hof, Alte Dorfstr. 2, (05807) 12 57, Fax 1304, « Niedersächsischer Gutshof mit geschmackvoller Einrichtung », , , - - 30.
M a la carte 40/63 - **19 Z : 36 B** 60/90 - 120/220 Fb - ½ P 79/104.

In Altenmedingen 3-Bohndorf **3119** N : 11 km :

Landgasthof Stössel, Im Dorfe 2, (05807) 2 91, , -
M a la carte 20/41 - **16 Z : 30 B** 40/50 - 80/98.

In Bienenbüttel **3116** NW : 11 km :

Drei Linden, Lindenstr. 6, (05823) 70 82, , , , - - 25
M a la carte 23/58 - **29 Z : 50 B** 33/52 - 72/102 - ½ P 53/72.

BEVERN 3454. Niedersachsen 411 412 L 11 - 4 600 Ew - Höhe 90 m - 05531.

♦Hannover 71 - Göttingen 63 - ♦Kassel 85 - Paderborn 68.

XX **Schloß Bevern** (modern-elegantes Restaurant in einem Schloß der Weserrenaissance), Schloß 1, 87 83, - .
Montag - Dienstag 18 Uhr sowie Feb. und Aug. jeweils 2 Wochen geschl. - **M** a la carte 48/82
Spez. Badische Grünkernsuppe, Lammrücken im Kartoffelteig, Dessertteller "Schloß Bevern".

BEVERUNGEN 3472. Nordrhein-Westfalen 411 412 KL 11,12, 987 ⑮ - 15 700 Ew - Höhe 96 m - 05273.

Verkehrsamt, Weserstr. 12 (beim Rathaus), 9 22 20.

♦Düsseldorf 226 - Göttingen 63 - ♦Hannover 115 - ♦Kassel 56.

Stadt Bremen, Lange Str. 13, 13 75, Telex 527333, Fax 21575, , -
- 25/50. - **M** a la carte 34/53 - **48 Z : 80 B** 65/85 - 110/160 Fb.

Pension Resi, Am Kapellenberg 17, 13 97, , , -
(Restaurant nur für Hausgäste) - **11 Z : 20 B.**

Pension Bevertal garni, Jahnweg 1a, 54 85, - .
15 Z : 28 B.

Böker, Bahnhofstr. 25, 13 54 -
10 Z : 21 B.

Kuhn, Weserstr. 27, 13 53, - - *März 2 Wochen geschl.* - **M** *(Sept.- April Mittwoch geschl.)* a la carte 18/34 - **15 Z : 29 B** 42/45 - 78.

BEXBACH **6652.** Saarland 412 E 18, 242 ⑦, 87 ⑪ – 19 500 Ew – Höhe 249 m – ☎ 0682…
♦Saarbrücken 30 – Homburg/Saar 7 – Kaiserslautern 41 – Neunkirchen/Saar 7.

Hochwiesmühle ⅋, Hochwiesmühle 50 (N : 1,5 km), ✆ 81 90, Fax 819147, Biergarten…, , – |≑| TV ☎ P – 25/120. E VISA
M a la carte 42/62 – **80 Z : 154 B** 64/95 - 124/144 Fb.

Zur Krone, Rathausstr. 6, ✆ 59 56, Fax 51124, – |≑| TV ☎ P. AE E VISA
M *(Sonntag ab 18 Uhr geschl.)* a la carte 29/56 – **16 Z : 27 B** 60/85 - 110/150 Fb.

Klein - Restaurant Stadtkeller, Rathausstr. 35, ✆ 48 10 (Hotel) 14 96 (Rest.) – TV
M *(Freitag 14 Uhr - Samstag 17 Uhr geschl.)* a la carte 24/55 – **19 Z : 35 B** 55 - 100 Fb.

Carola mit Zim, Rathausstr. 70, ✆ 40 34 – ☎ P. E VISA
M *(Dienstag und 27. Dez.- 6. Jan. geschl.)* a la carte 29/60 – **13 Z : 19 B** 35 - 70.

BIBERACH AN DER RISS **7950.** Baden-Württemberg 413 M 22, 987 ㊱, 426 B 4 – 30 000 Ew – Höhe 532 m – ☎ 07351.

Städt. Fremdenverkehrsstelle, Theaterstr. 6, ✆ 5 14 83.

♦Stuttgart 134 – Ravensburg 47 – ♦Ulm (Donau) 42.

Eberbacher Hof, Schulstr. 11, ✆ 1 20 16, Fax 12019, – |≑| TV ☎. AE E VISA
Juli - Aug. 2 Wochen und Weihnachten - Anfang Jan. geschl. – **M** *(Samstag geschl.)* a la cart… 40/72 – **26 Z : 41 B** 80/90 - 100/150 Fb.

Berliner Hof, Berliner Platz 5, ✆ 2 10 51, Fax 31064, – |≑| TV ☎ P – 25. A… E VISA
M *(Montag geschl.)* a la carte 30/60 – **28 Z : 46 B** 58/80 - 110/130.

Erlenhof garni, Erlenweg 18, ✆ 20 71, Fax 2074 – TV ☎ P. AE E
16 Z : 30 B 80/100 - 110/130 Fb.

Brauerei-Gaststätte und Gästehaus Haberhäusle ⅋, Haberhäuslestr. 22, ✆ 70 57 Fax 12710, – |≑| TV ☎ P. ⅋ Zim
13 Z : 19 B.

BIBERACH IM KINZIGTAL **7616.** Baden-Württemberg 413 GH 21, 987 ㉞, 242 ㉘ – 3 000 Ew – Höhe 195 m – Erholungsort – ☎ 07835 (Zell am Harmersbach).

Verkehrsbüro, Hauptstr. 27, ✆ 33 14.

♦Stuttgart 164 – ♦Freiburg im Breisgau 55 – Freudenstadt 47 – Offenburg 18.

In Biberach-Prinzbach SW : 6 km :

Badischer Hof ⅋ (mit 2 Gästehäusern), Talstr. 20, ✆ 81 49, , (geheizt), – ☎ P – 40. E VISA
Feb. geschl. – **M** *(im Sommer Mittwoch ab 18 Uhr, im Winter Mittwoch ganztägig geschl.)* a la carte 28/53 – **44 Z : 80 B** 45/60 - 90/100 Fb.

BIEBELRIED Bayern siehe Würzburg.

BIEBEREHREN Baden-Württemberg siehe Creglingen.

BIEBERTAL **6301.** Hessen 412 I 15 – 9 600 Ew – Höhe 190 m – ☎ 06409.
♦Wiesbaden 99 – Gießen 10 – Marburg 27.

In Biebertal 4-Fellingshausen :

Pfaff am Dünsberg ⅋, ✆ 20 92, Fax 2036, ≤, , , – ☎ P. E VISA
Jan. und Okt. jeweils 2 Wochen geschl. – **M** *(Sonntag 18 Uhr - Montag 18 Uhr geschl.)* a la carte 26/50 – **21 Z : 30 B** 55/75 - 100/120 Fb.

In Biebertal 2-Königsberg :

Berghof Reehmühle mit Zim, Bergstr. 47, ✆ (06446) 3 60, ≤, « Hübsche Einrichtung », – TV ☎ P. E
M *(Donnerstag geschl.)* a la carte 25/52 – **8 Z : 14 B** 50/60 - 100/110.

BIEBESHEIM **6083.** Hessen 412 413 I 17 – 6 200 Ew – Höhe 90 m – ☎ 06258.
♦Wiesbaden 48 – ♦Darmstadt 19 – Mainz 36 – ♦Mannheim 39 – Worms 24.

Biebesheimer Hof, Königsberger Str. 1, ✆ 70 54, – ☎ P – 30
M a la carte 23/50 – **19 Z : 24 B** 60/78 - 118.

BIEDENKOPF **3560.** Hessen 412 I 14, 987 ㉕ – 14 400 Ew – Höhe 271 m – Luftkurort – Wintersport : 500/674 m ⛷2 ⛷2 – ☎ 06461.

Städt.Verkehrsbüro, Am Markt 4, ✆ 30 26.

♦Wiesbaden 152 – ♦Kassel 101 – Marburg 32 – Siegen 55.

Panorama ⅋, Auf dem Radeköppel, ✆ 30 91, Fax 2159, ≤, , – TV ☎ P – 25/300. AE E VISA. ⅋ Rest
M a la carte 26/56 – **40 Z : 85 B** 65/75 - 110/130 Fb.

🏠 **Berggarten** 🦌, Am Altenberg 1, ℘ 49 00, Fax 3344, ≤, 斎 – 🅿
M *(nur Abendessen, Mittwoch, 5.- 12. Jan., April und Juni - Juli jeweils 1 Woche geschl.)* a la carte 26/53 – **18 Z : 30 B** 40/70 - 75/105.

✗ **Die Esse** Am Freibad 13, ℘ 39 90, 斎 – 🅿.

BIELEFELD 4800. Nordrhein-Westfalen 🄀🄀 🄀🄂 I 10,11, 🎱🎱🎱 ⑭ – 316 000 Ew – Höhe 118 m
☎ 0521.

🔹 Bielefeld-Hoberge, Dornberger Str. 375 (AY), ℘ 10 51 03.

Tourist-Information, Am Bahnhof (Leinenmeisterhaus), ℘ 17 88 44.

Tourist - Information, Neues Rathaus, Niederwall 23, ℘ 17 88 99.

🔹DAC, Stapenhorststr. 131, ℘ 1 08 10, Notruf ℘ 1 92 11.

🔹Düsseldorf 182 ⑤ – Dortmund 114 ⑤ – ♦Hannover 108 ②.

Stadtpläne siehe nächste Seiten

🏨 **Mövenpick-Hotel,** Am Bahnhof 3, ℘ 5 28 20, Telex 932201, Fax 5282100, 斎, ≋ – 🛗
⟨⟨⟩⟩ Zim 🖥 🆚 🕭 ⟨⟨ – 🔥 25/1600. 🆎 ⓞ 🅴 𝑽𝑰𝑺𝑨 DY **n**
M a la carte 35/70 – **162 Z : 309 B** 188 - 248 Fb – 6 Appart. 486.

🏨 **Mercure,** Am Waldhof 15, ℘ 5 28 00, Telex 932891, Fax 5280113, ≋ – 🛗 🖥 🆚 ☎ –
🔥 25/250. 🆎 ⓞ 🅴 𝑽𝑰𝑺𝑨 DZ **a**
M *(nur Abendessen)* a la carte 35/65 – **125 Z : 236 B** 200/315 - 260/435 Fb.

🏨 **Brenner Hotel Diekmann,** Otto-Brenner-Str. 133, ℘ 2 99 90, Telex 932303, Fax 2999220
– 🛗 🆚 ☎ 🅿 – 🔥 25/40. 🆎 ⓞ 🅴 𝑽𝑰𝑺𝑨 BY **y**
M a la carte 35/70 – **69 Z : 110 B** 120/180 - 160/210 Fb.

🏨 **Senator,** Sonderburger Str. 3, ℘ 2 50 55, Telex 932766, Fax 25058, ≋ – 🛗 🆚 ☎ 🅿. 🆎
ⓞ 🅴 𝑽𝑰𝑺𝑨 – *29. Juni - 2. Aug. geschl.* – **M** *(Samstag - Sonntag geschl.)* a la carte 32/65 – **57 Z :
71 B** 160/210 - 190/250 Fb.

🏨 **Waldhotel Brand's Busch** 🦌, Furtwänglerstr. 52, ℘ 2 40 91, Fax 26626, 斎, ≋ – 🛗
🆚 ☎ 🅿 – 🔥 25/70. 🆎 ⓞ 🅴 𝑽𝑰𝑺𝑨 BY **m**
Weihnachten - Anfang Jan. geschl. – **M** a la carte 36/65 – **75 Z : 130 B** 89/150 - 160/190 Fb.

🏨 **Novotel** 🦌, Am Johannisberg 5, ℘ 12 40 51, Telex 932991, Fax 133849, 🛁 (geheizt), 🌳
– 🛗 🖥 🆚 ☎ 🆚 🅿 – 🔥 25/300 BY **b**
119 Z : 238 B Fb.

🏨 **Altstadt-Hotel** garni, Ritterstr. 15, ℘ 17 93 14, Fax 61389, ≋ – 🛗 🆚 ☎. 🆎 🅴 𝑽𝑰𝑺𝑨
23 Z : 37 B 120/132 - 175/182 Fb. DY **v**

✗✗✗ **Markloff's,** Niederstr. 18 (1. Etage, 🛗), ℘ 55 54 55, Fax 555348 – 🆎 ⓞ 🅴 𝑽𝑰𝑺𝑨 DY **a**
Sonntag, Montag und Feiertage geschl. – **M** *(Tischbestellung ratsam)* a la carte 52/82.

✗ 🌸 **Klötzer's Kleines Restaurant** (Bistro), Ritterstr. 33, ℘ 6 89 54, Fax 69321 – 🅴 DY **e**
Samstag 16 Uhr - Montag geschl. – **M** a la carte 52/75.

✗ **Im Bültmannshof** (restaurierter Fachwerkbau a.d.J. 1802), Kurt-Schumacher-Str. 17a,
℘ 10 08 41, 斎 – 🅿. ⓞ 🅴 AY **s**
Montag, 11.- 23. Feb. und 2.- 24. Aug. geschl. – **M** a la carte 35/65.

✗ **Sparrenburg,** Am Sparrenberg 38a, ℘ 6 59 39, Fax 65999, 斎 – 🅿 DZ **f**
Dienstag und Juli - Aug. 3 Wochen geschl. – **M** a la carte 30/55.

In Bielefeld 14-Brackwede :

✗✗ **Brackweder Hof,** Gütersloher Str. 236, ℘ 44 25 26 – 🅿. ⓞ 🅴 𝑽𝑰𝑺𝑨 AZ **u**
Montag und Aug. geschl. – Menu 20 (mittags) und a la carte 35/58.

In Bielefeld 17-Heepen :

🏨 **Petter,** Alter Postweg 68, ℘ 3 38 61, Fax 335238 – 🆚 ☎ 🆚 🅿. 🆎 ⓞ 🅴 𝑽𝑰𝑺𝑨. 🎇 Rest
23. Dez.- 2. Jan. geschl. – **M** *(nur Abendessen, Sonntag geschl.)* a la carte 38/54 – **18 Z : 26 B** CY **h**
96 - 145.

In Bielefeld 18-Hillegossen :

🏨 **Berghotel Stiller Friede** 🦌, Selhausenstr. 12, ℘ 2 30 54, Fax 24858, 斎, ≋, 🌳 – 🆚
⬅ ☎ 🆚 🅿 ⓞ 🅴 BY **g**
M *(Freitag geschl.)* a la carte 20/56 – **28 Z : 38 B** 95/110 - 120/180 Fb.

🏠 **Schweizer Haus,** Christophorusstr. 23, ℘ 20 50 94, Fax 206112 – 🆚 ☎ ⬅ 🅿 CY **t**
(nur Abendessen) – **20 Z : 32 B** Fb.

🏠 **Siekmann,** Detmolder Str. 624, ℘ 20 60 43, Fax 205043 – 🆚 ☎ 🅿. 🆎 ⓞ 🅴 𝑽𝑰𝑺𝑨 CY **u**
M *(Samstag und 24.- 30. Dez. geschl.)* a la carte 29/50 – **16 Z : 19 B** 76 - 110 Fb.

In Bielefeld 1 - Hoberge-Uerentrup :

🏨 **Hoberger Landhaus** 🦌, Schäferdreesch 18, ℘ 10 10 31, Fax 103927, ≋, 🔲 – 🆚 ☎
⬅ 🅿 – 🔥 25/100. ⓞ 🅴 𝑽𝑰𝑺𝑨 AY **f**
27. Dez.- 7. Jan. geschl. – **M** *(Sonntag ab 15 Uhr geschl.)* a la carte 42/65 – **30 Z : 50 B** 113/150
- 185/200 Fb.

🏠 **Peter auf'm Berge,** Bergstr. 45, ℘ 10 00 36, 斎 – 🆚 ☎ 🅿. ⓞ 🅴. 🎇 Rest AY **d**
M a la carte 25/50 – **13 Z : 20 B** 65/80 - 120/150.

BIELEFELD

Bahnhofstraße	DY	
Feilenstraße	DY	
Gehrenberg	DZ	
Jahnplatz	DY	69
Niedernstraße	DZ	92
Obernstraße	DZ	
Adenauerplatz	DZ	2
Altenhagener Straße	CX	4
Altmühlstraße	BZ	7
Altstädter Kirchplatz	DZ	9
Altstädter Kirchstraße	DZ	1
Am Brodhagen	BX	1
Am Güterbahnhof	DY	1
Am Preßwerk	AY	1
Am Sparrenberg	DZ	2
Am Stadtholz	BY	2
Amtmann-Bullrich-Straße	CY	2

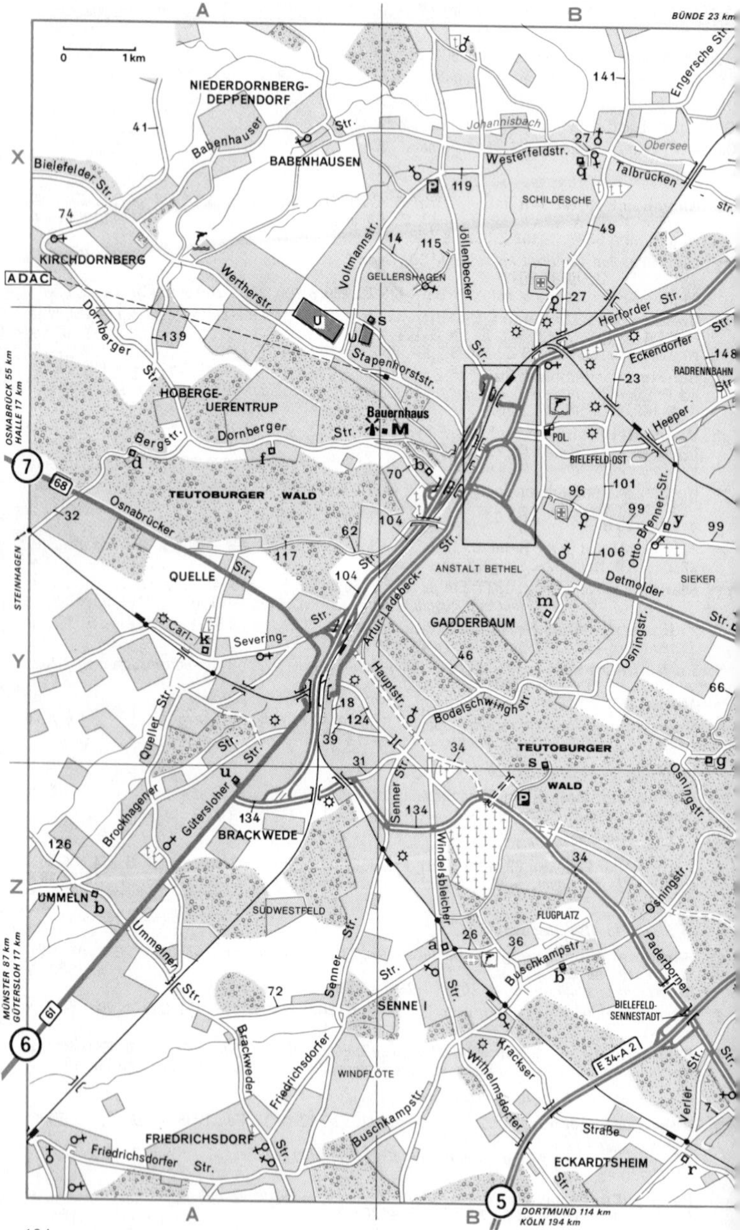

·m Waldbad	BZ	26
·eckhausstraße	BX	27
·erliner Platz	DY	29
·erliner Straße	AYZ	31
·ielefelder Straße	AY	32
·rackweder Straße	BYZ	34
·reite Straße	DZ	35
Brinkstraße	BZ	36
Bunnemannplatz	DZ	38
Cheruskerstraße	AY	39
Deppendorfer Straße	AX	41
Düppelstraße	DY	44
Eggeweg	BY	46
Elsa-Brandström-Straße	DY	48
Engersche Straße	BX	49
Friedenstraße	DY	51
Friedrich-Ebert-Straße	DY	53
Friedrich-Verleger-Straße	DY	56
Goldbach	DY	58
Haller Weg	AY	62
Hermannstraße	DZ	63
Jagdweg	CY	66
Johannistal	BY	70
Karl-Triebold-Straße	AZ	72
Kirchdornberger Straße	AX	74
Kleine Bahnhofstraße	DY	76
Lämershagener Straße	CZ	81
Magdalenenstraße	AY	84
Mauerstraße	DY	86
Mindener Straße	DY	87
Nebelswall	DZ	89
Neustädter Straße	DZ	91
Notpfortenstraße	DZ	94
Oelmühlenstraße	BY	96
Oerlinghauser Straße	CZ	97
Oldentruper Straße	BCY	99
Oststraße	BY	101
Ostwestfalendamm	ABY	104
Prießallee	BY	106
Rathausstraße	DZ	109
Renteistraße	DY	112
Ritterstraße	DY	114
Schelpsheide	BX	115
Schlingenstraße	AY	117
Schuckertstraße	BX	119
Sennestadtring	CZ	121
Spiegelstraße	DZ	123
Stadtring	BY	124
Stapenhorststraße	DY	125
Steinhagener Straße	AZ	126
Steinstraße	DZ	128
Stieghorster Straße	CY	131
Stresemannstraße	DY	132
Südring	BZ	134
Theesener Straße	BX	136
Tieplatz	CY	137
Twellbachtal	AY	139
Vilsendorfer Straße	BX	141
Vogteistraße	CY	143
Waldhof	DZ	145
Ziegelstraße	BY	148

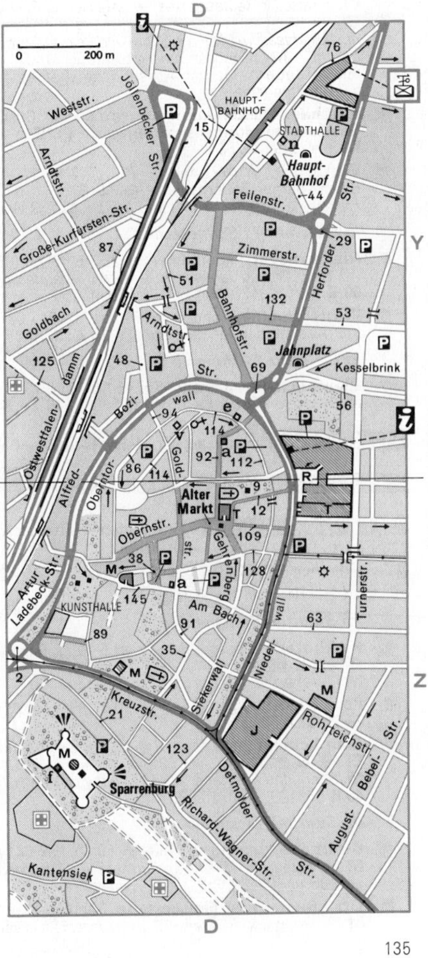

In Bielefeld 18-Oldentrup :

Oldentruper Hof, Hillegosser Str. 260, ✆ 2 09 00, Telex 932537, Fax 2090100, – 25/120. AE E VISA — CY
M 32/96 – **140 Z : 260 B** 162/202 - 207/247 Fb.

In Bielefeld 14-Quelle :

Büscher, Carl-Severing-Str. 136, ✆ 45 03 11, Fax 452796, – 25/150. AE E VISA — AY
M a la carte 40/57 – **34 Z : 49 B** 70/105 - 125/155 Fb.

In Bielefeld 1-Schildesche :

XX **Bonne Auberge** (restauriertes Fachwerkhaus a.d.J. 1775), An der Stiftskirche 10, ✆ 8 16 6 – BX
nur Abendessen, 2.- 17. Jan. geschl. – **M** *(auch vegetarisches Menu)* a la carte 43/60.

In Bielefeld 12-Senne :

Zur Spitze, Windelsbleicher Str. 215, ✆ 4 00 08 – . E — BZ
M *(Sonntag - Montag geschl.)* a la carte 28/54 – **21 Z : 30 B** 42/55 - 75/95 Fb.

Café Busch, Brackweder Str. 120 (B 68), ✆ 4 90 05, – . E. Zim
11 Z : 17 B. — BZ

XXX ❀ **Auberge le Concarneau,** Buschkampstr. 75, ✆ 49 37 17, Fax 493388, bemerkenswerte Weinkarte, « Restauriertes, westfälisches Fachwerkhaus im Museumshof Senne » – E — BZ
nur Abendessen, Montag, Sonn- und Feiertage sowie April 1 Woche und Juli - Aug. 2 Wochen geschl. – **M** (Tischbestellung ratsam) 95/140
Spez. Taubensalat mit Artischocke, Pot au feu von Meeresfrüchten, Rumkugel mit Weinbeerengelee.

XX **Gasthaus Buschkamp** (regionale Küche), Buschkampstr. 75, ✆ 49 28 00, « Historisches Gasthaus im Museumshof Senne » – . E — BZ
M a la carte 33/56.

XX **Waterbör,** Waterboerstr. 77, ✆ 2 41 41, « Restauriertes Fachwerkhaus im Ravensberger Bauernstil » – . AE E — BYZ
Freitag - Samstag 18 Uhr und März - April 3 Wochen geschl. – **M** a la carte 45/75.

In Bielefeld 11-Sennestadt :

Niedermeyer, Paderborner Str. 290 (B 68), ✆ (05205) 76 73, Fax 72277 – . Zim
20. Dez.- Anfang Jan. geschl. – **M** *(nur Abendessen, Sonntag geschl.)* a la carte 35/56 – **40 Z : 60 B** 65/95 - 120/150 Fb – 4 Appart. 180. — CZ

Wintersmühle, Sender Str. 6, ✆ (05205) 7 03 85, – . — BZ
(nur Abendessen für Hausgäste) – **14 Z : 22 B** 85 - 130 Fb.

In Bielefeld 14-Ummeln :

Diembeck, Steinhagener Str. 45, ✆ 48 78 78, Fax 489477, Biergarten – . AE E VISA
M *(nur Abendessen)* a la carte 28/66 – **26 Z : 34 B** 65/120 - 98/145. — AZ

BIENENBÜTTEL Niedersachsen siehe Bevensen, Bad.

BIESSENHOFEN Bayern siehe Kaufbeuren.

BIETIGHEIM-BISSINGEN **7120.** Baden-Württemberg 413 K 20, 987 ㉕ – 40 000 Ew – Höhe 220 m – ✆ 07142.

Stadtinformation, Arkadengebäude, Marktplatz, ✆ 7 42 27.

♦Stuttgart 25 – Heilbronn 25 – Ludwigsburg 9 – Pforzheim 55.

Im Stadtteil Bietigheim :

Parkhotel, Freiberger Str. 71, ✆ 5 10 77, Fax 54099, – – 25/100. AE E VISA
M *(Sonntag ab 15 Uhr geschl.)* a la carte 33/60 – **60 Z : 100 B** 86/90 - 120/140 Fb.

Rose, Kronenbergstr. 14, ✆ 4 20 04, Fax 45928 –
25 Z : 32 B Fb.

XX **Zum Schiller** (mit Zim und Gästehaus), Marktplatz 5, ✆ 4 10 18, Fax 43918 – . AE E VISA
M *(Sonn- und Feiertage, April 1 Woche und Okt. 2 Wochen geschl.)* a la carte 40/82 – **30 Z : 48 B** 98/120 - 130/150 Fb.

Im Stadtteil Bissingen :

Otterbach, Bahnhofstr. 153, ✆ 58 40, Fax 64142 – – 40. AE E VISA
M *(Samstag bis 18 Uhr und Juli - Aug. 3 Wochen geschl.)* a la carte 33/62 – **55 Z : 90 B** 75/105 - 130/160 Fb.

Litz - Restaurant Flößerstube, Bahnhofstr. 9/2, ✆ 39 12 – . AE E VISA
M *(Samstag und 30. Juli - 19. Aug. geschl.)* a la carte 28/55 – **28 Z : 38 B** 60/80 - 110/125 Fb.

BILLERBECK **4425.** Nordrhein-Westfalen 411 412 E 11, 987 ⑭, 408 M 6 – 10 000 Ew – Höhe 138 m – ☎ 02543.

Verkehrsamt, Markt 1, ✆ 73 73.

Düsseldorf 110 – Enschede 56 – Münster (Westfalen) 32 – Nordhorn 65.

Weissenburg ⛰, Gantweg 18 (N : 2 km), ✆ 7 50, Fax 75275, ≤, « Wildgehege, Park », – – AE O E VISA
M a la carte 30/70 – **55 Z : 90 B** 80/120 - 150/200 Fb.

Domschenke, Markt 6, ✆ 44 24, Fax 4128, , « Gediegene, gemütliche Einrichtung » – . AE O E VISA – **M** a la carte 27/54 – **21 Z : 40 B** 68/85 - 100/130.

Homoet, Schmiedestr. 2, ✆ 3 26, – . E – **M** *(wochentags nur Abendessen, Donnerstag und 1.- 25. Feb. geschl.)* a la carte 26/56 – **15 Z : 28 B** 55/75 - 90/125.

BILLIGHEIM-INGENHEIM **6741.** Rheinland-Pfalz 412 413 H 19, 87 ② – 3 800 Ew – Höhe 161 m – ☎ 06349.

Mainz 119 – ♦ Karlsruhe 31 – Landau in der Pfalz 7 – Wissembourg 20.

XX Pfälzer Hof Hauptstr. 45 (Ingenheim), ✆ 86 16, .

In Heuchelheim-Klingen **6741** W : 3,5 km :

Gästehaus Mühlengrund ⛰, Untermühle 2 (Heuchelheim), ✆ (06349) 14 49 (Hotel) 81 74 (Rest.), , – . Zim
Hotel : Mitte Jan.- Mitte Feb. geschl. – **M** *(Montag - Dienstag und 27. Jan.- 3. März geschl.)* a la carte 20/40 – **14 Z : 30 B** 33 - 60.

BINDLACH Bayern siehe Bayreuth.

BINGEN **6530.** Rheinland-Pfalz 412 G 17, 987 ㉔ – 24 000 Ew – Höhe 82 m – ☎ 06721.

Sehenswert : Burg Klopp ≤★.

Ausflugsziele : Burg Rheinstein ≤★★ ⑤ : 6 km – Rheintal★★★ (von Bingen bis Koblenz).

Städt. Verkehrsamt, Rheinkai 21, ✆ 18 42 05.

Mainz 31 ① – ♦Koblenz 66 ④ – Bad Kreuznach 15 ② – ♦Wiesbaden 35 ①.

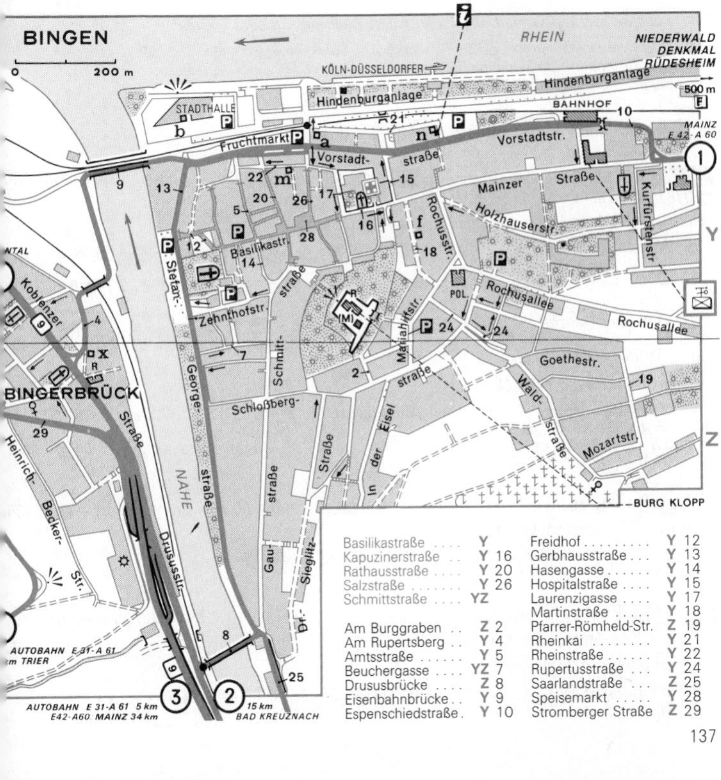

Basilikastraße	Y		Freidhof	Y	12
Kapuzinerstraße	Y	16	Gerbhausstraße	Y	13
Rathausstraße	Y	20	Hasengasse	Y	14
Salzstraße	Y	26	Hospitalstraße	Y	15
Schmittstraße	YZ		Laurenzigasse	Y	17
			Martinstraße	Y	18
Am Burggraben	Z	2	Pfarrer-Römheld-Str.	Z	19
Am Rupertsberg	Y	4	Rheinkai	Y	21
Amtsstraße	Y	5	Rheinstraße	Y	22
Beuchergasse	YZ	7	Rupertusstraße	Y	24
Drususbrücke	Z	8	Saarlandstraße	Z	25
Eisenbahnbrücke	Y	9	Speisemarkt	Y	28
Espenschiedstraße	Y	10	Stromberger Straße	Z	29

Atlantis-Rheinhotel, Hindenburganlage 1, ✆ 79 60, Telex 413555, Fax 796500, ≤, ⛱, Fб, ≘s - |‡| ▤ Rest TV ☎ ⇔ - 🛋 25/550. AE ① E VISA — Y **b**
M a la carte 34/73 - **134 Z : 200 B** 152/182 - 216/281.

Martinskeller ⚘ garni, Martinstr. 1, ✆ 1 34 75, Fax 2508 - TV ☎ ⇔. AE ① E VISA
21. Dez.- 2. Jan. geschl. - **15 Z : 30 B** 95/115 - 130/170 Fb. — Y **f**

Krone, Rheinkai 19, ✆ 1 70 16, Fax 17210 - TV ☎. AE ① E VISA — Y **n**
6.- 23. April und 27. Dez.- 6. Jan. geschl. - **M** *(Sonntag 16 Uhr - Montag geschl.)* a la carte 20/50 ⅄ - **26 Z : 45 B** 58/75 - 96/110 Fb.

Rheinhotel Starkenburger Hof garni, Rheinkai 1, ✆ 1 43 41, Fax 13350 - TV ☎. AE ① E VISA — Y **a**
Mitte Dez.- Feb. geschl. - **30 Z : 48 B** 65/75 - 105/120.

Goldener Kochlöffel garni, Rheinstr. 22, ✆ 1 39 44 — Y **m**
12 Z : 22 B 42/75 - 78/99.

In Bingen-Bingerbrück :

Römerhof, Rupertsberg 10, ✆ 3 22 48, Fax 34082 - TV Ⓟ — Z **x**
30 Z : 55 B.

In Münster-Sarmsheim **6538** ② : 4 km :

Trollmühle, Rheinstr. 199, ✆ (06721) 4 40 66, Fax 43719, ⛱, ≘s, ☞ - TV ☎ Ⓟ. E
M a la carte 28/52 ⅄ - **24 Z : 40 B** 62/75 - 102/110 Fb.

Münsterer Hof garni, Rheinstr. 35, ✆ (06721) 4 10 23 - TV ☎ Ⓟ. E. ⚘
10 Z : 18 B 75 - 120.

In Laubenheim **6531** ② : 6 km :

Traube, Naheweinstr. 66, ✆ (06704) 12 28 - ☎ Ⓟ
M *(nur Abendessen, Sonntag und Aug. geschl.)* a la carte 23/40 ⅄ - **14 Z : 21 B** 35/45 - 65/75.

In Trechtingshausen **6531** ⑤ : 6,5 km :

Burg Reichenstein ⚘ mit Zim, Burgweg, ✆ (06721) 61 01, Fax 6198, ≤, ⛱ - Ⓟ - 🛋 50. E
Mitte März - Mitte Nov. - **M** a la carte 28/60 - **9 Z : 18 B** 75 - 140.

Pour voyager rapidement, utilisez les cartes Michelin "Grandes Routes" :
970 Europe, 980 Grèce, 984 Allemagne, 985 Scandinavie-Finlande, 986 Grande-Bretagne-Irlande, 987 Allemagne-Autriche-Benelux, 988 Italie, 989 France, 990 Espagne-Portugal, 991 Yougoslavie.

BINZ Mecklenburg-Vorpommern siehe Rügen (Insel).

BINZEN **7852.** Baden-Württemberg 413 F 24, 242 ⑩, 216 ④ - 2 200 Ew - Höhe 285 m - ☎ 07621 (Lörrach).
♦Stuttgart 260 - Basel 11 - ♦Freiburg im Breisgau 64 - Lörrach 6.

Mühle ⚘, Mühlenstr. 26, ✆ 60 72, Fax 65808, « Gartenterrasse », ☞ - TV ☎ ⇔ Ⓟ - 🛋 40
M *(Sonntag - Feiertag und Feb.- März 2 Wochen geschl.)* 49 /98 ⅄ - **25 Z : 43 B** 85/150 - 120/220.

Ochsen, Hauptstr. 42, ✆ 6 23 26, Fax 69257, ⛱ - TV ☎ Ⓟ
5.- 30. Nov. geschl. - **M** *(Mittwoch - Donnerstag 17 Uhr geschl.)* a la carte 39/73 - **22 Z : 40 B** 60/85 - 100/130 Fb.

In Schallbach **7851** N : 4 km :

Zur Alten Post (mit Gästehaus), Alte Poststr. 16, ✆ (07621) 8 80 12, Fax 88015, ⛱ - TV ☎ Ⓟ. AE ① E VISA
23. Dez.- 6. Jan. geschl. - **M** *(Donnerstag - Freitag 17 Uhr geschl.)* a la carte 37/64 ⅄ - **19 Z : 35 B** 65/80 - 110/150.

BIPPEN **4576.** Niedersachsen 411 G 9 - 2 600 Ew - Höhe 60 m - Erholungsort - ☎ 05435.
♦Hannover 160 - Nordhorn 59 - ♦Osnabrück 45.

Maiburger Hof, Bahnhofstr. 6, ✆ 3 33, ☞, ⚘ - ⇔ Ⓟ
16 Z : 21 B.

BIRGLAND **8451.** Bayern 413 R 18 - 1 500 Ew - Höhe 510 m - ☎ 09666 (Illschwang).
♦München 194 - Amberg 22 - ♦Nürnberg 51.

In Birgland-Schwend :

Birgländer Hof ⚘, ✆ 18 90, Fax 18913, ≘s, ⛱, ▣, ☞ - |‡| ☎ ⇔ Ⓟ - 🛋 40
M a la carte 18/45 - **36 Z : 60 B** 46/68 - 71/102 Fb.

BIRKENAU **6943.** Hessen 412 413 J 18 – 10 500 Ew – Höhe 110 m – Luftkurort – ☎ 06201 Weinheim a.d.B.).

Verkehrsamt, Rathaus, Hauptstr. 119, ✆ 30 05.

Wiesbaden 97 – ♦Darmstadt 44 – Heidelberg 27 – ♦Mannheim 22.

Drei Birken garni, Königsberger Str. 2, ✆ 30 32, – AE VISA
20 Z : 35 B 75/80 - 120/130 Fb.

Drei Birken, Hauptstr. 170, ✆ 3 23 68,
Freitag, Feb. 2 Wochen und Juni - Juli 3 Wochen geschl. – **M** a la carte 38/68.

In Birkenau 2 - Reisen-Schimbach NO : 7 km :

Schimbacher Hof, ✆ (06209) 2 58, Fax 1462, – 40. AE VISA
M *(auch vegetarische Gerichte)* a la carte 40/65 – **24 Z : 48 B** 70/80 - 110/140 Fb.

BIRKENFELD Baden-Württemberg siehe Pforzheim.

BIRKENFELD (MAIN-SPESSART-KREIS) **8771.** Bayern 412 413 M 17 – 1 800 Ew – Höhe 211 m ☎ 09398.

München 312 – ♦Frankfurt 100 – ♦Würzburg 28.

In Birkenfeld-Billingshausen NO : 2 km :

Goldenes Lamm (Steinhaus a. d. J. 1883), Untertorstr. 13, ✆ 3 52 – – 80.

BIRKENFELD **6588.** Rheinland-Pfalz 412 E 18 – 6 100 Ew – Höhe 396 m – ☎ 06782.

Mainz 107 – Idar Oberstein 16 – Neunkirchen/Saar 46 – St. Wendel 26.

Oldenburger Hof, Achtstr. 7, ✆ 8 25, Fax 9659 – AE VISA
M *(Samstag bis 17 Uhr geschl.)* a la carte 31/52 – **10 Z : 19 B** 58 - 98 Fb.

BIRKWEILER Rheinland-Pfalz siehe Landau.

BIRNBACH, BAD **8345.** Bayern 413 W 21, 426 L 3 – 5 700 Ew – Höhe 450 m – Heilbad – ☎ 08563.

Kurverwaltung, Neuer Marktplatz 1, ✆ 2 98 40, Fax 29850.

München 147 – Landshut 82 – Passau 46.

Sammareier Gutshof, Pfarrkirchner Str. 22, ✆ 29 70, Bade- und Massageabteilung,
M *(Montag geschl.)* a la carte 35/60 – **38 Z : 76 B** 94/137 - 136/214 Fb.

Churfürstenhof garni, Brunnaderstr. 23, ✆ 29 40, Bade- und Massageabteilung,
48 Z : 97 B 71/86 - 112/142 Fb – 4 Appart. 166.

Kurhotel Hofmark, Professor-Drexel-Str. 16, ✆ 29 60, Fax 296294, Bade- und Massageabteilung, direkter Zugang zur Therme, Rest
M a la carte 29/49 – **76 Z : 152 B** 91/104 - 148/172 Fb – ½ P 97/127.

Kurhotel Quellenhof, Brunnaderstr. 11, ✆ 6 66, Fax 664, Bade- und Massageabteilung,
Dez.- Jan. geschl. – **M** *(Donnerstag geschl.)* a la carte 23/54 – **38 Z : 76 B** 85/110 - 140/220 Fb – ½ P 78/118.

Alte Post, Hofmark 23, ✆ 29 20, Fax 29299, Bade- und Massageabteilung,
M a la carte 22/48 – **41 Z : 72 B** 55/90 - 110/150 Fb – 3 Appart. 180.

Rappensberg garni, Brunnaderstr. 9, ✆ 6 02,
6.- 27. Dez. geschl. – **28 Z : 46 B** 43/48 - 74/120.

BISCHOFSGRÜN **8583.** Bayern 413 S 16, 987 ㉗ – 2 300 Ew – Höhe 679 m – Luftkurort – Wintersport : 653/1 024 m 5 6 (Skizirkus Ochsenkopf) – Sommerrodelbahn – ☎ 09276.

Verkehrsamt im Rathaus, Hauptstr. 27, ✆ 12 92, Fax 505.

♦München 259 – Bayreuth 27 – Hof 57.

Sport-Hotel Kaiseralm, Fröbershammer 31, ✆ 8 00, Fax 8145, ≤ Bischofsgrün und Fichtelgebirge, (Halle) – – 25/200. AE VISA. Rest
M a la carte 41/66 – **119 Z : 198 B** 95/185 - 180/240 Fb – 4 Appart. 250/420 – ½ P 115/210.

Kurhotel Puchtler - Deutscher Adler, Kirchenring 4, ✆ 10 44, Fax 1250, Bade- und Massageabteilung, AE
15. Nov.- 15. Dez. geschl. – **M** *(auch Diät)* a la carte 23/51 – **42 Z : 82 B** 50/80 - 84/160 Fb – ½ P 58/96.

Berghof, Ochsenkopfstr. 40, ✆ 10 21, Fax 1301, ≤,
Mitte Nov.- Mitte Dez. geschl. – **M** a la carte 22/42 – **30 Z : 54 B** 40/55 - 78/106.

Siebenstern garni, Kirchbühl 15, 3 07, ←, – P
Nov.- 8. Dez. geschl. – **26 Z : 50 B** 48 - 76.

Jägerhof, Hauptstr. 12, 2 57, – P
10. Nov.- 15. Dez. geschl. – **M** *(Donnerstag ab 15 Uhr geschl.)* a la carte 17/42 – **16 Z 29 B** 39/51 - 62/78 Fb.

Hirschmann garni, Fröbershammer 9, 4 37, – P.
6. Nov.- 20. Dez. geschl. – **18 Z : 30 B** 46/48 - 82/92.

BISCHOFSHEIM AN DER RHÖN **8743.** Bayern 412 413 N 15, 987 ㉕ ㉖ – 5 200 Ew – Höhe 447 m – Erholungsort – Wintersport : 450/930 m 10 5 – 09772.

Ausflugsziel : Kreuzberg (Kreuzigungsgruppe ←*) SW : 7 km.

Verkehrsverein, Altes Amtsgericht, Kirchplatz 5, 14 52.

♦München 364 – Fulda 39 – Bad Neustadt an der Saale 20 – ♦Würzburg 96.

Bischofsheimer Hof , Bauersbergstr. 59a, 12 97, ←, , , – P
1.- 15. Dez. geschl. – **M** *(Montag geschl.)* a la carte 20/45 – **8 Z : 14 B** 40 - 74 – ½ P 52.

Adler, Ludwigstr. 28, 3 20, – P
Mitte Nov.- Mitte Dez. geschl. – **M** a la carte 28/38 – **23 Z : 44 B** 36/54 - 60/76 – ½ P 46/64

In Bischofsheim-Haselbach :

Luisenhof , Haselbachstr. 93, 18 80, Fax 8654, , – P – 60. AE E
Mitte Nov.- Mitte Dez. geschl. – **M** *(Donnerstag geschl.)* a la carte 23/42 – **14 Z : 27 B** 40 - 69 Fb

In Bischofsheim - Oberweißenbrunn W : 5 km :

Zum Lamm, Geigensteinstr. 26 (B 279), 2 96, Fax 298, , – P
16. Nov.- 19. Dez. geschl. – **M** *(Montag geschl.)* a la carte 21/36 – **23 Z : 40 B** 31/41 - 56/6 – ½ P 41/54.

BISCHOFSMAIS **8379.** Bayern 413 W 20 – 3 200 Ew – Höhe 685 m – Erholungsort – Wintersport : 700/1 097 m 6 8 – 09920.

Verkehrsamt im Rathaus, 13 80, Fax 1200.

♦München 159 – Deggendorf 18 – Regen 8.

Alte Post, Dorfstr. 2, 2 74, Fax 1515 – P
32 Z : 65 B Fb – 2 Fewo.

Berghof Plenk garni, Oberdorf 18, 4 42, ←, – P
17 Z : 33 B Fb – 3 Fewo.

In Bischofsmais-Habischried NW : 4,5 km :

Schäffler, Ortsstr. 2, 13 75, , , – P
Mitte Nov.- Mitte Dez. geschl. – **M** *(Montag geschl.)* a la carte 18/35 – **15 Z : 26 B** 35 - 60/70 Fb

In Bischofsmais-Wastlsäge NW : 2 km :

Wastlsäge , Lina-Müller-Weg 3, 1 70, Telex 69158, Fax 17150, ←, , Massage, , , , – P – 25/120. AE E VISA. Rest
M a la carte 44/79 – **90 Z : 160 B** 80/140 - 140/175 Fb – 9 Appart. 185/250 – ½ P 100/170

BISCHOFSWERDA **O-8500.** Sachsen 984 ⑳ ㉔, 987 ⑱ – 13 000 Ew – Höhe 306 m – 0037523.

Fremdenverkehrsamt, Altmarkt 1, 8 60.

♦Dresden 20 – Cottbus 91 – Görlitz 62.

Goldener Engel, Altmarkt 25, 33 25 – P
20 Z : 41 B.

BISCHOFSWIESEN **8242.** Bayern 413 V 24, 987 ㊳, 426 K 6 – 7 500 Ew – Höhe 600 m – Heilklimatischer Kurort – Wintersport : 600/1 390 m 3 3 – 08652 (Berchtesgaden).

Verkehrsverein, Hauptstr. 48 (B 20), 72 25, Telex 56238.

♦München 148 – Berchtesgaden 5 – Bad Reichenhall 13 – Salzburg 28.

Brennerbascht, Hauptstr. 46 (B 20), 70 21, Fax 7752, , « Gaststuben in alpenländischem Stil mit kleiner Brauerei » – P. AE E VISA
Nov.- Mitte Dez. geschl. – **M** *(Dez.- April Mittwoch geschl.)* a la carte 24/46 – **25 Z : 52 B** 75/100 - 120/140 Fb.

Mooshäusl, Jennerweg 11, 72 61, ← Watzmann, Hoher Göll und Brett, , – P. Rest
10.- 28. Jan. und 24. Okt.- 20. Dez. geschl. – (nur Abendessen für Hausgäste) – **20 Z : 34 B** 50/75 - 92/102 Fb.

BISPINGEN **3045.** Niedersachsen 411 N 7, 987 ⑮ – 5 500 Ew – Höhe 70 m – Luftkurort – ☎ 05194.

ℹ Verkehrsverein, Rathaus, Borsteler Str. 4, ✆ 3 98 50.

Hannover 94 – ♦Hamburg 60 – Lüneburg 45.

König-Stuben, Luheweg 25, ✆ 5 14, Fax 7447, ≘s, ⛋, 🌳 – 📺 ☎ 🚗 🅟. E VISA
15. Jan.- 20. Feb. geschl. – **M** *(Nov.- Juli Mittwoch geschl.)* a la carte 24/54 – **15 Z : 29 B** 54 - 92 Fb.

Rieckmann's Gasthof, Kirchweg 1, ✆ 12 11, « Cafégarten », 🌳 – 📺 🚗 🅟. AE ⓓ E VISA
Mitte Dez.- Mitte Jan. geschl. – **M** *(Nov.- April Montag geschl.)* a la carte 21/40 – **24 Z : 46 B** 32/60 - 64/110.

In Bispingen-Behringen NW : 4 km :

Niedersachsen Hof mit Zim, Widukindstr. 3, ✆ 77 50, Fax 2755, 🍽 – 📺 ☎ 🚗 🅟. AE E VISA
Jan.- Feb. geschl. – **M** *(Okt.- Juni Dienstag geschl.)* a la carte 29/64 – **5 Z : 10 B** 85 - 140 – ½ P 90/105.

In Bispingen-Hützel NO : 2,5 km :

Ehlbeck's Gasthaus, Bispinger Str. 8, ✆ 23 19, 🍽, 🌳 – 🚗 🅟
Mitte Feb.- Mitte März geschl. – **M** *(Nov.- Mai Montag geschl.)* a la carte 25/46 – **14 Z : 22 B** 45/55 - 90/98 – ½ P 64/69.

In Bispingen-Niederhaverbeck NW : 10 km – ☎ 05198 :

Menke 🐦, ✆ 3 30, ←, 🍽, ≘s, 🌳 – 📺 🚗 🅟 – 🔬 25
Anfang Feb.- Mitte März geschl. – **M** *(Nov.- Juli Donnerstag geschl.)* a la carte 28/62 – **16 Z : 31 B** 60 - 108/142.

Landhaus Haverbeckhof 🐦, ✆ 12 51, Fax 1248, 🍽, 🌳 – 🅟. AE
M *(auch vegetarische Gerichte)* a la carte 27/56 – **37 Z : 57 B** 38/90 - 76/116 – ½ P 60/80.

In Bispingen-Oberhaverbeck NW : 9 km :

Das Kleine Landhaus 🐦 mit Zim, ✆ (05198) 7 50, ≘s, 🌳 – 🅟
Mitte Jan.- Ende März geschl. – **M** a la carte 34/52 – **12 Z : 19 B** 45/50 - 90 Fb.

An der Autobahn A 7- Westseite :

Motel - Raststätte Brunautal, ✉ 3045 Bispingen-Behringen, ✆ (05194) 8 85, 🍽 – 📺 ☎ 🅟
M a la carte 24/54 – **30 Z : 67 B** 90/130 - 138/145.

BISSENDORF KREIS OSNABRÜCK **4516.** Niedersachsen 411 412 H 10 – 13 100 Ew – Höhe 108 m – ☎ 05402.

⛳ Jeggen (N : 8 km), ✆ (05402) 6 36.

♦Hannover 129 – Bielefeld 49 – ♦Osnabrück 13.

In Bissendorf 2-Schledehausen NO : 8 km – Luftkurort :

Bracksiek, Bergstr. 22, ✆ 71 81, Fax 8217, 🍽 – |♦| 📺 ☎ ♿ 🚗 🅟 – 🔬 25/180. AE ⓓ E VISA
M *(Dienstag bis 18 Uhr geschl.)* a la carte 30/55 – **31 Z : 50 B** 53/130 - 107/180 Fb.

BISTENSEE Schleswig-Holstein siehe Rendsburg.

BITBURG **5520.** Rheinland-Pfalz 412 C 17, 987 ㉓, 409 M 6 – 11 700 Ew – Höhe 339 m – ☎ 06561.

ℹ Verkehrsbüro Bitburger Land, Bedastr. 11, ✆ 89 34, Fax 4646.

Mainz 165 – ♦Trier 31 – Wittlich 36.

Eifelbräu, Römermauer 36, ✆ 70 31, Fax 7060 – 📺 ☎ 🚗 🅟 – 🔬 25/180. AE ⓓ E VISA
M *(Montag geschl.)* 18 (mittags) und a la carte 32/55 – **28 Z : 51 B** 65/75 - 100/110 Fb.

Zum Simonbräu mit Zim, Am Markt 7, ✆ 33 33, Fax 3373 – |♦| 📺 ☎ 🅟 – 🔬 25. ⓓ E VISA
2.- 10. Jan. geschl. – **M** *(auch vegetarische Gerichte)* a la carte 28/58 – **5 Z : 9 B** 65/105 - 105/140.

In Rittersdorf **5521** NW : 4 km :

Zur Wisselbach, Bitburger Str. 2, ✆ (06561) 70 57, Fax 12293, 🌳 – 📺 ☎ 🅟. AE ⓓ E VISA. ⛌ Rest
7.- 27. Jan. geschl. – **M** a la carte 28/43 – **20 Z : 40 B** 43/55 - 80/100 – ½ P 58/65.

Burg Rittersdorf, in der Burg, ✆ (06561) 24 33, 🍽, « Wasserburg a.d. 15. Jh. » – 🅟. AE ⓓ E VISA
Montag geschl. – **M** a la carte 35/60.

In Wolsfeld **5521** SW : 8 km :

Zur Post, an der B 257, ✆ (06568) 3 27, – Ⓟ.
M *(Dienstag geschl.)* a la carte 20/45 – **19 Z : 40 B** 50 - 80/90.

In Dudeldorf **5521** O : 11 km über die B 50 :

Romantik-Hotel Zum alten Brauhaus, Herrengasse 2, ✆ (06565) 20 57, Fax 212
« Gartenterrasse », – TV ☎ Ⓟ. AE ⓓ E VISA. Rest
21. Dez.- 20. Jan. geschl. – **M** *(nur Abendessen, Mittwoch geschl.)* a la carte 45/80 – **15 Z :**
30 B 100 - 160/180 Fb.

In Gondorf **5521** O : 11 km über die B 50 :

Waldhaus Eifel, Eifelpark, ✆ (06565) 20 77, Fax 3361, – TV ☎ Ⓟ
50. AE ⓓ E VISA
M *(Mitte Nov. - Mitte Dez. geschl.)* a la carte 24/50 – **52 Z : 100 B** 60/80 - 102/116 Fb.

Am Stausee Bitburg NW : 12 km über Biersdorf – ✉ **5521** Biersdorf – 06569 :

Dorint Sporthotel Südeifel, ✆ 9 90, Telex 4729607, Fax 7909, ≤, , Massage,
, (Halle) – TV Ⓟ – 25/120. AE ⓓ E VISA. Rest
M a la carte 40/68 – **100 Z : 160 B** 119/175 - 196/270 Fb – 4 Appart. 270 – ½ P 132/21

Waldhaus Seeblick Ferienstr. 1, ✆ 2 22, ≤ Stausee, « Terrasse », – TV ☎
Ⓟ. E. Rest
5. Jan.- 15. Feb. geschl. – **M** a la carte 20/41 – **20 Z : 40 B** 48/55 - 74/90.

Berghof, Ferienstr. 3, ✆ 8 88, Fax 880, ≤ Stausee, – TV ☎ Ⓟ
20. Nov.- 25. Dez. geschl. – **M** *(Montag geschl.)* a la carte 30/66 – **12 Z : 24 B** 55/60 - 96/10

Si vous cherchez un hôtel tranquille,
consultez d'abord les cartes thématiques de l'introduction
ou repérez dans le texte les établissements indiqués avec le signe ou .

BLAIBACH Bayern siehe Kötzting.

BLAICHACH Bayern siehe Sonthofen.

BLANKENHEIM **5378.** Nordrhein-Westfalen 412 C 15, 987 ㉓ – 8 300 Ew – Höhe 497 m
Erholungsort – 02449.

Verkehrsbüro im Rathaus, Rathausplatz, ✆ 3 33.

♦Düsseldorf 110 – ♦Aachen 77 – ♦Köln 74 – ♦Trier 99.

Kölner Hof, Ahrstr. 22, ✆ 14 05, Fax 1061, – TV ☎ Ⓟ. E VISA
März 3 Wochen geschl. – **M** *(Mittwoch geschl.)* a la carte 36/68 – **23 Z : 36 B** 65/70 - 78/10

Schloßblick, Nonnenbacher Weg 2, ✆ 2 38, Fax 253, – ☎ Ⓟ – 30. AE ⓓ
E VISA
Anfang Nov.- Mitte Dez. geschl. – **M** *(Dez.- April Mittwoch geschl.)* a la carte 25/54 – **33 Z**
62 B 60/75 - 80/110.

Café Violet, Kölner Str. 7, ✆ 13 88, Fax 8098, – ⓓ E VISA
23. März - 15. April und 25. Nov.- 20. Dez. geschl. – **M** *(Dienstag geschl.)* a la carte 26/5
– **9 Z : 18 B** 55/65 - 90 – ½ P 62/72.

BLAUBACH Rheinland-Pfalz siehe Kusel.

BLAUBEUREN **7902.** Baden-Württemberg 413 M 21, 987 ㉟ ㊱ – 11 500 Ew – Höhe 519 m
– 07344.

Sehenswert : Ehemaliges Kloster (Hochaltar★★).

♦Stuttgart 83 – Reutlingen 57 – ♦Ulm (Donau) 18.

Zum Ochsen, Marktstr. 4, ✆ 62 65, Fax 8430 – TV ☎ Ⓟ. AE E VISA
24. Dez.- 1. Jan. geschl. – **M** *(Jan. 2 Wochen geschl.)* a la carte 32/58 – **29 Z : 48 B** 85/10
- 130/140 Fb.

In Blaubeuren-Weiler W : 2 km :

Forellenfischer garni, Aachtalstr. 5, ✆ 50 24 – ☎ Ⓟ. AE E
23. Dez.- 4. Jan. geschl. – **22 Z : 36 B** 50/90 - 95/125 Fb.

Forellen-Fischer, Aachtalstr. 6, ✆ 65 45 – Ⓟ. ⓓ
Sonntag 15 Uhr - Montag, Jan. 3 Wochen und 24.- 31. Aug. geschl. – **M** a la carte 37/6

BLAUEN Baden-Württemberg siehe Badenweiler.

LAUFELDEN **7186.** Baden-Württemberg 413 M 19 – 4 500 Ew – Höhe 460 m – ☎ 07953.
Stuttgart 123 – Heilbronn 80 – ♦Nürnberg 122 – ♦Würzburg 89.

Zum Hirschen, Hauptstr. 15, ✆ 10 41, Fax 1043, bemerkenswerte Weinkarte, « Modern - elegante Einrichtung » – TV ☎ ⇔ P
Jan. geschl. – **M** *(auch regionale Küche, Tischbestellung ratsam)* (April - Sept. Montag, Okt.- März Sonntag 15 Uhr - Montag geschl.) 110 /130 und a la carte 45/85 – **12 Z : 20 B** 65/180 - 90/260
Spez. Hummersalat mit Koriander, Geschmorte Zickleinschulter mit Gemüsen (Mai - Juli), Gefüllte Taube mit Waldpilzen.

LECKEDE **2122.** Niedersachsen 411 P 7, 987 ⑯ – 8 000 Ew – Höhe 10 m – ☎ 05852.
Stadtverwaltung, Auf dem Kamp 1, ✆ 14 24.
Hannover 148 – ♦Hamburg 66 – Lüneburg 24.

Landhaus an der Elbe, Elbstr. 5, ✆ 12 30, ≤, , – TV ☎ P
M *(Okt.- März Freitag geschl.)* a la carte 24/35 – **15 Z : 23 B** 50/85 - 78/120.

In Neetze **2121** SW : 8 km :

Gasthof Strampe, Am Dorfplatz 10, ✆ (05850) 13 16, Fax 1473, – P – 35. AE
M *(Montag und Jan. geschl.)* a la carte 25/46 – **30 Z : 60 B** 60 - 100.

BLEIALF Rheinland-Pfalz siehe Prüm.

BLIESKASTEL **6653.** Saarland 412 E 19, 987 ㉔, 242 ⑦ – 24 000 Ew – Höhe 211 m – Kneippkurort – ☎ 06842.
Saarbrücken 25 – Neunkirchen/Saar 16 – Sarreguemines 24 – Zweibrücken 12.

Zur Post, Kardinal-Wendel-Str. 19 a, ✆ 20 12, Fax 4202, – TV ☎ – **12 Z : 21 B** Fb.

Gasthaus Schwalb, Gerbergasse 4, ✆ 23 06 – P.
Sonntag 14 Uhr - Montag, Jan. 2 Wochen und Juli - Aug. 3 Wochen geschl. – **M** a la carte 23/52.

In Blieskastel-Mimbach O : 1,5 km :

Bliestal-Hotel, Breitfurter Str. 10, ✆ 27 60, Fax 4156 – TV ☎ P. Rest
13 Z : 26 B Fb.

In Blieskastel-Niederwürzbach NW : 5 km :

Gutshof Junkerwald, Am Weiher (NW : 2 km), ✆ 70 77, « Gartenterrasse mit ≤ Weiher » – P.

Hubertushof mit Zim, Kirschendell 32, ✆ 65 44, , Damwildgehege – TV ☎ P. E.
1.- 14. Jan. geschl. – **M** a la carte 31/63 – **6 Z : 8 B** 55 - 105.

BLOMBERG **4933.** Nordrhein-Westfalen 411 412 K 11, 987 ⑮ – 16 000 Ew – Höhe 200 m – ☎ 05235.
Blomberg-Cappel, ✆ (05236) 4 59.
Städt. Verkehrsamt, Marktplatz 2, ✆ 50 42 50.
Düsseldorf 208 – Detmold 21 – ♦Hannover 74 – Paderborn 38.

Burghotel Blomberg, Am Brink 1, ✆ 5 00 10, Fax 500145, « Mittelalterliche Burg », , – TV P – 25/110. E VISA
M a la carte 56/84 – **52 Z : 94 B** 105/215 - 170/250 Fb.

Café Knoll, Langer Steinweg 33, ✆ 81 75, « Historische Fachwerkfassade a.d.J.1622 » – TV ☎ P – **10 Z : 19 B**.

Deutsches Haus, Marktplatz 7, ✆ 4 68, Fax 2715 – TV ☎ – 25/60. E VISA
M a la carte 28/51 – **16 Z : 27 B** 65/80 - 106/120.

BLUMBERG **7712.** Baden-Württemberg 413 I 23, 427 J 2, 216 ⑦ – 10 000 Ew – Höhe 703 m – ☎ 07702.
Verkehrsamt, Hauptstr. 97 (Rathaus), ✆ 51 27.
Stuttgart 143 – Donaueschingen 17 – Schaffhausen 26 – Waldshut-Tiengen 44.

In Blumberg 3-Epfenhofen SO : 3 km :

Löwen, Kommentalstr. 2 (B 314), ✆ 21 19, – P
6. Jan.- 15. Feb. und 1.- 15. Dez. geschl. – **M** *(Donnerstag 15 Uhr - Freitag geschl.)* a la carte 28/45 – **25 Z : 48 B** 52 - 92.

In Blumberg 2-Zollhaus O : 1,5 km :

Kranz, Schaffhausener Str. 11 (B 27), ✆ 25 30, Fax 3697 – TV ☎ ⇔ P. E
April 3 Wochen geschl. – **M** *(Samstag geschl.)* a la carte 22/50 – **27 Z : 51 B** 52/62 - 96/104.

BOCHOLT **4290.** Nordrhein-Westfalen 411 412 C 11, 987 ⑬, 408 K 6 – 70 000 Ew – Höhe 2(
– ✆ 02871.

Stadtinformation - Verkehrsbüro, Europaplatz 22, ✆ 50 44 ; Fax 953565.

♦Düsseldorf 83 – Arnhem 57 – Enschede 58 – Münster (Westfalen) 82.

Am Erzengel, Münsterstr. 250 (B 67), ✆ 1 40 95, Fax 184499, – TV – 25/100. AE E VISA. Zim
Aug. 3 Wochen geschl. – **M** *(Montag geschl.)* a la carte 33/57 – **35 Z : 70 B** 130/14
180/200 Fb.

Kupferkanne, Dinxperloer Str. 53, ✆ 41 31, Fax 487455 – TV – 25/ AE E VISA. Rest
M *(Samstag bis 18 Uhr geschl.)* a la carte 32/61 – **29 Z : 55 B** 80/90 - 120/135 Fb.

Zigeuner-Baron, Bahnhofstr. 17, ✆ 1 23 95, Fax 15318, – TV. AE
M a la carte 28/55 – **11 Z : 21 B** 70 - 130.

In Bocholt-Barlo N : 5 km :

Schloß Diepenbrock , Schloßallee 5, ✆ 35 45, Fax 39607, – TV – 25/ AE E VISA. Rest
M a la carte 47/81 – **22 Z : 39 B** 135/160 - 220/250 Fb.

Europe

Wenn der Name eines Hotels dünn gedruckt ist,
dann hat uns der Hotelier Preise
und Öffnungszeiten nicht oder nicht vollständig angegeben.

BOCHUM **4630.** Nordrhein-Westfalen 411 412 E 12, 987 ⑭ – 403 000 Ew – Höhe 83 m
✆ 0234.

Sehenswert : Bergbaumuseum★★ Y – Eisenbahnmuseum★ X.

Im Mailand 125 (über ④), ✆ 79 98 32.

Verkehrsverein im Hauptbahnhof, ✆ 1 30 31.

Informationszentrum Ruhr-Bochum, Rathaus, Rathausplatz, ✆ 6 21 39 75.

ADAC, Ferdinandstr. 12, ✆ 31 10 01, Notruf ✆ 1 92 11.

♦Düsseldorf 48 ⑥ – Dortmund 21 ② – ♦Essen 17 ⑥.

Stadtplan siehe gegenüberliegende Seite

Novotel, Stadionring 22, ✆ 5 06 40, Telex 825429, Fax 503036, (geheizt), – Zim TV – 25/250. AE E VISA X
M a la carte 36/66 – **118 Z : 236 B** 173 - 211 Fb.

Haus Oekey, Auf dem Alten Kamp 10, ✆ 3 86 71, Fax 382960, – TV. E VISA X
M a la carte 40/70 – **17 Z : 33 B** 105 - 145 Fb.

Schmidt-Mönnikes - Restaurant Vitrine, Drusenbergstr. 164, ✆ 33 39 60 (Hot
31 24 69 (Rest.), Fax 3339666 – TV. AE E X
M a la carte 39/61 – **33 Z : 45 B** 85 - 120.

Ibis garni, Kurt-Schumacher-Platz (Im Hauptbahnhof), ✆ 6 06 61, Telex 825644, Fax 6807
– TV – 25. AE E VISA Z
80 Z : 145 B 116 - 160.

Arcade, Universitätsstr. 3, ✆ 3 33 11, Telex 825447, Fax 3331867 – – 50.
E VISA Z
M *(Freitag 14 Uhr - Sonntag geschl.)* a la carte 27/54 – **157 Z : 330 B** 114/149 - 160/198 F

XXX **Gastronomie im Stadtpark,** Klinikstr. 41, ✆ 50 70 90, Fax 5070999, –
25/600. AE E VISA Y
M 33/60 und a la carte 50/77.

XX **Altes Bergamt,** Schillerstr. 20, ✆ 5 19 55, Fax 512425 – . E VISA Y
Sonn- und Feiertage sowie 1.- 15. Jan. geschl. – **M** a la carte 37/70.

XX **Alt Nürnberg,** Königsallee 16, ✆ 31 16 98 – AE E Z
nur Abendessen, Montag geschl. – **M** a la carte 43/69.

XX **Jacky Ballière,** Wittener Str. 123, ✆ 33 57 60 – X
Samstag und Sonntag jeweils bis 18 Uhr, Mittwoch sowie Juli - Aug. 3 Wochen geschl. –
a la carte 45/65.

XX **Stammhaus Fiege,** Bongardstr. 23, ✆ 1 26 43 – AE E Y
Sonntag ab 14 Uhr, Donnerstag und Juli - Aug. 4 Wochen geschl. – **M** a la carte 32/63.

X **Mutter Wittig,** Bongardstr. 35, ✆ 1 21 41, – AE E VISA Y
M a la carte 28/52.

In Bochum-Sundern über ⑤ :

XXX **Haus Waldesruh,** Papenloh 8 (nahe der Sternwarte), ✆ 47 16 76, Fax 461815, ,
– 25/120. AE E
Montag und Feb. geschl. – **M** a la carte 44/66.

BOCHUM

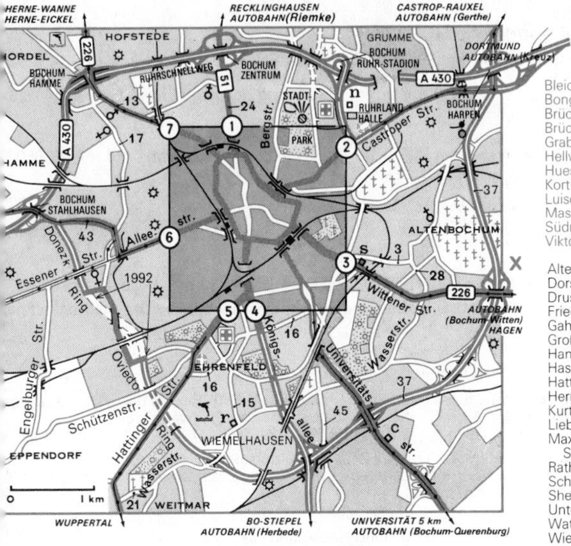

Bleichstraße	Y	
Bongardstraße	Y	7
Brückstraße	Y	10
Brüderstraße	Z	12
Grabenstraße	Y	18
Hellweg	Z	
Huestraße	Z	25
Kortumstraße	YZ	
Luisenstraße	Z	29
Massenbergstraße	Z	31
Südring	Z	39
Viktoriastraße	YZ	

Altenbochumer Str.	X	3
Dorstener Straße	X	13
Drusenbergstraße	X	15
Friederikastraße	X	16
Gahlensche Straße	X	17
Große Beckstraße	Y	19
Hans-Böckler-Str.	Y	20
Hasenkampstraße	X	21
Hattinger Straße	Z	23
Herner Straße	X, Y	24
Kurt-Schumacher-Pl.	Z	26
Liebfrauenstraße	X	28
Maximilian-Kolbe-Straße	Z	32
Rathausplatz	Y	33
Schwanenmarkt	Y	34
Sheffieldring	X	37
Untere Marktstraße	Y	42
Wattenscheider Str.	X	43
Wiemelhauser Str.	X	45

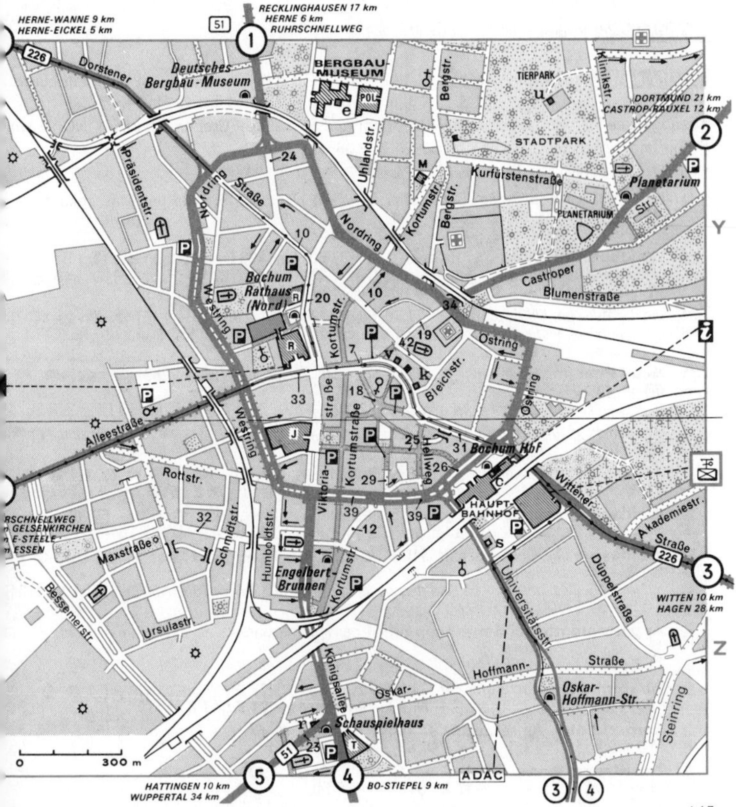

In Bochum 6-Wattenscheid ⑥ : 9 km :

Beckmannshof, Berliner Str. 39, ✆ (02327) 37 84, Fax 33857, - TV ☎ P - 25/8
AE ⓓ E VISA
27. Dez.- 6. Jan. geschl. - **M** *(Samstag bis 18 Uhr und Sonntag geschl.)* a la carte 41/73
20 Z : 24 B 85/95 - 130/140 Fb.

BOCKENEM **3205.** Niedersachsen 411 N 10, 987 ⑮ - 12 000 Ew - Höhe 113 m - ☎ 0506
♦Hannover 68 - ♦Braunschweig 50 - Göttingen 54.

Mackensen, Stobenstr. 4, ✆ 15 84 - Zim
M *(April - Sept. Samstag und Sonntag jeweils bis 18 Uhr, Okt.- März Samstag geschl.)* a la car
19/40 - **12 Z : 20 B** 45/55 - 80/100.

BOCKLET, BAD **8733.** Bayern 413 N 16 - 2 200 Ew - Höhe 230 m - Heilbad - ☎ 09708.
Ausflugsziel : Schloß Aschach : Graf-Luxburg-Museum★, SW : 1 km (Mai - Okt. Fahrten mit his
Postkutsche).
Kurverwaltung, im Haus des Kurgastes, Kurhausstraße ✆ 2 17.
♦München 339 - Fulda 62 - Bad Kissingen 10.

Kurhotel Kunzmann, An der Promenade 6, ✆ 7 80, Fax 78100, , Bade- un
Massageabteilung, , , , - Rest ☎ P - 25/80
M *(auch Diät)* a la carte 23/52 - **79 Z : 112 B** 74/109 - 148/174 Fb - ½ P 86/99.

Laudensack, von-Hutten-Str. 37, ✆ 2 24, « Gartenterrasse », - P
Mitte Dez.- Mitte Feb. geschl. - **M** *(Sonntag ab 18 Uhr und Dienstag geschl.)* a la carte 25/4
- **33 Z : 51 B** 50/70 - 95 Fb.

BODELSHAUSEN Baden-Württemberg siehe Hechingen.

BODENHEIM Rheinland-Pfalz siehe Mainz.

BODENMAIS **8373.** Bayern 413 W 19, 987 ㉘ - 3 400 Ew - Höhe 689 m - Luftkurort
Wintersport : 700/1 456 m 1 1 3, am Arber : 1 5 5 - ☎ 09924.
Ausflugsziele : Großer Arber ≤★★ NO : 11 km und Sessellift - Großer Arbersee★ NO : 8 km.
Kur- und Verkehrsamt, Bahnhofstr. 56, ✆ 7 78 35, Fax 77850.
♦München 178 - Cham 51 - Deggendorf 35 - Passau 73.

Kur- und Sporthotel Adam, Bahnhofstr. 51, ✆ 70 11, Fax 7219, Bade- und Massageabteilun
, , - TV ☎ P. Rest
(nur Abendessen für Hausgäste) - **32 Z : 68 B** Fb.

Waldhotel Riederin, Riederin 1, ✆ 77 60, Fax 7337, ≤ Bodenmais, , Bade- un
Massageabteilung, , (geheizt), , , (Halle) - Rest TV ☎ P.
M a la carte 23/50 - **57 Z : 108 B** 65/100 - 130/220 Fb - ½ P 83/128.

Hofbräuhaus, Marktplatz 5, ✆ 77 70, Fax 777200, , , - TV ☎ P. Zi
Anfang Nov.- Mitte Dez. geschl. - **M** a la carte 23/52 - **75 Z : 137 B** 56/72 - 96/142 Fb
½ P 65/89.

Neue Post (mit Gästehaus), Kötztinger Str. 25, ✆ 70 77, Fax 7269, , , ,
TV ☎ P.
3. Nov.- 18. Dez. geschl. - **M** a la carte 22/42 - **42 Z : 80 B** 45/70 - 76/100 Fb - ½ P 55/7

Hubertus , Amselweg 2, ✆ 70 26, Fax 831, ≤, , , , - TV ☎ P
36 Z : 66 B Fb.

Andrea , Hölzlweg 10, ✆ 3 86, ≤ Bodenmais, , , - TV ☎ P. E.
6. Nov.- 15. Dez. geschl. - (nur Abendessen für Hausgäste) - **26 Z : 51 B** 78/89 - 138/156 F

Waldeck, Arberseestr. 39, ✆ 70 55, Fax 7056, ≤, Biergarten, , - TV P
Nov.- 16. Dez. geschl. - **M** a la carte 22/40 - **53 Z : 100 B** 54 - 88/108 Fb - ½ P 66.

Waldesruh , Scharebenstr. 31, ✆ 70 81, Fax 7217, ≤, , Massage, , , -
☎ P - 30
5. Nov.- 20. Dez. geschl. - **M** *(Montag geschl.)* a la carte 21/45 - **76 Z : 130 B** 50/90 - 90/120 F
- 6 Fewo 70/100 - ½ P 62/107.

Appartementhotel Bergknappenhof garni, Silberbergstr. 8, ✆ 4 66, Fax 7373, ≤,
, , - P.
21 Z : 54 B 50/80 - 85/140 Fb.

Fürstenbauer, Kötztinger Str. 34, ✆ 70 91, Fax 7092, ≤, , , - TV ☎ P
Mitte Nov.- Mitte Dez. geschl. - **M** a la carte 25/47 - **21 Z : 43 B** 55/70 - 110/130 Fb.

Kurparkhotel, Amselweg 1, ✆ 10 94, - TV ☎ P
M a la carte 22/42 - **18 Z : 40 B** 53/60 - 90/110 Fb.

Zur Klause garni, Klause 1a, ✆ 18 85, ≤, - P.
Nov.- Mitte Dez. geschl. - **17 Z : 34 B** 48 - 76 Fb.

In Bodenmais-Böhmhof SO : 1 km :

Böhmhof, Böhmhof 1, ✆ 2 22, , , (geheizt), , – ☎ 🅟
Ende April - Anfang Mai und Nov.- 20. Dez. geschl. – **M** a la carte 20/39 – **24 Z : 55 B** 63/75 - 118/128 Fb – 4 Appart. 132 – ½ P 75/89.

In Bodenmais-Kothinghammer SW : 2,5 km :

Hammerhof, Kothinghammer 1, ✆ 70 44, , , – ☎ 🅟. AE.
Nov.- 20. Dez. geschl. – **M** *(Montag geschl.)* a la carte 24/47 – **23 Z : 52 B** 60 - 100 Fb – ½ P 65/75.

In Bodenmais-Mais NW : 2,5 km :

Waldblick garni, ✆ 3 57, , , – 🅟
Ende Okt.- Mitte Dez. geschl. – **20 Z : 40 B** 39/46 - 78/92 Fb.

In Bodenmais-Mooshof NW : 1 km :

Mooshof, Mooshof 7, ✆ 70 61, Fax 7238, ≤, , Massage, , , , – ☎ 🅟. Rest
2. Nov.- 15. Dez. geschl. – **M** a la carte 18/46 – **60 Z : 99 B** 53/90 - 94/136 Fb.

BODENSEE Baden-Württemberg und Bayern 413 KL 23, 24, 987 ㉟ ㊱, 216 ⑨ ⑩ ⑪ – Höhe 395 m.

Sehenswert : See★★ mit den Inseln Mainau★★ und Reichenau★ (Details siehe unter den erwähnten Ufer-Orten).

BODENTEICH **3123.** Niedersachsen 411 OP 8, 987 ⑯ – 4 600 Ew – Höhe 55 m – Kneipp-Kurort – Luftkurort – ✆ 05824.

Kurverwaltung und Fremdenverkehrsamt, Burgstr. 8, ✆ 10 11.

Hannover 107 – ◆Braunschweig 76 – Lüneburg 50 – Wolfsburg 54.

Braunschweiger Hof, Neustädter Str. 2, ✆ 2 50, Fax 255, , Bade- und Massageabteilung, , , , , – ☎ 🅟 – 25/60
M a la carte 22/48 – **50 Z : 96 B** 65/75 - 110/130 – ½ P 68/88.

BODENWERDER **3452.** Niedersachsen 411 412 L 11, 987 ⑮ – 6 000 Ew – Höhe 75 m – Luftkurort – ✆ 05533.

Fremdenverkehrsamt, Weserstr. 3, ✆ 4 05 41.

Hannover 68 – Detmold 59 – Hameln 23 – ◆Kassel 103.

Deutsches Haus, Münchhausenplatz 4, ✆ 39 25, Fax 1430, – ☎ 🅟 – 25/150. AE E
M a la carte 24/50 – **43 Z : 68 B** 55/78 - 88/120 Fb.

BODENWÖHR **8465.** Bayern 413 TU 19, 987 ㉗ – 3 600 Ew – Höhe 378 m – ✆ 09434.

München 168 – Cham 34 – ◆Nürnberg 99 – ◆Regensburg 46.

Brauereigasthof Jacob, Ludwigsheide 2, ✆ 12 38, ≤, , « Geschmackvolle Einrichtung im Landhausstil », , – ☎ 🅟 – 25/50. Zim
M a la carte 19/38 – **25 Z : 48 B** 65/75 - 90/100 Fb.

BODMAN-LUDWIGSHAFEN **7762.** Baden-Württemberg 413 JK 23, 987 ㉟, 427 L 2 – 3 800 Ew – Höhe 408 m – ✆ 07773.

Verkehrsamt, Rathaus (Bodman), Seestr. 5, ✆ 54 86.

Verkehrsbüro, Rathaus (Ludwigshafen), Rathausstr. 2, ✆ 50 23.

Stuttgart 165 – Bregenz 74 – ◆Konstanz 34 – Singen (Hohentwiel) 26.

Im Ortsteil Bodman – Erholungsort :

Sommerhaus garni, Kaiserpfalzstr. 67, ✆ 76 82, ≤, – . AE
April - Okt. – **10 Z : 19 B** 60/70 - 85/110.

Weinstube Torkel (Fachwerkhaus a.d.J. 1772), Am Torkel 6, ✆ 56 66 – 🅟
wochentags nur Abendessen, Mittwoch und Nov. geschl. – **M** *(Tischbestellung ratsam)* a la carte 35/56.

Im Ortsteil Ludwigshafen :

Strandhotel Adler, Hafenstr. 4, ✆ 52 14, ≤, « Gartenterrasse am See », – ☎ 🅟. AE E VISA
Feb. 2 Wochen geschl. – **M** *(Jan.- Feb. Montag und Dienstag geschl.)* a la carte 50/72 – **18 Z : 36 B** 95/115 - 170/310 Fb.

Krone, Hauptstr. 25, ✆ 53 16, Fax 7221, – 🅟. E VISA
Nov. geschl. – **M** *(Mittwoch bis 17 Uhr geschl.)* a la carte 22/47 – **21 Z : 38 B** 55/75 - 98/135 Fb.

BÖBLINGEN **7030.** Baden-Württemberg 413 K 20, 987 ㉟ – 43 000 Ew – Höhe 464 m – ☎ 070
– ℹ Städt. Verkehrsamt, Kongreßhalle, ✆ 66 62 25.
♦Stuttgart 19 – ♦Karlsruhe 80 – Reutlingen 36 ① – ♦Ulm (Donau) 97.

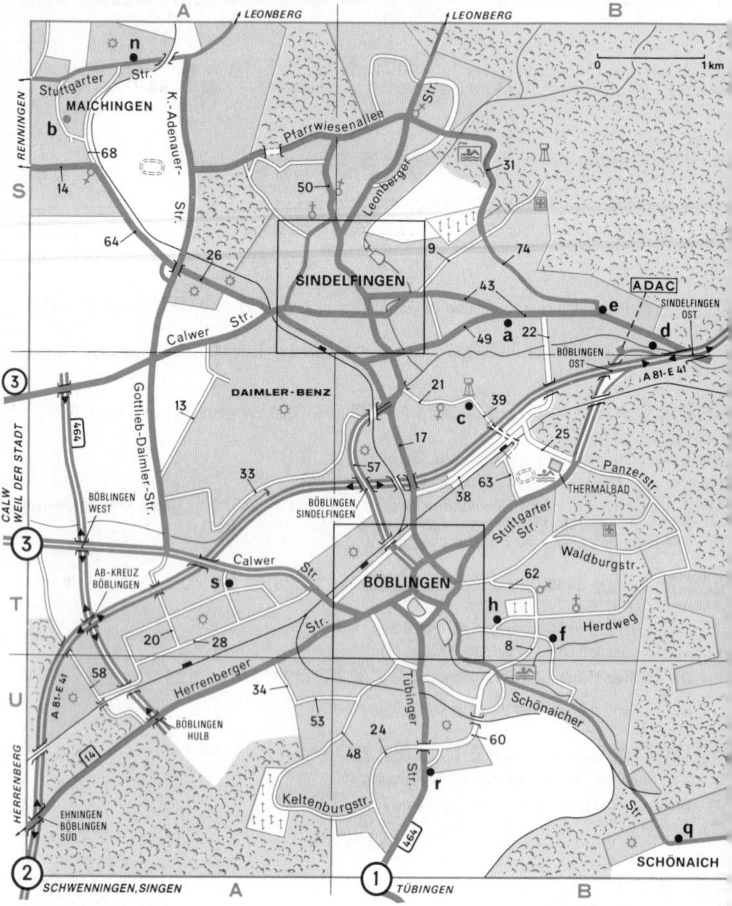

BÖBLINGEN SINDELFINGEN

Böhler, Postplatz 17, ✆ 2 51 43, Fax 226168, – – 30 DY
M *(Freitag 18 Uhr - Samstag und Ende Juli - Mitte Aug. geschl.)* a la carte 40/71 – **41 Z : 60** 145/165 - 170/225 Fb.

Zum Reussenstein garni (Mahlzeiten im Gasthof Zum Reussenstein), **Kalkofenstr. 2** ✆ 6 60 00, Fax 660055, – – **42 Z : 60 B** 130 - 185 Fb. BT

Wanner garni, Tübinger Str. 2, ✆ 22 60 06, Fax 223386 – . AE VISA. *20. Dez.- 1. Jan. geschl.* – **34 Z : 69 B** 114/155 - 174/315 Fb. DZ

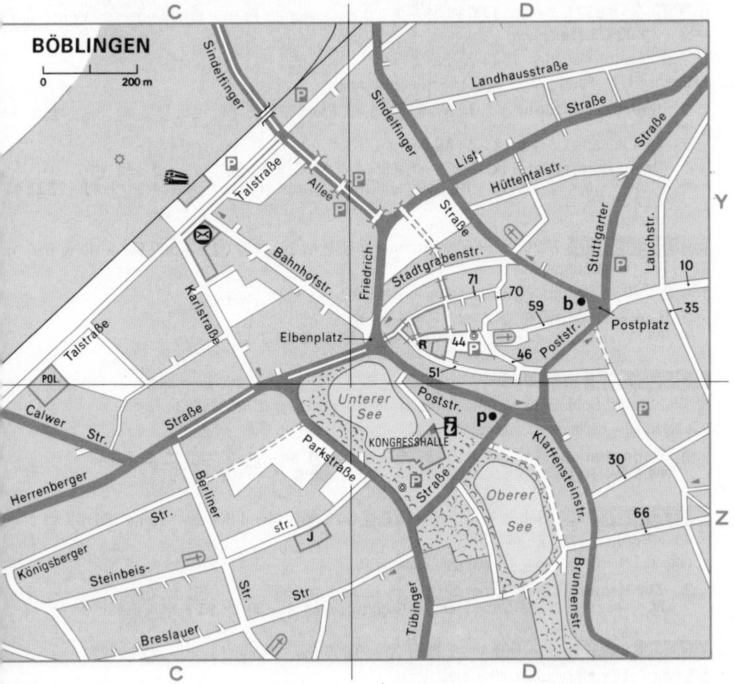

Bahnhofstraße	CY	Am Käppele	DY 10	Pfarrgasse	DY 51
Postplatz	DY	Herrschaftsgartenstr.	DZ 30	Schloßberg	DY 59
Poststraße	DYZ	Lange Straße	DY 35	Spielbergstraße	DZ 66
Sindelfinger Allee	CY	Marktplatz	DY 44	Turmstraße	DY 70
Sindelfinger Straße	DY	Marktstraße	DY 46	Untere Gasse	DY 71

Böblinger Haus, Keilbergstr. 2, ℘ 22 70 44, Fax 23811, 🌳 - |\$| TV ☎ 🚗 P. AE ⦿ E VISA BT **f**
23. Dez.- 6. Jan. geschl. - **M** *(Sonntag ab 15 Uhr und Samstag geschl.)* a la carte 36/60 - **35 Z : 45 B** 110/135 - 155/165 Fb.

Rieth, Tübinger Str. 155 (B 464), ℘ 27 35 44, Fax 277760, 🌳 - TV ☎ 🚗 P. AE ⦿ E VISA BU **r**
23. Dez.- 2. Jan. geschl. - (nur Abendessen für Hausgäste) - **46 Z : 67 B** 98/115 - 130/160 Fb.

In Böblingen-Hulb :

Novotel Böblingen, Otto-Lilienthal-Str. 18, ℘ 2 30 71, Telex 7265438, Fax 228816, 🌳, ≘s, 🏊 (geheizt), 🌳 - |\$| ⇔ Zim TV ☎ ♿ P - 🏛 25/150. AE ⦿ E VISA AT **s**
M a la carte 32/60 - **118 Z : 236 B** 169 - 208 Fb.

In Schönaich **7036** SO : 6 km BU - ☎ 07031 :

Sulzbachtal 🐦, im Sulzbachtal (NO : 2 km, Richtung Steinenbronn), ℘ 5 10 88 (Hotel) 5 15 11 (Rest.), 🌳 - TV ☎ P
22. Dez.- 15. Jan. geschl. - **M** *(Montag geschl.)* a la carte 25/50 - **20 Z : 32 B** 79/88 - 109/125 Fb.

Pfefferburg, Böblinger Straße (NW : 2 km), ℘ 5 50 10, Fax 550160, ≤, 🌳 - TV ☎ P. AE ⦿ E VISA BU **q**
M *(Sonntag ab 15 Uhr, Samstag und 3.- 23. Aug. geschl.)* a la carte 36/66 - **27 Z : 36 B** 82/100 -130/150 Fb.

Wagner 🐦 garni, Cheruskerstr. 6, ℘ 5 10 94/65 10 94, Fax 51097 - TV ☎ P. AE ⦿ E VISA. 🐕 südlich BU
22. Dez.- 6. Jan. geschl. - **20 Z : 35 B** 80 - 108/145.

Gute Küchen
haben wir durch
Menu, ✿, ✿✿ oder ✿✿✿ kenntlich gemacht.

BÖBRACH **8371.** Bayern 413 W 19 – 1 500 Ew – Höhe 575 m – Erholungsort – Wintersport
8 – 09923 (Teisnach).

Verkehrsamt, Rathaus, 23 52, Fax 3433.

♦München 171 – Passau 78 – Regen 18 – ♦Regensburg 98.

Sporthotel Ödhof, Öd Nr. 5, 12 46, Fax 3321, ≤, ... – ...
M a la carte 23/46 – **23 Z : 46 B** 57/70 - 100/120 Fb – ½ P 67/74.

Brauereigasthof Eck, Eck 1, 6 85, Fax 3566, ... – ...
2. Nov.- 25. Dez. geschl. – **M** *(Sonntag 15 Uhr - Montag geschl.)* a la carte 19/43 – **22 Z : 41**
45 - 79 Fb.

BÖHMENKIRCH **7926.** Baden-Württemberg 413 M 20, 987 ㊱ – 4 500 Ew – Höhe 696 m
07332 (Weißenstein).

♦Stuttgart 70 – Göppingen 26 – Heidenheim an der Brenz 17 – ♦Ulm (Donau) 45.

Lamm, Kirchstr. 8, 52 43 – ...
M *(Montag geschl.)* a la carte 23/37 – **27 Z : 50 B** 38/48 - 70/90.

BÖNNIGHEIM **7124.** Baden-Württemberg 412 413 K 19 – 6 300 Ew – Höhe 221 m – 0714
Cleebronn, Schloßgut Neumagenheim (W : 4,5 km), (07135) 40 34.

♦Stuttgart 40 – Heilbronn 17 – Ludwigsburg 24 – Pforzheim 36.

Bebenhauser Hof, Ringstr. 19, 20 89 – ... – 25/40. AE E VISA
M *(Montag geschl.)* a la carte 41/65 – **21 Z : 36 B** 75 - 110/140 Fb.

BÖTZINGEN **7805.** Baden-Württemberg 413 G 22, 242 ㉜ – 4 800 Ew – Höhe 186 m – 0766
(Eichstetten).

♦Stuttgart 224 – Colmar 35 – ♦Freiburg im Breisgau 16.

Zur Krone, Gottenheimer Str. 1, 12 32, Fax 5599, ... – ...
M *(Dienstag bis 17 Uhr geschl.)* a la carte 25/55 – **30 Z : 53 B** 55/60 - 85/95 Fb.

BOGEN **8443.** Bayern 413 V 20, 987 ㉗ – 9 000 Ew – Höhe 332 m – 09422.

♦München 134 – ♦Regensburg 60 – Straubing 12.

Am Platzl 38 garni, Stadtplatz 38, 9 06, Fax 907 – ...
14 Z : 25 B.

Zur Post, Stadtplatz 15, 13 46, Biergarten – ...
22 Z : 36 B.

In Bogen-Bogenberg SO : 3,5 km :

Schöne Aussicht mit Zim, 15 39, ≤ Donauebene, Biergarten – ...
10. Jan.- 15. Feb. geschl. – **M** *(Freitag geschl.)* a la carte 25/40 – **3 Z : 6 B** 30 - 55.

In Niederwinkling-Welchenberg **8351** SO : 8 km :

Landgasthof Buchner, Freymannstr. 15, (09962) 7 30, Biergarten – ... AE E VI
Montag - Dienstag geschl. – Menu a la carte 39/69.

BOLL **7325.** Baden-Württemberg 413 L 21 – 4 600 Ew – Höhe 425 m – 07164.

Verkehrsamt, Hauptstr. 94 (Rathaus), 8 08 28.

♦Stuttgart 48 – Göppingen 9 – ♦Ulm (Donau) 49.

Badhotel Stauferland, Gruibinger Str. 32, 20 77, Fax 4146, « Terrasse mit ≤ », ...
... – ... – 30. Rest
45 Z : 57 B Fb.

Löwen, Hauptstr. 46, 50 13 – ... E VISA
Mitte Dez.- Mitte Jan. geschl. – **M** *(Montag geschl.)* a la carte 24/52 – **29 Z : 42 B** 70 - 12

BOLLENDORF **5526.** Rheinland-Pfalz 412 C 17, 409 M 6, 214 ⑳ – 1 700 Ew – Höhe 215
– Luftkurort – 06526.

Tourist - Information, Am Sauerstaden, 2 30.

Mainz 193 – Bitburg 28 – Luxembourg 43 – ♦Trier 34.

Burg Bollendorf, Burgstr. 7, 6 90, Fax 6938, ..., Vogelpark, ... –
... – 25/100. AE E VISA.
M a la carte 27/56 – **41 Z : 82 B** 78/95 - 116/150 Fb – 20 Fewo – ½ P 82/99.

Ritschlay, Auf der Ritschlay 3, 2 12, ≤ Sauertal, « Garten », ... –
7. Jan.- 15. Feb. und 11. Nov.- 20. Dez. geschl. – (Restaurant nur für Hausgäste) – **20 Z : 35**
59 - 101/117 – ½ P 69/77.

Waldhotel Sonnenberg, Sonnenbergallee (NW : 1,5 km), 5 52, Fax 8677, ≤ Sauertal, - TV P. Rest - *11. Jan.- 11. Feb. und 20. Nov.- 20. Dez. geschl.* - **M** a la carte 24/55 - **29 Z : 57 B** 75/95 - 130/220 Fb - ½ P 80/110.

Scheuerhof, Sauerstaden 42, 3 95, Fax 8639, , Biergarten - P. E VISA. *2.- 24. Jan. und 3.- 22. Dez. geschl.* - **M** *(Montag geschl.)* a la carte 21/46 - **10 Z : 21 B** 51/79 - 98/114 Fb - ½ P 65/74.

Landhaus Oesen, Auf dem Oesen 13, 3 05, ≤ Sauertal und Bollendorf, - P. - **15 Z : 30 B.**

Hauer, Sauerstaden 20, 3 23, Fax 314, - P. E VISA. **M** a la carte 19/42 - **21 Z : 42 B** 52/57 - 84/94 - ½ P 62/77.

An der Straße nach Echternacherbrück SO : 2 km :

Am Wehr, ✉ 5526 Bollendorf, (06526) 2 42, Fax 298, ≤, - P. E. *2.- 31. Jan. und 25. Nov.- 20. Dez. geschl.* - **M** *(Abendessen nur für Hausgäste)* a la carte 24/45 - **16 Z : 36 B** 52/62 - 84/104 Fb - ½ P 57/77.

Les prix — Pour toutes précisions sur les prix indiqués dans ce guide, reportez-vous aux pages de l'introduction.

BONN **5300.** Nordrhein-Westfalen 412 E 14, 987 ㉓ ㉔ - Parlaments und Regierungssitz - 96 000 Ew - Höhe 64 m - 0228 - **Sehenswert : In Bonn** : Schwarz-Rheindorf-Kirche★ AV - Alter Zoll ≤★ CZ - Rheinisches Landesmuseum (Römische Abteilung★) BZ **M** - Münster Kreuzgang★) BCZ - **In Bonn-Bad Godesberg** : Godesburg ✻★.

Köln-Bonn in Wahn (① : 27 km), (02203) 4 01.

Informationsstelle, Münsterstr. 20 (Cassius Bastei), 77 34 66.

ADAC Godesberger Allee 127 (Bad Godesberg), 8 10 09 99, Notruf 1 92 11.

Düsseldorf 73 ⑦ - ♦Aachen 91 ⑦ - ♦Köln 28 ⑦ - Luxembourg 190 ⑤.

Stadtpläne siehe nächste Seiten

Bristol, Prinz-Albert-Str. 2, 2 69 80, Telex 8869661, Fax 2698222, , , - Zim TV - 40/300. AE E VISA. Rest CZ **v**
M *(Sonntag und Juli - Aug. 4 Wochen geschl.)* a la carte 60/90 - **120 Z : 200 B** 245/285 - 360/390 - 4 Appart. 570/1500.

Pullman-Hotel Königshof, Adenauerallee 9, 2 60 10, Telex 886535, Fax 2601529, ≤ Rhein, - TV - 25/200. AE E VISA. CZ **a**
M a la carte 41/83 - **137 Z : 207 B** 209/268 - 296/316 Fb - 4 Appart. 426.

Scandic Crown Hotel, Berliner Freiheit 2, 7 26 90, Telex 885271, Fax 7269700, , , - Zim TV - 25/250. AE E VISA. Rest CY **m**
M a la carte 52/80 - **252 Z : 500 B** 235/275 - 295/335 Fb - 12 Appart. 410/1000.

Günnewig Residence Hotel, Kaiserplatz, 2 69 70, Telex 885693, Fax 2697777, Biergarten, , - TV - 25/200. AE E VISA. Zim CZ **f**
M a la carte 32/68 - **144 Z : 254 B** 226/255 - 278/310 Fb - 5 Appart. 473.

Domicil garni, Thomas-Mann-Str. 24, 72 90 90, Telex 886633, Fax 691207, « Modern-elegante Einrichtung », - TV - 35. AE E VISA BZ **f**
21. Dez.- 2. Jan. geschl. - **42 Z : 70 B** 190/385 - 285/465 Fb.

Consul garni, Oxfordstr. 12, 7 29 20, Telex 8869660, Fax 7292250 - TV - 35. AE E VISA - *23. Dez.- 2. Jan. geschl.* - **92 Z : 144 B** 130/215 - 170/250 Fb. BY **t**

Kaiser-Karl-Hotel, Vorgebirgsstr. 56, 65 09 33, Telex 886856, Fax 637899, « Elegante Einrichtung » - TV - 25. AE E VISA V **a**
M (Bistro separat erwähnt) - **41 Z : 60 B** 180/319 - 250/390.

Schloßpark-Hotel, Venusbergweg 27, 21 70 36, Telex 889661, Fax 261070, , - TV - 80. AE E VISA. AX **a**
M *(Samstag bis 18 Uhr geschl.)* a la carte 44/60 - **70 Z : 90 B** 100/170 - 135/260 Fb.

Continental garni, Am Hauptbahnhof, 63 53 60, Fax 631190 - TV . AE E VISA
23. Dez.- 7. Jan. geschl. - **35 Z : 60 B** 130/200 - 190/260 Fb. BZ **n**

Astoria, Hausdorffstr. 105, 23 95 07, Telex 8869992, Fax 230378, - TV P - 40. E VISA AX **b**
20. Dez.- 5. Jan. geschl. - (nur Abendessen für Hausgäste) - **46 Z : 67 B** 100/180 - 150/220 Fb.

President, Clemens-August-Str. 32, 69 40 01, Telex 885250, Fax 694090 - Zim TV - 25/80. AE E VISA AX **s**
(Restaurant nur für Hausgäste) - **98 Z : 181 B** 148/280 - 188/280 Fb.

Schwan garni, Mozartstr. 24, 63 41 08 - TV . AE E VISA BZ **e**
22 Z : 36 B 120/150 - 160/240.

Mozart garni, Mozartstr. 1, 65 90 71, Fax 659075 - TV . E VISA BZ **d**
22. Dez.- 1. Jan. geschl. - **39 Z : 68 B** 70/150 - 95/175.

Arcade, Vorgebirgsstr. 33, 7 26 60, Telex 886683, Fax 7266405, - TV P - 25/130. AE E VISA AV **d**
M *(Samstag - Sonntag und 15. Juli - Aug. geschl.)* a la carte 26/48 - **147 Z : 310 B** 118 - 165 Fb.

BONN

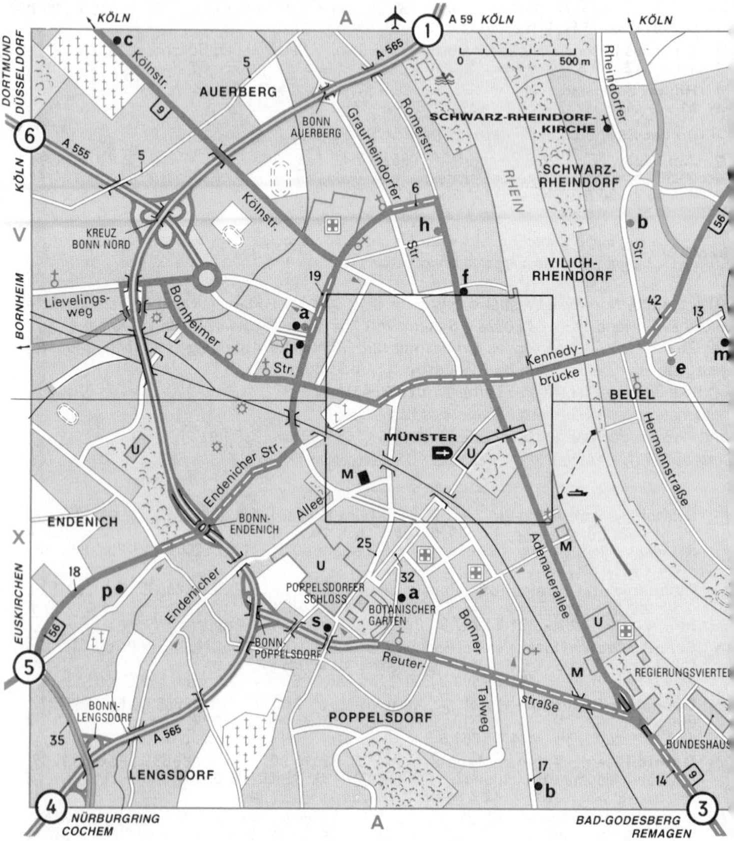

🏨 **Beethoven,** Rheingasse 26, ✆ 63 14 11, Telex 886467, Fax 691629 – |$| TV ☎ 🚗. ⓓ VISA. ✂ CY
27. Dez.- 9. Jan. geschl. – **M** *(Freitag 15 Uhr - Samstag und 18. Juli - 8. Aug. geschl.)* a la car 30/60 – **59 Z : 99 B** 90/150 - 150/170 Fb.

🏨 **Jacobs** garni, Bergstr. 85, ✆ 23 28 22, Fax 232850, « Einrichtung im Bauernstil, ländlich Antiquitäten », ⇌ – |$| TV ☎ ℗ über Hausdorffstraße AX
43 Z : 65 B 70/115 - 125/175 Fb.

🏨 **Römerhof,** Römerstr. 20, ✆ 63 47 96 – ☎ ℗. ✂ CY
(nur Abendessen für Hausgäste) – **26 Z : 37 B** 92/112 - 152/166.

🏨 **Rheinland** garni, Berliner Freiheit 11, ✆ 65 80 96 – |$| TV ☎ 🚗. AE E CY
20. Dez.- 15. Jan. geschl. – **31 Z : 51 B** 110/130 - 145/160.

🏨 **Kurfürstenhof** garni, Baumschulallee 20, ✆ 63 11 66, Fax 632045 – |$| TV ☎ BZ
28 Z : 49 B 55/115 - 90/170.

🏨 Kölner Hof garni, Kölnstr. 502 (Auerberg), ✆ 67 10 04, Fax 679737 – TV ☎ ℗ AV
39 Z : 59 B.

✕✕ **Le Petit Poisson,** Wilhelmstr. 23a, ✆ 63 38 83 – AE ⓓ E VISA BY
Sonntag - Montag geschl. – **M** (Tischbestellung ratsam) a la carte 65/102.

✕✕ **Zur Lese,** Adenauerallee 37, ✆ 22 33 22, Fax 222060, ≤ Rhein, 🏞 – |$| 🚗. AE ⓓ E VISA ✂ CZ
Montag geschl. – **M** a la carte 38/63.

BONN

m Hof . . . . CZ
arkt . . . . CZ 23
oststraße . . . . BZ 34
emigiusstraße . . . . CZ 40
ternstraße . . . . BCYZ 43
Venzelgasse . . . . CY 49

m Alten Friedhof . . . . BZ 2

Am Neutor . . . . CZ 3
Belderberg . . . . CY 7
Bertha-Von-Suttner-Platz . . . . CY 9
Bottlerplatz . . . . BZ 10
Brüdergasse . . . . CY 12
Fritz-Schroeder-Ufer . . . . CY 15
Gerhard-Von-Are-Str. . . . . . BZ 16
Kasernenstraße . . . . BY 20
Martinsplatz . . . . CZ 24
Mülheimer Platz . . . . BZ 27

Münsterplatz . . . . BZ 28
Münsterstraße . . . . BZ 29
Oxfordstraße . . . . BY 31
Poppelsdorfer Allee . . . . BZ 32
Rathausgasse . . . . CZ 36
Remigiusplatz . . . . CZ 38
Sterntorbrücke . . . . BY 45
Thomas-Mann-Str. . . . . BZ 46
Welschnonnenstraße . . . . . . CY 48
Wilhelmstraße . . . . BY 50

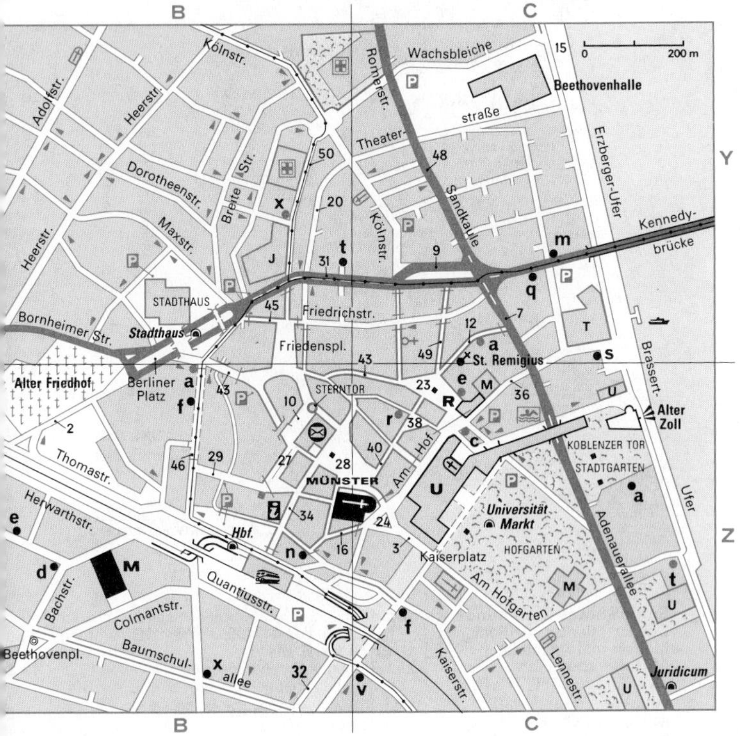

🍴🍴 **Ristorante Grand'Italia** (Italienische Küche), Bischofsplatz 1, ☎ 63 83 33 – AE D E VISA — CZ **e**
M a la carte 33/70.

🍴🍴 **Zum Kapellchen,** Brüdergasse 12, ☎ 65 10 52, 🍽 – AE D E VISA — CY **a**
Sonntag und Juli - Aug. 3 Wochen geschl. – **M** a la carte 48/80.

🍴🍴 **Ristorante Caminetto** (Italienische Küche), Römerstr. 83, ☎ 65 42 27 – D VISA — AV **h**
Sonntag und Juli - Aug. 3 Wochen geschl. – **M** *(Tischbestellung ratsam)* a la carte 41/65.

🍴🍴 **Bistro im Kaiser-Karl-Hotel,** Vorgebirgsstr. 50, ☎ 69 69 67 – AE D E VISA — V **a**
Samstag bis 18 Uhr, Sonntag - Montag und März 2 Wochen geschl. – Menu a la carte 38/68.

🍴🍴 **Die Traube,** Thomas-Mann-Str. 18, ☎ 63 22 55, Fax 696947 – E — BYZ **a**
Samstag bis 19 Uhr und Sonntag geschl. – **M** *(Tischbestellung ratsam)* a la carte 46/78.

🍴🍴 **Em Höttche,** Markt 4, ☎ 65 85 96, « Altdeutsche Gaststätte » – AE D E VISA — CZ **e**
M a la carte 35/74.

🍴 **Im Bären** (Brauereigaststätte), Acherstr. 1, ☎ 63 32 00, 🍽 — CZ **r**
M a la carte 22/53.

Auf dem Venusberg SW : 4 km über Trierer Straße AX und Im Wingert :

Steigenberger Hotel Venusberg 🐎, An der Casselsruhe 1, ✉ 5300 Bonn 1, ☎ (0228) 28 80, Telex 886363, Fax 288288, 🍽, ≘ – |⇕| ⇔ Zim 📺 🚗 **P** – 🔬 25/80. AE D E VISA. Rest
M a la carte 55/86 – **84 Z : 124 B** 245/340 - 320/360 Fb – 6 Appart. 510/1280.

BONN-BAD GODESBERG

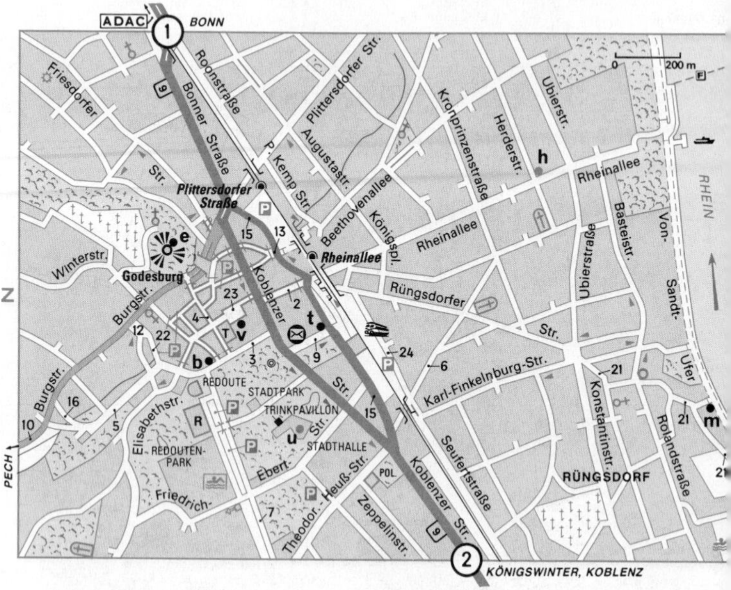

In Bonn 3-Beuel :

Schloßhotel Kommende Ramersdorf (ehem. Ritterordens-Schloß, Schloßmuseum Oberkasseler Str. 10 (Ramersdorf), ✆ 44 07 34, Fax 444400, ≤, « Einrichtung mit Sti Möbeln und Antiquitäten » – TV ☎ P. AE ① E VISA
M *(Italienische Küche)* (Dienstag und Juli - Aug. 4 Wochen geschl.) a la carte 42/75 – **18 Z 28 B** 85/120 - 150/170 Fb. über Friedrich-Breuer-Str. und die B 42 AV

Willkens, Goetheallee 1, ✆ 47 16 40, Fax 462293 – TV ☎. AE ① E VISA. AV r
M *(nur Abendessen, Freitag - Samstag, 20. Dez.- 10. Jan. und 15. Juli - 15. Aug. geschl.)* la carte 38/46 – **34 Z : 55 B** 79 - 119.

Florin garni, Ölbergweg 17, ✆ 47 18 40 – TV ☎ P. AE ① E VISA
19 Z : 29 B 80/100 - 140/150. über Hermannstr. AX

Mertens, Rheindorfer Str. 134, ✆ 47 44 51 – ☎ P. ① E VISA AV
M *(wochentags nur Abendessen, Dienstag geschl.)* a la carte 24/53 – **16 Z : 28 B** 54/68 - 95 110.

Schaarschmidt, Siegfried-Leopold-Str. 66, ✆ 46 00 56, – AE ① E VISA AV
Samstag und Sonntag nur Abendessen – **M** a la carte 61/100 – **Bistro M** a la carte 29, 54.

In Bonn 1-Endenich :

Altes Treppchen, Endenicher Str. 308, ✆ 62 50 04, Fax 621264 – P. AE ① E VISA AX
Samstag - Sonntag und 23. Dez.- 3. Jan. geschl. – **M** a la carte 43/69.

In Bonn 2-Bad Godesberg :

Maritim, Kurt-Georg-Kiesinger-Allee 1, ✆ 8 10 80, Telex 886413, Fax 8108811, Massage – Zim TV – 25/1800. AE ① E VISA über ③
Restaurants : **La Marée** *(Samstag bis 18 Uhr, Sonntag und Mitte Juli - Mitte Aug. geschl.)* **M** a la carte 78/99 – **Rôtisserie M** 47(Buffet) – **412 Z : 709 B** 219/389 - 264/464 Fb 41 Appart. 550/1800.

Rheinhotel Dreesen, Rheinstr. 45, ✆ 8 20 20, Telex 885417, Fax 8202153, ≤ Rhein und Siebengebirge, « Park » – TV P – 25/400. AE ① E VISA. Rest Z n
M a la carte 50/77 – **74 Z : 122 B** 139/381 - 204/460 Fb.

Godesburg-Hotel, Auf dem Godesberg 5 (in der Godesburg-Ruine), 31 60 71, Telex 885503, Fax 311218, ← Bad Godesberg und Siebengebirge, - TV P. AE E VISA. Zim Z e
M a la carte 43/62 - **14 Z : 20 B** 130/280 - 170/290.

Kaiserhof garni, Moltkestr. 64, 36 20 16, Telex 889757, Fax 363825 - TV . AE E VISA Z t
22. Dez.- 2. Jan. geschl. - **50 Z : 73 B** 120/185 - 180/235 Fb.

Insel-Hotel, Theaterplatz 5, 36 40 82, Telex 885592, Fax 352878, - TV P. AE E VISA Z v
M a la carte 30/44 - **66 Z : 100 B** 115/125 - 175/245.

Eden, Am Kurpark 5a, 35 60 34, Telex 885440, Fax 362494 - TV P. AE E VISA
(Restaurant nur für Hausgäste) - **42 Z : 64 B** 100/180 - 140/240 Fb. Z b

XX **Halbedel's Gasthaus,** Rheinallee 47, 35 42 53, Fax 354253, - E Z h
nur Abendessen, Montag und Juli - Aug. 3 Wochen geschl. - **M** (Tischbestellung ratsam) 89/105 und a la carte 65/98
Spez. Gänsestopfleber mit Apfelstrudel, "Linseneintopf" mit Hummer, Quarksoufflé mit Mohneis.

XX **Cäcilienhöhe** mit Zim, Goldbergweg 17, 32 10 01, ← Bad Godesberg und Siebengebirge - P. AE E über Theodor-Heuss-Str. Z
M *(Italienische Küche)* (Samstag bis 18 Uhr und Sonntag geschl.) a la carte 64/78 - **10 Z : 19 B** 110 - 150.

X **Stadthalle,** Koblenzer Str. 80, 36 40 35, Fax 357681, ←, - P - 25/1000 Z u
19.- 25. Dez. geschl. - **M** a la carte 22/45.

In Bonn 1-Hardtberg über ④ :

Novotel, Max-Habermann-Str. 2/Ecke Konrad-Adenauer-Damm, 5 20 10, Telex 886743, Fax 614658, , (geheizt) - TV P - 25/300. AE E VISA
M a la carte 39/72 - **142 Z : 284 B** 155 - 193 Fb.

In Bonn 3-Holzlar über Friedrich-Breuer-Str. AV :

Wald-Café, Am Rehsprung 35, 48 20 44, Fax 484254, , , - TV P - 25/70. AE E
M *(Montag geschl.)* a la carte 30/63 - **27 Z : 40 B** 61/78 - 90/135 Fb.

In Bonn 1-Lengsdorf über ④ :

XXX **Le Marron,** Provinzialstr. 35, 25 32 61, Fax 253028, - P - 25. AE E VISA
Samstag bis 19 Uhr und Sonntag geschl. - **M** a la carte 68/94 - **Bistro léger M** a la carte 39/58 - (Hotel mit 26 Z ab Frühjahr 1992)
Spez. Ravioli von Kalbsbries, Millefeuille von Rinderfilet und Gänsestopfleber, Kuchen von weißer Schokolade.

BONNDORF 7823. Baden-Württemberg 413 I 23, 987 ㉟, 427 IJ 2 - 5 000 Ew - Höhe 847 m

Luftkurort - Wintersport : 847/898 m 3 6 - 07703.

Tourist-Informations-Zentrum, Schloßstr. 1, 76 07.

Stuttgart 151 - Donaueschingen 25 - ♦Freiburg im Breisgau 55 - Schaffhausen 35.

Schwarzwald-Hotel, Rothausstr. 7, 4 21, Fax 442, , , - TV P - 25/50. AE E VISA
M *(15. Nov.- 20. Dez. geschl.)* a la carte 33/64 - **67 Z : 120 B** 53/86 - 102/160 Fb - ½ P 76/111.

Sonne, Martinstr. 7, 3 36, Fax 1625 - P
6. Nov.- 6. Dez. geschl. - **M** a la carte 18/43 - **33 Z : 60 B** 30/40 - 72/76.

Bonndorfer Hof, Bahnhofstr. 2, 71 18, - P. Zim
24. Feb.- 12. März geschl. - **M** *(Montag geschl.)* a la carte 25/43 - **13 B : 22 B** 30/50 - 60/76 - ½ P 45/53.

X **Germania** mit Zim, Martinstr. 66, 2 81, - TV P. Zim
Jan. geschl. - **M** *(Montag geschl.)* a la carte 24/55 - **8 Z : 12 B** 27/36 - 70/80.

Im Steinatal - 7823 Bonndorf - 07703 :

Steinasäge (W : 4 km), 5 84, - P. E VISA
10. Jan.- 15. Feb. geschl. - **M** 25 (mittags) und a la carte 40/56 - **9 Z : 16 B** 45/60 - 90/100 Fb.

Walkenmühle (W : 5 km), 80 84, , - P
10. Nov.- 20. Dez. geschl. - (nur Abendessen für Hausgäste) - **14 Z : 26 B** 55/63 - 100/126 - ½ P 65/80.

In Bonndorf-Holzschlag NW : 8 km - Luftkurort :

Schwarzwaldhof Nicklas, Bonndorfer Str. 66, (07653) 8 03, « Schwarzwaldhaus mit geschmackvoll eingerichtetem Restaurant, Terrasse », - P
12 Z : 24 B.

BOPFINGEN 7085. Baden-Württemberg **413** O 20, **987** ㉖ ㊱ – 11 200 Ew – Höhe 470 m – ✿ 07362.

◆Stuttgart 100 – ◆Augsburg 82 – ◆Nürnberg 104 – ◆Ulm (Donau) 77.

🏠 **Sonne,** Hauptstr. 20, ℰ 30 11, Fax 3366, 🕿 – 📺 ☎ 🚗 🅿. 🆎 ⓞ 🅴 𝘝𝘐𝘚𝘈
Juli 2 Wochen geschl. – **M** *(Sonntag 14 Uhr - Montag 18 Uhr geschl.)* a la carte 45/70 – **20 ⋮ 32 B** 70/100 - 130 Fb.

🏠 **Café Dietz** garni, Hauptstr. 63, ℰ 80 70, Fax 80770 – 📺 ☎ 🅿. 🆎 ⓞ 🅴 𝘝𝘐𝘚𝘈
34 Z : 67 B 60 - 100 – 10 Fewo 60/110.

BOPPARD 5407. Rheinland-Pfalz **412** F 16, **987** ㉔ – 16 500 Ew – Höhe 70 m – Kneippheilba – ✿ 06742.

Sehenswert : Gedeonseck ≼★.

🚩 Städt. Verkehrsamt, Oberstr. 118, ℰ 38 88, Fax 81402.

Mainz 89 – Bingen 42 – ◆Koblenz 21.

🏨 **Bellevue,** Rheinallee 41, ℰ 10 20, Telex 426310, Fax 102602, ≼, 🏤, Massage, 🕿, 🖴
🍴 – ⋮ 📺 – 🔏 25/200. 🆎 ⓞ 🅴 𝘝𝘐𝘚𝘈. 🍽 Rest
M a la carte 47/83 – **95 Z : 175 B** 115/190 - 170/395 Fb.

🏨 **Rheinlust,** Rheinallee 27, ℰ 30 01, Telex 426319, Fax 3004, ≼ – ⋮ ☎ 🅿 – 🔏 25. 🆎 ⓒ
🅴 𝘝𝘐𝘚𝘈 Rest
Mitte April - Okt. – **M** a la carte 36/68 ⅃ – **91 Z : 166 B** 40/90 - 70/160 – ½ P 66/116.

🏠 **Günther** garni, Rheinallee 40, ℰ 23 35, Fax 1557, ≼ – ⋮ 📺 ☎. 🍽
Mitte Dez.- Mitte Jan. geschl. – **19 Z : 34 B** 45/59 - 77/120 Fb.

🏠 **Residenz Rosenhain,** Rheinallee 19, ℰ 47 47, 🏤 – ☎ 🚗 🅿
M (auch vegetarische Gerichte) a la carte 39/68 – **10 Z : 19 B** 70/90 - 120/140.

🏠 **Rebstock,** Rheinallee 31, ℰ 48 76, Fax 4877, ≼ – 📺 ☎. 🅴 𝘝𝘐𝘚𝘈
8. Jan.- Feb. geschl. – **M** *(Dienstag geschl.)* a la carte 25/55 ⅃ – **14 Z : 26 B** 50/75 - 100/160 F

🏠 **Am Ebertor,** Heerstraße (B 9), ℰ 20 81, 🏤 – 📺 ☎ 🚗 🅿 – 🔏 25/200. 🆎 ⓞ 🅴 𝘝𝘓.
April - Okt. – **M** a la carte 30/61 – **66 Z : 132 B** 85/105 - 110/150 Fb.

In Boppard 4-Buchholz W : 6,5 km – Höhe 406 m :

🏠 **Tannenheim,** Bahnhof Buchholz 3 (B 327), ℰ 22 81, 🏤, 🌲 – 📺 🚗 🅿. 🆎 🅴
13. Juli - 7. Aug. geschl. – **M** *(Sonn- und Feiertage nur Mittagessen)* a la carte 29/49 ⅃ – **14 ⋮ 23 B** 44/47 - 80/90.

In Boppard 1-Bad Salzig S : 3 km – Mineralheilbad :

🏠 **Berghotel Rheinpracht** ≫, Am Kurpark, ℰ 62 79, ≼, 🏤, 🌲 – 🅿
← *28. März - 20. Okt.* – **M** *(Dienstag geschl.)* a la carte 19/38 ⅃ – **12 Z : 22 B** 31/56 - 64/88 ½ P 41/54.

Außerhalb N : 12 km über die B 9 bis Spay, dann links ab Auffahrt Rheingoldstraße :

🏨 **Klostergut Jakobsberg** ≫ – Höhe 318 m, ✉ 5407 Boppard, ℰ (06742) 30 6
Telex 426323, Fax 3069, ≼, Bade- und Massageabteilung, ⨍ₛ, 🔥, 🕿, 🖴, 🌲, 🍽 (Halle
– ⋮ 📺 🅿 – 🔏 25/200. 🆎 ⓞ 🅴 𝘝𝘐𝘚𝘈. 🍽 Rest
M *(Tischbestellung ratsam)* a la carte 48/84 – **110 Z : 214 B** 135/208 - 185/268 Fb – 6 Appa
510/720.

BORCHEN Nordrhein-Westfalen siehe Paderborn.

BORDESHOLM 2352. Schleswig-Holstein **411** N 4, **987** ⑤ – 7 000 Ew – Höhe 25 m – ✿ 0432:
◆Kiel 22 – ◆Hamburg 78 – Neumünster 12.

🏠 **Zur Kreuzung** (mit Gästehaus), Holstenstr. 23, ℰ 45 86, Fax 3917 – ☎ 🅿 – 🔏 25/10
← **M** a la carte 22/46 – **34 Z : 70 B** 40/50 - 70.

BORGHOLZHAUSEN 4807. Nordrhein-Westfalen **411** **412** H 10, **987** ⑭ – 8 000 Ew – Höh
133 m – ✿ 05425.
◆Düsseldorf 185 – Bielefeld 26 – Münster (Westfalen) 57 – ◆Osnabrück 35.

In Borgholzhausen - Winkelshütten N : 3 km :

🏠 **Landhaus Uffmann,** Meller Str. 27, ℰ 50 05, Fax 255, 🕿 – 📺 ☎ 🅿 – 🔏 25/80. ⓞ 🅸
𝘝𝘐𝘚𝘈
M a la carte 32/65 – **34 Z : 65 B** 65/89 - 105/146 Fb.

BORKEN 3587. Hessen **412** K 13 – 15 400 Ew – Höhe 190 m – ✿ 05682.
◆Wiesbaden 196 – Bad Hersfeld 42 – ◆Kassel 43 – Marburg 56.

🏠 **Bürgerhaus,** Bahnhofstr. 33, ℰ 24 91, Fax 2093 – 📺 ☎ 🚗 🅿 – 🔏 25/100
← *27. Dez.- 10. Jan. geschl.* – **M** *(Sonntag ab 14 Uhr und Samstag geschl.)* a la carte 22/46 –
11 Z : 15 B 50 - 90.

BORKEN 4280. Nordrhein-Westfalen 411 412 D 11, 987 ⑬, 408 L 6 – 33 900 Ew – Höhe 46 m – ✆ 02861.

Stadtinformation, Am Markt 15, ✆ 8 82 51.

Düsseldorf 86 – Bocholt 18 – Enschede 57 – Münster (Westfalen) 64.

🏠 **Lindenhof,** Raesfelder Str. 2, ✆ 81 87, Fax 63430 – |✿| ☎ ⇔ ❷ – 🔏 25/100
58 Z : 100 B Fb.

In Borken-Gemen N : 1 km :

🏠 **Demming,** Neustr. 15, ✆ 23 12, Fax 66242 – 📺 ❷. ☰
M *(Montag geschl.)* a la carte 25/48 – **21 Z : 40 B** 60 – 110 Fb.

In Borken-Rhedebrügge W : 6 km :

XX **Haus Grüneklee** mit Zim, Rhedebrügger Str. 16, ✆ (02872) 18 18, « Gartenterrasse » – 📺 ☎ ❷. – *Jan. geschl.* – **M** *(wochentags nur Abendessen, Dienstag - Mittwoch geschl.)* a la carte 36/60 – **5 Z : 10 B** 45 - 80.

In Heiden 4284 SO : 7 km :

🏠 Beckmann, Borkener Str. 7a, ✆ (02867) 85 41, 🌧 – 📺 ☎ ⇔ ❷ – **13 Z : 28 B**.

BORKUM (Insel) 2972. Niedersachsen 411 CD 6, 987 ③, 408 KL 1 – 6 000 Ew – Seeheilbad
Größte Insel der ostfriesischen Inselgruppe – ✆ 04922.

🚢 von Emden-Außenhafen (ca. 2h 30min) - Voranmeldung erforderlich, ✆ (04921) 89 07 22, Fax 890746.

Verkehrsbüro am Bahnhof, ✆ 8 41, Fax 844.

Hannover 253 – Emden 4.

🏠 **Nordsee-Hotel** 🍴, Bubertstr. 9, ✆ 30 80, Fax 308113, ≼, Bade- und Massageabteilung, ☀, ≋, 🖤 – |✿| 📺 ☎ ❷ – 🔏 30. ⓞ ☰ 𝕍𝕀𝕊𝔸. 🛠 Rest
30. Nov.- 25. Dez. geschl. – (Restaurant nur für Hausgäste) – **78 Z : 160 B** 105/245 - 190/300 Fb.

🏠 **Nautic-Hotel Upstalsboom** 🍴, Goethestr. 18, ✆ 30 40, Fax 304911, Bade- und Massageabteilung, ≋ – |✿| 📺 ☎ ❷ – 🔏 25/50. 𝔸𝔼 ⓞ ☰ 𝕍𝕀𝕊𝔸. 🛠
(Restaurant nur für Hausgäste) – **70 Z : 155 B** 125/155 - 210/220 Fb – 12 Appart. 270/320.

🏠 **Poseidon** 🍴 Bismarckstr. 40, ✆ 8 11, Fax 4189, ≋, 🖤 – 📺 ☎
(nur Abendessen) – **62 Z : 117 B** Fb.

🏠 **Seehotel Upstalsboom** 🍴, Viktoriastr. 2, ✆ 20 67 – |✿| 📺 ☎. 𝔸𝔼 ⓞ ☰ 𝕍𝕀𝕊𝔸. 🛠 Rest
März - 5. Nov. – (Restaurant nur für Hausgäste) – **39 Z : 66 B** 110/150 - 170/210 Fb –
½ P 105/145.

🏠 **Miramar** 🍴, Am Westkaap 20, ✆ 8 91, Fax 4484, ≼, Bade- und Massageabteilung, ≋, 🖤 – 📺 ☎. 🛠 Rest
(Restaurant nur für Hausgäste) – **36 Z : 72 B** 119/150 - 190/300 Fb – ½ P 118/173.

🏠 **Graf Waldersee** 🍴, Bahnhofstr. 6, ✆ 10 94, Fax 1095 – ☎. ⓞ ☰ 𝕍𝕀𝕊𝔸. 🛠 Rest
Mitte März - Okt. – **M** *(auch Diät)* a la carte 32/64 – **28 Z : 49 B** 80/89 - 110/180 Fb – ½ P 73/113.

BORNHEIM 5303. Nordrhein-Westfalen 412 D 14 – 35 000 Ew – Höhe 55 m – ✆ 02222.

Düsseldorf 71 – ◆Aachen 86 – ◆Bonn 11 – ◆Köln 21.

In Bornheim-Roisdorf SO : 2 km :

🏠 **Heimatblick** 🍴, Brombeerweg 1, ✆ 6 00 37, Fax 61072, ≼ Bonn und Rheinebene,
« Gartenterrasse » – ☎ ❷. ☰. 🛠 Zim
M a la carte 37/60 – **14 Z : 26 B** 70/80 - 120/130.

BORNHEIM Rheinland-Pfalz siehe Landau in der Pfalz.

BORNHÖVED 2351. Schleswig-Holstein 411 N 4, 987 ⑤ – 2 600 Ew – Höhe 42 m – ✆ 04323.

Kiel 31 – ◆Hamburg 83 – ◆Lübeck 49 – Oldenburg in Holstein 60.

In Ruhwinkel 2355 N : 2 km :

🔥 **Zum Landhaus,** Dorfstr. 18, ✆ (04323) 63 82, « Garten » – ❷
✦ *Okt.- Nov. 2 Wochen geschl.* – **M** *(nur Abendessen, Freitag geschl.)* a la carte 22/37 – **14 Z :
24 B** 43 - 80.

BOSAU 2422. Schleswig-Holstein 411 O 4 – 800 Ew – Höhe 25 m – Erholungsort – ✆ 04527.

▸ Bosau-Thürk (O : 5 km), ✆ 16 48.

Kiel 41 – Eutin 16 – ◆Lübeck 37.

🏠 **Strauers Hotel am See** 🍴, Neuer Damm 2, ✆ 2 07, Fax 1707, ≼, « Gartenterrasse »,
Bade- und Massageabteilung, ≋, 🖤, ☀, 🚢 Bootssteg – 📺 ☎ ⇔ ❷ – 🔏 30
März - Nov. – **M** *(Mai - Okt. Montag ab 18 Uhr, März - April und Nov. Montag ganztägig geschl.)*
a la carte 30/70 – **35 Z : 65 B** 97/130 - 150/225 Fb – 5 Fewo 90/160 – ½ P 95/122.

🔥 **Braasch zum Frohsinn** 🍴, Kirchplatz 6, ✆ 2 69, Fax 1703, 🚢 Bootssteg – ❷
✦ *März - Nov.* – **M** *(außer Saison Dienstag geschl.)* a la carte 23/44 – **30 Z : 60 B** 50 - 88 Fb.

BOTHEL Niedersachsen siehe Rotenburg (Wümme).

BOTTIGHOFEN Schweiz siehe Konstanz.

BOTTROP 4250. Nordrhein-Westfalen 411 412 D 12. 987 ⑬ – 117 000 Ew – Höhe 30 m
😊 02041 – 🏌 Bottrop-Kirchhellen (N : 14 km), 𝒸 (02045) 8 24 88.
🛈 Reisebüro und Verkehrsverein, Gladbecker Str. 9, 𝒸 2 70 11, Telex 8579426, Fax 25030.
ADAC Schützenstr. 3, 𝒸 2 80 32.
◆Düsseldorf 44 – ◆Essen 11 – Oberhausen 8,5.

🏨 **City-Hotel** garni, Osterfelder Str. 9, 𝒸 2 30 48 – 📳 📺 ☎ 🅿. 🆎 ⋸
 23 Z : 46 B 80/100 - 120/150.

Außerhalb N : 4 km :

✕✕ **Forsthaus Specht**, Oberhausener Str. 391 (B 223), ✉ 4250 Bottrop, 𝒸 (02041) 9 40 8
 🏡 – 🅿. ⓞ ⋸ 𝘝𝘐𝘚𝘈
 M a la carte 27/62.

In Bottrop-Fuhlenbrock NW : 1 km :

✕✕ **Fleur blanche im Birkeneck**, Birkenstr. 2, 𝒸 5 78 77 – 🅿. ⋸
 nur Abendessen, Dienstag und Juli - Aug. 4 Wochen geschl. – **M** a la carte 69/87.

In Bottrop 2-Kirchhellen NW : 9 km über die B 223 :

✕ **Petit marché** (Restaurant im Bistro-Stil), Hauptstr. 16, 𝒸 (02045) 32 31 – 🅿
 Sonn- und Feiertage sowie 24. Dez.- 15. Jan. geschl. – **M** (Tischbestellung erforderlich) a la car
 60/83.

In Bottrop 2 - Kirchhellen-Feldhausen N : 14 km über die B 223 :

🏡 **Landhaus Berger** 🐾 garni, Marienstr. 5, 𝒸 (02045) 30 61, 🛋s, 🌳 – 📺 ☎ 🚐 🅿. ◀
 ⋸ 𝘝𝘐𝘚𝘈
 12 Z : 17 B 70/90 - 130/140.

✕ **Gasthof Berger** mit Zim, Schloßgasse 35, 𝒸 (02045) 26 68, 🏡 – 🚐 🅿. ⓞ ⋸ 𝘝𝘐𝘚𝘈
 Mitte Juli - Anfang Aug. geschl. – **M** (Montag geschl.) a la carte 33/58 – **4 Z : 5 B** 60 - 1

BRACHTTAL Hessen siehe Soden-Salmünster, Bad.

BRACKENHEIM 7129. Baden-Württemberg 412 413 K 19. 987 ㉕ – 11 500 Ew – Höhe 192
– 😊 07135 – ◆Stuttgart 41 – Heilbronn 15 – ◆Karlsruhe 58.

In Brackenheim-Botenheim S : 1,5 km :

✕✕ **Adler**, Hindenburgstr. 4, 𝒸 51 63 – 🅿. ⋸
 Dienstag und Juli - Aug. 4 Wochen geschl. – **M** a la carte 38/64.

BRÄU IM MOOS Bayern siehe Altötting.

BRÄUNLINGEN 7715. Baden-Württemberg 413 I 23. 427 J 2 – 5 300 Ew – Höhe 694 m
Erholungsort – 😊 0771 (Donaueschingen).
🛈 Städt. Verkehrsamt, Kirchstr. 10, 𝒸 6 19 00.
◆Stuttgart 132 – Donaueschingen 6,5 – ◆Freiburg im Breisgau 58 – Schaffhausen 41.

🏡 **Lindenhof**, Zähringer Str. 24, 𝒸 6 10 63, Fax 6723 – 📳 ☎ 🚐 🅿. 🆎
 ⬅ *6.- 28. März geschl.* – **M** (Freitag geschl.) a la carte 22/57 🍴 – **26 Z : 50 B** 38/60 - 70/1C

BRAKE 2880. Niedersachsen 411 I 6. 987 ⑭ – 17 000 Ew – Höhe 4 m – 😊 04401.
◆Hannover 178 – ◆Bremen 59 – Oldenburg 31.

🏨 **Wilkens-Hotel Haus Linne** Mitteldeichstr. 51, 𝒸 53 57, ⬅, 🏡 – 📺 ☎ 🅿 – 🅰 25/5
 🍴
 M (Samstag geschl.) a la carte 40/59 – **12 Z : 23 B** 80 - 130 Fb.

🏡 Landhaus Am Stadion 4 (Zufahrt Weserstraße), 𝒸 50 11 – 📺 ☎ 🅿 – **14 Z : 28 B**.

BRAKEL 3492. Nordrhein-Westfalen 411 412 K 11. 987 ⑮ – 16 700 Ew – Höhe 141 m
Luftkurort – 😊 05272.
🛈 Verkehrsamt, Haus des Gastes, Am Markt, 𝒸 60 92 69.
◆Düsseldorf 206 – Detmold 43 – ◆Kassel 76 – Paderborn 36.

🏨 **Kurhotel am Kaiserbrunnen - Haus am Park** 🐾, Brunnenallee 77, 𝒸 60 50, 🏡, ⋸
 📶 – 📳 ☎ 🚐 🅿 – 🅰 25/80
 48 Z : 70 B Fb.

🔾 **Stein** 🐾, Ringstr. 30, 𝒸 96 95, 🏡 – 🚐 🅿
 ⬅ **M** (Sonntag 14 Uhr - Montag 16 Uhr geschl.) a la carte 18/37 – **10 Z : 20 B** 40 - 70.

BRAMSCHE **4550.** Niedersachsen 411 412 G 9, 987 ⑭ – 28 500 Ew – Höhe 46 m – ☎ 05461.
Hannover 167 – ◆Bremen 111 – Lingen 56 – ◆Osnabrück 16 – Rheine 54.

Idingshof, Bührener Esch 1 (Ecke Malgartener Str.), ☎ 88 90, Fax 88964, (Halle) – 25/150. AE E VISA
M a la carte 31/66 – **80 Z : 137 B** 90/130 - 130/180 Fb.

Alte Post (ehem. Posthalterei a.d. 18. Jh.) Am Markt 1, ☎ 12 33 – AE E VISA
Samstag bis 18 Uhr und Montag geschl. – **M** a la carte 33/57.

In Bramsche 4-Hesepe N : 2,5 km :

Haus Surendorff, Dinklingsweg 1, ☎ 30 46, – 50. E VISA. Zim
M a la carte 27/57 – **16 Z : 25 B** 58/70 - 100/110.

In Bramsche 1-Malgarten NO : 6 km :

Landhaus Hellmich mit Zim, Sögelner Allee 47, ☎ 38 41 – AE E VISA
3.- 24. Jan. und 16.- 24. Sept. geschl. – **M** *(Montag geschl.)* a la carte 44/82 – **8 Z : 14 B** 60/70 - 90/115.

BRAMSTEDT, BAD **2357.** Schleswig-Holstein 411 M 5, 987 ⑤ – 10 000 Ew – Höhe 10 m – Heilbad – ☎ 04192.
Ochsenweg 38, ☎ 34 44.
Verkehrsbüro, Rathaus, Bleeck 17, ☎ 15 35.
◆Kiel 58 – ◆Hamburg 48 – Itzehoe 27 – ◆Lübeck 60.

Köhlerhof, Am Köhlerhof 4, ☎ 50 50, Telex 2180104, Fax 505638, « Park mit Teich », – Zim – 25/280. E VISA
M a la carte 43/68 – **130 Z : 260 B** 166 - 237 Fb.

Kurhotel Gutsmann, Birkenweg 4, ☎ 50 80, Fax 508159, « Gartenterrasse », – 25/100. AE E VISA
M a la carte 38/69 – **152 Z : 264 B** 85/105 - 160/220 Fb – 4 Appart. – ½ P 110/140.

Zur Post, Bleeck 29, ☎ 5 00 60, Fax 500680, – 25/100. AE E VISA
M a la carte 37/68 – **44 Z : 63 B** 83/110 - 130/180 Fb – ½ P 95/140.

Bramstedter Wappen, Bleeck 9, ☎ 33 54, –
Donnerstag 17 Uhr - Freitag sowie Juni und Sept. jeweils 1 Woche geschl. – **M** a la carte 26/45.

Bruse mit Zim, Bleeck 7, ☎ 14 38, – . AE E VISA.
Okt. geschl. – **M** *(Montag 15 Uhr - Dienstag und 10.- 20. Jan. geschl.)* a la carte 28/52 – **6 Z : 12 B** 50 - 100.

BRANDENBURG **O-1800.** Brandenburg 984 ⑮, 987 ⑰ – 92 000 Ew – Höhe 35 m – ☎ 003738.
Sehenswert : Dom ★ – St. Katharinenkirche★.
Ausflugsziel : Klosterkirche Lehnin ★ (SO : 20 km).
Brandenburg-Information, Plauer Str. 4, ☎ 2 37 43.
◆Berlin 69 – Cottbus 178 – Dessau 82 – Magdeburg 83.

Hotel am Stadion garni, Thüringer Str. 250, ☎ 52 40 05 – – **13 Z : 26 B.**

Ratskeller, Altstädtischer Markt 10, ☎ 2 40 51 – E VISA
M a la carte 18/44.

In Groß Briesen-Klein Briesen **1821** S : 15 km, bis Ragösen über die B 102, dann rechts ab :

Parkhotel Juliushof, ☎ (003736656) 2 45, –
M a la carte 22/40 – **8 Z : 16 B** 95/100.

BRANNENBURG **8204.** Bayern 413 T 23, 426 J 5 – 5 000 Ew – Höhe 509 m – Luftkurort – Wintersport : 800/1 730 m 2 (Skizirkus Wendelstein) 1 – ☎ 08034.
Ausflugsziel : Wendelsteingipfel ★★ (mit Zahnradbahn, 55 Min.).
Verkehrsamt, Rosenheimer Str. 5, ☎ 5 15.
◆München 72 – Miesbach 32 – Rosenheim 17.

Hubertushof, Nußdorfer Str. 15, ☎ 86 45, –
19 Z : 36 B.

Zur Post, Sudelfeldstr. 20, ☎ 10 66, Fax 1864, –
8. Jan.- 10. Feb. geschl. – **M** *(Donnerstag und 25. Okt.- 5. Nov. geschl.)* a la carte 22/48 – **35 Z : 65 B** 48/80 - 88/110.

Schloßwirt, Kirchplatz 1, ☎ 23 65, Fax 7187 – .
Mitte Nov.- Mitte Dez. geschl. – **M** *(Montag - Dienstag geschl.)* a la carte 18/38 – **16 Z : 34 B** 48/52 - 86/90.

Kürmeier, Dapferstr. 5, ☎ 18 35, –
Nov. geschl. – **M** *(Montag - Dienstag geschl.)* a la carte 24/41 – **19 Z : 37 B** 41/48 - 84/86.

BRAUBACH **5423.** Rheinland-Pfalz 412 F 16, 987 ㉔ – 3 800 Ew – Höhe 71 m – ☎ 02627.
Ausflugsziel: Lage★★ der Marksburg★ S : 2 km
ℹ Verkehrsamt, Rathausstr. 8, ✆ 2 03.
Mainz 87 – ♦Koblenz 13.

- **Zum weißen Schwanen,** Brunnenstr. 4, ✆ 5 59, Fax 8802, « Weinhaus a.d. 17. Jh. und Mühle a.d.J. 1341 », – TV ☎ P. AE ◑ E
  M *(Tischbestellung ratsam)* (nur Abendessen, Mittwoch und Juli geschl.) a la carte 32/57 – **14 Z : 25 B** 70/80 - 110/140.

BRAUNFELS **6333.** Hessen 412 413 I 15, 987 ㉔ ㉕ – 9 800 Ew – Höhe 236 m – Luftkurort – ☎ 06442 – Homburger Hof (W : 1 km), ✆ 45 30
ℹ Kur-GmbH, Fürst-Ferdinand-Str. 4 (Haus des Gastes), ✆ 50 61.
♦Wiesbaden 84 – Gießen 28 – Limburg an der Lahn 34.

- **Schloß Hotel,** Hubertusstr. 2, ✆ 30 50 (Hotel) 55 88 (Rest.), Fax 305222, – TV ☎ P – 25/40. AE ◑ E VISA
  Weihnachten - Mitte Jan. geschl. – **M** *(wochentags nur Abendessen)* a la carte 27/54 – **36 Z : 60 B** 85/100 - 110/145 Fb.
- XX **Solmser Hof,** Markt 1, ✆ 42 35, – AE ◑ E VISA
  M *(auch vegetarische Gerichte)* a la carte 34/61.
- X **Ratsstube,** Fürst-Ferdinand-Str. 4a, ✆ 62 67, Fax 5260 – P – 25/100. E
  Dienstag und 1.- 20. Jan. geschl. – **M** a la carte 24/43.

BRAUNLAGE **3389.** Niedersachsen 411 O 11, 987 ⑯ – 5 100 Ew – Höhe 565 m – Heilklimatischer Kurort – Wintersport : 560/965 m 1 3 3 – ☎ 05520 – ℹ Kurverwaltung Braunlage, Elbingeroder Str. 17, ✆ 10 54, Fax 3666 – ℹ Kurverwaltung Hohegeiss, Kirchstr. 15 a, ✆ (05583) 2 41.
♦Hannover 124 – ♦Braunschweig 69 – Göttingen 67 – Goslar 33.

- **Maritim** ⑤, Pfaffenstieg, ✆ 80 50, Telex 96261, Fax 3620, ≤, Bade- und Massageabteilung, , , , , – TV P – 25/400. AE ◑ E. Rest
  M a la carte 51/78 – **300 Z : 600 B** 177/347 - 258/380 Fb – 8 Appart. 600.
- **Hohenzollern** ⑤, Dr.-Barner-Str. 11, ✆ 30 91, Fax 3093, ≤, , , – ☎ P. ◑ E.
  M a la carte 36/60 – **38 Z : 63 B** 78/92 - 144/200 Fb – ½ P 97/125.
- **Klavehn** ⑤, Am Jermerstein 17, ✆ 5 29, ≤, , , – ☎ P. E
  (nur Abendessen für Hausgäste) – **23 Z : 43 B** 70/90 - 110/130 Fb – ½ P 73/88.
- **Kurhotel Rögener**, Wurmbergstr. 1, ✆ 30 86, Fax 1647, , , – ☎ P. E.
  M *(4. Nov.- 15. Dez. geschl.)* a la carte 26/58 – **64 Z : 110 B** 66/80 - 130/166 Fb.
- **Brauner Hirsch,** Am Brunnen 1, ✆ 10 64, Fax 1713, – ☎ P. ◑ E VISA
  M a la carte 21/49 – **46 Z : 74 B** 52/85 - 94/118.
- **Bremer Schlüssel** ⑤, Robert-Roloff-Str. 11, ✆ 30 68, – ☎ P.
  (Restaurant nur für Pensionsgäste) – **12 Z : 21 B** 49/56 - 88/98 – ½ P 67.
- **Hasselhof** ⑤, garni Schützenstr. 6, ✆ 30 41, , – ☎ P. AE ◑ E VISA
  Mitte Nov.- 20. Dez. geschl. – **20 Z : 40 B** 39/75 - 60/124.
- **Zur Erholung,** Lauterberger Str. 10, ✆ 13 79, – P. E
  Mitte Nov.- Mitte Dez. geschl – **M** a la carte 24/51 – **32 Z : 59 B** 47/72 - 84/98.
- **Berliner Hof,** Elbingeröder Str. 12, ✆ 4 27 – P
  Nov.- 20. Dez. geschl. – **M** *(Mittwoch geschl.)* a la carte 14/40 – **26 Z : 39 B** 28/70 - 62/80.
- XX **Romantik-Hotel Tanne** (mit Zim. und Gästehaus), Herzog-Wilhelm-Str. 8, ✆ 10 34, Fax 3992, « Geschmackvoll - behagliche Einrichtung » – TV ☎ P. AE ◑ E VISA. Zim
  M (Tischbestellung ratsam) a la carte 40/89 – **22 Z : 38 B** 75/120 - 100/190 Fb – ½ P 85/140.

In Braunlage 2 - Hohegeiss SO : 12 km – Höhe 642 m – Heilklimatischer Kurort – Wintersport : 600/700 m 4 3 – ☎ 05583 :

- **Rust** ⑤, Am Brande 3, ✆ 8 31, ≤, , , – ☎ P. Zim
  Nov.- 15. Dez. geschl. – **M** a la carte 24/31 – **15 Z : 27 B** 49/55 - 98/110 – ½ P 60.
- **Gästehaus Brettschneider** ⑤ garni, Hubertusstr. 2, ✆ 8 06, ≤, – P.
  Nov.- 20. Dez. geschl. – **11 Z : 19 B** 40/43 - 80/86.
- XX **Landhaus Bei Wolfgang,** Hindenburgstr. 6, ✆ 8 88 – AE ◑ E VISA
  Donnerstag und 4. Nov.- 15. Dez. geschl. – **M** (ab 21 Uhr Unterhaltungsmusik) a la carte 41/78

BRAUNSBACH **7176.** Baden-Württemberg 413 M 19 – 2 600 Ew – Höhe 235 m – ☎ 07906
♦Stuttgart 93 – Heilbronn 53 – Schwäbisch Hall 13.

In Braunsbach-Döttingen NW : 3 km :

- **Schloß Döttingen** ⑤ (mit Gästehäusern), ✆ 10 10, Fax 10110, , , – TV ☎ P – 25/80. E. Rest
  26. Juli - 8. Aug. und 20.- 31. Dez. geschl. – (Restaurant nur für Hausgäste) – **78 Z : 130 B** 60/75 - 120/150.

BRAUNSCHWEIG **3300.** Niedersachsen 411 O 10, 987 ⑮ ⑯ – 260 000 Ew – Höhe 72 m – 0531.

Sehenswert: Dom★ (Imerward-Kruzifix★★, Bronzeleuchter★) BY – Herzog-Anton-Ulrich-Museum Mittelalter-Abteilung★) BY **M1**.

Schwarzkopffstr. 10 (über ④), 69 13 69.

Lilienthalplatz, ②: 9 km, 35 00 05.

Städt. Verkehrsverein, Hauptbahnhof, 7 92 37 und Bohlweg (Pavillon), 4 64 19, Telex 952895.

ADAC Langestr. 63, 4 40 14, Notruf 1 92 11.

♦Hannover 64 ⑦ – ♦Berlin 230 ② – Magdeburg 92 ②.

Stadtpläne siehe nächste Seiten

Mövenpick-Hotel, Welfenhof, 4 81 70, Telex 952777, Fax 4817551, , direkter Zugang zum Fun-Club mit Saunarium und Sole-Grotte – Zim – 25/200. BY **z**
M a la carte 34/75 – **Rössli M** a la carte 40/70 – **132 Z : 220 B** 249/259 - 308/398 Fb.

Ritter St. Georg, Alte Knochenhauerstr. 13, 1 30 39, Fax 13038, « Ältestes Fachwerkhaus Braunschweigs, barocke Deckenbemalung im Restaurant » – . Rest AY **e**
M *(Tischbestellung ratsam)* a la carte 60/85 – **22 Z : 44 B** 150/220 - 210/330 Fb.

Mercure Atrium, Berliner Platz 3, 7 00 80, Telex 952576, Fax 7008125 – – 25/500. BZ **a**
M a la carte 33/62 – **130 Z : 200 B** 200/250 - 230/400 Fb.

Deutsches Haus, Ruhfäutchenplatz 1, 4 44 22, Telex 952744, Fax 44421 – – 25/150. BY **u**
M a la carte 34/70 – **84 Z : 120 B** 107/175 - 156/238.

Lessing-Hof , Okerstr. 13, 4 54 55, Fax 400535 – – 25/60. Rest
M *(nur Abendessen, Samstag sowie Sonn- und Feiertage geschl.)* a la carte 30/55 – **42 Z : 70 B** 68/98 - 120/200 Fb. AX **b**

Gästehaus Wartburg garni, Rennelbergstr. 12, 50 00 11, Fax 507629 – . AX **z**
21 Z : 31 B 75/125 - 125/145.

Fürstenhof, Campestr. 12, 79 10 61, Fax 791064, , – . BZ **c**
M *(wochentags nur Abendessen, auch indonesische Küche)* a la carte 25/55 – **44 Z : 65 B** 115 - 164 Fb.

Frühlingshotel garni, Bankplatz 7, 4 93 17, Fax 13268 – . AY **a**
62 Z : 95 B 85/118 - 135/168 Fb.

Pension Wienecke garni, Kuhstr. 14, 4 64 76 – BY **w**
17 Z : 20 B 52/88 - 92/102.

Haus zur Hanse, Güldenstr. 7, 4 61 54, Fax 43916, « Fachwerkhaus a.d. 16. Jh. » – AY **x**
Sonntag ab 15 Uhr geschl. – **M** 25 /45 (mittags) und a la carte 46/77.

Altes Haus (Fachwerkhaus a.d. 15. Jh.), Alte Knochenhauerstr. 11, 4 66 06, – AY **e**
nur Abendessen, Montag geschl. – **M** a la carte 33/57.

Brabanter Hof, Güldenstr. 77, 4 30 90 – AY **c**
Montag und Juli geschl. – **M** a la carte 32/63.

Löwen-Krone, Leonhardplatz (Stadthalle), 7 20 76, Fax 73131, – – 60. BY **r**
M a la carte 35/62.

Im Industriegebiet Hansestraße über Hamburger Str. BX :

Nord garni, Robert-Bosch-Str. 7 (Nähe BAB Kreuz BS-Nord), 31 08 60, Fax 3108686 – .
32 Z : 50 B 95/160 - 130/190 Fb.

In Braunschweig-Ölper ⑦ : 3,5 km :

Ölper Turm (historisches Gebäude a.d. Zeit um 1600), Celler Heerstr. 46, 5 40 85, Biergarten – – 40
M a la carte 25/54 – **8 Z : 14 B** 70/80 - 120.

In Braunschweig-Riddagshausen über Kastanienallee BY :

Landhaus Seela, Messeweg 41, 3 70 01 62, Fax 3700193, – – 25/110.
M a la carte 32/63 – **38 Z : 58 B** 105/180 - 160/240 Fb.

In Braunschweig-Rüningen ⑤ : 5 km :

Zum Starenkasten, Thiedestr. 25 (B 248), 87 41 21, Fax 874126, , – – 25/120.
M a la carte 30/56 – **57 Z : 102 B** 95/115 - 170/250 Fb.

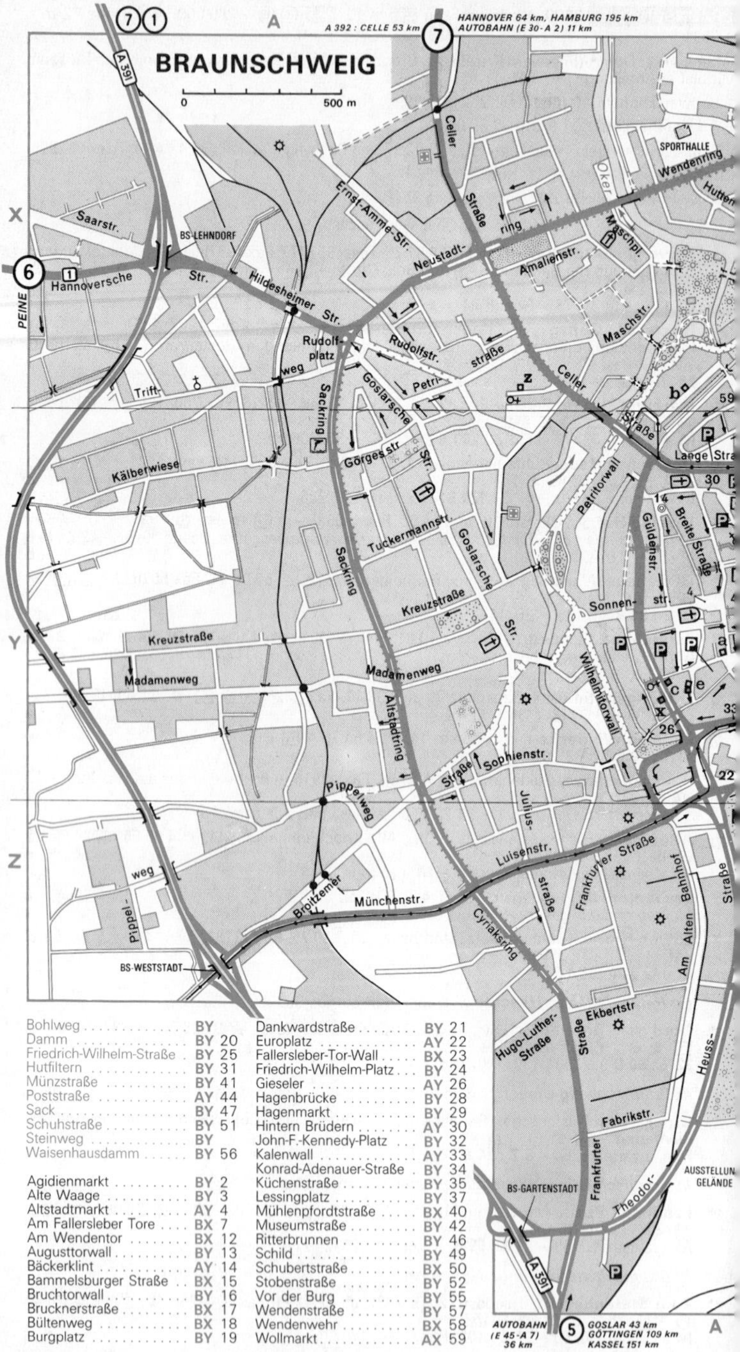

BRAUNSCHWEIG
0
500 m
A
A 392 : CELLE 53 km
HANNOVER 64 km, HAMBURG 195 km
AUTOBAHN (E 30-A 2) 11 km
A 391
X
Y
Z
PEINE
Saarstr.
BS-LEHNDORF
Hannoversche
Str.
Hildesheimer
Str.
Ernst-Amme-Str.
Neustadt-
ring
Celler
Straße
Amalienstr.
Maschpl.
Maschstr.
Oker
SPORTHALLE
Wendenring
Hutten
Rudolf-
platz
Rudolfstr.
Petri-
straße
weg
Trift
Sackring
Goslarsche
Str.
Görgesstr.
Kälberwiese
Tuckermannstr.
Petritorwall
Güldenstr.
Breite Straße
Lange Stra
Sonnen-
str.
Kreuzstraße
Madamenweg
Altstadtring
Wilhelmitorwall
Sophienstr.
Julius-
straße
Pippelweg
Luisenstr.
Frankfurter Straße
Am Alten Bahnhof
Straße
Broitzemer
Münchenstr.
Cyriaksring
weg
Pippel-
BS-WESTSTADT
Hugo-Luther-
Straße
Ekbertstr
Heuss-
Fabrikstr.
Frankfurter
Theodor-
AUSSTELLUN
GELÄNDE
BS-GARTENSTADT
AUTOBAHN
(E 45-A 7)
36 km
GOSLAR 43 km
GÖTTINGEN 109 km
KASSEL 151 km

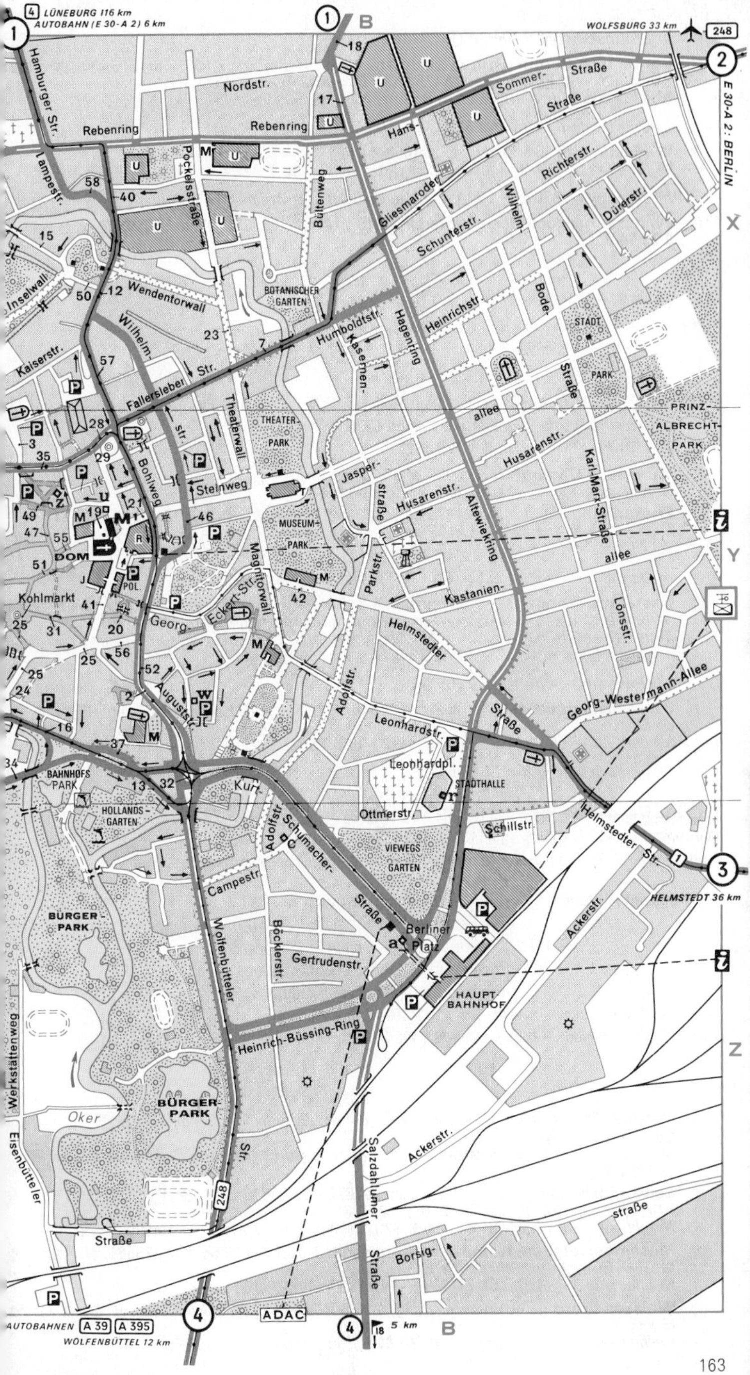
4 LÜNEBURG 116 km
AUTOBAHN (E 30-A 2) 6 km
WOLFSBURG 33 km
248
E 30-A 2: BERLIN
HELMSTEDT 36 km
AUTOBAHNEN A 39 A 395
WOLFENBÜTTEL 12 km
ADAC
5 km
Hamburger Str.
Lampestr.
Rebenring
Nordstr.
Pockelsstraße
Bültenweg
Sommer-
Straße
Hans-
Gliesmaroder
Richterstr.
Wilhelm-
Dürerstr.
Schunterstr.
Wendentorwall
Inselwall
BOTANISCHER GARTEN
Heinrichstr.
Bode-
STADT
PARK
Humboldtstr.
Hagenring
Kasernen-
Kaiserstr.
Wilhelm-
Fallersleber
Str.
Theaterwall
THEATER-PARK
allee
PRINZ-ALBRECHT-PARK
Husarenstr.
Karl-Marx-Straße
Bohlweg
Steinweg
Jasper-
straße
Husarenstr.
DOM
MUSEUM-PARK
Altewiekring
allee
Magnitorwall
POL.
Kohlmarkt
Kastanien-
Eckert-Str.
Georg-
Helmstedter
Lönsstr.
Parkstr.
Adolfstr.
Auguststr.
Georg-Westermann-Allee
Straße
Leonhardstr.
Leonhardpl.
STADTHALLE
BAHNHOFS PARK
HOLLANDS-GARTEN
Kurt-
Ottmerstr.
Schillstr.
Helmstedter Str.
Adolfstr.
Schumacher-
Straße
VIEWEGS GARTEN
Campestr.
BÜRGER-PARK
Ackerstr.
Berliner Platz
HAUPT-BAHNHOF
Böcklerstr.
Gertrudenstr.
Wolfenbütteler
Heinrich-Büssing-Ring
Werkstättenweg
Oker
BÜRGER-PARK
Str.
Salzdahlumer
Ackerstr.
straße
Eisenbütteler
Straße
Borsig-
Straße

In Braunschweig-Wenden ① : 7 km :

Sport- und Seminarhotel, Hauptstr. 48 b, ✆ (05307) 20 90, Fax 209400, (Halle) – TV – 25/100. AE E VISA. Rest
M a la carte 41/67 – **66 Z : 110 B** 149/245 - 190/300 Fb.

In Cremlingen 1-Weddel **3302** ③ : 10 km :

Weddeler Hof, Dorfplatz 24, ✆ (05306) 44 77 –
M *(Montag bis 17 Uhr geschl.)* a la carte 24/57 – **16 Z : 22 B** 45/50 - 85/90 Fb.

In Schwülper **3301** ⑦ : 11 km, nahe BAB-Abfahrt Braunschweig-West :

Zwischen Harz und Heide, Ackerstr. 25 (B 214), ✆ (05303) 60 55 – TV
8 Z : 14 B.

Europe

Wenn der Name eines Hotels dünn gedruckt ist,
dann hat uns der Hotelier Preise
und Öffnungszeiten nicht oder nicht vollständig angegeben.

BREDSTEDT **2257.** Schleswig-Holstein 411 J 3, 987 ④ – 4 500 Ew – Höhe 5 m – 04671.
Fremdenverkehrsverein, Süderstr. 36, ✆ 58 57.
♦Kiel 101 – Flensburg 38 – Husum 17 – Niebüll 25.

Thomsens Gasthof, Markt 13, ✆ 14 13 –
M a la carte 26/49 – **17 Z : 30 B** 38/55 - 68/85 Fb.

Friesenhalle mit Zim, Hohle Gasse 2, ✆ 15 21 – TV . AE E VISA.
Ende Feb.- Mitte März und Okt. 3 Wochen geschl. – **M** *(Okt.- Mai Freitag 14 Uhr - Samstag 18 Uhr geschl.)* a la carte 35/72 – **5 Z : 10 B** 50/90 - 85/140.

In Ockholm-Bongsiel **2255** NW : 13 km Richtung Dagebüll :

Gaststätte Bongsiel (nordfriesisches Dorfgasthaus und ehem. Schleusenwärterhaus) ✆ (04674) 14 45, « Bildersammlung bekannter deutscher Maler », –
Mitte Jan.- Mitte Feb. geschl. – **M** *(Dienstag bis 18 Uhr, außer Saison Dienstag ganztägig geschl.)* a la carte 34/52 – **10 Z : 22 B** 45 - 90 – 6 Fewo 60/95.

In Ockholm - Schlüttsiel **2255** NW : 17 km :

Fährhaus Schlüttsiel mit Zim, ✆ (04674) 2 55, ≤ Nordsee und Halligen – TV
AE E
Nov. geschl. – **M** a la carte 25/55 – **5 Z : 10 B** 65 - 100.

Siehe auch : *Bargum* N : 10,5 km

BREGENZ **A-6900.** Österreich 413 M 24, 987 ㊱, 426 B 6 – 27 000 Ew – Höhe 396 m – Wintersport : 414/1 020 m 1 2 – 05574 (innerhalb Österreich).
Sehenswert : ≤★ (vom Hafendamm) BY – Vorarlberger Landesmuseum★ BY – Martinsturm ≤★ BY.
Ausflugsziele : Pfänder★★ : ≤★★, Alpenwildpark (auch mit) BY.

Festspiel-Preise : siehe Seite 8
Prix pendant le festival : voir p. 16
Prices during tourist events : see p. 24
Prezzi duranti i festival : vedere p. 32.

Fremdenverkehrsamt, Inselstr. 15, ✆ 43 39 10, Fax 4339110.
Wien 627 ① – Innsbruck 199 ② – ♦München 196 ① – Zürich 119 ③.

Stadtplan siehe gegenüberliegende Seite

Die Preise sind in der Landeswährung (ö. S.) angegeben.

Mercure, Platz der Wiener Symphoniker, ✆ 4 61 00, Telex 57470, Fax 47412, – Rest TV – 25/200. VISA AY e
Restaurants : **Gourmet-Restaurant** *(nur Abendessen)* – **Theater-Café** – **94 Z : 190 B** Fb – 3 Appart..

Schwärzler, Landstr. 9, ✆ 49 90, Telex 57672, Fax 47575, – TV – 25/100. AE E VISA. Rest über Landstr. AZ
M a la carte 295/420 – **83 Z : 150 B** 920/1250 - 1460/1700 Fb – 7 Appart. 3000.

Messmer Hotel am Kornmarkt, Kornmarktstr. 16, ✆ 4 23 56, Fax 423566, – – 25/100. AE E VISA BY u
M a la carte 285/440 – **82 Z : 160 B** 790/1300 - 1180/1780 Fb.

Weisses Kreuz garni, Römerstr. 5, ✆ 4 98 80, Telex 57741, Fax 498867 – TV . AE E VISA BY s
Weihnachten - 1. Jan. geschl. – **45 Z : 80 B** 760/1100 - 1250/1900 Fb.

BREGENZ

Bahnhofstraße	AY	Rathausstraße	BY 13	Kornmarktstraße	BY 8
Kaiserstraße	BY 5	Amtstorstraße	BZ 2	Leutbühel	BY 9
		Anton-Schneider-Str.	BY 3	Maurachgasse	BY 12
		Kirchstraße	BYZ 6	Mehrerauer Str.	AY 15
				Thalbachgasse	BZ 16

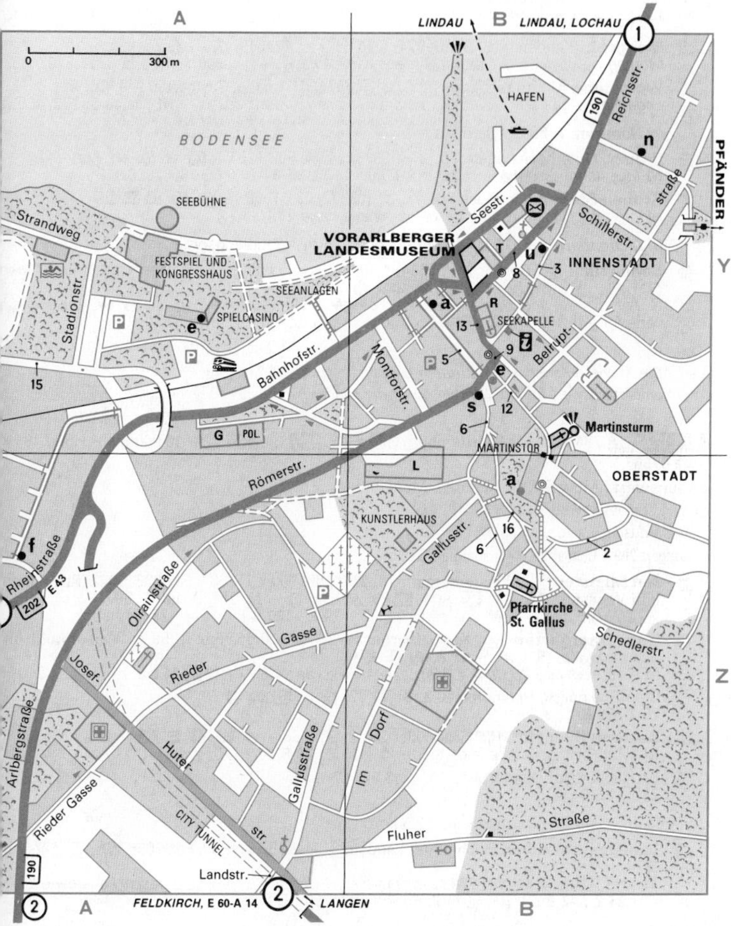

Germania, Am Steinenbach 9, ✆ 4 27 66, Fax 427664, ☂, ≘ – |‡| TV ☎ ⇔ P. ✂ Zim — BY **n**
24. Dez.- 6. Jan. geschl. – **M** (Sonntag 15 Uhr - Montag 17 Uhr geschl.) a la carte 220/420 – **40 Z : 80 B** 650/1350 - 860/1700 Fb.

Falken, Quellenstr. 49, ✆ 4 77 33, Fax 46357 – TV ☎ P. AE ◑ E VISA — AZ **f**
M *(nur Abendessen, Montag geschl.)* a la carte 322/430 – **17 Z : 33 B** 580/850 - 980/1350 Fb.

Central garni, Kaiserstr. 26, ✆ 4 29 47, Fax 47892 – |‡| ☎. AE E VISA — BY **a**
Mitte Dez.- Mitte März geschl. – **35 Z : 55 B** 390/700 - 700/1200.

XXX ✿ **Deuring-Schlössle** ⚘ mit Zim (kleines Stadtschloß a.d.J. 1690), Ehre-Guta-Platz 4, ✆ 4 78 00, Fax 4780080, ☂, ☂ – ✂ Rest TV ☎ P – 25/70. AE ◑ E VISA — BZ **a**
M *(Tischbestellung ratsam)* 350 /580 (mittags), 740/980 (abends) – **13 Z : 26 B** 1350/2700 - 2300/2700 – 3 Appart. 5000
Spez. Mariniertes Bodenseefelchen, Zandersoufflé mit Felchenkaviarsauce, Geröstete Flußkrebse mit schwarzen Nudeln.

X **Weinstube Ilge** (Haus a.d. 15. Jh.), Maurachgasse 6, ✆ 4 36 09 — BY **e**
Sonntag ab 15 Uhr geschl. – **M** a la carte 218/400.

In Bregenz-Fluh O : 5 km über Fluher Str. BZ – Höhe 750 m :

Berghof Fluh ⑤, ☎ 4 42 13, ≤ Bregenzer Wald, 🌳 – ☎ 🚗 Ⓟ. AE ⓪ E VISA
Jan. 3 Wochen geschl. – **M** a la carte 150/380 – **12 Z : 22 B** 400 - 800.

In Lochau **A-6911** ① : 3 km :

Mangold, Pfänderstr. 3, ☎ (05574) 4 24 31, Fax 424319, 🌳 – Ⓟ
Montag - Dienstag 17 Uhr und Anfang Jan.- Anfang Feb. geschl. – **M** a la carte 270/495

Weinstube Messmer, Landstr. 3, ☎ (05574) 4 41 51, « Gastgarten » – Ⓟ. ✻
Ende Nov.- Anfang Dez. und Donnerstag - Freitag 17 Uhr geschl. – **M** a la carte 230/450

In Hörbranz **A-6912** ① : 6 km :

Brauer, Unterhochstegstr. 25, ☎ (05573) 24 04, Fax 4251 – TV ☎ Ⓟ. ✻ Rest
M *(nur Abendessen)* a la carte 193/455 – **45 Z : 95 B** 420/650 - 800/900.

Kronen-Stuben, Lindauer Str. 48, ☎ (05573) 23 41, 🌳 – Ⓟ. AE ⓪ E VISA
Montag 14 Uhr - Dienstag geschl. – **M** a la carte 205/330 ♂.

In Eichenberg **A-6911** ① : 8 km – Höhe 796 m – Erholungsort :

Schönblick ⑤, Dorf 6, ☎ (05574) 4 59 65, Fax 459657, ≤ Bodensee, Lindau und Alpe
🌳, ⛲, 🏊, 🌲, ✂ – 🛗 TV ☎ 🚗 Ⓟ
8. Jan.- 5. Feb. und 20. Nov.- 20. Dez. geschl. – **M** *(Montag - Dienstag 17 Uhr geschl.)* a
carte 195/460 ♂ – **17 Z : 35 B** 550/600 - 900/1100 Fb – 7 Fewo 560/960.

Die Michelin-Kartenserie mit rotem Deckblatt : Nr. 980-991
empfehlenswert für Ihre Fahrten durch die Länder Europas.

BREISACH **7814.** Baden-Württemberg 413 F 22, 987 ㉞, 242 ㉜ – 10 000 Ew – Höhe 191
– ☎ 07667.

Sehenswert : Münster (Hochaltar★), Münsterberg ≤★.

ℹ Verkehrsamt, Werd 9, ☎ 8 32 27.

ADAC Im Grenzzollamt, ☎ 83 07.

♦Stuttgart 209 – Colmar 24 – ♦Freiburg im Breisgau 28.

Am Münster ⑤, Münsterbergstr. 23, ☎ 83 80, Telex 772687, Fax 838100, ≤ Rheinebe
und Vogesen, 🌳, ⛲, 🏊 – 🛗 TV ☎ ♿ 🚗 Ⓟ – 🏛 25/80. ⓪ E VISA
7.- 20. Jan. geschl. – **M** a la carte 44/72 – **70 Z : 120 B** 89/151 - 126/240 Fb.

Kapuzinergarten ⑤, Kapuzinergasse 26, ☎ 10 55, Fax 1059, ≤ Kaiserstuhl u
Schwarzwald, 🌳, 🌲 – ☎ ♿ Ⓟ. E VISA
M *(Mittwoch und 28. Jan.- 7. März geschl.)* a la carte 40/71 – **12 Z : 24 B** 85/125 - 120/210 F

Café Rheinblick, Rheinuferstr. 2, ☎ 71 72, 🌳 – TV ☎ Ⓟ
25 Z : 50 B.

Kaiserstühler Hof, Richard-Müller-Str. 2, ☎ 2 36 – ☎. AE ⓪ E VISA
M *(Mittwoch geschl.)* a la carte 30/70 – **16 Z : 30 B** 68 - 120.

Breisacher Hof, Neutorplatz 16, ☎ 3 92, 🌳 – Ⓟ
28 Z : 55 B Fb.

In Breisach-Hochstetten SO : 2,5 km :

Landgasthof Adler, Hochstetter Landstr. 3, ☎ 2 85/ 9 39 30, Fax 7096, 🌳, 🏊, 🌲 –
E
März 3 Wochen geschl. – **M** *(Samstag bis 16 Uhr und Donnerstag geschl.)* a la carte 27/
♂ – **23 Z : 42 B** 60/70 - 90/100 Fb – ½ P 70/95.

BREISIG, BAD **5484.** Rheinland-Pfalz 412 E 15 – 8 000 Ew – Höhe 62 m – Heilbad – ☎ 0263

Ausflugsziel : Burg Rheineck : ≤★ S : 2 km.

ℹ Verkehrsamt, Albert-Mertes-Str. 11 (Heilbäderhaus Geiersprudel), ☎ 9 70 71.

Mainz 133 – ♦Bonn 33 – ♦Koblenz 30.

Rheinhotel Vier Jahreszeiten ⑤, Rheinstr. 11, ☎ 60 70, Telex 863333, Fax 9220,
Rhein, 🌳, ⛲, 🏊 – 🛗 TV Ⓟ – 🏛 25/200. AE ⓪ E
M a la carte 37/67 ♂ – **133 Z : 320 B** 105/135 - 170/240 Fb.

Zur Mühle ⑤, Koblenzer Str. 15 (B 9), ☎ 9 70 61, ≤, 🏊, 🌲 – 🛗 ☎ Ⓟ. AE ⓪ E VISA. ✻ Re
5. Jan.- 2. März geschl. – **M** a la carte 32/50 ♂ – **33 Z : 51 B** 73/79 - 110/140 Fb – ½ P 70/9

Niederée, Zehnerstr. 2 (B 9), ☎ 92 10, ⛲ – 🛗 TV ☎ Ⓟ. AE ⓪ E VISA. ✻ Zim
M *(7.Jan.- 4. Feb. und Mittwoch geschl.)* a la carte 29/57 ♂ – **31 Z : 48 B** 58/62 - 100/150 F
– ½ P 67/92.

Quellenhof, Albert-Mertes-Str. 23, ☎ 94 79, 🌳 – Ⓟ. AE E. ✻ Zim
5. Nov.- 20. Dez. geschl. – **M** *(Dienstag geschl.)* a la carte 28/59 – **17 Z : 25 B** 38/65 - 80/98 F

Haus Mathilde ⑤, Waldstr. 5, ☎ 91 44 – Ⓟ. ⓪ E VISA
15. Nov.- 15. Dez. geschl. – (Restaurant nur für Hausgäste) – **18 Z : 28 B** 40/55 - 74/104.

XX **Zum Weißen Roß** mit Zim (Haus a.d.J. 1628), Zehnerstr. 19 (B 9), ✆ 91 35, 🏠 – AE ⓓ E VISA
M a la carte 40/75 – **10 Z : 18 B** 60/90 - 100/200.

XX **Am Kamin,** Zehnerstr. 10 (B 9), ✆ 9 67 22, 🏠 – AE ⓓ E VISA
Montag und Aug. 2 Wochen geschl. – Menu a la carte 38/68.

XX **Historisches Weinhaus Templerhof** (Haus a.d.J. 1657), Koblenzer Str.45 (B 9), ✆ 94 35, 🏠 – Ⓟ. AE ⓓ E VISA
Mittwoch - Donnerstag 18 Uhr, Jan. 3 Wochen und Juni 2 Wochen geschl. – **M** *(auch vegetarisches Menu)* a la carte 52/96.

X **Vater und Sohn** mit Zim, Zehnerstr. 78 (B 9), ✆ 91 48, 🏠 – Ⓟ. AE ⓓ E VISA
M *(Montag geschl.)* a la carte 27/55 – **8 Z : 15 B** 35/45 - 66/86.

X Breisiger Stuben Bufhell 11, ✆ 9 65 86, 🏠 – Ⓟ.

BREITBRUNN AM CHIEMSEE 8211. Bayern 413 U 23 – 1 300 Ew – Höhe 539 m – ☎ 08054.

Sehenswert : Chiemsee★.

Verkehrsamt, Gollenshauser Str. 1, ✆ 2 34.

München 96 – Rosenheim 26 – Traunstein 28.

XX **Zum Wastlhuberhof,** ✆ 4 82 – Ⓟ
nur Abendessen, Dienstag geschl. – **M** a la carte 38/60.

X **Beim Oberleitner am See** mit Zim, Seestr. 24, ✆ 3 96, ≤ Chiemsee und Berge, 🏠, Bootssteg – Ⓟ
7. Jan.- Mitte April und 19. Okt.- 25. Dez. geschl. – **M** *(Dienstag 14 Uhr - Mittwoch geschl.)* a la carte 24/44 – **6 Z : 11 B** 40/60 - 70/90.

BREITENBACH AM HERZBERG 6431. Hessen 412 L 14 – 2 000 Ew – Höhe 250 m – Erholungsort – ☎ 06675.

Wiesbaden 149 – Fulda 35 – Gießen 42 – ♦Kassel 75.

An der Autobahn A 5 (Nordseite) NW : 5 km :

Rasthaus Motel Rimberg, ✉ 6431 Rimberg, ✆ (06675) 5 61, Fax 1689, ≤ – |‡| TV ☎ ♿ 🚗 Ⓟ. AE ⓓ E VISA
M a la carte 27/47 – **11 Z : 24 B** 70 - 104.

BREITENGÜSSBACH 8613. Bayern 413 P 17, 987 ㉖ – 3 600 Ew – Höhe 245 m – ☎ 09544.

Gut Leimershof (O : 6 km), ✆ (09547) 71 09.

München 239 – ♦Bamberg 9 – Bayreuth 64 – Coburg 37 – Schweinfurt 63.

Vierjahreszeiten, Sportplatz 6, ✆ 8 61, Fax 864, ≘s, 🏊 – TV ☎ Ⓟ – 🏛 30.
M *(Sonntag ab 14 Uhr, Freitag und über Fasching geschl.)* a la carte 27/50 – **35 Z : 60 B** 70/110 - 120/180 Fb.

BREITNAU 7821. Baden-Württemberg 413 H 23 – 1 800 Ew – Höhe 950 m – Luftkurort – Wintersport : 1 000/1 200 m ⛷2 ⛷1 – ☎ 07652 (Hinterzarten).

Kurverwaltung, Rathaus, ✆ 16 97, Fax 5134.

Stuttgart 167 – Donaueschingen 42 – ♦Freiburg im Breisgau 30.

Kaiser's Tanne Wirtshus, Am Wirbstein 27 (B 500, SO : 2 km), ✆ 12 01, Fax 1507, « Gartenterrasse mit ≤ », ≘s, 🏊, 🌳 – |‡| TV ☎ 🚗 Ⓟ
M *(wochentags ab 14 Uhr geöffnet)* a la carte 46/81 – **35 Z : 70 B** 80/130 - 140/350 Fb.

Faller, an der B 500 (SO : 2 km), ✆ 10 01, Fax 311, « Terrasse mit ≤ », ≘s, 🌳 – |‡| TV ☎ 🚗 Ⓟ
Ende Nov.- Mitte Dez. geschl. – **M** *(Mittwoch 17 Uhr - Donnerstag geschl.)* a la carte 32/60 🍷 – **25 Z : 46 B** 85 - 140 Fb – 3 Appart. 200 – ½ P 90/105.

Löwen, an der B 500 (O : 1 km), ✆ 3 59, Fax 359, ≤, 🏠, ≘s, 🌳, 🎾 – Ⓟ
10. Nov.- 20. Dez. geschl. – **M** *(Dienstag geschl.)* a la carte 26/51 🍷 – **14 Z : 26 B** 50/55 - 100/110 – ½ P 73/78.

Backhof Helmle, Ödenbachstr. 3 (SO : 2 km, an der B 500), ✆ 3 89, 🏠, 🌳 – ☎ 🚗 Ⓟ
20. Nov.- 20. Dez. geschl. – **M** *(Dienstag geschl.)* a la carte 24/46 🍷 – **24 Z : 54 B** 45 - 82 Fb.

Kreuz, Dorfstr. 1, ✆ 13 88, ≤, direkter Zugang zum 🏊 im Kurhaus – 🚗 Ⓟ
Ende April - Anfang Mai und Anfang Nov.- 22. Dez. geschl. – **M** *(Montag geschl.)* a la carte 20/40 🍷 – **16 Z : 32 B** 50 - 90 Fb – ½ P 60/70.

In Breitnau-Höllsteig SW : 9 km über die B 31 :

Hofgut Sternen, am Eingang der Ravennaschlucht, ✆ 10 82, Fax 88142, 🏠 – |‡| TV ☎ ♿ Ⓟ – 🏛 25/60. AE ⓓ E VISA
7. Jan.- Feb. geschl. – **M** a la carte 31/58 – **54 Z : 114 B** 106 - 166 Fb – ½ P 113/136.

BREMEN **2800.** Stadtstaat Bremen 411 J 7, 987 ⑭ ⑮ – 530 000 Ew – Höhe 10 m – ☎ 042
Sehenswert : Marktplatz★★ Z – Focke-Museum★★ V **M3** – Rathaus★ (Treppe★★) Z **R** – Dom St. Petri★ (Taufbecken★★ Madonna★) Z – Wallanlagen★ YZ – Böttcherstraße★ Z : Roseliushaus (Nr.6) und Paula-Modersohn-Becker-Haus★ (Nr.8) Z **E** – Schnoor-Viertel★ Z – Kunsthalle★ Z **M**

⛳18 Bremen-Vahr, Bgm.-Spitta-Allee 34 (V), ☎ 23 00 41 ; ⛳18 Garlstedt (N : 11 km über die B 6 ☎ (04795) 4 17 ; ⛳9 Bremen-Oberneuland (über ①), Heinrich-Baden-Weg 25, ☎ 25 93 21.

✈ Bremen-Neustadt (S : 6 km) X, ☎ 5 59 51 – 🚗 ☎ 30 63 07.

Ausstellungsgelände a. d. Stadthalle (V), ☎ 3 50 52 34.

ℹ Verkehrsverein, Touristinformation am Bahnhofsplatz, ☎ 30 80 00, Telex 244854, Fax 308003C

ADAC, Bennigsenstr. 2, ☎ 4 99 40, Notruf ☎ 1 92 11.

♦Hamburg 120 ① – ♦Hannover 123 ①.

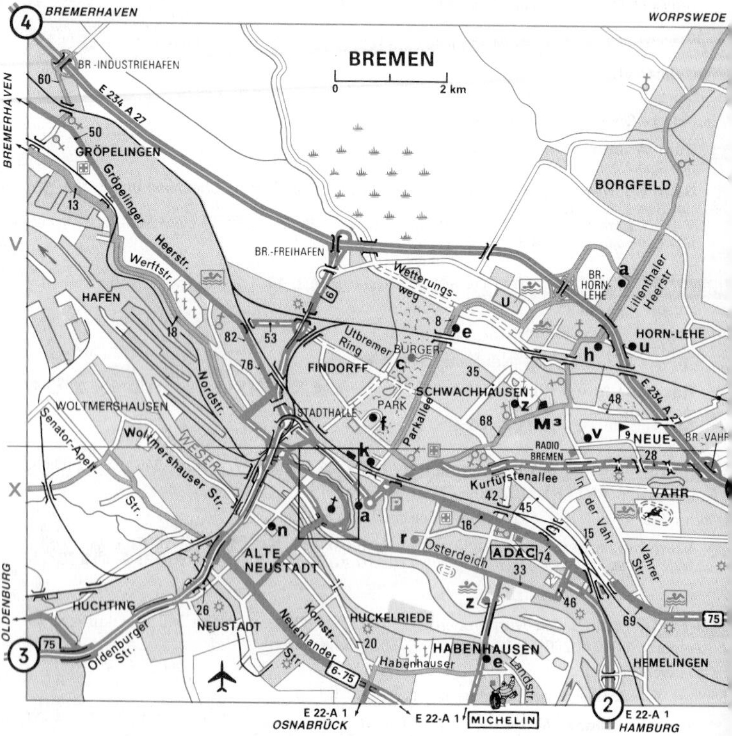

Am Stadtwald	V 8	Hastedter Osterdeich	X 33	Ritterhuder Heerstraße	V 6
Beim Industriehafen	V 13	H.-H.-Meier-Allee	V 35	Schwachhauser Heerstraße	V 6
Beneckendorffallee	X 15	Kirchbachstraße	X 42	Sebaldsbrücker Heerstraße	X 6
Bismarckstraße	X 16	Konrad-Adenauer-Allee	X 45	Stresemannstraße	X 7
Bremerhavener Str.	V 18	Malerstraße	X 46	Utbremer Str.	V 7
Buntentorsteinweg	X 20	Marcusallee	V 48	Waller Heerstraße	V 8
Duckwitzstraße	X 26	Oslebshauser Heerstraße	V 50		
Franz-Schütte-Allee	X 28	Osterfeuerberger Ring	V 53		

Park-Hotel ⛰, im Bürgerpark, ☎ 3 40 80, Telex 244343, Fax 3408602, ≤, « Terrasse am Hollersee » – 🛗 📺 🚗 🅟 – 🎤 25/500. AE ⓓ E VISA – Restaurants : **Parkrestaurant** (bemerkenswertes Weinangebot) **M** a la carte 70/100 – **buten und binnen M** a la carte 42/75 – **150 Z : 230 B** 270/330 - 400/470 – 8 Appart. 530/1500. V

Bremen Marriott, Hillmannplatz 20, ☎ 1 76 70, Telex 246868, Fax 1767238 – 🛗 ✈ Zim ▤ 📺 ♿ 🚗 – 🎤 25/600. AE ⓓ E VISA Y
M a la carte 50/81 – **230 Z : 460 B** 292/352 - 332/424 Fb – 4 Appart. 522/1222.

Scandic Crown Hotel, Böttcherstr. 2 (Eingang Wachtstr.), ☎ 3 69 60, Telex 24503 Fax 3696960, ≘s, 🏊 – ✈ Zim ▤ 📺 🚗 – 🎤 25/350. AE ⓓ E VISA. ✂ Rest Z
M *(Sonntag - Montag, 14. Juli - 17. Aug. und 23. Dez.- 6. Jan. geschl.)* a la carte 49/8 – **235 Z : 380 B** 225/265 - 285/325 Fb – 8 Appart. 350/390.

BREMEN

gebrückstraße . . . . Z 12
tcherstraße . . . . Z
msheide . . . . Z 24
tfilterstraße . . . . Y 38
ochenhauerstraße . . . . . . Y
arktplatz . . . . Z
rtinistraße . . . . YZ
ernstraße . . . . YZ
oenstraße . . . . Y 57
hüsselkorb . . . . Y 64
llenstraße . . . . Z 78

Wachtstraße . . . . Z 79

Am Brill . . . . Y 2
Am Dom . . . . Z 4
Am Landherrnamt . . . . Z 7
Ansgaritorstraße . . . . Y 9
Ansgaritorwallstraße . . . . . Y 10
Dechanatstraße . . . . Z 23
Friedrich-Ebert-Straße . . . . Z 29
Goetheplatz . . . . Z 32
Herdentorswallstraße . . . . . Y 36
Hermann-Böse-Straße . . . . . Y 37

Katharinenstraße . . . . YZ 40
Komturstraße . . . . Z 43
Osterdeich . . . . Z 52
Ostertorstraße . . . . Z 55
Ostertorswallstraße . . . . . . Z 56
Pelzerstraße . . . . Y 58
Pieperstraße . . . . Y 59
Sandstraße . . . . Z 62
Schnoor . . . . Z 63
Schüttingstraße . . . . Z 67
Sögestraße . . . . Y 72
Stavendamm . . . . Z 73
Wandschneiderstraße . . . . . Y 83
Wegesende . . . . Y 85

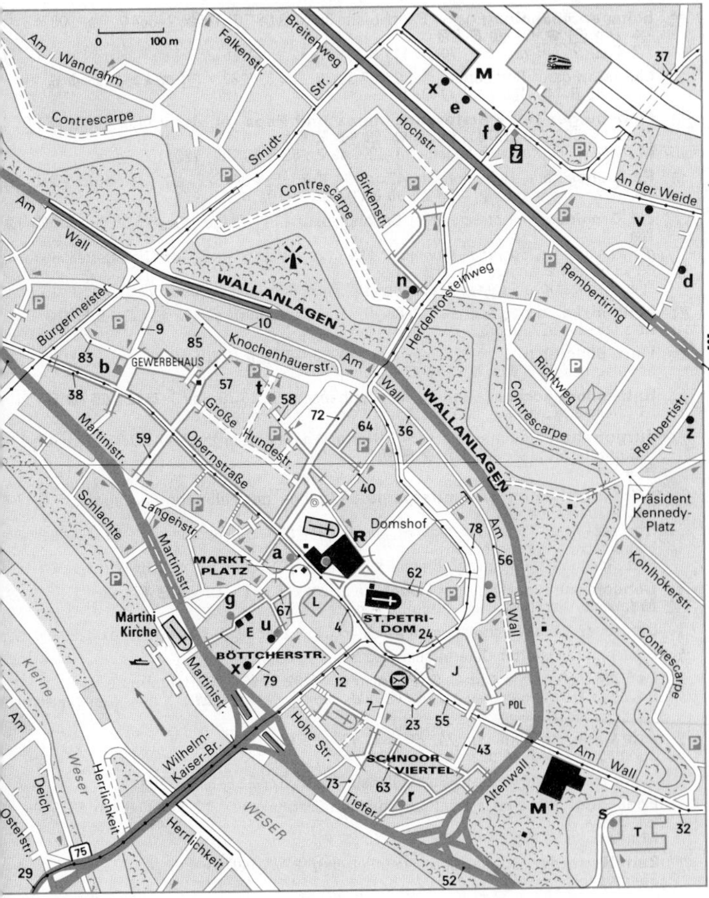

Zur Post, Bahnhofsplatz 11, ✆ 3 05 90, Telex 244971, Fax 3059591, Massage, ≘s, ⊡ - |♦| ⇹ Zim ⊡ ⇔ - 🏛 25/150. AE ⓓ E VISA Y **x**
Restaurants : **L'Orchidée** separat erwähnt - **Der Tingheter M** a la carte 39/65 - **Kachelstübchen** *(nur Abendessen)* **M** a la carte 35/57 - **194 Z : 334 B** 183/265 - 231/345 Fb - 4 Appart. 490.

Munte am Stadtwald, Parkallee 299, ✆ 2 20 20, Telex 246562, Fax 219876, ≘s, ⊡ - |♦| ⊡ ⇔ Ⓟ - 🏛 25/300. AE ⓓ E VISA - *21.- 29. Dez. geschl.* - **M** *(auch vegetarische Gerichte)* a la carte 32/63 - **124 Z : 248 B** 120/180 - 150/210 Fb. V **e**

Mercure-Columbus garni, Bahnhofsplatz 5, ✆ 1 41 61, Telex 244688, Fax 15369, ≘s - |♦| ⊡ - 🏛 25/90. AE ⓓ E VISA - **148 Z : 230 B** 130/235 - 160/260 Fb. Y **f**

Überseehotel garni, Wachtstr. 27, 3 60 10, Telex 246501, Fax 3601555 – 30. AE VISA Z
126 Z : 220 B 110/150 - 150/190 Fb.

Bremer Haus, Löningstr. 16, 3 29 40, Fax 3294411 – . AE VISA Y
M *(Samstag - Sonntag nur Mittagessen)* a la carte 27/50 – **76 Z : 110 B** 110/130 - 140/180

Hanseat garni, Bahnhofsplatz 8, 1 46 88, Fax 170588 – . AE E VISA. Y
33 Z : 55 B 143/173 - 173/203.

Ibis, Rembertiring 51, 3 69 70, Telex 244511, Fax 3697109 – – 25/4 AE E VISA X
M a la carte 30/43 – **162 Z : 250 B** 126/156 - 170 Fb.

Schaper-Siedenburg garni, Bahnhofstr. 8, 3 08 70, Telex 246644, Fax 308788 – Zim . AE E VISA Y
23. Dez.- 2. Jan. geschl. – **70 Z : 111 B** 115/145 - 155/175.

Lichtsinn garni, Rembertistr. 11, 32 32 35, Fax 327287 – . AE E VISA. Y
31 Z : 45 B 140/180 - 170/240 Fb.

Flensburger Hof - Ristorante Mama und Papa, An der Weide 18, 32 05 5 Telex 246862, Fax 3378176 – . AE E VISA Y
M *(Italienische Küche)* a la carte 33/68 – **49 Z : 59 B** 70/85 - 120/150 Fb.

Residence garni, Hohenlohestr. 42, 34 10 20, Fax 342322, – . AE E VISA VX
15. Dez.- 5. Jan. geschl. – **34 Z : 60 B** 60/120 - 110/145 Fb.

XXX ✿ **L'Orchidée** (im Hotel zur Post), Bahnhofsplatz 11 (6. Etage,), 3 05 98 88 – AE VISA Y
nur Abendessen, Sonntag - Montag, 1.- 15. Jan. und Juli geschl. – **M** (Tischbestellung ratsa 89 /116 und a la carte 69/88
Spez. Gänsestopfleberterrine, Taubenbrüstchen in Rotweinjus, Dessertvariation.

XX **Meierei,** im Bürgerpark, 3 40 86 19, ≤, « Gartenterrasse » – . AE E VISA V
M a la carte 52/80.

XX **Flett,** Böttcherstr. 3, 32 09 95, Fax 320996 – AE E VISA Z
Sonntag geschl. – **M** a la carte 42/70.

XX **Ratskeller-Bacchuskeller,** im alten Rathaus, 32 16 76, Fax 3378121. AE E VISA. Z
M (Weinkarte mit etwa 600 deutschen Weinen) a la carte 45/80.

XX **Jürgenshof,** Pauliner Marsch 1 (Nähe Weserstadion), 44 10 37, Fax 498545 « Gartenterrasse » – . AE E VISA X
M a la carte 46/71.

X ✿ **Grashoff's Bistro,** Contrescarpe 80 (neben der Hillmann-Passage), 1 47 4 Fax 302040 – VISA Y
wochentags bis 18.30 Uhr geöffnet, Samstag 14 Uhr - Sonntag geschl. – **M** (Tischbestellu erforderlich) a la carte 65/86
Spez. Spaghetti mit Hummer, Bremer Kükenragout, Quarkeis mit Akazien-Honig.

X **Concordenhaus,** Hinter der Holzpforte 2, 32 53 31 – AE E VISA Z
M (abends Tischbestellung ratsam) a la carte 53/71.

X Deutsches Haus - Fischrestaurant Am Markt 1 (1. Etage), 3 29 09 20, Fax 3290990 Z

X Vosteen am Ostertor Ostertorsteinweg 80, 7 80 37 X

X **La Villa** (Italienische Küche), Goetheplatz 4, 32 79 63, « Gartenterrasse » Z
24. Dez.- 1. Jan., Samstag bis 18 Uhr und Sonntag geschl. – **M** (Tischbestellung ratsam) a carte 44/64.

X **Alte Gilde,** Ansgaritorstr. 24, 17 17 12 – AE E VISA Y
Sonntag geschl. – **M** a la carte 24/53.

X Topaz (Einrichtung im Bistro-Stil) Violenstr. 13, 32 52 58, Fax 327042 Z

X **Friesenhof** (Brauerei-Gaststätte), Hinter dem Schütting 12, 3 37 66 66, Fax 3376699 – E VISA Z
M a la carte 31/53.

X **Zum Herforder** (Brauerei-Gaststätte), Pelzerstr. 8, 1 30 51 Y
Sonntag geschl. – **M** a la carte 25/52.

In Bremen 1 - Alte Neustadt :

Westfalia, Langemarckstr. 40, 50 04 40, Telex 246190, Fax 507457 – 25. AE E VISA X
M *(Sonntag geschl.)* a la carte 38/54 – **69 Z : 105 B** 98/120 - 135/160 Fb.

In Bremen 71-Blumenthal **2820** ⑤ : 26 km :

Zur Heidquelle, Schwaneweder Str. 52, 60 33 12, Fax 6098110 – . AE
M a la carte 38/69 – **22 Z : 37 B** 60/120 - 100/150.

Zum Klüverbaum, Mühlenstr. 43, 60 00 77, Fax 608714, – – 25/8 AE VISA
M a la carte 35/63 – **33 Z : 58 B** 85/95 - 120/135 Fb.

In Bremen 33 - Borgfeld NO : 11 km über Lilienthaler Heerstr. V :

Borgfelder Landhaus, Warfer Landstr. 73, ✆ 27 05 12 – Ⓟ.
Dienstag geschl. – **M** a la carte 37/60.

In Bremen 71-Farge **2820** ⑤ : 32 km :

Fährhaus Meyer-Farge, Wilhelmshavener Str. 1, ✆ 6 86 81, Fax 68684, ←, , « Schiffsbegrüßungsanlage » – TV ☎ Ⓟ – 30. AE E VISA
M a la carte 41/70 – **20 Z : 38 B** 112/132 - 160/180 Fb.

In Bremen 61-Habenhausen :

Zum Werdersee, Holzdamm 104, ✆ 8 35 04, Fax 83507 – TV ☎ Ⓟ. AE E VISA V e
M a la carte 28/59 – **13 Z : 25 B** 60/80 - 85/95 Fb.

In Bremen 33-Horn-Lehe :

Landgut Horn, Leher Heerstr. 140, ✆ 2 58 90, Fax 2589222 – |♦| Zim TV ☎ ♿ Ⓟ – 25/120 V u
M a la carte 36/60 – **106 Z : 211 B** 125/155 - 155/280 Fb.

Landhaus Louisenthal - Senator Bölkenhof, Leher Heerstr. 105, ✆ 23 20 76, Fax 236716, – TV ☎ Ⓟ – 30. AE E VISA V h
M *(wochentags nur Abendessen)* a la carte 38/62 – **60 Z : 125 B** 65/120 - 115/180 Fb.

Deutsche Eiche, Lilienthaler Heerstr. 174, ✆ 25 10 11, Fax 251014, , – |♦| Rest TV ☎ Ⓟ. AE E VISA V a
M a la carte 35/61 – **42 Z : 70 B** 50/90 - 80/150 Fb.

In Bremen 41-Neue Vahr :

Queens Hotel, August-Bebel-Allee 4, ✆ 2 38 70, Telex 244560, Fax 234617 – |♦| Zim Rest TV ♿ Ⓟ – 25/300. AE E VISA V v
M a la carte 41/74 – **144 Z : 188 B** 192/229 - 244/298 Fb – 3 Appart. 388.

In Bremen 41-Schwachhausen :

Heldt , Friedhofstr. 41, ✆ 21 30 51, Fax 215145 – TV ☎. AE E VISA. Zim V z
M *(nur Abendessen, Sonntag und 20. Dez.- 6. Jan. geschl.)* a la carte 22/42 – **50 Z : 86 B** 75/110 - 105/140 Fb.

In Bremen 70 - Vegesack **2820** ⑤ : 22 km :

Strandlust Vegesack , Rohrstr. 11, ✆ 66 70 73, Fax 661655, ←, « Terrasse am Weserufer » – |♦| TV Ⓟ – 25/300. AE E VISA. Zim
M a la carte 45/75 – **50 Z : 100 B** 110/160 - 180/220 Fb.

Garni, Gerhard-Rohlfs-Str. 54, ✆ 66 90 15 – |♦| ☎ Ⓟ
41 Z : 53 B 45/70 - 80/95.

In Lilienthal **2804** NO : 12 km Richtung Worpswede V – ✆ 04298 :

Rohdenburg's Gaststätte, Trupermoorer Landstr. 28, ✆ 36 10, – TV ☎ Ⓟ. AE
M *(Montag bis 16 Uhr, Mittwoch und 2.-17. Jan. geschl.)* a la carte 27/50 – **16 Z : 27 B** 55/70 - 99/125.

Schomacker, Heidberger Str. 25, ✆ 37 10, Fax 4291 – ☎ Ⓟ. E VISA
M a la carte 25/50 – **28 Z : 48 B** 80/98 - 140 Fb.

In Oyten **2806** SO : 17 km über die B 75 – ✆ 04207 :

Am Markt garni, Hauptstr. 85, ✆ 45 54, Fax 4149 – |♦| TV ☎ ♿ Ⓟ. AE E VISA.
24 Z : 34 B 78 - 108 Fb.

Motel Höper, Hauptstr. 58, ✆ 59 66, Fax 5838, , , – TV ☎ ♿ Ⓟ – 25/50. Rest
M *(nur Abendessen, Samstag geschl.)* a la carte 29/55 – **35 Z : 70 B** 68/73 - 95/125.

Fehsenfeld garni, Hauptstr. 50, ✆ 70 48 – TV ☎ Ⓟ.
24. Dez.- 5. Jan. geschl. – **9 Z : 17 B** 59/68 - 89/95.

MICHELIN-REIFENWERKE KGaA. Niederlassung 2800 Bremen 61-Habenhausen, Ziegelbrennerstr. 5 (X), ✆ 8 35 41 Fax 832126.

BREMERHAVEN **2850.** Bremen 411 I 6, 987 ④ – 133 300 Ew – Höhe 3 m – ✆ 0471.

Sehenswert : Deutsches Schiffahrtsmuseum★★★ AZ **M.**

Verkehrsamt und Stadtstudio, Obere Bürger 13 (im Columbus-Center), ✆ 4 30 00.

ADAC, Fährstr. 18, ✆ 4 24 70, Notruf ✆ 1 92 11.

♦Bremen 58 ③ – ♦Hamburg 134 ②.

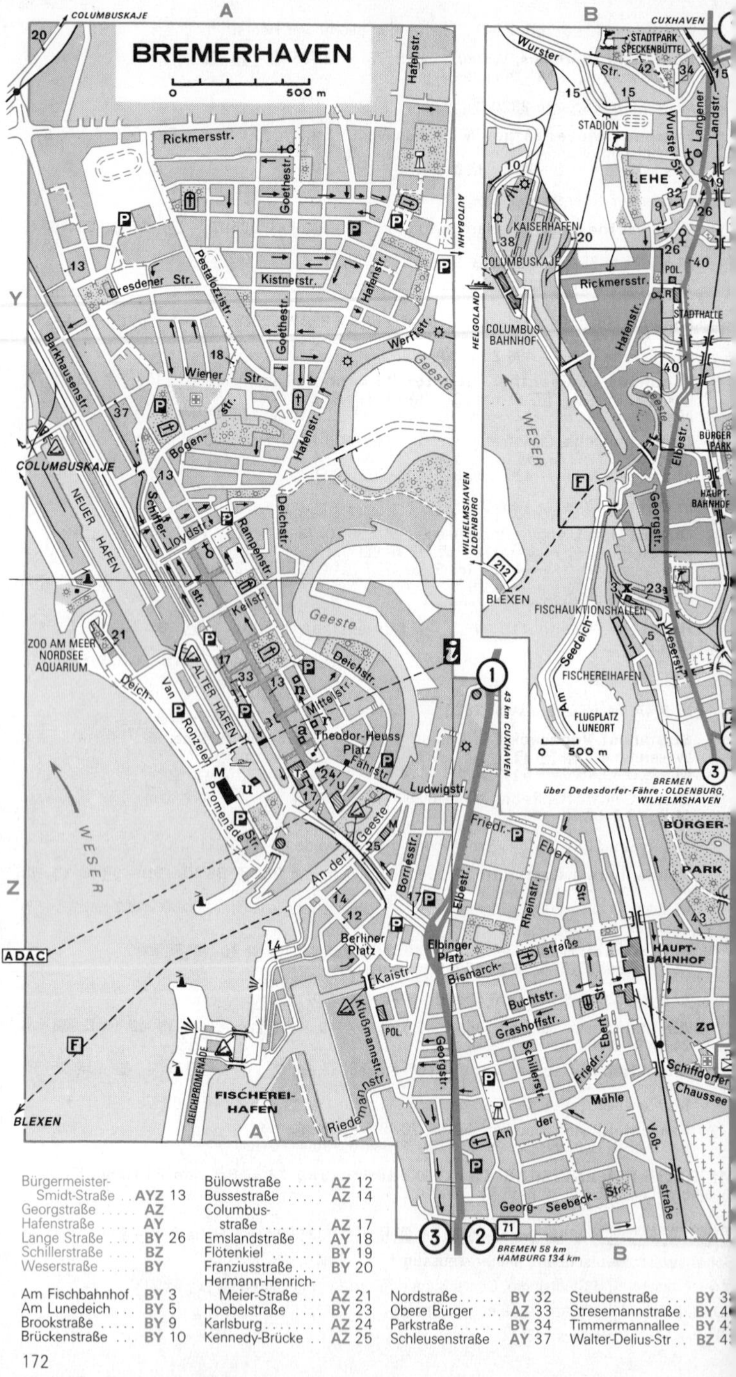
BREMERHAVEN
0
500 m
A
B
Y
Z
COLUMBUSKAJE
CUXHAVEN
STADTPARK SPECKENBÜTTEL
Wurster Str.
STADION
LEHE
Langener Landstr.
Wurster Str.
KAISERHAFEN
COLUMBUSKAJE
COLUMBUS-BAHNHOF
Rickmersstr.
Hafenstr.
POL.
STADTHALLE
BÜRGER PARK
HAUPT-BAHNHOF
Elbestr.
Georgstr.
WESER
BLEXEN
FISCHAUKTIONSHALLEN
Am Seedeich
Weserstr.
FISCHEREIHAFEN
FLUGPLATZ LUNEORT
0
500 m
BREMEN
über Dedesdorfer-Fähre : OLDENBURG, WILHELMSHAVEN
AUTOBAHN
HELGOLAND
WILHELMSHAVEN OLDENBURG
212
43 km CUXHAVEN
Rickmersstr.
Goethestr.
Hafenstr.
Dresdener Str.
Pestalozzistr.
Kistnerstr.
Goethestr.
Hafenstr.
Werftstr.
Geeste
Barkhausenstr.
Wiener Str.
Bogenstr.
Hafenstr.
COLUMBUSKAJE
NEUER HAFEN
Schiffer-str.
Lloydstr.
Rampenstr.
Deichstr.
Kellstr.
Geeste
ZOO AM MEER
NORDSEE AQUARIUM
ALTER HAFEN
Deich-
Van Ronzelen Str.
Promenade
Deichstr.
Mittelstr.
Theodor-Heuss Platz
Fährstr.
Ludwigstr.
An der Geeste
Friedr.-Ebert-Str.
Bürgerm.-
Borriesstr.
Elbestr.
Rheinstr.
WESER
Berliner Platz
Elbinger Platz
Bismarck-straße
Kaistr.
Klußmannstr.
POL.
Buchtstr.
Grashoffstr.
Georgstr.
Schillerstr.
Friedr.-Ebert-Str.
HAUPT-BAHNHOF
Schiffdorfer Chaussee
Mühle
An der
Voß-straße
Georg-Seebeck-Str.
BÜRGER-PARK
ADAC
BLEXEN
DEICHPROMENADE
FISCHEREI-HAFEN
Riedemannstr.
BREMEN 58 km
HAMBURG 134 km
71

🏨 **Nordsee-Hotel Naber,** Theodor-Heuss-Platz 1, ℰ 4 87 70, Telex 238881, Fax 4877999, 🍴
– 🛗 📺 👤 ⇦ 🅿 – 🏛 25/250. 🝿 ⑩ 🗲 𝚅𝙸𝚂𝙰 AZ **a**
M a la carte 42/73 – **99 Z : 184 B** 149/160 - 180/225 Fb – 5 Appart. 260/375.

🏨 **Haverkamp,** Prager Str. 34, ℰ 4 83 30, Telex 238679, Fax 4833281, 🕿, 🔲 – 🛗 🍴 📺
🕿 🅿 – 🏛 25/60. 🝿 ⑩ 🗲 𝚅𝙸𝚂𝙰. 🛠 Rest AZ **n**
M a la carte 39/65 – **107 Z : 164 B** 115/190 - 160/285 Fb.

🏨 **Parkhotel Waldschenke** 🦌, im Bürgerpark, ℰ 2 70 41, Fax 27047, 🍴 – 📺 🕿 🅿 –
🏛 25/150. 🝿 🗲 𝚅𝙸𝚂𝙰 über Walter-Delius-Str. BZ
M a la carte 32/59 – **46 Z : 91 B** 94/122 - 134/160 Fb.

🏨 **Geestemünde** 🦌 garni, Am Klint 20, ℰ 2 88 00 – ⇔ BZ **z**
14 Z : 20 B 60/85 - 98/110.

🏨 **Am Theaterplatz** garni, Schleswiger Str. 5, ℰ 4 26 20 – 🅿. 🛠 AZ **r**
14 Z : 24 B Fb.

XX **Fischereihafen-Restaurant Natusch,** Am Fischbahnhof 1, ℰ 7 10 21, Fax 75008,
« Maritimes Dekor » – 🝿 ⑩ 🗲 𝚅𝙸𝚂𝙰 BY **x**
Montag geschl. – **M** a la carte 34/83.

X **Seute Deern,** Am Alten Hafen, ℰ 41 62 64, « Restaurant auf einer Dreimast-Bark a.d.J.
1919 » – 🝿 ⑩ 🗲 𝚅𝙸𝚂𝙰 AZ **u**
M (vorwiegend Fischgerichte) a la carte 35/64.

BREMERVÖRDE 2740. Niedersachsen 𝟦𝟷𝟷 K 6, 𝟫𝟪𝟽 ⑤ ⑮ – 19 200 Ew – Höhe 4 m – 🕿 04761.
◧ Touristik-Information, Bremer Str. 3, ℰ 8 63 35.
◆Hannover 170 – ◆Bremen 71 – Bremerhaven 48 – ◆Hamburg 78.

🏨 **Oste-Hotel,** Neue Str. 125, ℰ 87 60, Fax 87666, 🍴 – ⇔ Zim 📺 🕿 ⇦ 🅿 – 🏛 25/300.
🝿 🗲 𝚅𝙸𝚂𝙰
M a la carte 35/60 – **41 Z : 73 B** 95 - 135 Fb.

🏨 **Daub,** Bahnhofstr. 2, ℰ 30 86, Fax 2017, 🕿 – 📺 🕿 🅿 – 🏛 25/200. 🝿 ⑩ 🗲 𝚅𝙸𝚂𝙰
M *(Sonntag ab 14 Uhr geschl.)* a la carte 28/56 – **50 Z : 90 B** 50/77 - 90/112.

🏨 **Park-Hotel,** Stader Str. 22 (B 74), ℰ 24 60, Fax 71327, 🍴, 🛋 – 📺 🕿 🅿 – 🏛 25/100.
🝿 ⑩ 🗲 𝚅𝙸𝚂𝙰
M a la carte 31/58 – **15 Z : 24 B** 60/90 - 110/125 Fb.

BRENSBACH 6101. Hessen 𝟦𝟷𝟸 𝟦𝟷𝟹 J 17 – 5 200 Ew – Höhe 175 m – 🕿 06161.
◆Wiesbaden 73 – ◆Darmstadt 26 – ◆Mannheim 53 – Michelstadt 19.

In Brensbach-Mummenroth NO : 3 km :

X **Zum Brünnchen,** ℰ 5 53, 🍴 – 🅿
◆ *Montag - Dienstag, Ende Feb.- Anfang März und Sept.- Okt. 3 Wochen geschl.* – **M** a la carte
21/60 🍷.

In Brensbach 3-Stierbach SO : 4 km :

🏨 Schnellertshof, Erbacher Str. 100, ℰ 23 80, Fax 1438, Wildgehege, 🕿, 🔲, 🐎, 🛠 – 🕿
🅿
18 Z : 34 B.

In Brensbach 1-Wersau NW : 2 km :

🏨 **Zum Kühlen Grund,** Bahnhofstr. 81 (B 38), ℰ 4 47, Fax 1561 – 🛗 📺 🕿 🅿 – 🏛 25/40.
◆ 🗲. 🛠 Zim
2.- 11. Jan. und 6.- 31. Juli geschl. – **M** *(Montag geschl.)* a la carte 20/52 🍷 – **26 Z : 36 B** 68/72
- 114/122 Fb.

BRETTEN 7518. Baden-Württemberg 𝟦𝟷𝟸 𝟦𝟷𝟹 J 19, 𝟫𝟪𝟽 ㉕ – 23 100 Ew – Höhe 170 m –
🕿 07252.
◆Stuttgart 54 – Heilbronn 47 – ◆Karlsruhe 28 – ◆Mannheim 64.

🏨 **Krone,** Melanchthonstr. 2, ℰ 20 41, Fax 80598 – 🛗 🕿 🅿 – 🏛 25/40. 🝿 ⑩ 🗲 𝚅𝙸𝚂𝙰
M a la carte 29/62 – **46 Z : 80 B** 50/85 - 75/140 Fb.

In Bretten-Neibsheim NW : 6 km :

X **Zur Rose,** Heidelsheimer Str. 2, ℰ 71 38 – 🝿 ⑩ 𝚅𝙸𝚂𝙰
Wochentags nur Abendessen, Montag, 24. Feb.- 8. März und 20. Juli - 2. Aug. geschl. – Menu
(auch vegetarisches Menu) a la carte 26/54 🍷.

BRETZENHEIM 6551. Rheinland-Pfalz 𝟦𝟷𝟸 G 17 – 2 200 Ew – Höhe 110 m – 🕿 0671 (Bad
Kreuznach).
Mainz 38 – ◆Koblenz 75 – Bad Kreuznach 5.

🏨 **Grüner Baum,** Kreuznacher Str. 33, ℰ 22 38, Fax 2237, 🍴 – 🛗 🕿 ⇦ 🅿. 🛠 Zim
◆ *25. Juli - 9. Aug. und 19. Dez.- 3. Jan. geschl.* – **M** *(nur Abendessen, Freitag und Sonntag geschl.)*
a la carte 22/36 🍷 – **35 Z : 47 B** 34/50 - 64/92 Fb.

BRETZFELD **7117.** Baden-Württemberg 413 L 19 – 8 500 Ew – Höhe 210 m – 07946.
♦Stuttgart 61 – Heilbronn 20 – ♦Nürnberg 145 – ♦Würzburg 107.

In Bretzfeld-Bitzfeld N : 2 km :

Zur Rose (mit Gästehaus), Weißlensburger Str. 12, 77 50, Fax 775400 – 50.
Feb. und Aug. jeweils 2 Wochen geschl. – **M** *(Donnerstag geschl.)* a la carte 24/57 – **40 Z : 64 B** 45/77 - 78/130 Fb.

In Bretzfeld-Brettach SO : 9 km, Richtung Mainhardt :

Rössle mit Zim, Mainhardter Str. 26, (07945) 22 64, Biergarten –
2.- 10. März und 20. Juli - 7. Aug. geschl. – **M** *(Montag 14 Uhr - Dienstag geschl.)* a la carte 34/60 – **5 Z : 9 B** 45/48 - 80/88.

BREUBERG/ODENWALD **6127.** Hessen 412 413 K 17 – 7 700 Ew – Höhe 150 m – 06165.
♦Wiesbaden 83 – Aschaffenburg 24 – ♦Darmstadt 38.

In Breuberg-Neustadt :

Rodensteiner, Wertheimer Str. 3, 20 01, Fax 2004, – 25/70
31 Z : 60 B Fb.

BREUNA **3549.** Hessen 411 412 K 12 – 3 600 Ew – Höhe 200 m – 05693.
♦Wiesbaden 240 – ♦Kassel 36 – Paderborn 59.

Sonneneck, Stadtpfad 2, 2 93, Fax 7144, –
5.- 31. Jan. geschl. – **M** *(Montag geschl.)* a la carte 27/44 – **19 Z : 36 B** 55/85 - 98/158.

BRIETLINGEN Niedersachsen siehe Lüneburg.

BRIGACHTAL Baden-Württemberg siehe Villingen-Schwenningen.

BRILON **5790.** Nordrhein-Westfalen 411 412 I 12, 987 ⑭ ⑮ – 25 000 Ew – Höhe 455 m – Luftkurort – Wintersport : 450/600 m 2 3 – 02961.
Städt. Verkehrsamt, Steinweg 26, 80 96.
♦Düsseldorf 168 – ♦Kassel 89 – Lippstadt 47 – Paderborn 47.

Zur Post, Königstr. 7, 40 44, Fax 51659, – AE E VISA
M a la carte 24/58 – **19 Z : 40 B** 75/85 - 113/135 Fb.

Waldpension Brilon, Hölsterloh 1 (SO : 1,5 km, nahe der B 251), 34 73, Fax 50470, – AE E
Mitte Nov.- Mitte Dez. geschl. – **M** a la carte 30/45 – **14 Z : 25 B** 60 - 100 Fb – ½ P 53/59.

Quellenhof, Strackestr. 12, 20 45, Fax 2047, – AE E VISA. Rest
M *(Donnerstag geschl.)* a la carte 23/52 – **18 Z : 35 B** 50/75 - 106/120 Fb – ½ P 68/93.

In Brilon-Gudenhagen S : 4 km über die B 7 und die B 251 :

Berghotel Schwarzwald, Triftweg 20, 35 45, – Rest
Nov.- 22. Dez. geschl. – (Restaurant nur für Hausgäste) – **21 Z : 40 B** 50/80 - 100/140 – ½ P 65/95.

Haus Waldsee mit Zim, Am Waldfreibad, 33 18, – AE E
M *(Montag geschl.)* a la carte 48/76 – **5 Z : 11 B** 65 - 110
Spez. Tomatenessenz mit Quarkklößchen, Zanderfilet mit Krebssauce, Joghurtmousse auf Erdbeermark.

In Brilon-Wald S : 8 km über die B 7 und die B 251 :

Jagdhaus Schellhorn, In der Lüttmecke 9, 33 34, Fax 6052, – E VISA
M *(Dienstag geschl.)* a la carte 36/61 – **13 Z : 24 B** 70 - 110/130130 – ½ P 85/112.

BRODENBACH **5401.** Rheinland-Pfalz 412 F 16 – 700 Ew – Höhe 85 m – Erholungsort – 02605 (Löf).
Mainz 94 – Cochem 25 – ♦Koblenz 26.

Peifer Moselufer 43 (SW : 1,5 km), 7 56, –
31 Z : 58 B.

Alle Michelin-Straßenkarten werden ständig überarbeitet und aktualisiert.

BROME **3127.** Niedersachsen 411 P 9, 987 ⑯ – 2 500 Ew – Höhe 67 m – ☎ 05833.
Hannover 118 – ♦Hamburg 141 – ♦Braunschweig 60.

In Brome-Zicherie S : 4 km :

Hubertus, an der B 244, ☎ 15 15, Wildgehege, – ☎ P – 25/80. Rest
31 Z : 41 B.

BROTTERODE **O-6083.** Thüringen 412 O 14 – 3 800 Ew – Höhe 600 m – ☎ 0037 67096.
Fremdenverkehrsamt, Platz der DSF 5, ☎ 22 15.
furt 57 – ♦Berlin 421 – Bad Hersfeld 97 – Coburg 96.

Zur guten Quelle, Schmalkalder Str. 27, ☎ 24 02 – TV ☎
Nov. geschl. – **M** *(Montag geschl.)* a la carte 15/29 – **23 Z : 52 B** 45/69 - 62/84.

BRUCHHAUSEN-VILSEN **2814.** Niedersachsen 411 K 8 – 4 800 Ew – Höhe 19 m – Luftkurort
☎ 04252.
Hannover 79 – ♦Bremen 40 – Minden 83 – Verden an der Aller 30.

Forsthaus Heiligenberg, im Ortsteil Homfeld (SW : 4 km), ☎ 6 33, « Niedersächsisches Fachwerkhaus mit gemütlicher Einrichtung im Landhausstil, Gartenterrasse » – P – 25/50.

Dillertal an der B 6 (SW : 4 km), ☎ 26 80, Fax 678, – P – 25/300. E VISA
M a la carte 28/56.

BRUCHKÖBEL **6454.** Hessen 412 413 J 16 – 18 000 Ew – Höhe 113 m – ☎ 06181.
Wiesbaden 65 – ♦ Frankfurt am Main 21 – Fulda 86 – Gießen 60 – ♦ Würzburg 118.

❀ **Zum Adler,** Hauptstr. 63, ☎ 7 59 10, Fax 740613, « Restauriertes Fachwerkhaus a.d.J. 1842 » – P. E
Samstag bis 18 Uhr und Montag geschl. – **M** 75 /95 und a la carte 62/80
Spez. Geräuchertes Taubenbrüstchen, Seeteufelmedaillons mit Safransabayon gratiniert, Rinderfiletröllchen mit Meerrettichcreme.

BRUCHMÜHLBACH-MIESAU **6793.** Rheinland-Pfalz 412 413 F 18, 57 ⑧ – 11 000 Ew – Höhe 265 m – ☎ 06372.
Mainz 109 – Homburg/Saar 13 – Kaiserslautern 26 – ♦Saarbrücken 48.

Pfälzer Stuben, Langwiederstr. 5, ☎ 80 44 – TV ☎ P. Zim
9 Z : 16 B.

Haus Hubertus, Sandstr. 3 (Bruchmühlbach), ☎ 13 26 – P.
Mitte Juli - Anfang Aug. geschl. – **M** *(nur Abendessen, Samstag geschl.)* a la carte 15/35 – **8 Z : 11 B** 27/34 - 45/51.

BRUCHSAL **7520.** Baden-Württemberg 412 413 I 19, 987 ㉕ – 38 000 Ew – Höhe 115 m – ☎ 07251.
Sehenswert : Schloß (Treppenhaus★★, Museum mechanischer Musikinstrumente★★).
Stadtinformation, Am alten Schloß 2 (Bürgerzentrum), ☎ 7 27 71, Fax 72789.
Stuttgart 68 – Heidelberg 37 – Heilbronn 61 – ♦Karlsruhe 25 – ♦Mannheim 49.

Scheffelhöhe - Restaurant Belvedere , Adolf-Bieringer-Str. 20, ☎ 80 20 (Hotel) 33 73 (Rest.), Telex 7822221, Fax 802156, ≤, , – TV ☎ P – 25/40. AE E VISA
M a la carte 32/66 – **93 Z : 126 B** 110/140 - 140/190 Fb.

Goldenes Lamm, Kübelmarkt 8, ☎ 20 58 – TV ☎ . AE E
1.- 15. Jan. und Aug. 2 Wochen geschl. – **M** *(Freitag - Samstag 18 Uhr geschl.)* 38 /90 – **16 Z : 32 B** 100 - 150.

Garni, Amalienstr. 6, ☎ 21 38 – . AE E
15 Z : 27 B 58 - 98.

Zum Bären, Schönbornstr. 28, ☎ 8 86 27, – P
M a la carte 37/65.

In Bruchsal 5-Büchenau SW : 7 km :

Ritter, Au in den Buchen 83, ☎ (07257) 8 80, Fax 88111, , – TV ☎ P – 25/50. AE E VISA
27. Dez.- 6. Jan. geschl. – **M** a la carte 28/57 – **108 Z : 150 B** 95/120 - 135/160 Fb.

In Bruchsal 3-Obergrombach S : 7 km :

Landgasthof Grüner Baum mit Zim, Hauptstr. 40, ☎ (07257) 33 31, Biergarten – TV ☎. E VISA
4.- 12. März und Juli - Aug. 3 Wochen geschl. – **M** *(Donnerstag - Freitag 16 Uhr geschl.)* (auch vegetarische Gerichte) a la carte 25/51 – **4 Z : 8 B** 45 - 80.

In Bruchsal 4-Untergrombach SW : 4,5 km :

Michaelsklause, Auf dem Michaelsberg (NO : 2,5 km) – Höhe 274 m, ✆ (07257) 32 30, ≤ Rheinebene und Pfälzer Wald, – P. AE ⊕ E VISA
M *(auch vegetarische Gerichte)* a la carte 24/52.

In Karlsdorf-Neuthard **7528** NW : 4 km :

Karlshof, Bruchsaler Str. 1 (B 35), ✆ (07251) 4 10 79 – TV ☎ P. AE E
M *(Nov. geschl.)* a la carte 32/58 – **16 Z : 31 B** 85/110 - 95/140 Fb -(Gästehaus mit 38 Z ab Sommer 1992).

Schlindwein-Stuben, Altenbürgstr. 6, ✆ (07251) 4 10 76, – AE ⊕ E VISA
Montag - Dienstag und Juli 3 Wochen geschl. – **M** *(auch vegetarische Gerichte)* a la carte 30/65

In Forst **7529** NW : 5 km :

Forst, Gottlieb-Daimler-Straße 6 (Nähe BAB Ausfahrt), ✆ (07251) 1 60 58, Fax 83994, – TV ☎ P. AE ⊕ E VISA
M *(Samstag bis 18 Uhr, Montag, Juli - Aug. 3 Wochen und Feb.- März 1 Woche geschl.)* a la carte 36/74 – **27 Z : 48 B** 89/140 - 145/160.

An der Autobahn A 5 - Westseite :

Rasthof Bruchsal, ✉ 7529 Forst, ✆ (07251) 71 80, Fax 718222, – ☎ ♿ P
M a la carte 30/63 – **48 Z : 110 B** 70/115 - 100/155.

Die Preise — Einzelheiten über die in diesem Führer angegebenen Preise finden Sie in der Einleitung.

BRUCKMÜHL **8206.** Bayern 413 S 23, 987 ㊲, 426 H 5 – 12 000 Ew – Höhe 507 m – ☎ 08062
♦München 44 – Innsbruck 119 – Salzburg 100.

In Bruckmühl-Kirchdorf N : 1 km :

Großer Wirt, Am Griesberg 2, ✆ 12 49, Fax 5888, , , (geheizt), – TV ☎
P
10.- 22. Feb. geschl. – **M** *(Donnerstag geschl.)* a la carte 23/56 – **12 Z : 26 B** 53/60 - 90/100 Fb

BRÜCKENAU, BAD **8788.** Bayern 412 413 M 16, 987 ㉕ – 7 200 Ew – Höhe 300 m – Heilbad – ☎ 09741.
Kur- und Verkehrsamt, Rathausplatz 1, ✆ 36 69, Fax 80437.
♦München 345 – ♦Frankfurt am Main 97 – Fulda 34 – ♦Würzburg 78.

In Bad Brückenau 1 – Stadtbezirk :

Zur Krone, Marktplatz 5, ✆ 40 81, Fax 3851 – TV ☎. AE ⊕ E VISA
7.- 20. Jan. geschl. – **M** *(Montag geschl.)* a la carte 29/60 – **10 Z : 22 B** 70 - 130.

Zur Mühle, Ernst-Putz-Str. 17, ✆ 50 61, « Kleiner Park mit Teich », – P. ⊕ E VISA.
Mitte Nov.- Mitte Dez. geschl. – **M** *(Nov.- April Mittwoch geschl.)* a la carte 21/43 – **37 Z : 60 B** 38/60 - 78/98 Fb – ½ P 55/77.

In Bad Brückenau 2 – Staatsbad :

Dorint Hotel, Heinrich-von-Bibra-Str. 13, ✆ 8 50, Fax 85425, , direkter Zugang zum Kurmittelzentrum – TV ♿ P – 25/130. AE ⊕ E VISA. Rest
M a la carte 42/70 – **146 Z : 250 B** 160/195 - 240/260 Fb – 31 Fewo 105/155 – ½ P 155/230

Fürstenhof und Schloßhotel, Heinrich-von-Bibra-Str. 16, ✆ 80 90, Fax 809470, –
☎ P. Rest
45 Z : 60 B Fb.

In Bad Brückenau-Volkers NW : 3 km :

Rhönhotel Berghof, Hainweg 9, ✆ 20 22 – P
50 Z : 100 B.

In Bad Brückenau-Wernarz SW : 4 km :

Landhotel Weißes Ross, Frankfurter Str. 30, ✆ 20 60, Fax 5598, , , , – P.
(nur Abendessen) – **17 Z : 35 B**.

In Oberleichtersbach **8781** S : 4 km :

Rhön-Hof, Hammelburger Str. 4 (B 27), ✆ (09741) 50 91, Fax 3439, ≤, , , , –
☎ P – 25/40
32 Z : 56 B Fb.

In Zeitlofs-Eckarts **8787** SW : 8 km :

Sonnenhof, Sonnenstr. 1, ✆ (09746) 6 36, – ☎. E
M *(Montag geschl.)* a la carte 26/45 – **21 Z : 27 B** 50 - 96 Fb – ½ P 63/65.

In Zeitlofs-Rupboden **8787** SW : 8 km :

Alte Villa mit Zim (modernisierte Jugendstilvilla), Kohlgraben 2, ✆ (09746) 6 31, Fax 1247, - TV ☎ P. AE ⓓ E VISA
Mitte Jan.- Mitte Feb. geschl. – **M** *(Dienstag - Mittwoch 17 Uhr geschl.)* a la carte 46/67 – **5 Z : 10 B** 75 - 150.

BRÜGGEN **4057.** Nordrhein-Westfalen 412 B 13, 408 J 8, 212 ⑳ – 13 400 Ew – Höhe 40 m – ☎ 02163.
ℹ Verkehrsamt, Klosterstr. 38, ✆ 57 01 64.
Düsseldorf 54 – Mönchengladbach 22 – Roermond 17 – Venlo 17.

Brüggener Klimp (mit Gästehaus), Burgwall 15, ✆ 50 95, Fax 7917, , , , – TV ☎ P – 25/80. E VISA
M *(Dienstag geschl.)* a la carte 30/51 – **60 Z : 120 B** 75/85 - 105/120 Fb.

In Brüggen-Born NO : 2 km :

Borner Mühle , ✆ 70 01, Fax 59003, – ☎ P – 25/50. AE ⓓ E VISA
M a la carte 31/60 – **27 Z : 47 B** 45/80 - 120/140 Fb – 9 Appart. 160.

BRÜHL **5040.** Nordrhein-Westfalen 412 D 14, 987 ㉓ – 41 500 Ew – Höhe 65 m – ☎ 02232.
Sehenswert : Schloß (Treppenhaus★).
ℹ Informationszentrum, Uhlstr.3, ✆ 7 93 45, Fax 48051.
◆Düsseldorf 61 – ◆Bonn 20 – Düren 35 – ◆Köln 13.

Am Stern garni, Uhlstr. 101, ✆ 1 80 00, Fax 180055 – TV ☎ P
40 Z : 69 B.

Rheinischer Hof garni, Euskirchener Str. 123 (Pingsdorf), ✆ 3 30 21, Fax 31689 – TV ☎ P. AE ⓓ E VISA
15. Dez.- 15. Jan. geschl. – **22 Z : 48 B** 80/110 - 110/130 Fb.

BRUNSBÜTTEL **2212.** Schleswig-Holstein 411 K 5, 987 ⑤ – 13 000 Ew – Höhe 2 m – ☎ 04852.
◆Kiel 96 – ◆Hamburg 83 – Itzehoe 27.

Zur Traube, Am Markt 9, ✆ 5 10 11, Fax 7257, – TV ☎ P. AE ⓓ E VISA. ✻ Rest
M a la carte 41/63 – **18 Z : 34 B** 85/95 - 120/130 Fb.

In Neufeld **2221** NW : 7 km :

Op'n Diek, Op'n Diek 3, ✆ (04851) 18 40, ←, – ♿ P
Donnerstag und März geschl. – **M** (abends Tischbestellung ratsam) a la carte 23/41.

BRUSCHIED Rheinland-Pfalz siehe Kirn.

BUBENREUTH Bayern siehe Erlangen.

BUCHAU, BAD **7952.** Baden-Württemberg 413 L 22, 987 ㉟ ㊱ – 3 900 Ew – Höhe 586 m – Moorheilbad – ☎ 07582.
Ausflugsziele : Steinhausen : Wallfahrtskirche★ SO : 10 km – Bad Schussenried : ehemaliges Kloster (Klosterbibliothek★) SO : 9 km.
ℹ Städt. Kur- und Verkehrsamt, Marktplatz 1, ✆ 8 08 12, Fax 80840.
◆Stuttgart 112 – Ravensburg 43 – Reutlingen 71 – ◆Ulm (Donau) 63.

Zum Kreuz, Hofgartenstr. 1, ✆ 82 72 – TV
Ende Dez.- Mitte Jan. geschl. – **M** *(Mittwoch geschl.)* a la carte 24/43 – **20 Z : 40 B** 48/50 - 96/100 Fb.

Hofbräuhaus mit Zim, Schloßplatz 12, ✆ 82 27 – P. ✻
Weihnachten - Mitte Jan. geschl. – **M** *(Montag geschl.)* a la carte 22/45 – **8 Z : 12 B** 45/55 - 90/100.

BUCHEN (ODENWALD) **6967.** Baden-Württemberg 412 413 K 18, 987 ㉕ – 16 000 Ew – Höhe 340 m – Erholungsort – ☎ 06281.
ℹ Verkehrsamt, Hochstadtstr. 2, ✆ 27 80, Fax 31151.
◆Stuttgart 113 – Heidelberg 87 – Heilbronn 59 – ◆Würzburg 68.

Romantik-Hotel Prinz Carl, Hochstadtstr. 1, ✆ 18 77, Fax 1879, , « Rustikale Weinstube » – TV ☎ P – 40. AE ⓓ E VISA. ✻ Rest
M a la carte 39/66 – **23 Z : 32 B** 108/120 - 150/220 Fb.

In Buchen-Hainstadt N : 1,5 km :

Zum Schwanen, Hornbacher Str. 4, ✆ 28 63, – ☎. ✻ Zim
Juli - Aug. 3 Wochen geschl. – **M** *(Mittwoch geschl.)* a la carte 18/35 – **19 Z : 35 B** 40/50 - 80.

In Buchen-Hettigenbeuern NW : 9 km :

Löwen, Morretalstr. 8, (06286) 2 75, , , - .
Mitte Nov.- Mitte Dez. geschl. - **M** *(Mittwoch geschl.)* a la carte 19/36 - **20 Z : 40 B** 50 - 80.

BUCHENBACH Baden-Württemberg siehe Kirchzarten.

BUCHENBERG **8961.** Bayern 413 N 23, 426 C 5 - 3 800 Ew - Höhe 895 m - Luftkurort - Wintersport : 900/1 036 m 7 3 - 08378.

♦München 133 - Kempten (Allgäu) 8,5 - Isny 17.

Jagdhaus Schwarzer Bock, Kürnacher Str. 169 (NW : 1,5 km), 4 72, Fax 7820, , , (Halle) - - 30. . Rest
Mitte Nov.- Mitte Dez. geschl. - **M** *(Sonntag 15 Uhr - Montag 17 Uhr geschl.)* a la carte 31/57 - **25 Z : 45 B** 85/130 - 170/200 Fb - ½ P 110/155.

Kneipp-Kurhotel Sommerau, Eschacher Str. 35, 70 11, Fax 7014, , , Bade- und Massageabteilung, , , - - 25/150. VISA
M *(Dienstag geschl.)* a la carte 28/57 - **39 Z : 73 B** 72/87 - 126/142 Fb - ½ P 88/112.

Adler, Lindauer Str. 15, 2 49, Fax 7591, Biergarten, , , -
21 Z : 38 B Fb.

BUCHHOLZ IN DER NORDHEIDE **2110.** Niedersachsen 411 M 6, 987 ⑮ - 29 000 Ew - Höhe 46 m - 04181.

Holm-Seppensen (S : 5 km), (04181) 3 62 00.

♦Hannover 124 - ♦Bremen 96 - ♦Hamburg 37.

In Buchholz-Dibbersen :

Frommann, Harburger Str. 8 (B 75), 78 00, Fax 39432, , - - 25/60. VISA
M a la carte 23/54 - **40 Z : 75 B** 40/67 - 71/98.

In Buchholz-Holm-Seppensen :

Seppenser Mühle, (04187) 68 99, Fax 6909 - . VISA
M a la carte 32/66 - **19 Z : 38 B** 75 - 120 Fb.

In Buchholz-Steinbeck :

Zur Eiche, Steinbecker Str. 111, 80 68, Fax 39509, - - 40. VISA
M a la carte 35/60 - **18 Z : 36 B** 85/95 - 120/130 Fb.

Hoheluft, Hoheluft 1 (an der B 75), 3 90 21, - - 25/40. VISA
M *(Samstag geschl.)* a la carte 24/55 - **31 Z : 54 B** 46/80 - 80/130 Fb.

BUCHLOE **8938.** Bayern 413 P 22, 987 ㊱ - 8 500 Ew - Höhe 627 m - 08241.

♦München 68 - ♦Augsburg 42 - Kempten (Allgäu) 60 - Memmingen 49.

Stadthotel, Bahnhofstr. 47, 50 60, Fax 506135, - - 25/90. VISA. Rest
M a la carte 34/61 - **44 Z : 88 B** 98/128 - 157/187 Fb.

BÜCHLBERG **8391.** Bayern 413 X 20,21 - 3 600 Ew - Höhe 489 m - Erholungsort - Wintersport : 2 - 08505.

Verkehrsamt, Hauptstr. 5 (Rathaus), 12 22, Fax 3016.

♦München 192 - Freyung 21 - Passau 15.

Binder, Freihofer Str. 6, 16 71, , , , -
Mitte Jan.- Mitte Feb. geschl. - **M** *(Nov.- April Donnerstag geschl.)* a la carte 18/36 - **29 Z : 52 B** 42/52 - 78 Fb.

Pension Beinbauer, Pangerlbergstr. 5, 5 20, , -
15. Jan.- 15. Feb. und Nov.- 20. Dez. geschl. - (nur Abendessen für Hausgäste) - **28 Z : 50 B** 42 - 70/80.

Zur Post, Marktplatz 6, 12 10, Biergarten, -
Mitte Nov.- Mitte Dez. geschl. - **M** *(Mitte Jan.- Mitte April Montag geschl.)* a la carte 17,50/31 - **26 Z : 50 B** 30 - 60 Fb - ½ P 42.

Les bonnes tables

Nous distinguons à votre intention certains restaurants par Menu, ✿, ✿✿ ou ✿✿✿.

BÜCKEBURG **3062.** Niedersachsen 411 412 K 10, 987 ⑮ – 19 400 Ew – Höhe 60 m – ☎ 05722.

Sehenswert : Schloß (Fassade★) – Hubschraubermuseum★.

Städt. Verkehrsamt, Stadthaus 2, Lange Str. 45, ✆ 2 06 24, Fax 20688.

Hannover 62 – Bielefeld 63 – ♦Bremen 106 – ♦Osnabrück 93.

Altes Forsthaus ⛰, Am Harrl 2, ✆ 2 80 40, Fax 280444, ⛱, – |‡| TV ☎ P – 25/60. AE ⓓ E VISA
M *(auch vegetarische Gerichte)* 39 /69 – **42 Z : 54 B** 95/190 - 180/320 Fb.

Ratskeller, Bahnhofstr. 2, ✆ 40 96, Fax 26548 – AE E VISA
Mittwoch geschl. – **M** a la carte 27/55.

In Bückeburg-Röcke W : 5 km :

Große Klus, Am Klusbrink 19, ✆ 62 48, « Gemütlich-rustikale Einrichtung » – P. E
wochentags nur Abendessen, Juli - Aug. 3 Wochen geschl. – Menu *(bemerkenswerte Weinkarte)* a la carte 39/88.

BÜCKEN **2811.** Niedersachsen 411 K 8 – 1 000 Ew – Höhe 20 m – ☎ 04251.

Hannover 68 – ♦Bremen 56 – ♦Hamburg 122.

Thöle - Zur Linde, Dedendorf 33, ✆ 23 25, Fax 7464, ⛱, – ☎ P – 25/40. E VISA
M *(Sonntag ab 14 Uhr geschl.)* a la carte 21,50/43 – **25 Z : 42 B** 28/55 - 51/90.

BÜDINGEN **6470.** Hessen 412 413 K 16, 987 ㉕ – 19 200 Ew – Höhe 130 m – Luftkurort – ☎ 06042.

Sehenswert : Stadtmauer★ – Schloß (Kapelle : Chorgestühl★).

Städt. Verkehrsamt, Auf dem Damm 2, ✆ 88 41 37.

Wiesbaden 91 – ♦Frankfurt am Main 48 – Fulda 78.

Stadt Büdingen, Jahnstr. 16, ✆ 5 61, Fax 564, ⛱ – |‡| TV ☎ P – 25/70
52 Z : 96 B Fb.

Haus Sonnenberg, Sudetenstr. 4, ✆ 30 51, ⛱, ≘s – TV ☎ P – 25/100. AE ⓓ E VISA. ✻ Rest
M *(Sonntag 15 Uhr - Montag 17 Uhr geschl.)* a la carte 36/63 – **13 Z : 21 B** 75/105 - 112/150 Fb.

BÜDLICHERBRÜCK Rheinland-Pfalz siehe Trittenheim.

BÜHL **7580.** Baden-Württemberg 413 H 20, 987 ㉞, 242 ⑳ – 24 000 Ew – Höhe 135 m – ☎ 07223.

Ausflugsziel : Burg Altwindeck ≤★ SO : 4 km.

Verkehrsamt, Hauptstr. 41, ✆ 28 32 33, Fax 283209.

Stuttgart 117 – Baden-Baden 17 – Offenburg 41.

✿ **Wehlauer's Badischer Hof,** Hauptstr. 36, ✆ 2 30 63, Fax 23065, « Gartenrestaurant » – |‡| TV ☎ – 25/40. AE ⓓ E VISA
1.- 15. Jan. geschl. – **M** *(bemerkenswerte Weinkarte)* (Sonntag - Montag geschl.) 50 /148 und a la carte 55/114 – **25 Z : 46 B** 95/200 - 170/260 Fb
Spez. Taubenmus, Pochiertes Rehrückenfilet mit Kartoffelmaultaschen, Aprikosenknödel.

Zum Sternen, Hauptstr. 32, ✆ 2 41 57 – |‡| TV ☎ P
20 Z : 40 B.

Adler, Johannesplatz 3, ✆ 2 46 22 – |‡|
M *(Freitag - Samstag 17 Uhr geschl.)* a la carte 23/52 – **9 Z : 16 B** 50/65 - 95.

Grüne Bettlad mit Zim (Haus a.d. 16. Jh., bäuerliche Einrichtung), Blumenstr. 4, ✆ 2 42 38, ⛱ – TV ☎
Weihnachten - Mitte Jan. geschl. – **M** *(Sonntag - Montag und Juli - Aug. 2 Wochen geschl.)* a la carte 58/95 – **6 Z : 14 B** 125 - 170/230.

Gude Stub, Dreherstr. 9, ✆ 84 80, ⛱, « Kleine Stuben im Bauernstil »
Samstag bis 18 Uhr und Sonntag geschl. – **M** (Tischbestellung ratsam) a la carte 41/70.

In Bühl-Eisental :

Zum Rebstock, Weinstr. 2 (B 3), ✆ 2 42 45 – P. E VISA. ✻
Montag, Ende Juli - Mitte Aug. und Ende Dez.- Mitte Jan. geschl. – **M** *(auch vegetarische Gerichte)* (Tischbestellung ratsam) a la carte 39/74.

In Bühl-Kappelwindeck :

Jägersteig ⛰, Kappelwindeckstr. 95a, ✆ 2 41 25, ≤ Bühl und Rheinebene, ⛱ – P
10. Jan.- 20. Feb. geschl. – **M** *(Donnerstag geschl.)* a la carte 30/58 – **12 Z : 24 B** 50/65 - 74/98.

Der Einsiedelhof mit Zim Kappelwindeckstr. 51, ✆ 2 12 76, ⛱ – TV P
9 Z : 15 B.

Zum Rebstock mit Zim, Kappelwindeckstr. 85, ✆ 2 21 09, ⛱ – P
Mitte Feb.- Mitte März geschl. – **M** *(Mittwoch geschl.)* a la carte 27/50 – **6 Z : 13 B** 50 - 78/90.

In Bühl-Neusatz :

XX **Traube,** Obere Windeckstr. 20 (Waldmatt), *℘* 2 16 42 – **☉ E**
Sonntag 14 Uhr - Montag sowie Jan. und Sept. jeweils 2 Wochen geschl. – **M** *(auc*
vegetarische Gerichte) a la carte 41/75.

In Bühl-Rittersbach :

🏠 **Zur Blume,** Hubstr. 85, *℘* 2 21 04 – 🖵 ☎ ⇐⇒ **P**
➡ **M** *(Donnerstag und Feb. geschl.)* a la carte 21/60 ⅄ – **10 Z : 20 B** 40/70 - 80/130.

Siehe auch : *Schwarzwaldhochstraße*

━━━ **BÜHLERTAL** 7582. Baden-Württemberg **413** H 20, **242** ⑳ – 8 000 Ew – Höhe 500 m – Luftkuro
– **☉** 07223 (Bühl).

🛈 Verkehrsamt, Hauptstr. 92, *℘* 7 33 95, Fax 75984.
◆Stuttgart 120 – Baden-Baden 20 – Strasbourg 51.

🏨 **Rebstock,** Hauptstr. 110, *℘* 7 31 18, Fax 75943, « Gartenterrasse », ☞ – 🛗 ☎ **P**
🏊 25/140. **AE ☉ E**
Feb. 2 Wochen und 11.- 27. Nov. geschl. – **M** *(Donnerstag geschl.)* a la carte 35/74 – **21 Z**
50 B 80/95 - 130/160 Fb.

🏠 **Grüner Baum,** Hauptstr. 31, *℘* 7 22 06, Fax 75848, ☞ – ☎ **P** – 🏊 25/80. **AE** ⚘
➡ **M** a la carte 23/50 – **50 Z : 80 B** 50/60 - 100/110 Fb – ½ P 65/75.

🛖 **Zur Laube,** Hauptstr. 72, *℘* 7 22 30 – **P**
➡ *Nov. 3 Wochen geschl. –* **M** *(Montag geschl.)* a la carte 24/40 ⅄ – **10 Z : 15 B** 40/45 - 70

━━━ **BÜHLERZELL** 7161. Baden-Württemberg **413** M 19, 20 – 1 700 Ew – Höhe 391 m – **☉** 0797
◆Stuttgart 84 – Aalen 42 – Schwäbisch Hall 23.

🛖 **Goldener Hirsch,** Heilbergerstr. 2, *℘* 3 86 – **P** – *Jan.- Feb. 3 Wochen geschl.*
➡ **M***(Donnerstag geschl.)* a la carte 19/39 ⅄ – **10 Z : 15 B** 36 - 65 – ½ P 45/48.

━━━ **BÜNDE** 4980. Nordrhein-Westfalen **411** **412** I 10, **987** ⑭ – 41 500 Ew – Höhe 70 m – **☉** 0522
🛈 Verkehrsamt, Rathaus, Bahnhofstr. 15, *℘* 16 12 12.
◆Düsseldorf 203 – Bielefeld 23 – ◆Hannover 97 – ◆Osnabrück 46.

🏨 **City Hotel,** Kaiser-Wilhelm-Str. 2, *℘* 1 00 96, Fax 10097 – 🛗 🖵 ☎ ⇐⇒ – 🏊 25/50. 🅰
☉ E VISA – **M** *(Samstag - Sonntag 18 Uhr und Juli - Aug. 3 Wochen geschl.)* a la carte 33/6
– **54 Z : 106 B** 94 - 144 Fb.

In Bünde 1-Ennigloh :

🏠 **Parkhotel Sonnenhaus,** Borriesstr. 29, *℘* 4 29 69, Fax 43563, 🏡 – 🖵 ☎ ⇐⇒ **P**
🏊 25/90. **AE ☉ E VISA**
M *(Sonntag geschl.)* a la carte 31/63 – **18 Z : 20 B** 75/85 - 125 Fb.

XX **Waldhaus Dustholz,** Ellersiekstr. 81, *℘* 6 16 06, 🏡 – **P**
Montag, Juli - Aug. 3 Wochen und Okt.- Nov. 2 Wochen geschl. – **M** a la carte 33/67.

━━━ **BÜRCHAU** Baden-Württemberg siehe Neuenweg.

━━━ **BÜREN** 4793. Nordrhein-Westfalen **411** **412** I 12, **987** ⑭ ⑮ – 18 000 Ew – Höhe 232 m
☉ 02951.
◆Düsseldorf 152 – ◆Kassel 92 – Paderborn 29.

🏠 **Kretzer,** Wilhelmstr. 2, *℘* 24 43 – 🖵 ☎ **P** **☉ E**
➡ *20. Juli - 9. Aug. geschl. –* **M** *(Mittwoch ab 14 Uhr geschl.)* a la carte 21/42 – **12 Z : 21 B** 40/4
- 75/85.

🛖 **Ackfeld,** Bertholdstr. 9, *℘* 22 04 – ⇐⇒. **AE E**
➡ **M** *(Donnerstag ab 14 Uhr geschl.)* a la carte 23/40 – **10 Z : 17 B** 35 - 70.

In Büren-Brenken NO : 4 km :

X **Forsthaus Krug,** Loretoberg 9 (NW : 2 km), *℘* 24 81 – **P**. **E**
Mittwoch und Aug. geschl. – **M** a la carte 32/64.

━━━ **BÜRGSTADT** 8768. Bayern **412** **413** K 17 – 3 850 Ew – Höhe 130 m – **☉** 0937
(Miltenberg).
◆München 352 – Aschaffenburg 43 – Heidelberg 79 – ◆Würzburg 76.

🏠 **Weinhaus Stern,** Hauptstr. 23, *℘* 26 76, « Weinlaube », ☞ – 🖵 ☎ **P**. **E**
14. Feb.- 3. März und Aug. 2 Wochen geschl. – Menu *(nur Abendessen, Donnerstag und jede*
1. Sonntag im Monat geschl.) a la carte 37/70 – **10 Z : 17 B** 50/65 - 98/115 Fb.

🏠 **Adler,** Hauptstr. 30, *℘* 26 00, Fax 67600, 🏡 – ☎ **P**. **AE E**
M *(Montag - Dienstag 17 Uhr geschl.)* a la carte 30/59 ⅄ – **12 Z : 23 B** 48/61 - 88/95.

BÜRSTADT **6842.** Hessen 412 413 I 18, 987 ㉕ – 15 000 Ew – Höhe 90 m – ☎ 06206.

◆Wiesbaden 73 – ◆Frankfurt am Main 65 – ◆Mannheim 21 – Worms 7.

Berg - Restaurant St. Michael, Vinzenzstr. 6, ✆ 60 65 (Hotel) 7 17 94 (Rest.), – 🅿
30 Z : 55 B Fb.

In Bürstadt-Bobstadt N : 3 km :

Bergsträsser Hof, Mannheimer Str. 2, ✆ (06245) 80 94 – ☎ . AE E VISA
M *(wochentags nur Abendessen, Samstag geschl.)* a la carte 24/52 – **13 Z : 20 B** 60 - 98.

BÜSCHERHEIDE Niedersachsen siehe Preußisch-Oldendorf.

BÜSINGEN **7701.** Baden-Württemberg 413 J 23, 427 K 2, 216 ⑧ – Deutsche Exklave im Schweizer Hoheitsgebiet, Schweizer Währung (sfrs) – 1 500 Ew – Höhe 421 m – ☎ 07734 (Gailingen).

◆Stuttgart 167 – ◆Konstanz 42 – Schaffhausen 5 – Singen (Hohentwiel) 15.

Alte Rheinmühle mit Zim (ehemalige Mühle a.d.J. 1664), Junkerstr. 93, ✆ 60 76, Telex 793788, Fax 1420, ≤, – ☎ 🅿 – 25/60
(Tischbestellung ratsam) – **15 Z : 30 B.**

Hauenstein, Schaffhauser Str. 69 (W : 2,5 km), ✆ 62 77, ≤ – 🅿
Montag - Dienstag sowie Jan., Juni und Okt. jeweils 2 Wochen geschl. – **M** (Tischbestellung ratsam) a la carte 39/48.

BÜSUM **2242.** Schleswig-Holstein 411 J 4, 987 ④ – 5 000 Ew – Nordseeheilbad – ☎ 04834.

Warwerort (O : 8 km), ✆ (04834) 63 00.

Kurverwaltung, ✆ 80 01, Fax 6530.

◆Kiel 102 – Flensburg 103 – Meldorf 25.

Strandhotel Hohenzollern , Strandstr. 2, ✆ 22 93 – ☎ 🅿. AE
Nov.- 20. Dez. geschl., 5. Jan.- Feb. garni – **M** a la carte 27/62 – **43 Z : 81 B** 68/139 - 136/156 Fb – ½ P 81/91.

Zur Alten Apotheke garni, Hafenstr. 10, ✆ 20 46, – ☎ 🅿.
März - Okt. – **17 Z : 35 B** 120/130 - 140/170 Fb.

Friesenhof , Nordseestr. 66, ✆ 20 95, Fax 8108, , , , – ☎ 🅿. AE E VISA
Anfang Jan. - Mitte Feb. geschl. – **M** a la carte 36/71 – **44 Z : 90 B** 84/180 - 140/260 Fb – ½ P 84/154.

Windjammer , Dithmarscher Str. 17, ✆ 66 61, Fax 3040 – ☎ 🅿. AE E VISA.
10. Jan.- Feb. und 6. Nov.- 26. Dez. geschl. – (Restaurant nur für Hausgäste) – **17 Z : 33 B** 70/128 - 120/150 Fb.

Strandhotel Erlengrund , Nordseestr. 100 (NW : 2 km), ✆ 20 71, Fax 6749, , , , – ☎ 🅿. AE E VISA
20.- 26. Dez. geschl. – **M** a la carte 29/52 – **53 Z : 90 B** 51/97 - 98/160 Fb.

Seegarten garni, Strandstr. 3, ✆ 60 20, Fax 60266, ≤ – ☎ 🅿. E VISA.
Mitte März - Mitte Okt. – **23 Z : 39 B** 65/85 - 130/170 Fb – 4 Appart. 180 – 21 Fewo 95/145.

Büsum garni, Blauort 18, ✆ 6 01 40, Fax 60188, – ☎ 🅿. E
Mitte März - Okt. – **35 Z : 70 B** 63/76 - 126/144 Fb.

Zur Alten Post (mit Gästehaus), Hafenstr. 2, ✆ 23 92, « Dithmarscher Bauernstube » – ☎ 🅿
29 Z : 52 B.

Stadt Hamburg (mit Gästehaus,), Kirchenstr. 11, ✆ 20 85, – 🅿 – 25/120. Zim
47 Z : 69 B Fb.

In Büsumer Deichhausen **2242** O : 2 km :

Dohrn's Rosenhof , To Wurth 12, ✆ (04834) 20 54, Fax 6767, « Gartenterrasse », , – ☎ 🅿 – 30
April - Okt. – **M** *(Montag geschl.)* a la carte 35/65 – **23 Z : 45 B** 100 - 166/184 Fb – 3 Appart. 264 – ½ P 96/116.

Deichgraf , Achtern Dieck 24, ✆ (04834) 22 71, , – 🅿
Mitte April - Mitte Okt. – **M** a la carte 26/50 – **22 Z : 40 B** 47/57 - 80/100 Fb – 2 Fewo 90.

BÜTTELBORN **6087.** Hessen 412 413 I 17 – 10 000 Ew – Höhe 85 m – ☎ 06152.

◆Wiesbaden 35 – ◆Darmstadt 12 – ◆Frankfurt am Main 35 – Mainz 28 – ◆Mannheim 56.

Haus Monika, an der B 42 (O : 1,5 km), ✆ 18 10, Fax 181189 – ☎ 🅿. AE E VISA.
24. Dez.- 2. Jan. geschl. – **M** *(Freitag - Samstag 18 Uhr und Juli 2 Wochen geschl.)* a la carte 29/66 – **39 Z : 55 B** 88/115 - 130/150 Fb.

BURBACH **5909.** Nordrhein-Westfalen 412 H 14, 987 ㉔ – 14 200 Ew – Höhe 370 m – ☎ 02736.
◆Düsseldorf 145 – ◆Köln 108 – Limburg an der Lahn 45 – Siegen 21.

In Burbach-Holzhausen O : 8 km :

XX **D'r Fiester-Hannes,** Flammersbacher Str. 7, ☎ 39 33, « Restauriertes Fachwerkhaus a.d.
17. Jh. mit geschmackvoller Einrichtung » – AE E
Dienstag und Feb. 1 Woche geschl. – **M** *(Tischbestellung ratsam)* a la carte 52/81.

In Burbach-Wasserscheide O : 5,5 km :

🏠 **Haus Wasserscheide,** Dillenburger Str. 66, ☎ 80 68, Biergarten – TV ☎ ℗. E
M a la carte 25/58 – **15 Z : 23 B** 40/65 - 80/120.

BURG Schleswig-Holstein siehe Fehmarn (Insel).

BURG (KREIS DITHMARSCHEN) **2224.** Schleswig-Holstein 411 K 5 – 4 000 Ew – Höhe 46 m
– Luftkurort – ☎ 04825.
🛈 Fremdenverkehrsverein, Holzmarkt 1 a, ☎ 14 44.
◆Kiel 87 – Flensburg 114 – ◆Hamburg 78.

🏠 **Riedel,** Nantzstr. 3, ☎ 81 34 – ☎
← **M** *(Okt.- Mai Samstag geschl.)* a la carte 23/40 – **14 Z : 22 B** 50 - 80.

BURG/MOSEL Rheinland-Pfalz siehe Enkirch.

BURG / SPREEWALD **O-7502.** Brandenburg – 3 800 Ew – Höhe 58 m – ☎ 0037 5993.
Ausflugsziele : Spreewald★★ (Freilandmuseum Lehde★, per Kahn ab Lübbenau W : 19 km).
◆Berlin 72 – Cottbus 18 – ◆Frankfurt/Oder 98 – Leipzig 117.

🏠 Zur Linde, Dorfstr. 144, ☎ 2 09 – TV ℗ – **12 Z : 25 B**.

BURGDORF **3167.** Niedersachsen 411 412 N 9, 987 ⑮ – 29 300 Ew – Höhe 56 m – ☎ 05136.
🛈 Burgdorf-Ehlershausen, ☎ (05085) 76 28.
◆Hannover 25 – ◆Braunschweig 52 – Celle 24.

In Burgdorf-Ehlershausen N : 10 km :

🏠 Bähre, Ramlinger Str. 1, ☎ (05085) 60 06 – ☎ ℗. ⚄ Rest – **20 Z : 30 B**.

In Burgdorf-Hülptingsen O : 3 km :

🏠 Sporting-Hotel, Tuchmacherweg 20 (B 188), ☎ 8 50 51, Telex 921553, ⚄ (Halle) – TV ☎
℗ – **13 Z : 26 B** Fb.

BURGEBRACH **8602.** Bayern 413 P 17 – 4 800 Ew – Höhe 269 m – ☎ 09546.
◆München 227 – ◆Bamberg 15 – ◆Nürnberg 66 – ◆Würzburg 66.

🏠 Gasthof u. Gästehaus Goldener Hirsch, Hauptstr. 14, ☎ 12 27, Fax 6709, ⇌, ▨ , 🐎 – 🛗
⇐ ℗. ⚄ Zim – **58 Z : 100 B**.

BURGHASLACH **8602.** Bayern 413 O 17 – 2 100 Ew – Höhe 300 m – ☎ 09552 (Schlüsselfeld).
◆München 229 – ◆Bamberg 46 – ◆Nürnberg 58 – ◆Würzburg 59.

🏠 **Pension Talblick** ⚲ garni, Fürstenforster Str. 32, ☎ 17 70, ≤, 🐎 – ⇐ ℗. E. ⚄
6. Jan.- März und Nov. - 27. Dez. geschl. – **10 Z : 23 B** 28 - 56 – ½ P 35.

♔ **Rotes Ross,** Kirchplatz 5, ☎ 3 74 – 🛗 ℗
← *5. Jan.- 4. Feb. geschl.* – **M** a la carte 18/36 ⚖ – **16 Z : 28 B** 35/40 - 60/65.

In Burghaslach-Oberrimbach W : 5 km :

♔ **Steigerwaldhaus,** ☎ 8 58, 🌳, 🐎 – ℗. ⚄ ⓿ VISA. ⚄ Zim
Mitte Feb.- Mitte März und Mitte - Ende Aug. geschl. – **M** *(Montag 15 Uhr - Dienstag geschl.)*
a la carte 25/58 ⚖ – **13 Z : 25 B** 36/40 - 72/80 – ½ P 48/52.

Per viaggiare in Europa, utilizzate :

le carte Michelin scala 1/400 000 a 1/1 000 000 **Le Grandi Strade ;**

Le carte Michelin dettagliate ;

Le guide Rosse Michelin (alberghi e ristoranti) :

Benelux, España Portugal, France, Great Britain and Ireland, Italia,
main cities Europe

Le guide Verdi Michelin :

(descrizione delle curiosità, itinerari regionali, luoghi di soggiorno).

BURGHAUSEN **8263.** Bayern 413 V 22, 987 ㊳, 426 K 4 - 17 500 Ew - Höhe 350 m - ☎ 08677.
Sehenswert : Lage★★ der Burg★★, ≤★.
Ausflugsziele : Wallfahrtskirche Marienberg★ SW : 4 km - Klosterkirche Raitenhaslach★ Deckenmalerei★★) SW : 5 km.
Marktl, Falkenhof 1 (N : 13 km), ☎ (08678) 89 96 ; Haiming, Schloß Piesing (NO : 5 km), ☎ (08678) 70 01.
Verkehrsamt, Rathaus, Stadtplatz 112, ☎ 24 35, Fax 88745.
♦München 110 - Landshut 78 - Passau 81 - Salzburg 58.

Lindacher Hof garni, Mehringer Str. 47, ☎ 30 92, Fax 3123, - TV ☎. AE E VISA - **24 Z : 42 B** 95/110 - 140/150 Fb.

Post, Stadtplatz 39, ☎ 30 43, Fax 62091, - TV ☎ - 25/60. E VISA
27. Dez.- 3. Jan. geschl. - **M** *(Freitag geschl.)* a la carte 25/54 - **37 Z : 70 B** 78/98 - 115/135 Fb.

Bayerische Alm, Robert-Koch-Str. 211, ☎ 20 61, Fax 65161, Biergarten, « Gartenterrasse » - TV ☎ P. E VISA
M *(Freitag geschl.)* a la carte 26/60 - **22 Z : 38 B** 85/115 - 120/160 Fb.

Glöcklhofer, Ludwigsberg 4, ☎ 70 24, Telex 563227, Fax 65500, Biergarten, (geheizt), - TV ☎ P - 25/80. AE E VISA
M a la carte 30/66 - **49 Z : 80 B** 95/98 - 130/180 Fb.

Burghotel, Marktler Str. 2, ☎ 76 36, Fax 7610, - ☎ P. AE E VISA
M a la carte 23/50 - **30 Z : 52 B** 65 - 95 Fb.

Fuchsstuben, Mautnerstr. 271, ☎ 6 27 24,
8.- 16. Juni, Mitte Aug.- Anfang Sept. und Sonntag 15 Uhr - Montag geschl. - Menu a la carte 33/65.

In Burghausen-Raitenhaslach SW : 5 km :

Klostergasthof Raitenhaslach, ☎ 70 62, Fax 63126, , Biergarten, « Modernisierter Brauereigasthof a.d. 16. Jh. » - TV ☎ P - 25/80. AE E VISA
M *(Montag geschl.)* a la carte 30/54 - **14 Z : 28 B** 75 - 110 Fb.

BURGKUNSTADT **8622.** Bayern 413 Q 16, 987 ㉖ - 6 800 Ew - Höhe 304 m - ☎ 09572.
♦München 273 - ♦Bamberg 48 - Bayreuth 38 - Coburg 34.

In Altenkunstadt **8621** S : 2 km :

Gondel, Marktplatz 7, ☎ (09572) 6 61, Fax 4596 - TV ☎ P
2.- 10. Jan. und 2.- 10. Aug. geschl. - Menu *(Freitag 14 Uhr - Samstag 17 Uhr geschl.)* a la carte 29/65 - **37 Z : 65 B** 60/95 - 95/165 Fb.

BURGLENGENFELD **8412.** Bayern 413 ST 19, 987 ㉗ - 10 600 Ew - Höhe 347 m - ☎ 09471.
Schmidmühlen (NW : 11 km), ☎ (09474) 7 01.
♦München 149 - Amberg 34 - ♦Nürnberg 90 - ♦Regensburg 27.

Gerstmeier, Berggasse 5, ☎ 52 44, - ☎ P
(nur Abendessen) - **27 Z : 43 B.**

Drei Kronen, Hauptstr. 1, ☎ 52 81, - P
Mittwoch, 28. Feb.- 10. März und 4.- 16. Sept. geschl. - **M** a la carte 17/31 .

BURGTHANN **8501.** Bayern 413 Q 18 - 9 800 Ew - Höhe 440 m - ☎ 09183.
♦München 159 - ♦Nürnberg 24 - ♦Regensburg 79.

Blaue Traube mit Zim, Schwarzachstr. 7, ☎ 5 55, - ☎ - **8 Z : 13 B.**

BURGWALD **3559.** Hessen 412 J 14 - 4 900 Ew - Höhe 230 m - ☎ 06457.
♦Wiesbaden 145 - ♦Kassel 90 - Marburg 24 - Paderborn 111 - Siegen 82.

In Burgwald-Ernsthausen :

Burgwald-Stuben, Marburger Str. 25 (B 252), ☎ 80 66 - P. AE E
Mittwoch und Juli 3 Wochen geschl. - **M** a la carte 40/80.

BURGWEDEL **3006.** Niedersachsen 411 412 M 9 – 20 000 Ew – Höhe 58 m – ☎ 05139.

♦Hannover 22 – ♦Bremen 107 – Celle 28 – ♦Hamburg 137.

In Burgwedel 1-Grossburgwedel 987 ⑮ :

Springhorstsee, Am Springhorstsee (NW : 1,5 km, Richtung Bissendorf), ✆ 70 88 (Hotel) 33 47 (Rest.), – ☎ *(wochentags nur Abendessen)* – **20 Z : 30 B** Fb.

Marktkieker garni, Am Markt 7, ✆ 70 93, « Modernes Hotel in einem 300 Jahre alter Fachwerkhaus » – ☎. AE
Weihnachten - Anfang Jan. geschl. – **12 Z : 20 B** 88/138 - 134/194 Fb.

Oetting, Dammstr. 18, ✆ 25 09, Fax 88948 –
5. Dez.- 5. Jan. geschl. – **M** *(nur Abendessen, Freitag geschl.)* a la carte 23/42 – **28 Z : 40 B** 54/80 - 90/115 Fb.

BURLADINGEN **7453.** Baden-Württemberg 413 K 22 – 12 500 Ew – Höhe 722 m – ☎ 07475

♦Stuttgart 78 – ♦Freiburg im Breisgau 173 – ♦Ulm (Donau) 92.

In Burladingen 9-Gauselfingen SO : 4,5 km :

Wiesental, Gauzolfstr. 23, ✆ 75 35 – ☎
15 Z : 19 B.

In Burladingen 4-Killer NW : 6 km :

Lamm, Bundesstr. 1 (B 32), ✆ (07477) 10 88 – ☎
Feb.- März und Juli - Aug. jeweils 2 Wochen geschl. – **M** *(Freitag geschl.)* a la carte 24/50 – **13 Z : 23 B** 40/48 - 80/96.

In Burladingen 7-Melchingen N : 12 km :

Gästehaus Hirlinger garni, Falltorstr. 9, ✆ (07126) 5 55, Fax 1024, – ☎
21 Z : 35 B 44 - 76.

BURSCHEID **5093.** Nordrhein-Westfalen 412 E 13, 987 ㉔ – 16 500 Ew – Höhe 200 m – ☎ 02174.

♦Düsseldorf 42 – ♦Köln 26 – Remscheid 19.

Schützenburg, Hauptstr. 116 (B 232), ✆ 56 18, Fax 63847, – ☎ – 40. E
14. Juli - 11. Aug. geschl. – **M** *(Freitag - Samstag geschl.)* a la carte 27/60 – **26 Z : 36 B** 95/148 - 110/170 Fb.

An der B 232 W : 2 km :

Haus Kuckenberg mit Zim, Kuckenberg 28, ✉ 5093 Burscheid, ✆ (02174) 8 00 25, Fax 61839 – ☎. AE E
M *(nur Abendessen, Mittwoch geschl.)* a la carte 38/64 – **11 Z : 21 B** 80 - 130.

In Burscheid 2-Hilgen NO : 4 km :

Heyder, Kölner Str. 94 (B 51), ✆ 50 91, Fax 61814, – ☎. E
22. Dez.- 4. Jan. geschl. – **M** *(Samstag geschl.)* a la carte 30/55 – **28 Z : 40 B** 50/95 - 120/160 Fb.

BUTJADINGEN **2893.** Niedersachsen 411 H 6 – 6 400 Ew – Höhe 3 m – ☎ 04733.

Kurverwaltung, Strandallee (Burhave), ✆ 16 16.

♦Hannover 214 – Bremerhaven 15 – Oldenburg 67.

In Butjadingen 1-Burhave – Seebad :

Haus am Meer mit Zim, Deichstr. 26, ✆ 4 22, –
14 Z : 24 B.

In Butjadingen 1-Fedderwardersiel – Seebad :

Zur Fischerklause, Sielstr. 16, ✆ 3 62, – E VISA. Rest
15. Feb.- 15. März und 5.- 30. Nov. geschl. – **M** *(Dienstag geschl.)* a la carte 29/55 – **17 Z : 29 B** 75 - 110.

In Butjadingen 3-Ruhwarden :

Schild's Hotel (mit Gästehäusern), Butjadinger Str. 8, ✆ (04736) 2 25 (Hotel) 2 18 (Rest.) , (geheizt), – . E.
Hotel Okt.- Ostern geschl. – **M** *(Montag - Dienstag geschl.)* a la carte 33/65 – **68 Z : 160 B** 48/55 - 92/100 Fb.

In Butjadingen 3-Tossens – Seebad :

Strandhof, Strandallee 35, ✆ (04736) 12 71, Fax 559, Bade- und Massageabteilung, – ☎. E VISA
M a la carte 25/52 – **19 Z : 38 B** 45/95 - 98/108 – 18 Fewo 110/130 – ½ P 59.

BUTTENHEIM Bayern siehe Hirschaid.

BUTZBACH **6308.** Hessen 412 413 J 15, 987 ㉕ – 22 300 Ew – Höhe 205 m – ☎ 06033.

Ausflugsziel : Burg Münzenberg*, O : 9 km :.

◆Wiesbaden 71 – ◆Frankfurt am Main 42 – Gießen 23.

- **Hessischer Hof** garni, Weiseler Str. 43, ☎ 41 38, Fax 16282 – |‡| TV ☎. E
  34 Z : 50 B 80/115 - 130/160 Fb.
- **Römer** garni, Jakob-Rumpf-Str. 2, ☎ 69 63, Fax 71343 – |‡| ☎ ⇔. AE ⓓ E VISA
  30 Z : 60 B 80/110 - 140/160 Fb.
- XX Zum Roßbrunnen (Italienische Küche), Am Roßbrunnen 2, ☎ 6 51 99, 🍴.

BUXHEIM Bayern siehe Memmingen.

BUXTEHUDE **2150.** Niedersachsen 411 LM 6, 987 ⑤ – 32 500 Ew – Höhe 5 m – ☎ 04161.

Zum Lehmfeld 1 (S : 4 km), ☎ (04161) 8 13 33 ; Ardestorfer Weg 1 (SO : 6 km), ☎ (04161) 8 76 99.

Stadtinformation, Lange Str. 4, ☎ 50 12 97.

◆Hannover 158 – ◆Bremen 99 – Cuxhaven 93 – ◆Hamburg 37.

- **Zur Mühle,** Ritterstr. 16, ☎ 5 06 50, Fax 506530 – |‡| TV ☎. AE ⓓ E VISA. ✄
  M *(Sonntag geschl.)* a la carte 46/78 – **36 Z : 68 B** 120/160 - 160/250 Fb.
- **Am Stadtpark** garni, Bahnhofstr. 1, ☎ 50 68 10, Fax 506815 – TV ☎ P. AE ⓓ E VISA
  13 Z : 26 B 89/95 - 135/150.

In Buxtehude-Hedendorf W : 5 km :

- **Zur Eiche,** Harsefelder Str. 64, ☎ (04163) 23 01, Fax 7727 – TV ☎ P – 🏔 25/150
  M *(wochentags nur Abendessen, Donnerstag und 1.- 10. Jan. geschl.)* a la carte 29/55 – **10 Z : 20 B** 70/75 - 95/110.

In Buxtehude 1-Neukloster W : 4 km :

- **Seeburg,** Cuxhavener Str. 145 (B 73), ☎ 8 20 71, ≤, « Gartenterrasse » – TV ☎ ⇔ P – 🏔 30/60. ⓓ E
  M a la carte 37/71 – **14 Z : 23 B** 90/100 - 130 Fb.

CADENBERGE **2175.** Niedersachsen 411 K 5, 987 ⑤ – 3 200 Ew – Höhe 8 m – ☎ 04777.

◆Hannover 218 – Bremerhaven 56 – Cuxhaven 33 – ◆Hamburg 97.

- Eylmann's Hotel (mit Gästehaus), Bergstr. 5, ☎ 2 21 – |‡| TV ☎ ⇔ P – 🏔 25/80
  31 Z : 55 B.

CADOLZBURG **8501.** Bayern 413 P 18 – 8 600 Ew – Höhe 351 m – ☎ 09103.

◆München 179 – Ansbach 30 – ◆Nürnberg 19 – ◆Würzburg 87.

In Cadolzburg-Egersdorf O : 2 km :

- Grüner Baum 🐎, Dorfstr. 11, ☎ 9 21, 🍴 – ☎ P – 🏔 25/50
  35 Z : 64 B.

CALDEN Hessen siehe Kassel.

CALW **7260.** Baden-Württemberg 413 J 20, 987 ㉟ – 23 000 Ew – Höhe 395 m – ☎ 07051.

Verkehrsamt, Aureliusplatz 10 (im Rathaus Hirsau), ☎ 56 71, Fax 51608.

◆Stuttgart 47 – Freudenstadt 66 – Pforzheim 26 – Tübingen 40.

- **Ratsstube,** Marktplatz 12, ☎ 18 64, Fax 20311 – TV ☎ – 🏔 30
  M a la carte 26/55 – **13 Z : 23 B** 115 - 168 Fb.
- **Zum Rössle,** Hermann-Hesse-Platz 2, ☎ 3 00 52 – TV ☎ ⇔. AE E VISA. ✄
  Aug. geschl. – **M** *(Freitag geschl.)* a la carte 24/52 – **20 Z : 32 B** 75/85 - 120/130.

In Calw-Hirsau N : 2,5 km – Luftkurort :

- Kloster Hirsau, Wildbader Str. 2, ☎ 56 21, Fax 51795, ≘s, 🏊, 🌳, 🎾(Halle) – |‡| TV ☎ ⇔ P – 🏔 25/100
  42 Z : 71 B Fb.

In Calw - Stammheim SO : 4,5 km :

- XX **Adler** mit Zim, Hauptstr. 16, ☎ 42 87, Fax 20311, 🍴 – TV ☎ P. ✄ Rest
  M a la carte 45/75 – **8 Z : 15 B** 85 - 150.

CAMBERG, BAD **6277.** Hessen 412 413 H 16, 987 ㉔ – 12 000 Ew – Höhe 200 m – Kneippheilbad – ☎ 06434.

Städt. Kurverwaltung, Chambray-les-Tours-Platz 2, ✆ 2 02 32.

♦Wiesbaden 37 – ♦Frankfurt am Main 61 – Limburg an der Lahn 17.

An der Hochtaunusstraße O : 2 km :

Waldschloß, ✉ 6277 Bad Camberg, ✆ (06434) 60 96, Fax 5896, – TV ☎ P. E VISA
M a la carte 28/60 – **17 Z : 30 B** 50/85 - 98/160 Fb.

An der Autobahn A 3 W : 4 km :

Rasthaus und Motel Camberg, (Westseite), ✉ 6277 Bad Camberg, ✆ (06434) 60 66 Fax 7004, ← – ☎ P
27 Z : 51 B.

CASTROP-RAUXEL **4620.** Nordrhein-Westfalen 411 412 E 12, 987 ⑭ – 80 000 Ew – Höhe 55 m – ☎ 02305.

Dortmunder Str. 383 (O : 3,5 km), ✆ 6 20 27.

♦Düsseldorf 73 – Bochum 12 – Dortmund 12 – Münster (Westfalen) 56.

Schloßhotel Goldschmieding, Ringstr. 99, ✆ 1 80 61, Fax 31320 – TV ☎ P – 25/80 AE E VISA
M *(siehe auch Restaurant Goldschmieding)* a la carte 48/62 – **43 Z : 78 B** 145/180 - 220/350 Fb

Daun, Bochumer Str. 266, ✆ 2 29 92 – P
13 Z : 26 B.

XXX ✿ **Restaurant Goldschmieding,** Ringstr. 97, ✆ 3 29 31, Fax 15945 – P. AE E VISA
Samstag bis 18 Uhr und Montag geschl. – **M** 45 /65 (mittags) und a la carte 65/93
Spez. Flußfische in grüner Sauce, Terrine von dreierlei Schokoladen.

XX Haus Bladenhorst, Wartburgstr. 5, ✆ 7 79 91, Fax 703506, – P – 25/60.

LES GUIDES VERTS MICHELIN
Paysages, monuments
Routes touristiques
Géographie,
Histoire, Art
Itinéraires de visiste
Plans de villes et de monuments.

CELLE **3100.** Niedersachsen 411 N 9, 987 ⑮ – 71 500 Ew – Höhe 40 m – ☎ 05141.

Sehenswert : Altstadt★★ – Schloß (Hofkapelle★) Y.

Ausflugsziel : Wienhausen (Kloster★) ③ : 10 km.

Celle-Garßen (über ②), ✆ (05086) 3 95.

Verkehrsverein, Markt 6, ✆ 12 12, Fax 12459.

ADAC, Nordwall 1a, ✆ 10 60, Notruf ✆ 1 92 11.

♦Hannover 45 ④ – ♦Bremen 112 ⑤ – ♦Hamburg 117 ①.

Stadtplan siehe gegenüberliegen Seite

✿ **Fürstenhof - Restaurant Endtenfang** , Hannoversche Str. 55, ✆ 20 10 Telex 925293, Fax 201120, « Historisches Palais mit Hotelanbau », , – TV P – 25/80. AE E. Rest Z e
M 95 /145 und a la carte 70/103 – **Kutscherstube** *(nur Abendessen, Sonn- und Feiertage geschl.)* **M** a la carte 40/58 – **75 Z : 110 B** 150/220 - 190/400 Fb – 5 Appart. 300/480
Spez. Räucherlachs mit Gurkencrème und Caviar, Halber Hummer aus dem Ofen mit Trüffelremoulade, Entengerichte.

Caroline Mathilde garni, Bremer Weg 37, ✆ 3 20 23, Fax 32026, – TV ☎ P. AE E VISA Y e
22. Dez.- 5. Jan. geschl. – **28 Z : 60 B** 80/160 - 115/180 Fb.

Blumlage garni, Blumlage 87, ✆ 70 71, Fax 201120 – TV ☎ P. AE E VISA Z d
32 Z : 52 B 95/180 - 130/220 Fb.

Borchers garni, Schuhstr. 52 (Passage), ✆ 70 61, Fax 201120 – TV ☎ . AE E VISA Y
19 Z : 37 B 95/180 - 130/220 Fb.

Nordwall garni, Nordwall 4, ✆ 2 90 77, Fax 201120 – TV ☎ P. AE E Y a
20 Z : 35 B 95/160 - 120/200 Fb.

Bacchus, Bremer Weg 132a, ✆ 5 20 31, Fax 52689 – TV ☎ P. AE E VISA. Rest
M *(nur Abendessen)* a la carte 27/54 – **15 Z : 28 B** 65/85 - 118/128.
über Bremer Weg Y

Atlantik garni, Südwall 12a, ✆ 2 30 39, Fax 24009 – TV ☎. AE E VISA Y b
20. Dez.- 5. Jan. geschl. – **12 Z : 21 B** 78/115 - 145/165 Fb.

CELLE

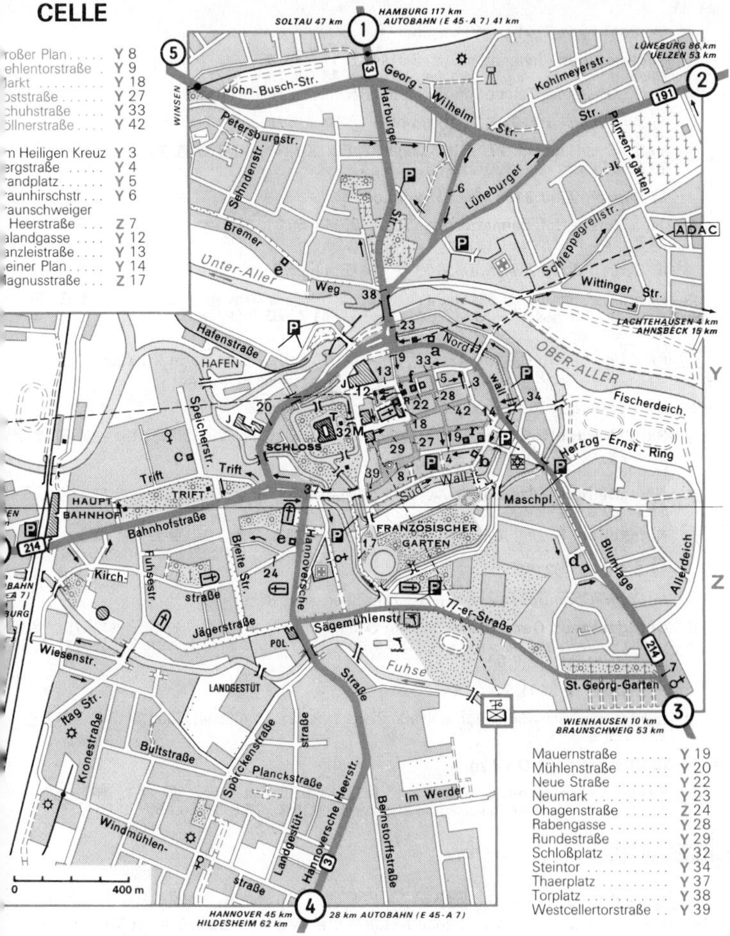

roßer Plan	Y	8
ehlentorstraße	Y	9
larkt	Y	18
oststraße	Y	27
chuhstraße	Y	33
öllnerstraße	Y	42
n Heiligen Kreuz	Y	3
ergstraße	Y	4
randplatz	Y	5
raunhirschstr	Y	6
raunschweiger Heerstraße	Z	7
alandgasse	Y	12
anzleistraße	Y	13
einer Plan	Y	14
lagnusstraße	Z	17

Mauernstraße	Y	19
Mühlenstraße	Y	20
Neue Straße	Y	22
Neumark	Y	23
Ohagenstraße	Z	24
Rabengasse	Y	28
Rundestraße	Y	29
Schloßplatz	Y	32
Steintor	Y	34
Thaerplatz	Y	37
Torplatz	Y	38
Westcellertorstraße	Y	39

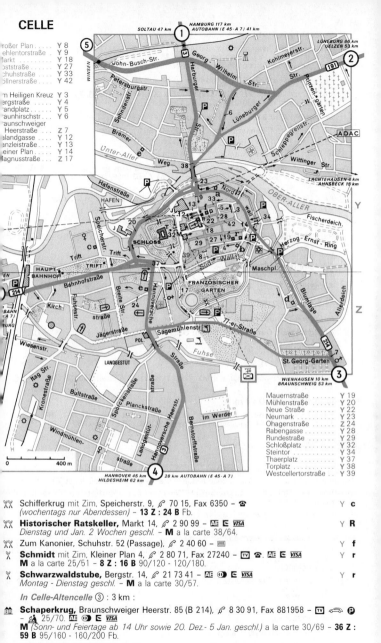

XX Schifferkrug mit Zim, Speicherstr. 9, ✆ 70 15, Fax 6350 – ☎ — Y **c**
(wochentags nur Abendessen) – **13 Z : 24 B** Fb.

XX **Historischer Ratskeller,** Markt 14, ✆ 2 90 99 – AE E VISA — Y **R**
Dienstag und Jan. 2 Wochen geschl. – **M** a la carte 38/64.

XX Zum Kanonier, Schuhstr. 52 (Passage), ✆ 2 40 60 – ▤ — Y **f**

X **Schmidt** mit Zim, Kleiner Plan 4, ✆ 2 80 71, Fax 27240 – TV ☎. AE E VISA — Y **r**
M a la carte 25/51 – **8 Z : 16 B** 90/120 - 120/180.

X **Schwarzwaldstube,** Bergstr. 14, ✆ 21 73 41 – AE ⊕ E VISA — Y **r**
Montag - Dienstag geschl. – **M** a la carte 30/57.

In Celle-Altencelle ③ : 3 km :

Schaperkrug, Braunschweiger Heerstr. 85 (B 214), ✆ 8 30 91, Fax 881958 – TV 🚗 P – 🏠 25/70. AE ⊕ E VISA
M *(Sonn- und Feiertage ab 14 Uhr sowie 20. Dez.- 5 Jan. geschl.)* a la carte 30/69 – **36 Z : 59 B** 95/160 - 160/200 Fb.

In Celle-Groß Hehlen ① : 4 km :

Celler Tor, Celler Str. 13 (B 3), ✆ 5 10 11, Fax 55696, ≘s, 🏊, 🌳 – 🛗 TV P – 🏠 25/300. AE ⊕ E VISA
M *(Sonn- und Feiertage ab 15 Uhr geschl.)* a la carte 39/72 – **64 Z : 120 B** 123/195 - 176/286 Fb – 7 Appart. 260/450.

In Nienhagen **3101** S : 10 km über ④ :

X ❀ **Jahnstuben,** Jahnring 13, ✆ (05144) 31 11 – Ⓟ. E
Montag und Juli - Aug. 3 Wochen geschl. – **M** a la carte 42/76
Spez. Lachssuppe, Terrine von Hecht und Räucheraal, Heidschnuckenrücken mit Kräuterkrust

In Wienhausen **3101** SO : 10 km über ③ :

Voß garni, Hauptstr. 27, ✆ (05149) 5 92, Fax 202, – TV ☎ ♿ Ⓟ – 40. E.
20 Z : 43 B 85/100 - 130/220 Fb.

In Winsen/Aller **3108** NW : 12 km über ⑤ :

Jann Hinsch Hof, Bannetzer Str. 26, ✆ (05143) 50 31, , – ☎ Ⓟ – 25/60
36 Z : 62 B Fb.

In Bergen 2-Altensalzkoth **3103** N : 14 km über ① :

Helms, ✆ (05054) 81 82, Fax 8180, , – TV ☎ Ⓟ – 25/45. E VISA
15. Dez.- Jan. geschl. – **M** a la carte 25/52 – **41 Z : 63 B** 59/78 - 112/156.

CHAM **8490.** Bayern 413 UV 19, 987 ㉗ – 17 000 Ew – Höhe 368 m – ☎ 09971.
Fremdenverkehrsamt, Probsteistr. 46 (im Cordonhaus), ✆ 49 33, Fax 6811.
♦München 178 – Amberg 73 – Passau 109 – Plzen 94 – ♦Regensburg 56.

Randsberger Hof, Randsberger-Hof-Str. 15, ✆ 12 66, Fax 20299, , – |$| TV ☎
Ⓟ – 25/200. AE E VISA
M a la carte 18,50/43 – **89 Z : 160 B** 45/53 - 90/106 Fb.

Gästeheim am Stadtpark , garni, Tilsiter Str. 3, ✆ 22 53, – . E
11 Z : 20 B 30/35 - 60/70.

XX **Ratskeller** mit Zim, Am Kirchplatz, ✆ 14 41 – TV ☎ . AE E VISA
10.- 31. Jan. geschl. – Menu *(Sonntag 14 Uhr - Montag geschl.)* a la carte 30/59 – **11 Z**
17 B 48/60 - 82/88 Fb.

In Cham-Chammünster **8491** O : 3 km über die B 85 :

Berggasthaus Oedenturm , Am Oedenturm 11, ✆ 38 80, ←, , – Ⓟ. E
6. Okt.- 3. Dez. geschl. – **M** *(Sonntag 14 Uhr - Montag geschl.)* a la carte 24/49 – **11 Z : 20**
35/45 - 70/80 – ½ P 50.

In Chamerau **8491** SO : 7 km :

Landgasthof Schwalbenhof, Kalvarienberg 1 (B 85), ✆ (09944) 8 68, , – TV Ⓟ
17 Z : 25 B.

In Runding **8491** O : 9 km :

Pension Christiane, Dorfplatz 1, ✆ (09971) 26 96, Fax 40652, , , – Ⓟ
März - Nov. – (nur Abendessen für Hausgäste) – **35 Z : 70 B** 35/50 - 60/80 Fb.

CHAMERAU Bayern siehe Cham.

CHEMNITZ **O-9001.** Sachsen 984 ㉓ ㉔, 987 ㉗ – 300 000 Ew – Höhe 300 m – ☎ 00377
Sehenswert: Museum für Naturkunde (versteinerter Wald★) – Schloßkirche (Geißelsäule★).
Ausflugsziel: Schloß Augustusburg★ (Museum für Jagdtier- und Vogelkunde★
Motorradmuseum★★), O : 15 km.
Tourist-Information, Straße der Nationen 3, ✆ 6 20 51.
ADAC, Otto-Grotewohl-Str. 20, ✆ 4 49 91.
♦Berlin 268 – ♦Dresden 70 – ♦Leipzig 78 – Praha 163.

Kongreß, Karl-Marx-Allee, ✆ 68 30, Telex 7108, Fax 683505, ←, – |$| Zim Re
TV ☎ – 25/120
371 Z : 588 B Fb.

Chemnitzer Hof, Theaterplatz 4, ✆ 68 40, Telex 7310, Fax 62587 – |$| Zim TV ☎ ♿
60/180. Rest
110 Z : 170 B Fb – 3 Appart..

Moskau, Straße der Nationen 56, ✆ 68 11 17, Telex 7220 – |$| Zim TV ☎. Rest
108 Z : 188 B Fb.

In Kändler **O-9105** NW : 8 km :

Parkhotel, Rabensteiner Str. 12, ✆ (0037722) 25 42, Fax 2543, , , – TV Ⓟ
20.
M a la carte 26/59 – **25 Z : 45 B** 140 - 170 Fb – 8 Appart. 268/420.

MICHELIN-REIFENWERKE KGaA. Niederlassung 9381 Großwaltersdorf (O : 30 km übe
Augustusburger Str.) **Mittelsaidaer Straße** ✆ (00377293) 6 70.

CHIEMING **8224.** Bayern 413 U 23, 987 ㊲, 426 J 5 – 3 700 Ew – Höhe 532 m – Erholungsort
☎ 08664.

Sehenswert: Chiemsee★.

Chieming-Hart (N : 7 km), ☎ (08669) 75 57.

Verkehrsamt, Haus des Gastes, Hauptstr. 20b, ☎ 2 45, Fax 8998.

München 104 – Traunstein 12 – Wasserburg am Inn 37.

Unterwirt, Hauptstr. 32, ☎ 5 51, Fax 1649, Biergarten – TV P
8.- 31. Jan. und 2.- 25. Nov. geschl. – **M** *(auch vegetarische Gerichte)* (Juli - Sept. Dienstag, Okt.- Juni Montag und Dienstag geschl.) a la carte 26/53 – **19 Z : 28 B** 28/56 - 48/86 Fb.

In Chieming-Ising NW : 7 km – Luftkurort :

Gut Ising, Kirchberg 3, ☎ (08667)7 90, Telex 56542, Fax 79432, Biergarten, « Zimmer mit Stil- und Bauernmöbeln », (Halle), (Reitschule und -hallen) – TV P – 25/120. AE E VISA
M a la carte 34/73 – **113 Z : 250 B** 128/137 - 198/212 Fb – 7 Appart. 286/306 – ½ P 128/166.

CHIEMSEE Bayern 413 U 23, 987 ㊲, 426 J 5 – Höhe 518 m.

Sehenswert: See★ mit Herren- und Fraueninsel.

ab Gstadt : ♦München 94 – Rosenheim 27 – Traunstein 27.

Auf der Fraueninsel – Autos nicht zugelassen :

von Gstadt (ca. 5 min) und von Prien (ca. 20 min)

Zur Linde (Gasthof a.d. 14. Jh.), ✉ 8211 Fraueninsel, ☎ (08054) 3 16, Fax 7299, – Zim
15. Jan.- 15. März geschl. – **M** a la carte 24/53 – **14 Z : 28 B** 85/95 - 135/150 Fb.

CLAUSTHAL-ZELLERFELD **3392.** Niedersachsen 411 NO 11, 987 ⑯ – 16 000 Ew – Höhe 600 m
Heilklimatischer Kurort – Wintersport : 600/800 m 1 4 – ☎ 05323.

Kurgeschäftsstelle, Bahnhofstr. 5a, ☎ 8 10 24.

Hannover 98 – ♦Braunschweig 62 – Göttingen 59 – Goslar 19.

Kronprinz, Goslarsche Str. 20 (B 241), ☎ 8 10 88 – P
Nov. geschl. – **M** *(Montag geschl.)* a la carte 22/44 – **22 Z : 44 B** 55/80 - 85/130 – ½ P 63/100.

Wolfs-Hotel, Goslarsche Str. 60 (B 241), ☎ 8 10 14, Fax 81015, – TV P. AE E VISA
M *(nur Abendessen, Sonntag geschl.)* a la carte 29/50 – **30 Z : 60 B** 80/90 - 120/140 Fb – ½ P 80/110.

In Clausthal-Zellerfeld 3 - Buntenbock S : 3,5 km – Luftkurort :

Gästehaus Tannenhof, An der Ziegelhütte 2 (B 241), ☎ 55 69 (Hotel) 16 97 (Rest.), – TV P
10 Z : 20 B.

CLOPPENBURG **4590.** Niedersachsen 411 GH 8, 987 ⑭ – 23 400 Ew – Höhe 39 m – ☎ 04471.

Sehenswert: Museumsdorf★.

Städt. Verkehrsamt, Rathaus, ☎ 18 50.

Hannover 178 – ♦Bremen 67 – Lingen 68 – ♦Osnabrück 76.

Schäfers Hotel, Lange Str. 66, ☎ 24 84, Fax 84844 – TV P. AE E
M *(Sonntag 14 Uhr - Montag geschl.)* a la carte 44/65 – **12 Z : 18 B** 65/80 - 110/120.

Schlömer, Bahnhofstr. 17, ☎ 28 38, Fax 6524 – TV P. AE E VISA
M *(Sonntag geschl.)* a la carte 31/59 – **15 Z : 27 B** 70/85 - 115/135 Fb.

Deeken, Friesoyther Str. 2, ☎ 65 52, Fax 5816, – TV P – 25. AE E VISA
M *(Samstag und Juli - Aug. 3 Wochen geschl.)* a la carte 28/55 – **25 Z : 40 B** 50/75 - 100/130 Fb.

In Resthausen **4591** NW : 6 km über Resthauser Straße :

Landhaus Schuler, Kastanienallee 6, ☎ (04475) 4 95, – P
M *(Freitag geschl.)* a la carte 27/58 – **11 Z : 17 B** 50/70 - 100/140.

Siehe auch : ***Molbergen (W : 8,5 km)***

Gli alberghi o ristoranti ameni sono indicati nella guida con un simbolo rosso.

Contribuite a mantenere la guida aggiornata segnalandoci gli alberghi e ristoranti dove avete soggiornato piacevolmente.

XXXXX ... X

COBURG **8630.** Bayern 413 P 16, 987 ㉖ – 44 000 Ew – Höhe 297 m – ☎ 09561.
Sehenswert : Gymnasium Casimirianum★ Z **A.**
Schloß Tambach (W : 10 km), ☎ (09567) 12 12.
Tourist-Information, Herrngasse 4, ☎ 7 41 80. – **ADAC**, Mauer 9, ☎ 9 47 47.
♦München 279 ② – ♦Bamberg 47 ② – Bayreuth 74 ②.

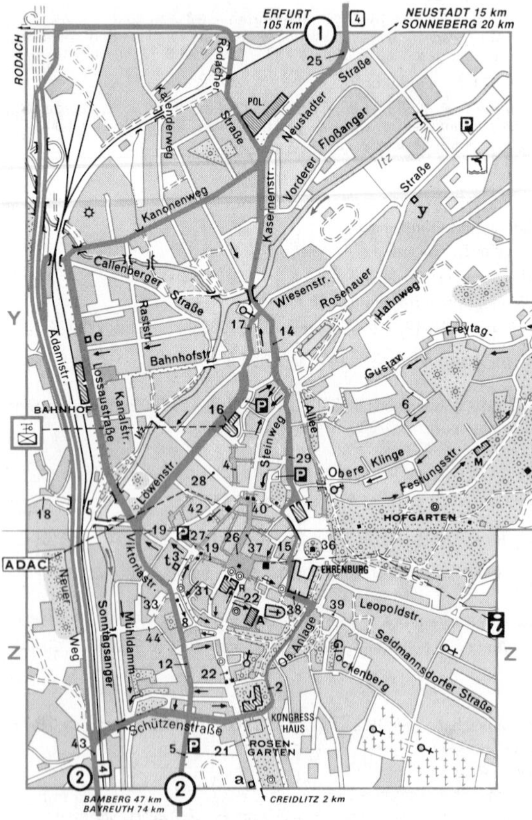

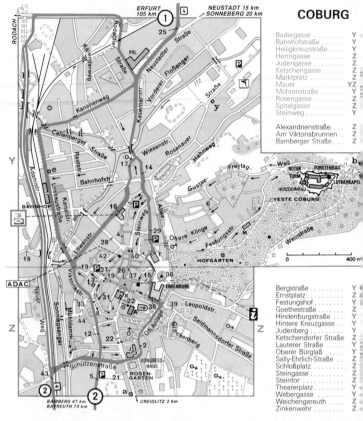

COBURG

Blankenburg - Restaurant Kräutergarten, Rosenauer Str. 30, ☎ 7 50 05, Fax 75674, « Restaurant mit rustikaler Einrichtung » – |‡| ⇔ Zim TV ☎ P – 25/50. AE ◑ E VISA Y
M *(abends Tischbestellung ratsam, Sonntag geschl.)* a la carte 50/75 – **46 Z : 70 B** 99/125 - 140/195 Fb – 2 Appart. 215.

Stadt Coburg, Lossaustr. 12, ☎ 77 81/87 40, Fax 75648, « Rustikales Grillrestaurant » – |‡| TV ☎ P – 25/60. ◑ E VISA. Rest Y
M *(Sonntag geschl.)* a la carte 32/60 – **44 Z : 75 B** 105/150 - 146/186 Fb.

Goldene Traube, Am Viktoriabrunnen 2, ☎ 98 33, Fax 92621, – |‡| ⇔ Zim TV ☎ – 25/80. AE ◑ E VISA Z
M a la carte 27/49 – **79 Z : 146 B** 110/145 - 140/195 Fb.

Festungshof, Festungsberg 1, ☎ 7 50 77, Fax 94372, – TV ☎ P – 25/120. AE ◑ E VISA Y
M *(Nov.- März Mittwoch geschl.)* a la carte 31/60 – **14 Z : 26 B** 80/120 - 140/200 Fb.

XXX ✿ **Coburger Tor - Restaurant Schaller** mit Zim, Ketschendorfer Str. 22, ☎ 2 50 74, Fax 28874, – |‡| TV ☎ P Z
M *(nur Abendessen, Sonn- und Feiertage sowie Feb. 2 Wochen und Juli 1 Woche geschl.)* 88 /128 und a la carte 72/98 *(Tischbestellung ratsam)* – **17 Z : 33 B** 95/145 - 148/230 Fb
Spez. Kartoffelravioli mit Hummer, Rehfilet in der Fasanenbrust mit 2 Portweinsaucen, "Curry" vom Lammrücken.

In Coburg-Neu Neershof O : 6 km über Seidmannsdorfer Str. Z :

Schloß Neuhof, Neuhofer Str. 10, (09563) 20 51, Fax 2107, « Park » – Ⓟ. E VISA
M a la carte 35/72 – **20 Z : 36 B** 85/110 - 115/160 Fb.

In Coburg-Scheuerfeld W : 3 km über Judenberg Y :

Gasthof Löhnert, Schustersdamm 28, 3 10 31, – Ⓟ
M *(Donnerstag bis 17 Uhr, Sonntag und Juli - Aug. 3 Wochen geschl.)* a la carte 22/33 – **56 Z : 81 B** 50/60 - 95.

In Rödental **8633** N : 7 km über Neustadter Straße Y :

Brauereigasthof Grosch mit Zim, Oeslauer Str. 115, (09563) 40 47, Fax 4700 – Ⓟ
M *(Montag geschl.)* a la carte 21/50 – **13 Z : 23 B** 35/70 - 65/120.

In Ahorn-Witzmannsberg **8637** SW : 10 km über ② und die B 303 :

Waldpension am Löhrholz, Badstr. 20a, (09561) 13 35, Fax 1641, – Ⓟ
M (im Restaurant Freizeitzentrum, Mitte Jan.- Mitte Feb. geschl.) a la carte 26/43 – **22 Z : 39 B** 55/78 - 98 Fb.

In Großheirath **8621** ② : 11 km :

Steiner, Hauptstr. 5, (09565) 8 35, Fax 830, – Ⓟ – 25/60. E
M *(Montag bis 17 Uhr geschl.)* a la carte 19,50/36 – **70 Z : 120 B** 54/68 - 65/102 Fb – 3 Appart. 165/175.

Pour voyager rapidement, utilisez les cartes Michelin "Grandes Routes" :

970 *Europe,* 980 *Grèce,* 984 *Allemagne,* 985 *Scandinavie-Finlande,*
986 *Grande-Bretagne-Irlande,* 987 *Allemagne-Autriche-Benelux,* 988 *Italie,*
989 *France,* 990 *Espagne-Portugal,* 991 *Yougoslavie.*

COCHEM **5590.** Rheinland-Pfalz 412 E 16, 987 ㉔ – 6 000 Ew – Höhe 91 m – 02671.
ehenswert : Lage★★.
Verkehrsamt, Endertplatz, 39 71.
lainz 139 – ♦Koblenz 51 – ♦Trier 92.

Germania, Moselpromenade 1, 50 11, Fax 1360, – . E VISA.
M a la carte 34/60 – **15 Z : 30 B** 95/125 - 150/185.

Alte Thorschenke, Brückenstr. 3, 70 59, Fax 4202, « Historisches Haus a.d.J. 1332 » – – 30. AE E VISA. Rest
5. Jan.- 15. März geschl. – **M** *(Nov.-Jan. Mittwoch geschl.)* 22 /36 (mittags) und a la carte 50/70 – **34 Z : 71 B** 95/145 - 165/215 Fb.

Haus Erholung garni (mit Gästehäusern), Moselpromenade 64, 75 99, – Ⓟ. E.
Mitte März - Mitte Nov. – **23 Z : 46 B** 42/70 - 80/94 – 2 Fewo 120/140.

Weinhaus Feiden, Liniusstr. 1, 32 56
14. Jan.- 21. Feb. geschl. – Menu *(Montag geschl.)* a la carte 24/54 – **10 Z : 18 B** 45 - 64/70.

Lohspeicher mit Zim, Obergasse 1, 39 76, Fax 1772, – . AE E.
2. Jan.- Feb. geschl. – **M** *(Dienstag - Mittwoch 17 Uhr geschl.)* a la carte 45/84 – **8 Z : 17 B** 70 - 110/130.

In Cochem-Cond :

Görg garni, Bergstr. 6, 88 94, – Ⓟ. AE .
10.- 31. Jan. geschl. – **12 Z : 24 B** 65/70 - 110/140 Fb – 9 Fewo 80/95.

Am Rosenhügel garni, Valwiger Str. 57, 13 96, Fax 8116, – Ⓟ. E VISA
Dez.- 15. Feb. geschl. – **23 Z : 45 B** 65 - 120 Fb.

Café Thul, Brauselaystr. 27, 71 34, Fax 5367, Cochem und Mosel, –
Ⓟ. E
Mitte März - Mitte Nov. – **M** a la carte 24/46 – **23 Z : 43 B** 60/110 - 110/140 Fb.

Am Hafen, Uferstr. 4, 84 74, Fax 8099, – . AE VISA.
M *(2.- 15. Jan. geschl.)* a la carte 23/58 – **20 Z : 35 B** 50/100 - 80/200.

In Cochem-Sehl :

Parkhotel Landenberg, Sehler Anlagen 1, 71 10, Fax 8379, « Gartenterrasse », – Ⓟ. AE E VISA.
Anfang Jan.- Mitte März geschl. – **M** a la carte 33/72 – **24 Z : 42 B** 95/130 - 150/190 Fb.

Panorama, Klostergartenstr. 44, 84 30, Fax 3064, – Ⓟ – 25/160. AE E VISA. Rest
Jan. geschl. – **M** a la carte 28/52 – **43 Z : 80 B** 75/99 - 120/165 Fb – 6 Fewo 60/90.

Keßler-Meyer garni, Am Reilsbach, 45 64, Fax 4600, ≤, -
22 Z : 40 B 90/110 - 120/220 Fb.

Weinhaus Klasen, Sehler Anlagen 8, 76 01 - . Zim
Weihnachten - Anfang Jan. geschl. - **M** *(nur Abendessen, Mittwoch geschl.)* a la carte 17/3
 - **12 Z : 23 B** 45/55 - 90/110 - 2 Fewo 70 - ½ P 57.

Zur schönen Aussicht, Sehler Anlagen 22, 72 32, ≤, - Zim
M *(Nov.- Juni Montag geschl.)* a la carte 24/41 - **17 Z : 34 B** 35/50 - 55/120.

Im Enderttal NW : 3 km :

Weißmühle , 5590 Cochem, (02671) 89 55, Fax 8207, -
25/60.
M a la carte 42/71 - **36 Z : 66 B** 70/86 - 150/180 Fb.

In Valwig **5591** O : 4 km :

Moog, Moselweinstr. 60, (02671) 74 75, Fax 5257, ≤, , -
21 Z : 41 B.

In Ernst **5591** O : 5 km :

Weinhaus Traube, Moselstr. 33, (02671) 71 20, ≤, -
2. Jan.- März geschl. - **M** a la carte 23/34 - **28 Z : 54 B** 40 - 80.

Weinhaus André, Moselstr. 1, (02671) 46 88, ≤ -
20. Dez.- Jan. geschl. - (nur Abendessen für Hausgäste) - **15 Z : 29 B** 46 - 72/76.

COESFELD **4420.** Nordrhein-Westfalen 411 412 E 11, 987 ⑭, 408 M 6 - 32 000 Ew - Höh
81 m - 02541.

Stevede 8a, 59 57.

Verkehrsamt, Rathaus, Markt 8, 1 51 51.

♦Düsseldorf 105 - Münster (Westfalen) 38.

Westfälischer Hof, Süringstr. 32, 28 58 - .
M a la carte 20/46 - **13 Z : 19 B** 55 - 100.

Haus Klinke, Harle 1 (Daruper Straße), 10 01, -
17 Z : 24 B.

Am Münstertor, Münsterstraße 59, 34 62 - .
M *(Samstag bis 17 Uhr, Sonntag ab 14 Uhr geschl.)* a la carte 19,50/39 - **17 Z : 25 B** 55 - 9

Jägerhof, Süringstr. 48, 50 73 - .
Juli - Aug. 3 Wochen geschl. - **M** *(Sonntag geschl.)* 15 /25 (mittags) und a la carte 29/52
13 Z : 19 B 60 - 110.

COLMBERG **8801.** Bayern 413 O 18 - 1 100 Ew - Höhe 442 m - 09803.

Burg Colmberg, 2 62.

♦München 225 - Ansbach 17 - Rothenburg ob der Tauber 18 - ♦Würzburg 71.

Burg Colmberg , 6 15, Fax 262, ≤, « Hotel mit stilvoller Einrichtung in einer 100
jährigen Burganlage, Hauskapelle, Gartenterrasse », Wildpark -
25/150.
Jan.- Feb. geschl. - **M** *(Dienstag geschl.)* a la carte 24/45 - **28 Z : 55 B** 65/130 - 120/18

COTTBUS **O-7500.** Brandenburg 984 ⑳, 987 ⑱ - 127 000 Ew - Höhe 64 m - 003759
Ausflugsziele : Spreewald★★ (Freilandmuseum Lehde★, per Kahn ab Lübbenau NW : 31 km)

Cottbus-Information, Altmarkt 29, 2 42 55.

ADAC, Weinbergstr. 4, 42 21 02, Pannenhilfezentrale (05887) 25 01.

♦Berlin 131 - ♦Dresden 104 - ♦Frankfurt/Oder 80 - ♦Leipzig 174.

Branitz , Heinrich-Zille-Straße, 71 31 03, Telex 17397, Fax 713172, , -
 - 25/500
203 Z : 396 B Fb.

Lausitz, Berliner Platz, 3 01 51, Telex 179131, Fax 24380 - .
M a la carte 25/46 - **200 Z : 375 B** 92/136 - 137/185 Fb - 5 Appart. 237.

Giro, Rudolf-Breitscheid-Str. 10, 3 10 71, Fax 31007 -
M a la carte 22/40 - **15 Z : 26 B** 65/110 - 100/130 - 3 Appart. 180.

Les hôtels ou restaurants agréables
sont indiqués dans le guide par un signe rouge.
Aidez-nous en nous signalant les maisons où,
par expérience, vous savez qu'il fait bon vivre.
Votre guide Michelin sera encore meilleur.

 ...
XXXXX ... X

CRAILSHEIM **7180.** Baden-Württemberg 413 N 19, 987 ㉖ – 26 800 Ew – Höhe 413 m – ☎ 07951.

ℹ Städt. Verkehrsamt, Rathaus, ✆ 40 31 25.

♦Stuttgart 114 – ♦Nürnberg 102 – ♦Würzburg 112.

Post-Faber, Lange Str. 2 (B 14/290), ✆ 80 38, Fax 8030, – 40. AE E VISA
M *(Freitag 15 Uhr - Samstag 17 Uhr geschl.)* a la carte 31/60 – **67 Z : 100 B** 60/98 - 108/168 Fb.

Schwarzer Bock, Bahnhofstr. 5, ✆ 2 30 55, Fax 23049, Biergarten – Ⓟ. AE E VISA
M *(Samstag, Ende Feb.- Anfang März und Okt. 1 Woche geschl.)* a la carte 22/52 – **27 Z : 38 B** 30/39 - 60/78.

CREGLINGEN **6993.** Baden-Württemberg 413 N 18, 987 ㉖ – 4 900 Ew – Höhe 277 m – Erholungsort – ☎ 07933.

Sehenswert : Herrgottskirche (Marienaltar★★).

ℹ Verkehrsamt, Rathaus, ✆ 6 31.

♦Stuttgart 145 – Ansbach 50 – Bad Mergentheim 28 – ♦Würzburg 45.

Krone, Hauptstr. 12, ✆ 5 58 – Ⓟ. Zim
10. Dez.- Jan. geschl. – **M** *(Montag geschl.)* a la carte 19/36 – **25 Z : 40 B** 30/60 - 60/98.

In Bieberehren-Klingen **8701** NW : 3,5 Km :

Zur Romantischen Straße, ✆ (09338) 2 09 – Ⓟ
(nur Abendessen für Hausgäste) – **11 Z : 20 B.**

Benutzen Sie für weite Fahrten in Europa die ***Michelin-Länderkarten*** *:*

970 Europa, 980 Griechenland, 984 Deutschland, 985 Skandinavien-Finnland, 986 Großbritannien-Irland, 987 Deutschland-Österreich-Benelux, 988 Italien, 989 Frankreich, 990 Spanien-Portugal, 991 Jugoslawien.

CREMLINGEN Niedersachsen siehe Braunschweig.

CUXHAVEN **2190.** Niedersachsen 411 J 5, 987 ④ – 62 000 Ew – Höhe 3 m – Nordseeheilbad – ☎ 04721.

Sehenswert : Landungsbrücke "Alte Liebe★" ≤★ Y – Kugelbake ≤★ NW : 2 km.

Oxstedt, Hohe Klint (SW : 11 km über ②), ✆ (04723) 27 37.

ℹ Verkehrsverein, Lichtenbergplatz, ✆ 3 60 46, Fax 52564.

Hannover 222 ② – Bremerhaven 43 ① – ♦Hamburg 130 ①.

Stadtplan siehe nächste Seite

Donner's Hotel , Am Seedeich 2, ✆ 50 90, Telex 232152, Fax 509134, ≤, – 25/100. AE E VISA Y **b**
M a la carte 38/79 – **85 Z : 150 B** 78/155 - 139/235 Fb.

Seepavillon Donner , Bei der Alten Liebe 5, ✆ 3 80 64, Telex 232145, Fax 38167, ≤ Nordsee-Schiffsverkehr – Zim Ⓟ – 25/100. AE E VISA. Y **f**
M a la carte 32/71 – **47 Z : 88 B** 78/100 - 140/180 Fb – ½ P 95/125.

Stadt Cuxhaven, Alter Deichweg 11, ✆ 3 70 88, Fax 38431 – Ⓟ – 25. AE E VISA Y **e**
M a la carte 27/72 – **42 Z : 72 B** 68/95 - 136/148 Fb – ½ P 86/106.

In Cuxhaven 12-Altenbruch ① : 8 km :

Deutsches Haus, Altenbrucher Bahnhofstr. 2, ✆ (04722) 3 11, Fax 314 – Ⓟ
Jan. geschl. – **M** *(Okt.- März Sonn- und Feiertage geschl.)* a la carte 23/46 – **24 Z : 40 B** 56 - 102/140 – ½ P 71/90.

In Cuxhaven 13-Altenwalde ② : 5 km :

Am Königshof garni, Hauptstr. 67 (B 6), ✆ (04723) 30 42, Fax 3043 – Ⓟ. AE E VISA
17 Z : 34 B 55/75 - 90/120.

Messmer garni, Schmetterlingsweg 6, ✆ (04723) 41 69, Fax 4665, – Ⓟ. VISA
15. Dez.- 15. Jan. geschl. – **23 Z : 42 B** 60/95 - 90/126 Fb.

In Cuxhaven-Döse NW : 3 km über Strichweg Y :

Kur-Hotel Deichgraf , Nordfeldstr. 16, ✆ 40 50, Telex 472164, Fax 405614, ≤, Bade- und Massageabteilung, – Ⓟ – 25/60. E VISA
M *(auch vegetarische Gerichte)* a la carte 48/84 – **74 Z : 146 B** 98/198 - 178/285 Fb – 4 Appart. 376 – 37 Fewo 140/280.

Astrid garni, Hinter der Kirche 26, ✆ 4 89 03, Fax 48526, – Ⓟ
Dez.- 15. Jan. geschl. – **28 Z : 55 B** 60/100 - 100/140 Fb – 7 Appart. 120/160.

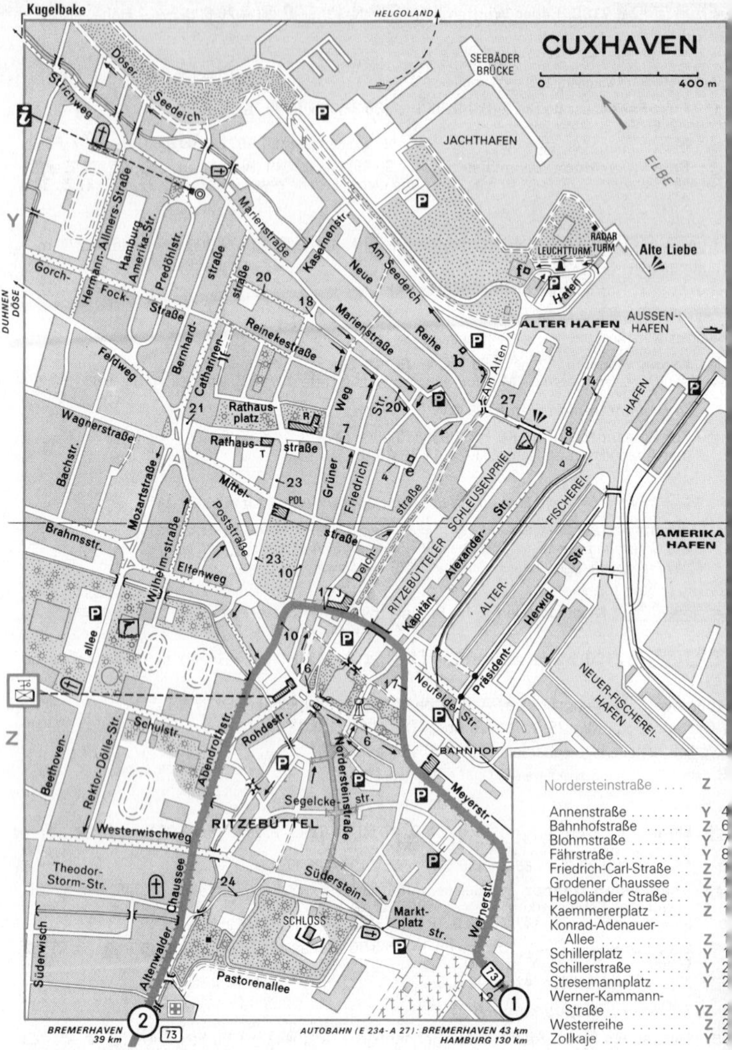

Nordersteinstraße	Z
Annenstraße	Y 4
Bahnhofstraße	Z 6
Blohmstraße	Y 7
Fährstraße	Y 8
Friedrich-Carl-Straße	Z 1
Grodener Chaussee	Z 1
Helgoländer Straße	Y 1
Kaemmererplatz	Z 1
Konrad-Adenauer-Allee	Z 1
Schillerplatz	Y 1
Schillerstraße	Y 2
Stresemannplatz	Y 2
Werner-Kammann-Straße	YZ 2
Westerreihe	Z 2
Zollkaje	Y 2

In Cuxhaven-Duhnen NW : 6 km über Strichweg Y :

Badhotel Sternhagen, Cuxhavener Str. 86, 4 70 04, Fax 48204, - *25. Nov.- 18. Dez. geschl.* – **M** a la carte 65/87 – **50 Z : 90 B** 140/250 220/320 Fb – 10 Appart. 270/400.

Kur-Strand-Hotel Duhnen, Duhner Strandstr. 7, 40 30, Fax 403333, 25/60. VISA. **M** a la carte 36/78 – **82 Z : 175 B** 95/130 - 140/230 Fb – 13 Appart. 240/380.

Strandperle (mit Appartementhäusern), Duhner Strandstr. 15, 4 00 60, Fax 40069 25/130. **M** 44 /85 – **63 Z : 105 B** 80/225 - 140/295 Fb – 10 Appart. 230/450 – 10 Fewo 120/195 ½ P 95/175.

Seehütte garni, Wehrbergsweg 34, 4 70 34, Fax 400876, VISA **27 Z : 55 B** 80/115 - 120/220 Fb – 3 Fewo 100/170.

Seelust, Cuxhavener Str. 65, ✆ 40 20, Fax 402555, ≤, ≘s, ▢, 🌳 - 🛗 📺 ☎ ♿ 🅿 - 🏛 25/50
86 Z : 146 B Fb - 14 Appart..

Wehrburg ⛰ garni (mit Gästehaus), Wehrbergsweg 53, ✆ 4 00 80, Fax 400876, ≘s, 🌳 - 🛗 ☎ 🚗 🅿. AE ⓓ E VISA
70 Z : 148 B 55/105 - 100/160 Fb - 5 Fewo 80/100.

Meeresfriede ⛰, Wehrbergsweg 11, ✆ 4 60 11, Fax 49866, ▢, 🌳 - 📺 ☎ 🚗 🅿. ⓓ E VISA. ✗
Jan.- Feb. geschl. - (nur Abendessen für Hausgäste) - **29 Z : 72 B** 82/100 - 148/198 Fb - 3 Fewo 120/140 - ½ P 98/126.

Neptun ⛰ garni, Nordstr. 11, ✆ 4 80 71, 🌳 - 📺 ☎ 🅿. AE ⓓ E VISA. ✗
April - Okt. - **24 Z : 46 B** 65/145 - 140/180 Fb.

Fischerstube, Nordstr. 8a, ✆ 4 81 44, Fax 45503 - 🅿. AE ⓓ E VISA
März - Anfang Nov. - **M** a la carte 28/60.

In Cuxhaven-Sahlenburg W : 10 km über Westerwischweg Z :

Itjen ⛰ garni, Am Sahlenburger Strand 3, ✆ 2 94 45, ≤ - 📺 ☎ 🅿. ✗
Jan.- Feb. geschl. - **21 Z : 42 B** 70 - 110.

DACHAU 8060. Bayern 413 R 22, 987 ㊲, 426 G 4 - 34 600 Ew - Höhe 505 m - ☎ 08131.

An der Floßlände 1, ✆ 1 08 79 ; 18 9 Eschenried (SW : 4 km), ✆ (08131) 32 38.
München 17 - ♦Augsburg 54 - Landshut 72.

Hörhammerbräu, Konrad-Adenauer-Str. 12, ✆ 47 11, Fax 79484 - 📺 ☎ - 🏛 25/80. AE ⓓ VISA. ✗
M a la carte 35/54 - **27 Z : 48 B** 95/115 - 130/160 Fb.

In Dachau-Ost :

Götz, Pollnstr. 6, ✆ 2 10 61, Fax 26387, ≘s, ▢ (Gebühr) - 🛗 📺 ☎ 🚗 🅿. AE E VISA
M *(nur Abendessen)* a la carte 32/60 - **38 Z : 55 B** 98/112 - 106/156 Fb.

Huber ⛰ garni, Josef-Seliger-Str. 7, ✆ 18 88, Fax 13602 - 📺 ☎ 🚗 🅿. AE ⓓ E VISA. ✗
17 Z : 28 B 96/98 - 120/135.

Bavaria-Hotel garni, Rudolf-Diesel-Str. 16, ✆ 17 31, Fax 26958 - 🛗 📺 ☎ 🅿. AE E VISA
31 Z : 67 B 85/95 - 110/125 Fb.

In Bergkirchen-Günding **8060** SW : 3 km :

Forelle garni, Brucker Str. 16, ✆ (08131) 40 07, Fax 80119 - 📺 ☎ 🚗 🅿. E VISA
24. Dez.- 8. Jan. geschl. - **25 Z : 50 B** 75/95 - 120 Fb.

In Hebertshausen **8061** N : 4 km :

Landgasthof Herzog, Heripertplatz 1, ✆ (08131) 16 21, Fax 1623, 🍴 - 🛗 📺 ☎ 🅿. AE E
M *(Montag geschl.)* a la carte 22/53 - **25 Z : 54 B** 59 - 95/99.

DACHSBERG 7821. Baden-Württemberg 413 H 23, 216 ⑥ - 1 300 Ew - Höhe 940 m - Erholungsort - Wintersport : ⛷3 - ☎ 07672.

Verkehrsamt, Rathaus Wittenschwand, ✆ 20 41, Fax 1683.
Stuttgart 201 - Basel 65 - Donaueschingen 75 - St. Blasien 11.

In Dachsberg-Wittenschwand :

Dachsberger Hof ⛰, ✆ 26 47, ≤, 🍴, ≘s, ▢, 🌳 - 📺 🚗 🅿. AE
Mitte Nov.- Mitte Dez. geschl. - **M** a la carte 18/42 🍷 - **20 Z : 38 B** 35/50 - 60/100 Fb - 3 Fewo 78/90.

DAHLEM 5377. Nordrhein-Westfalen 412 C 15 - 4 300 Ew - Höhe 520 m - ☎ 02447.

Düsseldorf 122 - ♦Aachen 79 - ♦Köln 80 - Mayen 69 - Prüm 26.

In Dahlem-Kronenburg SW : 9 km :

Eifelhaus ⛰, Burgbering 12, ✆ (06557) 2 95, ≤
10.- 30. Nov. geschl. - **M** *(Montag geschl.)* a la carte 29/47 - **16 Z : 29 B** 33/38 - 66/76.

Verwechseln Sie nicht :

Komfort der Hotels	: 🏨🏨🏨🏨🏨 ... 🏨, 🏠
Komfort der Restaurants	: ✗✗✗✗✗ ... ✗
Gute Küche	: ✿✿✿, ✿✿, ✿, Menu

DAHLENBURG **2121.** Niedersachsen 411 P 7, 987 ⑯ - 3 100 Ew - Höhe 30 m - ☎ 05851.
♦Hannover 148 - ♦Braunschweig 118 - Lüneburg 24.

- **Kurlbaum,** Gartenstr. 12, ✆ 4 09, - ☎ ⇔ Ⓟ.
 M *(Samstag geschl.)* a la carte 24/50 - **13 Z : 21 B** 36/65 - 70/100.

In Tosterglope-Ventschau **2121** NO : 10 km :

- Heil's Hotel, Hauptstr. 31, ✆ (05853) 18 16, - ☎ ⇔ Ⓟ - 2
 11 Z : 20 B - 7 Fewo.

DAHME **2435.** Schleswig-Holstein 411 Q 4, 987 ⑥ - 1 400 Ew - Höhe 5 m - Ostseeheilba
- ☎ 04364.
Kurverwaltung, Kurpromenade, ✆ 80 11.
♦Kiel 79 - Grömitz 13 - Heiligenhafen 22.

- **Holsteinischer Hof**, Strandstr. 9, ✆ 10 85 - ☎ Ⓟ. E
 Mitte März - Mitte Okt. - **M** *(nur Abendessen, Montag geschl.)* a la carte 32/55 - **35 Z : 59**
 80/90 - 150/160.

DAHN **6783.** Rheinland-Pfalz 412 413 G 19, 987 ㉔, 242 ⑫ - 5 200 Ew - Höhe 210 m
Luftkurort - ☎ 06391.
Sehenswert : Burgruinen ≤★.
Fremdenverkehrsbüro, Schulstr. 29, Rathaus, ✆ 58 11, Fax 1362.
Mainz 143 - Landau in der Pfalz 35 - Pirmasens 22 - Wissembourg 24.

- **Lachberg** garni, Felsenstr. 16, ✆ 36 58, -
 25 Z : 50 B 105 (Doppelzimmer).
- Zum Jungfernsprung, Pirmasenser Str. 9, ✆ 32 11 (Hotel) 56 19 (Rest.) - Ⓟ.
 17 Z : 28 B.
- **Ratsstube,** Weißenburger Str. 1, ✆ 16 53 -
 Montag - Dienstag 17 Uhr und Mitte Jan.- Mitte Feb. geschl. - **M** a la carte 32/60.

In Dahn-Reichenbach SO : 3 km :

- **Altes Bahnhöf'l,** An der Reichenbach 6 (B 427), ✆ 37 55, - Ⓟ.
 Montag - Dienstag 17 Uhr und Jan. geschl. - **M** a la carte 30/56.

In Erfweiler **6781** NO : 3 km :

- **Die kleine Blume,** Winterbergstr. 106, ✆ (06391) 12 34, Fax 813, - ☎
 Ⓟ - 25. Rest
 Mitte Jan.- Mitte Feb. geschl. - **M** *(Montag - Dienstag 18 Uhr geschl.)* a la carte 30/60 - **23 Z**
 42 B 84/94 - 128 Fb - ½ P 84/104.
- **Haus Felsenland** garni, Eibachstr. 1, ✆ (06391) 26 91, Fax 1223, - Ⓟ
 April - Mitte Nov. - **16 Z : 30 B** 35/45 - 70.

DAMME **2845.** Niedersachsen 411 H 9, 987 ⑭ - 13 000 Ew - Höhe 63 m - ☎ 05491.
♦Hannover 114 - ♦Bremen 98 - ♦Osnabrück 37.

- **Ratskeller,** Mühlenstr. 18, ✆ 37 66, - Ⓟ - 25
 Samstag bis 18 Uhr, Mittwoch und Juni - Juli 3 Wochen geschl. - **M** a la carte 42/68.

DANNENBERG **3138.** Niedersachsen 411 Q 7, 987 ⑯ - 8 000 Ew - Höhe 22 m - ☎ 0586
Zernien-Braasche (W : 14 km), ✆ (05863) 5 56.
Gästeinformation, Markt 5, ✆ 8 08 43.
♦Hannover 137 - ♦Braunschweig 125 - Lüneburg 51.

- Zur Post, Marschtorstr. 6, ✆ 25 11 - ☎ ⇔ Ⓟ
 14 Z : 28 B Fb.

DANNENFELS Rheinland-Pfalz siehe Kirchheimbolanden.

DARMSTADT **6100.** Hessen 412 413 I 17, 987 ㉕ - 139 000 Ew - Höhe 146 m - ☎ 0615
Sehenswert : Hessisches Landesmuseum★ X **M1** - Prinz-Georg-Palais (Großherzoglich
Porzellansammlung★) X **M2.**
Ausflugsziel : Jagdschloß Kranichstein : Jagdmuseum★ NO : 5 km.
Mühltal-Traisa, Dippelshof, ✆ 14 65 43.
Verkehrsamt, Luisen-Center, Luisenplatz 5, ✆ 13 27 80.
Tourist-Information am Hauptbahnhof, ✆ 13 27 82.
ADAC, Marktplatz 4, ✆ 2 62 77, Notruf ✆ 1 92 11.
♦Wiesbaden 44 ④ - ♦Frankfurt am Main 33 ⑤ - ♦Mannheim 50 ④.

DARMSTADT

Elisabethenstraße	X	
Ernst-Ludwig-Straße	X	3
Ludwigstraße	X	
Luisenplatz	X	18
Marktplatz	X	
Rheinstraße	Y	
Wilhelminenstraße	X, Z	34
Arheilger Straße	Y	2
Feldbergstraße	Y	4
Gräfenhäuser Straße	Y	5
Gutenbergstraße	Y	6
Heidenreichstraße	Y	7
Hobrechtstraße	Z	8
Hölgesstraße	X	9
Hohler Weg	Y	10
Holzstraße	X	12
Kirchstraße	X	13
Klappacher Straße	Z	14
Landgraf-Georg-Straße	X	15
Lauteschlägerstraße	X	16
Liebfrauenstraße	Y	17
Mollerstraße	Y	19
Olbrichweg	Y	21
Pädagogstraße	X	22
Pützerstraße	Y	24
Riedeselstraße	Z	25
Schloßgartenstraße	X, Y	26
Schützenstraße	X	30
Steubenplatz	Y	31
Teichhausstraße	Y	32
Viktoriastraße	X, Y	33
Wilhelm-Leuschner-Straße	X	35
Zeughausstraße	X	36

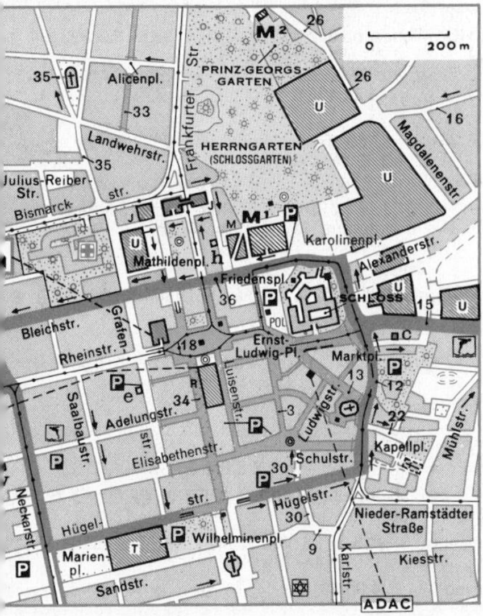

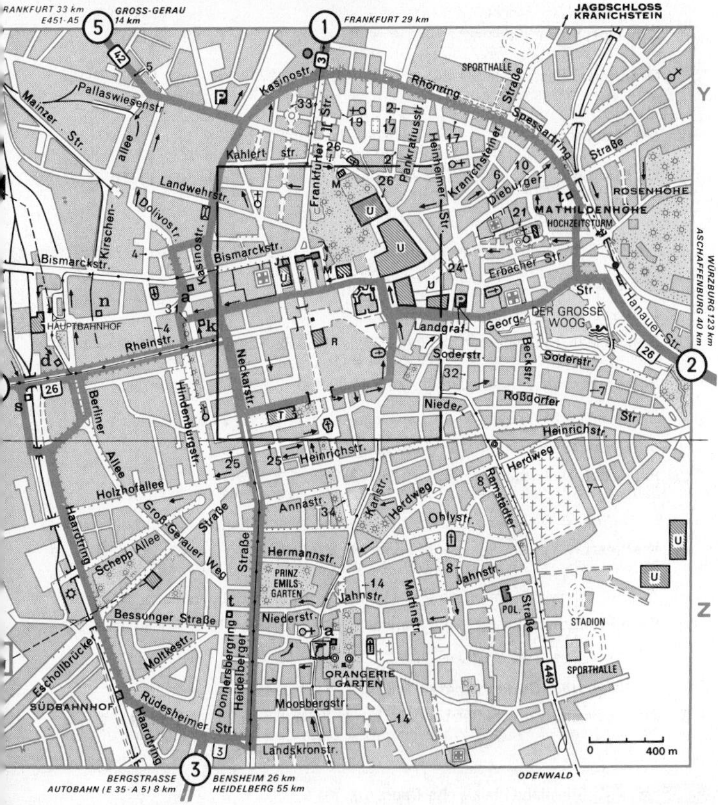

Maritim Rhein-Main Hotel, Am Kavalleriesand 6, ✆ 30 30, Telex 419313, Fax 893194, - Zim - 25/170. AE E VISA. Rest Y
Restaurants : **Gourmet-Rest.** *(Sonntag und Mitte Juli - Mitte Aug. geschl.)* **M** a la car 73/96 – **Rotisserie M** a la carte 46/82 – **248 Z : 496 B** 195/368 - 254/394 Fb – 11 Appa 450/600.

Maritim-Hotel, Rheinstr. 105 (B 26), ✆ 87 80, Telex 419625, Fax 893294, - Zim - 25/400. AE E VISA. Rest Y
M a la carte 56/81 – **352 Z : 558 B** 189/374 - 254/394 Fb – 11 Appart..

Weinmichel, Schleiermacherstr. 10, ✆ 2 90 80, Telex 419275, Fax 2359 « Gemütlich-rustikales Restaurant, Weinrestaurant "Taverne" (ab 17 Uhr) » – Zim - 25/45 X
74 Z : 100 B Fb.

Contel (Appartementhotel), Otto-Röhm-Str. 90, ✆ 88 20, Fax 882888, - 25/100 über
151 Z : 222 B Fb.

Parkhaus-Hotel, Grafenstr. 31, ✆ 2 81 00, Telex 419434, Fax 293908 – 25/50 X
(nur Abendessen) – **80 Z : 120 B** Fb.

Prinz Heinrich (mit Appartement-Gästehaus), Bleichstr. 48, ✆ 8 28 88, Fax 89590 « Rustikale Einrichtung » – . AE VISA Y
M (abends Tischbestellung ratsam) a la carte 33/55 – **114 Z : 164 B** 98/130 - 170/175 Fb

Hornung garni, Mornewegstr. 43, ✆ 8 50 18, Fax 891892 – . AE E VISA
21.- 31. Dez. geschl. – **36 Z : 60 B** 90/100 - 105/115. Y

Donnersberg garni, Donnersbergring 38, ✆ 3 31 58, Fax 33147 – . AE E VISA.
19. Dez. - 6. Jan. geschl. – **20 Z : 30 B** 99/150 - 145/185 Fb. Z

Mathildenhöhe garni, Spessartring 53, ✆ 4 80 46, Fax 44236, – AE E VISA Y
22 Z : 44 B 125 - 165 Fb.

City-Hotel garni, Adelungstr. 44, ✆ 3 36 91 – . AE E VISA X
58 Z : 81 B 90/120 - 140/160 Fb.

XXX **Orangerie,** Bessunger Str. 44, ✆ 66 49 46, Fax 663798, – . AE E VISA Z
Sonntag - Montag und Ende Dez.- Mitte Jan. geschl. – **M** (Tischbestellung ratsam) a la car 68/98.

X **Alt Hamburg** (vorwiegend Fischgerichte), Landgraf-Georg-Str. 17, ✆ 2 13 21 X
Juni - Sept., Sonntag und 15.- 30. Aug. geschl. – **M** a la carte 32/57.

X **Da Marino** (Italienische Küche), Am Alten Bahnhof 4, ✆ 8 44 10 – . AE E VISA Y
Montag und Juni - Juli 3 Wochen geschl. – **M** a la carte 22/53 .

In Darmstadt-Arheilgen ① : 4 km :

Weißer Schwan, Frankfurter Landstr. 190 (B 3), ✆ 37 17 02, Fax 377884 – 25/160
29 Z : 50 B.

In Darmstadt-Eberstadt ③ : 7 km :

Rehm garni, Heidelberger Landstr. 306, ✆ 5 50 22, Fax 593033 – .
Juni - Juli 3 Wochen geschl. – **22 Z : 44 B** 50/75 - 95/120 Fb.

Schweizerhaus, Mühltalstr. 35, ✆ 5 44 60, Fax 57740, « Gartenterrasse » – E
Juli geschl. – **M** *(Freitag geschl.)* a la carte 40/66 – **20 Z : 25 B** 80 - 140 Fb.

In Darmstadt-Einsiedel NO : 7 km über Dieburger Straße Y :

XX **Einsiedel,** Dieburger Str. 263, ✆ (06159) 2 44, –
Samstag bis 18 Uhr, Dienstag und 1.- 15. Jan. geschl. – **M** a la carte 62/85.

In Mühltal 4-Trautheim **6109** SO : 5 km über Nieder-Ramstädter-Straße Z :

Waldesruh , Am Bessunger Forst 28, ✆ (06151) 1 40 88, , –
M *(Freitag geschl.)* a la carte 32/53 – **36 Z : 50 B** 70/80 - 100/110 Fb.

Auf der Ruine Frankenstein ③ : 11 km über Darmstadt-Eberstadt :

XX **Burg Frankenstein,** ✉ 6109 Mühltal 3, ✆ (06151) 5 46 18, ≤ Rheinebene, – – 25/100
Montag geschl. – **M** a la carte 29/53.

In Weiterstadt-Gräfenhausen **6108** NW : 8 km über ⑤ :

Zum Löwen, Darmstädter Landstr. 11, ✆ (06150) 5 10 25 – . Zim
M *(Samstag, Juli - Aug. 3 Wochen und 27. Dez.- 1. Jan. geschl.)* a la carte 20/46 – **14 Z : 19 B** 65 - 98.

DARSCHEID Rheinland-Pfalz siehe Daun.

DASSEL **3354.** Niedersachsen 411 412 LM 11, 987 ⑮ – 11 600 Ew – Höhe 125 m – Erholungsort – ☎ 05562.

Hannover 82 – ◆Braunschweig 105 – Göttingen 52 – Goslar 75.

In Dassel-Lüthorst NO : 6 km :

Wilhelm-Busch-Landhotel, Weiße Mühle 11, ☎ 10 82, Fax 6400 – ☎ ⇔ Ⓟ. ✗ Rest
26 Z : 52 B.

DATTELN **4354.** Nordrhein-Westfalen 411 412 F 12, 987 ⑭ – 36 500 Ew – Höhe 53 m – ☎ 02363.

Düsseldorf 81 – ◆Dortmund 20 – Münster (Westfalen) 44 – Recklinghausen 12.

Zum Ring, Ostring 41 (B 235), ☎ 5 24 65, Fax 53501, « Individuelle, gemütliche Einrichtung », – TV ☎ Ⓟ. AE ⓓ E VISA
M a la carte 29/55 – **9 Z : 14 B** 75/100 - 120/140.

In Datteln-Ahsen NW : 7 km über Westring :

Landhaus Jammertal, Redderstr. 421, ☎ 3 36 75, Fax 3 36 70, – TV ☎ Ⓟ – 25/60. ⓓ E VISA. ✗ Rest
M a la carte 40/75 – **40 Z : 60 B** 70/120 - 95/160 Fb.

DAUCHINGEN Baden-Württemberg siehe Villingen-Schwenningen.

DAUN **5568.** Rheinland-Pfalz 412 D 16, 987 ㉓ – 8 200 Ew – Höhe 420 m – Heilklimatischer Kneippkurort – Mineralheilbad – ☎ 06592.

Ausflugsziele : Die Maare★ (Weinfelder Maar, Totenmaar, Pulvermaar).

Kurverwaltung, Leopoldstr. 14, ☎ 7 14 77 ; Fax 71489.

Mainz 161 – ◆Bonn 79 – ◆Koblenz 70 – ◆Trier 64.

Schloß-Hotel Kurfürstliches Amtshaus, Auf dem Burgberg, ☎ 30 31, Fax 4942, ≤, – TV Ⓟ – 25/120. ⓓ E VISA. ✗ Rest
5.- 17. Jan. geschl. – **M** *(Montag - Dienstag geschl.)* 45 /72 (mittags) und a la carte 70/108 – **42 Z : 68 B** 95/125 - 180/350 Fb – ½ P 135/220.

Panorama, Rosenbergstr. 26, ☎ 13 47, Fax 1049, ≤, , Bade- und Massageabteilung, – TV ☎ Ⓟ. ✗ Rest
20. Jan.- Feb. und 15. Nov.- 20. Dez. geschl. – **M** *(Montag geschl.)* a la carte 30/55 – **26 Z : 52 B** 82/88 - 136/148 Fb – ½ P 88/108.

Hommes, Wirichstr. 9, ☎ 5 38, Fax 8126, ≤, – TV ☎ ⇔ Ⓟ – 25/80. AE ⓓ E VISA
15. Nov.- 22. Dez. geschl. – **M** a la carte 28/67 – **42 Z : 70 B** 82/86 - 148/156 Fb – 3 Appart. 216 – ½ P 92/103.

Zum Goldenen Fäßchen, Rosenbergstr. 5, ☎ 30 97, Fax 8673, – ☎ ⇔ Ⓟ. AE ⓓ E VISA
M *(Donnerstag geschl.)* a la carte 21/54 – **27 Z : 48 B** 62/68 - 120 Fb.

Eifelperle, Reiffenbergstr. 1, ☎ 5 47, – ☎ Ⓟ
M a la carte 22/45 – **22 Z : 34 B** 38/95 - 76/100 Fb – ½ P 55/67.

In Daun-Gemünden S : 2 km :

Berghof, Lieserstr. 20, ☎ 28 91, ≤, – ⇔ Ⓟ. ✗ Rest
März 2 Wochen und 4. Nov.- 4. Dez. geschl. – **M** *(Montag geschl.)* a la carte 26/51 – **17 Z : 34 B** 47 - 74/84.

Müller, Lieserstr. 17, ☎ 25 06, – ⇔ Ⓟ. ✗ Rest
12 Z : 23 B.

In Schalkenmehren **5569** SO : 5 km – Erholungsort – ☎ 06592 :

Landgasthof Michels, St.-Martin-Str. 9, ☎ 70 81, Fax 7085, – TV ☎ ⇔ Ⓟ. AE ⓓ E VISA
Anfang Jan.- Anfang Feb. geschl. – **M** a la carte 28/64 – **29 Z : 50 B** 65/75 - 100/130 Fb.

Schneider-Haus am Maar, Maarstr. 22, ☎ 5 51, Fax 554, – TV ☎ ⇔ Ⓟ. ⓓ E VISA
8. Jan.- 26. Feb. geschl. – **M** a la carte 19/50 – **19 Z : 33 B** 45/85 - 96/110 Fb – 2 Fewo 130/150 – ½ P 63/73.

In Darscheid **5569** NO : 6 km – Erholungsort :

Kucher's Landhotel mit Zim, Karl-Kaufmann-Str. 2, ☎ (06592) 6 29, Fax 3677, – Ⓟ. AE E
3. Jan.- 10. Feb. geschl. – **M** *(Montag - Dienstag 18 Uhr geschl.)* (bemerkenswerte Weinkarte) a la carte 53/78 – **14 Z : 25 B** 45/50 - 90/100 Fb – ½ P 73/78.

DAUSENAU Rheinland-Pfalz siehe Ems, Bad.

DECKENPFRONN **7269.** Baden-Württemberg 413 J 21 – 2 200 Ew – Höhe 575 m – ☎ 07056

◆Stuttgart 37 – Freudenstadt 57 – Pforzheim 37 – Tübingen 29.

Krone garni, Marktplatz 10, ☎ 30 11, Fax 1853, – TV P. E VISA
24 Z : 32 B 65/92 - 128 Fb.

DEDELSTORF Niedersachsen siehe Hankensbüttel.

DEGGENDORF **8360.** Bayern 413 V 20, 987 ㉘ – 32 000 Ew – Höhe 312 m – Wintersport 500/1 200 m 5 8 – ☎ 0991.

Ausflugsziele : Kloster Metten (Kirche und Bibliothek★) NW : 5 km – Klosterkirche★ in Niederalteich SO : 11 km.

Berghof Rusel (NO : 10 km), ☎ (09920) 12 79.

Kultur- und Verkehrsamt, Oberer Stadtplatz, ☎ 38 01 69, Fax 7958.

◆München 144 – Landshut 74 – Passau 65 – ◆Regensburg 80.

Flamberg Parkhotel, Edlmairstr. 4, ☎ 60 13, Fax 31551, – Zim TV P – 25/60. AE E VISA
M a la carte 38/61 – **125 Z : 250 B** 135/150 - 170/200 Fb – 6 Appart. 220/300.

Donauhof, Hafenstr. 1, ☎ 3 89 90, Fax 389966, – TV ☎ P – 25/50
M a la carte 25/50 – **45 Z : 80 B** 65/85 - 95/110 Fb – 3 Appart. 150.

Charivari, Bahnhofstr. 26 (im Tekko-Haus), ☎ 77 70 – AE E
Montag und Samstag jeweils bis 18 Uhr, Sonntag, Jan. 1 Woche und Ende Juli - Mitte Aug. geschl. – **M** (Tischbestellung ratsam) 76 /95 und a la carte 70/86
Spez. Entenleberkuchen mit Orangenkompott, Fischstrudel auf zweierlei Soßen, Lammrücken in der Kräuterkruste.

La padella, Rosengasse 7, ☎ 55 41 – AE E VISA
Sonntag 15 Uhr - Montag, über Fasching und 10.- 25. Sept. geschl. – **M** *(Tischbestellung ratsam)* a la carte 31/50.

Ratskeller, Oberer Stadtplatz 1, ☎ 67 37 – AE E VISA
10.- 30. Jan. und Mittwoch geschl. – **M** a la carte 24/40.

In Deggendorf-Fischerdorf S : 2 km :

Müller garni, Rosenstr. 7, ☎ 82 55 – P. – **17 Z : 30 B** Fb.

In Deggendorf-Natternberg SW : 6 km :

Zum Burgwirt (mit Gästehaus), Deggendorfer Str. 7, ☎ 3 00 45, , – ☎ P – 25
Aug. geschl. – **M** *(Montag geschl.)* a la carte 23/41 – **36 Z : 64 B** 50/80 - 85/110 Fb.

In Grafling-Ulrichsberg **8351** NO : 5 km :

Berghof Ulrichsberg mit Zim, Ulrichsberg 7, ☎ (0991) 2 69 80, ≤, Biergarten – ☎ P
5 Z : 10 B.

DEGGENHAUSERTAL **7774.** Baden-Württemberg 413 L 23, 427 M 2 – 3 000 Ew – Höhe 497 m – ☎ 07555.

◆ Stuttgart 144 – Bregenz 55 – Ravensburg 20.

In Deggenhausertal-Limpach :

Gutsgasthof Mohren, Kirchgasse, ☎ 53 55, Fax 787, , – ☎ P – 25/50
Anfang Jan.- Anfang Feb. geschl. – **M** *(Montag - Dienstag 17 Uhr geschl.)* a la carte 21/40 – **39 Z : 70 B** 57 - 84.

In Deggenhausertal-Roggenbeuren :

Krone, Lindenplatz 2, ☎ 2 96, Fax 666, , , – ☎ P
7. Jan.- 26. Feb. geschl. – **M** *(Donnerstag geschl.)* a la carte 24/42 – **24 Z : 48 B** 50/60 - 90/100 Fb – ½ P 62/77.

DEIDESHEIM **6705.** Rheinland-Pfalz 412 413 H 18, 987 ㉔, 242 ④ – 3 500 Ew – Höhe 117 m – Luftkurort – ☎ 06326.

Tourist Information, Bahnhofstraße (Stadthalle), ☎ 50 21, Fax 5023.

Mainz 88 – Kaiserslautern 39 – ◆Mannheim 23 – Neustadt an der Weinstraße 8.

Romantik-Hotel Deidesheimer Hof, Am Marktplatz, ☎ 18 11, Fax 7685, – TV ☎ AE E VISA
1. - 6. Jan. geschl. – **M** 48 /75 *(siehe auch Rest. Schwarzer Hahn)* – **21 Z : 45 B** 100/190 - 150/280 Fb – 2 Appart. 320/390.

Hatterer's Hotel Zum Reichsrat, Weinstr. 12, ☎ 60 11, Fax 7539, – TV ☎ P – 25/80. AE E VISA
M a la carte 50/100 – **57 Z : 97 B** 115/150 - 165/210 Fb – ½ P 125/185.

Gästehaus Hebinger garni, Bahnhofstr. 21, ☎ 3 87, Fax 7494 – TV ☎ P.
20. Dez.- 6. Jan. geschl. – **10 Z : 21 B** 55/65 - 100/110.

XXXX ✪ **Schwarzer Hahn,** Am Marktplatz 1, ✆ 18 12, Fax 7685, bemerkenswerte Weinkarte, « Gewölbekeller mit eleganter Einrichtung » – AE ⓓ E VISA ✗
nur Abendessen, Sonntag - Montag, 1.- 6. Jan. und 23. Juli - 2. Sept. geschl. – **M** (Tischbestellung erforderlich) 130/160 und a la carte 81/118
Spez. Spaghettini mit Garnelen und Seezungenstreifen, Gebratener Rochen in Balsamicoschaum, Gefüllte Wachtel auf meine Art.

XXX **Zur Kanne** (Gasthaus seit dem 12. Jh., mit kleinem Innenhof), Weinstr. 31, ✆ 3 96, Fax 6980 – ⓓ E VISA
Dienstag - Mittwoch 18 Uhr geschl. – **M** a la carte 68/92.

In Forst **6701** N : 2 km :

X **Landhaus an der Wehr,** Im Elster 8, ✆ (06326) 69 84 – Ⓟ
Montag und Juli 1 Woche geschl. – **M** a la carte 28/63 ♁.

DEIZISAU Baden-Württemberg siehe Plochingen.

DELBRÜCK **4795.** Nordrhein-Westfalen 411 412 I 11 – 24 500 Ew – Höhe 95 m – ☏ 05250.
♦Düsseldorf 171 – Bielefeld 39 – Münster (Westfalen) 74 – Paderborn 16.

Waldkrug, Graf-Sporck-Str. 34, ✆ 5 32 03, Fax 5699 – |‡| TV ☎ ⇔ Ⓟ. AE ⓓ E VISA
M a la carte 30/54 – **16 Z : 28 B** 85/110 - 140/200.

Balzer, Oststr. 4, ✆ 5 32 41 – ☎. E. ✗ Zim
M *(Samstag geschl.)* a la carte 39/69 – **9 Z : 14 B** 60/65 - 100.

DELLIGSEN **3223.** Niedersachsen 411 412 M 11 – 4 000 Ew – Höhe 130 m – ☏ 05187.
♦Hannover 54 – Hameln 55 – Hildesheim 41.

In Grünenplan **3223** NW : 4 km – Erholungsort :

Lampes Hotel, Obere Hilsstr. 1 (Kurhausweg 1), ✆ (05187) 72 82 – |‡| TV ☎ Ⓟ – 🏛 25/140
6.- 13. Jan. und 20. Juli - 3. Aug. geschl. – **M** *(Montag geschl.)* a la carte 31/54 – **22 Z : 45 B** 65/85 - 98/140.

DELMENHORST **2870.** Niedersachsen 411 I 7, 987 ⑭ – 78 000 Ew – Höhe 18 m – ☏ 04221.
ADAC, Reinersweg 34, ✆ 7 10 00.
♦Hannover 136 – ♦Bremen 13 – Oldenburg 37.

Gut Hasport garni, Hasporter Damm 220, ✆ 26 81, Fax 2684, ⛱ – TV ☎ Ⓟ – 🏛 30
21 Z : 41 B 69 - 110 Fb – 3 Appart. 150.

Hotel am Stadtpark, An den Graften 3, ✆ 1 46 44, Telex 249545, Fax 18346, ≘s, 🏊 – |‡| TV ☎ ⇔ – 🏛 25/1000. AE ⓓ E VISA
M a la carte 28/60 – **100 Z : 200 B** 95/114 - 124/144 Fb.

Thomsen, Bremer Str. 186, ✆ 7 00 98, Fax 70001 – |‡| ☎ Ⓟ. AE ⓓ E VISA
M a la carte 20/48 – **70 Z : 120 B** 50/70 - 98.

Motel Annenriede, Annenheider Allee 129, ✆ 68 71, Fax 60255 – TV ☎ Ⓟ. AE ⓓ E VISA. ✗ Rest
23. Dez.- 2. Jan. geschl. – **M** *(nur Abendessen)* a la carte 26/52 – **60 Z : 110 B** 55/70 - 90/130 Fb.

Siehe auch : ***Ganderkesee***

DENKENDORF **7306.** Baden-Württemberg 413 KL 20 – 9 400 Ew – Höhe 300 m – ☏ 0711 Stuttgart).
♦Stuttgart 23 – Göppingen 34 – Reutlingen 32 – ♦Ulm (Donau) 71.

Bären-Post, Deizisauer Str. 12, ✆ 34 40 26, Fax 3460625, 🌳 – |‡| TV ☎ Ⓟ – 🏛 50. AE E VISA
22. Dez.- 8. Jan. geschl. – **M** *(Samstag - Sonntag und 10.- 30. Aug. geschl.)* a la carte 31/60 – **62 Z : 108 B** 130/145 - 171 Fb.

DENKENDORF **8071.** Bayern 413 R 20, 987 ㉗ – 3 600 Ew – Höhe 480 m – ☏ 08466.
♦München 95 – ♦Augsburg 107 – Ingolstadt 22 – ♦Nürnberg 72 – ♦Regensburg 88.

Post, Hauptstr. 14, ✆ 2 36, 🌳 – ⇔ Ⓟ
68 Z : 130 B.

DENKINGEN **7209.** Baden-Württemberg 413 J 22 – 1 800 Ew – Höhe 697 m – ☏ 07424.
♦Stuttgart 107 – Donaueschingen 37 – Offenburg 97 – Tübingen 73.

Auf dem Klippeneck O : 4,5 km – Höhe 998 m

XX **Höhenrestaurant Klippeneck** 🐎 mit Zim, ✉ 7209 Denkingen, ✆ (07424) 8 59 28, Fax 85059, ≤ Baar und Schwarzwald, 🌳 – ☎ Ⓟ
Jan. 3 Wochen geschl. – **M** *(Montag geschl.)* a la carte 32/60 – **8 Z : 13 B** 70 - 130.

DENZLINGEN **7819.** Baden-Württemberg 413 G 22, 242 ㉜ – 11 500 Ew – Höhe 235 m
☎ 07666.

♦Stuttgart 203 – ♦Freiburg im Breisgau 12 – Offenburg 61.

XX ✿ **Rebstock-Stube** mit Zim (Gasthof a.d. 14. Jh.), Hauptstr. 74, ✆ 20 71, Fax 7942 – TV
P. AE ① E VISA
M *(Tischbestellung ratsam)* (1.- 15. Aug. und Sonntag - Montag geschl., an Feiertagen geöffne
78/125 und a la carte 59/78 – **8 Z : 14 B** 60/95 - 120/200
Spez. Pasteten und Terrinen, Seeteufel gebraten mit Knoblauch und Kräutern, Tarte Tatin m
Vanillesauce.

In Vörstetten **7801** W : 3 km :

Sonne, Freiburger Str. 4, ✆ (07666) 23 26, 🏠 – P. ✻ Rest
11 Z : 19 B.

DERMBACH **O-6205.** Thüringen 412 N 14 – 400 Ew – Höhe 350 m – ☎ 0037 67394.

Erfurt 107 – ♦Berlin 371 – Bad Hersfeld 40 – Fulda 36.

X Sächsischer Hof mit Zim (Rhöngasthof a.d. 17. Jh.), Bahnhofstr. 2, ✆ 2 86, 🏠, Biergarte
10 Z : 24 B.

DERNAU **5487.** Rheinland-Pfalz 412 E 15 – 2 000 Ew – Höhe 125 m – ☎ 02643 (Altenahr)

Mainz 152 – Adenau 27 – ♦Bonn 30.

Kölner Hof, Schmittmannstr. 40 (B 267), ✆ 84 07 – 🚗 P
Feb. geschl. – **M** *(Mittwoch - Donnerstag geschl.)* a la carte 19/35 – **9 Z : 16 B** 35/40 - 65/7

DERNBACH (KREIS NEUWIED) **5419.** Rheinland-Pfalz 412 F 15 – 750 Ew – Höhe 310 m
☎ 02689 (Dierdorf).

Mainz 106 – ♦Koblenz 30 – ♦Köln 71 – Limburg an der Lahn 47.

Country-Hotel ⑤, Hauptstr. 16, ✆ 29 90, Telex 869939, Fax 299322, 🏠, ≘s, 🏊,
✗ – 🛗 TV P – 🏛 25/300. AE ① E VISA
M a la carte 44/75 – **148 Z : 260 B** 95/125 - 170 Fb.

DERSAU **2323.** Schleswig-Holstein 411 O 4 – 800 Ew – Höhe 40 m – Luftkurort – ☎ 0452

♦Kiel 39 – ♦Hamburg 92 – ♦Lübeck 60.

Zur Mühle am See (mit Gästehäusern), Dorfstr. 47, ✆ 83 45, Fax 1403, ⛵, 🌳 Bootsste
– TV ☎ P
36 Z : 67 B Fb.

DESSAU **O-4500.** Sachsen-Anhalt 984 ⑲, 987 ⑰ – 96 000 Ew – Höhe 61 m – ☎ 003747

ℹ Dessau-Information, Friedrich-Naumann-Str. 12, ✆ 46 61.

♦Berlin 116 – ♦Leipzig 60 – Magdeburg 63 – Nordhausen 140.

Stadt Dessau, Kavalierstr. 39, ✆ 72 85, Telex 488375, Fax 3280, 🏠 – TV ☎ – 🏛 25/3
51 Z : 93 B Fb.

XX **Restaurant am Museum,** Franzstr. 90, ✆ 53 83 – E
M a la carte 23/44 ⑤.

X Ratskeller, Am Markt, ✆ 46 92.

DETMOLD **4930.** Nordrhein-Westfalen 411 412 J 11, 987 ⑮ – 68 000 Ew – Höhe 134 m
☎ 05231.

Ausflugsziele : Externsteine★ (Flachrelief★★ a.d. 12. Jh.), S : 11 km – Hermannsdenkmal★ (✻
SW : 6 km AY.

ℹ Städt. Verkehrsamt, Rathaus, Lange Straße, ✆ 76 73 28, Fax 767299.

ADAC, Paulinenstr. 64, ✆ 2 34 06, Notruf ✆ 1 92 11.

♦Düsseldorf 197 ⑤ – Bielefeld 29 ① – ♦Hannover 95 ③ – Paderborn 27 ④.

Stadtplan siehe gegenüberliegende Seite

Detmolder Hof (Steingiebelhaus a.d.J. 1560), Lange Str. 19, ✆ 2 82 44, Fax 39527 – 🛗
– 🏛 40. AE ① E VISA AZ
M a la carte 35/75 – **39 Z : 65 B** 95/150 - 155/300 Fb.

Lippischer Hof - Restaurant Le Gourmet, Hornsche Str. 1, ✆ 3 10 41, Fax 24470 –
TV ☎ ♿ P – 🏛 25/80. AE ① E VISA. ✻ Rest AZ
M 28 (mittags) und a la carte 50/84 – **25 Z : 44 B** 88/150 - 140/280 Fb.

XX Ratskeller, Rosental am Schloß, ✆ 2 22 66 – 🏛 25/120 AZ

DETMOLD

ruchstraße . . . . AZ
xterstraße . . . . AZ 17
rummestraße . . . . AZ
ange Straße . . . . AZ 30

Paulinenstraße . . . . AYZ
Schülerstraße . . . . AZ 40

Auguststraße . . . . AZ 4
Barntruper Straße . . . . BX 6
Benekestraße . . . . AZ 7
Bielefelder Straße . . . . AZ 9

Blomberger Straße . . . . AYZ 12
Bruchmauerstraße . . . . AZ 13
Doktorweg . . . . AY 14
Elisabethstraße . . . . AY 15
Ernst-Hilker-Straße . . . . BX 16
Georgstraße . . . . BX 19
Grabbestraße . . . . AYZ 20

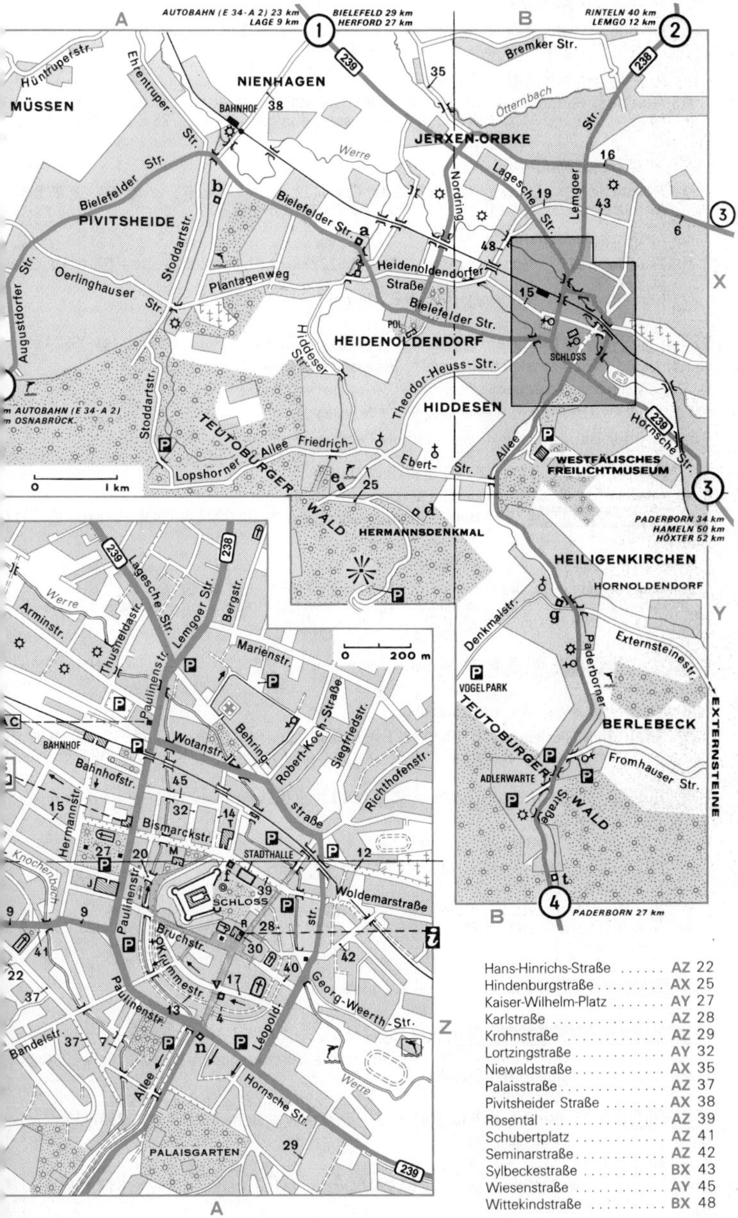

Hans-Hinrichs-Straße . . . . . . AZ 22
Hindenburgstraße . . . . AX 25
Kaiser-Wilhelm-Platz . . . . . . AY 27
Karlstraße . . . . AZ 28
Krohnstraße . . . . AZ 29
Lortzingstraße . . . . AY 32
Niewaldstraße . . . . AX 35
Palaisstraße . . . . AZ 37
Pivitsheider Straße . . . . AX 38
Rosental . . . . AZ 39
Schubertplatz . . . . AZ 41
Seminarstraße . . . . AZ 42
Sylbeckestraße . . . . BX 43
Wiesenstraße . . . . AY 45
Wittekindstraße . . . . BX 48

In Detmold-Berlebeck :

XXX **Romantik-Hotel Hirschsprung** mit Zim, Paderborner Str. 212, ✆ 49 11, Fax 4172 « Gartenterrasse » – TV ☎ ⇔ P. AE ⓓ E VISA BY
M *(im Winter Donnerstag geschl.)* (Tischbestellung ratsam) a la carte 40/76 – **11 Z : 18 B** 85/125 - 110/195.

In Detmold-Heidenoldendorf :

Landhotel Diele, Bielefelder Str. 257, ✆ 6 60 31, Fax 63698 – TV ☎ P AX
(wochentags nur Abendessen) – **21 Z : 36 B** Fb.

In Detmold-Heiligenkirchen :

Achilles, Paderborner Str. 87, ✆ 41 66, Fax 48867, ≘s – ☎ ⇔ P. AE ⓓ E VISA
M *(Sonntag und Mitte Feb.- Mitte März geschl.)* a la carte 24/47 – **25 Z : 44 B** 65/75 - 95/100 Fb. BY

In Detmold-Hiddesen – Kneippkurort :

Römerhof ⑤, Maiweg 37, ✆ 8 82 38, Fax 8132, ←, 🏠 – |♦| TV ☎ P. AE ⓓ E VISA
M *(nur Abendessen)* a la carte 29/50 – **19 Z : 38 B** 65/95 - 120/160. AY

In Detmold-Pivitsheide :

Forellenhof ⑤, Gebr.-Meyer-Str. 50, ✆ (05232) 8 78 91, Fax 80923, 🌳 – TV ☎ P. AE ⓓ E VISA. ✻ AX
(nur Abendessen für Hausgäste) – **8 Z : 18 B** 60/70 - 95/125 Fb.

DETTELBACH **8716.** Bayern 413 N 17, 987 ㉖ – 4 300 Ew – Höhe 189 m – ☎ 09324.
Sehenswert : Wallfahrtskirche (Kanzel★, Renaissance-Portal★).
Dettelbach-Mainsondheim, ✆ 46 56.
♦München 264 – ♦Bamberg 61 – ♦Nürnberg 93 – ♦Würzburg 19.

Grüner Baum (altfränkischer Gasthof), Falterstr. 2, ✆ 14 93 – ☎ ⇔. E
21. Juni - 13. Juli und 24. Dez.- 15. Jan. geschl. – **M** *(Sonntag 16 Uhr - Montag 17 Uhr geschl.)* a la carte 22/51 ♂ – **20 Z : 35 B** 33/65 - 66/105.

DETTINGEN / ERMS **7433.** Baden-Württemberg 413 L 21 – 8 000 Ew – Höhe 398 m – ☎ 0712 (Metzingen).
♦Stuttgart 46 – Reutlingen 13 – ♦ Ulm (Donau) 61.

Zum Rößle, Uracher Str. 30, ✆ 7 10 91, Fax 71091 – TV ☎ P. E. ✻
Jan. 1 Woche und Ende Juni - Mitte Juli geschl. – **M** *(Sonntag - Montag geschl.)* a la carte 28/6 – **13 Z : 19 B** 50/65 - 100/120 Fb.

DETTINGEN UNTER TECK **7319.** Baden-Württemberg 413 L 21 – 5 200 Ew – Höhe 385 m – ☎ 07021.
♦Stuttgart 36 – Reutlingen 34 – ♦Ulm (Donau) 57.

Teckblick, Teckstr. 36, ✆ 8 30 48, Fax 53024, 🏠 – |♦| TV ☎ P – 🏛 30. AE ⓓ E VISA
1.- 6. Jan. geschl. – **M** *(Sonntag ab 14 Uhr geschl.)* a la carte 28/45 – **26 Z : 40 B** 65 - 95 Fb.

DEUDESFELD **5531.** Rheinland-Pfalz 412 D 16 – 500 Ew – Höhe 450 m – Erholungsort – ☎ 06599 (Weidenbach).
Mainz 181 – Bitburg 28 – ♦Bonn 107 – ♦Trier 67.

Sonnenberg ⑤, Birkenstr. 14, ✆ 8 67, ≘s, 🏊, 🌳 – P
22 Z : 36 B.

Zur Post, Hauptstr. 8, ✆ 8 66, ≘s, 🌳 – P. ✻ Rest
Nov. 3 Wochen geschl. – **M** *(im Winter Donnerstag geschl.)* a la carte 20/37 – **23 Z : 40 B** 3 - 54/60.

DEUTSCH-EVERN Niedersachsen siehe Lüneburg.

DEUTSCHE ALPENSTRASSE Bayern 413 LM 24 bis W 24, 987 ㊱ ㊲ ㊳.
Sehenswert : Panoramastraße★★★ von Lindau bis Berchtesgaden (Details siehe unter den erwähnten Orten entlang der Strecke).

DIEBLICH **5401.** Rheinland-Pfalz 412 F 16 – 2 200 Ew – Höhe 65 m – ☎ 02607 (Kobern).
Mainz 96 – Cochem 39 – ♦Koblenz 14.

Pistono, Hauptstr. 30, ✆ 2 18, Fax 1039, 🏠, ≘s, 🏊 – |♦| P. E. ✻
nach Karneval 2 Wochen geschl. – **M** *(Montag geschl.)* a la carte 19/44 ♂ – **86 Z : 185 B** 50/7 - 100/140.

DIEBURG **6110.** Hessen 412 413 J 17, 987 ㉕ – 14 000 Ew – Höhe 144 m – ☎ 06071.
Wiesbaden 61 – Aschaffenburg 28 – ◆Darmstadt 16 – ◆Frankfurt 36.

Mainzer Hof garni, Markt 22, ✆ 2 50 95, Fax 25090 – TV ☎ P. AE ⓓ E VISA
Weihnachten - Anfang Jan. geschl. – **34 Z : 53 B** 95/142 - 132/172 Fb.

DIELHEIM **6912.** Baden-Württemberg 412 413 J 19 – 7 600 Ew – Höhe 130 m – ☎ 06222.
Stuttgart 102 – Heidelberg 25 – Heilbronn 50 – ◆Karlsruhe 48 – ◆Mannheim 38.

In Dielheim 2-Horrenberg O : 3,5 km :

XX Hirsch mit Zim, Hoffenheimer Str. 7, ✆ 7 20 58 – ☎ P. ✻ Zim
5 Z : 8 B.

XX **Zum wilden Mann,** Burgweg 1, ✆ 7 10 53, Fax 73171 – P. E
Dienstag, Mitte Juli - Mitte Aug. und 23. Dez.- Mitte Jan. geschl. – Menu a la carte 38/64.

DIEMELSEE **3543.** Hessen 411 412 J 12 – 6 300 Ew – Höhe 340 m – ☎ 05633.
Wiesbaden 200 – ◆Kassel 70 – Marburg 80 – Paderborn 62.

In Diemelsee-Heringhausen :

Fewotel Diemelsee, Seestr. 9, ✆ 8 83, Fax 5429, ≤, 🏖, ≘s, ▣ – |‡| TV ☎ 🏃 P – 🏛 25/60. AE ⓓ E VISA. ✻ Rest
M a la carte 30/53 – **69 Z : 292 B** 89/115 - 158/190 Fb.

In Diemelsee-Ottlar :

Ottonenhof, Zum Upland 8, ✆ 10 55, 🏖, ≘s, 🚲 – 🚗 P. E
15. Nov.- 15. Dez. geschl. – **M** *(Mittwoch geschl.)* a la carte 18,50/39 – **17 Z : 35 B** 43/53 - 86/100 Fb.

In Diemelsee-Vasbeck :

Landhotel Brockhaus, Marsberger Str. 22, ✆ (02993) 4 11, Fax 1299, ≤, 🏖, ≘s, ▣, 🚲 – ☎ P – 🏛 50
35 Z : 70 B Fb.

DIEMELSTADT **3549.** Hessen 411 412 J 12, 987 ⑮ – 6 000 Ew – Höhe 280 m – ☎ 05694.
ℹ Städt. Verkehrsamt, Ramser Str. 6 (Wrexen), ✆ (05642) 4 34.
Wiesbaden 218 – Dortmund 126 – ◆Kassel 53 – Paderborn 38.

In Diemelstadt 1-Rhoden :

XX **Rosengarten** 🔇 mit Zim, Schloßplatz 1, ✆ 2 28, 🏖 – AE ⓓ E VISA
Juni 3 Wochen geschl. – **M** *(Dienstag geschl.)* a la carte 44/64 – **8 Z : 16 B** 48/75 - 79/107.

In Diemelstadt 4-Wethen :

Pension Hanebeck 🔇, ✆ 4 32, ≘s, ▣, 🚲 – TV P. ✻
Nov. - Mitte Dez. geschl. – (Restaurant nur für Hausgäste) – **16 Z : 32 B** 39/47 - 70/93 Fb.

DIEPHOLZ **2840.** Niedersachsen 411 I 9, 987 ⑭ – 15 400 Ew – Höhe 39 m – ☎ 05441.
Hannover 109 – ◆Bremen 67 – Oldenburg 64 – ◆Osnabrück 51.

In Diepholz 4 -Heede NO : 2 km :

X **Zum Jagdhorn** mit Zim, Heeder Dorfstr. 31, ✆ 22 02 – TV ☎ 🚗 P
6.- 24. Juli geschl. – **M** *(Mittwoch geschl.)* a la carte 25/50 – **6 Z : 10 B** 45 - 80.

In Diepholz 3-St. Hülfe NO : 3 km :

Lohaus (Niedersächsisches Fachwerkhaus a.d.J. 1819, mit Gästehaus), Bremer Str. 20 (B 51), ✆ 20 64, 🏖, 🎾 – TV ☎ 🚗 P
14 Z : 25 B.

DIERDORF **5419.** Rheinland-Pfalz 412 F 15, 987 ㉔ – 4 400 Ew – Höhe 240 m – ☎ 02689.
Mainz 106 – ◆Koblenz 30 – ◆Köln 77 – Limburg an der Lahn 47.

Waldhotel 🔇, nahe der B 413 (W : 2 km), ✆ 20 88, Fax 7881, ≤, ≘s, 🏊 (geheizt), 🚲 – TV ☎ 🚗 P
M *(Montag geschl.)* a la carte 18,50/43 – **17 Z : 28 B** 55 - 86.

In Großmaischeid **5419** SW : 6 km :

Tannenhof 🔇, Stebacher Str. 64, ✆ (02689) 60 41, Fax 5513, 🚲, 🎾 – TV ☎ P – 🏛 25/60
M a la carte 19/43 – **20 Z : 36 B** 52/76 - 100/120.

In Isenburg **5411** SW : 11 km :

Haus Maria 🔇, Caaner Str. 6, ✆ (02601) 29 80, 🏖, 🚲 – 🚗 P – 🏛 25. ⓓ
28. Dez.- 10. Jan. geschl. – **M** *(Montag bis 18 Uhr geschl.)* a la carte 24/52 – **14 Z : 28 B** 40/55 - 80/100.

DIERHAGEN Mecklenburg-Vorpommern siehe Rostock.

DIESSEN AM AMMERSEE **8918.** Bayern 413 Q 23, 987 ㉖, 426 F 5 – 9 000 Ew – Höhe 536 m – Luftkurort – ☎ 08807.

Sehenswert: Stiftskirche★ – Ammersee★.

Verkehrsamt, Mühlstr. 4a, ✆ 10 48, Fax 4459.

♦München 53 – Garmisch-Partenkirchen 62 – Landsberg am Lech 22.

- **Strand-Hotel** ⛰, Jahnstr. 10, ✆ 50 38, Fax 8958, ≤, 🏖, 🏠, 🏖 – 📺 🅟. ⓓ VISA. ✻ Zim *20. Dez.- 10. Jan. geschl.* – **M** *(Montag, Okt.- April auch Dienstag sowie 11. Jan.- 23. Feb. geschl.)* a la carte 39/62 – **13 Z : 24 B** 80/110 - 120/160 Fb.
- **Seefelder Hof,** Alexander-Koester-Weg 6, ✆ 10 22, Fax 1024, 🏖 – ☎ 🅟. ⓓ *Weihnachten - Mitte Feb. geschl.* – **M** *(Juni - Sept. Dienstag ab 14 Uhr und Donnerstag, Okt.- Mai Donnerstag - Freitag geschl.)* a la carte 29/60 – **22 Z : 40 B** 41/116 - 77/198 Fb – ½ P 70/14...

In Diessen-Riederau N : 4 km :

- **Kramerhof** ⛰, Ringstr. 4, ✆ 77 97, 🏖, Biergarten, 🏖 – 📺 ☎ 🅟. E *2.- 30. Jan. geschl.* – **M** *(Mittwoch geschl.)* a la carte 24/51 – **12 Z : 25 B** 65/80 - 95/120
- Seehaus, Seeweg 22, ✆ 73 00, ≤ Ammersee, « Terrassen am See » Bootssteg – 🅟.

DIETERSHEIM Bayern siehe Neustadt an der Aisch.

DIETFURT AN DER ALTMÜHL **8435.** Bayern 413 R 19, 987 ㉗ – 5 300 Ew – Höhe 365 m – ☎ 08464 – Verkehrsbüro, Rathaus, Hauptstraße, ✆ 17 15.

♦München 126 – Ingolstadt 44 – ♦Nürnberg 81 – ♦Regensburg 61.

- **Zur Post,** Hauptstr. 25, ✆ 3 21, Biergarten – 🅟 *Nov.- Dez. geschl.* – **M** *(Dienstag geschl.)* a la carte 17/31 – **28 Z : 48 B** 38 - 70.

DIETMANNSRIED **8969.** Bayern 413 N 23, 987 ㊱ – 5 900 Ew – Höhe 682 m – ☎ 08374.

♦München 112 – ♦Augsburg 90 – Kempten 13 – Memmingen 25.

In Dietmannsried-Probstried NO : 3 km :

- **Landhaus Haase** mit Zim, Wohlmutser Weg 2, ✆ 80 10, Fax 6655, 🏖 « Gemütlich-rustikale Einrichtung » – 📺 ☎ 🚗 🅟. AE E VISA **M** *(Tischbestellung ratsam)* a la carte 37/70 – **8 Z : 15 B** 75 - 145.

DIETRINGEN Bayern siehe Füssen.

DIETZHÖLZTAL **6344.** Hessen 412 H 14 – 6 700 Ew – Höhe 315 m – ☎ 02774.

♦Wiesbaden 142 – Gießen 63 – Marburg 49 – Siegen 30.

In Dietzhölztal-Ewersbach :

- Wickel ⛰, Am Ebersbach 2, ✆ 24 38, ≘s – 🅟 – **8 Z : 14 B.**

DIEZ/LAHN **6252.** Rheinland-Pfalz 412 H 15, 987 ㉔ – 9 000 Ew – Höhe 119 m – Felke- und Luftkurort – ☎ 06432 – Verkehrsamt, Rathaus, Wilhelmstr. 63, ✆ 50 12 70.

Mainz 54 – ♦Koblenz 56 – Limburg an der Lahn 4,5.

In Diez-Freiendiez :

- **Wilhelm von Nassau** garni, Weiherstr. 38, ✆ 10 14, Fax 1447, ≘s, 🏊 – 🛗 📺 ☎ 🅟 🏛 40. AE ⓓ E VISA **37 Z : 74 B** 80 - 130 Fb.

DILLENBURG **6340.** Hessen 412 H 14, 987 ㉔ – 25 000 Ew – Höhe 220 m – ☎ 02771.

Städt. Verkehrsamt, Hauptstr. 19, ✆ 9 61 17, Fax 96178.

♦Wiesbaden 127 – Gießen 47 – Marburg 52 – Siegen 30.

- **Zum Schwan,** Wilhelmsplatz 6, ✆ 60 11, Fax 7511 – 📺 ☎. AE ⓓ E VISA *Juli 2 Wochen und 27. Dez.- Mitte Jan. geschl.* – **M** *(Samstag geschl.)* a la carte 32/75 – **15 Z : 22 B** 80/82 - 105/115.
- Oranien, Am Untertor 1, ✆ 70 85, Fax 22951 – 📺 ☎ 🚗 🅟 (Restaurant nur für Hausgäste) – **25 Z : 50 B.**
- Bartmann's Haus, Untertor 3, ✆ 78 51, « Restauriertes Fachwerkhaus mit geschmackvoller Einrichtung ».

In Dillenburg-Eibach O : 2,5 km :

- **Kanzelstein** ⛰, Fasanenweg 2, ✆ 58 36, 🏖 – 🅟. ✻ Zim **M** a la carte 22/33 – **20 Z : 26 B** 45 - 85.

DILLINGEN AN DER DONAU **8880.** Bayern 413 O 21, 987 ㊱ – 16 500 Ew – Höhe 434 m – ☎ 09071 – ♦München 108 – ♦Augsburg 50 – ♦Nürnberg 121 – ♦Ulm (Donau) 53.

Dillinger Hof, Rudolf-Diesel-Str. 8 (an der B 16), ✆ 80 61 (Hotel) 86 71 (Rest.), Fax 8323 – TV ☎ P – 30. AE E VISA
M a la carte 24/48 – **43 Z : 65 B** 75/80 - 105/150 Fb.

Convikt, Conviktstr. 9, ✆ 40 55, Fax 4058, – ☎ P – 25/60. AE E
M *(Sonntag ab 14 Uhr geschl.)* a la carte 30/42 – **40 Z : 60 B** 70/100 - 120/150 Fb.

Garni Trumm, Donauwörther Str. 62 (B 16), ✆ 30 72, Fax 4100 – TV ☎ P. AE E VISA.
24. Dez.- 2. Jan. geschl. – **20 Z : 26 B** 30/52 - 70/82.

Gästehaus am Zoll garni, Donaustr. 23 ½, ✆ 47 95 – P. E
Weihnachten - Anfang Jan. geschl. – **14 Z : 21 B** 42 - 75.

DILLINGEN/SAAR **6638.** Saarland 412 D 18, 987 ㉓ ㉔, 242 ⑥ – 22 000 Ew – Höhe 182 m ☎ 06831 (Saarlouis).
Saarbrücken 33 – Saarlouis 5 – ♦Trier 62.

Saarland-Hotel König, Göbenstr. 1, ✆ 7 80 01, Fax 78002 – TV ☎ P – 25/80. AE E VISA – *1.- 6. Jan. geschl.* – **M** *(Samstag bis 18 Uhr und Sonntag 15 Uhr - Montag 18 Uhr geschl.)* 33/75 *(auch vegetarische Gerichte)* – **23 Z : 38 B** 65/75 - 110 Fb.

Gambrinus, Saarstr. 33, ✆ 7 11 03 – P. E VISA
M a la carte 25/45 – **11 Z : 21 B** 40/60 - 80/110.

In Dillingen 3-Diefflen NO : 3,5 km :

Bawelsberger Hof (modernes Hotel, Einrichtung im Stil Henri II und Louis XV), Dillinger Str. 5a, ✆ 70 39 93, Fax 73976 – TV P – 25/80. AE E VISA. Rest
M *(Sonntag 14 Uhr - Montag geschl.)* a la carte 47/84 – **47 Z : 59 B** 98/128 - 138/168 Fb.

DINGOLFING **8312.** Bayern 413 U 21, 987 ㊲ – 15 000 Ew – Höhe 364 m – ☎ 08731.
München 101 – Landshut 32 – Straubing 34.

In Loiching 1-Oberteisbach **8311** SW : 5 km :

Räucherhansl, ✆ 5 00 25, Fax 40670, – TV ☎ P – 30/100
M *(Dienstag bis 17 Uhr geschl.)* a la carte 24/43 – **55 Z : 105 B** 70 - 100/110 Fb.

DINKELSBÜHL **8804.** Bayern 413 NO 19, 987 ㉖ – 11 000 Ew – Höhe 440 m – ☎ 09851.
Sehenswert : St.-Georg-Kirche★ – Deutsches Haus★.
Städt. Verkehrsamt, Marktplatz, ✆ 9 02 40, Fax 90279.
München 159 – ♦Nürnberg 93 – ♦Stuttgart 115 – ♦Ulm (Donau) 103 – ♦Würzburg 105.

Deutsches Haus, Weinmarkt 3, ✆ 23 46, Fax 7911, « Fachwerkhaus a.d. 15. Jh. », – TV ☎ – 25. AE E VISA.
23. Dez.- 6. Jan. geschl. – **M** a la carte 33/61 – **11 Z : 20 B** 98/125 - 140/240 Fb.

✿ **Eisenkrug - Restaurant Zum kleinen Obristen,** Dr.-Martin-Luther-Str. 1, ✆ 60 17, Fax 6020 – TV ☎. AE E VISA
M *(Sonntag 14 Uhr - Montag geschl.)* 45 (mittags) und a la carte 60/90 – **Weinkeller** *(nur Abendessen, im Winter Montag geschl.)* **M** a la carte 25/56 – **12 Z : 24 B** 95 - 130/150 Fb
Spez. Fränkische Lammtorte, Waller mit Bärlauchsauce, Karamelisiertes Rhabarbertörtchen.

Blauer Hecht, Schweinemarkt 1, ✆ 8 11, Fax 814, – TV ☎ – 25/60. AE E VISA
2.- 31. Jan. geschl. – **M** *(Montag und 2. Jan.- 28. Feb. geschl.)* a la carte 30/61 – **44 Z : 78 B** 79/109 - 120/170 Fb.

Goldene Kanne, Segringer Str. 8, ✆ 60 11, Fax 2281 – TV ☎ – 25. AE E VISA
4.- 24. Nov. geschl. – **M** *(Nov.- Feb. Dienstag geschl.)* a la carte 30/57 – **26 Z : 48 B** 65/75 - 100/150 Fb.

Goldener Anker, Untere Schmiedsgasse 22, ✆ 8 22, Fax 6722 – TV ☎. AE E VISA
7.- 28. Jan. geschl. – **M** a la carte 22/57 – **15 Z : 30 B** 73/88 - 125/140.

Weißes Ross (mit Gästehaus), Steingasse 12, ✆ 22 74, Fax 6770 – TV ☎. AE E VISA. Rest
Mitte Jan.- Mitte Feb. geschl. – **M** a la carte 28/50 – **26 Z : 46 B** 48/85 - 68/160 Fb.

Goldene Rose (mit Gästehaus), Marktplatz 4, ✆ 8 31, Telex 61123, Fax 6135 – TV ☎ P. AE E VISA
M a la carte 27/53 – **34 Z : 68 B** 65/100 - 98/160 Fb.

Goldene Krone, Nördlinger Str. 24, ✆ 22 93, Fax 6520 – . AE E VISA
Mitte - Ende Aug. und Mitte - Ende Nov. geschl. – **M** *(Mittwoch geschl.)* a la carte 23/36 – **25 Z : 48 B** 55/60 - 84/88.

In Dürrwangen **8817** NO : 8 km :

Zum Hirschen, Hauptstr. 13, ✆ (09856) 2 60 – P
30 Z : 60 B.

DINKLAGE **2843.** Niedersachsen 411 H 8,9, 987 ⑭ – 9 600 Ew – Höhe 30 m – ☎ 04443.
♦Hannover 131 – ♦Bremen 79 – Oldenburg 59 – ♦Osnabrück 48.

Burghotel ⛰, Burgallee 1, ✆ 89 70, Telex 25929, Fax 897444, 🏖, Wildpark, ≘s – 🛗 ⊡
☎ ♿ Ⓟ – 🏊 25/100. AE ⓓ E VISA
M a la carte 41/62 – **54 Z : 103 B** 130/145 - 170/195 Fb.

An der Straße zur Autobahn : O : 2 km :

Wiesengrund, Lohner Str. 17, ✉ 2843 Dinklage, ✆ (04443) 20 50 – ☎ 🚗 Ⓟ – 🏊 25/4
20 Z : 40 B Fb.

Landhaus Stuben, Dinklager Str. 132, ✉ 2842 Lohne, ✆ (04443) 43 83, 🏖 – Ⓟ. AE
VISA
Samstag bis 18 Uhr, Sonntag 14 Uhr - Montag und Feb.- März 3 Wochen geschl. – **M** a carte 34/62.

DINSLAKEN **4220.** Nordrhein-Westfalen 411 412 D 12, 987 ⑬ – 66 000 Ew – Höhe 30 m
☎ 02064.

Hünxe (NO : 8 km), ✆ (02858) 64 80.

Stadtinformation, Friedrich-Ebert-Str. 82, ✆ 6 62 22.

♦Düsseldorf 49 – Duisburg 16 – Oberhausen 20 – Wesel 14.

Hotel am Park garni, Althoffstr. 16, ✆ 5 40 54, Fax 54057 – 🛗 TV ☎ Ⓟ. AE ⓓ E VISA.
24 Z : 43 B 160 - 220/250 Fb.

Zum schwarzen Ferkel, Voerder Str. 79 (an der B 8), ✆ 5 11 20 – TV ☎ Ⓟ
Weihnachten - Anfang Jan. geschl. – **M** *(Sonntag geschl.)* a la carte 24/48 – **10 Z : 15 B** 50/8 - 80/120.

Garni, Bahnhofsvorplatz 9, ✆ 5 23 09, Fax 2686 – TV Ⓟ. AE ⓓ E
22 Z : 34 B 55/70 - 100.

DIRMSTEIN **6716.** Rheinland-Pfalz 412 413 H 18 – 2 500 Ew – Höhe 108 m – ☎ 06238.
Mainz 61 – Kaiserslautern 43 – ♦Mannheim 24 – Worms 13.

Café Kempf, Marktstr. 3, ✆ 30 11, Fax 3014, 🏖, ≘s, 🏊 – 🛗 TV ☎ – 🏊 25/50
M a la carte 31/62 – **28 Z : 56 B** 70/130 - 95/190 Fb.

In Großkarlbach **6711** SW : 4 km :

Winzergarten, Hauptstr. 17, ✆ (06238) 21 51, 🏖 – ☎ Ⓟ – 🏊 25/50
M a la carte 21/52 🍷 – **40 Z : 75 B** 53 - 83 Fb.

Restaurant Gebr. Meurer, Hauptstr. 67, ✆ (06238) 6 78, Fax 1007, « Gartenterrasse »
– 🏊 80. AE
nur Abendessen – **M** (Tischbestellung ratsam) a la carte 60/82.

DISCHINGEN **7925.** Baden-Württemberg 413 NO 20 – 4 500 Ew – Höhe 463 m – ☎ 0732
♦Stuttgart 109 – Heidenheim an der Brenz 18 – Nördlingen 27.

Schloßgaststätte ⛰, Im Schloß Taxis, ✆ 4 25 – ☎ 🚗 Ⓟ. E
M *(Montag geschl.)* a la carte 19/36 – **14 Z : 22 B** 30/45 - 76/88.

DISSEN **4503.** Niedersachsen 411 412 H 10, 987 ⑭ – 8 100 Ew – Höhe 100 m – ☎ 0542
♦Hannover.

In Dissen-Nolle N : 2 km :

Heimathof Nolle, Norte 83, ✆ 44 50, Fax 2252 – Ⓟ
Montag ab 15 Uhr, Samstag bis 18 Uhr, Donnerstag, Feb. 2 Wochen und Juni - Juli 2 Woche geschl. – **M** (abends Tischbestellung ratsam) a la carte 49/77.

DITZENBACH, BAD **7342.** Baden-Württemberg 413 M 21 – 3 000 Ew – Höhe 509 m – Heilba
– ☎ 07334 (Deggingen).

Verkehrsamt, Haus des Gastes, Helfensteinstr. 20, ✆ 69 11.

♦Stuttgart 56 – Göppingen 19 – Reutlingen 51 – ♦Ulm (Donau) 44.

Zum Lamm (mit Gästehaus ⛰), Hauptstr. 30, ✆ 50 80 – TV ☎ ♿ 🚗 Ⓟ. AE ⓓ
VISA
Feb.- März geschl. – **M** *(Samstag 14 Uhr - Sonntag geschl.)* a la carte 48/74 – **16 Z : 34 B** 55/12 - 85/200.

Heuändres, Helfensteinstr. 8, ✆ 53 20, 🏖 – Ⓟ
20. Juli - 6. Aug. und 20. Dez.- 20. Jan. geschl. – **M** *(Montag geschl.)* a la carte 24/53 🍷
8 Z : 12 B 35/45 - 76/90 – ½ P 50/65.

In Bad Ditzenbach-Gosbach SW : 2 km :

Hirsch, Unterdorfstr. 2, ✆ (07335) 51 88, Fax 5822 – ☎ Ⓟ. E. ✗
Jan.- Feb. 4 Wochen sowie Juli - Aug. und Okt.- Nov. jeweils 2 Wochen geschl. – **M** *(Monta geschl.)* a la carte 30/64 🍷 – **8 Z : 14 B** 60 - 90 – ½ P 75/90.

DOBEL **7544.** Baden-Württemberg 413 I 20, 987 ㉟ – 1 700 Ew – Höhe 689 m – Heilklimatischer Kurort – Wintersport : 500/710 m ≴2 ⛷2 – ☎ 07083 (Bad Herrenalb).

ℹ Kurverwaltung, im Rathaus, ☎ 7 45 13.

Stuttgart 74 – Baden-Baden 28 – ♦Karlsruhe 33 – Pforzheim 24.

Rössle ⅋, Joh.-P.-Hebel-Str. 7, ☎ 23 53 – |♣| ☎ ⛟ Ⓟ – ⚑ 30
15. Nov.- 15. Dez. geschl. – **M** *(Dienstag geschl.)* a la carte 22/50 ⅋ – **34 Z : 55 B** 35/70 - 66/120 – ½ P 50/80.

Gästehaus Flora ⅋ garni, Brunnenstr. 7, ☎ 29 48, ⛆, ⛱ – ☎ Ⓟ. ⅋
10 Z : 18 B 44 - 76/88.

DOBERAN, BAD Mecklenburg-Vorpommern siehe Rostock.

DÖRENTRUP **4926.** Nordrhein-Westfalen 411 412 K 10 – 8 000 Ew – Höhe 200 m – ☎ 05265.

Düsseldorf 206 – Bielefeld 37 – Detmold 20 – ♦Hannover 75.

In Dörentrup 4-Farmbeck :

Landhaus Begatal, Bundesstr. 2 (B 66), ☎ 82 55, Fax 8225, ⛱ – ⅋ Zim TV ☎ ♿ Ⓟ – ⚑ 30. ⓓ E VISA. ⅋ Rest
M *(Montag geschl.)* a la carte 22/53 – **10 Z : 19 B** 58/78 - 96/126 Fb.

In Dörentrup 4-Schwelentrup – Luftkurort :

Jagdrestaurant Grünental, Sternberger Str. 3, ☎ 2 52 – Ⓟ. ⓓ E
Montag - Dienstag geschl. – **M** a la carte 28/56.

DÖRNICK Schleswig-Holstein siehe Plön.

Die Stadtpläne sind eingenordet (Norden = oben).

DÖRPEN **2992.** Niedersachsen 411 E 8 – 3 300 Ew – Höhe 5 m – ☎ 04963.

♦Hannover 242 – ♦Bremen 118 – Groningen 64 – Oldenburg 71 – ♦Osnabrück 115.

Borchers, Neudörpener Str. 210, ☎ 16 72, Fax 4434, ⛱, ≘s – TV ☎ Ⓟ – ⚑ 40. AE ⓓ E VISA
M *(Samstag geschl.)* a la carte 28/58 – **31 Z : 42 B** 65 - 120 Fb.

DÖRRENBACH **6749.** Rheinland-Pfalz 412 413 G 19, 242 ⑫, 87 ② – 1 000 Ew – Höhe 350 m – Erholungsort – ☎ 06343.

Mainz 131 – ♦Karlsruhe 42 – Pirmasens 46 – Wissembourg 10.

Pension Waldruhe ⅋ garni, Wiesenstr. 6, ☎ 15 06 – Ⓟ
10 Z : 19 B 40 - 64/72.

DÖRVERDEN Niedersachsen siehe Verden an der Aller.

DÖTTESFELD **5419.** Rheinland-Pfalz 412 F 15 – 350 Ew – Höhe 220 m – Erholungsort – ☎ 02685 (Flammersfeld).

Mainz 117 – ♦Koblenz 43 – ♦Köln 74 – Limburg an der Lahn 58.

Zum Wiedbachtal ⅋, Wiedstr. 14, ☎ 10 60, ⛆, ⛱ – ☎ Ⓟ. AE E. ⅋
M *(Dienstag geschl.)* a la carte 25/46 – **14 Z : 22 B** 50 - 90.

In Oberlahr **5231** W : 3 km :

Der Westerwald Treff ⅋, ☎ (02685) 8 70, Telex 868611, Fax 87268, Biergarten, ≘s, ⛆, ⛱, ⅋(Halle) – |♣| TV ☎ Ⓟ – ⚑ 25/250. AE ⓓ E VISA
M a la carte 37/60 – **148 Z : 296 B** 115/130 - 190/220 Fb – 48 Fewo 610/910 pro Woche.

DONAUESCHINGEN **7710.** Baden-Württemberg 413 I 23, 987 ㉟, 427 J 2 – 19 600 Ew – Höhe 686 m – ☎ 0771.

Sehenswert : Fürstenberg-Sammlungen (Gemäldegalerie★ : Passionsaltar★★).

⛳18 Donaueschingen-Aasen (NO : 4 km), ☎ 8 45 25.

ℹ Verkehrsamt, Karlstr. 58, ☎ 857221, Fax 857225.

♦Stuttgart 131 – Basel 108 – ♦Freiburg im Breisgau 65 – ♦Konstanz 67 – Reutlingen 124 – Zürich 99.

Carlton, Hagelrainstr. 20, ☎ 85 30, Fax 853912, ⛱, ≘s – |♣| ⅋ Zim TV ☎ ♿ Ⓟ – ⚑ 25/350. AE E VISA. ⅋ Rest
M a la carte 37/59 – **Le Club** ⅋ *(nur Abendessen, Montag geschl.)* **M** a la carte 60/79 – **Alfredo** *(nur Abendessen, Dienstag geschl.)* a la carte 28/51 – **136 Z : 272 B** 160 - 245 Fb – 36 Appart. 285.

Öschberghof ⅋, am Golfplatz (NO : 4 km), ☎ 8 40, Telex 792717, Fax 84600, ≤, ⛱, Massage, ≘s, ⛆, ⛱, ⛳18 – |♣| TV ♿ ⛟ Ⓟ – ⚑ 25/80. ⅋
53 Z : 93 B Fb.

Ochsen, Käferstr. 18, 40 44 (Hotel) 36 88 (Rest.), Fax 4031, -
M *(Donnerstag, Mitte Jan.- Anfang Feb. und Mitte - Ende Juli geschl.)* a la carte 20/42 - **46 Z 70 B** 55/68 - 86/104.

Linde, Karlstr. 18, 30 48, Fax 3040 - .
28. Feb.- 8. März und 20. Dez.- 20. Jan. geschl. - **M** *(nur Abendessen, Freitag - Samstag geschl.* a la carte 25/45 - **22 Z : 35 B** 70/90 - 115/130 Fb.

Zur Sonne, Karlstr. 38, 8 31 30, Fax 931330, - .
15. Dez.- 15. Jan. geschl. - **M** *(Sonntag - Montag geschl.)* a la carte 33/62 - **20 Z : 30 B** 75/9 - 135/145 Fb.

In Donaueschingen - Allmendshofen S : 2 km :

Grüner Baum, Friedrich-Ebert-Str. 59, 20 97, Fax 2099, , -
25/100.
Ende Okt.- Mitte Nov. geschl. - **M** a la carte 26/50 - **40 Z : 70 B** 60/75 - 92/130 Fb.

In Donaueschingen-Aufen NW : 2,5 km - Erholungsort :

Waldblick, Am Hinteren Berg 7, 40 74, Fax 12535, , , , -
 - 25/80.
Dez. 3 Wochen geschl. - **M** a la carte 23/57 - **45 Z : 70 B** 60/85 - 95/136 Fb.

DONAUSTAUF Bayern siehe Regensburg.

DONAUWÖRTH **8850.** Bayern 413 P 20, 987 ㊱ - 18 500 Ew - Höhe 405 m - 0906.
Ausflugsziele : Kaisheim : ehemalige Klosterkirche (Chorumgang★) N : 6 km - Harburg Schloß (Sammlungen★) NW : 11 km.
Verkehrsamt, Rathaus, Rathausgasse 1, 78 91 45, Fax 789222.
♦München 100 - Ingolstadt 56 - ♦Nürnberg 95 - ♦Ulm (Donau) 79.

Posthotel Traube, Kapellstr. 14, 60 96, Telex 51331, Fax 23390, -
40.
27. Dez.- 6. Jan. geschl. - **M** *(Donnerstag geschl.)* a la carte 24/45 - **43 Z : 65 B** 70/110 110/130 Fb.

In Donauwörth-Nordheim SO : 2 km über die B 16 :

Donauwörther Hof, Teutonenweg 16, 59 50, - .
M *(Sonntag geschl.)* a la carte 27/42 - **27 Z : 50 B** 40/65 - 85/105.

In Donauwörth-Parkstadt :

Parkhotel, Sternschanzenstr. 1, 60 37, Fax 23283, ≤ Donauwörth, -
25/50.
27. Dez.- 8. Jan. geschl. - **M** a la carte 39/73 - **35 Z : 50 B** 85/95 - 130/140 Fb.

Parkstadt garni, Andreas-Mayr-Str. 11, 40 39, - .
26. Juli - 16. Aug. geschl. - **14 Z : 20 B** 47/51 - 84/92.

Zum Deutschmeister, Hochbrucker Str. 2, 80 95, -
Aug. geschl. - **M** *(Montag geschl.)* a la carte 25/48 - **9 Z : 13 B** 50 - 85.

In Tapfheim-Erlingshofen **8851** SW : 7 km :

Kartäuserklause mit Zim, Donauwörther Str. 3 (B 16), (09004) 3 02, - .
.
M *(nur Abendessen, Dienstag geschl.)* a la carte 29/61 - **5 Z : 7 B** 40 - 75.

DONZDORF **7322.** Baden-Württemberg 413 M 20 - 11 100 Ew - Höhe 405 m - 0716 (Süßen) - Schloß Ramsberg, 2 71 71.
♦Stuttgart 57 - Göppingen 13 - Schwäbisch Gmünd 17 - ♦Ulm (Donau) 45.

Becher - Restaurant De Balzac (mit Gästehaus,), Schloßstr. 7, 2 00 50 (Hote 20 05 37 (Rest.), Fax 200555, - - 25/120.
Jan. 2 Wochen und Ende Juli - Mitte Aug. geschl. - **M** *(Tischbestellung ratsam)* (Sonn- un Feiertage sowie Montag geschl.) a la carte 69/95 - **Bauernstube** *(Sonntag 14 Uhr - Monta 18 Uhr geschl.)* Menu a la carte 25/63 - **72 Z : 119 B** 85/100 - 130/200 Fb
Spez. Hummer im Blätterteig, Ragout von Jacobsmuscheln, Lammrücken im Salzteig.

DORMAGEN **4047.** Nordrhein-Westfalen 412 D 13, 987 ㉓ - 58 000 Ew - Höhe 45 m - 02133
Ausflugsziel : Zons : befestigtes Städtchen★ N : 6 km.
Fremdenverkehrsamt (Bürgerhaus), im Ortsteil Zons, Schloßstr. 37, 5 32 62, Fax 53461.
♦Düsseldorf 25 - ♦Köln 24 - Neuß 19.

Romantik-Hotel Höttche, Krefelder Str. 14, 4 10 41, Telex 8517376, Fax 10616,
« Rustikales Restaurant », , - - 25/70.
23.- 30. Dez. geschl. - **M** a la carte 49/82 - **63 Z : 92 B** 100/155 - 198/300 Fb.

Zur Flora, Florastr. 49, 4 60 11, Fax 477824 - .
M *(Sonntag 14 Uhr - Montag 17 Uhr geschl.)* a la carte 23/52 - **16 Z : 30 B** 95/110 - 125/160 Fb

In Dormagen 5-St. Peter NW : 5,5 km über die B 9 :

Stadt Dormagen garni, Robert-Bosch-Str. 2, ✆ 78 28, Fax 70940, - . AE E VISA
22. Dez.- 8. Jan. geschl. - **14 Z : 18 B** 75/80 - 120/130.

DORNBURG **6255.** Hessen 412 H 15 - 8 000 Ew - Höhe 400 m - ✆ 06436.
Mainz 75 - ♦ Frankfurt am Main 88 - Koblenz 46 - Siegen 55.

In Dornburg-Frickhofen :

Café Bock garni, Hauptstr. 30, ✆ 20 77 - . E
10 Z : 20 B 60 - 120.

DORNSTADT Baden-Württemberg siehe Ulm (Donau).

DORNSTETTEN **7295.** Baden-Württemberg 413 I 21, 987 ㉟ - 6 500 Ew - Höhe 615 m - Luftkurort - ✆ 07443.
Kurverwaltung, Rathaus, Marktplatz 2, ✆ 58 68, Fax 240911.
♦Stuttgart 87 - Freudenstadt 8.

Löwen, Hauptstr. 3, ✆ 64 81, - . E
Nov. geschl. - **M** *(Freitag geschl.)* a la carte 23/42 - **25 Z : 50 B** 38/48 - 74/84 - ½ P 52/62.

In Dornstetten-Aach SW : 2 km - Erholungsort :

Waldgericht (Fachwerkhaus a.d. 15. Jh.), Grüntaler Str. 4, ✆ 80 33 -
Ende Jan.- Mitte Feb. geschl. - **M** a la carte 27/46 - **28 Z : 41 B** 50 - 100.

In Dornstetten-Hallwangen NO : 2,5 km - Luftkurort :

XX ✿ **Die Mühle,** Eichenweg 23 (nahe der B 28), ✆ 63 29 -
Montag und Donnerstag jeweils bis 17 Uhr sowie Mittwoch geschl. - **M** 70/115 und a la carte 42/80.

DORNUM **2988.** Niedersachsen 411 F 6, 987 ④ - 4 500 Ew - Höhe 5 m - ✆ 04933.
♦Hannover 262 - Emden 46 - Oldenburg 91 - Wilhelmshaven 54.

XX **Beninga Burghotel** mit Zim (Wasserschloß a.d.J. 1507), Beningalohne 2, ✆ 19 11, - . AE E VISA
10. Jan.- Feb. geschl. - Menu *(Montag geschl.)* a la carte 33/50 - **Leber's Restaurant M** a la carte 41/79 - **10 Z : 19 B** 65/75 - 125/150.

DORSTEN **4270.** Nordrhein-Westfalen 411 412 D 12, 987 ⑬ - 74 000 Ew - Höhe 37 m - ✆ 02362.
♦Düsseldorf 61 - Bottrop 17 - ♦Essen 29 - Recklinghausen 19.

Am Kamin, Alleestr. 37, ✆ 2 70 07 (Hotel) 4 37 15 (Rest.) - . AE E VISA
M *(nur Abendessen, Sonntag geschl.)* a la carte 33/60 - **25 Z : 50 B** 120 - 150 Fb.

Koop - Dorstener Hof , Markt 13, ✆ 2 26 29 - AE E
M *(Freitag ab 14 Uhr und Montag geschl.)* a la carte 19/46 - **11 Z : 19 B** 53/70 - 60/95.

In Dorsten 11 - Deuten N : 9 km :

Grewer, Weseler Str. 351 (B 58), ✆ (02369) 80 83, - . E
Juli - Aug. 3 Wochen geschl. - **M** *(Donnerstag geschl.)* a la carte 26/48 - **15 Z : 21 B** 44/54 - 90/100.

In Dorsten 21-Hervest :

Haus Berken, An der Molkerei 30, ✆ 6 12 13, - . AE E
M *(Samstag bis 18 Uhr und Mittwoch geschl.)* a la carte 26/62 - **21 Z : 30 B** 55/80 - 120/140.

XXX **Henschel,** Borkener Str. 47, ✆ 6 26 70 - . AE E.
Samstag - Sonntag nur Abendessen, Jan. und Okt. je 1 Woche geschl. - **M** a la carte 70/92.

In Dorsten 12 - Lembeck NO : 10,5 km :

XX **Schloßhotel Lembeck** mit Zim, im Schloß (S : 2 km), ✆ (02369) 72 13, Fax 77370, « Wasserschloß a.d. 17. Jh. mit Schloßkapelle und Museum, Park » - . AE E VISA
M *(Montag, Donnerstag und Freitag nur Abendessen)* a la carte 30/68 - **10 Z : 19 B** 76 - 108/158.

In Dorsten 11 - Wulfen NO : 7 km :

Humbert, Burghof 2 (B 58), ✆ (02369) 41 09, - - 50. AE E VISA
Aug. geschl. - **M** *(Montag geschl.)* a la carte 23/57 - **21 Z : 32 B** 45/55 - 90/110.

DORTMUND **4600.** Nordrhein-Westfalen 411 412 F 12, 987 ⑭ – 570 000 Ew – Höhe 87 m – ☎ 0231.

Sehenswert: Fernsehturm ✻★ CZ – Westfalenpark★ BCZ – Marienkirche (Marienaltar★) BYZ – Reinoldikirche★ BY **A** – Petrikirche (Antwerpener Schnitzaltar★) AY **D** – Museum für Kunst und Kulturgeschichte (Dortmunder Goldschatz★) AY **M1**.

Dortmund-Reichsmark (⑤ : 7 km), ☎ 77 41 33.

Dortmund-Wickede, ③ : 11 km, ☎ 21 89 01.

(Holzwickede) ☎ (02301) 23 81.

Ausstellungsgelände Westfalenhalle (AZ), ☎ 1 20 45 21, Telex 822321.

Verkehrspavillon am Hauptbahnhof, ☎ 14 03 41.

Informations- und Presseamt, Friedensplatz 3, ☎ 54 22 56 66.

ADAC, Kaiserstr. 63, ☎ 5 49 91 15, Notruf ☎ 1 92 11.

♦Düsseldorf 82 ⑤ – ♦Bremen 236 ③ – ♦Frankfurt am Main 224 ⑤ – ♦Hannover 212 ③ – ♦Köln 94 ⑤.

Stadtpläne siehe nächste Seiten

Scandic Crown Hotel, An der Buschmühle 1, ☎ 1 08 60, Telex 822221, Fax 1086777, Massage, ♨, ≘s, ▣ – |♦| ⇹ Zim ▤ TV ♿ ⇔ P – 🏛 25/350. AE ⓓ E VISA. ✗ Rest
Restaurants: **Rhapsody M** a la carte 43/70 – **Victoria** (nur Abendessen) *(Sonntag - Montag, 5. Juli - 24. Aug. und 20. Dez.- 18. Jan. geschl.)* **M** a la carte 60/84 – **190 Z : 380 B** 215/255 - 275/315 Fb – 5 Appart. 400/500. BZ

Holiday Inn - Römischer Kaiser, Olpe 2, ☎ 54 32 00, Fax 574354, 🍴, ≘s – |♦| ⇹ Zim TV ♿ – 🏛 25/200. AE ⓓ E VISA BZ
M siehe Restaurant Gastronomie im Römischen Kaiser – **126 Z : 220 B** 275/355 - 335/415 – 3 Appart. 895.

Parkhotel Wittekindshof, Westfalendamm 270 (B 1), ☎ 59 60 81, Telex 822216, Fax 516081, 🍴, ≘s – |♦| ⇹ Zim ▤ TV P – 🏛 25/200. AE ⓓ E VISA. ✗ R
M *(Samstag bis 18 Uhr geschl.)* a la carte 62/85 – **65 Z : 105 B** 200/245 - 270/390 Fb.

Parkhotel Westfalenhallen ⛲, Strobelallee 41, ☎ 1 20 42 30, Telex 822413, Fax 1204555, ←, 🍴, ≘s, ▣ – |♦| TV ♿ P – 🏛 25/800. AE ⓓ E VISA AZ
Juli - Aug. 3 Wochen geschl. – **M** 17,50/32 (mittags) und a la carte 37/69 – **107 Z : 132 B** 165/185 - 190/350 Fb.

Drees, Hohe Str. 107, ☎ 1 29 90, Telex 822490, Fax 1299555, ▣ – |♦| TV P – 🏛 25/100. AE ⓓ E VISA AZ
M a la carte 36/56 – **114 Z : 170 B** 100/155 - 150/180 Fb.

Consul garni, Gerstenstr. 3, ☎ 1 29 96 66, Telex 822490, Fax 129955, ≘s, ▣ – |♦| TV ☎ ⇔. AE ⓓ E VISA AZ
42 Z : 53 B 105/145 - 160/170 Fb.

Senator, Münsterstr. 187 (B 54), ☎ 81 81 61, Telex 8227507, Fax 813690, ≘s – |♦| TV ☎ P – 🏛 30. AE ⓓ E VISA R
20. Juli - 7. Aug. und 21. Dez.- 4. Jan. geschl. – **M** *(nur Abendessen, Sonntag geschl.)* a la carte 30/51 – **37 Z : 74 B** 99/135 - 145/190 Fb.

Esplanade garni, Bornstr. 4, ☎ 52 89 31, Telex 822330, Fax 529536 – |♦| TV ☎ P. AE ⓓ E VISA BY
23. Dez.- 2. Jan. geschl. – **49 Z : 70 B** 100/140 - 140/200 Fb.

City - Hotel garni, Silberstr. 37, ☎ 14 20 86, Telex 8227570, Fax 162765 – |♦| ⇹ TV ☎ P AE ⓓ E VISA AZ
50 Z : 100 B 135/180 - 170/210 Fb.

Gildenhof garni, Hohe Str. 139, ☎ 12 20 35, Fax 122038 – |♦| TV ☎ – 🏛 40. ⓓ E VISA
20. Dez.- 8. Jan. geschl. – **49 Z : 74 B** 90/129 - 130/149 Fb. AZ

Stadthotel garni, Reinoldistr. 14, ☎ 57 10 11, Fax 577194 – |♦| TV ☎ ⇔. AE ⓓ E VISA BY
15.- 31. Juli und 24. Dez.- 2. Jan. geschl. – **31 Z : 47 B** 102/150 - 145/175.

Königshof garni, Königswall 4, ☎ 5 70 41, Telex 822356, Fax 57040 – |♦| TV ☎ – 🏛 35. AE ⓓ E VISA BY
45 Z : 72 B 104/120 - 135/145 Fb.

Union garni, Arndtstr. 66, ☎ 52 82 43 – |♦| TV ☎ ⇔. AE ⓓ E VISA CZ
26 Z : 42 B 98/110 - 120/160 Fb.

National garni, Hoher Wall 2, ☎ 14 00 12, Fax 145609 – |♦| TV ☎. AE ⓓ E VISA AZ
24. Dez.- 3. Jan. geschl. – **21 Z : 35 B** 98/125 - 130/180.

Gastronomie im Römischen Kaiser, Kleppingstr. 27, ☎ 54 32 01, 🍴 – AE ⓓ E BZ
Castellino *(Samstag bis 18 Uhr geschl.)* **M** a la carte 56/85 – **Bonvivant M** a la carte 34/51.

Mövenpick-Appenzeller Stube, Kleppingstr. 11, ☎ 57 92 25, Fax 524160 – AE ⓓ E VISA
M a la carte 49/75. BZ

Krone - Rôtisserie, Alter Markt, ☎ 52 75 48, 🍴, Biergarten – 🏛 25/350. AE ⓓ E VISA BZ
M a la carte 31/56.

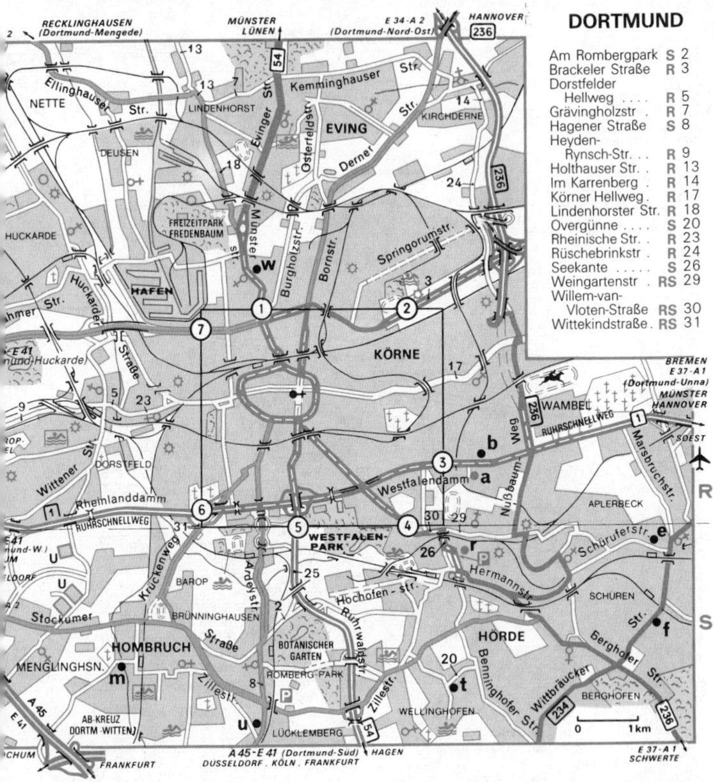

DORTMUND

Am Rombergpark	S	2
Brackeler Straße	R	3
Dorstfelder Hellweg	R	5
Grävingholzstr.	R	7
Hagener Straße	S	8
Heyden-Rynsch-Str.	R	9
Holthauser Str.	R	13
Im Karrenberg	R	14
Körner Hellweg	R	17
Lindenhorster Str.	R	18
Overgünne	S	20
Rheinische Str.	R	23
Rüschebrinkstr.	R	24
Seekante	S	26
Weingartenstr	RS	29
Willem-van-Vloten-Straße	RS	30
Wittekindstraße	RS	31

✗ **SBB-Restaurant,** Westfalendamm 166 (B 1), ✆ 59 78 15, Fax 5600637, 🌳 - **P**. AE ⓞ E VISA — CZ **e**
Samstag bis 18 Uhr geschl. - **M** a la carte 36/61 - **Edo** (japanisches Restaurant) *(wochentags nur Abendessen)* **M** 60/110.

✗ **Hövels Hausbrauerei,** Hoher Wall 5, ✆ 14 10 44, Fax 148158, Biergarten, « Kleine Brauerei im Restaurant » - AE ⓞ E VISA — AZ **c**
M a la carte 27/48.

✗ **Turmrestaurant,** im Westfalenpark (Eintritt und |$| 3,50 DM), ✆ 12 61 44, ✳ Dortmund und Umgebung, « Rotierendes Restaurant in 138 m Höhe » - ▤ **P**. AE E. ✂ — CZ
M a la carte 36/75.

In Dortmund 41-Aplerbeck :

🏨 **Postkutsche** garni, Postkutschenstr. 20, ✆ 44 10 01, Fax 441003 - TV ☎ **P**. E — S **e**
27 Z : 45 B 69 - 110.

🏨 **Märker Stuben,** Kleine Schwerter Str. 4, ✆ 48 89 89 - TV ☎ **P**. AE ⓞ E VISA. ✂ Rest — S **f**
M a la carte 29/70 - **10 Z : 18 B** 65/100 - 110/130.

In Dortmund 50-Barop :

🏨 **Romantik-Hotel Lennhof** 🔇, Menglinghauser Str. 20, ✆ 7 57 26, Fax 759361, 🌳, « Rustikale Einrichtung », ≘s, ▣, 🌲, ✗ - TV ☎ **P** - 🏛 30. AE ⓞ E VISA — S **m**
M a la carte 62/86 - **35 Z : 60 B** 140/190 - 200/260 Fb.

In Dortmund 72-Bövinghausen ⑥ *: 8 km :*

🏨 **Commerz** garni, Provinzialstr. 396, ✆ 69 22 53, Fax 695939 - |$| ☎ 🚗 **P**. AE ⓞ E VISA
24. Dez.- 5. Jan. geschl. - **83 Z : 100 B** 90/120 - 140/180 Fb.

In Dortmund 30-Brücherhof :

🏨 Schuggert, Brücherhofstr. 98, ✆ 46 40 81, 🌳 - ☎ **P** — S **t**
26 Z : 50 B Fb.

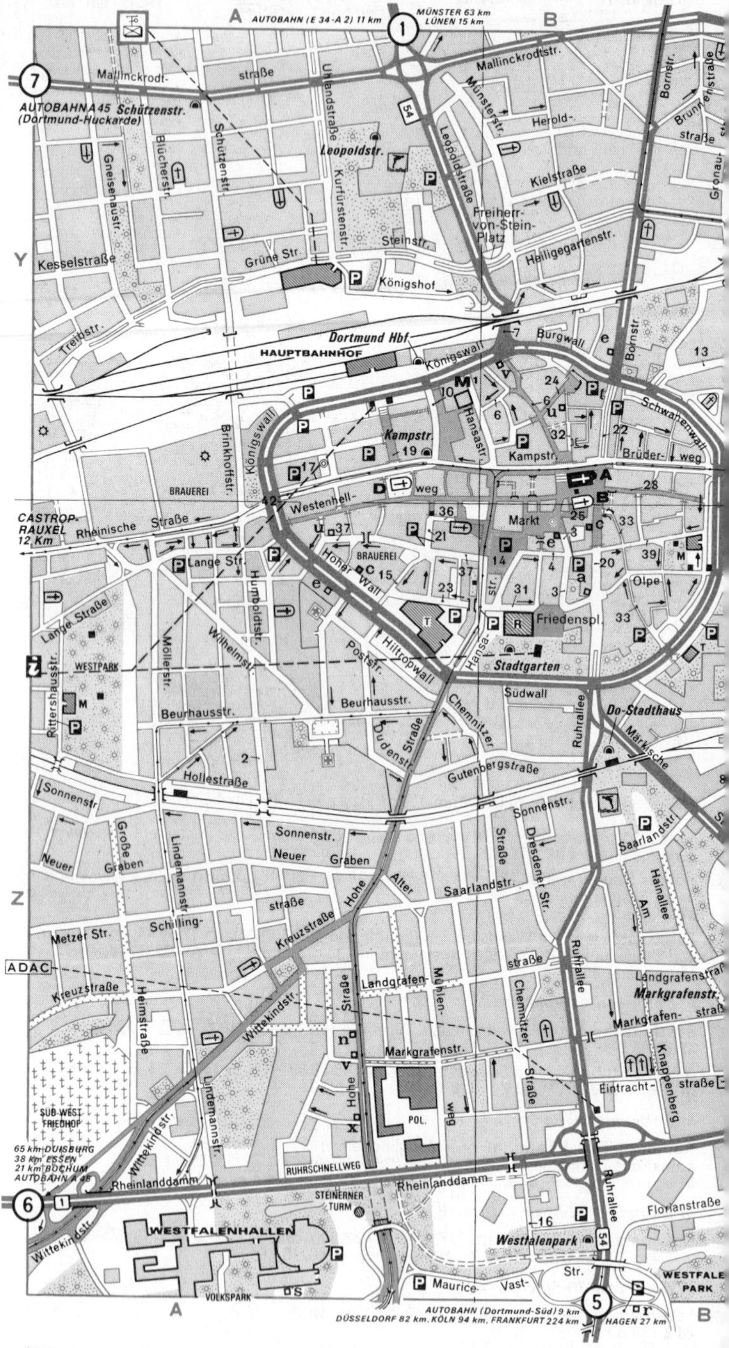
A
B
Y
Z
AUTOBAHN (E 34-A 2) 11 km
MÜNSTER 63 km
LÜNEN 15 km
1
7
AUTOBAHN A 45
(Dortmund-Huckarde)
Mallinckrodt-
straße
Mallinckrodtstr.
Schützenstr.
Uhlandstraße
54
Münsterstr.
Herold-
Bornstr.
Brunnenstraße
straße
Gronaustr.
Gneisenaustr.
Blücherstr.
Schützenstr.
Leopoldstr.
Kurfürstenstr.
Leopoldstraße
Kielstraße
Freiherr-
von-Stein-
Platz
Steinstr.
Heiligegartenstr.
Kesselstraße
Grüne Str.
Königshof
Treibstr.
Dortmund Hbf
HAUPTBAHNHOF
Königswall
Burgwall
Bornstr.
13
24
6
6
32
22
Schwanenwall
Brüder-
weg
M
10
Hansastr.
Kampstr.
19
Kampstr.
Brinkhoffstr.
Königswall
17
BRAUEREI
D
weg
A
B
28
Westenhell-
42
CASTROP-
RAUXEL
12 Km
Rheinische
Straße
36
Markt
25
33
37
21
3
C
Lange Str.
Humboldtstr.
BRAUEREI
C
15
Hoher Wall
14
4
20
39
M
37
23
31
3
a
Olpe
33
Lange Straße
T
R
Friedenspl.
Hansastr.
Stadtgarten
Hiltropwall
Poststr.
WESTPARK
Wilhelmstr.
Möllerstr.
Rittershausstr.
M
Beurhausstr.
Beurhausstr.
Südwall
Ruhrallee
Do-Stadthaus
Chemnitzer
Straße
Dudenstr.
Märkische
2
Hollestraße
Gutenbergstraße
Sonnenstr.
Sonnenstr.
Sonnenstr.
Große
Graben
Lindemannstr.
Neuer
Graben
Neuer
Graben
Straße
Dresdener Str.
Saarlandstr.
Alter
Hohe
Saarlandstr.
Hainallee
Am
straße
Schilling-
Kreuzstraße
Metzer Str.
ADAC
Kreuzstraße
Heimstraße
Wittekindstr.
straße
Straße
Landgrafen-
Mühlen-
Chemnitzer
Ruhrallee
Landgrafenstraße
Markgrafenstr.
Markgrafen-
straße
n
Markgrafenstr.
v
Hohe
Straße
Knappenberg
Eintracht-
straße
SÜD-WEST-
FRIEDHOF
POL.
weg
x
65 km DUISBURG
38 km ESSEN
21 km BOCHUM
AUTOBAHN A 45
Wittekindstr.
Lindemannstr.
RUHRSCHNELLWEG
Rheinlanddamm
Rheinlanddamm
6
1
STEINERNER
TURM
16
Ruhrallee
Florianstraße
WESTFALENHALLEN
Westfalenpark
54
Wittekindstr.
Maurice-
Vast-
Str.
WESTFALE
PARK
VOLKSPARK
S
5
r
AUTOBAHN (Dortmund-Süd) 9 km
DÜSSELDORF 82 km, KÖLN 94 km, FRANKFURT 224 km
HAGEN 27 km

DORTMUND

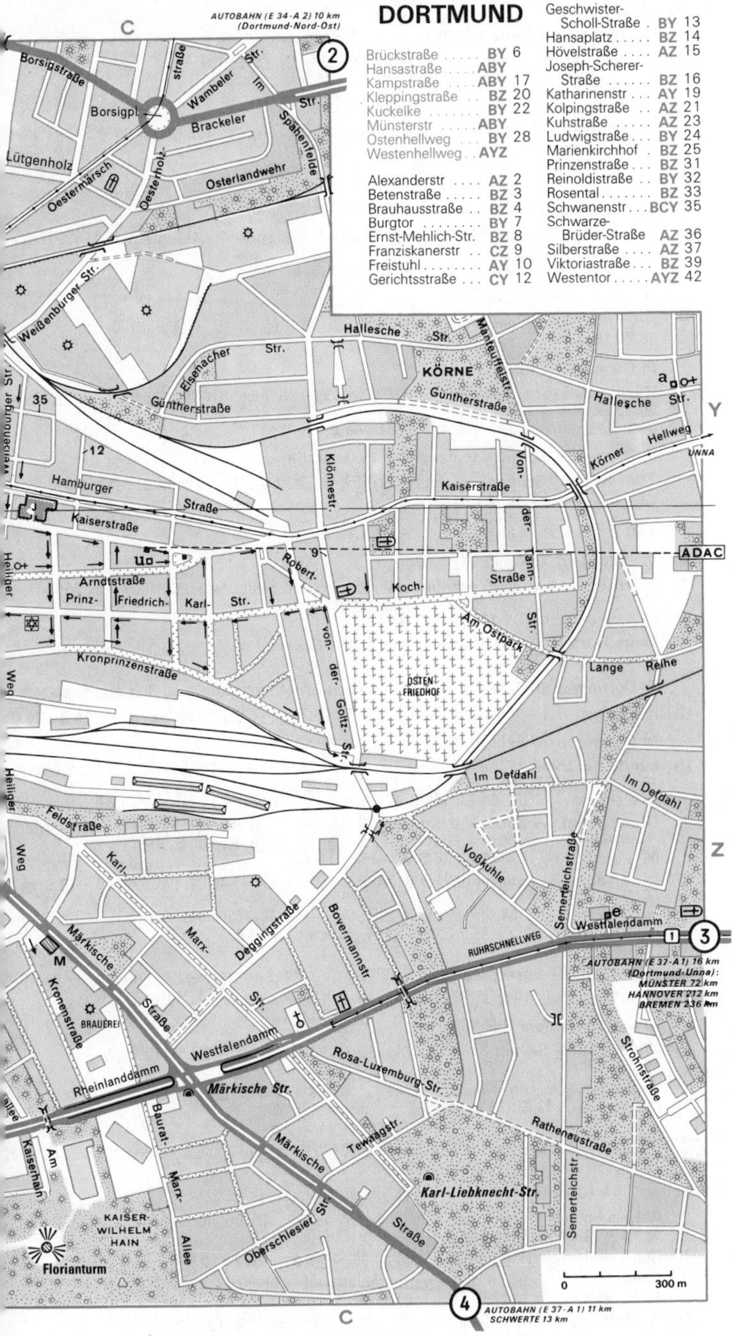

AUTOBAHN (E 34-A 2) 10 km (Dortmund-Nord-Ost)
C
Borsigstraße
Borsigpl.
Wambeler
Brackeler
Im Spähenfelde
Lütgenholz
Oestermärsch
Oesterholz-straße
Osterlandwehr
Weißenburger Str.
Eisenacher Str.
Hallesche Str.
KÖRNE
Manteuffelstr.
Güntherstraße
Hallesche Str.
Körner Hellweg
UNNA
Y
Kaiserstraße
Klönnestr.
Von-der-Tann-Str.
Hamburger Straße
Kaiserstraße
ADAC
Arndtstraße
Prinz-Friedrich-Karl-Str.
Robert-Koch-Straße
Am Ostpark
von-der-Goltz-Str.
OSTEN FRIEDHOF
Kronprinzenstraße
Lange Reihe
Im Defdahl
Im Defdahl
Feldstraße
Z
Karl-Marx-Straße
Voßkuhle
Semerteichstraße
Deggingstraße
Bovermannstr
Märkische Straße
Kronenstraße
BRAUEREI
Westfalendamm
RUHRSCHNELLWEG
AUTOBAHN (E 37-A 1) 16 km (Dortmund-Unna): MÜNSTER 72 km HANNOVER 212 km BREMEN 236 km
Westfalendamm
Rosa-Luxemburg-Str.
Strohnstraße
Rheinlanddamm
Märkische Str.
Baurat-Marx-Allee
Tewaagstr.
Rathenaustraße
Semerteichstr.
Kaiserhain
KAISER-WILHELM-HAIN
Florianturm
Oberschlesier Str.
Karl-Liebknecht-Str.
0 300 m
AUTOBAHN (E 37-A 1) 11 km SCHWERTE 13 km

In Dortmund 1-Gartenstadt :

XX **Grüner Baum,** Lübkestr. 9, ✆ 43 02 55, 🌳 - AE ⓓ E VISA R
Samstag bis 18 Uhr und Montag geschl. - **M** a la carte 38/60.

In Dortmund 30-Höchsten über Wittbräucker Str. S :

Haus Überacker, Wittbräucker Str. 504 (B 234), ✆ (02304) 8 04 21, Fax 868
« Gartenterrasse » - TV ☎ 🚗 P. AE E
Juli - Aug. 3 Wochen geschl. - **M** *(Donnerstag geschl.)* a la carte 30/55 - **17 Z : 25 B** 65/
- 100/130.

In Dortmund 30-Hörde :

X **Zum Treppchen,** Faßstr. 21, ✆ 43 14 42, Biergarten, « Haus a.d.J. 1763, rustik
Einrichtung » - AE E S
Sonntag geschl. - **M** (Tischbestellung ratsam) a la carte 39/68.

In Dortmund 50-Kirchhörde :

Haus Mentler, Schneiderstr. 1, ✆ 73 17 88, 🌳 - TV ☎ P - 25/100 S
16 Z : 28 B.

In Dortmund 1-Körne :

Körner Hof garni, Hallesche Str. 102, ✆ 59 00 28, Fax 561071, ≘s, 🏊 - |♦| TV ☎
AE ⓓ E VISA CY
Mitte Dez.- Anfang Jan. geschl. - **21 Z : 44 B** 105/130 - 130/165.

In Dortmund 50-Lücklemberg über Hagener Str. S :

Zum Kühlen Grunde 🔇, Galoppstr. 57, ✆ 7 39 47, Biergarten, ≘s, 🏊 - TV ☎ P
25/60. AE ⓓ E VISA
21. Dez.- 20. Jan. geschl. - **M** *(nur Abendessen, Sonn- und Feiertage geschl.)* a la carte 27/
- **30 Z : 43 B** 95 - 140.

In Dortmund 76-Oespel ⑥ : 6 km :

Novotel Dortmund-West, Brennaborstr. 2, ✆ 6 54 85, Telex 8227007, Fax 650944,
≘s, 🏊 (geheizt), 🌳 - |♦| ⛔ Zim ▤ TV ☎ ♿ P - 25/200. AE E VISA
M a la carte 33/57 - **104 Z : 208 B** 148 - 191 Fb.

XX **Haus Horster,** Borussiastr. 7, ✆ 6 58 58 - P
Montag geschl. - **M** a la carte 41/63.

In Dortmund 50-Schanze ⑤ : 10 km, nach BAB-Kreuz Dortmund-Süd rechts ab :

Hülsenhain 🔇, Am Ossenbrink 57, ✆ 73 17 67, 🌳 - TV ☎ P. ⛔ Zim - **14 Z : 24 B.**

In Dortmund 30-Syburg ⑤ : 13 km :

Landhaus Syburg, Westhofener Str. 1, ✆ 7 74 50, Telex 8227534, Fax 774421, Massag
≘s, 🏊 - |♦| TV 🚗 P - 25/60. AE ⓓ E VISA
M a la carte 47/70 - **64 Z : 118 B** 175/230 - 220/270 Fb - 4 Appart. 270/290.

Dieckmann, Wittbräucker Str. 980 (B 54), ✆ 77 44 61, Fax 774271, 🌳, Biergarte
« Individuelle, gemütliche Einrichtung » - |♦| TV ☎ P. AE ⓓ E VISA
M a la carte 34/64 - **21 Z : 36 B** 95 - 130/150 Fb.

XXX ✿ **La Table,** Hohensyburgstr. 200 (im Spielcasino), ✆ 77 44 44, Fax 774146 - P -
AE E. ⛔
nur Abendessen - **M** *(bemerkenswerte Weinkarte)* 88 /130 und a la carte 75/98 - **Ne**
Ruhrterrassen *(auch Mittagessen)* **M** a la carte 37/68.

DORUM **2853.** Niedersachsen 411 I 5, 987 ④ - 2 800 Ew - Höhe 2 m - Seebad - ☎ 047
Kurverwaltung, Poststr. 16, ✆ 87 50 - ♦Hannover 207 - Bremerhaven 20 - Cuxhaven 25.

In Dorum-Neufeld NW : 6,5 km :

Wurster Land, Sieltrift 37, ✆ (04741) 10 71, 🌳, ≘s, 🌳 - TV ☎ P - 25
16 Z : 50 B Fb.

Grube 🔇 garni, Am Neuen Deich 2, ✆ (04741) 14 36 - TV P
Dez. geschl. - **13 Z : 25 B** 48 - 90/96 - 5 Fewo 85/90.

DOSSENHEIM **6915.** Baden-Württemberg 412 413 J 18 - 10 500 Ew - Höhe 120 m - ☎ 062
(Heidelberg).
♦Stuttgart 126 - ♦Darmstadt 57 - Heidelberg 5,5 - Mainz 86 - ♦Mannheim 22.

Am Kirchberg 🔇 garni (Mahlzeiten im Goldenen Hirsch), Steinbruchweg 4, ✆ 8 50 40 -
☎ P - **14 Z : 28 B** Fb.

Goldener Hirsch, Hauptstr. 59, ✆ 8 51 19 - TV ☎ - **10 Z : 20 B** Fb.

Bären garni, Daimlerstr. 6 (Gewerbegebiet-Süd), ✆ 8 50 29 - ☎ P
19 Z : 38 B 60/65 - 92/97.

Heidelberger Tor, Heidelberger Str. 32, ✆ 8 52 34 - ☎ P. ⛔
(nur Abendessen für Hausgäste) - **20 Z : 40 B** 46/52 - 74/78 Fb.

DRACHSELSRIED **8371.** Bayern 413 W 19 - 2 200 Ew - Höhe 533 m - Erholungsort - Wintersport : 700/850 m 2 6 - 09945 (Arnbruck).

Verkehrsamt, Zellertalstr. 8, 5 05, Fax 2343.

München 178 - Cham 37 - Deggendorf 35.

Falter, Zellertalstr. 6, 4 06, Fax 1799, - TV P. AE E
Ende Okt.- Mitte Dez. geschl. - **M** *(außer Saison Montag geschl.)* a la carte 19/38 - **34 Z : 59 B** 41/43 - 78/88 Fb.

Zum Schlossbräu (mit Gästehaus,), Hofmark 1, 10 38, Fax 1445, - P. Zim
Anfang Nov.- Mitte Dez. geschl. - **M** a la carte 17/30 - **70 Z : 130 B** 25/46 - 46/80 Fb.

In Drachselsried-Asbach S : 6 km :

Berggasthof Fritz (mit Gästehaus), (09923) 22 12, - P
Nov.- 15. Dez. geschl. - **M** a la carte 18/37 - **45 Z : 81 B** 42/48 - 74/86 Fb - ½ P 46/57.

In Drachselsried-Oberried SO : 2 km :

Margeriten Hof , Oberried 124, 4 96, , Massage, - P - 40. Rest
10. Nov.- 20. Dez. geschl. - *(nur Abendessen für Hausgäste)* - **30 Z : 60 B** 55/62 - 106/120 Fb.

Berggasthof Hochstein , Oberried 9 1/2, 4 63, - P
Ende Okt.- Mitte Dez. geschl. - **M** a la carte 19/40 - **38 Z : 72 B** 53/55 - 90/100 Fb - ½ P 58/68.

In Drachselsried-Unterried SO : 3 km :

Lindenwirt , Unterried 9, 24 44, Fax 2447, - P
14. Nov.- 18. Dez. geschl. - **M** a la carte 22/34 - **55 Z : 100 B** 45/95 - 90/120 Fb - ½ P 54/66.

Außerhalb O : 6 km, über Oberried - Höhe 730 m

Berggasthof Riedlberg , 8371 Drachselsried, (09924) 70 35, Fax 7273, (geheizt), - TV P
29. März - 15. April und Nov.- 18. Dez. geschl. - **M** a la carte 20/34 - **32 Z : 64 B** 45/65 - 80/114 Fb - ½ P 45/55.

DREIBURGENSEE Bayern siehe Tittling.

DREIEICH **6072.** Hessen 412 413 J 16 - 39 400 Ew - Höhe 130 m - 06103.

Hofgut Neuhof, (06102) 3 33 31.

Wiesbaden 45 - Darmstadt 17 - Frankfurt am Main 18.

In Dreieich-Dreieichenhain :

Alte Bergmühle, Geisberg 25, 8 18 58, Fax 88999, « Rustikale Einrichtung, Gartenterrasse » - P. AE E VISA
M a la carte 43/68.

In Dreieich-Götzenhain :

Krone, Wallstr. 2, 8 41 15, Fax 88970, - P
Mitte Juli - Mitte Aug. geschl. - **M** *(nur Abendessen, Samstag geschl.)* a la carte 19/35 - **46 Z : 60 B** 65/70 - 115/125.

In Dreieich-Sprendlingen :

Dorint - Hotel, Eisenbahnstr. 200, 60 60, Telex 417954, Fax 63019, - TV P - 25/90. AE E VISA. Rest
M 35 (mittags) und a la carte 50/70 - **92 Z : 178 B** 220/290 - 260/360 Fb - 4 Appart. 500.

Herrnbrod - Ständecke, Hauptstr. 29, 6 30 37, Fax 65272 - TV P. E VISA
M *(Samstag - Sonntag 17 Uhr und 18. Juli - 17. Aug. geschl.)* a la carte 31/58 - **63 Z : 79 B** 80/110 - 125/155 Fb.

Ristorante Tonini (Italienische Küche), Fichtestr. 50 (im Bürgerhaus), 6 10 81, Fax 600077 - P - 30/200. AE E VISA
Juni - Juli 4 Wochen geschl. - **M** (Tischbestellung ratsam) a la carte 26/62.

Gutsschänke Neuhof siehe unter ***Frankfurt am Main***

DREIS KREIS BERNKASTEL-WITTLICH Rheinland-Pfalz siehe Wittlich.

DRENSTEINFURT **4406.** Nordrhein-Westfalen 411 412 G 11 - 12 200 Ew - Höhe 78 m - 02508.

Düsseldorf 123 - Hamm in Westfalen 15 - Münster (Westfalen) 22.

An der B 63 SO : 6,5 km :

Haus Volking, Herrenstein 22, 4406 Drensteinfurt 2-Walstedde, (02387) 6 65 - P - **19 Z : 36 B** Fb.

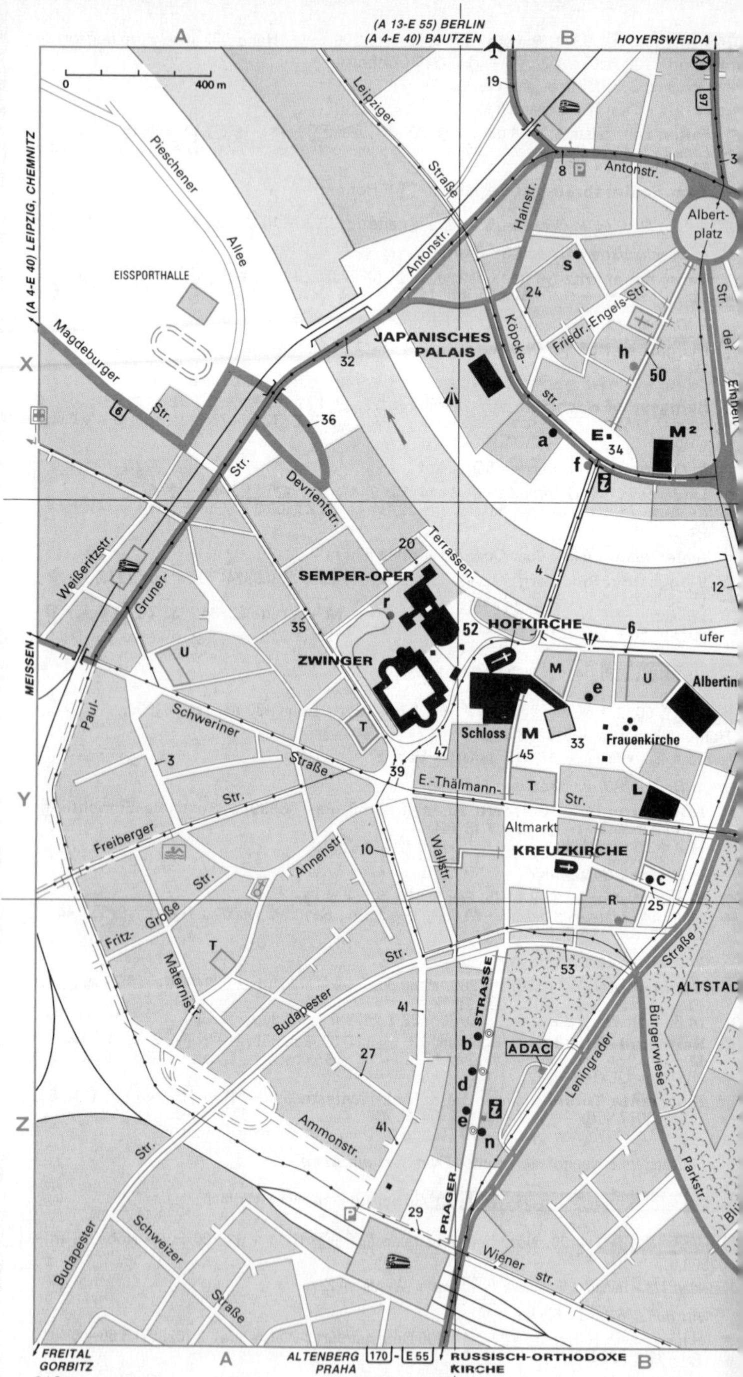
(A 13-E 55) BERLIN
(A 4-E 40) BAUTZEN
HOYERSWERDA
A
B
X
Y
Z
0
400 m
(A 4-E 40) LEIPZIG, CHEMNITZ
MEISSEN
Pieschener
Allee
EISSPORTHALLE
Magdeburger
Str.
Leipziger
Straße
Antonstr.
Hainstr.
Albert-
platz
Köpcke-
str.
Friedr.-Engels-Str.
Str. der Einheit
JAPANISCHES
PALAIS
Devrientstr.
Terrassen-
ufer
SEMPER-OPER
HOFKIRCHE
ZWINGER
Schloss
Frauenkirche
Albertinum
Weißeritzstr.
Gruner-
Paul-
Schweriner
Straße
E.-Thälmann-
Str.
Freiberger
Annenstr.
Wallstr.
Altmarkt
KREUZKIRCHE
Fritz-
Große
Maternistr.
Budapester
Ammonstr.
PRAGER
STRASSE
ADAC
Leningrader
Straße
Bürgerwiese
Parkstr.
ALTSTADT
Wiener
Schweizer
Budapester
FREITAL
GORBITZ
ALTENBERG
PRAHA
170
E 55
RUSSISCH-ORTHODOXE
KIRCHE

DRESDEN

Albertbrücke	CX	2
Alfred-Althus-Str.	AY	3
Augustusbrücke	BY	4
Brühlsche Terrasse	BY	6
Dr.-Friedrich-Wolf-Platz	BX	8
Dr.-Otto-Nuschke-Str.	AY	10
Dr.-Rudolf-Friedrichs-Brücke	BY	12
Elsasser Str.	CDY	13
Erich-Weinert-Str.	CY	14
Hansastr	BX	19
Holländische Str.	AY	20
Hoyerswerdaer Str.	CX	21
Karl-Marx-Platz	BX	24
Kreuzstr.	BYZ	25
Kurt-Schlosser-Str.	AZ	27
Leninplatz	AZ	29
Lessingstr.	CX	31
Marienbrücke	AX	32
Neumarkt	BY	33
Neustädter Markt	BX	34
Ostra Allee	AY	35
Ostra-Ufer	AX	36
Otto-Buchwitz-Str.	BX	38
Postplatz	AY	39
Reichpietschufer	CX	40
Reitbahnstr	AZ	41
Rothenburger Str.	CX	42
Sachsenallee	CY	43
Schloßstr.	BY	45
Sophienstr	AY	47
Steinstr.	CY	49
Straße der Befreiung	BX	50
Theaterplatz	BY	52
Waisenhausstr	BZ	53

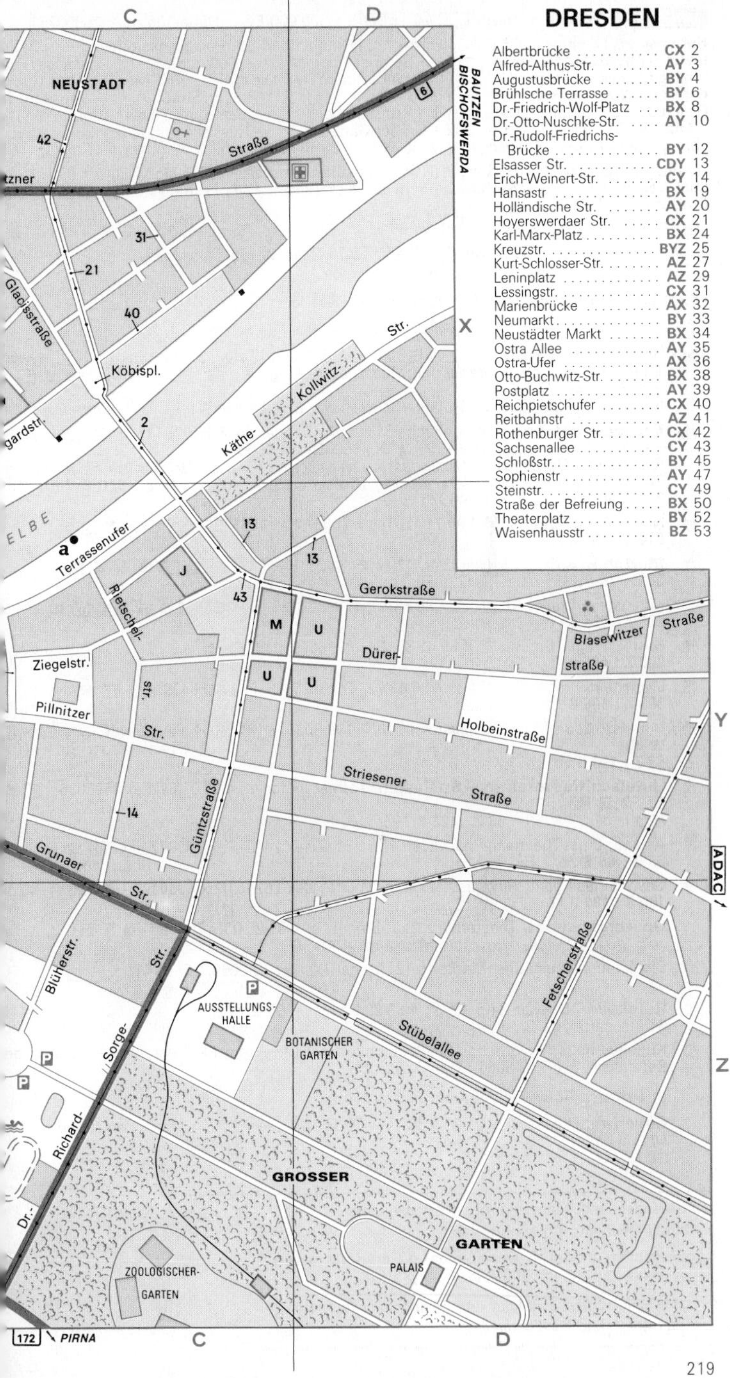

DRESDEN **O-8010.** Sachsen 984 ㉔, 987 ⑱ – 500 000 Ew – Höhe 105 m – ☎ 003751.

Sehenswert: Zwinger ★★★ (Wallpavillon ★★, Nymphenbad ★★, Porzellansammlung ★★, Mathematisch-physikalischer Salon ★★) AY – Semper-Oper ★★ AY – Hofkirche ★★ BY – Schloss (Fürstenzug-Mosaik ★, Langer Gang ★) BY – Albertinum (Gemäldegalerie Alte Meister ★★★, Gemäldegalerie Neue Meister ★★★, Grünes Gewölbe ★★★) BY – Prager Straße ★ BZ – Museum für Geschichte der Stadt Dresden ★ BY L – Kreuzkirche ★ BY – Japanisches Palais★ (Garten ≤★) BX – Museum für Volkskunst ★ BX M2 – Großer Garten ★ CDZ – Russisch-orthodoxe Kirche ★ (über Leningrader Str. BZ) – Brühlsche Terrasse ≤ ★ BY 6 – Reiterstandbild★ Augusts des Starken BX

Ausflugsziele: Schloß Moritzburg ★ (NW: 14 km über Hansastr. BX) – Schloß Pillnitz ★ (SO: 15 km über Bautzner Str. CX) – Sächsische Schweiz ★★★ (Bastei ★★★, Festung Königstein ★★ ≤ ★★) Großsedlitz : Barockgarten ★).

✈ Dresden-Klotzsche (N : 13 km), ☎ 58 31 41. Stadtbüro, Rampische Str. 2, ☎ 4 95 60 13.

i Dresden-Information, Prager Str. 10, ☎ 4 95 50 25, Telex 26198, Fax 4951276.

ADAC, Schandauer Str. 46, ☎ 3 40 94, Notruf 4 35 34 44.

♦Berlin 198 – Chemnitz 70 – Görlitz 98 – ♦Leipzig 111 – Praha 152.

Stadtpläne siehe vorhergehende Seiten

Bellevue, Köpckestr. 15, ✉ O-8060, ☎ 5 66 20, Telex 26162, Fax 55997, ≤, « Innenhofterrassen », Bade- und Massageabteilung, ≘s, 🏊 – 🛗 ⇔ Zim ▤ TV ☎ 🅟 – 🏛 25/320 BX
Restaurants : **Canaletto** – **Palais** – **Buri-Buri** – **328 Z : 550 B** Fb – 16 Appart.

Dresdner Hof, An der Frauenkirche 5, ☎ 4 84 10, Telex 2488, Fax 4841700, ≘s, 🏊 (Gebühr) – 🛗 ⇔ Zim ▤ TV ♿ 🅟 – 🏛 30/300. AE ⓓ E VISA BY
Restaurants : **Gourmet** *(nur Abendessen)* **M** a la carte 70/110 – **Grüner Baum M** a la carte 38/68 – **Rossini** (Italienische Küche) **M** a la carte 47/68 – **333 Z : 520 B** 260/315 - 350/390 Fb – 12 Appart. 460/575.

Newa, Prager Straße, ☎ 4 96 71 12, Telex 26067, Fax 4955137, 🍽, ≘s – 🛗 TV ☎ BZ
310 Z : 597 B Fb.

Martha Hospiz garni, Nieritzstr. 11, ☎ 5 24 25, Fax 53218 – 🛗 TV ☎ ♿. E VISA BX
36 Z : 76 B 110/140 - 180/230 Fb.

Königstein, Prager Str. 9, ☎ 4 85 66 69, Telex 26165, Fax 4856499, ≘s – 🛗 TV ☎ BZ
295 Z : 594 B Fb – 8 Appart..

Bastei, Prager Straße, ☎ 4 85 63 85, Fax 4955499 – 🛗 TV ☎ BZ
300 Z : 450 B Fb – 9 Appart..

Lilienstein, Prager Str. 15, ☎ 4 85 63 72, Telex 26165, Fax 4856499 – 🛗 TV ☎ BZ
303 Z : 606 B Fb – 12 Appart..

Motel Dresden, Münzmeisterstr. 10, ✉ O-8020, ☎ 47 58 51, Fax 479486, 🍽, ≘s – TV ☎ 🅟 über Leningrader Str. BZ
87 Z : 150 B Fb – 4 Fewo.

Hotelschiffe Florentina - St. Caspar, Terrassenufer, ☎ 4 59 01 69, Fax 4595036 – TV ☎ AE ⓓ E VISA CY
M a la carte 40/60 – **66 Z : 122 B** 195 - 240 Fb.

Astoria, Ernst-Thälmann-Platz 1, ☎ 47 51 71, Telex 2442, Fax 478872 – 🛗 TV ☎ 🅟
68 Z : 86 B Fb. über Parkstr. BZ

Gewandhaus garni, Ringstr. 1, ☎ 4 95 61 80, Telex 26216, Fax 4956120 – 🛗 ☎ BY
100 Z : 180 B Fb – 2 Appart..

Opernrestaurant, Theaterplatz 2 (1. Etage), ☎ 4 84 25 00, 🍽 – AE ⓓ E VISA AY
Juli - Aug. 4 Wochen geschl. – **M** a la carte 31/56.

Blockhaus, Neustädter Markt 19 (2. Etage, 🛗), ✉ O-8060, ☎ 54 41, ≤ – 🏛 25/110 BX

Ratskeller, Dr.-Külz-Ring 19, ☎ 4 88 29 50, 🍽 – AE E BZ
M a la carte 26/40.

Kügelgenhaus (Historisches Stadthaus a.d.18. Jh., Museum für Frühromantik), Straße der Befreiung 13, ✉ O-8060, ☎ 5 45 18, 🍽 BX

In Dresden-Reick **O-8036** über Parkstraße BZ :

Coventry, Hülßestr. 1, ☎ 2 74 30 14 – AE E VISA über Parkstraße BZ
M a la carte 32/68.

Besonders angenehme Hotels oder Restaurants sind im Führer rot gekennzeichnet.
Sie können uns helfen, wenn Sie uns die Häuser angeben, in denen Sie sich besonders wohl gefühlt haben.
Jährlich erscheint eine komplett überarbeitete Ausgabe aller Roten Michelin-Führer.

DRIBURG, BAD **3490.** Nordrhein-Westfalen 411 412 K 11, 987 ⑮ – 18 500 Ew – Höhe 220 m – Heilbad – ☎ 05253.

Am Kurpark, ☎ 84 23 49.

Verkehrsamt, Lange Str. 140, ☎ 8 81 80.

♦Düsseldorf 190 – Detmold 28 – ♦Kassel 86 – Paderborn 20.

- **Kur- und Sporthotel Quellenhof,** Caspar-Heinrich-Str. 14, ☎ 30 11, Fax 3014, Bade- und Massageabteilung, – 25/40. AE E VISA.
  M a la carte 28/57 – **48 Z : 92 B** 90/130 - 168/196 Fb – ½ P 109/128.
- **Gräfliches Kurhaus**, Am Bad 9 (im Kurpark), ☎ 8 41, Telex 936629, Fax 842204, – 30/70. AE E VISA.
  M a la carte 35/69 – **79 Z : 106 B** 110/140 - 196/206 Fb.
- **Schwallenhof,** Brunnenstr. 34, ☎ 20 08, Fax 5987, – 25/40
  M a la carte 26/51 – **39 Z : 59 B** 60/90 - 120/150 Fb – 3 Fewo 55/100 – ½ P 76/93.
- **Neuhaus**, Steinbergstieg 18, ☎ 40 80, Fax 408616, – 25/55. E. Rest
  M a la carte 43/65 – **68 Z : 91 B** 66/91 - 132/142 Fb – 6 Fewo 95/135 – ½ P 73/93.
- **Althaus Parkhotel,** Caspar-Heinrich-Str. 17, ☎ 20 88, « Gartenterrasse » – 60
  7. Jan.- 7. Feb. geschl. – **M** (auch Diät) a la carte 24/54 – **42 Z : 60 B** 49/97 - 102/170 – 3 Fewo 60/85.
- **Café am Rosenberg**, Hinter dem Rosenberge 22, ☎ 20 02, Fax 2262, « Gartenterrasse », Zim
  M *(Mittwoch geschl.)* a la carte 26/54 – **22 Z : 29 B** 43/67 - 110/124 Fb – ½ P 57/75.
- **Reform-Hotel**, Steinbergstieg 15, ☎ 4 00 10, Fax 408616, Rest
  Jan. und Nov. geschl. – **M** *(nur vegetarische Kost)* a la carte 21/38 – **39 Z : 49 B** 51/71 - 100/104 Fb – ½ P 67/74.
- **Zur Rose**, Rosenmühlenweg 4, ☎ 34 79, Fax 2835,
  (Restaurant nur für Hausgäste) – **16 Z : 30 B** 55/65 - 95/125 Fb.
- **Eggenwirth,** Mühlenstr. 17, ☎ 24 51, E VISA
  M *(Mittwoch geschl.)* a la carte 24/55 – **18 Z : 28 B** 55 - 99 Fb.
- **Teutoburger Hof** garni, Brunnenstr. 2, ☎ 22 25,
  5.- 30. Jan. geschl. – **17 Z : 22 B** 50 - 90 Fb.
- **Brauner Hirsch** mit Zim, Lange Str. 70, ☎ 22 20, AE E
  M *(Montag - Dienstag geschl.)* a la carte 28/53 – **5 Z : 8 B** 42/60 - 84/120.

DROLSHAGEN **5962.** Nordrhein-Westfalen 412 G 13 – 10 800 Ew – Höhe 375 m – ☎ 02761.

Verkehrsamt, Klosterhof 2, ☎ 7 03 81.

♦Düsseldorf 114 – Hagen 59 – ♦Köln 70 – Siegen 34.

- **Auf dem Papenberg**, Am Papenberg 15, ☎ 7 12 10,
  (Restaurant nur für Hausgäste) – **10 Z : 16 B** 40 - 80.
- **Zur alten Quelle,** Hagener Str. 40, ☎ 7 10 01 –
  M *(Donnerstag geschl.)* a la carte 25/53 – **9 Z : 18 B** 50/60 - 90/100.
- **Zur Brücke** mit Zim, Hagener Str. 12, ☎ 75 48, Fax 7540, E VISA.
  4.- 28. März geschl. – **M** *(Dienstag geschl.)* a la carte 32/56 – **9 Z : 16 B** 50 - 90.

In Drolshagen-Frenkhauserhöh N : 4 km :

- **Zur schönen Aussicht**, Biggeseestraße, ☎ 25 83, E.
  Jan. geschl. – **M** *(Dienstag geschl.)* a la carte 26/44 – **14 Z : 24 B** 42/48 - 80/90 Fb.

In Drolshagen-Scheda NW : 6 km :

- **Haus Schulte,** Zum Höchsten 2, ☎ (02763) 3 88, E
  M *(Mittwoch geschl.)* a la carte 25/61 – **16 Z : 32 B** 30/35 - 60/70.

DUDELDORF Rheinland-Pfalz siehe Bitburg.

DUDENHOFEN Rheinland-Pfalz siehe Speyer.

Les hôtels ou restaurants agréables
sont indiqués dans le guide par un signe rouge.
Aidez-nous en nous signalant les maisons où,
par expérience, vous savez qu'il fait bon vivre.
Votre guide Michelin sera encore meilleur.

... XXXXX ... X

DUDERSTADT **3408.** Niedersachsen 411 412 N 12, 987 ⑮ ⑯ – 23 500 Ew – Höhe 172 m – ☎ 05527.

Fremdenverkehrsamt, Rathaus, Marktstr. 66, ✆ 84 12 11.

♦Hannover 131 – ♦Braunschweig 118 – Göttingen 32.

Zum Löwen, Marktstr. 30, ✆ 30 72, Fax 72630, « Elegante Einrichtung », ≘s, ▣ – |≑| ▣ – 🏛 25/80. AE ⓓ E VISA
1.- 12. Jan. geschl. – **M** *(Montag geschl.)* a la carte 64/82 – **Alt Duderstadt M** a la carte 37/51 – **36 Z : 70 B** 110/140 - 200/260 Fb.

In Duderstadt-Fuhrbach NO : 6 km :

Zum Kronprinzen ⛰, Fuhrbacher Str. 31, ✆ 30 01, Fax 73355, – TV ☎ P – 🏛 20/200. AE ⓓ E VISA
M a la carte 23/49 – **43 Z : 82 B** 55/80 - 75/120.

DÜLMEN **4408.** Nordrhein-Westfalen 411 412 E 11, 987 ⑭, 408 M 6 – 40 000 Ew – Höhe 70 m – ☎ 02594.

Verkehrsamt, Rathaus, ✆ 1 22 92.

♦Düsseldorf 94 – Münster (Westfalen) 34 – Recklinghausen 27.

Merfelder Hof, Borkener Str. 60, ✆ 10 55, Fax 80904, , ≘s – TV ☎ P – 🏛 40. AE ⓓ E VISA
M 16,50 /38 (mittags) und a la carte 40/59 – **35 Z : 66 B** 50/80 - 90/130 Fb.

Zum Wildpferd, Münsterstr. 52 (B51), ✆ 50 63, ≘s, ▣ – |≑| TV ☎ P – 🏛 25/100. AE ⓓ E VISA
M *(Sonntag geschl.)* a la carte 26/50 – **37 Z : 70 B** 40/81 - 75/145 Fb.

Am Markt, Marktstr. 21, ✆ 23 88, Fax 85235 – TV ☎ – 🏛 25/50. AE ⓓ E VISA
M 17,50 /27 (mittags) und a la carte 25/54 – **20 Z : 28 B** 40/69 - 75/105 Fb.

Lehmkuhl garni, Coesfelder Str. 8, ✆ 44 34
11 Z : 20 B 35/50 - 70/100.

In Dülmen 4-Hausdülmen SW : 3 km :

Große Teichsmühle, Borkenbergestr. 78, ✆ 23 74, – P – 🏛 25/80. AE ⓓ E VISA
M *(auch vegetarische Gerichte)* a la carte 28/54 – **17 Z : 33 B** 60 - 110.

Außerhalb NW : 5 km über Borkener Straße :

Haus Waldfrieden, Börnste 20, ✉ 4408 Dülmen, ✆ (02594) 22 73, Fax 3739, – P
30. Nov.- 25. Dez. und Freitag geschl. – **M** a la carte 22/56.

DÜREN **5160.** Nordrhein-Westfalen 412 C 14, 987 ㉓ – 85 000 Ew – Höhe 130 m – ☎ 02421.

Düren-Gürzenich (über ⑥ und die B 264 X), ✆ 6 72 78.

ADAC, Oberstr. 30, ✆ 1 45 98, Notruf ✆ 1 92 11.

♦Düsseldorf 71 ① – ♦Aachen 34 ② – ♦Bonn 57 ④ – ♦Köln 48 ②.

Stadtplan siehe gegenüberliegen Seite

Düren's Post-Hotel, Josef-Schregel-Str. 36, ✆ 1 70 01, Telex 833880, Fax 10138 – |≑| TV – P – 🏛 25/180. AE ⓓ E VISA — Y
M *(Sonntag geschl.)* a la carte 35/75 – **51 Z : 73 B** 140/150 - 180/240 Fb.

Germania, Josef-Schregel-Str. 20, ✆ 1 50 00, Fax 10745 – |≑| TV ☎ – 🏛 25/80. ⓓ E VISA — Y
M a la carte 27/57 – **49 Z : 85 B** 80/110 - 120/150 Fb.

Zum Nachtwächter, Kölner Landstr. 12 (B 264), ✆ 7 50 81, Fax 75407 – ☎ P. Zim
19. Dez.- 6. Jan. geschl. – **M** *(nur Abendessen, Sonntag geschl.)* a la carte 26/49 – **37 Z : 75 B** 42/75 - 80/95. — Y

✿ **Hefter,** Kreuzstr. 82, ✆ 1 45 85, « Gartenterrasse » — Y
Montag - Dienstag sowie Feb.- März und Juli - Aug. jeweils 2 Wochen geschl. – **M** (Tischbestellung erforderlich) a la carte 49/91
Spez. Kalbsbries auf Trüffelsauce, Rehrücken mit Wacholderjus, Printenparfait auf Schokoladenschaum.

Stadtpark-Restaurant, Valencienner Str. 2, ✆ 6 30 68, Fax 66737, « Gartenterrasse » – P – 🏛 25/40. AE ⓓ E VISA — X
Samstag bis 18 Uhr, Dienstag und Feb.- März 2 Wochen geschl. – **M** a la carte 41/72.

Stadthalle, Bismarckstr. 15, ✆ 1 63 74, Fax 16609, – P – 🏛 25/500. AE E — Y
Montag geschl. – **M** a la carte 31/61.

In Kreuzau-Untermaubach **5166** S : 11 km über Nideggener Str. X :

Mühlenbach, Rurstr. 16, ✆ (02422) 41 58 – P. E
Montag und 24. Feb.- 16. März geschl. – **M** a la carte 27/55.

DÜREN

osef-Schregel-Straße . . . . Y
aiserplatz . . . . Z 43
ölnstraße . . . . Y
/larkt . . . . YZ
)berstraße . . . . Z
Veierstraße . . . . Z 84

Wirtelstraße . . . . Y
Wirteltorplatz . . . . Y 89
Zehnthofstraße . . . . Y 90

Aachener Straße . . . . Z 3
Alte-Jülicher-Straße . . . . X 4
Altenteich . . . . Z 5
Am Adenauerpark . . . . YZ 6
Am Krausberg . . . . Y 7
Arnoldsweilerstraße . . . . . . XY 8
Bahnstraße . . . . X 9
Dechant-Bohnekamp-Straße . . . . . X 10
Dechant-Vaßen-Straße . . . . Z 14
Dr.-Kotthaus-Straße . . . . Y 17
Eisenbahnstraße . . . . X 18
Elberfelder Straße . . . . Z 19
Eschstraße . . . . Z 23
Euskirchener Straße . . . . . . Y 24
Friedrich-Ebert-Platz . . . . Y 28
Fritz-Erler-Str. . . . . Y, X 29
Girbelsrather Straße . . . . . . Y 30
Goethestraße . . . . Z 33
Hans-Brückmann-Str. . . . . . . Y 35
Holzstraße . . . . Z 41
Kapellenstraße . . . . X 45
Kölner Landstraße . . . . XY 46
Kuhgasse . . . . Y 49
Kurfürstenstraße . . . . Z 50
Langenberger Straße . . . . Z 51
Marienstraße . . . . Y 52
Martin-Luther-Platz . . . . Z 54
Monschauer Straße . . . . X 56
Neue Jülicher Straße . . . . X 60
Nippesstraße . . . . X 61
Rütger-von-Scheven-Straße . . . . XZ 66
Sachsenstraße . . . . Z 67
Scharnhorststraße . . . . Y 69
Schoellerstraße . . . . XY 71
Schützenstraße . . . . Y 74
Stockheimer Landstraße . . . . . . X 75
Tivolistraße . . . . XYZ 76
Valencienner Straße . . . . X 80
Van-der-Giese-Straße . . . . Z 81

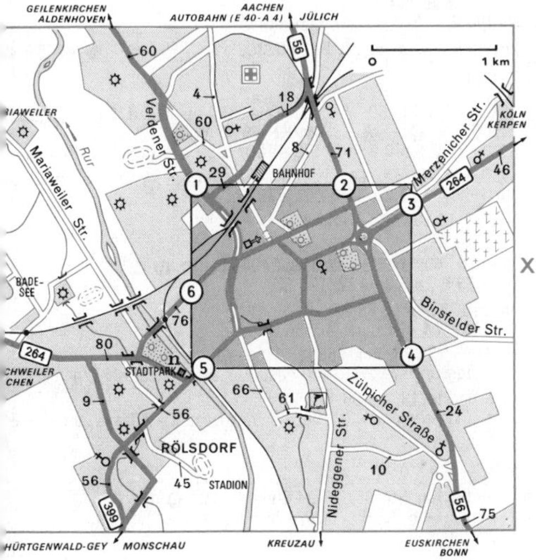

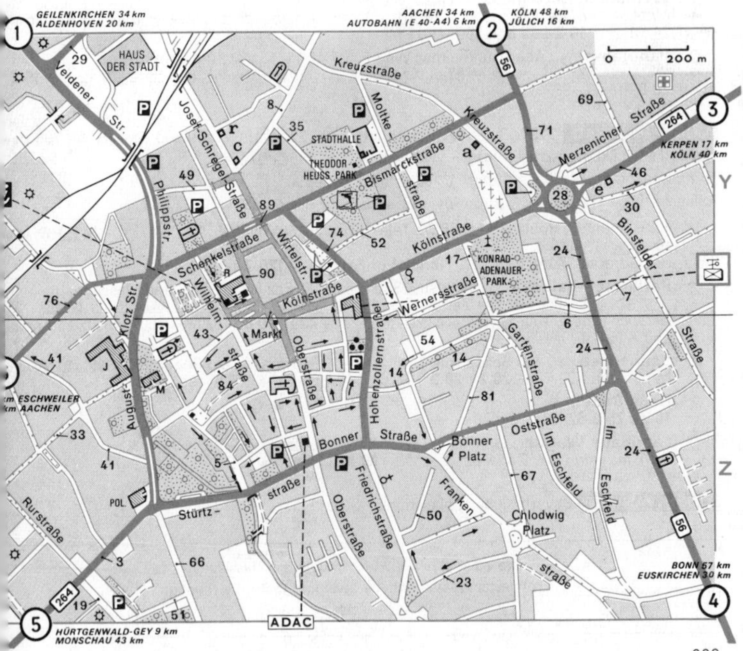

DÜRKHEIM, BAD **6702.** Rheinland-Pfalz 412 413 H 18, 987 ㉔, 242 ④ – 16 800 Ew – Höhe 120 m – Heilbad – ☎ 06322.

Städt. Verkehrsamt, am Bahnhofsplatz, ☎ 79 32 76, Fax 8485.

Mainz 82 – Kaiserslautern 33 – ♦Mannheim 22 – Neustadt an der Weinstraße 14.

- **Dorint Hotel**, Kurbrunnenstr. 30, ☎ 60 10, Telex 454694, Fax 601603, direkter Zugang zum Salinarium – Zim – 25/60. AE E VISA
 M a la carte 35/65 – **100 Z : 200 B** 185 - 240 Fb – ½ P 155/220.
- **Kurparkhotel**, Schloßplatz 1, ☎ 79 70, Telex 454818, Fax 797158, – 25/200. AE E VISA
 M a la carte 44/75 – **110 Z : 190 B** 150/165 - 210/225 Fb.
- **Leininger Hof** garni, Kurgartenstr. 17, ☎ 60 20, Fax 602300, – – 25/120. AE E
 96 Z : 144 B 130/145 - 190/216 Fb.
- **Gartenhotel Heusser**, Seebacher Str. 50, ☎ 93 00, Telex 454889, Fax 8720, « Garten », (geheizt), – – 25/40. AE E VISA
 (Restaurant nur für Hausgäste) – **76 Z : 130 B** 105/120 - 150/195 Fb – ½ P 100/145.
- **Fronmühle,** Salinenstr. 15, ☎ 6 80 81, – – 25. AE E VISA
 M *(Montag geschl.)* a la carte 49/67 – **21 Z : 45 B** 80 - 138 Fb.
- Haus Boller, Kurgartenstr. 19, ☎ 14 28, –
 15 Z : 24 B.
- **An den Salinen** garni, Salinenstr. 40, ☎ 6 80 37, Fax 940434 – . AE E
 Dez. 2 Wochen geschl. – **13 Z : 25 B** 74/76 - 122/125 Fb.
- **Weinrefugium,** Schlachthausstr. 1a, ☎ 6 89 74
 Sonntag - Montag 18 Uhr geschl. – **M** a la carte 40/66.
- **Weinstube Ester,** Triftweg 21, ☎ 27 98, Fax 65888, –
 nur Abendessen, Montag - Dienstag und 4.- 26. Sept. geschl. – **M** a la carte 21/41.
- **Weinstube Bach-Mayer,** Gerberstr. 13, ☎ 86 11
 nur Abendessen, Sonntag, Sept. 2 Wochen und 22. Dez.- 6. Jan. geschl. – **M** a la carte 29/55.

In Bad Dürkheim-Seebach SW : 1,5 km :

- **Landhaus Fluch** garni, Seebacher Str. 95, ☎ 24 88, – . E.
 20. Dez.- Mitte Jan. geschl. – **25 Z : 42 B** 70/80 - 120/135 Fb.

In Bad Dürkheim-Ungstein N : 2 km :

- **Weinstube Bettelhaus,** Weinstr. 89, ☎ 6 35 59
 Mitte Dez.- Mitte Jan. geschl. – **M** *(wochentags nur Abendessen, Dienstag geschl.)* a la carte 24/38 – **16 Z : 33 B** 48/50 - 90/94.
- **Panorama**, Alter Dürkheimer Weg 8, ☎ 47 11, –
 20. Dez.- 22. Jan. geschl. – **M** *(nur Abendessen, Freitag geschl.)* a la carte 22/42 – **15 Z : 28 B** 40/55 - 90/120.

DÜRRHEIM, BAD **7737.** Baden-Württemberg 413 I 22, 987 ㉟ – 10 500 Ew – Höhe 706 m – Heilbad – Heilklimatischer Kurort – Wintersport : 2 – ☎ 07726.

Information im Haus des Gastes, ☎ 66 62 66, Fax 666301.

♦Stuttgart 113 – ♦Freiburg im Breisgau 70 – ♦Konstanz 76 – Villingen-Schwenningen 8.

- Hänslehof, Hofstr. 13, ☎ 66 70, Telex 7921328, Fax 667555, – – 25/120
 Restaurants : **Alte Vogtei** – **Hänslehof-Stuben** – **120 Z : 220 B** Fb.
- **Parkhotel Waldeck**, Waldstr. 18, ☎ 66 31 00, Fax 8001, Bade- und Massageabteilung, – Zim Rest – 25/120. AE E VISA.
 M *(auch vegetarische Gerichte)* a la carte 35/64 – **43 Z : 70 B** 115/145 - 160/240 Fb – 3 Appart. 250 – ½ P 100/165.
- **Salinensee**, Am Salinensee 1, ☎ 80 21, « Terrasse am See », – .
 M a la carte 31/55 – **20 Z : 30 B** 70/75 - 140/150 Fb – ½ P 93/98.
- **Haus Baden** garni, Kapfstr. 6, ☎ 76 81, –
 18 Z : 25 B 62/80 - 98/120.
- **Landhaus Wagner,** Luisenstr. 18, ☎ 2 02 – E VISA
 Dienstag und Nov. 3 Wochen geschl. – **M** a la carte 36/67.

DÜRRWANGEN Bayern siehe Dinkelsbühl.

> We have established for your use a classification
> of certain restaurants by awarding them the mention
> Menu, ✿, ✿✿ or ✿✿✿.

DÜSSELDORF 4000. Nordrhein-Westfalen 𝟜𝟙𝟙 𝟜𝟙𝟚 D 13, 𝟿𝟠𝟽 ㉓ ㉔ – 570 000 Ew – Höhe 40 m
☺ 0211.

ehenswert : Königsallee★ – Hofgarten★ und Schloß Jägerhof DEY (Goethe-Museum★ EY **M1)**
Hetjensmuseum★ DZ **M4** – Landesmuseum Volk u. Wirtschaft★ DY **M5** – Kunstmuseum★ DY
12 – Kunstsammlung NRW★ DY **M3** – Löbbecke-Museum und Aquazoo★ S **M6.**

usflugsziel : Schloß Benrath (Park★) S : 10 km über Kölner Landstr. T

₅ Ratingen-Hösel (16 km über die A 44 S), 𝒫 (02102) 6 86 29 ; ₁₈ Gut Rommeljans (12 km über
ᵉ A 44 S), 𝒫 (02102) 8 10 92 ; ₁₈ D-Hubbelrath (12 km über die B 7 S), 𝒫 (02104) 7 21 78 ;
₅ Düsseldorf-Hafen (T), Auf der Lausward, 𝒫 (0211) 39 65 98
₅ Düsseldorf-Schmidtberg (12 km über die B 7 S) 𝒫 (02104) 7 70 60.

ﹸ Düsseldorf-Lohausen (① : 8 km), 𝒫 42 11.

ﹷ 𝒫 3 68 04 68.

Messe-Gelände (S), 𝒫 4 56 01, Telex 8584853.

▌ Verkehrsverein, Konrad-Adenauer-Platz und Heinrich-Heine-Allee 24, 𝒫 35 05 05, Telex 8587785,
ax 161071.

,DAC, Himmelgeister Str. 63, 𝒫 3 10 93 33, Notruf 𝒫 1 92 11.

ﻬmsterdam 225 ② – ◆Essen 31 ② – ◆Köln 40 ⑤ – Rotterdam 237 ②.

Die Angabe (D 15) nach der Anschrift gibt den Postzustellbezirk an : Düsseldorf 15
L'indication (D 15) à la suite de l'adresse désigne l'arrondissement : Düsseldorf 15
The reference (D 15) at the end of the address is the postal district : Düsseldorf 15
L'indicazione (D 15) posta dopo l'indirizzo precisa il quartiere urbano : Düsseldorf 15

| **Messe-Preise :** siehe S. 8 | **Foires et salons :** voir p. 16 |
| **Fairs :** see p. 24 | **Fiere :** vedere p. 32 |

Stadtpläne siehe nächste Seiten

🏬🏬 **Breidenbacher Hof,** Heinrich-Heine-Allee 36 (D 1), 𝒫 1 30 30, Telex 8582630, Fax 1303830,
⩲s – ⫟⫙ ⵙ⵬ Zim ▤ 𝖙𝖛 ⟷ – 🔬 25/90. 𝔸𝔼 ⓞ 𝔼 𝘝𝘐𝘚𝘈. ⵝ Rest EY **a**
Restaurants : **Grill Royal M** a la carte 79/101 – **Breidenbacher Eck M** a la carte 48/76
– **Trader Vic's** *(nur Abendessen)* **M** a la carte 56/97 – **132 Z : 200 B** 290/490 – 440/590
– 32 Appart. 750/2700.

🏬🏬 **Steigenberger Parkhotel,** Corneliusplatz 1 (D 1), 𝒫 1 38 10, Telex 8582331, Fax 131679
– ⫟⫙ ⵙ⵬ Zim 𝖙𝖛 – 🔬 25/250. 𝔸𝔼 ⓞ 𝔼 𝘝𝘐𝘚𝘈. ⵝ Rest EY **p**
M a la carte 67/101 – **160 Z : 230 B** 335/410 – 430/520 Fb – 12 Appart. 950/1650.

🏬🏬 **Nikko,** Immermannstr. 41 (D 1), 𝒫 83 40, Telex 8582080, Fax 161216, 🍴, Massage, ⩲s,
◨ – ⫟⫙ ⵙ⵬ Zim ▤ 𝖙𝖛 ⅓ ⟷ – 🔬 25/500. 𝔸𝔼 ⓞ 𝔼 𝘝𝘐𝘚𝘈. ⵝ Rest BV **g**
M Benkay (Japanische Küche) 𝔐 85/135 – **Traveller's M** a la carte 53/88 – **301 Z : 600 B**
321/426 – 397/502 Fb – 18 Appart. 752/1552.

🏬 **Holiday Inn,** Graf-Adolf-Platz 10 (D 1), 𝒫 3 87 30, Telex 8586359, Fax 3873390, ⩲s, ◨
– ⫟⫙ ⵙ⵬ Zim ▤ 𝖙𝖛 ⅓ ⟷ – 🔬 25/80. 𝔸𝔼 ⓞ 𝔼 𝘝𝘐𝘚𝘈 EZ **t**
M *(auch vegetarische Gerichte)* a la carte 55/86 – **177 Z : 275 B** 420/470 – 490 Fb.

🏬 **Majestic - Restaurant La Grappa,** Cantadorstr. 4 (D 1), 𝒫 36 70 30 (Hotel) 35 72 92
(Rest.), Telex 8584649, Fax 3670399, ⩲s – ⫟⫙ 𝖙𝖛 – 🔬 40. 𝔸𝔼 ⓞ 𝔼 𝘝𝘐𝘚𝘈 BV **a**
24. Dez.- 4. Jan. geschl. – **M** *(Italienische Küche)* (außerhalb der Messezeiten Sonn- und
Feiertage geschl.) a la carte 43/82 – **52 Z : 88 B** 198/285 – 265/410 Fb.

🏬 **Savoy,** Oststr. 128 (D 1), 𝒫 36 03 36, Telex 8584215, Fax 356642, Massage, ⩲s, ◨ – ⫟⫙
𝖙𝖛 ⟷ – 🔬 25/100. 𝔸𝔼 ⓞ 𝔼 𝘝𝘐𝘚𝘈 EZ **w**
M a la carte 42/70 – **123 Z : 158 B** 195/255 – 305/368 Fb.

🏨 **Madison I** garni, Graf-Adolf-Str. 94 (D 1), 𝒫 1 68 50, Fax 1685328, ⅃₆, ⩲s, ◨ – ⫟⫙ 𝖙𝖛 ☎
⟷ – 🔬 25/60. 𝔸𝔼 ⓞ 𝔼 𝘝𝘐𝘚𝘈 – **95 Z : 169 B** 150/160 – 195/260 Fb. BV **n**

🏨 **Eden** garni, Adersstr. 29 (D 1), 𝒫 3 89 70, Telex 8582530, Fax 3897777 – ⫟⫙ ⵙ⵬ 𝖙𝖛 ☎ ⟷
– 🔬 25/130. 𝔸𝔼 ⓞ 𝔼 𝘝𝘐𝘚𝘈 EZ **m**
22. Dez.- 2. Jan. geschl. – **130 Z : 200 B** 193/333 – 233/393 Fb.

🏨 **Esplanade,** Fürstenplatz 17 (D 1), 𝒫 37 50 10, Telex 8582970, Fax 374032, ⩲s, ◨ – ⫟⫙
𝖙𝖛 ☎ ⟷ – 🔬 25/60. 𝔸𝔼 ⓞ 𝔼 𝘝𝘐𝘚𝘈 BX **s**
M a la carte 48/75 – **80 Z : 110 B** 159/280 – 198/428 Fb.

🏨 **Graf Adolf** ⌂, Stresemannplatz 1 (D 1), 𝒫 3 55 40, Telex 8587844, Fax 354120 – ⫟⫙ 𝖙𝖛
☎ ⟷ – 🔬 25/70. 𝔸𝔼 ⓞ 𝔼 𝘝𝘐𝘚𝘈. ⵝ Rest EZ **j**
M *(Sonntag geschl.)* a la carte 52/66 – **151 Z : 250 B** 175/295 – 240/375 Fb.

🏨 **Carat Hotel,** Benrather Str. 7a (D 1), 𝒫 1 30 50, Fax 322214, ⩲s – ⫟⫙ ⵙ⵬ Zim 𝖙𝖛 ☎ –
🔬 30. 𝔸𝔼 ⓞ 𝔼 𝘝𝘐𝘚𝘈 DZ **r**
(nur Abendessen für Hausgäste) – **73 Z : 100 B** 195/285 – 250/395 Fb.

🏨 **Madison II** garni, Graf-Adolf-Str. 47 (D 1), 𝒫 37 02 96, Fax 1685328 – ⫟⫙ 𝖙𝖛 ☎ ⟷. 𝔸𝔼 ⓞ
𝔼 𝘝𝘐𝘚𝘈 EZ **e**
Aug. und 20. Dez.- 8. Jan. geschl. – **24 Z : 48 B** 130/210 – 180/240 Fb.

Astoria garni, Jahnstr. 72 (D 1), ✆ 38 20 88, Fax 372089 – AE VISA.
22. Dez.- 7. Jan. geschl. – **27 Z : 40 B** 130/220 - 160/290 Fb – 3 Appart. 310. BX

Concorde garni, Graf-Adolf-Str. 60 (D 1), ✆ 35 46 04, Telex 8588008, Fax 354606 –
AE VISA – **83 Z : 150 B** 165/220 - 230/320 Fb. EZ

Uebachs, Leopoldstr. 5 (D 1), ✆ 36 05 66, Telex 8587620, Fax 358064 –
30. AE VISA. Rest BV
M *(außerhalb der Messezeiten Sonntag geschl.)* a la carte 46/75 – **82 Z : 110 B** 167/229
240/350 Fb.

Hotel An der Kö garni, Talstr. 9 (D 1), ✆ 37 10 48, Fax 370835 – AE
VISA EZ
44 Z : 60 B 148/230 - 180/320 Fb.

Monopol garni, Oststr. 135 (D 1), ✆ 8 42 08, Telex 8587770, Fax 328843 –
AE VISA EZ
50 Z : 66 B 165/220 - 230/320 Fb.

Am Schönenkamp	T 2	In der Kötten	T 48	Oberlöricker Str.	S 83
Arnulfstraße	T 3	Kaiserswerther Str.	S 54	Oberrather Str.	S 84
Benderstraße	T 4	Kalkumer Str.	S 56	Pariser Str.	T 85
Bernburger Str.	T 5	Klein-Eller	T 57	Pöhlenweg	T 86
Brehmstraße	S 10	Königsberger Str.	T 58	Rather Broich	S 87
Corneliusstraße	T 14	Krefelder Str.	T 61	Reichswaldallee	S 89
Danziger Str.	S 16	Lindemannstraße	T 63	Reisholzer Str.	T 90
Deutzer Str.	T 17	Ludenberger Str.	S 65	Rennbahnstraße	S 91
Düsseldorfer Str.	ST 18	Luegallee	T 66	Sandträgerweg	T 92
Eckenerstraße	S 20	Lütticher Str.	S 67	Südlicher Zubringer	T 99
Fahneburgstraße	S 26	Merowingerstraße	T 71	Ulmenstraße	S 10
Graf-Adolf-Str.	T 34	Münchener Str.	T 72	Unterrather Str.	S 10
Grafenberger Allee	T 35	Münsterstraße	S 74	Vennhauser Allee	T 10
Hamborner Str.	S 36	Niederlöricker Str.	S 75	Werdener Straße	T 10
Heerdter Landstraße	T 40	Niederrheinstraße	S 76	Werstener Str.	T 11
Heidelberger Str.	T 41	Oberkasseler Brücke	T 82	Westfalenstraße	S 11
Heinrich-Ehrhardt-Str.	S 42				

Central garni, Luisenstr. 42 (D 1), ✆ 37 90 01, Telex 8582145, Fax 379094 – |♦| TV ☎. AE ⓓ E VISA EZ **y**
20. Dez.- 1. Jan. geschl. – **72 Z : 123 B** 175/250 - 250/450 Fb.

Bellevue garni, Luisenstr. 98 (D 1), ✆ 37 70 71, Fax 377076 – |♦| TV ☎ 🚗. AE ⓓ E VISA. 🐕 EZ **z**
23. Dez.- 4. Jan. geschl. – **52 Z : 65 B** 195/215 - 215/265 Fb.

Terminus garni, Am Wehrhahn 81 (D 1), ✆ 35 05 91, Telex 8586576, Fax 358350, ≘s, 🏊 – |♦| TV ☎. AE E VISA BV **f**
23. Dez.- 4. Okt. geschl. – **44 Z : 66 B** 150/300 - 200/370 Fb.

Fürstenhof garni, Fürstenplatz 3 (D 1), ✆ 37 05 45, Telex 8586540, Fax 379062, ≘s – |♦| ⇔ TV ☎. AE ⓓ E VISA BX **e**
24. Dez.- 2. Jan. geschl. – **43 Z : 75 B** 210 - 285 Fb.

City garni, Bismarckstr. 73 (D 1), ✆ 36 50 23, Telex 8587362, Fax 365343 – |♦| TV ☎. AE ⓓ E VISA EZ **k**
23. Dez.- 2. Jan. geschl. – **54 Z : 85 B** 130/200 - 180/300.

Cornelius, Corneliusstr. 82 (D 1), ✆ 38 20 55, Telex 8587385, Fax 382050, ≘s – |♦| TV ☎ Ⓟ – 🎤 25. AE ⓓ E VISA BX **s**
20. Dez.- 7. Jan. geschl. – **48 Z : 70 B** 130/180 - 180/230 Fb.

Prinz Anton garni, Karl-Anton-Str. 11 (D 1), ✆ 35 20 00, Fax 362010 – |♦| TV ☎. AE ⓓ E VISA BV **k**
23. Dez.- 2. Jan. geschl. – **40 Z : 66 B** 110/165 - 160/285 Fb.

Residenz garni, Worringer Str. 88 (D 1), ✆ 36 08 54, Telex 8587897, Fax 364676 – |♦| TV ☎. AE ⓓ E VISA BV **z**
34 Z : 65 B 130/260 - 175/295 Fb.

Schumacher garni, Worringer Str. 55 (D 1), ✆ 36 78 50, Fax 3678570, ≘s – |♦| TV ☎ 🚗. AE ⓓ E VISA BV **d**
30 Z : 53 B 130/180 - 180/350 Fb.

Lancaster garni, Oststr. 166 (D 1), ✆ 35 10 66, Fax 162884 – |♦| TV ☎. AE ⓓ E VISA. 🐕
40 Z : 60 B 145/175 - 185/205 Fb. EZ **f**

Minerva garni, Cantadorstr. 13a (D 1), ✆ 35 09 61, Fax 356398 – |♦| TV ☎. AE ⓓ E VISA
15 Z : 24 B 95/165 - 135/225 Fb. BV **a**

Astor garni, Kurfürstenstr. 23 (D 1), ✆ 36 06 61, Telex 8586201, Fax 162597, ≘s – TV ☎. AE E BV **k**
22. Dez.- 5. Jan. geschl. – **16 Z : 25 B** 95/145 - 125/210.

Großer Kurfürst garni, Kurfürstenstr. 18 (D 1), ✆ 35 76 47, Telex 8586201, Fax 162597 – |♦| TV ☎. AE E BV **k**
22 Z : 38 B 95/145 - 125/210.

An der Oper garni, Heinrich-Heine-Allee 15 (D 1), ✆ 8 06 21, Fax 328656 – |♦| TV ☎. AE ⓓ E VISA DEY **b**
48 Z : 70 B 142/222 - 184/274 Fb.

Beyer garni, Scheurenstr. 57 (D 1), ✆ 37 09 91, Fax 370993 – |♦| TV ☎. AE ⓓ E VISA
19 Z : 36 B 95/145 - 170/200. BX **c**

Wurms garni, Scheurenstr. 23 (D 1), ✆ 37 50 01, Telex 8584290, Fax 375003 – |♦| TV ☎. AE ⓓ E VISA EZ **g**
6.- 26. Juli und 7. Dez.- 3. Jan.geschl. – **28 Z : 41 B** 95/150 - 150/240.

Intercity-Hotel Ibis garni, Konrad-Adenauer-Platz 14 (D 1), ✆ 1 67 20, Telex 8588913, Fax 1672101 – |♦| TV ☎ ♿ – 🎤 35. AE ⓓ E VISA BV **u**
166 Z : 255 B 139/169 - 183 Fb.

Wieland garni, Wielandstr. 8 (D 1), ✆ 35 01 71, Fax 353330 – |♦| TV ☎. AE ⓓ E. 🐕
27 Z : 54 B 130/250 - 175/380. BV **e**

XXX ✿ **Victorian,** Königstr. 3a (1. Etage) (D 1), ✆ 32 02 22, Fax 131013 – ▤. AE ⓓ E VISA. 🐕
Sonn- und Feiertage geschl. – **M** (Tischbestellung erforderlich) a la carte 70/105 – **Lounge** *(Mitte Juli - Aug. Sonn- und Feiertage geschl.)* **M** a la carte 38/82. EZ **c**
Spez. Gänseleberterrine, Kaisergranat mit Paprikasauce und Safrannudeln, Rehfilet in Wirsing gebraten (Sept.- Nov.).

XXX **La Scala** (Italienische Küche), Königsallee 14 (1. Etage, |♦|) (D 1), ✆ 32 68 32 – AE ⓓ E VISA 🐕 EY **y**
Sonntag nur Abendessen, außerhalb der Messezeiten Sonntag geschl. – **M** a la carte 53/89.

XXX **Pinguin,** Flingerstr. 9 (1.Etage), ✆ 32 43 52, Fax 324513 – AE DZ **e**
nur Abendessen, 5.- 26. Aug. und außerhalb der Messezeiten Sonntag - Montag geschl. – **M** 145/155 – **Bistro** *(auch Mittagessen)* **M** 49/65.

XX **La Terrazza** (Italienische Küche), Königsallee 30 (Kö-Center, 2. Etage, |♦|) (D 1), ✆ 32 75 40, Fax 320975 – AE EZ **v**
außerhalb der Messezeiten Sonn- und Feiertage geschl. – **M** (Tischbestellung ratsam) a la carte 62/88.

XX **Mövenpick - Café des Artistes,** Königsallee 60 (Kö-Galerie) (D 1), ✆ 32 03 14, Fax 328058 – ▤. AE ⓓ E VISA EZ **h**
9.- 30. Aug. Betriebsferien, Juli - Aug. Sonntag geschl. – **M** a la carte 54/90 – **Locanda Ticinese** **M** a la carte 35/61.

A
B
U
V
X
ADAC
GOLZHEIM
Kaiserswerther Str.
Uerdinger Str.
Johannstr.
Heinrich-Ehrhardt Str.
Rather Straße
Graßhofstr.
Münsterstr.
Brehmstr.
Roßstr.
Kennedydamm
Ulmenstr.
DERENDORF
S-BAHN DERENDORF
THEODOR-HEUSS-BRÜCKE
Cecilienallee
KÖLN-DÜSSELDORFER
RHEIN-PARK
Collenbachstr.
Gruner-str.
EIS STADI
Klever Straße
Klever Str.
Münsterstr.
Moltkestr.
Kaiser-Friedrich-Ring
Nordstr.
Prinz-Georg-Str.
Rethelstr.
OBERKASSEL
RHEIN
STADTHALLE
Duisburger Str.
Kaiserstr.
Bagelstr.
Schinkelstr.
Schumannstr.
Schloßufer
Hofgartenufer
TONHALLE
Luegallee
HOFGARTEN
Jägerhofstr.
Adlerstr.
Grafenberger Allee
OBERKASSELER BRÜCKE
Kaiser-Wilhelm-Ring
Birkenstr.
Ackerstr.
SCHOSSTURM
ALTSTADT
Kölner Str.
Königsallee
Berliner Allee
Worringer Str.
RHEINKNIEBRÜCKE
Karlstr.
HAUPTBAHNHOF
HAFEN
Stromstr.
Graf-Adolf-Str.
Eisenstr.
Hüttenstr.
Ellerstr.
Reichsstr.
Fürstenwall
Corneliusstr.
Lessingplatz
Elisabethstr.
Kronprinzenstr.
Kruppstraße
Bilker Allee
Oberbilker Allee
S-BAHN D.-VÖLKLINGER STR.
Bachstr.
S-BAHN D.-BILK
Volmerswerther Straße
Aachener Straße
Merowingerstr.
Hennekamp
Mecumstraße
VOLKSGARTEN
Völklinger Str.
Südring
Auf'm Hennekamp
Stoffeler Kapellenweg

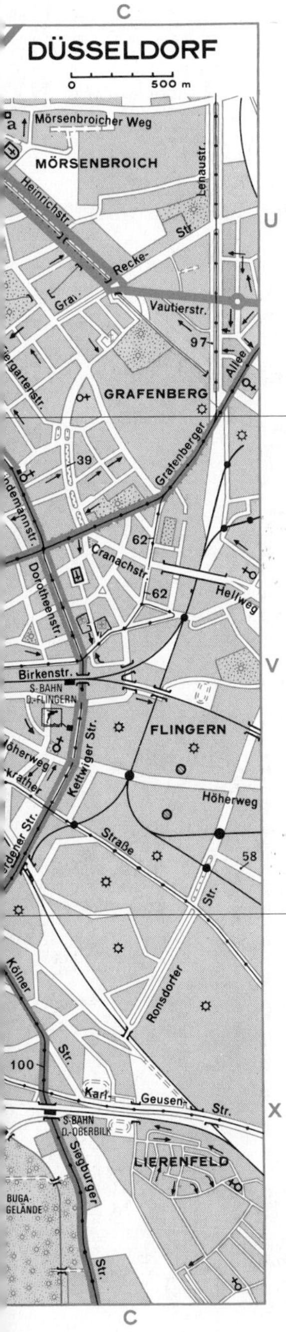
C
DÜSSELDORF
0
500 m
Mörsenbroicher Weg
MÖRSENBROICH
Heinrichstr.
Lenaustr.
Str.
Recke-
Gra.
Vautierstr.
97
Allee
GRAFENBERG
Grafenberger
U
39
62
Cranachstr.
Dorotheenstr.
62
Hellweg
Birkenstr.
S-BAHN D.-FLINGERN
FLINGERN
Kettwiger Str.
Höherweg
Straße
58
Str.
V
Kölner
Ronsdorfer
Str.
100
Karl-
Geusen-
Str.
S-BAHN D.-OBERBILK
Siegburger
LIERENFELD
BUGA-GELÄNDE
Str.
X
C

DÜSSELDORF

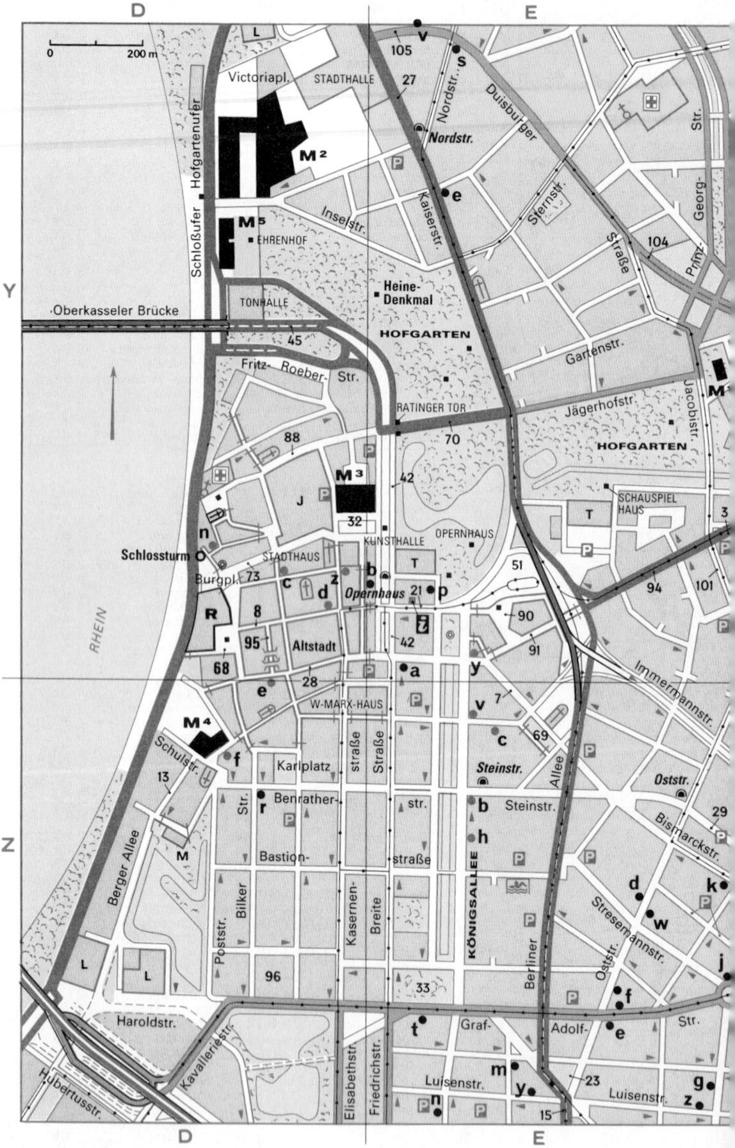

D
E
Y
Z
0
200 m
Victoriapl.
STADTHALLE
M²
M⁵
EHRENHOF
Schloßufer
Hofgartenufer
TONHALLE
Oberkasseler Brücke
Heine-Denkmal
HOFGARTEN
Fritz-Roeber-Str.
RATINGER TOR
Nordstr.
Kaiserstr.
Inselstr.
Duisburger Straße
Sternstr.
Georg-
Prinz-
Gartenstr.
Jägerhofstr.
Jacobistr.
SCHAUSPIEL HAUS
M³
KUNSTHALLE
OPERNHAUS
Schlossturm
STADTHAUS
Burgpl.
Opernhaus
Altstadt
RHEIN
W-MARX-HAUS
M⁴
Schulstr.
Karlplatz
Benrather-str.
Bastion-straße
Steinstr.
Oststr.
Bismarckstr.
Immermannstr.
Stresemannstr.
KÖNIGSALLEE
Berliner Allee
Berger Allee
Bilker Str.
Poststr.
Kasernen-straße
Breite Straße
Haroldstr.
Kavalleriestr.
Hubertusstr.
Elisabethstr.
Friedrichstr.
Graf-Adolf-Str.
Luisenstr.

XX **Tse-Yang** (Chinesisches Restaurant), Immermannstr. 65 (Immermannhof, Eingang Konrad-Adenauer-Platz) (D 1), ℘ 36 90 20 – AE ⓓ E VISA BV **v**
M a la carte 42/65.

XX **Weinhaus Tante Anna** (ehemalige Hauskapelle a.d.J. 1593), Andreasstr. 2 (D 1), ℘ 13 11 63, Fax 132974, bemerkenswerte Weinkarte, « Antike Bilder und Möbel » – AE ⓓ E VISA DY **c**
nur Abendessen, außerhalb der Messezeiten Sonntag geschl. – **M** (Tischbestellung ratsam) a la carte 50/84.

XX **Nippon Kan** (Japanisches Restaurant), Immermannstr. 35 (D 1), ℘ 35 31 35, Fax 3613625 – AE ⓓ E VISA BV **g**
M (Tischbestellung ratsam) a la carte 34/76.

XX **Daitokai** (Japanisches Restaurant), Mutter-Ey-Str. 1 (D 1), ℘ 32 50 54, Fax 325056 – AE ⓓ E VISA. DY **z**
außerhalb der Messezeiten Sonntag geschl. – **M** (Tischbestellung ratsam) a la carte 52/87.

XX Das kleine Restaurant, Düsselthaler Str. 22, ℘ 35 19 44 BV **b**

Brauerei-Gaststätten :

X **Zum Schiffchen,** Hafenstr. 5 (D 1), ℘ 13 24 22, Fax 134596 – AE ⓓ E VISA DZ **f**
Weihnachten - Neujahr, sowie Sonn- und Feiertage geschl. – **M** a la carte 31/62.

X Frankenheim, Wielandstr. 14 (D 1), ℘ 35 14 47, Biergarten BV **e**

X Im Goldenen Ring, Burgplatz 21 (D 1), ℘ 13 31 61, Fax 324780, Biergarten DY **n**

X **Benrather Hof,** Steinstr. 1 (D 1), ℘ 32 52 18, Fax 132957, EZ **b**
Weihnachten und Neujahr geschl. – **M** a la carte 27/56.

X **Im Goldenen Kessel,** Bolker Str. 44 (D 1), ℘ 32 60 07 DY **d**
M a la carte 29/51.

In Düsseldorf 31-Angermund ① : 15 km über die B 8 :

Haus Litzbrück, Bahnhofstr. 33, ℘ (0203) 7 44 81, Fax 74485, « Gartenterrasse », – TV ☎ P – 25/50. AE ⓓ E VISA.
27. Dez.- 8. Jan. geschl. – **M** a la carte 48/77 – **21 Z : 32 B** 155/225 - 225/320.

In Düsseldorf 13-Benrath über Kölner Landstr. T :

Rheinterrasse, Benrather Schloßufer 39, ℘ 71 10 70, Telex 8582459, Fax 7110770, « Terrasse mit ≤ » – TV ☎ P – 25. AE ⓓ E VISA
M a la carte 42/69 – **42 Z : 90 B** 135/195 - 195/245 Fb.

Waldesruh, Am Wald 6, ℘ 71 60 08, Fax 712845 – ☎. E VISA
M *(nur Abendessen, Freitag - Sonntag geschl.)* a la carte 27/50 – **35 Z : 42 B** 75/95 - 140/150.

XX **Lignano** (Italienische Küche), Hildener Str. 43, ℘ 71 19 36 – AE ⓓ E VISA
Samstag bis 18 Uhr, Sonntag und Juli - Aug. 3 Wochen geschl. – **M** a la carte 55/80.

XX **Guiseppe Verdi** (Italienische Küche), Paulistr. 5, ℘ 7 18 49 44 – AE ⓓ E VISA
Montag, 1.- 13. Jan. und 8.- 24. Juni geschl. – **M** a la carte 50/80.

XX Pigage (Italienische Küche), Benrather Schloßallee 28, ℘ 71 40 66.

In Düsseldorf 1-Bilk :

Grand Hotel garni, Varnhagenstr. 37 (D 1), ℘ 31 08 00, Telex 8584072, Fax 316667, – Zim TV ☎ – 30. AE ⓓ E VISA BX **a**
70 Z : 140 B 215/335 - 240/395 Fb.

Aida garni, Ubierstr. 36, ℘ 1 59 90, Fax 1599103, – TV ☎ P – 30. AE ⓓ E VISA. T **e**
93 Z : 137 B 138/228 - 188/268 Fb.

In Düsseldorf 30-Derendorf :

Lindner Hotel Rhein Residence, Kaiserswerther Str. 20, ℘ 4 99 90, Fax 4999499, Massage, – Zim TV – 30. AE ⓓ E VISA ABU **f**
23. Dez.- 1. Jan. geschl. – **M** *(Samstag geschl.)* a la carte 37/62 – **126 Z : 174 B** 223/373 - 286/396 Fb.

Saga Excelsior garni, Kapellstr. 1, ℘ 48 60 06, Telex 8584737, Fax 490242 – TV. EY **e**
65 Z : 100 B.

Michelangelo garni, Roßstr. 61, ℘ 48 01 01, Telex 8588649, Fax 467742 – TV ☎. AE ⓓ E VISA BU **a**
21. Dez.- 1. Jan. geschl. – **70 Z : 133 B** 130/240 - 160/260 Fb.

Consul garni, Kaiserswerther Str. 59, ℘ 4 92 00 78, Telex 8584624, Fax 4982577 – TV ☎. AE ⓓ E VISA AU **c**
29 Z : 65 B 137/180 - 172/240 Fb.

Gildors Hotel garni (mit Gästehaus), Collenbachstr. 51, ℘ 48 80 05, Telex 8584418, Fax 446329 – TV ☎ BU **n**
50 Z : 81 B.

Doria garni, Duisburger Str. 1a, 49 91 92, Fax 4910402 – AE E VISA
23. Dez.- 2. Jan. geschl. – **40 Z : 60 B** 95/190 - 140/235 Fb. EY

Imperial garni, Venloer Str.9, 4 92 19 08, Telex 8587187, Fax 4982778 – AE E VISA – *21. Dez.- 2. Jan. geschl.* – **40 Z : 60 B** 94/199 - 129/219 Fb. EY

National garni, Schwerinstr. 16, 49 90 62, Telex 8586597, Fax 494590, – AE E VISA –
20. Dez.- 5. Jan. geschl. – **32 Z : 64 B** 115/190 - 160/240 Fb. BU

Amalfi (Italienische Küche), Ulmenstr. 122, 43 38 09 – AE E BU
Sonntag und Aug. 3 Wochen geschl. – **M** a la carte 43/75.

Gatto Verde (Italienische Küche), Rheinbabenstr. 5, 46 18 17, – AE E VISA BU
Samstag bis 18 Uhr, Sonntag - Montag und Juli - Aug. 4 Wochen geschl. – **M** a la carte 46/65

In Düsseldorf 1-Düsseltal :

Haus am Zoo garni, Sybelstr. 21, 62 63 33, Fax 626536, « Garten », (geheizt), – AE E VISA – **22 Z : 37 B** 160/180 - 200/250 Fb. BU

In Düsseldorf 13-Eller :

Novotel Düsseldorf Süd, Am Schönenkamp 9, 74 10 92, Telex 8584374, Fax 745512, (geheizt), – Zim – 25/300. AE E VISA T
M a la carte 36/66 – **120 Z : 240 B** 173 - 205 Fb.

In Düsseldorf 12-Gerresheim :

Gerricus garni, Schönaustr. 15, 28 20 21, Fax 283189 – AE E VISA – **27 Z : 51 B** 145/235 - 195/285 Fb. T

In Düsseldorf 30-Golzheim :

Inter-Continental, Karl-Arnold-Platz 5, 4 55 30, Telex 8584601, Fax 4553110, Massage, – 25/400. AE E VISA. Rest AU
Restaurants : **Les Continents** *(Samstag bis 18 Uhr, Sonntag und Juli - Aug. 4 Wochen geschl.)* **M** a la carte 72/94 – **Café de la Paix M** a la carte 47/71 – **310 Z : 520 B** 284/544 - 363/613 Fb – 20 Appart. 1032/1514.

Düsseldorf Hilton, Georg-Glock-Str. 20, 4 37 70, Telex 8584376, Fax 4377791, Massageabteilung, – Zim – 25/1000. AE E VISA. Rest AU
Restaurants : **San Francisco** *(nur Abendessen, Montag und Juli geschl.)* **M** a la carte 67/98 – **Hofgarten M** a la carte 48/70 – **374 Z : 560 B** 287/462 - 369/564 Fb – 9 Appart. 850/1700.

Golzheimer Krug , Karl-Kleppe-Str. 20, 43 44 53, Telex 8588919, Fax 453299, – 40. AE E VISA AU
M *(Montag geschl.)* a la carte 45/71 – **33 Z : 62 B** 170/320 - 200/320 Fb.

Rheinpark garni, Bankstr. 13, 49 91 86 – . AU
29 Z : 41 B 60/115 - 98/130 Fb.

Fischer-Stuben Mulfinger, Rotterdamer Str. 15, 43 26 12, « Gartenterrasse » – AE E
Samstag geschl. – **M** (Tischbestellung ratsam) a la carte 47/77. AU

Rosati (Italienische Küche), Felix-Klein-Str. 1, 4 36 05 03, Fax 452963, – . AE E VISA AU
Samstag bis 18 Uhr und Sonntag geschl. – **M** (Tischbestellung ratsam) a la carte 62/79 – **Rosati due M** a la carte 47/65.

In Düsseldorf 12-Grafenberg :

Rolandsburg , Rennbahnstr. 2, 61 00 90, Fax 6100943, – – 25/50. AE E VISA S
M a la carte 61/91 – **59 Z : 80 B** 210/290 - 350/490 Fb.

In Düsseldorf 13-Holthausen :

Schumann garni, Bonner Str. 15, 79 11 16, Fax 792439 – AE E VISA
38 Z : 67 B 135/185 - 175/245 Fb. über Kölner Landstr. T

Dase garni, Bonner Str. 7 (Eingang Am Langen Weiher), 79 90 71, Fax 7900088 – AE E VISA. T
17.- 31. Juli und 24. Dez.- Anfang Jan. geschl. – **50 Z : 54 B** 120/150 - 180/200 Fb.

In Düsseldorf 31-Kaiserswerth über ① und die B 8 :

Im Schiffchen (Französische Küche), Kaiserswerther Markt 9 (1. Etage), 40 10 50, Fax 403667 – AE E VISA – *nur Abendessen, Sonn- und Feiertage geschl.* –
M *(Tischbestellung erforderlich)* 154/186 und a la carte 112/152
Spez. Bretonischer Hummer in Kamillenblüten gedämpft, Kalbsbries-Canelloni in Trüffelbuttersauce, Plinsen mit Quarkschaum.

Aalschokker (Deutsche Küche), Kaiserswerther Markt 9 (Erdgeschoß), 40 39 48, Fax 403667 – AE E VISA – *nur Abendessen, Sonn- und Feiertage geschl.* –
M (Tischbestellung ratsam) 135 und a la carte 64/100
Spez. Sülze von Schweinebacke mit grünen Linsen, "Himmel und Erde" mit Gänseleber, Schwarzwälder Kirschtorte "eigene Art".

In Düsseldorf 31-Kalkum ① : 10 km über die B 8 :

Landgasthof zum Schwarzbach, Edmund-Bertrams-Str. 43, ✆ 40 43 08, Biergarten – Ⓟ
Dienstag - Freitag nur Abendessen, 2.- 16. Jan. und Montag geschl. – **M** a la carte 54/75.

In Düsseldorf 11-Lörick :

Fischerhaus, Bonifatiusstr. 35, ✆ 59 20 07, Telex 8584449, Fax 593989 – TV ☎ Ⓟ. AE ⓓ E VISA S z
M : siehe Restaurant Hummerstübchen – **35 Z : 55 B** 189/229 - 229/298 Fb.

✿✿ **Hummerstübchen,** Bonifatiusstr. 35 (im Hotel Fischerhaus), ✆ 59 44 02 – Ⓟ. AE ⓓ E VISA – *Sonntag - Montag und Juli - Aug. 3 Wochen geschl.* – **M** (Tischbestellung ratsam) a la carte 81/105 S z
Spez. Hummersuppe, Gratin von Hummer mit Gemüseravioli, Lammrücken in der Kartoffelkruste.

In Düsseldorf 30-Lohausen :

Arabella Airport Hotel, am Flughafen, ✆ 4 17 30, Telex 8584612, Fax 4173707 – |‡| ⇆ Zim ▤ TV ♿ – 🏛 25/190. AE ⓓ E VISA S t
M a la carte 42/67 – **200 Z : 400 B** 187 - 206/388 Fb.

In Düsseldorf 30-Mörsenbroich :

Ramada-Renaissance-Hotel, Nördlicher Zubringer 6, ✆ 6 21 60, Telex 172114001, Fax 6216666, Massage, ≘s, ⛆ – |‡| ⇆ Zim ▤ TV ♿ ⇔ – 🏛 25/400. AE ⓓ E VISA. ✻ Rest – Restaurants : **Summertime M** a la carte 52/84 – **Café Orchidee M** a la carte 35/58 – **245 Z : 490 B** 271/406 - 337/512 Fb – 8 Appart. 802/1402. BU e

Merkur garni, Mörsenbroicher Weg 49, ✆ 63 40 31, Fax 622525 – TV ☎ Ⓟ. AE ⓓ E VISA
1.- 5. Jan. geschl. – **28 Z : 46 B** 95/150 - 150/290 Fb. CU a

In Düsseldorf 1-Oberbilk :

Lessing garni, Volksgartenstr. 6, ✆ 72 30 53, Telex 8587219, Fax 723050, ≘s – |‡| ⇆ TV ☎ ⇔. VISA – **30 Z : 60 B** 150/230 - 198/298 Fb. BX t

Berliner Hof garni, Ellerstr. 110, ✆ 78 47 44, Fax 786420 – |‡| TV ☎ ⇔. AE ⓓ E VISA
21 Z : 30 B 115/135 - 140/180. BX r

In Düsseldorf 11-Oberkassel :

Ramada, Am Seestern 16, ✆ 59 10 47, Telex 8585575, Fax 593569, ≘s, ⛆ – |‡| ⇆ Zim ▤ TV Ⓟ – 🏛 25/150. AE E VISA S a
M a la carte 49/80 – **222 Z : 390 B** 223/423 - 290/543 Fb – 6 Appart. 800/1300.

Hanseat garni, Belsenstr. 6, ✆ 57 50 69, Telex 8581997, Fax 589662, « Geschmackvolle Einrichtung » – TV ☎. AE ⓓ E VISA – **37 Z : 58 B** 150/200 - 220/280 Fb. T n

Arosa garni, Sonderburgstr. 48, ✆ 55 40 11, Telex 8582242, Fax 589073 – |‡| TV ☎ ⇔ Ⓟ. AE ⓓ E VISA T e
24. Dez.- 3. Jan. geschl. – **32 Z : 44 B** 120/200 - 170/250.

De' Medici (Italienische Küche), Amboßstr. 3, ✆ 59 41 51 – AE ⓓ E VISA S m
außerhalb der Messezeiten Samstag bis 18 Uhr sowie Sonn- und Feiertage geschl. – **M** (abends Tischbestellung ratsam) a la carte 50/77.

Edo (Japanische Restaurants : Teppan, Robata und Tatami), Am Seestern 3, ✆ 59 10 82, Fax 591394, « Japanische Gartenanlage » – ▤ Ⓟ. AE ⓓ E VISA. ✻ S r
Samstag bis 18 Uhr, Sonntag, über Ostern und 25. Dez.- 1. Jan. geschl. – **M** a la carte 50/90.

In Düsseldorf 30-Stockum :

Fashion Hotel, Am Hain 44, ✆ 43 41 82, Telex 8584452, Fax 434189 – TV ☎ Ⓟ. AE ⓓ E VISA S b
Restaurants : **Müller's Heideröschen M** a la carte 30/60 – **Sergio** (Italienische Küche) **M** a la carte 36/68 – **29 Z : 43 B** 190 - 240 Fb.

Schnellenburg, Rotterdamer Str. 120, ✆ 43 41 33 (Hotel) 4 38 04 38 (Rest.), Telex 8581828, Fax 4370976, ≤ – TV ☎ Ⓟ – 🏛 25/50. ⓓ E VISA S x
M a la carte 39/71 – **50 Z : 85 B** 160/230 - 200/440 Fb.

In Düsseldorf 12-Unterbach SO : 11 km über Tonbruchstraße T :

Landhotel Am Zault - Residenz, Gerresheimer Landstr. 40, ✆ 25 10 81, Telex 8581872, Fax 254718, ≘s – TV ☎ Ⓟ – 🏛 120. AE ⓓ E VISA
M *(Samstag bis 18 Uhr geschl.)* 28 /59 (mittags) und a la carte 58/89 – **61 Z : 104 B** 170/260 - 190/480 Fb.

In Düsseldorf 1-Unterbilk :

Savini, Stromstr. 47, ✆ 39 39 31, Fax 391719 – ⓓ E AX e
Sonntag - Montag sowie über Ostern und Juli - Aug. je 2 Wochen geschl. – **M** (Tischbestellung ratsam) a la carte 67/103.

Rheinturm Top 180 (rotierendes Restaurant in 172 m Höhe), Stromstr. 20, ✆ 84 85 80, Fax 325619, ✻ Düsseldorf und Rhein (|‡|, Gebühr DM 5,00) – ▤ ♿ – 🏛 60. AE ⓓ E VISA. ✻ – **M** a la carte 48/78. AV a

Breuer's Restaurant, Hammer Str. 38, ✆ 39 31 13, Fax 307979 – AE ⓓ E VISA ✻
Sonntag geschl. – **M** a la carte 40/72. AX b

In Düsseldorf 31-Wittlaer ① : 12 km über die B 8 :

XX **Brand's Jupp,** Kalkstr. 49, ✆ 40 40 49, « Gartenterrasse » – AE ⓓ E VISA
außer an Feiertagen Montag - Dienstag 18 Uhr geschl. – **M** a la carte 41/66.

In Meerbusch 1-Büderich **4005** - ✆ 02132 :

XXX **Landhaus Mönchenwerth,** Niederlöricker Str. 56 (an der Schiffsanlegestelle), ✆ 7 79 31
Fax 71899, ≤, « Gartenterrasse » – Ⓟ. AE ⓓ E VISA. ⚡ S
Samstag geschl. – **M** a la carte 56/96.

XXX **Landsknecht** mit Zim, Poststr. 70, ✆ 59 47, Fax 10978, ⛱ – TV ☎ Ⓟ. AE ⓓ E. ⚡
M *(Sept.- Juni Samstag bis 18 Uhr, Juli - Aug. Samstag ganztägig geschl.)* a la carte 50/9
– **8 Z : 14 B** 120/195 - 160/260. S

X **Lindenhof,** Dorfstr. 48, ✆ 26 64 S
nur Abendessen, Montag, 10.- 31. Juli und Weihnachten - Anfang Jan. geschl. – Men
(Tischbestellung erforderlich) a la carte 39/70.

In Meerbusch 3 - Langst-Kierst **4005** über Neußer Str. S :

⌂ **Haus Niederrhein** ⛴, Zur Rheinfähre, ✆ (02150) 28 39, Fax 4294, ≤, ⛱ – TV ☎ Ⓟ. A
ⓓ E VISA
M a la carte 56/84 – **12 Z : 24 B** 150/220 - 210/320 Fb -(Anbau mit 65 Z bis Sommer 1992

MICHELIN-REIFENWERKE KGaA. Niederlassung 4040 Neuß 1, Moselstr. 11, ✆(02101
4 90 61, Fax 49564.

DUISBURG **4100.** Nordrhein-Westfalen 411 412 D 12, 987 ⑬ – 535 200 Ew – Höhe 33 m
✆ 0203.

Sehenswert : Hafen ★ (Rundfahrt★) AZ.

⛳ Großenbaumer Allee 240 (AZ), ✆ 72 14 69.

ℹ Stadtinformation, Königstr. 53, ✆ 2 83 21 89, Fax 339421.

ADAC, Claubergstr. 4, ✆ 99 21 16 66, Notruf ✆ 1 92 11.

♦Düsseldorf 29 ③ – ♦Essen 20 ① – Nijmegen 107 ①.

Stadtpläne siehe nächste Seiten

Steigenberger Duisburger Hof, Neckarstr. 2, ✆ 33 10 21, Telex 855750, Fax 339847
⇅ ⚡ Zim TV Ⓟ – 🏛 25/170. AE ⓓ E VISA. ⚡ Rest CX
M a la carte 56/90 – **111 Z : 133 B** 185/285 - 225/550 Fb – 3 Appart. 850.

Stadt Duisburg, Düsseldorfer Str. 124, ✆ 28 70 85, Telex 855888, Fax 287754, ≘s – ⇅ TV
☎ Ⓟ. ⚡ Rest CY
(nur Abendessen) – **35 Z : 60 B** Fb.

Plaza, Düsseldorfer Str. 54, ✆ 2 82 20, Fax 2822300, ≘s, ⛆ – ⇅ ⚡ Zim TV ☎ ♿
– 🏛 25/60. AE ⓓ E VISA. ⚡ Rest CY
M *(nur Abendessen, Samstag - Sonntag und Juli - Aug. geschl.)* a la carte 30/66 – **75 Z : 130**
149/189 - 199/249 Fb – 3 Appart. 850.

Novotel, Landfermannstr. 20, ✆ 30 00 30, Telex 8551638, Fax 338689, ≘s, ⛆ – ⇅ ⚡ Zim
▤ TV ☎ ♿ – 🏛 25/200. AE ⓓ E VISA CX
M a la carte 34/57 – **162 Z : 324 B** 165 - 193 Fb.

Conti garni, Düsseldorfer Str. 131, ✆ 28 70 05, Telex 855888, Fax 287754, ≘s – ⇅ TV ☎
AE ⓓ E VISA CY
40 Z : 70 B 139/189 - 179/229 Fb.

Regent und Haus Hammerstein garni, Dellplatz 1, ✆ 29 59 00, Fax 22288, ≘s, ⛆ – ⇅
TV ☎. AE E VISA BY
63 Z : 80 B 98/179 - 129/289 Fb.

Haus Reinhard garni, Fuldastr. 31, ✆ 33 13 16, Fax 330175, Garten, ≘s – TV ☎. ⚡ CX
19 Z : 30 B Fb.

Haus Friederichs, Neudorfer Str. 33, ✆ 35 57 37 – ⇅ TV ☎ CY
M *(nur Abendessen, Sonntag und Aug. geschl.)* a la carte 30/54 – **34 Z : 46 B** 85/95 - 140 Fb

Intercity Hotel Ibis (im Hauptbahnhof), Mercatorstr. 15, ✆ 6 06 61, Telex 825644
Fax 680778, ⛱ – ⇅ TV ☎ ♿ Ⓟ – 🏛 30. AE ⓓ E VISA CY
M a la carte 27/50 – **95 Z : 143 B** 115 - 159 Fb.

XX ✿ **La Provence,** Hohe Str. 29, ✆ 2 44 53 – ⚡ CX
Samstag bis 18 Uhr, Sonn- und Feiertage sowie 12.- 26. April, Juli - Aug. 2 Wochen und 23 Dez.- 7. Jan. geschl. – **M** (Tischbestellung ratsam) a la carte 80/110
Spez. Steckrübensuppe mit Jacobsmuscheln (Winter), Steinbutt auf Linsen, Bluttäubchen mi Waldpilzen.

XX **Mercatorhalle,** König-Heinrich-Platz, ✆ 33 20 66, ⛱ – ▤ – 🏛 25/200. AE ⓓ E VISA
M *(auch vegetarische Gerichte)* a la carte 38/70. CX

XX **Rôtisserie Laterne im Klöcknerhaus,** Mülheimer Str. 38, ✆ 2 12 98, ⛱ – ▤ Ⓟ
🏛 25/60 CX
Samstag sowie Sonn- und Feiertage geschl. – **M** a la carte 34/73.

DUISBURG

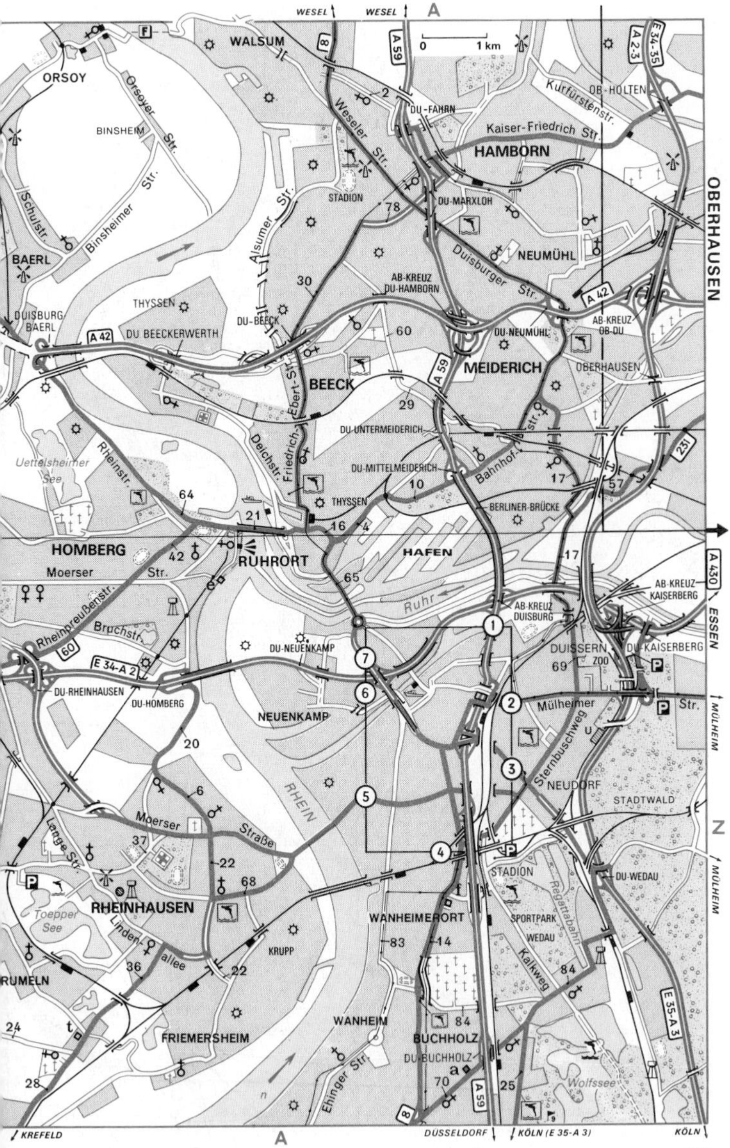

WESEL
WESEL
A
0
1 km
WALSUM
ORSOY
BINSHEIM
Orsoyer Str.
Binsheimer Str.
Schulstr.
BAERL
DUISBURG-BAERL
THYSSEN
A 42
DU BEECKERWERTH
Alsumer Str.
Weseler Str.
STADION
DU-FAHRN
Kurfürstenstr.
OB-HOLTEN
Kaiser-Friedrich Str.
HAMBORN
DU-MARXLOH
NEUMÜHL
Duisburger Str.
AB-KREUZ DU-HAMBORN
DU-BEECK
BEECK
MEIDERICH
DU-NEUMÜHL
AB-KREUZ OB-DU
OBERHAUSEN
OBERHAUSEN
A 59
DU-UNTERMEIDERICH
DU-MITTELMEIDERICH
Bahnhof-str.
BERLINER-BRÜCKE
Friedrich-Ebert-Str.
Deichstr.
Rheinstr.
Uettelsheimer See
THYSSEN
HOMBERG
RUHRORT
HAFEN
Ruhr
Moerser Str.
Rheinpreußenstr.
Bruchstr.
AB-KREUZ DUISBURG
AB-KREUZ KAISERBERG
A 430
ESSEN
DUISSERN
ZOO
DU-KAISERBERG
DU-NEUENKAMP
NEUENKAMP
E 34-A 2
DU-RHEINHAUSEN
DU-HOMBERG
Mülheimer Str.
MÜLHEIM
Sternbuschweg
NEUDORF
STADTWALD
RHEIN
Moerser Straße
Lange Str.
RHEINHAUSEN
Toepper See
Linden-allee
KRUPP
STADION
Regattabahn
SPORTPARK WEDAU
DU-WEDAU
WANHEIMERORT
Kalkweg
RUMELN
FRIEMERSHEIM
WANHEIM
BUCHHOLZ
DU-BUCHHOLZ
Ehinger Str.
Wolfssee
E 35-A 3
KREFELD
A
DÜSSELDORF
KÖLN (E 35-A 3)
KÖLN

Beekstraße . . . . BX
Königstraße CX
Münzstraße . . . . BX 51
Sonnenwall . . . . BX 74

Alter Markt . . . . BX 3
Brückenplatz . . . . BY 8
Burgplatz . . . . BX 12
Dellplatz . . . . BY 13
Friedrich-Wilhelm-Straße . . CXY 23
Gutenbergstraße . . . . CX 27
Köhnenstraße . . . . CX 31

König-Heinrich-Platz . . . . . . CX 32
Koloniestraße . . . . CY 33
Kommandantenstraße . . . . . CY 34
Kuhlenwall . . . . CX 35
Kuhstraße . . . . BX 38
Kuhtor . . . . CX 39
Landfermannstraße . . . . . . CX 40
Mainstraße . . . . CX 43
Marientor . . . . BXY 44
Max-Peters-Straße . . . . BX 46
Menzelstraße . . . . BCY 48
Mülheimer Straße . . . . CX 50

Musfeldstraße . . . . BY 5
Neckarstraße . . . . CX 5
Neue Fruchtstraße . . . . . . CY 5
Neue Marktstraße . . . . CY 5
Oranienstraße . . . . CX 5
Papendelle . . . . BY 5
Portsmouthplatz . . . . CY 6
Siegstraße . . . . CX 7
Steinsche Gasse . . . . BX 7
Universitätsstraße . . . . . . BX 7
Unterstraße . . . . BX 8
Wupperstraße . . . . CX 8

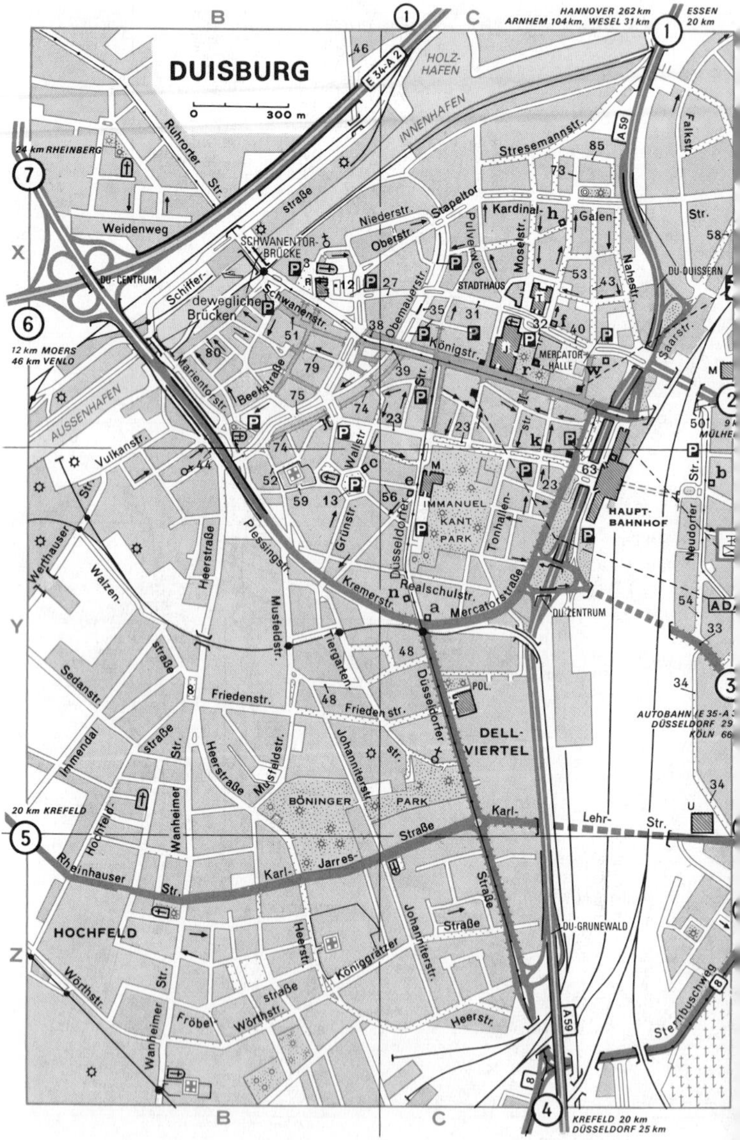

In Duisburg 28-Buchholz :

XX **Arlberger Hof,** Arlberger Str. 38, ✆ 70 18 79 – AE ⓓ E VISA AZ a
Samstag bis 18 Uhr, Sonn- und Feiertage sowie Juli - Aug. 3 Wochen geschl. – **M** 59 /118.

In Duisburg 17 - Homberg :

Ampurias, Königstr. 24, ✆ (02066) 1 20 05, Fax 12007, ≤, – TV ☎ P. AE ⓓ E VISA
M a la carte 45/75 – **12 Z : 24 B** 170 - 220 Fb. AZ e

In Duisburg 14-Rheinhausen-Mühlenberg :

Mühlenberger Hof, Hohenbudberger Str. 88, ✆ (02065) 45 65, Fax 4342, Biergarten, « Rustikal-gemütliche Einrichtung » – TV ☎ P. AE E VISA AZ t
M *(Montag und Mitte Sept.- Anfang Okt. geschl.)* a la carte 36/60 – **11 Z : 16 B** 60/90 - 120/150.

In Duisburg 1-Wanheimerort :

Am Sportpark garni, Buchholzstr. 27, ✆ 77 03 40, Fax 771250, – P. AE
ⓓ E VISA – **20 Z : 35 B** 75/85 - 99/110. AZ f

DUNNINGEN **7213.** Baden-Württemberg 413 I 22 – 5 000 Ew – Höhe 665 m – ☎ 07403.
Stuttgart 101 – Freudenstadt 49 – Villingen-Schwenningen 25.

Krone, Hauptstr. 8 (B 462), ✆ 2 75, Fax 8122 – TV ☎ P
Ende Jan.- Anfang Feb. und Ende Juni - Mitte Aug. geschl. – **M** *(Freitag ab 14 Uhr und Montag geschl.)* a la carte 24/46 – **10 Z : 15 B** 50 - 90.

DURACH Bayern siehe Kempten (Allgäu).

DURBACH **7601.** Baden-Württemberg 413 H 21, 242 ㉔ – 3 800 Ew – Höhe 216 m – Erholungsort – ☎ 0781 (Offenburg) – Verkehrsverein, Talstr. 36, ✆ 4 21 53, Fax 43989.
Stuttgart 148 – Baden-Baden 54 – Freudenstadt 51 – Offenburg 9.

Zum Ritter, Tal 1, ✆ 3 10 31, « Geschmackvolle Einrichtung », – TV
P – 30. AE ⓓ E VISA
M *(Montag bis 18 Uhr und Mitte Jan.- Mitte Feb. geschl.)* 66/130 und a la carte 52/95 – **50 Z : 90 B** 98/170 - 158/260 Fb – 8 Appart. 450
Spez. Gugelhupf von der Gänseleber, Gratinierter Steinbutt, Schwarzwälder Kirschauflauf mit Traminer-Weinschaum-Sauce (2 Pers.).

Rebstock, Halbgütle 30, ✆ 48 20, Fax 482160, – TV ☎ P – 40
Menu *(Montag, 14. Jan.- 11. Feb. und 4.- 11. Aug. geschl.)* a la carte 34/75 – **37 Z : 70 B** 60/110 - 113/210 Fb – ½ P 87/135.

DURMERSHEIM **7552.** Baden-Württemberg 413 H 20 – 11 500 Ew – Höhe 119 m – ☎ 07245.
Stuttgart 91 – ♦Karlsruhe 14 – Rastatt 10.

X **Wolf** mit Zim, Hauptstr. 55, ✆ 22 20, Fax 2220 – TV ☎. AE ⓓ E VISA
M a la carte 24/52 – **15 Z : 30 B** 65/85 - 100/130 Fb.

EBELSBACH Bayern siehe Eltmann.

EBENSFELD **8629.** Bayern 413 P 16 – 5 200 Ew – Höhe 254 m – ☎ 09573.
München 251 – ♦ Bamberg 21 – Bayreuth 67 – Coburg 29 – Hof 88.

Pension Veitsberg garni, Prächtinger Str. 14, ✆ 64 00, – P
11 Z : 18 B 35/40 - 58/70 – 2 Fewo 60.

EBERBACH AM NECKAR **6930.** Baden-Württemberg 412 413 J 18, 987 ㉕ – 15 000 Ew – Höhe 131 m – Heilquellen-Kurbetrieb – ☎ 06271.
Kurverwaltung, Im Kurzentrum, Kellereistr. 32, ✆ 48 99, Fax 1319.
Stuttgart 107 – Heidelberg 33 – Heilbronn 53 – ♦Würzburg 111.

Karpfen (Fassade mit Fresken der Stadtgeschichte), Am alten Markt 1, ✆ 7 10 15 – P
52 Z : 90 B.

XXX **Altes Badhaus - Gourmet Restaurant** mit Zim, Am Lindenplatz 1, ✆ 7 10 57, Fax 7671, « Fachwerkhaus a.d. 15. Jh. mit moderner Einrichtung » – TV ☎. AE ⓓ E VISA
M *(nur Abendessen, Sonntag - Montag und Juli - Aug. 2 Wochen geschl.)* (bemerkenswerte Weinkarte, Tischbestellung ratsam) 98/170 und a la carte 82/112 – **Badstube** *(auch Mittagessen)* **M** 45/65 – **14 Z : 25 B** 105/165 - 195/265 Fb
Spez. Mousse vom Reh in Traminergelee, Hummergratin mit Trüffeljus, Variation von Bitterschokolade.

Eberbach-Brombach siehe unter ***Hirschhorn am Neckar***

EBERMANNSTADT **8553.** Bayern 413 Q 17, 987 ㉖ – 5 800 Ew – Höhe 290 m – Erholungs…
– ☎ 09194.

Kanndorf 8, ✆ 48 27.

Verkehrsamt, im Bürgerhaus, Bahnhofstr. 7, ✆ 5 06 40, Fax 4525.

♦München 219 – ♦Bamberg 30 – Bayreuth 61 – ♦Nürnberg 48.

Schwanenbräu, Marktplatz 2, ✆ 2 09 – TV ☎ – 20/60
1.- 20. Jan. geschl. – **M** *(Sonntag ab 15 Uhr geschl.)* a la carte 19,50/44 – **13 Z : 26 B** 5…
100/110 – ½ P 62/72.

Resengörg (mit Gästehäusern), Hauptstr. 36, ✆ 81 74, Fax 4598, – ☎ – P
25/40. E VISA
M *(Juni - Aug. Montag bis 17 Uhr, Sept.- Mai Montag ganztägig und 10.- 21. Feb. geschl.)*
la carte 22/49 – **31 Z : 62 B** 50/52 - 90/95 – ½ P 63/70.

Sonne, Hauptstr. 29, ✆ 3 42, Fax 4548, –
32 Z : 60 B.

Haus Feuerstein garni, Georg-Wagner-Str. 15, ✆ 85 05,
14 Z : 27 B 37 - 64.

EBERN **8603.** Bayern 413 P 16, 987 ㉖ – 7 000 Ew – Höhe 269 m – ☎ 09531.

♦München 255 – ♦Bamberg 26 – Coburg 26 – Schweinfurt 56.

In Pfarrweisach **8601** NW : 7 km :

Goldener Adler, Lohrer Str. 2 (B 279), ✆ (09535) 2 69 – P
18 Z : 34 B.

EBERSBACH AN DER FILS **7333.** Baden-Württemberg 413 L 20 – 15 300 Ew – Höhe 292
– ☎ 07163.

♦Stuttgart 33 – Göppingen 10 – ♦Ulm (Donau) 70.

Rose, Hauptstr. 16 (B 10), ✆ 20 94, Fax 4636 – TV ☎
23 Z : 30 B Fb.

EBERSBERG **8017.** Bayern 413 S 22, 987 ㊲, 426 HI 4 – 8 700 Ew – Höhe 563 m – Erholungs…
– ☎ 08092.

Steinhöring, Zaißing 4 (NO : 8 km), ✆(08092) 2 01 23.

♦München 32 – Landshut 69 – Rosenheim 31.

Klostersee, Am Priel 3, ✆ 2 10 73, Fax 24375 – TV ☎ P – 30. AE E
6.- 21. Juni und 19. Dez.- 3. Jan. geschl. – **M** *(nur Abendessen, Samstag - Sonntag gesch…*
a la carte 31/51 – **23 Z : 34 B** 70/100 - 100/110 Fb.

Hölzerbräu, Sieghartstr. 1, ✆ 2 40 20, Fax 24031, Biergarten, – TV ☎ P
30. AE E VISA
M *(Montag und 15.- 30. Jan. geschl.)* a la carte 23/47 – **30 Z : 60 B** 72 - 119.

Ebersberger Hof, Sieghartstr. 16, ✆ 2 04 42, Fax 25927 – TV ☎ . AE E VISA
Jan. 1 Woche und Juli - Aug. 3 Wochen geschl. – **M** *(wochentags nur Abendessen, Dienst…*
geschl.) a la carte 33/62 – **11 Z : 20 B** 60/90 - 90/130.

In Ebersberg-Oberndorf O : 2,5 km :

Huber, Münchner Str. 11, ✆ 2 10 26, Fax 21442, , , – TV ☎ P – 25/6…
2.- 12. Jan. und 3.- 16. Aug. geschl. – **M** a la carte 29/55 – **54 Z : 90 B** 75/90 - 115/190 F…

EBERSBURG **6408.** Hessen 412 413 M 15 – 3 900 Ew – Höhe 382 m – ☎ 06656.

♦Wiesbaden 141 – ♦Frankfurt am Main 102 – Fulda 14 – Würzburg 93.

Im Ortsteil Weyhers :

Rhönhotel Alte Mühle, Altenmühle 4 (O : 2 km), ✆ (06656) 81 00, , Biergarten,
– TV P – 25. Rest
M *(Nov.- April Montag - Dienstag geschl.)* a la carte 22/34 – **30 Z : 70 B** 70 - 115/150 Fb – 2 Few…
120.

EBERSDORF **8624.** Bayern 413 Q 16 – 5 800 Ew – Höhe 303 m – ☎ 09562.

♦München 276 – ♦Bamberg 49 – Coburg 12 – Kronach 20.

Goldener Stern, Canter Str. 15, ✆ 10 61 – ☎ P
Anfang - Mitte Aug. geschl. – **M** *(Montag geschl.)* a la carte 17/41 – **24 Z : 30 B** 32/50 - 64/9…

EBERSTADT Baden-Württemberg siehe Weinsberg.

EBRACH **8612.** Bayern 413 O 17, 987 ㉖ – 1 950 Ew – Höhe 340 m – Erholungsort – ☎ 09553.

Sehenswert: Ehemaliges Kloster (Kirche★).

Verkehrsamt, Rathausplatz 4, ✆ 2 17.

München 248 – ♦ Bamberg 34 – ♦ Nürnberg 77 – ♦ Würzburg 47.

Klosterbräu, Marktplatz 4, ✆ 1 80, Fax 1888, – 25/80. AE E VISA
M a la carte 32/60 – **41 Z : 80 B** 79/129 - 129/179 Fb – 4 Appart. 290/360.

EBSDORFERGRUND Hessen siehe Marburg.

EBSTORF **3112.** Niedersachsen 411 O 7, 987 ⑮ ⑯ – 4 500 Ew – Höhe 50 m – Luftkurort – ☎ 05822.

Sehenswert: Ehemaliges Benediktiner Kloster (Nachbildung der Ebstorfer Weltkarte★).

Fremdenverkehrsverein, Rathaus, Hauptstr. 30, ✆ 29 96.

Hannover 108 – ♦Braunschweig 95 – ♦Hamburg 80 – Lüneburg 25.

Zur Tannenworth, Lutherstr. 5, ✆ 39 92,
6 Z : 12 B.

Zur Krone, Bahnhofstr. 8, ✆ 24 77
9 Z : 17 B.

When in a hurry use the Michelin Main Road Maps:
970 *Europe,* 980 *Greece,* 984 *Germany,* 985 *Scandinavia-Finland,*
986 *Great Britain and Ireland,* 987 *Germany-Austria-Benelux,* 988 *Italy,*
989 *France,* 990 *Spain-Portugal and* 991 *Yugoslavia.*

ECHING **8057.** Bayern 413 R 22 – 10 500 Ew – Höhe 460 m – ☎ 089 (München).

München 21 – Ingolstadt 59 – Landshut 55.

Olymp, Wielandstr. 3, ✆ 31 90 80, Telex 5214960, Fax 31908112, – 25/40. AE E VISA
M a la carte 35/81 – **93 Z : 129 B** 99/145 - 140/195 Fb – 10 Appart. 360.

Huberwirt, Untere Hauptstr. 1, ✆ 31 90 50, Fax 31905123 – 25/150. E
M *(Dienstag geschl.)* a la carte 24/48 – **55 Z : 94 B** 50/85 - 80/115 Fb.

ECKERNFÖRDE **2330.** Schleswig-Holstein 411 M 3, 987 ⑤ – 23 000 Ew – Höhe 5 m – Seebad – ☎ 04351.

Sehenswert: Nikolaikirche (Innenausstattung★).

Schloß Altenhof, ✆ (04351) 4 12 27.

Kurverwaltung, im Meerwasserwellenbad, ✆ 9 05 20, Fax 90521.

Kiel 28 – Rendsburg 30 – Schleswig 24.

Stadthotel garni, Am Exer 3, ✆ 60 44, Fax 6043, Zim – 25/70. AE E VISA
65 Z : 130 B 120/310 - 160/350 Fb.

Stadt Kiel garni, Kieler Str. 74, ✆ 50 27
18 Z : 31 B.

Ratskeller (Haus a.d.J. 1420), Rathausmarkt 8, ✆ 24 12,
Montag und 1.- 21. Jan. geschl. – **M** *(auch Diät)* a la carte 38/62.

In Gammelby **2330** NW : 5 km über die B 76 :

Gammelby, Dorfstr. 6, ✆ (04351) 88 10, Fax 88166, – 35. AE E VISA
M a la carte 30/64 – **32 Z : 65 B** 60/90 - 110/150 Fb.

In Groß Wittensee **2333** SW : 11,5 km, an der B 203 :

Schützenhof, Rendsburger Str. 2, ✆ (04356) 1 70, Fax 766, – 25/50. AE E VISA
M *(Mai - Sept. Donnerstag bis 17 Uhr, Okt.- April Donnerstag geschl.)* a la carte 27/51 – **45 Z : 90 B** 56/98 - 96/148 – 3 Fewo 84/200.

Landhaus Wolfskrug mit Zim, ✆ (04356) 3 54,
M *(Dienstag geschl.)* a la carte 40/59 – **11 Z : 18 B** 45/60 - 85 Fb.

ECKERSDORF Bayern siehe Bayreuth.

EDELSFELD Bayern siehe Königstein.

EDENKOBEN **6732.** Rheinland-Pfalz 412 413 H 19, 987 ㉔, 242 ⑧ – 6 000 Ew – Höhe 148 – Luftkurort – ☎ 06323.

Ausflugsziele : Schloß Ludwigshöhe (Max-Slevogt - Sammlung) W : 2 km – Rietburg : ≤ ★ W 2 km und Sessellift.

🅸 Verkehrsamt, Weinstr. 86, ✆ 32 34.

Mainz 101 – Landau in der Pfalz 11 – Neustadt an der Weinstraße 10.

Park Hotel ⑤, Unter dem Kloster 1, ✆ 70 45, Fax 7048, 🏞, ≘s, 🏊, 🌳 – |♿| 📺 ☎ 🅐 30
M *(Montag geschl.)* a la carte 32/60 ♁ – **26 Z : 51 B** 84 - 133 Fb.

✗ **Pfälzer Hof** mit Zim, Weinstr. 85, ✆ 29 41
13 Z : 21 B Fb.

In Weyher **6741** W : 2 km :

Gästehaus Siener ⑤ garni, Froehlichstr. 5, ✆ (06323) 44 67, 🌳 – 🅟
11 Z : 22 B 35/40 - 70.

EDERSEE Hessen siehe Waldeck.

EDESHEIM **6736.** Rheinland-Pfalz 412 413 H 19 – 2 400 Ew – Höhe 150 m – ☎ 06323 (Edenkoben).

Mainz 101 – Kaiserslautern 48 – ◆ Karlsruhe 46 – ◆ Mannheim 41.

✗ **Wein-Castell** mit Zim (Sandsteinbau a.d.J. 1840), Staatsstr. 21 (B 38), ✆ 23 92 – 📺 ☎ 🅟
Mitte Jan.- Anfang Feb. und Anfang - Mitte Aug. geschl. – **M** a la carte 26/65 ♁ – **10 Z : 22** 68 - 96.

EDIGER-ELLER **5591.** Rheinland-Pfalz 412 E 16 – 1 500 Ew – Höhe 92 m – ☎ 02675.

Mainz 118 – Cochem 8 – ◆Koblenz 61 – ◆Trier 70.

Im Ortsteil Ediger :

Weinhaus Feiden, Moselweinstr. 22, ✆ 2 59, Fax 1583, ≤, « Blumenterrasse » – 🚗 🅟 E
Feb. geschl. – **M** *(Donnerstag geschl.)* a la carte 26/54 ♁ – **17 Z : 31 B** 55/70 - 100.

Zum Löwen, Moselweinstr. 23, ✆ 2 08, Fax 214, ≤, 🏞 – 🚗 🅟. AE ⓓ E VISA
M a la carte 25/66 ♁ – **28 Z : 50 B** 45/80 - 90/150.

St. Georg, Moselweinstr. 10, ✆ 2 05, ≘s – AE ⓓ E VISA ✻ Rest
März - 15. Nov. – **M** a la carte 19/51 ♁ – **14 Z : 29 B** 45/60 - 80/120.

Im Ortsteil Eller :

Oster, Moselweinstr. 61, ✆ 2 32, Fax 1570 – 🚗 🅟. AE ⓓ E VISA. ✻ Zim
Mitte März - Mitte Nov. – **M** *(Dienstag bis 17 Uhr geschl.)* a la carte 23/40 ♁ – **14 Z : 28** 35/60 - 76/100 Fb.

EFRINGEN-KIRCHEN **7859.** Baden-Württemberg 413 F 24, 427 G 3, 216 ④ – 7 100 Ew – Höhe 266 m – ☎ 07628.

◆Stuttgart 254 – Basel 15 – ◆Freiburg im Breisgau 60 – Müllheim 28.

Zum alten Salzfaß (mit Gästehaus), Markgrafenstr. 26 (Efringen), ✆ 12 13, 🏞 – ⇍ Zim 🅟
2.- 27. Sept. geschl. – **M** *(Dienstag - Mittwoch 17 Uhr geschl.)* a la carte 26/60 ♁ – **20 Z : 36** 45/80 - 80/120.

In Efringen-Kirchen - Blansingen NW : 5 km :

✗✗ **Traube** ⑤ mit Zim, Am Dorfbrunnen, ✆ 82 90, Fax 8736, 🏞, « Ehem. Bauernhaus mit geschmackvoller Einrichtung » – 📺 ☎ 🅟. E
Ende Jan.- Anfang Feb. und Ende Juni - Anfang Juli geschl. – **M** *(Dienstag - Mittwoch 18 Uhr geschl.)* a la carte 44/78 ♁ – **7 Z : 14 B** 80/100 - 160/180.

In Efringen-Kirchen 4 - Egringen NO : 3 km :

✗ **Rebstock** mit Zim, Kanderner Str. 21, ✆ 3 70, 🏞 – 📺 ☎ 🅟
Feb.- März und Juli - Aug. jeweils 2 Wochen geschl. – **M** *(Montag - Dienstag geschl.)* a la carte 37/61 ♁ – **7 Z : 14 B** 60/75 - 90/120.

In Efringen-Kirchen - Maugenhard NO : 7 km :

Krone ⑤ (mit Gästehaus), Mappacher Str. 34, ✆ 3 22, 🏞, 🌳 – 🚗 🅟
Feb. 2 Wochen geschl. – **M** *(Dienstag - Mittwoch geschl.)* a la carte 26/54 ♁ – **25 Z : 50 B** 50/6 - 90/120 – 2 Fewo 70/160.

EGESTORF **2115.** Niedersachsen 411 412 N 7, 987 ⑮ – 2 200 Ew – Höhe 80 m – Erholungsort ☎ 04175.

Verkehrsverein, Barkhof 1 b, ✆ 15 16.

Hannover 107 – ♦Hamburg 46 – Lüneburg 29.

Zu den 8 Linden, Alte Dorfstr. 1, ✆ 4 50, Fax 743, – 25/100.
M a la carte 28/56 – **30 Z : 50 B** 60/110 - 100/180 – ½ P 66/106.

Soltau, Lübberstedter Str. 1, ✆ 4 80, Fax 1090, – 30
M a la carte 25/48 – **25 Z : 50 B** 50/70 - 80/120 Fb – 3 Fewo 100 – ½ P 58/88.

In Egestorf-Döhle SW : 5 km :

Aevermannshof, Dorfstr. 44, ✆ 14 54, Fax 1635, – 30.
M a la carte 31/51 – **20 Z : 37 B** 52/65 - 96/102 – ½ P 65/75.

Pension Auetal, Dorfstr. 42, ✆ 4 39,
(nur Abendessen für Hausgäste) – **20 Z : 34 B** 35/40 - 70/76.

In Egestorf-Sahrendorf NW : 3 km :

Studtmann's Gasthof, Im Sahrendorf 19, ✆ 5 03, Fax 1086, – 25/80. Zim
15. Jan.- 15. Feb. geschl. – **M** *(Dienstag geschl.)* a la carte 24/42 – **18 Z : 30 B** 50/65 - 90/96.

In Egestorf-Sudermühlen W : 2 km :

Hof Sudermühlen, ✆ 14 41, Fax 1201, – 25/60.
M a la carte 33/67 – **52 Z : 100 B** 85/120 - 120/200.

EGGENFELDEN **8330.** Bayern 413 V 21, 987 ㊳, 426 K 3 – 12 000 Ew – Höhe 415 m – ☎ 08721.

beim Bahnhof Kaismühle (O : 11 km über die B 388), ✆ (08561) 59 69.

ADAC, Lindhofstr. 10 (Krone-Einkaufszentrum), ✆ 68 26.

München 117 – Landshut 56 – Passau 72 – Salzburg 98 – Straubing 62.

Bachmeier, Schönauer Str. 2, ✆ 30 71, Fax 3075, Biergarten, – 25/50. Rest
M a la carte 37/66 – **42 Z : 65 B** 70/85 - 95/140 Fb.

Motel Waldhof garni, Michael-Sallinger-Weg 5, ✆ 28 58 –
20. Dez.- 10. Jan. geschl. – **18 Z : 23 B** 40/46 - 72/76.

EGGENSTEIN-LEOPOLDSHAFEN **7514.** Baden-Württemberg 412 413 I 19 – 13 000 Ew – Höhe 112 m – ☎ 0721 (Karlsruhe).

Stuttgart 97 – ♦ Karlsruhe 12 – ♦ Mannheim 63.

Im Ortsteil Eggenstein :

Goldener Anker, Hauptstr. 20, ✆ 70 60 29 –
14 Z : 19 B.

Zum Löwen mit Zim, Hauptstr. 51, ✆ 78 72 01 –
M *(Samstag bis 18 Uhr, Sonntag und Juli - Aug. 3 Wochen geschl.)* a la carte 47/82 – **11 Z : 14 B** 70 - 120.

EGGSTÄTT **8201.** Bayern 413 U 23 – 1 800 Ew – Höhe 539 m – Erholungsort – ☎ 08056.

München 99 – Rosenheim 23 – Traunstein 28.

Zur Linde (mit Gästehaus), Priener Str. 42, ✆ 2 47 –
5. Jan.- 20. Feb. und Nov.- Mitte Dez. geschl. – (Restaurant nur für Pensionsgäste) – **37 Z : 61 B** 45/50 - 90/100 Fb – ½ P 58/63.

Unterwirt-Widemann, Kirchplatz 8, ✆ 3 37, Zim
40 Z : 80 B – 4 Fewo.

EGLING Bayern siehe Wolfratshausen.

EGLOFFSTEIN **8551.** Bayern 413 Q 17, 987 ㉖ – 2 000 Ew – Höhe 350 m – Luftkurort – ☎ 09197.

München 201 – ♦Bamberg 45 – Bayreuth 52 – ♦Nürnberg 36.

Häfner, Badstr. 131, ✆ 5 35, Fax 8825, Rest
6. Jan.- 10. Feb. geschl. – **M** *(Dienstag geschl.)* a la carte 24/47 – **23 Z : 42 B** 50/80 - 100.

Zur Post, Talstr. 8, ✆ 5 55, Fax 8801,
8. Jan.- 20. Feb. geschl. – **M** *(Montag geschl.)* a la carte 20/52 – **27 Z : 48 B** 25/43 - 50/82 Fb – ½ P 39/55.

EHEKIRCHEN **8859.** Bayern 413 Q 21 – 3 200 Ew – Höhe 405 m – ☎ 08435.
♦München 54 – ♦Augsburg 40 – Ingolstadt 35.

Strixner Hof, Leitenweg 5 (Schönesberg), ☎ 18 77, – TV ☎ P. E
17. Feb.- 6. März geschl. – **M** *(Donnerstag geschl.)* a la carte 17/39 – **7 Z : 14 B** 58 - 8

EHINGEN **7930.** Baden-Württemberg 413 M 22, 987 ㊱ – 22 000 Ew – Höhe 511 m – ☎ 0739
Ausflugsziel : Obermarchtal : ehem. Kloster★ SW : 14 km.
♦Stuttgart 101 – Ravensburg 70 – ♦Ulm (Donau) 26.

Adler, Hauptstr. 116, ☎ 5 12 94, Fax 54921 – TV ☎ P. E
3.- 17. Aug. geschl. – **M** *(Montag geschl.)* a la carte 27/52 – **40 Z : 60 B** 60/75 - 95 115 Fb.

Gasthof zum Ochsen, Schulgasse 3, ☎ 5 35 68, Fax 52867, – TV ☎ – 25.
M *(Sonntag geschl.)* a la carte 30/69 – **19 Z : 29 B** 83/88 - 124/145 Fb.

Rose, Hauptstr. 10, ☎ 83 00
Montag und Juli - Aug. 3 Wochen geschl. – **M** a la carte 26/62.

In Ehingen 15-Kirchen W : 7,5 km :

Zum Hirsch, Osterstr. 3, ☎ (07393) 40 41, Fax 4101 – TV ☎ P
M *(Montag und 20. Juli - 10. Aug. geschl.)* a la carte 22/47 – **17 Z : 30 B** 60/75 - 95/130 F

EHLSCHEID **5451.** Rheinland-Pfalz 412 F 15 – 1 200 Ew – Höhe 360 m – Luftkurort – ☎ 0263
Kurverwaltung, Haus des Kurgastes, ☎ 22 07.
Mainz 118 – ♦Koblenz 35 – ♦Köln 73.

Haus Westerwald, Parkstr. 3, ☎ 26 26, Fax 2921, – ☎ P 25/60. E VISA
M a la carte 33/62 – **60 Z : 96 B** 55/75 - 99/125.

Park-Hotel, Parkstr. 17, ☎ 85 43, – ☎ P
14 Z : 23 B.

Müller-Krug, Parkstr. 15, ☎ 80 65, Fax 3569, – TV P. AE E
10. Jan.- 16. Feb. und 16. Nov.- 25. Dez. geschl. – **M** a la carte 24/53 – **24 Z : 38 B** 52/7 - 90/106 – ½ P 62/74.

EHRENBERG (RHÖN) **6414.** Hessen 412 413 N 15, 987 ㉕ ㉖ – 2 700 Ew – Höhe 577 m
Wintersport : 800/900 m 3 – ☎ 06683.
Verkehrsamt, Rathaus in Wüstensachsen, ☎ 12 06.
♦Wiesbaden 168 – ♦Frankfurt am Main 124 – Fulda 30 – ♦Nürnberg 171.

In Ehrenberg-Seiferts :

Zur Krone, Eisenacher Str. 24 (B 278), ☎ 2 38, Fax 1482 – P
10.- 31. Jan. geschl. – **M** *(Mittwoch geschl.)* a la carte 21/32 – **20 Z : 37 B** 37/42 - 56/6

EHRENKIRCHEN **7801.** Baden-Württemberg 413 G 23, 242 ㊱ – 5 600 Ew – Höhe 265 m
☎ 07633.
♦Stuttgart 221 – Basel 56 – ♦Freiburg im Breisgau 14.

In Ehrenkirchen-Ehrenstetten :

Barthel's Adler mit Zim, Wenzinger Str. 33, ☎ 70 62, Fax 7065, – TV ☎ P. AE VISA
M *(Montag und Ende Feb.- Anfang März geschl.)* a la carte 34/70 – **8 Z : 16 B** 75 - 128 F – ½ P 55/80.

In Ehrenkirchen 1-Kirchhofen :

Sonne-Winzerstuben, Lazarus-Schwendi-Str. 20, ☎ 70 70, « Garten » – TV P. E VISA
1.- 12. Aug. geschl. – **M** *(Donnerstag 15 Uhr - Freitag und 15. Dez.- 15. Jan. geschl.)* a la car 37/63 – **14 Z : 23 B** 60 - 100/120.

Zur Krone mit Zim, Herrenstr. 5, ☎ 52 13, Fax 83550, – P. E VISA
M *(Dienstag - Mittwoch 17 Uhr und 6.- 31. Juli geschl.)* a la carte 34/67 – **7 Z : 13 B** 5 - 80 Fb.

EIBELSTADT **8701.** Bayern 413 N 17 – 2 300 Ew – Höhe 177 m – ☎ 09303.
♦München 271 – ♦Frankfurt am Main 119 – ♦Nürnberg 108 – ♦Stuttgart 149 – ♦Würzburg 10.

Zum Roß, Hauptstr. 14, ☎ 22 14 (Hotel) 87 00 (Rest.), Fax 8726 – P
M *(Montag - Dienstag geschl.)* a la carte 21/36 – **18 Z : 34 B** 42/60 - 72/92.

EICHENBERG Österreich siehe Bregenz.

EICHENDORF Bayern siehe Landau an der Isar.

EICHENZELL **6405.** Hessen 412 413 M 15 – 8 200 Ew – Höhe 285 m – ☎ 06659.

Wiesbaden 134 – ♦ Frankfurt am Main 95 – Fulda 8 – Würzburg 100.

Kramer, Fuldaer Str. 4, ✆ 16 91, – ☎ P. E
M *(Donnerstag geschl.)* a la carte 15/27 – **32 Z : 70 B** 45 - 70.

In Eichenzell 7-Löschenrod W : 2,5 km :

Zur Alten Brauerei, Frankfurter Str. 1, ✆ 12 08 – P. E.
Samstag bis 18 Uhr, Montag, 2.- 15. Jan. und 15.- 30. Juni geschl. – **M** (abends Tischbestellung ratsam) a la carte 61/78.

EICHSTÄTT **8078.** Bayern 413 Q 20, 987 ㉖ – 13 100 Ew – Höhe 390 m – ☎ 08421.

Sehenswert : Bischöflicher Residenzbezirk★ : Residenzplatz★ (Mariensäule★) – Dom (Pappenheimer Altar ★★, Mortuarium ★, Kreuzgang ★) – Hofgarten (Muschelpavillon★) – Jura-Museum★.

Städt. Verkehrsbüro, Domplatz 18, ✆ 79 77.

München 107 – ♦Augsburg 76 – Ingolstadt 27 – ♦Nürnberg 93.

Adler garni, Marktplatz 22, ✆ 67 67, Fax 8283, « Restauriertes Barockhaus a.d. 17. Jh. », – TV ☎ AE E VISA.
15. Dez.- 15. Jan. geschl. – **38 Z : 68 B** 80/130 - 130/170 Fb.

Café Fuchs garni, Ostenstr. 8, ✆ 67 88, – ☎
über Weihnachten geschl. – **21 Z : 37 B** 48/70 - 83/90 Fb.

Zur Trompete, Ostenstr. 3, ✆ 16 13, – ☎
M *(Montag geschl.)* a la carte 19/41 – **14 Z : 22 B** 46/58 - 80.

Domherrenhof, Domplatz 5 (1. Etage), ✆ 61 26, Fax 80849, « Restauriertes Stadthaus a.d. Rokokozeit » – 30. AE E
Montag und Mitte Jan.- Anfang Feb. geschl. – **M** 33/42 (mittags) und a la carte 47/80.

Krone, Domplatz 3, ✆ 44 06, Fax 4172,
M a la carte 19/47.

In Eichstätt-Landershofen O : 3 km :

Haselberg, Am Haselberg 1, ✆ 67 01, Fax 80952 – TV ☎ P – 40.
3.- 31. Jan. geschl. – **M** *(April - Okt. Dienstag, Nov.- März Montag - Dienstag geschl.)* a la carte 28/68 – **26 Z : 43 B** 42/85 - 90/100 Fb.

In Eichstätt-Wasserzell SW : 4,5 km :

Zum Hirschen (mit Gästehaus), Brückenstr. 9, ✆ 40 07, , – ☎ P – 40
Jan. geschl. – **M** *(Mittwoch bis 17 Uhr geschl.)* a la carte 21/36 – **25 Z : 50 B** 50 - 84.

An der B 13 NW : 9 km :

Zum Geländer , ✉ 8079 Schernfeld-Geländer, ✆ (08421) 67 61, Fax 2614, , Wildschweingehege, – ☎ P – 25
10.- 22. Jan. und 17. Feb.- 5. März geschl. – **M** *(Donnerstag geschl.)* a la carte 19/42 – **29 Z : 53 B** 44/65 - 74/92.

EICHSTETTEN **7837.** Baden-Württemberg 413 G 22 – 2 600 Ew – Höhe 190 m – ☎ 07663.

Stuttgart 193 – ♦Freiburg im Breisgau 19 – Offenburg 51.

Zum Ochsen, Altweg 2, ✆ 15 16 – P
Montag - Dienstag 18 Uhr sowie Feb., Juni - Juli und Nov. jeweils 2 Wochen geschl. – **M** 28/60

EIGELTINGEN **7706.** Baden-Württemberg 413 J 23, 427 K 2, 216 ⑧ ⑨ – 2 700 Ew – Höhe 450 m – ☎ 07774.

Stuttgart 148 – ♦Freiburg im Breisgau 103 – ♦Konstanz 45 – Stockach 10 – ♦Ulm (Donau) 124.

Zur Lochmühle , Hinterdorfstr. 44, ✆ 70 86, Fax 6865, « Einrichtung mit bäuerlichen Antiquitäten, Sammlung von Kutschen und Traktoren, Gartenterrasse », – TV ☎ P
15. Jan.- Feb. geschl. – **M** *(Montag geschl.)* a la carte 28/53 – **30 Z : 60 B** 70/100 - 110/150 – 5 Fewo 150/200.

EILSEN, BAD **3064.** Niedersachsen 411 412 K 10 – 2 400 Ew – Höhe 70 m – Heilbad – ☎ 05722.

Kurverwaltung, Haus des Gastes, Bückeburger Str. 2, ✆ 8 53 72.

Hannover 58 – Hameln 27 – Minden 15.

Haus Christopher garni, Rosenstr. 11, ✆ 8 44 46, Fax 81589 – P
20. Dez.- 3. Jan. geschl. – **17 Z : 30 B** 45/80 - 90/120 Fb.

EIMELDINGEN **7855.** Baden-Württemberg 413 F 24, 242 ㊵, 216 ④ – 1 600 Ew – Höhe 266 m – ☎ 07621 (Lörrach).

♦Stuttgart 260 – Basel 11 – ♦Freiburg im Breisgau 63 – Lörrach 7.

Zum Löwen (mit Gästehaus), Hauptstr. 23 (B 3), ✆ 60 63 (Hotel) 6 25 88 (Rest.), ☂, ≦ – TV ☎ 🚗 P
M *(Dienstag - Mittwoch, 15.- 30. Jan. und 26. Aug.- 9. Sept. geschl.)* a la carte 32/65 ⅓ – **6 Z : 12 B** 75/85 - 116/128 Fb.

EIMKE **3111.** Niedersachsen 411 N 8 – 1 100 Ew – Höhe 45 m – ☎ 05873.

♦Hannover 97 – ♦Braunschweig 93 – Celle 54 – Lüneburg 48.

Dittmer's Gasthaus, Dorfstr. 6, ✆ 3 29, 🌳 – P
8 Z : 14 B.

EINBECK **3352.** Niedersachsen 411 412 M 11, 987 ⑮ – 29 400 Ew – Höhe 114 m – ☎ 05561.

Sehenswert : Marktplatz★★ (Fachwerkhäuser★★) – Haus Marktstraße 13★★ – Tiedexer Straße★ – Ratswaage★.

ℹ Tourist-Information, Rathaus, Marktplatz 6, ✆ 31 61 21, Fax 316108.

♦Hannover 71 – ♦Braunschweig 94 – Göttingen 41 – Goslar 64.

Panorama 🔇, Mozartstr. 2, ✆ 7 20 72, Telex 965600, Fax 74011, ☂, ≦s – |‡| TV ☎ – 🏛 30. ◑ E VISA
M a la carte 33/57 – **40 Z : 70 B** 90/100 - 140/160 Fb.

Zum Hasenjäger 🔇, Hubeweg 119, ✆ 40 63, Fax 73667, ⋞, ☂ – TV ☎ 🚗 P. AE ◑ E VISA
M a la carte 30/61 – **18 Z : 31 B** 85/90 - 100/145 Fb.

Zum Schwan mit Zim, Tiedexer Str. 1, ✆ 46 09, ☂ – TV ☎ 🚗 P. AE ◑ E VISA. ✈
M *(wochentags nur Abendessen, Freitag geschl.)* a la carte 44/79 – **11 Z : 16 B** 78/88 - 118/15...

An der Straße nach Bad Gandersheim O : 3 km :

Die Clus, Am Roten Stein 3, ✉ 3352 Einbeck 1, ✆ (05561) 48 45, ☂ – TV 🚗 P. ✈ Zim
M *(Freitag geschl.)* a la carte 25/44 – **12 Z : 20 B** 50 - 90.

EISENACH **O-5900.** Thüringen 412 N 14, 984 ㉒ ㉓, 987 ㉖ – 45 000 Ew – Höhe 300 m – ☎ 0037623.

Sehenswert : Predigerkirche (Mittelalterliche Schnitzplastik★).

Ausflugsziele : Wartburg ★★ (Palas ★, ⋞ ★), SO : 4 km – Thüringer Wald ★★.

ℹ Eisenach-Information, Bahnhofstr. 3, ✆ 48 95, Fax 76161.

ADAC, Georgenstr. 17, ✆ 7 14 89.

♦Berlin 340 – Erfurt 53 – ♦Kassel 92 – Nordhausen 130.

Glockenhof (Hospiz), Grimmelgasse 4, ✆ 52 16, Fax 5217 – TV ☎ – 🏛 30. E VISA. ✈
M a la carte 23/41 ⅓ – **23 Z : 39 B** 90/140 - 100/170.

Hellgrafenhof, Katharinenstr. 13, ✆ 51 17, Fax 4738 – TV ☎. AE E
M a la carte 28/51 – **22 Z : 43 B** 160/200 - 230 Fb.

Thüringer Hof, Karlsplatz 11, ✆ 31 31 – |‡| TV ☎ – 🏛 30. ✈ Rest
40 Z : 75 B.

Auf der Wartburg SO : 4 km – Höhe 516 m

Wartburg - Hotel 🔇 (Zufahrt zur An- und Abreise für Hausgäste erlaubt), ✉ O-5900 Eisenach, ✆ (0037623) 51 11, ⋞ Eisenach und Thüringer Wald, ☂ – TV ☎
28 Z : 47 B Fb.

EISENBACH **7821.** Baden-Württemberg 413 H 23 – 2 200 Ew – Höhe 950 m – Luftkurort – Wintersport : 959/1 138 m ⛷2 ⛷2 – ☎ 07657.

ℹ Kurverwaltung, im Bürgermeisteramt, ✆ 4 98, Fax 1512.

♦Stuttgart 148 – Donaueschingen 22 – ♦Freiburg im Breisgau 43.

Eisenbachstube, Mühleweg 1, ✆ 4 64, ☂ – P
7.- 24. März und 28. Nov.- 16. Dez. geschl. – **M** *(Dienstag geschl.)* a la carte 24/38 ⅓ – **11 Z : 20 B** 51 - 92 – ½ P 59/64.

Bad, Hauptstr. 55, ✆ 4 71, Fax 1505, ☂, ≦s, 🏊, 🌳 ⛷ – 🚗 P
Nov. geschl. – **M** (Montag geschl.) a la carte 20/46 ⅓ – **36 Z : 67 B** 45/50 - 80/90 Fb – ½ P 56/6...

Le ottime tavole

Per voi abbiamo contraddistinto alcuni ristoranti con Menu, ✿, ✿✿ o ✿✿✿.

EISENBERG 8959. Bayern **413** O 24 – 1 000 Ew – Höhe 870 m – Erholungsort – ✿ 08364.
🛈 Fremdenverkehrsbüro, Pröbstener Str. 9, ✆ 12 37.
München 125 – Füssen 12 – Kempten (Allgäu) 34.

🏠 **Gockelwirt** ⟋, Pröbstener Str. 23, ✆ 8 30, Fax 8320, 🛋, ⌂, ◻, 🔥, ✗ – ☎ 🚗 🅿.
→ ✗ Zim
15. Jan.- 15. Feb. und Nov.-26. Dez. geschl. – **M** *(Okt.- Juni Donnerstag geschl.)* a la carte 22/59
⅛ – **23 Z : 46 B** 62/69 - 112/180 Fb.

EISENBERG (PFALZ) 6719. Rheinland-Pfalz **412** H 18 – 8 100 Ew – Höhe 248 m – ✿ 06351.
Mainz 59 – Kaiserslautern 29 – ◆Mannheim 40.

🏠 **Waldhotel** ⟋, Martin-Luther-Str. 20, ✆ 4 31 75, Fax 44295, 🛋, ⌂, 🔥 – 🛗 📺 ☎ 🕭 🅿
– 🏛 25/80. 🖭 ⓪ 🖃 𝗩𝗜𝗦𝗔
M a la carte 37/55 – **39 Z : 78 B** 95 - 150 Fb.

EISENHEIM Bayern siehe Volkach.

EISENHÜTTENSTADT O-1220. Brandenburg **984** ⑯. **987** ⑱ – 54 000 Ew – Höhe 30 m –
✿ 0037375.
🛈 Eisenhüttenstadt-Information, Fischerstr. 15, ✆ 7 20 11.
Berlin 112 – Cottbus 64 – ◆Frankfurt/Oder 28.

Im Fünfeichener Forst W : 7 km :

✗ **Forsthaus Schierenberg** ⟋ mit Zim, ✉ O-1221 Fünfeichen, ✆ (003737594) 2 07, 🛋
→ – 📺 🅿
M a la carte 20/31 – **9 Z : 14 B** 70/117 - 116/163 – 3 Fewo 100/120.

Am Großen Treppelsee W : 20 km :

🏠 **Forsthaus Siehdichum** ⟋, ✉ O-1220 Eisenhüttenstadt, ✆ (003737595) 2 10, 🛋 – 📺
→ 🅿
M a la carte 21/35 – **14 Z : 26 B** 75/98 - 130/140.

EISENSCHMITT 5561. Rheinland-Pfalz **412** D 16 – 600 Ew – Höhe 328 m – Erholungsort –
✿ 06567 (Oberkail).
Mainz 146 – Kyllburg 13 – ◆Trier 54 – Wittlich 17.

In Eisenschmitt-Eichelhütte :

🏠 **Molitors Mühle** ⟋, ✆ 5 81, Fax 580, ≤, « Gartenterrasse », ⌂, ◻, 🔥, ✗ – 📺 ☎
🕭 🅿. 🖭 🖃 𝗩𝗜𝗦𝗔. ✗ Rest
10. Jan.- 25. Feb. geschl. – **M** *(Montag geschl.)* a la carte 36/71 – **30 Z : 50 B** 60/95 - 110/200 Fb
– 5 Fewo 80/120 – ½ P 77/122.

EISLINGEN AN DER FILS 7332. Baden-Württemberg **413** M 20, **987** ㉟ ㊱ – 18 300 Ew – Höhe
36 m – ✿ 07161 (Göppingen).
Stuttgart 49 – Göppingen 5 – Heidenheim an der Brenz 38 – ◆Ulm (Donau) 45.

🏠 **Hirsch**, Ulmer Str. 1 (B 10), ✆ 8 30 41, Fax 817689 – 🛗 ☎ 🕭 🚗 🅿. 🖭 ⓪ 🖃 𝗩𝗜𝗦𝗔. ✗
→ **M** *(Freitag - Samstag geschl.)* a la carte 20/51 – **26 Z : 38 B** 69/97 - 150 Fb.
✗✗ **Schönblick**, Höhenweg 11, ✆ 8 20 47, Fax 87467, Terrasse mit ≤ – 🖃 𝗩𝗜𝗦𝗔
Montag - Dienstag, 1.- 10. März und 9.- 30. Juli geschl. – **M** a la carte 39/75.

EITORF 5208. Nordrhein-Westfalen **412** F 14, **987** ㉔ – 16 500 Ew – Höhe 89 m – ✿ 02243.
Düsseldorf 89 – ◆Bonn 32 – ◆Köln 49 – Limburg an der Lahn 76 – Siegen 78.

✗ **Böck Dich,** Markt 15, ✆ 25 93
→ 15. Juni - 5. Juli und Dienstag geschl. – **M** a la carte 18/43.

In Eitorf-Alzenbach O : 2 km :

🏠 **Schützenhof**, Windecker Str. 2, ✆ 88 70, ⌂, ◻ – 🛗 ☎ 🅿 – 🏛 25/100
→ über Weihnachten geschl. – **M** a la carte 22/37 – **86 Z : 180 B** 35/65 - 65/110 Fb.

In Eitorf-Niederottersbach NO : 4,5 km :

🏠 **Steffens** ⟋, Ottersbachtalstr. 15, ✆ 62 24, ⌂ – 📺 ☎ 🅿. ✗
M *(Montag geschl.)* a la carte 28/56 – **17 Z : 30 B** 45 - 86.

ELCHINGEN 7915. Bayern **413** N 21 – 9 100 Ew – Höhe 464 m – ✿ 07308.
München 127 – ◆Augsburg 69 – ◆Ulm (Donau) 14.

In Elchingen-Unterelchingen :

🏠 **Zahn**, Hauptstr. 35, ✆ 30 07, Fax 42389 – ☎ 🅿. 🖭 🖃
10.- 23. Feb. und 17. Aug.- 6. Sept. geschl. – **M** *(Freitag geschl.)* a la carte 25/47 – **16 Z : 24 B**
58 - 98 Fb.

ELFERSHAUSEN 8731. Bayern 413 M 16 – 2 200 Ew – Höhe 199 m – ✪ 09704.
◆München 318 – Fulda 69 – Bad Kissingen 12 – ◆Würzburg 52.

🏨 Gästehaus Ullrich, August-Ullrich-Str. 42, ℘ 2 81, Telex 672807, Fax 6107, 😀, « Garten
⛱, ▨, ☞ – ▯ ℡ ☎ ⇔ 🄿 – 🄪 25/100 – **71 Z : 132 B** Fb.

ELGERSBURG Thüringen siehe Ilmenau.

ELLENZ-POLTERSDORF 5597. Rheinland-Pfalz 412 E 16 – 900 Ew – Höhe 85 m – ✪ 0267
Mainz 130 – Bernkastel-Kues 69 – Cochem 11.

🏠 **Weinhaus Fuhrmann,** Moselweinstr. 21 (Ellenz), ℘ 15 62, Fax 1564, ≼, 😀, ⛱ – ☎. ▯
← ● E 𝗩𝗜𝗦𝗔 – Jan.- Feb. geschl. – **M** a la carte 21/47 ₰ – **61 Z : 116 B** 57/70 - 95/115 Fb.
🏠 **Dehren,** Kurfürstenstr. 30 (Poltersdorf), ℘ 13 25 – 🄿, 🄰🄴 𝗩𝗜𝗦𝗔 ⊀
← **M** (nur Abendessen, Montag geschl.) a la carte 23/48 ₰ – **24 Z : 47 B** 90 - 140.

ELLWANGEN 7090. Baden-Württemberg 413 N 20, 987 ㉖ – 22 500 Ew – Höhe 439 m
Erholungsort – ✪ 07961 – 🅗 Städt. Verkehrsamt, Schmiedstr. 1, ℘ 24 63, Telex 74565.
◆Stuttgart 94 – Aalen 19 – ◆Nürnberg 114 – ◆Ulm (Donau) 82 – ◆Würzburg 135.

🏨 **Roter Ochsen,** Schmiedstr. 16, ℘ 40 71, Fax 53613 – ▯ ℡ ☎ ⇔ 🄿 – 🄪 80. 🄰🄴 E. ⊀ Zi
M (Sonntag 15 Uhr - Montag geschl.) a la carte 30/65 – **40 Z : 67 B** 45/98 - 80/160.
🏠 **Weißer Ochsen,** Schmiedstr. 20, ℘ 24 37, Fax 53396 – ℡ ☎ ⇔ 🄿 – 🄪 30. E
Mitte Jan.- Mitte Feb. geschl. – **M** (Dienstag geschl.) a la carte 25/49 – **22 Z : 32 B** 42/68
88/108 Fb.
✗✗ **König Karl,** Schloßvorstadt 6, ℘ 5 36 82 – ● E ⊀
Freitag 15 Uhr - Samstag 18 Uhr geschl. – **M** a la carte 26/55 ₰.

In Ellwangen-Espachweiler SW : 4 km :

🏠 **Seegasthof** ⤵, Bussardweg 1, ℘ 77 60, 😀 – ☎ 🄿
27. Dez.- 20. Jan. geschl. – **M** (Freitag geschl.) a la carte 28/47 ₰ – **8 Z : 16 B** 32/40 - 70/8

In Ellwangen-Neunheim O : 2,5 km :

🏠 Hirsch, Maierstr. 2, ℘ 73 44 – ☎ 🄿. ⊀ Zim – **9 Z : 14 B**.

In Ellwangen-Röhlingen SO : 7 km :

🏠 Konle garni, Hofackerstr. 16, ℘ (07965) 5 51, 🐎 (Halle und Parcours) – ℡ ☎ 🄿
14 Z : 30 B Fb.

ELMSHORN 2200. Schleswig-Holstein 411 L 5. 987 ⑤ – 41 500 Ew – Höhe 5 m – ✪ 0412
◆Kiel 90 – Cuxhaven 77 – ◆Hamburg 34 – Itzehoe 25.

🏠 **Royal,** Lönsweg 5, ℘ 2 20 66, Fax 20443, ⛱, ▨ – ☎ 🄿 – 🄪 25/300. 🄰🄴 ● E 𝗩𝗜𝗦𝗔
M a la carte 30/66 – **64 Z : 110 B** 79/98 - 128/158 Fb.
🏠 **Drei Kronen,** Gärtnerstr. 92, ℘ 2 20 49, Fax 1476 – ℡ ☎ ⇔ 🄿. 🄰🄴 ● E 𝗩𝗜𝗦𝗔
M a la carte 27/58 – **31 Z : 65 B** 75/95 - 100/120 Fb.

ELMSTEIN 6738. Rheinland-Pfalz 412 413 G 18, 242 ⑧. 87 ① – 3 000 Ew – Höhe 225 m
Erholungsort – ✪ 06328.
🅗 Verkehrsamt, Bahnhofstr. 14, ℘ 2 34.
Mainz 111 – Kaiserslautern 28 – Neustadt an der Weinstraße 23.

In Elmstein 2-Hornesselwiese S : 10 km über Helmbach :

🏠 **Waldhotel Hornesselwiese** ⤵, ℘ 7 24, Fax 758, 😀, ☞ – ℡ ☎ 🄿
M a la carte 33/58 ₰ – **7 Z : 13 B** 43/49 - 74/98 Fb.

ELSTERWERDA O-7904. Brandenburg 984 ⑳. 987 ⑱ – 11 000 Ew – Höhe 93 m – ✪ 003758
◆Berlin 146 – Cottbus 75 – ◆Dresden 85 – ◆Leipzig 97.

🏠 Europäischer Hof, Karl-Marx-Platz 1, ℘ 21 66, Fax 2166 – ℡ ☎ 🄿 – **16 Z : 23 B**.

ELTMANN 8729. Bayern 413 OP 17. 987 ㉖ – 5 000 Ew – Höhe 240 m – ✪ 09522.
◆München 254 – ◆Bamberg 19 – Schweinfurt 35.

🏠 **Haus am Wald** ⤵, Georg-Göpfert-Str. 31, ℘ 2 31, ≼, ▨ (geheizt), ☞ – ☎ 🄿
(Restaurant nur für Hausgäste) – **12 Z : 24 B** 45/65 - 75/80.
🏠 **Zur Wallburg,** Wallburgstr. 1, ℘ 60 11, 😀, ⛱, ☞ – ☎ ⇔ 🄿. ⊀
← Weihnachten - Mitte Jan. geschl. – **M** (wochentags nur Abendessen, Dienstag geschl.) a la car
16/34 ₰ – **16 Z : 32 B** 26/40 - 60/68.

In Ebelsbach 8729 N : 1 km :

🏠 **Klosterbräu,** Georg-Schäfer-Str. 11, ℘ (09522) 60 27, 😀 – ☎ ⇔ 🄿
← 27. Dez.- 14. Jan. und 31. Juli - 16. Aug. geschl. – **M** (Okt.- April Freitag geschl.) a la carte 16/3
₰ – **15 Z : 25 B** 29/51 - 55/85.

In Ebelsbach-Steinbach **8729** NW : 3,5 km :

Landgasthof Neeb, Dorfstr. 1 (an der B 26), ✆ (09522) 60 22, Fax 8388, « Gemütliche, rustikale Atmosphäre » - 📺 ☎ 🅟 - 25/80. Zim
M *(Montag geschl.)* a la carte 20/43 - **16 Z : 32 B** 45 - 80.

In Oberaurach-Oberschleichach **8729** SW : 7 km :

Landhaus Oberaurach, Steigerwaldstr. 23, ✆ (09529) 12 03, - ☎ 🅟. E
M *(Montag geschl.)* a la carte 20/53 - **14 Z : 25 B** 60 - 90.

ELTVILLE AM RHEIN **6228.** Hessen 412 H 16 - 16 000 Ew - Höhe 90 m - 06123.
Städt. Verkehrsamt, Schmittstr. 2, ✆ 69 71 53, Fax 2244.
Wiesbaden 14 - Limburg an der Lahn 51 - Mainz 17.

Sonnenberg garni, Friedrichstr. 65, ✆ 30 81, Fax 61829 - 📺 ☎ 🅟. AE E
15. Dez.- 5. Jan. geschl. - **30 Z : 60 B** 90/130 - 130/230 Fb.

Frankenbach garni, Wilhelmstr. 13, ✆ 50 56, Fax 5057 - 📺 ☎ 🅟. AE E VISA
21 Z : 45 B 90/110 - 130/180 Fb.

Rosenhof (Haus a.d.J. 1540), Martinsgasse 9 (1. Etage), ✆ 33 60 - AE E VISA
Montag - Dienstag und 1.- 15. Jan. geschl. - **M** a la carte 48/77.

Ristorante Piccolo Mondo, Schmittstr. 1, ✆ 21 24, - AE E VISA
Donnerstag, 1.- 18. Jan. und 1.- 18. Juli geschl. - **M** a la carte 53/73.

Kilians-Keller (Italienische Küche), Kiliansring 5, ✆ 35 08.

In Eltville 2-Erbach W : 2 km :

Schloss Reinhartshausen, ✆ 67 60, Telex 4064226, Fax 676400, - Zim 📺 🅟. AE E VISA
Restaurants : **Marcobrunn** « Parkterrasse » *(Dienstag geschl.)* **M** a la carte 64/112 - **Schlosskeller** *(wochentags nur Abendessen, Sonntag nur Mittagessen, Montag geschl.)* **M** a la carte 47/78 - **53 Z : 103 B** 310/335 - 410/480 Fb - 15 Appart. 540/1000.

Tillmanns Erben, Hauptstr. 2, ✆ 40 14, Fax 4015, - 📺 ☎ 🅟. AE E VISA
21. Feb.- 12. März und 31. Juli - 13. Aug. geschl. - **M** *(nur Abendessen, Donnerstag geschl.)* a la carte 35/59 - **16 Z : 34 B** 75/110 - 135/190.

Pan zu Erbach, Eberbacher Str. 44, ✆ 6 35 38, Fax 4209, - AE E VISA
nur Abendessen, Mittwoch geschl. - **M** (Tischbestellung ratsam) a la carte 60/91.

In Eltville 3-Hattenheim W : 4 km :

Zum Krug (Fachwerkhaus a.d.J. 1720), Hauptstr. 34, ✆ (06723) 28 12, Fax 7677, « Gemütliche, rustikale Gasträume » - ☎ 🅟. E VISA. Zim
20. Juli - 6. Aug. und 20. Dez.- 2. Jan. geschl. - **M** *(bemerkenswertes Angebot Rheingauer Weine)* (Sonntag 16 Uhr - Montag geschl.) a la carte 36/72 - **9 Z : 16 B** 80/90 - 150/180.

✿ **Kronenschlösschen** mit Zim, Rheinallee, ✆ (06723) 30 13, Fax 7663, « Gartenterrasse » - 📺 ☎ 🅟. AE E VISA
M 80/148 - **Bistro M** a la carte 47/72 - **18 Z : 35 B** 210 - 330/400 - 5 Appart. 430/720
Spez. Nudeln mit Seezunge und Hummer in Rieslingsauce, Maispoulardenbrust mit Trüffelsauce, Rinderfilet in Spätburgunder pochiert.

ELZACH **7807.** Baden-Württemberg 413 H 22, 987 ㉞, 242 ㉜ - 6 400 Ew - Höhe 361 m - Luftkurort - 07682 - Verkehrsamt, im Haus des Gastes, ✆ 79 90, Fax 80455.
Stuttgart 189 - ♦Freiburg im Breisgau 31 - Offenburg 43.

Hirschen-Post, Hauptstr. 37 (B 294), ✆ 2 01, - . Zim
Feb.- März und Okt.- Nov. jeweils 3 Wochen geschl. - **M** *(Donnerstag 14 Uhr - Freitag geschl.)* a la carte 21/37 - **9 Z : 18 B** 36/46 - 72/85 Fb - ½ P 46/53.

In Elzach-Ladhof :

Krone-Ladhof, Ladhof 5 (B 294), ✆ 5 75, - ☎ 🅟 - **15 Z : 30 B.**

In Elzach 3-Oberprechtal NO : 7,5 km - Höhe 459 m

Adler, Waldkircher Str. 2, ✆ 12 91 - 🅟.
Menu *(Montag geschl.)* 25/40 und a la carte 34/60 - **20 Z : 35 B** 45 - 90 - ½ P 60.

Pension Endehof, Waldkircher Str. 13, ✆ 12 62, - 🅟
Mitte Nov.- Mitte Dez. geschl. - (Restaurant nur für Hausgäste) - **24 Z : 42 B** 40/45 - 70/80.

ELZE **3210.** Niedersachsen 411 412 M 10, 987 ⑮ - 9 600 Ew - Höhe 76 m - 05068.
Hannover 30 - Göttingen 82 - Hameln 31 - Hildesheim 17.

In Elze-Mehle SW : 3 km :

Schökel mit Zim, Alte Poststr. 35 (B 1), ✆ 30 66, Fax 3069 - 📺 ☎ 🅟
1.- 10. Jan. geschl. - **M** *(Montag - Dienstag geschl.)* a la carte 43/80 - **10 Z : 18 B** 80/110 - 120/250.

ELZTAL Baden-Württemberg siehe Mosbach.

EMBSEN Niedersachsen siehe Lüneburg.

EMDEN **2970.** Niedersachsen 411 E 6, 987 ⑬ ⑭, 408 M 1 – 50 000 Ew – Höhe 4 m – ☎ 0492

Sehenswert: Ostfriesisches Landesmuseum★ (Rüstkammer★★) Z **M.**

⛴ nach Borkum (Autofähre, Voranmeldung erforderlich) ☎ 89 07 22, Fax 890746.

ℹ Verkehrsverein, Feuerschiff im Ratsdelft, ☎ 2 00 94, Fax 32528 – **ADAC**, Kirchstr. 12, ☎ 2 20 02

◆Hannover 251 ② – Groningen 98 ② – Oldenburg 80 ② – Wilhelmshaven 77 ①.

Am Delft	Z 6
Große Straße	Z
Neutorstraße	YZ
Rathausplatz	Z 2
Alter Markt	Z 2
Am Brauersgraben	Z 3
Am Burggraben	Z 4
Am Rosentief	Z 8
An der Bonnesse	Z 1
Douwesstraße	Y 1
Emsmauerstraße	Z 1
Faldernstraße	Z 1
Friedrich-Ebert-Straße	Z 1
Friedrich-Naumann-Str.	Z 1
Hof von Holland	Z 2
Kirchstraße	Z 2
Larrelter-Straße	Z 2
Mittelwallstraße	Z 2
Neuer Markt	Z 2
Stephanstraße	Z 2

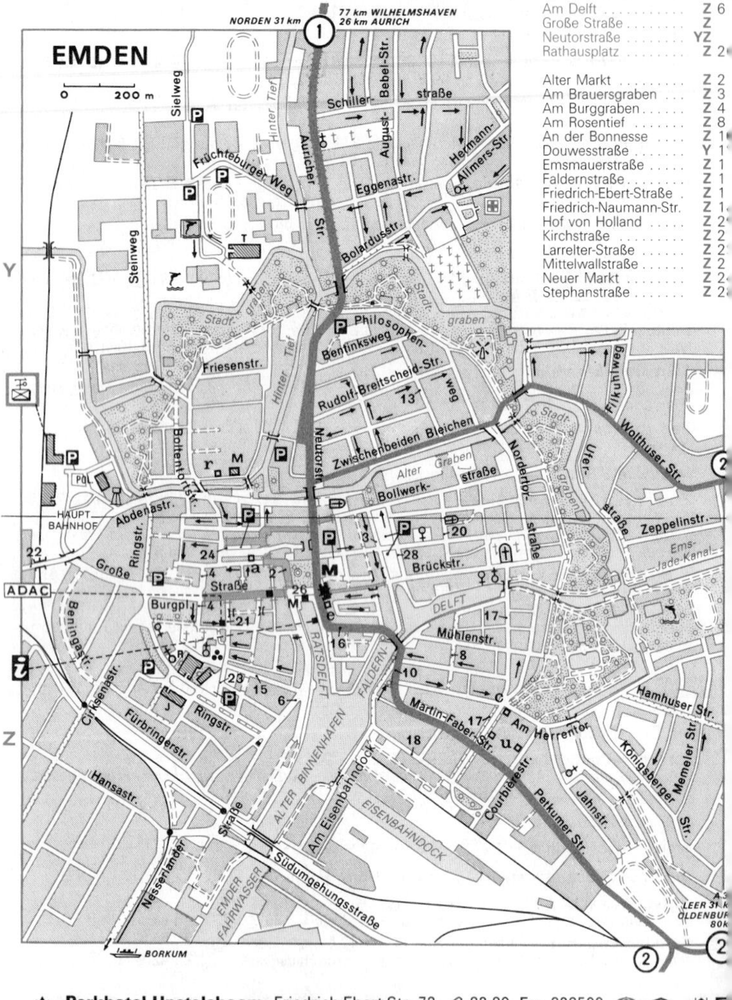

🏨 **Parkhotel Upstalsboom,** Friedrich-Ebert-Str. 73, ☎ 82 80, Fax 828599, – | Z
– 25/70. AE E VISA
M a la carte 35/69 – **95 Z : 170 B** 140/160 - 180/240 Fb.

🏨 **Goldener Adler** garni, Neutorstr. 5, ☎ 2 40 55 – TV ☎. AE E VISA Z
16 Z : 25 B 90/100 - 130/150 Fb.

🏨 **Am Boltentor** garni, Hinter dem Rahmen 10, ☎ 3 23 46 – TV ☎ P. E. Y
19 Z : 32 B 95 - 135 Fb.

Faldernpoort, Courbièrestr. 6, ✆ 2 10 75, Fax 28761 – TV ☎ P – 25/300. Z u
M *(nur Abendessen)* a la carte 32/60 – **43 Z : 70 B** 100 - 150/170 Fb.

Heerens Hotel, Friedrich-Ebert-Str. 67, ✆ 2 37 40, Fax 23158 – TV ☎ P. AE E VISA. Z c
M *(Samstag und Juli - Aug. 2 Wochen geschl.)* a la carte 32/67 – **21 Z : 33 B** 80/145 - 95/175 Fb.

Deutsches Haus, Neuer Markt 7, ✆ 2 20 48, Fax 31657 – TV ☎ P Z a
27 Z : 36 B Fb.

EMMELSHAUSEN **5401.** Rheinland-Pfalz 412 F 16 – 4 100 Ew – Höhe 490 m – Luftkurort – ✆ 06747 – Mainz 76 – ♦Koblenz 30 – Bad Kreuznach 57 – ♦Trier 112.

Union - Hotel, Rhein-Mosel-Str. 71, ✆ 15 67, Fax 1012, – TV ☎ P – 25/60. AE E.
2.- 10. Jan. geschl. – **M** *(Mittwoch geschl.)* a la carte 22/54 – **30 Z : 56 B** 58 - 95 Fb.

Stoffel, Waldstr. 3a, ✆ 80 64, – TV ☎ P. E
(Restaurant nur für Hausgäste) – **17 Z : 33 B** 45/60 - 84/94 Fb.

Tannenhof, Simmerner Str. 21, ✆ 76 54, Fax 8694, – ☎ P. Rest
(nur Abendessen für Hausgäste) – **14 Z : 30 B** 61/69 - 96/104 – 2 Fewo 60.

In Halsenbach-Ehr **5401** N : 3,5 km :

Zur Katz, Auf der Katz 6 (B 327), ✆ (06747) 66 26, – P – 25/80.
– **M** *(Montag geschl.)* a la carte 22/45 – **18 Z : 30 B** 43/63 - 86/106.

EMMENDINGEN **7830.** Baden-Württemberg 413 G 22, 987 ㉞, 242 ㉜ – 24 000 Ew – Höhe 201 m – ✆ 07641.
Verkehrsamt, Marktplatz 1 (Rathaus), ✆ 45 23 26.
Stuttgart 193 – ♦Freiburg im Breisgau 16 – Offenburg 51.

In Emmendingen 12-Maleck NO : 4 km :

Park-Hotel Krone, Brandelweg 1, ✆ 84 96, Fax 52576, « Gartenterrasse mit Pavillons und Teich », – TV ☎ P – 25. AE E VISA
5. Feb.- 4. März geschl. – **M** *(Tischbestellung ratsam)* (Montag geschl.) a la carte 58/92 – **18 Z : 32 B** 75/90 - 120/160 Fb.

In Emmendingen 13-Windenreute O : 3,5 km :

Windenreuter Hof, Rathausweg 19, ✆ 40 86, Fax 53275, – TV ☎ P – 25/150. AE E VISA
M a la carte 41/85 – **48 Z : 88 B** 70/98 - 145/165 Fb – 3 Appart. 350 – ½ P 96/125.

EMMERICH **4240.** Nordrhein-Westfalen 412 B 11, 987 ⑬, 408 J 6 – 30 000 Ew – Höhe 19 m – ✆ 02822.
Fremdenverkehrsamt, Martinikirchgang 2 (Rheinmuseum), ✆ 7 54 00.
Düsseldorf 103 – Arnhem 33 – Nijmegen 34 – Wesel 40.

Rheincafé Staffeld, Rheinpromenade 2, ✆ 38 59, – AE E
Montag geschl. – **M** a la carte 33/73.

In Emmerich 3-Elten NW : 7 km – ✆ 02828 :

Waldhotel Hoch-Elten, Lindenallee 34, ✆ 20 91, Fax 7122, Niederrheinische Tiefebene, – TV ☎ P – 25/40. AE E VISA. Rest
M *(Sonntag und 2. Jan.- 16. Feb. geschl.)* a la carte 55/98 – **35 Z : 65 B** 130 - 220 Fb.

Auf der Heide, Luitgardisstr. 8, ✆ 70 61, Fax 7336, – TV ☎ P. E VISA
M *(Montag geschl.)* a la carte 29/56 – **25 Z : 52 B** 89/105 - 137/157 Fb.

In Emmerich 1-Vrasselt SO : 5 km :

Heering, Reeser Str. 384 (B 8), ✆ 81 93, – TV ☎ P – *1.- 7. Jan. und 15.- 31. Juli geschl.* – **M** *(Freitag - Samstag geschl.)* a la carte 30/55 – **17 Z : 26 B** 55/85 - 90/130.

EMS, BAD **5427.** Rheinland-Pfalz 412 G 15, 987 ㉔ – 10 000 Ew – Höhe 85 m – Heilbad – ✆ 02603.
Denzerheide (N : 5 km), ✆ (02603) 65 41.
Gästeinformation, Römerstr. 1, ✆ 40 41, Fax 4488.
Mainz 66 – ♦Koblenz 17 – Limburg an der Lahn 40 – ♦Wiesbaden 61.

Kurhotel, Römerstr. 1, ✆ 79 90, Telex 869017, Fax 799252, Bade- und Massageabteilung, – TV – 40. AE E VISA
M a la carte 49/74 – **107 Z : 160 B** 130/180 - 160/250 Fb – 3 Appart. 450 – ½ P 112/212.

Schweizer Haus mit Zim, Malbergstr. 21, ✆ 7 07 83, – TV ☎ P. AE E VISA
Anfang - Mitte Nov. geschl. – **M** *(Donnerstag geschl.)* a la carte 39/67 – **11 Z : 18 B** 55/65 - 110/125 – ½ P 77/87.

Alter Kaiser mit Zim, Koblenzer Str. 36, ✆ 43 44, – TV ☎ P – **9 Z : 18 B**.

Außerhalb S : 3 km über Braubacher Str. :

Café Wintersberg garni, ✉ 5427 Bad Ems, ☎ (02603) 42 82, ≤ Bad Ems und Umgebung, ⌂, ⌂ – **P**
15. Dez.- 15. Jan. geschl. – **14 Z : 24 B** 57/80 - 110/116.

In Dausenau **5409** O : 4 km – Erholungsort :

Lahnhof, Lahnstr. 3, ☎ (02603) 61 74 –
März 2 Wochen geschl. – **M** *(Donnerstag geschl.)* a la carte 21/41 – **13 Z : 26 B** 33/42 - 58/76.

In Kemmenau **5421** NO : 5 km – Erholungsort :

Kupferpfanne-Maurer-Schmidt (mit Gästehaus), Hauptstr. 17, ☎ (02603) 1 41 97, Fax 14198, – TV ☎ **P**. AE ① E VISA.
Nov. geschl. – **M** *(Dienstag geschl.)* a la carte 47/90 – **12 Z : 21 B** 60/80 - 120/160.

EMSBÜREN **4448.** Niedersachsen 411 412 E 9 – 8 600 Ew – Höhe 49 m – ☎ 05903.
♦Hannover 218 – Groningen 136 – Münster(Westfalen) 71 – ♦Osnabrück 77.

Evering, Lange Str. 24, ☎ 2 94, – TV ☎ **P** – **10 Z : 18 B**.

EMSDETTEN **4407.** Nordrhein-Westfalen 411 412 F 10, 987 ⑭ – 33 400 Ew – Höhe 45 m – ☎ 02572 – **i** Verkehrsverein, Am Markt 11, ☎ 8 26 66.
♦Düsseldorf 152 – Enschede 50 – Münster (Westfalen) 31 – ♦Osnabrück 46.

Lindenhof, Emsstr. 42, ☎ 70 11, Fax 7014, ⌂ – TV ☎ **P**
Mitte Juli - Anfang Aug. und 20. Dez.- 6. Jan. geschl. – **M** *(nur Abendessen, Sonntag geschl.)* a la carte 30/52 – **28 Z : 42 B** 70/80 - 110/120.

Kloppenborg, Frauenstr. 15, ☎ 8 10 77, Fax 7368 – ☎ **P**
(nur Abendessen) – **22 Z : 40 B** Fb.

Jenseits der Ems NO : 4 km über die B 475, dann links ab :

Schipp-Hummert, Veltrup 17, ✉ 4407 Emsdetten, ☎ (02572) 73 37, Biergarten, – **P**
M *(Montag geschl.)* a la carte 22/40 – **15 Z : 21 B** 45 - 80.

EMSKIRCHEN **8535.** Bayern 413 P 18, 987 ㉖ – 4 900 Ew – Höhe 359 m – ☎ 09104.
♦München 207 – ♦Bamberg 59 – ♦Nürnberg 32 – ♦Würzburg 69.

Rotes Herz, Hindenburgstr. 21 (B 8), ☎ 6 94 – TV **P**.
8.- 28. Juni und 23. Dez.- 11. Jan. geschl. – **M** *(Samstag - Sonntag geschl.)* a la carte 20/35 – **12 Z : 20 B** 48 - 82.

EMSTAL **3501.** Hessen 411 412 K 13 – 5 900 Ew – Höhe 320 m – Luftkurort – ☎ 05624.
i Kur- und Verkehrsamt, im Thermalbad, Karlsbader Str. 4, ☎ 7 77.
♦Wiesbaden 212 – ♦Frankfurt am Main 203 – ♦Kassel 22.

In Emstal-Sand :

Parkhotel Emstaler Höhe, Kissinger Str. 2, ☎ 50 90, Fax 509200, ≤, ⌂, ⌂, TV ☎ **P** – 25/150. AE ① E VISA.
M a la carte 28/63 – **51 Z : 92 B** 65/100 - 110/148 Fb – ½ P 72/117.

Sander Hof, Karlsbader Str. 27, ☎ 80 11 – ♿ **P**
3. Jan.- 24. Feb. geschl. – (Restaurant nur für Hausgäste) – **30 Z : 51 B** 55/95 - 94/102 Fb – ½ P 64/77.

Grischäfer, Kasseler Str. 78, ☎ 3 54, Fax 8778, « Hessisch-rustikale Einrichtung » – **P**
Jan. geschl. – **M** *(nur Abendessen, Montag geschl.)* a la carte 28/56 – **17 Z : 31 B** 60/70 - 90/110.

ENDINGEN **7833.** Baden-Württemberg 413 G 22, 242 ㉜, 62 ⑳ – 7 300 Ew – Höhe 187 m – ☎ 07642 – **i** Verkehrsbüro, Hauptstr. 60, ☎ 15 55.
♦Stuttgart 189 – ♦Freiburg im Breisgau 27 – Offenburg 47.

Schindlers Ratsstube, Marktplatz 10, ☎ 34 58, – ▤. E
Sonntag 15 Uhr - Montag und Juli - Aug. 3 Wochen geschl. – **M** (Tischbestellung ratsam) a la carte 43/70.

In Endingen-Kiechlingsbergen SW : 5,5 km :

Stube mit Zim (Fachwerkhaus a.d. 16. Jh.), Winterstr. 28, ☎ 17 86 – TV. E
Juli 2 Wochen und Jan. geschl. – Menu *(Montag - Dienstag geschl.)* a la carte 25/54 – **4 Z : 8 B** 40-65.

In Endingen-Königschaffhausen W : 4,5 km :

Adler, Hauptstr. 35, ☎ 32 12 – **P**
10.- 27. Juli geschl. – **M** *(Sonntag geschl.)* a la carte 25/56 – **12 Z : 23 B** 35/50 - 55/85.

ENDORF, BAD 8207. Bayern 413 T 23, 987 ㊲, 426 I 5 - 6 000 Ew - Höhe 520 m - Heilbad ☎ 08053.

Höslwang (N : 8 km), ☎ (08075) 7 14.

Kurverwaltung im Rathaus, Bahnhofstr. 6, ☎ 94 22, Fax 9188.

München 85 - Rosenheim 15 - Wasserburg am Inn 19.

Kurhotel Kurfer Hof, Kurf 1, ☎ 20 50, Fax 205219, Bade- und Massageabteilung, - 25. E. Zim
M a la carte 30/68 - **31 Z : 50 B** 96/125 - 150/190 Fb.

Zum Alten Ziehbrunnen, Bergstr. 30, ☎ 93 29, - - *11. Nov.- 24. Dez. geschl.* - (Restaurant nur für Hausgäste) - **11 Z : 15 B** 50/65 - 90/115 - ½ P 67/90.

In Bad Endorf-Pelham NO : 5 km :

Seeblick, ☎ 30 90, Fax 309500, - - 40. Rest
Nov.- 17. Dez. geschl. - **M** a la carte 22/43 - **75 Z : 150 B** 40/50 - 80/110.

ENGELSBERG Bayern siehe Tacherting.

ENGELSBRAND 7543. Baden-Württemberg 413 I 20 - 4 000 Ew - Höhe 620 m - ☎ 07082 (Neuenbürg).

Stuttgart 61 - Calw 19 - Pforzheim 11.

In Engelsbrand 3-Salmbach :

Schwarzwald, Pforzheimer Str. 41, ☎ (07235) 73 32, -
Juli und Nov. jeweils 3 Wochen geschl. - **M** *(Sonntag ab 15 Uhr und Donnerstag geschl.)* a la carte 23/51 - **11 Z : 20 B** 55/65 - 98.

ENGELSKIRCHEN 5250. Nordrhein-Westfalen 412 F 14, 987 ㉔ - 21 100 Ew - Höhe 120 m ☎ 02263 - Verkehrsamt, Rathaus, Engels-Platz 4 ☎ 8 31 37.

Düsseldorf 73 - ♦Köln 36 - Olpe 43.

Alte Schlosserei, Engelsplatz 7, ☎ 2 02 12, Fax 2225, Biergarten - . AE E VISA
Samstag bis 18 Uhr und Montag geschl. - **M** a la carte 45/65.

ENGELTHAL Bayern siehe Hersbruck.

ENGEN IM HEGAU 7707. Baden-Württemberg 413 J 23, 987 ㉟, 427 K 2 - 9 000 Ew - Höhe 520 m - ☎ 07733.

Ausflugsziel : Hegaublick ≤★, NW : 6 km (an der B 31).

Verkehrsamt, Rathaus, Hauptstr. 11, ☎ 50 22 02, Fax 2263.

Stuttgart 142 - Bregenz 101 - Donaueschingen 28 - Singen (Hohentwiel) 16.

Sonne, Bahnhofstr. 2, ☎ 52 07 - . E VISA
25. Okt.- 5. Nov. und 27. Dez.- 5. Jan. geschl. - **M** *(Montag - Dienstag 17 Uhr geschl.)* a la carte 26/49 - **18 Z : 30 B** 58/78 - 98.

ENGER 4904. Nordrhein-Westfalen 411 412 I 10, 987 ⑭ - 18 000 Ew - Höhe 94 m - ☎ 05224.

Enger-Pödinghausen, ☎ 73 08.

Düsseldorf 196 - Bielefeld 16 - ♦Hannover 99 - Herford 9 - ♦Osnabrück 45.

Brünger in der Wörde, Herforder Str. 14, ☎ 23 24, Biergarten - - 60.

ENINGEN UNTER ACHALM Baden-Württemberg siehe Reutlingen.

ENKIRCH 5585. Rheinland-Pfalz 412 E 17 - 1 850 Ew - Höhe 100 m - Erholungsort - ☎ 06541 (Traben-Trarbach).

Ausflugsziel : Starkenburg ≤★, S : 5 km.

Verkehrsbüro, Brunnenplatz, ☎ 92 65.

Mainz 104 - Bernkastel-Kues 29 - Cochem 51.

Sponheimer Hof (mit Gästehäusern), Sponheimer Str. 19, ☎ 66 28, Fax 1043, - . AE E VISA
5. Jan.- 15. Feb. geschl. - **M** *(auch vegetarische Gerichte)* (Dienstag geschl.) a la carte 24/49 - **22 Z : 44 B** 40 - 80 - 4 Fewo 50/100 - ½ P 60.

Dampfmühle, Am Steffensberg 80, ☎ 68 67, Fax 4904, (geheizt), - Zim . E VISA - *27. Jan.- 26. Feb. geschl.* - **M** *(Nov.- April Montag - Dienstag 18 Uhr geschl.)* a la carte 26/47 - **18 Z : 32 B** 50/80 - 100/130 - ½ P 72/102.

In Burg/Mosel 5581 N : 3 km :

Zur Post, Moselstr. 18, ☎ (06541) 92 14, - . - *15. Jan.- 20. Feb. geschl.* - **M** *(Mittwoch geschl.)* a la carte 28/55 - **12 Z : 22 B** 38/48 - 64/92 - ½ P 45/50.

ENNEPETAL **5828.** Nordrhein-Westfalen 411 412 F 13, 987 ⑭ – 35 000 Ew – Höhe 200 m – 02333.
Haus Ennepetal, Gasstr. 10 (Milspe), 78 65.
♦Düsseldorf 54 – Hagen 12 – ♦Köln 61 – Wuppertal 14.

In Ennepetal-Königsfeld SW : 7 km ab E.-Milspe :

Spreeler Mühle, Spreeler Weg 128, (0202) 61 13 49, – *Montag und Mitte Jan.- Mitte Feb. geschl.* – **M** a la carte 22/53.

In Ennepetal-Voerde :

Haus Grete, Breckerfelder Str. 15, 82 08 – AE E VISA
M a la carte 28/51 – **25 Z : 50 B** 59/90 - 88/160 Fb.

ENNIGERLOH **4722.** Nordrhein-Westfalen 411 412 H 11 – 20 400 Ew – Höhe 106 m – 02524
Ausflugsziel : Wasserburg Vornholz★ NO : 5 km.
Ennigerloh-Ostenfelde (NO : 5 km), 57 99.
♦Düsseldorf 134 – Beckum 10 – Bielefeld 60 – Warendorf 16.

Hubertus, Enniger Str. 4, 20 94, – – 50. AE E VISA
M *(Mittwoch und 30. Dez.- 15. Jan. geschl.)* a la carte 28/60 – **19 Z : 25 B** 55/80 - 100/120 Fb

In Ennigerloh-Ostenfelde NO : 5 km :

Kröger, Hessenknapp 17, 22 14 – – 25/200
Mitte Juli. - Mitte Aug. geschl. – **M** *(nur Abendessen, Freitag geschl.)* a la carte 23/42 – **14 Z : 22 B** 56 - 84/115.

*Die im Michelin-Führer verwendeten Zeichen und Symbole haben - **fett** oder dünn gedruckt, rot oder schwarz - jeweils eine andere Bedeutung. Lesen Sie daher die Erklärungen aufmerksam durch.*

ENZKLÖSTERLE **7546.** Baden-Württemberg 413 I 20, 21 – 1 500 Ew – Höhe 598 m – Luftkurort – Wintersport : 600/900 m 3 4 – 07085.
Kurverwaltung, Friedenstr. 16, 75 16, Fax 1787.
♦Stuttgart 89 – Freudenstadt 26 – Pforzheim 39.

Enztalhotel, Freudenstädter Str. 67, 1 80, Fax 1642, – E VISA. Zim
10.- 22. Dez. geschl. – **M** a la carte 39/78 – **50 Z : 88 B** 105 - 150/200 Fb – ½ P 94/123.

Schwarzwaldschäfer, Am Dietersberg 2, 17 12, Fax 502, –
27 Z : 44 B Fb – 2 Fewo.

Gästehaus am Lappach garni, Aichelberger Weg 4, 75 11, –
5. Nov.- 19. Dez. geschl. – **32 Z : 53 B** 65/79 - 106/128 Fb.

Gästehaus Forsthaus garni, Im Rohnbachtal 63, 76 80, –
Nov.- 20. Dez. geschl. – **13 Z : 25 B** 82 - 97/144 Fb.

Wiesengrund , Friedenstr. 1, 10 01, –
Nov.- 20. Dez. geschl. – **M** *(Dienstag geschl.)* a la carte 22/46 – **28 Z : 49 B** 62/75 - 90/120 Fb

Hirsch - Café Klösterle, Freudenstädter Str. 2, 2 61, Fax 1686, –
10. Jan.- 22. Feb. und Nov.- 20. Dez. geschl. – **M** a la carte 26/54 – **55 Z : 88 B** 56/64 - 98/115 Fb

Schwarzwaldhof, Freudenstädter Str. 9, 17 08, –
9.- 28. März geschl. – **M** a la carte 24/49 – **25 Z : 40 B** 62/70 - 120/130 Fb.

Parkhotel Hetschelhof , Hetschelhofweg 1, 72 73, Fax 1785, – E. Zim
Nov. geschl. – **M** a la carte 24/51 – **18 Z : 30 B** 60 - 108/112 Fb.

In Enzklösterle-Poppeltal SW : 5 km :

Waldeck , Eschentalweg 10, 75 15 –
M a la carte 21/37 – **26 Z : 46 B** 55 - 100 – ½ P 65.

EPPELHEIM Baden-Württemberg siehe Heidelberg.

EPPENBRUNN **6789.** Rheinland-Pfalz 412 413 F 19, 242 ⑪ – 1 800 Ew – Höhe 390 m – Luftkurort – 06335.
Mainz 135 – Landau in der Pfalz 59 – Pirmasens 14.

Kupper , Himbaumstr. 22, 3 41, Biergarten, – – **21 Z : 42 B**.

Waldesruh, Neudorfstr. 4, 3 71 – **11 Z : 22 B**.

Landhaus mit Zim, Hügelstr. 8, 74 47, Fax 5763, – AE
M a la carte 39/62 – **4 Z : 7 B** 60 - 120.

EPPERTSHAUSEN **6116.** Hessen 412 413 J 17 – 5 300 Ew – Höhe 140 m – ☎ 06071.

Wiesbaden 57 – Aschaffenburg 27 – ♦Darmstadt 22 – ♦Frankfurt am Main 24.

Alte Krone, Dieburger Str. 1, ☎ 3 00 00, Fax 300010 – 🛗 TV ☎ P – 🏛 25/60. AE ① E VISA. ⚘
23. Dez.- 5. Jan. geschl. – **M** *(Sonn- und Feiertage geschl.)* a la carte 40/60 – **40 Z : 60 B** 75/105 - 125/160 Fb.

Am Rotkäppchenwald garni, Jahnstr. 22 (Gewerbegebiet West), ☎ 3 75 20, Fax 38452 – 🛗 ⇌ TV ☎ 🚗 P. ⚘
21. Dez.- 12. Jan. geschl. – **18 Z : 25 B** 85/120 - 140/160 Fb.

EPPINGEN **7519.** Baden-Württemberg 412 413 J 19, 987 ㉕ – 15 500 Ew – Höhe 190 m – ☎ 07262.

Stuttgart 80 – Heilbronn 26 – ♦Karlsruhe 48 – ♦Mannheim 64.

Villa Waldeck 🐦, Waldstr. 80, ☎ 10 61, 🌳, 🌲 – TV ☎ 🚗 P – 🏛 25/40. AE ① E VISA
1.- 23. Jan. geschl. – **M** *(Montag geschl.)* a la carte 36/58 🍷 – **16 Z : 26 B** 60/70 - 120 Fb.

Geier, Kleinbrückentorplatz 2, ☎ 44 24 – 🛗 ☎ – 🏛 40. AE ① E VISA
M *(Samstag bis 18 Uhr geschl.)* a la carte 22/43 🍷 – **26 Z : 38 B** 58/70 - 98.

Palmbräuhaus, Rappenauer Str. 5, ☎ 84 22, 🌳 – E
Dienstag und Feb. 3 Wochen geschl. – **M** a la carte 34/72.

In Gemmingen **7519** NO : 8 km :

Restaurant am Park - Krone, Richener Str. 3, ☎ (07267) 2 56 – P. AE E. ⚘
Samstag bis 18 Uhr, Dienstag, 13.- 17. April, Juli - Aug. 3 Wochen und 27. Dez.- 6. Jan. geschl. – Menu a la carte 30/55 🍷.

EPPSTEIN **6239.** Hessen 412 413 I 16 – 12 500 Ew – Höhe 184 m – Luftkurort – ☎ 06198.

Wiesbaden 20 – ♦Frankfurt am Main 28 – Limburg an der Lahn 41.

In Eppstein-Vockenhausen :

Nassauer Hof, Hauptstr. 104, ☎ 14 44, Fax 33666, 🌳 – 🚗 P. AE E VISA
1.- 10. Jan. und 15. Juni - 5. Juli geschl. – **M** *(Montag - Dienstag geschl.)* a la carte 26/54 – **10 Z : 16 B** 35/40 - 70/80.

ERBACH (ALB-DONAU-KREIS) **7904.** Baden-Württemberg 413 M 22 – 11 000 Ew – Höhe 530 m – ☎ 07305.

Stuttgart 104 – Tuttlingen 105 – ♦Ulm (Donau) 12.

Kögel - Restaurant Trüffel, Ehinger Str. 44 (B 311), ☎ 80 21, Fax 5084 – TV ☎ 🚗 P. ① E
1.- 21. Jan. und 5.- 19. Aug. geschl. – **M** *(Sonn- und Feiertage geschl.)* a la carte 41/72 – **28 Z : 42 B** 55/95 - 85/120 Fb.

Zur Linde, Bahnhofstr. 8, ☎ 50 21 – TV ☎ 🚗 P
14. Sept.- 3. Okt. geschl. – **M** *(Sonntag und 2.- 8. März geschl.)* a la carte 26/45 – **14 Z : 23 B** 70/80 - 110/115.

Schloß-Restaurant, Am Schloßberg 1, ☎ 69 54, 🌳 – P. AE ① E VISA
Montag - Dienstag 18 Uhr, 3.- 25. Feb. und 27. Juli - 10. Aug. geschl. – **M** a la carte 44/66.

In Erbach-Dellmensingen SO : 3 km :

Brauereigasthof Adler, Adlergasse 2, ☎ 73 42 – ☎ P. ⚘
13.- 18. April, 3.- 24. Aug. und 24.- 31. Dez. geschl. – **M** *(Montag geschl.)* a la carte 26/47 🍷 – **13 Z : 25 B** 43 - 78.

ERBACH IM ODENWALD **6120.** Hessen 412 413 J 18, 987 ㉕ – 12 000 Ew – Höhe 212 m – Luftkurort – ☎ 06062.

Sehenswert : Schloß (Hirschgalerie★).

Fremdenverkehrsamt, Marktplatz 1, ☎ 64 39.

Wiesbaden 95 – ♦Darmstadt 50 – Heilbronn 79 – ♦Mannheim 59 – ♦Würzburg 100.

Odenwälder Bauern- und Wappenstube 🐦, Am Schloßgraben 30, ☎ 22 36, Fax 4789 – ☎. ① E VISA
4. Feb.- 7. März geschl. – **M** *(nur Abendessen, Montag geschl.)* a la carte 30/57 🍷 – **12 Z : 20 B** 55/75 - 84/120.

Zum Hirsch, Bahnstr. 2, ☎ 35 59 – ⚘
Mittwoch, Jan. 2 Wochen und Juni - Juli 3 Wochen geschl. – **M** a la carte 32/63 🍷 – **Eichkätzchen-Stube** (Tischbestellung erforderlich) *(nur Abendessen, Mittwoch und Sonntag geschl.)* **M** 78/102.

In Erbach-Erlenbach SO : 2 km :

Erlenhof, Bullauer Str. 10, ☎ 31 74, 🌳, 🏊, 🌲 – TV ☎ P. E
20. Feb.- 10. März geschl. – **M** *(Dienstag geschl.)* a la carte 22/48 🍷 – **26 Z : 43 B** 70/80 - 114 Fb.

ERBENDORF **8488.** Bayern 413 T 17, 987 ㉗ – 5 000 Ew – Höhe 509 m – Erholungsort
☎ 09682.

Verkehrsamt, Marktplatz, ✆ 23 27.

♦München 248 – Bayreuth 40 – ♦Nürnberg 108 – Weiden in der Oberpfalz 24.

Pension Pöllath garni, Josef-Höser-Str. 12, ✆ 5 87, – P
12 Z : 18 B 25/29 - 54/58.

XX ✿ **Am Kreuzstein** mit Zim, an der B 22/B 299 (SW : 1 km), ✆ 13 20 – P.
M *(wochentags nur Abendessen, Sonntag 14 Uhr - Dienstag geschl.)* (Tischbestellung ratsa
98 und a la carte 64/89 – **2 Z : 4 B** 35 - 66
Spez. Geräucherter Hirschrücken mit Vogelbeeren, Ravioli von Edelfischen, Grießwaffeln n
Aprikoseneis.

In Erbendorf-Pfaben N : 6 km, Höhe 720 m – Wintersport 1 :

Steinwaldhaus, ✆ 23 91, Telex 63887, Fax 3923, ← Oberpfälzer Wald, – P
25. AE E VISA. Zim
9. März - 10. April und 16. Nov.- 18. Dez. geschl. – **M** a la carte 27/50 – **64 Z : 120 B** 68/
- 112 Fb – 31 Fewo 98/120.

ERDING **8058.** Bayern 413 S 22, 987 ㊲ – 25 500 Ew – Höhe 462 m – ☎ 08122.

18 Grünbach (O : 8 km über die B 388), ✆ (08122) 64 65.

Touristinformation, Am Bahnhof 7, ✆ 60 08, Fax 3302.

♦München 35 – Landshut 39 – Rosenheim 66.

Erdinger Hof, Am Bahnhof 3, ✆ 49 90, Fax 499499 – Zim TV
25/50
M a la carte 40/54 – **68 Z : 132 B** 150/195 - 195/230 Fb.

Kastanienhof, Am Bahnhof 7, ✆ 4 10 41, Telex 5270424, Fax 42477, – TV
– 25/100. AE E VISA
M a la carte 28/68 – **90 Z : 195 B** 165/195 - 210/280 Fb.

Mayr-Wirt, Haager Str. 4, ✆ 70 94, Fax 7098 – TV – 25/100. AE E
M *(Samstag geschl.)* a la carte 25/62 – **62 Z : 110 B** 80/98 - 125/200 Fb.

In Oberding **8059** NW : 6 km :

XX **Balthasar Schmid** mit Zim, Hauptstr. 29, ✆ (08122) 25 65, Fax 20172 – TV P
M *(Donnerstag geschl.)* a la carte 25/59 – **5 Z : 7 B** 80 - 140.

ERFTSTADT **5042.** Nordrhein-Westfalen 412 D 14, 987 ㉓ – 47 500 Ew – Höhe 90 m – ☎ 0223

9 Erftstadt-Konradsheim, ✆ 7 60 94.

♦Düsseldorf 64 – Brühl 8 – ♦Köln 18.

In Erftstadt-Lechenich :

XX Husarenquartier mit Zim, Schloßstr. 10, ✆ 50 96 – P – **6 Z : 11 B**.

In Erftstadt-Kierdorf :

XX **Zingsheim,** Goldenbergstr. 30, ✆ 8 53 32 – 50. E VISA
wochentags nur Abendessen, Mittwoch geschl. – **M** a la carte 47/86.

ERFURT **O-5000.** Thüringen 984 ㉓, 987 ㉖ – 220 000 Ew – Höhe 192 m – ☎ 003761.

Sehenswert : Dom ★★ (Nordportale ★★, Mosaikfenster ★ im Chor, Kandelaber-Statue ★)
Severi-Kirche★ (Sarkophag★ des Hl. Severin) – Rathaus (Fresken ★) – Krämerbrücke ★ – Ange
museum ★ (Altaraufsätze ★★, Pieta ★★) – Barfüßerkirche (Museum für Kunst des Mittelalter

Erfurt-Bindersleben (W : 4 km), ✆ 2 15 43.

Erfurt-Information, Bahnhofstr. 37, ✆ 2 62 67.

ADAC, ✉ 5020, Anger 55, ✆ 2 32 34.

♦Berlin 264 – Chemnitz 154 – ♦Leipzig 130 – Nordhausen 77.

Erfurter Hof, Am Bahnhofsvorplatz 1, ✆ 5 11 51, Telex 61283, Fax 61021 – Rest
– 25/180
167 Z : 228 B Fb – 5 Appart..

Cyriaksburg (ehem. Villa), Cyriakstr. 37, ✉ O-5023, ✆ 2 49 84, Fax 24985,
TV P – 35
13 Z : 23 B – 3 Appart..

Kosmos, Juri-Gagarin-Ring 126, ✆ 55 10, Telex 61317, Fax 551210 – Rest TV
– 25/100. Rest
320 Z : 550 B Fb.

Germania Hotel, Eislebener Str. 1, ✆ 5 73 26 74, Fax 22639 – TV P – 25/20
Rest – **17 Z : 24 B** Fb.

X **Gildehaus** (Renaissancehaus a.d.J. 1892), Fischmarkt 13, ✉ 5020, ✆ 2 32 73
M (Tischbestellung ratsam) a la carte 23/54.

ERFWEILER Rheinland-Pfalz siehe Dahn.

ERGOLDING Bayern siehe Landshut.

ERGOLDSBACH **8305.** Bayern 413 T 20, 987 ㉗ ㊲ – 6 000 Ew – Höhe 417 m – ☎ 08771.
München 88 – Ingolstadt 80 – Landshut 16 – ♦Regensburg 44.

Dallmaier, Hauptstr. 26, ✆ 12 10, Biergarten – ⇔ Ⓟ
27. Dez.- 8. Jan. geschl. – **M** a la carte 15/39 🌡 – **16 Z : 25 B** 36/46 - 72/92.

ERKELENZ **5140.** Nordrhein-Westfalen 412 B 13, 987 ㉓ – 37 800 Ew – Höhe 97 m – ☎ 02431.
Düsseldorf 45 – ♦Aachen 38 – Mönchengladbach 15.

Rheinischer Hof garni, Kölner Str. 18, ✆ 22 94, Fax 74666 – TV ☎ ⇔. AE ⓓ E VISA
23 Z : 36 B 94/140 - 140/240 Fb.

XX **Oerather Mühle,** Roermonder Str. 36, ✆ 24 02, Fax 72857, 🏞 – Ⓟ. AE E
Mittwoch geschl. – **M** a la carte 35/68.

Siehe auch : ***Wegberg*** N : 8 km

ERKHEIM **8941.** Bayern 413 NO 22, 426 D 4 – 2 500 Ew – Höhe 600 m – ☎ 08336.
München 98 – ♦Augsburg 67 – Memmingen 14 – ♦Ulm (Donau) 68.

Gästehaus Herzner 🔈, Färberstr. 19, ✆ 3 00, ≘s, ⛱, 🌳 – Ⓟ
(nur Abendessen für Hausgäste) – **14 Z : 23 B** 38/55 - 75/85.

ERKRATH **4006.** Nordrhein-Westfalen 411 412 D 13 – 46 000 Ew – Höhe 50 m – ☎ 0211 (Düsseldorf).
Düsseldorf 9 – Wuppertal 26.

In Erkrath 2-Hochdahl O : 3 km :

Schildsheide, Schildsheider Str. 47, ✆ (02104) 4 60 81, Fax 46083, ≘s, ⛱ – TV ☎ Ⓟ.
AE ⓓ E VISA
M *(nur Abendessen, Samstag geschl.)* a la carte 27/62 – **36 Z : 68 B** 90/295 - 130/318 Fb.

Neanderhöhle, Neandertal 3 (O : 2 km), ✆ (02104) 78 29, 🏞 – TV ☎ Ⓟ. AE ⓓ E VISA
2.- 10. Jan. geschl. – **M** *(Montag geschl.)* 20 (mittags) und a la carte 38/68 – **14 Z : 24 B** 90/130 - 120/160 Fb.

Landhaus Kemperdick, Kemperdick 1, ✆ 3 15 10, Fax 36434, 🏞 – TV ☎ Ⓟ. E
M a la carte 29/65 – **9 Z : 17 B** 85/120 - 130/145.

In Erkrath-Unterfeldhaus S : 4,5 km :

Unterfeldhaus 🔈 garni, Millrather Weg 21, ✆ 25 30 00, Fax 254332 – TV ☎ Ⓟ. ⚘
22. Dez.- 2. Jan. geschl. – **13 Z : 21 B** 110 - 150 Fb.

ERLABRUNN Bayern siehe Würzburg.

ERLANGEN **8520.** Bayern 413 PQ 18, 987 ㉖ – 101 000 Ew – Höhe 285 m – ☎ 09131.
Kleinsendelbach (O : 14 km über ②), ✆ (09126) 50 40.
Touristinformation, Rathaus, Rathausplatz 1, ✆ 2 50 74
ADAC, Henkestr. 26, ✆ 2 56 52, Notruf ✆ 1 92 11.
München 191 ④ – ♦Bamberg 40 ① – ♦Nürnberg 20 ④ – ♦Würzburg 91 ⑥.

Stadtplan siehe nächste Seite

Bayerischer Hof, Schuhstr. 31, ✆ 78 50, Telex 629908, Fax 785100, 🏞, ⛹, ≘s – |‡| ⇔ Zim TV ♿ ⇔ – 🎤 25/250. AE ⓓ E VISA Z q
M a la carte 34/69 – **155 Z : 300 B** 172/250 - 195/285 Fb.

Transmar-Kongress-Hotel, Beethovenstr. 3, ✆ 80 40, Telex 629750, Fax 804104, ≘s, ⛱ – |‡| ⇔ Zim TV – 🎤 25/60. AE ⓓ E VISA Z u
M *(Freitag ab 18 Uhr geschl.)* a la carte 41/60 – **138 Z : 263 B** 204/269 - 209/359 Fb.

Luise garni, Sophienstr. 10, ✆ 12 20, Fax 303717, ⛱ – |‡| TV ☎ ⇔. AE ⓓ E VISA X p
24. Dez.- 2. Jan. geschl. – **100 Z : 140 B** 99/159 - 139/179 Fb.

Altstadt garni, Kuttlerstr. 10, ✆ 2 70 70, Fax 28246, ≘s – |‡| TV ☎. AE ⓓ E VISA Y a
23. Dez.- 6. Jan. geschl. – **31 Z : 45 B** 95/105 - 140/160 Fb.

Rokokohaus 🔈 garni, Theaterplatz 13, ✆ 2 90 63, Fax 29336 – |‡| TV ☎ ⇔. AE ⓓ E VISA Y r
21. Dez.- 5. Jan. geschl. – **37 Z : 60 B** 90/125 - 130/170 Fb.

Fischküche Silberhorn 🔈 garni, Wöhrstr. 13, ✆ 2 30 05, Fax 209218 – TV ☎ Ⓟ Y f
20 Z : 26 B 80/100 - 140/190 Fb.

ERLANGEN

Hauptstraße . . . . YZ
Hugenottenplatz . . . . Z 29
Marktplatz . . . . Y 40
Nürnberger Straße . . . . . Z

Äussere-Brucker-Str. . . . . X 2
Bahnhofplatz . . . . Z 4
Bayreuther Straße . . . . . V 6
Bismarckstraße . . . . Y 8
Breslauer Straße . . . . . . X 10
Büchenbacher Damm . . . X 13
Essenbacher Straße . . . . V 14
Fließbachstraße . . . . X 16
Fürther Straße . . . . X 18
Glockenstraße . . . . Y 20
Glückstraße . . . . Y 21
Günther-Scharowsky-Str. . X 22
Güterhallenstraße . . . . . Z 24
Heuwaagstraße . . . . Y 26
Hindenburgstraße . . . . . Y 28
Jahnstraße . . . . X 30
Karl-Zucker-Straße . . . . . X 32
Koldestraße . . . . X 33
Komotauer Straße . . . . . X 34
Kuttlerstraße . . . . Y 35
Langemarckplatz . . . . . . Z 36
Lorlebergplatz . . . . Y 38
Loschgestraße . . . . Y 39
Martinsbühler Straße . . . Y 41
Maximiliansplatz . . . . . . Y 42
Münchener Straße . . . . . YZ 43
Nägelbachstraße . . . . . . Z 44
Neckarstraße . . . . X 45
Östliche Stadtmauerstr. . Y 46
Palmsanlage . . . . Y 47
Palmstraße . . . . V 48
Pfälzer Straße . . . . X 49
Rathausplatz . . . . Z 50
Resenscheckstraße . . . . X 51
Schillerstraße . . . . Y 52
Schloßplatz . . . . Y 53
Sieboldstraße . . . . X 57
Sophienstraße . . . . X 58
Theaterplatz . . . . Y 62
Wasserturmstraße . . . . . Y 65
Westliche Stadtmauerstr. YZ 66
Wöhrstraße . . . . Y 67

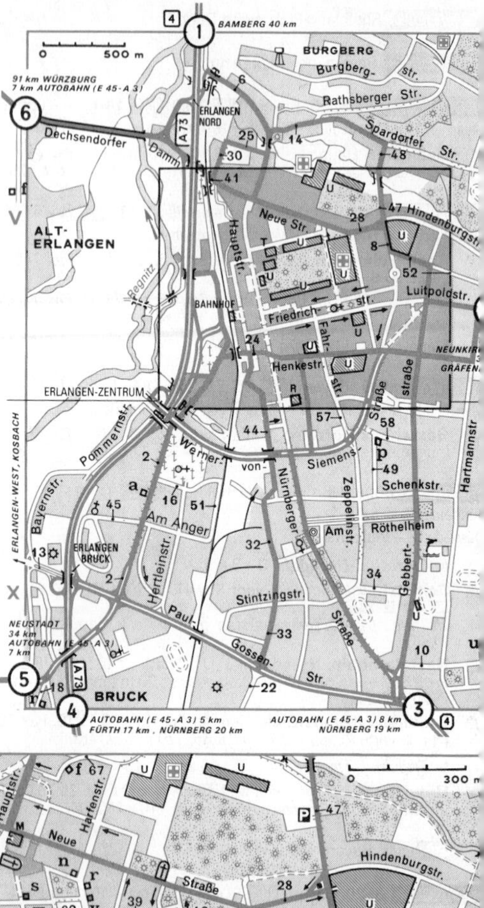

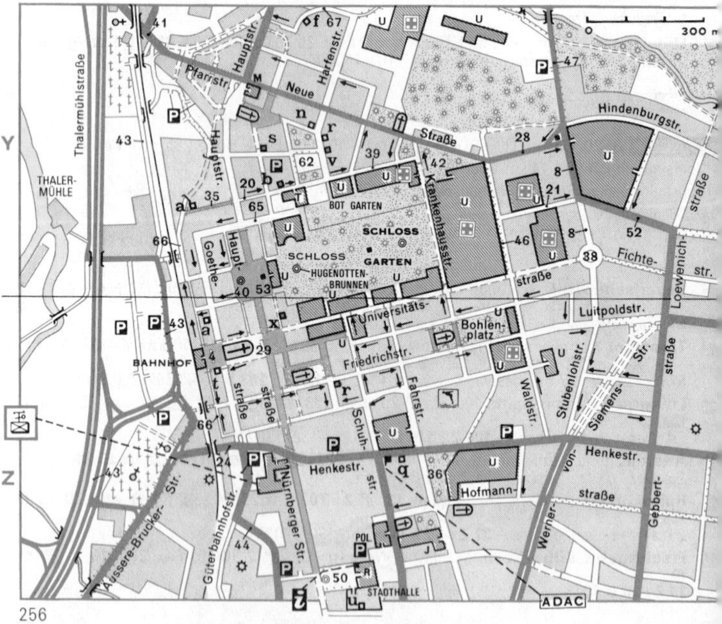

Fränkischer Hof (mit rustikalem Salvator- und Weinkeller ab 17 Uhr geöffnet), Goethestr. 34, 2 20 12, Fax 23798 – Z a
M *(Samstag und Aug. geschl.)* a la carte 26/52 – **31 Z : 50 B** 85/120 - 130/170 Fb.

Bahnhof-Hotel garni, Bahnhofplatz 5, 2 70 07 – Z t
8. Aug.- 6. Sept. geschl. – **15 Z : 20 B** 50/110 - 135/150 Fb.

Süd garni, Wacholderweg 37, 7 14 50 – X u
Aug. geschl. – **12 Z : 16 B** 80 - 120.

Antik garni, Wilhelmstr. 23, 2 10 86 – über Schillerstr. V
10 Z : 16 B 85 - 130/150.

Wiessner garni, Harfenstr. 1c, 2 90 84 – Y n
20. Dez.- 8. Jan. geschl. – **23 Z : 30 B** 68/85 - 100/135.

A'Petit (Einrichtung im Bistro-Stil), Theaterstr. 6, 2 42 39 – Y b
Samstag sowie Sonn- und Feiertage jeweils bis 18 Uhr und Dienstag geschl. – **M** (abends Tischbestellung ratsam) a la carte 64/89.

Altmann's Stube mit Zim, Theaterplatz 9, 2 40 82, – Y v
M *(Sonntag geschl.)* a la carte 43/73 – **14 Z : 21 B** 70/90 - 120/130 Fb.

Weinstube Kach, Kirchenstr. 2, 2 23 72 – Y s
Aug.- 15. Sept. sowie Sonn- und Feiertage geschl. – **M** a la carte 38/60.

Oppelei, Halbmondstr. 4, 2 15 62 Z x

Gasthof Strauß mit Zim, Rückertstr. 10, 2 36 45 – Z r
M a la carte 23/56 – **13 Z : 20 B** 46/80 - 90/120.

In Erlangen-Alterlangen :

West garni, Möhrendorfer Str. 44, 4 20 46, – V f
44 Z : 65 B 85/105 - 100/170.

In Erlangen-Bruck :

Art Hotel Erlangen - Restaurant Basilikum, Äußere-Brucker-Str. 90, 7 14 00, Fax 714013, « Ständige Bilderausstellung », – Zim – 30. X a
M *(Samstag bis 18 Uhr, Montag und Mitte Juli - Aug. geschl.)* a la carte 55/81 – **32 Z : 60 B** 128/138 - 168/188 Fb.

Grille, Bunsenstr. 35, 61 36/6 50 36, Telex 629839, Fax 65534, – . Rest über Günther-Scharowsky-Str. X
M *(Samstag - Sonntag 18 Uhr, Aug. und 22. Dez.- 7. Jan. geschl.)* a la carte 43/70 – **62 Z : 90 B** 95/140 - 172/210 Fb.

Roter Adler, Fürther Str. 5, 6 60 01 (Hotel) 6 60 04 (Rest.), – X r
24. Dez.- 6. Jan. geschl. – **M** *(Samstag geschl.)* a la carte 24/47 – **35 Z : 58 B** 80/105 - 105/200.

In Erlangen-Eltersdorf S : 5 km über Fürther Str. X :

Rotes Ross garni, Eltersdorfer Str. 15a, 6 00 84, Fax 60087, –
28 Z : 50 B 71/94 - 104/128 Fb.

In Erlangen-Frauenaurach über ⑤ :

Schwarzer Adler garni, Herdegenplatz 1, 99 20 51, Fax 993195, « Renoviertes Fachwerkhaus a.d. 16. Jh., Weinstube » –
17. Mai - 3. Juni und 12. Aug.- 9. Sept. geschl. – **8 Z : 13 B** 95/125 - 150/180.

In Erlangen-Kosbach W : 6 km über Büchenbacher Damm X :

✿ **Polster,** Am Deckersweiher 26, 4 14 32, , bemerkenswerte Weinkarte –
Montag geschl. – **M** (Tischbestellung ratsam) 37 (mittags) und a la carte 54/80
Spez. Zander auf Wurzelgemüse mit Rucolabutter, Flugentenbrust mit Cassissauce, Tamarilloparfait mit Joghurtschaum.

In Erlangen-Tennenlohe über ③ :

Transmar-Motor-Hotel, Am Wetterkreuz 7, 60 80, Telex 629912, Fax 608100, – – 25/250.
M a la carte 36/55 – **126 Z : 252 B** 179/269 - 209/359 Fb.

Tennenloher Hof, Am Wetterkreuz 32, 69 60, Fax 696295, –
M *(wochentags nur Abendessen, Sonntag ab 15 Uhr geschl.)* a la carte 25/47 – **35 Z : 70 B** 90 - 110/120 Fb.

***In Bubenreuth* 8526** N : 3 km :

Mörsbergei, Hauptstr. 14, (09131) 2 00 00, Fax 205697, Biergarten –
M a la carte 30/64 – **19 Z : 32 B** 85/99 - 115/129.

In Marloffstein **8525** NO : 5 km :

Alter Brunnen, Am alten Brunnen 1, (09131) 5 00 15, -
M *(Dienstag geschl.)* a la carte 22/43 - **18 Z : 35 B** 55/60 - 85 Fb.

In Möhrendorf **8521** ① : 6 km :

Landhotel Hagen garni, Hauptstr. 26, (09131) 7 54 00, Fax 754075, - . E
19 Z : 25 B 75/80 - 113/120 Fb.

In Baiersdorf **8523** ① : 7 km :

Zum Storchennest, Hauptstr. 41, (09133) 8 26, - . E VISA
Sonntag 15 Uhr - Montag, 2.- 10. Jan. und Aug. 2 Wochen geschl. - **M** 78/98 und a la cart 60/91
Spez. Steinbutt mit Hummerragout, Bluttaube mit Bäuscherl-Ravioli, Schokoladenmousse ir Baumkuchenmantel.

ERLENBACH Baden-Württemberg siehe Weinsberg.

ERLENBACH AM MAIN **8765.** Bayern 412 413 K 17 - 8 500 Ew - Höhe 125 m - 09372
♦München 354 - Aschaffenburg 25 - Miltenberg 16 - ♦Würzburg 78.

Fränkische Weinstuben, Mechenharder Str. 5, 50 49, , - . E
M *(Freitag geschl.)* a la carte 24/46 - **15 Z : 22 B** 50/55 - 80/90.

ERLENSEE **6455.** Hessen 412 413 J 16 - 10 700 Ew - Höhe 105 m - 06183.
♦Wiesbaden 65 - ♦Frankfurt am Main 26 - Fulda 81 - ♦Würzburg 114.

In Erlensee-Rückingen :

Brüder-Grimm-Hotel, Rhönstr. 9 (B 40 - Abfahrt Erlensee-Süd), 8 20, Fax 82109 -
 - 25/80. AE E VISA
M *(Samstag - Sonntag 18 Uhr geschl.)* a la carte 31/58 - **90 Z : 144 B** 110 - 160 Fb.

In Neuberg **6451** N : 2 km :

Bei den Tongruben garni, Unterfeld 19, (06183) 20 40, Fax 74131, -
- 25. AE E VISA. Zim
28 Z : 36 B 98 - 130/150 Fb.

ERMATINGEN Schweiz siehe Konstanz.

ERNST Rheinland-Pfalz siehe Cochem.

ERWITTE **4782.** Nordrhein-Westfalen 411 412 I 12, 987 ⑭ - 13 700 Ew - Höhe 106 m - 02943.
♦Düsseldorf 135 - Lippstadt 7 - Meschede 36 - Soest 17.

Büker, Am Markt 14, 23 36 -
21 Z : 30 B.

ESCHAU **8751.** Bayern 412 413 K 17 - 4 100 Ew - Höhe 171 m - 09374.
♦München 347 - Aschaffenburg 32 - Miltenberg 16 - ♦Würzburg 71.

In Eschau-Hobbach NO : 5,5 km :

Zum Engel (ehem. Bauernhof a.d.J. 1786 mit Gästehaus), Bayernstr. 47, 3 88, Fax 831,
 - - 25. E. Rest
26. Juli - 9. Aug. und 18.- 24. Dez. geschl. - **M** *(Montag geschl.)* a la carte 26/50 - **25 Z 37 B** 30/50 - 60/100 - ½ P 45/65.

In Eschau-Wildensee O : 10 km - Erholungsort :

Waldfrieden , Wildensee 74, 3 28, - . Zim
Nov.- 25. Dez. geschl. - **M** *(Dienstag ab 14 Uhr und Montag geschl.)* a la carte 19/35 - **27 Z 45 B** 34/38 - 64/72.

ESCHBACH **5429.** Rheinland-Pfalz 412 G 16 - 300 Ew - Höhe 380 m - 06771.
Mainz 57 - Bingen 37 - ♦Koblenz 27.

Zur Suhle , Talstr. 2, 79 21, Fax 365, , , « Garten mit Teich », , , ,
- - 25.
M a la carte 28/52 - **21 Z : 40 B** 60/80 - 120/160.

ESCHBORN Hessen siehe Frankfurt am Main.

ESCHEDE **3106.** Niedersachsen 411 N 8, 987 ⑮ – 6 500 Ew – Höhe 70 m – ☎ 05142.
♦Hannover 60 – Celle 17 – Lüneburg 69.

Deutsches Haus, Albert-König-Str. 8, ☎ 22 36, – ☎ P. ✱
Anfang Feb.- Mitte März geschl. – Menu *(Montag geschl.)* a la carte 33/55 – **11 Z : 19 B** 35/60 - 68/98.

ESCHENLOHE **8116.** Bayern 413 Q 24, 426 F 6 – 1 400 Ew – Höhe 636 m – Erholungsort – ☎ 08824.
Verkehrsamt im Rathaus, Murnauer Str. 1, ☎ 2 21.
♦München 74 – Garmisch-Partenkirchen 15 – Weilheim 30.

Tonihof, Walchenseestr. 42, ☎ 10 21, ← Loisachtal mit Wettersteingebirge, Massage, – ☎ P
M *(Mittwoch geschl.)* a la carte 44/84 – **25 Z : 43 B** 69/99 - 138/204 Fb – ½ P 87/116.

Zur Brücke, Loisachstr. 1, ☎ 2 10 – ☎ P
Mitte Nov.- Mitte Dez. geschl. – **M** *(Dienstag geschl.)* a la carte 22/47 – **19 Z : 35 B** 50/55 - 100/110.

Villa Bergkristall garni, Walchenseestr. 33, ☎ 6 32, ←, – ☎ P. ✱
8 Z : 14 B 55 - 110.

In Eschenlohe-Wengen :

Wengererhof garni, ☎ 10 42, ←, – ☎ P. ✱
23 Z : 50 B 57/67 - 110/120 Fb.

ESCHWEGE **3440.** Hessen 412 N 13, 987 ⑮ ⑯ – 24 000 Ew – Höhe 170 m – ☎ 05651.
Verkehrsbüro, Hospitalplatz 16, ☎ 30 42 10, Fax 31412.
♦Wiesbaden 221 – Göttingen 49 – Bad Hersfeld 58 – ♦Kassel 56.

Dölle's Nr. 1, Friedrich-Wilhelm-Str. 2, ☎ 6 00 35, Fax 32632, – ☎ – 25/120. E VISA – **M** *(auch vegetarisches Menu)* (nur Abendessen, Sonntag geschl.) a la carte 40/72 – **38 Z : 69 B** 75/104 - 128/150 Fb.

Zur Struth, Struthstr. 7a, ☎ 86 61, Fax 2788, – ☎ P. E VISA
Juli - Aug. 3 Wochen geschl. – **M** *(Sonntag 15 Uhr - Montag 18 Uhr geschl.)* a la carte 24/53 – **31 Z : 42 B** 38/70 - 70/100.

Stadthalle, Wiesenstr. 9, ☎ 5 00 41, – ☎ P – 25/45. AE E VISA
M *(Montag geschl.)* a la carte 28/65 – **15 Z : 23 B** 52/68 - 88 Fb.

In Meinhard-Schwebda **3446** NO : 5 km :

Schloß Wolfsbrunnen (Herrensitz a.d. Zeit der Jahrhundertwende), ☎ (05651) 30 50, Fax 305333, ← Eschwege und Werratal, – P – 25/100. AE E VISA
6.- 26. Jan. geschl. – **M** a la carte 40/77 – **74 Z : 150 B** 115/185 - 175/385 Fb.

ESCHWEILER **5180.** Nordrhein-Westfalen 412 B 14, 987 ㉓, 213 ㉔ – 52 000 Ew – Höhe 161 m – ☎ 02403 – ♦Düsseldorf 74 – ♦Aachen 15 – Düren 17 – ♦Köln 55.

Park-Hotel, Parkstr. 16, ☎ 2 61 88, Fax 36809 – ☎. AE E VISA
M *(nur Abendessen, Sonntag geschl.)* a la carte 31/61 – **18 Z : 26 B** 85/95 - 112/150.

ESENS **2943.** Niedersachsen 411 F 6, 987 ④ – 6 000 Ew – Höhe 3 m – Seebad – ☎ 04971.
Kurverwaltung, Kirchplatz 1, ☎ 30 88.
♦Hannover 261 – Emden 50 – Oldenburg 91 – Wilhelmshaven 50.

Krögers Hotel, Bahnhofstr. 18, ☎ 30 65, Fax 4265, – ☎ P. AE E VISA. ✱
M *(15. Sept.- 15. Mai Montag geschl.)* a la carte 33/55 – **27 Z : 54 B** 75/85 - 138/158 Fb.

Wieting's Hotel, Am Markt 7, ☎ 45 68, Fax 4151, – ☎ P. AE E VISA. ✱
M a la carte 23/60 – **23 Z : 44 B** 56/65 - 98/120 Fb.

Waldhotel, Auricher Str. 52, ☎ 21 11, Fax 2387, – ☎ P. AE E VISA. ✱ Zim
2.- 20 Jan. geschl. – **M** *(auch Diät)* (Donnerstag geschl.) a la carte 24/49 – **9 Z : 16 B** 45/50 - 85/90.

In Esens-Bensersiel NW : 4 km :

Hörn van Diek garni, Lammertshörn 1, ☎ 24 29, Fax 2429, – P. ✱
3. Nov.- Weihnachten geschl. – **18 Appart. : 40 B** 60/90 - 110/140 Fb.

Röttgers garni, Am Wattenmeer 6, ☎ 30 18, Fax 3867 – P
22 Z : 43 B 80/130 - 100/160 Fb.

Störtebeker, Am Wattenmeer 4, ☎ 17 67, – ☎ P
(nur Abendessen für Hausgäste) – **25 Z : 45 B** 46 - 82 Fb – 7 Fewo 95.

Nordkap garni, Am Wattenmeer 2, ☎ 40 24, – ☎ P. ✱ – **10 Z : 20 B.**

ESLOHE **5779.** Nordrhein-Westfalen 411 412 H 13, 987 ⑭ – 8 900 Ew – Höhe 310 m
Luftkurort – ☎ 02973 – ℹ Verkehrsbüro, Kurhaus, Kupferstr. 30, ✆ 4 42.
♦Düsseldorf 159 – Meschede 20 – Olpe 43.

Forellenhof Poggel, Homertstr. 21, ✆ 62 71, – TV ☎ ♿ P. E
M a la carte 28/55 – **20 Z : 39 B** 50/55 - 100/110 Fb.

Haus Stoetzel - Brauereigasthof Domschänke, St. Rochus-Weg 1a, ✆ 67 32 (Hote 7 10 (Rest.), – TV P. Zim
M *(Dienstag geschl.)* a la carte 28/49 – **7 Z : 12 B** 45 - 86.

In Eslohe 2-Cobbenrode S : 7,5 km :

Berghotel Habbel, Stertberg 1, ✆ 3 96, ≤ Sauerland u. Cobbenrode, – TV ☎ P – 30. AE E VISA.
15.- 26. Dez. geschl. – **M** a la carte 33/64 – **32 Z : 63 B** 72/112 - 144/198 Fb.

Hennemann, Olper Str. 28 (B 55), ✆ (02970) 2 36, Fax 779, (Halle) – TV ☎ P – 30. E. Rest
Mitte Juli - Anfang Aug. geschl. – **M** *(Montag geschl.)* a la carte 26/51 – **23 Z : 45 B** 68/85 114/160 Fb – 4 Appart. 180.

In Eslohe 7-Niedersalwey W : 4 km :

Woiler Hof, Salweytal 10, ✆ 4 97, – P
M *(Dienstag geschl.)* a la carte 19/35 – **19 Z : 35 B** 25/40 - 50/80.

In Eslohe 3-Wenholthausen N : 4 km :

Sauerländer Hof, Südstr. 35, ✆ 23 63, Fax 2363, – TV ☎ P
16.- 30. März und über Weihnachten geschl. – **M** *(Donnerstag geschl.)* a la carte 25/57 – **21 Z 38 B** 63/84 - 118/168 Fb – ½ P 81/106.

ESPELKAMP **4992.** Nordrhein-Westfalen 411 412 I 9, 987 ⑭ ⑮ – 24 500 Ew – Höhe 43 m
☎ 05772.
♦Düsseldorf 223 – ♦Bremen 99 – ♦Hannover 93 – ♦Osnabrück 46.

Haus Mittwald, Ostlandstr. 23, ✆ 40 29, Fax 7149, – TV ☎ P – 3 E VISA.
M *(Samstag geschl.)* a la carte 27/56 – **50 Z : 70 B** 78/95 - 110/145 Fb.

In Espelkamp-Frotheim SO : 4 km :

Birkenhof, Schmiedestr. 4, ✆ (05743) 80 00, Fax 4500, – TV ☎ P – 25/200. E VISA
M *(wochentags nur Abendessen)* a la carte 28/55 – **24 Z : 48 B** 50/55 - 100/110.

ESPENAU Hessen siehe Kassel.

ESSEN **4300.** Nordrhein-Westfalen 411 412 E 12, 987 ⑭ – 620 000 Ew – Höhe 120 m – ☎ 0201
Sehenswert : Münster (Westchor★, Goldene Madonna★★★) : Münsterschatzkammer★★ (**M1**) m Vortragekreuzen★★★ DZ – Museum Folkwang★★ ABV – Villa Hügel★ (Historische Sammlun Krupp★★) S – Johanniskirche (Altar★) DZ **A.**
Ausflugsziel : Essen-Werden : Abteikirche (Vierungskuppel★, Bronzekruzifixus★) S **A.**
18 Essen-Heidhausen (über die B 224 S), ✆ 40 41 11 ; 18 Essen-Kettwig, Laupendahler Landstr. (S ✆ (02054) 8 39 11 ; 9 Essen-Bredeney, Freiherr-vom-Stein-Str. 92a (S), ✆ 44 14 26.
Messegelände und Grugahalle (AX), ✆ 7 24 40, Fax 226692.
ℹ Verkehrsverein im Hauptbahnhof, Südseite, ✆ 23 54 27 und 8 10 60 82.
ADAC, Klarastr. 58, ✆ 77 00 88, Notruf ✆ 1 92 11.
♦Düsseldorf 31 ⑥ – Amsterdam 204 ⑨ – Arnhem 108 ⑨ – Dortmund 38 ③.

Stadtpläne siehe nächste Seiten

Sheraton Hotel, Huyssenallee 55, ✆ 2 09 51, Telex 8571266, Fax 231173, Massage, – Zim TV ♿ P – 25/120. AE E VISA. Rest
M a la carte 64/101 – **205 Z : 410 B** 225/425 - 285/495 Fb – 6 Appart. 625/1175. BV

Mövenpick Hotel Handelshof, Am Hauptbahnhof 2, ✆ 1 70 80, Telex 857562 Fax 1708173 – Zim TV ♿ – 25/150. AE E VISA DZ
Restaurants : **La Pêcherie Au Premier** *(Juli - Aug. 4 Wochen geschl.)* **M** a la carte 43/7 – **Le Bistro M** a la carte 29/55 – **193 Z : 287 B** 209/259 - 288/516 Fb.

Essener Hof, Teichstr. 2, ✆ 2 09 01, Telex 8579582, Fax 238351 – TV ☎ – 25/80 AE E VISA. Rest DZ
M *(nur Abendessen, Samstag - Sonntag geschl.)* a la carte 32/69 – **130 Z : 160 B** 110/170 170/220 Fb.

Europa garni, Hindenburgstr. 35, ✆ 23 20 41, Telex 8579852, Fax 232656 – TV ☎. AE E VISA DZ
50 Z : 75 B 110/130 - 170 Fb.

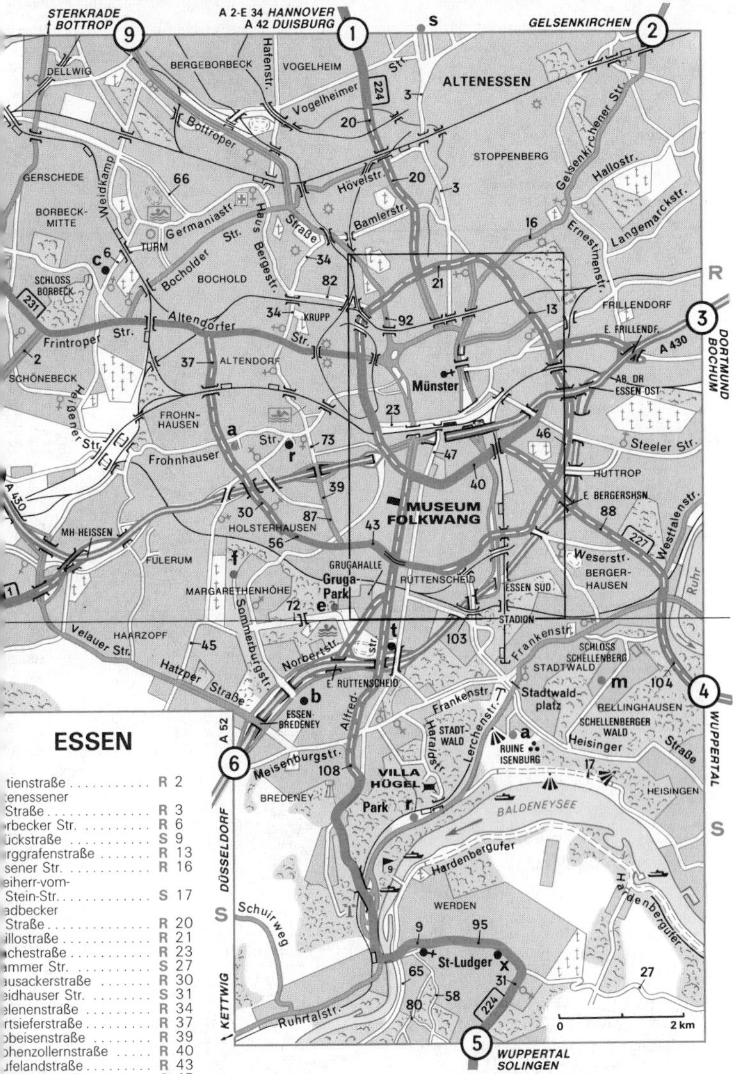

ESSEN

Arcade, Hollestr. 50, ✆ 2 42 80, Telex 8571133, Fax 2428600 – |♦| TV ☎ ♿ P – 25/80. AE E VISA.
M *(nur Abendessen, Samstag - Sonntag und Juli - Aug. geschl.)* a la carte 33/51 – **144 Z : 288 B** 118/151 - 165 Fb. DZ **a**

Luise garni, Dreilindenstr. 96, ✆ 23 92 53, Fax 200219 – |♦| TV ☎. AE BV **a**
29 Z : 41 B 98 - 148 Fb.

Central garni, Herkulesstr. 14, ✆ 22 78 27, Fax 517523 – ☎ – **17 Z : 30 B.** CU **a**

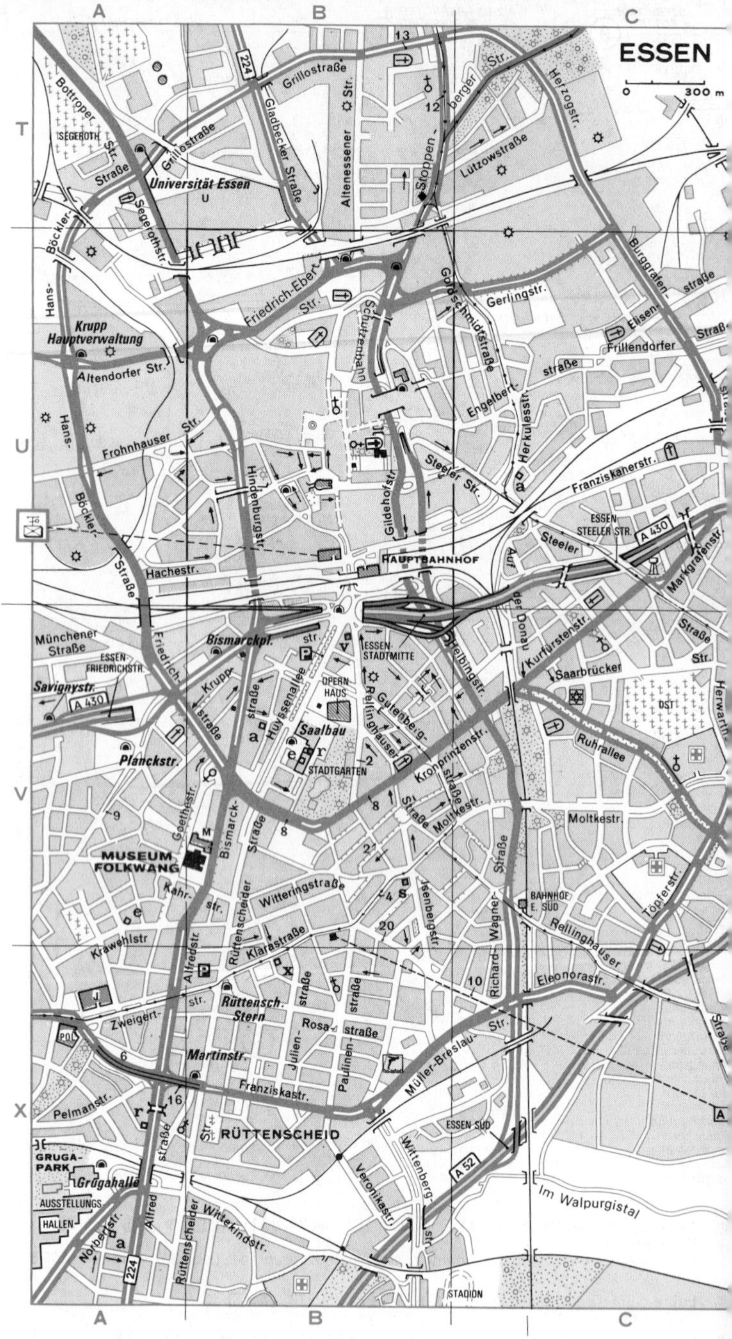
ESSEN
0
300 m
A
B
C
T
U
V
X
Bottroper Str.
SEGEROTH
Grillostraße
Gladbecker Straße
Altenessener Str.
Stoppenberger Str.
Herzogstr.
Lutzowstraße
Universität Essen
Segerothstr.
Straße
Böckler-
Hans-
Friedrich-Ebert-Str.
Goldschmidtstraße
Gerlingstr.
Burggrafenstraße
Krupp Hauptverwaltung
Altendorfer Str.
Schützenbahn
Elisenstraße
Frillendorfer straße
Engelbertstr.
Herkulesstr.
Frohnhauser Str.
Hindenburgstr.
Gildehofstr.
Steeler Str.
Franziskanerstr.
Hachestr.
HAUPTBAHNHOF
ESSEN STEELER STR.
A 430
Steeler Straße
Auf der Donau
Markgrafenstr.
Münchener Straße
ESSEN-FRIEDRICHSTR.
Savignystr.
Friedrichstr.
Bismarckpl.
Kruppstraße
Huyssenallee
ESSEN-STADTMITTE
OPERNHAUS
Rellinghauser Str.
Gutenbergstr.
Helbingstr.
Kurfürstenstr.
Saarbrücker Str.
Herwarthstr.
OST
Saalbau
STADTGARTEN
Kronprinzenstr.
Ruhrallee
Planckstr.
Goethestr.
Bismarckstraße
Moltkestr.
MUSEUM FOLKWANG
Kahrstr.
Witteringstraße
Isenbergstr.
Richard-Wagner-Straße
BAHNHOF E. SÜD
Töpferstr.
Rellinghauser Straße
Krawehlstr.
Alfredstr.
Rüttenscheider Str.
Klarastraße
Rüttensch. Stern
Eleonorastr.
Zweigertstr.
Rosastraße
Julienstraße
Paulinenstraße
Martinstr.
Müller-Breslau-Str.
Franziskastr.
Pelmanstr.
RÜTTENSCHEID
ESSEN SÜD
GRUGA-PARK
Grugahalle
AUSSTELLUNGSHALLEN
Wittekindstr.
Veronikastr.
Wittenbergstr.
A 52
Im Walpurgistal
Norbertstr.
Alfredstraße
224
STADION

ESSEN

ıgen . . . . DZ 24
ssenallee . . . . BY
nedyplatz . . . . DZ 57
wiger Str. . . . . DZ
becker Str. . . . . DY 70
ıenaustraße . . . . DZ 84
straße . . . . DY
enscheider Str. . . . . ABX
ıofer Str. . . . . DY 96

nestraße . . . . DZ 5
ıdstraße . . . . DZ 8
ınenstraße . . . . BV 12
ellbrügge . . . . DZ 14
derikenstraße . . . . . . BV 18
Hagen . . . . DZ 25
ımannplatz . . . . AX 28
oingstraße . . . . DZ 33
ıchlandplatz . . . . DZ 36
ıenzollernstraße . . . . . BV 40
sterhauser Str. . . . . . . AV 42
olinenstraße . . . . CX 52
olingerstraße . . . . BT 53
zenbruchstraße . . . . . BT 55
stertraße . . . . DY 60
stadtplatz . . . . DY 62
ızeskirchstraße . . . . . DY 63
ıbecker Platz . . . . DY 69
tinstraße . . . . AX 75
feldstraße . . . . DY 77
lienstraße . . . . DZ 79
scheplatz . . . . DZ 83
inischer Platz . . . . DY 86
ützenbahn . . . . DY 90
ıerothstraße . . . . DY 92
eler Str. . . . . DZ 94
cklinghauser Str. . . . . . BV 97
Veberstraße . . . . DY 98
ölfling . . . . DZ 110

Namen der
htigsten Einkaufsstraßen
d am Anfang
: Straßenverzeichnisses
Rot aufgeführt

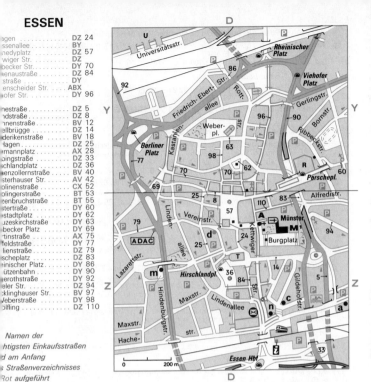

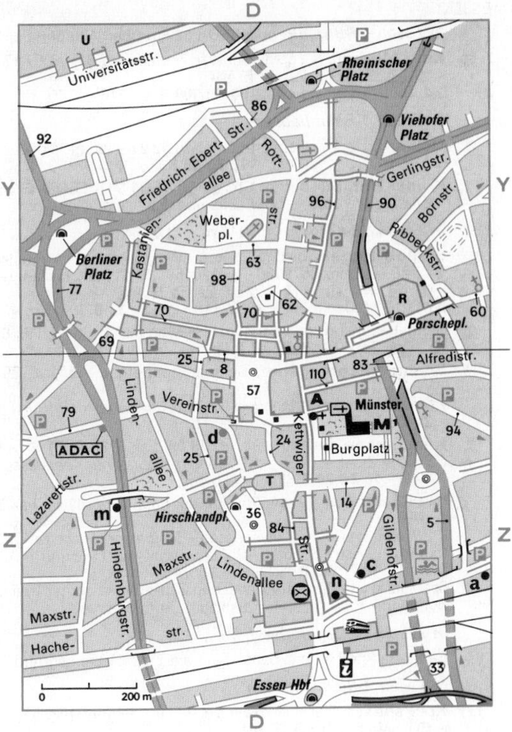

XX **La Grappa,** Rellinghauser Str. 4, ✆ 23 17 66, bemerkenswerte ital. Wein- und Grappaauswahl – AE ⦿ E VISA — BV **v**
Samstag bis 18 Uhr und Sonntag geschl. – **M** (Tischbestellung ratsam) a la carte 57/84.

X **Rôtisserie im Saalbau,** Huyssenallee 53, ✆ 22 18 66, Fax 221860, 斎 – **P** – 25/1200. AE ⦿ E VISA — BV **r**
M a la carte 46/73.

X **La Fontaine** (Restaurant im Bistrostil, ital. Küche), III. Hagen 47, ✆ 22 71 67 – AE ⦿ E VISA — DZ **d**
Sonn- und Feiertage geschl. – Menu 27/65 und a la carte 49/78.

In Essen 12-Altenessen :

Astoria, Altenessener Str. 450, ✆ 34 31 22, Fax 356731 – |‡| TV ☎ ⇔ **P** – 35. AE ⦿ E VISA — R **s**
(nur Abendessen für Hausgäste) – **46 Z : 72 B** 130/160 - 160/200.

In Essen 11-Borbeck :

Hotel am Schloßpark - Gasthof Krebs, Borbecker Str. 180, ✆ 67 50 01, Fax 687762, Biergarten – TV ☎ **P**. AE E — R **c**
M *(wochentags nur Abendessen)* a la carte 31/49 – **12 Z : 22 B** 90 - 145.

In Essen 1-Bredeney :

Scandic Crown Hotel Bredeney ⛯, Theodor-Althoff-Str. 5, ✆ 76 90, Telex 857597, Fax 7693143, 斎, ≘s, ⛶, 🛋 – |‡| ⇔ Zim ▤ Rest TV ♿ **P** – 25/350. AE ⦿ E VISA. ⇔ Rest — S **b**
Restaurants : **Rhapsody M** a la carte 46/70 – **Bisou de mer** *(Sonntag geschl.)* **M** a la carte 57/91 – **293 Z : 380 B** 220/270 - 280/330 Fb – 6 Appart.

XX **Parkhaus Hügel** mit Zim, Freiherr-vom-Stein-Str. 209, ✆ 47 10 91, Telex 8571190, Fax 444207, ≤, 斎 – TV ☎ **P** – 25/60. AE ⦿ E VISA — S **r**
M a la carte 52/85 – **13 Z : 25 B** 110/125 - 160/175 Fb.

XX **Heimliche Liebe,** Bredeney 33 (über Heisinger Str.), ✆ 44 12 21, ≤ Baldeneysee, « Terrasse » – **P**. AE ⦿ E VISA — S **a**
Donnerstag geschl. – **M** a la carte 32/60.

In Essen 17-Burgaltendorf SO : 12 km über Wuppertaler Str. S :

Burg Mintrop garni, Schwarzensteinweg 81, 57 17 10, Fax 5717147, - TV P. AE E VISA
24. Dez.-5. Jan. geschl. - **60 Z : 100 B** 120/185 - 180/255.

In Essen 1-Frohnhausen :

Oehler garni, Liebigstr. 8, 70 53 27 - P. R
10. Dez.- 5. Jan. geschl. - **12 Z : 18 B** 60/70 - 90/100 Fb.

Kölner Hof, Duisburger Str. 20, 76 34 30 - AE E VISA R
Montag - Dienstag 18 Uhr, Jan. und Juli - Aug. je 3 Wochen geschl. - **M** a la carte 55/

In Essen 18-Kettwig ④ : 11 km - 02054 :

Schloß Hugenpoet (ehem. Wasserschloß), August-Thyssen-Str. 51 (W : 2,5 k
1 20 40, Telex 8579180, Fax 120450, , « Park, umfangreiche Gemäldesammlung »,
- TV P - 25/60. AE E VISA. Rest
M 110/150 und a la carte 68/110 - **19 Z : 33 B** 205/325 - 260/425 Fb.

Sengelmannshof , Sengelmannsweg 35, 60 68, Fax 83200, , - TV
P - 25/40 - **26 Z : 42 B** Fb.

Schmachtenbergshof, Schmachtenbergstr. 157, 89 33, Fax 16547 - TV
30/70
M *(wochentags nur Abendessen, Mitte Juli - Anfang Aug. und Montag geschl.)* a la carte 26/
- **24 Z : 37 B** 90/120 - 145/160 Fb.

Knappmann, Ringstr. 198, 78 09, Fax 6789 - TV P. AE E VISA. Zim
23. Dez.- 2. Jan. geschl. - **M** *(Montag - Freitag nur Abendessen, Donnerstag geschl.)* a la ca
22/40 - **10 Z : 20 B** 85 - 120 Fb.

Résidence mit Zim, Auf der Forst 1, 89 11, Fax 82501 - Rest TV P.
E VISA
1.- 9. Jan. und 6.- 31. Juli geschl. - **M** *(bemerkenswerte Weinkarte, Tischbestellung ratsa*
(nur Abendessen, Sonntag - Montag geschl.) 120/180 und a la carte 95/116 *(auch vegetarisc*
Menu) - **18 Z : 33 B** 175/275 - 260/450 Fb
Spez. Sülze von Gänsestopfleber und Ochsenschwanz mit Trüffelremoulade, Hummer auf Dick
Bohnen in Thymianrahm, Quarkauflauf mit Sherryeis.

In Essen 1-Margarethenhöhe :

Bauer-Barkhoff (ehem. Bauernhaus a.d.J. 1825), Lehnsgrund 14 a, 71 54 83, - P R

In Essen 1-Rellinghausen :

Kockshusen (Fachwerkhaus a.d. 17. Jh.), Pilgrimsteig 51, 47 17 21, « Gartenterrass
- P - 25. AE E VISA S
Dienstag und Juli - Aug. 3 Wochen geschl. - **M** a la carte 47/82.

In Essen 1-Rüttenscheid :

Hotel an der Gruga garni, Eduard-Lucas-Str. 17, 4 19 10, Fax 425102, « Behaglic
Einrichtung » - TV P. E VISA AX
39 Z : 50 B 110/150 - 195/220 Fb.

Maximilian garni, Manfredstr. 10, 45 01 70, Telex 4501799 - TV P. E
31 Z : 44 B 130/180 - 190/220 Fb. S

Ruhr - Hotel garni, Krawehlstr. 42, 77 80 53, Fax 780283 - TV . E AV
29 Z : 40 B 110/125 - 170/190 Fb.

Behr's Parkhotel garni, Alfredstr. 118, 77 90 95, Fax 789816 - TV P. E AX
20 Z : 30 B 140 - 160/190.

Rüttenscheider Hof, Klarastr. 18, 79 10 51, Fax 792875 - TV . AE E VISA BX
M *(Mittwoch und Samstag nur Abendessen, Donnerstag und Juli - Aug. 4 Wochen gesc*
a la carte 33/66 - **22 Z : 33 B** 95/110 - 170/180 Fb.

Bonne auberge, Witteringstr. 92, 78 39 99, Fax 783999 - AE E VISA BV
Sonn- und Feiertage sowie Aug. geschl. - **M** a la carte 56/80.

Silberkuhlshof, Lührmannstr. 80, 77 32 67, Fax 774635, « Gartenterrasse » - P
25/50. AE E VISA R
Montag und 1.- 20. Jan. geschl. - **M** a la carte 36/66.

In Essen 16-Werden :

Notice, Velberter Str. 126, 40 40 83, - P S
nur Abendessen, Dienstag, 30. März - 10. April, 30. Aug.- 16. Sept. und 26. Dez.- 9. Jan. gesc
- **M** a la carte 50/71.

Si vous écrivez à un hôtel à l'étranger,
joignez à votre lettre un coupon réponse international
(disponible dans les bureaux de poste).

ESSEN, BAD **4515.** Niedersachsen 411 412 I 10, 987 ⑭ – 12 400 Ew – Höhe 90 m – ole-Heilbad – ☎ 05472.

Kurverwaltung, Ludwigsweg 6, ☎ 8 33, Fax 4442.

Hannover 133 – Bielefeld 54 – ♦Osnabrück 24.

Haus Deutsch Krone ⛰, Ludwigsweg 10, ☎ 8 61, Fax 4943, ≤, ⛱, ≘s, ⛵ – |⇕| TV ☎ Ⓟ – 🏔 25/100. AE ⓓ E
M a la carte 24/54 – **74 Z : 166 B** 75/90 - 115/130 Fb – 8 Appart. 205/230 – ½ P 95/110.

Park- und Tagungshotel ⛰, Auf der Breede 1, ☎ 8 88, Fax 1434, ≤, ⛱, ≘s – |⇕| TV ☎ Ⓟ – 🏔 25/80
M *(Montag geschl.)* a la carte 32/63 – **27 Z : 50 B** 68/78 - 115/125 Fb – ½ P 80/100.

ESSING Bayern siehe Kelheim.

ESSINGEN **7087.** Baden-Württemberg 413 N 20 – 5 600 Ew – Höhe 520 m – Wintersport : 00/700 m ⛷3 ⛷3 – ☎ 07365.

Stuttgart 70 – Aalen 6 – ♦Augsburg 126 – ♦Ulm (Donau) 68.

Brauereigasthof Sonne, Rathausgasse 17, ☎ 2 72 – 🚗 Ⓟ – **18 Z : 28 B**.

ESSLINGEN AM NECKAR **7300.** Baden-Württemberg 413 KL 20, 987 ㉟ – 91 000 Ew – Höhe 40 m – ☎ 0711 (Stuttgart).

ehenswert : Altes Rathaus★ Y **B.**

Kultur- und Freizeitamt, Marktplatz 16 (Spaeth'sches Haus), ☎ 3 51 24 41.

DAC, Hindenburgstr. 95, ☎ 31 10 72, Telex 7256472.

Stuttgart 14 ④ – Reutlingen 40 ③ – ♦Ulm (Donau) 80 ③.

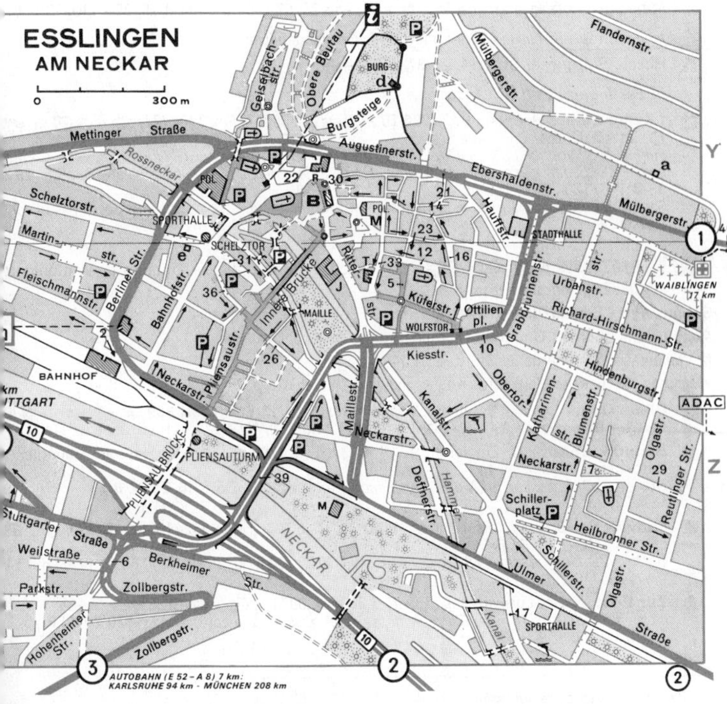

ahnhofstraße	Z	Blarerplatz	Z 5	Landolinsplatz	Y 21
üferstraße	Z	Brückenstraße	Z 6	Milchstraße	Y 23
arktplatz	Y 22	Charlottenplatz	Z 7	Plochinger Straße	Z 29
berer Metzgerbach	Z 26	Entengrabenstraße	Z 10	Rathausplatz	Y 30
liensaustraße	Z	Franziskanergasse	Z 12	Roßmarkt	Z 31
nterer Metzgerbach	Z 36	Heugasse	Y 14	Strohstraße	YZ 33
		Im Heppächer	Z 16	Vogelsangbrücke	Z 39
ahnhofplatz	Z 2	Kurt-Schumacher-Straße	Z 17	Wielandstraße	YZ 40

Am Schelztor, Schelztorstr. 5, 35 30 51, Telex 7256684, Fax 3702737, – . Zim Z
M *(Samstag - Sonntag, Juli - Aug. 3 Wochen und Weihnachten - Anfang Jan. geschl.)* a la carte 26/45 – **33 Z : 65 B** 120 - 170/180 Fb.

Rosenau, Plochinger Str. 65, 31 63 97, Fax 3161344, , – . über Plochinger Straße Z
M *(nur Abendessen, Samstag, Aug. und 24. Dez.- 6. Jan. geschl.)* a la carte 27/50 – **57 Z : 80 B** 90/140 - 150/180 Fb.

Panorama-Hotel garni, Mülberger Str. 66, 37 31 88, Fax 371096, – . Y
22. Dez.- 10. Jan. geschl. – **35 Z : 43 B** 94 - 130 Fb.

Dicker Turm, in der Burg (Zufahrt über Mülberger Str.), 35 50 35, Fax 38559 Esslingen – . Y
Sonntag 18 Uhr - Montag geschl. – **M** (abends Tischbestellung ratsam) a la carte 44/83.

In Esslingen-Berkheim ③ : 4 km :

Linde, Ruiter Str. 2, 34 53 18, Fax 3454125, , (geheizt), , – . Rest
M *(Samstag und Weihnachten - Mitte Jan. geschl.)* a la carte 22/55 – **90 Z : 110 B** 55/160 - 90/200.

In Esslingen-Liebersbronn ① : 4 km :

Jägerhaus, Römerstr. 1, 37 03 30, Fax 3703343, Schwäbische Alb « Gartenterrasse », – .
M a la carte 28/60 – **38 Z : 76 B** 95 - 130 Fb.

Traube (mit Gästehaus), Im Gehren 6, 37 03 10, Fax 3703130, , – .
Mitte Juli - Anfang Aug. geschl. – **M** a la carte 25/52 – **52 Z : 100 B** 75/95 - 110/130 Fb.

In Esslingen-Sulzgries NW : 4 km über Geiselbachstraße Y :

Hirsch, Sulzgrieser Str. 114, 37 13 56 – .

In Esslingen - Zell ② : 4 km :

Zeller Zehnt, Hauptstr. 97, 36 70 21, Telex 7256684, Fax 3702737, – .
Juli - Aug. 3 Wochen und 24. Dez.- 6. Jan. geschl. – **M** *(Samstag bis 18 Uhr, Sonn- und Feiertage sowie 7.- 13. Jan. geschl., Weihnachten - Neujahr geöffnet)* 50/145 und a la carte 63/99 – **29 Z : 39 B** 110/120 - 170/185 Fb
Spez. Steinbutt- und Jakobsmuscheltatar mit Kräuterkruste, Crépinettes von der Bresse-Taube, Dessertteller.

ETTAL **8107.** Bayern 413 Q 24, 426 F 6 – 1 000 Ew – Höhe 878 m – Luftkurort – Wintersport : 2 – 08822 (Oberammergau).

Sehenswert : Benediktiner-Kloster.

Ausflugsziel : Schloß Linderhof★★ (Schloßpark★★) W : 9,5 km.

Verkehrsamt, Ammergauer Str. 8, 5 34.

♦München 88 – Garmisch-Partenkirchen 15 – Landsberg am Lech 62.

Blaube Gams (mit Altbau), Vogelherdweg 12, 64 49, Fax 869, , , – – **M** a la carte 24/47 – **51 Z : 100 B** 55/80 - 90/150 Fb – ½ P 65/95.

Benediktenhof , Zieglerstr. 1, 46 37, Fax 7288, , , « Haus im bäuerlichen Barockstil » –
Nov.- 22. Dez. geschl. – **M** *(Montag geschl.)* a la carte 27/55 – **16 Z : 32 B** 73 - 115/125 – ½ P 83/93.

Ludwig der Bayer, Kaiser-Ludwig-Platz 10, 66 01, Telex 592416, Fax 74480, , , , , – – 30.
5. Nov.- 22. Dez. geschl. – **M** a la carte 23/49 – **70 Z : 130 B** 65/85 - 98/140 Fb – 7 Fewo 65/140 – ½ P 68/103.

Zur Post, Kaiser-Ludwig-Platz 18, 5 96, Fax 6971 – .
Nov.- 20. Dez. geschl. – **M** *(Dez.- April nur Abendessen)* a la carte 28/53 – **20 Z : 40 B** 75/95 - 110/160 Fb – ½ P 75/120.

Pleasant hotels or restaurants
are shown in the Guide by a red sign.
Please send us the names
of any where you have enjoyed your stay.
Your Michelin Guide will be even better.

TTLINGEN **7505.** Baden-Württemberg 413 HI 20, 987 ㉕ ㉟ – 37 000 Ew – Höhe 135 m – 07243.

Verkehrsamt im Schloß, ✆ 10 1221, Fax 101430.

Stuttgart 79 – Baden-Baden 36 – ♦Karlsruhe 8 – Pforzheim 30.

Erbprinz, Rheinstr. 1, ✆ 32 20, Telex 782848, Fax 16471, « Elegantes Restaurant » – |♦| TV – 25/50. AE E VISA
M *(Sonntag 15 Uhr - Montag geschl.)* a la carte 58/100 – **Weinstube Sibylla M** a la carte 39/67 – **42 Z : 65 B** 145/240 - 260/395.

Stadthotel Engel garni (siehe auch Weinstube zum Engele), Kronenstr. 13, ✆ 33 00, Fax 330199, – |♦| TV ☎ ♿ – 25/50
68 Z : 110 B Fb.

Drei Mohren, Rheinstr. 15, ✆ 1 60 31, Fax 15791, – |♦| TV ☎ P. AE E VISA
M *(Samstag - Sonntag geschl.)* a la carte 35/67 – **32 Z : 55 B** 65/128 - 95/160 Fb.

Holder, Forlenweg 18, ✆ 3 29 92, Fax 79595, – ☎ P. AE E
24. Dez.- 7. Jan. geschl. – (nur Abendessen für Hausgäste) – **30 Z : 42 B** 68/95 - 130/150 Fb.

Sonne, Pforzheimer Str. 21, ✆ 1 22 15, Fax 31865 – P. E VISA
20. Dez.- 10. Jan. geschl. – **M** *(wochentags nur Abendessen, Mittwoch - Donnerstag geschl.)* a la carte 24/50 – **24 Z : 45 B** 55/90 - 90/115.

Weinstube zum Engele, Kronenstr. 13, ✆ 1 28 52, Fax 4673, bemerkenswerte Weinkarte – E VISA
nur Abendessen, Sonntag, 1.- 7. Jan. und Mitte Juli - Anfang Aug. geschl. – **M** a la carte 56/75.

Ratsstuben, Kirchenplatz 1, ✆ 1 47 54, Fax 330199 – E VISA
9.- 16. Juni geschl. – **M** a la carte 34/70.

Yasmin (Chinesische Küche), Marktstr. 16 (1. Etage), ✆ 3 29 29 – E
M a la carte 26/52.

In Ettlingen 3-Spessart SO : 5 km :

Zum Strauß, Talstr. 2, ✆ 2 01 10, – P. Zim
M *(Montag geschl.)* a la carte 24/49 – **7 Z : 11 B** 38 - 75.

Spessarter Hof, Linienring 18, ✆ 24 98, – P. AE
M *(Freitag geschl.)* a la carte 24/52 – **6 Z : 11 B** 38/46 - 70/80.

An der Autobahn A 5 (Anschlußstelle Karlsruhe-Süd) NW : 2,5 km :

Scandic Crown Hotel, Am Hardtwald (Runder Plom), ✆ 7 10, Telex 7826615, Fax 71666, , Massage, , , – |♦| Zim TV ♿ P – 25/350. AE E VISA.
Rest Stadtplan Karlsruhe AV **e**
Restaurants : **Smögen** *(Sonntag - Montag und Juli - Aug. geschl.)* **M** a la carte 61/90 – **Rhapsody M** a la carte 42/67 – **199 Z : 398 B** 215/255 - 275/315 Fb – 4 Appart. 550.

EUSKIRCHEN **5350.** Nordrhein-Westfalen 412 D 15, 987 ㉓ – 48 500 Ew – Höhe 150 m – 02251.

Düsseldorf 78 – ♦Bonn 27 – Düren 30 – ♦Köln 41.

Eifel-Hotel garni, Frauenberger Str. 181, ✆ 50 10, Fax 73847, – |♦| TV ☎ ♿ P – 25.
25 Z : 50 B 95/120 - 150/160 Fb.

Regent garni, Kirchwall 18, ✆ 44 66, – TV ☎. AE E VISA
21 Z : 34 B 55/80 - 90/115.

Rothkopf, Kommerner Str. 76 (B 56), ✆ 5 56 11, Fax 30 60 – TV ☎ P
29 Z : 54 B Fb.

EUTIN **2420.** Schleswig-Holstein 411 O 4, 987 ⑥ – 16 300 Ew – Höhe 43 m – Luftkurort – 04521.

Fremdenverkehrsamt, Haus des Kurgastes, ✆ 31 55.

Kiel 44 – ♦Lübeck 40 – Oldenburg in Holstein 29.

Romantik-Hotel Voss-Haus, Vossplatz 6, ✆ 17 97, Fax 1357, , « Historische Räume a. d.18. Jh. » – TV ☎ – 25/40. AE E VISA
M a la carte 48/76 – **15 Z : 32 B** 100/120 - 150/170 Fb.

In Eutin-Fissau N : 2,5 km :

Wiesenhof, Leonhardt-Boldt-Str. 25, ✆ 27 26, , , – ☎ P.
März - Okt. – (nur Abendessen für Hausgäste) – **32 Z : 58 B** 57/84 - 102/144 Fb.

In Eutin-Sielbeck N : 5,5 km :

Uklei-Fährhaus, Eutiner Str. 7 (am Kellersee), ✆ 24 58, ≤, « Terrasse am See », – P
Dez.- Anfang Feb. geschl. – **M** *(außer Saison Donnerstag geschl.)* a la carte 28/58 – **22 Z : 40 B** 56/75 - 100/160 – 6 Fewo 80/150 – ½ P 80/110.

An der Straße nach Schönwalde NO : 3 km :

Der Redderkrug, Am Redderkrug 5, ✉ 2420 Eutin, ☎ (04521) 22 32, ≤, – P – 40
Nov.- März Donnerstag geschl. – **M** a la carte 24/53 – auch 22 Fewo 100/150.

EXTERTAL **4923.** Nordrhein-Westfalen 411 412 K 10 – 13 100 Ew – Höhe 220 m – ☎ 052
Verkehrsamt, Mittelstr. 36 (Bösingfeld), ☎ 40 20.
♦Düsseldorf 221 – ♦Hannover 72 – Paderborn 64 – ♦Osnabrück 103.

In Extertal-Bösingfeld :

Timpen-Krug, Mittelstr. 14, ☎ 7 52 – TV ☎ P. AE E
M *(Sonntag ab 14 Uhr geschl.)* a la carte 25/45 – **18 Z : 34 B** 45/56 - 68/88.

In Extertal-Linderhofe :

Zur Burg Sternberg, Sternberger Str. 37, ☎ 21 79, – TV – 25/50
M a la carte 21/45 – **70 Z : 100 B** 52/73 - 88/118.

FALKENSTEIN (DONNERSBERGKREIS) **6761.** Rheinland-Pfalz 412 G 18 – 200 Ew – Hö 549 m – ☎ 06302.
Mainz 67 – Kaiserslautern 25 – Bad Kreuznach 40 – Worms 32.

Falkensteiner Hof, ☎ 14 30, ≤ Donnersberggebiet – P.

FALKENSTEIN KREIS CHAM **8411.** Bayern 413 U 19 – 3 000 Ew – Höhe 627 m – Luftkur – Wintersport : 630/700 m 1 1 – ☎ 09462.
Verkehrsamt im Rathaus, ☎ 2 44.
♦München 162 – Cham 21 – ♦Regensburg 40 – Straubing 29.

Schröttinger Bräu, Marktplatz 7, ☎ 3 21, Fax 1664, Biergarten – P
25 Z : 45 B.

Café Schwarz , Arracher Höhe 1, ☎ 2 50, ≤, , , – P
Mitte Nov. - Mitte Dez. geschl. – (Restaurant nur für Hausgäste) – **23 Z : 46 B** 40/50 - 80/ – ½ P 45/55.

FALLINGBOSTEL **3032.** Niedersachsen 411 M 8, 987 ⑮ – 11 000 Ew – Höhe 45 m Kneippheilbad und Luftkurort – ☎ 05162.
Kurverwaltung, Sebastian-Kneipp-Platz 1, ☎ 30 83, Fax 3086.
♦Hannover 59 – ♦Bremen 70 – ♦Hamburg 95 – Lüneburg 69.

Berlin, Düshorner Str. 7, ☎ 30 66, Fax 1636, , – TV ☎ P – 25
20 Z : 38 B Fb.

Karpinski garni, Kirchplatz 1, ☎ 30 41, Fax 6405 – ☎ P. E VISA
Mitte Dez.- Mitte Jan. geschl. – **22 Z : 38 B** 55/75 - 92/110.

In Fallingbostel-Dorfmark NO : 7 km :

Heidehof am See , Großer Hof 1, ☎ (05163) 69 42, – TV ☎ – 25. AE E V
M a la carte 25/62 – **25 Z : 46 B** 85/110 - 125 Fb.

FARCHANT **8105.** Bayern 413 Q 24, 426 F 6 – 3 400 Ew – Höhe 700 m – Erholungsort Wintersport : 650/700 m 2 – ☎ 08821 (Garmisch-Partenkirchen).
18, Oberau, Gut Buchwies (NO : 4 km), ☎(08824) 83 44..
Verkehrsamt im Rathaus, Am Gern 1, ☎ 67 55, Fax 61316.
♦München 84 – Garmisch-Partenkirchen 4 – Landsberg am Lech 73.

Apparthotel Farchanter Alm , Esterbergstr. 37, ☎ 6 87 18, ≤, , , , – ☎ P
Ende Okt.- Mitte Dez. geschl. – **M** *(Dienstag geschl.)* a la carte 23/46 – **25 Z : 60 B** 90 - 1

Kirchmayer, Hauptstr. 14, ☎ 6 87 33, Fax 6345, – TV ☎ P. E VISA
23. Nov.- 21. Dez. geschl. – **M** *(Dienstag geschl.)* a la carte 24/49 – **16 Z : 32 B** 65/8 110/140 Fb.

Föhrenhof , Frickenstr. 2, ☎ 66 40, , – TV P
13.- 31. Jan., 23. März - 13. April und 19. Okt.- 21. Dez. geschl. – **M** *(Montag geschl.)* a la carte 24/46 – **18 Z : 31 B** 50/80 - 90/150.

Gästehaus Zugspitz garni, Mühldörflstr. 4, ☎ 67 29, ≤, , – ☎ P.
20. April - 15. Mai und 10. Nov.- 22. Dez. geschl. – **14 Z : 22 B** 50 - 85/90.

In Oberau **8106** NO : 4 km 987 ㊱ ㊲ :

Forsthaus, Hauptstr. 1 (B 2), ☎ (08824) 2 12, Biergarten, – ☎ P. AE E V
Nov.- 20. Dez. geschl. – **M** *(Dienstag geschl.)* a la carte 23/46 – **33 Z : 64 B** 64/88 - 98/1 – ½ P 67/96.

FASSBERG 3105. Niedersachsen 411 N 8 – 6 300 Ew – Höhe 60 m – ☎ 05055.

Verkehrsbüro in Müden, Hauptstr. 6, ☎ (05053) 3 29.

Hannover 87 – Celle 44 – Munster 14.

In Faßberg 2-Müden SW : 4 km – Erholungsort – ☎ 05053 :

Niemeyer's Posthotel, Hauptstr. 7, ☎ 10 77, Fax 248, « Gartenterrasse », – TV ☎ P – 40. E VISA.
Menu 34/80 – **34 Z : 55 B** 96/120 - 150/170 Fb.

Zum Bauernwald, Alte Dorfstr. 8, ☎ 5 88, Fax 1556, « Gartenterrasse », – TV ☎ P – 30. E.
Mitte Juni - Anfang Juli und 20. Dez.- Mitte Jan. geschl. – **M** *(Montag - Dienstag 17 Uhr geschl.)* a la carte 33/55 – **37 Z : 60 B** 78/95 - 110/160 Fb.

FEHMARN Schleswig-Holstein 411 Q 3, 987 ⑥ – Ostseeinsel, durch die Fehmarnsundbrücke★ (Auto und Eisenbahn) mit dem Festland verbunden.

Burg-Wulfen, ☎ (04371) 59 00.

(Fähre), ☎ (04371) 21 68.

von Puttgarden nach Rodbyhavn/Dänemark.

Insel-Information in Burg, Breite Str. 28, ☎ 30 54, Fax 50681.

Kurverwaltung in Südstrand, ☎ 40 11.

Bannesdorf 2448 – 2 300 Ew – ☎ 04371.

Burg 5 km.

In Bannesdorf - Neue Tiefe S : 3 km :

Strandhotel garni, Am Binnensee 2 (Nähe Südstrand), ☎ 31 42 – TV ☎ P. E
24 Z : 56 B 72/112 - 124/144 Fb – 2 Fewo 130/160.

Burg 2448 – 6 700 Ew – Ostseeheilbad – ☎ 04371.

♦Kiel 86 – ♦Lübeck 86 – Oldenburg in Holstein 31.

Kurhotel Hasselbarth, Sahrensdorfer Str. 39, ☎ 23 22, Telex 29813, Bade- und Massageabteilung, – TV ☎ P
(Restaurant nur für Hausgäste) – **15 Z : 23 B** 80 - 160 – ½ P 105.

Doppeleiche, Breite Str. 32, ☎ 99 20.

In Burg-Burgstaaken :

Schützenhof, Menzelweg 2, ☎ 96 02 – TV ☎ P. E. Zim
Jan. geschl. – **M** *(Dienstag geschl.)* a la carte 26/52 – **32 Z : 58 B** 38/90 - 76/100.

In Burg-Südstrand :

Intersol, Südstrandpromenade, ☎ 40 91, Fax 3765, – TV ☎ P – 50
44 Z : 125 B Fb.

FEILNBACH, BAD 8201. Bayern 413 T 23, 426 HI 5 – 6 000 Ew – Höhe 540 m – Moorheilbad – ☎ 08066.

Kur- und Verkehrsamt, Bahnhofstr. 5, ☎ 14 44, Fax 1602.

♦München 62 – Miesbach 22 – Rosenheim 19.

Gästehaus Kniep, Wendelsteinstr. 41, ☎ 3 37, – P. Zim
(nur Mittagessen für Hausgäste) – **12 Z : 19 B**.

Gundelsberg, Gundelsberger Str. 9, ☎ 2 19, Voralpenlandschaft, – P
20. Jan.- Ende Feb. geschl. – **M** *(Okt.- April Montag geschl.)* a la carte 24/53 – **14 Z : 23 B** 33/45 - 80/90.

In Bad Feilnbach - Au NW : 5 km :

Landgasthof zur Post mit Zim, Hauptstr. 48, ☎ (08064) 7 42 – P. E
Ende Aug.- Mitte Sept. geschl. – **M** *(Tischbestellung erforderlich)* (wochentags nur Abendessen, Sonntag 15 Uhr - Montag geschl.) 72/110 – **7 Z : 13 B** 55 - 100
Spez. Geflügelleberparfait, Rinderrücken in Rotweinsauce, Joghurtmousse mit Früchten.

FELDAFING 8133. Bayern 413 Q 23, 987 ㊲, 426 F 5 – 4 900 Ew – Höhe 650 m – Erholungsort – ☎ 08157.

Tutzinger Str. 15, ☎ 70 05.

♦München 35 – Garmisch-Partenkirchen 65 – Weilheim 19.

Kaiserin Elisabeth, Tutzinger Str. 2, ☎ 10 13, Telex 526408, Fax 539, Starnberger See, « Park », – ☎ P – 25/200. AE E VISA. Rest
M a la carte 45/75 – **70 Z : 100 B** 70/180 - 130/280 Fb.

FELDBERG IM SCHWARZWALD 7828. Baden-Württemberg **413** H 23, **987** ㉞. **427** HI 2
1 500 Ew – Höhe 1 230 m – Luftkurort – Wintersport : 1 000/1 500 m ≰17 ≰3 – ☻ 07655.
Sehenswert : Gipfel ☀**★★** – Bismarck-Denkmal ≤**★**.
🛈 Kurverwaltung, Feldberg-Altglashütten, Kirchgasse 1, ℘ 80 19.
◆Stuttgart 170 – Basel 60 – Donaueschingen 45 – ◆Freiburg im Breisgau 43.

 🏨 **Kur- und Sporthotel Feldberger Hof** ☞, Am Seebuck 10, ℘ (07676) 3 11, Telex 7721124
 Fax 1220, ≤, ☜, Massage, ☎, 🔲 – ▐≑▐ 🔟 ☎ ⊹↟↟ ⇐ 🅿 – ⚠ 40/60. 🄴 *VISA*
 März - April 3 Wochen und Nov.- Dez. 4 Wochen geschl. – **M** a la carte 33/65 – **75 Z : 150**
 98/170 - 136/240 Fb – 15 Appart. 230/350 – 34 Fewo 100/190 – ½ P 98/150.

 In Feldberg 1-Altglashütten – Höhe 950 m

 🏨 **Waldeck - Gästehaus Monika,** Windgfällstr. 19, ℘ 3 64, Fax 231, ≤, ☜, ⇝ – ☎ ⇐
 🅿 ⓪ 🄴 *VISA*
 Nov.- Mitte Dez. geschl. – **M** *(Mittwoch geschl.)* a la carte 25/56 – **30 Z : 55 B** 48/80 - 70/120 Ft

 🏨 **Pension Schlehdorn,** Sommerberg 1 (B 500), ℘ 5 64, Fax 1320, ≤, ☜, ⇝ – ⇐ 🅿
 (Restaurant nur für Hausgäste) – **16 Z : 31 B** 50/60 - 80/120 Fb – ½ P 58/78.

 🏨 **Sonneck,** Schwarzbachweg 5, ℘ 14 11, ⇝ – 🅿
 Mitte Nov.- Mitte Dez. geschl. – **M** *(Dienstag geschl.)* a la carte 26/50 – **15 Z : 25 B** 50 - 90

 ♨ **Seehof,** Am Windgfällweiher (SO : 1,5 km), ℘ 2 55, ≤, ☞ – 🅿
 Ende Okt.- Mitte Dez. geschl. – **M** *(Dienstag geschl.)* a la carte 25/43 – **11 Z : 20 B** 42/45
 72/84 Fb.

 In Feldberg 2-Bärental – Höhe 980 m

 🏨 **Adler** (Schwarzwaldgasthof a.d.J. 1840), Feldbergstr. 4 (B 317), ℘ 12 42, Fax 1228, ☞ – 🔟
 ☎ 🅿 ⓪ 🄴 *VISA*
 M *(auch vegetarische Gerichte)* (nur Abendessen, Dienstag geschl.) a la carte 33/58 ⅄ – **13 Z**
 26 B 80/90 - 120/180 Fb.

 🏨 **Hubertus,** Panoramaweg 9, ℘ 5 36, ≤, ⇝ – ⇐ 🅿. ⅘ Rest
 Mitte Nov.- Mitte Dez. geschl. – (nur Abendessen für Hausgäste) – **12 Z : 25 B** 50 - 100.

 In Feldberg 4-Falkau – Höhe 950 m

 🏨 **Peterle** ☞, Schuppenhörnlestr. 18, ℘ 6 77, ≤, ⇝ – 🔟 ☎ ⇐ 🅿. 🄴 *VISA*
 ➜ *Mitte Nov.- Mitte Dez. geschl.* – **M** *(auch vegetarische Gerichte)* (Donnerstag - Freitag 15 Uh
 geschl.) a la carte 24/50 ⅄ – **12 Z : 22 B** 34 - 72 Fb.

FELDKIRCHEN Bayern siehe München.

FELDKIRCHEN-WESTERHAM 8152. Bayern **413** S 23 – 6 300 Ew – Höhe 551 m – ☻ 08063
🗖 Oed 1, ℘ 63 00.
◆München 37 – Rosenheim 24.

 Im Ortsteil Feldkirchen :

 🏨 **Mareis,** Münchner Str. 10, ℘ 97 30, Fax 97385, ☞, ☜, 🔲 – ▐≑▐ 🔟 ☎ ⇐ 🅿 – ⚠ 25/6
 60 Z : 80 B Fb.

 Im Ortsteil Aschbach NW : 3 km ab Feldkirchen :

 XX **Berggasthof Aschbach** mit Zim, ℘ 90 91, Fax 200, ≤, ☞ – 🔟 ☎ 🅿. 🄴 *VISA*
 20. Jan.- 20. Feb. geschl. – **M** *(Montag geschl.)* a la carte 32/66 – **9 Z : 18 B** 66/80 - 105/115

FELLBACH Baden-Württemberg siehe Stuttgart.

FENSTERBACH Bayern siehe Schwarzenfeld.

FEUCHT 8501. Bayern **413** Q 18, **987** ㉖ – 12 500 Ew – Höhe 361 m – ☻ 09128.
 Siehe Nürnberg (Umgebungsplan).
◆München 153 – ◆Nürnberg 17 – ◆Regensburg 95.

 🏨 **Bauer** garni, Schwabacher Str. 25b, ℘ 29 33 – ▐≑▐ ☎ ⇐ 🅿. 🄴 CT
 24. Dez.- 6. Jan. geschl. – **37 Z : 55 B** 38/58 - 65/120.

 An der Autobahn A 9 SW : 2 km :

 🏨 **Rasthaus und Motel Nürnberg-Feucht,** Ostseite, ✉ 8501 Feucht, ℘ (09128) 34 44
 Fax 12318 – ⇐ 🅿 CT
 M a la carte 26/51 – **38 Z : 76 B** 84/120 - 128/155.

Ganz Europa auf einer Karte (mit Ortsregister) :
Michelin-Karte Nr. **970**.

FEUCHTWANGEN **8805.** Bayern 413 NO 19, 987 ㉖ – 10 500 Ew – Höhe 450 m – Erholungsort – ☎ 09852.

ℹ Verkehrsbüro, Marktplatz 1, ✆ 9 04 44, Fax 90432.

♦München 171 – Ansbach 25 – Schwäbisch Hall 52 – ♦Ulm (Donau) 115.

Romantik-Hotel Greifen-Post, Marktplatz 8, ✆ 20 02, Telex 61137, Fax 4841, « Geschmackvolle Einrichtung », ⇌s, ⊡ – |♦| ⇋ Zim ⊡ ☎ ⇔. AE ⓓ E VISA
M *(Nov.- April Sonntag - Montag und Jan. geschl.)* a la carte 59/90 – **35 Z : 60 B** 105/145 - 165/210 Fb – 3 Appart. 270/400 – ½ P 130/180.

Wilder Mann, Alter Ansbacher Berg 2, ✆ 7 19 – Ⓟ
Ende Aug.-Mitte Sept. geschl. – **M** *(Donnerstag geschl.)* a la carte 20/34 ♁ – **13 Z : 26 B** 40 - 75 – ½ P 48.

Lamm, Marktplatz 5, ✆ 5 00, Fax 2884 – ⊡ ☎
20. Dez.- 10. Jan. geschl. – **M** *(Dienstag geschl.)* a la carte 18/37 – **8 Z : 15 B** 55/75 - 100/120.

Ballheimer mit Zim, Ringstr. 57, ✆ 91 82, ⛱ – Ⓟ
M a la carte 30/52 – **10 Z : 16 B** 54 - 79 Fb.

In Feuchtwangen-Dorfgütingen N : 6 km :

Landgasthof Zum Ross, Dorfgütingen 37 (B 25), ✆ 99 33, ⛱, ⇌s, ✂ – ⊡ ⇔ Ⓟ
23. Dez.- 7. Jan. und 26. Okt.- 3. Nov. geschl. – **M** *(Sonntag 15 Uhr - Montag geschl.)* a la carte 28/55 – **12 Z : 22 B** 53/59 - 78/90.

In Feuchtwangen-Wehlmäusel SO : 7 km :

Pension am Forst ⊗, Wehlmäusel 4, ✆ (09856) 5 14, ⇌s, ⌂ – ⇔ Ⓟ
9.- 28. März geschl. – **M** *(Dienstag geschl.)* a la carte 19/40 – **20 Z : 40 B** 39/50 - 74.

FICHTELBERG **8591.** Bayern 413 S 17 – 2 800 Ew – Höhe 684 m – Luftkurort – Wintersport : 700/1 024 m ⛷1 ⛷5 – ☎ 09272.

ℹ Verkehrsamt im Rathaus, Bayreuther Str. 4, ✆ 3 53, Fax 6711.

♦München 259 – Bayreuth 30 – Marktredwitz 21.

Schönblick ⊗, Gustav-Leutelt-Str. 18, ✆ 4 27, Fax 6731, ⇌s, ⊡, ⌂ – ☎ ⇔ Ⓟ – ⛬ 40
M a la carte 34/58 – **48 Z : 100 B** 59/80 - 98/158 Fb – 2 Fewo 80 – ½ P 72/104.

In Fichtelberg-Neubau NW : 2 km :

Specht, Fichtelberger Str. 41, ✆ 4 11, ⛱, ⌂ – Ⓟ
M a la carte 19/29 – **26 Z : 46 B** 27/40 - 50/74.

Waldhotel am Fichtelsee ⊗, ✆ 4 66, Fax 469, ≤, ⛱, ⌂ – ☎ Ⓟ
18 Z : 35 B.

FIEFBERGEN **2306.** Schleswig-Holstein 411 NO 3 – 350 Ew – Höhe 30 m – ☎ 04344 (Schönberg).

♦Kiel 19 – Lütjenburg 27 – Preetz 24.

Sommerhof, Am Dorfteich 11, ✆ 66 85, « Gartenterrasse » – Ⓟ. ⚹
nur Abendessen, Montag - Dienstag sowie Feb. und Okt.- Nov. jeweils 2 Wochen geschl. – **M** *(Tischbestellung ratsam)* a la carte 52/63.

FILDERSTADT **7024.** Baden-Württemberg 413 K 20 – 37 000 Ew – Höhe 370 m – ☎ 0711 (Stuttgart).

♦Stuttgart 16 – Reutlingen 25 – ♦Ulm (Donau) 80.

In Filderstadt 1-Bernhausen :

Schumacher garni, Volmarstr. 19, ✆ 70 30 83, Fax 704420 – |♦| ☎ ♿ ⇔
25 Z : 31 B 90 - 130 Fb.

In Filderstadt 4-Bonlanden :

Am Schinderbuckel, Bonländer Hauptstr. 145 (nahe der B 312), ✆ 77 10 36, Telex 7255837, Fax 772095, ⛱, ⇌s, ⊡ – |♦| ⊡ Ⓟ – ⛬ 25/150. AE ⓓ E VISA
M a la carte 47/85 – **121 Z : 135 B** 149/210 - 185/245 Fb.

FINNENTROP **5950.** Nordrhein-Westfalen 412 G 13, 987 ㉔ – 17 400 Ew – Höhe 230 m – ☎ 02721 (Grevenbrück).

♦Düsseldorf 130 – Lüdenscheid 43 – Meschede 46 – Olpe 25.

In Finnentrop 1-Bamenohl SO : 2 km :

Cordes, Bamenohler Str. 59, ✆ 7 07 36 – ☎ ⇔ Ⓟ – ⛬ 70. ⚹ Rest
10 Z : 18 B.

In Finnentrop 13-Rönkhausen N : 7 km :

Im stillen Winkel, Kapellenstr. 11, (02395) 3 71, Fax 1583 – Rest
7.- 27. Sept. geschl. – **M** *(Donnerstag geschl.)* a la carte 25/57 – **9 Z : 15 B** 63/70 - 98/12(

FINSTERBERGEN **O-5803.** Thüringen – 1 500 Ew – Höhe 419 m – 0037 6227.
Erfurt 49 – ♦Berlin 313 – Bad Hersfeld 89 – Coburg 104.

Zur Tanne mit Zim, Hauptstr. 37, 61 25 –
Okt. geschl. – **M** *(Montag geschl.)* a la carte 15/25 – **4 Z : 8 B** 50/60 - 70.

FINSTERWALDE **O-7980.** Brandenburg 984 ⑳, 987 ⑱ – 23 600 Ew – Höhe 120 m
0037585.
♦Berlin 100 – Cottbus 96 – ♦Dresden 93 – ♦Leipzig 115.

Zum Brückenkopf, Thälmannstr. 23, 22 01 –
26 Z : 45 B.

Zum Vetter, Wilhelm-Külz-Str. 15, 22 69(Hotel) 85 45 (Rest.) –
M *(Samstag - Sonntag geschl.)* a la carte 18/33 – **22 Z : 44 B** 30/65 - 60/100.

FISCHACH **8935.** Bayern 413 O 22 – 4 000 Ew – Höhe 490 m – 08236.
Gessertshausen, Weiherhof (O : 14 km), (08238) 78 44.
♦München 90 – ♦Augsburg 22 – ♦Ulm (Donau) 73.

Zur Posthalterei mit Zim, Poststr. 14, 15 57, –
Juni 2 Wochen geschl. – **M** *(Donnerstag geschl.)* a la carte 24/50 – **9 Z : 14 B** 40/45 - 75/8(

FISCHBACHAU **8165.** Bayern 413 S 23, 426 H 5 – 4 700 Ew – Höhe 771 m – Erholungso
– Wintersport : 770/900 m 1 7 – 08028.
Verkehrsamt, Rathaus, Kirchplatz 10, 8 76.
♦München 72 – Miesbach 18.

In Fischbachau-Birkenstein O : 1 km :

Oberwirt, Birkensteinstr. 91, 8 14, –
15.- 30. Jan. und 1.- 15. Dez. geschl. – **M** *(Mittwoch geschl.)* a la carte 20/42 – **18 Z : 36**
33/58 - 66/80 – ½ P 43/50.

In Fischbachau-Winkl N : 1 km :

Café Winklstüberl mit Zim, Leitzachtalstr. 68, 7 42, Fax 1586, « Gemütlich Bauernstuben, Sammlung von Kaffeemühlen, Gartenterrasse mit » –
M a la carte 24/39 – **8 Z : 14 B** 30/35 - 60/70.

FISCHBACHTAL **6101.** Hessen 412 413 J 17 – 2 500 Ew – Höhe 300 m – 06166.
♦Wiesbaden 72 – ♦Darmstadt 25 – ♦Mannheim 57.

In Fischbachtal 2-Lichtenberg – Erholungsort :

Landhaus Baur mit Zim (ehem. Villa in einem kleinen Park, auch Gästehaus mit), Lippmannweg 15, 83 13, , – Rest
Jan. 3 Wochen und Okt. 2 Wochen geschl. – **M** *(Tischbestellung erforderlich)* (Montag Dienstag 19 Uhr geschl.) 130/150 und a la carte 80/100 – **10 Z : 20 B** 70/100 - 100/140
Spez. Sülze vom Zicklein (Frühjahr), Spanferkelrücken mit Senfrahmsauce (Sommer), Sauerbrate vom Karpfen.

FISCHEN IM ALLGÄU **8975.** Bayern 413 N 24, 987 ㊱, 426 C 6 – 2 700 Ew – Höhe 760 m
– Heilklimatischer Kurort – Wintersport : 760/1 665 m 3 5 – 08326.
Verkehrsamt, Am Anger 15, 18 15 ; Fax 9066.
♦München 157 – Kempten (Allgäu) 33 – Oberstdorf 6.

Rosenstock, Berger Weg 14, 18 95, Fax 9676, , , –
3. Nov.- 17. Dez. geschl. – (Restaurant nur für Hausgäste) – **42 Z : 70 B** 76/88 - 117/174 F
– ½ P 70/100.

Burgmühle, Auf der Insel 4a, 18 98, Fax 7352, , , – Rest
Anfang Nov.- Mitte Dez. geschl. – (nur Abendessen für Hausgäste) – **26 Z : 46 B** 70/90
110/160 Fb – 2 Fewo 120/160.

Krone, Auf der Insel 1, 2 87, –
2.- 15. März und 26. Okt.- 17. Dez. geschl. – **M** *(Montag 14 Uhr - Dienstag geschl.)* a la cart
27/53 – **10 Z : 18 B** 55/65 - 78/100 Fb.

Café Haus Alpenblick, Maderhalmer Weg 10, 3 37, , , –
Nov.- Mitte Dez. geschl. – **M** *(nur Abendessen, Mittwoch geschl.)* a la carte 24/43 – **21 Z : 36**
55/65 - 106/110 Fb – ½ P 65/70.

Münchner Kindl, Hauptstr. 11, ☎ 3 89, –
Nov.- Mitte Dez. geschl. – **M** *(Mittwoch 14 Uhr - Donnerstag geschl.)* a la carte 22/40 – **18 Z : 38 B** 45/46 - 86 Fb – 12 Fewo 65/100.

In Fischen-Langenwang S : 3 km :

Kur- und Sporthotel Sonnenbichl, Sägestr. 19, ☎ 18 51, Fax 9640, ←, , Bade- und Massageabteilung, , , , , – , ,
26. April - 10. Mai und 30. Okt.- 20. Dez. geschl. – **M** a la carte 30/48 – **53 Z : 100 B** 73/119 - 162/210 Fb – ½ P 93/120.

Café Frohsinn, Wiesenweg 4, ☎ 18 48, Fax 1840, ←, Bade- und Massageabteilung, , , , – , ,
2. Nov.- 18. Dez. geschl. – **M** *(Abendessen nur für Hausgäste, Montag geschl.)* a la carte 31/50 – **54 Z : 92 B** 82/105 - 144/180 Fb – ½ P 82/100.

In Fischen-Maderhalm :

Kur- und Sporthotel Tanneck, Maderhalmer Weg 20, ☎ 99 90, Fax 999133, ← Fischen und Allgäuer Berge, , Bade- und Massageabteilung, , , , , – , ,
 – 40.
2. Nov.- 19. Dez. geschl. – (Restaurant nur für Hausgäste) – **63 Z : 107 B** 115/190 - 190/280 Fb – 3 Appart. 305/340.

Café Maderhalm, Maderhalmer Weg 19, ☎ 2 56, ← Fischen und Allgäuer Berge, – , . Zim
Nov.- 20. Dez. geschl. – **M** *(Sonntag 14 Uhr - Montag geschl.)* a la carte 24/46 – **15 Z : 25 B** 58/82 - 120 Fb.

In Obermaiselstein **8975** W : 3 km :

Berwanger, Niederdorf 11, ☎ (08326) 18 55, Fax 9454, ←, , , – , , ,

26. April - 16. Mai und 9. Nov.- 20. Dez. geschl. – **M** *(Donnerstag geschl.)* a la carte 28/56 – **26 Z : 52 B** 70/76 - 128/144 Fb – ½ P 71/82.

Café Steiner, Niederdorf 21, ☎ (08326) 4 90, ←, – . E
Nov.- Mitte Dez. geschl. – (Restaurant nur für Hausgäste) – **11 Z : 24 B** 44 - 88/98 Fb – ½ P 56/66.

Langer's Schlemmerstuben, Paßstr. 2, ☎ (08326) 95 00, Fax 9496, –
Dienstag und Nov.- Dez. 4 Wochen geschl. – **M** *(auch vegetarische Gerichte)* a la carte 48/84
Spez. Terrinen und Pasteten, Dreierlei von Fischen mit Rieslingsauce, Joghurtcharlotte.

FISCHERBACH

7612. Baden-Württemberg 413 H 22, 242 ㉘ – 1 600 Ew – Höhe 220 m – Erholungsort – ☎ 07832 (Haslach im Kinzigtal).
Stuttgart 149 – ♦Freiburg im Breisgau 51 – Freudenstadt 50 – Offenburg 33.

Krone, Vordertalstr. 17, ☎ 29 97, , – , , . Zim
über Fastnacht 2 Wochen geschl. – **M** *(Montag geschl.)* a la carte 20/45 – **20 Z : 36 B** 45/48 - 84/88 – ½ P 55/58.

Außerhalb N : 7 km, Zufahrt über Hintertal – Höhe 668 m

Nillhof, Hintertal 29, ✉ 7612 Fischerbach, ☎ (07832) 25 00, ← Schwarzwald, , , – , . AE E
20. Nov.- 12. Dez. geschl. – **M** a la carte 21/58 – **18 Z : 31 B** 40/55 - 88/110 Fb – ½ P 50/70.

FLAMMERSFELD

5232. Rheinland-Pfalz 412 F 15 – 1 200 Ew – Höhe 270 m – Luftkurort – ☎ 02685.
Fremdenverkehrsbüro (Rathaus), Rheinstr. 31, ☎ 10 26.
Mainz 119 – ♦Koblenz 45 – ♦Köln 66 – Limburg an der Lahn 60.

In Rott **5232** SW : 2 km :

Zur Schönen Aussicht, Gartenstr., ☎ (02685) 3 44, Fax 8478, « Garten », , , – ,
27. Okt.- 17. Dez. geschl. – (Restaurant nur für Hausgäste) – **18 Z : 30 B** 40/49 - 80/98.

FLECKEBY

2334. Schleswig-Holstein 411 M 3 – 1 400 Ew – Höhe 20 m – ☎ 04354.
Kiel 38 – Eckernförde 10 – Schleswig 13.

In Hummelfeld-Fellhorst **2334** S : 5 km :

Sport- und Tagungshotel Fellhorst, ☎ (04354) 7 21, Fax 1082, , , , , – , – 25/80. E VISA
M a la carte 26/52 – **28 Z : 56 B** 76 - 136/195 Fb.

FLEIN

Baden-Württemberg – siehe Heilbronn.

FLENSBURG **2390.** Schleswig-Holstein 411 L 2, 987 ⑤ – 87 000 Ew – Höhe 20 m
☎ 0461.

Sehenswert: Städtisches Museum★ Z **M1** – Nikolaikirche (Orgel★) Z – Flensburger Förde Y.

🅸 Verkehrsverein, Norder Str. 6, ✆ 2 30 90, Fax 17352.
ADAC, Robert-Koch-Str. 33, ✆ 5 30 33, Notruf ✆ 1 92 11.
♦Kiel 88 ③ – ♦Hamburg 158 ③.

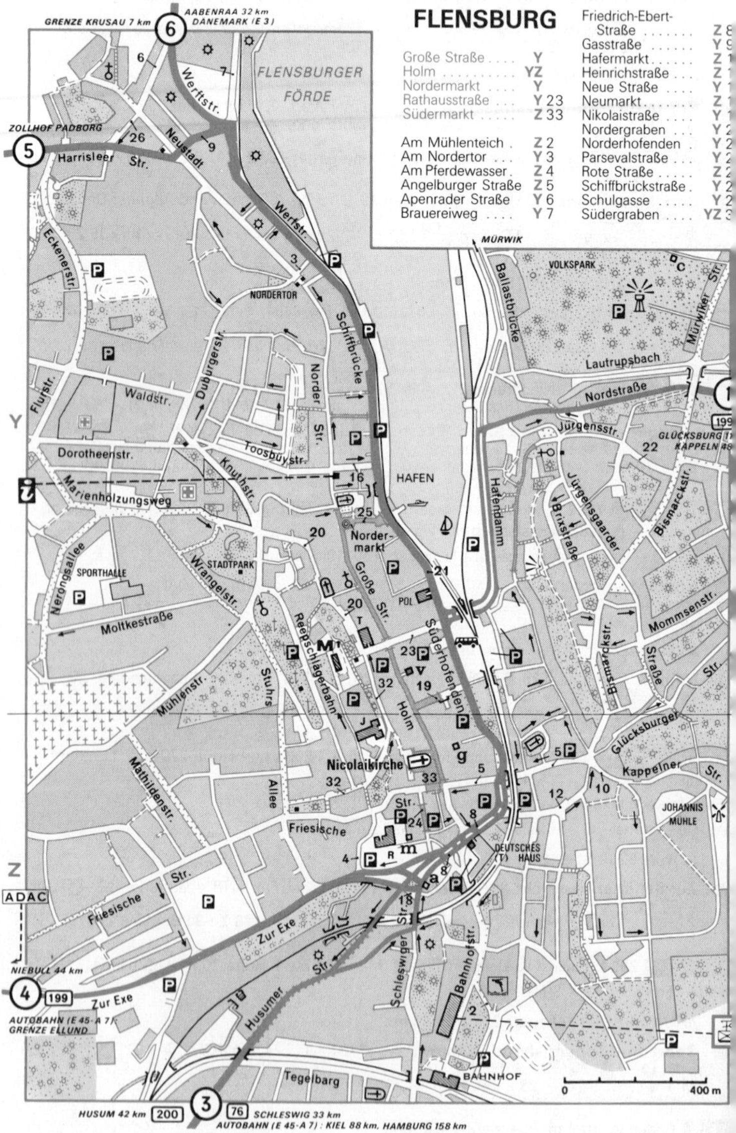

Central-Hotel - Restaurant Le Castillon, Neumarkt 1, ✆ 8 60 00, Fax 22599 – |♦| TV ☎ P. AE ① E VISA Z a
M a la carte 43/65 – **54 Z : 100 B** 80/130 - 160/200 Fb.

Flensburger Hof, Süderhofenden 38, ✆ 1 73 29, Fax 17331 – |♦| TV ☎. AE ① E VISA
M *(nur Abendessen, Samstag - Sonntag geschl.)* a la carte 30/56 – **28 Z : 50 B** 130/155 - 170 Fb. Z g

Am Wasserturm, Blasberg 13, ✆ 3 15 06 00, Fax 312287, ≘s, ⊡, – TV ☎ P. AE ① E VISA. Rest Y c
M a la carte 30/55 – **34 Z : 53 B** 100/120 - 145/160 Fb.

Am Rathaus garni, Rote Str. 32, ✆ 1 73 33 – |♦| TV ☎ P Z m
40 Z : 60 B.

Stadtrestaurant im Deutschen Haus, Bahnhofstr. 15, ✆ 2 35 66 – P – 25/500. AE ① E VISA Z
Sonntag geschl. – **M** a la carte 30/62.

Borgerforeningen, Holm 17, ✆ 2 33 85, – P. AE ① E VISA Y v
Sonntag geschl. – **M** a la carte 28/62.

In Harrislee **2398** ⑤ : 3,5 km :

Nordkreuz, Süderstr. 12, ✆ (0461) 7 74 00 – TV ☎ P
17 Z : 36 B Fb.

In Harrislee-Kupfermühle **2398** ⑥ : 6 km :

Hotel an der Grenze (mit Gästehäusern), am Grenzübergang Kupfermühle, ✆ (0461) 70 20, Fax 702702, ≘s, (geheizt, ⊡, – |♦| TV ☎ P – 25/600. AE ① E VISA
M (siehe auch Rest. Chez Paul) a la carte 28/56 – **270 Z : 528 B** 90/150 - 140/195 Fb.

✻ **Chez Paul,** im Hotel an der Grenze (3. Etage |♦|), ✆ (0461) 70 27 22, Fax 702702 – P. AE ① E VISA
Montag - Dienstag 18 Uhr und 12. Juli - 11. Aug. geschl. – **M** 85/120
Spez. Austernfrikassee mit Chablis, Pot au feu von der Taube, Karamelisierte Pfannkuchen mit Minzeeis.

In Harrislee-Wassersleben **2398** ⑥ : 5 km :

Wassersleben, Wassersleben 4, ✆ (0461) 7 20 85, Fax 72033, ←, – TV ☎ P. AE ① E VISA
M a la carte 39/65 – **25 Z : 50 B** 120 - 160/190 Fb.

In Oeversee **2391** ③ : 9 km an der B 76 :

Historischer Krug, ✆ (04630) 3 00, Fax 780, ≘s, ⊡, – TV ☎ ♿ P – 40. AE ① E VISA
Jan. 3 Wochen geschl. – **M** a la carte 63/90 – **47 Z : 90 B** 89/109 - 145/220 Fb.

FLINTSBACH AM INN

8201. Bayern 413 T 23 – 2 200 Ew – Höhe 496 m – Luftkurort – 08034.
Verkehrsamt, Rathaus, Kirchstr. 9, ✆ 4 13.
München 73 – Rosenheim 18.

Dannerwirt, Kirchplatz 4, ✆ 20 17, Fax 7144 – ☎ P. E
Nov. 3 Wochen geschl. – **M** *(Donnerstag geschl.)* a la carte 23/45 – **28 Z : 50 B** 50/55 - 80/85 – ½ P 55/75.

FLÖRSHEIM

6093. Hessen 412 413 I 16 – 16 600 Ew – Höhe 95 m – 06145.
Wiesbaden 21 – ♦Darmstadt 28 – ♦Frankfurt am Main 29 – Mainz 15.

Herrnberg, Bürgermeister-Lauck-Str., ✆ 20 11, Fax 53211 – |♦| Zim TV ☎ P. AE ① E VISA
M *(Sonntag 15 Uhr - Montag 18 Uhr und Juli geschl.)* a la carte 27/45 – **36 Z : 72 B** 105/145 - 145/175 Fb.

FÖHR (Insel)

Schleswig-Holstein 411 I 2, 987 ④ – Insel der Nordfriesischen Inselgruppe – Seebad.
Ausflugsziele : Die Halligen★ (per Schiff).
Nieblum, ✆ (04681) 32 77.
von Dagebüll (ca. 45 min). Für PKW Voranmeldung bei Wyker Dampfschiffs-Reederei GmbH in Wyk, ✆ (04681) 80 40.
Kiel 126 – Flensburg 57 – Niebüll 15.

Süderende

2270 – 150 Ew – 04683.

Landhaus Altes Pastorat, ✆ 2 26, « Garten », – Rest TV ☎ P.
Ostern - Sept. – (nur Abendessen für Hausgäste, für Passanten Voranmeldung erforderlich) – **5 Z : 10 B** (nur ½ P) 250 - 450/500.

Wyk **2270** – 4 500 Ew – Heilbad – ☎ 04681.

ℹ Städt. Kurverwaltung, Rathaus, Hafenstraße, ✆ 30 40, Fax 5137.

Kurhaus - Hotel garni, Sandwall 40, ✆ 7 92, ←, – TV ☎ P
nur Saison – **28 Z : 55 B.**

Kurhotel am Wellenbad, Sandwall 29, ✆ 21 99, Fax 4663, ←, Massage, – TV ☎ P. AE ⓓ E VISA. ✻ Rest
Mitte Jan.- Feb. und Nov. 1 Woche geschl. – **M** a la carte 46/70 – **44 Z : 88 B** 96/142 - 186/210 F – ½ P 125/174.

Duus, Hafenstr. 40, ✆ 7 08 – TV ☎
22 Z : 42 B.

Strandhotel, Königstr. 1, ✆ 7 97, Fax 799, ←, – TV ☎ P
M a la carte 24/49 – **14 Z : 19 B** 73/103 - 130/175.

Colosseum, Große Str. 42, ✆ 9 61, Fax 1815, – TV ☎ P
Feb.- März 4 Wochen geschl. – **M** *(Mittwoch geschl.)* a la carte 30/50 – **20 Z : 34 B** 67/85 124/130 Fb – 4 Fewo 90/115 – ½ P 80/107.

Alt Wyk, Große Str. 4, ✆ 32 12.

Friesenstube, Süderstr. 8, ✆ 24 04.

FORBACH **7564.** Baden-Württemberg 413 I 20 – 6 000 Ew – Höhe 331 m – Luftkurort ☎ 07228.

ℹ Kurverwaltung, Kurhaus, Striedstr. 14, ✆ 23 40, Fax 3980.

♦Stuttgart 106 – Baden-Baden 26 – Freudenstadt 31 – ♦Karlsruhe 50.

In Forbach 5-Hundsbach SW : 14 km über Raumünzach – Wintersport : 750/1000 m 1 :

Feiner Schnabel, Hundseckstr. 24, ✆ (07220) 2 72, Fax 272, – P. ⓓ VISA. ✻ Rest
2. Nov.- 24. Dez. geschl. – **M** *(Dienstag geschl.)* a la carte 22/54 – **10 Z : 19 B** 54/65 100/120 Fb – ½ P 69/79.

FORCHHEIM **8550.** Bayern 413 PQ 17, 987 ㉖ – 29 000 Ew – Höhe 265 m – ☎ 09191.

Sehenswert : Pfarrkirche (Bilder der Martinslegende★).

ℹ Städt. Verkehrsamt, Rathaus, ✆ 8 43 38, Fax 84277.

♦München 206 – ♦Bamberg 25 – ♦Nürnberg 35 – ♦Würzburg 93.

Franken garni, Ziegeleistr. 17, ✆ 62 40, Fax 62480 – TV ☎ P. AE ⓓ E VISA. ✻
40 Z : 60 B 59/69 - 93/98.

Am Kronengarten garni, Bamberger Str. 6 a, ✆ 6 67 68, Fax 66331 – TV ☎. ✻
25 Z : 45 B Fb.

Pilatushof garni, Kapellenstr. 13, ✆ 8 99 70 – TV ☎. AE ⓓ E VISA
Aug. geschl. – **8 Z : 12 B** 80 - 105 Fb.

In Forchheim-Burk W : 1,5 km :

Schweizer Grom, Röthenstr. 5, ✆ 3 32 57, Biergarten – TV P – 25. ✻
9.- 27. Juni und 28. Dez.- 4. Jan. geschl. – **M** *(Freitag geschl.)* a la carte 21/36 – **30 Z : 46** 55/75 - 80/100 Fb.

In Kunreuth-Regensberg **8551** SO : 15 km :

Berggasthof Hötzelein, ✆ (09199) 5 31, Fax 1705, ←Veldensteiner Forst, – ☎ P – 30. ⓓ E VISA. ✻
24. Nov.- 24. Dez. geschl. – **M** *(Dienstag geschl.)* a la carte 22/48 – **30 Z : 53 B** 55/70 - 95/125

FORCHTENBERG **7119.** Baden-Württemberg 413 L 19 – 3 800 Ew – Höhe 189 m – ☎ 07947

♦Stuttgart 83 – Heilbronn 41 – Künzelsau 13 – ♦Würzburg 93.

In Forchtenberg-Sindringen W : 6 km :

Krone, Untere Gasse 2, ✆ (07948) 4 01, – ☎ P – 40. E. ✻ Zim
2.- 28. Jan. geschl. – **M** *(Dienstag geschl.)* a la carte 23/43 – **15 Z : 25 B** 48/50 - 85/90 ½ P 55/62.

FORST Baden-Württemberg – bzw. Rheinland-Pfalz siehe Bruchsal bzw. Deidesheim.

FRAMMERSBACH **8773.** Bayern 412 413 L 16, 987 ㉕ – 4 800 Ew – Höhe 225 m – Erholungsort – Wintersport : 450/530 m 1 3 – ☎ 09355.

ℹ Verkehrsverein im Rathaus, Marktplatz 3, ✆ 48 00.

♦München 332 – ♦Frankfurt am Main 71 – Fulda 74 – ♦Würzburg 52.

Kessler, Orber Str. 23 (B 276), ✆ 12 36, - **P**.
Nov. 3 Wochen geschl. - **M** *(Mittwoch geschl.)* a la carte 20/42 - **13 Z : 27 B** 40/45 - 80 Fb.

Schwarzkopf mit Zim, Lohrer Str. 80 (B 276), ✆ 3 07 - . E
Jan. 1 Woche und Mai - Juni 3 Wochen geschl. - **M** *(Montag geschl.)* a la carte 25/54 -
5 Z : 8 B 40 - 80.

In Frammersbach-Habichsthal W : 7,5 km :

Zur frischen Quelle, Dorfstr. 10, ✆ (06020) 3 93, , - **P**
27. Jan.- Feb. geschl. - **M** a la carte 18/40 - **20 Z : 36 B** 33 - 60.

FRANKENBERG AN DER EDER

3558. Hessen 412 J 13, 987 ㉕ - 18 000 Ew - Höhe 323 m - ✆ 06451.

Sehenswert : Rathaus★.

Ausflugsziel : Haina : Ehemaliges Kloster★, O : 18 km.

Verkehrsamt, Obermarkt 13 (Stadthaus), ✆ 50 51 13.

◆Wiesbaden 156 - ◆Kassel 78 - Marburg 36 - Paderborn 104 - Siegen 83.

Sonne, Marktplatz 2, ✆ 90 19, Fax 22147 - TV ☎ - 25/50. AE E VISA
M *(Juli - Aug. Sonntag 15 Uhr - Montag geschl.)* a la carte 46/80 - **25 Z : 45 B** 80/100 - 150/240 Fb.

Rats-Schänke, Marktplatz 7, ✆ 30 66, Fax 30 69 - TV ☎
27 Z : 54 B Fb.

FRANKENSTEIN (Ruine)

Hessen - siehe Darmstadt.

FRANKENTHAL IN DER PFALZ

6710. Rheinland-Pfalz 412 413 I 18, 987 ㉔ ㉕ - 47 000 Ew - Höhe 94 m - ✆ 06233.

Siehe auch Mannheim-Ludwigshafen (Umgebungsplan).

Städt. Verkehrsverein, Rathaus, ✆ 8 93 95.

Mainz 66 - Kaiserslautern 47 - ◆Mannheim 13 - Worms 10.

FRANKENTHAL IN DER PFALZ

Bahnhofstraße	
Rathausplatz	19
Speyerer Straße	
Am Kanal	2
August-Bebel-Straße	3
Erzberger Straße	5
Europa Ring	6
Friedrich-Ebert-Straße	7
Heinrich-Heine-Straße	10
Hessheimer Straße	12
Karolinenstraße	13
Mahlastraße	14
Mühlstraße	16
Nürnberger Straße	17
Philipp-Karcher-Straße	18
Wallonenstraße	21
Westliche Ringstraße	23
Wormser Straße	24

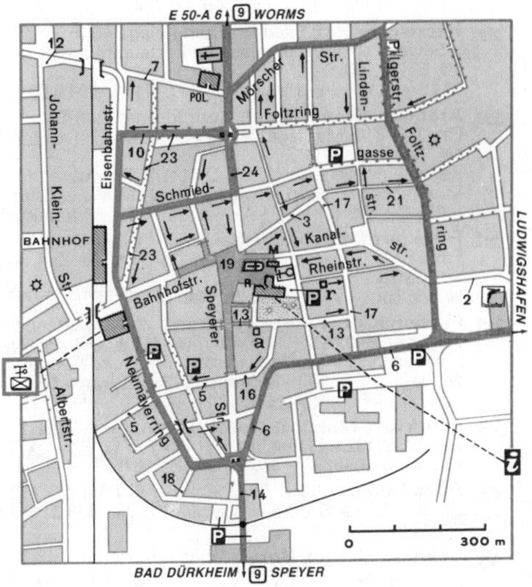

Central, Karolinenstr. 6, ✆ 87 80, Fax 22151, - Zim TV **P** - 25/150. AE E VISA **a**
M *(Samstag bis 18 Uhr und Sonntag geschl.)* a la carte 48/75 - **80 Z : 155 B** 119/149 - 159/215 Fb.

Rathaus-Café garni, Rheinstr. 8, ✆ 2 10 41, Fax 28259 - TV ☎ **P** **r**
32 Z : 51 B.

Adamslust, An der Adamslust 10, ✆ 6 17 16, - **P**
(Tischbestellung ratsam). Umgebungsplan Mannheim-Ludwigshafen **n**

FRANKFURT AM MAIN **6000.** Hessen 412 413 J 16, 987 ㉕ – 627 500 Ew – Höhe 91 m – ℰ 069.

Sehenswert : Zoo*** FX – Goethehaus* GZ **M2** – Dom* (Westturm**, Chorgestühl*, Dom-Museum* HZ – Palmengarten* CV – Senckenberg-Museum* (Paläonthologie**) CX **M9** – Städelsches Museum und Städtische Galerie** GZ – Museum für Kunsthandwerk* HZ – Deutsches Filmmuseum* GZ **M7** – Henninger Turm ※ * FZ.

18 Frankfurt-Niederrad (BT), ℰ 6 66 23 17.

Rhein-Main (AU), ℰ 6 90 25 95.

in Neu-Isenburg, ℰ (06102) 85 75.

Messegelände (CY), ℰ 7 57 50, Telex 411558.

Verkehrsamt im Hauptbahnhof (Nordseite), ℰ 21 23 88 49.

Verkehrsamt im Römer, ℰ 21 23 87 08.

ADAC, Schumannstr. 4, ℰ 7 43 00, Notruf ℰ 1 92 11.

ADAC, Schillerstr. 12, ℰ 7 43 02 95.

♦Wiesbaden 41 ⑦ – ♦Bonn 178 ⑤ – ♦Nürnberg 226 ③ – ♦Stuttgart 204 ⑤.

Die Angabe (F 15) nach der Anschrift gibt den Postzustellbezirk an : Frankfurt 15
L'indication (F 15) à la suite de l'adresse désigne l'arrondissement : Frankfurt 15
The reference (F 15) at the end of the address is the postal district : Frankfurt 15
L'indicazione (F 15) posta dopo l'indirizzo precisa il quartiere urbano : Frankfurt 15

Messe-Preise : siehe S. 8
Foires et salons : voir p. 16
Fairs : see p. 24
Fiere : vedere p. 32

Stadtpläne siehe nächste Seiten

Steigenberger Frankfurter Hof, Bethmannstr. 33 (F 1), ℰ 2 15 02, Telex 411806, Fax 215900, – Zim – 25/300. AE E VISA. Rest GZ **e**
Restaurants (siehe auch Restaurant français und Frankfurter Stubb) : **Hofgarten** *(Samstag geschl.)* **M** a la carte 58/85 – **Kaiserbrunnen M** a la carte 33/50 – **350 Z : 560 B** 332/542 - 414/684 Fb – 30 Appart. 1154/1754.

Hessischer Hof, Friedrich-Ebert-Anlage 40 (F 1), ℰ 7 54 00, Telex 411776, Fax 7540924, « Sèvres-Porzellansammlung im Restaurant » – Zim – 25/300. AE E VISA. Rest CX **p**
M 40 (mittags) und a la carte 65/100 – **114 Z : 201 B** 301/531 - 467/617 – 11 Appart. 862/1679.

Arabella Grand Hotel, Konrad-Adenauer-Str. 7 (F 1), ℰ 2 98 10, Telex 4175926, Fax 2981810, Massage, – Zim – 25/500. AE E VISA. Rest HY **c**
Restaurants (siehe auch Rest. Dynasty) : **Premiere** (nur Abendessen) *(Sonn- und Feiertage, Montag sowie 5. Juli - 2. Aug. geschl.)* **M** a la carte 65/95 – **Brasserie M** a la carte 42/66 – **378 Z : 500 B** 399/519 - 477/547 Fb – 11 Appart. 951/2000.

Frankfurt Intercontinental, Wilhelm-Leuschner-Str. 43 (F 1), ℰ 2 60 50, Telex 413639, Fax 252467, Massage, – Zim – 25/800. AE E VISA. Rest GZ **a**
M a la carte 67/89 – **800 Z : 1450 B** 422/552 - 499/579 Fb – 45 Appart. 1200/4000.

Mövenpick Parkhotel Frankfurt, Wiesenhüttenplatz 28 (F 1), ℰ 2 69 70, Telex 412808, Fax 26978849, – Zim – 25/160. AE E VISA CX **k**
Restaurants : **La Truffe** *(Samstag, Sonn- und Feiertage sowie Juni - Juli 4 Wochen geschl.)* **M** a la carte 70/100 – **Mövenpick-Restaurants M** a la carte 35/68 – **300 Z : 400 B** 321/371 - 494/574 Fb – 4 Appart. 634/2446.

Frankfurt Marriott Hotel, Hamburger Allee 2 (F 90), ℰ 7 95 50, Telex 412573, Fax 79552432, ≤ Frankfurt – Zim – 25/600. AE E VISA. Rest CV **a**
M a la carte 46/80 – **585 Z : 795 B** 366/501 - 442/577 Fb – 17 Appart. 652/1252.

Altea Hotel, Voltastr. 29 (F 90), ℰ 7 92 60, Telex 413791, Fax 79261606, – Zim . AE E VISA – **M** a la carte 43/80 – **426 Z : 852 B** 180/315 - 240/340 Fb – 12 Appart. 390/490. BS **t**

Scandic Crown Hotel, Wiesenhüttenstr. 42 (F 16), ℰ 27 39 60, Telex 416394, Fax 27396795, – Zim – 25/100. AE E VISA CX **s**
M *(Sonntag bis 18 Uhr geschl.)* a la carte 50/80 – **144 Z : 200 B** 225/350 - 285/410 Fb.

Palmenhof - Restaurant Bastei, Bockenheimer Landstr. 89 (F 1), ℰ 7 53 00 60, Fax 75300666 – . AE E VISA CV **m**
20. Dez.- 6. Jan. geschl. – **M** *(Samstag sowie Sonn- und Feiertage geschl.)* a la carte 55/85 – **47 Z : 80 B** 150/200 - 230/280 Fb.

Pullman Hotel Savigny, Savignystr. 14 (F 1), ℰ 7 53 30, Telex 412061, Fax 7533175 – – 25/80. AE E VISA – **M** a la carte 43/75 – **124 Z : 180 B** 215/315 - 290/390 Fb. CX **f**

National, Baseler Str. 50 (F 1), ℰ 27 39 40, Telex 412570, Fax 234460 – – 25/60. AE E VISA CX **x**
M *(auch vegetarische Gerichte)* a la carte 40/72 – **70 Z : 100 B** 167/219 - 281/366 Fb.

An der Messe garni, Westendstr. 104 (F 1), ✆ 74 79 79, Telex 4189009, Fax 748349 – 🛗 TV. AE ⓓ E VISA CV **e**
46 Z : 88 B 200/280 - 230/430 Fb.

Imperial, Sophienstr. 40 (F 90), ✆ 7 93 00 30, Telex 4189636, Fax 79300388 – 🛗 TV ☎. AE ⓓ E VISA CV **t**
M *(nur Abendessen)* a la carte 40/71 – **60 Z : 120 B** 290/390 - 330/390 Fb.

Novotel Frankfurt-Messe, Voltastraße 1b (F 90), ✆ 79 30 30, Telex 412054, Fax 79303930, – 🛗 Zim TV ☎ ♿ Ⓟ – 25/250. AE ⓓ E VISA CV **r**
M a la carte 36/68 – **235 Z : 470 B** 194 - 233 Fb.

Rhein-Main garni, Heidelberger Str. 3 (F 1), ✆ 25 00 35, Telex 413434, Fax 252518 – 🛗 TV ☎ Ⓟ. AE ⓓ E VISA. CX **b**
50 Z : 90 B 180/250 - 280/350 Fb.

Mozart garni, Parkstr. 17 (F 1), ✆ 55 08 31 – 🛗 TV ☎. AE ⓓ E VISA CV **p**
23. Dez.- 2. Jan. geschl. – **35 Z : 56 B** 139/149 - 199 Fb.

Turm-Hotel garni, Eschersheimer Landstr. 20 (F 1), ✆ 15 40 50, Fax 553578 – 🛗 TV ☎ Ⓟ. AE ⓓ E VISA GY **b**
21. Dez.- 6. Jan. geschl. – **75 Z : 130 B** 120 - 175 Fb.

Continental, Baseler Str. 56 (F 1), ✆ 23 03 41, Telex 412502, Fax 232914 – 🛗 TV ☎ – 30. AE ⓓ E VISA. CX **y**
M *(Sonn- und Feiertage geschl.)* a la carte 34/61 – **80 Z : 117 B** 155/180 - 220/325.

Intercity, Poststr. 8 (F 1), ✆ 27 39 10, Telex 414709, Fax 27391999 – 🛗 Zim TV ☎ – 35. AE ⓓ E VISA CX **e**
M a la carte 38/57 – **227 Z : 412 B** 182/236 - 236/286 Fb.

Concorde garni, Karlstr. 9 (F 1), ✆ 23 32 30, Fax 237828 – 🛗 TV ☎. AE ⓓ E VISA.
20. Dez.- 2. Jan. geschl. – **45 Z : 70 B** 140/220 - 230/260 Fb. CX **r**

Topas garni, Niddastr. 88 (F 1), ✆ 23 08 52, Fax 237228 – 🛗 TV ☎. AE ⓓ E VISA.
31 Z : 47 B 110/195 - 170/295 Fb. CX **z**

Cristall garni, Ottostr. 3 (F 1), ✆ 23 03 51, Telex 4170654, Fax 253368 – 🛗 TV ☎. AE ⓓ E VISA. – **38 Z : 58 B** 110/195 - 170/295 Fb. CX **c**

Am Dom garni, Kannengießergasse 3 (F 1), ✆ 28 21 41, Telex 414955, Fax 283237 – 🛗 TV ☎. E VISA – **30 Z : 48 B** 125/200 - 175/300 Fb. HZ **s**

Falk garni, Falkstr. 38 a (F 90), ✆ 70 80 94, Fax 708017 – 🛗 TV ☎ Ⓟ CV **n**
Juli - Aug. 2 Wochen und Weihnachten - Anfang Jan. geschl. – **32 Z : 50 B** 120/145 - 185/205.

Astoria garni, Rheinstr. 25 (F 1), ✆ 74 50 46, Telex 411302, Fax 746026, – Zim TV ☎ Ⓟ. AE ⓓ E VISA. CX **n**
21. Dez.- 2. Jan. geschl. – **57 Z : 82 B** 120/180 - 195/210 Fb.

Bauer Hotel Scala garni, Schäfergasse 31 (F1), ✆ 28 50 41, Telex 413904, Fax 284234 – 🛗 TV ☎. AE ⓓ E VISA. HY **a**
20. Dez.- 5. Jan. geschl. – **44 Z : 90 B** 139/179 - 169/199 Fb.

Am Zoo garni, Alfred-Brehm-Platz 6 (F 1), ✆ 49 07 71, Telex 4170082, Fax 439868 – 🛗 TV ☎ Ⓟ. AE ⓓ E VISA FV **q**
20. Dez.- 5. Jan. geschl. – **85 Z : 140 B** 110 - 160.

Admiral garni, Hölderlinstr. 25 (F 1), ✆ 44 80 21, Fax 439402 – 🛗 TV ☎ Ⓟ FV **w**
47 Z : 67 B.

Diana garni, Westendstr. 83 (F 1), ✆ 74 70 07, Telex 416227 – TV ☎. AE ⓓ VISA CV **d**
24 Z : 32 B 80/95 - 140.

Corona garni, Hamburger Allee 48 (F 90), ✆ 77 90 77, Fax 708639 – 🛗 TV ☎. AE E VISA
Mitte Dez.- Anfang Jan. geschl. – **26 Z : 52 B** 85/140 - 140/250. CV **n**

XXXX ✿ **Restaurant français** (im Hotel Steigenberger Frankfurter Hof), Bethmannstr. 33 (F 1), ✆ 2 15 02 – . AE ⓓ E VISA. GZ **e**
Sonn- und Feiertage sowie Montag und Juni - Juli 4 Wochen geschl. – **M** (Tischbestellung ratsam) a la carte 86/120
Spez. Salat von Hummer und Zwergorangen, Pochierter Wolfsbarsch mit Gemüse-Ingwer-Fond, Dessert vom Wagen.

XXXX **Zauberflöte,** Opernplatz 1 (F 1), ✆ 1 34 03 86, Fax 1340391, – AE ⓓ E VISA
nur Abendessen, Sonn- und Feiertage, Montag sowie 6. Juli - 16. Aug. geschl. – **M** *(Tischbestellung ratsam)* a la carte 65/93 – **Bistro** *(auch Mittagessen)* **M** a la carte 30/45. GY **T**

XXXX ✿ **Weinhaus Brückenkeller,** Schützenstr. 6 (F 1), ✆ 28 42 38, « Alte Kellergewölbe mit kostbaren Antiquitäten » – Ⓟ. AE ⓓ E VISA. FX **a**
nur Abendessen, Weihnachten - Anfang Jan. und außerhalb der Messezeiten Sonn- und Feiertage geschl. – **M** (Tischbestellung ratsam) 135/160 und a la carte 80/115
Spez. Gebackenes Sellerie-Tascherl mit Kalbsbries, Zander mit Linsen, Auflauf und Eis von Kürbiskernen.

XXX ✿ **Humperdinck,** Grüneburgweg 95 (F 1), ✆ 72 21 22 – AE ⓓ E VISA CV **a**
Samstag bis 19 Uhr, Sonntag, Juni - Juli 3 Wochen und Weihnachten - Anfang Jan. geschl. – **M** a la carte 82/120
Spez. Variationen von der Gänsestopfleber, Lammrücken mit Olivenkruste, Variation von Schokolade.

STRASSENVERZEICHNIS

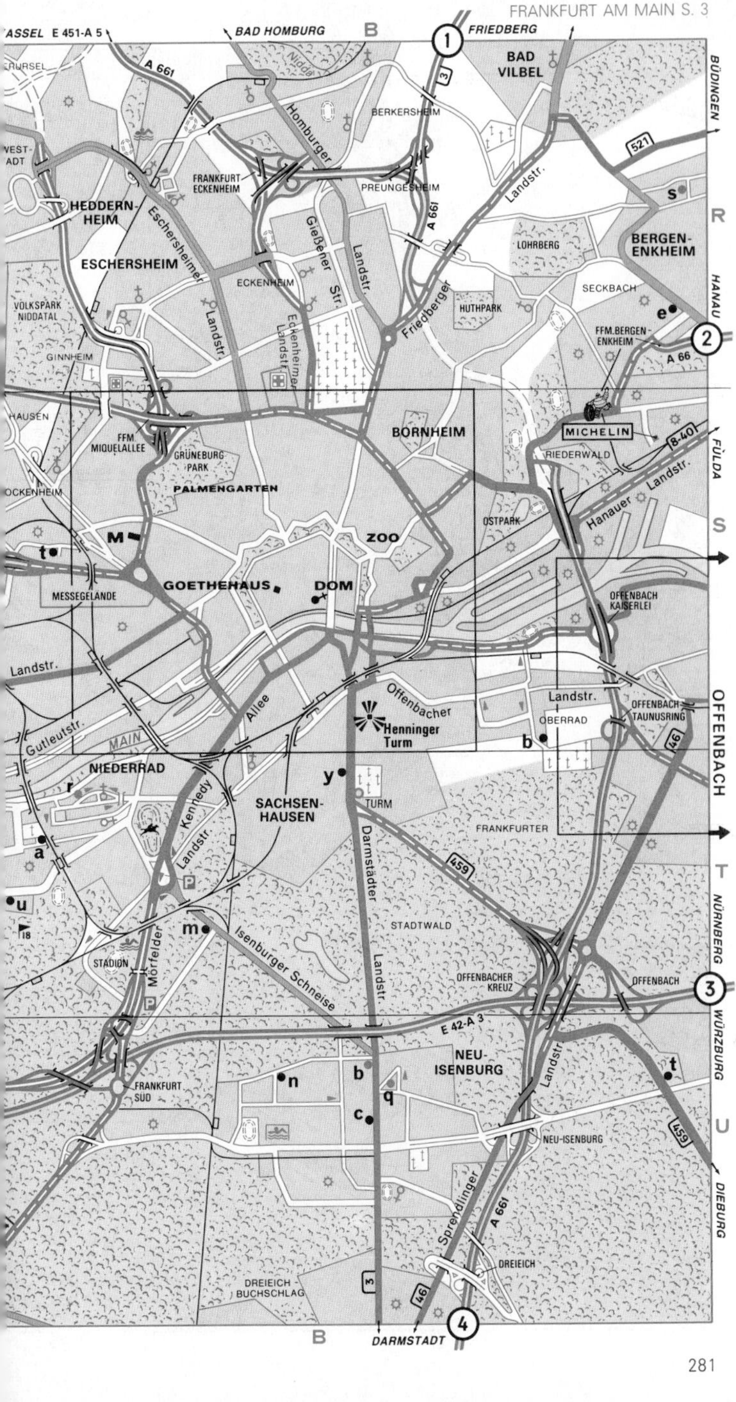
KASSEL E 451-A 5
BAD HOMBURG
B
1
FRIEDBERG
BÜDINGEN
BAD VILBEL
A 661
Nidda
BERKERSHEIM
Homburger
521
WEST-STADT
FRANKFURT-ECKENHEIM
PREUNGESHEIM
Landstr.
HEDDERN-HEIM
Eschersheimer
Gießener Str.
Landstr.
A 661
R
S
BERGEN-ENKHEIM
ESCHERSHEIM
LOHRBERG
ECKENHEIM
SECKBACH
HANAU
VOLKSPARK NIDDATAL
Landstr.
Eschenheimer Landstr.
Friedberger
HUTHPARK
e
FFM.BERGEN-ENKHEIM
2
GINNHEIM
A 66
HAUSEN
BORNHEIM
MICHELIN
8-40
FFM MIQUELALLEE
GRÜNEBURG PARK
RIEDERWALD
FULDA
BOCKENHEIM
PALMENGARTEN
Hanauer Landstr.
OSTPARK
S
M
ZOO
t
GOETHEHAUS
DOM
MESSEGELÄNDE
OFFENBACH KAISERLEI
Landstr.
Landstr.
Allee
Offenbacher
OFFENBACH TAUNUSRING
OFFENBACH
Gutleutstr.
MAIN
Henninger Turm
OBERRAD
b
46
NIEDERRAD
y
r
Kennedy
SACHSEN-HAUSEN
TURM
Landstr.
FRANKFURTER
a
Darmstädter
459
T
u
NÜRNBERG
STADTWALD
m
Mörfelder
Isenburger Schneise
Landstr.
STADION
OFFENBACHER KREUZ
OFFENBACH
3
E 42-A 3
WÜRZBURG
NEU-ISENBURG
Landstr.
t
b
FRANKFURT SÜD
n
q
c
U
NEU-ISENBURG
459
DIEBURG
Sprendlinger
A 661
DREIEICH
DREIEICH-BUCHSCHLAG
3
46
4
B
DARMSTADT

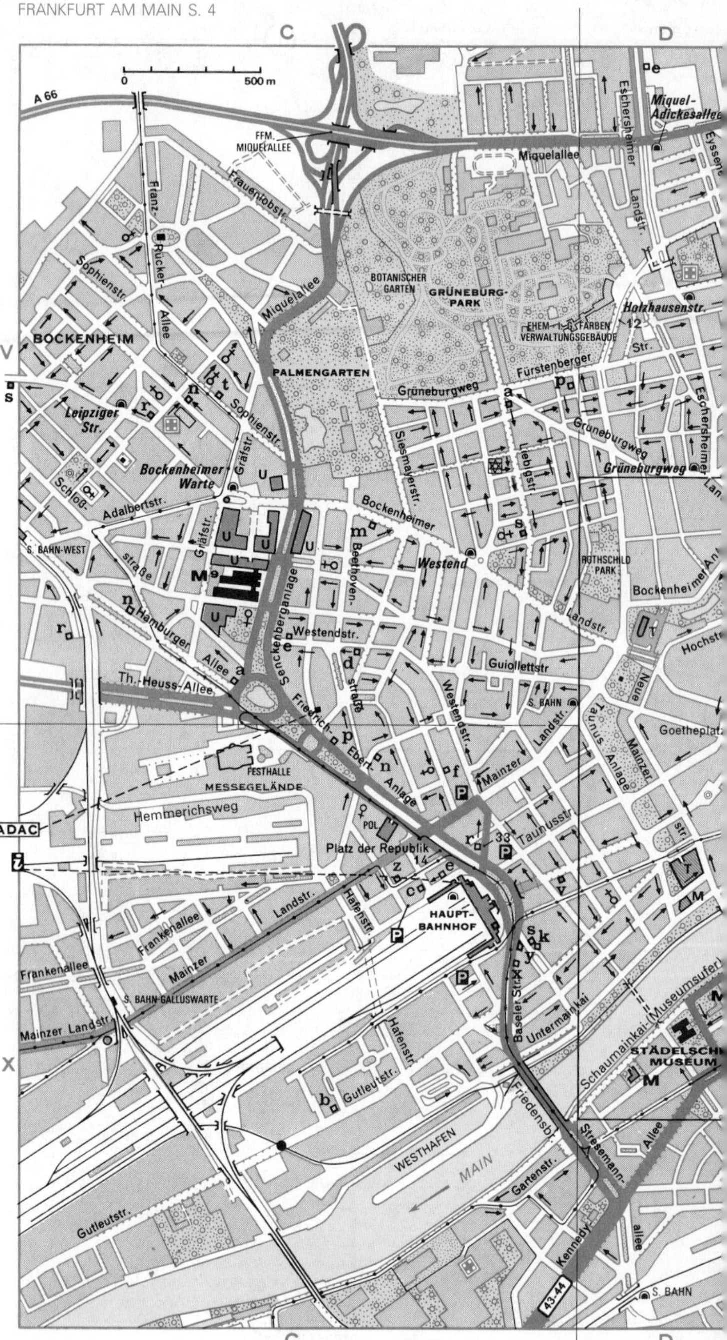
C
D
0
500 m
A 66
FFM. MIQUELALLEE
Miquel-Adickesallee
Miquelallee
Eschersheimer Landstr.
Frauenlobstr.
Franz-Rücker-Allee
Sophienstr.
BOCKENHEIM
Leipziger Str.
Bockenheimer Warte
Gräfstr.
Schloßstr.
Adalbertstr.
S. BAHN-WEST
Hamburger Allee
Th.-Heuss-Allee
BOTANISCHER GARTEN
GRÜNEBURG-PARK
PALMENGARTEN
EHEM. I. G. FARBEN VERWALTUNGSGEBÄUDE
Holzhausenstr.
Fürstenberger Str.
Grüneburgweg
Siesmayerstr.
Liebigstr.
Bockenheimer Landstr.
Westend
ROTHSCHILD PARK
Beethovenstr.
Senckenberganlage
Westendstr.
Guiollettstr
S. BAHN
Friedrich-Ebert-Anlage
Mainzer Landstr.
Taunus Anlage
Neue Mainzer Str.
Goetheplatz
Hochstr.
FESTHALLE
MESSEGELÄNDE
Hemmerichsweg
ADAC
POL.
Platz der Republik
Taunusstr.
HAUPT-BAHNHOF
Frankenallee
Hafenstr.
S. BAHN-GALLUSWARTE
Baseler Str.
Untermainkai
Schaumainkai (Museumsufer)
STÄDELSCHES MUSEUM
Gutleutstr.
Friedensbr.
Stresemann-Allee
WESTHAFEN
MAIN
Gartenstr.
Kennedyallee
S. BAHN
43-44
V
X

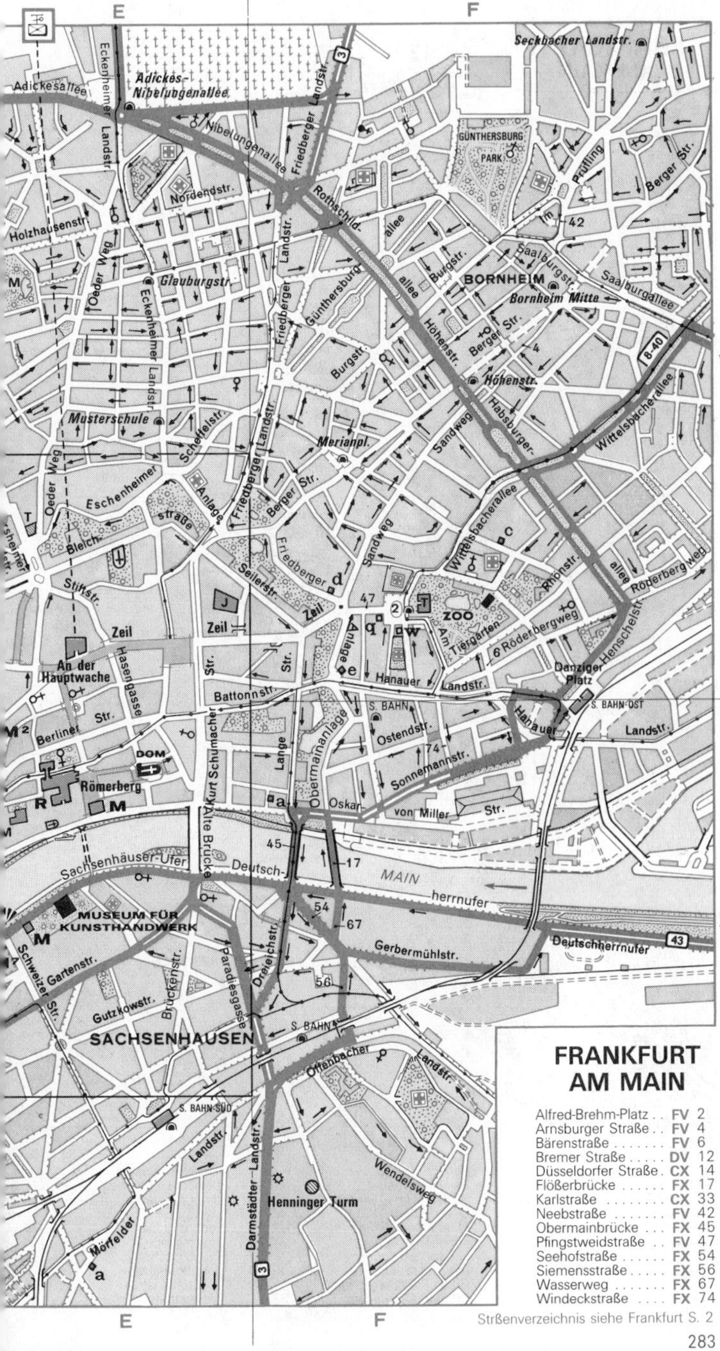

FRANKFURT AM MAIN

Strßenverzeichnis siehe Frankfurt S. 2

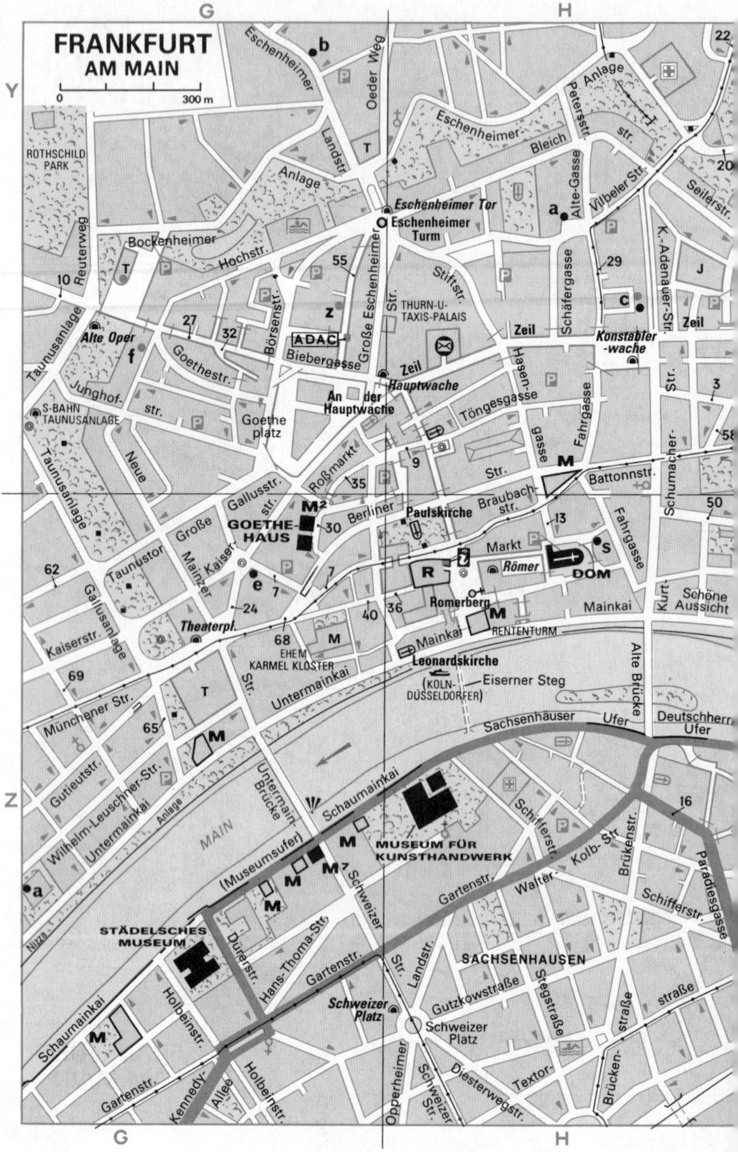

An der Hauptwache	GHY		Bethmannstraße	GZ	7	Kalbächer Gasse	GY	32
Goethestraße	GY		Bleidenstraße	HY	9	Kleiner Hirchgraben	GY	35
Gr. Bockenheimer Str.	GY	27	Bockenheimer Landstr.	GY	10	Limpurgergasse	HZ	36
Kaiserstraße	GZ		Domstraße	HZ	13	Münzgasse	GZ	40
Münchener Str.	GZ		Elisabethenstraße	HZ	16	Rechneigrabenstr.	HZ	50
Roßmarkt	GY		Friedberger Anlage	HY	20	Stoltzestraße	HY	58
Schillerstraße	GY	55	Friedberger Landstr.	HY	22	Taunusstraße	GZ	62
Zeil	HY		Friedensstraße	GZ	24	Untermainanlage	GZ	65
			Große Friedberger Str.	HY	29	Weißfrauenstraße	GZ	68
Allerheiligenstraße	HY	3	Großer Hirschgraben	GZ	30	Weserstraße	GZ	69

Straßenverzeichnis siehe Frankfurt S. 2

XXX **Mövenpick-Baron de la Mouette,** Opernplatz 2 (F 1), ☎ 2 06 80, Fax 296135, – ▤. AE Ⓓ E VISA GY f
M a la carte 50/82 – **Orangerie M** a la carte 32/61.

XXX **Tse-Yang** (Chinesische Küche), Kaiserstr. 67 (F 1), ☎ 23 25 41, Fax 237825 – AE Ⓓ E VISA – **M** a la carte 40/75. CX v

XXX **Dynasty** (Chinesische Küche), Konrad-Adenauer-Str. 7 (im Arabella Grand Hotel) (F 1), ☎ 29 30 41, Fax 283866 – AE Ⓓ E VISA HY c
M 20 (mittags) und a la carte 45/80.

XX **La Femme,** Am Weingarten 5 (F 90), ☎ 7 07 16 06 – AE Ⓓ E VISA CV r
nur Abendessen, Sonn- und Feiertage geschl. – **M** 73/108.

XX Kikkoman (Japanisches Restaurant), Friedberger Anlage 1 (Zoo-Passage) (F 1), ☎ 4 99 00 21, Fax 447032 – ▤. FV e.

XX **Casa Toscana** (Italienische Küche), Friedberger Anlage 14 (F 1), ☎ 44 98 44, « Innenhof-Terrasse » – AE Ⓓ E VISA FV d
Montag geschl. – **M** a la carte 52/75.

XX **Frankfurter Stubb** (Restaurant im Kellergewölbe des Hotels Steigenberger Frankfurter Hof), Bethmannstr. 33 (F 1), ☎ 2 15 02 – ▤. AE Ⓓ E VISA. GZ e
Sonn- und Feiertage sowie Juni - Juli 4 Wochen geschl. – **M** (Tischbestellung ratsam) a la carte 42/65.

XX **Börsenkeller,** Schillerstr. 11 (F 1), ☎ 28 11 15, Fax 294551, – ▤. AE Ⓓ E VISA GY z
außerhalb der Messezeiten Sonn- und Feiertage geschl. – **M** *(auch vegetarische Gerichte)* a la carte 32/75.

XX **Intercity-Restaurant,** im Hauptbahnhof (1. Etage) (F 1), ☎ 27 39 50, Fax 27395168 – ▤ – 25/80. E – **M** a la carte 27/60. CX

X **Gasthof im Elsass,** Waldschmidtstr. 59 (F 1), ☎ 44 38 39 FV c
nur Abendessen, 22. Dez.- 4. Jan. geschl. – **M** a la carte 35/76.

X **Ernos Bistro** (Französische Küche), Liebigstr. 15 (F 1), ☎ 72 19 97, – AE Ⓓ E VISA
außerhalb der Messezeiten Samstag - Sonntag und Mitte Juni - Mitte Juli geschl. – **M** (Tischbestellung erforderlich) a la carte 75/100. CV s

X **Gargantua** (Bistro-Restaurant), Friesengasse 3 (F 90), ☎ 77 64 42 – AE Ⓓ E VISA CV s
Samstag bis 18 Uhr, Sonntag und Ende Dez.- Anfang Jan. geschl. – **M** (Tischbestellung ratsam) a la carte 70/92.

In Frankfurt 60 - Bergen-Enkheim 06109 :

Klein, Vilbeler Landstr. 55, ☎ 30 60, Fax 306421, – . AE Ⓓ E VISA. Rest
M *(Samstag - Sonntag und 23. Dez.- 5. Jan. geschl.)* a la carte 38/68 – **60 Z : 87 B** 108/168 - 168/250 Fb. BR e

XX **Eugen's Restaurant-Stadthalle,** Marktstr. 15, ☎ 2 33 34, – 25/700. AE Ⓓ E VISA
Montag geschl. – **M** a la carte 35/62. BR s

In Frankfurt - Eschersheim :

Motel Frankfurt garni, Eschersheimer Landstr. 204 (F 1), ☎ 56 80 11, Fax 568010 – . VISA DV e
66 Z : 121 B 85/115 - 125/145 Fb.

In Frankfurt 80 - Griesheim :

Ramada, Oeserstr. 180, ☎ 3 90 50, Telex 416812, Fax 3808218, , – Zim ▤ Rest – 25/350. AE Ⓓ E VISA AS p
M a la carte 60/85 – **236 Z : 492 B** 283/388 - 376/473 Fb.

In Frankfurt 50 - Harheim N : 12 km über Homburger Landstraße BR und Bonames :

Harheimer Hof, Alt Harheim 11, ☎ (06101) 40 50, Fax 405411, – – 25/80. AE Ⓓ E VISA. Zim
24. Dez.- 2. Jan. geschl. – **M** *(Samstag bis 18 Uhr geschl.)* a la carte 38/70 – **44 Z : 86 B** 140/210 - 175/250 Fb.

In Frankfurt 50 - Nieder-Erlenbach N : 14 km über Homburger Landstraße BR :

Alte Scheune, Alt Erlenbach 44, ☎ (06101) 4 45 51, Fax 409311, « Rustikales Restaurant mit Backsteingewölbe, Innenhofterrasse » – – 40. AE E
M *(nur Abendessen, Sonntag geschl.)* (Tischbestellung ratsam) a la carte 49/80 – **27 Z : 38 B** 155 - 195/225 Fb.

In Frankfurt 50 - Nieder-Eschbach über Homburger Landstraße BR :

Darmstädter Hof, An der Walkmühle 1, ☎ 5 07 64 04, Fax 5074918, – – 25/100. AE VISA. Rest
M *(Sonntag 15 Uhr - Montag und Juni - Juli 2 Wochen geschl.)* a la carte 37/70 – **14 Z : 20 B** 100/115 - 170/190.

Markgraf, Deuil-La-Barre-Str. 103, ☎ 5 07 57 67, Fax 5074761 – . AE E VISA
M *(Samstag geschl.)* a la carte 24/58 – **18 Z : 24 B** 85/120 - 140/160.

In Frankfurt 71 - Niederrad :

Queens Hotel International, Isenburger Schneise 40, ✆ 6 78 40, Telex 41671 Fax 6702634, – Zim – 25/400. AE E VISA. Rest BT
Restaurants : **La Fleur** *(außerhalb der Messezeiten Sonntag - Montag geschl.)* **M** a la car 60/85 – **Brasserie Brentano M** a la carte 32/70 – **264 Z : 410 B** 267/373 - 316/429 F – 3 Appart..

Arabella Congress Hotel, Lyoner Str. 44, ✆ 6 63 30, Telex 416760, Fax 6633666, – Zim – 25/500. AE E VISA BT
M a la carte 30/70 – **400 Z : 600 B** 225/315 - 275/380 Fb – 8 Appart. 550/660.

Dorint, Hahnstr. 9, ✆ 66 30 60, Telex 4032180, Fax 66306600, – Zim – 25/200. AE E VISA BT
M a la carte 45/75 – **191 Z : 370 B** 250/360 - 430/670 Fb.

Weidemann, Kelsterbacher Str. 66, ✆ 67 59 96, Fax 673928 – . AE E VISA BT
Samstag bis 18 Uhr sowie Sonn- und Feiertage geschl. – **M** (Tischbestellung ratsam) a la car 62/87.

In Frankfurt 70 - Oberrad :

Waldhotel Hensels Felsenkeller, Buchrainstr. 95, ✆ 65 20 86, Fax 658371, –
27. Dez.- 6. Jan. geschl. – **M** *(Dienstag geschl.)* (auch vegetarische Gerichte) a la carte 39/6 – **20 Z : 26 B** 60/90 - 85/108 Fb. BS

In Frankfurt 70 - Sachsenhausen :

Holiday Inn - Conference Center, Mailänder-Str. 1, ✆ 6 80 20, Telex 41180 Fax 6802333, – Zim – 25/400. Rest BT
M a la carte 45/77 – **404 Z : 654 B** 300/490 - 405/610 Fb.

Bistrot 77, Ziegelhüttenweg 1, ✆ 61 40 40, – AE E VISA EX
Samstag bis 19 Uhr, Sonntag, 15. Juni - 8. Juli und 23. Dez.- 6. Jan. geschl. – (bemerkenswerte Weinkarte) a la carte 78/110
Spez. Perigord-Trüffel im Blätterteig (Nov.-März), Zanderfilet auf Linsen, Challans-Ente "en tro façons".

***In Frankfurt 80-Sindlingen* 6230** ⑦ : 13 km über die A 66 AS :

Post, Sindlinger Bahnstr. 12, ✆ (069) 3 70 10, Telex 416681, Fax 3701502, – Zim – 30. AE E VISA. Zim
M *(Samstag bis 18 Uhr sowie Sonn- und Feiertage geschl.)* a la carte 32/60 – **105 Z : 174** 120/198 - 185/290 Fb.

***In Eschborn* 6236** NW : 12 km :

Novotel, Philipp-Helfmann-Str. 10, ✆ (06196) 90 10, Telex 4072842, Fax 482114, (geheizt), – Zim – 25/350. AE E VISA AR
M a la carte 34/65 – **227 Z : 454 B** 200 - 240 Fb.

***In Eschborn-Niederhöchstadt* 6236** NW : 2 km ab Eschborn AR :

Bommersheim garni, Hauptstr. 418, ✆ (06173) 6 50 25, Fax 65024 – . AE E VIS
Ostern und Weihnachten - Neujahr geschl. – **26 Z : 39 B** 145/190 - 190/270 Fb.

***In Neu-Isenburg* 6078** S : 7 km – 06102 :

Wessinger, Alicestr. 2, ✆ 2 70 79, Fax 27370, « Gartenterrasse » – – 2 AE E VISA BU
M *(Montag geschl.)* (auch vegetarische Gerichte) 31 (mittags) und a la carte 46/85 – **37 Z : 50** 149/172 - 209/235 Fb.

Alfa garni, Frankfurter Str. 123 (B 3), ✆ 1 70 24 – . AE E VISA BU
31 Z : 51 B 75/150 - 110/210 Fb.

Am Kamin, Frankfurter Str. 1, ✆ 42 76 – . AE E VISA BU
Samstag bis 18 Uhr, Sonn- und Feiertage sowie April und Juni - Juli jeweils 2 Wochen gesch. – **M** a la carte 42/60.

Grüner Baum (traditionelles Äppelwoilokal), Marktplatz 4, ✆ 3 83 18, « Innenhof » – . E VISA BU
außerhalb der Messezeiten Montag geschl. – **M** (Tischbestellung ratsam) a la carte 24/56.

***In Neu-Isenburg 2-Gravenbruch* 6078** SO : 11 km :

Gravenbruch-Kempinski-Frankfurt, ✆ (06102) 50 50, Telex 417673, Fax 505445, « Park », (geheizt), – Zim – 25/450. AE E VISA. Rest BU
M Restaurants : **Gourmet-Rest.** (nur Abendessen, *Samstag, Sonn- und Feiertage sowie Ju - Juli 5 Wochen geschl.)* **M** a la carte 82/135 – **Forsthaus M** a la carte 59/105 – **289 Z 510 B** 341/491 - 507/572 Fb – 29 Appart. 782/2152.

***In Neu-Isenburg - Zeppelinheim* 6078** ⑤ : 11 km, an der B 44 :

Forsthaus Mitteldick, Flughafenstr. 20, ✆ (069) 69 18 01, – – 25/100. AE E VISA AU
Sonntag und Jan. 1 Woche geschl. – **M** a la carte 32/72.

Beim Rhein-Main Flughafen SW : 12 km – ✉ **6000** Frankfurt 75 – ☎ 069 :

Sheraton, Am Flughafen (Terminal Mitte), ☎ 6 97 70, Telex 4189294, Fax 69772209, ≘s, ⊠ – |‡| ⇝ Zim ▤ 🅃🅅 ♿ 🅟 – 🎤 25/900. AE ⊙ E VISA. ✻ Rest AU **a**
Restaurants : **Papillon** (bemerkenswerte Weinkarte) *(Samstag bis 18 Uhr sowie Sonn- und Feiertage geschl.)* **M** a la carte 78/135 – **Kachelofen M** a la carte 54/94 – **Maxwell's Bistro und Taverne M** a la carte 41/75 – **1050 Z : 2100 B** 343/548 - 401/626 Fb – 30 Appart. 1006/3056.

Steigenberger Hotel Frankfurt Airport, Unterschweinstiege 16, ☎ 6 97 50, Telex 413112, Fax 69752505, Massage, ≘s, ⊠ – |‡| ⇝ Zim ▤ 🅃🅅 ⇔ – 🎤 25/550. AE ⊙ E VISA AU **z**
M 39 (Buffet) und a la carte 53/72 – **430 Z : 630 B** 352/472 - 444/544 Fb – 9 Appart. 650/2800.

Rôtisserie 5 Continents, im Flughafen, Ankunft Ausland B (Besucherhalle, Ebene 3), ☎ 6 90 34 44, Fax 694730, ⋞ – ▤ – 🎤 30. AE ⊙ E VISA. ✻ AU **b**
M a la carte 57/95.

Waldrestaurant Unterschweinstiege, Unterschweinstiege 16, ☎ 69 75 25 00, « Gartenterrasse, rustikale Einrichtung » – ▤ 🅟. AE ⊙ E VISA AU **z**
M (Tischbestellung ratsam) 39 (Buffet) und a la carte 43/78.

An der Straße von Neu - Isenburg nach Götzenhain S : 13 km über die A 661 ④ und Autobahnausfahrt Dreieich BU :

Gutsschänke Neuhof, ✉ 6072 Dreieich-Götzenhain, ☎ (06102) 32 00 14, Fax 31710, « Rustikale Einrichtung, Gartenterrasse » – 🅟. AE ⊙ E VISA – **M** a la carte 48/91.

Siehe auch : *Maintal* ② : 13 km

MICHELIN-REIFENWERKE KGaA. Niederlassung 6000 Frankfurt 60-Fechenheim, Orber Str. 16 (BS), ☎ 41 70 06 Fax 426315.

☞ *Pour voyager rapidement, utilisez les cartes Michelin "Grandes Routes" :*

970 *Europe,* 980 *Grèce,* 984 *Allemagne,* 985 *Scandinavie-Finlande,*
986 *Grande-Bretagne-Irlande,* 987 *Allemagne-Autriche-Benelux,* 988 *Italie,*
989 *France,* 990 *Espagne-Portugal,* 991 *Yougoslavie.*

FRANKFURT/ODER **O-1200.** Brandenburg 984 ⑯, 987 ⑱ – 88 000 Ew – Höhe 30 m – ☎ 003730.

Fremdenverkehrsamt, Karl-Marx-Str. 8a, ☎ 32 52 16.

ADAC Pannenhilfezentrale, ☎ 31 11 11.

Berlin 91 – Cottbus 80.

Kongresshotel Frankfurter Hof, Wilhelm-Pieck-Str. 1, ☎ 38 70, Telex 163204, Fax 387587, Fб, ≘s – |‡| 🅃🅅 ☎ 🅟. ✻ Rest
150 Z : 300 B Fb.

Ratskeller, Rathausplatz, ☎ 32 70 05 – AE E ✻
M a la carte 24/42.

FRASDORF **8201.** Bayern 413 T 23, 987 ㊲, 427 I 5 – 2 400 Ew – Höhe 598 m – ☎ 08052 (Aschau).

Verkehrsamt, Hauptstr. 9, ☎ 7 71.

München 78 – Innsbruck 115 – Salzburg 64.

✿ **Landgasthof Karner** ⛰, Nußbaumstr. 6, ☎ 40 71, Fax 4711, « Einrichtung im alpenländischen Stil, Gartenterrasse », ≘s, ⊠, 🌳 – 🅃🅅 ☎ 🅟 – 🎤 25/80. AE ⊙ E VISA
M a la carte 67/82 – **28 Z : 55 B** 75/110 - 115/145 Fb
Spez. Kalbsbries mit Artischockensalat, St.Petersfisch mit gefüllter Zucchiniblüte und Basilikumschaumsauce, Lammrücken in der Senfsaatkruste.

Alpenhof, Hauptstr. 31, ☎ 22 95, Fax 5118, 🏞 – 🅟
Mittwoch und 7.- 31. Jan. geschl. – Menu a la carte 35/77.

In Frasdorf-Umrathshausen NO : 3 km :

Landgasthof Goldener Pflug, Humprehtstr. 1, ☎ 3 58, Fax 4684, 🏞, ≘s, 🌳 – 🅃🅅 ☎ 🅟. AE ⊙ E VISA
M a la carte 33/64 – **28 Z : 60 B** 85/125 - 130/220.

FRAUENAU **8377.** Bayern 413 W 20 – 3 000 Ew – Höhe 616 m – Erholungsort – Wintersport : 620/800 m ⛷1 ⛷5 – ☎ 09926.

Sehenswert : Glasmuseum.

Verkehrsamt, Hauptstr. 12, ☎ 7 10, Fax 1799.

München 187 – Cham 66 – Deggendorf 43 – Passau 57.

Eibl-Brunner, Hauptstr. 18, 3 16, Fax 726, ... - ... Z
22. März - 5. April und 4. Nov.- 20. Dez. geschl. - **M** a la carte 20/40 - **48 Z : 96 B** 47/ - 94/136 Fb - ½ P 65/86.

Landgasthof Hubertus, Loderbauerweg 2, 7 01, Fax 8187, ...
10. Nov.- 15. Dez. geschl. - **M** a la carte 18/36 - **42 Z : 80 B** 38/52 - 74/80 Fb.

Büchler, Dörflstr. 18, 3 50, Fax 757, ...
6. Nov.- 20. Dez. geschl. - **M** a la carte 19/40 - **20 Z : 43 B** 44/52 - 80/82 - ½ P 53/60.

Gästehaus Falkenau, Godehardstr. 18, 7 15, ...
(nur Abendessen für Hausgäste) - **16 Z : 44 B** 43 - 80 - ½ P 52/55.

Café Ertl, Krebsbachweg 3, 7 30, ...
Nov.- 15. Dez. geschl. - (nur Abendessen für Hausgäste) - **20 Z : 40 B** 35/40 - 60/64.

FRAUENBERG Bayern siehe Laaber.

FRECHEN **5020.** Nordrhein-Westfalen 412 D 14, 987 ㉓ - 44 000 Ew - Höhe 65 m - 0223
♦Düsseldorf 47 - ♦Aachen 62 - ♦Bonn 36 - ♦Köln 13.

Bartmannkrug, Kölner Str. 76, 1 84 60, Fax 184650, ... - 25/80. ... VISA
M a la carte 34/62 - **40 Z : 62 B** 115/150 - 180/220 Fb.

Haus Schiffer - Restaurant Costa Brava, Elisabethstr. 6, 5 51 51 (Hotel) 1 71 96 (Res - ... VISA
M *(nur Abendessen, Sonntag und Juli geschl.)* (Spanische Küche) a la carte 30/49 - **21 Z : 38** 45/100 - 95/220.

Ristorante Ermanno (Italienische Küche), Othmarstr. 46, 1 41 63 - AE E
Samstag bis 19 Uhr, Sonntag, 11.- 24. April, Juli - Aug. 1 Woche und 17.- 24. Okt. geschl.
M a la carte 56/74.

FREDEBURG Schleswig-Holstein siehe Ratzeburg.

FREDEN (LEINE) **3222.** Niedersachsen 411 412 M 11 - 6 000 Ew - Höhe 95 m - 0518
♦Hannover 61 - Einbeck 19 - Hildesheim 35.

Steinhoff, Mitteldorf 1, 3 91 - ...
26 Z : 48 B.

FREDENBECK **2161.** Niedersachsen 411 L 6 - 4 200 Ew - Höhe 5 m - 04149.
♦Hannover 181 - ♦Bremen 91 - Bremerhaven 69 - ♦Hamburg 57.

Fredenbeck garni, Dinghorner Str. 19, 4 12 - ... AE E
10 Z : 15 B 50/65 - 85/95 Fb.

Zur Dorfschänke mit Zim, Schwingestr. 33, 2 44, ... - 25/200
13 Z : 20 B.

FREIAMT **7838.** Baden-Württemberg 413 G 22, 242 ㉜, 87 ⑦ - 3 900 Ew - Höhe 434 m
07645.

Verkehrsamt, Kurhaus, Badstraße, 6 44, Fax 628.
♦Stuttgart 195 - ♦Freiburg im Breisgau 30 - Offenburg 53.

In Freiamt-Brettental :

Ludinmühle, Brettental 20, 5 01, ... - 25/50. AE E VISA
14.- 31. Jan. geschl. - Menu 30/85 - **30 Z : 54 B** 70/85 - 120/142 Fb - ½ P 82/100.

In Freiamt-Ottoschwanden :

Heidhof, Gschächtrig 1, 13 43, ... Zim
25. Okt.- 15. Nov. geschl. - **M** *(Mittwoch geschl.)* a la carte 23/46 - **16 Z : 29 B** 43 - 91 ½ P 53.

Café Hipp, Helgenstöckle 2, 2 42, ...
Nov. 3 Wochen geschl. - **M** *(Abendessen nur für Hausgäste, Montag geschl.)* a la carte 20/
- **14 Z : 23 B** 42/45 - 84 - ½ P 49/53.

Sonne mit Zim, Hauptstr. 20, 2 14, « Innenhofterrasse » -
5 Z : 10 B.

FREIBERG **O-9200.** Sachsen 984 ㉔, 987 ⑰ ⑱ - 49 800 Ew - Höhe 400 m - 0037762
♦Dresden 38 - Chemnitz 32 - ♦Leipzig 98.

Kronprinz garni, Bahnhofstr. 19, 2 23 25 -
14 Z : 24 B.

Ratskeller, Obermarkt 16, 33 22.

emberg siehe Ludwigsburg.

en-Württemberg 413 G 22,23, 987 ㉞, 242 ㉜ ㊱ -

★), Hochaltar von Baldung Grien★★ Y - Ehemaliges
platz★ und Neues Rathaus★ Y **R1** -
st★★, Adelhauser Kreuz★★) Z **M1**.

07661) 55 69.
, ℰ 7 10 20.
3 68 90 90, Telex 761110, Fax 37003.
92 11.
4 ④ - Strasbourg 86 ④.
n siehe nächste Seite

ℰ 2 10 60, Telex 772750, Fax 31410, ≘s, ⊠ - |♦|
/200. AE ⓓ E VISA. ⋟ Rest Y **r**
- Sept. Sonntag geschl.) 47 (mittags) und a la carte 70/105
tag ab 19 Uhr, Okt. - Mai auch Sonntag geschl.) **M** a
255 - 320/480 - 12 Appart. 620/1500
Rehmedaillons mit grüner Pfeffersauce, Guglhupf mit

0 66 (Hotel) 28 65 10 (Rest.), Telex 761126, Fax 36065
: 97 B. Y **d**
120, seit 1311 Gasthof), **Oberlinden 12**, ℰ 3 69 13,
30/60. AE ⓓ E VISA. ⋟ Rest Z **u**
5/245 - 200/300 Fb.
81, Fax 33229 - |♦| TV ☎ ⇔ **P** - 40. AE ⓓ E
Y **p**
carte 38/75 - **65 Z : 100 B** 140/165 - 195/220 Fb.
r. 35, ℰ 3 16 83, Telex 7721528, Fax 31680 - |♦| TV ☎
8/143 - 190/205 Fb. Y **h**
ℰ 3 19 70, Fax 3197100 - |♦| TV ☎ ⇔ - 40. AE ⓓ
240 Fb. Y **s**
platz 22, ℰ 3 10 11, Fax 31031, ⛱ - |♦| ☎ ⇔. E VISA.
Y **a**
(Sonn- und Feiertage geschl.) a la carte 35/66 ⅁ - **25 Z :**

, Fax 3193202 - |♦| TV ☎ ♿ - 40. AE ⓓ E VISA
carte 29/56 ⅁ - **90 Z : 150 B** 98/110 - 136 Fb. Y **v**
ℰ 3 12 95, Telex 772774, Fax 30767, ⛱ - |♦| ⇜ Zim
VISA Y **c**
168 - 206 Fb.
s a.d.J. 1476), **Gerberau 22**, ℰ 3 25 40, Fax 37947 - TV
Z **f**
3 Wochen geschl.) 35/45 (mittags) und a la carte 60/84
29 B 90/130 - 140/180 Fb.
53, Fax 382252, ⛱ - |♦| TV ☎. AE ⓓ E VISA Y **b**
0 - 160 Fb.
3, ℰ 3 23 86, Fax 30853 - |♦| ☎. AE ⓓ E VISA Z **s**
60/108 - 95/160 Fb.
nviktstr. 8, ℰ 3 03 03, ⛱ - AE ⓓ E VISA Z **t**
estellung ratsam) a la carte 43/75.
ng 3 (|♦|), ℰ 3 27 28, « Terrasse mit ≤ Freiburg und
Z **m**
27, ℰ 2 69 41 - AE ⓓ E VISA ⋟ Y **g**
a la carte 36/70.
ℰ 3 27 70, Fax 24398, « Gartenterrasse » - AE E VISA
16. März geschl. - **M** a la carte 38/75. Y **e**
m Schloßberg 1 (Zufahrt über Wintererstraße, oder mit
3 17 29, ≤ Freiburg und Kaiserstuhl, ⛱ - **P**. ⓓ VISA
carte 39/72 ⅁. X **r**
34, ⛱ - ⋟ Z **n**
nd Weihnachten - Ende Jan. geschl. - **M** a la carte 38/70.
o-Stil), **Gerberau 21**, ℰ 3 07 51, Fax 280581 - AE E VISA
e geschl. - **M** a la carte 57/77. Z **x**
7, ℰ 2 25 52 Z **e**
M a la carte 24/50 ⅁.

FREIBURG IM BREISGAU

Bertoldstraße	Y	5
Friedrichring	Y	16
Gerberau	Z	
Herrenstraße	Y	24
Kaiser-Joseph-Str.	YZ	
Oberlinden	Z	32
Rathausgasse	Y	33
Salzstraße	YZ	38
Schiffstraße	Y	40
Schusterstraße	Z	43
Unterlinden	Y	57
Auf der Zinnen	Y	2
Augustinerplatz	Z	3
Bismarckallee	Y	6
Eisenbahnstraße	Y	7
Eisenstraße	Y	9
Europaplatz	Y	12
Fahnenbergplatz	Y	13
Franziskanerstraße	Y	14
Greiffeneggring	Z	19
Habsburgerstraße	Y	20
Heiliggeiststraße	X	2[illegible]
Hohenzollernstraße	X	[illegible]
Holzmarkt	[illegible]	[illegible]
Karlsplatz	[illegible]	[illegible]
Ludwigstraße	[illegible]	[illegible]
Münsterstraße	[illegible]	[illegible]
Richard-Wagner-Str[illegible]	[illegible]	34
Schnewlinstraße	X	42
Schwabentorplat[illegible]	Z	45
Schwabentorri[illegible]	Z	47
Schwarzwalds[illegible]	Z	49
Stadtstraße	X	50
Sundgauall[illegible]	X	52
Turmstra[illegible]	Y	54
Universit[illegible]e	Y	55
Waldki[illegible]tr.	X	58
Werth[illegible]latz	Z	59
Zähri[illegible]tr.	X	60

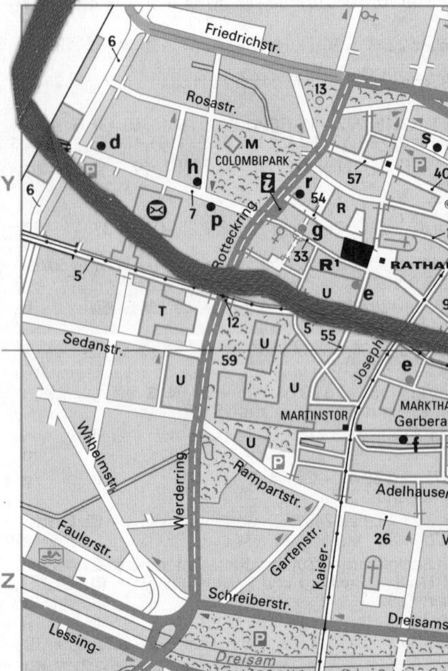

In Freiburg-Betzenhausen ④ : 2 km :

🏠 **Bischofslinde** 🦌 garni, Am Bischofskreuz 15, 𝄐 8 26 88 – 📺 ☎ 🅿. 🆎 ⓪ 🖃 𝘝𝘐𝘚𝘈
22 Z : 44 B 70/90 - 115 Fb.

In Freiburg-Ebnet ② : 3,5 km :

🏠 **Ruh,** Schwarzwaldstr. 225 (B 31), 𝄐 6 20 65 – ☎ 🅿. 🦌
↠ **M** *(Freitag geschl.)* a la carte 21/38 ⅋ – **14 Z : 28 B** 55 - 95.

In Freiburg-Günterstal S : 2 km über Günterstalstraße X :

XX **Kühler Krug** mit Zim, Torplatz 1, 𝄐 2 91 03, Fax 29782, 🌳 – 📺 ☎ 🅿. 🖃
Juni 3 Wochen geschl. – Menu (Tischbestellung ratsam) (Freitag und Samstag jeweils bis 18
Uhr sowie Donnerstag geschl.) a la carte 35/90 – **8 Z : 16 B** 80/90 - 110/120.

In Freiburg-Herdern :

🏛 **Panorama Hotel Mercure** 🦌, Wintererstr. 89, 𝄐 5 10 30, Telex 772613, Fax 5103300,
≤ Freiburg und Kaiserstuhl, 🌳, Massage, ≘s, 🔲, 🎾 – 🛗 📺 ☎ 🅿 – 🔏 30/100. 🆎 ⓪
🖃 𝘝𝘐𝘚𝘈
M 38/89 – **85 Z : 140 B** 180/245 - 230/265 Fb.

XX **Eichhalde,** Stadtstr. 91, 𝄐 5 48 17 – 📺 ⓪ 🖃 𝘝𝘐𝘚𝘈 X s
*Samstag bis 17 Uhr und Dienstag geschl. – **M** 30/35 (mittags) und a la carte 55/90.

In Freiburg-Kappel SO : 7 km über ② und FR-Littenweiler :

🏛 **Zum Kreuz,** Großtalstr. 28, 𝄐 6 20 55, 🌳, ≘s – 📺 ☎ 🚗 🅿. 🖃
M *(Montag - Dienstag geschl.)* a la carte 30/65 ⅋ – **17 Z : 33 B** 80/90 - 105/160 Fb.

In Freiburg-Lehen ④ : 3 km :

🏛 **Bierhäusle,** Breisgauer Str. 41, 𝄐 8 50 17, Fax 806820 – 🛗 📺 ☎ 🅿. ⓪ 🖃 𝘝𝘐𝘚𝘈
M *(Sonntag 15 Uhr - Montag und Juli 3 Wochen geschl.)* a la carte 29/78 ⅋ – **44 Z : 62 B** 70/100
- 125/170 Fb.

🏠 **Hirschengarten-Hotel** garni, Breisgauer Str. 51, 𝄐 8 03 03 – 🛗 📺 ☎ 🚗 🅿. 🖃
18 Z : 35 B 65/85 - 95/115 Fb.

X **Hirschen** mit Zim, Breisgauer Str. 47, 𝄐 8 21 18, 🌳 – 🅿
Menu *(Tischbestellung erforderlich)* (Donnerstag geschl.) a la carte 28/65 ⅋ – **14 Z : 18 B**
65 - 90.

In Freiburg-Littenweiler ② : 2 km :

🏛 **Schwärs Hotel Löwen** (mit ⛩ Altbau), Kappler Str. 120, 𝄐 6 30 41, Fax 60690, 🌳 – 🛗
📺 ☎ 🚗 🅿 – 🔏 25/120. 🆎 ⓪ 🖃 𝘝𝘐𝘚𝘈
M *(auch vegetarische Gerichte)* a la carte 34/61 ⅋ – **60 Z : 100 B** 76/125 - 110/320 Fb.

In Freiburg-Opfingen W : 10,5 km über Eschholzstr.X :

🦌 **Zur Tanne** (Badischer Gasthof a.d. 18. Jh.), Altgasse 2, 𝄐 (07664) 18 10 – 🖃
↠ *3. Feb.- 12. März und Aug. 3 Wochen geschl. – **M** (Juli - Sept. Montag - Freitag nur Abendessen,
Juli - März Dienstag geschl.)* (von Mitte April - Mitte Juni nur Spargelgerichte) a la carte 21/53
⅋ – **14 Z : 28 B** 40/45 - 64/90.

In Freiburg-St. Georgen ③ : 5 km :

🏛 **Ritter St. Georg** garni, Basler Landstr. 82, 𝄐 4 35 93 – 📺 ☎ 🅿. 🆎 ⓪ 🖃 𝘝𝘐𝘚𝘈. 🦌
*Juli - Aug. 2 Wochen und Weihnachten - Neujahr geschl. – **17 Z : 30 B** 98/120 - 170/180 Fb.

🏛 **Zum Schiff,** Basler Landstr. 35, 𝄐 47 30 41, Telex 7721984, Fax 475563, ≘s – 🛗 📺 ☎ 🚗
🅿. 🦌 Zim
62 Z : 120 B Fb.

Beim Thermalbad ③ : 9 km über die B 3 und B 31 :

🏛 **Dorint** 🦌, An den Heilquellen 8, ✉ 7800 Freiburg-St.Georgen, 𝄐 (0761) 4 90 80,
Telex 772409, Fax 4908100, 🌳, direkter Zugang zum Thermalbad – 🛗 ⇔ Zim 🍴 📺 ☎
🚗 🅿 – 🔏 25/70. 🆎 ⓪ 🖃 𝘝𝘐𝘚𝘈
M *(auch vegetarische Gerichte)* a la carte 42/70 – **100 Z : 160 B** 178/198 - 240/260 Fb.

In Freiburg-Zähringen N : 2 km über Zähringer Str. X :

XX ✿ **Zähringer Burg,** Reutebachgasse 19, 𝄐 5 40 41, « Badische Gaststube a.d. 18. Jh. » –
🅿. 🆎 🖃 𝘝𝘐𝘚𝘈
*Sonntag 15 Uhr - Montag und Aug. 3 Wochen geschl. – **M** (Tischbestellung ratsam) a la carte
60/90
Spez. Seezunge "Müllerin Art", Das Beste vom Kalb, Zimtparfait mit Portweinsabayon.

Siehe auch : *Horben und Oberried-Schauinsland*

FREIENWALDE, BAD O-1310. Brandenburg 𝟵𝟴𝟰 ⑫, 𝟵𝟴𝟳 ⑱ – 13 000 Ew – Höhe 80 m –
✿ 0037 3790.
◆Berlin 57 - Cottbus 61 - ◆Frankfurt/Oder 80 - Wittenberg 132.

X **Sachsenhof** mit Zim, Frankfurter Str. 55, 𝄐 38 03, 🌳 – 🅿 – **5 Z : 8 B**.

X **Ratsstübel,** Karl-Marx-Str. 3, 𝄐 35 78.

FREIGERICHT **6463.** Hessen 412 413 K 16 – 12 800 Ew – Höhe 178 m – 06055.

♦Wiesbaden 77 – Aschaffenburg 28 – ♦Frankfurt am Main 41.

In Freigericht 4-Horbach – Erholungsort :

Haus Vorspessart, Geiselbacher Str. 11, 31 33, – . E. Zim
M *(Sonntag 14 Uhr - Montag 17 Uhr geschl.)* a la carte 30/51 – **16 Z : 28 B** 55/60 - 105 Fb.

FREILASSING **8228.** Bayern 413 V 23, 987 (38), 426 K 5 – 13 000 Ew – Höhe 420 m – Erholungsort – 08654.

♦München 139 – Bad Reichenhall 19 – Salzburg 7 – Traunstein 29.

Moosleitner, Wasserburger Str. 52 (W : 2,5 km), 20 81, Fax 62010, , , , (Halle) – – 35. AE E VISA
3.- 7. Jan. geschl. – Menu *(Samstag geschl.)* a la carte 30/62 – **50 Z : 80 B** 98/140 - 136/180 Fb.

Rupertus, Martin-Oberndorfer-Str. 6, 6 10 19, Fax 66438, – . AE E VISA
27. Dez.- 24. Jan. geschl. – **M** *(Freitag geschl.)* a la carte 24/40 – **25 Z : 42 B** 58/65 - 92/110.

Zollhäusl, Zollhäuslstr. 11, 6 20 11, Fax 66679, Biergarten, – . AE E VISA
M *(Montag geschl.)* a la carte 21/51 – **17 Z : 30 B** 55/70 - 75/100 Fb – ½ P 53/75.

Siehe auch : ***Salzburg*** (Österreich)

FREILINGEN **5419.** Rheinland-Pfalz 412 G 15, 987 (24) – 650 Ew – Höhe 370 m – Luftkurort – 02666.

Mainz 88 – ♦Köln 94 – Limburg an der Lahn 28.

Ludwigshöh, Hohe Str. 33 (B 8), 2 80, , – . Zim
Jan. geschl. – **M** *(Freitag geschl.)* a la carte 25/41 – **10 Z : 21 B** 30/50 - 60/90.

FREINSHEIM **6713.** Rheinland-Pfalz 412 H 18 – 4 000 Ew – Höhe 100 m – 06353.

Fremdenverkehrsamt, Hauptstr. 2, 5 01 52.

Mainz 79 – Kaiserslautern 42 – ♦Mannheim 22.

Luther-An der alten Stadtmauer (Modernes Hotel in einem Haus aus der Barockzeit), Hauptstr. 29, 20 21, Fax 8388, – – 25. AE VISA. Rest
Feb. 2 Wochen geschl. – **M** *(nur Abendessen, Sonntag geschl.)* a la carte 70/95 – **23 Z : 40 B** 90/160 - 160/250
Spez. Geräucherter Wildlachs in Tomatengelee mit Kaviar, Milchferkel mit Kümmelsauce, Topfengratin mit Beeren.

von-Busch-Hof (Restaurant in einem ehemaligen Klosterkeller), 77 05
wochentags nur Abendessen, Dienstag und Aug. geschl. – **M** a la carte 45/57.

FREISING **8050.** Bayern 413 S 21, 987 (37) – 37 000 Ew – Höhe 448 m – 08161.

Sehenswert : Domberg★ – Dom★ (Chorgestühl★, Benediktuskapelle★).

♦München 34 – Ingolstadt 56 – Landshut 36 – ♦Nürnberg 144.

Isar-Hotel, Isarstr. 4, 8 10 04, Telex 526552, Fax 84341 – – 60. AE E VISA
M *(Sonntag, 1.- 14. Aug. und 28. Dez.- 7. Jan. geschl.)* a la carte 32/60 – **42 Z : 78 B** 90/195 - 150/210 Fb.

Bayerischer Hof, Untere Hauptstr. 3, 30 37 –
M *(Freitag 18 Uhr - Samstag und Aug. geschl.)* a la carte 26/44 – **70 Z : 90 B** 65/67 - 110/115.

In Freising-Haindlfing NW : 5 km :

Gasthaus Landbrecht, Freisinger Str. 1, (08167) 89 26 –
Mittwoch und Donnerstag nur Abendessen, Montag - Dienstag, Jan. 1 Woche, Ende März - Mitte April und Ende Aug.- Mitte Sept. geschl. – Menu a la carte 30/56.

In Hallbergmoos **8055** S : 10 km :

Cadettt Hotel Mövenpick, Ludwigstr. 43, (0811) 88 80, Telex 526564, Fax 888444, – Zim – 25. AE E VISA
M a la carte 28/55 – **122 Z : 162 B** 183 - 201 Fb.

FREMDINGEN **8864.** Bayern 413 O 20 – 2 200 Ew – Höhe 475 m – 09086.

♦München 143 – ♦Nünberg 114 – ♦Würzburg 124.

In Fremdingen-Raustetten :

Jägerblick , Raustetten 10, 3 14, – . Rest
20 Z : 41 B.

Waldeck , Raustetten 12, 2 30, (Gebühr) –
19 Z : 35 B.

FREUDENBERG **6982.** Baden-Württemberg 412 413 K 17, 987 ㉕ – 4 000 Ew – Höhe 127 m – ☎ 09375.

Stuttgart 145 – Aschaffenburg 48 – Heidelberg 85 – ♦Würzburg 64.

Goldenes Faß, Faßgasse 3, ✆ 6 51, Fax 1422, – ☎ – 🅿 – 25. AE E VISA
M *(Montag geschl.)* a la carte 25/50 – **14 Z : 22 B** 68 - 102.

Rose mit Zim, Hauptstr. 230, ✆ 6 53, – 🅿. AE E
Feb. 2 Wochen geschl. – Menu *(Dienstag geschl.)* a la carte 27/69 – **6 Z : 12 B** 55 - 85.

In Freudenberg-Boxtal O : 10 km – Erholungsort :

Rose, Kirchstr. 15, ✆ (09377) 12 12, , – 🅿. E
Jan. geschl. – **M** *(Montag geschl.)* a la carte 20/38 – **24 Z : 48 B** 33/42 - 57/77.

FREUDENBERG Bayern siehe Amberg.

FREUDENBERG **5905.** Nordrhein-Westfalen 412 G 14, 987 ㉔ – 17 000 Ew – Höhe 300 m – Luftkurort – ☎ 02734.

Sehenswert : Fachwerkhäuser.

Ausflugsziel : Wasserschloß Crottorf★ W : 11 km.

Städt. Verkehrsamt, Krottorfer Str. 25, ✆ 4 31 64.

Düsseldorf 119 – Dortmund 94 – Hagen 75 – ♦Köln 82 – Siegen 17.

Zur Altstadt, Oranienstr. 41, ✆ 49 60, Fax 49649, , – TV – 25/60. AE E VISA
Juli - Aug. 2 Wochen geschl. – **M** a la carte 30/65 – **28 Z : 53 B** 70/140 - 110/200 Fb.

Haus im Walde, Schützenstr. 31, ✆ 70 57, Fax 20386, , , – TV ☎ 🅿 – 25/50. AE E VISA
M a la carte 30/67 – **45 Z : 85 B** 66/110 - 120/160 Fb – ½ P 80/120.

Zum Alten Flecken, Marktstr. 11, ✆ 80 41, Fax 1277, – TV ☎ .
M a la carte 30/65 – **25 Z : 46 B** 50/70 - 110/120 – ½ P 60/80.

In Freudenberg-Wilhelmshöhe O : 3 km :

Waldhotel, Krumme Birke 7 (an der BAB-Ausfahrt), ✆ 80 81, Fax 20528, Biergarten, – TV ☎ 🅿 – 35. AE E VISA
M a la carte 32/60 – **25 Z : 48 B** 80/120 - 125/170 Fb.

FREUDENSTADT **7290.** Baden-Württemberg 413 J 21, 987 ㉟ – 23 000 Ew – Höhe 735 m – Heilklimatischer Kurort – Wintersport : 660/938 m 4 8 – ☎ 07441.

Sehenswert : Marktplatz★ – Stadtkirche (Lesepult★★) **A**.

Ausflugsziel : Schwarzwaldhochstraße (Höhenstraße★★ von Freudenstadt bis Baden-Baden) ④.

Hohenrieder Straße, ✆ 30 60.

Kurverwaltung, Promenadeplatz 1, ✆ 86 40.

Stuttgart 88 ② – Baden-Baden 57 ⑤ – ♦Freiburg im Breisgau 96 ③ – Tübingen 73 ②.

Stadtplan siehe nächste Seite

Steigenberger-Hotel, Karl-von-Hahn-Str. 129, ✆ 8 10 71, Telex 764266, Fax 84813, , Bade- und Massageabteilung, , , , – Zim TV – 🅿 – 25/150. AE E VISA. Rest — über ①
M a la carte 45/70 – **134 Z : 226 B** 114/158 - 188/276 Fb – 3 Appart. – ½ P 131/195.

Kurhotel Sonne am Kurpark, Turnhallestr. 63, ✆ 60 44, Telex 764388, Fax 6300, Bade- und Massageabteilung, , , , , (Halle) – TV ☎ 🅿 – 25/85. AE E VISA. — f
10.- 26. Dez. geschl. – **M** *(auch Diät)* a la carte 33/57 – **37 Z : 52 B** 105/195 - 182/262 Fb – ½ P 124/191.

Schwarzwaldhof, Hohenrieder Str. 74 (beim Golfplatz), ✆ 74 21, Fax 7425, , direkter Zugang zur Badeabteilung mit des Kurhotel Eden – TV ☎ 🅿 – 25/80. AE E VISA. Rest — über Bahnhofstr.
M *(auch vegetarische Gerichte)* a la carte 40/70 – **40 Z : 66 B** 90/140 - 150/260 Fb.

Hohenried, Zeppelinstr. 5, ✆ 24 14, Fax 2559, , , – TV ☎ – 45. Zim — über ③
M *(Montag geschl.)* a la carte 31/56 – **27 Z : 42 B** 88/118 - 150/200 Fb – ½ P 105/148.

Schwarzwaldhotel Birkenhof, Wildbader Str. 95 (B 294), ✆ 40 74, Telex 764236, Fax 4763, , Bade- und Massageabteilung, , – Zim TV ☎ 🅿 – 25/80. AE E VISA — über ①
M *(auch vegetarische Gerichte)* a la carte 39/65 – **57 Z : 97 B** 95/130 - 170/200 Fb.

Palmenwald, Lauterbadstr. 56, ✆ 40 01, Fax 4006, Bade- und Massageabteilung, , , , – TV ☎ 🅿 – 25/100. AE E VISA
M a la carte 38/60 – **94 Z : 128 B** 110/130 - 190/200 – ½ P 125/160.

Luz Posthotel, Stuttgarter Str. 5, ✆ 24 21, Fax 84533, – TV ☎ . AE E VISA
Nov. geschl. – **M** (auch vegetarische Gerichte) a la carte 34/58 – **50 Z : 80 B** 90/100 - 130/180 Fb – ½ P 90/125. — n

FREUDENSTADT

Loßburger Straße 13
Markplatz
Martin-Luther-Straße 18
Straßburger Straße
Stuttgarter Straße

Blaicherstraße 3
Forststraße 4
Friedrich-Ebert-Straße 5
Friedrichstraße 6
Herrenfelder Straße 7
Hirschkopfstraße 8
Karl-von-Hahn-Straße 9
Katharinenstraße 10
Lauterbadstraße 12
Ludwig-Jahn-Straße 15
Moosstraße 19

Benutzen Sie
auf Ihren Reisen in Europa
die Michelin-Länderkarten
1:400 000 bis 1:1 000 000
Pour parcourir l'Europe,
utilisez les cartes Michelin
Grandes Routes
1/400 000 à 1/1 000 000.

Schwanen, Forststr. 6, 22 67, Fax 83265, - TV . E VISA. Zim
Mitte Nov.-Anfang Dez. geschl. - **M** *(Donnerstag geschl.)* a la carte 27/50 - **17 Z : 29 B** 50/8
- 100/125 Fb.

Landhaus Bukenberger garni, Herrenfelder Str. 65, 27 71, - TV .
VISA über Herrenfelder St
15. Nov.- 15. Dez. geschl. - **14 Z : 26 B** 45/80 - 90/120 Fb.

Bären, Langestr. 33, 27 29, Fax 2887 - TV . E VISA
M *(Sonntag 14 Uhr - Montag geschl.)* a la carte 34/62 - **24 Z : 40 B** 70/85 - 130/160 Fb.

König Karl, König - Karl- Str. 83, 22 87, Fax 7549, - . AE E VISA
M *(Montag geschl.)* (auch vegetarische Gerichte) a la carte 34/60 - **12 Z : 22 B** 58/65
110/120 Fb - ½ P 77/87. über Bahnhofs

Alte Kanzlei, Straßburger Str. 6, 62 22, Fax 1866 - TV . AE E VISA
M a la carte 28/55 - **16 Z : 30 B** 50/75 - 100/130 Fb - ½ P 68/83.

Zur Traube, Marktplatz 41, 28 80 - TV
(Restaurant nur für Hausgäste) - **26 Z : 46 B**.

Gasthof See, Forststr. 17, 26 88, Fax 1527 - . AE E VISA. Zim
24. April - 13. Mai und 23. Okt.- 11. Nov. geschl. - **M** *(Mittwoch geschl.)* a la carte 21/40
- **13 Z : 25 B** 41/53 - 72/96 Fb - ½ P 48/65.

Jägerstüble (mit Gästehaus), Marktplatz 12, 23 87 - . E
Mitte Okt.-Anfang Nov. geschl. - **M** *(Sonntag 15 Uhr - Montag geschl.)* a la carte 23/49 - **7 Z**
12 B 48/70 - 86/110.

Zum Warteck mit Zim, Stuttgarter Str. 14, 74 18, Fax 2957 - TV . VISA.
Menu *(Dienstag geschl.)* a la carte 38/74 - **13 Z : 23 B** 60/90 - 90/120 Fb - ½ P 61/8

An der B 28 ④ : 2 km :

Langenwaldsee, Straßburger Str. 99, 7290 Freudenstadt, (07441) 22 34, Fax 419
, , , , , - TV
2. Nov.- 15. Dez. geschl. - **M** a la carte 36/60 - **40 Z : 70 B** 65/160 - 130/220 Fb.

In Freudenstadt-Igelsberg ① : 11 km - Erholungsort :

Krone, Hauptstr. 8, (07442) 34 58, , - - 30. E.
12.- 25. Jan. und 1.- 25. Dez. geschl. - **M** a la carte 28/51 - **30 Z : 55 B** 58/75 - 102/156 F
- ½ P 76/95.

In Freudenstadt-Lauterbad ③ : 3 km – Luftkurort :

Kurhotel Lauterbad, Amselweg 5, ✆ 8 10 06, Fax 82688, – 40. Rest – **M** *(auch vegetarische Gerichte)* (Montag - Dienstag geschl.) a la carte 35/65 – **40 Z : 70 B** 62/160 - 124/178 Fb – ½ P 87/185.

Grüner Wald, Kinzigtalstr. 23, ✆ 70 51, Fax 7055, – 35
M *(Mittwoch geschl.)* a la carte 31/66 – **42 Z : 75 B** 70/100 - 110/166 Fb – ½ P 78/107.

Landhaus Waldesruh, Hardtsteige 5, ✆ 30 35,
(nur Abendessen für Hausgäste) – **28 Z : 48 B** 35/50 - 80/90 Fb.

Berghof, Hardtsteige 20, ✆ 8 26 37, E
Mitte Nov.- Mitte Dez. geschl. – **M** *(Dienstag geschl.)* a la carte 19,50/40 – **24 Z : 44 B** 44/48 - 76/94 – ½ P 52/62.

In Freudenstadt-Zwieselberg ④ : 8 km Richtung Bad Rippoldsau :

Hirsch, Hauptstr. 10, ✆ 21 10,
Anfang Nov.- Mitte Dez. geschl. – **M** a la carte 24/45 – **35 Z : 60 B** 26/50 - 52/90.

Freudenstadt-Kniebis siehe : ***Schwarzwaldhochstraße***

FREUDENTAL Baden-Württemberg siehe Besigheim.

FREYSTADT **8437.** Bayern 413 QR 19 – 6 600 Ew – Höhe 406 m – ✆ 09179.

München 134 – Ansbach 67 – Ingolstadt 61 – ♦Nürnberg 40.

Pietsch, Marktplatz 55, ✆ 51 04, Fax 2758 –
M *(Sonntag geschl.)* a la carte 20/43 – **55 Z : 105 B** 59/65 - 95/110.

FREYUNG **8393.** Bayern 413 X 20, 987 ㉘, 426 M 2 – 7 800 Ew – Höhe 658 m – Luftkurort
Wintersport : 658/800 m 3 7 – ✆ 08551.

Verkehrsamt im Kurhaus, Schulgasse, ✆ 5 88 50, Fax 58855.

München 205 – Grafenau 15 – Passau 34.

Brodinger - Am Freibad, Zuppinger Str. 3, ✆ 43 42, E
März 3 Wochen geschl. – **M** *(Juni - Okt. Montag, Nov.- Mai Sonntag 15 Uhr - Dienstag 18 Uhr geschl.)* a la carte 22/48 – **14 Z : 28 B** 45/65 - 90/120 Fb – ½ P 58/80.

Brodinger, Schulgasse 15, ✆ 40 04, Fax 7283, E
April und Nov. je 2 Wochen geschl. – **M** *(Samstag 15 Uhr - Sonntag geschl.)* a la carte 20/43 – **17 Z : 38 B** 45/65 - 85/110 Fb – ½ P 51/63.

Zur Post, Stadtplatz 2, ✆ 40 25, Zim
30 Z : 53 B.

Landgasthaus Schuster, Ort 19, ✆ 71 84 –
Montag und Jan. 2 Wochen geschl. – **M** a la carte 35/65.

FRICKENHAUSEN Baden-Württemberg siehe Nürtingen.

FRICKENHAUSEN **8701.** Bayern 413 N 17 – 1 300 Ew – Höhe 180 m – ✆ 09331 (Ochsenfurt).

München 277 – Ansbach 61 – ♦Würzburg 21.

Weingut Meintzinger garni, Jahnplatz 33, ✆ 30 77, Fax 7578 – AE E VISA
21 Z : 40 B 80/120 - 110/200 Fb.

Fränkische Weinstube, Hauptstr. 19, ✆ 6 51, « Ehrbars Keller »
Montag, 3.- 17. Aug. und 21. Dez.- 15. Jan. geschl.. – **M** (Tischbestellung ratsam) a la carte 33/55.

FRICKINGEN **7771.** Baden-Württemberg 413 K 23, 216 ⑩ – 2 600 Ew – Höhe 500 m – ✆ 07554 (Heiligenberg).

Stuttgart 142 – Bregenz 67 – Sigmaringen 41.

Paradies, Kirchstr. 8, ✆ 81 71 – Zim
18 Z : 28 B.

FRIDINGEN AN DER DONAU **7203.** Baden-Württemberg 413 J 22, 987 ㉟, 427 K 1 – 2 900 Ew – Höhe 600 m – Erholungsort – ✆ 07463 (Mühlheim an der Donau).

Ausflugsziel : Knopfmacherfelsen : Aussichtskanzel ≤★, O : 3 km.

Stuttgart 118 – ♦Freiburg im Breisgau 107 – ♦Konstanz 57 – ♦Ulm (Donau) 120.

In Fridingen-Bergsteig SW : 2 km Richtung Mühlheim – Höhe 670 m

Landhaus Donautal mit Zim, ✆ 4 69, ≤, E
Mitte Jan.- Mitte Feb. geschl. – **M** *(Freitag ab 14 Uhr und Montag geschl.)* a la carte 30/62 – **5 Z : 9 B** 73 - 126.

FRIEDBERG **8904.** Bayern 413 P 21, 987 ㊱ – 26 000 Ew – Höhe 514 m – ☎ 0821.
◆München 75 – ◆Augsburg 7 – ◆Ulm 87.

Zum Brunnen garni, Bauernbräustr. 4 (Passage Brunnenhof/Garage West), ✆ 60 30 2
Fax 606640 – TV ☎ . E VISA
Weihnachten - Anfang Jan. geschl. – **15 Z : 29 B** 90/125 - 140/160 Fb.

FRIEDBERG/HESSEN **6360.** Hessen 412 413 J 15, 987 ㉕ – 25 000 Ew – Höhe 150 m
☎ 06031.
Sehenswert : Judenbad★ – Burg (Adolfsturm★) – Stadtkirche (Sakramentshäuschen★).
Amt für Fremdenverkehr, Am Seebach 2 (in der Stadthalle), ✆ 98 87.
◆Wiesbaden 61 – ◆Frankfurt am Main 32 – Gießen 36.

Stadthalle, Am Seebach 2, ✆ 60 70, Fax 607148, , – TV ☎ P – 25/8(
84 Z : 115 B.

FRIEDEBURG **2947.** Niedersachsen 411 G 6, 987 ⑭ – 9 600 Ew – Höhe 10 m – Erholungsc
– ☎ 04465.
◆Hannover 224 – Oldenburg 54 – Wilhelmshaven 25.

Deutsches Haus, Hauptstr. 87, ✆ 4 81, – ☎ P – 40
M *(Montag und Samstag jeweils bis 17 Uhr geschl.)* a la carte 23/35 – **20 Z : 34 B** 35/4
65/80.

Oltmanns (Gasthof a.d.J. 1804), Hauptstr. 79, ✆ 2 05, Fax 8366, « Gartenterrasse »,
P
2.- 16. Jan. geschl. – **M** *(Okt.- April Donnerstag geschl.)* a la carte 23/42 – **17 Z : 33 B** 45 - 8

Friedeburg, Hopelser Weg 11 (W : 1,5 km, nahe der B 436), ✆ 3 67, « Gartenterrasse
– P
Montag und Okt.- Nov. 2 Wochen geschl. – **M** a la carte 26/54.

FRIEDENFELS **8591.** Bayern 413 T 17 – 1 900 Ew – Höhe 537 m – Erholungsort – ☎ 0968
◆München 259 – Bayreuth 50 – ◆Nürnberg 112 – Weiden in der Oberpfalz 34.

Pension Zeitler garni, Otto-Freundl-Str. 11, ✆ 2 31, – P
40 Z : 80 B 27/33 - 53/65.

FRIEDENWEILER **7829.** Baden-Württemberg 413 H 23 – 1 600 Ew – Höhe 910 m – Kneippkur
– Wintersport : 920/1 000 m 1 6 – ☎ 07651 (Titisee-Neustadt).
Kurverwaltung, Rathausstr. 16, ✆ 50 34, Fax 4130.
◆Stuttgart 151 – Donaueschingen 25 – ◆Freiburg im Breisgau 42.

Ebi , Klosterstr. 4, ✆ 75 74, Fax 3875, , , , – TV ☎ P. E VISA
Nov.-20. Dez. geschl. – **M** *(auch vegetarische Gerichte)* (Dienstag geschl.) a la carte 35/62
– **20 Z : 37 B** 83/90 - 140/150 Fb – ½ P 93/113.

Steppacher , Rathausstr. 4, ✆ 75 16, – P
Mitte Nov.- Mitte Dez. geschl. – **M** *(Montag geschl.)* a la carte 19/37 – **12 Z : 20 B** 26 - 5

In Friedenweiler-Rötenbach SO : 4 km – Erholungsort :

Rössle, Hauptstr. 14, ✆ (07654) 3 51, Fax 7071, , – P
15. Nov.- 15. Dez. geschl. – **M** *(Dienstag geschl.)* a la carte 20/43 – **29 Z : 53 B** 28/45 - 56/1
– ½ P 43/68.

Café Ellenberg garni, Ellenbergweg 8, ✆ (07654) 18 88 – P
Nov. geschl. – **11 Z : 20 B** 43 - 78.

FRIEDEWALD **6431** Hessen 412 M 14 – 2 400 Ew – Höhe 388 m – ☎ 06674.
◆ Wiesbaden 179 – Erfurt 113 – Fulda 58 – Gießen 100 – ◆Kassel 81.

Zum Löwen mit Zim, Hauptstr. 17, ✆ 7 36 – TV ☎ P. AE E VISA
M *(Montag sowie Juni und Okt.- Nov. jeweils 2 Wochen geschl.)* a la carte 40/65 – **9 Z : 1**
60/85 - 100/130 Fb.

FRIEDLAND Niedersachsen siehe Göttingen.

FRIEDRICHRODA **O-5804.** Thüringen 984 ㉓, 987 ㉖ – 8 000 Ew – Höhe 350 m – ☎ 0037 622
Erfurt 57 – ◆Berlin 421 – Bad Hersfeld 97 – Coburg 96.

Schloßhotel Reinhardsbrunn (Jagdschloß a.d.J. 1864 mit Park), ✆ 42 53, Telex 6153
Fax 4251 – TV ☎ P. AE E VISA.
M a la carte 29/54 – **58 Z : 116 B** 75/160 - 95/300 Fb.

Parkhotel Reinhardsbrunn, ✆ 43 36 – TV ☎ P – 25/100
M a la carte 26/45 – **21 Z : 45 B** 60/100 - 106/212 Fb.

FRIEDRICHSDORF **6382.** Hessen 412 413 I 16 - 23 000 Ew - Höhe 220 m - ☎ 06172.

♦Wiesbaden 56 - Bad Homburg v.d.H. 5 - ♦ Frankfurt am Main 27 - Gießen 42.

Queens Hotel im Taunus, Im Dammwald 1, ℘ 73 90, Telex 415892, Fax 739852, ≘s, ▢ - |♦| ⇹ Zim TV ☎ P - 🏃 25/120. AE ① E VISA
M a la carte 32/62 - **127 Z : 177 B** 195/260 - 245/350 Fb.

Lindenhof, Hugenottenstr. 47, ℘ 50 77, Fax 5079, ≘s, ▢ (geheizt), ⛱ - |♦| ▤ Rest TV ☎ ⇔ P. AE E VISA
M *(nur Abendessen, auch vegetarische Gerichte)* (Sonntag, Mitte Juli - Mitte Aug. und 27. Dez.- 5. Jan. geschl.) a la carte 48/80 - **40 Z : 60 B** 129/149 - 165/185 Fb.

FRIEDRICHSHAFEN **7990.** Baden-Württemberg 413 L 24, 987 ㉟ ㊱, 427 M 3 - 54 000 Ew - Höhe 402 m - ☎ 07541.

✈ Friedrichshafen-Löwental, ① : 2 km, ℘ 7 00 90.

Messegelände, am Riedlepark (BY), ℘ 2 30 01, Telex 734315.

ℹ Tourist-Information, Friedrichstr. 18 (am Yachthafen), ℘ 2 17 29, Fax 72588.

♦Stuttgart 167 ① - Bregenz 30 ② - ♦Freiburg im Breisgau 161 ③ - Ravensburg 20 ①.

FRIEDRICHSHAFEN

Buchhornplatz	AY 3	Klosterstraße	AZ 22
Dammstraße	AY 6	Maybachstraße	AZ 33
Friedrichstraße	AY	Meistershofener Straße	BY 25
Goldschmiedstraße	AY 13	Montfortstraße	AY 26
Karlstraße	AY	Östliche Uferstraße	BZ 28
Wilhelmstraße	AY 41	Olgastraße	AZ 29
		Paulinenstraße	AY 30
Albrechtstraße	AZ 2	Ravensburger Straße	BZ 32
Charlottenstraße	BZ 4	Schanzstraße	AY 33
Eugen-Bolz-Straße	AY 8	Scheffelstraße	BZ 35
Flugplatzstraße	BY 10	Schloßstraße	AZ 36
Gebhardstraße	BZ 12	Schwabstraße	BY 37
Hans-Böckler-Straße	BZ 16	Seestraße	AY 38
Hofener Straße	AZ 18	Wendelgardstraße	BZ 39
Katharinenstraße	BZ 21	Zeppelinstraße	AZ 42

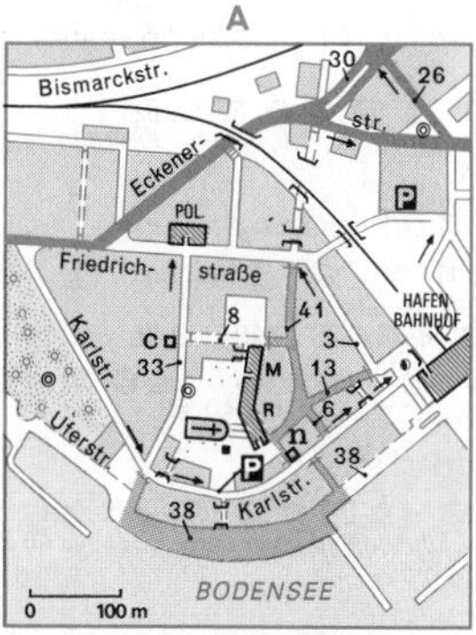

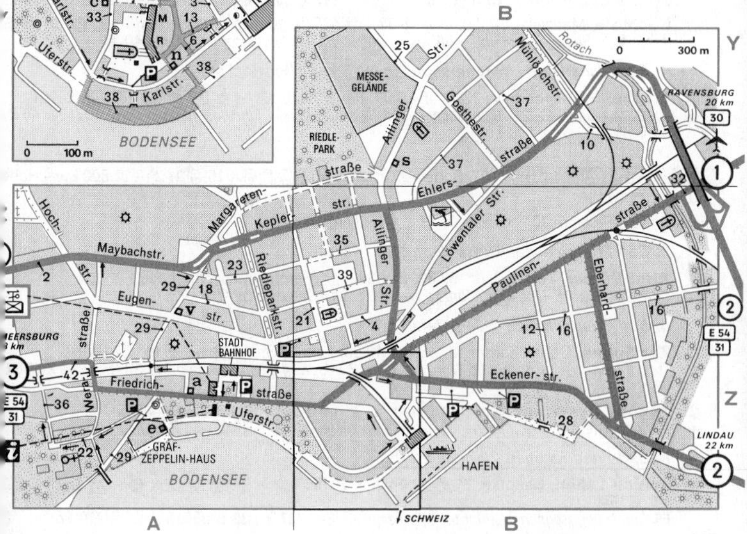

Buchhorner Hof, Friedrichstr. 33, ✆ 20 50, Telex 734210, Fax 32663, – | 25/100. E VISA AZ a
22. Dez.- 6. Jan. geschl. – **M** 31/42 (mittags) und a la carte 48/85 – **65 Z : 120 B** 109/159 - 180/220 Fb.

Föhr, Albrechtstr. 73, ✆ 30 50, Fax 27273, ← – – 40. AE E VISA
M *(nur Abendessen, 22.- 29. Dez. und außer Saison Sonntag geschl.)* a la carte 38/64 – **66 Z : 112 B** 112/130 - 170/230 Fb. über Albrechtstr. AZ

City-Krone, Schanzstr. 7, ✆ 2 20 86, Telex 734215, Fax 22080, – – 40. AE E VISA AY c
M *(nur Abendessen, Samstag - Sonntag geschl.)* a la carte 29/52 – **85 Z : 140 B** 100/145 - 140/240 Fb.

Goldenes Rad - Drei König, Karlstr. 43, ✆ 2 10 81 (Hotel) 2 16 25 (Rest.), Telex 734391, Fax 21085, – . E AY n
M *(Freitag geschl.)* a la carte 33/55 – **60 Z : 120 B** 90/165 - 120/200 Fb.

Krager, Ailinger Str. 52, ✆ 7 10 11, Fax 33553 – . AE E VISA BY s
20. Dez.- Mitte Jan. geschl. – **M** *(nur Abendessen, Freitag geschl.)* a la carte 23/46 – **17 Z : 33 B** 65/85 - 125/145.

Kurgartenrestaurant, Olgastr. 20 (im Graf-Zeppelin-Haus), ✆ 7 20 72, Fax 33637, ← Bodensee, « Terrasse am See » – 50. AE E VISA AZ e
M *(auch vegetarische Gerichte)* a la carte 33/65.

In Friedrichshafen 5-Ailingen N : 6 km, über Ailinger Str. BY – Erholungsort :

Sieben Schwaben, Hauptstr. 37, ✆ 5 50 98, Fax 56953 – – 30. AE E VISA
M *(nur Abendessen, Nov. 2 Wochen geschl.)* a la carte 29/55 – **27 Z : 43 B** 75/90 - 125/135 Fb.

Traube, Ittenhauser Str. 4, ✆ 5 30 63, Biergarten – . E
Feb. geschl. – **M** *(auch vegetarische Gerichte)* (Montag geschl.) a la carte 32/64 – **11 Z : 21 B** 64/75 - 105.

In Friedrichshafen 1-Fischbach ③ : 5 km :

Traube, Meersburger Str. 13, ✆ 4 20 38, Telex 734366, Fax 41506, , , – . AE E VISA
1.- 10. Jan. geschl. – **M** a la carte 30/64 – **55 Z : 100 B** 80/140 - 125/200 Fb -(Anbau mit 35 Z Sommer 1992).

Maier, Poststr. 1, ✆ 49 15, Telex 734801, Fax 41700 – . AE E VISA
Weihnachten - Mitte Jan. geschl. – **M** *(Okt.- April Freitag ganztägig, Mai - Sept. Freitag bis 17 Uhr geschl.)* a la carte 35/65 – **45 Z : 85 B** 95/105 - 145/175 Fb.

In Friedrichshafen 1-Schnetzenhausen NW : 4 km, über Hochstr. AZ :

Krone, Untere Mühlbachstr. 1, ✆ 40 80, Fax 43601, , , (geheizt), , , (Halle) – – 25/50. AE E VISA. Zim
20.- 25 Dez. geschl. – **M** a la carte 31/64 – **127 Z : 220 B** 90/170 - 140/220 Fb.

Kachlofe, Manzeller Str. 30, ✆ 4 16 92, Fax 43815, , « Wintergarten » – . AE E
Jan.- Aug. Samstag geschl. – **M** *(auch vegetarische Gerichte)* a la carte 40/63.

In Friedrichshafen - Waggershausen N : 3 km, über Hochstr. AZ :

Traube, Sonnenbergstr. 12, ✆ 5 50 07, Fax 56785, – . AE E VISA
2.- 9. Jan. und 22.- 29. Dez. geschl. – **M** *(Montag bis 17 Uhr geschl.)* a la carte 23/45 – **46 Z : 80 B** 60/95 - 100/150 Fb.

FRIEDRICHSHALL, BAD 7107. Baden-Württemberg 412 413 K 19, 987 ㉕ – 11 800 Ew – Höhe 160 m – ☎ 07136.

♦Stuttgart 62 – Heilbronn 10 – ♦Mannheim 83 – ♦Würzburg 110.

In Bad Friedrichshall-Duttenberg NW : 4 km :

Alter Römer, Torstr. 2, ✆ 52 30, Fax 3497, « Gemütliches Wirtshaus » –
Samstag bis 18 Uhr und Montag geschl. – **M** a la carte 52/75.

In Bad Friedrichshall 1-Jagstfeld :

Zur Sonne, Deutschordenstr. 16, ✆ 40 63, Fax 7208, ←, – . AE E VISA
Menu *(Freitag - Samstag 16 Uhr und Aug. 2 Wochen geschl.)* a la carte 33/60 – **14 Z : 26 B** 78 - 118.

Schöne Aussicht, Deutschordenstr. 2, ✆ 60 57, ←, , – . AE E
Weihnachten - Mitte Jan. geschl. – **M** a la carte 20/38 – **16 Z : 30 B** 37/70 - 66/94.

In Bad Friedrichshall 2-Kochendorf :

Schloß Lehen, Hauptstr. 2, ✆ 40 44, Fax 20155, – – 25/100. AE E VISA
M *(auch vegetarische Gerichte)* a la carte 36/84 – **27 Z : 39 B** 85/150 - 165/210 Fb.

FRIEDRICHSKOOG **2228.** Schleswig-Holstein 411 J 4, 987 ④ ⑤ - 3 000 Ew - Höhe 2 m - ☎ 04854.

Kurverwaltung, Koogstr. 66, ☎ 10 84.

Kiel 116 - Hamburg 108 - Itzehoe 52 - Marne 13.

In Friedrichskoog-Spitze NW : 4 km - Seebad :

Möven-Kieker, Strandweg 6, ☎ 17 01, Fax 1689, Biergarten, - TV ☎ P - 30. AE ⓓ E VISA
3. Jan.- 15. Feb. geschl. - **M** *(Dienstag geschl.)* a la carte 34/64 - **11 Z : 24 B** 69/90 - 98/160 Fb - ½ P 71/102.

FRIEDRICHSRUHE Baden-Württemberg siehe Öhringen.

FRIEDRICHSTADT **2254.** Schleswig-Holstein 411 K 3, 987 ⑤ - 2 600 Ew - Höhe 4 m - Luftkurort - ☎ 04881.

Tourist-Information, am Mittelburgwall 23, ☎ 72 40.

Kiel 82 - Heide 25 - Husum 15 - Schleswig 49.

Aquarium, Am Mittelburgwall 6, ☎ 6 91, Fax 7064, - TV ☎ P. AE ⓓ E VISA
M a la carte 32/64 - **38 Z : 80 B** 85/105 - 136/170 Fb.

Holländische Stube mit Zim, Am Mittelburgwall 24, ☎ 72 45, Fax 7126, « Holländisches Haus a.d. 17. Jh. » - TV ☎. AE ⓓ E VISA
M *(im Winter Mittwoch geschl.)* a la carte 32/55 - **7 Z : 18 B** 75 - 120.

Si vous devez faire une étape dans une station ou dans un hôtel isolé, prévenez par téléphone, surtout en saison.

FRIESENHEIM **7632.** Baden-Württemberg 413 G 21, 242 ㉘ - 10 200 Ew - Höhe 158 m - ☎ 07821 (Lahr).

Stuttgart 158 - Freiburg im Breisgau 54 - Offenburg 12.

Krone (mit Gästehaus), Kronenstr. 2 (B 3), ☎ 6 20 38, Fax 61642 - ☎ P
Aug. 2 Wochen und 27. Dez.- 7. Jan. geschl. - **M** *(Freitag - Samstag 17 Uhr geschl.)* a la carte 23/56 - **32 Z : 50 B** 31/56 - 67/96 Fb.

In Friesenheim 2-Oberweier :

Mühlenhof, Oberweierer Hauptstr. 32, ☎ 65 20, - TV ☎ P. Rest
Jan. und Aug. je 3 Wochen geschl. - Menu *(Dienstag geschl.)* a la carte 28/58 - **12 Z : 18 B** 48/50 - 84/86.

FRIESOYTHE **2908.** Niedersachsen 411 G 7, 987 ⑭ - 16 500 Ew - Höhe 9 m - ☎ 04491.

Hannover 199 - Bremen 88 - Lingen 89 - Osnabrück 97.

Stadt Friesoythe garni, Willohstr. 12, ☎ 39 85, - TV ☎ P
9 Z : 14 B 65/75 - 120.

FRITZLAR **3580.** Hessen 412 K 13, 987 ㉕ - 15 000 Ew - Höhe 235 m - ☎ 05622.

Sehenswert : Dom★ - Marktplatz★ - Stadtmauer (Grauer Turm★).

Verkehrsbüro, Rathaus, ☎ 8 03 43.

Wiesbaden 201 - Bad Hersfeld 48 - Kassel 32 - Marburg 61.

In Fritzlar-Ungedanken SW : 8 km :

Büraberg, an der B 253, ☎ 40 40 - TV ☎ P. AE ⓓ E VISA
M *(Sonntag 15 Uhr - Montag 17 Uhr geschl.)* a la carte 24/44 - **14 Z : 25 B** 60/70 - 95/105 Fb.

FRÖNDENBERG **5758.** Nordrhein-Westfalen 411 412 G 12 - 22 000 Ew - Höhe 140 m - ☎ 02373 (Menden).

18 9 Schwarzer Weg 1, ☎ 7 00 68.

Düsseldorf 97 - Dortmund 29 - Iserlohn 17.

Landhaus Toque Blanche mit Zim, Sümbergstr. 29a, ☎ 73 91 - TV ☎ P
7 Z : 12 B.

FUCHSTAL **8915.** Bayern 413 P 23, 426 E 5 - 2 500 Ew - Höhe 619 m - ☎ 08243.

München 69 - Garmisch-Partenkirchen 72 - Landsberg am Lech 12.

Landgasthof Hohenwart, an der B 17 (Seestall), ☎ 22 31, Fax 2673, - P. E
Nov. geschl. - **M** *(Donnerstag - Freitag 17 Uhr geschl.)* a la carte 31/56 - **14 Z : 29 B** 40/55 - 65/100.

FÜRSTENAU **4557.** Niedersachsen 411 FG 9, 987 ⑭ – 8 000 Ew – Höhe 50 m – ☎ 05901.

◆Hannover 195 – ◆Bremen 117 – Nordhorn 48 – ◆Osnabrück 44.

Stratmann, Große Str. 29, ✆ 31 39 – ☎ 🚗 Ⓟ. AE
M a la carte 20/36 – **12 Z : 22 B** 40/48 - 80/96.

Wübbel, Osnabrücker Str. 56 (B 214), ✆ 7 89 – 🚗 Ⓟ.
Juli geschl. – **M** *(Dienstag geschl.)* a la carte 19/39 – **9 Z : 15 B** 50/80 - 100.

Landwehr, Buten Porten 1, ✆ 31 76, – 🚗 Ⓟ
Juli - Aug. 3 Wochen geschl. – **M** a la carte 19/37 – **9 Z : 13 B** 38 - 75.

FÜRSTENBERG **3476.** Niedersachsen 411 412 L 11 – 1 300 Ew – Höhe 180 m – Erholungsort – ☎ 05271.

Verkehrsamt, Haus des Gastes, ✆ 51 01.

◆Hannover 107 – Göttingen 69 – ◆Kassel 66.

Hubertus ⛰, Derentaler Str. 58, ✆ 59 11, Fax 5652, , , – TV ☎ Ⓟ. AE ◑ E VISA
Jan. geschl. – **M** a la carte 26/49 – **23 Z : 45 B** 50/70 - 100/150 Fb.

FÜRSTENFELDBRUCK **8080.** Bayern 413 Q 22, 987 ㊱ ㊲, 426 F 4 – 31 000 Ew – Höhe 528 m – ☎ 08141.

◆München 26 – ◆Augsburg 42 – Garmisch-Partenkirchen 97.

Post, Hauptstr. 7, ✆ 2 40 74, Fax 16755 – |‡| TV ☎ 🚗 Ⓟ – 60. AE ◑ E VISA
23. Dez.- 6. Jan. geschl. – **M** *(Sonntag ab 15 Uhr, Samstag und 6.- 21. Juni geschl.)* a la carte 28/54 – **44 Z : 65 B** 90/130 - 110/150 Fb.

Drexler garni, Hauptstr. 10, ✆ 50 61, Fax 5064 – TV ☎ 🚗
24. Dez.- 12. Jan. und Sonntag geschl. – **19 Z : 30 B** 70/90 - 100/140.

Gästehaus Brucker garni, Kapellenstr. 3, ✆ 66 08, Fax 41331 – TV ☎ Ⓟ. AE ◑ E VISA
13 Z : 21 B 95/125 - 135/155 Fb.

FÜRSTENZELL **8399.** Bayern 413 W 21, 987 ㊳, 426 L 3 – 7 000 Ew – Höhe 358 m – ☎ 08502.

◆München 169 – Linz 92 – Passau 14 – ◆Regensburg 121.

In Fürstenzell-Altenmarkt NO : 4,5 km :

Platte ⛰, ✆ 2 00, ≤ Neuburger- und Bayerischer Wald – 🚗 Ⓟ
Mitte Jan.- Mitte Feb. geschl. – **M** *(Dienstag geschl.)* a la carte 20/29 – **15 Z : 25 B** 35/4- - 65/75.

FÜRTH **8510.** Bayern 413 P 18, 987 ㉖ – 100 000 Ew – Höhe 294 m – ☎ 0911 (Nürnberg).

Siehe auch Nürnberg-Fürth (Umgebungsplan).

Verkehrsverein im ABR, Bahnhofplatz, ✆ 77 26 70.

ADAC, Fürther Freiheit 15, ✆ 77 60 06, Fax 774175.

◆München 172 – ◆Nürnberg 7.

Stadtplan siehe gegenüberliegende Seite

Bavaria garni, Nürnberger Str. 54, ✆ 77 49 41, Telex 626570, Fax 748015, , – |‡| TV ☎ 🚗 Ⓟ — Z
60 Z : 100 B.

Baumann garni, Schwabacher Str. 131, ✆ 77 76 50, Fax 746859 – |‡| TV ☎ Ⓟ. AE ◑ E VISA — Z
– **21 Z : 33 B** 98/150 - 128/160.

Park-Hotel garni, Rudolf-Breitscheid-Str. 15, ✆ 77 66 66, Fax 7499064 – |‡| TV ☎ 🚗 50. AE ◑ E VISA — Z
60 Z : 90 B 128/148 - 188/248 Fb.

Astron Suite-Hotel garni, Königstr. 140, ✆ 7 40 40, Fax 7404400, – |‡| TV ☎ ♿ 🚗 AE E VISA — Z
118 Appart. : 236 B 178 - 211 Fb.

✿ **Kupferpfanne,** Königstr. 85, ✆ 77 12 77, Fax 777637 – AE ◑ E VISA — Y
Sonn- und Feiertage geschl. – **M** *(bemerkenswerte Weinkarte)* (Tischbestellung ratsam) 95 und a la carte 65/96
Spez. Sülze vom Rehnüsschen, Meeresfrüchte unter der Blätterteighaube, Seewolf in der Salzkruste (2 Pers.).

Duckla, Mühlstr. 2, ✆ 77 86 60 — Y
(Tischbestellung ratsam).

Folgende Häuser finden Sie auf dem Stadtplan Nürnberg-Fürth :

In Fürth-Dambach :

Forsthaus ⛰, Zum Vogelsang 20, ✆ 77 98 80, Telex 626385, Fax 720885, , , – |‡| TV Ⓟ – 25/200. AE ◑ E VISA. Rest — AS
M a la carte 59/93 – **107 Z : 145 B** 183/208 - 206/260 Fb – 3 Appart. 700.

chwabacher Straße	Z	Gustav-Schickedanz-Str.	Z 17	Kohlenmarkt	Y 29
		Heiligenstraße	Y 18	Mathildenstraße	Z 30
lexanderstraße	Z 2	Helmplatz	Y 19	Obstmarkt	Y 32
äumenstraße	Y 4	Henri-Dunant-Straße	Y 20	Ottostraße	Z 34
randenburger Straße	Y 7	Hochstraße	Y 21	Poppenreuther Straße	Y 35
adolzburger Straße	Y 9	Hornschuhpromenade	Z 22	Ritterstraße	Z 37
englerstraße	Z 12	Jacobinenstraße	Z 23	Rudolf-Breitscheid-Straße	Z 39
riedrichstraße	Z 14	Königsplatz	Y 27	Uferstraße	Y 41
ürther Freiheit	Z 15	Königswarterstraße	Z 28	Würzburger Straße	Y 45

In Fürth-Poppenreuth :

Novotel Fürth, Laubenweg 6, ☎ 79 10 10, Telex 622214, Fax 793466, ≘s, 🏊 (geheizt), 🌳 – 🛗 ▤ TV ☎ ♿ P – 🏛 25/300. AE ⓓ E VISA AS **n**
M a la carte 35/56 – **131 Z : 262 B** 148/168 - 186/211 Fb.

☞ *Benutzen Sie den Hotelführer des laufenden Jahres.*

FÜRTH IM ODENWALD **6149.** Hessen 412 413 J 18 – 10 100 Ew – Höhe 198 m – Erholungsort
☎ 06253.
◆Wiesbaden 83 – ◆Darmstadt 42 – Heidelberg 36 – ◆Mannheim 33.

In Fürth-Weschnitz NO : 6 km :

Erbacher Hof, Hammelbacher Str. 2, ☎ 40 20, Fax 4804, ≘s, 🏊, 🌳 – 🛗 TV ☎ P – 🏛 25/60. AE ⓓ E VISA
M a la carte 25/60 🍷 – **45 Z : 79 B** 60 - 105 – ½ P 80.

In Rimbach **6149** SW : 4,5 km :

Berghof ≫, Holzbergstr. 27, ☎ (06253) 64 54, Fax 84213, ≤, - TV ☎ P. AE ① E VISA
M *(Donnerstag - Freitag 15 Uhr geschl.)* a la carte 35/53 - **12 Z : 28 B** 66 - 110 Fb.

FÜSSEN **8958.** Bayern 413 OP 24, 987 ㊱, 426 E 6 - 16 500 Ew - Höhe 803 m - Kneipp- und Luftkurort - Wintersport : 810/950 m ≴3 ≵12 - ☎ 08362.

Sehenswert : St.-Anna-Kapelle (Totentanz★) **B.**

Ausflugsziele : Schloß Neuschwanstein★★ ② : 4 km und 1,5 km zu Fuß - Schloß Hohenschwangau★ 4 km über ② - Alpsee★ : Pindarplatz ≤★ 4 km über ② - Romantische Straße★★ (von Füssen bis Würzburg).

ℹ Kurverwaltung, Augsburger Torplatz 1, ☎ 70 77, Fax 39181.

◆München 120 ② - Kempten (Allgäu) 41 ④ - Landsberg am Lech 63 ②.

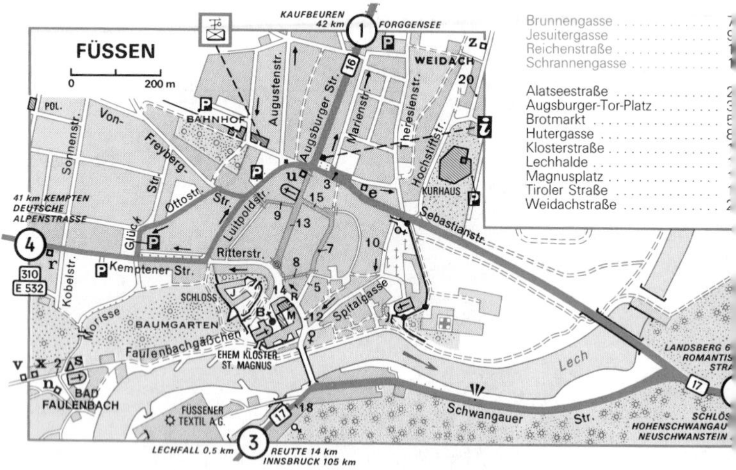

Hirsch, Schulhausstr. 4, ☎ 50 80, Telex 541308, Fax 508113, - ☎ P. AE ① VISA
7.- 31. Jan. geschl. - **M** a la carte 29/63 - **46 Z : 85 B** 85/125 - 145/185 Fb.

Christine ≫ garni, Weidachstr. 31, ☎ 72 29, - TV ☎ P.
15 Z : 30 B.

Fürstenhof garni, Kemptener Str. 23 (B 310), ☎ 70 06 - TV ☎ P. AE E
Nov. - 24. Dez. geschl. - **15 Z : 30 B** 52/75 - 104/108 Fb.

Landhaus Sommer ≫ garni, Weidachstr. 74, ☎ 76 46, Fax 2074, ≤, , , - AE E VISA
über Weidachstraße
13 Z : 25 B 60/75 - 120/150.

Sonne garni, Reichenstr. 37, ☎ 60 61, Telex 541350, Fax 6064 - TV ☎ P. AE ① E VISA
32 Z : 64 B 110 - 145 Fb.

Kurhaus-Pulverturm, Schwedenweg 1 (im Kurhaus), ☎ 60 78, Fax 38669, - P
40/290. AE ① E VISA
M a la carte 24/52.

In Füssen - Bad Faulenbach - Mineral- und Moorbad :

Kurhotel Wiedemann ≫, Am Anger 3, ☎ 3 72 31, Bade- und Massageabteilung, ,
- Rest ☎ P
Dez.- 10. Jan. geschl. - (Restaurant nur für Hausgäste) - **41 Z : 60 B** 60/68 - 120/136 Fb.

Alpenschlößle ≫, Alatseestr. 28, ☎ 40 17, - TV ☎ P
M *(Dienstag geschl.)* 24 (mittags) und a la carte 46/80 - **10 Z : 20 B** 69/98 - 114/144 - ½ P 75/93.

Kurhotel Berger ≫, Alatseestr. 26, ☎ 60 31, Bade- und Massageabteilung, , ,
- ☎ P. Rest
10.- 31. Jan. und Nov.- 19. Dez. geschl. - (Restaurant nur für Hausgäste) - **34 Z : 50 B** 65/8
- 125/140 Fb - ½ P 80/98.

Frühlingsgarten, Alatseestr. 8, ☎ 61 07,
Nov.- 20. Dez. geschl. - **M** *(Freitag geschl.)* a la carte 17/34 - **17 Z : 30 B** 50/60 - 96/13
- ½ P 65/71.

In Füssen-Hopfen am See ① : 5 km :

Geiger, Uferstr. 18, ✆ 70 74, Fax 38838, ≤ – TV ☎ P
Ende März - Anfang April und Anfang Nov.- Mitte Dez. geschl. – **M** *(Jan.- April Donnerstag geschl.)* a la carte 30/56 – **23 Z : 40 B** 60/120 - 130/180 Fb – ½ P 83/142.

Alpenblick, Uferstr. 10, ✆ 5 05 70, Telex 541343, Fax 505773, ≤, Bade- und Massageabteilung, – TV ☎ P. AE E VISA
M a la carte 26/63 – **46 Z : 96 B** 90/121 - 130/190 – ½ P 85/141.

Landhaus Enzensberg, Höhenstr. 53, ✆ 40 61, Fax 39179 – TV ☎. AE E VISA
7.- 31. Jan. geschl. – **M** *(auch vegetarische Gerichte)* (wochentags nur Abendessen, Montag geschl.) a la carte 39/70 – **10 Z : 20 B** 80/125 - 170/230 Fb – 3 Appart. 270 – ½ P 112/157.

Fischerhütte, Uferstr. 16, ✆ 71 03, Fax 38670, ≤, « Terrasse am See » – P.

In Füssen-Oberkirch ④ : 7 km :

Bergruh, Alte Steige 16 (Hinteregg), ✆ 77 42, Fax 39291, ≤, Bade- und Massageabteilung, – TV ☎ P. E VISA
Anfang Nov.- Weihnachten geschl. – **M** a la carte 28/60 – **27 Z : 50 B** 52/110 - 100/210 Fb – 3 Appart. – ½ P 72/132.

Steigmühle garni, Alte Steige 3, ✆ 73 73, ≤, – P.
10 Z : 25 B – 6 Fewo.

In Füssen-Weißensee ④ : 6 km :

Seegasthof Weißensee, an der B 310, ✆ 70 95, ≤, – ☎ P
7. Jan.- Mitte Feb. und Anfang Nov.- 25. Dez. geschl. – **M** *(Montag geschl.)* a la carte 25/50 – **22 Z : 41 B** 66/90 - 112/150 Fb.

Seehof, Gschrifter Str. 5, ✆ 68 22, ≤, – TV P. E. Zim
Nov.- 20. Dez. geschl. – **M** *(Dienstag und 29. März - 11. April geschl.)* a la carte 24/36 – **14 Z : 26 B** 48/60 - 80/110 – ½ P 66/72.

In Dietringen **8959** ① : 9 km :

Schwarzenbach's Landhotel, an der B 16, ✆ (08367) 3 43, Fax 1061, ≤ Forggensee und Allgäuer Alpen, – P
31 Z : 63 B.

Siehe auch : ***Schwangau***

FÜSSING, BAD 8397. Bayern 413 W 21, 426 L 3 – 6 600 Ew – Höhe 324 m – Kurort – ✆ 08531.

Kurverwaltung, Rathausstr. 8, ✆ 22 62 45, Fax 21367.

München 147 – Passau 32 – Salzburg 110.

Kurhotel Wittelsbach, Beethovenstr. 8, ✆ 2 10 21, Fax 22256, Bade- und Massageabteilung, (Thermal), – TV P – 25/80. AE E VISA.
Anfang Dez.- Ende Jan. geschl. – (Restaurant nur für Hausgäste) – **69 Z : 108 B** 120/200 - 210/250 Fb – ½ P 145/200.

Kurhotel Holzapfel, Thermalbadstr. 5, ✆ 27 30, Fax 2001, Bade- und Massageabteilung, direkter Zugang zu den Thermalschwimmbädern – TV ☎ P. E. Zim
Dez.- Jan. geschl. – Menu a la carte 39/76 – **90 Z : 120 B** 91/135 - 174/304 Fb.

Kurhotel Zink, Thermalbadstr. 1, ✆ 2 20 31, Bade- und Massageabteilung, (Thermal), (Gebühr), – TV ☎ P.
Ende Nov.- Mitte Jan. geschl. – (Restaurant nur für Hausgäste) – **115 Z : 164 B** 98/150 - 188/220 Fb – 12 Appart. 255.

Parkhotel, Waldstr. 16, ✆ 2 20 83, Fax 2061, « Gartenterrasse », Bade- und Massageabteilung, (Thermal), (Gebühr), – TV ☎ P.
Dez.- 2. Feb. geschl. – **M** a la carte 24/44 – **108 Z : 140 B** 80/125 - 144/220 Fb.

Kurhotel Mürz, Birkenallee 9, ✆ 2 16 16, Fax 29876, Bade- und Massageabteilung, – ☎ P. AE E.
Dez.- 3. Jan. geschl. – (Restaurant nur für Hausgäste) – **64 Z : 90 B** 97/150 - 190/270 Fb.

Promenade garni, Kurallee 20, ✆ 2 92 26, Fax 295200, – TV ☎. AE E VISA
22 Z : 34 B 70/100 - 140/160 Fb.

Am Mühlbach, Bachstr.15 (Safferstetten, S : 1 km), ✆ 27 80, Fax 278427, Bade- und Massageabteilung, (Thermal), – TV ☎ P.
1.- 20. Dez. geschl. – (Restaurant nur für Hausgäste) – **63 Z : 105 B** 68/125 - 163/216 Fb.

Zur Post, Inntalstr. 36 (Riedenburg, SO : 1 km), ✆ 2 90 90, Fax 2909227, – ☎ P
7. Jan.- Mitte Feb. geschl. – **M** *(Donnerstag geschl.)* a la carte 24/41 – **50 Z : 75 B** 59/75 - 88/114 – ½ P 60/75.

Pension Diana garni, Kurallee 12, ✆ 2 90 60, Massage, – TV ☎ P.
Weihnachten - Anfang Jan. geschl. – **42 Z : 60 B** 58/62 - 84/104 Fb.

Bayerischer Hof, Kurallee 18, ✆ 28 11, Fax 24423, Bade- und Massageabteilung, (Gebühr) – TV ☎ P. AE E VISA. Rest
Dez.- Jan. geschl. – **M** a la carte 24/50 – **59 Z : 89 B** 98/123 - 166/186 Fb.

🏨 **Kurhotel Sonnenhof,** Schillerstr. 4, ℰ 2 26 40, Bade- und Massageabteilung, ♨ (Therma
🔲, 🍽 – 📶 📺 ☎ ⇔ 🅟 – 🏄 25/80. 🅴. ℅
28. Nov.- 14. Jan. geschl. – **M** a la carte 28/56 – **100 Z : 129 B** 98/155 - 169/180 Fb.

🏨 **Kurpension Falkenhof** 🦢 garni, Paracelsusstr. 4, ℰ 20 32, Massage, ⬛s, 🔲, 🍽 –
☎ 🅟. ℅
Dez.- Jan. geschl. – **42 Z : 62 B** 58/70 - 105 Fb.

🏨 **Brunnenhof** garni, Schillerstr. 9, ℰ 26 29, Massage, 🍽 – 📶 ☎ 🅟. ℅
Ende Nov.- Anfang Feb. geschl. – **28 Z : 40 B** 55/75 - 90 Fb.

🏨 **Sacher,** Schillerstr. 3, ℰ 2 10 44, Massage, 🍽 – 📶 ☎ 🅟. ℅ Rest
1.- 13. Jan. geschl. – **M** *(Samstag geschl.)* a la carte 26/45 – **38 Z : 46 B** 70 - 140 – ½ P 8

🍴 **Schloßtaverne,** Inntalstr. 26 (Riedenburg, SO : 1 km), ℰ 25 68, ⬕, Biergarten – 🅟
Mittwoch und Anfang Jan.- Anfang Feb. geschl. – **M** a la carte 27/53.

FULDA 6400. Hessen 🔢🔢 🔢🔢 M 15, 🔢🔢🔢 ㉕ – 56 500 Ew – Höhe 280 m – ✪ 0661.

Sehenswert : Dom (Bonifatiusgruft★) Y – St.-Michael-Kirche★ Y **B.**

Ausflugsziel : Kirche auf dem Petersberg (romanische Steinreliefs★★, Lage★, ≼★) O : 4 km (üb
die B 458 Y).

🏌 Hofbieber (O : 11 km über die B 458), ℰ (06657) 13 34.

🅱 Städt. Verkehrsbüro, Schloßstr. 1, ℰ 10 23 46, Fax 79153.

ADAC, Karlstr. 19, ℰ 7 71 11, Notruf ℰ 1 92 11.

◆Wiesbaden 141 ② – ◆Frankfurt am Main 99 ② – Gießen 109 ① – ◆Kassel 106 ① – ◆Würzburg 108 ②.

Stadtplan siehe gegenüberliegende Seite

🏨🏨 **Romantik-Hotel Goldener Karpfen,** Simpliziusplatz 1, ℰ 7 00 44, Fax 73042, ⬛s –
📺 ⇔ 🅟 – 🏄 25/50. 🅰🅴 ⓞ 🅴 🆅🅸🆂🅰. ℅ Rest Z
M a la carte 42/80 – **65 Z : 140 B** 150/250 - 250/350 Fb.

🏨🏨 **Maritim-Hotel Am Schloßgarten,** Pauluspromenade 2, ℰ 28 20, Telex 49136, Fax 7834
« Restaurant in einem Gewölbekeller a.d. 17. Jh. », ⬛s, 🔲 – 📶 📺 – 🏄 25/500. 🅰🅴
🅴 🆅🅸🆂🅰 Y
M a la carte 44/75 – **112 Z : 224 B** 177/247 - 238/348 Fb.

🏨🏨 **Zum Ritter,** Kanalstr. 18, ℰ 81 65, Fax 71431 – 📶 📺 🅟 – 🏄 45. 🅰🅴 ⓞ 🅴 🆅🅸🆂🅰 Z
M a la carte 34/55 – **33 Z : 66 B** 115/179 - 175/249 Fb.

🏨 **Lenz,** Leipziger Str. 122, ℰ 60 10 41, Telex 49733, Fax 606871, ⬕, ⬛s, 🍽 – 📶 📺 ☎. 🔳
ⓞ 🅴 🆅🅸🆂🅰. ℅ Rest
20.- 29. Dez. geschl. – **M** *(nur Abendessen)* a la carte 40/53 – **57 Z : 106 B** 115/125 - 165/185 F

🏨 **Zum Kurfürsten** (ehem. Palais a.d.J. 1737), Schloßstr. 2, ℰ 7 00 01, Fax 77919, ⬛s – 📶 🔲
☎ 🅟 – 🏄 25/70. 🅰🅴 ⓞ 🅴 🆅🅸🆂🅰. ℅ Rest Y
M a la carte 41/69 – **63 Z : 120 B** 100/120 - 160/180 Fb.

🏨 **Kolpinghaus,** Goethestr. 13, ℰ 7 60 52, Fax 76057, ⬕ – 📶 📺 ☎ 🅟 – 🏄 25/150. 🔳
ⓞ 🅴 🆅🅸🆂🅰. ℅ Rest Z
M a la carte 26/52 – **55 Z : 80 B** 85 - 140 Fb.

🏨 **Europa,** Haimbacher Str. 65, ℰ 7 50 43, Fax 74144, ⬕, 🍽 – 📶 ☎ ⇔ 🅟. 🅰🅴 ⓞ 🔳
🆅🅸🆂🅰 über Langebrückenstr. Y
22.- 28. Dez. geschl. – **M** a la carte 26/58 – **70 Z : 120 B** 64/110 - 115/150.

🏨 **Hessischer Hof** garni, Nikolausstr. 22, ℰ 7 22 89, Fax 72289 – 📺 ☎ ⇔. 🅰🅴 🅴 🆅🅸🆂🅰 Y
27 Z : 50 B 75/85 - 115/125.

🏨 **Wiesenmühle** 🦢 (modernisierte Mühle a.d. 14. Jh.), Wiesenmühlenstr. 13, ℰ 2 27 2
Fax 22720, ⬕, Biergarten, « Brauhaus mit kleiner Hausbrauerei » – 📺 ☎ 🅟 – 🏄 25/10
🅰🅴 🅴 Z
M a la carte 28/48 – **27 Z : 48 B** 68/89 - 138/149 Fb.

🏨 **Bachmühle** (Sandsteinbau a.d.J. 1840), Künzeller Str. 133, ℰ 3 40 01, Fax 34465, ⬕ – 🔳
🅟. 🅰🅴 🅴 🆅🅸🆂🅰 über Künzeller Str. Z
M a la carte 30/57 – **19 Z : 38 B** 68 - 120 Fb.

🏨 **Peterchens Mondfahrt** garni, Rabanusstr. 7 (5. Etage), ℰ 7 70 94, Fax 71519 – 📶 📺 🔳
🅟. 🅰🅴 ⓞ 🅴 🆅🅸🆂🅰 Y
21 Z : 35 B 85/95 - 125/160.

🍴🍴 **Corniche de France,** Kanalstr. 3, ℰ 7 02 00 – 🅰🅴 ⓞ 🅴 🆅🅸🆂🅰 ℅ YZ
Sonntag - Montag, Feb.- März 2 Wochen und Juni - Juli 3 Wochen geschl. – **M** 36 (mittags
und a la carte 68/94.

🍴🍴 **Dachsbau,** Pfandhausstr. 7, ℰ 7 40 30 – ⓞ 🅴 🆅🅸🆂🅰 Z
M a la carte 35/64 ⬥.

In Fulda-Kämmerzell N : 6 km über Horaser Weg Y :

🍴🍴 **Zum Stiftskämmerer - Gewölbekeller,** Kämmerzeller Str. 10, ℰ 5 23 69 – 🅟. 🅰🅴 ⓞ 🔳
➡ 🆅🅸🆂🅰 – *Dienstag und Ende Feb.- Anfang März geschl.* – Menu *(auch vegetarische Gerichte)*
a la carte 24/60.

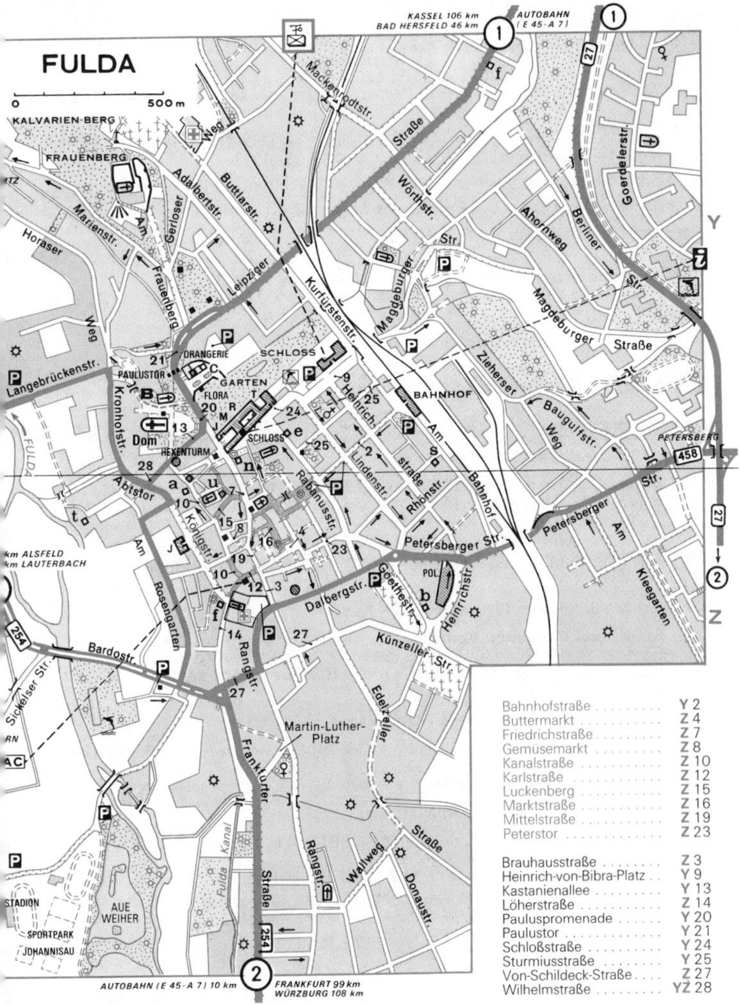

Bahnhofstraße	Y	2
Buttermarkt	Z	4
Friedrichstraße	Z	7
Gemüsemarkt	Z	8
Kanalstraße	Z	10
Karlstraße	Z	12
Luckenberg	Z	15
Marktstraße	Z	16
Mittelstraße	Z	19
Peterstor	Z	23
Brauhausstraße	Z	3
Heinrich-von-Bibra-Platz	Y	9
Kastanienallee	Y	13
Löherstraße	Z	14
Pauluspromenade	Y	20
Paulustor	Y	21
Schloßstraße	Y	24
Sturmiusstraße	Y	25
Von-Schildeck-Straße	Z	27
Wilhelmstraße	YZ	28

In Fulda-Lehnerz ① : 2,5 km über die B 27, nahe Autobahnausfahrt Nord :

Keiper garni, Leipziger Str. 180, ✆ 6 90 70 – 🚗 Ⓟ – **16 Z : 20 B** 40/50 - 75/90.

Grillenburg mit Zim, Leipziger Str. 183, ✆ 60 76 63 – Ⓟ
8 Z : 11 B.

FULDATAL Hessen siehe Kassel.

FURTH IM WALD **8492.** Bayern 413 V 19, 987 ㉗ – 9 400 Ew – Höhe 410 m – Erholungsort
- Wintersport : 610/950 ⛷3 ⛷5 – ☎ 09973.

Gut Voithenberg (NW : 4 km), ✆ (09973) 20 89.

Fremdenverkehrsamt, Schloßplatz 1, ✆ 38 13, Fax 50950.

◆München 198 – Cham 19 – ◆Regensburg 75.

Hohenbogen, Bahnhofstr. 25, ✆ 15 10, Fax 1502 – 🛗 TV ☎ – 🏊 40
Menu a la carte 32/58 – **32 Z : 65 B** 46/54 - 92/108 Fb – ½ P 54/62.

Zur Post, Stadtplatz 12, ✆ 15 06, Fax 1857 – ☎ Ⓟ. E VISA – *Jan. 3 Wochen geschl.* –
M *(Sonntag 15 Uhr - Montag geschl.)* a la carte 20/50 – **22 Z : 36 B** 25/45 - 50/80 Fb.

In Gleissenberg **8491** NW : 7 km :

Pongratz, Hauptstr. 25, ✆ (09975) 2 20 – AE E
Nov.- Dez. 3 Wochen geschl. – **M** *(Mittwoch geschl.)* a la carte 16/30 – **24 Z : 48 B** 30 - 60 F

FURTWANGEN **7743.** Baden-Württemberg 413 H 22, 987 ㉟ – 10 000 Ew – Höhe 870 m
Erholungsort – Wintersport : 850/1 150 m ⛷4 ⛷5 – ✆ 07723.

ℹ Fremdenverkehrsverein, Rathaus, Marktplatz 4, ✆ 6 14 00, Fax 61438.

◆Stuttgart 141 – Donaueschingen 29 – ◆Freiburg im Breisgau 48 – Offenburg 71.

Ochsen, Marktplatz 9, ✆ 20 16, Fax 2716, ≘s – TV ☎ P. E
Jan. 2 Wochen und Nov. 3 Wochen geschl. – **M** a la carte 23/44 ♫ – **35 Z : 70 B** 45/60 - 85/11

Kussenhof ⛰, Kussenhofstr. 43, ✆ 77 60, ≤, – ☎ P
Nov.- Dez. 3 Wochen geschl. – **M** *(Montag geschl.)* a la carte 18/35 ♫ – **13 Z : 22 B** 27/40 65/70.

Neueck siehe : ***Gütenbach***

FUSCHL AM SEE Österreich siehe Salzburg.

GÄRTRINGEN **7034.** Baden-Württemberg 413 J 21 – 10 000 Ew – Höhe 476 m – ✆ 0703

◆Stuttgart 32 – Freudenstadt 59 – ◆Karlsruhe 88.

Bären, Daimlerstr. 11, ✆ 27 60, Fax 276222 – TV ☎ ⇔ P. AE ⓓ E VISA
21. Dez.- 12. Jan. geschl. – **M** *(nur Abendessen, Sonntag und 1.- 15. Aug. geschl.)* a la car 28/51 – **31 Z : 48 B** 75/120 - 112/145 Fb.

GAGGENAU **7560.** Baden-Württemberg 413 H 20, 987 ㉟ – 29 700 Ew – Höhe 142 m
✆ 07225.

◆Stuttgart 103 – Baden-Baden 16 – ◆Karlsruhe 30 – Rastatt 14.

Stadthotel Gaggenau, Konrad-Adenauer-Str. 1, ✆ 6 70, Telex 78808, Fax 76205, – TV ♿ ⇔ – 🏛 25/200. AE ⓓ E VISA
Restaurants : **Triangel M** a la carte 63/97 – **Hechtstube M** a la carte 29/61 – **63 Z : 108** 136/220 - 215/247 Fb.

In Gaggenau 19-Michelbach NO : 3,5 km :

Zur Traube (Restaurant in einem restaurierten Fachwerkhaus a.d. 18. Jh.), Lindenstr. 1
✆ 7 62 63 – P. AE E VISA
M (abends Tischbestellung ratsam) a la carte 52/81.

In Gaggenau 15-Moosbronn NO : 8 km :

Mönchhof ⛰, Mönchskopfweg 2, ✆ (07204) 6 19, , « Ehem. Meisterhaus de Glashütte a.d.J. 1723 », 🏇 – P. ⓓ
(Restaurant nur für Hausgäste) – **14 Z : 27 B** 49 - 98 Fb.

Hirsch, Herrenalber Str. 17, ✆ (07204) 2 37, , – ☎ P
März 2 Wochen und Mitte Nov.- Mitte Dez. geschl. – **M** *(Montag 15 Uhr - Dienstag gesch* a la carte 24/48 ♫ – **10 Z : 15 B** 40/50 - 80/90.

In Gaggenau 13 - Ottenau SO : 2 km :

Gasthaus Adler (regionale Küche), Hauptstr. 255, ✆ 37 06 – P. AE E VISA
Sonntag - Montag, nach Fastnacht 1 Woche und Juli - Aug. 3 Wochen geschl. – Men (Tischbestellung ratsam) a la carte 35/66.

In Gaggenau 12-Bad Rotenfels NW : 2 km :

Ochsen, Murgtalstr. 20, ✆ 15 82 – ☎ ⇔ P. ✂ Zim
33 Z : 50 B.

GAIENHOFEN **7766.** Baden-Württemberg 413 JK 23, 216 ⑨ – 4 200 Ew – Höhe 400 m
✆ 07735.

ℹ Verkehrsbüro, Im Kohlgarten 1, ✆ 8 18 23.

◆Stuttgart 175 – Schaffhausen 29 – Singen (Hohentwiel) 23 – Zürich 68.

In Gaienhofen 3-Hemmenhofen – Erholungsort :

Sport- und Tagungshotel Höri ⛰, Uferstr. 20, ✆ 81 10, Fax 811222, ≤, , ≘s, , , , 🏇 (Halle) – TV ☎ P – 🏛 25/170. AE ⓓ E VISA
M a la carte 42/71 – **84 Z : 130 B** 125/175 - 230/300 Fb – 3 Appart. 380.

Landgasthaus Kellhof, Hauptstr. 318, ✆ 20 35, Fax 811222, – TV ☎ P. AE ⓓ E VIS
5. Jan.- 20. Feb. geschl. – **M** *(Dienstag geschl.)* a la carte 27/47 – **16 Z : 30 B** 90/130 - 150/170

In Gaienhofen 2-Horn :

Hirschen - Gästehaus Verena, Kirchgasse 1, ✆ 30 51, ☂, ♣ - Ⓟ. ✗
7.- 31. Jan. geschl. - **M** *(Mai - Okt. Mittwoch bis 17 Uhr, Nov.- April Mittwoch - Donnerstag 17 Uhr geschl.)* a la carte 27/42 ♨ - **28 Z : 50 B** 60/85 - 100 Fb - 2 Fewo 80/110.

GAILDORF **7160.** Baden-Württemberg 413 M 19, 20, 987 ㉕ ㉖ - 10 500 Ew - Höhe 329 m
☎ 07971.
Stuttgart 67 - Aalen 43 - Schwäbisch Gmünd 29 - Schwäbisch Hall 17.

In Gaildorf 3-Unterrot S : 3 km :

Kocherbähnle, Schönberger Str. 8, ✆ 70 54 - TV ☎ ⇐ Ⓟ. AE ⓓ E VISA
Juli - Aug. 2 Wochen geschl. - **M** *(auch vegetarische Gerichte)* (Sonntag 15 Uhr - Montag geschl.) a la carte 24/50 - **9 Z : 17 B** 55 - 90.

GAMMELBY Schleswig-Holstein siehe Eckernförde.

GAMMERTINGEN **7487.** Baden-Württemberg 413 K 22, 987 ㉟ - 6 000 Ew - Höhe 665 m -
☎ 07574.
Stuttgart 77 - ◆Freiburg im Breisgau 160 - ◆Konstanz 100 - ◆Ulm (Donau) 79.

Romantik Hotel Posthalterei, Sigmaringer Str. 4, ✆ 8 76, Fax 878, ≘s - TV ☎ Ⓟ. AE ⓓ E VISA
M a la carte 45/70 - **33 Z : 50 B** 85/115 - 125/165 Fb.

GANDERKESEE **2875.** Niedersachsen 411 I 7, 987 ⑭ - 27 600 Ew - Höhe 25 m - Erholungsort
☎ 04222.
Hannover 140 - ◆Bremen 20 - Oldenburg 31.

Oldenburger Hof, Wittekindstr. 16 (B 212), ✆ 33 09, Fax 6527 - ☎ ⇐ Ⓟ
22. Dez.- 6. Jan. geschl. - **M** *(Samstag geschl.)* a la carte 24/47 - **18 Z : 28 B** 55/60 - 90.

Am Flugplatz W : 2,5 km :

Airfield Hotel, ✆ (04222) 10 91, Fax 1094 - TV ☎ Ⓟ. AE ⓓ E VISA
M a la carte 25/46 - **24 Z : 48 B** 70 - 115.

In Ganderkesee 1-Hoyerswege SO : 2,5 km :

Hof Hoyerswege, Wildeshauser Landstr. 66 (B 213), ✆ 20 71, Fax 5306, « Gartenterrasse », ♣ - TV ☎ ⇐ Ⓟ - 🏋 25/55. AE ⓓ E VISA
M a la carte 34/72 - **20 Z : 30 B** 69/75 - 99/110.

In Ganderkesee 2-Stenum N : 6 km :

Lüschens Bauerndiele, Dorfring 75, ✆ (04223) 4 44, Fax 8891, « Gartenterrasse » - Ⓟ. AE ⓓ E VISA
Mittwoch und Juli - Aug. 3 Wochen geschl. - **M** a la carte 27/55.

GANDERSHEIM, BAD **3353.** Niedersachsen 411 412 N 11, 987 ⑮ - 11 300 Ew - Höhe 133 m
Heilbad - ☎ 05382.
Sehenswert : Stiftskirche★.
ℹ Kurverwaltung, Stiftsfreiheit 12, ✆ 7 34 40.
◆Hannover 75 - ◆Braunschweig 71 - Göttingen 44 - Goslar 42.

In Kreiensen 1-Orxhausen **3350** W : 4 km :

Grüner Jäger mit Zim, an der B 64, ✆ (05563) 3 05 - ☎ Ⓟ. ✗ Zim
6 Z : 12 B.

GARBSEN Niedersachsen siehe Hannover.

GARCHING **8046.** Bayern 413 RS 22, 426 GH 4 - 12 700 Ew - Höhe 485 m - ☎ 089 (München).
◆München 13 - Landshut 64 - ◆Regensburg 112.

Hoyacker Hof, Freisinger Landstr. 9a, ✆ 3 20 69 65, Fax 3207243, ☂ - |♦| TV ☎ ⇐ Ⓟ. E VISA
M *(wochentags nur Abendessen, Montag geschl.)* a la carte 25/58 - **61 Z : 125 B** 120/180 - 160/200 Fb.

Am Park garni, Bürgermeister-Amon-Str. 2, ✆ 3 20 40 84, Fax 3204089 - TV ☎ ⇐ Ⓟ. AE ⓓ E VISA
24. Dez.- 1. Jan. geschl. - **36 Z : 70 B** 105/160 - 160/170 Fb.

GARLSTORF Niedersachsen siehe Salzhausen.

GARMISCH-PARTENKIRCHEN **8100.** Bayern 413 Q 24, 987 ㊱㊲, 426 F 6 – 26 500 Ew – Höh 707 m – Heilklimatischer Kurort – Wintersport : 800/2 950 m 12 39 3 – 08821.

Sehenswert : St.-Anton-Anlagen ★ X.

Ausflugsziele : Wank ★★ O : 2 km und – Partnachklamm★★ 25 min zu Fuß (ab Skistadio – Zugspitzgipfel★★★ (★★★) mit Zahnradbahn (Fahrzeit 75 min) oder mit ab Eibsee (Fahrze 10 min).

Schwaigwang (N : 2 km), (08821) 24 73 ; Oberau, Gut Buchwies (NO : 10 km), (0882 83 44.

Verkehrsamt, Dr.-Richard-Strauß-Platz, 18 06, Fax 18055.

Kurverwaltung, Schnitzschulstr. 19, 18 00, Fax 18050.

ADAC, Hindenburgstr. 14, 22 58, Telex 59672, Fax 50657.

♦München 89 ① – ♦Augsburg 117 ① – Innsbruck 60 ② – Kempten (Allgäu) 103 ③.

Stadtplan siehe gegenüberliegende Seite

Grand-Hotel Sonnenbichl, Burgstr. 97, 70 20, Telex 59632, Fax 702131, ≤, Massage, – Zim – 25/100. AE E VISA. Rest X
M *(Montag und Aug. geschl.)* a la carte 51/84 – **90 Z : 170 B** 150/200 - 240/300 Fb – 3 Appa 1000 – ½ P 145/215.

Posthotel Partenkirchen, Ludwigstr. 49, 5 10 67, Telex 59611, Fax 7856 « Historische Herberge mit rustikaler Einrichtung » – – 25/60. AE E VIS Y
M a la carte 35/82 – **61 Z : 100 B** 118/170 - 180/280 Fb.

Reindl's Partenkirchner Hof, Bahnhofstr. 15, 5 80 25, Telex 592412, Fax 7340 ≤ Wetterstein, « Terrasse », – . AE E VISA Z
Mitte Nov.- Mitte Dez. geschl. – Menu *(bemerkenswerte Weinkarte)* (Tischbestellung ratsam a la carte 36/68 – **80 Z : 130 B** 125/180 - 180/250 Fb – 14 Appart. 280/450.

Dorint Sporthotel , Mittenwalder Str. 59, 70 60, Telex 592464, Fax 706618, ≤, Biergarten, Massage, (Halle) – – 25/200. AE E VISA Rest X
M a la carte 42/65 – **152 Z : 450 B** 210/250 - 340/380 Fb.

Obermühle , Mühlstr. 22, 70 40, Telex 59609, Fax 704112, ≤, « Gartenterrasse », – – 25/100. AE E VISA X
M a la carte 48/88 – **93 Z : 178 B** 195/240 - 250/330 Fb – ½ P 160/275.

Queens Hotel Residence, Mittenwalder Str. 2, 75 61, Telex 592415, Fax 74268, – Zim – 25/150. AE E VISA. Rest Z
M a la carte 40/72 – **117 Z : 189 B** 206 - 282 Fb – 5 Appart..

Wittelsbach, von-Brug-Str. 24, 5 30 96, Telex 59668, Fax 57312, ≤ Waxenstein un Zugspitze, « Gartenterrasse », – . AE E VISA. Rest Y
20. Okt.- 20. Dez. geschl. – **M** a la carte 40/96 – **60 Z : 100 B** 120/195 - 180/235 Fb ½ P 118/163.

Staudacherhof garni, Höllentalstr. 48, 5 51 55, Fax 55186, ≤, – . E Z
April - Mai 4 Wochen und Mitte Nov.- Mitte Dez. geschl. – **35 Z : 60 B** 140/195 - 270 Fb.

Clausings Post - Romantik-Hotel, Marienplatz 12, 70 90, Telex 59679, Fax 709205, Biergarten – – 25 Z
31 Z : 57 B Fb.

Alpina, Alpspitzstr. 12, 5 50 31, Fax 71374, « Gartenterrasse », – . AE E VISA Z
M *(1.- 20. Nov. geschl.)* a la carte 41/65 – **73 Z : 136 B** 120/190 - 190/360 Fb – ½ P 128/21

Boddenberg garni, Wildenauer Str. 21, 5 10 89, Fax 52911, ≤, « Garten » (geheizt), – . AE E VISA X
Nov.- 15. Dez. geschl. – **24 Z : 40 B** 65/85 - 120/180 Fb.

Garmischer Hof garni, Bahnhofstr. 51, 5 10 91, Fax 51440, « Garten », – . AE E VISA Y
42 Z : 64 B 70/100 - 120/150 Fb.

Zugspitz garni, Klammstr. 19, 10 81, Fax 78010, ≤, – . AE E VISA – **38 Z : 60 B** 83/170 - 146/206 Fb – 3 Appart. 266. Z

Gabriele's Hotel garni, Olympiastr. 21, 7 20 41, Fax 54741, ≤, – Z
20 Z : 33 B Fb.

Brunnthaler garni, Klammstr. 31, 5 80 66, ≤, – . Z
22 Z : 39 B 85/105 - 144 – 7 Fewo 120/130.

Berggasthof Panorama , St. Anton 3, 25 15, Fax 4884, ≤ Garmisch-Partenkirche und Zugspitzmassiv, « Terrasse » – . E VISA X
Mitte Nov.- Mitte Dez. geschl. – **M** a la carte 25/48 – **20 Z : 38 B** 70/100 - 100/180 – 2 Fewo 120/180.

Rheinischer Hof, Zugspitzstr. 76, 7 20 24, Fax 59136, – X
M a la carte 25/58 – **40 Z : 80 B** 100/205 - 164/220.

GARMISCH-PARTENKIRCHEN

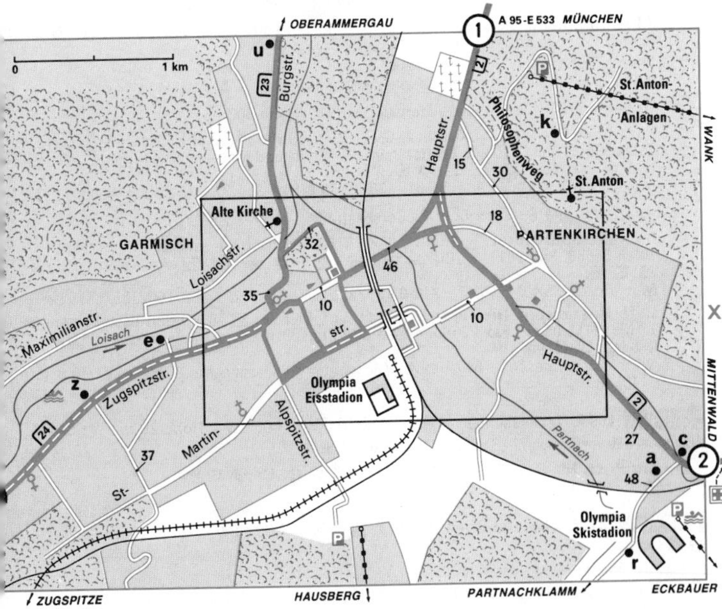

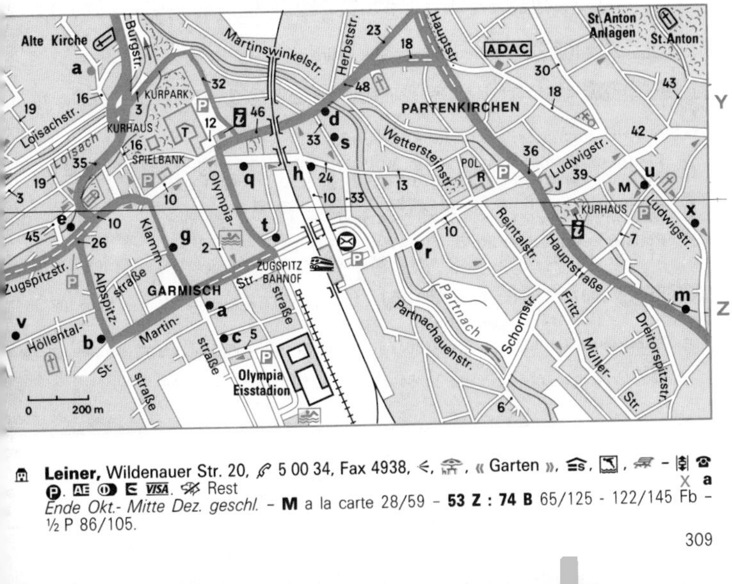

Leiner, Wildenauer Str. 20, ✆ 5 00 34, Fax 4938, ≤, « Garten », – X a
Rest
Ende Okt.- Mitte Dez. geschl. – **M** a la carte 28/59 – **53 Z : 74 B** 65/125 - 122/145 Fb – ½ P 86/105.

Gasthof Fraundorfer, Ludwigstr. 24, 21 76, Telex 592430, Fax 71073, – AE E VISA Z
M *(Dienstag, 1.- 15. April und 11. Nov.- 11. Dez. geschl.)* a la carte 27/53 – **33 Z : 65 B** 55/ - 110/270 – ½ P 80/160.

Roter Hahn garni, Bahnhofstr. 44, 5 40 65, Fax 54067, – E
32 Z : 45 B 55/95 - 118/122. Y

Bavaria, Partnachstr. 51, 34 66, – AE E. Y
Nov.- 20. Dez. geschl. – (nur Abendessen für Hausgäste) – **30 Z : 50 B** 77 - 132 Fb – ½ P

Hilleprandt, Riffelstr. 17, 28 61, Fax 74548, – E VISA. Z
(nur Abendessen für Hausgäste) – **16 Z : 28 B** 68/110 - 120/134 – ½ P 80/98.

Alpenhof, Bahnhofstr. 74 (in der Spielbank), 5 90 55, Fax 8890, – E VISA
Nov. 3 Wochen geschl. – Menu a la carte 33/70. Y

Husar, Fürstenstr. 25, 17 13 – E Y
wochentags nur Abendessen, Montag und Aug. geschl. – **M** a la carte 41/80.

Außerhalb S : 4 km, über Wildenauer Str. X – Höhe 900 m :

Forsthaus Graseck, Graseck 10, 8100 Garmisch-Partenkirchen, (08821) 5 40
Telex 59653, Fax 55700, Wetterstein, , Bade- und Massageabteilung, , , ,
– – 25. AE E
Nov. geschl. – **M** a la carte 29/61 – **38 Z : 70 B** 51/135 - 82/226 Fb – 4 Appart. 272.

Am Rießersee S : 2 km über Rießerseestraße X :

Ramada-Sporthotel, Rieß 5, 8100 Garmisch-Partenkirchen, (08821) 75
Telex 59658, Fax 3811, , Biergarten, , – Zim – 25/200.
E VISA
M a la carte 35/70 – **155 Z : 310 B** 195/225 - 270/340 Fb – ½ P 165/255.

Café Restaurant Rießersee mit Zim, Rieß 6, 8100 Garmisch-Partenkirche
(08821) 5 01 81, Fax 72589, See und Zugspitzmassiv, « Seeterrasse », –
AE E VISA
Nov.- 22. Dez. geschl. – **M** *(Jan.- April Montag geschl.)* a la carte 24/59 – **6 Z : 10 B** 110/1 - 140/190.

GARREL 4594. Niedersachsen 411 GH 8, 987 ⑭ – 9 000 Ew – Höhe 20 m – 04474.
◆Hannover 190 – ◆Bremen 72 – Lingen 80 – ◆Osnabrück 88.

Zur Post, Hauptstr. 34, 80 00, – AE E VISA
M a la carte 32/45 – **23 Z : 35 B** 35/48 - 68/95.

GARTOW 3136. Niedersachsen 411 R 7, 987 ⑯ – 1 300 Ew – Höhe 27 m – Luftkurort
05846.

Kurverwaltung, Nienwalder Weg 1, 3 33.

◆Hannover 162 – Lüneburg 78 – Uelzen 66.

Wendland, Hauptstr. 11, 4 11, , –
M *(Montag und 28. Jan.- 2. März geschl.)* a la carte 28/52 – **15 Z : 25 B** 65 - 110 Fb.

GAU-BISCHOFSHEIM Rheinland-Pfalz siehe Mainz.

GEESTHACHT 2054. Schleswig-Holstein 411 O 6, 987 ⑤ ⑥ – 25 000 Ew – Höhe 16 m
04152.

◆Kiel 118 – ◆Hamburg 29 – ◆Hannover 167 – Lüneburg 29.

Fährhaus Ziehl, Fährstieg 20, 30 41, Fax 70788, – AE E VISA
M *(Freitag geschl.)* a la carte 22/51 – **19 Z : 30 B** 70/90 - 92/120.

Lindenhof, Joh.-Ritter-Str. 38, 30 61 – E
M *(Samstag geschl.)* a la carte 24/35 – **20 Z : 40 B** 65/80 - 80/98 Fb.

Plaisir, Geesthachter Str. 5, 7 61 24 – AE E
Montag und Juli 2 Wochen geschl. – **M** *(auch vegetarische Gerichte)* a la carte 44/75.

GEHRDEN 3007. Niedersachsen 411 412 L 10 – 13 800 Ew – Höhe 75 m – 05108.
◆Hannover 13 – Bielefeld 98 – Osnabrück 128.

Ratskeller, Am Markt 6, 20 98, Fax 2008, , – Zim . AE
VISA
M *(Montag geschl.)* a la carte 25/54 – **17 Z : 26 B** 90/125 - 130/165 Fb.

Gute Küchen
haben wir durch
Menu, ✪, ✪✪ oder ✪✪✪ kenntlich gemacht.

EILENKIRCHEN **5130.** Nordrhein-Westfalen 412 B 14, 987 ㉓, 408 J 9 – 22 200 Ew – Höhe m – ✆ 02451.

üsseldorf 68 – ♦Aachen 25 – Mönchengladbach 40.

Stadthotel garni, Konrad-Adenauer-Str. 146, ✆ 70 77, Fax 627300 – TV ☎. AE E VISA
14 Z : 22 B 63/75 - 95/155.

Jabusch, Markt 3, ✆ 27 25, Fax 64687 – ☎ 🚗. AE ⓓ E VISA
M *(Montag geschl.)* a la carte 22/52 – **13 Z : 20 B** 47/64 - 78/98.

EISELHÖRING **8442.** Bayern 413 U 20, 987 ㉗ – 5 900 Ew – Höhe 353 m – ✆ 09423.

ünchen 113 – Landshut 44 – ♦Regensburg 33 – Straubing 15.

Erlbräu, Stadtplatz 17, ✆ 3 57, Biergarten – TV 🚗 P
M *(Freitag und 28. Dez.- 19. Jan. geschl.)* a la carte 17/43 – **25 Z : 34 B** 35 - 70 Fb.

EISELWIND **8614.** Bayern 413 O 17 – 2 000 Ew – Höhe 330 m – ✆ 09556.

Friedrichstr. 10, ✆ 17 77.

ünchen 237 – ♦Bamberg 55 – ♦Nürnberg 67 – ♦Würzburg 44.

Land- und Golfhotel Franken, Friedrichstraße 10, ✆ 1 70, Fax 1750, ☂, 🏊 ⛳18 – TV ☎ P – 🚶 30. AE E
M a la carte 30/50 – **30 Z : 53 B** 90/130 - 150/210.

Krone, Kirchplatz 2, ✆ 2 44, Fax 400 – |♦| TV 🚗 P. AE ⓓ E
M a la carte 21/34 🍷 – **64 Z : 135 B** 48/60 - 78.

Stern, Marktplatz 11, ✆ 2 17, Fax 844 – 🚗 P. AE ⓓ E VISA
M *(Mittwoch geschl.)* a la carte 24/48 🍷 – **34 Z : 68 B** 35/55 - 68/85 Fb.

Gasthof Lamm, Marktplatz 8, ✆ 2 47 – 🚗 P – 🚶 30. ⓓ E
M a la carte 16/35 🍷 – **49 Z : 102 B** 35 - 60.

GEISENHEIM **6222.** Hessen 412 G 17 – 11 700 Ew – Höhe 94 m – ✆ 06722 (Rüdesheim).

Wiesbaden 28 – ♦Koblenz 68 – Mainz 31.

Beim Kloster Marienthal N : 4 km :

Waldhotel Gietz, Marienthaler Str. 20, ✉ 6222 Geisenheim-Marienthal, ✆ (06722) 60 77, Fax 71447, ☂, ≘s, 🏊, 🌳 – TV ☎ P – 🚶 25/60
M a la carte 32/60 🍷 – **30 Z : 51 B** 80/180 - 130/280 Fb.

An der Straße nach Presberg N : 4,5 km :

Haus Neugebauer, ✉ 6222 Geisenheim-Johannisberg, ✆ (06722) 60 38, Fax 7443, ☂, 🌳 – TV ☎ 🚗 P. AE ⓓ E VISA
M a la carte 29/67 🍷 – **13 Z : 26 B** 85/90 - 125.

GEISINGEN **7716.** Baden-Württemberg 413 IJ 23, 987 ㉟, 427 J 2 – 5 700 Ew – Höhe 661 m – ✆ 07704.

Stuttgart 128 – Donaueschingen 15 – Singen (Hohentwiel) 30 – Tuttlingen 17.

In Geisingen 3 - Kirchen-Hausen SO : 2,5 km :

Gasthof Sternen, Ringstr. 2 (Kirchen), ✆ 60 01, Fax 577, ☂, ≘s, 🏊 – |♦| TV ☎ P – 🚶 40. AE ⓓ E VISA
M a la carte 21/58 – **54 Z : 100 B** 78 - 120/180 Fb.

Zur Burg, Bodenseestr. 4 (B 31) (Hausen), ✆ 2 35, Fax 6339, ☂, 🌳 – ☎ 🚗 P. AE ⓓ E VISA. 🐕
5.- 25. Nov. geschl. – **M** *(Mittwoch geschl.)* a la carte 32/64 – **10 Z : 18 B** 52/90 - 88/120 – 3 Fewo 100/176.

GEISLINGEN AN DER STEIGE **7340.** Baden-Württemberg 413 M 21, 987 ㊱ – 26 300 Ew – Höhe 464 m – ✆ 07331.

Kultur- und Verkehrsamt, Hauptstr. 19, ✆ 2 42 66, Fax 24202.

Stuttgart 69 – Göppingen 18 – Heidenheim an der Brenz 30 – ♦Ulm (Donau) 32.

Krone, Stuttgarter Str. 148 (B 10), ✆ 6 10 71, Fax 61075 – |♦| TV ☎ P – 🚶 25/100. ⓓ E VISA. 🐕
M *(Sonntag und 1.- 6. Jan. geschl.)* a la carte 28/60 – **34 Z : 67 B** 64/82 - 115/153.

In Geislingen-Eybach NO : 4 km :

Ochsen (mit Gästehaus), von-Degenfeld-Str. 22, ✆ 6 20 51, Fax 62051, ☂, 🌳 – |♦| ☎ 🚗 P
M *(Freitag und Nov. geschl.)* a la carte 25/52 – **28 Z : 40 B** 63/80 - 115/130 Fb.

In Geislingen - Weiler ob Helfenstein O : 3 km – Höhe 640 m

Burghotel garni, Burggasse 41, 4 10 51, Fax 41053, , , – – Juli - Aug. 3 Wochen geschl. – **23 Z : 34 B** 75/120 - 116/180.

Burgstüble, Dorfstr. 12, 4 21 62 – . AE E VISA
nur Abendessen, Sonntag und Juli 3 Wochen geschl. – **M** *(auch vegetarisches Men*
(Tischbestellung erforderlich) a la carte 44/75.

GELDERN **4170.** Nordrhein-Westfalen 412 B 12, 987 ⑬, 409 L 1 – 29 000 Ew – Höhe 25
– 02831.

Issum (O : 10 km), (02835) 36 26.

♦Düsseldorf 63 – Duisburg 43 – Krefeld 30 – Venlo 23 – Wesel 29.

Rheinischer Hof, Bahnhofstr. 40, 55 22 –
25 Z : 48 B Fb.

GELNHAUSEN **6460.** Hessen 412 413 K 16, 987 ㉕ – 19 000 Ew – Höhe 159 m – 060
Sehenswert : Marienkirche★ (Chorraum★★).

Verkehrsbüro, Kirchgasse 2, 82 00 54.

♦Wiesbaden 84 – ♦Frankfurt am Main 42 – Fulda 62 – ♦Würzburg 86.

Burg-Mühle, Burgstr. 2, 8 20 50, Telex 4102439, Fax 820554, – – 25/6
AE E VISA. Rest
M a la carte 41/75 – **33 Z : 56 B** 88/108 - 130/160 Fb.

Grimmelshausen-Hotel garni, Schmidtgasse 12, 1 70 31, Fax 17033 – .
E VISA – *21. Dez.- 4. Jan. geschl.* – **32 Z : 43 B** 44/80 - 72/120.

Stadt-Schänke, Fürstenhofstr. 1, 1 60 51, Fax 16053, – . AE E V
M *(Samstag geschl.)* a la carte 27/52 – **13 Z : 21 B** 100/135 - 150/180 Fb.

Altes Weinkellerchen (Restaurant in einem Gewölbekeller a.d. 13. Jh.), Untermarkt 1
31 80
Donnerstag geschl. – **M** *(Sonn- und Feiertage mittags Buffet)* a la carte 45/77.

In Gelnhausen 2-Meerholz SW : 5 km :

Schießhaus, Schießhausstr. 10, 6 69 29 – . E
Mittwoch, 1.- 15. Jan. und Juni - Juli 2 Wochen geschl. – **M** a la carte 41/62.

In Linsengericht 2-Eidengesäß **6464** SO : 4 km :

Der Löwe, Hauptstr. 20, (06051) 7 13 43 – AE E VISA
Samstag bis 18 Uhr, Montag, Feb. 2 Wochen und Juni - Juli 2 Wochen geschl.
M *(Tischbestellung ratsam)* a la carte 37/59.

GELSENKIRCHEN **4650.** Nordrhein-Westfalen 411 412 E 12, 987 ⑭ – 285 000 Ew – Höhe 54
– 0209.

Gelsenkirchen-Buer, Middelicher Str. 72, 7 41 81.

Verkehrsverein, Hans-Sachs-Haus, 2 33 76.

ADAC, Ruhrstr. 2, 2 39 73, Notruf 1 92 11.

♦Düsseldorf 45 ③ – Dortmund 32 ② – ♦Essen 11 ④ – Oberhausen 19 ⑤.

Stadtplan siehe gegenüberliegende Seite

Maritim, Am Stadtgarten 1, 17 60, Telex 824636, Fax 207075, , , , –
Zim – 25/500. AE E VISA. Rest Z
M *(Sonntag ab 15 Uhr geschl.)* a la carte 44/85 – **223 Z : 304 B** 167/247 - 238/318 Fb
28 Appart. 400/600.

Ibis, Bahnhofsvorplatz 12, 1 70 20, Telex 824705, Fax 209882, –
25/60. AE E VISA X
M a la carte 39/65 – **104 Z : 156 B** 116 - 160 Fb.

St. Petrus - Restaurant Dubrovnik, Munckelstr. 3, 2 50 00 – X
18 Z : 36 B.

Hirt, Arminstr. 14, 2 32 35 X
Samstag geschl. – **M** 19/31 (mittags) und a la carte 35/68.

In Gelsenkirchen - Buer :

Monopol, Springestr. 9, 37 55 62, Fax 378675, – . AE E VISA. Zim
M *(nur Abendessen)* a la carte 32/64 – **28 Z : 45 B** 100/130 - 135/175 Fb. Y

Zum Schwan, Urbanusstr. 40, 3 72 44 – . AE E VISA Y
M *(nur Abendessen, Sonn- und Feiertage geschl.)* a la carte 30/50 – **15 Z : 21 B** 89/99
120/140 Fb.

Mövenpick Schloß Berge, Adenauerallee 103, 5 99 58, Fax 597416, « Terrasse m
» – – 25/200. AE E VISA Y
M a la carte 44/77.

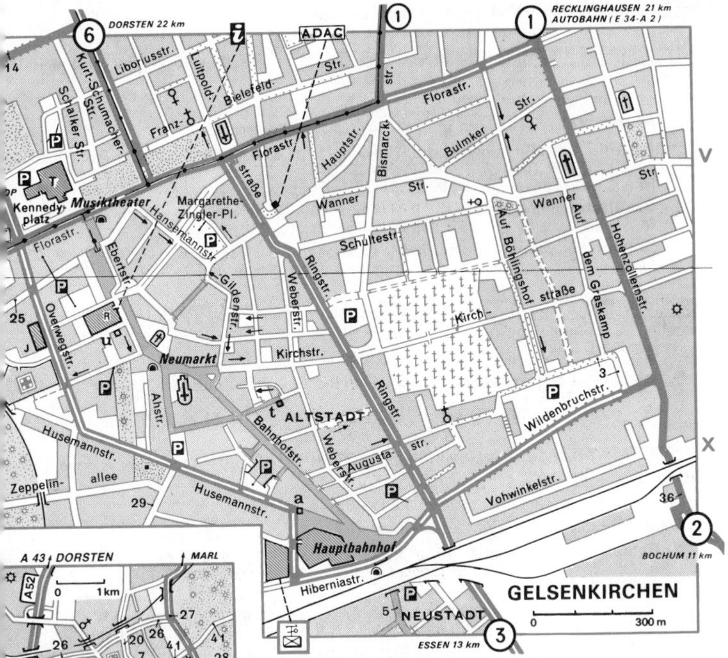

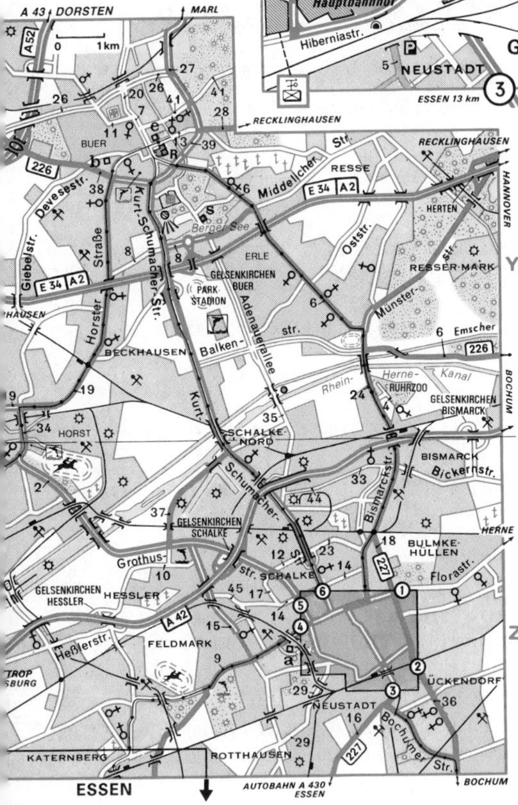

Bahnhofstraße . . . X

An der Rennbahn . Z 2
Augustastraße . . . X 3
Bleckstraße . . . . . Y 4
Bochumer Straße . X 5
Cranger Straße . . Y 6
De-la-Chevallerie-Straße . . . . . . Y 7
Emil-Zimmermann-Allee . . . . . . Y 8
Feldmarkstraße . . Z 9
Fersenbruch . . . . Z 10
Freiheit . . . . Y 11
Gewerkenstraße . Z 12
Goldbergstraße . . Y 13
Grenzstraße . . . . Z 14
Hans-Böckler-Allee Z 15
Hattinger Straße . Z 16
Herzogstraße . . . Z 17
Hohenzollernstraße Z 18
Kärntener Ring . . Y 19
Königswiese . . . . Y 20
Magdeburger Str. Z 23
Münsterstraße . . . Y 24
Munckelstraße . . . X 25
Nordring . . . . . . Y 26
Ostring . . . . Y 27
Ressestraße . . . . . Y 28
Rotthauser Straße Z 29
Trinenkamp . . . . . Z 33
Turfstraße . . . . . . Y 34
Uechtingstraße . . Y 35
Ückendorfer Straße . . . . . . Z 36
Uferstraße . . . . . Z 37
Vinckestraße . . . . Y 38
Vom-Stein-Straße . Y 39
Westerholter Straße . . . . . . Y 41
Wiesmannstraße . Z 44
Wilhelminenstraße . Z 45

GEMMINGEN Baden-Württemberg siehe Eppingen.

GEMÜNDEN AM MAIN **8780.** Bayern 412 413 M 16, 987 ㉕ – 10 600 Ew – Höhe 160 m
☎ 09351.

Verkehrsamt, Scherenbergstr. 4, ✆ 38 30.

♦München 319 – ♦Frankfurt am Main 88 – Bad Kissingen 38 – ♦Würzburg 39.

- **Atlantis Main-Spessart-Hotel,** Hofweg 11, ✆ 8 00 40, Telex 689453, Fax 800430 – Zim TV ☎ P – 25/70. AE D E VISA
M a la carte 29/57 – **52 Z : 90 B** 98/113 - 147 Fb.
- **Schäffer,** Bahnhofstr. 28, ✆ 20 81, Fax 4609 – TV ☎ P – 25/80. AE E VISA
M a la carte 26/36 – **29 Z : 58 B** 70/75 - 90/95.
- **Koppen** (Sandsteinhaus a.d. 16. Jh.), Obertorstr. 22, ✆ 33 12, Fax 4529 – TV ☎. AE E
Mitte Jan.- Mitte Feb. und 1.- 14. Nov. geschl. – **M** a la carte 26/50 – **10 Z : 20 B** 45/55 - 85/9

GEMÜNDEN (RHEIN-HUNSRÜCK-KREIS) **6545.** Rheinland-Pfalz 412 F 17, 987 ㉔ – 1 200 E
– Höhe 282 m – Erholungsort – ☎ 06765.

Mainz 74 – ♦Koblenz 68 – Bad Kreuznach 44 – ♦Trier 95.

- **Waldhotel Koppenstein**, SO : 1 km Richtung Bad Kreuznach, ✆ 2 04, Fax 4 94, – P. E
Jan. geschl. – **M** *(Montag geschl.)* a la carte 32/60 – **12 Z : 24 B** 55 - 98.

GENGENBACH **7614.** Baden-Württemberg 413 H 21, 242 ㉔ – 11 900 Ew – Höhe 172 m
Erholungsort – ☎ 07803.

Kurverwaltung im Winzerhof, ✆ 8 21 43, Fax 82142.

♦Stuttgart 160 – Offenburg 11 – Villingen-Schwenningen 68.

- **Blume,** Brückenhäuserstr. 10, ✆ 24 39, Fax 5320 – TV ☎ P
3. Jan.- 15. Feb. geschl. – **M** *(Sonntag 14 Uhr - Montag geschl.)* a la carte 26/52 – **20 Z**
40 B 58/68 - 90/180.
- **Jägerstüble**, Mattenhofweg 3, ✆ 27 38, ≤, , « Wildgehege » – ☎ P
über Fasching geschl. – **M** *(Dienstag geschl.)* a la carte 24/56 – **9 Z : 18 B** 55/70 - 98/13
- XX Pfeffermühle (mit Gästehaus), Victor-Kretz-Str. 17, ✆ 37 05, Fax 6628, – TV ☎
10 Z : 18 B.

In Gengenbach-Schwaibach SO : 2 km :

- XX **Landgasthof Eiche,** Kinzigstr. 35, ✆ 33 54, Biergarten – P. E
wochentags nur Abendessen, Montag geschl. – **M** a la carte 43/72.

In Berghaupten **7611** W : 2,5 km – Erholungsort :

- **Hirsch**, Dorfstr. 9, ✆ (07803) 50 21, Fax 5024 – TV ☎ P. E VISA
über Fastnacht und Aug. jeweils 2 Wochen geschl. – Menu *(Montag - Dienstag 17 Uhr gesch*
a la carte 33/61 – **15 Z : 30 B** 54/95 - 88/135 Fb – ½ P 66/100.

GEORGSMARIENHÜTTE **4504.** Niedersachsen 411 412 H 10 – 32 000 Ew – Höhe 100 m
☎ 05401.

♦Hannover 142 – Bielefeld 51 – Münster (Westfalen) 51 – ♦Osnabrück 8,5.

In Georgsmarienhütte-Oesede :

- **Herrenrest,** an der B 51 (S : 2 km), ✆ 53 83, – ☎ P – 40. Zim
M *(Montag geschl.)* a la carte 20/40 – **28 Z : 50 B** 58 - 95.

GERA **O-6500.** Thüringen 984 ㉓, 987 ㉗ – 130 000 Ew – Höhe 205 m – ☎ 003770.

Gera-Information, Dr.-Rudolf-Breitscheid-Str. 1, ✆ 2 64 32, Fax 24192.

ADAC, Juri-Gagarin-Str. 68, ✆ 2 47 58, Pannenhilfezentrale ✆ 2 63 30.

♦Berlin 240 – Bayreuth 127 – Chemnitz 69 – Erfurt 88.

- **Gera,** Heinrichstr. 30, ✆ 2 29 91, Telex 58144, Fax 23449, – Zim TV ☎ P
25/35. AE D E VISA. Rest
M a la carte 31/56 – **317 Z : 377 B** 155/255 - 270 Fb – 6 Appart. 380/470.
- Fuchsberg, Am Stadtwald 1, ✆ 5 11 75, Telex 58559, Fax 23743, ≤, , – TV ☎
P – 25/70
32 Z : 40 B Fb – 6 Appart.
- X Ritterhof, Ritterstr. 6-8, ✆ 2 25 98.

Am Hermsdorfer Kreuz Autobahnkreuz E 40/E 49 (W : 22 km) :

- Autobahnhotel Hermsdorfer Kreuz, ✉ O-6530 Hermsdorf, ✆ (00377091) 29 61, Fax 286
– TV ☎ P
28 Z : 45 B.

ERETSRIED 8192. Bayern 413 R 23, 987 ㊲, 426 G 5 – 20 000 Ew – Höhe 593 m – ☎ 08171
/olfratshausen).
Vünchen 45 – Garmisch Partenkirchen 65 – Innsbruck 99.

In Geretsried-Gelting NW : 6 km :

Zum alten Wirth, Buchberger Str. 4, ✆ 71 94, Fax 76758, Biergarten, – 30. AE E VISA
Menu *(Dienstag und Aug. 3 Wochen geschl.)* a la carte 24/58 – **40 Z : 60 B** 85/90 - 135 Fb.

ERLINGEN Baden-Württemberg – siehe Stuttgart.

ERMERING 8034. Bayern 413 R 22, 987 ㊲, 426 G 4 – 35 200 Ew – Höhe 532 m – ☎ 089
ünchen).
ünchen 18 – ♦Augsburg 53 – Starnberg 18.

Mayer, Augsburger Str. 15 (B 2), ✆ 84 40 71 (Hotel) 8 40 15 15 (Rest.), Fax 844094, – 25/200. AE E VISA
Menu *(Montag und Aug. 3 Wochen geschl.)* a la carte 29/63 – **65 Z : 93 B** 89/115 - 145/185 Fb.

Regerhof-Restaurant Il Faro (Italienische Küche), Dorfstr. 38, ✆ 84 00 40 (Hotel) 8 40 28 20 (Rest.), Fax 8400445, AE E
M *(Freitag geschl.)* a la carte 33/48 – **34 Z : 50 B** 80/100 - 140/160 Fb.

In Germering - Unterpfaffenhofen S : 1 km :

Huber garni, Bahnhofplatz 8, ✆ 84 60 01, Fax 8401858 – AE E VISA
50 Z : 90 B 97/107 - 145/155 Fb.

In Puchheim **8039** NW : 2 km :

Parsberg, Augsburger Str. 1 (B 2), ✆ (089) 80 20 71 –
44 Z : 85 B Fb.

GERMERSHEIM 6728. Rheinland-Pfalz 412 413 I 19, 987 ㉔ ㉕ – 16 000 Ew – Höhe 105 m – ☎ 07274.
ainz 111 – ♦Karlsruhe 34 – Landau in der Pfalz 21 – Speyer 18.

Post garni, Sandstr. 8, ✆ 30 98 – E
19 Z : 31 B 78 - 115 Fb.

Kurfürst, Oberamtsstr. 1, ✆ 24 31, Fax 6094 – Zim
M *(wochentags nur Abendessen, Dienstag geschl.)* a la carte 23/44 – **22 Z : 37 B** 59/85 - 90/115.

Alt Germersheim 1770, Hauptstr. 12, ✆ 15 48, Fax 1548 – AE E
Samstag bis 18 Uhr, Donnerstag und Jan. 3 Wochen geschl. – Menu a la carte 33/60.

Bayerischer Hof, Hauptstr. 18, ✆ 25 58 – AE E
Mittwoch ab 14 Uhr, Samstag, 1.- 23. Aug. und 24. Dez.- 8. Jan. geschl. – **M** *(Mittwoch ab 14 Uhr und Samstag geschl.)* a la carte 27/54.

GERNSBACH 7562. Baden-Württemberg 413 HI 20, 987 ㉟ – 15 000 Ew – Höhe 160 m – uftkurort – ☎ 07224.
ehenswert : Altes Rathaus★.
Verkehrsamt, Rathaus, Igelbachstr. 11, ✆ 6 44 44, Fax 50996.
Stuttgart 91 – Baden-Baden 11 – ♦Karlsruhe 35 – Pforzheim 41.

Sonnenhof, Loffenauer Str. 33, ✆ 64 80, Fax 64860, – 40. E VISA
M a la carte 29/62 – **40 Z : 70 B** 75/140 - 100/160 Fb.

Stadt Gernsbach garni, Hebelstr. 2, ✆ 20 91, Fax 2094 – AE E VISA
40 Z : 80 B 88/92 - 125/130 Fb.

An der Straße nach Baden-Baden und zur Schwarzwaldhochstr. SW : 4 km :

Nachtigall mit Zim, Müllenbild 1, ✉ 7562 Gernsbach, ✆ (07224) 21 29, – E
Feb. geschl. – **M** *(Montag geschl.)* a la carte 24/51 – **5 Z : 10 B** 55/70 - 100.

In Gernsbach 4-Lautenbach SO : 4 km :

Sonne (mit Gästehäusern), Lautenfelsenstr. 23, ✆ 26 02 –
34 Z : 60 B.

In Gernsbach-Obertsrot S : 2 km :

Markgräflich Badische Gaststätte, Im Schloß Eberstein, ✆ 21 50, « Terrasse mit Murgtal » –

In Gernsbach 7-Reichental SO : 7 km – Höhe 416 m :

Grüner Baum, Süßer Winkel 1, ✆ 34 38 –
15 Z : 28 B.

In Gernsbach 7 - Reichental-Kaltenbronn SO : 16 km – Höhe 900 m – Wintersport 900/1 000 m ⛷2 ⛷1 :

🏨 **Sarbacher,** Kaltenbronner Str. 598, ✆ 10 44, Fax 1040, 🌳 – 📺 ☎ 🅿. AE ⓓ E VISA
M a la carte 33/68 – **11 Z : 21 B** 60/80 - 120/160 – ½ P 90/110.

In Gernsbach 3-Staufenberg W : 2,5 km :

🏨 **Sternen,** Staufenberger Str. 111, ✆ 33 08 – 🚗 🅿. E
Nov. geschl. – **M** *(Donnerstag geschl.)* a la carte 32/61 🍷 – **13 Z : 25 B** 50/53 - 72/78 Fb –
½ P 55.

GERNSHEIM **6084.** Hessen 412 413 I 17, 987 ㉕ – 8 000 Ew – Höhe 90 m – ☎ 06258.
♦Wiesbaden 53 – ♦Darmstadt 21 – Mainz 46 – ♦Mannheim 39 – Worms 20.

🏨 **Hubertus,** Waldfrieden (O : 2 km), ✆ 22 57, Fax 52229, 🌳 – 📺 ☎ 🅿. ⓓ E
M a la carte 24/46 – **34 Z : 50 B** 45/110 - 70/120.

GEROLSBACH **8069.** Bayern 413 R 21 – 2 400 Ew – Höhe 456 m – ☎ 08445.
♦München 63 – ♦Augsburg 47 – Ingolstadt 44.

XX **Zur Post,** St.-Andreas-Str. 3, ✆ 5 02 – 🅿
wochentags nur Abendessen, Montag - Dienstag geschl. – **M** (Tischbestellung ratsam) a la carte 51/73.

GEROLSTEIN **5530.** Rheinland-Pfalz 412 D 16, 987 ㉓ – 7 000 Ew – Höhe 362 m – Luftkurort – ☎ 06591.
ℹ Verkehrsamt, Rathaus, ✆ 13 82.
Mainz 182 – ♦Bonn 90 – ♦Koblenz 86 – Prüm 20.

🏨 **Wald- und Aparthotel Rose** 🐚, Zur Büschkapelle 5, ✆ 1 80, Fax 18250, ≤, 🏊, 🏊, 🌲, 🎾(Halle) – 📺 ☎ 🅿 – 🎤 30. AE ⓓ E VISA
M a la carte 30/63 – **30 Z : 60 B** 85/118 - 128/196 Fb – 48 Fewo 98/140.

🏨 **Seehotel** 🐚, Am Stausee 4, ✆ 2 22, 🏊, 🏊, 🌲 – 🅿. ✂ Rest
5. Nov.- 18. Dez. geschl. – **M** a la carte 23/45 – **52 Z : 100 B** 52/80 - 84/102.

🏨 **Landhaus Tannenfels,** Lindenstr. 68, ✆ 41 23, 🌲 – 🚗 🅿
M *(nur Abendessen, 22. Nov.- 12. Dez. geschl.)* a la carte 30/49 – **12 Z : 21 B** 55 - 98.

In Gerolstein-Müllenborn NW : 5 km :

🏨 **Landhaus Müllenborn** 🐚, Auf dem Sand 45, ✆ 2 88, Fax 8814, ≤, 🌳, 🏊 – 📺 ☎ 🅿 – 🎤 30. AE ⓓ E VISA. ✂ Rest
M a la carte 44/90 – **20 Z : 35 B** 60/100 - 160/170 Fb.

GEROLZHOFEN **8723.** Bayern 413 O 17, 987 ㉖ – 6 500 Ew – Höhe 245 m – ☎ 09382.
ℹ Verkehrsamt, im alten Rathaus, Marktplatz, ✆ 6 07 34, Fax 60751.
♦München 262 – ♦Bamberg 52 – ♦Nürnberg 91 – Schweinfurt 22.

🏨 **An der Stadtmauer,** Rügshöfer Str. 25, ✆ 60 90, Fax 609179, 🌳 – 🛗 📺 ☎ – 🎤 30. E VISA
M *(nur Abendessen, Sonntag geschl.)* a la carte 29/47 – **37 Z : 85 B** 78/98 - 118/140 Fb.

XX Kleines Restaurant, Dingolshäuser Str. 13, ✆ 59 50, 🌳.

GERSFELD **6412.** Hessen 412 413 M 15, 987 ㉕㉖ – 5 700 Ew – Höhe 482 m – Kneippheilbad – Luftkurort – Wintersport : 500/950 m ⛷5 ⛷7 – ☎ 06654.
Ausflugsziel : Wasserkuppe : ≤★★ N : 9,5 km über die B 284.
ℹ Kurverwaltung, Brückenstr. 1, ✆ 17 80, Fax 1307.
♦Wiesbaden 160 – Fulda 28 – ♦Würzburg 96.

🏨 **Gersfelder Hof** 🐚, Auf der Wacht 14, ✆ 70 11, Fax 7466, 🌳, Bade- und Massageabteilung, 🏋, 🏊, 🏊, 🌲, 🎾 – 🛗 📺 ☎ 🅿 – 🎤 25/70. AE ⓓ E VISA. ✂ Rest
M a la carte 34/58 – **65 Z : 105 B** 95/105 - 144/160 Fb – ½ P 94/117.

🏨 **Sonne,** Amelungstr. 1, ✆ 3 03, Fax 7649, 🏊 – 🚗
1.- 24. Dez. geschl. – **M** a la carte 22/36 – **18 Z : 36 B** 37/43 - 66/105 – 6 Fewo 60/85.

In Gersfeld-Obernhausen NO : 5 km über die B 284 :

🏨 Berghof Wasserkuppe - Zur Fuldaquelle, an der B 284, ✆ 2 51, 🌳, 🏊, 🌲 – 🅿
46 Z : 86 B.

🏨 **Peterchens Mondfahrt - Deutscher Flieger,** Auf der Wasserkuppe (N : 4 km), ✆ 3 8.., Fax 7580, ≤ – 🅿. E. ✂
Nov.- 15. Dez. geschl. – **M** *(Montag 18 Uhr - Dienstag geschl.)* a la carte 25/54 – **22 Z : 43 B** 35/50 - 60/90.

GERSHEIM **6657.** Saarland 412 E 19, 242 ⑪ – 7 000 Ew – Höhe 240 m – ☎ 06843.

Gersheim-Rubenheim, ☎ (06843) 87 97.

Saarbrücken 30 – Sarreguemines 13 – Zweibrücken 23.

Quirin mit Zim, Bliesstr. 5, ☎ 3 15 – **P**. **O** **E**
M *(Samstag bis 18 Uhr und Montag geschl.)* a la carte 19/50 – **2 Z : 3 B** 40 - 80.

In Gersheim-Herbitzheim N : 2 km :

Bliesbrück, Rubenheimer Str. 13, ☎ 18 81, Fax 8731, – **P**. AE E VISA
M *(wochentags nur Abendessen, Freitag geschl.)* a la carte 24/51 – **14 Z : 26 B** 55 - 90 Fb.

In Gersheim 6-Walsheim NO : 2 km :

Walsheimer Hof, Bliesdalheimer Str. 4, ☎ 83 55 – TV – **6 Z : 12 B**.

GERSTHOFEN **8906.** Bayern 413 P 21, 987 ㊱ – 16 800 Ew – Höhe 470 m – ☎ 0821 (Augsburg).

München 65 – ◆ Augsburg 7 – ◆ Ulm (Donau) 76.

Via Claudia, Augsburger Str. 130, ☎ 4 98 50, Telex 533538, Fax 4985506 – TV **P** – 30. AE **O** **E** VISA – **M** a la carte 34/60 – **90 Z : 170 B** 105/155 - 165/185 Fb.

Römerstadt garni, Donauwörther Str. 42, ☎ 49 50 55, Fax 497156 – TV ☎ **P**. AE **O** **E** VISA – *24. Dez.- 2. Feb. geschl.* – **37 Z : 70 B** 90/100 - 140/150 Fb.

An der Autobahn A 8-Südseite W : 6 km :

Rasthaus Edenbergen, ✉ 8906 Gersthofen 2, ☎ (0821) 48 30 82, – TV ☎ **P**
22 Z : 40 B.

GESCHER **4423.** Nordrhein-Westfalen 411 412 DE 11, 987 ⑬, 408 M 6 – 14 600 Ew – Höhe 62 m – ☎ 02542.

Verkehrsverein, Inselstr. 5, ☎ 43 00.

Düsseldorf 107 – Bocholt 39 – Enschede 45 – Münster (Westfalen) 49.

Domhotel, Kirchplatz 6, ☎ 8 86, Fax 7658 – TV ☎ **P**. AE **O** **E** VISA. Zim
Juli - Aug. 3 Wochen geschl. – Menu *(Montag geschl.)* a la carte 32/62 – **10 Z : 18 B** 60 - 100.

Tenbrock, Hauskampstr. 12, ☎ 78 18 – **P**.
Juli - Aug. 3 Wochen geschl. – **M** *(nur Abendessen, Sonntag nur Mittagessen)* a la carte 20/43 – **10 Z : 20 B** 40/45 - 80/90.

GETTORF **2303.** Schleswig-Holstein 411 M 3, 987 ⑤ – 5 400 Ew – Höhe 15 m – ☎ 04346.

Kiel 16 – ◆Hamburg 112 – Schleswig 37.

Stadt Hamburg, Süderstr. 1, ☎ 4 16 60 – TV ☎ **P** – 40. AE **O** VISA
1.- 10. Jan. geschl. – **M** *(Sonntag geschl.)* a la carte 27/45 – **9 Z : 18 B** 65/80 - 95/100.

GEVELSBERG **5820.** Nordrhein-Westfalen 411 412 F 13, 987 ⑭ – 31 000 Ew – Höhe 140 m – ☎ 02332.

◆Düsseldorf 57 – Hagen 9 – ◆Köln 62 – Wuppertal 17.

Alte Redaktion, Hochstr. 10, ☎ 15 31, Fax 15 34, Biergarten – TV ☎ **P** – 25/120. **O** **E** VISA – **M** a la carte 43/62 – **32 Z : 50 B** 85/125 - 140/175 Fb.

Auto-Hotel, Hagener Str. 225 (B 7), ☎ 63 87, Fax 62721 – ☎ **P**
(nur Abendessen) – **27 Z : 45 B** Fb.

GIENGEN AN DER BRENZ **7928.** Baden-Württemberg 413 N 21, 987 ㊱ – 18 500 Ew – Höhe 464 m – ☎ 07322.

Ausflugsziel : Lonetal★ SW : 7 km.

◆Stuttgart 116 – ◆Augsburg 82 – Heidenheim an der Brenz 12 – ◆Ulm (Donau) 34.

Lobinger Parkhotel, Steigstr. 110, ☎ 10 41, Fax 1046, – TV ☎ **P** – 25/80. AE **O** **E** VISA
M a la carte 38/65 – **75 Z : 150 B** 155/169 - 189/225 Fb.

Zum Lamm, Marktstr. 19, ☎ 50 93 – TV ☎ **P** – 25/50. **O** **E** VISA
M a la carte 21/50 – **29 Z : 38 B** 75/100 - 120/155 Fb.

GIESSEN **6300.** Hessen 412 413 J 15, 987 ㉕ – 75 000 Ew – Höhe 165 m – ☎ 0641.

Ausflugsziel : Burg Krofdorf-Gleiberg (Bergfried ※★) (NW : 6 km).

Verkehrs- und Informationsbüro, Berliner Platz 2, ☎ 3 06 24 89.

ADAC, Bahnhofstr. 15, ☎ 7 20 08, Notruf ☎ 1 92 11.

◆Wiesbaden 89 ⑤ – ◆Frankfurt am Main 61 ⑤ – ◆Kassel 139 ④ – ◆Koblenz 106 ②.

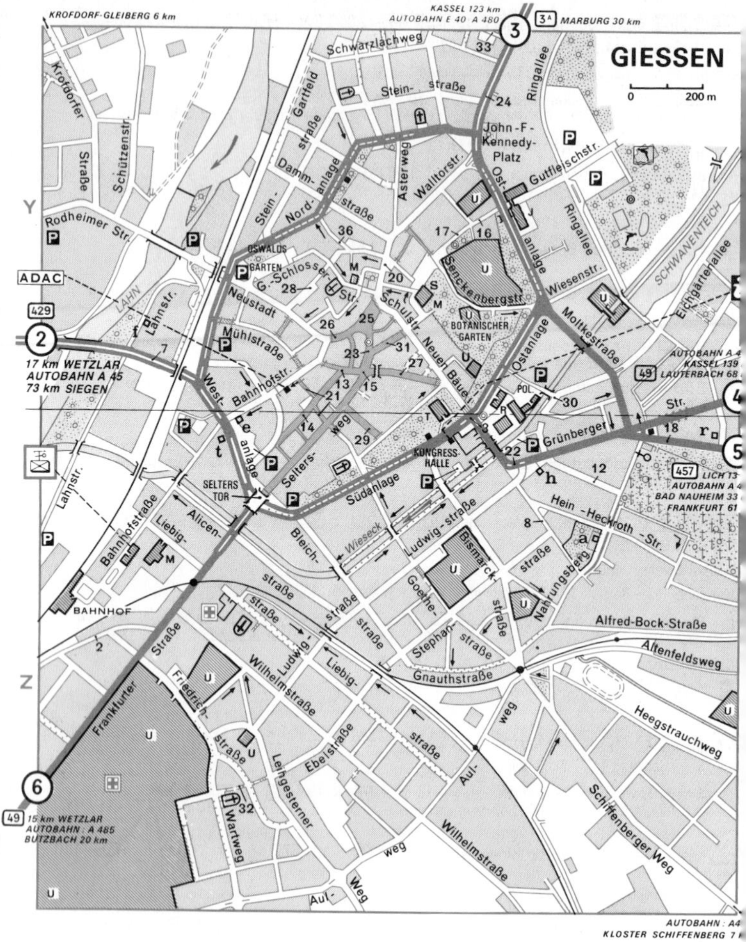

Kaplansgasse	Y 13	Alter-Wetzlarer-Weg	Z 2	Lindenplatz	Y 2
Kreuzplatz	Y 15	Berliner Platz	Z 3	Löwengasse	Y 2
Mäusburg	Y 23	Gabelsbergerstraße	Y 7	Ludwigsplatz	Z 2
Marktplatz	Y 25	Gartenstraße	Z 8	Marburger Straße	Y 2
Marktstraße	Y 26	Gutenbergstraße	Z 12	Pfarrgarten	Y 2
Neuen Bäue	Y	Katharinengasse	Z 14	Roonstraße	Y 3
Neuenweg	Y 27	Landgrafenstraße	Y 16	Studentensteg	Z 3
Plockstraße	Z 29	Landgraf-Philipp-Platz	Y 17	Sudetenlandstraße	Y 3
Sonnenstraße	Y 31	Licher Straße	Z 18	Wetzsteinstraße	Y 3

Steinsgarten, Hein-Heckroth-Str. 20, ☏ 3 89 90, Fax 3899200, ☂, ≘s, ⛱ – |⇕| TV P 25/150. AE ⓓ E VISA Z
22. Dez.- 5. Jan. geschl. – **M** a la carte 36/64 – **129 Z : 185 B** 130/215 - 210/250 Fb – 4 Appart 320.

Kübel, Bahnhofstr. 47 (Ecke Westanlage), ☏ 7 70 70, Fax 76249 – TV ☎ P. AE ⓓ E VISA
M *(nur Abendessen, Sonntag, Mitte Juli - Mitte Aug. und 24.- 31. Dez. geschl.)* a la carte 40/6
– **45 Z : 68 B** 90/165 - 175/215. Z

Köhler, Westanlage 35, ☏ 7 60 86 (Hotel) 7 77 55 (Rest.), Fax 76088 – |⇕| TV ☎. E Z
M *(Italienische Küche)* a la carte 28/58 – **27 Z : 50 B** 85/130 - 130/170.

Am Ludwigsplatz garni, Ludwigsplatz 8, ☏ 3 30 82, Telex 482710, Fax 390499 – |⇕| TV ☎ 🚗. AE ⓓ E VISA Z
45 Z : 71 B 68/115 - 125/160.

Hotel an der Lahn garni, Lahnstr. 21, ✆ 7 35 16 – Y f
9 Z : 18 B 75 - 110.

Residenz Hotel garni, Wiesecker Weg 12, ✆ 3 99 80, Fax 399888 – AE E über ③
33 Z : 48 B 105/145 - 155/190 Fb.

Parkhotel Sletz garni, Wolfstr. 26, ✆ 4 20 96, Fax 42098 – AE E VISA Z r
22 Z : 35 B 69/92 - 119 Fb.

Schützenhaus, Grünberger Str. 124, ✆ 4 22 07 über ④

In Wettenberg 1 - Krofdorf-Gleiberg **6301** NW : 6 km über Krofdorfer Str. Y :

Wettenberg, Am Augarten 1, ✆ (0641) 8 20 17, Telex 4821144, Fax 81958 – 25/200. AE E VISA
M a la carte 32/64 – **45 Z : 80 B** 78/96 - 128/142 Fb.

In Pohlheim 1-Watzenborn - Steinberg **6301** SO : 7,5 km über Schiffenberger Weg Z :

Goldener Stern, Kreuzplatz 6, ✆ (06403) 6 16 24 – E.
Juli geschl. – **M** *(Freitag geschl.)* a la carte 24/41 – **17 Z : 27 B** 63 - 112.

Dinges, Kirchstr. 2, ✆ (06403) 6 45 43, Fax 68411, (bemerkenswertes Weinangebot) – AE E VISA
nur Abendessen, 1.- 12. Jan., 12.- 22. April und 1.- 19. Juli geschl. – **M** (Tischbestellung ratsam) a la carte 52/75.

GIFHORN **3170.** Niedersachsen 411 O 9, 987 ⑯ – 40 000 Ew – Höhe 55 m – 05371.
Wilscher Weg 56, ✆ 1 67 37. – Tourist-Information, Cardenap 1 (Ratsweinkeller), ✆ 8 81 75.
Hannover 79 – ◆Braunschweig 28 – Lüneburg 88.

Heidesee garni (siehe auch Restaurant Heidesee), Celler Str. 109 (B 188, W : 2 km), ✆ 5 30 21, Fax 56482, – 25/60. AE E VISA
23.- 29. Dez. geschl. – **45 Z : 68 B** 108/165 - 160/220 Fb.

Grasshoff garni, Weißdornbusch 4, ✆ 5 30 36, Fax 56361 –
19 Z : 36 B 98/123 - 143/170.

Deutsches Haus, Torstr. 11, ✆ 5 40 51, Fax 54672, Biergarten – 25/180. AE E VISA
M *(Sonntag ab 15 Uhr geschl.)* a la carte 36/66 – **38 Z : 61 B** 70/130 - 100/140 Fb.

Heidesee, Celler Str. 109 (B 188, W : 2 km), ✆ 43 48, – 20/280. E VISA
6. Jan.- 14. Feb. geschl. – **M** a la carte 32/58.

Ratsweinkeller, Cardenap 1, ✆ 5 91 11, « Renoviertes Fachwerkhaus a.d. 16. Jh. »
Montag geschl. – **M** a la carte 40/58.

Rats - Stuben, Marktplatz 1, ✆ 5 47 97.

In Gifhorn-Winkel SW : 6 km :

Landhaus Winkel garni, Hermann-Löns-Weg 2, ✆ 1 29 55, –
20. Dez.- 4. Jan. geschl. – **21 Z : 34 B** 70/90 - 120/140 Fb.

Löns - Krug mit Zim, Hermann - Löns - Weg 1, ✆ 5 30 38 –
M *(Montag geschl.)* a la carte 30/52 – **6 Z : 10 B** 50/70 - 100.

Am Tankumsee SO : 7 km :

Seehotel, Eichenpfad 2, ✉ 3172 Isenbüttel, ✆ (05374) 16 21, Telex 957137, Fax 4453, – Zim – 25/100 – **45 Z : 89 B** Fb.

GILCHING **8031.** Bayern 413 Q 22, 987 ㊲, 426 F 4 – 14 000 Ew – Höhe 564 m – 08105.
München 20 – ◆Augsburg 49 – Garmisch-Partenkirchen 84.

Thalmeier garni, Sonnenstr. 55, ✆ 50 41, Fax 9899 – AE E.
2.- 6. Jan. und 8.- 23. Aug. geschl. – **16 Z : 28 B** 90 - 130 Fb.

GINSHEIM-GUSTAVSBURG Hessen siehe Mainz.

GLADBECK **4390.** Nordrhein-Westfalen 411 412 DE 12, 987 ⑬ ⑭ – 81 000 Ew – Höhe 30 m – 02043. – ◆Düsseldorf 54 – Dorsten 11 – ◆Essen 16.

Schultenhof, Schultenstr. 10, ✆ 5 17 79 – – **14 Z : 20 B.**

Schloß Wittringen, Burgstr. 64, ✆ 2 23 23, Fax 67451, « Wasserschloß a.d.13. Jh. » – – 25/100. AE E VISA
M a la carte 37/74.

GLADENBACH **3554.** Hessen 412 I 14, 987 ㉔ ㉕ – 11 500 Ew – Höhe 340 m – Kneippheilbad - Luftkurort – 06462.
Kurverwaltung, im Haus des Gastes, Hainstraße, ✆ 17 30.
◆Wiesbaden 122 – Gießen 28 – Marburg 20 – Siegen 61.

Am Schloßgarten, Hainstr. 7, 70 15, Fax 8417, - - 3
Jan. 2 Wochen geschl. - **M** *(Montag geschl.)* a la carte 25/55 - **20 Z : 36 B** 63/65 - 115/118 F

Gladenbacher Hof, Bahnhofstr. 72, 13 67, Fax 5236, - Zim - 40.
M *(Sonntag bis 18 Uhr geschl.)* a la carte 22/50 - **32 Z : 55 B** 55/75 - 100/135 - ½ P 65/8

GLANDORF **4519.** Niedersachsen 411 412 GH 10, 987 ⑭ - 5 400 Ew - Höhe 64 m - 0542
♦Hannover 148 - Bielefeld 38 - Münster (Westfalen) 33 - ♦Osnabrück 26.

Herbermann, Münsterstr. 25, 30 11 -
M *(Sonntag ab 14 Uhr und Montag geschl.)* a la carte 22/38 - **18 Z : 31 B** 45/55 - 79/90

GLASHÜTTEN **6246.** Hessen 412 413 I 16 - 5 500 Ew - Höhe 506 m - Luftkurort - 0617 (Königstein im Taunus).
♦Wiesbaden 34 - ♦Frankfurt am Main 30 - Limburg an der Lahn 33.

Weitzel, Limburger Str. 17, 69 81, Fax 63813, - - 25/50
30 Z : 48 B Fb.

Glashüttener Hof mit Zim, Limburger Str. 86, 69 22, - Zim
M *(Montag geschl.)* a la carte 44/72 - **9 Z : 14 B** 85 - 170.

In Glashütten 2-Schloßborn SW : 3,5 km :

Schützenhof, Langstr. 13, 6 10 74, bemerkenswerte Weinkarte -
Sonntag, Dienstag und Mittwoch jeweils bis 19 Uhr, Montag und April geschl. - **M** a la cart 74/97.

GLAUBURG **6475.** Hessen 412 413 K 16 - 3 000 Ew - Höhe 130 m - 06041.
♦Wiesbaden 94 - ♦ Frankfurt am Main 52 - Fulda 63 - Gießen 50.

In Glauburg 1-Stockheim :

Die Trüffel, Bahnhofstr. 19, 44 84, -
Samstag bis 18 Uhr, Mittwoch und Jan. 2 Wochen geschl. - **M** a la carte 53/69.

GLAUCHAU **O-9610.** Sachsen 984 ㉓, 987 ㉗ - 26 400 Ew - Höhe 260 m - 0037731.
♦Dresden 97 - Chemnitz 27 - Gera 47 - ♦Leipzig 77.

Lindenhof, Auestr. 16, 25 05, Fax 78691 - - **52 Z : 107 B** Fb.

GLEISSENBERG Bayern siehe Furth im Wald.

GLEISZELLEN-GLEISHORBACH Rheinland-Pfalz siehe Bergzabern, Bad.

GLONN **8019.** Bayern 413 S 23 - 4 000 Ew - Höhe 536 m - Erholungsort - 08093.
♦München 29 - Rosenheim 33.

Zur Lanz, Prof.-Lebsche-Str. 24, 6 76 - - (Tischbestellung ratsam).

GLOTTERTAL **7804.** Baden-Württemberg 413 G 22, 242 ㉜ - 2 500 Ew - Höhe 306 m - Erholungsort - 07684 - Verkehrsamt, In der Kur- und Sporthalle, Rathausweg 12, 2 53.
♦Stuttgart 208 - ♦Freiburg im Breisgau 17 - Waldkirch 11.

Hirschen (mit Gästehaus Rebenhof und Winzerstube), Rathausweg 2, 8 10, Fax 1713 « Gemütliche Restauranträume im Schwarzwaldstil », - - 25/60
M *(Montag geschl.)* a la carte 53/90 - **55 Z : 90 B** 80/250 - 140/340 Fb - ½ P 110/210.

Landgasthof Kreuz, Landstr. 14, 2 06, Fax 1032, - - 25.
M *(auch vegetarisches Menu)* (Donnerstag und 10.- 26. Jan. geschl.) a la carte 30/65 - **36 Z 60 B** 58/95 - 98/150 Fb - ½ P 75/121.

Schloßmühle, Talstr. 22, 2 29, -
M *(Mittwoch, Feb.- März 2 Wochen und Nov. 3 Wochen geschl.)* a la carte 37/75 - **12 Z : 20** 70/75 - 120/125 Fb.

Zum Goldenen Engel, Friedhofstr. 2, 2 50, « Alter Schwarzwaldgasthof » -
M *(Mittwoch und 2.- 15. Jan. geschl.)* a la carte 28/63 - **9 Z : 19 B** 50/55 - 80/90.

Schwarzenberg, Talstr. 24, 13 24, -
(nur Abendessen für Hausgäste) - **20 Z : 40 B** 60/85 - 100/130 - ½ P 68/88.

Pension Faller garni, Talstr. 9, 2 26, -
15.- 29. Nov. und 22.- 26. Dez. geschl. - **11 Z : 20 B** 55/75 - 70/130.

Zum Adler mit Zim (Gasthaus mit rustikalen Schwarzwaldstuben), Talstr. 11, 10 81 Fax 1083, - - 25.
Menu *(Tischbestellung ratsam)* (Dienstag geschl.) a la carte 30/81 - **11 Z : 23 B** 80 - 120/140.

In Heuweiler **7803** W : 2,5 km – 07666

Grüner Baum, Glottertalstr. 3, 20 99, , –
24 Z : 40 B Fb.

Zur Laube mit Zim, Glottertalstr. 1, 22 67, Fax 8120, , « Restauriertes Fachwerkhaus »
– . E
Feb.- März und Juli - Aug. jeweils 3 Wochen geschl. – Menu *(Dienstag geschl.)* a la carte 34/66 – **7 Z : 15 B** 80 - 128/138.

GLÜCKSBURG **2392.** Schleswig-Holstein 411 L 2, 987 ⑤ – 7 200 Ew – Höhe 30 m – Seeheilbad
 04631.
Sehenswert : Wasserschloß (Lage★).
Glücksburg-Bockholm (NO : 3 km), (04631) 25 47.
Kurverwaltung, Sandwigstr. 1a (Kurmittelhaus), 9 21, Fax 3301.
Kiel 93 – Flensburg 10 – Kappeln 40.

Intermar , Fördestr. 2, 4 90, Telex 22670, Fax 49525, <, , – Zim Rest
 – 25/150. AE E VISA
Restaurants : **König von Dänemark M** a la carte 45/75 – **Dampfer M** a la carte 26/45
– **80 Z : 160 B** 113/142 - 182/307 Fb – ½ P 135/198.

Kurpark-Hotel, Sandwigstr. 1, 5 51, Fax 556 – – 40. AE E VISA
M a la carte 32/60 – **43 Z : 78 B** 79/110 - 133/165 Fb.

In Glücksburg-Holnis NO : 5 km :

Café-Drei , Drei 5, 25 75, Fax 2983, Biergarten –
M *(Nov.- Mitte April Mittwoch geschl.)* a la carte 32/60 – **10 Z : 20 B** 95 - 130.

GLÜCKSTADT **2208.** Schleswig-Holstein 411 L 5, 987 ⑤ – 12 000 Ew – Höhe 3 m – 04124.
Verkehrs- und Gewerbeverein, Am Fleth 43, 76 99.
Kiel 91 – Bremerhaven 75 – ◆Hamburg 54 – Itzehoe 22.

Raumann, Am Markt 5, 9 16 90, Fax 916950 –
M a la carte 22/48 – **40 Z : 70 B** 38/100 - 70/160.

Ratskeller, Markt 4, 24 64, Fax 4154 – AE E
Feb. und Montag geschl., Okt.- März auch Sonntag ab 15 Uhr geschl. – **M** (Tischbestellung ratsam) a la carte 46/76.

GMUND AM TEGERNSEE **8184.** Bayern 413 S 23, 987 ㊲, 426 H 5 – 6 400 Ew – Höhe 739 m
– Luftkurort – Wintersport : 700/900 m 3 3 – 08022 (Tegernsee).
Gut Steinberg, 7 40 31 – ◆München 48 – Miesbach 11 – Bad Tölz 14.

Oberstöger, Tölzer Str. 4, 70 19, Fax 74816, Biergarten – . E
Nov.- 5. Dez. geschl. – **M** *(Mittwoch geschl.)* a la carte 21/43 – **31 Z : 51 B** 50/54 - 85/120.

Gut Kaltenbrunn, Kaltenbrunn 1, 79 69, Fax 74536, , Biergarten mit Selbstbedienung
– – **M** a la carte 30/57.

In Gmund-Ostin SO : 2 km :

Obermoarhof , Neureuthstr. 10, 70 95, Fax 74963, , , – . AE
E – (Restaurant nur für Hausgäste) – **20 Z : 38 B** 64/70 - 104/124 Fb – ½ P 72/87.

GOCH **4180.** Nordrhein-Westfalen 412 B 11, 987 ⑬, 408 J 6 – 30 000 Ew – Höhe 18 m –
 02823 – Verkehrsamt, Markt 15, 32 02 02.
◆Düsseldorf 87 – Krefeld 54 – Nijmegen 31.

Sporthotel De Poort , Jahnstr. 6, 8 60 71, Fax 80786, , , (Halle) –
 – 40. AE E VISA
M a la carte 31/56 – **53 Z : 100 B** 95/195 - 139/260 Fb.

Stadt Goch, Brückenstr. 46, 54 12, Fax 1212, – . AE E VISA. Zim
M *(Sonntag geschl.)* a la carte 34/60 – **27 Z : 40 B** 40/80 - 80/120.

Litjes, Pfalzdorfer Str. 2, 40 16 – . AE E VISA
M *(Montag geschl.)* a la carte 29/50 – **17 Z : 27 B** 50/55 - 95 Fb.

Zur Friedenseiche, Weezer Str. 1, 73 58 – . AE E
20. Dez.- 10. Jan. geschl. – **M** *(nur Abendessen, Sonntag geschl.)* a la carte 20/43 – **18 Z : 26 B** 37/60 - 74/81.

In Goch 7-Nierswalde NW : 5 km :

Martinschänke , Dorfstr. 2, 20 53, Fax 29933, – . AE E VISA
24. Dez.- 20. Jan. geschl. – **M** *(nur Abendessen, Montag geschl.)* a la carte 35/50 – **11 Z : 22 B** 53/70 - 99/107.

GÖDENSTORF Niedersachsen siehe Salzhausen.

GÖHRDE Niedersachsen siehe Hitzacker.

GÖHREN Mecklenburg-Vorpommern siehe Rügen (Insel).

GÖPPINGEN **7320.** Baden-Württemberg 413 LM 20, 987 ㉟ – 54 700 Ew – Höhe 323 m – 07161.

Ausflugsziel: Gipfel des Hohenstaufen ✻★, NO : 8 km.

Donzdorf (O : 13 km), ✆ (07162) 2 71 71.

Verkehrsamt, Marktstr. 2, ✆ 65 02 92.

ADAC, Ulrichstr. 62, ✆ 2 19 19, Telex 727813.

◆Stuttgart 44 ⑤ – Reutlingen 49 ⑤ – Schwäbisch Gmünd 26 ① – ◆Ulm (Donau) 63 ④.

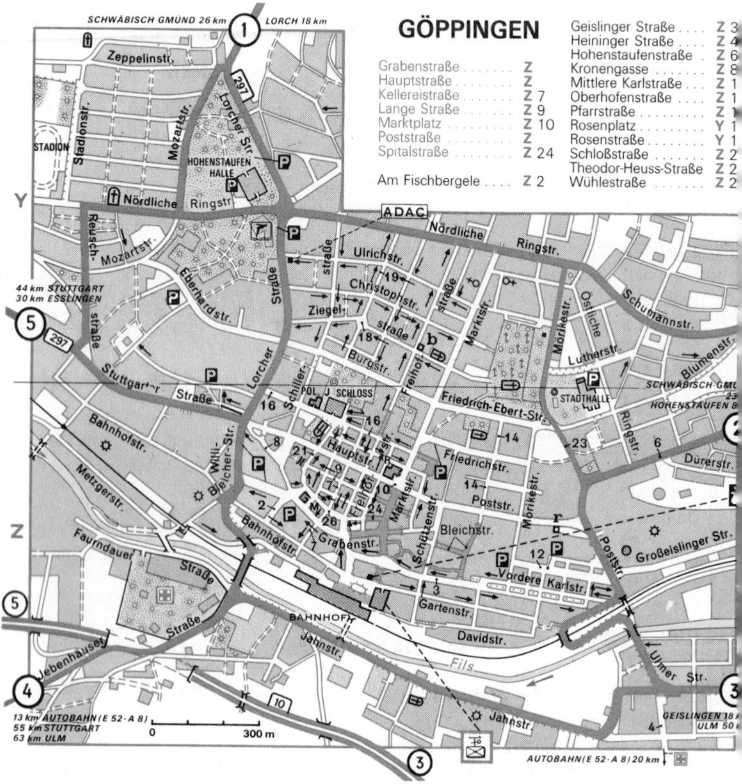

Hohenstaufen, Freihofstr. 64, ✆ 67 00, Telex 727619, Fax 70070 – TV ☎ ⇔. AE ⓓ E VISA – **M** *(Freitag - Samstag 18 Uhr und 24.- 30. Dez. geschl.)* a la carte 43/72 – **50 Z : 70 B** 95/130 - 130/170 Fb. Y b

City-Hotel im Kaiserbau garni, Poststr. 14a, ✆ 6 89 47, Fax 68949 – TV ☎ ⇔. AE ⓓ E VISA
12 Z : 24 B 95/135 - 125/175. Z r

International, Grünewaldweg 2, ✆ 7 90 31, Fax 69344, – TV ☎ ⇔ Ⓟ – 60. AE ⓓ E VISA. Rest über Dürerstr. Z
(nur Abendessen für Hausgäste) – **58 Z : 100 B** 95/150 - 130/200 Fb.

XX **Park Restaurant Stadthalle,** Blumenstr. 41, ✆ 6 80 06, Fax 683663, , Biergarten – Ⓟ – 25/500. E VISA Y
Sonntag 15 Uhr - Montag geschl. – **M** *(auch vegetarische Gerichte)* a la carte 28/58.

In Göppingen 11-Hohenstaufen ② : 8 km :

XX Panorama-Hotel Honey-do mit Zim, Eutenbühl 1, ✆ (07165) 3 39, ≤ Schwäbische Alb – TV ☎ P. – **6 Z : 10 B**.

In Göppingen 8-Jebenhausen ④ : 3 km :

Pension Winkle, Schopflenbergweg 5, ✆ 4 15 74, Fax 49340, – TV ☎ P.
22. Dez.- 8. Jan. geschl. – (nur Abendessen für Hausgäste) – **17 Z : 23 B** 65/78 - 100/110.

In Göppingen 7-Ursenwang ③ : 5 km :

XXX **Bürgerhof - Alt-Tirol,** Tannenstr. 2, ✆ 81 12 26 – P.
Montag - Dienstag und Aug. 3 Wochen geschl. – **M** a la carte 39/65.

In Wangen **7321** ⑤ : 6 km :

Linde, Hauptstr. 30, ✆ (07161) 2 30 22, Fax 13685 – TV ☎ P – 30. AE E VISA.
Mai - Juni 2 Wochen und Okt.- Nov. 3 Wochen geschl. – **M** a la carte 33/58 – **11 Z : 16 B** 85 - 140.

XX **Landgasthof Adler,** Hauptstr. 103, ✆ (07161) 2 11 95 – P. E
Montag und 1.- 17. Juli geschl. – **M** a la carte 50/74.

In Albershausen **7337** ⑤ : 8 km :

Stern, Uhinger Str. 1, ✆ (07161) 3 20 81, – TV P – 35 – **44 Z : 64 B** Fb.

GÖSSWEINSTEIN

8556. Bayern 413 QR 17, 987 ㉖ – 4 200 Ew – Höhe 493 m – Luftkurort – ✆ 09242.

Sehenswert : Barockbasilika (Wallfahrtskirche) – Marienfelsen ≤★★.

Ausflugsziel : Fränkische Schweiz★★.

Verkehrsamt, Burgstr. 70, ✆ 4 56 – ♦München 219 – ♦Bamberg 45 – Bayreuth 46 – ♦Nürnberg 75.

Zur Rose, Marktplatz 7, ✆ 2 25, Fax 1029, – Zim
Nov.- Mitte Dez. geschl. – **M** *(Montag geschl.)* a la carte 21/40 – **19 Z : 39 B** 44/54 - 78.

Fränkischer Hahn garni, Badanger Str. 355, ✆ 4 02 – ☎ P. E
10 Z : 20 B 48/70 - 80/90 Fb.

Regina garni, Pezoldstr. 109, ✆ 2 50, – P – **16 Z : 29 B** 45/50 - 72/90.

Fränkische Schweiz, Pezoldstr. 21, ✆ 2 90, – P
15. Nov.- 15. Dez. geschl. – **M** *(Dienstag geschl.)* a la carte 17/30 – **12 Z : 22 B** 32/38 - 60/70.

X **Schönblick** mit Zim, August-Sieghardt-Str. 202, ✆ 3 77, ≤, – TV P
5. Nov.- 15. Dez. geschl. – **M** *(Dienstag geschl.)* a la carte 32/50 – **7 Z : 14 B** 55/60 - 74/90.

In Gössweinstein - Behringersmühle :

Frankengold, Pottensteiner Str. 29, ✆ 15 05, Fax 7114, – ☎ P. E
7. Jan.- 15. Feb. geschl. – **M** *(Montag geschl.)* a la carte 20/46 – **18 Z : 33 B** 45/53 - 84/100 Fb – ½ P 62/73.

Zur schönen Aussicht, Haus Nr. 22, ✆ 2 94, ≤, –
20. Dez.- 10. Jan. geschl. – (Restaurant nur für Hausgäste) – **10 Z : 19 B** 25/33 - 46/64 – ½ P 30/35.

GÖTTINGEN

3400. Niedersachsen 411 412 M 12, 987 ⑮ – 131 600 Ew – Höhe 159 m – ✆ 0551.

Sehenswert : Fachwerkhäuser (Junkernschänke★) YZ **B**.

Schloß Levershausen (① : 20 km), ✆ (05551) 6 19 15.

Fremdenverkehrsamt, Altes Rathaus, Markt 9, ✆ 5 40 00, Fax 4002998.

Tourist Office, vor dem Bahnhof, ✆ 5 60 00.

ADAC, Herzberger Landstr. 3, ✆ 5 10 28, Notruf ✆ 1 92 11.

♦Hannover 122 ③ – ♦Braunschweig 109 ③ – ♦Kassel 47 ③.

Stadtplan siehe nächste Seite

Park-Hotel Ropeter, Kasseler Landstr. 45, ✆ 90 20, Telex 96821, Fax 902146, Massage, – Rest TV P – 25/200. AE E VISA — über ③
M a la carte 42/78 – **102 Z : 148 B** 95/165 - 165/230 Fb.

Gebhards Hotel, Goetheallee 22, ✆ 4 96 80, Fax 4968110, – TV P – 25/150. E VISA — Y **e**
M *(Sonntag geschl.)* a la carte 60/87 – **53 Z : 74 B** 140/230 - 200/310 Fb.

Eden, Reinhäuser Landstr. 22a, ✆ 7 60 07, – TV ☎ P – 25/70. — Z **d**
M *(nur Abendessen, Sonntag geschl.)* a la carte 29/51 – **100 Z : 165 B** 102/180 - 145/250 Fb.

Central garni, Jüdenstr. 12, ✆ 5 71 57, Fax 371202 – TV ☎ P. AE E VISA — Y **n**
44 Z : 65 B 85/120 - 140/200.

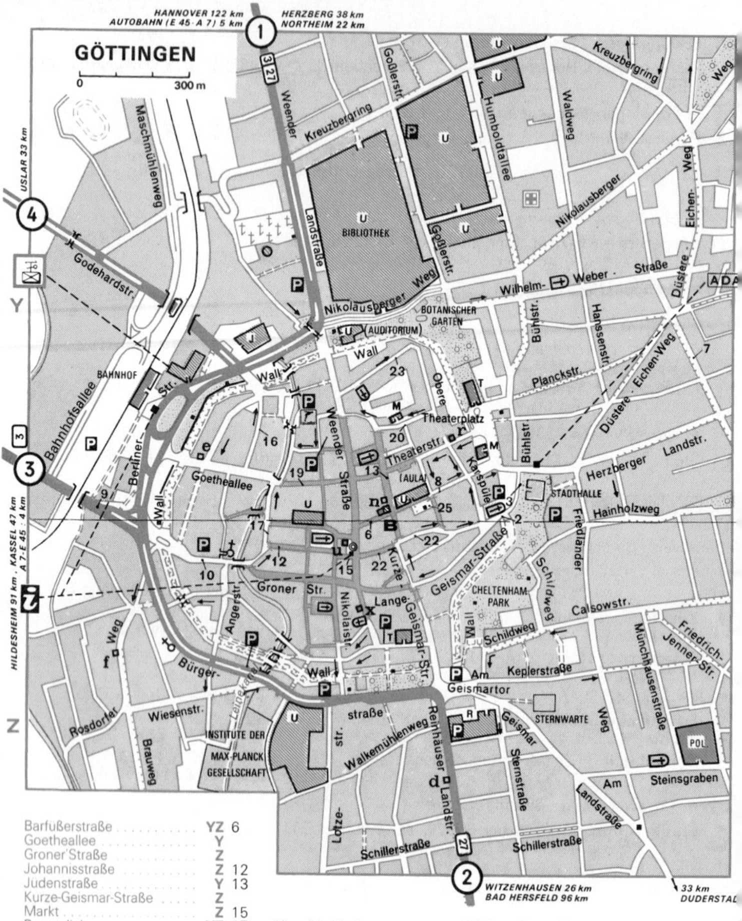

Barfüßerstraße	YZ	6
Goetheallee	Y	
Groner Straße	Z	
Johannisstraße	Z	12
Judenstraße	Y	13
Kurze-Geismar-Straße	Z	
Markt	Z	15
Papendiek	YZ	17
Prinzenstraße	Y	19
Rote Straße	Z	22
Theaterstraße	Y	
Weender Straße	Y	
Albanikirchhof	YZ	2
Albaniplatz	Y	3
Dahlmannstraße	Y	7
Friedrichstraße	Y	8
Groner Landstraße	Y	9
Groner-Tor-Straße	Z	1C
Obere-Masch-Straße	Y	16
Ritterplan	Y	2C
Untere Karspüle	Y	23
Wilhelmsplatz	Y	25

Rennschuh garni, Kasseler Landstr. 93, ☎ 9 00 90, Fax 9009199, – ☎ P. E VISA über ③
22. Dez.- 2. Jan. geschl. – **106 Z : 172 B** 55/75 - 85/110 Fb.

Kasseler Hof, Rosdorfer Weg 26, ☎ 7 20 81, Fax 7703429 – ☎ P. E VISA. Z f
10.- 17. April und 24. Juli - 3. Aug. geschl. – (nur Abendessen für Hausgäste) – **30 Z : 48 B** 47/90 - 80/145.

Garni Gräfin v. Holtzendorff, Ernst-Ruhstrat-Str. 4 (im Industriegebiet), ☎ 6 39 87 – AE E über ④
Weihnachten - Anfang Jan. geschl. – **20 Z : 30 B** 39/65 - 78/96.

Junkernschänke, Barfüßerstr. 5, ☎ 5 73 20, Fax 4968110, « Fachwerkhaus a. d. 15. Jh. » – *Montag geschl.* – **M** a la carte 48/79. Y n

Gauß-Keller, Obere Karspüle 22, ☎ 5 66 16 Y r
nur Abendessen.

Rathskeller, Markt 9, ☎ 5 64 33, – AE E VISA – **M** a la carte 28/61. Z u

Zum Schwarzen Bären (Gaststätte a. d. 16. Jh.), Kurze Str. 12, ☎ 5 82 84 – AE E Z x
Sonntag 15 Uhr - Montag geschl. – **M** a la carte 32/60.

In Göttingen - Groß-Ellershausen ③ : 4 km :

Freizeit In, Dransfelder Str. 3 (B 3), ✆ 9 00 10, Telex 96681, Fax 9001100, Massage, Fö, ≘s, ▣, ✂ (Halle) - |♦| ⇆ Zim ▣ ℗ - 🏛 25/500. AE ⓓ E VISA
M a la carte 35/68 - **120 Z : 240 B** 134/178 - 197/268 Fb.

Lindenhof, Dransfelder Str. 9 (B 3), ✆ 9 22 52 - 🚗 ℗. AE ⓓ E VISA
20. Dez.- 3. Jan. geschl. - **M** *(Sonn- und Feiertage ab 14 Uhr geschl.)* a la carte 21/39 - **21 Z : 29 B** 44/74 - 80/114.

In Göttingen 23-Nikolausberg NO : 5 km über Nikolausberger Weg Y :

Beckmann ⛰ garni, Ulrideshuser Str. 44, ✆ 2 10 55, Fax 21767 - ☎ 🚗 ℗ - **28 Z : 42 B.**

In Friedland **3403** ② : 12 km :

Biewald mit Zim, Weghausstr. 20, ✆ (05504) 2 25, Fax 7680, 🍽 - ▣ ℗. AE ⓓ E. ✂ Zim
M *(Montag geschl.)* a la carte 29/70 - **9 Z : 18 B** 50/90 - 90/118.

In Friedland - Groß-Schneen **3403** ② : 10 km :

Schillingshof ⛰ mit Zim, Lappstr. 14, ✆ (05504) 2 28, 🍽 - ▣ ☎ ℗. ⓓ E VISA
1.- 14. Jan. geschl. - **M** *(Montag - Dienstag 18 Uhr geschl.)* a la carte 61/85 - **5 Z : 10 B** 80 - 140.

An der Autobahn A 7 (Westseite) ③ : 6,5 km :

Autobahn-Rasthaus und Motel, ✉ 3405 Rosdorf 1-Mengershausen, ✆ (05509) 80 80, Fax 808157 - ▣ ☎ ♿ ℗ - Restaurant : nur Self-service - **32 Z : 64 B.**

GOLDBACH Bayern siehe Aschaffenburg.

GOLDKRONACH Bayern siehe Berneck im Fichtelgebirge, Bad.

GOMADINGEN **7423.** Baden-Württemberg 413 L 21 - 2 000 Ew - Höhe 675 m - Luftkurort - Wintersport : 680/800 m ⛷3 - ✆ 07385.

Verkehrsamt, Rathaus, Marktplatz 2, ✆ 10 41 - ♦Stuttgart 64 - Reutlingen 23 - ♦Ulm (Donau) 60.

In Gomadingen-Dapfen SO : 5 km :

Zum Hirsch, Lautertalstr. 59, ✆ 4 27, Fax 1311, ≘s, ▣, 🌳 - 🚗 ℗ - 🏛. ✂ Zim
6. Jan.- 1. Feb. geschl. - **M** *(Dienstag geschl.)* a la carte 29/47 - **20 Z : 40 B** 55 - 100.

In Gomadingen-Offenhausen W : 2 km :

Landgasthaus Gulewitsch - Gestütsgasthof ⛰, Ziegelbergstr. 24, ✆ 16 11, Fax 1478, 🍽, ≘s, 🌳 - |♦| ☎ ℗ - 🏛 50. E - **M** *(Dienstag 15 Uhr - Mittwoch und Feb. geschl.)* a la carte 33/65 - **21 Z : 42 B** 52/70 - 90/115 Fb.

GONDORF Rheinland-Pfalz siehe Bitburg.

GOSLAR **3380.** Niedersachsen 411 O 11, 987 ⑯ - 46 000 Ew - Höhe 320 m - ✆ 05321.

Sehenswert : Fachwerkhäuser★★ in der Altstadt★★★ : Marktplatz★★ Z, Rathaus★ mit Huldigungssaal★★ YZ **R** - Kaiserpfalz★ Z - Breites Tor★ Y - Neuwerkkirche★ Y - Pfarrkirche St. Peter und Paul★ Z **F** - Mönchehaus★ Y **M1**.

Ausflugsziel : Klosterkirche Grauhof★ NO : 3 km über die B 82 X.

Kur- und Fremdenverkehrsgesellschaft, Markt 7, ✆ 28 46 ; Fax 23005.

Kurverwaltung Hahnenklee, Rathausstr. 16 über ③, ✆ (05325) 20 14.

ADAC, Breite Str. 31, ✆ 2 40 43, Notruf ✆ 1 92 11.

Hannover 90 ④ - ♦Braunschweig 43 ① - Göttingen 80 ④ - Hildesheim 59 ④.

Stadtplan siehe nächste Seite

Der Achtermann, Rosentorstr. 20, ✆ 2 10 01, Telex 953847, Fax 42748, 🍽, Bade- und Massageabteilung, ≘s, ▣ - |♦| ▣ ♿ - 🏛 25/300. AE ⓓ E VISA — Y **r**
M a la carte 40/65 - **153 Z : 250 B** 195 - 338 Fb.

Kaiserworth (Haus a.d. 15. Jh.), Markt 3, ✆ 2 11 11, Telex 953874, Fax 21114 - ▣ ☎ ℗ - 🏛 25/100. AE ⓓ E VISA - **M** a la carte 33/64 - **51 Z : 84 B** 85/120 - 160/260 Fb. — Z **x**

Das Brusttuch (Haus a.d. 16. Jh.), Hoher Weg 1, ✆ 2 10 81, Fax 21081 - |♦| ▣ ☎. ⓓ E VISA - **M** a la carte 28/57 - **13 Z : 26 B** 95/135 - 160/210 Fb. — Z **B**

Schwarzer Adler, Rosentorstr. 25, ✆ 2 40 01, Fax 24192, 🍽 - ▣ ☎ ℗. ✂ Rest — Y **e**
M *(Sonntag 14 Uhr - Montag und Juli - Aug. 4 Wochen geschl.)* a la carte 30/53 - **27 Z : 50 B** 85/110 - 130/150.

Villa Berger ⛰, Oberer Triftweg 6, ✆ 2 16 40, Fax 42206, 🌳 - ▣ 🚗. E — X **u**
M a la carte 31/54 - **12 Z : 22 B** 55/85 - 95/120 Fb.

Gästehaus Graul ⛰ garni, Bergdorfstr. 2, ✆ 2 19 31 - **10 Z : 17 B** 40/70 - 70/90. — Z **a**

Goldene Krone, Breite Str. 46, ✆ 2 27 92 - ℗. ⓓ E VISA - *10.- 30. Jan. und Nov. geschl.* - **M** *(Mittwoch geschl.)* a la carte 34/48 - **25 Z : 37 B** 55/70 - 85/140. — Y **d**

GOSLAR

Breite Straße . . . . Y
Fischemäkerstraße . . . Y 19
Hokenstraße . . . . Y
Marktstraße . . . . Z
Petersilienstraße . . . . . Y 61
Rosentorstraße . . . . . . Y 66

Astfelder Straße . . . . . X 2
Berliner Allee . . . . X 5
Brüggemannstraße . . . Y 8
Clausthaler Straße . . . X 10
Danziger Straße . . . . . X 14
Dörpkestieg . . . . X 17
Fleischscharren . . . . . . Y 23
Grauhöfer Landwehr . X 26
Grauhöfer Straße . . . . X 29
Heinrich-Pieper-Straße . . . . X 32
Hildesheimer Straße . . X 34
Hoher Weg . . . . Z 37
Im Schleeke . . . . X 39
Kaiserbleek . . . . Z 42
Königstraße . . . . Z 45
Köppelsbleek . . . . X 47
Marienburger Straße . X 50
Münzstraße . . . . Y 52
Nonnenweg . . . . X 55
Obere Kirchstraße . . . . Y 58
Rammelsberger Straße Z 63
St-Annenhöhe . . . . Z 69
Schielenstraße . . . . . . Y 71
Schreiberstraße . . . . . . Z 74
Schuhhof . . . . Y 76
Vienenburger Straße . X 79
Worthstraße . . . . Z 82

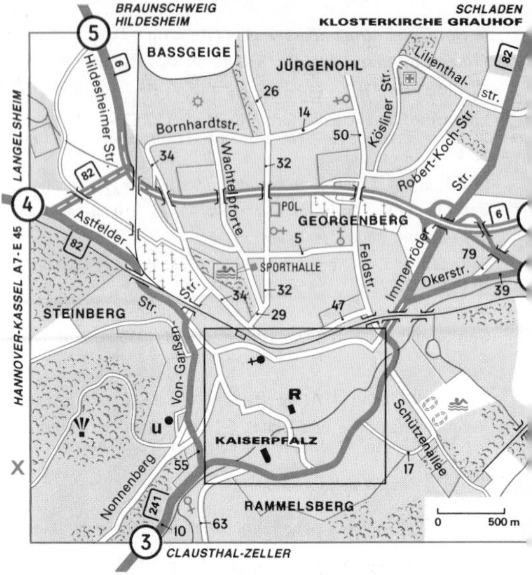

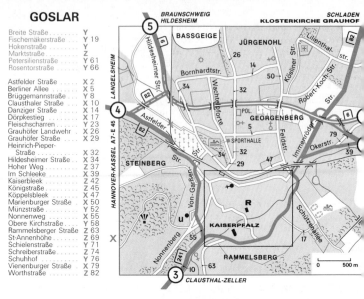

In Goslar 2-Hahnenklee SW : 15 km über ③ – Höhe 560 m – Heilklimatischer Kurort Wintersport : 560/724 m 1 2 1 – 05325 :

Dorint Hotel Kreuzeck, Am Kreuzeck (SO : 3,5 km), 7 41, Telex 953721, Fax 74839, , , – Zim TV – 25/120. AE E VISA. Rest **M** a la carte 30/66 – **104 Z : 200 B** 145/195 - 215/280 Fb – 8 Appart. 280/320.

Diana-Café Seerose, Parkstr. 4, ✆ 70 30, Fax 70310, ≤, 🏔, Bade- und Massageabteilung, ≘s, 🏊 - 🛗 📺 ☎ 🚗 🅿. AE E - **M** a la carte 32/70 - **44 Z : 80 B** 70/150 - 140/220 Fb - 12 Appart. 380 - 7 Fewo 170/250 - ½ P 95/175.

Hahnenkleer Hof 🐦, Parkstr. 24a, ✆ 20 11, Fax 2111, 🏔, Biergarten, ≘s, 🏊, 🌳 - 🛗 📺 ☎ 🚗 🅿. 🚫 Rest - **32 Z : 55 B** Fb.

Walpurgis Hof, Am Bocksberg 1, ✆ 70 90, Telex 953776, Fax 3081, 🏔, ≘s - 🛗 📺 ☎ 🅿. AE ◐ E VISA
M a la carte 29/55 - **58 Z : 116 B** 103/125 - 170/230 Fb.

Hotel am Park garni, Parkstr. 2, ✆ 20 31, 🏊 - 📺 ☎ 🅿
25 Z : 45 B.

Der Waldgarten 🐦, Lautenthaler Str. 36, ✆ 20 81, « Gartenterrasse », 🏊, 🌳 - 🛗 ☎ 🚗 🅿
(Restaurant nur für Hausgäste) - **40 Z : 52 B.**

Bellevue 🐦 garni, Birkenweg 5 (Bockswiese), ✆ 20 84, ≘s, 🏊, 🌳 - 📺 ☎ 🚗 🅿. E
26 Z : 45 B 45/75 - 85/120 Fb - 6 Fewo 75/120.

Harzer Hof, Rathausstr. 9, ✆ 25 13 - 📺 ☎ 🅿. 🚫
19. März - 2. April und 23. Nov.- 10. Dez. geschl. - **M** *(Donnerstag geschl.)* a la carte 29/60 - **11 Z : 14 B** 58/63 - 90/126 Fb.

GOTHA **O-5800.** Thüringen 984 ㉓, 987 ㉖ - 57 000 Ew - Höhe 323 m - ☎ 0037622.
Ausflugsziele : Thüringer Wald ★★ (Großer Inselsberg ≤ ★★, Friedrichroda : Marienglashöhle ★).
Gotha-Information, Blumenbachstr. 1, ✆ 5 40 36, Fax 53061.
Berlin 289 - Erfurt 25 - Gera 114 - Nordhausen 76.

Tanne, Bürgeraue 5, ✆ 5 24 50, 🏔.

Bei der Pferderennbahn Boxberg S : 6 km :

Thüringer Waldblick, ✉ O-5801 Boxberg, ✆ (0037622) 5 46 38, 🏔 - 📺 ☎
16 Z : 26 B Fb.

GOTTLIEBEN Schweiz siehe Konstanz.

GOTTMADINGEN **7702.** Baden-Württemberg 413 J 23, 427 K 2, 216 ⑧ - 8 900 Ew - Höhe 432 m - ☎ 07731 (Singen/Hohentwiel).
Stuttgart 159 - Schaffhausen 17 - Singen (Hohentwiel) 7.

Sonne, Hauptstr. 61, ✆ 7 16 28, Fax 73751 - 🛗 📺 ☎ 🅿. AE ◐ E VISA
M *(Freitag geschl.)* a la carte 26/44 - **36 Z : 75 B** 50/95 - 90/150.

Kranz, Hauptstr. 37 (B 34), ✆ 70 61 - 🛗 📺 ☎ ♿ 🚗 🅿. E
M *(Sonn- und Feiertage geschl.)* a la carte 21/45 🍷 - **20 Z : 39 B** 65 - 120.

Heilsberg 🐦, Heilsbergweg 2, ✆ 7 16 64, 🌳 - ☎ 🚗 🅿. AE E VISA
M *(Dienstag geschl.)* a la carte 28/37 - **12 Z : 20 B** 55 - 95.

Linde mit Zim, Lindenstr. 8, ✆ 7 11 73 - ☎. ◐ E VISA
6.- 31. Jan. geschl. - **M** *(Montag geschl.)* a la carte 24/52 🍷 - **15 Z : 26 B** 58/68 - 98/120 Fb.

In Gottmadingen 2-Bietingen W : 3 km :

Landgasthof Wider, Ebringer Str. 11, ✆ (07734) 22 68 - ☎ 🚗 🅿. E
M *(Dienstag geschl.)* a la carte 23/43 🍷 - **15 Z : 29 B** 45/50 - 85.

In Gottmadingen-Randegg SW : 3 km :

Harlekin - Alte Schreinerei mit Zim, Gailinger Str. 6, ✆ (07734) 61 98 - 📺 ☎ 🅿. AE E VISA
M *(auch vegetarisches Menu)* (wochentags nur Abendessen, Montag geschl.) a la carte 37/68 - **6 Z : 12 B** 55/75 - 85/105.

GRAACH **5550.** Rheinland-Pfalz 412 E 17 - 830 Ew - Höhe 105 m - ☎ 06531 (Bernkastel-Kues).
Mainz 116 - Bernkastel-Kues 3 - ◆Trier 46 - Wittlich 13.

Weinhaus Pfeiffer garni, Gestade 12, ✆ 40 01, ≤ - ☎ 🚗 🅿
13 Z : 23 B 43/65 - 92.

Zur Traube, Hauptstr. 102, ✆ 21 89 - 🅿
Anfang Jan.- Anfang Feb. geschl. - **M** *(Montag geschl.)* a la carte 22/37 - **11 Z : 20 B** 29/32 - 44/64.

Gute Küchen
haben wir durch
Menu, ✿, ✿✿ oder ✿✿✿ kenntlich gemacht.

GRÄFELFING **8032.** Bayern 413 R 22, 987 ㊲, 426 G 4 – 13 300 Ew – Höhe 540 m – ☎ 08
(München).

♦München 12 – Garmisch-Partenkirchen 81 – Landsberg am Lech 46.

In Gräfelfing-Lochham :

Würmtaler Gästehaus, Rottenbucher Str. 55, ✆ 8 54 50 56, Telex 524097, Fax 85389
M a la carte 27/50 – **57 Z : 80 B** 95/125 - 160/200 Fb.

Lochhamer Einkehr, Lochhamer Str. 4, ✆ 85 54 22, Biergarten
M a la carte 32/70.

In Planegg **8033** SW : 1 km :

Planegg garni, Gumstr. 13, ✆ (089) 8 57 10 70
Weihnachten - Anfang Jan. geschl. – **39 Z : 58 B** 80/100 - 120/150 Fb.

GRÄFENBERG **8554.** Bayern 413 Q 18 – 5 000 Ew – Höhe 433 m – ☎ 09197.

♦München 190 – ♦Bamberg 42 – ♦Nürnberg 28.

In Gräfenberg-Haidhof N : 7,5 km :

Schloßberg, Haidhof 5, ✆ 5 67, Fax 8857
Jan. geschl. – **M** *(Montag geschl.)* a la carte 20/55 – **27 Z : 52 B** 54 - 94 Fb.

GRAFENAU **8352.** Bayern 413 X 20, 987 ㉘, 426 M 2 – 8 600 Ew – Höhe 610 m – Luftkuro
– Wintersport : 610/700 m ⛷2 ⛷8 – ☎ 08552.

Verkehrsamt im Rathaus, Rathausgasse 1, ✆ 4 27 43, Fax 4690.

♦München 190 – Deggendorf 46 – Passau 37.

Steigenberger-Hotel Sonnenhof, Sonnenstr. 12, ✆ 44 84 01, Telex 57413, Fax 468
Bade- und Massageabteilung, 25/15
Rest
M a la carte 38/64 – **193 Z : 320 B** 113/134 - 196/238 Fb – 4 Appart. 296 – ½ P 130/16

Parkhotel, Freyunger Str. 51 (am Kurpark), ✆ 44 90, Fax 449161, Massage,
Zim 30
45 Z : 84 B Fb.

Hotel am Kurpark, Freyunger Str. 49, ✆ 42 90, Telex 57463, Fax 429412
M *(auch vegetarische Gerichte)* a la carte 24/55 – **115 Z : 240 B** 105 - 136/180 Fb – 3 Appar
200.

Säumerhof mit Zim, Steinberg 32, ✆ 24 01, Fax 5343
M *(Montag - Donnerstag nur Abendessen)* 49 (mittags) und a la carte 64/88 – **11 Z : 19 B** 80/10
- 160/240
Spez. Sülze vom Bachsaibling, Kalbsbriesragout mit Knoblauchsauce, Topfengratin mit Beere

In Grafenau-Grüb N : 1,5 km :

Hubertus, Grüb 20, ✆ 43 85
Anfang Nov.- Anfang Dez. geschl. – **M** *(Montag geschl.)* a la carte 19/45 – **33 Z : 66 B** 58/6
- 106/116 Fb – ½ P 70/80.

In Grafenau-Rosenau NO : 3 km :

Postwirt, Rosenau 43, ✆ 10 18, Fax 4356
Mitte Nov.- Mitte Dez. geschl. – **M** *(Dienstag geschl.)* a la carte 23/44 – **35 Z : 60 B** 44 - 84 F

In Neuschönau **8351** NO : 9 km :

Bayerwald, Am Hansenhügel 5, ✆ (08558) 17 13, Fax 2537
Anfang Nov.- Mitte Dez. und Mitte März - April geschl. – (nur Abendessen für Hausgäste) – **31 Z**
60 B 55/65 - 90/120 Fb.

GRAFENHAUSEN **7821.** Baden-Württemberg 413 H 23, 427 I 2, 216 ⑥ ⑦ – 2 000 Ew – Höh
895 m – Luftkurort – Wintersport : 900/1 100 m ⛷1 ⛷5 – ☎ 07748.

Kurverwaltung, Rathaus, ✆ 2 65.

♦Stuttgart 174 – Donaueschingen 41 – ♦Freiburg im Breisgau 58 – Waldshut-Tiengen 30.

Tannenmühle (Schwarzwaldgasthof mit Museumsmühle, Tiergehege un
Forellenteichen), Tannenmühlenweg 5 (SO : 3 km), ✆ 2 15, Fax 1226
Mitte Nov.- Mitte Dez. geschl. – **M** *(Dienstag geschl.)* a la carte 25/50 – **17 Z : 37 B** 45/5
- 80/100 Fb – ½ P 65/80.

In Grafenhausen-Rothaus N : 3 km – Höhe 975 m

Kurhaus Rothaus, ✆ 12 51, Fax 5542, Bade- und Massageabteilung
40
15. Nov.- 23. Dez. und April - Mai 2 Wochen geschl. – **M** *(Dienstag geschl.)* a la carte 34/6
– **51 Z : 90 B** 65/100 - 120/167 Fb.

GRAFENWIESEN **8491.** Bayern 413 V 19 - 1 800 Ew - Höhe 509 m - Erholungsort - 09941 (Kötzting).

Verkehrsamt im Rathaus, 16 97.

♦München 191 - Cham 26 - Deggendorf 50.

Birkenhof, Auf der Rast 7, 15 82,
10. Jan.-Feb. und 28. Okt.-20. Dez. geschl. - **M** a la carte 19/34 - **40 Z : 72 B** 40/55 - 78/100 Fb.

Wildgatter, Kaitersberger Weg 27, 60 80, Fax 4650,
Nov. 2 Wochen geschl. - **M** *(auch vegetarische Gerichte)* (Donnerstag geschl.) a la carte 21/36 - **30 Z : 65 B** 44/59 - 76/98 Fb - 64 Fewo 58/99.

GRAFING **8018.** Bayern 413 S 22, 987 ㊲, 426 H 4 - 10 500 Ew - Höhe 519 m - 08092.

Oberelkofen (S : 3 km), (08092) 74 94.

♦München 36 - Landshut 80 - Rosenheim 35 - Salzburg 110.

Hasi garni, Griesstr. 5, 7 00 70, Fax 700770 -
21 Z : 37 B.

GRAFLING Bayern siehe Deggendorf.

GRAINAU **8104.** Bayern 413 Q 24, 987 ㊱, 426 F 6 - 3 700 Ew - Höhe 748 m - Luftkurort - Wintersport : 750/2 950 m 3 5 4 - 08821 (Garmisch-Partenkirchen).

Sehenswert : Eibsee★ SW : 3 km.

Ausflugsziel : Zugspitzgipfel★★★ (★★★) mit Zahnradbahn (40 min) oder ab Eibsee (10 min).

Verkehrsamt, Waxensteinstr. 35, 8 14 11, Fax 8488.

♦München 94 - Garmisch-Partenkirchen 6.

Alpenhof, Alpspitzstr. 22, 80 71, Fax 81680,
Mitte Nov.- Mitte Dez. geschl. - Menu a la carte 35/68 - **37 Z : 68 B** 85/155 - 200/290 Fb - ½ P 100/170.

Eibsee - Hotel, am Eibsee (SW : 3 km), 80 81, Telex 59666, Fax 82585, Eibsee, 25/180.
M a la carte 43/62 - **120 Z : 225 B** 160 - 180 Fb - 9 Appart. 280/350.

Alpenhotel Waxenstein, Eibseestr. 16, 80 01, Fax 8401, Waxenstein und Zugspitze, Massage, 25/80. Rest
Menu *(auch vegetarisches Menu)* 25/40 und a la carte 41/72 - **50 Z : 90 B** 110/170 - 195/300 Fb.

Längenfelder Hof garni, Längenfelder Str. 8, 80 88,
19 Z : 36 B 70/110 - 130/180 - 4 Fewo 120/160.

Wetterstein garni, Waxensteinstr. 14c, 80 04,
15 Z : 27 B 66 - 132.

Alpspitz, Loisachstr. 56, 8 16 85,
20 Z : 40 B.

Haus Bayern garni, Zugspitzstr. 54a, 89 85, « Garten », (geheizt),
16 Z : 24 B 60 - 84/120.

Jägerhof garni, Enzianweg 1, 85 18,
27 Z : 44 B Fb.

Gästehaus Barbara garni, Am Krepbach 12, 89 24,
13 Z : 23 B 60/75 - 86/90 - 5 Fewo 65/80.

Post garni, Postgasse 10, 88 53,
10. Jan.- 10. Feb. und 25. Okt.- 18. Dez. geschl. - **20 Z : 35 B** 70/80 - 120/150 - 10 Fewo 70/140.

Gästehaus am Kurpark garni, Am Brücklesbach 3, 85 49,
12 Z : 21 B 41 - 84.

Grainauer Hof, Schmölzstr. 5, 5 00 61, (geheizt),
(nur Abendessen für Hausgäste) - **31 Z : 55 B** Fb.

Gasthaus am Zierwald mit Zim, Zierwaldweg 2, 88 40, Fax 82640,
20. April - 1. Mai und 28. Okt.- 9. Nov. geschl. - **M** *(Mittwoch geschl.)* a la carte 24/40 - **5 Z : 10 B** 46/56 - 92/112.

GRASBRUNN **8011.** Bayern 413 S 22 - 4 500 Ew - Höhe 560 m - 089 (München).

♦München 18 - Landshut 87 - Salzburg 141.

In Grasbrunn-Harthausen SO : 3 km :

Zum Forstwirt, Zum Forstwirt 1 (SO : 1 km), (08106) 73 74, Fax 34374, Biergarten -
20 Z : 27 B Fb.

GRASELLENBACH **6149.** Hessen 412 413 J 18 – 3 000 Ew – Höhe 420 m – Kneippheilbad – Luftkurort – ☎ 06207 (Wald-Michelbach).

Verkehrsbüro, Nibelungenhalle, ☎ 25 54.

♦Wiesbaden 95 – Beerfelden 21 – ♦Darmstadt 55 – ♦Mannheim 46.

- **Siegfriedbrunnen**, Hammelbacher Str. 7, ☎ 60 80, Fax 1577, Bade- und Massageabteilung, (geheizt), – 25/80. E VISA
  M a la carte 30/66 – **62 Z : 99 B** 79/188 - 146/248 Fb.
- **Café Gassbachtal**, Hammelbacher Str. 16, ☎ 50 31,
  Feb.- März und Nov.- Dez. jeweils 3 Wochen geschl. – (Restaurant nur für Pensionsgäste) – **23 Z : 37 B** 61/73 - 112/138 Fb.
- Dorflinde, Siegfriedstr. 14, ☎ 22 50,
  21 Z : 35 B Fb.
- **Landhaus Muhn**, Im Erzfeld 10, ☎ 23 16,
  Mitte Nov.- Mitte Dez. geschl. – (Restaurant nur für Pensionsgäste) – **15 Z : 25 B** 60/72 - 128/140 Fb.

In Grasellenbach-Tromm SW : 7 km – Höhe 577 m

- **Zur schönen Aussicht**, Auf der Tromm 2, ☎ 33 10,
  Ende Nov.- 24. Dez. geschl. – **M** *(Montag geschl.)* a la carte 21/36 – **17 Z : 27 B** 32/40 - 54/74 Fb.

In Grasellenbach-Wahlen S : 2 km :

- **Burg Waldau,** Volkerstr. 1, ☎ 22 78, Fax 7949 – 40
  M *(Nov.- März Donnerstag geschl.)* a la carte 23/45 – **20 Z : 38 B** 55/75 - 96/136 Fb – ½ P 66/93.

GRASSAU **8217.** Bayern 413 U 23, 426 J 5 – 5 400 Ew – Höhe 537 m – Luftkurort – ☎ 08641

Verkehrsbüro, Kirchplatz 3, ☎ 23 40, Fax 5326.

♦München 91 – Rosenheim 32 – Traunstein 25.

- **Sporthotel Achental**, Mietenkamer Str. 65, ☎ 40 10, Telex 563320, Fax 1758, Massage, – 25/100. AE E VISA
  M a la carte 40/63 – **160 Z : 300 B** 140 - 180 Fb.
- Hansbäck, Kirchplatz 18, ☎ 40 50, Fax 40580,
  31 Z : 70 B Fb.
- Weißbräu, Rottauer Str. 1, ☎ 24 83
  21 Z : 46 B.

GREBENSTEIN **3523.** Hessen 411 412 L 12 – 6 000 Ew – Höhe 175 m – ☎ 05674.

♦Wiesbaden 241 – ♦Kassel 17 – Paderborn 63.

- **Zur Deutschen Eiche,** Untere Schnurstr. 3, ☎ 2 46, Fax 348 – AE E VISA
  Mittwoch und Juli - Aug. 3 Wochen geschl. – **M** a la carte 21/48.

GREDING **8547.** Bayern 413 R 19, 987 ㉖ ㉗ – 6 500 Ew – Höhe 400 m – Erholungsort – ☎ 08463.

Verkehrsamt, Marktplatz (Rathaus), ☎ 2 33.

♦München 113 – Ingolstadt 39 – ♦Nürnberg 55 – ♦Regensburg 61.

- **Schuster,** Marktplatz 23, ☎ 90 30, Telex 55430, Fax 788, – 25/80. AE E VISA
  M a la carte 26/58 – **69 Z : 130 B** 75/130 - 100/200.
- Hotel am Markt, Marktplatz 2, ☎ 94 04, Fax 1602
  30 Z : 61 B.
- **Bauer-Keller,** Kraftsbucher Str. 1 (jenseits der BAB-Ausfahrt), ☎ 2 03, Fax 9896, AE E VISA
  Mitte Nov.- Mitte Dez. und Weihnachten - Neujahr geschl. – **M** *(Sonntag bis 17 Uhr geschl.)* (auch vegetarische Gerichte) a la carte 21/46 – **28 Z : 49 B** 32/46 - 50/74.

GREFRATH **4155.** Nordrhein-Westfalen 412 C 13 – 13 700 Ew – Höhe 32 m – ☎ 02158.

♦Düsseldorf 48 – Krefeld 20 – Mönchengladbach 25 – Venlo 16.

- **Grefrather Hof,** Am Waldrand 1 (Nähe Eisstadion), ☎ 40 70, Telex 854863, Fax 407200, (Halle) – 25/80. AE E VISA
  M a la carte 35/65 – **80 Z : 152 B** 98/144 - 134/164 Fb.

GREIFENSTEIN **6349.** Hessen 412 H 15 – 7 100 Ew – Höhe 432 m – Erholungsort – ☎ 06449 (Ehringshausen-Katzenfurt).

♦Wiesbaden 90 – Gießen 38 – Limburg an der Lahn 40 – Siegen 54.

- **Simon**, Talstr. 3, ☎ 2 09,
  Mitte Jan.- Feb. geschl. – **M** *(Dienstag geschl.)* a la carte 24/46 – **21 Z : 40 B** 38/58 - 68/88

GREIFSWALD **O-2200.** Mecklenburg-Vorpommern 984 ⑦, 987 ⑦ – 70 000 Ew – Höhe 6 m – ☎ 0037822.

ℹ Fremdenverkehrsverein, Schuhhagen 126, ✆ 34 60.

◆ Berlin 207 – Neubrandenburg 67 – ◆Rostock 103 – Stralsund 32.

Boddenhus, Karl-Liebknecht-Ring 1, ✆ 52 41, Telex 3105, Fax 318346, – |♦| TV ☎ P.
96 Z : 192 B Fb – 7 Appart..

Am Gorzberg, Gorzberg, ✆ 52 81, Fax 5281 – P. AE
M a la carte 26/35 – **140 Z : 260 B** 68/110 - 130/150 Fb – 9 Appart. 250.

GREIMERATH Rheinland-Pfalz siehe Zerf.

GREMERSDORF **2440.** Schleswig-Holstein 411 P 3 – 900 Ew – Höhe 5 m – ☎ 04361 (Oldenburg i.H.).

◆Kiel 62 – Oldenburg 7 – Puttgarden 29.

Zum grünen Jäger, an der B 207, ✆ 70 28, Fax 8384 – TV P. AE ⓓ E VISA
M *(nur Abendessen)* a la carte 25/50 – **27 Z : 68 B** 70 - 90/125 Fb.

Dans ce guide
un même symbole, un même mot,
imprimé en ***noir*** *ou en rouge, en maigre ou en* ***gras,***
n'ont pas tout à fait la même signifaction.
Lisez attentivement les pages explicatives.

In this guide,
a symbol or a character, printed in red or ***black,*** *in* ***bold*** *or light type,*
does not have the same meaning.
Please read the explanatory pages carefully.

GREMSDORF Bayern siehe Höchstadt an der Aisch.

GRENZACH-WYHLEN **7889.** Baden-Württemberg 413 FG 24, 427 GH 3, 216 ④ – 13 200 Ew – Höhe 272 m – ☎ 07624.

◆Stuttgart 271 – Basel 6 – Bad Säckingen 25.

Im Ortsteil Grenzach :

Eckert, Basler Str. 20, ✆ 50 01, Fax 2414, – |♦| TV ☎ P. E
M *(Donnerstag 15 Uhr - Samstag 16 Uhr geschl.)* a la carte 35/68 – **29 Z : 40 B** 80/125 - 120/160 Fb.

In Grenzach-Wyhlen-Rührberg N : 3 km :

Rührberger Hof , Inzlinger Str. 1, ✆ 43 91, – ☎ P
Jan.- Feb. 2 Wochen und Juli - Aug. 3 Wochen geschl. – **M** *(Montag - Dienstag geschl.)* a la carte 35/60 – **13 Z : 25 B** 55/65 - 95/110 Fb.

GREVEN **4402.** Nordrhein-Westfalen 411 412 F 10, 987 ⑭ – 30 000 Ew – Höhe 52 m – ☎ 02571.

ℹ Verkehrsverein, Alte Münsterstr. 23, ✆ 13 00.

◆Düsseldorf 141 – Enschede 59 – Münster (Westfalen) 20 – ◆Osnabrück 43.

Eichenhof, Hansaring 70, ✆ 5 20 07, Fax 52000, – TV ☎ *(Tischbestellung ratsam)* (wochentags nur Abendessen) – **24 Z : 42 B**.

Kroner Heide, Kroner Heide 5-7, ✆ 33 91, Fax 52697 – ☎ P – 30.
15 Z : 26 B.

Wermelt Lengermann, Nordwalder Str. 160 (W : 3,5 km), ✆ 5 51 01, Fax 53883 – TV ☎ P
20 Z : 42 B Fb.

Altdeutsche Gaststätte Wauligmann, Schiffahrter Damm 22 (B 481, SO : 4,5 km), ✆ 23 88, – P
Montag - Dienstag, 3.- 14. April und 3.- 25. Aug. geschl. – **M** a la carte 22/55.

In Greven-Gimbte S : 4,5 km :

Schraeder, Dorfstr. 29, ✆ 5 30 53, Fax 52090, – TV ☎ P – 30. AE E
Feb. 2 Wochen geschl. – **M** *(Sonntag 14 Uhr - Montag 18 Uhr geschl.)* a la carte 24/55 – **31 Z : 50 B** 53/63 - 95/105 Fb.

Altes Wirtshaus, Alter Fahrweg 6, ✆ 5 20 44, Fax 54881, – ☎ P. AE E **M** *(Mittwoch - Donnerstag 16 Uhr geschl.)* a la carte 26/59 – **16 Z : 32 B** 59/70 - 90/110.

GREVENBROICH **4048.** Nordrhein-Westfalen 412 C 13, 987 ㉓ – 57 000 Ew – Höhe 60 m – ☎ 02181.

Ausflugsziel: Schloß Dyck★ N : 7 km.

◆Düsseldorf 28 – ◆Köln 31 – Mönchengladbach 26.

Sonderfeld-Restaurant Hahn, Bahnhofsvorplatz 6, ☎ 14 33 (Hotel) 6 43 46 (Rest.), Fax 9628, – |♦| TV ☎ P – 60. AE E VISA. Rest
Weihnachten - Anfang Jan. geschl. – **M** *(Samstag bis 18 Uhr geschl.)* a la carte 40/75 – **43 Z : 60 B** 78/110 - 135/170 Fb.

Stadt Grevenbroich garni, Röntgenstr. 40, ☎ 30 48, Fax 3705 – ☎ P. AE E
19. Dez.- 4. Jan. geschl. – **27 Z : 37 B** 65/85 - 100/125 Fb.

Zur Alten Schmiede, Südwall 2, ☎ 36 79, Fax 64664 – |♦| TV ☎ P. AE E VISA
M *(Dienstag geschl.)* a la carte 36/54 – **8 Z : 14 B** 89/98 - 140/180.

XXXX ✿✿ **Zur Traube** mit Zim, Bahnstr. 47, ☎ 6 87 67, Telex 8517193, Fax 61122, bemerkenswerte Weinkarte – TV ☎ P. AE E VISA.
12.- 20. April, 19. Juli - 3. Aug. und 20. Dez.- 19. Jan. geschl. – **M** *(Tischbestellung erforderlich)* (Sonntag - Montag geschl.) 138/178 und a la carte 83/120 – **6 Z : 11 B** 190/290 - 290/490
Spez. Meerwolf auf Stielmus mit Trüffelbutter (Frühjahr), Variation von der Ente, Tannenhonigparfait mit Mus von Waldbeeren.

XX **Harlekin,** Lilienthalstr. 16 (im Tennis-Center Heiderhof), ☎ 6 35 34, – P. AE E VISA
Montag und Juli - Aug. 3 Wochen geschl. – **M** a la carte 50/80.

In Grevenbroich 5-Kapellen NO : 6 km :

XX **Zu den drei Königen,** Neusser Str. 49, ☎ (02182) 27 84 – P. AE E VISA
Samstag bis 18 Uhr, Donnerstag und Juli - Aug. 3 Wochen geschl. – **M** a la carte 57/80.

GRIESBACH IM ROTTAL **8394.** Bayern 413 W 21, 987 ㊳, 426 L 3 – 7 700 Ew – Höhe 535 m – Luftkurort – Thermalbad – ☎ 08532.

18 9 Lederbach, Sagmühle und Uttlau, ☎ (08532) 7 95.

Kurverwaltung, Stadtplatz 3 und Kurallee 6 (Kurzentrum), ☎ 7 92 40, Fax 7614.

◆München 153 – Landshut 95 – Passau 41 – Salzburg 116.

Schloßhotel, Am Schloßberg 23, ☎ 70 00, Fax 700132, , Biergarten, – |♦| TV ☎ P
26 Z : 52 B Fb – 7 Appart..

Rottaler Hof garni, Kronberger Str. 11, ☎ 13 09, ←, « Garten », , – P
15. Nov.- 25. Dez. geschl. – **19 Z : 30 B** 40/48 - 80/96.

In Bad Griesbach S : 3 km :

Maximilian, Kurallee 1, ☎ 79 50, Fax 795150, , Bade- und Massageabteilung, , (geheizt), – |♦| Rest TV – 25/70. AE E VISA
M a la carte 45/63 – **231 Z : 330 B** 200/220 - 360/400 Fb – 19 Appart. 560/600 – ½ P 242/262

Steigenberger-Hotel Bad Griesbach , Am Kurwald 2, ☎ 10 01, Telex 57606, Fax 1033, , Bade- und Massageabteilung, , (Thermal), , , (Halle) – |♦| TV – 25/260. AE E VISA. Rest
M *(abends Tischbestellung ratsam)* a la carte 45/70 – **186 Z : 326 B** 160/180 - 280/320 Fb

Fürstenhof , Thermalbadstr. 28, ☎ 70 51, Fax 705535, Bade- und Massageabteilung, , (geheizt), , – |♦| TV . AE E VISA
M *(abends Tischbestellung ratsam)* a la carte 40/62 – **147 Z : 240 B** 115/175 - 210/260 Fb – 8 Appart. 390 – ½ P 140/170.

Parkhotel Bad Griesbach , Am Kurwald 10, ☎ 2 80, Fax 28204, Bade- und Massageabteilung, , (geheizt), , , – |♦| TV . AE E VISA. Rest
Restaurants : **Classico** (Italienische Küche) *(nur Abendessen)* **M** a la carte 46/60 – **Stüberl** *(nur Abendessen)* **M** a la carte 35/55 – **162 Z : 313 B** (½ P) 190/215 - 320/370 Fb – 5 Appart. (½ P) 450/580.

Drei Quellen Therme , Thermalbadstr. 3-7, ☎ 79 80, Fax 7547, Bade- und Massageabteilung, – |♦| TV ☎ . AE E VISA
M a la carte 32/57 – **109 Z : 220 B** 99 - 158 – 10 Appart. 198/300.

Konradshof , Thermalbadstr. 30, ☎ 70 20, Bade- und Massageabteilung, direkter Zugang zur Therme, – |♦| TV ☎ .
M a la carte 23/45 – **71 Z : 115 B** 74/87 - 148 Fb.

Glockenspiel garni, Thermalbadstr. 21, ☎ 70 60, Fax 70653, Bade- und Massageabteilung, direkter Zugang zur Therme, (geheizt), – |♦| TV ☎ .
52 Z : 90 B 68/80 - 110/126 Fb – 9 Fewo 84/94.

Haus Christl garni, Thermalbadstr. 11, ☎ 17 91, Massage, , , – TV ☎.
20 Z : 35 B Fb.

St. Leonhard , Thermalbadstr. 9, ☎ 20 31, Biergarten, Massage – TV ☎
21 Z : 39 B.

In Griesbach-Schwaim S : 4 km :

Venus-Hof, ✆ 5 74, Fax 3315, Biergarten, ≘s, 🐎 – 📺 🅿. ✻ Zim
Mitte Jan.- Ende Feb. geschl. – **M** *(Montag geschl.)* a la carte 21/44 – **28 Z : 56 B** 59/65 - 108/155 Fb.

Beim Golfplatz S : 5 km, jenseits der B 388 :

Gutshof Bad Griesbach, Schwaim 52, ✉ 8394 Bad Griesbach, ✆ (08532) 20 36, 🏞 – 🅿. AE E
M a la carte 27/47.

GRIESHEIM **6103.** Hessen 412 413 I 17 – 21 400 Ew – Höhe 145 m – ☎ 06155.
♦Wiesbaden 43 – ♦Darmstadt 7 – ♦Frankfurt am Main 35.

Prinz Heinrich 🔕, Am Schwimmbad 12, ✆ 6 00 90, Fax 6009288, 🏞, « Behaglich-rustikale Einrichtung », ≘s – |♦| 📺 ☎ 🅿 – 🏛 30. AE VISA
24. Dez. - 5. Jan. geschl. – **M** a la carte 37/54 – **80 Z : 100 B** 103/125-155/185 Fb.

Café Nothnagel garni, Wilhelm-Leuschner-Str. 67, ✆ 40 31, Fax 4034, ≘s, 🏊 – |♦| 📺 ☎ 🅿. E – **31 Z : 50 B** Fb.

GRÖMITZ **2433.** Schleswig-Holstein 411 P 4, 987 ⑥ – 6 900 Ew – Höhe 10 m – Seeheilbad
☎ 04562 – ⛳ Am Schoor 46, ✆ 39 90.
ℹ Kurverwaltung, Kurpromenade, ✆ 6 92 55, Fax 69246.
♦Kiel 72 – Neustadt in Holstein 12 – Oldenburg in Holstein 21.

Golf- und Sporthotel Reimers 🔕, Am Schoor 46, ✆ 39 90, Fax 399245, ≘s, 🏊, 🐎, 🎾 (Halle) – |♦| 📺 ☎ 🅿 – 🏛 25/45
M *(nur Abendessen)* a la carte 30/62 – **92 Z : 183 B** 109 - 218 Fb – 27 Fewo 155 – ½ P 129.

Villa am Meer 🔕, Seeweg 6, ✆ 80 05, Fax 4658, ≘s – |♦| 📺 ☎ 🅿. AE E VISA
Ostern - Mitte Okt. – **M** a la carte 26/69 – **33 Z : 63 B** 85/160 - 170.

Strandidyll 🔕, Uferstr. 26, ✆ 18 90, Fax 18989, ≤ Ostsee, 🏞, ≘s, 🏊 – |♦| 📺 ☎ 🅿. ✻
Mitte März - Anfang Nov. – **M** a la carte 34/73 – **31 Z : 75 B** 156 - 203 Fb – 5 Appart. 328 – 60 Fewo 175.

Zur schönen Aussicht 🔕, Uferstr. 12, ✆ 18 70, Fax 187377, ≤ Ostsee, ≘s – |♦| ☎ 🚗 🅿. ✻ Rest
M a la carte 26/53 – **83 Z : 135 B** 65/95 - 130/170 Fb – 15 Fewo 150/200.

Pinguin - Restaurant La Marée, Christian-Westphal-Str. 52, ✆ 98 27, ≘s – 📺 🚗 🅿
11. Jan.- 5. März geschl. – **M** *(nur Abendessen, Montag geschl.)* a la carte 53/83 – **20 Z : 28 B** 55/150 - 120/180.

GRÖNENBACH **8944.** Bayern 413 N 23, 987 ㊱, 426 C 5 – 4 600 Ew – Höhe 680 m – Kneippkurort – ☎ 08334.
ℹ Kurverwaltung, Haus des Gastes, Marktplatz, ✆ 77 11.
♦München 128 – Kempten (Allgäu) 27 – Memmingen 15.

Renate 🔕 (mit Gästehaus, 🏊), Ziegelberger Str. 1, ✆ 10 12, Fax 6275, 🏞, Bade- und Massageabteilung, 🏃, ≘s, 🐎 – 📺 ☎ 🅿 – 🏛 25
M a la carte 35/57 – **21 Z : 46 B** 95/110 - 130/150 – 3 Appart. 180.

Zur Post, Marktstr. 10, ✆ 2 06, 🐎 – 📺 🚗 🅿
M *(Dienstag geschl.)* a la carte 20/45 🍷 – **18 Z : 30 B** 35/50 - 60/80.

Badische Weinstube, Marktplatz 8, ✆ 5 05, Fax 6390, 🏞, « Gemütlich-rustikales Restaurant » – 🅿. ⓓ E – **M** a la carte 33/60.

GRONAU IN WESTFALEN **4432.** Nordrhein-Westfalen 411 412 E 10, 987 ⑭, 408 M 5 – 41 000 Ew – Höhe 40 m – ☎ 02562.
ℹ Verkehrsverein, Konrad-Adenauer-Str. 45, ✆ 14 87.
♦Düsseldorf 133 – Enschede 10 – Münster (Westfalen) 54 – ♦Osnabrück 81.

Moorhof 🔕, Amtsvennweg 60b (W : 3 km), ✆ 60 04, 🏞, 🎾 – 📺 ☎ 🚗 🅿 – 🏛 25/50. AE ⓓ E VISA
M a la carte 33/52 – **19 Z : 35 B** 58 - 110.

Gronauer Sporthotel 🔕, Jöbkesweg 5 (über Ochtruper Straße), ✆ 70 40, Fax 70499, ≘s, 🏊 – 📺 ☎ 🅿 – 🏛 50. AE ⓓ E VISA
20.- 30. Dez. geschl. – **M** *(Sonntag ab 14 Uhr geschl.)* a la carte 26/50 – **28 Z : 56 B** 50/65 - 94/120 Fb.

Autorast Bergesbuer, Ochtruper Str. 161 (B 54), ✆ 43 23, 🏞, 🏇 (Halle) – 📺 ☎ 🚗 🅿
15 Z : 22 B.

Zum Alten Fritz, Enscheder Str. 59, ✆ 33 02, 🏞 – ☎ 🚗 🅿 – **15 Z : 25 B.**

Driland mit Zim, Gildehauser Str. 350 (NO : 4,5 km), ✆ 36 00, Fax 4171, 🏞 – 📺 ☎ 🅿 – 🏛 25/150. AE E – **M** *(Dienstag geschl.)* a la carte 25/56 – **4 Z : 8 B** 50 - 100.

In Gronau-Epe S : 3,5 km – ☎ 02565 :

Schepers, Ahauser Str. 1, ☎ 12 67, Fax 3751, – TV ☎ P. AE E VISA
22. Dez.- 10. Jan. geschl. – **M** *(Samstag bis 18 Uhr und Sonntag geschl.)* a la carte 27/57 – **23 Z : 40 B** 68/85 - 120/150 Fb.

Ammertmann, Nienborger Str. 23, ☎ 13 14, Fax 6103 – TV ☎ P. AE E VISA
M *(Sonntag 15 Uhr - Montag 18 Uhr geschl.)* a la carte 23/57 – **23 Z : 43 B** 54/110 - 100/130 Fb.

Heidehof, Amtsvenn 1 (W : 4 km), ☎ 13 30, Fax 3073, – P. AE E VISA
Montag und 15. Feb.- 5. März geschl. – **M** a la carte 44/70.

GRONAU (LEINE) **3212.** Niedersachsen 411 412 M 10 – 5 200 Ew – Höhe 78 m – ☎ 05182.

Rheden (S : 3 km), ☎ (05182) 26 80.

♦Hannover 39 – Hameln 40 – Hildesheim 18.

Eichsfelder Hof, Breitestr. 8, ☎ 20 29 – TV P – 30.
M *(Montag geschl.)* a la carte 26/54 – **7 Z : 14 B** 55 - 105/155.

Zur grünen Aue mit Zim, Leintor 19, ☎ 24 72, – P. E VISA
Juni - Juli 2 Wochen geschl. – **M** *(Mittwoch geschl.)* a la carte 30/60 – **6 Z : 7 B** 30/35 - 60/70

GROSS BRIESEN Brandenburg siehe Brandenburg.

GROSS KREUTZ Brandenburg siehe Potsdam.

GROSSALMERODE **3432.** Hessen 411 412 M 13 – 8 000 Ew – Höhe 354 m – Erholungsort – ☎ 05604.

♦Wiesbaden 255 – Göttingen 39 – ♦Kassel 23.

Pempel, In den Steinen 2, ☎ 70 57 – TV ☎.
Ende Dez.- Mitte Jan. geschl. – **M** a la carte 22/50 – **10 Z : 18 B** 50/60 - 90/120.

GROSSBETTLINGEN Baden-Württemberg siehe Nürtingen.

GROSSBOTTWAR **7141.** Baden-Württemberg 413 KL 19, 20 – 6 900 Ew – Höhe 215 m – ☎ 07148.

♦Stuttgart 35 – Heilbronn 23 – Ludwigsburg 19.

Pension Bruker garni, Kleinaspacher Str. 18, ☎ 80 63, Fax 6190 – TV ☎ P
12 Z : 20 B 50 - 80 Fb.

Stadtschänke mit Zim, Hauptstr. 36, ☎ 80 24, « Historisches Fachwerkhaus a. d. 15. Jh. »
– TV ☎. AE E VISA
M *(Mittwoch geschl.)* a la carte 39/64 – **5 Z : 8 B** 65 - 110.

Zur Rose, Rosenplatz 1, ☎ 52 99 – P
Montag geschl. – **M** a la carte 33/57.

GROSSENBRODE **2443.** Schleswig-Holstein 411 Q 3, 987 ⑥ – 1 800 Ew – Höhe 5 m – Ostseeheilbad – ☎ 04367.

Kurverwaltung im Rathaus, Teichstr.12, ☎ 80 01.

♦Kiel 75 – Oldenburg 20 – Puttgarden 17.

Hanseatic, Strandpromenade, ☎ 2 84, – P. E VISA
10. Jan.- Feb. und 15. Nov.- 15. Dez geschl. – **M** a la carte 31/60.

Zum Alten Krug, Schmiedestr. 13, ☎ 3 94, – P
nur Abendessen – auch 7 Fewo.

GROSSENKNETEN **2907.** Niedersachsen 411 H 8 – 11 500 Ew – Höhe 35 m – ☎ 04435.

♦Hannover 170 – ♦Bremen 57 – ♦Oldenburg 27 – ♦Osnabrück 82.

In Großenkneten 1-Moorbek O : 5 km :

Gut Moorbeck, Amelhauser Str. 56, ☎ (04433) 2 55, ←, « Gartenterrasse am See », , – ☎ P – 25/40. Zim
16 Z : 29 B.

GROSSENLÜDER **6402.** Hessen 412 413 L 15 – 7 700 Ew – Höhe 250 m – ☎ 06648.

♦Wiesbaden 164 – Alsfeld 30 – Fulda 12,5.

In Großenlüder-Kleinlüder S : 7,5 km :

Landgasthof Hessenmühle, außerhalb (SO : 2,5 km), ☎ (06650) 2 71, Fax 8356,
– TV ☎ P – 25/50. AE E
2.- 21. Jan. geschl. – **M** a la carte 27/55 – **30 Z : 60 B** 68 - 115 Fb.

GROSSER MÜGGELSEE Berlin siehe Berlin.

GROSSER TREPPELSEE Brandenburg siehe Eisenhüttenstadt.

GROSS-GERAU **6080.** Hessen 412 413 I 17, 987 ㉕ – 14 500 Ew – Höhe 90 m – ☎ 06152.
♦Wiesbaden 32 – Mainz 24 – ♦Darmstadt 14 – ♦Frankfurt am Main 31 – ♦Mannheim 58.

Adler, Frankfurter Str. 11, ☎ 80 90, Fax 809503, ≘s, ☐ – |♯| ☐ ☎ Ⓟ – 🔔 25/150. ⚞
80 Z : 135 B Fb.

GROSSHEIRATH Bayern siehe Coburg.

GROSSHEUBACH **8766.** Bayern 412 413 K 17 – 4 600 Ew – Höhe 125 m – Erholungsort – ☎ 09371 (Miltenberg).
♦München 354 – Aschaffenburg 38 – Heidelberg 77 – Heilbronn 83 – ♦Würzburg 78.

Rosenbusch, Engelbergweg 6, ☎ 81 42, ≘s – ⇐ Ⓟ. E. ⚞ Zim
20. Feb.- 20. März und 15.- 29. Nov. geschl. – **M** *(Donnerstag geschl.)* a la carte 23/41 ♁ –
18 Z : 36 B 52/62 - 96/104.

Zur Krone mit Zim, Miltenberger Str. 1, ☎ 26 63 – Ⓟ. E
29. Juli - 17. Aug. und 3.- 29. Nov. geschl. – **M** *(Montag geschl.)* a la carte 32/65 – **8 Z : 15 B**
48/65 - 85/105.

GROSSKARLBACH Rheinland-Pfalz siehe Dirmstein.

GROSSKROTZENBURG Bayern siehe Kahl am Main.

GROSSMAISCHEID Rheinland-Pfalz siehe Dierdorf.

GROSS MECKELSEN Niedersachsen siehe Sittensen.

GROSSOSTHEIM **8754.** Bayern 412 413 K 17 – 13 100 Ew – Höhe 137 m – ☎ 06026.
♦München 363 – ♦Darmstadt 39 – ♦Frankfurt am Main 44.

In Großostheim 2-Ringheim W : 4 km :

Landhaus Hotel - Weinstube Zimmermann 🔇, Ostring 8b, ☎ 60 81, Fax 2212 – ☐ ☎ Ⓟ
M *(nur Abendessen, Sonntag und Aug.- Sept. 3 Wochen geschl.)* a la carte 33/53 – **20 Z : 37 B**
70/85 - 105/125 Fb.

GROSS-UMSTADT **6114.** Hessen 412 413 J 17, 987 ㉕ – 19 500 Ew – Höhe 160 m – ☎ 06078.
♦Wiesbaden 67 – ♦Darmstadt 22 – ♦Frankfurt am Main 37 – ♦Mannheim 75 – ♦Würzburg 108.

Brüder - Grimm - Hotel 🔇 garni, Krankenhausstr. 8, ☎ 78 40, Fax 784444 – |♯| ☐ ☎ ♿
Ⓟ – 🔔 25/60. AE ◑ E VISA
51 Z : 71 B 110/180 - 170/250 Fb.

Gästehaus Jakob 🔇 garni, Zimmerstr. 43, ☎ 20 28, Fax 74156, ≤, ☐, 🌳 – ☐ ☎ ⇐
Ⓟ. AE E VISA. ⚞
26 Z : 46 B 55/78 - 88/98 Fb.

GROSS WITTENSEE Schleswig-Holstein siehe Eckernförde.

GRÜNBERG **6310.** Hessen 412 413 J 15, 987 ㉕ – 11 700 Ew – Höhe 273 m – Luftkurort – ☎ 06401.
ℹ Fremdenverkehrsamt, Rabegasse 1 (Marktplatz), ☎ 8 04 54, Fax 80477.
♦Wiesbaden 102 – ♦Frankfurt am Main 73 – Gießen 22 – Bad Hersfeld 72.

Sporthotel Sportschule 🔇, Am Tannenkopf (O : 1,5 km), ☎ 80 20, Fax 802166, 🏞,
« Park », ≘s, ☐, 🌳, 🎾 (Halle) – |♯| ☐ ☎ Ⓟ – 🔔 25/70. E. ⚞ Rest
22.- 31. Dez. geschl. – **M** *(Sonntag ab 15 Uhr geschl.)* a la carte 40/63 – **52 Z : 98 B** 85 - 145 Fb.

An der Autobahn A 48 NW : 6 km :

Raststätte Reinhardshain, Nordseite, ✉ 6310 Grünberg 1, ☎ (06401) 88 90, Fax 88911,
🏞 – ⇔ ☐ ☎ ⇐ Ⓟ – 🔔 25/40. ◑ E VISA
M a la carte 22/45 – **26 Z : 50 B** 68/88 - 100/146.

GRÜNENPLAN Niedersachsen siehe Delligsen.

GRÜNSTADT 6718. Rheinland-Pfalz 412 H 18, 987 ㉔ – 12 400 Ew – Höhe 165 m – ✆ 06359.

Mainz 59 – Kaiserslautern 36 – ◆Mannheim 29 – Neustadt an der Weinstraße 28.

In Grünstadt-Asselheim N : 2 km :

🏠 **Pfalzhotel Asselheim**, Holzweg 6, ✆ 8 00 30, Fax 800399, 🍽, ☎s, ▣ – ▥ ☎ ⇦ 🅿
– 🛁 25/80. ⑩ Ⓔ 𝘝𝘐𝘚𝘈
M *(Sonntag 15 Uhr - Montag geschl.)* a la carte 32/66 – **32 Z : 60 B** 75/95 – 130/180 Fb –
2 Fewo 60/100.

In Neuleiningen **6719** SW : 3 km :

✗✗ **Liz' Stuben**, Am Goldberg 2, ✆ (06359) 53 41, 🍽 – 🅿
nur Abendessen, Montag, Sonn- und Feiertage sowie 20. Dez.- 15. Jan. geschl. –
M (Tischbestellung erforderlich) a la carte 62/80.

GRÜNWALD Bayern siehe München.

GRUND, BAD 3362. Niedersachsen 411 N 11, 987 ⑮ ⑯ – 3 100 Ew – Höhe 325 m – Moor
Heilbad – ✆ 05327.

🆘 Kurverwaltung, Clausthaler Str. 38, ✆ 20 21, Fax 2626.

◆Hannover 90 – ◆Braunschweig 77 – Göttingen 66 – Goslar 29.

🏠 **Pension Berlin** ⬙, von-Eichendorff-Str. 18, ✆ 20 72, Fax 2618, ☎s, ▣, 🌳 – ▥ ☎ 🅿
Mitte Nov.- Mitte Dez. geschl. – (Restaurant nur für Hausgäste) – **22 Z : 39 B** 59/71 – 100/112 Ft
– ½ P 63/84.

🏠 **Jägerstieg** ⬙, von-Eichendorff-Str. 9, ✆ 27 62, Fax 1774, ☎s, ▣, 🌳 – 🛗 ▥ ☎ ⇦ 🅿
ⒶⒺ ⑩ Ⓔ 𝘝𝘐𝘚𝘈
(Restaurant nur für Hausgäste) – **15 Z : 27 B** 52/68 – 104/110 – ½ P 66/82.

🏠 **Rolandseck** ⬙, von-Eichendorff-Str. 10, ✆ 13 03, ☎s, ▣, 🌳 – ▥ ⇦ 🅿
(Restaurant nur für Hausgäste) – **14 Z : 24 B** Fb.

GRUNDHOF 2391. Schleswig-Holstein 411 L 2 – 1 000 Ew – Höhe 35 m – ✆ 04636.

◆Kiel 88 – Flensburg 19 – Schleswig 47.

✗ Grundhof Krug mit Zim, Holnisser Weg 4, ✆ 10 88, 🍽 – ▥ 🅿 – 🛁 25/60
5 Z : 10 B.

GSCHWEND 7162. Baden-Württemberg 413 M 20 – 4 300 Ew – Höhe 475 m – Erholungsor
– ✆ 07972.

◆Stuttgart 55 – Schwäbisch Gmünd 19 – Schwäbisch Hall 27.

In Gschwend-Mittelbronn SO : 7 km :

✗ **Stern,** Eschacher Str. 74, ✆ 4 98, Fax 6322 – 🅿. ⑩
Mittwoch und Mitte Jan.- Mitte Feb. geschl. – **M** a la carte 28/54 🍷.

GSTADT AM CHIEMSEE 8211. Bayern 413 U 23, 987 ㊲, 426 J 5 – 1 000 Ew – Höhe 534 n
– Erholungsort – ✆ 08054.

Sehenswert : Chiemsee★.

◆München 94 – Rosenheim 27 – Traunstein 27.

🏠 **Gästehaus Grünäugl** garni, Seestr. 1, ✆ 5 35, Fax 7743, ≤ – ☎ ⇦. 🛇
Mitte Nov.- Mitte Jan. geschl. – **14 Z : 28 B** 85 – 100 – 2 Fewo 150.

🏠 **Pension Jägerhof** garni, Breitbrunner Str. 5, ✆ 2 42, ☎s, 🌳 – 🅿. 🛇
Ostern - Okt. – **30 Z : 50 B** 49/60 – 88/116.

🏠 **Gästehaus Heistracher** garni, Seeplatz 3, ✆ 2 51, ≤ – ⇦ 🅿
23 Z : 46 B 45/65 – 75/95.

GÜGLINGEN 7129. Baden-Württemberg 412 413 K 19 – 4 500 Ew – Höhe 220 m – ✆ 0713
(Brackenheim).

◆Stuttgart 48 – Heilbronn 20 – ◆Karlsruhe 54.

🏠 **Herzogskelter** (historisches Gebäude a.d. 16. Jh.), Deutscher Hof 1, ✆ 17 70, Fax 17777
🛗 ▥ ☎ 🅿 – 🛁 40. ⒶⒺ ⑩ Ⓔ 𝘝𝘐𝘚𝘈
2.- 16. Jan. geschl. – **M** a la carte 40/71 – **33 Z : 60 B** 88/155 – 135/200.

In Güglingen-Frauenzimmern O : 2 km :

🏠 **Gästehaus Löwen,** Brackenheimer Str. 23, ✆ 61 09 – ▥ ☎ 🅿
← *Weihnachten - Mitte Jan. geschl.* – **M** *(im Gasthof Löwen)* (Mittwoch und Juli - Aug. 3 Woche
geschl.) a la carte 22/40 🍷 – **14 Z : 30 B** 75/85 – 110/120 Fb.

GÜNZBURG **8870.** Bayern 413 N 21, 987 ㊱ – 18 500 Ew – Höhe 448 m – ☎ 08221.
Schloß Klingenburg (SO : 19 km), ☎ (08225)30 30.
München 112 – ◆Augsburg 54 – ◆Nürnberg 147 – ◆Ulm (Donau) 29.

Zettler, Ichenhauser Str. 26a, ☎ 3 00 08, Fax 6714, – – 25/60. AE E VISA. Rest
1.- 7. Jan. geschl. – **M** *(Sonn- und Feiertage ab 18 Uhr geschl.)* a la carte 44/80 – **26 Z : 52 B** 125/150 - 165/195 Fb -(Anbau mit ca. 50 B ab Frühsommer 1992).

Bettina garni, Augsburger Str. 68, ☎ 3 19 80, Fax 21542 – .
11 Z : 19 B 76/86 - 108/118.

In Ichenhausen **8873** S : 11 km über B 16 :

Zum Hirsch, Heinrich-Sinz-Str. 1, ☎ (08223) 20 33, Fax 2034, Biergarten – – 25/70. E VISA – *1.- 6. Jan. und 10.- 21. Aug. geschl.* – **M** *(auch vegetarische Gerichte)* (Sonntag ab 15 Uhr geschl.) a la carte 21/45 – **25 Z : 39 B** 45 - 85/95 Fb.

GÜSTROW **O-2600.** Mecklenburg-Vorpommern 411 T 5, 987 ⑥ ⑦ – 39 000 Ew – Höhe 10 m
☎ 0037851.
ehenswert : Schloß★ – Dom (Apostelstatuen★) – Gertrudenkapelle : Ernst-Barlach-iedenkstätte★.
Güstrow-Information, Gleviner Str. 33, ☎ 6 10 23.
Berlin 199 – ◆Lübeck 129 – Neubrandenburg 87 – ◆Rostock 41.

Zuckerfabrik - Restaurant Zuckerhut, Verbindungs-Chaussee 7 a, ☎ 5 54 00 (Hotel) 6 40 55(Rest.) – . Zim
M a la carte 33/51 – **43 Z : 83 B** 65 - 90 Fb.

Schloßgaststätte, Franz-Parr-Platz 1 (im Schloß), ☎ 6 30 30 – .

GÜTENBACH **7741.** Baden-Württemberg 413 H 22 – 1 450 Ew – Höhe 860 m – Luftkurort –
☎ 07723 (Furtwangen).
Stuttgart 149 – Donaueschingen 37 – ◆Freiburg im Breisgau 41.

Auf dem Neueck O : 3 km – Höhe 984 m

Neu-Eck, Vordertalstr. 53, ✉ 7741 Gütenbach, ☎ (07723) 20 83, Telex 792929, Fax 5361, ←, – . AE E VISA
März 2 Wochen und Mitte Nov.- Mitte Dez. geschl. – **M** *(Dienstag geschl.)* a la carte 28/55 – **65 Z : 120 B** 90/120 - 130/150.

GÜTERSLOH **4830.** Nordrhein-Westfalen 411 412 I 11, 987 ⑭ – 87 000 Ew – Höhe 94 m –
☎ 05241.
Rietberg (③ : 8 km), ☎ (05244) 23 40.
Verkehrsverein, Rathaus, Berliner Str. 70, ☎ 82 27 49.
Düsseldorf 156 ④ – Bielefeld 17 ② – Münster (Westfalen) 57 ⑤ – Paderborn 45 ④.

Stadtplan siehe nächste Seite

Parkhotel Gütersloh, Kirchstr. 27, ☎ 87 70, Telex 933641, Fax 877400, , « Geschmackvolle, elegante Einrichtung, Park », Massageabteilung, – Rest – 25/140. AE E VISA. Rest BZ **n**
M a la carte 55/79 – **Brasserie** *(nur Abendessen, Sonntag und Juli - Aug. 3 Wochen geschl.)*
M a la carte 42/56 – **102 Z : 180 B** 205/220 - 250/270 Fb – 5 Appart. 420/550.

Stadt Gütersloh, Kökerstr. 23, ☎ 17 11, Fax 13497, « Elegant-rustikale Einrichtung », – – 25/60. AE E VISA BZ **e**
M *(nur Abendessen, Sonntag geschl.)* 38/109 – **54 Z : 95 B** 130/155 - 170/230 Fb.

Am Rathaus garni, Friedrich-Ebert-Str. 62, ☎ 1 30 44 – . AE E VISA.
18 Z : 26 B 128 - 168 Fb. BY **b**

Stadt Hamburg, Feuerbornstr. 9, ☎ 5 89 11 – AZ **r**
(nur Abendessen) – **19 Z : 37 B** Fb.

Center Hotel garni, Kökerstr. 6, ☎ 2 80 25 – BZ **c**
24 Z : 32 B Fb.

Appelbaum, Neuenkirchener Str. 59, ☎ 5 11 76, Fax 58763 – . E AZ **s**
M *(nur Abendessen, Sonn- und Feiertage geschl.)* a la carte 27/46 – **9 Z : 12 B** 65/75 - 100/115.

Zur Deele, Kirchstr. 13, ☎ 2 83 70 – AE E VISA AZ **v**
nur Abendessen, Samstag geschl. – **M** *(auch vegetarische Gerichte)* (Tischbestellung ratsam) a la carte 37/68.

Stadthalle, Friedrichstr. 10, ☎ 86 42 69, Fax 28234, – – 25/140. AE E VISA
Samstag bis 18 Uhr und Montag geschl. – **M** a la carte 36/70. AZ

In Gütersloh 1-Spexard ③ : 2 km :

Waldklause, Spexarder Str. 205, ☎ 7 30 51, Fax 77185 – – 25/80. AE E VISA – *Aug. 3 Wochen geschl.* – **M** *(wochentags nur Abendessen, Sonntag ab 14 Uhr geschl.)* a la carte 35/60 – **25 Z : 45 B** 65/70 - 105/120 Fb.

GÜTERSLOH

Berliner Straße	AZ	
Kökerstraße	BZ	19
Königstraße	AZ	
Moltkestraße	AY	22
Barkeystraße	AZ	2
Brockhäger Straße	AY	3
Carl-Miele-Straße	BY	4
Dalkestraße	AZ	7
Daltropstraße	AZ	8
Eickhoffstraße	BYZ	11
Feldstraße	AYZ	12
Feuerbornstraße	AZ	1
Herzebrocker Straße	AZ	1
Kahlertstraße	BY	1
Lindenstraße	BZ	2
Münsterstraße	AZ	2
Schulstraße	AY	2
Strengerstraße	BY	2

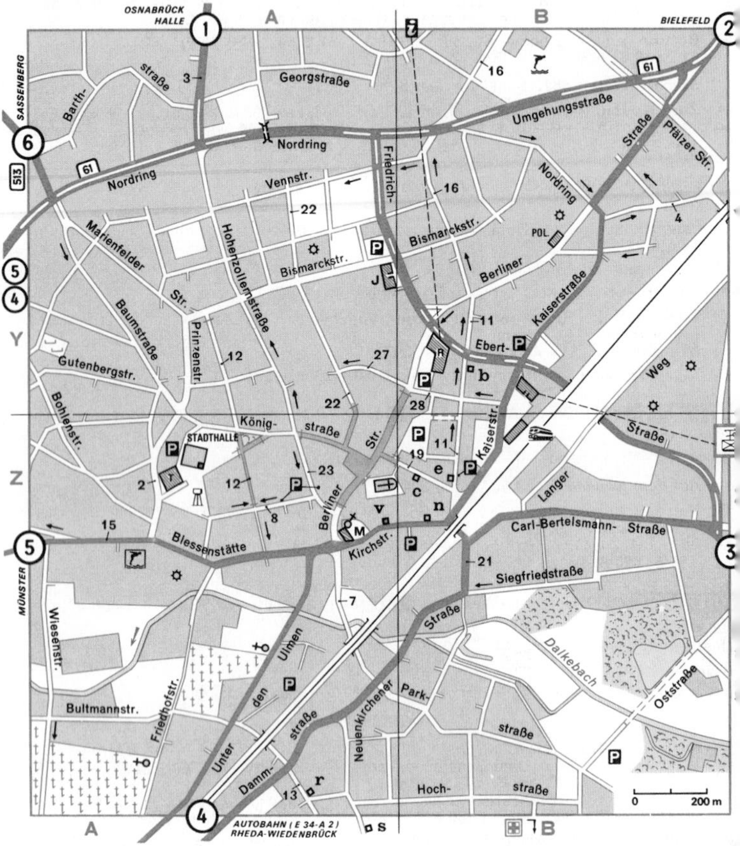

In Verl **4837** SO : 11 km über ③ :

XX ✿ **Bürmann's Hof,** Kirchplatz 5, ✆ (05246) 79 70, « Fachwerkhaus mit rustikale Einrichtung » – Ⓟ. E
Sonntag - Montag, April 2 Wochen und Juli - Aug. 3 Wochen geschl. – **M** 65/98 und a la cart 52/82.

Eine Karte aller Orte mit
Menu, ✿, ✿✿ oder ✿✿✿ finden Sie in der Einleitung.

GULDENTAL **6531.** Rheinland-Pfalz 412 G 17 – 2 600 Ew – Höhe 150 m – ☎ 06707.
Mainz 44 – •Koblenz 67 – Bad Kreuznach 7.

XXX ✿✿ **Le Val d'Or,** Hauptstr. 3, ✆ 17 07, Fax 8489, 🏡 – ⓓ E
Dienstag - Freitag nur Abendessen, Montag, Jan. 3 Wochen und Aug. 2 Wochen geschl. – *(bemerkenswerte Weinkarte)* (Tischbestellung erforderlich) 121/151 und a la carte 92/123
Spez. Kalbsbriesparfait, Gefüllte Bresse-Taube in Blätterteig, Dessert-Impressionen.

X **Der Kaiserhof** mit Zim, Hauptstr. 2, ✆ 87 46
Menu *(abends Tischbestellung ratsam)* (Dienstag geschl.) a la carte 32/58 ♨ – **5 Z : 10** 50-90

GUMMERSBACH **5270.** Nordrhein-Westfalen 412 F 13, 987 ㉔ – 50 500 Ew – Höhe 250 m – ☎ 02261.

ADAC Hindenburgstr. 43, ☎ 2 36 77, Notruf ☎ 1 92 11.

Düsseldorf 91 – ♦Köln 54 – Lüdenscheid 44 – Siegen 55.

Theile garni, Karlstr. 9, ☎ 2 25 07 – ☎ P
Weihnachten - Anfang Jan. geschl. – **17 Z : 25 B** 35/60 - 70/90.

In Gummersbach-Becke NO : 3 km :

Stremme, Beckestr. 55, ☎ 2 27 67 – TV ☎ P – 30. E VISA
M *(Freitag geschl.)* a la carte 25/55 – **18 Z : 30 B** 65/85 - 120/150.

In Gummersbach-Derschlag SO : 6 km :

Huland, Kölner Str. 26, ☎ 5 31 51, Telex 8874532, – TV ☎ P. AE E VISA
2.- 22. Jan. und Juli - Aug. 3 Wochen geschl. – **M** *(Montag geschl.)* a la carte 33/54 – **18 Z : 32 B** 40/80 - 98/140 Fb.

Haus Charlotte garni, Kirchweg 3, ☎ 5 21 11, – ☎ P. E VISA
22. Dez.- 8. Jan. geschl. – **12 Z : 20 B** 35/60 - 80/100.

In Gummersbach-Dieringhausen S : 7 km :

XXX ✿ **Die Mühlenhelle** mit Zim, Hohler Str. 1, ☎ 7 50 97, Fax 72401, « Elegante Einrichtung » – Rest TV ☎ P. E.
Jan. 1 Woche und Juli - Aug. 3 Wochen geschl. – **M** *(bemerkenswerte Weinkarte)* (Sonntag 14 Uhr - Montag geschl.) 78/118 und a la carte 67/104 – **7 Z : 11 B** 85 - 150
Spez. Wachtelroulade mit Gänsestopfleber, Lachs in der Kartoffel-Kräuterkruste, Lammnüßchen in Kräuterkruste mit Schalottensauce.

In Gummersbach-Hülsenbusch W : 7 km :

XX **Schwarzenberger Hof,** Schwarzenberger Str. 48, ☎ 2 21 75 – P. E
3.- 17. Aug., 24. Dez.- 10. Jan. und Montag geschl. – Menu a la carte 31/69.

In Gummersbach-Lieberhausen NO : 10 km :

Landgasthof Reinhold , Kirchplatz 2, ☎ (02354) 52 73, Fax 5873, – ☎ P. E VISA
M *(auch vegetarische Gerichte)* (Donnerstag geschl.) a la carte 22/40 – **13 Z : 26 B** 35/48 - 60/85.

In Gummersbach-Rospe S : 2 km :

Tabbert, Hardtstr. 28, ☎ 2 10 05, Fax 28565, – TV ☎ P.
11.- 26. April geschl. – (nur Abendessen für Hausgäste) – **22 Z : 28 B** 48/75 - 100/120.

In Gummersbach-Vollmerhausen S : 6 km :

Parr, Vollmerhauser Str. 8, ☎ 7 71 49, Fax 78036, , , – ☎ P – 25/50
M a la carte 26/56 – **31 Z : 60 B** 45/160 - 85/180.

In Gummersbach-Windhagen N : 1,5 km :

Heedt, an der B 256, ☎ 6 50 21, Telex 884400, Fax 28161, « Park, gemütliche Restaurant-Stuben », , , , – TV P – 25/120. AE E VISA. Rest
M a la carte 45/74 – **120 Z : 220 B** 93/165 - 176/280 Fb.

GUNDELSHEIM **6953.** Baden-Württemberg 412 413 K 19, 987 ㉕ – 6 900 Ew – Höhe 154 m ☎ 06269.

Ausflugsziel : Burg Guttenberg★ : Greifvogelschutzstation SW : 2 km.

Stuttgart 75 – Heidelberg 50 – Heilbronn 20.

Zum Lamm, Schloßstr. 25, ☎ 10 61, Fax 1760 – TV ☎ P. E
M *(Donnerstag geschl.)* a la carte 35/67 – **24 Z : 48 B** 70/120 - 98/140 Fb.

GUNZENHAUSEN **8820.** Bayern 413 P 19, 987 ㉖ – 16 000 Ew – Höhe 422 m – ☎ 09831.

Städt. Verkehrsamt, Marktplatz 25, ☎ 5 08 76, Fax 50879.

München 152 – Ansbach 28 – Ingolstadt 73 – ♦Nürnberg 53.

Zur Post (fränkischer Gasthof a.d. 17. Jh.), Bahnhofstr. 7, ☎ 70 61, Fax 9285, – TV ☎ P
26 Z : 44 B Fb.

Grauer Wolf, Marktplatz 9, ☎ 90 58 – TV ☎ P. AE E
M *(Samstag geschl.)* a la carte 22/42 – **15 Z : 23 B** 60/75 - 90/120.

Krone, Nürnberger Str. 7, ☎ 6 08/36 08, Fax 50127, – TV ☎ P. AE E VISA
2.- 26. Jan. geschl. – **M** *(Freitag geschl.)* a la carte 25/56 – **16 Z : 32 B** 60 - 92.

In Pfofeld-Langlau **8821** O : 10 km :

Seehof-Langlau , Seestr. 33, ☎ (09834) 16 63, Fax 1707, ←, – TV ☎ P – 25/50. AE E VISA
3.- 31. Jan. geschl. – **M** *(auch vegetarische Gerichte)* a la carte 32/63 – **11 Z : 33 B** 90/118 - 130/180 Fb.

GUTACH IM BREISGAU **7809.** Baden-Württemberg 413 G 22, 242 ㉜ – 3 600 Ew – Höh 290 m – ☎ 07681 (Waldkirch).

Golfstraße, ✆ 2 12 43.

♦Stuttgart 208 – ♦Freiburg im Breisgau 21 – Offenburg 66.

In Gutach-Bleibach NO : 2 km – Erholungsort :

Silberkönig ⛰, Am Silberwald 24, ✆ (07685) 4 91, Fax 1031, ≤, 🏖, ≘s, 🌳, 🎾 – |$
TV ☎ ♿ P – 🏛 25/80. AE ① E VISA. ✂ Rest
M *(Sonntag geschl.)* a la carte 44/68 – **41 Z : 86 B** 90 - 160 Fb – 3 Appart. 280.

In Gutach-Siegelau NW : 3 km :

Bären ⛰, Talstr. 17, ✆ (07685) 2 74, 🏖 – P
März 3 Wochen geschl. – **M** *(Dienstag geschl.)* a la carte 19/27 🍷 – **12 Z : 23 B** 38 - 70 F

In Gutach-Stollen NO : 1 km :

Romantik-Hotel Stollen ⛰, Elzacher Str. 2, ✆ (07685) 2 07, Fax 1550, « Behaglich Einrichtung » – TV ☎ 🚗 P. AE E VISA. ✂ Zim
10.- 25. Jan. geschl. – **M** *(Dienstag - Mittwoch 18 Uhr geschl.)* a la carte 46/78 – **12 Z : 20** 95/120 - 150/200 Fb.

GUTACH (SCHWARZWALDBAHN) **7625.** Baden-Württemberg 413 H 22 – 2 300 Ew – Höh 300 m – Erholungsort – ☎ 07833 (Hornberg).

Sehenswert : Freilichtmuseum Vogtsbauernhof★★ (N : 2 km).

Ausflugsziel : Landwassereck ≤★ SW : 7 km.

♦Stuttgart 136 – ♦Freiburg im Breisgau 48 – Offenburg 41 – Villingen-Schwenningen 39.

Linde ⛰, Ramsbachweg 234, ✆ 3 08, 🏖, ≘s, 🏊, 🌳 – |$| P. E
15. Jan.- 15. Feb. geschl. – **M** a la carte 21/41 🍷 – **24 Z : 40 B** 40/50 - 75/85.

GUTENZELL-HÜRBEL Baden-Württemberg siehe Ochsenhausen.

GUTTENBERG (BURG) Baden-Württemberg siehe Hassmersheim.

GYHUM Niedersachsen siehe Zeven.

HAAN **5657.** Nordrhein-Westfalen 411 412 E 13 – 28 000 Ew – Höhe 165 m – ☎ 02129.

♦Düsseldorf 19 – ♦Köln 40 – Wuppertal 14.

Savoy garni, Neuer Markt 23, ✆ 5 00 06, Fax 54963, ≘s, 🏊 – |$| ⇔ TV ♿ 🚗 – 🏛 4
AE ① E VISA
24. Dez.- 2. Jan. geschl. – **86 Z : 134 B** 175/240 - 270/310 Fb.

Schallbruch, Schallbruch 15 (nahe der B 228, NO : 2 km), ✆ 30 44, Fax 3034, ≘s, 🏊
|$| TV ☎ P. AE ① E VISA. ✂ Rest
(nur Abendessen für Hausgäste) – **49 Z : 58 B** 95/115 - 140/180 Fb.

Friedrich Eugen Engels ⛰, Hermann-Löns-Weg 14, ✆ 30 10, Fax 3070, ≘s, 🏊, 🌳
TV ☎ 🚗 P. ✂ Zim
24. Dez.- 2. Jan. geschl. – **M** *(Donnerstag und Aug. geschl.)* a la carte 34/54 – **20 Z : 29 B** 70/9 - 130/150.

Jakobs ⛰ garni, Neustr. 11, ✆ 40 45, Fax 2432 – TV ☎ 🚗. E
14 Z : 20 B 70/95 - 115/125.

HAAR Bayern siehe München.

HACHENBURG **5238.** Rheinland-Pfalz 412 G 15, 987 ㉔ – 5 000 Ew – Höhe 370 m – Luftkurc – ☎ 02662.

Ausflugsziel : Abteikirche Marienstatt, N : 4 km.

beim Dreifelder Weiher (S : 10 km), ✆ (02666) 82 20.

Städt. Verkehrsamt, Mittelstr. 2, (Rathaus), ✆ 63 83.

Mainz 106 – ♦Koblenz 54 – ♦Köln 82 – Limburg an der Lahn 46 – Siegen 55.

Friedrich mit Zim, Graf-Heinrich-Str. 2, ✆ 10 71, 🏖 – TV ☎ 🚗 P. AE ① E VISA
Jan. geschl. – **M** *(Montag geschl.)* a la carte 38/68 – **7 Z : 14 B** 52/58 - 95/98.

In Limbach **5239** N : 6,5 km :

Waldesruh ⛰, Hardtweg 5, ✆ (02662) 71 06, 🏖, 🌳 – P. E. ✂
15. Jan.- 10. Feb. und 20.- 31. Okt. geschl. – **M** *(Montag - Dienstag geschl.)* a la carte 32/6 – **14 Z : 24 B** 50 - 100 Fb.

HACKENHEIM Rheinland-Pfalz siehe Kreuznach, Bad.

HADAMAR **6253.** Hessen 412 H 15, 987 ㉔ – 11 000 Ew – Höhe 130 m – ☎ 06433.

♦Wiesbaden 60 – ♦Koblenz 57 – Limburg an der Lahn 8,5.

Nassau-Oranien, Borngasse 21, ✆ 88 90, Fax 5914, ≘s, 🏊 – |‡| TV ☎ ♿ P – 🏛 25/60. AE ① E VISA
M a la carte 44/70 – **52 Z : 108 B** 95/115 - 140/350 Fb.

In Hadamar 2-Niederhadamar :

Zur Sonne, Mainzer Landstr. 119, ✆ 42 70 – TV ☎ P. AE ① E VISA
Juli 2 Wochen geschl. – **M** *(Mittwoch geschl.)* a la carte 21/49 – **10 Z : 20 B** 48/60 - 90/150.

In Hadamar 3-Oberzeuzheim :

Waldhotel Hubertus ⛰, Waldstr. 12, ✆ 33 00, ≘s, 🏊, – P. ✗
Nov.- 20. Dez. geschl. – (Restaurant nur für Hausgäste) – **21 Z : 37 B** 45 - 90.

Ristoranti a Menu, ✿, ✿✿ o ✿✿✿ : vedere le pagine dell'introduzione.

HÄUSERN **7822.** Baden-Württemberg 413 H 23, 427 I 2, 216 ⑥ – 1 300 Ew – Höhe 875 m – Luftkurort – Wintersport : 850/1 200 m ⛷ 1 ⛷ 2 – ☎ 07672 (St. Blasien).

ℹ Kur- und Sporthaus, St.-Fridolin-Str. 5a, ✆ 14 62.

♦Stuttgart 186 – Basel 66 – Donaueschingen 60 – ♦Freiburg im Breisgau 58 – Waldshut-Tiengen 22.

✿ **Adler,** St.-Fridolin-Str. 15, ✆ 41 70, Fax 417150, ≘s, 🏊, , – |‡| TV P. AE ① E VISA
9. Nov.- 17. Dez. geschl. – **M** *(Montag - Dienstag geschl.)* 65/120 und a la carte 52/86 – **44 Z : 76 B** 77/130 - 120/206 Fb – 4 Appart. 220/360 – ½ P 105/150
Spez. Adlerwirt's Fischteller, Ochsenschwanzragout, Rehmedaillons mit Preiselbeerpfeffersauce.

Albtalblick, St. Blasier Str. 9 (W : 1 km), ✆ 5 10, Fax 9580, ≤ Albtal mit Albsee, , Bade- und Massageabteilung, , ≘s, – |‡| ☎ P. AE ① E VISA
15.- 30. Jan. geschl. – **M** a la carte 25/55 – **40 Z : 60 B** 48/150 - 96/210 Fb – 10 Fewo 45/100 – ½ P 67/125.

Chämi-Hüsle, St.-Fridolin-Str. 1, ✆ 41 70 (über Hotel Adler) – P
wochentags nur Abendessen, Dienstag - Mittwoch und 9. Nov.- 22. Dez. geschl. – **M** a la carte 30/49.

HAGEN **5800.** Nordrhein-Westfalen 411 412 F 12, 987 ⑭ – 216 000 Ew – Höhe 105 m – ☎ 02331.

Sehenswert : Westf. Freilichtmuseum Technischer Kulturdenkmale★★ (SO : 4 km über Eilper Straße Z).

Hagen-Berchum (über Haldener Str. Y), ✆ (02334) 5 17 78.

✆ 6 07 00.

ℹ Hagen-Information, Friedrich-Ebert-Platz (Rathaus), ✆ 1 35 73.

ADAC Körnerstr. 62, ✆ 2 43 16, Notruf ✆ 1 92 11.

♦Düsseldorf 65 ① – Dortmund 27 ① – ♦Kassel 178 ①.

Stadtplan siehe nächste Seite

Queens Hotel, Wasserloses Tal 4, ✆ 39 10, Telex 823441, Fax 391153, , ≘s, 🏊 – |‡| Zim ▤ Rest TV ☎ P – 🏛 25/260. AE ① E VISA — Z b
M a la carte 46/76 – **148 Z : 236 B** 175/210 - 236/388 Fb.

Central-Hotel garni, Dahlenkampstr. 2, ✆ 1 63 02 – |‡| TV ☎. E. ✗ — Z n
Juli - Aug. 2 Wochen und Weihnachten - Neujahr geschl. – **25 Z : 31 B** 80 - 118 Fb.

Deutsches Haus garni, Bahnhofstr. 35, ✆ 2 10 51, Fax 21568 – |‡| TV ☎ – 🏛 30. ① E VISA — Y a
38 Z : 50 B 85/120 - 140/160 Fb.

Lex garni, Elberfelder Str. 71, ✆ 3 20 30, Fax 27793 – |‡| ☎ . ✗ — Y e
55 Z : 65 B 89/98 - 120/140 Fb.

In Hagen 1-Ambrock ④ : 6 km :

Kehrenkamp, Delsterner Str. 172 (B 54), ✆ 7 90 11 – TV ☎ P. AE ① E VISA
M *(Samstag geschl.)* a la carte 35/61 – **19 Z : 33 B** 72 - 115/150.

In Hagen-Dahl ④ : 9 km :

Dahler Schweiz ⛰ mit Zim, Am Hemker Bach 12, ✆ (02337)10 84, Fax 1087, – TV ☎ P – 🏛 60. AE ① E VISA. ✗
27. Dez.- 7. Jan. und Juli - Aug. 3 Wochen geschl. – **M** *(nur Abendessen, Donnerstag sowie Sonn- und Feiertage geschl.)* a la carte 55/79 – **10 Z : 17 B** 85 - 135/165.

HAGEN

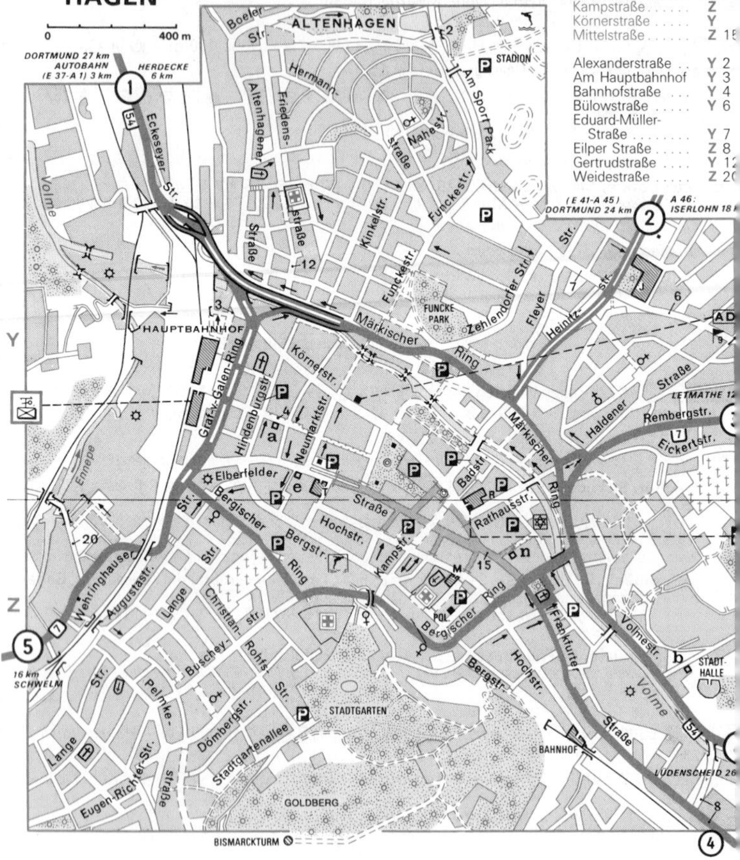

In Hagen 1-Halden O : 5,5 km über Haldener Straße Y :

Landhotel Halden, Berchumer Str. 82, ✆ 5 18 69, Fax 589010 – TV ☎ ⇔ P. AE ⓞ E VISA – *19. Dez.- 15. Jan. geschl.* – **M** a la carte 41/83 – **20 Z : 35 B** 105/115 - 155/165 Fb

In Hagen 7-Haspe ⑤ : 4 km :

Union, Kölner Str. 25, ✆ 4 90 91, Fax 462361, « Renoviertes Jugendstilhaus, elegante Einrichtung » – |≑| TV ☎ P – 🏛 25/60. AE ⓞ E VISA
21.- 31. Dez. geschl. – **M** *(nur Abendessen, Sonntag und Juli geschl.)* a la carte 55/73 – **39 Z : 54 B** 130/170 - 180/210 Fb.

In Hagen 5-Hohenlimburg ③ : 8 km – ✆ 02334 :

Reher Hof, Alter Reher Weg 13 (Ortsteil Reh), ✆ 5 11 83, Fax 51881 – TV ☎ P. E
M *(nur Abendessen, Sonn- und Feiertage geschl.)* a la carte 24/52 – **17 Z : 29 B** 110 - 150.

In Hagen 8-Rummenohl ④ : 13 km :

Dresel, Rummenohler Str. 31 (B 54), ✆ (02337) 13 18, Fax 8981, « Gartenterrasse » – TV ☎ ⇔ P – 🏛 25/150. AE ⓞ E VISA
Juli geschl. – **M** *(Montag - Dienstag geschl.)* a la carte 31/73 – **19 Z : 30 B** 53/94 - 127/152

In Hagen 1-Selbecke SO : 4 km über Eilper Straße Z :

Schmidt, Selbecker Str. 220, ✆ 7 00 77, Fax 70079, ⇔ – TV ☎ ⇔ P. ✱ Zim
(nur Abendessen) – **28 Z : 45 B** Fb.

Auf'm Kamp ⛰, Selbecker Stieg 26, ✆ 7 72 47, <, 🍽 – TV ☎ P
M *(Donnerstag - Freitag 15 Uhr geschl.)* a la carte 29/57 – **14 Z : 23 B** 70 - 110.

HAGNAU **7759.** Baden-Württemberg 413 K 23, 427 LM 2, 216 ⑩ – 1 400 Ew – Höhe 409 m – Erholungsort – ☎ 07532 (Meersburg) –
Verkehrsverein, Seestr. 16, ☎ 68 42.
♦Stuttgart 196 – Bregenz 43 – Ravensburg 29.

Erbguth's Landhaus - Restaurant Kupferkanne (mit Gästehaus), Neugartenstr. 39, ☎ 62 02, Fax 6997, – P. AE E VISA
5. Jan. - 1. März und 20.- 26. Dez. geschl. – **M** *(Dienstag - Mittwoch 18 Uhr geschl.)* a la carte 60/95 – **22 Z : 40 B** 90/200 - 150/360 Fb – ½ P 120/245.

Der Löwen (Fachwerkhaus a.d.J. 1696), Hansjakobstr. 2, ☎ 62 41, « Garten mit Teichanlage », – P. Zim
4. April - 25. Okt. – **M** *(auch vegetarische Gerichte)* (nur Abendessen, Mittwoch geschl.) a la carte 35/54 – **17 Z : 29 B** 65/120 - 120/150 Fb.

Café Hansjakob, Hansjakobstr. 17, ☎ 63 66, Fax 5135, – P.
April - Okt. – **M** *(nur Abendessen)* a la carte 30/50 – **21 Z : 40 B** 70/75 - 128/138 Fb.

Alpina, Höhenweg 10, ☎ 52 38 – P. AE E VISA.
Mitte Dez.- Mitte Jan. geschl. – (nur Abendessen für Hausgäste) – **18 Z : 36 B** 95/120 - 150/230 Fb.

Landhaus Messmer garni, Meersburger Str. 12, ☎ 62 27, Fax 6698, – P.
März - Okt. – **14 Z : 23 B** 85/125 - 140/190.

Strandhaus Dimmeler garni, Seestr. 19, ☎ 62 57, – P.
März - 5. Nov. – **15 Z : 29 B** 55/70 - 110/150 – 2 Fewo 110/150.

Gästehaus Schmäh garni, Kapellenstr. 7, ☎ 62 10, – P
April - Okt. – **16 Z : 32 B** 60/70 - 96/135.

Gästehaus Mohren garni, Sonnenbühl 4, ☎ 94 28, – P – **16 Z : 32 B** 80 - 90/100.

Scharfes Eck garni, Kirchweg 2, ☎ 62 61 – P
März - Nov. – **13 Z : 23 B** 50 - 99.

HAHNHEIM **6501.** Rheinland-Pfalz 412 413 H 17 – 1 300 Ew – Höhe 130 m – ☎ 06737.
Mainz 22 – ♦Frankfurt am Main 62 – ♦Mannheim 55.

Rheinhessen-Stuben, Bahnhofstr. 3, ☎ 12 71 – P
Montag geschl. – **M** a la carte 54/75.

HAIBACH Bayern siehe Aschaffenburg.

HAIDMÜHLE **8391.** Bayern 413 Y 20, 426 N 2 – 1 700 Ew – Höhe 831 m – Erholungsort – Wintersport : 800/1 300 m 3 6 – ☎ 08556.
Ausflugsziel : Dreisessel : Hochstein ★ SO : 11 km.
Verkehrsamt, Schulstr. 39, ☎ 10 64, Fax 713 – ♦München 241 – Freyung 25 – Passau 64.

Café Hochwald, Dreisesselstr. 97, ☎ 3 01, – P
Nov.- Mitte Dez. geschl. – **M** a la carte 16/30 – **24 Z : 45 B** 35 - 68.

Strohmaier, Kirchbergstr. 25, ☎ 4 90, – P – *8. Nov.- 10. Dez. geschl.* – **M** *(außer Saison Dienstag geschl.)* a la carte 22/38 – **21 Z : 36 B** 33/43 - 60/70 – ½ P 45/50.

In Haidmühle-Auersbergsreut NW : 3 km – Höhe 950 m

Haus Auersperg, ☎ 3 53, – P. E. Rest
Nov. 2 Wochen geschl. – **M** a la carte 21/49 – **17 Z : 35 B** 40/45 - 70/75.

In Haidmühle-Frauenberg S : 4 km – Höhe 918 m

Adalbert-Stifter-Haus, Frauenberg 32, ☎ 3 55, – P
Nov.- 20. Dez. geschl. – **M** *(nur Abendessen)* a la carte 26/53 – **15 Z : 30 B** 58/70 - 92/102 Fb – 5 Appart. 106/112.

In Haidmühle-Langreuth NW : 7 km – Höhe 950 m :

Märchenwald, Langreuth 42, ☎ (08550) 2 25, Fax 648, – P. Zim
April und Nov.- Mitte Dez. geschl. – **M** *(Montag geschl.)* a la carte 20/35 – **19 Z : 35 B** 43/50 - 78/102 Fb – 5 Fewo 73/83.

HAIGER **6342.** Hessen 412 H 14 – 19 500 Ew – Höhe 280 m – ☎ 02773.
♦Wiesbaden 130 – Gießen 50 – Siegen 25.

Fuchs garni, Bahnhofstr. 23 (B 277), ☎ 30 68 – P. AE E VISA
11 Z : 15 B 70 - 104 Fb.

La Toscana, Bahnhofstr. 33 (B 277), ☎ 38 38, Fax 2930, – P – 40.

In Haiger-Flammersbach SW : 3 km :

Westerwaldstern Tannenhof, Am Schimberg 1, ☎ 50 11, Fax 71317, – P – 25/120
M a la carte 32/64 – **60 Z : 120 B** 110/170 - 172/350 Fb.

HAIGERLOCH **7452.** Baden-Württemberg 413 J 21, 987 ㉟ – 10 100 Ew – Höhe 425 m – ☎ 07474.

Sehenswert: Lage★★ – ≤★ von der Oberstadtstraße unterhalb der Wallfahrtskirche St. Anna.

ℹ Verkehrsamt, Oberstadtstraße (Rathaus), ☎ 6 97 26.

♦Stuttgart 70 – Freudenstadt 40 – Reutlingen 48 – Villingen-Schwenningen 59.

Römer, Oberstadtstr. 41, ☎ 10 15, Fax 2299 – ☎
16 Z : 28 B Fb.

Krone, Oberstadtstr. 47, ☎ 4 11 – AE E
Aug.- Sept. 3 Wochen geschl. – **M** *(Donnerstag geschl.)* a la carte 24/44 – **10 Z : 18 B** 35 - 70.

In Haigerloch-Bad Imnau NW : 5 km – Kurort :

Eyachperle, Sonnenhalde 2, ☎ 84 36, – .
Mitte Jan.- Mitte Feb. geschl. – **M** *(Mittwoch ab 14 Uhr und Montag geschl.)* a la carte 20/37 – **13 Z : 20 B** 40/55 - 75/85.

HAINBURG Hessen siehe Hanau am Main.

HALBLECH **8959.** Bayern 413 P 24 – 3 000 Ew – Höhe 815 m – Erholungsort – Wintersport : 800/1 500 m 5 6 – ☎ 08368.

ℹ Verkehrsamt, Bergstraße (Buching), ☎ 2 85.

♦München 106 – Füssen 13 – Schongau 23.

In Halblech-Buching 426 E 6 :

Bannwaldsee, Sesselbahnstr. 10, ☎ 8 51, Fax 1379, ≤, , , – ☎ . E VISA Zim
Nov.- 20. Dez. geschl. – **M** a la carte 27/55 – **50 Z : 100 B** 80 - 140/180.

Geiselstein, Füssener Str. 26 (B 17), ☎ 2 60, , , – . Zim
15. Nov.- 15. Dez. geschl. – **M** a la carte 21/38 – **18 Z : 35 B** 30/60 - 70/80 – ½ P 45/65.

Schäder, Romantische Str. 16, ☎ 13 40, – . AE. Zim
Jan. 3 Wochen geschl. – **M** *(Nov.- April Montag geschl.)* a la carte 29/50 – **12 Z : 24 B** 55 - 85 – ½ P 60.

In Halblech-Trauchgau 426 E 6 :

Sonnenbichl , Am Müllerbichl 1, ☎ 8 71, ≤, , , , , (Halle) – ☎
5. Nov.- 21. Dez. geschl. – **M** a la carte 23/44 – **24 Z : 44 B** 60/80 - 100/120 Fb – ½ P 75/95.

HALDENSLEBEN **O-3240.** Sachsen-Anhalt 984 ⑮, 987 ⑯ – 20 000 Ew – Höhe 70 m – ☎ 0037933.

Magdeburg 28 – Brandenburg 117 – Stendal 68.

Roland garni, Magdeburger Str. 2, ☎ 5 34 11 – TV ☎
18 Z : 25 B 55/90 - 105 Fb.

HALFING **8201.** Bayern 413 T 23, 426 I 5 – 2 000 Ew – Höhe 602 m – ☎ 08055.

♦München 68 – Landshut 78 – Rosenheim 17 – Salzburg 76 – Wasserburg am Inn 14.

Schildhauer, Chiemseestr. 3, ☎ 2 28, , , – . Zim
Nov. geschl. – **M** *(Dienstag - Mittwoch 15 Uhr geschl.)* a la carte 20/39 – **30 Z : 60 B** 45/50 - 90.

Kern, Kirchplatz 5, ☎ 2 11, , , –
35 Z : 75 B Fb.

HALLBERGMOOS Bayern siehe Freising.

HALLE **O-4020.** Sachsen-Anhalt 984 ⑲, 987 ⑰ – 230 000 Ew – Höhe 94 m – ☎ 003746.

Sehenswert: Händelhaus ★ – Staatl. Galerie Moritzburg★★ – Marktplatz★ – Marktkirche★ – Moritzkirche (Werke★ von Conrad v. Einbeck).

Ausflugsziel: Merseburg : Dom★★ (Kanzel★, Bronze-Grabplatte★ König Rudolfs) S : 16 km.

ℹ Tourist-Information, Roter Turm, Marktplatz, ☎ 2 33 40.

ADAC Juliot-Curie-Platz 1a, ☎ 2 62 22, Pannenhilfezentrale ☎ 2 95 75.

♦Berlin 155 – Gera 74 – ♦Leipzig 34 – Nordhausen 91.

Stadt Halle, Thälmannplatz 17, ☎ 3 80 41, Telex 4401, Fax 25924, Massage, – TV ☎ – 25/60
340 Z : 380 B Fb.

Rotes Ross, Leipziger Str. 76, ☎ 3 72 71, Fax 26331, Biergarten – TV . AE
M a la carte 20/40 – **45 Z : 100 B** 85/113 - 125/250 Fb.

HALLE IN WESTFALEN **4802.** Nordrhein-Westfalen 411 412 I 10, 987 ⑭ – 18 500 Ew – Höhe 130 m – ☎ 05201.

♦Düsseldorf 176 – Bielefeld 17 – Münster (Westfalen) 60 – ♦Osnabrück 38.

- **St. Georg** garni, Winnebrockstr. 2, ☎ 20 59, Fax 5354 – TV ☎ P. AE E
  21. Dez.- 7. Jan. geschl. – **27 Z : 35 B** 60 - 100 Fb.
- XX Hollmann mit Zim, Alleestr. 20, ☎ 44 20 – TV ☎ P
  8 Z : 15 B.

In Werther **4806** O : 6 km :

- **Kipps Krug,** Engerstr. 61, ☎ (05203) 2 66, Fax 268, Biergarten, (Halle) – TV ☎ P. DC VISA
  M *(Donnerstag geschl.)* a la carte 33/55 – **12 Z : 15 B** 48/75 - 80/110 Fb.

☞ *Per spostarvi più rapidamente utilizzate le carte Michelin "Grandi Strade" :*

n° 970 Europa, n° 980 Grecia, n° 984 Germania, n° 985 Scandinavia-Finlandia, n° 986 Gran Bretagna-Irlanda, n° 987 Germania-Austria-Benelux, n° 988 Italia, n° 989 Francia, n° 990 Spagna-Portogallo, n° 991 Jugoslavia.

HALLENBERG **5789.** Nordrhein-Westfalen 412 I 13, 987 ㉕ – 4 700 Ew – Höhe 385 m – Wintersport : 3 – ☎ 02984.

ℹ Verkehrsverein, Merklinghauser Str. 1, ☎ 82 03.

♦Düsseldorf 200 – ♦Kassel 86 – Korbach 32 – Marburg 45 – Siegen 85 – ♦Wiesbaden 165.

- Diedrich, Nuhnestr. 2 (B 236), ☎ 83 70, Fax 2238, – ☎ P – 25/120
  40 Z : 70 B Fb.
- **Sauerländer Hof,** Merklinghauser Str. 27 (B 236), ☎ 4 21 – TV P
  M a la carte 23/54 – **15 Z : 30 B** 45/60 - 90/120.

In Hallenberg-Hesborn N : 6 km :

- **Zum Hesborner Kuckuck**, Ölfestr. 22, ☎ 4 75, Fax 573, – TV ☎ P. Rest
  8. Nov.- 11. Dez. geschl. – **M** a la carte 28/42 – **53 Z : 117 B** 52/65 - 98/112 Fb.

HALLSTADT Bayern siehe Bamberg.

HALSENBACH Rheinland-Pfalz siehe Emmelshausen.

HALTERN **4358.** Nordrhein-Westfalen 411 412 E 11, 987 ⑭ – 34 000 Ew – Höhe 35 m – ☎ 02364.

Ausflugsziel : Prickings-Hof (NO : 6 km).

ℹ Städt. Verkehrsamt, Altes Rathaus, ☎ 10 02 56.

♦Düsseldorf 79 – Münster (Westfalen) 46 – Recklinghausen 15.

- **Ratshotel,** Mühlenstr. 3, ☎ 34 65 (Hotel) 1 26 42 (Rest.) – TV ☎ P. AE DC E VISA. Zim
  M *(Mittwoch geschl.)* a la carte 28/43 – **12 Z : 24 B** 72/85 - 95/120.

In Haltern 4-Flaesheim SO : 5,5 km :

- **Jägerhof zum Stift Flaesheim,** Flaesheimer Str. 360, ☎ 23 27 – TV P – 40
  25. Juli - 18. Aug. geschl. – **M** *(Dienstag geschl.)* a la carte 34/61 – **11 Z : 22 B** 49/54 - 94/98.

In Haltern-Lippramsdorf W : 5,5 km :

- X **Himmelmann,** Weseler Str. 566 (B 58), ☎ (02360) 15 40, – P. E VISA
  Dienstag und 20. Juni - 20. Juli geschl. – **M** 17/27 (mittags) und a la carte 28/50 .

In Haltern 5-Sythen N : 5 km :

- **Pfeiffer,** Am Wehr 71, ☎ 6 90 66, – ☎ P. AE DC E VISA. Zim
  6.- 31. Juli geschl. – **M** *(Donnerstag - Freitag 15 Uhr geschl.)* a la carte 30/48 – **10 Z : 16 B** 50/80 - 90/110.

HALVER **5884.** Nordrhein-Westfalen 411 412 F 13, 987 ㉔ – 15 800 Ew – Höhe 436 m – ☎ 02353.

Düsseldorf 65 – Hagen 32 – Lüdenscheid 12 – Remscheid 26.

In Halver-Carthausen NO : 4 km :

- **Frommann,** ☎ 6 11, Fax 5113, – TV ☎ P – 30. AE DC E VISA
  M a la carte 30/73 – **22 Z : 38 B** 79/91 - 118/140 Fb.

HAMBERGE Schleswig-Holstein siehe Lübeck.

HAMBURG **2000.** L Stadtstaat Hamburg 411 N 6, 987 ⑤ – 1 650 000 Ew – Höhe 10 m – ✆ 040

Sehenswert : Jungfernstieg★ GY – Außenalster★★★ (Rundfahrt★★★) GHXY – Tierpark Hagenbeck★★ R – Fernsehturm★ (※★★) EX – Kunsthalle★★ HY **M1** – St. Michaelis★ (Turm ※★) EFZ – Stintfang (≤★) EZ – Hafen★★ EZ – Museum für Kunst und Gewerbe★ HY **M2** – Museum für Hamburgische Geschichte★ EYZ **M3** – Postmuseum★ FY **M4** – Park "Planten un Blomen"★ EFX – Hamburgisches Museum für Völkerkunde★ BT **M5**.

Ausflugsziele : Norddeutsches Landesmuseum★★ AT **M6** – Altonaer Balkon ≤★ AT **S** – Elbchaussee★ S.

⛳ Hamburg-Blankenese, In de Bargen 59 (W : 17 km), ✆ 81 21 77 ; ⛳ Ammersbek (15 km über die B 434 R), ✆(040) 6 05 13 37 ; ⛳ Hamburg-Wendlohe (N : 14 km über die B 432 R) ✆ 5 50 50 14 ; ⛳ Wentorf, Golfstr. 2 (③ : 21 km), ✆ (040) 7 20 26 10.

✈ Hamburg-Fuhlsbüttel (N : 15 km R), ✆ 50 80.

🚗 ✆ 39 18 45 56.

Messegelände (EFX), ✆ 3 56 91, Telex 212609.

ℹ Tourismus-Zentrale Hamburg, Burchardstr. 14, ✆ 30 05 10, Telex 2163036, Fax 30051253.

ℹ Tourist-Information im Bieberhaus, Hachmannplatz, ✆ 30 05 12 45.

ℹ Tourist-Information, Hafen, Landungsbrücke 4-5, ✆ 30 05 12 00.

ℹ Tourist-Information im Flughafen, Terminal 3 (Ankunft), ✆ 30 05 12 40.

ADAC Amsinckstr. 39 (H 1), ✆ 2 39 90, Notruf ✆ 1 92 11.

♦Berlin 289 ③ – ♦Bremen 120 ⑥ – ♦Hannover 151 ⑤.

Die Angabe (H 15) nach der Anschrift gibt den Postzustellbezirk an : Hamburg 15
L'indication (H 15) à la suite de l'adresse désigne l'arrondissement : Hamburg 15
The reference (H 15) at the end of the address is the postal district : Hamburg 15
L'indicazione (H 15) posta dopo l'indirizzo precisa il quartiere urbano : Hamburg 15

Stadtpläne siehe nächste Seiten

Beim Hauptbahnhof, in St. Georg, östlich der Außenalster :

Atlantic-Hotel Kempinski, An der Alster 72 (H 1), ✆ 2 88 80, Telex 2163297, Fax 247129, ≤ Außenalster, Massage, ≘s, ⊠ – |♦| TV – 🔔 25/400. AE ⓓ E VISA. ✻ Rest HY
M a la carte 76/106 – **256 Z : 432 B** 315/395 - 380/460 Fb – 13 Appart. 650/1250.

Maritim Hotel Reichshof, Kirchenallee 34 (H 1), ✆ 24 83 30, Telex 2163396, Fax 24833588, ≘s, ⊠ – |♦| TV – 🔔 25/250. AE ⓓ E VISA. ✻ Rest HY
M a la carte 45/86 – **303 Z : 465 B** 219/349 - 264/424 Fb – 6 Appart. 550.

Holiday Inn Crowne Plaza, Graumannsweg 10 (H 76), ✆ 22 80 60, Telex 2165287, Fax 2208704, Massage, ≘s, ⊠ – |♦| ⇔ Zim ▤ TV ♿ – 🔔 25/120. AE ⓓ E VISA DU
M a la carte 68/92 – **290 Z : 370 B** 316/356 - 362/482 Fb.

Europäischer Hof, Kirchenallee 45 (H 1), ✆ 24 82 48, Telex 2162493, Fax 24824799, Massage, ≘s, ⊠ – |♦| ▤ Rest TV – 🔔 25/120. AE ⓓ E VISA HY
M a la carte 38/71 – **320 Z : 520 B** 194/328 - 226/386 Fb.

Prem - Restaurant La mer, An der Alster 9 (H 1), ✆ 24 17 26, Telex 2163115, Fax 2803851, « Einrichtung mit antiken Möbeln, Garten », ≘s – |♦| TV ⓟ. AE ⓓ E VISA. ✻ Rest HX
M *(Samstag - Sonntag nur Abendessen)* (bemerkenswerte Weinkarte) a la carte 83/136 – **59 Z : 106 B** 188/395 - 396/451 Fb – 3 Appart. 636.

Berlin, Borgfelder Str. 1 (H 26), ✆ 25 16 40, Telex 213939, Fax 25164413 – |♦| ▤ Rest TV ☎ ⓟ – 🔔 30. AE ⓓ E VISA. ✻ Rest DU
M a la carte 53/70 – **93 Z : 148 B** 138/163 - 185/210 Fb.

St. Raphael, AdenauerAllee 41 (H 1), ✆ 24 82 00, Telex 2174733, Fax 24820333, ≘s – |♦| ⇔ Zim TV ☎ ⓟ – 🔔 25/70. AE ⓓ E VISA. ✻ Rest DU
M *(Samstag sowie Sonn- und Feiertage geschl.)* a la carte 37/66 – **135 Z : 230 B** 180/210 - 210/270 Fb – 3 Appart. 600.

Senator garni, Lange Reihe 18 (H 1), ✆ 24 12 03, Telex 2174002, Fax 2803717 – |♦| ⇔ TV ☎. AE ⓓ E VISA HY
56 Z : 120 B 158 - 210 Fb.

Aussen Alster Hotel, Schmilinskystr. 11 (H 1), ✆ 24 15 57, Telex 211278, Fax 2803231, ≘s – |♦| TV ☎. AE ⓓ E VISA HX
24.- 27. Dez. geschl. – **M** *(Samstag bis 18 Uhr und Sonntag geschl.)* a la carte 42/78 – **27 Z : 51 B** 180/220 - 250/310 Fb.

Ambassador, Heidenkampsweg 34 (H 1), ✆ 23 00 02, Telex 2166100, Fax 230009, ≘s, ⊠ – |♦| TV ☎ ⓟ – 🔔 25/120. AE ⓓ E VISA. ✻ Rest DU
M a la carte 41/75 – **124 Z : 200 B** 155/240 - 190/240 Fb.

Eden garni, Ellmenreichstr. 20 (H 1), ✆ 24 84 80, Telex 2174350, Fax 241521 – |♦| TV ☎. AE ⓓ E VISA HY
63 Z : 101 B 120/150 - 170/190.

Alte Wache garni, AdenauerAllee 25 (H 1), ✆ 24 12 91, Telex 2162254, Fax 2801754 – |‡| TV ☎ P – 40. AE ⓓ E VISA – **85 Z : 95 B** 125/155 - 195 Fb. HY **s**

Fürst Bismarck garni, Kirchenallee 49 (H 1), ✆ 2 80 10 91, Telex 2162980, Fax 2801096 – |‡| TV ☎. AE ⓓ E VISA – **59 Z : 92 B** 95/155 - 155/165. HY **x**

Kronprinz - Restaurant Schiffer Börse, Kirchenallee 46 (H 1), ✆ 24 32 58 (Hotel) 24 52 40 (Rest.), Telex 2161005, Fax 2801097 – |‡| TV ☎. AE ⓓ E VISA HY **c**
M a la carte 35/70 – **73 Z : 110 B** 120/155 - 170 Fb.

Peter Lembcke, Holzdamm 49 (H 1), ✆ 24 32 90 – AE ⓓ E VISA HY **t**
Samstag bis 18 Uhr sowie Sonn- und Feiertage geschl. – **M** (Tischbestellung ratsam) a la carte 55/102.

Binnenalster, Altstadt, Neustadt :

Vier Jahreszeiten, Neuer Jungfernstieg 9 (H 36), ✆ 3 49 40, Telex 211629, Fax 3494602, ≤ Binnenalster – |‡| ⇔ Zim TV – 25/70. AE ⓓ E VISA. ✻ GY **v**
M a la carte 77/118 – **172 Z : 262 B** 355/425 - 524/767 – 11 Appart. 909/1209.

Ramada Renaissance Hotel, Große Bleichen (H 36), ✆ 34 91 80, Fax 34918431, Massage, ≘s – |‡| ⇔ Zim ▤ TV P – 25/150. AE ⓓ E VISA. ✻ Rest FY **e**
M a la carte 54/92 – **211 Z : 292 B** 337/485 - 412/580 Fb – 4 Appart. 950/2000.

Marriott Hotel, ABC-Str. 52 (H 36), ✆ 3 50 50, Telex 2165871, Fax 35051777, Massage, Fitness, ≘s, ▣ – |‡| ⇔ Zim ▤ TV ♿ – 25/300. AE ⓓ E VISA. ✻ Rest FY **b**
M *(überwiegend Fischgerichte)* 35/Buffet (mittags) und a la carte 60/95 – **278 Z : 358 B** 319/409 - 348/456 Fb – 6 Appart. 610/1258.

SAS Plaza Hotel, Marseiller Str. 2 (H 36), ✆ 3 50 20, Telex 214400, Fax 35023333, ≤ Hamburg, ≘s, ▣ – |‡| ⇔ Zim ▤ TV ♿ – 25/600. ✻ Rest FX **a**
M a la carte 56/82 – **562 Z : 1000 B** 275/408 - 336/460 Fb – 7 Appart. 700/1500.

Hafen Hamburg, Seewartenstr. 9 (H 11), ✆ 31 11 30, Telex 2161319, Fax 3192736, ≤ – |‡| TV ☎ P – 25/80. AE ⓓ E VISA EZ **y**
M a la carte 47/87 – **250 Z : 430 B** 148/170 - 175/200 Fb.

Alster-Hof garni, Esplanade 12 (H 36), ✆ 35 00 70, Fax 35007514 – |‡| TV ☎. AE ⓓ E VISA
23. Dez.- 1. Jan. geschl. – **117 Z : 156 B** 130/180 - 195/275 Fb. GY **x**

Baseler Hof, Esplanade 11 (H 36), ✆ 35 90 60, Telex 2163707, Fax 35906918 – |‡| TV ☎ – 25/40. AE ⓓ E VISA. ✻ GY **x**
M a la carte 32/60 – **160 Z : 202 B** 120/155 - 170/330.

Zum alten Rathaus (mit Unterhaltungslokal Fleetenkieker), Börsenbrücke 10 (H 11), ✆ 36 75 70, Fax 365617 – AE ⓓ E VISA GZ **n**
Sonn- und Feiertage geschl. – **M** (Tischbestellung ratsam) a la carte 52/90.

✿ **Cölln's Austernstuben** (verschiedene Séparées), Brodschrangen 1 (H 11), ✆ 32 60 59 – AE ⓓ E VISA GZ **v**
Samstag bis 18 Uhr sowie Sonn- und Feiertage geschl. – **M** *(vorwiegend Fischgerichte)* (Tischbestellung erforderlich) a la carte 80/114
Spez. Krusten- und Schalentiere, "Feines vom Fischmarkt", Karamelisierter Apfelpfannkuchen.

Ratsweinkeller, Große Johannisstr. 2 (H 11), ✆ 36 41 53, Fax 372201, « Hanseatisches Restaurant a.d.J. 1896 » – 25/400. AE ⓓ E VISA GZ **R**
Sonn- und Feiertage geschl. – **M** a la carte 36/76.

Deichgraf, Deichstr. 23 (H 11), ✆ 36 42 08, Fax 373055 – AE ⓓ E VISA FZ **a**
Samstag bis 18 Uhr sowie Sonn- und Feiertage geschl. – **M** (Tischbestellung ratsam) a la carte 48/92.

il Ristorante (Italienisches Restaurant), Große Bleichen 16 (1. Etage) (H 36), ✆ 34 33 35, Fax 481719 – AE ⓓ E – **M** a la carte 66/88. FY **c**

Mövenpick - Café des Artistes, Große Bleichen 36 (Untergeschoß |‡|) (H 36), ✆ 34 10 00, Fax 3410042 – AE ⓓ E VISA FY **r**
Sonntag geschl. – **M** a la carte 48/77 – **Mövenpick-Restaurant M** a la carte 32/63.

al Pincio (Italienische Küche), Schauenburger Str. 59 (1. Etage, |‡|) (H 1), ✆ 36 52 55 – AE ⓓ E ✻ – *Samstag bis 18 Uhr sowie Sonn- und Feiertage geschl.* – **M** (Tischbestellung ratsam) a la carte 40/69. GZ **a**

Dominique, Karl-Muck-Platz 11 (H 36), ✆ 34 45 11 – ⓓ ✻ FY **a**
Samstag bis 18 Uhr, Sonntag und Juni - Juli 2 Wochen geschl. – **M** a la carte 60/74.

In den Außenbezirken :

In Hamburg-Alsterdorf :

Alsterkrug-Hotel, Alsterkrugchaussee 277 (H 60), ✆ 51 30 30, Telex 2173828, Fax 51303403, ≘s – |‡| ⇔ Zim TV P – 25/60. AE ⓓ E VISA. ✻ Rest R **y**
M a la carte 50/71 **80 Z : 160 B** 172/228 - 214/271 Fb.

In Hamburg-Altona :

Raphael Hotel Altona, Präsident-Krahn-Str. 13 (H 50), ✆ 38 12 39/ 38 02 40, Fax 38024444, ≘s – |‡| TV ☎ P. AE ⓓ E VISA AT **a**
23. Dez.- 2. Jan. geschl. – (nur Abendessen für Hausgäste) – **45 Z : 80 B** 125/180 - 170/250 Fb.

Alsterarkaden S. 7 GY 3
Bergstraße S. 7 GY
Colonnaden S. 6 FY
Dammtorstraße S. 6 FY
Gerhofstraße S. 6 FY 29
Große Bleichen S. 6 FY 33
Großer Burstah S. 6 FZ 35
Jungfernstieg S. 7 GY
Mönckebergstraße S. 7 GHY
Neuer Wall S. 6 FYZ
Poststraße S. 6 FY
Spitalerstraße S. 7 GHY

ABC Straße S. 6 FY
Adenauerallee S. 7 HY 2
Ahrensburger Straße S. 3 R
Alsenstraße S. 4 AU
Alsterglacis S. 7 GX
Alsterkrugchaussee S. 3 R
Alsterufer S. 7 GX
Alte Landstraße S. 3 R
Alte Rabenstraße S. 5 CT
Alter Steinweg S. 6 FZ
Alter Wall S. 6 FZ
Altmannbrücke S. 7 HYZ
Altonaer Straße S. 4 AU
Amsinckstraße S. 7 HZ
Anckelmannstraße S. 5 DU 6
An der Alster S. 7 HX
An der Verbindungsbahn S. 6 EFX
Ausschläger Weg S. 5 DU
Bachstraße S. 5 DT
Bahrenfelder Chaussee S. 3 S 7
Ballindamm S. 7 GY
Barcastraße S. 5 DU
Barmbeker Markt S. 5 DT
Barmbeker Straße S. 5 CDT
Beethovenstraße S. 5 DT
Behnstraße S. 4 AT
Bei dem Neuen Krahn S. 6 FZ 9
Bei den Kirchhöfen S. 6 FX
Bei den Mühren S. 7 GZ
Bei den St.-Pauli-Landungsbrücken S. 6 EZ 10
Beim Schlump S. 4 BT
Beim Strohhause S. 5 DU 12
Bergedorfer Straße S. 3 S 13
Berner Chaussee S. 3 R
Bernstorffstraße S. 4 AU
Biedermannplatz S. 5 DT
Billhorner Brückenstr. S. 5 DV 15
Böhmkenstraße S. 6 EZ 16
Börsenbrücke S. 7 GZ 18
Bogenstraße S. 4 BT
Borgfelder Straße S. 5 DU
Bramfelder Chaussee S. 3 R
Breitenfelder Straße S. 4 BT
Bremer Straße S. 3 S
Brombeerweg S. 3 R
Budapester Straße S. 6 EY
Bürgerweide S. 5 DU
Bundesstraße S. 6 FX
Burchardplatz S. 7 GZ
Burgstraße S. 5 DU
Buxtehuder Straße S. 3 S
Cremon S. 6 FZ 21
Dammtordamm S. 6 FX 23
Dammtorwall S. 6 FY
Dehnhaide S. 5 DT
Deichstraße S. 6 FZ
Deichtorplatz S. 7 HZ
Ditmar-Koel-Straße S. 6 EZ
Domstraße S. 7 GZ
Doormannsweg S. 4 AT
Dorotheenstraße S. 5 CT
Dovenfleet S. 7 GZ
Edmund-Siemers-Allee S. 6 FX
Ehrenbergstraße S. 4 AT 26
Eiffestraße S. 5 DU
Eilbektal S. 5 DT
Eilenau S. 5 DTU
Eimsbütteler Chaussee S. 4 ATU
Eimsbütteler Marktplatz S. 4 AT
Elbchaussee S. 3 S 28
Eppendorfer Baum S. 4 BT
Eppendorfer Landstraße S. 4 BT
Eppendorfer Weg S. 4 ABT
Esplanade S. 7 GY
Feldstraße S. 6 EY
Ferdinandstraße S. 7 GY
Fernsicht S. 5 CT

Fontenay S. 7 GX
Friedrich-Ebert-Damm S. 3 R
Friedrich-Ebert-Straße S. 3 R
Fruchtallee S. 4 AT
Fuhlsbüttler Straße S. 3 R
Gänsemarkt S. 6 FY
Gärtnerstraße S. 4 AT
Gellerstraße S. 5 CT
Georg-Wilhelm-Straße S. 3 S
Glacischaussee S. 6 EY
Glockengießerwall S. 7 GHY
Gorch-Fock-Wall S. 6 FY
Graskeller S. 6 FZ 31
Grevenweg S. 5 DU
Grindelallee S. 6 FX
Grindelberg S. 4 BT
Große Bergstraße S. 4 AT
Große Elbstraße S. 4 AT
Große Johannisstraße S. 7 GZ 34
Große Reichenstraße S. 7 GZ 37
Habichtstraße S. 3 R 38
Hachmannplatz S. 7 HY 39
Hallerstraße S. 4 BT
Hamburger Straße S. 5 DT
Hammer Landstraße S. 3 S 40
Hannoversche Straße S. 3 S 41
Hansaplatz S. 7 HY
Harvestehuder Weg S. 5 CT
Hauptstraße S. 4 AT 42
Heidenkampsweg S. 5 DU
Heilwigstraße S. 4 BT
Heimhuder Straße S. 7 GX
Helgoländer Allee S. 6 EZ 43
Herbert-Weichmann-Str. S. 5 CT 44
Herderstraße S. 5 DT
Hermannstraße S. 7 GY
Heußweg S. 4 AT
Högerdamm S. 7 HZ
Hofweg S. 5 DT
Hohe Bleichen S. 6 FY
Hohe Brücke S. 6 FZ
Hoheluftchaussee S. 4 BT
Hohe Straße S. 3 S 45
Holsteiner Chaussee S. 3 R
Holstenglacis S. 6 EY 46
Holstenstraße S. 4 AU
Holstenwall S. 6 EY
Holzdamm S. 7 HY
Horner Landstraße S. 3 S
Hütten S. 6 EY
Im Gehölz S. 4 AT
Jahnring S. 3 R 47
Jarrestraße S. 5 DT
Jessenstraße S. 4 AT
Johannisbollwerk S. 6 EFZ
Johnsallee S. 7 GX
Jungiusstraße S. 6 EFX
Kaiser-Wilhelm-Straße S. 6 FY
Kajen S. 6 FZ
Karolinenstraße S. 6 EX
Kennedybrücke S. 7 GY
Kieler Straße S. 3 R
Kirchenallee S. 7 HY
Kleine Reichenstraße S. 7 GZ
Klingberg S. 7 GZ 51
Klopstockstraße S. 4 AT 52
Klosterwall S. 7 HZ
Köhlbrandbrücke S. 3 S
Königstraße S. 4 AT
Kollaustraße S. 3 R
Koppel S. 7 HX
Krayenkamp S. 6 FZ 54
Kreuzweg S. 7 HY
Krugkoppel S. 5 CT 55
Kuhmühle S. 5 DU 56
Kurt-Schumacher-Allee S. 7 HY
Lagerstraße S. 6 EX
Landwehr S. 5 DU
Langenfelder Damm S. 3 R 57
Langenfelder Straße S. 4 ATU
Langenhorner Chaussee S. 3 R
Lange Reihe S. 7 HX
Lerchenfeld S. 5 DT
Lokstedter Steindamm S. 3 R 59
Lombardsbrücke S. 7 GY
Louise-Schroeder-Straße S. 4 AU
Lübecker Straße S. 5 DU
Lübecker Tordamm S. 5 DU 61
Ludwig-Erhard-Straße S. 6 EFZ
Mansteinstraße S. 4 ABT
Maria-Louisen-Straße S. 5 CT
Marktstraße S. 6 EY

Marseiller Straße S. 6 FX
Martinistraße S. 4 BT
Max-Brauer-Allee S. 4 ATU
Millerntordamm S. 6 EZ 6
Mittelweg S. 7 GX
Moorweidenstraße S. 6 FX
Mühlendamm S. 5 DU
Mundsburger Damm S. 5 DT
Neß S. 7 GZ
Neuer Jungfernstieg S. 7 GY
Neuer Kamp S. 4 AU
Neuer Pferdemarkt S. 4 AU
Neuer Steinweg S. 6 EFZ
Nordkanalstraße S. 5 DU
Oberstraße S. 4 BT
Oldesloer Straße S. 3 R 6
Osterbekstraße S. 5 DT
Osterfeldstraße S. 3 R 6
Osterstraße S. 4 AT
Ost-West-Straße S. 6-7 FGZ
Palmaille S. 4 AT
Parkallee S. 4 BT
Pilatuspool S. 6 EFY
Pinneberger Chaussee S. 3 R
Pinneberger Straße S. 3 R
Platz der Republik S. 4 AT 6
Poolstraße S. 6 FY
Pumpen S. 7 HZ 6
Rathausmarkt S. 7 GYZ
Rathausstraße S. 7 GZ 6
Reeperbahn S. 6 EZ 7
Reesendamm S. 7 GY 7
Rentzelstraße S. 6 EX
Rothenbaumchaussee S. 6 FX 7
Saarlandstraße S. 5 DT
St.-Benedict-Straße S. 4 BT
St.-Pauli-Fischmarkt S. 4 AV
Schaarmarkt S. 6 EFZ
Schäferkampsallee S. 4 ABT
Schanzenstraße S. 4 AU
Schlankreye S. 4 BT
Schleusenbrücke S. 7 GY 7
Schleswiger Damm S. 3 R 7
Schmiedestraße S. 7 GZ 7
Schöne Aussicht S. 5 CDT
Schröderstiftstraße S. 6 EX
Schulterblatt S. 4 AU
Schwanenwik S. 5 DTU
Sechslingspforte S. 5 DU
Seewartenstraße S. 6 EZ
Sierichstraße S. 5 CT
Sievekingdamm S. 5 DU
Sievekingplatz S. 6 EFY
Sievekingsallee S. 5 DU
Simon-von-Utrecht-Str. S. 4 AU
Spaldingstraße S. 5 DU
Speersort S. 7 GZ
Stader Straße S. 3 S
Stadthausbrücke S. 6 FY 7
Steindamm S. 7 HY
Steinhauerdamm S. 5 DU 7
Steinstraße S. 7 GHZ
Steintordamm S. 7 HY 7
Steintorplatz S. 7 HY 8
Steintorwall S. 7 HYZ
Sternschanze S. 6 EX
Stresemannstraße S. 4 AU
Süderstraße S. 5 DUV
Suhrenkamp S. 3 R 8
Tangstedter Landstr. S. 3 R 8
Tarpenbekstraße S. 3 R 8
Theodor-Heuss-Platz S. 6 FX
Thielbek S. 6 FY
Tiergartenstraße S. 6 FX
Valentinskamp S. 6 FY
Veddeler Damm S. 3 S 8
Vorsetzen S. 6 EFZ
Wallstraße S. 5 DU
Wandsbeker Allee S. 3 R 8
Wandsbeker Chaussee S. 5 DTU
Warburgstraße S. 7 GX
Wartenau S. 5 DU
Weg beim Jäger S. 3 R
Weidestraße S. 5 DT
Wendenstraße S. 5 DU
Wexstraße S. 6 FYZ
Wiesendamm S. 5 DT
Wilhelmsburger Reichsstraße S. 3 S
Winsener Straße S. 3 S 8
Winterhuder Weg S. 5 DT
Zippelhaus S. 7 GZ 8

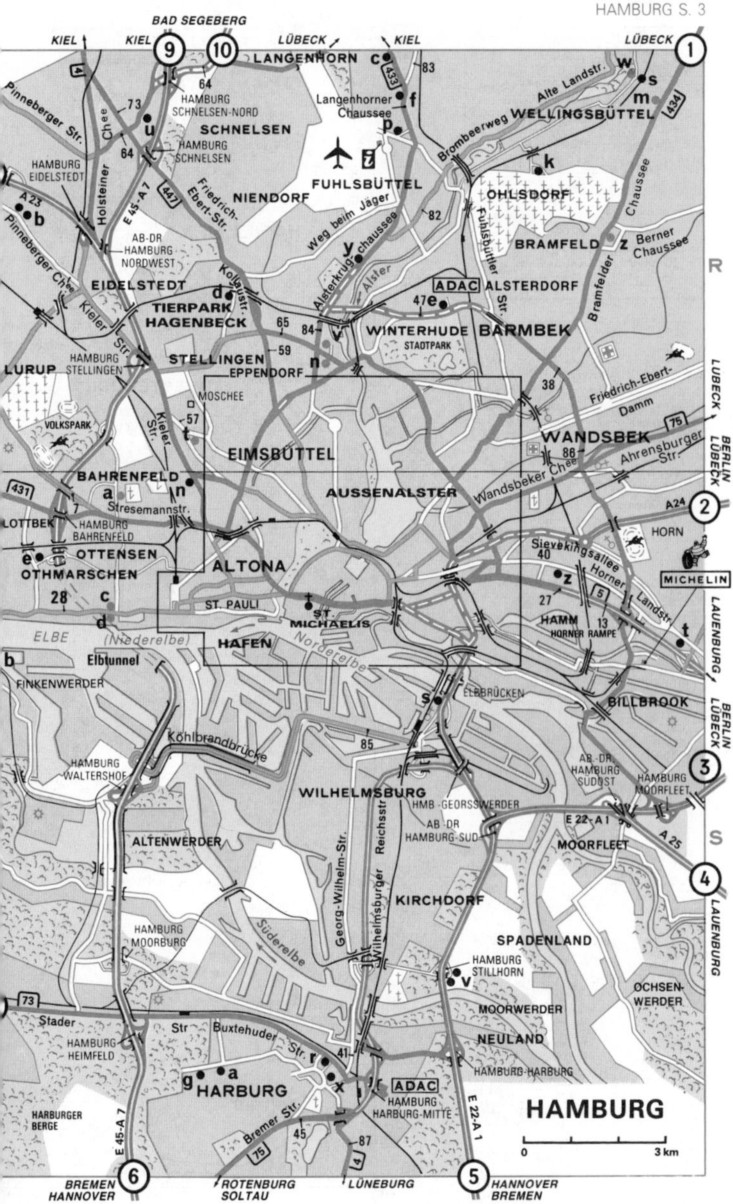

Si vous écrivez à un hôtel à l'étranger,
joignez à votre lettre un coupon réponse international
(disponible dans les bureaux de poste).

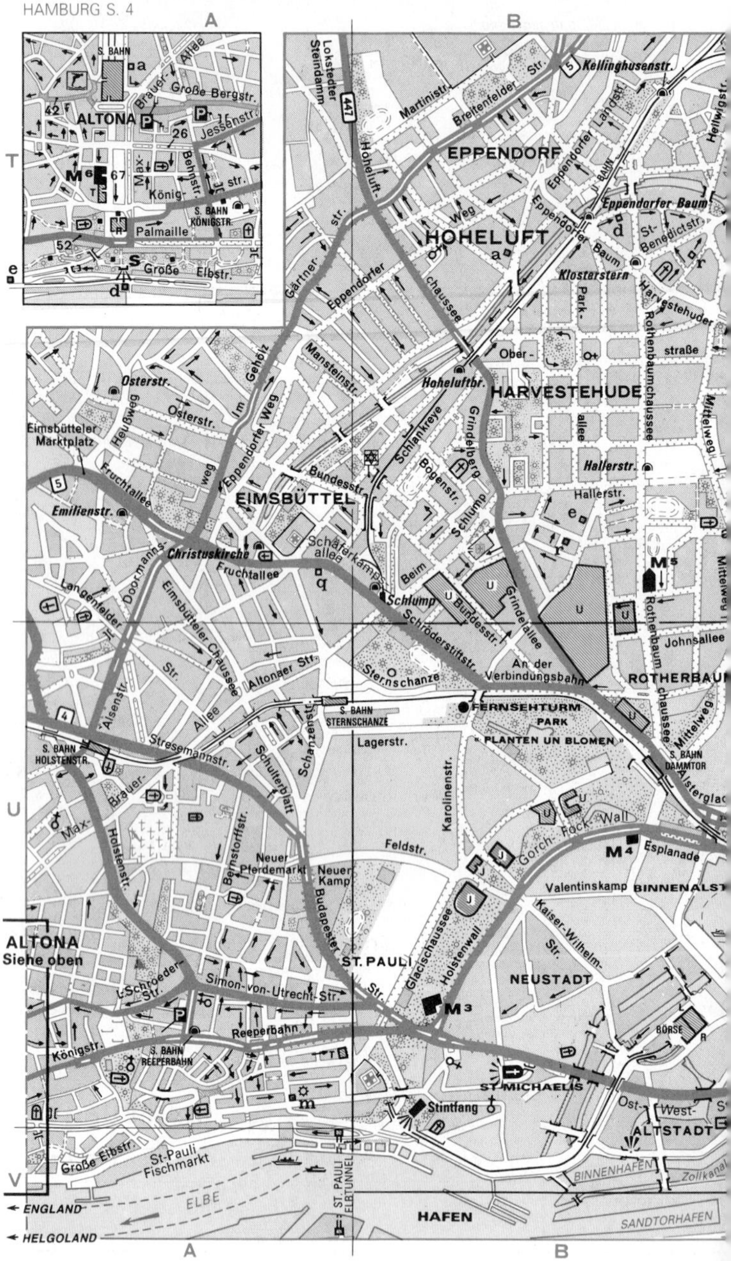

- Anckelmannstraße . . . . DU 6
- Beim Strohhause . . . . DU 12
- Billhorner Brückenstraße . . . DV 15
- Ehrenbergstraße . . . . AT 26
- Hauptstraße . . . . AT 42
- Herbert-Weichmann-Str. . . . CT 44
- Klopstockstraße . . . . AT 52
- Krugkoppel . . . . CT 55
- Kuhmühle . . . . DU 56
- Lübecker Tordamm . . . . DU 61
- Platz der Republik . . . . AT 6
- Steinhauerdamm . . . . DU 7

Straßenverzeichnis siehe Hamburg S. 2

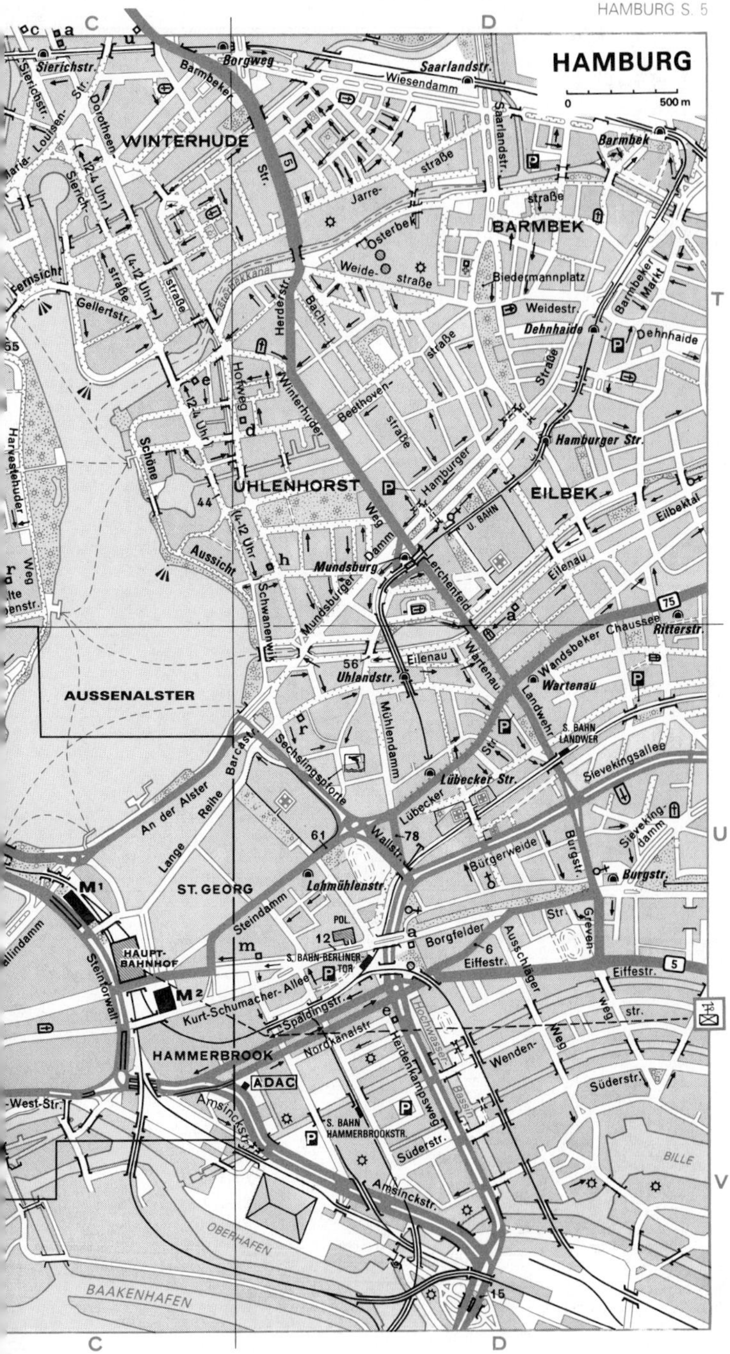
HAMBURG
0
500 m
C
D
T
U
V
WINTERHUDE
BARMBEK
UHLENHORST
EILBEK
AUSSENALSTER
ST. GEORG
HAMMERBROOK
HAUPT-
BAHNHOF
M¹
M²
ADAC
POL.
Sierichstr.
Borgweg
Saarlandstr.
Wiesendamm
Barmbek
Dehnhaide
Hamburger Str.
Mundsburg
Uhlandstr.
Ritterstr.
Wartenau
Lübecker Str.
Lohmühlenstr.
Burgstr.
S. BAHN BERLINER-TOR
S. BAHN LANDWEHR
S. BAHN HAMMERBROOKSTR.
U. BAHN
Barmbeker
Jarre-
straße
Osterbek
Weide-
straße
Biedermannplatz
Weidestr.
Barmbeker Markt
Gellertstr.
Fernsicht
Dorotheen-
Maria-Louisen-
Herderstr.
Bach-
Winterhuder
Weg
Beethoven-
straße
Hofweg
Schöne
Aussicht
Schwanenwik
Harvestehuder
Weg
Mundsburger Damm
Lerchenfeld
Eilenau
Eilbektal
Wandsbeker Chaussee
Wartenau
Landwehr
Mühlendamm
Sechslingspforte
Barcastr.
An der Alster
Lange Reihe
Steindamm
Wallstr.
Lübecker
Sievekingsallee
Sieveking-
damm
Bürgerweide
Burgstr.
Borgfelder
Eiffestr.
Ausschläger
Weg
Greven-
weg
Steintorwall
Kurt-Schumacher-Allee
Spaldingstr.
Nordkanalstr.
Heidenkampsweg
Hochwasser-
Bassin
Wenden-
str.
Süderstr.
Amsinckstr.
BILLE
OBERHAFEN
BAAKENHAFEN
75
5
(12-4 Uhr)
(4-12 Uhr)
44
56
61
78
12
6
15
55
a
b
c
d
e
h
m
r
u

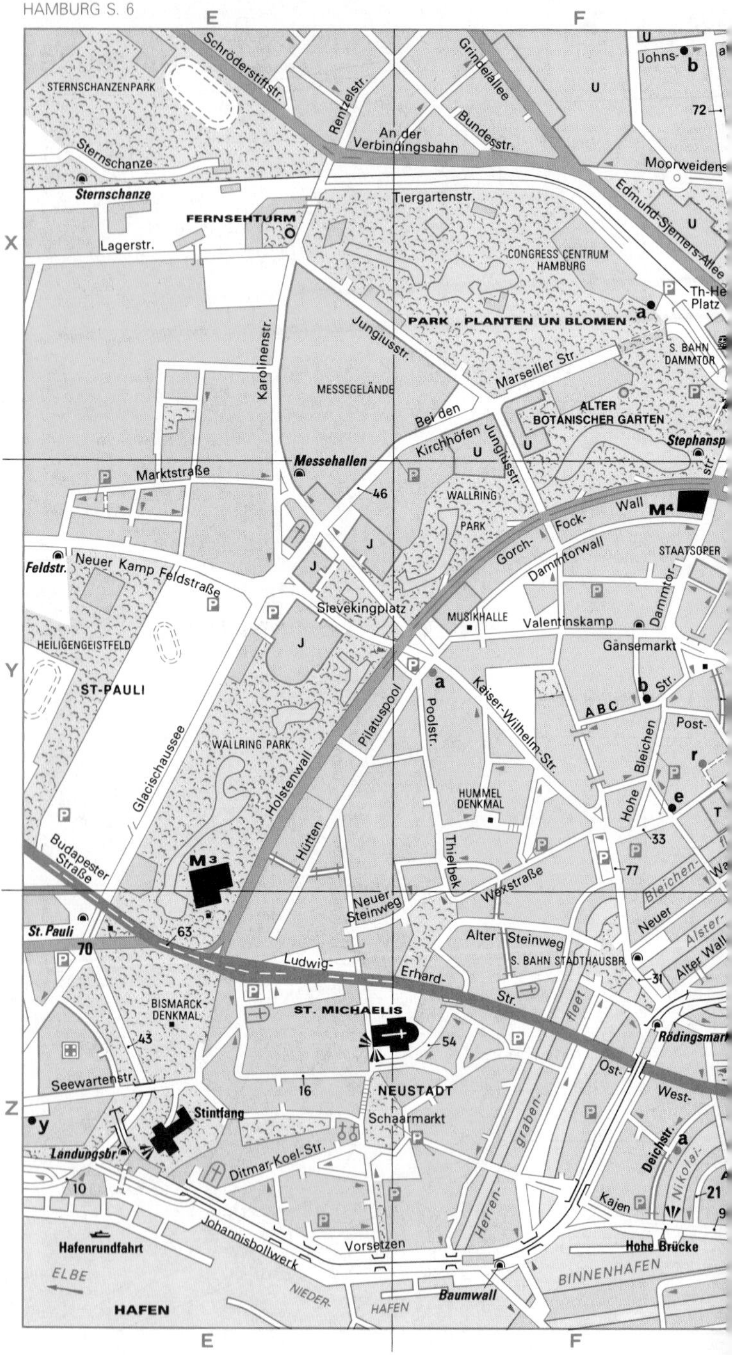
E
F
X
Y
Z
STERNSCHANZENPARK
Schröderstiftstr.
Rentzelstr.
Grindelallee
Bundesstr.
An der Verbindungsbahn
Johns-
b
U
72
Moorweidens
Sternschanze
Sternschanze
Tiergartenstr.
Edmund-Siemers-Allee
FERNSEHTURM
Lagerstr.
CONGRESS CENTRUM HAMBURG
Th-He Platz
PARK „PLANTEN UN BLOMEN"
a
Jungiusstr.
Karolinenstr.
S. BAHN DAMMTOR
Marseiller Str.
MESSEGELÄNDE
ALTER BOTANISCHER GARTEN
Bei den Kirchhöfen
Jungiusstr.
Stephansp
str.
Messehallen
Marktstraße
46
WALLRING PARK
Wall
M4
Gorch-Fock-
Dammtorwall
STAATSOPER
Feldstr.
Neuer Kamp
Feldstraße
J
Sievekingplatz
MUSIKHALLE
Valentinskamp
Dammtor
HEILIGENGEISTFELD
Gänsemarkt
ST-PAULI
a
Poolstr.
Kaiser-Wilhelm-Str.
ABC
b
Str.
Post-
Pilatuspool
WALLRING PARK
Glacischaussee
Holstenwall
HUMMEL DENKMAL
Hohe Bleichen
r
e
Hütten
Thielbek
33
T
77
Budapester Straße
M3
Neuer Steinweg
Wexstraße
Bleichen-
Neuer
Wa
St. Pauli
63
70
Alter Steinweg
S. BAHN STADTHAUSBR.
Alster-
Alter Wall
Ludwig-Erhard-Str.
31
BISMARCK-DENKMAL
ST. MICHAELIS
fleet
Rödingsmark
43
54
Ost-West-
Seewartenstr.
16
NEUSTADT
Stintfang
Schaarmarkt
Herrengraben
Deichstr.
a
y
Landungsbr.
Ditmar-Koel-Str.
Nikolai-
10
21
Kajen
9
Johannisbollwerk
Hafenrundfahrt
Vorsetzen
Hohe Brücke
ELBE
NIEDERHAFEN
BINNENHAFEN
Baumwall
HAFEN

HAMBURG

Alsterarkaden	GY	3
Bergstraße	GY	
Colonnaden	FY	
Dammtorstraße	FY	
Gerhofstraße	FY	29
Große Bleichen	FY	33
Großer Burstah	FZ	35
Jungfernstieg	GY	
Mönckebergstraße	GHY	
Neuer Wall	FYZ	
Poststraße	FY	
Spitalerstraße	GHY	
Adenauerallee	HY	2
Bei dem Neuen Krahn	FZ	9
Bei den St.-Pauli-Landungsbrücken	EZ	10
Böhmkenstraße	EZ	16
Börsenbrücke	GZ	18
Cremon	FZ	21
Dammtordamm	FX	23
Graskeller	FZ	31
Große Johannisstraße	GZ	34
Große Reichenstraße	GZ	37
Hachmannplatz	HY	39
Helgoländer Allee	EZ	43

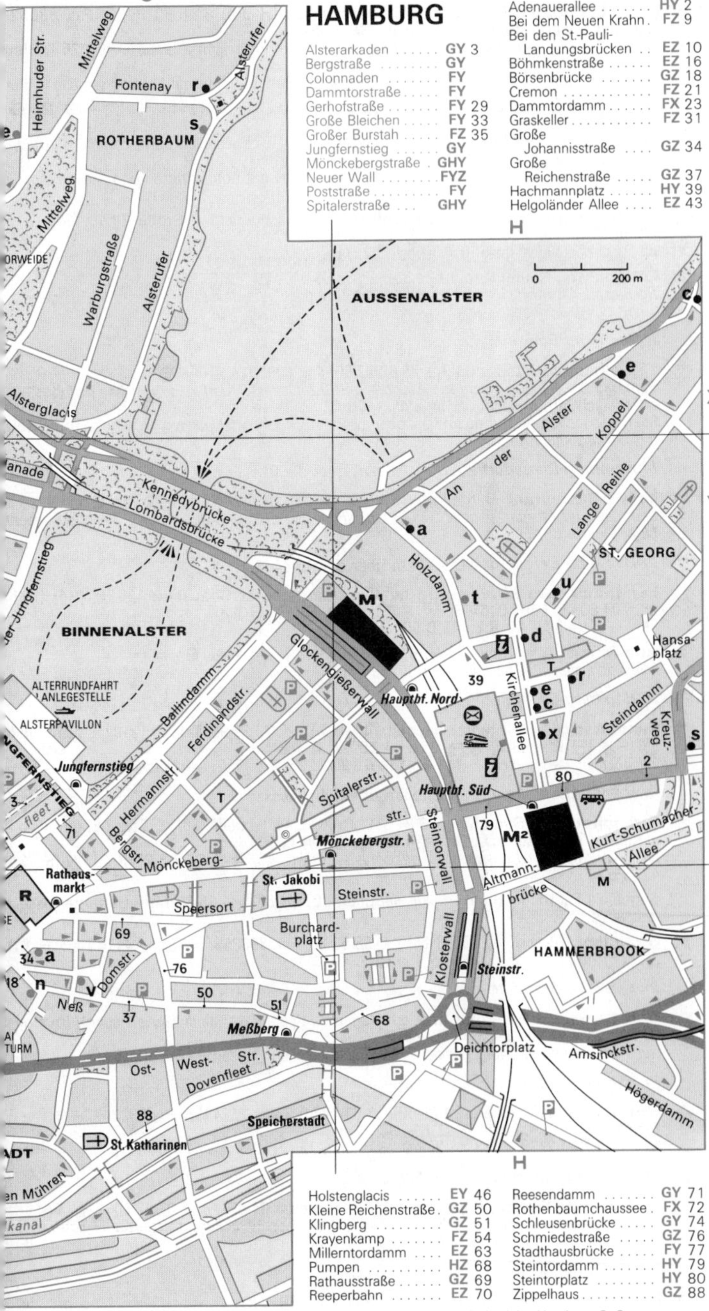

Holstenglacis	EY	46
Kleine Reichenstraße	GZ	50
Klingberg	GZ	51
Krayenkamp	FZ	54
Millerntordamm	EZ	63
Pumpen	HZ	68
Rathausstraße	GZ	69
Reeperbahn	EZ	70
Reesendamm	GY	71
Rothenbaumchaussee	FX	72
Schleusenbrücke	GY	74
Schmiedestraße	GZ	76
Stadthausbrücke	FY	77
Steintordamm	HY	79
Steintorplatz	HY	80
Zippelhaus	GZ	88

Straßenverzeichnis siehe Hamburg S. 2

XXXXX ⊛⊛ **Landhaus Scherrer,** Elbchaussee 130 (H 50), ✆ 8 80 13 25, Fax 880626 bemerkenswerte Weinkarte – P. AE ⓓ E VISA S
Sonn- und Feiertage geschl. – **M** (Tischbestellung erforderlich) a la carte 75/125 – **Bistro Restaurant** *(nur Mittagessen)* **M** a la carte 60/85
Spez. Tempura von Nordseefischen, Kalbskopf mit Bohnen, Ente mit Wirsinggemüse (2 Per

XXX ⊛ **Le canard,** Elbchaussee 139 (H 50), ✆ 8 80 50 57, Fax 472413, ≤, 🏞 – P. AE ⓓ VISA. ✕ S
Sonntag geschl. – **M** *(bemerkenswerte Weinkarte)* (Tischbestellung erforderlich) 60 (mitta und a la carte 71/120
Spez. Hamburger Aalsuppe "Andere Art", Langostinos mit Bohnenpurée und Algen, Lachs Currysauce.

XXX **Fischereihafen-Restaurant Hamburg** (nur Fischgerichte), Große Elbstr. 143 (H 5 ✆ 38 18 16, Fax 3893021, ≤ – P. AE ⓓ E VISA AT
M (Tischbestellung ratsam) a la carte 62/111.

XX **La Mouette,** Neumühlen 50 (H 50), ✆ 39 65 04 – AE ⓓ E VISA AT
Sonntag - Montag 18 Uhr geschl. – **M** (abends Tischbestellung ratsam) a la carte 5 72.

In Hamburg-Bahrenfeld

X ⊛ **Tafelhaus,** Holstenkamp 71, ✆ 89 27 60, Fax 8993324, 🏞 – P S
Samstag bis 18 Uhr, Sonntag - Montag und 22. Dez.- 19. Jan. geschl. – **M** (Tischbestellu erforderlich) 45 (mittags) und a la carte 66/81
Spez. Ragout von Seezunge und Jacobsmuscheln, Ochsenschwanz mit Morcheln, Topfensou mit Schokoladeneis.

In Hamburg-Bergedorf **2050** ③ : 18 km über die B 5 S :

XX **Laxy's Restaurant,** Bergedorfer Str. 138 (H 80), ✆ 7 24 76 40 – AE ⓓ E VISA
Samstag und Montag jeweils bis 18 Uhr sowie Sonntag und Juni - Juli 2 Wochen geschl.
M a la carte 68/91.

In Hamburg-Bergstedt NO : 17 km über die B 434 R :

XX **Landhaus zum Lindenkrug** mit Zim, Bergstedter Chaussee 128 (B 434) (H 6 ✆ 6 04 80 05, Fax 6046109, 🏞 – TV ☎ P. AE ⓓ E VISA
M a la carte 39/74 – **8 Z : 15 B** 90 - 140.

X **Alte Mühle,** Alte Mühle 34 (H 65), ✆ 6 04 91 71, 🏞 – P. E
Mittwoch geschl. – **M** a la carte 36/59.

In Hamburg-Billstedt :

🏨 **Panorama** garni, Billstedter Hauptstr. 44 (H 74), ✆ 73 35 90, Telex 212162, Fax 7335995 🛁 – |♣| TV ☎ 🚗 P – 🏛 25/200. AE ⓓ E VISA S
24. Dez.- 2. Jan. geschl. – **111 Z : 162 B** 195 - 225/275 Fb – 7 Appart. 325.

In Hamburg-Blankenese W : 16 km über Elbchaussee S :

🏨 **Strandhotel** 🐚, Strandweg 13 (H 55), ✆ 86 13 44, Fax 864936, ≤, 🏞, « Ehem. Villa m eleganter Einrichtung », 🚘 – TV ☎ P. AE ⓓ E VISA
M *(Sonntag 15 Uhr - Montag geschl.)* a la carte 49/75 – **16 Z : 27 B** 148/238 - 24 420 Fb.

XXX Sagebiels Fährhaus, Blankeneser Hauptstr. 107 (H 55), ✆ 86 15 14, « Gartenterrasse m ≤ » – P.

XX **Strandhof,** Strandweg 27 (H 55), ✆ 86 52 36, Fax 863353, ≤, 🏞 – P. AE ⓓ E VISA
Montag - Dienstag geschl. – **M** a la carte 45/81.

In Hamburg-Bramfeld :

XX **Don Camillo e Peppone** (modern-elegantes Restaurant, Italienische Küche), Im Soll (H 71), ✆ 6 42 90 21, 🏞 – AE ⓓ E S
nur Abendessen, Montag geschl. – **M** (Tischbestellung ratsam) a la carte 60/80.

In Hamburg-City Nord :

🏨 **Queens Hotel,** Mexicoring 1 (H 60), ✆ 63 29 40, Telex 2174155, Fax 6322472 – |♣| ✕ Zi TV P – 🏛 25/200. AE ⓓ E VISA. ✕ Rest R
M a la carte 52/76 – **183 Z : 366 B** 237 - 304/327 Fb.

In Hamburg-Duvenstedt über Alte Landstr. T :

XXX **Le Relais de France,** Poppenbütteler Chaussee 3 (H 65), ✆ 6 07 07 50 – P. ✕
nur Abendessen, Sonntag - Montag geschl. – **M** (Tischbestellung ratsam) a la carte 74/98
Bistro *(auch Mittagessen)* **M** a la carte 39/50.

In Hamburg-Eilbek :

🏨 **Helbing** garni, Eilenau 37 (H 76), ✆ 25 20 83 – TV ☎ DT
15. Dez.- 2. Jan. geschl. – **16 Z : 21 B** 70/85 - 120/130.

In Hamburg-Eimsbüttel :

Norge, Schäferkampsallee 49 (H36), ☎ 44 11 50, Telex 214942, Fax 44115577, Massage, ≘s – |♣| ▤ Rest TV ☎ Ⓟ – 🏊 25/200. AE ⓓ E VISA. ✻ Rest AT **q**
Jan.- Feb. wegen Umbau geschl. – **M** a la carte 54/75 – **88 Z : 150 B** 178/213 - 231/292 Fb.

Martial, Langenfelder Damm 10 (H 20), ☎ 40 41 52, Fax 408690 – AE E R **t**
Sonntag bis 19 Uhr und Montag geschl. – **M** a la carte 54/90 – **Bistro M** a la carte 39/60.

In Hamburg-Eppendorf :

✿ **Anna e Sebastiano** (Italienische Küche), Lehmweg 30 (H 20), ☎ 4 22 25 95, Fax 4208008 – ⓓ E VISA ✻ BT **a**
nur Abendessen, Sonntag - Montag, 22. Dez.- 22. Jan. und Juni - Juli 3 Wochen geschl. – **M** (Tischbestellung erforderlich) 95/105 und a la carte 74/85
Spez. Warmer Salat von Hummer und weißen Bohnen, Milchlamm mit Artischocken und Balsamessig, Feige in Barolo mit Mandelmousse.

Il Gabbiano (Italienische Küche), Eppendorfer Landstr. 145 (H 20), ☎ 4 80 21 59, Fax 4807921 – AE ⓓ E VISA R **v**
Sonntag und Juli 3 Wochen geschl. – **M** (Tischbestellung ratsam) a la carte 56/79.

Sellmer (Fischrestaurant), Ludolfstr. 50 (H 20), ☎ 47 30 57, Fax 4601569 – Ⓟ. AE ⓓ E VISA R **n**
M a la carte 48/94.

In Hamburg-Finkenwerder **2103 :**

Finkenwerder Elbblick, Focksweg 42 (H 95), ☎ 7 42 70 95, ≤ Elbe, 🏡 – Ⓟ. AE ⓓ E VISA S **b**
M a la carte 48/87.

In Hamburg-Fuhlsbüttel :

Airport Hotel Hamburg, Flughafenstr. 47 (H 62), ☎ 53 10 20, Telex 2166399, Fax 53102222, Massage, ≘s, 🏊 – |♣| ⇔ Zim ▤ Rest TV 🚗 Ⓟ – 🏊 25/300. AE ⓓ E VISA R **p**
M a la carte 40/67 – **158 Z : 253 B** 229/335 - 293/359 Fb – 12 Appart. 423.

Hadenfeldt, Friedhofsweg 15 (H 63), ☎ 50 05 06, Fax 50050655, 🏡 – TV ☎ 🚗 Ⓟ. ⓓ E VISA. ✻ Zim R **k**
M *(Freitag - Sonntag ab 19 Uhr geschl.)* a la carte 25/53 – **16 Z : 31 B** 80/110 - 120/140.

In Hamburg-Hamm :

Hamburg International, Hammer Landstr. 200 (H 26), ☎ 21 14 01, Telex 2164349, Fax 211409 – |♣| TV ☎ 🚗 Ⓟ – 🏊 25/40. AE E VISA S **z**
M *(Sonntag geschl.)* a la carte 45/80 – **112 Z : 234 B** 115/200 - 160/275 Fb.

In Hamburg-Harburg **2100 :**

Panorama, Harburger Ring 8 (H 90), ☎ 76 69 50, Telex 2164824, Fax 76695183 – |♣| TV 🚗 – 🏊 25/120. AE ⓓ E VISA S **x**
M a la carte 35/73 – **98 Z : 160 B** 195 - 230/340 Fb.

Haus Lindtner ⛰, Heimfelder Str. 123 (H 90), ☎ 7 90 80 81, Fax 7909952, « Gartenterrasse » – TV ☎ Ⓟ – 🏊 25/600 S **g**
20 Z : 30 B.

Heimfeld garni, Heimfelder Str. 91 (H 90), ☎ 7 90 56 78, 🏡 – |♣| TV ☎ Ⓟ. AE S **a**
48 Z : 80 B 110 - 160 Fb.

Süderelbe garni, Großer Schippsee 29 (H 90), ☎ 77 32 14, Fax 773104 – |♣| TV ☎ 🚗. AE ⓓ E VISA. ✻ S **r**
20. Dez.- 5. Jan. geschl. – **21 Z : 35 B** 95 - 135/140.

In Hamburg-Harvestehude westlich der Außenalster :

Inter-Continental, Fontenay 10 (H 36), ☎ 41 41 50, Telex 211099, Fax 41415186, ≤ Hamburg und Alster, 🏡, Massage, ≘s, 🏊 – |♣| ⇔ Zim ▤ TV 🚗 Ⓟ – 🏊 25/240. AE ⓓ E VISA. ✻ Rest GX **r**
Restaurants : **Fontenay-Grill** *(nur Abendessen)* **M** a la carte 74/109 – **Orangerie M** a la carte 51/75 – **300 Z : 600 B** 286/571 - 362/597 Fb – 16 Appart. 852/1452.

Garden Hotels Pöseldorf ⛰ garni, Magdalenenstr. 60 (H 13), ☎ 41 40 40, Telex 212621, Fax 4140420, « Modern-elegante Einrichtung » – |♣| TV ☎. AE ⓓ E VISA CT **r**
61 Z : 104 B 220/280 - 340/590.

Smolka, Isestr. 98 (H 13), ☎ 47 50 57, Telex 215275, Fax 473008 – |♣| TV ☎ 🚗. AE ⓓ E VISA. ✻ Rest BT **d**
M *(Samstag ab 15 Uhr sowie Sonn- und Feiertage geschl.)* a la carte 39/64 – **38 Z : 60 B** 143/225 - 231/296 Fb.

Abtei ⛰, Abteistr. 14 (H 13), ☎ 45 75 65, Fax 449820, 🏡 – TV ☎. ⓓ E VISA. ✻ (Restaurant nur für Hausgäste) – **12 Z : 20 B** 210/280 - 250/450. BT **r**

XXX ✿ **Die Insel - Restaurant Amadeus,** Alsterufer 35 (1. Etage) (H 36), ℰ 4 10 69 ❚
Fax 4103713 – ᴀᴇ ⓞ ᴇ ᴠɪꜱᴀ GX
nur Abendessen, Jan.- Okt. Montag geschl. – **M** (Tischbestellung erforderlich) 95/125
Spez. Seezunge in Blätterteig, Sylter Lammrücken mit Kräutern überbacken, Pfirsichtarte ❚
Mohneis.

XX **La vite** (Italienische Küche), Heimhuder Str. 5 (H 13), ℰ 45 84 01 – ✆ GX
(Tischbestellung ratsam).

X **Daitokai** (Japanisches Restaurant), Milchstr. 1 (H 13), ℰ 4 10 10 61, Fax 4102296 – ▤.
ⓞ ᴇ ᴠɪꜱᴀ ✆ BT
Sonntag geschl. – **M** (Tischbestellung ratsam) a la carte 48/73.

In Hamburg-Langenhorn :

🏨 **Dorint-Hotel - Airport,** Langenhorner Chaussee 183, ℰ 53 20 90, Fax 53209600, ⇔, ❚
– 🛗 ↩ Zim ▤ 📺 ⅋ ⇔ – 🔦 25/100. ᴀᴇ ⓞ ᴇ ᴠɪꜱᴀ ✆ Rest R
M a la carte 42/76 – **147 Z : 280 B** 200/340 - 260/420 Fb.

🏨 **Schümann** ⑳ garni, Langenhorner Chaussee 157 (H 62), ℰ 5 31 00 20, Fax 5310021C
📺 ☎ ⇔ ⓟ. ᴀᴇ ᴇ ᴠɪꜱᴀ R
47 Z : 75 B 119/168 - 158/178 Fb.

XX **Zum Wattkorn,** Tangstedter Landstr. 230 (H 62), ℰ 5 20 37 97, ☞ – ⓟ
M *(Montag geschl.)* a la carte 44/76. über Tangstedter Landstraße R

In Hamburg - Lehmsahl-Mellingstedt über Alte Landstraße R :

XXX **Ristorante Dante** (Italienische Küche), An der Alsterschleife 3 (H 65), ℰ 6 02 00 43, ☞
ⓟ. ᴀᴇ ⓞ
wochentags nur Abendessen, Montag geschl. – **M** (Tischbestellung ratsam) a la carte 55/7❚

In Hamburg-Lohbrügge 2050 ③ : 15 km über die B 5 :

🏨 **Alt Lohbrügger Hof,** Leuschner Str. 76 (H 80), ℰ 7 39 60 00, Fax 7390010, ☞ – 📺
ⓟ – 🔦 25/120. ᴀᴇ ⓞ ᴇ ᴠɪꜱᴀ
M a la carte 36/84 – **43 Z : 78 B** 116 - 160 Fb.

In Hamburg-Lokstedt :

🏨 **Engel** garni, Niendorfer Str. 59 (H 54), ℰ 58 03 15, Fax 583485, ⇔ – 📺 ☎ ⇔ ⓟ. ᴀᴇ ❨
ᴇ ᴠɪꜱᴀ R
66 Z : 96 B 135/169 - 172/211 Fb.

In Hamburg-Nienstedten W : 13 km über Elbchaussee S :

XX **Landhaus Dill,** Elbchaussee 404 (H 52), ℰ 82 84 43, Fax 828213 – ⓟ. ᴀᴇ ⓞ ᴇ ᴠɪꜱᴀ
Montag geschl. – **M** *(auch vegetarisches Menu)* (Tischbestellung ratsam) a la carte 66/1C

In Hamburg-Othmarschen :

🏨 **Schmidt** garni, Reventlowstr. 60 (H 52), ℰ 88 28 31, Fax 8808881, ☞ – 🛗 📺 ☎ ❨
ᴀᴇ S
35 Z : 60 B 110/155 - 155/215.

In Hamburg-Poppenbüttel :

🏨 **Poppenbütteler Hof,** Poppenbütteler Weg 236 (H 65), ℰ 6 02 10 72, Telex 21652❚
Fax 6023130 – 🛗 📺 ☎ ⓟ – 🔦 25/60. ᴀᴇ ⓞ ᴇ ᴠɪꜱᴀ über Alte Landstraße R
M a la carte 44/70 – **32 Z : 64 B** 191/327 - 252/382 Fb.

In Hamburg-Rotherbaum :

🏨 **Elysee** ⑳, Rothenbaumchaussee 10 (H 13), ℰ 41 41 20, Telex 212455, Fax 4141273❚
Massage, ⇔, 🎱 – 🛗 ↩ Zim ▤ 📺 ⅋ ⇔ – 🔦 25/500. ᴀᴇ ⓞ ᴇ ᴠɪꜱᴀ FX ❚
Restaurants : **Piazza Romana M** a la carte 50/63 – **Brasserie M** a la carte 40/55 – **299 ❚**
593 B 249/309 - 308/368 Fb.

🏨 **Vorbach** garni, Johnsallee 63 (H 13), ℰ 44 18 20, Telex 213054, Fax 44182888 – 🛗 📺 ❨
⇔. ᴀᴇ ᴇ ᴠɪꜱᴀ FX
106 Z : 170 B 135/190 - 180/260.

XX **Ventana** (europäisch-asiatische Küche), Grindelhof 77 (H 13), ℰ 45 65 88 – ᴀᴇ ⓞ BT
Samstag bis 18 Uhr und Sonntag geschl. – **M** (abends Tischbestellung ratsam) a la carte 73/8❚

XX ✿ **L'auberge française** (Französische Küche), Rutschbahn 34 (H 13), ℰ 4 10 25 ❚
Fax 4105857 – ᴀᴇ ⓞ ᴇ ✆ BT
Samstag bis 18 Uhr, Sonntag, Juni - Juli 4 Wochen und 21. Dez.- 7. Jan. geschl.
M (Tischbestellung erforderlich) a la carte 56/85
Spez. Gebratene Gänsestopfleber in Trüffelsauce, Gegrillte Seezunge mit Schnittlauchcrem❚
sauce, Gratinierte Früchte mit Kirschwassercreme.

In Hamburg-St. Pauli :

XX **Bavaria-Blick,** Bernhard-Nocht-Str. 99 (7. Etage, 🛗) (H 36), ℰ 31 16 31 16, Fax 3116319
← Hafen – ▤. ᴀᴇ ⓞ ᴇ ᴠɪꜱᴀ AU ❚
M (Tischbestellung ratsam) a la carte 45/86.

In Hamburg Sasel :

Mellingburger Schleuse (250 Jahre altes niedersächsisches Bauernhaus), Mellingburgredder 1 (H 65), ☎ 6 02 40 01, Fax 6027912, – TV ☎ P – 25/180. AE O E — über Saseler Chaussee R
M a la carte 35/62 – **34 Z : 70 B** 165/180 - 225/275 Fb.

Gerresheim - Saseler Dorfkrug, Saseler Chaussee 101 (H 65), ☎ 6 01 77 71 – P (wochentags nur Abendessen). R **m**

In Hamburg-Schnelsen :

Novotel - Nord, Oldesloer Str. 166 (H 61), ☎ 5 50 20 73, Telex 212923, Fax 5592020, (geheizt) – Zim TV ☎ P – 25/250. AE O E VISA. Rest R **u**
M a la carte 34/60 – **122 Z : 244 B** 178 - 216 Fb.

In Hamburg-Stellingen :

Helgoland garni, Kieler Str. 177 (H 54), ☎ 85 70 01, Fax 8511445 – TV ☎ P – 25. AE O E VISA S **n**
110 Z : 220 B 150/180 - 200/240 Fb.

In Hamburg-Stillhorn :

Forte Hotel, Stillhorner Weg 40 (H 93), ☎ 7 52 50, Telex 217940, Fax 7525444, – Rest TV P – 25/200. AE O E VISA. Rest S **v**
M a la carte 41/72 – **148 Z : 296 B** 208/258 - 266/476 Fb.

BAB Raststätte und Motel Stillhorn, an der A 1 (Ostseite) (H 93), ☎ 75 01 70, Fax 7501789, – Zim TV ☎ P – 30. AE O E VISA S **v**
M a la carte 27/55 – **52 Z : 116 B** 150 - 196 Fb.

In Hamburg-Uhlenhorst :

Parkhotel Alster-Ruh garni, Am Langenzug 6 (H 76), ☎ 22 45 77, Fax 2278966 – TV ☎ AE E CT **e**
24 Z : 42 B 130/195 - 185/325 Fb.

Nippon (Japanische Einrichtung und Küche), Hofweg 75 (H 76), ☎ 2 27 11 40, Telex 211081, Fax 22711490 – TV ☎ AE O E VISA. DT **d**
M *(nur Abendessen, Montag geschl.)* a la carte 46/73 – **42 Z : 84 B** 165/215 - 215/340 Fb.

Ristorante Roma (Italienische Küche), Hofweg 7 (H 76), ☎ 2 20 25 54, – AE O VISA DT **h**
Samstag bis 19 Uhr und Sonntag geschl. – **M** a la carte 55/73.

In Hamburg-Veddel :

Carat-Hotel, Sieldeich 9 (H 26), ☎ 78 96 60, Telex 2163354, Fax 786196, – Zim TV ☎ P – 25/40. AE O E VISA S **s**
M a la carte 38/63 – **91 Z : 170 B** 160/200 - 200/230 Fb.

In Hamburg-Volksdorf über ② :

Ristorante Due Torri (Italienische Küche), Im alten Dorfe 40 (H 67), ☎ 6 03 40 42, – P. AE O E
Montag geschl. – **M** a la carte 45/62.

In Hamburg-Wellingsbüttel :

Rosengarten garni, Poppenbüttler Landstr. 10b (H 65), ☎ 6 02 30 36, – TV ☎ P. AE E R **s**
24. Dez.- 2. Jan. geschl. – **10 Z : 17 B** 138 - 178.

Randel, Poppenbüttler Landstr. 1 (H 65), ☎ 6 02 47 66, « Großer Park » – P R **w**

In Hamburg-Winterhude :

Hanseatic garni, Sierichstr. 150 (H 60), ☎ 48 57 72, Fax 485773, « Elegante, wohnliche Einrichtung » – TV ☎ CT **c**
13 Z : 26 B 200/225 - 250/450.

Benedikt, Dorotheenstr. 182a (H 60), ☎ 4 60 34 64 (Tischbestellung ratsam). CT **a**

Borsalino (Italienische Küche), Barmbeker Str. 165 (H 60), ☎ 47 60 30 – AE O E VISA CT **u**
Montag geschl. – **M** a la carte 47/66.

Dorée, Dorotheenstr. 180, ☎ 4 80 78 68 – O E VISA CT **a**
Sonntag - Montag und Juli 2 Wochen geschl. – **M** a la carte 63/79.

Schmitz, Maria-Louisen-Str. 3 (H 60), ☎ 48 41 32 – AE BV **b**
Samstag, Feiertage und Juni - Juli 3 Wochen geschl. – **M** (Tischbestellung ratsam) a la carte 53/74.

MICHELIN-REIFENWERKE KGaA. Niederlassung 2000 Hamburg 74, Billbrookdeich 183 (Hamburg S. 3 S) ☎ 7 32 01 66, Fax 7328820.

HAMELN **3250.** Niedersachsen 411 412 L 10, 987 ⑮ – 58 000 Ew – Höhe 68 m – ☎ 0515

Sehenswert: Rattenfängerhaus★ **n** – Hochzeitshaus★ **B.**

Ausflugsziel: Hämelschenburg★ ③ : 11 km.

Schloß Schwöbber, 3258 Aerzen 16, ☎ (05154) 20 04, Fax 2264.

Verkehrsverein, Deisterallee, ☎ 20 26 17, Fax 202500.

ADAC Ostertorwall 15 A, ☎ 33 35, Notruf ☎ 1 92 11.

♦Hannover 45 ① – Bielefeld 80 ⑤ – Hildesheim 48 ② – Paderborn 67 ④ – ♦Osnabrück 110 ⑤.

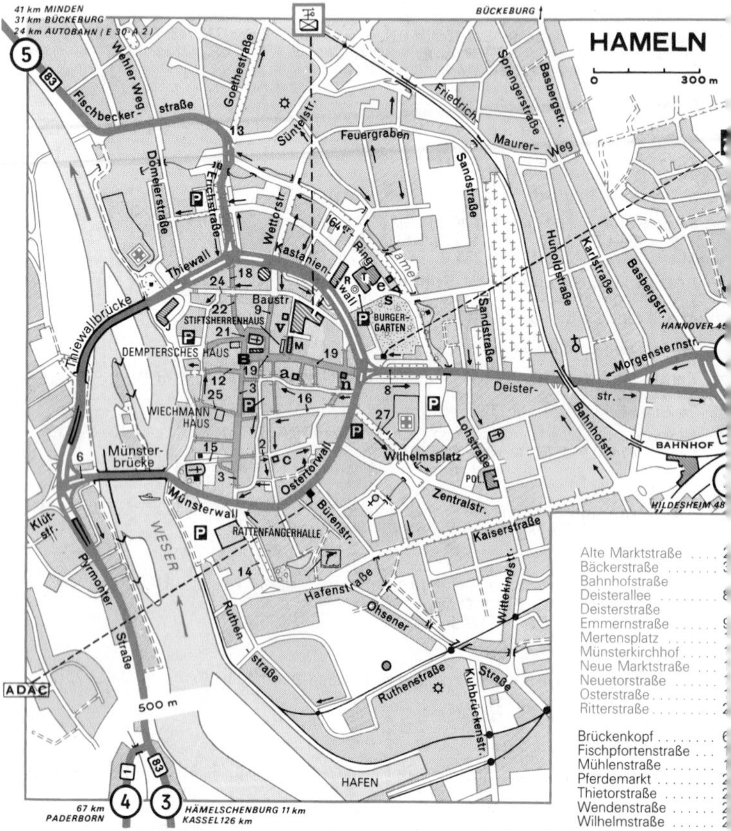

Dorint Hotel Hameln, 164er Ring 3, ☎ 79 20, Telex 924716, Fax 792191, – 25/400. AE ⓓ E VISA
M a la carte 35/63 – **103 Z : 156 B** 155/270 - 215/390 Fb.

Christinenhof garni, Alte Marktstr. 18, ☎ 71 68, Fax 43611, – AE E VISA
22. Dez.- 4. Jan. geschl. – **18 Z : 31 B** 110/120 - 148/168 Fb.

Zur Post garni, Am Posthof 6, ☎ 76 30, Fax 7641 –
31 Z : 60 B 79/110 - 129/165 Fb.

Zur Börse, Osterstr. 41a (Zufahrt über Kopmanshof), ☎ 70 80 (Hotel) 2 25 75 (Rest
Fax 25485 – AE ⓓ E VISA
Hotel über Weihnachten und Neujahr geschl. – **M** *(27. Dez.- 3. Jan. geschl.)* a la carte 23/4
– **34 Z : 47 B** 59/100 - 110/114.

Bellevue garni, Klütstr. 34, ☎ 6 10 18, Fax 66179 – über Klütstraß
21. Dez.- 2. Jan. geschl. – **19 Z : 35 B** 70/85 - 108/130.

Rattenfängerhaus, Osterstr. 28, ☎ 38 88, « Renaissancehaus a.d.J. 1603 » – 25/6
AE ⓓ E VISA – **M** a la carte 30/56.

China-Restaurant Peking, 164er Ring 5, ☎ 4 18 44 – E VISA – **M** a la carte 25/44.

In Hameln-Klein Berkel ④ : 3 km :

🏨 **Klein Berkeler Warte,** an der B 1, ℰ 6 50 81, Fax 64074, 🏤 – 📺 ☎ 🚗 🅿 – 🔬 30.
① Ɛ 𝘝𝘐𝘚𝘈
1.- 15. Jan. geschl. – **M** a la carte 30/54 – **19 Z : 28 B** 65/85 – 110/150 Fb.

🏨 **Ohrberg** 🦌 garni, Margaretenweg 1, ℰ 6 50 55, 🔺, 🌿 – 📺 ☎ 🚗 🅿
18 Z : 24 B 68/95 – 105/135.

Auf dem Klütberg W : 7 km über ④ :

𝕏𝕏 **Klütturm,** ✉ 3250 Hameln, ℰ (05151) 6 16 44, Fax 67327, ≤ Weser und Hameln, 🏤 –
🅿. 🝹 Ɛ 𝘝𝘐𝘚𝘈
Dienstag und Mitte Jan.- 10. Feb. geschl. – **M** a la carte 46/75.

In Aerzen 2-Groß Berkel **3258** ④ : 7 km :

🏨 **Dammköhler** garni, An der Breite 1, ℰ (05154) 21 36 – 🅿
29. Juni - 19. Juli geschl. – **9 Z : 12 B** 42 - 74.

In Aerzen 14-Multhöpen **3258** ④ : 13 km über Königsförde :

🏨 **Landluft** 🦌, Buschweg 7, ℰ (05154) 20 01, Fax 2003, ≤, 🏤, 🌿 – 📺 ☎ 🅿. ①
Ɛ 𝘝𝘐𝘚𝘈
Mitte Jan.- Mitte Feb. geschl. – **M** *(wochentags nur Abendessen, Dienstag geschl.)* a la carte
34/53 – **16 Z : 30 B** 52/60 - 92/115 Fb.

If you intend staying in a resort or hotel
off the beaten track, telephone in advance,
especially during the season.

HAMFELDE KREIS HZGT. LAUENBURG 2071. Schleswig-Holstein 𝟜𝟙𝟙 O 6 – 450 Ew – Höhe
⊺ m – 𝟶 04154.
◄iel 94 - ◆Hamburg 34 - Lauenburg 34 - ◆Lübeck 42.

🏨 Pirsch-Mühle garni, Möllner Str. 2, ℰ 23 00, Fax 4203, ≋s – 📺 ☎ 🅿
15 Z : 26 B Fb.

HAMM IN WESTFALEN 4700. Nordrhein-Westfalen 𝟜𝟙𝟙 𝟜𝟙𝟚 G 11, 𝟿𝟪𝟽 ⑭ – 175 000 Ew –
▸he 63 m – 𝟶 02381.
◼ Verkehrsverein, Bahnhofsvorplatz (im Kaufhaus Horten), ℰ 2 34 00.
◑AC Oststr. 48 a, ℰ 2 92 88, Notruf 1 92 11.
◑üsseldorf 111 ③ – Bielefeld 76 ⑥ – Dortmund 44 ③ – Münster (Westfalen) 37 ⑥.
Stadtplan siehe nächste Seite

🏨🏨 **Queens Hotel Hamm,** Neue Bahnhofstr. 3, ℰ 1 30 60, Telex 828886, Fax 13079, ≋s, 🔲
– 📳 💱 Zim 🔳 📺 ☎ 🚗. 🝹 ① Ɛ 𝘝𝘐𝘚𝘈 Z a
M a la carte 45/68 – **142 Z : 263 B** 210/280 - 250/350 Fb – 7 Appart..

🏨 **Stadt Hamm,** Südstr. 9, ℰ 2 90 91, Fax 15210 – 📳 📺 ☎ 🚗. 🝹 ① Ɛ 𝘝𝘐𝘚𝘈. ✾ Y a
M *(nur Abendessen)* a la carte 36/59 – **25 Z : 46 B** 85/160 - 160/220 Fb.

🏨 **Herzog** garni, Caldenhofer Weg 22, ℰ 2 00 59, Fax 13802 – 📺 ☎ 🚗 🅿. 🝹 ① Ɛ 𝘝𝘐𝘚𝘈
27 Z : 40 B 65/100 - 110/150. Z e

🏨 **Breuer,** Ostenallee 95, ℰ 8 40 01 – ☎ 🚗. ✾ Zim V b
M *(Freitag und Juli - Aug. 3 Wochen geschl.)* a la carte 25/55 – **23 Z : 30 B** 70 - 110.

In Hamm 3-Pelkum ④ : 5 km über die B 61 :

🏨 **Selbachpark** 🦌, Kamener Straße (B 61, SO : 2 km), ℰ 4 09 44, Fax 405213 – 📺 ☎ 🅿
– 🔬 25/100
M a la carte 25/54 – **25 Z : 50 B** 80 - 140.

𝕏𝕏𝕏 **Wieland - Stuben,** Wielandstr. 84, ℰ 40 12 17, 🏤, « Elegante und rustikale Einrichtung »
– 🅿. 🝹 ① Ɛ 𝘝𝘐𝘚𝘈
Samstag bis 18 Uhr und Montag geschl. – **M** a la carte 41/70.

In Hamm 1-Rhynern ③ : 7 km :

🏨 **Grüner Baum,** Reginenstr. 3, ℰ (02385) 24 54, Fax 6353, 🏤 – 📳 📺 ☎ 🅿. 🝹 ① Ɛ 𝘝𝘐𝘚𝘈
M a la carte 36/63 – **25 Z : 46 B** 128 - 180/250 Fb.

An der Autobahn A 2 über ③ :

🏨 **Rasthaus Rhynern Süd,** Im Zengerott 3, ✉ 4700 Hamm 1-Rhynern, ℰ (02385) 4 55,
◄ Fax 5984, 🏤 – 📺 🚗 🅿. 🝹 ① Ɛ 𝘝𝘐𝘚𝘈
M *(auch Self-service)* a la carte 24/48 – **13 Z : 21 B** 60/75 - 125.

🏨 **Rasthaus Rhynern-Nord,** Ostendorfstr. 62, ✉ 4700 Hamm 1-Rhynern, ℰ (02385) 60 31,
Fax 464, 🏤, ≋s – 📺 ☎ 🚗 🅿. 🝹 Ɛ 𝘝𝘐𝘚𝘈
M *(auch Self-Service)* a la carte 27/60 – **39 Z : 50 B** 66/110 - 115/140.

HAMM
IN WESTFALEN

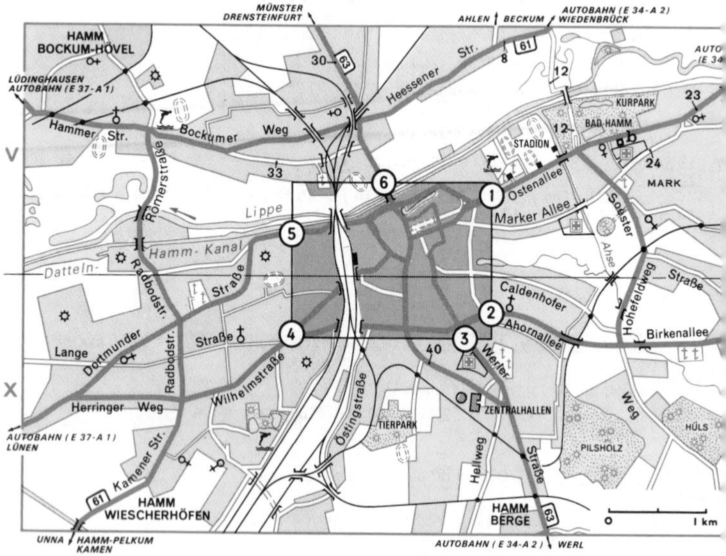

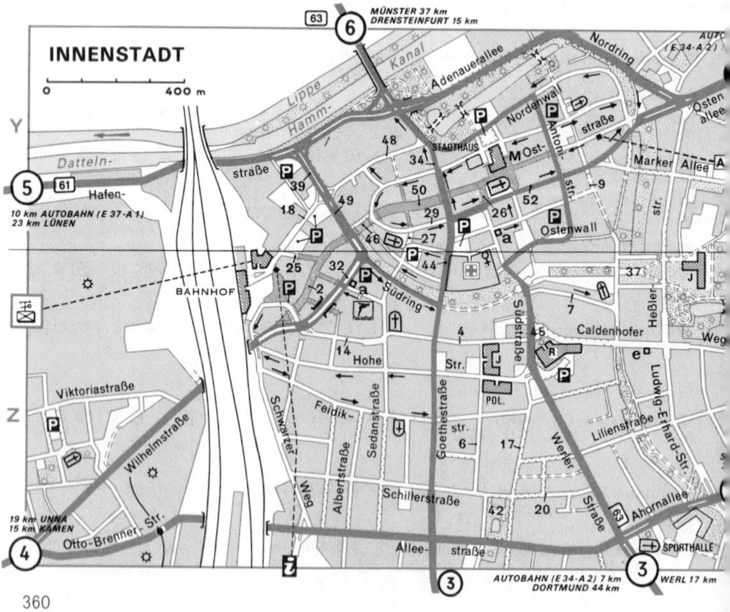

AMM (SIEG) **5249.** Rheinland-Pfalz 412 G 14 – 11 500 Ew – Höhe 208 m – ☎ 02682.
nz 124 – ♦Bonn 63 – Limburg an der Lahn 64 – Siegen 48.

Romantik-Hotel Alte Vogtei (Fachwerkhaus a.d.J. 1753), Lindenallee 3, ☎ 2 59, Fax 8956, – TV ☎ . AE ① E VISA
20. Juli - 10. Aug. geschl. – Menu *(Mittwoch - Donnerstag 17 Uhr geschl.)* a la carte 30/60 – **16 Z : 32 B** 75/130 - 140/210 Fb.

An der B 256 W : 2,5 km :

Auermühle, ✉ 5249 Hamm, ☎ (02682) 2 51, – ☎ Ⓟ. AE ① E VISA
M *(Freitag - Samstag 17 Uhr, 2.- 20. Jan. und 17.- 24. Juli geschl.)* a la carte 22/48 – **23 Z : 36 B** 50/62 - 90/110.

In Pracht 2-Niederhausen **5249** W : 3,5 km :

Landhaus Im kühlen Grunde , Brunnenstr. 7, ☎ (02682) 2 67, – ☎ Ⓟ. AE ① E
8.- 23. Aug. geschl. – **M** *(nur Abendessen, Mittwoch geschl.)* a la carte 24/50 – **8 Z : 16 B** 45/55 - 80/100.

In Seelbach-Marienthal **5231** S : 5 km :

Waldhotel Imhäuser , Hauptstr. 14, ☎ (02682) 2 71, – ☎ Ⓟ – 40. ① VISA
Jan. 2 Wochen geschl. – **M** *(Montag geschl.)* a la carte 31/53 – **17 Z : 31 B** 45 - 90.

AMMELBURG **8783.** Bayern 413 M 16, 987 ㉕ – 12 200 Ew – Höhe 180 m – ☎ 09732.
Tourist-Information, Kirchgasse 4, ☎ 8 02 49, Fax 80279.
ünchen 319 – ♦Bamberg 94 – Fulda 70 – ♦Würzburg 53.

Kaiser, An der Walkmühle 11, ☎ 40 38, , – ☎ Ⓟ. E
M *(wochentags nur Abendessen, Montag geschl.)* a la carte 22/45 – **11 Z : 22 B** 45 - 75.

In Hammelburg-Morlesau W : 8 km über Hammelburg-Diebach :

Nöth , Morlesauer Str. 6, ☎ (09357) 4 79, Fax 1357, , (geheizt), – Ⓟ. AE ① E VISA
4.- 16. Nov. geschl. – **M** *(Okt.- März Montag geschl.)* a la carte 23/56 – **20 Z : 40 B** 42/57 - 84/104 Fb.

In Wartmannsroth **8781** NW : 10 km :

✿ **Fränkisches Landgasthaus Sepp Halbritter,** Hauptstr. 4, ☎ (09737) 8 90, Fax 8940, « Gartenterrasse » – TV ☎ Ⓟ. AE E VISA. Rest
15. Jan.- 10. Feb. und 1.- 15. Aug. geschl. – Restaurants : **Gute Stube** *(wochentags nur Abendessen, Montag - Dienstag geschl.)* **M** a la carte 60/90 – **Grill Stube** *(auch Mittagessen, Dienstag geschl.)* **M** a la carte 30/60 – **11 Z : 22 B** 140 - 190/220
Spez. Lammhaxe in Curry, Bauernente mit Rotweinsauce (2 Pers.), Früchteterrine mit Mascarpone-Honigcrème.

In Wartmannsroth-Neumühle **8781** W : 6 km über Hammelburg-Diebach :

Neumühle (Fachwerkhäuser mit wertvoller antiker Einrichtung), ☎ (09732) 80 30, Fax 80379, , , , – TV ☎ Ⓟ – 30. Rest
6.- 30. Jan. geschl. – **M** a la carte 43/66 – **29 Z : 62 B** 160/210 - 255/380.

AMMINKELN Nordrhein-Westfalen siehe Wesel.

ANAU AM MAIN **6450.** Hessen 412 413 J 16, 987 ㉕ – 91 000 Ew – Höhe 105 m – ☎ 06181.
Hanau-Wilhelmsbad (über ⑤), ☎ 8 20 71.
Verkehrsamt, Markt 14, ☎ 25 24 00, Fax 295602.
AC Sternstraße (Parkhaus), ☎ 2 45 11, Notruf ☎ 1 92 11.
Wiesbaden 59 ③ – ♦Frankfurt am Main 20 ④ – Fulda 89 ① – ♦Würzburg 104 ②.

Stadtplan siehe nächste Seite

Brüder-Grimm-Hotel - Restaurant La Fontana, Kurt-Blaum-Platz 6, ☎ 30 60 (Hotel) 3 38 38 (Rest.), Telex 4102317, Fax 306512, Massage, – TV ☎ Ⓟ – 25/70. AE ① E VISA. Zim — Z **s**
23. Dez.- 3. Jan. geschl. – **M** *(Samstag bis 18 Uhr und Sonntag geschl.)* a la carte 47/75 – **95 Z : 186 B** 140/180 - 210/270 Fb.

Grahn, Landwehr 1, ☎ 3 10 86, Fax 31820 – TV ☎ Ⓟ — Z **n**
16 Z : 28 B Fb.

Café Menges garni, Hirschstr. 16, ☎ 25 60 45 – TV ☎ Ⓟ — Y **r**
28 Z : 37 B Fb.

Royal, Salzstr. 14, ☎ 2 41 57, Fax 255589 – TV ☎ . ① E VISA. — Y **e**
M *(nur Abendessen, Sonntag geschl.)* a la carte 32/56 – **17 Z : 32 B** 96/115 - 135/155 Fb.

In Hanau 6-Mittelbuchen ⑥ : 7 km :

Sonnenhof garni, Alte Rathausstraße 6, ☎ 7 10 99 – ☎ Ⓟ
21. Dez.- Anfang Jan. geschl. – **18 Z : 29 B** 60/80 - 102 Fb.

HANAU AM MAIN

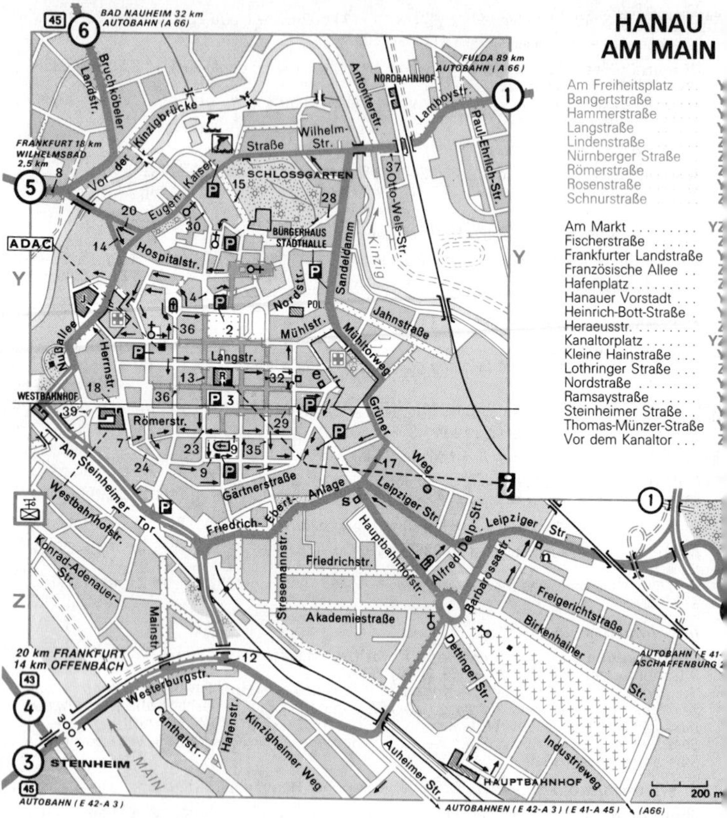

Am Freiheitsplatz . . . Y
Bangertstraße . . . . Y
Hammerstraße . . . . Y
Langstraße . . . . Y
Lindenstraße . . . . Z
Nürnberger Straße . . Z
Römerstraße . . . . Z
Rosenstraße . . . . Y
Schnurstraße . . . . Z

Am Markt . . . . YZ
Fischerstraße . . . . . . Z
Frankfurter Landstraße Y
Französische Allee . . Z
Hafenplatz . . . . Z
Hanauer Vorstadt . . . Y
Heinrich-Bott-Straße . Z
Heraeusstr. . . . . Z
Kanaltorplatz . . . . YZ
Kleine Hainstraße . . . Y
Lothringer Straße . . . Z
Nordstraße . . . . Y
Ramsaystraße . . . . . . Y
Steinheimer Straße . . Z
Thomas-Münzer-Straße Y
Vor dem Kanaltor . . . Z

In Hanau 7-Steinheim ③ : 4 km :

Birkenhof, von-Eiff-Str. 37, ✆ 6 48 80, Fax 648839, – TV ☎ ⛍ P. AE E VISA
20. Dez.- 4. Jan. und über Ostern geschl. – (nur Abendessen für Hausgäste) – **23 Z : 35 B** 105/1 - 150/180.

Zur Linde, Steinheimer Vorstadt 31, ✆ 65 90 71, Fax 659074, – TV ☎ P. E
M *(Samstag bis 18 Uhr und Donnerstag geschl.)* a la carte 30/48 – **31 Z : 45 B** 75/10 120/150 Fb.

In Hanau-Wilhelmsbad über ⑤ :

XX **Golf-Club - Restaurant da Enzo** mit Zim, Wilhelmsbader Allee 32, ✆ 8 32 19 (Ho 8 53 97 (Rest.), ≤, 18 – TV ☎ P. AE ① E VISA
M *(Montag geschl.)* a la carte 40/76 – **7 Z : 14 B** 95 - 150.

In Hainburg-Hainstadt **6452** ③ : 6 km :

Hessischer Hof, Hauptstr. 56, ✆ (06182) 44 11, Fax 7547, – TV ☎ P. AE E
M *Montag geschl.* a la carte 30/64 – **11 Z : 17 B** 110 - 170 Fb.

HANDELOH **2111.** Niedersachsen 411 M 7 – 1 700 Ew – Höhe 38 m – ☎ 04188.

♦Hannover 124 – ♦Bremen 89 – ♦Hamburg 50 – Lüneburg 46.

Fuchs, Hauptstr. 35, ✆ 4 14, – TV ☎ P – 25/40
30 Z : 60 B Fb.

Zum Lindenheim (mit Gästehaus), Hauptstr. 38, ✆ 74 11, Fax 7561, – TV ☎
① E VISA
M *(im Winter Dienstag - Mittwoch geschl.)* a la carte 24/61 – **22 Z : 42 B** 35/65 - 60/100 – ½ P 49/84.

During the season, particularly in resorts, it is wise to book in advance.

ANKENSBÜTTEL **3122.** Niedersachsen 411 O 8, 987 ⑯ – 3 600 Ew – Höhe 40 m – Luftkurort
05832.
enswert : Otter-Zentrum.
nnover 83 – ◆Braunschweig 62 – Celle 40 – Lüneburg 65.

In Dedelstorf 1-Repke **3122** SW : 5 km :

Dierks, an der B 244, ✆ (05832) 60 82, – P. AE E
M a la carte 23/47 – **17 Z : 27 B** 50 - 90 – ½ P 56.

ANN. MÜNDEN **3510.** Niedersachsen 411 412 L 12, 987 ⑮ – 28 000 Ew – Höhe 125 m –
olungsort – 05541.
enswert : Fachwerkhäuser★★ – Rathaus★.
sflugsziel : Wesertal★ (von Hann. Münden bis Höxter).
Städtisches Verkehrsbüro, Rathaus, ✆ 7 53 13.
nnover 151 ① – ◆Braunschweig 138 ① – Göttingen 34 ① – ◆Kassel 23 ②.

HANN. MÜNDEN

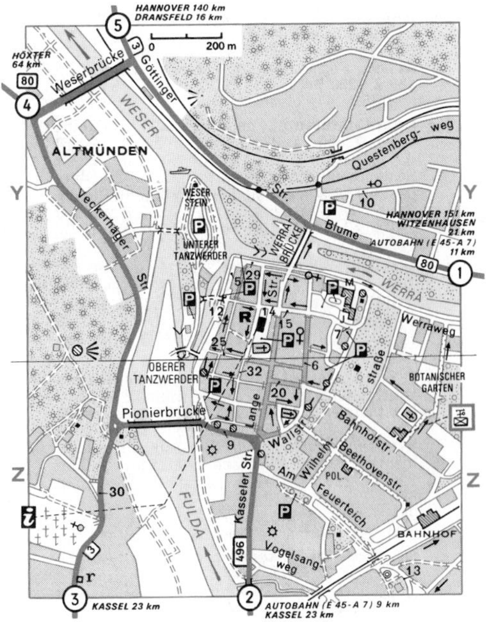

Si vous écrivez
à un hôtel à l'étranger
joignez à votre lettre
un coupon réponse
international
(disponible dans
les bureaux de poste).

Schmucker Jäger, Wilhelmshäuser Str. 45 (B 3), ✆ 50 49, Fax 2901 – TV ☎ P – 60. AE ① E VISA Z r
2.- 14. Jan. geschl. – **M** *(Sonntag 15 Uhr - Montag 17 Uhr geschl.)* a la carte 19/56 – **30 Z : 58 B** 45/80 - 76/130 Fb.

Jagdhaus Heede, Hermannshäger Str. 81, ✆ 23 95, – ☎ P. Zim über ①
18 Z : 30 B Fb.

Hainbuchenbrunnen, Am Hainbuchenbrunnen 4, ✆ 3 50 30, – TV ☎ P. über Vogelsangweg Z
M *(nur Abendessen, Okt.- März Donnerstag und Mitte Jan.- Mitte Feb. geschl.)* a la carte 22/55 – **24 Z : 41 B** 45/75 - 90/120 Fb.

In Hann. Münden-Bursfelde ⑤ : 18 km :

Klostermühle mit Zim, Klosterhof 24, ✆ (05544) 72 49, – P
6 Z : 12 B.

In Hann. Münden 18-Laubach ① : 6 km :

Werrastrand, Buschweg 41, ✆ 3 32 58, Fax 33425, – TV ☎ P. AE ① E VISA.
Nov. geschl. – **M** *(auch vegetarische Gerichte, Dienstag geschl.)* a la carte 28/75 – **18 Z : 34 B** 70/95 - 85/140 Fb -(Gästehaus mit 24 Z ab Frühjahr 1992).

HANNOVER **3000.** Ⓛ Niedersachsen 411 412 LM 9, 987 ⑮ – 510 000 Ew – Höhe 55 m
☎ 0511.

Sehenswert : Herrenhäuser Gärten** (Großer Garten**, Berggarten*) A – Kestner-Museum* DY **M1** – Marktkirche (Schnitzaltar**) DY – Niedersächsisches Landesmuseum* EZ **M2** – Sprengel-Museum* EZ.

Garbsen, Am Blauen See (⑥ : 14 km), ✆ (05137) 7 30 68 ; Isernhagen FB, Gut Lohne, ✆ (05139) 29 98.

Hannover-Langenhagen (① : 11 km), ✆ 7 30 51.

✆ 1 28 54 52.

Messegelände (über ② und die B 6), ✆ 8 90, Telex 922728.

Verkehrsbüro, Ernst-August-Platz 8, ✆ 1 68 23 19, Fax 1685072.

ADAC Hindenburgstr. 37, ✆ 8 50 00, Notruf ✆ 1 92 11.

♦Berlin 288 ② (über Helmstedt) – ♦Bremen 123 ① – ♦Hamburg 151 ①.

Messe-Preise : siehe S. 8
Foires et salons : voir p. 16
Fairs : see p. 24
Fiere : vedere p. 32

Kastens Hotel Luisenhof, Luisenstr. 1 ✆ 3 04 40, Fax 3044807 – Rest – 25/160. AE ⓓ E VISA. Rest EX **b**
M *(Juli - Aug. Sonntag geschl.)* a la carte 48/87 – **160 Z : 250 B** 195/369 - 238/538 Fb – 5 Appart. 490/850.

Inter-Continental, Friedrichswall 11, ✆ 3 67 70, Telex 923656, Fax 325195 – Zim Rest – 25/300. AE ⓓ E VISA. Rest DY **a**
Restaurants : **L'Adresse** *(15. Juli - 11. Aug. geschl.)* **M** a la carte 62/92 – **Wilhelm-Busch-Stube M** a la carte 26/42 – **285 Z : 450 B** 280/520 - 350/600 Fb – 14 Appart. 910/1660.

Maritim, Hildesheimer Str. 34, ✆ 1 65 31, Telex 9230268, Fax 884846, – Zim – 25/400. AE ⓓ E VISA. Rest EZ **b**
M a la carte 50/81 – **293 Z : 580 B** 219/398 - 264/524 Fb.

Schweizerhof Hannover - Schu's Restaurant, Hinüberstr. 6, ✆ 3 49 50 (Hotel) 3 49 52 52 (Rest.), Telex 923359, Fax 3495123 – Rest – 25/250. AE ⓓ E VISA EX **d**
M *(Samstag bis 18 Uhr und Sonntag geschl.)* (bemerkenswerte Weinkarte) a la carte 77/120 – **200 Z : 296 B** 248/335 - 335/398 – 3 Appart. 650
Spez. Terrine von Büsumer Krabben, Pot au feu vom Hummer, Geschmorte Heidschnucke (Saison).

Grand Hotel Mussmann garni, Ernst-August-Platz 7, ✆ 32 79 71, Telex 922859, Fax 324325 – – 25/50. AE ⓓ E VISA EX **v**
100 Z : 160 B 168/398 - 218/498 Fb.

Congress-Hotel am Stadtpark, Clausewitzstr. 6, ✆ 2 80 50, Telex 921263, Fax 814652, Massage, – Zim – 25/3000. AE ⓓ E VISA B **e**
M (auch Diät) a la carte 42/79 – **252 Z : 303 B** 154/390 - 274/448 Fb – 4 Appart. 650/1200.

Königshof garni, Königstr. 12, ✆ 31 20 71, Telex 922306, Fax 312079 – – 30. AE ⓓ E VISA EX **c**
84 Z : 168 B 178/318 - 218/470 Fb.

Plaza, Fernroder Str. 9, ✆ 3 38 80, Telex 921513, Fax 3388488, – Zim – 25/200. AE ⓓ E VISA EX **e**
M a la carte 39/65 – **102 Z : 159 B** 168/318 - 206/396 Fb.

Mercure, Am Maschpark 3, ✆ 8 00 80, Telex 921575, Fax 8093704, – Zim Rest – 25/230. AE ⓓ E VISA EZ **n**
M a la carte 37/60 – **144 Z : 200 B** 195/350 - 245/413 Fb.

Central-Hotel Kaiserhof, Ernst-August-Platz 4, ✆ 3 68 30, Telex 922810, Fax 3683114 – TV ☎ – 25/100 – **81 Z : 120 B** Fb. EX **a**

Am Funkturm - Ristorante Milano, Hallerstr. 34, ✆ 3 39 80 (Hotel) 33 23 09 (Rest.), Telex 922263, Fax 3398111 – TV ☎ P EV **s**
nur Hotel : Mitte Juli - Mitte Aug. geschl. – **M** a la carte 31/58 – **46 Z : 65 B** 98/240 - 168/296 Fb.

Intercity-Hotel, Ernst-August-Platz 1, ✆ 32 74 61, Telex 921171, Fax 324119 – Rest TV ☎ – 25/100. AE E VISA EX **r**
M a la carte 23/54 – **57 Z : 92 B** 105/160 - 170/290 Fb.

Am Leineschloß garni, Am Markte 12, ✆ 32 71 45, Telex 922010, Fax 325502 – TV ☎. AE E VISA – **81 Z : 160 B** 177/286 - 242/349 Fb. DY **z**

Loccumer Hof, Kurt-Schumacher-Str. 16, ✆ 1 26 40, Fax 131192 – TV ☎ – 25/50. AE E VISA DX **s**
M a la carte 36/68 – **75 Z : 100 B** 125/185 - 140/200 Fb.

Körner, Körnerstr. 24, ✆ 1 63 60, Telex 921313, Fax 18048, – TV ☎ – 25/60. AE E VISA DX **e**
M *(Weihnachten - Neujahr geschl.)* a la carte 42/57 – **81 Z : 120 B** 138/148 - 186/196 Fb.

Am Rathaus, Friedrichswall 21, ✆ 32 62 68, Fax 328868, – TV ☎. E VISA EY **y**
M *(Samstag - Sonntag geschl.)* a la carte 33/61 – **47 Z : 71 B** 125/220 - 200/340 Fb.

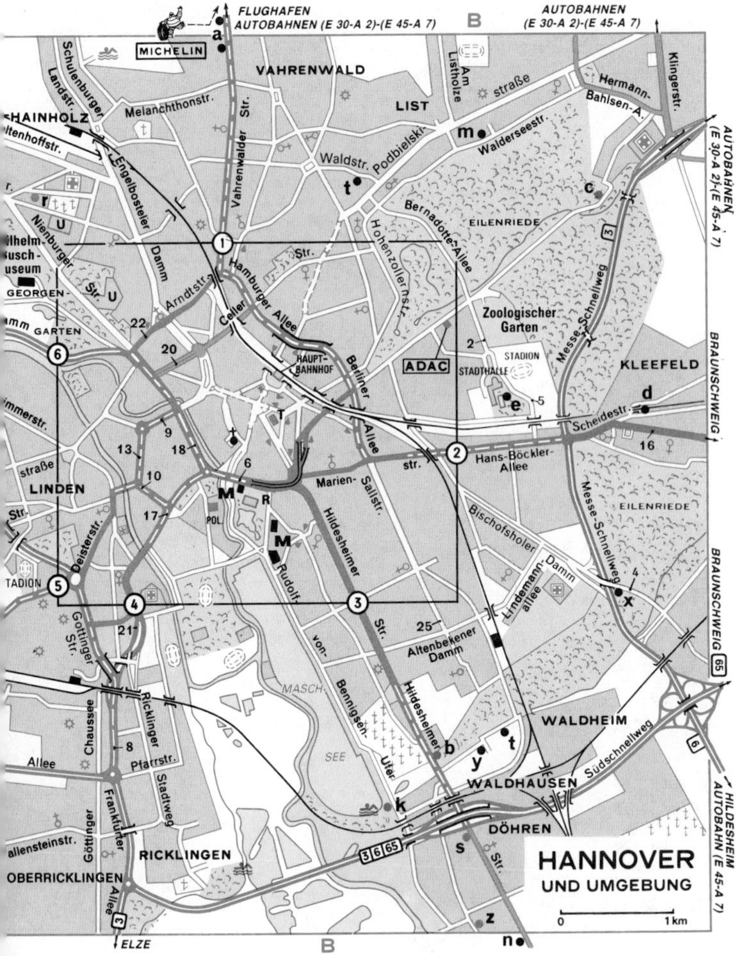

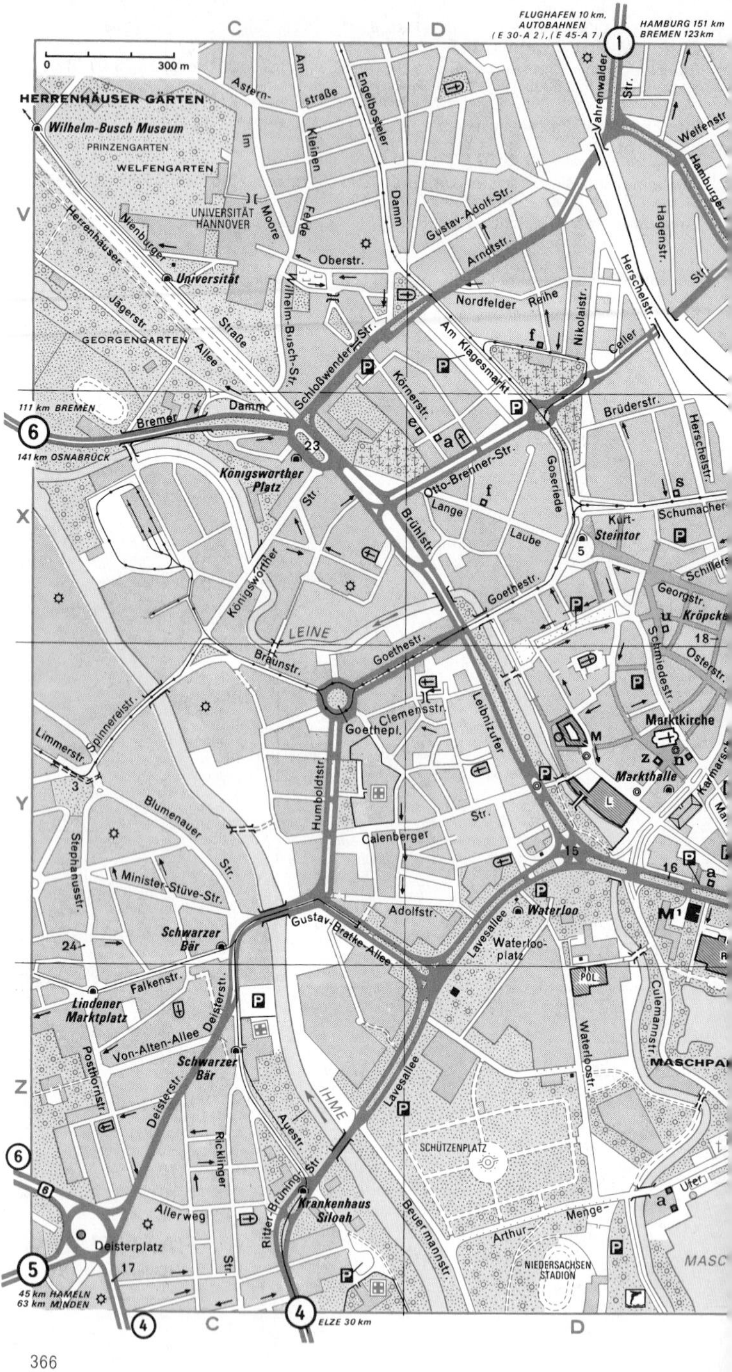

FLUGHAFEN 10 km, AUTOBAHNEN (E 30-A 2), (E 45-A 7)
HAMBURG 151 km
BREMEN 123 km
C
D
V
X
Y
Z
0
300 m
HERRENHÄUSER GÄRTEN
Wilhelm-Busch Museum
PRINZENGARTEN
WELFENGARTEN
UNIVERSITÄT HANNOVER
Universität
GEORGENGARTEN
Astern-
Am
straße
Engelbosteler
Damm
Im
Moore
Kleinen
Felde
Oberstr.
Wilhelm-Busch-Str.
Herrenhäuser
Nienburger
Straße
Jägerstr.
Allee
Schloßwender Str.
Gustav-Adolf-Str.
Arndtstr.
Nordfelder
Reihe
Nikolaistr.
Am Klagesmarkt
Körnerstr.
Celler
Vahrenwalder
Str.
Welfenstr.
Hamburger
Hagenstr.
Herschelstr.
Brüderstr.
Damm
Bremer
111 km BREMEN
141 km OSNABRÜCK
Königsworther Platz
Königsworther
Str.
Otto-Brenner-Str.
Lange
Laube
Goseriede
Brühlstr.
Kurt-
Schumacher-
Steintor
Schillers
Georgstr.
Kröpcke
Schmiedestr.
Osterstr.
Goethestr.
LEINE
Braunstr.
Goethepl.
Clemensstr.
Leibnizufer
Marktkirche
Markthalle
Karmarsch
Humboldtstr.
Calenberger
Str.
Spinnereistr.
Limmerstr.
Blumenauer
Str.
Stephanusstr.
Minister-Stüve-Str.
Schwarzer Bär
Adolfstr.
Gustav-Bratke-Allee
Lavesallee
Waterloo
Waterlooplatz
PÖL.
Culemannstr.
MASCHPA
Falkenstr.
Lindener Marktplatz
Von-Alten-Allee
Deisterstr.
Posthornstr.
Schwarzer Bär
IHME
Auestr.
Rickinger
Str.
Waterloostr.
SCHÜTZENPLATZ
Ufer
Menge-
Arthur-
Allerweg
Ritter-Brüning-Str.
Krankenhaus Siloah
Beuermannstr.
NIEDERSACHSEN STADION
MASC
Deisterplatz
45 km HAMELN
63 km MINDEN
ELZE 30 km

HANNOVER

Bahnhofstraße EX 7
Georgstraße DEX
Große Packhofstraße DX 18
Karmarschstraße DY

Aegidientorplatz . . . EY 2
Am Küchengarten . . CY 3
Am Marstall . . . . . . DX 4
Am Steintor . . . . . . DX 5
Bischofsholer Damm FY 8
Braunschweiger Platz FY 9
Emmichplatz . . . . . . FX 12
Ernst-August-Platz . . EX 13
Friederikenplatz . . . . DY 15
Friedrichswall . . . . . DY 16
Göttinger Straße . . . CZ 17
Hans-Böckler-Allee . . FY 19
Hartmannstraße . . . . FZ 20
Joachimstraße . . . . . EX 21
Königsworther Platz . CX 23
Lindener Marktplatz . CY 24
Opernplatz . . . . EY 25
Scharnhorststraße . . FX 28
Thielenplatz . . . . . . EX 29
Volgersweg . . . . . . EX 30

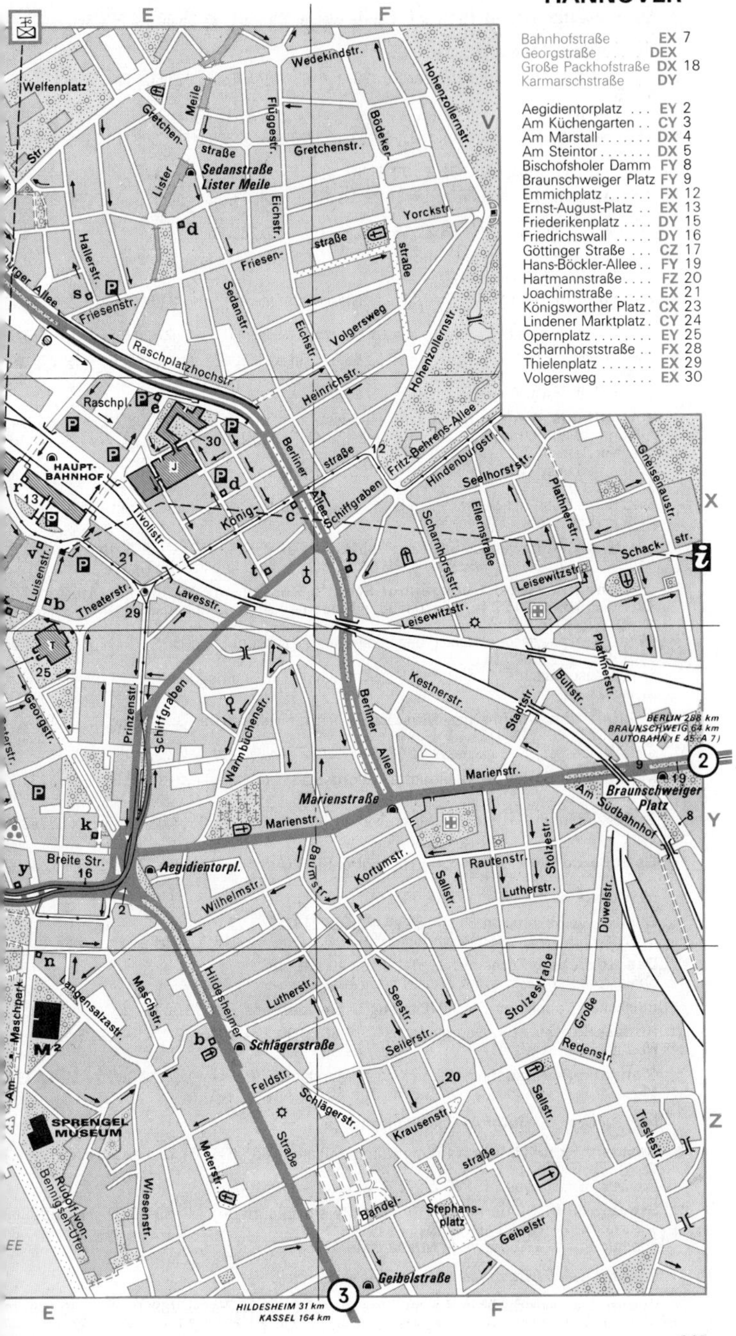

Vahrenwalder Hotel 181 garni, Vahrenwalder Str. 181, 35 80 60, Fax 3505250, . VISA B
34 Z : 65 B 110/130 - 150/180 Fb.

Vahrenwald garni, Vahrenwalder Str. 205, 63 30 77, Telex 923713, Fax 673163 – B
26 Z : 40 B Fb.

Thüringer Hof garni, Osterstr. 37, 32 64 37, Telex 923994, Fax 3681793 – . E VISA EY
23. Dez.- 2. Jan. geschl. – **52 Z : 70 B** 98/195 - 150/250 Fb.

Atlanta garni, Hinüberstr. 1, 34 29 39, Telex 924603, Fax 345928 – VISA EX
20. Dez.- 3. Jan. geschl. – **38 Z : 55 B** 120/160 - 160/260 Fb.

Alpha-Tirol garni, Lange Laube 20, 13 10 66, Fax 341535 – DX
15 Z : 18 B 118 - 160/170.

Bischofshol, Bemeroder Str. 2 (Nähe Messeschnellweg), 51 10 82, Fax 522987, B
30. Dez.- 15. Jan. geschl. – **M** *(Freitag geschl.)* a la carte 24/50 – **12 Z : 20 B** 75/100 - 120/1

City-Hotel garni, Limburgstr. 3, 32 66 81, Telex 9230122, Fax 3632656 – . E VISA DX
36 Z : 52 B 77/108 - 160 Fb.

XXXX **Landhaus Ammann** mit Zim, Hildesheimer Str. 185, 83 08 18, Fax 84377 « Elegante Einrichtung, Innenhofterrasse », – – 25/100. AE VISA. Rest B
M (bemerkenswerte Weinkarte) 110/160 und a la carte 75/115 – **14 Z : 28 B** 235/26 275/530 Fb
Spez. Kohlrabiflan mit gebackenem Kalbsbries, Langustinen und Hummer mit Tomatenscha Reh- und Wildschweingerichte.

XXX **Lila Kranz,** Kirchwender Str. 23, 85 89 21, Fax 854383, – E VISA FX
Samstag und Sonntag jeweils bis 19 Uhr geschl. – **M** a la carte 68/93.

XXX **Romantik Hotel Georgenhof-Stern's Restaurant** mit Zim, Herrenhäu Kirchweg 20, 70 22 44, Fax 708559, « Niederdeutsches Landhaus, Gartenterrasse » – . AE E VISA B
M *(auch vegetarisches Menu)* (bemerkenswerte Weinkarte) a la carte 75/120 – **14 Z : 2** 140/180 - 200/360 Fb
Spez. Hausgemachte Nudeln mit Pilzen, Steinbutt in Champagner, Heidschnucken-Rüc (Saison).

XXX **Bakkarat im Casino am Maschsee,** Arthur-Menge-Ufer 3 (1. Etage), 88 40 Fax 885733, ←, – AE E VISA DZ
nur Abendessen, Sonntag und 16. Feb.- 1. März geschl. – **M** a la carte 68/90.

XXX Mövenpick - Baron de la Mouette, Georgstr. 35 (1. Etage), 32 62 85, Fax 32316 EX

XX Seerestaurant im Maritim am Maschsee, Arthur-Menge-Ufer 3, 88 40 57, Fax 887533, DZ

XX **Gattopardo** (Italienische Küche), Hainhölzer Str. 1 (Am Klagesmarkt), 1 43 75, Fax 318 – AE DV
nur Abendessen – **M** a la carte 39/56.

XX **Clichy,** Weißekreuzstr. 31, 31 24 47, Fax 318283 – AE EV
Samstag bis 18 Uhr, Sonntag und Juni - Juli 3 Wochen geschl. – **M** a la carte 68/96.

XX **Das Körbchen,** Körnerstr. 3, 1 31 82 96 – E DX
Samstag bis 18 Uhr sowie Sonn- und Feiertage geschl. – **M** 68/105.

XX Ratskeller, Köbelinger Str. 60 (Eingang Schmiedestraße), 36 36 44 DY

X **Rôtisserie Helvetia,** Georgsplatz 11, 30 10 00, Fax 3010046, – E VISA EY
M a la carte 26/55.

X **Mandarin-Pavillon** (Chinesische Küche), Marktstr. 45 (Passage), 30 66 30 – AE E
M *(auch vegetarische Gerichte)* a la carte 30/58. DY

In Hannover 51-Bothfeld über Podbielskistr. B :

Residenz Hotel Halberstadt garni, Im Heidkampe 80, 64 01 18, Fax 6478988, – . AE E VISA
20. Dez.- 3. Jan. geschl. – **40 Z : 55 B** 100/160 - 140/190 Fb.

XX **Steuerndieb,** Steuerndieb 1 (im Stadtwald Eilenriede), 69 50 99, Fax 69666 « Terrasse » – . AE E VISA B
Sonntag ab 18 Uhr geschl. – **M** a la carte 42/68.

In Hannover 51-Buchholz über Podbielskistr. B :

XX **Buchholzer Windmühle,** Pasteurallee 30, 64 91 38, Fax 6478930, – .
Montag, Sonn- und Feiertage sowie 22. Dez.- 5. Jan. geschl. – **M** a la carte 42/75.

In Hannover 81-Döhren :

XXX **Wichmann,** Hildesheimer Str. 230, ☎ 83 16 71, Fax 8379811, « Innenhof » B **s**
M a la carte 63/97.

XX ✿ **Etoile,** Wiehbergstr. 98, ☎ 83 55 24 – AE ⓓ E VISA B **z**
nur Abendessen, Sonntag - Montag und Juli - Aug. 3 Wochen geschl. – **M** (Tischbestellung ratsam) a la carte 57/93
Spez. Rote Bete-Apfel-Suppe, Lammrücken aus dem Kräutersud, Dessertteller.

X **Die Insel - Maschseeterrassen,** Rudolf-von-Bennigsen-Ufer 81, ☎ 83 12 14, ≤, 斎 – ⓟ. AE E B **k**
Montag und 2.- 21. Jan. geschl. – **M** a la carte 44/68.

In Hannover 42-Flughafen ① : 11 km :

Holiday Inn, Am Flughafen, ☎ 7 70 70, Telex 924030, Fax 737781, ≦s, ▣ – 劇 ⇔ Zim ▤ TV ♿ ⓟ – 🔔 25/180. AE ⓓ E VISA
M a la carte 46/87 – **210 Z : 355 B** 320/475 - 360/500 Fb.

X **Mövenpick-Restaurant,** Abflugebene, ☎ 9 77 25 09, Fax 9772709 – ▤ – 🔔 25/400. AE ⓓ E VISA
M a la carte 30/56.

In Hannover 51 - Isernhagen Süd N : 12 km über Podbielskistr. B :

Parkhotel Welfenhof, Prüssentrift 85, ☎ 6 54 06, Fax 651050, 斎 – 劇 TV ☎ ⓟ – 🔔 25/100. AE ⓓ E VISA
M a la carte 35/70 – **115 Z : 200 B** 98/180 - 165/300 Fb.

In Hannover 71-Kirchrode über Kirchröder Straße B :

Queens Hotel am Tiergarten ⑤, Tiergartenstr. 117, ☎ 5 10 30, Telex 922748, Fax 526924, 斎 – 劇 ⇔ Zim TV ☎ ⓟ – 🔔 25/200. AE ⓓ E VISA
M a la carte 42/65 – **108 Z : 184 B** 230/360 - 320/450 Fb – 3 Appart..

In Hannover 61-Kleefeld über ② :

Kleefelder Hof garni, Kleestr. 3a, ☎ 5 30 80, Telex 922474, Fax 5308333 – 劇 TV ☎ ♿ ⇐ ⓟ. AE ⓓ E VISA B **d**
90 Z : 120 B 165/420 - 195/450 Fb.

XX **Alte Mühle** (Niedersächsisches Bauernhaus), Hermann-Löns-Park 3, ☎ 55 94 80, Fax 552680, « Gartenterrasse » – ♿ ⓟ. AE E
Donnerstag, 12.- 30. Jan. und 13.- 30. Juli geschl. – **M** a la carte 50/79.

In Hannover 51-Lahe über Podbielskistr. B :

Föhrenhof, Kirchhorster Str. 22, ☎ 6 17 21, Fax 619719, 斎 – 劇 TV ☎ ⓟ – 🔔 25/100. AE ⓓ E VISA
M a la carte 40/69 – **78 Z : 140 B** 135/210 - 200/420 Fb.

In Hannover 1-List :

Waldersee garni, Walderseestr. 39, ☎ 69 80 63, Fax 698065, ≦s, ▣, 🌳 – 劇 TV ☎ ⓟ. AE ⓓ E VISA B **m**
30 Z : 45 B 90/180 - 160/270 Fb.

Martens garni, Waldstr. 38a, ☎ 66 20 33, Fax 393137 – 劇 TV ☎. ⓓ E VISA B **t**
23. Dez.- 2. Jan. geschl. – **36 Z : 55 B** 98/148 - 148/198 Fb.

In Hannover 72-Messe über Messeschnellweg B :

Parkhotel Kronsberg, Laatzener Str. 18 (am Messegelände), ☎ 86 10 86, Telex 923448, Fax 867112, 斎, ≦s, ▣ – 劇 ▤ Rest TV ⇐ ⓟ – 🔔 25/200. AE ⓓ E VISA
M a la carte 38/70 – **144 Z : 215 B** 140/250 - 210/330 Fb.

Hannover 81-Waldhausen :

Hubertus ⑤, Adolf-Ey-Str. 11, ☎ 98 49 70, Fax 830681, « Garten » – TV ☎ B **t**
(nur Abendessen für Hausgäste) – **20 Z : 28 B** 80/110 - 110/150 Fb.

Eden ⑤ garni (ehem. Villa), Waldhausenstr. 30, ☎ 83 04 30, Fax 833094 – ☎. ⓓ E VISA
23 Z : 32 B 55/80 - 85/120 Fb. B **y**

In Hannover 89-Wülfel :

Wülfeler Brauereigaststätten, Hildesheimer Str. 380, ☎ 86 50 86, Fax 876009, 斎 – ☎ ⓟ – 🔔 25/600. ⓓ E VISA B **n**
M *(Juni - Aug. Sonn- und Feiertage geschl.)* a la carte 39/67 – **39 Z : 45 B** 50/125 - 100/210.

In Hemmingen 1-Westerfeld 3005 ④ : 8 km :

Berlin garni, Berliner Str. 4, ☎ (0511) 42 30 14, Telex 924676, Fax 232870, ≦s – 劇 ⇔ TV ☎ ⓟ. AE ⓓ E VISA
39 Z : 62 B 113/280 - 170/345 Fb.

In Laatzen **3014** ③ : 9 km :

Britannia Hannover, Karlsruher Str. 26, ☏ (0511) 8 78 20, Telex 9230392, Fax 863466, ≘s, ✂(Halle) – |₿| ▢ ☎ ♿ Ⓟ – 🚶 25/80. AE ⓓ E VISA
M a la carte 41/75 – **100 Z : 200 B** 145/495 - 190/545 Fb.

Haase, Am Thie 4 (Ortsteil Grasdorf), ☏ (0511) 82 10 41, Fax 828079 – ▢ ☎ Ⓟ
M a la carte 33/50 – **44 Z : 68 B** 95/120 - 160/240 Fb.

In Langenhagen **3012** ① : 10 km :

Grethe, Walsroder Str. 151, ☏ (0511) 73 80 11, Fax 772418, ☂, ≘s, ▢ – |₿| ▢ ☎ Ⓟ – 🚶 25/40. AE E
28. Juli - 18. Aug. und 22. Dez. - 10. Jan. geschl. – **M** *(Samstag - Sonntag geschl.)* a la carte 33/57 – **51 Z : 96 B** 105/130 - 150/170 Fb.

In Langenhagen 6-Krähenwinkel **3012** ① : 11 km :

Jägerhof, Walsroder Str. 251, ☏ (0511)7 79 60, Telex 9218211, Fax 7796111, ☂, ≘s – ▢ ☎ Ⓟ – 🚶 25/70. AE ⓓ E VISA
21. Dez.- 4. Jan. geschl. – **M** *(Samstag bis 18 Uhr und Sonntag geschl.)* a la carte 42/69 – **77 Z : 105 B** 90/140 - 140/200 Fb.

In Ronnenberg-Benthe **3003** ⑤ : 10 km über die B 65 :

Benther Berg ⑤, Vogelsangstr. 18, ☏ (05108) 6 40 60, Telex 922253, Fax 640650, ☂, ≘s, ▢, ⚌ – |₿| ▤ Rest ▢ Ⓟ – 🚶 25/60. AE ⓓ E VISA. ✾
M *(Sonn- und Feiertage ab 18 Uhr geschl.)* a la carte 65/95 – **64 Z : 90 B** 116/185 - 170/220 Fb.

In Isernhagen KB **3004** N : 14 km über Podbielskistraße B :

XX **Hopfenspeicher,** Dorfstr. 16, ☏ (05139) 8 76 09, Fax 87609, ☂ – Ⓟ. E. ✾
nur Abendessen, Montag sowie Jan. und Juli jeweils 2 Wochen geschl. – **M** a la carte 65/88.

In Garbsen 1-Havelse **3008** ⑥ : 12 km über die B 6 :

Wildhage, Hannoversche Str. 45, ☏ (05137) 7 50 33, Fax 75401, ≘s – ▢ ☎ 🚗 Ⓟ – 🚶 25/100. AE ⓓ E VISA. ✾ Rest
M *(Sonntag geschl.)* a la carte 40/61 – **25 Z : 35 B** 90/130 - 150/190 Fb.

In Garbsen 4-Berenbostel **3008** ⑥ : 13 km über die B 6 :

Landhaus Köhne am See ⑤, Seeweg 27, ☏ (05131) 9 10 85, Fax 8367, ≤, « Gartenterrasse », ≘s, ▢ (geheizt), ⚌, ✂ – ▢ ☎ Ⓟ. AE ⓓ E VISA
M *(Sonntag ab 18 Uhr geschl.)* a la carte 41/65 – **26 Z : 45 B** 95/160 - 145/195 Fb.

In Garbsen 1-Alt Garbsen **3008** ⑥ : 14,5 km über die B 6 :

Waldhotel Garbsener Schweiz, Alte Ricklinger Str. 60, ☏ (05137) 7 30 33, Fax 13620, ☂, ≘s, ▢ – ▢ ☎ Ⓟ – 🚶 25/80. E VISA
23. Dez.- 1. Jan. geschl. – **M** a la carte 29/52 – **61 Z : 97 B** 85/120 - 150/170 Fb.

In Garbsen 8-Frielingen **3008** ⑥ : 19 km über die B 6 :

Bullerdieck, Bürgermeister-Wehrmann-Str. 21, ☏ (05131)5 49 41, Fax 55626 – ▢ ☎ Ⓟ – 🚶 25. ⓓ E VISA
M a la carte 35/52 – **40 Z : 60 B** 70/110 - 100/165 Fb.

An der Autobahn A 2 Richtung Köln ⑥ : 15 km :

Autobahnrasthaus-Motel Garbsen-Nord, ✉ 3008 Garbsen 1, ☏ (05137) 7 20 21, Fax 71819, ☂ – |₿| ⚟ Zim ▢ ☎ ♿ 🚗 Ⓟ – 🚶 35. E VISA
M (auch Self-service) a la carte 28/55 – **39 Z : 80 B** 110/165 - 200/280 Fb.

An der Autobahn A 7 Kassel-Hamburg SO : 15 km über ② und die B 65 :

Motel Wülferode Ost garni, ✉ 3000 Hannover 72, ☏ (0511) 52 27 55 – ▢ ☎ ♿ Ⓟ
11 Z : 17 B.

MICHELIN-REIFENWERKE KGaA. Niederlassung 3012 Langenhagen 7-Godshorn (über ①), Bayernstr. 13, ☏ (0511) 78 10 15 Fax 781142.

HANSTEDT **2116.** Niedersachsen 411 M 7, 987 ⑮ – 4 600 Ew – Höhe 40 m – Erholungsor – ☏ 04184.

ℹ Verkehrsverein, Am Steinberg 2, ☏ 5 25.

♦Hannover 118 – ♦Hamburg 41 – Lüneburg 31.

Sellhorn, Winsener Str. 23, ☏ 80 10, Fax 80185, « Gartenterrasse », ≘s, ▢, ⚌ – |₿| ▢ ☎ 🚗 Ⓟ – 🚶 30. AE ⓓ E VISA
M a la carte 39/80 – **48 Z : 92 B** 107/170 - 132/230 Fb.

Landhaus Augustenhöh ⑤ garni, Am Steinberg 77 (W : 1,5 km), ☏ 3 23, ⚌ – Ⓟ
März - Okt. – **13 Z : 18 B** 50 - 100.

In Hanstedt-Nindorf S : 2,5 km :

Zum braunen Hirsch, Rotdornstr. 15, ✆ 10 68, Fax 8202, ⌂, « Garten », ⌂ – TV ☎ P. E VISA
M *(Mittwoch geschl.)* a la carte 28/61 – **15 Z : 28 B** 55/62 - 102/110.

In Hanstedt-Ollsen S : 4 km :

Landgasthof Zur Eiche, Am Naturschutzpark 3, ✆ 2 16, Fax 580, ⌂, ⌂ – TV P. AE ① E VISA
20. Jan. - 20. Feb. geschl. – **M** *(Montag geschl.)* a la carte 18/54 – **9 Z : 17 B** 62/85 - 100/138 – 5 Fewo 112/160 – ½ P 70/105.

In Hanstedt-Quarrendorf N : 3 km :

Aben Hus garni, Dorfstr. 26, ✆ 16 06 – TV ☎ P
8 Z : 16 B 80 - 105 – 3 Fewo 90/130.

HAPPURG-KAINSBACH Bayern siehe Hersbruck.

HARBURG (SCHWABEN) **8856.** Bayern 413 P 20, 987 ㊱ – 5 600 Ew – Höhe 413 m – ☎ 09003.
Sehenswert : Schloß (Sammlungen★).
♦München 111 – ♦Augsburg 53 – Ingolstadt 67 – ♦Nürnberg 102 – ♦Stuttgart 129.

Zum Straußen, Marktplatz 2, ✆ 13 98, ⌂ – ⌂ ⌂ P. ⌂ Zim
M *(Montag geschl.)* a la carte 17/30 – **16 Z : 30 B** 30/36 - 60.

HARDEGSEN **3414.** Niedersachsen 411 412 M 12, 987 ⑮ – 3 800 Ew – Höhe 173 m – ☎ 05505.
ℹ Kurverwaltung, Vor dem Tore 1, ✆ 10 33.
♦Hannover 115 – ♦Braunschweig 102 – Göttingen 21.

Illemann, Lange Str. 32, ✆ 21 37, ⌂ – ☎ ⌂ P – ⌂. AE E
Nov. geschl. – **M** *(Freitag geschl.)* a la carte 24/45 – **16 Z : 30 B** 40/55 - 80/100.

In Hardegsen-Goseplack SW : 5 km :

Altes Forsthaus, an der B 241, ✆ 21 27, Fax 1361, ⌂, ⌂ – ⌂ TV ☎ ♿ P – ⌂ 25/60. AE ① E
14. Jan.- 14. Feb. geschl. – **M** *(auch vegetarische Gerichte)* (Dienstag geschl.) a la carte 34/62 – **19 Z : 38 B** 75/120 - 85/145 Fb – 3 Appart. 240.

HARDERT Rheinland-Pfalz siehe Rengsdorf.

HARDHEIM **6969.** Baden-Württemberg 413 L 18, 987 ㉕ – 6 700 Ew – Höhe 271 m – Erholungsort – ☎ 06283.
♦Stuttgart 116 – Aschaffenburg 70 – Heilbronn 74 – ♦Würzburg 53.

Zur Wohlfahrtsmühle, Miltenberger Str. 25 (NW : 2 km), ✆ 3 15, ⌂, ⌂ – P
Jan.- 15. Feb. geschl. – **M** *(Montag geschl.)* a la carte 29/54 – **13 Z : 26 B** 40/60 - 70/90.

In Hardheim 2-Schweinberg O : 4 km :

Landgasthof Ross, Königheimer Str. 23, ✆ 10 51 – ⌂ ☎ P
März 1 Woche und Juli 3 Wochen geschl. – **M** *(Sonntag 15 Uhr - Montag 17 Uhr geschl.)* a la carte 25/47 ⌂ – **27 Z : 44 B** 45 - 75.

HARPSTEDT **2833.** Niedersachsen 411 I 8, 987 ⑭ – 3 000 Ew – Höhe 20 m – Erholungsort – ☎ 04244.
♦Hannover 103 – ♦Bremen 31 – ♦Osnabrück 95.

Zur Wasserburg, Amtsfreiheit 4, ✆ 10 08, Fax 8094, ⌂, ⌂, ⌂ – TV ☎ ♿ ⌂ P. AE ① E VISA
2.- 16. Jan. geschl. – **M** a la carte 27/49 – **32 Z : 57 B** 60/75 - 110/130 Fb.

HARRISLEE Schleswig-Holstein siehe Flensburg.

HARSEFELD **2165.** Niedersachsen 411 L 6, 987 ⑤ ⑮ – 8 500 Ew – Höhe 30 m – ☎ 04164.
♦Hannover 176 – ♦Bremen 82 – ♦Hamburg 55.

Meyers Gasthof, Marktstr. 17, ✆ 40 51, Fax 3022 – TV ☎ ⌂ P. ① E VISA
M a la carte 21/45 – **14 Z : 26 B** 60/65 - 98/110 – ½ P 69/85.

Erfahrungsgemäß werden bei größeren Veranstaltungen,
Messen und Ausstellungen in vielen Städten und deren Umgebung
erhöhte Preise verlangt.

HARSEWINKEL **4834.** Nordrhein-Westfalen 411 412 H 11 – 19 000 Ew – Höhe 65 m – ☎ 05247
Marienfeld (SO : 4 km), ☎ (05247) 88 80.
♦Düsseldorf 158 – Bielefeld 29 – Münster (Westfalen) 46.

XXX ❀ **Poppenborg** mit Zim, Brockhägerstr. 9, ☎ 22 41, Fax 1721, « Modern-elegante Restaurant mit Art-Deco Elementen, Gartenrestaurant » – |♦| TV ☎ ⇐ P – 30. AE ⓓ E VISA. ✂ Zim
M *(Mittwoch sowie Jan., April und Okt. jeweils 1 Woche geschl.)* (bemerkenswerte Weinkarte 59/129 und a la carte 62/100 – **18 Z : 24 B** 50/70 - 100/110 Fb
Spez. Gebackener Hummer mit Salat, Hechtpudding mit Kaviarfüllung, Geräuchertes Kalbsfilet mit Bohnen.

In Harsewinkel 3-Greffen W : 6 km :

Zur Brücke, Hauptstr. 38 (B 513), ☎ (02588) 6 16, Fax 1400, ≘s, ⬚ – TV ☎ P – 40. E VISA
M *(Sonntag ab 14 Uhr geschl.)* a la carte 23/44 – **42 Z : 60 B** 70/80 - 120.

In Marienfeld **4834** SO : 4 km :

Klosterpforte, Klosterhof 3, ☎ (05247) 70 80, Fax 80484 – |♦| TV ☎ P – 25/40. E ✂ Zim
M *(wochentags nur Abendessen, Dienstag und Juli - Aug. 3 Wochen geschl.)* a la carte 33/5 – **78 Z : 118 B** 85/95 - 140/160 – ½ P 110/125.

HARZBURG, BAD **3388.** Niedersachsen 411 O 11, 987 ⑯ – 24 000 Ew – Höhe 300 m – Heilbad – Heilklimatischer Kurort – Wintersport : 480/800 m 1 3 3 (Torfhaus) – ☎ 05322.
Am Breitenberg, ☎ 67 37.
i Kurverwaltung im Haus des Kurgastes, Herzog-Wilhelm-Str. 86, ☎ 30 44, Fax 2872.
♦Hannover 100 – ♦Braunschweig 46 – Göttingen 90 – Goslar 10.

Braunschweiger Hof, Herzog-Wilhelm-Str. 54, ☎ 78 80, Telex 957821, Fax 53349, ≘s, ⬚ – |♦| TV ⇐ P – 25/100. AE ⓓ E VISA
M a la carte 44/83 – **78 Z : 128 B** 115/195 - 198/268 Fb – 4 Appart. 298/388.

Seela, Nordhäuser Str. 5 (B 4), ☎ 79 60, Telex 957629, Fax 796199, Bade- und Massageabteilung, ≘s, ⬚ – |♦| TV ☎ ⇐ P – 25/100. ⓓ E VISA. ✂ Rest
M *(auch Diät und vegetarische Gerichte)* a la carte 26/58 – **122 Z : 250 B** 98/160 - 166/306 Fb

Harz-Autel, Nordhäuser Str. 3 (B 4), ☎ 30 11, Fax 53545, ≘s, ⬚, – TV ☎ ⇐ P. AE ⓓ E VISA
M *(Montag - Donnerstag nur Abendessen)* a la carte 25/63 – **35 Z : 70 B** 80/120 - 130/160 Fb – 2 Fewo 85/105 – ½ P 91/146.

Parkblick garni, Am Stadtpark 6, ☎ 78 09 70, Fax 780989 – TV ☎ P. AE ⓓ E
15 Z : 24 B 40/65 - 90/120 Fb.

Marxmeier-Dingel garni, Am Stadtpark 41, ☎ 23 67, ≘s, ⬚ – TV ☎. ✂
10. Nov.- 25. Dez. geschl. – **22 Z : 37 B** 49/54 - 98/108 Fb.

Breitenberg-Hotel , Am Breitenberg 54, ☎ 40 41, Fax 2337, ← – TV ☎ ⇐ P. E
(nur Abendessen für Hausgäste) – **14 Z : 28 B** 68/100 - 100/108 Fb – ½ P 66/91.

Ein schönes Plätzchen garni, Am Rodenberg 39a, ☎ 36 44, ≘s, – ⇐ P. ✂
Nov. - 23. Dez. geschl. – **12 Z : 24 B** 44/88 - 88/110.

Berliner Bär garni, Am Kurpark 2 a, ☎ 24 17 – ⇐. ✂
Nov.- 19. Dez. geschl. – **16 Z : 20 B** 38/48 - 88.

XX Brauner Hirsch mit Zim, Herzog-Julius-Str. 52, ☎ 22 60 – ☎ P
11 Z : 19 B Fb.

HASEL Baden-Württemberg siehe Wehr.

HASELAU **2081.** Schleswig-Holstein 411 L 6 – 950 Ew – Höhe 2 m – ☎ 04122 (Uetersen).
♦Kiel 96 – ♦Hamburg 34 – Itzehoe 47.

Haselauer Landhaus , Dorfstr. 10, ☎ 8 14 14, Fax 83574 – TV ☎ P. AE ⓓ E VISA
M *(Mittwoch geschl.)* a la carte 25/49 – **8 Z : 12 B** 60 - 95 Fb.

HASELÜNNE **4473.** Niedersachsen 411 F 8, 987 ⑭, 408 N 3 – 11 300 Ew – Höhe 25 m – ☎ 05961.
♦Hannover 224 – ♦Bremen 113 – Enschede 69 – ♦Osnabrück 68.

Burg-Hotel garni (Stadtpalais a.d. 18. Jh.), Steintorstr. 7, ☎ 15 44, ≘s – TV P. AE ⓓ E VISA
17 Z : 33 B 59/65 - 98/115 Fb.

Haus am See , am See 2 (im Erholungsgebiet), ☎ 55 25, ←, , – TV ☎ P – 30
12 Z : 22 B Fb.

XX **Jagdhaus Wiedehage,** Steintorstr. 9, ☎ 4 22, – P
jeder 2. und 4. Sonntag im Monat geschl. – Menu a la carte 38/64.

In Haselünne-Eltern NO : 1,5 km :

Bartels, Löninger Str. 26 (B 213), 4 91, – P
21. Sept.- 7. Okt. und 21. Dez.- 5. Jan. geschl. – (nur Abendessen für Hausgäste) – **13 Z : 19 B** 28/42 - 56/70 – ½ P 45/47.

In Herzlake-Aselage **4479** O : 13 km :

Zur alten Mühle, (05962) 20 21, Fax 2026, (Halle) – P – 25/90.
M a la carte 41/80 – **58 Z : 116 B** 95/125 - 150/245 Fb – 3 Appart. 280.

HASLACH IM KINZIGTAL **7612.** Baden-Württemberg 413 H 22, 987 ㉞, 242 ㉘ – 6 000 Ew – Höhe 222 m – Erholungsort – 07832.

Sehenswert : Schwarzwälder Trachtenmuseum.

Verkehrs- und Kulturamt, Klosterstr. 1, 80 80, Fax 5909.

♦Stuttgart 174 – ♦Freiburg im Breisgau 46 – Freudenstadt 50 – Offenburg 28.

Ochsen, Mühlenstr. 39, 24 46 – P
Sept. 2 Wochen geschl. – **M** *(Donnerstag ab 15 Uhr, Montag und 9.- 16. März geschl.)* a la carte 35/54 – **8 Z : 14 B** 55/60 - 110.

In Haslach-Schnellingen N : 2 km :

Zur Blume, 23 82, – P
Mitte Okt.- Mitte Nov. geschl. – **M** *(Montag geschl.)* a la carte 21/50 – **25 Z : 50 B** 33/43 - 60/80.

HASSELBERG **2340.** Schleswig-Holstein 411 M 2 – 900 Ew – Höhe 10 m – 04642.

♦Kiel 68 – Flensburg 37 – Schleswig 42.

Spieskamer, 66 83, – P.
15 Z : 30 B.

HASSFURT **8728.** Bayern 413 O 16, 987 ㉖ – 11 500 Ew – Höhe 225 m – 09521.

♦München 276 – ♦Bamberg 34 – Schweinfurt 20.

Walfisch, Obere Vorstadt 8, 84 07 –
15. Juni - 10. Juli und 22. Dez.- 13. Jan. geschl. – **M** *(Freitag geschl.)* a la carte 21/40 – **17 Z : 24 B** 42/50 - 72/82.

HASSLOCH **6733.** Rheinland-Pfalz 412 413 H 18, 242 ⑧, 57 ⑩ – 20 000 Ew – Höhe 115 m – 06324.

♦Mainz 89 – ♦Mannheim 24 – Neustadt an der Weinstraße 9,5 – Speyer 16.

Pfalz-Hotel, Lindenstr. 50, 40 47, Fax 82503, – Zim P – 30. Rest
M *(nur Abendessen, Sonntag geschl.)* a la carte 32/55 – **38 Z : 60 B** 75/110 - 130/160 Fb.

Sägmühle (ehem. Mühle aus dem 13. Jh.), **Sägmühlenweg 140**, 10 31 (Hotel) 13 66 (Rest.), Fax 1034, – . AE E VISA
M *(wochentags nur Abendessen, Donnerstag geschl.)* a la carte 62/76 – **19 Z : 35 B** 75/90 - 125/140 Fb.

Pälzer Buwe, Rathausplatz 2, 30 61, Fax 4221, – P
10 Z : 20 B Fb.

Gasthaus am Rennplatz, Rennbahnstr. 149, 25 70, – P. Zim
Okt.- Nov. 4 Wochen geschl. – **M** *(Montag geschl.)* a la carte 23/40 – **13 Z : 16 B** 46 - 88.

HASSMERSHEIM **6954.** Baden-Württemberg 412 413 K 19 – 4 500 Ew – Höhe 152 m – 06266.

Ausflugsziel : Burg Guttenberg★ : Greifvogelschutzstation S : 5 km.

♦Stuttgart 78 – Heilbronn 27 – Mosbach 13.

Auf Burg Guttenberg S : 5 km – Höhe 279 m

Burgschenke, ✉ 6954 Hassmersheim-Neckarmühlbach, (06266) 2 28, Fax 7633, ≤ Gundelsheim und Neckartal, – P
Mitte März - Mitte Nov. – **M** *(Montag - Dienstag geschl.)* a la carte 30/66.

HATTEN **2904.** Niedersachsen 411 I 7 – 10 500 Ew – Höhe 20 m – 04482.

♦Hannover 166 – Delmenhorst 25 – Oldenburg 15.

In Hatten-Streekermoor :

Gasthof Ripken, Bochersweg 150, (04481) 87 27, – P
Ende Juni - 20. Juli geschl. – **M** *(nur Abendessen, Mittwoch geschl.)* a la carte 21/34 – **9 Z : 22 B** 60 - 100/120.

HATTERSHEIM **6234.** Hessen 412 413 I 16 – 24 100 Ew – Höhe 100 m – ☎ 06190.
◆Wiesbaden 20 – ◆Frankfurt am Main 20 – Mainz 20.

- **Parkhotel am Alten Posthof,** Am Markt 17, ✆ 8 99 90, Fax 899999, – ☎ – 25/100. AE E VISA
M *(Samstag - Sonntag und 23. Dez.- 2. Jan. geschl.)* a la carte 56/82 – **58 Z : 82 B** 185/310 - 235/355 Fb.
- **Am Schwimmbad** garni, Staufenstr. 35, ✆ 26 64, Fax 2040 – ☎.
17 Z : 26 B 75/95 - 120/150 Fb.
- **Terrassen-Restaurant** (Italienische Küche), Ladislaus-Winterstein-Ring, ✆ 24 34, « Gartenterrasse » – . AE E VISA
Samstag und 27. Dez.- 21. Jan. geschl. – **M** a la carte 29/64.

HATTGENSTEIN **6589.** Rheinland-Pfalz 412 E 17 – 300 Ew – Höhe 550 m – Wintersport (am Erbeskopf) : 680/800 m 4 2 – ☎ 06782.
Mainz 114 – Birkenfeld 8 – Morbach 15 – ◆Trier 60.

- Waldhotel Hattgenstein, Kiefernweg 9, ✆ 56 73, – ☎
16 Z : 25 B.

An der B 269 NW : 4 km :

- Gethmann's Hochwaldhotel, ✉ 6580 Hüttgeswasen, ✆ (06782) 8 88, Fax 880, – ☎ – 40 – **26 Z : 46 B** Fb.

HATTINGEN **4320.** Nordrhein-Westfalen 411 412 E 12, 987 ⑭ – 61 000 Ew – Höhe 80 m – ☎ 02324.
Verkehrsverein, Bahnhofstr. 5, ✆ 20 12 28.
◆Düsseldorf 44 – Bochum 10 – Wuppertal 24.

- **Avantgarde Hotel** garni, Welperstr. 49, ✆ 5 09 70, Fax 23827, – ☎ – 25/120. AE E VISA. – **34 Z : 58 B** 70/110 - 130/220 Fb.
- Die Schulenburg, Schützenplatz 1, ✆ 2 10 33, Telex 26567, « Gartenterrasse » – ☎ – 35 – **15 Z : 25 B** Fb.
- **Zum Kühlen Grunde,** Am Büchsenschütz 15, ✆ 6 07 72, Fax 67641 – . AE E
Donnerstag und Aug. 3 Wochen geschl. – **M** a la carte 33/65.

In Hattingen 15-Bredenscheid S : 5,5 km :

- **Landhaus Siebe**, Am Stuten 29, ✆ 2 20 22, Fax 22024, – ☎ – 25 AE E VISA
M *(Montag bis 17 Uhr geschl.)* a la carte 30/58 – **19 Z : 31 B** 69/100 - 109/135 Fb.

In Hattingen 1-Niederelfringhausen SW : 7 km :

- **Landgasthaus Huxel,** Felderbachstr. 9, ✆ (02052) 64 15, « Einrichtung mit vielen Sammelstücken » – . AE E VISA
Montag und Jan. geschl. – **M** a la carte 49/83.

In Hattingen-Welper :

- **Hüttenau,** Marxstr. 70, ✆ 63 25, Fax 6327 – ☎. E VISA
M a la carte 24/39 – **15 Z : 26 B** 60 - 95.

In Sprockhövel 1-Niedersprockhövel **4322** SO : 8 km :

- **Westfälischer Hof,** Bochumer Str. 15, ✆ (02324)7 34 72, Fax 77633 – ☎
Menu *(Samstag und Juli - Aug. 2 Wochen geschl.)* 25/36 (mittags) und a la carte 35/58 – **8 Z : 12 B** 80 - 140.
- **Rôtisserie Landhaus Leick** mit Zim, Bochumer Str. 67, ✆ (02324) 76 15, Fax 77120, « Park », – ☎. AE E VISA
M *(Samstag bis 18 Uhr, Montag und 1.- 20. Jan. geschl.)* 98/135 und a la carte 76/105 – **Die Pfannenschmiede** *(Samstag bis 18 Uhr und Dienstag geschl.)* **M** a la carte 38/57 – **12 Z : 23 B** 143/175 - 226/246 – 4 Appart. 286
Spez. Warmes Carpaccio vom Kalbsfilet mit Trüffeln, Rotbarbe mit Artischocken und Stockfischpürree, Geschmorte Bresse-Taube in zwei Gängen.

In Sprockhövel 2-Haßlinghausen **4322** SO : 12 km :

- **Die Villa** mit Zim, Mittelstr. 47, ✆ (02339) 60 18, – ☎ . E VISA. Zim
14. Feb.- 2. März geschl. – **M** *(Montag geschl.)* a la carte 32/60 – **7 Z : 12 B** 90 - 140.

Hattingen-Oberelfringhausen siehe : ***Wuppertal***

HATTORF AM HARZ **3415.** Niedersachsen 411 412 N 12 – 4 400 Ew – Höhe 178 m – Erholungsort – ☎ 05584.
◆Hannover 108 – ◆Braunschweig 95 – Göttingen 37.

- **Harzer Landhaus,** Gerhart-Hauptmann-Weg, ✆ 3 41, – ☎ – 40. AE E
2.- 15. Jan. und 8.- 31. Juli geschl. – **M** *(Dienstag geschl.)* a la carte 30/58 – **10 Z : 20 B** 45 - 80.

HATTSTEDTER MARSCH Schleswig-Holstein siehe Husum.

HAUENSTEIN **6746.** Rheinland-Pfalz 412 413 G 19, 242 ⑧ ⑫, 87 ① ② – 4 300 Ew – Höhe 249 m – Luftkurort – ☎ 06392.

☐ Verkehrsamt, im Rathaus, ☎ 4 02 10, Fax 40216.

Mainz 124 – Landau in der Pfalz 26 – Pirmasens 24.

Felsentor, Bahnhofstr. 88, ☎ 40 50, Fax 40545, ☂, ☐, ☐ – ☐ ☎ ☐ – ☐ 25. AE ☐ E VISA
6.- 27. Jan. geschl. – Menu *(Montag geschl.)* a la carte 34/63 – **25 Z : 47 B** 95 - 166 Fb – ½ P 118/130.

Zum Ochsen, Marktplatz 15, ☎ 5 71, ☂ – ☐ ☎ ☐ – ☐ 50
M *(Donnerstag geschl.)* a la carte 24/50 ☐ – **19 Z : 38 B** 55/70 - 100/130 Fb – ½ P 75/95.

In Schwanheim **6749** SO : 7,5 km :

Zum alten Nußbaum mit Zim, Wasgaustr. 17, ☎ (06392) 18 86, ☂ – ☐ ☐
Mittwoch - Donnerstag 17 Uhr und Nov. 3 Wochen geschl. – **M** a la carte 31/62 ☐ – **4 Z : 8 B** 60 - 90/110.

HAUSACH **7613.** Baden-Württemberg 413 H 22, 987 ㉞ – 5 000 Ew – Höhe 239 m – ☎ 07831.

♦Stuttgart 132 – ♦Freiburg im Breisgau 54 – Freudenstadt 40 – ♦Karlsruhe 110 – Strasbourg 62.

Zur Blume, Eisenbahnstr. 26, ☎ 2 86, ☂ – ☐ ☎ ☐ ☐. AE ☐ E VISA
2.- 20. Jan. geschl. – **M** *(Nov.- Ostern Samstag geschl.)* a la carte 24/51 – **17 Z : 29 B** 52/60 - 80/90.

HAUSEN Rheinland-Pfalz siehe Waldbreitbach.

HAUSEN OB VERENA Baden-Württemberg siehe Spaichingen.

HAUZENBERG **8395.** Bayern 413 X 21, 426 MN 3 – 12 000 Ew – Höhe 545 m – Erholungsort – Wintersport : 700/830 m ☐2 ☐1 – ☎ 08586.

☐ Verkehrsamt im Rathaus, Schulstr. 2, ☎ 30 30.

♦München 195 – Passau 18.

In Hauzenberg-Freudensee NO : 1 km :

Seehof, Freudensee 22, ☎ 12 28, ☂, ☐, ☐ – ☐
24. Aug.- 10. Sept. geschl. – **M** *(Montag geschl.)* a la carte 20/40 – **10 Z : 14 B** 48/75 - 90/110 Fb – 2 Fewo 96 – ½ P 55/60.

In Hauzenberg-Geiersberg NO : 5 km – Höhe 830 m :

Berggasthof Sonnenalm ☐, ☎ 47 94, ≤ Donauebene und Bayerischer Wald, ☂, ☐, ☐ – ☐
10 Z : 20 B.

In Hauzenberg-Penzenstadl NO : 4 km :

Landhaus Rosenberger ☐, Penzenstadl 31, ☎ 22 51, Fax 5563, ≤, ☐, ☐, ☐, ☐ – ☐ ☐. AE E
Anfang Nov.- 24. Dez. geschl. – **M** a la carte 18/31 – **50 Z : 120 B** 60 - 100 Fb.

HAVIXBECK **4409.** Nordrhein-Westfalen 411 412 F 11, 408 N 6 – 10 600 Ew – Höhe 100 m – ☎ 02507.

♦Düsseldorf 123 – Enschede 57 – Münster (Westfalen) 17.

Beumer, Hauptstr. 46, ☎ 12 36, Fax 9181, ☐, ☐ – ☐ ☎ ☐ – ☐ 25/50. AE ☐ E
15.- 29. Dez. geschl. – **M** *(Montag geschl.)* a la carte 33/53 – **21 Z : 40 B** 65/75 - 100.

In Nottuln-Stevern **4405** SW : 6 km :

Gasthaus Stevertal, ☎ (02502) 4 14, ☂, bemerkenswerte Weinkarte – ☐
Freitag und 20. Dez.- 18. Jan. geschl. – **M** a la carte 27/57.

HAYINGEN **7427.** Baden-Württemberg 413 L 22 – 2 000 Ew – Höhe 550 m – Luftkurort – ☎ 07386.

☐ Verkehrsverein, Rathaus, Marktstr. 1, ☎ 4 12.

♦Stuttgart 85 – Reutlingen 40 – ♦ Ulm (Donau) 49.

In Hayingen-Indelhausen NO : 3 km :

Zum Hirsch (mit 2 Gästehäusern), Wannenweg 2, ☎ 2 76, Fax 206, ☂, ☐, ☐ – ☐ ☐ ☐
Mitte Nov.- Mitte Dez. geschl. – **M** *(Montag, Nov.- April auch Donnerstag geschl.)* a la carte 24/49 ☐ – **36 Z : 60 B** 39/54 - 68/94 – ½ P 48/60.

HEBERTSHAUSEN Bayern siehe Dachau.

HECHINGEN **7450.** Baden-Württemberg 413 J 21, 987 ㉟ – 16 600 Ew – Höhe 530 m – ☎ 07471.

Ausflugsziel: Burg Hohenzollern* (Lage***, ※*) S : 6 km.

Hagelwasen, ✆ 26 00.

Städt. Verkehrsamt, Rathaus, Marktplatz 1, ✆ 18 51 13.

♦Stuttgart 67 – ♦Freiburg im Breisgau 131 – ♦Konstanz 131 – ♦Ulm (Donau) 119.

Café Klaiber, Obertorplatz 11, ✆ 22 57 – TV ☎ ⇔ P
M *(bis 20 Uhr geöffnet, Samstag geschl.)* a la carte 18/41 – **28 Z : 44 B** 70/80 - 120 Fb.

In Hechingen-Stetten SO : 1,5 km :

Brielhof, an der B 27, ✆ 23 24 – TV ☎ ⇔ P – 25/70. AE ⓓ E VISA
22.- 30. Dez. geschl. – Menu a la carte 32/78 – **25 Z : 39 B** 90/180 - 160/280.

In Bodelshausen **7454** N : 6,5km :

Zur Sonne garni, Hechinger Str. 84, ✆ (07471) 79 79, ≘s – P
Weihnachten - Anfang Jan. geschl. – **14 Z : 21 B** 40/63 - 68/95 Fb.

HEIDE **2240.** Schleswig-Holstein 411 K 4, 987 ⑤ – 21 000 Ew – Höhe 14 m – ☎ 0481.

Fremdenverkehrsbüro, Rathaus, Postelweg 1, ✆ 69 91 17.

♦Kiel 81 – Husum 40 – Itzehoe 51 – Rendsburg 45.

Berlin garni, Österstr. 18, ✆ 30 66, Telex 28839, Fax 88595, ≘s, – TV ☎ ⇔ P – 25. AE ⓓ E VISA
40 Z : 70 B 79/115 - 130/175 Fb.

Kotthaus, Rüsdorfer Str. 3, ✆ 80 11, Fax 8059 – TV ☎ ⇔ P – 25/100. AE ⓓ E VISA. Zim
M a la carte 34/68 – **16 Z : 30 B** 50/95 - 110/140 Fb.

Berliner Hof, Berliner Str. 46, ✆ 55 51 – P. AE ⓓ E VISA
Montag - Dienstag 18 Uhr und Mitte Jan.- Mitte Feb. geschl. – **M** a la carte 40/70.

HEIDELBERG **6900.** Baden-Württemberg 412 413 J 18, 987 ㉕ – 132 000 Ew – Höhe 114 m – ☎ 06221.

Sehenswert: Schloß*** Z (Rondell <*, Gärten*, Friedrichsbau**, Großes Faß*, Deutsches Apothekenmuseum* Z **M1**) – Universitätsbibliothek (Buchausstellung*) Z **A** – Kurpfälzisches Museum* (Riemenschneider-Altar**, Gemälde und Zeichnungen der Romantik**) Z **M2** – Haus zum Ritter* Z **N** – Alte Brücke <** Y.

Ausflugsziel: Molkenkur <* (mit Bergbahn) Z.

Lobbach-Lobenfeld (② : 20 km), ✆ (06226) 4 04 90.

Tourist-Information, Pavillon am Hauptbahnhof, ✆ 2 13 41, Fax 15108.

ADAC Heidelberg-Kirchheim (über ④), Carl-Diem-Str. 2, ✆ 72 09 81, Telex 461487.

♦Stuttgart 122 ④ – ♦Darmstadt 59 ④ – ♦Karlsruhe 59 ④ – ♦Mannheim 20 ⑤.

Stadtpläne siehe gegenüberliegende Seite

Der Europäische Hof - Restaurant Kurfürstenstube, Friedrich-Ebert-Anlage 1, ✆ 51 50, Telex 461840, Fax 515555, « Gartenanlage im Innenhof » – TV ⇔ – 25/300. AE ⓓ E VISA V **u**
M a la carte 58/100 – **150 Z : 270 B** 259/349 - 340/500 Fb – 5 Appart. 580/680.

Heidelberg Penta Hotel, Vangerowstr. 16, ✆ 90 80, Telex 461363, Fax 22977, <, Massage, ≘s, Bootssteg – Zim TV ⇔ P – 25/300. AE ⓓ E VISA. Rest
M a la carte 46/72 – **251 Z : 502 B** 259/349 - 322/373 Fb – 3 Appart. 1039. V **d**

Holiday Inn Crowne Plaza, Kurfürstenanlage 1, ✆ 91 70, Telex 461170, Fax 21007, Massage, ≘s, – Zim TV ⇔ – 25/180 X **s**
Restaurants : **Palatina** *(nur Abendessen)* **M** a la carte 60/87 – **Atrium M** a la carte 46/69 – **232 Z : 464 B** 274/314 - 328/368 Fb – 4 Appart. 538.

Hirschgasse (historisches Gasthaus a.d.J. 1472), Hirschgasse 3, ✆ 4 03 21 60, Telex 461474, Fax 4032161 – TV P. AE ⓓ E VISA. Y **s**
23. Dez.- 7. Jan. geschl. – **M** *(nur Abendessen, Sonn- und Feiertage geschl.)* a la carte 82/114 – **18 Z : 25 B** 355/572 - 500/600.

Rega-Hotel Heidelberg, Bergheimer Str. 63, ✆ 50 80, Telex 461426, Fax 508500 – TV ⇔ – 25/60. AE ⓓ E VISA VX **r**
M a la carte 35/75 – **124 Z : 225 B** 170/225 - 210/240 Fb.

Alt Heidelberg - Restaurant Graimberg, Rohrbacher Str. 29, ✆ 91 50, Telex 461897, Fax 164272, ≘s – TV ☎ P – 40. AE E VISA X **n**
M *(Samstag bis 18 Uhr geschl.)* a la carte 50/74 – **80 Z : 150 B** 165/215 - 195/320 Fb.

Romantik-Hotel Zum Ritter St. Georg, Hauptstr. 178, ✆ 2 42 72, Telex 461506, Fax 12683, « Renaissancehaus a.d.J. 1592 » – Zim TV ☎. AE ⓓ E VISA Z **N**
M a la carte 40/80 – **40 Z : 70 B** 120/220 - 220/295 Fb.

HEIDELBERG

Bismarckplatz	V 10
Brückenstraße	V
Hauptstraße	YZ
Kurfüsten-Anlage	VX 60
Sofienstraße	V 88
Bahnhofstraße	X 2
Bauamtsgasse	Z 5
Bismarcksäulenweg	V 13
Bismarckstraße	V 16
Burgweg	Z 19
Czernyring	X 22
Eppelheimer Straße	X 25
Ernst-Walz-Brücke	V 28
Franz-Knauff-Straße	X 31
Gaiberger Weg	X 34
Grabengasse	Z 36
Graimbergweg	Z 39
Häusserstraße	X 41
Heiliggeiststraße	Y 44
Jubiläumsplatz	YZ 47
Kaiserstraße	X 49
Karl-Benz-Straße	X 52
Karlsplatz	YZ 55
Kornmarkt	Z 57
Marktplatz	Y 63
Marstallstraße	Y 66
Mittermaierstraße	X 69
Montpellierbrücke	X 71
Neue Schloßstraße	Z 74
Quinckestraße	V 76
Ringstraße	X 79
Rohrbacher Straße	X 81
Schloßberg	Z 84
Schurmanstraße	V 86
Speyerer Straße	X 90
Steingasse	Y 92
Universitätsplatz	Z 94
Vangerowstraße	V 96
Zähringerstraße	X 97
Zwingerstraße	Z 99

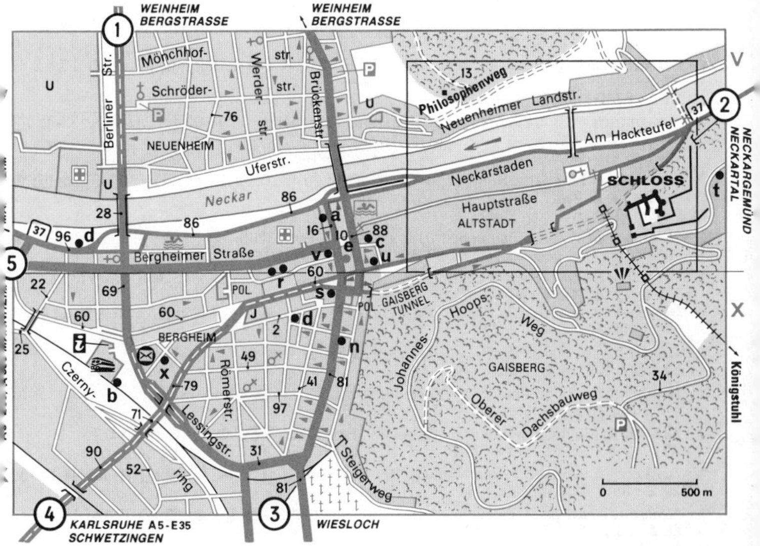

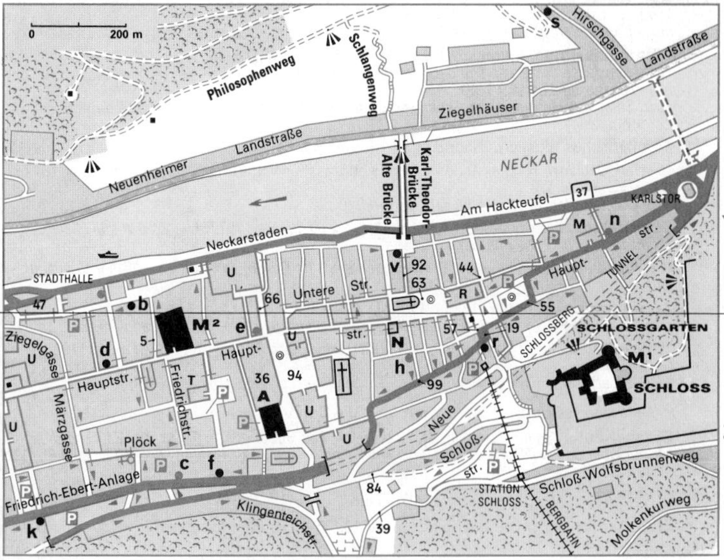

Schönberger Hof (Haus a.d.J. 1772), Untere Neckarstr. 54, ✆ 2 26 15, Fax 164811 – TV ☎ — YZ **b**
M *(nur Abendessen, Samstag - Sonntag und 1.- 20. Juli geschl.)* a la carte 42/70 – **15 Z : 28 B** 100/160 - 160/180.

Holländer Hof garni, Neckarstaden 66, ✆ 1 20 91, Telex 461882, Fax 22085, ≤ – ☎ ♿. AE ⓓ E VISA — Y **v**
40 Z : 72 B 100/215 - 155/245 Fb.

Parkhotel Atlantic garni, Schloß-Wolfsbrunnenweg 23, ✆ 16 40 51, Telex 461825, Fax 164054, « Park » – TV ☎ P. AE ⓓ E VISA — X **t**
23 Z : 40 B 125/145 - 165/195 Fb.

Acor garni, Friedrich-Ebert-Anlage 55, ✆ 2 20 44, Fax 28609 – TV ☎ P. AE ⓓ E VISA
Mitte Dez.- Anfang Jan. geschl. – **18 Z : 32 B** 155 - 225 Fb. — Z **f**

Perkeo garni (siehe auch Restaurant Perkeo), Hauptstr. 75, ✆ 2 22 55 – TV ☎. AE ⓓ E VISA
23. Dez.- 6. Jan. geschl. – **25 Z : 48 B** 130 - 170/190. — Z **d**

Kurfürst garni, Poststr. 46, ✆ 2 47 41, Telex 461566, Fax 28392 – TV ☎ P. AE ⓓ E VISA — VX **r**
61 Z : 92 B 115/120 - 195/205.

Am Schloss garni, Zwingerstr. 20 (Parkhaus Kornmarkt), ✆ 16 00 11, Fax 160013 – TV ☎. AE ⓓ E VISA — Z **r**
22. Dez.- 6. Jan. geschl. – **24 Z : 44 B** 128/210 - 168/228.

Bayrischer Hof garni, Rohrbacher Str. 2, ✆ 18 40 45, Telex 461417, Fax 14049 – TV ☎ ♿. AE ⓓ E VISA — V **v**
43 Z : 70 B 130 - 160/200 Fb.

Neckar-Hotel garni, Bismarckstr. 19, ✆ 1 08 14, Fax 23260 – TV ☎ P. AE E VISA — V **a**
Jan.- Mitte Feb. geschl. – **35 Z : 60 B** 120/200 - 160/220.

Intercity-Hotel Arcade, Lessingstr. 3 (am Hbf.), ✆ 91 30, Telex 461466, Fax 913300 – TV ☎ P. AE ⓓ E VISA — X **b**
M *(nur Abendessen, Sonntag und Mitte Dez.- Mitte Jan. geschl.)* a la carte 25/46 – **99 Z : 210 B** 110 - 150 Fb.

Central garni, Kaiserstr. 75, ✆ 2 06 72, Fax 28392 – ☎. AE ⓓ E VISA — X **x**
51 Z : 80 B 93/103 - 150.

Kohler garni, Goethestr. 2, ✆ 16 60 88, Fax 167481 – TV ☎. E VISA — X **d**
Mitte Dez.- Mitte Jan. geschl. – **41 Z : 70 B** 60/126 - 82/156.

Krokodil, Kleinschmidtstr. 12, ✆ 2 40 59, Fax 12221 – TV ☎. AE E VISA. ✄ Zim
M a la carte 26/51 – **16 Z : 29 B** 100/150 - 130/180 Fb. über Friedrich-Ebert-Anlage — Z

Anlage garni, Friedrich-Ebert-Anlage 32, ✆ 2 64 25, Fax 164426 – TV ☎. AE ⓓ E VISA
20 Z : 35 B 80/110 - 120/160. — Z **k**

Nassauer Hof garni, Plöck 1, ✆ 16 30 24, Fax 13893 – TV ☎. AE ⓓ E VISA — V **c**
25 Z : 35 B 155/165 - 170/190 Fb.

XXX **Zur Herrenmühle** (Haus a.d. 14. Jh.), Hauptstr. 239, ✆ 1 29 09, Fax 22033, « Innenhofterrasse » – AE ⓓ E VISA — Y **n**
nur Abendessen, Sonntag geschl. – **M** (Tischbestellung ratsam) a la carte 75/108.

XX ✿ **Simplicissimus,** Ingrimstr. 16, ✆ 18 33 36 – AE ⓓ VISA ✄ — Z **h**
nur Abendessen, Dienstag und Ende Juli - Mitte Aug. geschl. – **M** (Tischbestellung ratsam) 75/120 und a la carte 70/90
Spez. Salat von Hummer und Avocados, Lotte mit Thymian auf Paprikasauce, Lammrücken mit Zitronengrasjus.

XX Kurpfälzisches Museum, Hauptstr. 97, ✆ 2 40 50, — YZ **M²**

XX **Merian Stuben,** Neckarstaden 24 (im Kongresshaus Stadthalle), ✆ 2 73 81, Fax 164717, – AE ⓓ E VISA — Y
Jan. und Montag geschl. – **M** a la carte 38/60.

XX **Scheffeleck,** Friedrich-Ebert-Anlage 51, ✆ 2 61 72, Fax 167786 – AE ⓓ VISA — Z **c**
Sonntag geschl. – **M** a la carte 35/69.

XX **Da Mario** (Italienische Küche), Rohrbacher Str. 3 (1. Etage), ✆ 1 35 91 – AE ⓓ E VISA — V **v**
M a la carte 23/59 ♁.

X **Kupferkanne,** Hauptstr. 127 (1. Etage), ✆ 2 17 90 — Z **e**
nur Abendessen, Sonntag und Juli - Aug. 3 Wochen geschl. – **M** a la carte 28/57.

X **Perkeo** (Altdeutsche Gaststätte a.d. J. 1891), Hauptstr. 75, ✆ 16 06 13, Fax 161499, – AE ⓓ E VISA — YZ **d**
M a la carte 30/55.

In Heidelberg-Grenzhof NW : 8 km über die B 37 V :

XX **Gutsschänke** mit Zim, ✆ (06202) 36 04, Fax 3606, – TV ☎ P. AE E VISA
M *(nur Abendessen, Sonntag und Jan. 3 Wochen geschl.)* a la carte 48/75 – **10 Z : 20 B** 85/110 - 140/190 Fb.

In Heidelberg-Handschuhsheim ① : 3 km :

XX **Zum Zapfenberg,** Große Löbingsgasse 13, ✆ 40 92 60 – AE E ✄
nur Abendessen, Sonntag geschl. – **M** (Tischbestellung ratsam) a la carte 65/85.

In Heidelberg-Kirchheim ④ : 3 km :

Queens Hotel, Pleikartsförsterstr. 101, ✆ 78 80, Telex 461650, Fax 788499, – Zim Rest – 25/200.
M a la carte 38/71 – **112 Z : 174 B** 189 - 250/298 Fb.

In Heidelberg-Pfaffengrund W : 3,5 km über Eppelheimer Straße X :

Neu Heidelberg - Restaurant Brunnenstube, Kranichweg 15, ✆ 70 70 05, Fax 700381 – Zim . Zim
Aug. 2 Wochen und Weihnachten - Anfang Jan. geschl. – **M** *(nur Abendessen, Samstag geschl.)* a la carte 29/46 – **24 Z : 40 B** 98/148 - 148/188 Fb.

Kranich-Hotel garni, Kranichweg 37a, ✆ 77 60 06, Fax 700423 – .
28 Z : 40 B 80/95 - 110/140 Fb.

In Heidelberg-Rohrbach S : 3 km über Rohrbacher Straße X :

Ristorante Italia, Karlsruher Str. 82, ✆ 31 48 61 – X s
Mittwoch und Juli - Aug. 3 Wochen geschl. – **M** a la carte 42/80.

In Heidelberg-Schlierbach ② : 4 km :

Zum Wolfsbrunnen (historisches Jagdhaus a.d. 16. Jh.), Wolfsbrunnensteige 15, ✆ 80 37 58, – .
Montag - Dienstag und Jan.- Mitte Feb. geschl. – **M** a la carte 35/75.

In Eppelheim **6904** W : 4 km über Eppelheimer Str. X :

Rhein-Neckar-Hotel, Seestr. 75, ✆ (06221) 76 20 01 –
M a la carte 30/42 – **24 Z : 32 B** 80 - 120.

HEIDEN

HEIDEN Nordrhein-Westfalen siehe Borken.

HEIDENAU

HEIDENAU **2111.** Niedersachsen 411 LM 7 – 1 600 Ew – Höhe 35 m – ✆ 04182.
♦Hannover 126 – ♦Bremen 76 – ♦Hamburg 50.

Heidenauer Hof (mit Gästehaus,), Hauptstr. 23, ✆ 41 44, Fax 4744, , – .
M *(Dienstag geschl.)* a la carte 24/60 – **35 Z : 70 B** 60/85 - 110/145.

HEIDENHEIM AN DER BRENZ

HEIDENHEIM AN DER BRENZ **7920.** Baden-Württemberg 413 N 20,21, 987 ㊱ – 51 000 Ew – Höhe 491 m – ✆ 07321.
Städt. Verkehrsamt, Grabenstr. 15, ✆ 32 73 40, Fax 327545, Telex 714858.
♦Stuttgart 87 – ♦Nürnberg 132 – ♦Ulm (Donau) 46 – ♦Würzburg 177.

Linde, St.-Pöltener-Str. 53, ✆ 5 20 41 – .
Aug. und 24. Dez.- 1. Jan. geschl. – **M** *(Samstag geschl.)* a la carte 23/48 – **33 Z : 41 B** 60/85 - 95/120.

Raben, Erchenstr. 1, ✆ 2 18 39 – – **20 Z : 28 B.**

Weinstube zum Pfauen, Schloßstr. 26, ✆ 4 52 95
Sonn- und Feiertage sowie Samstag bis 18 Uhr und Jan. 3 Wochen geschl. – Menu (abends Tischbestellung ratsam) a la carte 37/62.

Haus Friedrich mit Zim, Wilhelmstr. 80, ✆ 4 56 62 – .
Aug. 3 Wochen geschl. – **M** *(Sonntag ab 15 Uhr und Freitag geschl.)* a la carte 30/62 – **8 Z : 15 B** 72/90 - 160/180.

Haus Hubertus mit Zim, Giengener Str. 82, ✆ 5 18 00, Fax 54120 – .
M a la carte 28/52 – **8 Z : 12 B** 42/45 - 70/80.

In Heidenheim 9-Mergelstetten S : 2 km über die B 19 :

Hirsch garni, Buchhofsteige 3, ✆ 5 10 30, Fax 51001 – .
22. Dez.- 6. Jan. geschl. – **41 Z : 55 B** 90 - 120/150 Fb.

In Heidenheim 5-Mittelrain NW : 2 km :

Rembrandt-Stuben, Rembrandtweg 9, ✆ 6 54 34, Fax 66646, – .
Montag 14 Uhr - Dienstag, 7.- 15. Jan. und Sept. geschl. – **M** a la carte 46/72.

An der Straße nach Giengen SO : 7 km :

Landgasthof Oggenhausener Bierkeller, ✉ 7920 HDH-Oggenhausen, ✆ (07321) 5 22 30, –
(abends Tischbestellung ratsam).

In Steinheim am Albuch **7924** W : 6 km :

Zum Kreuz, Hauptstr. 26, ✆ (07329) 60 07, Fax 1253, , – – 25/60.
Menu *(auch vegetarische Gerichte)* (Mai - Sept. Sonn- und Feiertage sowie 24.- 31. Dez. geschl.) a la carte 36/73 – **30 Z : 41 B** 75/105 - 118/170 Fb.

In Steinheim-Sontheim i. St. **7924** W : 7 km :

Sontheimer Wirtshäusle (mit Gästehaus), an der B 466, ✆ (07329) 50 41 – TV ☎ ⇔ P. ✻
Juli - Aug. und Dez.- Jan. jeweils 2 Wochen geschl. – Menu *(Samstag geschl.)* a la carte 30/65 – **16 Z : 28 B** 65 - 130.

HEIGENBRÜCKEN **8751.** Bayern 412 413 L 16 – 2 400 Ew – Höhe 300 m – Luftkurort – ✆ 06020.

Kur- und Verkehrsamt, Rathaus, ✆ 3 81.

♦München 350 – Aschaffenburg 26 – ♦Würzburg 74.

Wildpark, Lindenallee 39, ✆ 4 94, Fax 8025, ⁂, ≘s, ▣ – |♦| ☎ P – 🏛 40. AE ⓓ E VISA
Aug. geschl. – **M** a la carte 24/56 – **40 Z : 80 B** 65 - 98.

Zur frischen Quelle, Hauptstr. 1, ✆ 4 62 – P. ✻ Zim
Ende Okt.- Mitte Nov. geschl. – **M** *(Okt.- Mai Donnerstag geschl.)* a la carte 24/34 ♁ – **14 Z : 25 B** 25/38 - 56/63.

HEILBRONN **7100.** Baden-Württemberg 412 413 K 19, 987 ㉕ – 111 000 Ew – Höhe 158 m – ✆ 07131.

Sehenswert : St.-Kilian-Kirche (Turm★) Z.

Städtisches Verkehrsamt, Rathaus, ✆ 56 22 70.

ADAC Innsbrucker Str. 26, ✆ 8 39 16, Telex 728590, Notruf ✆ 1 92 11.

♦Stuttgart 53 ③ – Heidelberg 68 ① – ♦Karlsruhe 94 ① – ♦Würzburg 105 ①.

Stadtplan siehe gegenüberliegende Seite

Insel-Hotel, Friedrich-Ebert-Brücke, ✆ 63 00, Telex 728777, Fax 626060, ≘s, ▣, ⁂ – |♦| TV ⇔ P – 🏛 25/100. AE ⓓ E VISA Y r
M a la carte 35/76 – **120 Z : 180 B** 148/198 - 228/320 Fb – 4 Appart. 380/440.

Götz, Moltkestr. 52, ✆ 15 50, Telex 728926, Fax 155881 – |♦| TV ♿ ⇔ – 🏛 25/90 Z a
90 Z : 165 B Fb.

Park-Villa ⓢ garni (mit Gästehaus), Gutenbergstr. 30, ✆ 9 57 00, Fax 957020, « Geschmackvolle Einrichtung, Park » – TV ☎. AE ⓓ E VISA Z p
25 Z : 42 B 120/140 - 170/195 Fb.

Burkhardt, Lohtorstr. 7, ✆ 6 22 40, Telex 728480, Fax 627828 – |♦| TV ☎ P – 🏛 25/100. AE ⓓ E VISA Y b
M *(Juli - Aug. 3 Wochen geschl.)* a la carte 38/70 – **80 Z : 100 B** 99/139 - 156/250 Fb.

Arcade garni, Weinsberger Str. 29, ✆ 9 56 00, Fax 956066 – TV ☎ ♿ ⇔ P – 🏛 35. AE E VISA Y a
50 Z : 100 B 118 - 154 Fb.

City-Hotel garni, Allee 40 (14. Etage), ✆ 8 39 58, Fax 161936, ≤ – |♦| TV ☎ ⇔. AE ⓓ E VISA Y e
20. Dez.- 7. Jan. geschl. – **18 Z : 40 B** 82/120 - 140/200 Fb.

Urbanus - Restaurant Moustache, Urbanstr. 13, ✆ 8 13 44 (Hotel) 6 88 81 (Rest.), Fax 78415 – TV ☎ P Z b
M *(Sonn- und Feiertage geschl.)* a la carte 28/61 – **32 Z : 45 B** 69/85 - 126/140 Fb.

Ratskeller, Marktplatz 7, ✆ 8 46 28, ⁂ – 🏛 25/80 Y R

Beichtstuhl, Fischergasse 9, ✆ 8 95 86 – AE E VISA Z e
Sonn- und Feiertage sowie Juli - Aug. 3 Wochen geschl. – **M** a la carte 47/72.

Stöber, Wartbergstr. 46, ✆ 16 09 29 – AE E Y n
Samstag und Juli - Aug. 3 Wochen geschl. – **M** a la carte 39/67.

Haus des Handwerks, Allee 76, ✆ 8 44 68, Fax 85740 – 🏛 25/140. AE ⓓ E VISA Y u
M a la carte 24/62 ♁.

In Heilbronn-Sontheim über ④ :

Zum Freihof, Hauptstr. 23, ✆ 57 20 39 – P
wochentags nur Abendessen, Montag, Feb.- März 2 Wochen und Juli - Aug. 3 Wochen geschl. – **M** a la carte 33/50 ♁.

Im Jägerhauswald O : 4 km, Zufahrt über Bismarckstraße Z :

Waldgaststätte Jägerhaus, ✉ 7100 Heilbronn, ✆ (07131) 7 52 25, Fax 75375, ⁂ – P. E
Montag und Mitte Jan.- Mitte Feb. geschl. – **M** a la carte 30/60.

Auf dem Wartberg ② : 5 km – Höhe 303 m :

Höhenrestaurant Wartberg, ✉ 7100 Heilbronn, ✆ (07131) 7 32 74, Fax 165318, ≤ Heilbronn und Weinberge, ⁂ – ♿ P – 🏛 25/60. AE E VISA
Dienstag und Jan. geschl. – **M** a la carte 34/72.

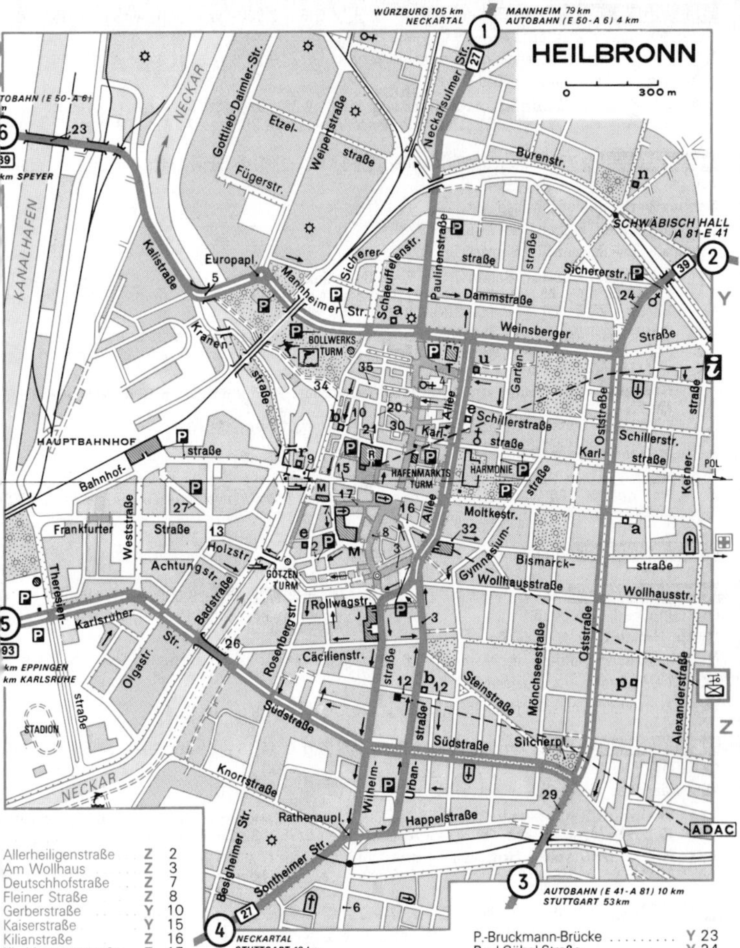

Allerheiligenstraße	Z	2
Am Wollhaus	Z	3
Deutschhofstraße	Z	7
Fleiner Straße	Z	8
Gerberstraße	Y	10
Kaiserstraße	Y	15
Kilianstraße	Z	16
Kirchbrunnenstraße	Z	17
Lohtorstraße	Y	21
Sülmerstraße	Y	30
Berliner Platz	Y	4
Bleichinselbrücke	Y	5
Charlottenstraße	Z	6
Friedrich-Ebert-Brücke	Y	9
Innsbrucker Straße	Z	12
Kaiser-Friedrich-Platz	Z	13
Lammgasse	Y	20
P.-Bruckmann-Brücke	Y	23
Paul-Göbel-Straße	Y	24
Rosenbergbrücke	Z	26
Roßkampfstraße	Z	27
Stuttgarter Straße	Z	29
Titotstraße	Z	32
Untere Neckarstraße	Y	34
Zehentgasse	Y	35

In Flein **7101** S : 5,5 km über Charlottenstr. Z :

Wo der Hahn kräht, Altenbergweg 11, (07131) 5 08 10, Fax 508166, – 40
M a la carte 28/58 – **50 Z : 115 B** 95 - 160.

In Leingarten **7105** ⑤ : 7 km :

Löwen, Heilbronner Str. 43, (07131) 40 36 78
Samstag bis 18 Uhr, Montag, Mitte Jan.- Mitte Feb. und Juli - Aug. 2 Wochen geschl. – **M** *(abends Tischbestellung ratsam)* a la carte 53/75.

Einige Hotels in größeren Städren
bieten preisgünstige Wochenendpauschalen an.

HEILBRUNN, BAD **8173.** Bayern 413 R 23, 426 G 5 – 2 900 Ew – Höhe 682 m – Heilbad – ☎ 08046.

ℹ Kur- und Verkehrsamt, Haus des Gastes, Birkenallee 3, ☎ 3 23, Fax 8131.

♦München 63 – Mittenwald 48 – Bad Tölz 8.

Gästehaus Oberland, Wörnerweg 45, ☎ 2 38, – P
20. Dez.- Jan. geschl. – **M** *(Mittwoch geschl.)* a la carte 25/40 – **21 Z : 33 B** 37/61 - 78/96.

HEILIGENBERG **7799.** Baden-Württemberg 413 KL 23, 987 ㉟, 427 LM 2 – 2 700 Ew – Höhe 726 m – Luftkurort – ☎ 07554.

Sehenswert: Schloßterrasse ≤★.

ℹ Kurverwaltung, Rathaus, ☎ 2 46, Fax 9260.

♦Stuttgart 139 – Bregenz 70 – Sigmaringen 38.

Berghotel Baader, Salemer Str. 5, ☎ 3 03, Fax 8192, – TV ☎ P – 25. AE ① E. – **M** *(Dienstag geschl.)* (bemerkenswerte Weinkarte) 36 (mittags) und a la carte 60/90 – **20 Z : 36 B** 60/80 - 120/140 Fb – ½ P 85/95.

Post, Postplatz 3, ☎ 2 08, ≤ Linzgau und Bodensee, – ☎ P
Mitte Dez.- Mitte Jan. geschl. – **M** *(Freitag geschl.)* a la carte 25/40 – **12 Z : 18 B** 46/70 - 98/115 – ½ P 68/84.

Restaurant de Weiss im Hohenstein, Postplatz 5, ☎ 7 65, , « Gemälde-Galerie » – P. E
Mitte Jan.- Mitte Feb. und Montag geschl. – Menu a la carte 36/61.

In Heiligenberg-Steigen :

Hack, Am Bühl 11, ☎ 86 86, ≤ – P
Nov. geschl. – **M** *(Montag, im Winter auch Dienstag geschl.)* a la carte 28/50 – **11 Z : 19 B** 42/50 - 78/90.

HEILIGENGRABE Brandenburg siehe Wittstock.

HEILIGENHAFEN **2447.** Schleswig-Holstein 411 P 3, 987 ⑥ – 9 000 Ew – Höhe 3 m – Ostseeheilbad – ☎ 04362.

Am Hohen Ufer 4, ☎ 55 05.

ℹ Kurverwaltung, Rathaus am Markt, ☎ 5 00 89, Fax 6748.

♦Kiel 67 – ♦Lübeck 67 – Puttgarden 24.

Zum alten Salzspeicher, Hafenstr. 2, ☎ 28 28, « Haus a.d. 16. Jh. ».

HEILIGENHAUS **5628.** Nordrhein-Westfalen 411 412 D 12,13 – 28 900 Ew – Höhe 174 m – ☎ 02056.

♦Düsseldorf 22 – ♦Essen 22 – Wuppertal 25.

Waldhotel, Parkstr. 38, ☎ 59 70, Fax 59760, « Gartenterrasse », – TV ☎ P – 25/60. E VISA. Rest – **M** a la carte 45/75 – **32 Z : 54 B** 142/217 - 204/329 Fb.

Kuhs - Deutscher Hof, Velberter Str. 146 (O : 2 km), ☎ 65 28 – P
Montag - Dienstag und Juli - Aug. 4 Wochen geschl. – **M** a la carte 34/60.

HEILIGENSTADT **8551.** Bayern 413 Q 17 – 3 700 Ew – Höhe 367 m – ☎ 09198.

♦München 231 – ♦Bamberg 24 – Bayreuth 36 – ♦Nürnberg 60.

In Heiligenstadt-Veilbronn SO : 3 km – Erholungsort :

Sponsel-Regus, ☎ 2 22, Fax 1483, – Rest P
Mitte Jan.- Mitte Feb. geschl. – **M** *(Dienstag geschl.)* a la carte 21/37 – **46 Z : 80 B** 42/88 - 72/106 Fb.

HEILIGENSTADT **O-5630.** Thüringen 984 ㉒, 987 ⑯, 412 N 12 – 16 000 Ew – Höhe 56 m – Heilbad – ☎ 0037629.

Erfurt 96 – ♦Berlin 315 – Bad Hersfeld 93 – Göttingen 38 – ♦Kassel 49.

Haus des Handwerks, Marktplatz 8, ☎ 30 51
Montag geschl. – **M** a la carte 19/40.

HEILIGKREUZSTEINACH **6901.** Baden-Württemberg 412 413 J 18 – 2 900 Ew – Höhe 280 m – Erholungsort – ☎ 06220.

♦Stuttgart 119 – Heidelberg 21 – ♦Mannheim 31.

In Heiligkreuzsteinach - Eiterbach N : 3 km :

✿ **Goldener Pflug,** Ortsstr. 40, ☎ 85 09 – P. AE ① E VISA
Montag - Dienstag geschl., Mittwoch - Freitag nur Abendessen – **M** (Tischbestellung ratsam) 70/130 und a la carte 82/100
Spez. Pasteten und Terrinen, Fischgerichte, Lammkeule auf Hirse mit süßer Senfsauce.

HEILSBRONN **8807.** Bayern 413 P 18, 987 ㉖ – 7 400 Ew – Höhe 410 m – ☎ 09872.

Sehenswert : Ehemalige Klosterkirche (Nothelfer-Altar★).

◆München 189 – Ansbach 17 – ◆Nürnberg 25.

Goldener Stern, Ansbacher Str. 3, ✆ 12 62, – . Rest
Mai - Juni und Aug.- Sept. jeweils 2 Wochen sowie Weihnachten - Anfang Jan. geschl. – **M** *(Samstag geschl.)* a la carte 22/32 – **30 Z : 46 B** 35/70 - 60/110.

HEIMBACH **5169.** Nordrhein-Westfalen 412 C 15 – 4 200 Ew – Höhe 241 m – Luftkurort – ☎ 02446.

Verkehrsamt, Seerandweg, ✆ 5 27.

◆Düsseldorf 91 – ◆Aachen 58 – Düren 26 – Euskirchen 26.

Meiser, Hengebachstr. 99, ✆ 2 27 – . E
M *(Okt.- April Dienstag geschl.)* a la carte 21/41 – **10 Z : 20 B** 40/44 - 72/80.

Eifeler Hof, Hengebachstr. 43, ✆ 4 42, – E
Dienstag und Mitte Jan.- Mitte Feb. geschl. – **M** a la carte 29/59.

In Heimbach 2-Hasenfeld W : 1,5 km :

Haus Diefenbach , Brementhaler Str. 44, ✆ 31 00, Fax 3825, ←, , , – . E. Rest
Mitte Nov.- 27. Dez. geschl. – (nur Abendessen für Hausgäste) – **14 Z : 25 B** 42/65 - 78/98.

Landhaus Weber mit Zim, Schwammenaueler Str. 8, ✆ 2 22, –
Ende Jan.- Mitte Feb. geschl. – **M** *(wochentags nur Abendessen, Dienstag und Mittwoch sowie Sept. 2 Wochen geschl.)* a la carte 45/72 – **9 Z : 18 B** 45 - 84 Fb – ½ P 66/69.

In Heimbach 3-Hergarten SO : 6 km :

Lavreysen, Kermeterstr. 54, ✆ 35 25, , – . E
15. Jan.- 15. Feb. geschl. – **M** *(Montag geschl.)* a la carte 20/40 – **13 Z : 30 B** 42 - 80.

HEIMBORN **5239.** Rheinland-Pfalz 412 G 14 – 300 Ew – Höhe 220 m – ☎ 02688 (Kroppach).

Mainz 117 – Limburg an der Lahn 55 – Siegen 49.

In Heimborn-Ehrlich NW : 2 km :

Sollmann-Schürg, Kragweg 2, ✆ 80 77, Fax 8866, , , , – – 30. E. Rest
(Restaurant nur für Hausgäste) – **28 Z : 50 B** 50/70 - 100/140 Fb.

HEIMBUCHENTHAL **8751.** Bayern 412 413 K 17 – 2 100 Ew – Höhe 171 m – Erholungsort – ☎ 06092.

◆München 346 – Aschaffenburg 19 – ◆Würzburg 70.

Zum Lamm, St.-Martinus-Str. 1, ✆ 70 31, Fax 7944, , , , – – 30. Zim
M a la carte 30/58 – **44 Z : 80 B** 61/66 - 116/120 Fb.

Panorama Hotel Heimbuchenthaler Hof , Am Eichenberg 1, ✆ 60 70, Fax 6802, ←, , , , , – – 40. E VISA. Zim
M a la carte 25/54 – **35 Z : 57 B** 68/108 - 118/128 Fb.

HEININGEN **3344.** Niedersachsen 411 O 10 – 800 Ew – Höhe 85 m – ☎ 05334 (Börsum).

◆Hannover 80 – ◆Braunschweig 23 – Goslar 20.

Zum Landsknecht, Hauptstr. 6 (B 4), ✆ 68 88, , , –
M *(Donnerstag geschl.)* a la carte 27/47 – **14 Z : 24 B** 45/70 - 80/90.

HEINSBERG **5138.** Nordrhein-Westfalen 412 B 13, 987 ㉓, 212 ② – 38 000 Ew – Höhe 45 m – ☎ 02452.

◆Düsseldorf 63 – ◆Aachen 36 – Mönchengladbach 33 – Roermond 20.

Corsten, Hochstr. 160, ✆ 18 60, Fax 186400, – – 30. AE E VISA.
21. Dez.- 4. Jan. geschl. – **M** *(Freitag - Samstag 18 Uhr geschl.)* a la carte 29/53 – **36 Z : 50 B** 60/100 - 80/130 Fb.

In Heinsberg-Randerath SO : 8 km :

Burgstube, Feldstr. 50, ✆ (02453) 8 02
wochentags nur Abendessen, Montag, 24. Feb.- 6. März und 20. Juli - 10. Aug. geschl. – **M** (Tischbestellung ratsam) a la carte 53/80.

In Heinsberg-Unterbruch NO : 3 km :

Altes Brauhaus, Wurmstr. 4, ✆ 6 10 35, « Täfelung a.d. 16. Jh. »
wochentags nur Abendessen, Sonntag nur Mittagessen, Montag und Juli - Aug. 4 Wochen geschl. – **M** a la carte 40/60.

HEITERSHEIM **7843.** Baden-Württemberg 413 FG 23, 427 GH 2, 242 ㊱ – 4 600 Ew – Höhe 254 m – ☎ 07634.

♦Stuttgart 223 – Basel 48 – ♦Freiburg im Breisgau 22.

- **Krone,** Hauptstr. 7, ☎ 28 11, Fax 4588, « Historischer Gewölbekeller », – TV ☎ 🅟. VISA. ✗ Zim
Menu *(Dienstag - Mittwoch 17 Uhr sowie Juli und Okt. jeweils 2 Wochen geschl.)* a la carte 36/79 – **12 Z : 20 B** 70/85 - 99/158.
- **Ochsen,** Eisenbahnstr. 9, ☎ 22 18, Fax 3025 – TV ☎ 🅟
22. Dez.- 23. Jan. geschl. – **M** *(Montag bis 17 Uhr und Freitag geschl.)* a la carte 34/65 – **30 Z : 50 B** 75/110 - 100/150 Fb.
- **Löwen,** Hauptstr. 58, ☎ 22 84 – ☎ ♿ 🅟. AE ⓪ E VISA
5.- 26. März und 24. Okt.- 10. Nov. geschl. – **M** *(Sonntag 14 Uhr - Montag geschl.)* a la carte 30/62 – **22 Z : 45 B** 45/75 - 80/125.

HELGOLAND (Insel) **2192.** Schleswig-Holstein 411 G 4, 987 ④ – 1 800 Ew – Höhe 5 m – Seebad, 60 km vor Cuxhaven. Bademöglichkeit auf der vorgelagerten Düne. – Zollfreies Gebiet, Autos auf der Insel nicht zugelassen – ☎ 04725.

Sehenswert: Felseninsel★★ aus rotem Sandstein in der Nordsee.

✈ ☎ 8 08 65, Telex 232194.

⛴ von Cuxhaven, Bremerhaven, Wilhelmshaven, Bensersiel, Büsum und Ausflugsfahrten von den Ost- und Nordfriesischen Inseln.

ℹ Verkehrsverein, Landungsbrücke, ☎ 8 08 50, Kurverwaltung, Rathaus, Lung Wai 28, ☎ 8 08 65.

Auskünfte über Schiffs- und Flugverbindungen, ☎ 8 08 65.

Auf dem Unterland :

- **Insulaner**, Am Südstrand 2, ☎ 6 02, Fax 1483, ≤, – TV ☎. ✗ Rest
M *(nur Abendessen, Sonntag und Ende Okt.- Anfang März geschl.)* a la carte 38/76 – **19 Z : 36 B** 90/150 - 165/180 Fb.
- **Hanseat** garni, Am Südstrand 21, ☎ 6 63, Fax 7404, ≤ – TV ☎. ✗
15. Jan.- Feb. und 15. Nov.- 15. Dez. geschl. – **22 Z : 38 B** 70/85 - 145/160.
- **Haus Hilligenlei** garni, Kurpromenade 36, ☎ 77 33, ≤ – ☎. ✗
März - Nov. – **24 Z : 39 B** 95 - 140/150.
- Schwan, Am Südstrand 17, ☎ 77 51, Fax 7756, ≤ – TV. ✗
(Restaurant nur für Pensionsgäste) – **19 Z : 31 B**.
- **Helgoland** garni, Am Südstrand 16, ☎ 2 20, Fax 801217, ≤ – TV ☎
5. Jan.- März und 18. Okt.- 25. Dez. geschl. – **14 Z : 24 B** 75/88 - 150/180 Fb.
- Weddig's Fischerstube, Friesenstr. 61, ☎ 72 35 – ✗.

Auf dem Oberland :

- Mailänder, Am Falm 313, ☎ 5 66, Fax 7839, ≤ Nordsee mit Düne und Reede – ☎. ✗ Rest
(Restaurant nur für Pensionsgäste) – **28 Z : 41 B**.

HELLENTHAL **5374.** Nordrhein-Westfalen 412 C 15 – 8 400 Ew – Höhe 420 m – ☎ 02482.

ℹ Verkehrsamt, Rathausstr. 2, ☎ 8 51 15.

♦Düsseldorf 109 – ♦Aachen 56 – Düren 44 – Euskirchen 36.

- **Haus Lichtenhardt**, Lichtenhardt 26, ☎ 6 14, ≤, – ☎ 🅟 – 25. AE ⓪ E VISA
18.- 26. Dez. geschl. – **M** a la carte 23/49 – **18 Z : 30 B** 45/55 - 70/100.
- **Pension Haus Berghof**, Bauesfeld 16, ☎ 71 54, ≤, – 🅟. ✗
(Restaurant nur für Pensionsgäste) – **12 Z : 20 B** 30/46 - 72.

In Hellenthal-Hollerath SW : 5,5 km – Wintersport : 600/690 m ⛷1 ⛷1 :

- **Hollerather Hof,** Luxemburger Str. 44 (B 265), ☎ 71 17, ≤, – TV ☎ 🅟. ⓪ E VISA
Nov. 3 Wochen geschl. – **M** a la carte 21/40 – **14 Z : 25 B** 50 - 80/100.
- **St. Georg,** Luxemburger Str. 46 (B 265), ☎ 3 17, ≤ – 🅟
23. Dez.- 6. Jan. geschl. – **M** *(Dienstag geschl.)* a la carte 21/37 – **17 Z : 31 B** 42 - 72.

HELMBRECHTS **8662.** Bayern 413 S 16, 987 ㉗ – 10 800 Ew – Höhe 615 m – Wintersport : 620/725 m ⛷4 – ☎ 09252.

♦München 277 – Bayreuth 43 – Hof 18.

- **Zeitler,** Kulmbacher Str. 13, ☎ 10 11, Fax 1013 – TV ☎ 🅟. E
M a la carte 25/55 – **26 Z : 36 B** 62/75 - 88/108 Fb.
- **Deutsches Haus,** Friedrichstr. 6, ☎ 10 68, Fax 6011, – TV ☎ 🅟. E
23. Dez.- 6. Jan. geschl. – **M** *(nur Abendessen, Sonntag geschl.)* a la carte 25/49 – **14 Z : 24 B** 65/89 - 98/135 Fb.

HELMSTEDT **3330.** Niedersachsen 411 PQ 10, 987 ⑯ – 28 600 Ew – Höhe 110 m – ☎ 05351.
Klostergut, Schöningen (S : 12 km), ✆ (05352) 16 97.
Amt für Information und Fremdenverkehr, Rathaus, Markt 1 (Eingang Holzberg), ✆ 1 73 33.
♦Hannover 96 – ♦Berlin 192 – ♦Braunschweig 41 – Magdeburg 53 – Wolfsburg 30.

- **Petzold,** Schöninger Str. 1, ✆ 60 01 – ☎ ⇔ 🅟. E
  M *(nur Abendessen, Samstag geschl.)* a la carte 28/50 – **28 Z : 40 B** 65/105 - 105/125.
- Park-Hotel garni, Albrechtstr. 1, ✆ 3 40 94, Fax 37032 – TV ☎ ⇔ 🅟
  20 Z : 40 B.
- Friso - Hotel garni, Walbecker Str. 11, ✆ 3 30 25 – TV ☎ ⇔ 🅟
  13 Z : 23 B Fb.

HEMAU **8416.** Bayern 413 S 19 – 7 000 Ew – Höhe 514 m – ☎ 09491.
♦München 125 – ♦Nürnberg 83 – ♦Regensburg 27.

- **Brauerei-Gasthof Donhauser,** Unterer Stadtplatz 4, ✆ 4 31 – ⇔ 🅟. ⓓ
  31. März - 8. April und 1.- 11. Sept. geschl. – **M** *(Donnerstag geschl.)* a la carte 18/30 – **9 Z : 18 B** 30/35 - 60/70.

HEMDINGEN **2081.** Schleswig-Holstein 411 M 5 – 1 300 Ew – Höhe 5 m – ☎ 04123 (Barmstedt).
♦Kiel 73 – ♦Hamburg 28 – ♦Hannover 197.

- **Hemdinger Hof,** Barmstedter Str. 8, ✆ 20 58, Fax 4684 – TV ☎ 🅟 – 30. AE ⓓ E VISA
  M a la carte 39/55 – **27 Z : 46 B** 75/100 - 125 Fb.

During the season, particularly in resorts, it is wise to book in advance.

HEMER **5870.** Nordrhein-Westfalen 411 412 G 12, 987 ⑭ – 33 800 Ew – Höhe 240 m – ☎ 02372.
♦Düsseldorf 86 – Arnsberg 35 – Hagen 23 – Soest 40.

In Hemer-Sundwig :

- Meise, Hönnetalstr. 75, ✆ 67 37 – 🅟
  24 Z : 36 B.

In Hemer-Westig :

- **Haus von der Heyde** ⚘, Lohstr. 6, ✆ 23 15 – ☎ 🅟. E. ✻
  Juli - Aug. 2 Wochen geschl. – **M** *(nur Abendessen, Samstag geschl.)* a la carte 25/45 – **10 Z : 20 B** 65/80 - 95.

HEMMINGEN Niedersachsen siehe Hannover.

HEMSBACH **6944.** Baden-Württemberg 412 413 I 18 – 13 000 Ew – Höhe 100 m – ☎ 06201.
♦Stuttgart 141 – ♦Darmstadt 40 – Heidelberg 25 – ♦Mannheim 21.

In Hemsbach-Balzenbach O : 3 km :

- **Watzenhof** ⚘, ✆ (06201) 77 67, Fax 73777, 帝 – TV ☎ ⇔ 🅟 – 25/50. AE E. ✻ Zim
  M *(Nov.- Feb. Sonntag 14 Uhr - Montag 18 Uhr geschl.)* a la carte 40/75 – **13 Z : 25 B** 110/150 - 150/190.

HENNEF (SIEG) **5202.** Nordrhein-Westfalen 412 E 14, 987 ㉔ – 31 000 Ew – Höhe 70 m – ☎ 02242.
Haus Dürresbach, ✆ 65 01.
♦Düsseldorf 75 – ♦Bonn 18 – Limburg an der Lahn 89 – Siegen 75.

- **Schloßhotel Regina - Wasserburg,** Frankfurter Str. 124, ✆ 50 24, Fax 2747 – TV ☎ 🅟. AE ⓓ E VISA
  22. Dez.- 7. Jan. geschl. – **M** *(Sonntag geschl.)* a la carte 30/55 – **20 Z : 30 B** 79/199 - 119/249 Fb.
- **Marktterrassen** garni, Frankfurter Str. 98, ✆ 50 48 – |‡| TV ☎. AE ⓓ E VISA
  14 Z : 22 B 80/100 - 125/145 Fb.
- **Herting,** Wehrstr. 46, ✆ 50 28, Fax 82840 – TV ☎ 🅟. AE ⓓ E VISA
  Weihnachten - Anfang Jan. geschl. – **M** *(Samstag geschl.)* a la carte 21/60 – **21 Z : 36 B** 55/85 - 110/145 Fb.
- **Johnel,** Frankfurter Str. 152, ✆ 26 33, Fax 82280 – |‡| TV ☎ 🅟
  M *(Freitag 15 Uhr - Samstag, Sonntag ab 15 Uhr, 6. Juli - 2. Aug. und 28. Dez.- 9. Jan. geschl.)* a la carte 23/50 – **34 Z : 60 B** 85/95 - 105/120.
- **Haus Steinen,** Hanftalstr. 94, ✆ 32 16, 帝 – 🅟. E
  wochentags nur Abendessen, Dienstag geschl. – **M** a la carte 38/80.
- **Rôtisserie Christine** mit Zim, Frankfurter Str. 55, ✆ 29 07 – TV ☎. AE ⓓ E. ✻
  M *(Samstag bis 18 Uhr und Sonntag geschl.)* a la carte 50/80 – **6 Z : 9 B** 75/85 - 95/175.

In Hennef 1-Stadt Blankenberg O : 7 km :

Haus Sonnenschein, Mechtildisstr. 16, ✆ (02248) 23 58, Fax 4397, – TV ☎ – 40
AE ⓓ E VISA
M a la carte 20/55 – **15 Z : 26 B** 75 - 98 Fb.

An der Straße nach Winterscheid NO : 9 km :

Winterscheider Mühle, ✉ 5207 Ruppichteroth 4, ✆ (02247) 30 40, Telex 889683 Fax 304100, « Wildgehege », – TV P – 25/100
90 Z : 150 B Fb.

HENNSTEDT KREIS STEINBURG **2211.** Schleswig-Holstein 411 M 4 – 300 Ew – Höhe 30 m – ✆ 04877.

♦ Kiel 51 – ♦Hamburg 71 – Itzehoe 19.

Seelust, Seelust 6 (S : 1,5 km), ✆ 6 77, – TV P
M *(Montag - Freitag nur Abendessen, Dienstag geschl.)* a la carte 25/54 – **13 Z : 22 B** 55/65 - 85/125 Fb.

HENSTEDT-ULZBURG **2359.** Schleswig-Holstein 411 MN 5, 987 ⑤ – 20 700 Ew – Höhe 38 m – ✆ 04193.

Alveslohe (W : 6 km), ✆ (04193) 9 20 21.

♦Kiel 68 – ♦Hamburg 31 – ♦Hannover 187 – ♦Lübeck 56.

Im Stadtteil Henstedt :

Scheelke, Kisdorfer Str. 11, ✆ 22 07 – TV ☎ P – 25/70
M *(Mittwoch, 2.- 15. Jan. und 10. Juli - 5. Aug. geschl.)* a la carte 24/52 – **11 Z : 18 B** 56/70 - 95/110.

Im Stadtteil Ulzburg :

Wiking garni, Hamburger Str. 81 (B 433), ✆ 90 80, Fax 92323, – TV ☎ P – 25/80
AE E
24.- 31. Dez. geschl. – **65 Z : 117 B** 80 - 140 Fb – 4 Appart. 160.

HEPPENHEIM AN DER BERGSTRASSE **6148.** Hessen 412 413 H 18, 987 ㉕ – 25 000 Ew – Höhe 100 m – Luftkurort – ✆ 06252.

Sehenswert : Marktplatz★.

Verkehrsbüro, Großer Markt 3, ✆ 1 31 71.

♦Wiesbaden 69 – ♦Darmstadt 33 – Heidelberg 32 – Mainz 62 – ♦Mannheim 29.

Hotel am Bruchsee, Am Bruchsee 1, ✆ 7 30 56, Fax 75729, – TV ☎ P – 25/180. AE ⓓ E VISA
M a la carte 47/70 – **72 Z : 110 B** 130 - 180 Fb.

Halber Mond, Ludwigstr. 5 (B 3), ✆ 50 21 – TV ☎ – 25/250
11 Z : 19 B Fb.

Starkenburger Hof, Kalterer Str. 7, ✆ 60 61, Fax 68183 – ☎ P. AE ⓓ E VISA.
15. Dez.- 15. Jan. geschl. – **M** *(wochentags nur Abendessen, Sonntag nur Mittagessen)* a la carte 22/43 – **37 Z : 64 B** 60/68 - 90 Fb.

Goldener Engel (Fachwerkhaus a.d.J. 1782), Großer Markt 2, ✆ 25 63 – P. E
Anfang Dez.- Anfang Jan. geschl. – **M** *(Nov.- März Samstag geschl.)* a la carte 22/48 – **35 Z : 60 B** 45/85 - 70/110.

Sickinger Hof, Darmstädter Str. 18 (B 3), ✆ 7 66 02, Biergarten – P
20. Dez.- 15. Jan. geschl. – **M** *(nur Abendessen, Dienstag geschl.)* a la carte 20/36 – **12 Z : 22 B** 42/54 - 75/90 Fb.

HERBORN IM DILLKREIS **6348.** Hessen 412 H 14, 987 ㉔ – 22 000 Ew – Höhe 210 m – ✆ 02772.

Verkehrsamt, Rathaus, ✆ 70 82 23.

♦Wiesbaden 118 – Gießen 38 – Limburg an der Lahn 49 – Siegen 39.

Schloß-Hotel, Schloßstr. 4, ✆ 70 60, Fax 706630, – TV ☎ P – 25/80. AE ⓓ E VISA
M *(Sonntag ab 15 Uhr geschl.)* a la carte 48/75 – **69 Z : 95 B** 125/150 - 185/220 Fb.

Das Landhaus, Döringweg 1 (nahe BAB-Ausfahrt Herborn West), ✆ 31 31 – P
Dienstag und Juli 2 Wochen geschl. – **M** (Tischbestellung ratsam) a la carte 57/76.

Hohe Schule mit Zim, Schulhofstr. 5, ✆ 30 10, « Innenhofterrasse » – ☎ P – 25/80
10 Z : 14 B.

In Herborn 2-Burg N : 2 km :

Garni Engelbert, Hauptstr. 50, ✆ 35 62, Fax 3556, – P. E
15 Z : 25 B 45/48 - 75/78.

HERBRECHTINGEN **7922.** Baden-Württemberg 413 N 21, 987 ㊱ - 11 500 Ew - Höhe 470 m
☎ 07324.

Stuttgart 113 - Heidenheim an der Brenz 8 - ◆Ulm (Donau) 28.

Grüner Baum, Lange Str. 46, ✆ 30 83, Fax 3782 - TV ☎ P - 30. AE ⓓ E VISA.
M *(Sonntag - Montag 17 Uhr und Juli - Aug. 3 Wochen geschl.)* a la carte 26/50 - **40 Z : 60 B** 85 - 130 Fb.

May garni, Ostpreußenstr. 1, ✆ 20 40, ≘s, ▣, - ☎ P
22. Dez.- 7. Jan. geschl. - **20 Z : 30 B** 70/85 - 130/150 Fb.

HERBSTEIN **6422.** Hessen 412 413 KL 15, 987 ㉕ - 2 000 Ew - Höhe 434 m - Luftkurort -
☎ 06643.

Wiesbaden 141 - Alsfeld 27 - Fulda 35.

Café Weismüller, Blücherstr. 4, ✆ 15 25, , ≘s - TV ☎. E
M *(Dienstag geschl.)* a la carte 22/44 - **10 Z : 18 B** 50/55 - 95/100.

HERDECKE **5804.** Nordrhein-Westfalen 411 412 F 12 - 27 000 Ew - Höhe 98 m - ☎ 02330.

Verkehrsamt, Stiftsplatz 1 (Rathaus), ✆ 6 10.

Düsseldorf 62 - Dortmund 16 - Hagen 6.

Zweibrücker Hof, Zweibrücker-Hof-Str. 4, ✆ 40 21, Telex 8239419, Fax 13712, ≤, , ,
≘s, ▣ - TV ☎ P - 25/300. AE ⓓ E VISA
M a la carte 38/66 - **70 Z : 97 B** 115/129 - 148/188 Fb.

Landhotel Bonsmanns Hof, Wittbräucker Str. 38 (B 54/234, NO : 4 km), ✆ 7 07 62, Fax 71562, - TV ☎ P. AE ⓓ E VISA - **M** a la carte 45/75 - **12 Z : 17 B** 66/75 - 98/110.

Terrine, Wittener Landstr. 39 (NW : 4 km), ✆ 7 18 56 - P
(abends Tischbestellung ratsam).

HERFORD **4900.** Nordrhein-Westfalen 411 412 J 10, 987 ⑭ - 64 000 Ew - Höhe 71 m -
☎ 05221.

Sehenswert : Johanniskirche (Geschnitzte Zunftemporen★) Y **B.**

Finnebachstr. 31 (östlich der A 2), ✆ (05228) 74 53.

Städtisches Verkehrsamt, Hämelinger Str. 4, ✆ 5 00 07.

ADAC, Berliner Str. 30, ✆ 5 80 20, Telex 934629.

Düsseldorf 192 ④ - Bielefeld 16 ⑤ - ◆Hannover 91 ③ - ◆Osnabrück 59 ①.

Stadtpläne siehe nächste Seite

Dohm-Hotel, Löhrstr. 4, ✆ 5 33 45, Fax 57134 - TV P - 25/80. AE ⓓ E VISA. Rest Y **e**
M *(Samstag bis 18 Uhr geschl.)* a la carte 44/82 - **36 Z : 67 B** 105/135 - 150/180 Fb.

Café Hansa garni, Brüderstr. 40, ✆ 5 61 24, Fax 56126 - ☎ P. AE E. Z **a**
20. Juli - 16. Aug. geschl. - **18 Z : 30 B** 50/80 - 80/110.

Die Alte Schule, Holland 39, ✆ 5 40 09, , « Modern eingerichtetes Fachwerkhaus a.d. 17. Jh. » Y **a.**

Waldrestaurant Steinmeyer, Wüstener Weg 47, ✆ 8 10 04, ≤ Herford, - P. AE ⓓ E X **b**
Montag geschl. - **M** a la carte 35/63.

In Herford-Eickum W : 4,5 km über Diebrocker Straße X :

Tönsings Kohlenkrug Diebrocker Str. 316, ✆ 3 28 36 bemerkenswerte Weinkarte - P. AE ⓓ E VISA
Samstag bis 18 Uhr und Dienstag geschl. - **M** a la carte 58/90.

In Herford-Schwarzenmoor :

Waldesrand, Zum Forst 4, ✆ 2 60 26, Fax 27389, , - TV ☎ P. AE E VISA X **n**
M *(Montag bis 18 Uhr geschl.)* a la carte 30/59 - **22 Z : 30 B** 60/85 - 100/140.

Schinkenkrug , Paracelsusstr. 14, ✆ 20 08, Fax 2000 - ☎ P - 25/70. AE E VISA. Zim X **c**
Juli - Aug. 3 Wochen geschl. - **M** *(nur Abendessen, Donnerstag geschl.)* a la carte 32/60 - **21 Z : 35 B** 70 - 130 Fb.

In Hiddenhausen 3 - Schweicheln-Bermbeck **4901** ① : 6 km :

Freihof, Herforder Str. 118 (B 239), ✆ (05221) 6 12 75, Fax 67643, ≘s, - TV ☎
P. AE ⓓ E VISA. Rest
M *(nur Abendessen, Sonntag geschl.)* a la carte 28/41 - **19 Z : 35 B** 58/80 - 90/120.

In Hiddenhausen 6-Sundern **4901** N : 2 km :

Am Felsenkeller, Bünder Str. 38, ✆ (05221) 6 22 24 - P. AE E X **e**
Mittwoch und 30. Juli - 16. Aug. geschl. - **M** a la carte 43/70.

HERFORD

Alter Markt	Z	4
Bäckerstraße	Z	
Gehrenberg	Z	16
Hämelinger Straße	Y	18
Höckerstraße	Y	20
Lübberstraße	Y	21
Neuer Markt	Y	29
Radewiger Straße	Z	32
Abteistraße	Y	2
Ahmser Straße	Z	3
Auf der Freiheit	Y	6
Bahnhofstraße	Y	8
Bergertorstraße	Z	9
Bielefelder Straße	X	10
Bismarckstraße	X	12
Deichtorwall	YZ	13
Diebrocker Straße	X	14
Gänsemarkt	Y	15
Goebenstraße	X	17
Herforder Straße	X	19
Mausefalle	Z	26
Münsterkirchplatz	Y	28
Schillerstraße	Y	33
Schleife	Y	34
Schützenstraße	Z	36
Steintorwall	Y	37
Stephansplatz	Y	38

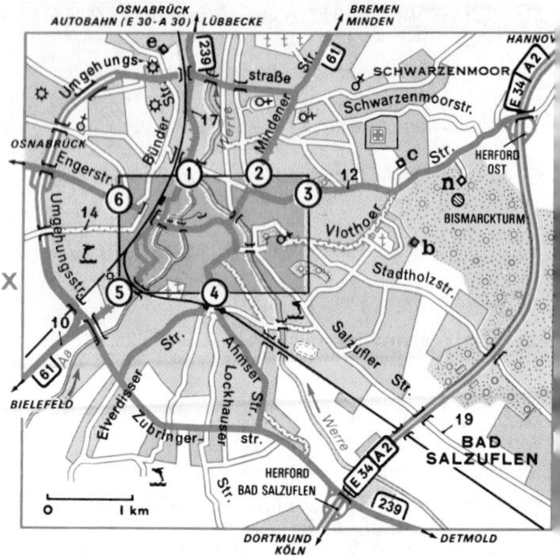

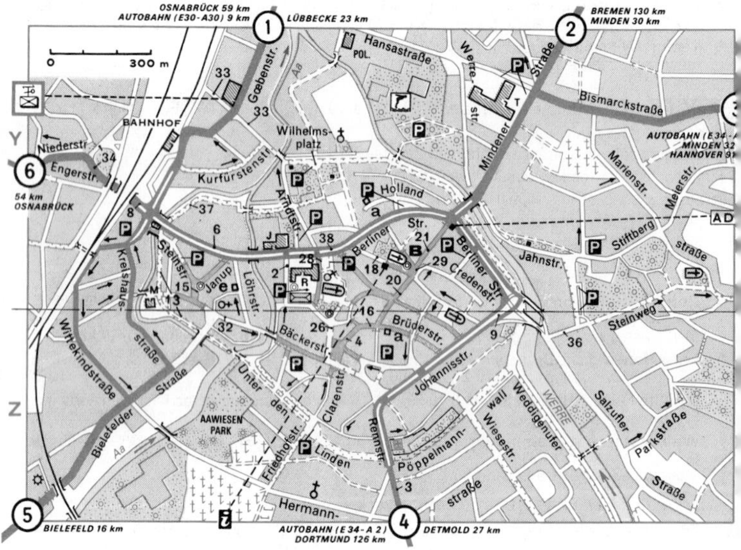

Es ist empfehlenswert, in der Hauptsaison und vor allem in Urlaubsorten, Hotelzimmer im voraus zu bestellen.

HERGENSWEILER Bayern siehe Lindau im Bodensee.

HERLESHAUSEN **3443.** Hessen 412 N 13, 987 ㉕ ㉖ – 3 400 Ew – Höhe 225 m – ☎ 05654
◆Wiesbaden 212 – Erfurt 78 – Bad Hersfeld 49 – ◆Kassel 73.

Schneider, Am Anger 7, ☎ 64 28, – – ℗. VISA
Feb. geschl. – **M** *(Donnerstag ab 15 Uhr geschl.)* a la carte 19/37 – **19 Z : 36 B** 35/60 - 50/80

Gutsschänke, Burgbergweg 2, ☎ 13 75, – ℗. AE E
Jan.-Feb. 3 Wochen geschl. – **M** *(Samstag geschl.)* a la carte 21/39 – **20 Z : 37 B** 60/75 - 70/90

In Herleshausen 7-Holzhausen NW : 8 km über Nesselröden :

Hohenhaus (moderner Hotelbau in einem Gutshof), ☎ 6 80, Fax 1303, ←, « Park »
, , , – | – ℗ – 40. Rest
M a la carte 52/86 – **26 Z : 43 B** 180/280 - 270/450 Fb – 3 Appart. 650.

HERMANNSBURG **3102.** Niedersachsen 411 N 8, 987 ⑮ – 8 000 Ew – Höhe 50 m – Erholungsort – ☎ 05052.

Verkehrsamt, Harmsstr. 3 a, ✆ 80 55.

♦Hannover 75 – Celle 32 – Lüneburg 79.

Heidehof, Billingstr. 29, ✆ 80 81, Fax 3332, ... – **M** a la carte 31/63 – **50 Z : 93 B** 99/113 - 155/172 Fb.
AE D E VISA. Rest

Völkers Hotel, Billingstr. 7, ✆ 80 97, Fax 3344 – AE D VISA
M a la carte 26/52 – **16 Z : 30 B** 56/65 - 84/112 Fb.

Zur Heidschnucke, Misselhorn 1 (O : 1,5 km), ✆ 80 01, Fax 8005, ...
März geschl. – **M** *(Montag geschl.)* a la carte 24/49 – **23 Z : 41 B** 60 - 100.

In Hermannsburg-Baven N : 1,5 km :

Drei Linden, Billingstr. 102, ✆ 80 71, Fax 3430 –
Feb. geschl. – **M** *(Okt.- April Dienstag geschl.)* a la carte 28/52 – **15 Z : 28 B** 66/70 - 120/130.

In Hermannsburg-Oldendorf S : 4 km :

Im Oertzetal, Escheder Str. 2, ✆ 4 48,
(nur Abendessen) – **18 Z : 34 B** Fb.

Zur Alten Fuhrmanns-Schänke, Dehningshof 1 (O : 3,5 km), ✆ (05054) 10 65, « Einrichtung im Bauernstil »,
12 Z : 20 B Fb – 5 Fewo.

HERMESKEIL **5508.** Rheinland-Pfalz 412 D 18, 987 ㉔ – 6 500 Ew – Höhe 613 m – ☎ 06503.

Mainz 135 – ♦Bonn 160 – ♦Saarbrücken 57 – ♦Trier 38.

Beyer, Saarstr. 95, ✆ 72 27, AE D E VISA
M a la carte 26/53 – **15 Z : 30 B** 50/75 - 85/150.

Pension Jakobs, Saarstr. 25, ✆ 10 38, E
M *(Donnerstag geschl.)* a la carte 28/46 – **26 Z : 50 B** 42/47 - 64/70 Fb – 2 Fewo.

HERNE **4690.** Nordrhein-Westfalen 411 412 E 12, 987 ⑭ – 178 000 Ew – Höhe 59 m – ☎ 02323.

Verkehrsverein, Kulturzentrum, Berliner Platz 11, ✆ 16 28 44.

♦Düsseldorf 51 – Bochum 6 – Dortmund 25 – ♦Essen 21 – Recklinghausen 12.

Parkhotel - Restaurant Parkhaus, Schaeferstr.109, ✆ 5 20 47 (Hotel) 5 50 71 (Rest.), Fax 18706, ≤, 25
40 Z : 73 B Fb.

Sicking garni, Bahnhofstr. 26, ✆ 1 49 10, Fax 149191 – E
20 Z : 31 B 50/80 - 110/120.

HEROLDSBERG **8501.** Bayern 413 Q 18, 987 ㉖ – 6 700 Ew – Höhe 362 m – ☎ 0911 (Nürnberg).

♦München 177 – Bayreuth 82 – ♦Nürnberg 12.

Landgasthof Gelber Löwe, Hauptstr. 42 (B 2), ✆ 56 00 65, Fax 560068, 25. Rest
Aug. 2 Wochen und Weihnachten - Anfang Jan. geschl. – **M** *(Sonn- und Feiertage geschl.)* a la carte 32/55 – **42 Z : 50 B** 85/95 - 100/135 Fb.

Rotes Roß, Hauptstr. 10 (B 2), ✆ 56 00 03, Fax 5665341, Biergarten, 25/100. D E VISA
24. Dez.- 6. Jan. geschl. – **M** *(Freitag und 5.- 25. Aug. geschl.)* a la carte 23/58 – **46 Z : 70 B** 50/90 - 90/130.

HERRENALB, BAD **7506.** Baden-Württemberg 413 I 20, 987 ㉟ – 7 000 Ew – Höhe 365 m – Heilbad – Heilklimatischer Kurort – Wintersport : 400/700 m 1 – ☎ 07083.

Bernbacher Straße, ✆ 88 98.

Städt. Kurverwaltung, Rathaus, ✆ 79 33, Fax 8943.

♦Stuttgart 80 – Baden-Baden 22 – ♦Karlsruhe 28 – Pforzheim 30.

Mönchs Posthotel - Restaurant Klosterschänke, Dobler Str. 2, ✆ 74 40, Telex 7245123, Fax 74422, « Park », Massage, (geheizt), 25/50.
AE D E VISA. Zim
M *(Tischbestellung ratsam)* a la carte 52/88 – **Locanda** *(Montag - Dienstag geschl.)* **M** a la carte 44/65 – **33 Z : 63 B** 115/220 - 190/350 – 3 Appart. 530
Spez. Sülze von Tafelspitz, Seewolf in der Salzkruste, Rehrücken mit Wacholdersauce.

Lacher am Park, Rehteichweg 2, ✆ 74 90, Fax 749908, Bade- und Massageabteilung,
(Restaurant nur für Hausgäste) – **64 Z : 95 B** Fb.

Landhaus Marion, Bleichweg 31, ✆ 74 00, Fax 740600, 25/60. D E VISA
M a la carte 28/65 – **61 Z : 98 B** 80/150 - 150/230 Fb – ½ P 79/119.

Harzer, Kurpromenade 1, ✆ 30 21 (Hotel) 31 09 (Rest.), Massage, – AE E VISA
M *(Mitte Nov.- 20. Dez. und Dienstag geschl.)* a la carte 26/55 – **26 Z : 47 B** 90/120 - 130/180.

Parkhotel Adrion, Oswald-Zobel-Str. 11, ✆ 30 41, Fax 2641, ←, Bade- und Massageabteilung, –
65 Z : 112 B Fb – 20 Fewo.

Haus Felsenblick garni, Ettlinger Str. 36, ✆ 24 46, –
18 Z : 26 B 52 - 90 Fb.

Thoma, Gaistalstr. 46, ✆ 40 41, – E VISA.
Dez. 2 Wochen geschl. – (Restaurant nur für Hausgäste) – **21 Z : 33 B** 38/65 - 76/110 Fb.

Landhaus Floride garni, Graf-Berthold-Str. 20, ✆ 16 57, Fax 51115, « Garten », –
8. Jan.- 4. März und 1.- 20. Nov. geschl. – **29 Z : 50 B** 55/60 - 110/120 Fb.

Kühler Brunnen, Ettlinger Str. 22, ✆ 23 02, – Zim – **28 Z : 42 B**.

In Bad Herrenalb 3-Althof NW : 6 km :

Zur Linde, Lindenstr. 8, ✆ 23 01, Fax 1309, –
36 Z : 50 B Fb.

In Bad Herrenalb-Gaistal S : 2 km :

Haus Hafner, Im Wiesengrund 21, ✆ 30 16, Fax 1305, ←, Massage, –
M a la carte 22/47 – **21 Z : 40 B** 58/74 - 116/130 Fb – ½ P 68/84.

Schwarzwaldgasthof Linde, Gaistalstr. 128, ✆ 88 32, –
M a la carte 27/50 – **17 Z : 32 B** 48 - 88.

In Bad Herrenalb 5-Neusatz NO : 6,5 km :

Waldcafé Schumacher, Calwer Str. 27, ✆ 28 86, ←, –
Mitte Dez.- Jan. geschl. – **M** *(Freitag geschl.)* a la carte 24/40 – **19 Z : 30 B** 45/58 - 80/96 Fb.

In Bad Herrenalb 4-Rotensol NO : 5 km :

Lamm, Mönchstr. 31, ✆ 23 80, Fax 5873 –
Jan. geschl. – Menu *(Montag geschl.)* a la carte 32/65 – **16 Z : 25 B** 48/80 - 85/120 – ½ P 61/98.

HERRENBERG 7033. Baden-Württemberg 413 J 21, 987 ㉟ – 26 000 Ew – Höhe 460 m – 07032.

Rathaus, Marktplatz, ✆ 1 42 24.

♦Stuttgart 38 – Freudenstadt 53 – ♦Karlsruhe 96 – Reutlingen 33.

Hasen, Hasenplatz 6, ✆ 20 40, Fax 4941, – 25/140. AE E VISA
M a la carte 32/51 – **80 Z : 150 B** 105/165 - 145/280 Fb.

Schönbuch, Beethovenstr. 54, ✆ 40 60 – AE E VISA
Ende Juli - Mitte Aug. geschl. – **M** *(Donnerstag geschl.)* a la carte 22/47 – **30 Z : 48 B** 67/90 - 108/114 Fb.

Auf der Höh, Hildrizhauser Str. 83 (O : 1,5 km), ✆ 51 53, ← Schwäbische Alb, « Gartenterrasse » – AE E
Montag - Dienstag sowie Feb.- März und Juli - Aug. jeweils 3 Wochen geschl. – Menu a la carte 37/73.

Zum goldenen Ochsen, Stuttgarter Str. 42, ✆ 52 31,
Montag und Juli - Aug. 3 Wochen geschl. – **M** a la carte 24/45.

In Herrenberg-Affstätt :

Linde, Kuppinger Str. 14, ✆ 3 16 70, – E
Dienstag - Mittwoch geschl. – **M** *(auch vegetarische Gerichte)* a la carte 35/74.

In Herrenberg-Mönchberg SO : 4 km über die B 28 :

Kaiser, Kirchstr. 10, ✆ 7 17 72, Fax 76475, – AE E VISA.
Mitte Dez.- Mitte Jan. geschl. – **M** *(Montag - Donnerstag nur Abendessen, Freitag - Samstag geschl.)* 30/85 – **28 Z : 44 B** 100/120 - 135/150 Fb.

HERRIEDEN 8808. Bayern 413 O 19, 987 ㉖ – 5 800 Ew – Höhe 420 m – 09825.

♦München 212 – Aalen 72 – Ansbach 11 – Schwäbisch Hall 73.

Gasthaus Limbacher, Vordere Gasse 34, ✆ 53 73.

Zur Sonne mit Zim, Vordere Gasse 5, ✆ 2 46 –
M *(Freitag geschl.)* a la carte 23/45 – **9 Z : 14 B** 30 - 60.

Les cartes Michelin sont constamment tenues à jour.

HERRISCHRIED **7881.** Baden-Württemberg 413 GH 23, 24, 427 HI 2,3, 216 ⑤ – 3 300 Ew – Höhe 874 m – Luftkurort – Wintersport : 874/1 000 m ⛷4 ⛷3 – ☎ 07764.

Verkehrsamt, Rathaus, ☎ 61 91, Fax 6559.

♦Stuttgart 210 – Basel 51 – Bad Säckingen 20 – Todtmoos 11.

- Zum Ochsen (mit Gästehaus), Hauptstr. 14, ☎ 2 10, – P
  30 Z : 60 B Fb – 14 Fewo.

In Herrischried-Kleinherrischwand N : 3,5 km :

- Pension Waldheim, ☎ 2 42, – TV P
  (Restaurant nur für Hausgäste) – **15 Z : 30 B** – 2 Fewo.

HERRSCHING AM AMMERSEE **8036.** Bayern 413 Q 23, 987 ㊲, 426 F 5 – 9 300 Ew – Höhe 568 m – Erholungsort – ☎ 08152.

Sehenswert : Ammersee★.

Ausflugsziel : Klosterkirche Andechs★★ S : 6 km.

Verkehrsbüro, Bahnhofsplatz 2, ☎ 52 27.

♦München 39 – Garmisch-Partenkirchen 65 – Landsberg am Lech 35.

- **Alba Seehotel,** Summerstr. 32 (Seepromenade), ☎ 20 11, Fax 5374, ←, – TV ☎ P – 25/60. AE E VISA
  M a la carte 45/70 – **40 Z : 80 B** 135/160 - 180/220 Fb – ½ P 125/195.
- **Piushof**, Schönbichlstr. 18, ☎ 10 07, Fax 8328, – TV ☎ P – 30. AE E VISA
  M *(Sonntag 18 Uhr - Montag 18 Uhr geschl.)* a la carte 45/72 – **23 Z : 40 B** 125/150 - 170/250 Fb.
- **Promenade,** Summerstr. 6 (Seepromenade), ☎ 10 88, ←, – TV ☎ P. E VISA. Zim
  20. Dez.- 25. Jan. geschl. – **M** *(Okt.- Mai Sonntag 18 Uhr - Montag geschl.)* a la carte 29/67 – **11 Z : 21 B** 108/150 - 158/188 Fb.
- **Sonnenhof** garni, Summerstr. 23, ☎ 20 19 – ☎ P
  20. Dez.- 15. Jan. geschl. – **10 Z : 22 B** 105/120 - 140/160 Fb – 2 Fewo 140.

HERSBRUCK **8562.** Bayern 413 R 18, 987 ㉖ ㉗ – 11 300 Ew – Höhe 345 m – ☎ 09151.

Verkehrsbüro, Schloßplatz 4 a, ☎ 47 55, Fax 73549.

♦München 181 – Amberg 36 – Bayreuth 70 – ♦Nürnberg 35.

- Schwarzer Adler, Martin-Luther-Str. 26, ☎ 22 31 –
  17 Z : 25 B.
- **Buchenhof** garni, Am Buch 15, ☎ 30 51, – ☎ P
  1.- 15. Jan. geschl. – **11 Z : 22 B** 39/49 - 70 Fb.
- **Café Bauer** mit Zim, Martin-Luther-Str. 16, ☎ 28 16, Fax 70602 – TV. E VISA
  7.- 15. Jan. und 20. Okt.- 11. Nov. geschl. – **M** *(Mittwoch geschl.)* a la carte 22/48 – **6 Z : 14 B** 45 - 78/85.

In Engelthal **8561** SW : 6 km :

- **Grüner Baum** mit Zim, Hauptstr. 9, ☎ (09158) 2 62, – TV P. AE E
  Jan. und Juli jeweils 2 Wochen geschl. – Menu *(Montag - Dienstag geschl.)* a la carte 27/54 – **5 Z : 9 B** 45 - 80.

In Happurg-Kainsbach **8569** SO : 5,5 km – Luftkurort :

- **Kainsbacher Mühle**, ☎ (09151) 7 30 60, Fax 4010, « Gartenterrasse », Massage, – TV P – 25. E VISA
  M a la carte 40/70 – **34 Z : 68 B** 98/140 - 190/320 Fb – ½ P 114/127.

In Kirchensittenbach **8565** NW : 11,5 km – Höhe 550 m – Wintersport : 550/620 m ⛷2 ⛷2 :

- **Hohensteiner Hof** mit Zim, ☎ (09152) 5 33, – TV P
  März - April und Okt.- Nov. jeweils 2 Wochen geschl. – **M** *(Montag geschl.)* a la carte 25/45 – **9 Z : 19 B** 40/47 - 80/100.

In Kirchensittenbach - Kleedorf **8565** N : 7 km :

- **Zum alten Schloß**, ☎ (09151) 60 25, Fax 6026, – TV ☎ P – 25/50. AE E VISA
  3.- 17. Aug. geschl. – **M** *(Montag geschl.)* a la carte 21/53 – **35 Z : 65 B** 60/75 - 110/130 Fb – ½ P 73/93.

In Pommelsbrunn-Hubmersberg **8561** NO : 7,5 km :

- **Lindenhof**, ☎ (09154) 10 21, Fax 1288, – TV ☎ P – 30. E VISA
  M *(Montag geschl.)* a la carte 35/72 – **30 Z : 57 B** 73/97 - 134/174 Fb – 5 Appart. 180/205.

HERSCHEID **5974.** Nordrhein-Westfalen 412 G 13 - 6 800 Ew - Höhe 450 m - Erholungsort - ☎ 02357.

♦Düsseldorf 105 - Lüdenscheid 11 - Plettenberg 12.

In Herscheid-Wellin N : 5 km :

Waldhotel Schröder, ✆ 41 88, Fax 1078, - TV ☎ P. AE ⓓ E VISA
M a la carte 30/57 - **16 Z : 28 B** 65/69 - 110/120 Fb.

An der Straße nach Werdohl NW : 4,5 km über Lüdenscheider Straße :

Herscheider Mühle, ✉ 5974 Herscheid, ✆ (02357) 23 25, - ☎ P
M *(Freitag und Juli - Aug. 3 Wochen geschl.)* a la carte 27/60 - **9 Z : 15 B** 45/70 - 80/100.

HERSFELD, BAD **6430.** Hessen 412 M 14, 987 ㉕ - 30 000 Ew - Höhe 209 m - Heilbad - ☎ 06621.

Sehenswert: Ruine der Abteikirche ★ - Rathaus ≤★.

Verkehrsamt am Markt, ✆ 20 12 74, Fax 201244.

ADAC, Benno-Schilde-Str. 11, ✆ 7 67 77.

♦Wiesbaden 167 - Erfurt 126 - Fulda 46 - Gießen 88 - ♦Kassel 69.

Hotel am Kurpark, Am Kurpark 19, ✆ 16 40, Fax 164710, - TV P - 25/300. AE ⓓ E VISA
M a la carte 40/70 - **93 Z : 180 B** 135/170 - 195/285 Fb - ½ P 128/200.

Romantik-Hotel Zum Stern (historisches Gebäude a.d. 15. Jh.), Linggplatz 11, ✆ 18 90, Fax 189260, - TV P - 25/80. AE ⓓ E VISA. Zim
M *(Freitag bis 18 Uhr und 1.- 17. Jan. geschl.)* a la carte 45/70 - **42 Z : 79 B** 100/140 - 180/225 Fb - ½ P 116/141.

Parkhotel Rose, Am Kurpark 9, ✆ 1 44 54, Fax 15656, - TV ☎ P. AE ⓓ E VISA
Mitte Dez.- Mitte Jan. geschl. - **M** *(Montag geschl.)* a la carte 47/80 - **20 Z : 36 B** 125/150 - 165/210 Fb - ½ P 165/188.

Wenzel, Nachtigallenstr. 3, ✆ 7 20 17, Fax 51116, - TV ☎ P - 25. ⓓ E VISA
M *(27. Dez.- 3. Jan. geschl.)* a la carte 29/50 - **30 Z : 50 B** 76/100 - 114/170 Fb - ½ P 78/121.

Schönewolf, Brückenmüllerstr. 5, ✆ 7 20 28, Fax 51903 - TV ☎
20 Z : 30 B Fb.

Haus Deutschland, Dr.-Ronge-Weg 2 (am Kurpark), ✆ 6 30 88, Fax 78355, - ☎ P. ⓓ E
Mitte Dez.- Mitte Jan. geschl. - **M** a la carte 24/70 - **27 Z : 35 B** 79/133 - 96/143.

Nahe der B 324 NW : 4 km :

Waldhotel Glimmesmühle, ✉ 6430 Bad Hersfeld, ✆ (06621) 30 81, Fax 75574, - ☎ P. ⓓ E VISA
M *(Sonn- und Feiertage ab 14 Uhr geschl.)* a la carte 24/43 - **22 Z : 34 B** 75/95 - 125.

HERTEN **4352.** Nordrhein-Westfalen 411 412 E 12, 987 ⑭ - 69 000 Ew - Höhe 60 m - ☎ 02366.

♦Düsseldorf 65 - Gelsenkirchen 12 - Recklinghausen 6.

Hotel am Schloßpark, Resser Weg 36, ✆ 8 00 50, Fax 83496, - Zim TV ☎ P. Rest
47 Z : 59 B Fb.

Lauer garni, Gartenstr. 59, ✆ 3 10 81, Fax 36913 - TV ☎ P. AE ⓓ E VISA
19 Z : 24 B 70/120 - 120/140.

Vestischer Hof, Ewaldstr. 132, ✆ 3 30 38 - ☎ P
18 Z : 25 B.

HERXHEIM **6742.** Rheinland-Pfalz 412 413 H 19, 242 ⑫ - 8 900 Ew - Höhe 120 m - ☎ 07276.

Mainz 125 - ♦Karlsruhe 28 - Landau in der Pfalz 10 - Speyer 31.

In Herxheim-Hayna SW : 2,5 km :

✿ **Krone - Kronenrestaurant**, Hauptstr. 62, ✆ 50 80, Fax 50814, - TV ☎ P - 25/50. E VISA.
Hotel : Jan. 1 Woche und über Weihnachten geschl., Restaurant : Jan. und Juli - Aug. jeweils 3 Wochen geschl. - **M** *(Tischbestellung ratsam)* (nur Abendessen, Montag - Dienstag geschl.) 95/135 und a la carte 58/95 - **Pfälzer Stube** *(Dienstag geschl.)* Menu a la carte 33/75 - **38 Z : 67 B** 98/108 - 128/155 Fb
Spez. Komposition von Lachs, Pochiertes Rehrückenfilet mit Gänseleber, Kirschsoufflé mit Traminerschaum.

> We have established for your use a classification of certain restaurants by awarding them the mention Menu, ✿, ✿✿ or ✿✿✿.

HERZBERG AM HARZ **3420.** Niedersachsen 411 412 O 12, 987 ⑯ – 18 000 Ew – Höhe 233 m – ☎ 05521.

Städt. Verkehrsamt, Marktplatz 30, ✆ 8 52 56, Fax 85258.

♦Hannover 105 – ♦Braunschweig 92 – Göttingen 38.

Englischer Hof, Vorstadt 10 (an der B 243), ✆ 50 32, Fax 71839, – ☎ ♿ Ⓟ. AE ⓓ E VISA
M *(Sept.- Okt. 3 Wochen geschl.)* a la carte 25/50 – **28 Z : 42 B** 54/76 - 84/109.

Gasthof zum Schloß, Osteroder Str. 7, ✆ 26 43, Fax 5328 – TV ☎ Ⓟ. AE ⓓ E
13.- 22. Jan., 13. Juli - 2. Aug. und 5.- 11. Okt. geschl. – **M** *(Sonntag ab 15 Uhr geschl.)* a la carte 35/63 – **8 Z : 16 B** 70/90 - 95/130.

Nahe der B 243 NW : 3 km :

Waldhotel Aschenhütte, ✉ 3420 Herzberg am Harz, ✆ (05521) 20 01, Fax 1713, , , – TV ☎ Ⓟ – 25/100. ⓓ E VISA
M a la carte 31/50 – **36 Z : 65 B** 55/70 - 90/115.

An der Straße nach Sieber NO : 4,5 km :

Zum Paradies, Siebertal 2, ✉ 3420 Herzberg am Harz, ✆ (05521) 24 83, – Ⓟ
M a la carte 26/52 – **9 Z : 15 B** 30/50 - 75.

In Herzberg 4-Scharzfeld SO : 4 km – Erholungsort :

Harzer Hof, Harzstr. 79, ✆ 50 96, , – Ⓟ
M *(Montag bis 17 Uhr geschl.)* a la carte 24/46 – **9 Z : 17 B** 45/50 - 80/90 – ½ P 57/67.

In Herzberg 3-Sieber NO : 8 km – Luftkurort :

Zur Krone, An der Sieber 102, ✆ (05585) 3 36, Fax 1222 – TV ☎ Ⓟ. AE ⓓ E
5. Nov.- 15. Dez. geschl. – **M** a la carte 24/48 – **30 Z : 55 B** 50/60 - 86/105 – 6 Fewo 50/65.

Haus Iris garni, An der Sieber 102 b, ✆ (05585) 3 55, , – Ⓟ
Mitte Nov.- Mitte Dez. geschl. – **18 Z : 30 B** 35/48 - 68/78 Fb.

HERZLAKE Niedersachsen siehe Haselünne.

HERZOGENAURACH **8522.** Bayern 413 P 18, 987 ㉖ – 19 000 Ew – Höhe 295 m – ☎ 09132.

Herzo-Base, ✆ 8 36 28 ; Puschendorf (SW : 8 km), ✆ (09101) 75 52.

♦München 195 – ♦Bamberg 52 – ♦Nürnberg 24 – ♦Würzburg 95.

Sporthotel , Beethovenstr. 6, ✆ 80 81, Fax 8085, , , – TV Ⓟ – 20. AE ⓓ E VISA. Rest
M a la carte 54/80 – **32 Z : 65 B** 95/160 - 120/195 Fb -(Sept.- Nov. wegen Umbau geschl.).

Auracher Hof, Welkenbacher Kirchweg 2, ✆ 20 80, – ☎ Ⓟ – 30
13 Z : 19 B.

Gasthaus Glass (mit Gästehaus), Marktplatz 10, ✆ 32 72, – TV ☎. E
Menu *(Samstag bis 18 Uhr, Montag, Ende Jan. 1 Woche und Mitte Aug.- Anfang Sept. geschl.)* 39/55 und a la carte 46/60 – **9 Z : 16 B** 80/85 - 120/125.

HERZOGENRATH **5120.** Nordrhein-Westfalen 412 B 14, 408 J 9, 409 L 3 – 43 000 Ew – Höhe 112 m – ☎ 02406.

♦Düsseldorf 77 – ♦Aachen 12 – Düren 37 – Geilenkirchen 13.

Stadthotel, Rathausplatz 5, ✆ 30 91, Fax 4189 – TV ☎
M *(Sonntag ab 15 Uhr und Samstag geschl.)* a la carte 30/59 – **8 Z : 16 B** 65 - 110 Fb.

In Herzogenrath-Kohlscheid SW : 4 km :

Parkrestaurant Laurweg, Kaiserstr. 101, ✆ (02407) 35 71, Fax 8455, , « Park » – Ⓟ – 25/60. AE E VISA
Sonn- und Feiertage ab 15 Uhr sowie Montag geschl. – **M** 28/40 (mittags) und a la carte 39/66.

HESEL **2954.** Niedersachsen 411 F 7, 987 ⑭ – 3 100 Ew – Höhe 10 m – ☎ 04950.

♦Hannover 220 – ♦Bremen 98 – Groningen 84 – Wilhelmshaven 52.

Jagdhaus Kloster Barthe, Stiekelkamper Str. 21, ✆ 26 33 – TV ☎ Ⓟ – 25
M a la carte 27/60 – **35 Z : 52 B** 62/69 - 112/120.

Alte Posthalterei, Leeraner Str. 4, ✆ 22 15, , , – TV ☎ Ⓟ. AE ⓓ E VISA
M *(Samstag geschl.)* a la carte 21/46 – **18 Z : 28 B** 59 - 99.

In Holtland **2954** SW : 2,5 km :

Preydt - Gasthof zur Nücke (mit Gästehaus), Leeraner Str. 15 (B 75), ✆ (04950) 22 11 – TV ☎ Ⓟ – 40. ⓓ E VISA. Rest
M a la carte 26/53 – **25 Z : 40 B** 38/70 - 75/130.

HESSISCH OLDENDORF **3253.** Niedersachsen 411 412 K 10, 987 ⑮ – 17 900 Ew – Höhe 62 m – ☎ 05152.
◆Hannover 54 – Hameln 12 – ◆Osnabrück 98.

In Hessisch Oldendorf 2-Fischbeck SO : 7,5 km :

Weißes Haus, ☎ 85 22, Fax 8522, – TV ☎ P. E VISA
Feb. geschl. – **M** *(Sonntag 18 Uhr - Montag geschl.)* a la carte 35/62 – **12 Z : 24 B** 70/85 - 110/140.

In Hessisch Oldendorf 18-Fuhlen S : 1,5 km :

Weserterrasse, Brüggenanger 14, ☎ 20 68, – ☎ P – **15 Z : 23 B**.

HEUBACH **7072.** Baden-Württemberg 413 M 20 – 8 550 Ew – Höhe 466 m – ☎ 07173.
◆Stuttgart 66 – Aalen 14 – Schwäbisch Gmünd 13 – ◆Ulm (Donau) 66.

Jägerhaus mit Zim, Bartholomäer Str. 41 (S : 1,5 km), ☎ 69 07, – ☎ P
Juli - Aug. 2 Wochen geschl. – Menu *(Sonntag 15 Uhr - Dienstag 18 Uhr geschl.)* (auch vegetarische Gerichte) a la carte 33/69 – **4 Z : 6 B** 48/55 - 70.

HEUCHELHEIM-KLINGEN Rheinland-Pfalz siehe Billigheim - Ingenheim.

HEUSENSTAMM **6056.** Hessen 412 413 J 16 – 19 000 Ew – Höhe 119 m – ☎ 06104.
◆Wiesbaden 46 – Aschaffenburg 31 – ◆Frankfurt am Main 13.

Birkeneck, Ernst-Leitz-Str. 16 (Industriegebiet), ☎ 6 80 20, Fax 680268, – TV ☎ P. AE E VISA
M *(nur Abendessen, Freitag - Sonntag und Juli geschl.)* a la carte 29/50 – **53 Z : 73 B** 95/125 - 140/170 Fb.

Schloßhotel - Restaurant Il Galeone, Frankfurter Str. 9, ☎ 31 31 (Hotel) 20 95 (Rest.) – ☎ P. AE E VISA.
M *(Sonntag geschl.)* a la carte 26/59 – **32 Z : 44 B** 85/95 - 125/140 Fb.

Ratsstuben, Im Herrengarten 1 (Schloß), ☎ 52 52 – P. E VISA
Donnerstag und 3.- 29. Okt. geschl. – **M** a la carte 40/70.

HEUSWEILER **6601.** Saarland 412 D 18, 242 ⑦ – 19 200 Ew – Höhe 233 m – ☎ 06806.
◆Saarbrücken 14 – Saarlouis 14 – St. Wendel 33.

In Heusweiler-Eiweiler N : 2 km :

Gästehaus Gengenbach, Lebacher Str. 73, ☎ 68 44, « Villa mit privat-wohnlicher Atmosphäre, Garten » – P. AE E
Samstag bis 18 Uhr und Sonntag geschl. – **M** a la carte 57/70.

HEUWEILER Baden-Württemberg siehe Glottertal.

HIDDENHAUSEN Nordrhein-Westfalen siehe Herford.

HILCHENBACH **5912.** Nordrhein-Westfalen 412 H 14, 987 ㉔ – 16 500 Ew – Höhe 400 m – Wintersport (in Hilchenbach-Lützel) : 500/680 m 2 – ☎ 02733.
Reise- u. Verkehrsbüro, Dammstr. 5, ☎ 70 44.
◆Düsseldorf 130 – Olpe 28 – Siegen 21.

Haus am Sonnenhang, Wilhelm-Münker-Str. 21, ☎ 70 04, ≤, – TV ☎ P – 25. Rest
M *(wochentags nur Abendessen, Freitag geschl.)* a la carte 27/48 – **20 Z : 35 B** 75/95 - 120/150

In Hilchenbach-Müsen W : 7 km :

Stahlberg, Hauptstr. 85, ☎ 62 97, – ☎ P. AE E VISA
15.- 30. Jan. geschl. – **M** *(Montag geschl.)* a la carte 34/62 – **12 Z : 20 B** 70 - 110 Fb.

In Hilchenbach-Vormwald SO : 2 km :

Landhotel Siebelnhof - Restaurant Chesa, Vormwalder Str. 54, ☎ 70 07, Fax 7006 Biergarten, Bade- und Massageabteilung, – TV ☎ P. AE VISA
Juli - Aug. 2 Wochen geschl. – **M** a la carte 65/96 – **12 Z : 20 B** 85/140 - 140/180 Fb
Spez. Geräucherte Ochsenbrustterrine, Zander in Kartoffelkruste, Rehfilet in weißer Pfeffersauce

HILDEN **4010.** Nordrhein-Westfalen 412 D 13, 987 ㉓ – 53 400 Ew – Höhe 46 m – ☎ 02103
◆Düsseldorf 14 – ◆Köln 40 – Solingen 12 – Wuppertal 26.

Am Stadtpark, Klotzstr. 22, ☎ 57 90 (Hotel) 5 51 81 (Restaurant), Telex 8581637, Fax 579102, – TV P – 25/60 – **105 Z : 137 B** Fb.

Bellevue, Schwanenstr. 27 (Ecke Berliner Str.), ☎ 50 30, Fax 503444 – Zim TV ☎ P – 25/170. AE E VISA
M a la carte 35/58 – **93 Z : 138 B** 144/264 - 184/314 Fb – 8 Appart. 384.

HILDERS **6414.** Hessen 412 413 N 15, 987 ㉕ ㉖ – 5 000 Ew – Höhe 460 m – Luftkurort – Wintersport : 500/700 m ≰1 ⛷3 – ☎ 06681.

ℹ Verkehrsamt im Rathaus, Kirchstr. 2, ✆ 6 51.

♦Wiesbaden 200 – Fulda 29 – Bad Hersfeld 54.

Engel, Marktstr. 12, ✆ 71 04, Fax 7124 – TV ☎ – 🚗 – 🏛 25/80. AE ⓓ E VISA
M *(Sonntag ab 15 Uhr geschl.)* a la carte 25/52 – **19 Z : 38 B** 58/68 - 96/130 – ½ P 68/88.

Hohmann, Obertor 2, ✆ 2 96, Biergarten – ☎
15. Nov.- 15. Dez. geschl. – **M** *(Dez.- März Mittwoch geschl.)* a la carte 20/41 – **18 Z : 28 B** 50/52 - 84/88 Fb.

Deutsches Haus, Marktstr. 19, ✆ 3 55 – E
1.- 20. Dez. geschl. – **M** *(Mittwoch geschl.)* a la carte 20/40 – **29 Z : 45 B** 41 - 76.

Rhön-Hotel garni, Battensteinstr. 17, ✆ 13 88, ≤, – TV P
Nov. 3 Wochen geschl. – **12 Z : 24 B** 40 - 70.

Dans la plupart des hôtels, les chambres non réservées par écrit, ne sont plus disponibles après 18 h. Si on doit arriver après 18 h, il convient de préciser l'heure d'arrivée – mieux – d'effectuer une réservation par écrit.

HILDESHEIM **3200.** Niedersachsen 411 412 M 10, 987 ⑮ – 105 000 Ew – Höhe 89 m – ☎ 05121.

Sehenswert : Dom★ (Kunstwerke★, Kreuzgang★) Z – St. Michaelis-Kirche★ Y – Roemer-Pelizaeus-Museum★ Z **M1** – St. Andreas-Kirche (Fassade★) Z **B** – Antoniuskapelle (Lettner★) Z **A.**

ℹ Verkehrsverein, Am Ratsbauhof 1c, ✆ 1 59 95, Fax 31704.

ADAC, Zingel 39, ✆ 1 20 43, Notruf ✆ 1 92 11.

♦Hannover 31 ② – ♦Braunschweig 51 ④ – Göttingen 91 ④.

Stadtpläne siehe nächste Seite

Forte Hotel, Markt 4, ✆ 30 00, Telex 927269, Fax 300444, , , , – |♦| Zim ▤ Rest TV ♿ – 🏛 25/150. AE ⓓ E VISA — Y **e**
M 30/Buffet (mittags) und a la carte 54/85 – **109 Z : 208 B** 176/405 - 232/423 Fb.

Schweizer Hof garni, Hindenburgplatz 6, ✆ 3 90 81, Telex 927426, Fax 38757 – |♦| TV ☎. AE ⓓ E VISA — Z **a**
55 Z : 103 B 130/235 - 175/295 Fb.

Gollart's-Hotel Deutsches Haus, Bischof-Janssen-Str. 5, ✆ 1 59 71, Telex 927409, , – |♦| TV ☎ P – 🏛 40. AE E VISA — Y **f**
M *(Sonntag geschl.)* a la carte 29/64 – **45 Z : 90 B** 95/150 - 160/205 Fb – 3 Appart. 250.

Bürgermeisterkapelle, Rathausstr. 8, ✆ 1 40 21, Fax 38813 – |♦| TV ☎ 🚗 – 🏛 30. AE ⓓ E VISA — Y **v**
M a la carte 31/49 – **41 Z : 63 B** 75/120 - 140/170 Fb.

Gästehaus Klocke garni, Humboldtstr. 11, ✆ 3 70 61 – TV ☎. AE E — Z **t**
16 Z : 24 B 65/72 - 115/120.

Ratskeller, Markt 2, ✆ 1 44 41, Fax 12372 – 🏛 25/70. AE E — Y **R**
Sonntag 15 Uhr - Montag geschl. – **M** a la carte 32/62.

Zum Knochenhauer (Fachwerkhaus a.d.J. 1529), Am Markt 7, ✆ 3 23 23, Fax 18211 – AE E VISA — Y **c**
M a la carte 42/65.

In Hildesheim-Ochtersum :

Am Steinberg garni, Adolf-Kolping-Str. 6, ✆ 26 11 42, Fax 44912 – TV ☎ P. AE ⓓ E VISA
15.- 31. Dez. geschl. – **24 Z : 47 B** 65/85 - 95/120. — X **s**

Im Steinberg-Wald SW : 5 km, über Kurt-Schumacher-Str. X, 1 km hinter Ochtersum rechts abbiegen :

✿ **Romantik-Restaurant Kupferschmiede,** Steinberg 6, ✉ 3200 HI-Ochtersum, ✆ (05121) 26 30 25, Fax 263070, , bemerkenswerte Weinkarte – P – 🏛 25. AE ⓓ E VISA
Sonntag (außer Ostern, Pfingsten und Weihnachten) geschl. – **M** 49/105 und a la carte 63/88
Spez. Pot au feu vom Hummer, Seeteufel mit Basilikumsauce, Deichlammsattel mit Aromaten gebraten (für 2 Pers.).

In Schellerten 1 - Wendhausen **3209** O : 7 km über die B 6 X :

Altes Forsthaus garni, Goslarsche Landstr. 1 (B 6), ✆ (05121) 3 10 88, , – 🚗 P.
15. Dez.- Jan. geschl. – **18 Z : 28 B** 58/95 - 95/180.

HILDESHEIM

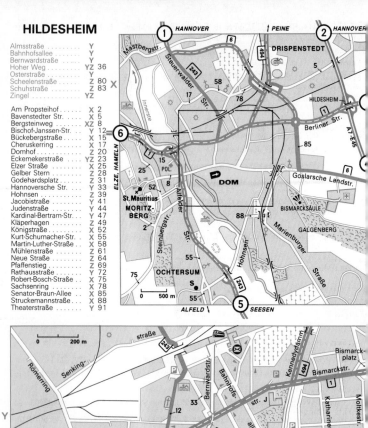

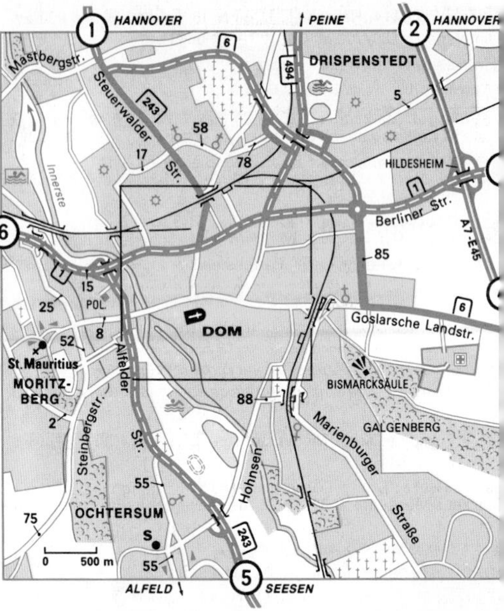

X
1 HANNOVER
PEINE
2 HANNOVER
DRISPENSTEDT
Mastbergstr.
Steuerwalder Str.
Innerste
HILDESHEIM
Berliner Str.
A7-E45
6
ELZE, HAMELN
POL.
DOM
Goslarsche Landstr.
St. Mauritius
MORITZ-BERG
Alfelder Str.
Steinbergstr.
BISMARCKSÄULE
GALGENBERG
Marienburger Straße
Hohnsen
OCHTERSUM
0 500 m
5
ALFELD
SEESEN

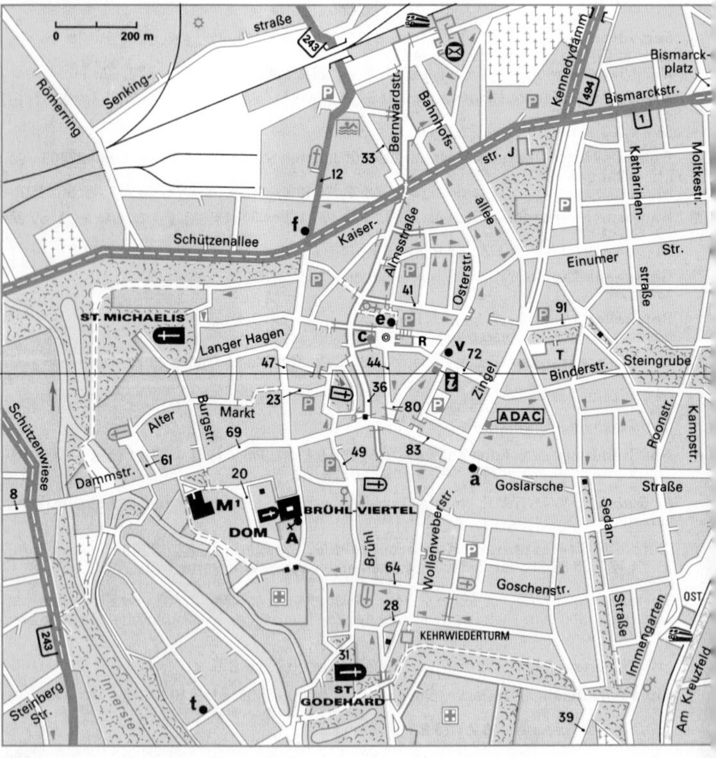

Y
Z
0 200 m
straße
Senking-
Römerring
Bernwardstr.
Bahnhofs-allee
Kennedydamm
Bismarck-platz
Bismarckstr.
Katharinen-straße
Moltkestr.
Schützenallee
Kaiser-str.
Almsstraße
Osterstr.
Einumer Str.
ST. MICHAELIS
Langer Hagen
Zingel
Binderstr.
Steingrube
Alter Markt
Burgstr.
ADAC
Roonstr.
Kampstr.
Schützenwiese
Dammstr.
Goslarsche Straße
BRÜHL-VIERTEL
DOM
Brühl
Wollenweberstr.
Sedan-Straße
Goschenstr.
KEHRWIEDERTURM
Immengarten
OST
ST. GODEHARD
Innerste
Steinberg Str.
Am Kreuzfeld

HILLERSE **3171.** Niedersachsen 411 O 9 – 1 800 Ew – Höhe 64 m – ☎ 05373.
Hannover 53 – ◆Braunschweig 25 – Hildesheim 49.

In Hillerse-Volkse NW : 3 km :

Herrenhaus Volkse, Rietzer Weg 1, ☎ 13 83, – ☎ – 30
31 Z : 55 B Fb.

HINDELANG **8973.** Bayern 413 O 24, 987 ㊱, 426 D 6 – 5 000 Ew – Höhe 850 m – Kneippkurort – Heilklimatischer Kurort – Wintersport : 850/1600 m 16 12 – ☎ 08324.
Sehenswert : Lage★ des Ortes.
Ausflugsziel : Jochstraße★★ : Aussichtskanzel ≤★, NO : 8 km.
Kurverwaltung, Rathaus, Marktstr. 9, ☎ 89 20.
München 161 – Kempten (Allgäu) 35 – Oberstdorf 22.

Bad-Hotel Sonne, Marktstr. 15, ☎ 89 70, Fax 897499, , Bade- und Massageabteilung, – ☎ . AE E VISA.
Anfang Nov.- Mitte Dez. geschl. – **M** a la carte 36/71 – **60 Z : 115 B** 77/108 - 170 Fb – 6 Appart. 222.

Kur- und Sporthotel (Appartement - Hotel), Zillenbachstr. 50, ☎ 8 40, Fax 84728, ≤, , Bade- und Massageabteilung, – ☎ . AE E VISA. Rest
M a la carte 34/58 – **101 Z : 200 B** 100/140 - 180 Fb – ½ P 115/165.

Sonneck , Rosengasse 10, ☎ 80 98, Fax 8798, ≤, – ☎
Anfang Nov.- 20. Dez. geschl. – **M** *(Montag geschl.)* a la carte 27/45 – **23 Z : 40 B** 77/140 - 154/170 Fb – ½ P 97/105.

In Hindelang-Bad Oberdorf O : 1 km :

Prinz-Luitpold-Bad , ☎ 89 01, Fax 890379, ≤ Allgäuer Alpen und Bad Oberdorf, Bade- und Massageabteilung, (geheizt), – Rest .
M a la carte 30/60 – **115 Z : 190 B** 90/139 - 208/284 Fb – ½ P 113/165.

Café Haus Helgard garni, Luitpoldstr. 20, ☎ 20 64, ≤, – ☎
18 Z : 28 B.

Alte Schmiede, Schmittenweg 14, ☎ 25 52, –
Ende Okt.- Mitte Dez. geschl. – **M** *(auch vegetarische Gerichte)* (Mittwoch geschl.) a la carte 24/47 – **16 Z : 27 B** 60/80 - 100 Fb.

Alpengasthof Hirsch mit Zim, Kurze Gasse 18, ☎ 3 08 –
April - Mai 2 Wochen und Ende Okt.- Mitte Dez. geschl. – **M** *(Sonntag 14 Uhr - Montag geschl.)* a la carte 23/50 – **10 Z : 16 B** 35 - 64/74 – 2 Fewo 80/120.

In Hindelang-Oberjoch NO : 7 km – Höhe 1 130 m

Lanig , Ornachstr. 11, ☎ 77 12, Fax 7207, ≤ Allgäuer Alpen, , (geheizt), , – ☎
Ende April - Anfang Juni und Mitte Nov.- Mitte Dez. geschl. – *(nur Abendessen für Hausgäste)* – **34 Z : 70 B** (nur 1/2 P) 163/193 - 210/326 Fb.

Pension Sepp Heckelmiller garni, Ornachstr. 8, ☎ 71 37, Fax 7537, ≤ Allgäuer Alpen, , – ☎
25. April - Mai und 20. Okt.- 20. Dez. geschl. – **20 Z : 45 B** 54/60 - 108/124.

Alpengasthof Löwen, Paßstr. 17, ☎ 77 03, Fax 7515, – ☎ . E
22. April - 9. Mai und 2. Nov.- 20. Dez. geschl. – **M** *(Mai - Nov. Montag geschl.)* a la carte 23/52 – **25 Z : 44 B** 60/80 - 104/132 Fb – ½ P 74/90.

Haus Schönblick, Iselerstr. 2, ☎ 77 44, Fax 7521, ≤, , – ☎
April - Mai und Nov. jeweils 3 Wochen geschl. – **M** *(Donnerstag geschl.)* a la carte 30/55 – **21 Z : 39 B** 35/48 - 70/110 Fb – 3 Fewo 95/148 – ½ P 48/75.

In Hindelang-Unterjoch NO : 11 km :

Alpengasthof Krone , Sorgschrofenstr. 2, ☎ 76 04, Fax 7614, , – .
E
Nov.- Mitte Dez. geschl. – **M** *(auch vegetarische Gerichte)* (außer Saison Mittwoch geschl.) a la carte 22/50 – **35 Z : 65 B** 35/65 - 70/114 Fb.

Am Buchl mit Zim, Obergschwend 10, ☎ 71 66, ≤, , – ☎
6 Z : 12 B.

HINTERWEIDENTHAL **6787.** Rheinland-Pfalz 412 413 G 19, 987 ㉔, 242 ⑧ – 1 800 Ew – Höhe 240 m – Erholungsort – ☎ 06396.
Mainz 136 – Landau in der Pfalz 33 – Pirmasens 15 – Wissembourg 31.

Zum Patron, Hauptstr. 73 (B 427), ☎ 3 20 – AE E
nur Abendessen, Samstag bis 18 Uhr, Mittwoch und März 3 Wochen geschl. – **M** a la carte 37/65 .

HINTERZARTEN **7824.** Baden-Württemberg 413 H 23, 427 I 2 – 2 200 Ew – Höhe 885 m
Heilklimatischer Kurort – Wintersport : 900/1 230 m ⛷3 ⛷10 – ☎ 07652.

Ausflugsziel : Titisee★ O : 5 km.

ℹ Kurverwaltung, Freiburger Straße, ☎ 12 06 42, Fax 120649.

♦Stuttgart 161 – Donaueschingen 38 – ♦Freiburg im Breisgau 26.

- **Park-Hotel Adler** ⛰, Adlerplatz 3, ☎ 12 70, Fax 127717, 🏞, « Park mit Wildgehege » Massage, ≘s, 🏊, 🌳, 🎾 – 🛗 TV 🚗 Ⓟ – 🏛 25/100. AE ⓓ E VISA. ✗ Rest
M a la carte 54/90 – **Adler-Eck M** a la carte 39/63 – **73 Z : 145 B** 150/350 - 300/630 F – 10 Appart. 680/1100 – ½ P 205/395.
- **Kesslermühle** ⛰, Erlenbrucker Str. 45, ☎ 12 90, Fax 129159, ←, ≘s, 🏊, 🌳 – 🛗 ⇔ Res TV ☎ Ⓟ. E VISA. ✗
Anfang Nov.- Mitte Dez. geschl. – (Restaurant nur für Hausgäste) – **37 Z : 60 B** 79/163 194/242 Fb.
- **Reppert** ⛰, Adlerweg 21, ☎ 1 20 80, Fax 120811, ≘s, 🏊, 🌳 – 🛗 TV ☎ Ⓟ – 🏛 3 AE ⓓ E VISA. ✗ Rest
Anfang Nov.- Mitte Dez. geschl. – (nur Abendessen für Hausgäste) – **34 Z : 56 B** 103/195 164/370 Fb – ½ P 105/210.
- **Thomahof,** Erlenbrucker Str. 16, ☎ 12 30, Fax 123239, 🏞, ≘s, 🏊, 🌳 – 🛗 TV ☎ Ⓟ ✗ Rest
M a la carte 36/72 – **47 Z : 87 B** 90/108 - 150/226 Fb – 8 Appart. 300 – ½ P 104/142.
- **Bergfried** ⛰, Sickinger Str. 28, ☎ 12 80, Fax 12888, ≘s, 🏊, 🌳 – 🛗 TV ☎ 🚗 Ⓟ
7. Nov.- 18. Dez. geschl. – (nur Abendessen für Hausgäste) – **35 Z : 60 B** 79/155 - 148/230 F – 3 Appart. – 5 Fewo – ½ P 97/128.
- **Sonnenberg** ⛰, Am Kesslerberg 9, ☎ 1 20 70, ←, 🏊 – 🛗 ⇔ Rest TV ☎ 🚗 Ⓟ. ✗
Anfang Nov.- Mitte Dez. geschl. – (nur Abendessen für Hausgäste) – **20 Z : 35 B** 98/160 160/230 Fb – ½ P 105/140.
- **Sassenhof** ⛰ garni, Adlerweg 17, ☎ 15 15, ≘s, 🏊, 🌳 – 🛗 TV ☎ Ⓟ
15. Nov.- 15. Dez. geschl. – **24 Z : 34 B** 70/98 - 148/196.
- **Schwarzwaldhof - Gästehaus Sonne,** Freiburger Str. 2, ☎ 1 20 30, Fax 1413, ≘s – TV ☎ 🚗 Ⓟ. AE E VISA. ✗ Zim
April 2 Wochen und Mitte Nov.- Mitte Dez. geschl. – **M** *(Dienstag geschl.)* a la carte 31/68 – **39 Z : 72 B** 70/90 - 110/150 Fb – ½ P 81/116.
- **Waldhaus Tannenhain** ⛰, Erlenbrucker Str. 28, ☎ 16 56, Fax 5489, ←, « Gemütlich individuelle Einrichtung, Gartenterrasse » – TV ☎ Ⓟ
M a la carte 33/68 – **24 Z : 41 B** 66/96 - 146/166 Fb – ½ P 98/108.
- **Café Imbery,** Rathausstr. 14, ☎ 10 92, Fax 1095, 🏞, ≘s, 🌳 – 🛗 TV ☎ 🚗 Ⓟ
27. März - April geschl. – **M** *(Donnerstag geschl.)* 19/31 (mittags) und a la carte 28/52 🍷 **27 Z : 46 B** 46/85 - 90/160 – ½ P 65/105.

In Hinterzarten-Alpersbach W : 5 km :

- **Esche** ⛰, Alpersbach 9, ☎ 2 11, ←, 🌳 – 🚗 Ⓟ
März - April 3 Wochen und Anfang Nov.- Mitte Dez. geschl. – **M** *(Dienstag - Mittwoch gesch.* a la carte 22/46 🍷 – **18 Z : 32 B** 41/62 - 78/136 Fb – ½ P 59/82.

In Hinterzarten-Bruderhalde SO : 4 km :

- **Alemannenhof** ⛰, Bruderhalde 21 (am Titisee), ☎ 7 45, Fax 88142, ← Titisee, 🏞, ≘ 🏊, ⛵, 🌳 – 🛗 TV ☎ ♿ Ⓟ – 🏛 25. AE ⓓ E VISA
März - April 3 Wochen geschl. – **M** a la carte 45/78 – **27 Z : 58 B** 137/144 - 224/250 Fb ½ P 154/186.
- **Heizmannshof** ⛰, Bruderhalde 35, ☎ 14 36, Fax 5468, ←, 🏞, 🌳, 🎾 – TV ☎ Ⓟ. ⓓ E VISA
13.- 27. April und Mitte Nov.- Mitte Dez. geschl. – **M** *(Dienstag - Mittwoch 14 Uhr geschl.)* la carte 29/60 – **12 Z : 25 B** 99/130 - 160/190 Fb – 5 Appart. 240 – ½ P 103/153.

Siehe auch : ***Breitnau***

HIRSCHAID **8606.** Bayern 413 PQ 17 – 9 000 Ew – Höhe 250 m – ☎ 09543.

♦München 218 – ♦Bamberg 13 – ♦Nürnberg 47.

- **Göller,** Nürnberger Str. 96, ☎ 91 38, Fax 6098, 🏞, ≘s, 🏊, 🌳 – 🛗 TV ☎ 🚗 Ⓟ 🏛 25/100. AE ⓓ E VISA
3.- 13. Jan. geschl. – **M** a la carte 24/58 – **65 Z : 120 B** 60/80 - 100/130 Fb.

In Buttenheim **8602** SO : 3,5 km :

- **Landhotel Schloß Buttenheim** ⛰ garni, Schloßstr. 16, ☎ (09545) 40 47 – TV ☎ Ⓟ **8 Z : 17 B** 65/75 - 95/115.

HIRSCHAU **8452.** Bayern 413 S 18, 987 ㉗ – 6 000 Ew – Höhe 412 m – ☎ 09622.
München 70 – Amberg 18 – ♦Regensburg 80 – Weiden 22.

Schloß-Hotel, Hauptstr. 1, ✆ 10 52, Fax 1054, Biergarten – TV ☎ P. AE ① E VISA
M *(Donnerstag geschl.)* a la carte 28/50 – **12 Z : 21 B** 70/80 - 110/140.

Josefshaus, Kolpingstr. 8, ✆ 16 86, – TV ☎ P – **12 Z : 24 B.**

Gasthof Weich (mit Gästehaus), Hauptstr. 64, ✆ 22 76, – TV P
Jan. geschl. – **M** *(Montag geschl.)* a la carte 16/28 – **14 Z : 28 B** 30 - 60 – ½ P 40.

HIRSCHBACH Bayern siehe Königstein.

HIRSCHBERG **6945.** Baden-Württemberg 412 413 I 18 – 9 800 Ew – Höhe 110 m – ☎ 06201.
Stuttgart 131 – ♦Darmstadt 50 – Heidelberg 15 – ♦Mannheim 17.

In Hirschberg 1-Großsachsen :

Krone, Bergstr. 9 (B 3), ✆ 50 50, Telex 465550, Fax 505400, – TV ☎ P – 25/80. AE ① E VISA
M a la carte 39/70 – **95 Z : 190 B** 85/120 - 120/170 Fb.

Haas'sche Mühle, Talstr. 10, ✆ 5 10 41, Fax 54961, – ☎ P. AE E VISA
M *(Dienstag und 6.- 20. Jan. geschl.)* a la carte 30/55 – **22 Z : 36 B** 58/75 - 114 Fb.

In Hirschberg 2-Leutershausen :

Hirschberg, Goethestr. 2 (B 3), ✆ 5 10 15, Fax 58137 – TV ☎ P. AE E VISA
Mitte Dez.- Mitte Jan. geschl. – **M** *(nur Abendessen, Nov.- März Sonntag geschl.)* a la carte 26/52 – **32 Z : 59 B** 75/105 - 98/130 Fb.

HIRSCHEGG Österreich siehe Kleinwalsertal.

HIRSCHHORN AM NECKAR **6932.** Hessen 412 413 J 18 – 4 100 Ew – Höhe 131 m – Luftkurort – ☎ 06272.
Sehenswert : Burg (Hotelterrasse ≤★).
Verkehrsamt, Haus des Gastes, Alleeweg 2, ✆ 17 42.
Wiesbaden 120 – Heidelberg 23 – Heilbronn 63.

Schloß-Hotel, Auf Burg Hirschhorn, ✆ 13 73, Fax 3267, ≤ Neckartal, – ☎ P – 25. E VISA
Mitte Dez.- Anfang Feb. geschl. – **M** *(Montag geschl.)* a la carte 38/65 – **34 Z : 54 B** 110/160 - 165/205 Fb.

Zum Naturalisten, Hauptstr. 17, ✆ 20 52, Fax 1846, – ☎.
2.- 15. Jan. geschl. – **M** *(Nov.- Feb. Samstag geschl.)* a la carte 20/53 – **24 Z : 48 B** 50/60 - 90/110 Fb – ½ P 60/80.

Haus Burgblick garni, Zur schönen Aussicht 3 (Hirschhorn-Ost), ✆ 14 20, ≤ – P.
Dez. - Jan. geschl. – **8 Z : 16 B** 45/50 - 78/82 Fb.

In Hirschhorn-Langenthal NW : 5 km :

Zur Linde, Waldmichelbacher Str. 12, ✆ 13 66, – P
1.-25. Dez. geschl. – **M** *(Dienstag geschl.)* a la carte 22/39 – **24 Z : 48 B** 40-80.

Zur Krone, Waldmichelbacher Str. 29, ✆ 25 10 – ☎ P
7.- 28. Jan. und 3.- 24. Nov. geschl. – **M** *(Dienstag geschl.)* a la carte 20/39 – **12 Z : 25 B** 40 - 80.

In Eberbach-Brombach **6930** NW : 6 km :

Talblick mit Zim (Fachwerkhaus a.d.J. 1832, Einrichtung in altbäuerlichem Stil), Gaisbergweg 5, ✆ (06272) 14 51 – P. ① E.
Jan. und Juli jeweils 3 Wochen geschl. – Menu *(Tischbestellung ratsam)* (nur Abendessen, Mittwoch - Donnerstag geschl.) a la carte 39/76 – **5 Z : 10 B** 70/80 - 130/150.

Siehe auch : ***Rothenberg (Odenwaldkreis)***

HIRZENHAIN **6476.** Hessen 412 413 K 15 – 3 000 Ew – Höhe 240 m – Erholungsort – ☎ 06045.
Verkehrsamt, Rathaus, ✆ 3 77.
Wiesbaden 107 – ♦Frankfurt am Main 67 – Lauterbach 44.

Stolberger Hof, Nidderstr. 14 (B 275), ✆ 50 66, Fax 4959, – ☎ P
Juni - Juli 2 Wochen geschl. – **M** *(Montag geschl.)* a la carte 16/34 – **11 Z : 25 B** 31/48 - 54/76 – ½ P 39/57.

HITZACKER **3139.** Niedersachsen 411 Q 7, 987 ⑯ – 4 500 Ew – Höhe 25 m – Luftkurort – ☎ 05862.
Kurverwaltung, Weinbergsweg 2, ✆ 80 22.
Hannover 142 – ♦Braunschweig 129 – Lüneburg 48.

Parkhotel ⛰, Am Kurpark 3, ✆ 80 81, Fax 8350, ☂, ☎, ☐, ≡ - |$| TV ☎ ♿ P
25/80. ⓓ VISA
7. Jan.- 7. Feb. geschl. – **M** a la carte 29/57 – **79 Z : 142 B** 70/150 - 110/176 Fb – 6 Appar
270.

Scholz ⛰, Prof.-Borchling-Str. 2, ✆ 79 72, ☂, ☎ - |$| TV ☎ ♿ P - 30
32 Z : 64 B Fb.

Zur Linde, Drawehnertorstr. 22, ✆ 3 47, ≡ – TV ☎ 🚗 P
5. Jan.- 3. Feb. geschl. – **M** *(Donnerstag geschl.)* a la carte 26/45 – **11 Z : 20 B** 48/50 - 95/9

In Göhrde **3139** W : 13 km :

Zur Göhrde, Kaiser-Wilhelm-Allee 1 (B 216), ✆ (05855) 4 23, ☂, ≡ – 🚗 P. AE E VIS
Feb. geschl. – **M** *(Nov.- März Dienstag geschl.)* a la carte 26/52 – **17 Z : 28 B** 33/72 - 66/9

HOCHHEIM AM MAIN 6203. Hessen 412 413 I 16 – 17 000 Ew – Höhe 129 m – ☎ 0614

♦Wiesbaden 12 – ♦Darmstadt 32 – ♦Frankfurt am Main 33 – Mainz 7.

Rheingauer Tor ⛰ garni, Taunusstr. 9, ✆ 40 07, Fax 4000 – |$| TV ☎ P. AE ⓓ E VIS
24. Dez.- 10. Jan. geschl. – **25 Z : 35 B** 88/110 - 130 Fb.

Zur Stadt Saaz, Jahnstr. 19, ✆ 97 76 – P. ✗
13. Juli - 12. Aug. und 23. Dez.- 7. Jan. geschl. – Menu *(nur Abendessen)* a la carte 28/5
– **11 Z : 16 B** 38/55 - 80/90.

Hochheimer Hof, Mainzer Str. 22, ✆ 20 89, ☂ – 25/130.

Frankfurter Hof mit Zim, Frankfurter Str. 20, ✆ 22 52, Fax 61187, ☂
Jan. geschl. – **M** *(Mittwoch 15 Uhr - Donnerstag geschl.)* a la carte 31/64 – **9 Z : 12 B** 55/7
- 95/110.

Hochheimer Riesling-Stuben (alte Weinstube), Wintergasse 9, ✆ 79 25
ab 16 Uhr geöffnet – (Tischbestellung ratsam).

HOCKENHEIM 6832. Baden-Württemberg 412 413 I 19, 987 ㉕ – 17 000 Ew – Höhe 101
– ☎ 06205.

♦Stuttgart 113 – Heidelberg 23 – ♦Karlsruhe 50 – ♦Mannheim 24 – Speyer 12.

Page-Kongresshotel garni, Heidelberger Str. 8, ✆ 29 40, Telex 465978, Fax 294150 –
TV ☎ 🚗. AE ⓓ E VISA
80 Z : 160 B 130/145 - 170/250 Fb.

Motodrom, Hockenheimring, ✆ 29 80, Telex 465984, Fax 298222, ☂, ☎ – |$| ≡ TV
🚗 P – 25/280. AE ⓓ E VISA
Jan. geschl. – **M** a la carte 40/74 – **60 Z : 100 B** 109/185 - 162/240 Fb.

Kanne, Karlsruher Str. 3, ✆ 50 71 – |$| ☎ P. AE ⓓ E VISA
M *(nur Abendessen)* a la carte 31/55 – **28 Z : 47 B** 85/95 - 148 Fb.

HODENHAGEN 3035. Niedersachsen 411 L 8, 987 ⑮ – 2 000 Ew – Höhe 26 m – ☎ 0516

♦Hannover 55 – Braunschweig 99 – ♦Bremen 70 – ♦Hamburg 106.

Hudemühle, Hudemühlenburg 18, ✆ 80 90, Fax 80999, ☂, ☎, ☐, ≡ – TV ☎ P
25/300. AE ⓓ E VISA
M a la carte 37/67 – **51 Z : 106 B** 116/158 - 158/198 Fb -(Neubau mit 120 B ab Sommer 199

HÖCHBERG Bayern – siehe Würzburg.

HÖCHENSCHWAND 7821. Baden-Württemberg 413 H 23, 427 I 2, 216 ⑥ – 2 100 Ew – Höh
1 008 m – Heilklimatischer Kurort – Wintersport : 920/1 015 m ⛷ 1 ⛷ 3 – ☎ 07672 (St. Blasien)

Kurverwaltung, Haus des Gastes, ✆ 25 47 ; Fax 9489.

♦Stuttgart 186 – Donaueschingen 63 – ♦Freiburg im Breisgau 61 – Waldshut-Tiengen 19.

Porten's Kurhaus (mit Gästehaus Fernblick und Appartementhaus), Kurhausplatz
✆ 41 10, Fax 411240, ☂, « Garten », Bade- und Massageabteilung, ☎, ☐, ≡ –
TV 🚗 P. AE ⓓ E VISA. ✗ Rest
Menu a la carte 35/68 – **90 Z : 130 B** 98/118 - 196/216 Fb – 12 Fewo 60/100
½ P 123/143.

Alpenblick, St.-Georg-Str. 9, ✆ 41 80, Fax 418444, ☂, ≡ – |$| ☎ 🚗 P. AE E
M *(auch Diät und vegetarische Gerichte)* (Sonntag 18 Uhr - Dienstag 16 Uhr geschl.) a
carte 26/68 – **26 Z : 49 B** 70/80 - 140/180 Fb – ½ P 64/94.

Berghotel Steffi ⛰, Panoramastr. 22, ✆ 8 55, ≤, ≡ – TV ☎ P
(nur Abendessen für Hausgäste) – **16 Z : 26 B** 65 - 126.

Nägele, Schwimmbadstr. 11, ✆ 14 64, ☂, ≡ – |$| ☎ 🚗 P. ✗
15. Nov.- 15. Dez. geschl. – **M** a la carte 24/54 – **25 Z : 40 B** 38/50 - 76 Fb.

HÖCHST IM ODENWALD **6128.** Hessen 412 413 J 17, 987 ㉕ – 8 500 Ew – Höhe 175 m – Erholungsort – ☎ 06163.

Verkehrsamt im Rathaus, Montmelianer Platz 4, ✆ 30 41.

Wiesbaden 78 – Aschaffenburg 37 – ♦Darmstadt 33 – Heidelberg 72.

- **Burg Breuberg,** Aschaffenburger Str. 4, ✆ 51 33, Fax 5138, Biergarten – TV ☎ P. AE E. Zim
  Juli geschl. – **M** a la carte 26/55 – **20 Z : 35 B** 70 - 125 Fb.

HÖCHSTADT AN DER AISCH **8552.** Bayern 413 P 17, 987 ㉖ – 11 300 Ew – Höhe 272 m – ☎ 09193.

München 210 – ♦Bamberg 31 – ♦Nürnberg 39 – ♦Würzburg 71.

- **Alte Schranne,** Hauptstr. 3, ✆ 34 41 – P.
  (nur Abendessen für Hausgäste) – **17 Z : 30 B** 65 - 95/110.

In Gremsdorf **8551** O : 3 km :

- **Scheubel,** Hauptstr. 1 (B 470), ✆ (09193) 34 44, – P
  23.- 30. Dez. geschl. – **M** *(Montag geschl.)* a la carte 21/43 – **40 Z : 75 B** 32/59 - 64/96.

In Adelsdorf **8555** O : 8 km über die B 470 :

- **Drei Kronen,** Hauptstr. 8, ✆ (09195) 9 51, Fax 1308, Biergarten, , – TV ☎ P – 30. E VISA
  15.- 30. Nov. geschl. – **M** a la carte 24/52 – **53 Z : 100 B** 68/88 - 98/120 Fb.

An der Autobahn A 3 NW : 12 km :

- **Rasthaus-Motel Steigerwald,** Autobahn-Südseite, ✉ 8602 Wachenroth, ✆ (09548) 4 33, Fax 435, – ☎ P
  M *(auch Self-Service)* a la carte 26/50 – **48 Z : 110 B** 98 - 146.

HÖFEN AN DER ENZ **7545.** Baden-Württemberg 413 I 20 – 1 550 Ew – Höhe 366 m – Luftkurort – ☎ 07081 (Wildbad).

Verkehrsbüro, Rathaus, ✆ 52 22.

Stuttgart 68 – Baden-Baden 38 – Freudenstadt 48 – Pforzheim 18.

- Schwarzwaldhotel Hirsch, Alte Str. 40, ✆ 50 25, Fax 6688 – TV ☎ P – 30
  20 Z : 40 B Fb.
- **Ochsen,** Bahnhofstr. 2, ✆ 50 21, Fax 7793, , , , – TV ☎ P – 25/40. E VISA
  M *(auch vegetarische Gerichte)* a la carte 27/70 – **62 Z : 104 B** 55/95 - 92/126 Fb – 3 Appart. 158.
- Bussard garni, Bahnhofstr. 24, ✆ 52 68, – P
  25 Z : 48 B.
- **Café Blaich** garni, Hindenburgstr. 55, ✆ 52 38, Fax 5664 – TV ☎ P
  Mitte Jan.- Mitte Feb. geschl. – **7 Z : 15 B** 52/58 - 85/90 – 3 Fewo 75/95.

An der Straße nach Bad Herrenalb N : 2 km :

- **Zur alten Mühle** , Im Gänsebrunnen, ✉ 7540 Neuenbürg, ✆ (07082) 6 04 01, Fax 7141, , , – TV ☎ P. AE E VISA
  M *(vorwiegend Fischgerichte)* (Montag geschl.) a la carte 42/58 – **26 Z : 60 B** 83/105 - 140 Fb.
- **Eyachbrücke,** ✉ 7540 Neuenbürg, ✆ (07082) 88 58, , – P
  Mitte Okt.- Mitte Nov. geschl. – **M** *(Dienstag geschl.)* a la carte 22/51 – **17 Z : 30 B** 50/55 - 90.

HÖGERSDORF Schleswig-Holstein siehe Segeberg, Bad.

HÖHR-GRENZHAUSEN **5410.** Rheinland-Pfalz 412 G 15 – 9 100 Ew – Höhe 260 m – ☎ 02624.

Mainz 94 – ♦Koblenz 19 – Limburg an der Lahn 35.

- **Heinz** , Bergstr. 77, ✆ 30 33, Fax 5974, , Bade- und Massageabteilung, , , , , – TV ☎ P – 30. AE E VISA. Rest
  über Weihnachten geschl. – **M** a la carte 33/59 – **64 Z : 100 B** 85/145 - 140/240 Fb – ½ P 73/140.

Im Stadtteil Grenzau N : 1,5 km :

- **Sporthotel Zugbrücke** , im Brexbachtal, ✆ 10 50, Telex 869505, Fax 105462, , , – TV ☎ P – 25/150. AE E VISA
  M a la carte 38/65 – **138 Z : 277 B** 70/189 - 98/262 Fb.

HÖNNINGEN, BAD **5462.** Rheinland-Pfalz 412 E 15, 987 ㉔ – 6 000 Ew – Höhe 65 m – Heilbad – ☎ 02635.

Verkehrsamt, Neustr. 2a, ✆ 22 73, Fax 2736.

Mainz 125 – ♦Bonn 34 – ♦Koblenz 37.

Kurpark-Hotel, am Thermalbad, 49 41, - Zim
20 Z : 40 B.

St. Pierre garni, Hauptstr. 142, 20 91, Fax 2093 - . AE E VISA.
20 Z : 40 B 60/75 - 120/140 Fb.

Rhein-Hotel, Rheinallee 4, 25 26,
16 Z : 28 B Fb.

HÖPFINGEN 6969. Baden-Württemberg 413 L 18 - 2 800 Ew - Höhe 390 m - 06283.
♦Stuttgart 119 - Aschaffenburg 73 - Heilbronn 77 - ♦Würzburg 56.

Engel mit Zim, Engelgasse 6, 16 15 -
7 Z : 13 B.

HÖRBRANZ Österreich siehe Bregenz.

HÖRNUM Schleswig-Holstein siehe Sylt (Insel).

HÖRSTEL 4446. Nordrhein-Westfalen 411 412 F 10 - 16 500 Ew - Höhe 45 m - 05459.
♦Düsseldorf 178 - Münster (Westfalen) 44 - ♦Osnabrück 46 - Rheine 10.

In Hörstel-Bevergern SW : 3 km :

Saltenhof, Kreimershoek 71, 40 51, Fax 1251, - . AE E VISA
2.- 20. Jan. geschl. - **M** *(auch vegetarische Gerichte)* (Donnerstag bis 15 Uhr geschl.) 2 (mittags) und a la carte 44/58 - **12 Z : 23 B** 65/85 - 100/130.

In Hörstel-Riesenbeck SO : 6 km :

Schloßhotel Surenburg, Surenburg 13 (SW : 1,5 km), (05454) 70 92, Fax 7251,
, , - - 25/60. E VISA
M a la carte 43/71 - **25 Z : 55 B** 85/99 - 160/180 Fb.

Stratmann, Sünte-Rendel-Str. 5, (05454) 70 83, Fax 7085, , - . AE
Zim
M a la carte 22/48 - **24 Z : 48 B** 50 - 90.

HÖSBACH Bayern siehe Aschaffenburg.

HÖVELHOF 4794. Nordrhein-Westfalen 411 412 I 11 - 12 000 Ew - Höhe 100 m - 0525
♦Düsseldorf 189 - Detmold 30 - ♦Hannover 129 - Paderborn 14.

Gasthof Brink mit Zim, Allee 38, 32 23 - .
Anfang - Mitte Jan. und Juli geschl. - **M** *(nur Abendessen, Tischbestellung erforderlich)* (Monta geschl.) a la carte 44/79 - **9 Z : 16 B** 60/90 - 110/145.

HÖXTER 3470. Nordrhein-Westfalen 411 412 L 11, 987 ⑮ - 35 000 Ew - Höhe 90 m - 0527
Sehenswert : Kilianskirche (Kanzel★★).
Ausflugsziele : Wesertal★ (von Höxter bis Hann. Münden) - Schloß Corvey (O : 2 km).
Verkehrsamt, Am Rathaus 7, 6 34 31.
♦Düsseldorf 225 - ♦Hannover 101 - ♦Kassel 70 - Paderborn 55.

Niedersachsen, Möllinger Str. 4, 68 80, Fax 688444, , - - 3
E VISA
M a la carte 37/65 - **70 Z : 120 B** 75/98 - 135/180 Fb.

Weserberghof-Restaurant Entenfang, Godelheimer Str. 16, 10 87, Fax 3921,
- 60. AE E VISA.
M *(Montag geschl.)* a la carte 30/63 - **26 Z : 40 B** 50/75 - 85/95 Fb.

Corveyer Hof, Westerbachstr. 29, 22 72, -
M *(15.- 31. Aug. und Mittwoch geschl.)* a la carte 21/51 - **11 Z : 21 B** 45/50 - 80.

In Höxter 1-Bödexen NW : 9 km :

Obermühle, Joh.-Todt-Str. 2, (05277) 2 07, , , , , - - 3
AE E
M *(Montag geschl.)* a la carte 25/45 - **28 Z : 52 B** 47/65 - 94/130 Fb - ½ P 59/75.

In Höxter 1-Ovenhausen W : 7 km - Erholungsort :

Haus Venken, Hauptstr. 11, (05278) 2 79, Fax 350, , -
Feb. geschl. - **M** *(Dienstag geschl.)* a la carte 22/45 - **29 Z : 49 B** 45/50 - 80/90 - ½ P 48/5

In Höxter 1-Stahle NO : 9 km :

Kiekenstein, Heinser Str. 74 (B 83), (05531) 40 08, , - . AE E VISA
M a la carte 22/45 - **13 Z : 22 B** 45 - 90.

HOF **8670.** Bayern 413 S 16, 987 ㉗ – 53 300 Ew – Höhe 495 m – ☎ 09281.

Gattendorf-Haidt (über die B 173 Y), ☎ (09281) 4 37 49.

Hof-Pirk, SW : 5 km über Bayreuther Str. Z , ☎ (09292) 3 48.

Tourist - Information, Klosterstr. 10, ☎ 81 52 33.

München 283 ② – Bayreuth 55 ② – Nürnberg 133 ②.

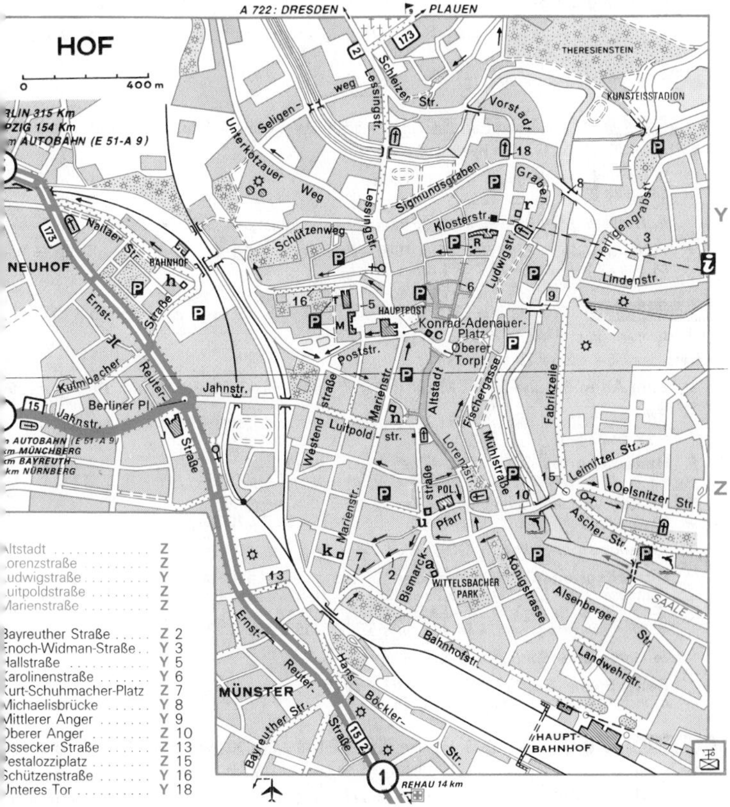

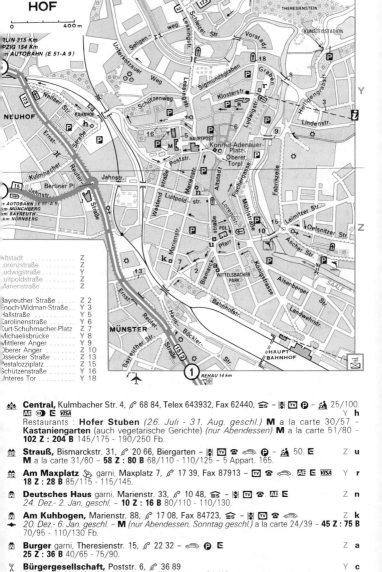

Central, Kulmbacher Str. 4, ☎ 68 84, Telex 643932, Fax 62440, – 🛗 TV P – 25/100. AE ⦿ E VISA — Y **h**
Restaurants : **Hofer Stuben** *(26. Juli - 31. Aug. geschl.)* **M** a la carte 30/57 - **Kastaniengarten** (auch vegetarische Gerichte) *(nur Abendessen)* **M** a la carte 51/80 - **102 Z : 204 B** 145/175 - 190/250 Fb.

Strauß, Bismarckstr. 31, ☎ 20 66, Biergarten – 🛗 TV ☎ P – 50. E — Z **u**
M a la carte 31/60 – **58 Z : 80 B** 68/110 - 110/125 – 5 Appart. 165.

Am Maxplatz garni, Maxplatz 7, ☎ 17 39, Fax 87913 – TV ☎. AE E VISA — Y **r**
18 Z : 28 B 85/115 - 115/145.

Deutsches Haus garni, Marienstr. 33, ☎ 10 48, – 🛗 TV ☎. AE E — Z **n**
24. Dez.- 2. Jan. geschl. – **10 Z : 16 B** 80/110 - 110/130.

Am Kuhbogen, Marienstr. 88, ☎ 17 08, Fax 84723, – 🛗 TV ☎ — Z **k**
20. Dez.- 6. Jan. geschl. – **M** *(nur Abendessen, Sonntag geschl.)* a la carte 24/39 – **45 Z : 75 B** 70/95 - 110/130 Fb.

Burger garni, Theresienstr. 15, ☎ 22 32 – P. E — Z **a**
25 Z : 36 B 40/65 - 75/90.

Bürgergesellschaft, Poststr. 6, ☎ 36 89 — Y **c**
Sonntag 14 Uhr - Montag geschl. – **M** a la carte 21/40.

In Hof-Krötenbruck ① : 4 km, Abfahrt Flughafen :

Munzert, Eppenreuther Str. 100, ✆ 99 91, Fax 95134 – TV ☎ 🚗 P. AE ◑ E VISA
Aug. geschl. – **M** *(Samstag, 28. Juli - 26. Aug. und 23. Dez.- 6. Jan. geschl.)* a la carte 20/4 - **47 Z : 70 B** 55/85 - 80/140 Fb.

In Hof-Unterkotzau ③ : 3 km, über Hofecker Straße Richtung Hirschberg :

Brauereigasthof Falter, Hirschberger Str. 6, ✆ 68 44, Fax 61178, Biergarten – TV ☎ P AE E. ✻
M *(Freitag und 26.- 31. Dez. geschl.)* a la carte 22/44 - **26 Z : 39 B** 80/120 - 130/180 Fb.

HOF Österreich siehe Salzburg.

HOFBIEBER 6417. Hessen 412 413 M 15 – 5 500 Ew – Höhe 400 m – Luftkurort – ✆ 06657
◆Wiesbaden 209 – Fulda 13 – Bad Hersfeld 40.

Sondergeld, Lindenplatz 4, ✆ 3 76 – P
14 Z : 28 B Fb.

In Hofbieber-Fohlenweide SO : 5 km über Langenbieber :

Fohlenweide ⛰, ✆ 80 61, Fax 7580, ⌂, ⛲, ⚔ – TV ☎ 🚸 P – 🏛 40. AE E VISA
M a la carte 30/53 - **26 Z : 60 B** 95 - 155 Fb.

HOFGEISMAR 3520. Hessen 411 412 L 12, 987 ⑮ – 15 000 Ew – Höhe 150 m – ✆ 05671
ℹ Stadtverwaltung, Markt 1, ✆ 8 88 30, Fax 88855.
◆Wiesbaden 245 – ◆Kassel 23 – Paderborn 63.

Zum Alten Brauhaus ⛰, Marktstr. 12, ✆ 30 81, Fax 3083 – 🛗 ☎ 🚗 P – 🏛 60. A E
26. Dez.- 10. Jan. geschl. – **M** *(Sonntag ab 18 Uhr und Dienstag geschl.)* a la carte 24/44 - **21 Z : 33 B** 45/60 - 75/100 Fb.

Haus Hubertus, Bahnhofstr. 42, ✆ 13 33 – ☎ P
1.- 10. Jan. geschl. – **M** *(Sonntag ab 14 Uhr geschl.)* a la carte 25/41 - **10 Z : 17 B** 45 - 8(

Müller, Vor dem Schöneberger Tor 12, ✆ 7 75 – ☎ P. AE E
M *(Sonntag ab 14 Uhr geschl.)* a la carte 19/36 - **32 Z : 70 B** 48/53 - 85 Fb.

In Hofgeismar-Sababurg NO : 14 km :

Dornröschenschloß Sababurg ⛰ (Burganlage a.d. 14. Jh. mit Trauzimmer und Standesamt), ✆ (05671) 80 80, Fax 808200, ≤, Tierpark mit Jagdmuseum, « Burgterrasse » ⌂ – TV ☎ P – 🏛 30. AE ◑ E VISA
3. Jan.- 20. Feb. geschl. – **M** a la carte 52/80 - **19 Z : 36 B** 90/200 - 195/270 Fb.

In Hofgeismar-Schöneberg NO : 4 km :

Reitz, Bremer Str. 17 (B 83), ✆ 55 91 – P. E
Montag geschl. – **M** a la carte 22/48.

HOFHEIM AM TAUNUS 6238. Hessen 412 413 I 16 – 35 000 Ew – Höhe 150 m – ✆ 06192
◆Wiesbaden 20 – ◆Frankfurt am Main 21 – Limburg an der Lahn 54 – Mainz 20.

Burkartsmühle, Kurhausstr. 71, ✆ 2 50 88, Fax 26869, ⌂, 🏊 (geheizt), ⛲, ⚔ (Halle) 🛗 TV ☎ P – 🏛 40. AE ◑ E VISA
M *(Tischbestellung ratsam)* (Sonntag ab 15 Uhr geschl.) a la carte 61/77 - **28 Z : 56 B** 165/22 - 195/260 Fb – 3 Appart. 600.

Dreispitz, In der Dreispitz 6 (an der B 519), ✆ 50 99, Fax 26910, ⌂ – TV ☎ P. E
Juli geschl. – **M** *(wochentags nur Abendessen, Freitag geschl.)* a la carte 35/50 - **25 Z : 35** 85 - 130/150 Fb.

Die Scheuer, Burgstr. 12, ✆ 2 77 74, Fax 1892, « Restauriertes Fachwerkhaus » – AE ◑ E VISA
Sonntag 15 Uhr - Montag geschl. – **M** a la carte 52/84.

In Hofheim-Diedenbergen SW : 3 km :

Hansa Hotel, Casteller Str. 106, ✆ 95 00, Fax 37028, ⌂, ⌂ – 🛗 ⇆ Zim ▤ Rest TV ☎ ♿ P – 🏛 25/200. AE E VISA
M a la carte 32/64 - **158 Z : 258 B** 180 - 220 Fb.

Völker's Hotel mit Zim, Marxheimer Str. 4, ✆ 30 65 – TV ☎ P. AE E VISA. ✻
M *(Samstag bis 18 Uhr und Mittwoch geschl.)* a la carte 61/91 - **12 Z : 17 B** 80/120 150/170 Fb.

In Hofheim-Wallau SW : 5 km :

Wallauer Hof, Nassaustr. 8 (Gewerbegebiet Ost), ✆ (06122) 40 21, ⌂ – TV ☎ 🚗 (
M *(Montag geschl.)* a la carte 22/45 ♁ - **40 Z : 64 B** 80/90 - 130/140.

In Hofheim 5-Wildsachsen NW : 9 km :

Alte Rose, Altwildsachsen 37, ✆ (06198) 83 82, Fax 33772, « Innenhofterrasse » – AE E
nur Abendessen – **M** a la carte 56/86.

In Kriftel **6239** SO : 2 km :

Mirabell garni, Richard-Wagner-Str. 33, ✆ (06192) 4 20 88, Fax 45169, ⇔, ⊡ – |‡| TV ☎ ⇐. E VISA
Weihnachten - Anfang Jan. geschl. – **45 Z : 60 B** 105/130 - 150/195 Fb.

HOHENAU **8351.** Bayern 413 X 20, 426 M 2 – 3 400 Ew – Höhe 806 m – ☎ 08558.
Rathaus, ✆ 3 11, Fax 2489.
München 198 – Passau 41 – ♦Regensburg 135.

In Hohenau-Bierhütte SO : 3 km :

Romantik-Hotel Bierhütte ⑤ (bäuerlicher Barockbau a.d. 16. Jh. mit 2 Gästehäusern), ✆ 3 15, Fax 2387, « Terrasse mit ≤ », ⇔, ⌂ – TV ☎ ⇐ P – 🏛 25/50. AE ⓓ E VISA
Menu a la carte 35/65 – **43 Z : 85 B** 85/192 - 138/204 Fb – 4 Appart. 296 – ½ P 101/164.

In Hohenau-Glashütte NO : 7 km :

Hotel Glashütte, Glashütte 19, ✆ 3 61, Fax 1310, ⇔, ⌂ – TV ☎
Nov.- 15. Dez. geschl. – **M** *(Montag geschl.)* a la carte 22/51 – **19 Z : 40 B** 65 - 130 Fb.

HOHENRODA **6431.** Hessen 412 M 14 – 4 000 Ew – Höhe 311 m – Wintersport : ⛷3 – ☎ 06676.
Wiesbaden 185 – Fulda 39 – Bad Hersfeld 26.

In Hohenroda-Oberbreitzbach :

Hessen-Hotelpark Hohenroda ⑤, Schwarzengrund 9, ✆ 1 81, Telex 493340, Fax 1487, ≤, ⛱, ⇔, ⊡, ⌂, ✂, 🏇 – |‡| TV ☎ ♿ ⛹ P – 🏛 25/300. AE ⓓ E VISA
M a la carte 29/69 – **191 Z : 380 B** 85 - 140 Fb – ½ P 80/95.

HOHENSTEIN Hessen siehe Schwalbach, Bad.

HOHENWESTEDT **2354.** Schleswig-Holstein 411 LM 4, 987 ⑤ – 5 100 Ew – Höhe 48 m – ☎ 04871.
Kiel 54 – ♦Hamburg 80 – ♦Lübeck 81 – Rendsburg 23.

Landhaus, Itzehoer Str. 39, ✆ 9 44, Fax 3189, ⛱, ⇔, ✂ – TV ☎ P – 🏛 25/130. AE ⓓ E VISA
27. Dez.- 6. Jan. geschl. – **M** *(Samstag bis 18 Uhr geschl.)* a la carte 30/61 – **18 Z : 28 B** 80/100 - 120/140 Fb.

HOHWACHT **2322.** Schleswig-Holstein 411 P 4 – 900 Ew – Höhe 15 m – Seeheilbad – ☎ 04381.
Kurverwaltung, Berliner Platz 1, ✆ 70 85, Fax 9676.
♦Kiel 41 – Oldenburg in Holstein 21 – Plön 27.

Haus am Meer ⑤, Dünenweg 1, ✆ 60 96, Fax 6090, ≤, « Terrasse am Strand », ⇔, ⊡, ⌂ – TV ☎ P
24 Z : 58 B Fb.

Schulz ⑤ garni, Strandstr. 8, ✆ 94 10 – TV ☎ P
Ostern - Mitte Okt., Fewo ganzjährig geöffnet – **14 Z : 30 B** 65/70 - 100/130 Fb – 7 Fewo 90/160.

Strandhotel ⑤, Strandstr. 10, ✆ 60 91, Fax 6093, ⛱, ⇔ – ☎ P – 🏛 40. ⓓ E VISA
Mitte April - Mitte Okt. – **M** a la carte 25/52 – **43 Z : 80 B** 75/100 - 130/190 – 9 Fewo 75/170.

Genueser Schiff, Seestr. 18, ✆ 75 33, ≤ Ostsee – P
nur Abendessen – auch 8 Fewo.

HOLDORF **2841.** Niedersachsen 411 H 9, 987 ⑭ – 5 000 Ew – Höhe 36 m – ☎ 05494.
♦Hannover 129 – ♦Bremen 85 – Oldenburg 65 – ♦Osnabrück 40.

Zur Post, Große Str. 11, ✆ 2 34, Fax 8270, ⛱ – TV ☎ P. AE ⓓ E VISA. ✂
23. Dez.- 4. Jan. geschl. – **M** *(Mittwoch geschl.)* a la carte 19/45 – **12 Z : 21 B** 45/55 - 90/110.

HOLLENSTEDT **2114.** Niedersachsen 411 M 6, 987 ⑮ – 1 900 Ew – Höhe 25 m – ☎ 04165.
♦Hannover 150 – ♦Bremen 78 – ♦Hamburg 43.

Hollenstedter Hof, Am Markt 1, ✆ 83 35, Fax 8382 – TV ☎ ⇐ P – 🏛 25/50. AE ⓓ E VISA
M a la carte 29/62 – **22 Z : 44 B** 65/75 - 99/120 Fb.

Eulennest-Haus Hubertus, Moisburger Str. 12, ✆ 8 00 55, Fax 8720, ⛱ – ☎ P – 🏛 30
29 Z : 50 B.

HOLLFELD **8607.** Bayern 413 QR 17, 987 ㉖ – 5 500 Ew – Höhe 402 m – Erholungsort ☎ 09274.

Ausflugsziel : Felsengarten Sanspareil★ N : 7 km.

◆München 254 – ◆Bamberg 38 – Bayreuth 23.

- **Bettina**, Treppendorf 22 (SO : 1 km), ☎ 7 47, Fax 1408 – TV ☎ P 50. AE E.
  M *(Montag geschl.)* a la carte 36/66 – **11 Z : 21 B** 55/95 - 89/170.

HOLTLAND Niedersachsen siehe Hesel.

HOLZAPPEL **5409.** Rheinland-Pfalz 412 G 15, 987 ㉔ – 1 100 Ew – Höhe 270 m – ☎ 0643
Mainz 77 – ◆Koblenz 42 – Limburg an der Lahn 16.

- **Herrenhaus zum Bären - Goethehaus** (Historisches Fachwerkhaus mit Zim. ur Gästehaus), Hauptstr. 15, ☎ 70 14, Fax 7012 – TV ☎. AE E VISA. Rest
  M 50/128 – **24 Z : 40 B** 95/185 - 220/300.

In Laurenburg **5409** S : 3 km :

- **Zum Schiff,** Hauptstr. 9, ☎ (06439) 3 56, – P
  8.- 20. Jan. und 2.- 16. Nov. geschl. – **M** *(Dienstag geschl.)* a la carte 23/44 – **17 Z : 30** 50/60 - 85/98.

HOLZERATH **5501.** Rheinland-Pfalz 412 D 17 – 380 Ew – Höhe 450 m – ☎ 06588.
Mainz 147 – ◆Saarbrücken 72 – ◆Trier 20.

- **Berghotel,** Römerstr. 34, ☎ 71 46, – P. AE
  6. Jan.- 15. Feb. geschl. – **M** *(Dienstag geschl.)* a la carte 24/52 – **14 Z : 28 B** 40/64 - 8

HOLZHAUSEN Thüringen siehe Arnstadt.

HOLZKIRCHEN **8150.** Bayern 413 S 23, 987 ㊲, 426 GH 5 – 11 500 Ew – Höhe 667 m ☎ 08024.

◆München 34 – Rosenheim 41 – Bad Tölz 19.

- **Alte Post,** Marktplatz 10a, ☎ 60 35, Fax 6039 – TV ☎ P – 40
  Jan. geschl. – **M** *(Dienstag geschl.)* a la carte 25/60 – **42 Z : 100 B** 90/150 - 95/175 Fb.

HOLZMINDEN **3450.** Niedersachsen 411 412 L 11, 987 ⑮ – 21 000 Ew – Höhe 99 m – ☎ 0553

Verkehrsamt, Obere Str. 30, ☎ 20 88.

Kurverwaltung (Neuhaus im Solling), Lindenstr. 8 (Haus des Gastes), ☎ (05536) 10 11.

◆Hannover 95 – Hameln 50 – ◆Kassel 80 – Paderborn 65.

- Parkhotel Interopa garni, Altendorfer Str. 19, ☎ 20 01, – TV ☎ P
  43 Z : 80 B.
- **Buntrock,** Karlstr. 23, ☎ 20 77, Fax 120221 – TV ☎ P. AE E VISA
  M *(Samstag geschl.)* a la carte 31/58 – **20 Z : 28 B** 70/85 - 115/125.
- **Schleifmühle**, Schleifmühle 3, ☎ 50 98, – TV ☎ P.
  M *(nur Abendessen, Sonntag geschl.)* a la carte 26/40 – **17 Z : 26 B** 70/75 - 100/110 Fb.
- **Hellers Krug** mit Zim, Altendorfer Str. 19, ☎ 21 15 – P. AE E VISA
  M *(Samstag bis 18 Uhr sowie Sonn- und Feiertage geschl.)* 46/89 – **10 Z : 15 B** 37 - 69 F
  Spez. Variation von Edelfischen mit Safransauce, Sauté von Lamm und Wachtel, Ingwe Limonenparfait mit 2 Saucen.

In Holzminden 2-Neuhaus im Solling SO : 12 km – Höhe 365 m – Heilklimatischer Kuro – ☎ 05536 :

- **Schatte**, Am Wildenkiel 15, ☎ 10 55, Massage, – ☎ P. E VISA
  Mitte Nov.- Mitte Dez. geschl. – **M** a la carte 23/51 – **50 Z : 80 B** 48/75 - 94/150 Fb – ½ P 66/10
- Brauner Hirsch, Am Langenberg 5, ☎ 10 33, Fax 289, « Caféterrasse » – TV ☎ P
  27 Z : 49 B.
- Langenberg, Am Langenberg 30, ☎ 10 44, – ☎ P – 60.
  27 Z : 43 B.
- **Am Wildenkiel**, Am Wildenkiel 18, ☎ 10 47, Fax 1286, – TV ☎ P
  Mitte Nov.- Mitte Dez. geschl. – **M** a la carte 21/41 – **20 Z : 33 B** 60/62 - 88/110 Fb.
- Zur Linde, Lindenstr. 4, ☎ 10 66, « Gartenterrasse », – ☎ P
  22 Z : 38 B Fb.
- Schwalbenhof garni, Wiesengrund 11, ☎ 5 65, – TV ☎ P.
  23 Z : 32 B Fb – 6 Appart..

In Holzminden 2-Silberborn SO : 12 km – Luftkurort :

Sollingshöhe, Dasseler Str. 15, ✆ (05536) 10 02, ..., ..., ..., ... – ☎ Ⓟ
Nov.- 24. Dez. geschl. – **M** a la carte 27/52 – **27 Z : 44 B** 53/57 - 112/116 Fb.

HOLZWICKEDE **4755.** Nordrhein-Westfalen 411 412 F 12 – 16 000 Ew – Höhe 90 m – ✆ 02301.
Düsseldorf 87 – Dortmund 14 – Hamm in Westfalen 32.

Lohenstein garni, Hauptstr. 21, ✆ 86 17 – ☎ ... AE ⓓ E VISA. ✂
16 Z : 21 B 45/62 - 75/92.

HOMBERG (Efze) **3588.** Hessen 412 L 13, 987 ㉕ – 14 000 Ew – Höhe 270 m – ✆ 05681.
Verkehrsamt, Rathaus, Obertorstr. 4, ✆ 7 72 50.
Wiesbaden 185 – Fulda 72 – Bad Hersfeld 32 – ♦Kassel 51 – Marburg 62.

Stadt Cassel, Westheimer Str. 25, ✆ 70 61, Fax 7064 – TV ☎ ... Ⓟ. AE ⓓ E VISA
Jan. 2 Wochen geschl. – **M** *(Samstag bis 18 Uhr geschl.)* a la carte 26/66 – **13 Z : 22 B** 78/85 - 125/145.

Burghotel garni, Holzhäuserstr. 32, ✆ 8 93, Fax 7064 – TV ☎ Ⓟ. AE ⓓ E VISA
14 Z : 29 B 78/85 - 125/145.

Die im Michelin-Führer
verwendeten Zeichen und Symbole haben -
***fett** oder dünn gedruckt, rot oder schwarz -*
jeweils eine andere Bedeutung. Lesen Sie daher die Erklärungen aufmerksam durch.

HOMBURG/SAAR **6650.** Saarland 412 F 19, 987 ㉔, 242 ⑦ – 43 000 Ew – Höhe 233 m – ✆ 06841.
Kultur- und Verkehrsamt, Am Forum, ✆ 20 66.
Saarbrücken 35 – Kaiserslautern 42 – Neunkirchen/Saar 15 – Zweibrücken 11.

Schweizerstuben, Kaiserstr. 72, ✆ 14 11, Telex 447116, Fax 68038, ..., ..., ... – |‡| TV ... Ⓟ – 🏛 25/50. E VISA. ✂ Zim
M *(bemerkenswerte Weinkarte)* (Samstag bis 18 Uhr und Sonntag geschl.) a la carte 57/84 – **28 Z : 52 B** 119/145 - 170/225 Fb - 3 Appart. 250.

Stadt Homburg, Ringstr. 80, ✆ 13 31, Telex 44683, Fax 64994, ..., ..., ... – |‡| TV ... Ⓟ – 🏛 25/90. AE ⓓ E VISA
M a la carte 55/83 – **42 Z : 75 B** 110/115 - 165/250 Fb.

Schlossberg Hotel ⛰, Schloßberg-Höhenstraße, ✆ 66 60, Fax 62018, ≤, ..., ..., ... – |‡| TV ☎ Ⓟ – 🏛 25/210. AE ⓓ E VISA
M a la carte 45/70 – **76 Z : 120 B** 98/160 - 160/250 Fb.

Euler, Talstr. 40, ✆ 6 00 77, Fax 5530 – TV ☎ ... AE ⓓ E VISA
Ende Dez.- Anfang Jan. geschl. – **M** *(Samstag geschl.)* a la carte 27/50 – **50 Z : 95 B** 80/85 - 120/130.

Bürgerhof garni, Eisenbahnstr. 60, ✆ 6 40 24 – TV ☎ Ⓟ. AE ⓓ E VISA
31 Z : 45 B 48/55 - 76/98.

Boeuf, Bahnhofsplatz 5, ✆ 28 41.

In Homburg-Erbach N : 2 km :

Ruble, Dürerstr. 164, ✆ 7 50 51, Fax 78972, ..., ... – TV ☎ Ⓟ. AE ⓓ E VISA
M a la carte 30/66 – **17 Z : 27 B** 65 - 90 Fb.

MICHELIN-REIFENWERKE KGaA. 6650 Homburg, Berliner Straße, ✆ 7 70, Fax 704585.

HOMBURG VOR DER HÖHE, BAD **6380.** Hessen 412 413 I 16, 987 ㉕ – 52 000 Ew – Höhe 197 m – Heilbad – ✆ 06172.
Sehenswert : Kurpark★.
Ausflugsziel : Saalburg (Rekonstruktion eines Römerkastells)★ 6 km über ④.
Saalburgchaussee 2a (über ④ und die B 456 Y), ✆ 3 88 08.
Verkehrsamt im Kurhaus, Louisenstr. 58, ✆ 12 13 10.
ADAC, Louisenstr. 23, ✆ 2 10 93.
♦Wiesbaden 45 ② – ♦Frankfurt am Main 17 ② – Gießen 48 ① – Limburg an der Lahn 54 ③.

Stadtplan siehe nächste Seite

Steigenberger Hotel Bad Homburg (Modern-elegantes Hotel mit Einrichtung im Stil des Art Deco), Kaiser-Friedrich-Promenade 69, ✆ 18 10, Telex 417470, Fax 181630, ..., ... – |‡| ✂ Zim ... TV ... – 🏛 25/240. AE ⓓ E VISA. ✂ Rest Y r
Restaurants : **Ritter's** *(nur Abendessen, Sonntag - Montag geschl.)* **M** a la carte 62/88 – **Charly's M** a la carte 42/68 – **170 Z : 260 B** 260/395 - 320/480 – 15 Appart. 490/690.

Haingasse . . . . Y
Louisenstraße . . . . YZ
Ludwigstraße . . . . Y 1
Thomasstraße . . . . Z

Am Hohlebrunnen . . . . Z 3
Burggasse . . . . Y 4
Ferdinandstraße . . . . . Z 8
Frankfurter Landstraße . Z 9
Herrngasse . . . . Y 1
Heuchelheimer Straße . . Y 1
Meiereiberg . . . . YZ 1
Neue Mauergasse . . . . Y 2
Obergasse . . . . Y 2
Orangeriegasse . . . . . . Y 2
Rathausgasse . . . . Y 2
Rind'sche Stiftstraße . . Y 2
Tannenwaldallee . . . . . Y 2
Waisenhausstraße . . . . Y 3

Maritim Kurhaus - Hotel, Ludwigstraße, ✆ 2 80 51, Telex 415357, Fax 24341, … – Zim Rest … – 25/600. AE E VISA Y m
M *(Sonntag ab 15 Uhr geschl.)* a la carte 58/80 – **148 Z : 221 B** 219/389 - 264/464 Fb.

Parkhotel garni, Kaiser-Friedrich-Promenade 53, ✆ 80 10, Fax 801801, … – … – 25/50 Y
100 Z : 160 B Fb – 9 Appart.

Hardtwald, Philosophenweg 31, ✆ 8 10 26, Telex 410594, Fax 82512 « Gartenterrasse » – … AE E VISA. Y
20. Dez.- 20. Jan. geschl. – **M** *(Samstag - Sonntag geschl.)* a la carte 37/66 – **39 Z : 63 B** 120/18 - 145/275 Fb.

Haus Daheim garni, Elisabethenstr. 42, ✆ 2 00 98, Telex 4185081, Fax 25580 – … AE E VISA Y
18 Z : 32 B 98/138 - 168/198.

Oberle's, Obergasse 1, ✆ 2 46 62 – E Y
Samstag bis 18 Uhr, Montag, 2.- 12. Jan. und 10. Juli - 3. Aug. geschl. – **M** a la carte 54/7

Assmann's Restaurant, Kisseleffstr. 27, ✆ 2 47 10, Fax 29185, … – … AE E Y
Mittwoch und 1.- 18. Jan. geschl. – **M** a la carte 56/93.

In Bad Homburg-Dornholzhausen über ④ und die B 456 :

Sonne, Landwehrweg 3, ✆ 3 10 23 – …
(nur Abendessen) – **26 Z : 37 B**.

In Bad Homburg-Obererlenbach über Frankfurter Landstraße Z :

Bierbrunnen, Ahlweg 2, ✆ 4 65 60.

HONNEF, BAD **5340.** Nordrhein-Westfalen 412 E 15, 987 ㉔ – 23 000 Ew – Höhe 72 m – ☎ 02224 – Windhagen-Rederscheid (SO : 10 km), ☎ (02645) 1 56 21.

Tourist-Information, Hauptstr. 28a, ☎ 18 41 70.

Düsseldorf 86 – ◆Bonn 17 – ◆Koblenz 51.

Seminaris, Alexander-von-Humboldt-Str. 20, ☎ 77 10, Telex 885617, Fax 771555, (kleiner Park), Fb, ≘s, ▣, ⛱ – |♦| ⇹ Zim ▣ ⇔ ⓟ – ♣ 25/200. AE ⓞ E VISA. ⇹ Rest
M *(auch vegetarische Gerichte)* a la carte 35/65 – **213 Z : 270 B** 160/179 - 245/263 Fb – 9 Appart. 355.

Gästehaus in der Au garni, Alexander-von-Humboldt-Str. 33, ☎ 52 19, ⛱
12 Z : 20 B 40/50 - 80/100.

Das kleine Restaurant, Hauptstr. 16a, ☎ 44 50, ⛱ – E
Sonntag geschl. – **M** (Tischbestellung ratsam) a la carte 49/80.

Franco, Markt 3, ☎ 38 48, Fax 78648, ⛱ – AE ⓞ E VISA
Mittwoch geschl. – **M** *(Italienische Küche)* a la carte 35/68.

An der Straße nach Asbach O : 2,5 km :

Jagdhaus im Schmelztal, Schmelztalstr. 50, ✉ 5340 Bad Honnef, ☎ (02224) 26 26, ⛱ – ⓟ – ♣ 70. AE ⓞ E VISA – *Mittwoch - Donnerstag geschl.* – **M** a la carte 46/66.

In Bad Honnef-Rhöndorf N : 1,5 km :

Bellevue - Die Rheinterrassen, Karl-Broel-Str. 43, ☎ 30 11, Telex 8869551, Fax 3031, ≤ Rhein und Drachenfels, ⛱ – |♦| ▣ ⇔ ⓟ – ♣ 25/150. AE E
M a la carte 45/66 – **85 Z : 150 B** 159/245 - 190/360 Fb.

Ristorante Caesareo, Rhöndorfer Str. 39, ☎ 7 56 39, ⛱. AE ⓞ E VISA
Montag geschl. – **M** *(Tischbestellung ratsam)* a la carte 43/73.

In Windhagen-Rederscheid **5469** SO : 10 km :

Dorint Sporthotel Waldbrunnen ⛰, Brunnenstr. 7, ☎ (02645) 1 50, Telex 863020, Fax 15548, ⛱, ≘s, ▣ (geheizt), ▣, ✂ (Halle), ♞ (Halle) – |♦| ⇹ Zim ▣ ♿ ⇔ ⓟ – ♣ 25/100. AE ⓞ E VISA – **M** 30/Buffet (mittags) und a la carte 46/80 – **115 Z : 202 B** 195/229 - 280/319 Fb – 8 Appart. 400/600.

HOPSTEN **4447.** Nordrhein-Westfalen 411 412 F 9 – 6 400 Ew – Höhe 43 m – ☎ 05458.

Düsseldorf 197 – Lingen 26 – ◆Osnabrück 39 – Rheine 16.

Kiepenkerl, Ibbenbürener Str. 2, ☎ 2 34 – ⇔ ⓟ
M *(Dienstag geschl.)* a la carte 17/36 – **11 Z : 17 B** 27/30 - 54/60.

Kerssen-Brons mit Zim, Marktplatz 1, ☎ 70 06 – ⇔ ⓟ
Nov. 2 Wochen geschl. – **M** *(Montag und Freitag geschl.)* a la carte 22/50 – **10 Z : 16 B** 28/35 - 64/70.

HORB **7240.** Baden-Württemberg 413 J 21, 987 ㉟ – 20 000 Ew – Höhe 423 m – ☎ 07451.

Verkehrsbüro, Rathaus, Marktplatz 8, ☎ 36 11.

Stuttgart 63 – Freudenstadt 24 – Tübingen 36.

Schillerstuben, Schillerstr. 19, ☎ 82 22, ⛱ – AE ⓞ E VISA
Sonntag ab 15 Uhr und 12.- 26. Feb. geschl. – **M** a la carte 28/62.

In Horb-Hohenberg N : 1 km :

Steiglehof (ehemaliger Gutshof), Steigle 35, ☎ 24 18 – ⓟ
18. Dez.- 10. Jan. geschl. – (nur Abendessen für Hausgäste) – **13 Z : 20 B** 50 - 80.

In Horb-Isenburg S : 3 km :

Waldeck ⛰, Mühlsteige 33, ☎ 38 80, Fax 4950, ≘s – |♦| ▣ ☎ ⇔ ⓟ. ⓞ E VISA
15. Juli - 1. Aug. und 23. Dez.- 10. Jan. geschl. – **M** *(Montag geschl.)* a la carte 23/50 ♂ – **23 Z : 45 B** 55/80 - 80/110 Fb.

Schloß Weitenburg siehe unter : ***Starzach***

HORBEN **7801.** Baden-Württemberg 413 G 23, 87 ⑧, 242 ㊱ – 850 Ew – Höhe 600 m – ☎ 0761 Freiburg im Breisgau).

◆Stuttgart 216 – ◆Freiburg im Breisgau 10.

In Horben-Langackern :

Luisenhöhe ⛰, ☎ 2 91 61, Fax 290448, ≤ Schauinsland und Schwarzwald, « Gartenterrasse », Fb, ≘s, ▣, ⛱, ✂ – |♦| ▣ ☎ ⇔ ⓟ – ♣ 40. AE ⓞ E VISA. ⇹ Rest
M a la carte 36/70 – **47 Z : 65 B** 130/150 - 170/210 Fb – 4 Appart. 230/250.

Engel ⛰, ☎ 2 91 11, Fax 290627, ≤, « Terrasse », ⛱ – ▣ ☎ ⇔ ⓟ. E VISA
M *(Montag und Jan. 3 Wochen geschl.)* a la carte 39/62 – **22 Z : 39 B** 70/85 - 115/140 Fb – ½ P 88/115.

HORBRUCH Rheinland-Pfalz siehe Morbach.

HORHAUSEN **5453.** Rheinland-Pfalz 412 F 15 – 1 400 Ew – Höhe 365 m – ☎ 02687.
Verkehrsverein, Rheinstraße (Raiffeisenbank), ☎ 14 27.
Mainz 111 – ♦Bonn 52 – ♦Köln 68 – ♦Koblenz 37 – Limburg an der Lahn 52.

Grenzbachmühle, Grenzbachstr. 17 (O : 1,5 km), ☎ 10 83, Damwildgehege, – P. E VISA
10. Nov.- 12. Dez. geschl. – **M** *(Dienstag geschl.)* a la carte 28/58 – **15 Z : 28 B** 42/45 - 84/9

HORN-BAD MEINBERG **4934.** Nordrhein-Westfalen 411 412 J 11, 987 ⑮ – 17 900 Ew – Höh 220 m – ☎ 05234.
Ausflugsziel: Externsteine* (Flachrelief** a.d. 12. Jh.) SW : 2 km.
Städt. Verkehrsamt in Horn, Rathausplatz 2, ☎ 20 12 62, Fax 201222.
Verkehrsbüro in Bad Meinberg, Parkstraße, ☎ 9 89 03.
♦Düsseldorf 197 – Detmold 10 – ♦Hannover 85 – Paderborn 27.

Im Stadtteil Horn :

Garre, Bahnhofstr. 55 (B 1), ☎ 33 38 – TV P
20. Juli - 6. Aug. und 20. Dez.- 8. Jan. geschl. – **M** *(Samstag bis 17 Uhr und Sonntag gesch*
a la carte 24/45 – **8 Z : 13 B** 48/58 - 88/98.

Im Stadtteil Bad Meinberg – Heilbad :

Kurhotel Parkblick, Parkstr. 63, ☎ 90 90, Fax 909150, Bade- und Massageabteilun, – TV – 25/60. AE E VISA. Rest
M a la carte 30/61 – **78 Z : 100 B** 95/135 - 145/165 Fb – 4 Appart. 320 – ½ P 98/140.

Kurhaus zum Stern, Parkstr. 15, ☎ 90 50, Fax 905300, direkter Zugang zur Kurmittelhaus, – TV P – 25/120. AE E VISA
M a la carte 32/66 – **128 Z : 205 B** 105/115 - 165/270 Fb.

Teutonia, Allee 19, ☎ 9 88 66, – TV. E VISA
Menu 19/26 (mittags) und a la carte 36/66 – **18 Z : 27 B** 60/68 - 138 Fb.

Gästehaus Mönnich garni, Brunnenstr. 55, ☎ 9 88 45, Fax 919240, « Galerie für Fotokun und Keramik, Garten », – P.
15. Nov.- 15. Feb. geschl. – **13 Z : 16 B** 58/65 - 115/135.

Lindenhof, Allee 16, ☎ 9 88 11 – P
6 Jan. - 15 Feb. geschl. – **M** *(Freitag geschl.)* a la carte 26/48 – 38/43 – 84 ½ P 60.

Stille's Gästehaus garni, Am Ehrenmal 2, ☎ 9 89 82
15 Z : 21 B 42 - 76/84.

Im Stadtteil Billerbeck :

Zur Linde, Steinheimer Str. 219, ☎ (05233) 20 90, Fax 6404, – P
25/150. E
3.- 27. Jan. geschl. – **M** *(Dienstag geschl.)* a la carte 32/47 – **45 Z : 88 B** 63/70 - 120/130 F – ½ P 75/90.

Im Stadtteil Holzhausen-Externsteine – Luftkurort :

Kurhotel Bärenstein, Am Bärenstein 44, ☎ 20 90, Fax 209269, Bade- und Massag abteilung, – TV P.
25. Nov.- 26. Dez. geschl. – **M** *(Montag geschl.)* a la carte 29/42 – **74 Z : 95 B** 60/87 126/164 Fb.

Im Stadtteil Leopoldstal :

Feriengut Rothensiek garni, Rothensieker Weg 50, ☎ 2 00 70, Fax 200766, – P – 30.
14 Z : 28 B 78/130 - 126/166 – 10 Fewo.

Waldhotel Silbermühle, Neuer Teich 57, ☎ 22 22, – P
10 Z : 20 B.

HORNBERG (Schwarzwaldbahn) **7746.** Baden-Württemberg 413 H 22, 987 ㉟ – 4 800 Ew Höhe 400 m – Erholungsort – ☎ 07833.
Städt. Verkehrsamt, Bahnhofstr. 3, ☎ 60 72, Fax 79324.
♦Stuttgart 132 – ♦Freiburg im Breisgau 50 – Offenburg 45 – Villingen-Schwenningen 34.

Adler, Hauptstr. 66, ☎ 3 67, Fax 548 – TV. AE E VISA
Mitte Jan.- Mitte Feb. geschl. – **M** *(Freitag geschl.)* a la carte 27/65 – **26 Z : 48 B** 46/90 90/150 Fb.

Schloß Hornberg, Auf dem Schloßberg 1, ☎ 68 41, Fax 7231, Hornberg und Gutachta – TV P – 40
39 Z : 97 B Fb.

In Hornberg-Fohrenbühl **7231** NO : 8 km :

Café Lauble garni, Haus 65, ✆ 66 09, – P.
Nov. geschl. – **22 Z : 35 B** 38 - 75.

Schwanen, Haus 66, ✆ 3 17, , – TV ☎ P. Zim
8.- 30. Nov. geschl. – **M** *(Dienstag geschl.)* a la carte 26/58 – **17 Z : 34 B** 42/59 - 84/108 - ½ P 58/75.

Am Karlstein SW : 9 km, über Niederwasser – Höhe 969 m

Schöne Aussicht , ✉ 7746 Hornberg 2, ✆ (07833) 2 90, Fax 1603, ≤, , , , , – TV ☎ P. AE E VISA
4.- 11. April und 1.- 20. Dez. geschl. – **M** a la carte 26/57 – **24 Z : 48 B** 60/65 - 110/130 Fb.

HORSTMAR **4435.** Nordrhein-Westfalen 411 412 EF 10, 987 ⑭ – 6 400 Ew – Höhe 88 m – ✆ 02558.
♦Düsseldorf 123 – Enschede 42 – Münster (Westfalen) 28 – ♦Osnabrück 77.

In Horstmar-Leer N : 5 km :

Horstmann, Dorfstr. 9, ✆ (02551) 51 26 – P
16.- 28. Nov. geschl. – **M** a la carte 23/48 – **8 Z : 14 B** 30/45 - 60/90.

HOSENFELD **6406.** Hessen 412 413 L 15 – 4 000 Ew – Höhe 374 m – ✆ 06650.
♦Wiesbaden 147 – Fulda 17.

An der Straße nach Fulda O : 3 km :

Sieberzmühle , ✉ 6406 Hosenfeld, ✆ (06650) 81 91, Fax 8193, – ☎ P
6. Jan.- 5. Feb. geschl. – **M** *(Montag geschl.)* a la carte 19/43 – **15 Z : 30 B** 40 - 70 Fb.

HUDE **2872.** Niedersachsen 411 I 7, 987 ⑭ – 12 400 Ew – Höhe 15 m – Erholungsort – ✆ 04408.
♦Hannover 152 – ♦Bremen 36 – Oldenburg 20.

Burgdorf's Gaststätte, Hohe Str. 21, ✆ 18 37, – P
M a la carte 24/42 – **10 Z : 20 B** 50/55 - 80/90.

Klosterschänke mit Zim, An der Klosterruine, ✆ 77 77, Fax 2211, – TV ☎ P
M a la carte 31/54 – **9 Z : 15 B** 60/65 - 90/105.

HÜCKELHOVEN **5142.** Nordrhein-Westfalen 412 B 13 – 35 500 Ew – Höhe 84 m – ✆ 02433.
♦Düsseldorf 58 – ♦Aachen 38 – ♦Köln 75.

Europa-Haus garni, Dr.-Ruben-Str., ✆ 83 70, Fax 837101 – Zim TV ☎. E VISA
40 Z : 80 B 95/195 - 140/310 Fb.

In Hückelhoven-Ratheim W : 2,5 km :

Ohof, Burgstr. 48, ✆ 50 91 (Hotel) 5 15 69 (Rest.), Fax 60543 – TV ☎ P. E VISA
(nur Abendessen für Hausgäste) – **31 Z : 50 B** 85/105 - 140/180 Fb.

HÜCKESWAGEN **5609.** Nordrhein-Westfalen 412 F 13, 987 ㉔ – 15 000 Ew – Höhe 258 m – ✆ 02192.
♦Düsseldorf 61 – ♦Köln 44 – Lüdenscheid 27 – Remscheid 14.

In Hückeswagen-Kleineichen SO : 1 km :

Kleineichen, Bevertalstr. 44, ✆ 43 75, – P
Montag - Dienstag 18 Uhr und Ende März - Mitte April geschl. – **M** a la carte 25/56.

HÜFINGEN **7713.** Baden-Württemberg 413 I 23, 987 ㉟, 427 J 2 – 6 200 Ew – Höhe 686 m – ✆ 0771 (Donaueschingen).
♦Stuttgart 126 – Donaueschingen 3 – ♦Freiburg im Breisgau 59 – Schaffhausen 38.

In Hüfingen 3 - Behla SO : 5 km :

Landgasthof Kranz (mit Gästehaus), Römerstr. 18 (B 27), ✆ 6 10 66, Fax 63594 – TV ☎ P. E
8.- 31. Jan. geschl. – **M** *(Freitag geschl.)* a la carte 22/42 – **24 Z : 52 B** 40/45 - 80/85 Fb.

In Hüfingen 3-Fürstenberg SO : 9,5 km :

Gasthof Rössle, Zähringer Str. 12, ✆ 6 19 22 – P
1.- 29. Jan. geschl. – **M** *(nur Abendessen, Mittwoch geschl.)* a la carte 23/38 – **13 Z : 25 B** 40/45 - 70/80.

HÜGELSHEIM **7571.** Baden-Württemberg 413 H 20, 242 ⑯, 87 ③ - 1 800 Ew - Höhe 121 m - 07229.
♦Stuttgart 108 - Baden-Baden 14 - Rastatt 10 - Strasbourg 43.

Hirsch, Hauptstr. 28 (B 36), 22 55 (Hotel) 42 55 (Rest.), - **28 Z : 50 B** Fb.

Zum Schwan, Hauptstr. 45 (B 36), 22 07, - E
M *(Montag geschl.)* a la carte 43/75 - **21 Z : 40 B** 56/62 - 92/94.

HÜNFELD **6418.** Hessen 412 M 14, 987 ㉕ - 14 300 Ew - Höhe 279 m - 06652.
♦Wiesbaden 179 - Fulda 19 - Bad Hersfeld 27 - ♦Kassel 102.

In Hünfeld-Michelsrombach W : 7 km :

Zum Stern, Biebergasse 2, 25 75, Fax 72851 - E
M a la carte 17/36 - **19 Z : 41 B** 40 - 68.

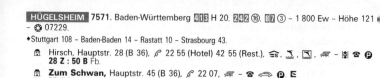

LES GUIDES VERTS MICHELIN
Paysages, monuments
Routes touristiques
Géographie,
Histoire, Art
Itinéraires de visite
Plans de villes et de monuments.

HÜNSTETTEN **6274.** Hessen 412 413 H 16 - 8 350 Ew - Höhe 301 m - 06126 (Idstein)
♦Wiesbaden 29 - Limburg an der Lahn 20.

In Hünstetten-Bechtheim :

Rosi's Restaurant, Am Birnbusch 17, (06438) 21 26, -
Dienstag - Mittwoch 18 Uhr und Juni - Juli 3 Wochen geschl. - Menu a la carte 32/64.

HÜRTGENWALD **5165.** Nordrhein-Westfalen 412 C 14 - 7 500 Ew - Höhe 325 m - 0242
Tourist-Information, Rathaus, Hürtgenwald-Kleinhau, 3 09 42, Fax 30970.
♦Düsseldorf 88 - ♦Aachen 41 - ♦Bonn 70 - Düren 8,5 - Monschau 35.

In Hürtgenwald-Simonskall :

Haus Kallbach, 12 74, Fax 2069, - 25/80. VISA
M a la carte 30/66 - **36 Z : 66 B** 80/90 - 140/160 Fb.

In Hürtgenwald-Vossenack :

Zum alten Forsthaus, Germeter Str. 49, 78 22, Fax 2104, - 25/80. E VISA
M a la carte 28/59 - **37 Z : 70 B** 75/115 - 130/190 Fb.

HUMMELFELD Schleswig-Holstein siehe Fleckeby.

HUNGEN **6303.** Hessen 412 413 J 15 - 12 500 Ew - Höhe 145 m - 06402.
♦Wiesbaden 82 - ♦Frankfurt am Main 53 - Gießen 21.

Quellenhof, Gießener Str. 37 (B 457), 70 11, Fax 7913, (Gebühr) - 40 - **32 Z : 60 B** Fb.

HUSUM **2250.** Schleswig-Holstein 411 JK 3, 987 ⑤ - 20 000 Ew - Höhe 5 m - 04841.
Sehenswert : Nordfriesisches Museum★.
Ausflugsziel : Die Halligen★ (per Schiff).
Schwesing-Hohlacker, (04841) 7 22 38.
Touristinformation, Zingel 4, 6 69 91, Fax 66995.
♦Kiel 84 - Flensburg 42 - Heide 40 - Schleswig 34.

Hotel am Schloßpark garni, Hinter der Neustadt 76, 20 22, Fax 62062, - AE E VISA
36 Z : 61 B 68/90 - 120 Fb.

Thomas-Hotel, Am Zingel 9, 60 87, Fax 81510 - - 30. AE E VISA
M a la carte 28/62 - **36 Z : 58 B** 75/120 - 125/145 Fb.

Hinrichsen garni, Süderstr. 35, 50 51, Fax 2801, -
37 Z : 80 B Fb - 3 Fewo.

🏨 **Nordseehotel Husum** 🦢, Am Seedeich, ℰ 50 22, Fax 81510, ≼ Wattenmeer und Schiffahrt, ➾, 🔲 – 📺 🕿 ⇦ 🅟 – 🛗 30. 🆎 ⓞ 🄴 💳
M a la carte 31/67 – **21 Z : 35 B** 80/95 - 120/185 Fb.

🏨 Obsen's Hotel, Hafenstr. 3, ℰ 20 41, Fax 2044 – 📺 🕿 🅟 – **17 Z : 40 B** Fb.

🏨 **Zur grauen Stadt am Meer,** Schiffbrücke 9, ℰ 22 36, Fax 4019 – 📺 🕿 ⇦ 🆎 ⓞ 🄴 💳
15. Jan.- 15. Feb. geschl. – **M** a la carte 31/62 – **15 Z : 30 B** 78 - 120/145 Fb.

🏨 **Osterkrug,** Osterende 56, ℰ 28 85, Fax 2881, ➾ – 📺 🕿 🅟. 🄴
M a la carte 26/52 – **27 Z : 51 B** 55/65 - 100/140 Fb.

🏨 **Rosenburg,** Schleswiger Chaussee 65 (B 201), ℰ 7 23 08, Fax 73893, ⛱, ⇟ – 🕿 ⇦ 🅟. 🆎 ⓞ 🄴 💳
M a la carte 35/65 – **16 Z : 32 B** 60/80 - 120/150 Fb.

🍴 **Ewald's Fischmarkt** (Bistro, auch Self service), ℰ 44 06, ⛱
Nov. geschl. – **M** a la carte 27/50 🍺.

In Simonsberger Koog 2251 SW : 7 km :

🏨 **Lundenbergsand** 🦢, Lundenbergweg 3, ℰ (04841) 43 57, Fax 62998, ⛱, ⇟ – 📺 🕿 🅟. ⓞ 💳
4. Jan.- 6. Feb. geschl. – **M** (Montag geschl.) a la carte 35/60 – **17 Z : 33 B** 100 - 150/190 Fb.

In Witzwort-Adolfskoog 2251 SW : 10 km, über die B 5 :

🍴🍴 Roter Haubarg, ℰ (04864) 8 45, ⛱, « Renovierter nordfriesischer Bauernhof a.d. 18. Jh. » – 🅟.

In Hattstedter Marsch 2251 NW : 12 km, 9 km über die B 5, dann links ab :

🏨 **Arlauschleuse** 🦢 (Urlaubshotel in Marschlandschaft und Vogelschutzgebiet), ℰ (04846) 3 66, Fax 1095, ⛱, ⇟ – 🕿 🅟. ⚙
15. Jan.- 20. Feb. geschl. – **M** (Nov.- März Dienstag geschl.) a la carte 27/57 – **29 Z : 60 B** 73 - 129 Fb.

IBACH Baden-Württemberg siehe St. Blasien.

IBBENBÜREN 4530. Nordrhein-Westfalen 411 412 G 10. 987 ⑭ – 45 200 Ew – Höhe 79 m – ✆ 05451.

🇩 Tourist-Information, Pavillon am Bahnhof, ℰ 5 37 77.

◆Düsseldorf 173 – ◆Bremen 143 – ◆Osnabrück 30 – Rheine 22.

🏨 **Hubertushof,** Münsterstr. 222 (B 219, S : 2,5 km), ℰ 7 80 42, Fax 45074, « Gartenterrasse » – 📺 🕿 ⇦ 🅟. ⓞ 💳
20. Dez.- 20. Jan. geschl. – **M** (Dienstag geschl.) a la carte 25/60 – **15 Z : 25 B** 65/95 - 100/130 Fb.

🏨 **Leischulte,** Rheiner Str. 10 (B 65), ℰ 40 88, Fax 1080, ⛱, ➾, 🔲 – 📺 🕿 ⇦ 🅟 – 🛗 40. 🆎 ⓞ 🄴 💳
M (Sonntag ab 15 Uhr geschl.) a la carte 30/61 – **41 Z : 60 B** 50/85 - 128/150 Fb.

🏨 Brügge, Münsterstr. 201 (B 219), ℰ 1 30 98, ⛱ – 🅟
16 Z : 23 B

IBURG, BAD 4505. Niedersachsen 411 412 H 10. 987 ⑭ – 10 600 Ew – Höhe 140 m – Kneippheilbad – ✆ 05403.

🇩 Kurverwaltung, Philipp-Sigismund-Allee 4, ℰ 40 16 12.

◆Hannover 147 – Bielefeld 43 – Münster (Westfalen) 43 – ◆Osnabrück 16.

🏨 **Hotel im Kurpark** 🦢, Philipp-Sigismund-Allee 4, ℰ 40 10, Fax 401444, « Gartenterrasse », direkter Zugang zum Kurmittelhaus – 📺 🕿 🅟 – 🛗 25/300. 🆎 ⓞ 🄴 💳
M a la carte 33/55 – **50 Z : 100 B** 85/115 - 130/160 Fb – 6 Appart. – ½ P 85/135.

🏨 **Waldhotel Felsenkeller,** Charlottenburger Ring 46 (B 51), ℰ 8 25, Fax 804, « Gartenterrasse, Wildgehege » – 🕿 ⇦ 🅟 – 🛗 25/80. 🆎 ⓞ 🄴
6. Jan.- 15. Feb. geschl. – **M** (Freitag geschl.) a la carte 25/50 – **30 Z : 55 B** 60/70 - 85/100 Fb – ½ P 65/75.

🏨 Altes Gasthaus Fischer-Eymann, Schloßstr. 1, ℰ 3 11, ⇟ – 📺 ⇦ 🅟 – 🛗 25
14 Z : 24 B

🏨 **Zum Freden,** Zum Freden 41, ℰ 22 76, Fax 1706, ⛱, ⇟ – 🕿 ⇦ 🅟 – 🛗 40. 🆎 🄴
M (auch vegetarische Gerichte) (Donnerstag und Jan. 3 Wochen geschl.) a la carte 30/58 – **37 Z : 56 B** 45/70 - 90/130.

ICHENHAUSEN Bayern siehe Günzburg.

IDAR-OBERSTEIN **6580.** Rheinland-Pfalz 412 E 17, 987 ㉔ – 38 000 Ew – Höhe 260 m – ☎ 06781.

Sehenswert : Edelsteinmuseum★★.

Ausflugsziel : Felsenkirche★ 10 min zu Fuß (ab Marktplatz Oberstein).

ℹ Städt. Verkehrsamt, Bahnhofstr. 13 (Nahe-Center), ☎ 2 70 25, Telex 426211.

ADAC, Mainzer Str. 79, ☎ 4 39 22.

Mainz 92 – Bad Kreuznach 49 – ◆Saarbrücken 79 – ◆Trier 75.

Im Stadtteil Idar :

Merian-Hotel garni, Mainzer Str. 34, ☎ 40 10, Telex 426262, Fax 401354, ← – 🛗 TV ☎ – 🏛 25/70. AE ⓓ E VISA
106 Z : 212 B 98/125 - 136/165 Fb – 14 Appart. 230.

Zum Schwan, Hauptstr. 25, ☎ 4 30 81, Fax 41440 – TV ☎. AE ⓓ E VISA
M a la carte 44/72 – **15 Z : 30 B** 75/95 - 120/150 Fb.

Im Stadtteil Oberstein :

City-Hotel garni, Otto-Decker-Str. 15, ☎ 2 20 62, Fax 27337 – TV ☎. AE ⓓ E VISA
Weihnachten - Anfang Jan. geschl. – **14 Z : 24 B** 75/85 - 110/125.

Edelstein-Hotel garni, Hauptstr. 302, ☎ 2 30 58, Fax 26441, Massage, ≘s, 🏊 – TV ☎ P
ⓓ E VISA
13. Dez.- 5. Jan. geschl. – **16 Z : 34 B** 70 - 120.

In Idar-Oberstein 3-Tiefenstein NW : 3,5 km ab Idar :

Handelshof, Tiefensteiner Str. 235 (B 422), ☎ 3 10 11, Fax 31057, 🏡 – TV ☎ 🚗 P – 🏛 30. AE ⓓ VISA
M a la carte 26/62 🍷 – **18 Z : 30 B** 50/72 - 90/120 Fb.

In Idar-Oberstein 25 - Weierbach NO : 8,5 km :

Hosser, Weierbacher Str. 70, ☎ (06784) 22 21, Fax 9614, ≘s – TV 🚗 P. E
M *(Freitag geschl.)* a la carte 24/42 – **16 Z : 30 B** 35/55 - 70/100.

In Kirschweiler **6580** NW : 7 km ab Idar :

Weinkühnel's Waldhotel 🔇, Mühlwiesenstr. 12, ☎ (06781) 3 38 62, 🏡 – ☎ P
M *(nur Abendessen)* a la carte 30/46 – **20 Z : 34 B** 49/65 - 85/95.

Kirschweiler Brücke, Kirschweiler Brücke 2, ☎ (06781) 3 33 83, Fax 33308 – P. 🚫
Mittwoch sowie Juli - Aug. und Nov. jeweils 2 Wochen geschl. – **M** a la carte 32/54.

In Allenbach **6581** NW : 13 km ab Idar :

Steuer, Hauptstr. 10, ☎ (06786) 20 89, Fax 2551, 🏡, ≘s, 🌳 – P. ⓓ E
M a la carte 23/47 – **17 Z : 36 B** 35/48 - 55/75.

In Veitsrodt **6581** N : 4 km ab Idar :

Sonnenhof, Hauptstr. 16a, ☎ (06781) 3 10 38, ≘s, 🏊, 🌳 – 🛗 ☎ 🚗 P
M *(Mittwoch und 6.Jan.- 2. Feb. geschl.)* a la carte 28/55 🍷 – **24 Z : 40 B** 51/65 - 94 Fb.

IDSTEIN **6270.** Hessen 412 413 H 16, 987 ㉔ – 21 000 Ew – Höhe 266 m – ☎ 06126.

⛳18 Henriettenthal, Am Nassen Berg, ☎ 88 66.

ℹ Fremdenverkehrsamt, König-Adolf-Platz (Killingerhaus), ☎ 7 82 15.

◆Wiesbaden 21 – ◆Frankfurt am Main 50 – Limburg an der Lahn 28.

Felsenkeller, Schulgasse 1, ☎ 33 51, Fax 53804 – 🚗. AE E
13. April - 3. Mai geschl. – **M** *(Freitag geschl.)* a la carte 20/35 – **16 Z : 25 B** 45/65 - 70/100

Zum Tal mit Zim, Marktplatz 4, ☎ 30 67, 🏡 – P
Juni - Juli 4 Wochen geschl. – **M** *(wochentags nur Abendessen, Donnerstag geschl.)* a la carte 38/63 – **12 Z : 22 B** 60/80 - 90/160.

Zur Peif, Himmelsgasse 2, ☎ 5 73 57 – E VISA
nur Abendessen, Mittwoch und Okt. 3 Wochen geschl. – **M** a la carte 29/52.

IFFELDORF **8127.** Bayern 413 Q 23, 426 F 5 – 1 900 Ew – Höhe 603 m – ☎ 08856.

Iffeldorf-Eurach (NO : 2 km), ☎ (08801) 13 32 ; Beuerberg, Gut Sterz (NO : 12 km), ☎ (08179) 17 ; Gut Rettenberg, ☎ (08856) 8 18 09.

Verkehrsverein, Hofmark 9, ☎ 37 46.

München 52 – Garmisch-Partenkirchen 42 – Weilheim 22.

Landgasthof Osterseen, Hofmark 9, ☎ 10 11, Fax 9606, « Terrasse mit ≤ Osterseen », Massage, – TV ☎ – P – 25/40. AE E VISA
7.- 23. Jan. und 9.- 25. Juni geschl. – **M** *(Dienstag geschl.)* a la carte 33/60 – **24 Z : 48 B** 98/128 - 158/188 Fb.

IGEL Rheinland-Pfalz – siehe Trier.

IHRINGEN **7817.** Baden-Württemberg 413 F 22, 242 ㉜, 87 ⑦ – 4 600 Ew – Höhe 225 m – ☎ 07668.

Stuttgart 204 – Colmar 29 – Freiburg im Breisgau 21.

Bräutigam's Weinstuben, Bahnhofstr. 1, ☎ 2 10, Fax 9360, « Gartenterrasse » – TV ☎ P – 25. E. Zim
M *(Mittwoch geschl.)* a la carte 32/60 – **23 Z : 37 B** 70/80 - 120 Fb.

Winzerstube, Wasenweiler Str. 36, ☎ 50 51, Fax 9379, – ☎ P
16 Z : 22 B.

Goldener Engel (mit Gästehaus), Bachenstr. 27, ☎ 50 28 – TV ☎ P
M *(Montag geschl.)* a la carte 27/50 – **26 Z : 52 B** 45/70 - 70/100 – ½ P 60/95.

ILFELD **O-5505.** Thüringen 411 P12 – 3 300 Ew – Höhe 220 m – ☎ 0037 62891.

Erfurt 81 – Berlin 260 – Bad Hersfeld 143 – Göttingen 68.

Zur Tanne, Ilgerstr. 8, ☎ 4 95 – TV P
15 Z : 36 B.

ILLERTISSEN **7918.** Bayern 413 N 22, 987 ㊱, 426 C 4 – 13 100 Ew – Höhe 513 m – ☎ 07303.

Wain-Reischenhof (SW : 13 km), ☎ (07353) 17 32.

München 151 – Bregenz 106 – Kempten 66 – Ulm (Donau) 27.

Am Schloß , Lindenweg 6, ☎ 30 40, Fax 42268, , , – TV ☎ P. E
23. Dez.- 7. Jan. geschl. – **M** *(nur Abendessen, Samstag geschl.)* a la carte 33/54 – **17 Z : 34 B** 80/100 - 110/140.

Bahnhof-Hotel Vogt, Bahnhofstr. 11, ☎ 60 01 – TV ☎ P. E
M *(Samstag und Mitte Aug.- Anfang Sept. geschl.)* a la carte 22/46 – **30 Z : 45 B** 50/70 - 100/120.

Krone - Kronenstube, Auf der Spöck 2, ☎ 34 01 – P. E
Mittwoch geschl. – **M** a la carte 55/75 – **Vöhlinstube** Menu a la carte 33/60.

In Illertissen-Dornweiler :

Dornweiler Hof, Dietenheimer Str. 91, ☎ 27 81, Fax 7811, – P
Dienstag und Jan. 3 Wochen geschl. – Menu a la carte 29/64.

ILLSCHWANG **8451.** Bayern 413 S 18 – 1 500 Ew – Höhe 500 m – ☎ 09666.

München 202 – Amberg 16 – Nürnberg 49.

Weißes Roß, Am Kirchberg 1, ☎ 2 23, Fax 284, – ☎ P – 25/50
6.- 15. Jan. geschl. – **M** *(Montag geschl.)* a la carte 27/60 – **29 Z : 55 B** 50/60 - 80/120.

ILMENAU **O-6300.** Thüringen 984 ㉓ – 29 000 Ew – Höhe 540 m – ☎ 0037 672.

Erfurt 38 – Berlin 302 – Coburg 67 – Eisenach 65 – Gera 105.

***In Elgersburg* O-6303.** NW : 4 km :

Am Wald , Schmückerstr. 20, ☎ (0037672) 62 17, – TV ☎ P – 25/60
M a la carte 20/38 – **30 Z : 70 B** 80/90 - 95/150.

Nahe der Straße nach Neustadt SW : 5 km :

Berg- und Jagdhotel Gabelbach , Waldstr. 23a, ☎ (0037672) 5 66, Fax 3106, ≤, , , – TV ☎ – 25/40. E VISA
M a la carte 28/52 – **80 Z : 160 B** 110/130 - 150/220 Fb.

ILSEDE Niedersachsen siehe Peine.

ILSFELD 7129. Baden-Württemberg 412 413 K 19, 987 ㉕ – 6 500 Ew – Höhe 252 m – ✆ 0706: (Beilstein).

◆Stuttgart 40 – Heilbronn 12 – Schwäbisch Hall 45.

🏠 **Lamm,** Auensteiner Str. 8, ℰ 6 15 27 – 📺 ☎ ⇔ 🅿. ℅ Zim
→ 25. Jan.- 9. Feb. geschl. – **M** *(Samstag - Sonntag geschl.)* a la carte 22/38 ♨ – **20 Z : 32 B** 42/7₄ - 82/115 Fb.

🏠 **Ochsen,** König-Wilhelm-Str. 31, ℰ 68 01, Fax 64996 – 📳 ☎ ⇔ 🅿
Jan. 2 Wochen geschl. – **M** *(Mittwoch bis 17 Uhr geschl.)* a la carte 26/38 ♨ – **30 Z : 47 ▌** 62/78 - 96/100.

ILSHOFEN 7174. Baden-Württemberg 413 M 19 – 4 300 Ew – Höhe 441 m – ✆ 07904.
◆Stuttgart 87 – Crailsheim 13 – Schwäbisch Hall 19.

🏠🏠 **Park-Hotel,** Parkstr. 2 (B14), ℰ 70 33 22, Fax 703222, ☎, 🔄, ⊠, – 📳 ⇔ Zim ▦ 📺 ☎
⇔ – 🏊 25/200. ☒ ⓞ Ε 𝓥𝓘𝓢𝓐. ℅ Rest
M a la carte 39/60 – **72 Z : 130 B** 110/175 - 149/250 Fb.

🏠 **Post,** Hauptstr. 5, ℰ 10 12 – ☎ 🅿 – 🏊 40. 𝓥𝓘𝓢𝓐
→ Juli - Aug. 2 Wochen geschl. – **M** *(Samstag geschl.)* a la carte 24/48 ♨ – **17 Z : 30 B** 65 - 95 Fb

IMMENDINGEN 7717. Baden-Württemberg 413 J 23, 427 K 2 – 5 500 Ew – Höhe 658 m –
✆ 07462.
◆Stuttgart 130 – Donaueschingen 20 – Singen (Hohentwiel) 32.

🏠 **Kreuz,** Donaustr. 1, ℰ 62 75, ⇔ – ☎ ⇔ 🅿. ⓞ Ε 𝓥𝓘𝓢𝓐
→ 29. Sept.- 18. Okt. geschl. – **M** *(Montag bis 18 Uhr geschl.)* a la carte 23/35 ♨ – **19 Z : 35 ▌** 42/45 - 75/80.

IMMENSTAAD AM BODENSEE 7997. Baden-Württemberg 413 KL 23, 24, 987 ㉟, 427 M 2,₃
– 5 900 Ew – Höhe 407 m – Erholungsort – ✆ 07545.
🛈 Verkehrsamt, Rathaus, Dr.-Zimmermann-Str. 1, ℰ 20 11 10, Fax 201108.
◆Stuttgart 199 – Bregenz 39 – ◆Freiburg im Breisgau 152 – Ravensburg 29.

🏠🏠 **Seehof** 🌰, Bachstr. 15, ℰ 7 84 (Hotel) 21 79 (Rest.), Fax 786, ≤, ☎, 🔥, 🚲 – 📺 ☎
→ 🅿. ℅ Zim
März - Okt. – **M** *(Montag geschl.)* a la carte 32/61 – **34 Z : 55 B** 75/110 - 110/150 – 3 Fewo 120/150.

🏠🏠 **Strandcafé Heinzler** 🌰, Strandbadstr. 10, ℰ 7 68, Fax 3261, ≤, Bootssteg
« Gartenterrasse », ⇔ – 📺 ☎ 🅿
1.- 15. Jan. geschl. – **M** *(Mitte Okt.- Mitte Mai Mittwoch geschl., Mitte Jan.- Feb. garni)* a la carte 30/65 – **14 Z : 30 B** 95 - 150/250 Fb – 3 Fewo 150.

🏠 **Hirschen,** Bachstr. 1, ℰ 62 38 – 📺 ⇔
→ Mitte Nov.- Mitte Jan. geschl. – **M** *(Montag geschl.)* a la carte 24/50 – **14 Z : 23 B** 55 - 100

🏠 **Adler,** Dr.-Zimmermann-Str. 2, ℰ 14 70, Fax 1311, ⇔ – 🅿
→ Weihnachten - 6. Jan. geschl. – **M** *(Nov.- März Samstag geschl.)* a la carte 22/51 – **40 Z : 68 ▌** 50/60 - 85/95.

🐾 **Krone** 🌰, Wattgraben 3, ℰ 62 39, 🚲 – 🅿. ℅ Zim
April - Nov. – **M** *(Donnerstag geschl.)* a la carte 23/38 – **18 Z : 35 B** 55/80 - 100/110 Fb.

In Immenstaad-Schloß Kirchberg W : 2 km :

XX **Schloß Kirchberg** mit Zim, an der B 31, ℰ 62 46 – 🅿 – 🏊 40
März - Okt. – **M** *(Dienstag geschl.)* a la carte 28/64 – **3 Z : 7 B** 55 - 85/95.

IMMENSTADT IM ALLGÄU 8970. Bayern 413 N 24, 987 ㊱, 426 C 6 – 13 000 Ew – Höhe
732 m – Erholungsort – Wintersport : 750/1 450 m ✂10 🎿12 – ✆ 08323.
🛈 Gästeamt, Marienplatz 3, ℰ 8 04 81, Fax 7846.
🛈 Verkehrsamt, Seestr. 5, (Bühl am Alpsee), ℰ 8 04 83.
◆München 148 – Kempten (Allgäu) 23 – Oberstdorf 20.

🏠 **Hirsch,** Hirschstr. 11, ℰ 62 18, Fax 80965 – 📳 📺 ⇔ 🅿
→ **M** a la carte 20/46 ♨ – **30 Z : 50 B** 47/60 - 75/110 Fb – ½ P 56/82.

🏠 **Lamm,** Kirchplatz 2, ℰ 61 92, Fax 51217 – ⇔ 🅿. ℅
(nur Abendessen für Hausgäste) – **26 Z : 40 B** 45/65 - 90/130 Fb.

X **Deutsches Haus,** Färberstr. 10, ℰ 89 94, ☎ – 🅿. Ε
Montag und 9.- 20. Juni geschl. – **M** a la carte 28/55 ♨.

In Immenstadt - Bühl am Alpsee NW : 3 km – Luftkurort :

🏠🏠 **Terrassenhotel Rothenfels,** Missener Str. 60, ℰ 40 87, Fax 4080, ≤, ☎, ⇔, ⊠, 🚲
→ – 📳 ☎ ⇔ 🅿
Mitte Nov.- Mitte Dez.geschl. – **M** *(Okt.- Mai Donnerstag - Freitag 17 Uhr geschl.)* a la carte 22/55 – **34 Z : 70 B** 70/100 - 120/192 Fb – 3 Appart. 212.

In Immenstadt-Knottenried NW : 7 km :

Bergstätter Hof, (08320) 2 87, –
Nov.- Mitte Dez. geschl. – **M** *(Montag - Dienstag 15 Uhr geschl.)* a la carte 33/64 – **27 Z : 51 B** 40/75 - 84/170 Fb – ½ P 64/89.

In Immenstadt-Stein N : 3 km :

Krone, an der B 19, 88 54, – – 40
20 Z : 38 B Fb.

Eß garni, Daumenweg 9, 81 04, – .
12 Z : 20 B 44/56 - 80/104.

In Immenstadt-Thanners NO : 7 km :

Zur Tanne, an der B 19, (08379) 8 29, Fax 7199, – . AE E VISA
März - April 2 Wochen und Anfang Nov.- Anfang Dez. geschl. – **M** *(Montag geschl.)* a la carte 22/40 – **17 Z : 26 B** 50/60 - 78/90 – 8 Fewo 50/100.

INGELFINGEN **7118.** Baden-Württemberg 413 LM 19 – 5 400 Ew – Höhe 218 m – 07940 (Künzelsau).

Verkehrsamt, Schloßstr. 12 (Rathaus), 1 30 90.

♦Stuttgart 98 – Heilbronn 56 – Schwäbisch Hall 27 – ♦Würzburg 84.

Haus Nicklass, Mariannenstr. 47, 35 73, Fax 6223, – . E VISA
M *(Freitag ab 14 Uhr und 20. Dez.- 15. Jan. geschl.)* a la carte 20/45 – **23 Z : 38 B** 30/50 - 60/85 – 2 Fewo 60/90.

INGELHEIM AM RHEIN **6507.** Rheinland-Pfalz 412 H 17 – 23 000 Ew – Höhe 120 m – 06132.

Mainz 18 – Bingen 13 – Bad Kreuznach 25 – ♦Wiesbaden 23.

Erholung garni, Binger Str. 94, 70 63/7 30 63, Fax 7159/73159 – . AE E VISA.
19 Z : 35 B 75/85 - 120 Fb.

Multatuli, Mainzer Str. 255 (O : 1,5 km), 71 83/7 31 83, Fax 76363, –
M a la carte 30/50 – **18 Z : 36 B** 80 - 130.

INGOLSTADT **8070.** Bayern 413 R 20, 987 ㊱ ㊲ – 100 000 Ew – Höhe 365 m – 0841.

Sehenswert : Maria-de-Victoria-Kirche★ A **A** – Liebfrauenmünster (Hochaltar★) A **B** – Bayerisches Armeemuseum★ B **M1**.

Gerolfinger Str. (über ④), 8 57 78.

Städtisches Verkehrsamt, Hallstr. 5, 30 54 17.

ADAC, Milchstr. 23, 3 56 35, Telex 55831.

♦München 80 ① – ♦Augsburg 86 ① – ♦Nürnberg 91 ① – ♦Regensburg 76 ①.

Stadtplan siehe nächste Seite

Queens-Hotel Ambassador, Goethestr. 153, 50 30, Telex 55710, Fax 5037, – Zim Rest – 25/120. AE E VISA — über ①
M a la carte 36/78 – **119 Z : 200 B** 179/196 - 226/250 Fb.

Rappensberger, Harderstr. 3, 31 40, Telex 55834, Fax 314200, – – 25/70. AE E VISA — A r
23. Dez.- 2. Jan. geschl. – **M** *(Sonntag ab 15 Uhr, Samstag und 4.- 18. Aug. geschl.)* a la carte 23/60 – **85 Z : 114 B** 102/126 - 160/190 Fb.

Bavaria, Feldkirchener Str. 67, 5 60 01, Fax 58802, – – 35. E – **M** *(nur Abendessen, Sonntag und 25. Dez.- 7. Jan. geschl.)* a la carte 25/51 – **58 Z : 80 B** 65/90 - 85/120 Fb. — B b

Donau-Hotel, Münchner Str. 10, 6 20 55, Fax 68744 – – 25/70. AE E VISA. — B a
M *(Sonntag ab 15 Uhr und Samstag geschl.)* a la carte 37/60 – **53 Z : 80 B** 75/85 - 115/140 Fb.

Ammerland garni, Ziegeleistr. 64, 5 60 54, Fax 26115 – . E VISA
20. Dez.- 10. Jan. geschl. – **27 Z : 54 B** 65/70 - 100/120 Fb.
über Friedrich-Ebert-Straße B

Bayerischer Hof, Münzbergstr. 12, 14 03 – — B n
34 Z : 57 B Fb.

Pfeffermühle, Manchinger Str. 68, 6 70 30, Fax 66142, – — B s
17 Z : 30 B Fb.

Anker, Tränktorstr. 1, 3 00 50, Fax 300580 – — B z
42 Z : 70 B Fb.

Tafelmeier, Theresienstr. 31, 3 36 60, – AE E — A e
Montag und Jan. 2 Wochen geschl. – **M** a la carte 28/69.

Im Stadttheater, Schloßlände 1, 13 41, Fax 1345, – – 25/100. AE E VISA — B T
Montag geschl. – **M** a la carte 39/60.

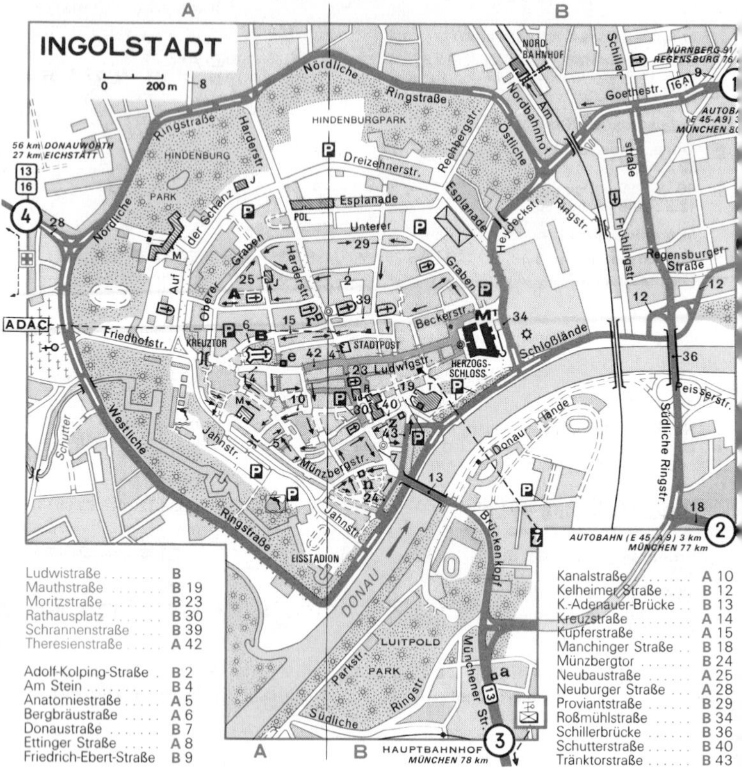

Ludwigstraße . . . . B
Mauthstraße . . . . B 19
Moritzstraße . . . . B 23
Rathausplatz . . . . B 30
Schrannenstraße . . . . B 39
Theresienstraße . . . . . A 42

Adolf-Kolping-Straße . B 2
Am Stein . . . . B 4
Anatomiestraße . . . . . A 5
Bergbräustraße . . . . . A 6
Donaustraße . . . . B 7
Ettinger Straße . . . . . A 8
Friedrich-Ebert-Straße B 9

Kanalstraße . . . . A 10
Kelheimer Straße . . . . B 12
K.-Adenauer-Brücke . . B 13
Kreuzstraße . . . . A 14
Kupferstraße . . . . A 15
Manchinger Straße . . B 18
Münzbergtor . . . . B 24
Neubaustraße . . . . . . A 25
Neuburger Straße . . . A 28
Proviantstraße . . . . . . B 29
Roßmühlstraße . . . . . B 34
Schillerbrücke . . . . . . B 36
Schutterstraße . . . . . . B 40
Tränktorstraße . . . . . . B 43

In Ingolstadt-Hagau SW : über ③

Motel Meier, Weiherstr. 13, ☎ (08450) 80 31, – TV ☎ P.
22. Dez.- 6. Jan. geschl. – (nur Abendessen für Hausgäste) – **10 Z : 20 B** 60 - 100.

An der B 13 ④ : 4 km :

Heidehof, Ingolstädter Str. 121, ✉ 8074 Gaimersheim, ☎ (08458) 6 40, Telex 55688, Fax 64230, , Bade- und Massageabteilung, , , – Zim TV P – 40 - **76 Z : 118 B** Fb.

In Wettstetten **8071** N : 7 km :

Provinz-Restaurant im Raffelwirt, Kirchplatz 9 (1. Etage), ☎ (0841) 3 81 73 –
nur Abendessen, Sonntag - Montag sowie Jan. und Aug. jeweils 2 Wochen geschl. – **M** a la carte 45/70.

INNERSTETALSPERRE Niedersachsen siehe Langelsheim.

INZELL **8221.** Bayern 413 V 23, 987 ㊳, 426 K 5 – 3 800 Ew – Höhe 693 m – Luftkurort – Wintersport : 700/1 670 m 6 5 – ☎ 08665.

ℹ Verkehrsverein im Haus des Gastes, Rathausplatz 5, ☎ 8 62, Fax 864.

♦München 118 – Bad Reichenhall 15 – Traunstein 18.

Zur Post, Reichenhaller Str. 2, ☎ 60 11, Fax 7927, , Massage, , – TV P – 25/70. E VISA – *1.- 15. Dez. geschl.* – **M** a la carte 21/57 – **40 Z : 80 B** 80/135 - 160/270 Fb – 15 Fewo 90/260 – ½ P 110/140.

Bayerischer Hof, Kreuzfeldstr. 55, ☎ 67 70, Fax 677219, , , – TV ☎ P – 25/80. AE E VISA – **M** a la carte 26/55 – **43 Z : 106 B** 95 - 150 Fb – 10 Appart. 220 – 53 Fewo 82/169 – ½ P 113/133.

Birkenhof garni, Birkenweg 20, ☎ 5 80, , – P
10 Z : 20 B 50/65 - 90/100.

In Inzell-Schmelz SW : 2,5 km :

Gasthof Schmelz, Schmelzer Str. 132, ✆ 8 34, Fax 1718, , , , - Rest P. E
April 1 Woche und Mitte Nov.- Mitte Dez. geschl. - **M** *(Montag geschl.)* a la carte 24/50 - **36 Z : 80 B** 75/85 - 120/150 Fb - 5 Fewo 85/150.

In Schneizlreuth-Weißbach a.d. Alpenstraße **8230** SO : 4 km :

Alpenhotel Weißbach, Berchtesgadener Str. 17, ✆ (08665) 74 85, , - P
25 Z : 43 B.

INZLINGEN Baden-Württemberg siehe Lörrach.

IPHOFEN **8715.** Bayern 413 N 17, 987 ㉖ - 4 000 Ew - Höhe 252 m - ✆ 09323.
♦München 248 - Ansbach 67 - ♦Nürnberg 72 - ♦Würzburg 29.

Romantik-Hotel Zehntkeller, Bahnhofstr. 12, ✆ 30 62, Fax 1519, , - P - 30. AE E VISA
13. Jan.- 2. Feb. geschl. - **M** *(Tischbestellung ratsam)* a la carte 46/76 - **43 Z : 68 B** 90/110 - 120/180 Fb.

Goldene Krone, Marktplatz 2, ✆ 33 30 - - 30. E
3.- 17. Aug. und 23. Dez.- 9. Jan. geschl. - **M** *(Dienstag geschl.)* a la carte 21/59 - **25 Z : 44 B** 52/65 - 85/100.

Gästehaus Huhn garni, Mainbernheimer Str. 10, ✆ 12 46, - P
8 Z : 16 B 50/68 - 80/115.

XX ✿ Zur Iphöfer Kammer (Einrichtung im fränkischen Biedermeier-Stil), Marktplatz 24, ✆ 69 07
(Tischbestellung ratsam) - 2 Fewo.

Wirtshaus zum Kronsberg mit Zim, Schwanbergweg 14, ✆ 35 40, - AE E
25. Feb.- 9. März geschl. - **M** *(Montag geschl.)* a la carte 23/54 - **8 Z : 16 B** 45/55 - 78/94.

In Willanzheim **8711** SW : 3 km :

Schwarzer Adler, Hauptstr. 11, ✆ (09323) 34 45 - P
12.- 29. Nov. geschl. - **M** *(Dienstag geschl.)* a la carte 18/30 - **10 Z : 20 B** 25 - 44/65.

In Mainbernheim **8717** NW : 3 km :

Zum Bären (Gasthof a.d. 16. Jh., Innenhofterrasse), Herrnstr. 21, ✆ (09323) 52 90, Fax 5806 - P. AE E VISA
Feb.- März 1 Woche geschl. - **M** *(Montag geschl.)* a la carte 42/64 - **8 Z : 16 B** 52 - 78/90 Fb.

Zum Falken, Herrnstr. 27, ✆ (09323) 2 23 - P
17. März - 7. April und 27. Aug.- 9. Sept. geschl. - **M** *(Dienstag geschl.)* a la carte 23/42 - **14 Z : 27 B** 32/60 - 60/98.

In Rödelsee **8711** NW : 3,5 km :

Gasthof und Gästehaus Stegner, Mainbernheimer Str. 26, ✆ (09323) 34 15, , - P
22. Dez.- 16. Jan. geschl. - **M** *(Dienstag und Aug. 2 Wochen geschl.)* a la carte 23/42 - **18 Z : 30 B** 45 - 74/78.

Winzerstube, Wiesenbronner Str. 2, ✆ (09323) 52 22
wochentags nur Abendessen, Mittwoch, Mitte Feb.- Mitte März und Juli - Aug. 3 Wochen geschl. - **M** a la carte 22/50.

IRREL **5527.** Rheinland-Pfalz 412 C 17, 409 M 6, 214 ⑳ - 1 300 Ew - Höhe 178 m - Luftkurort - ✆ 06525.
Verkehrsamt, Talstraße (Gemeindeverwaltung), ✆ 79 30.
Mainz 179 - Bitburg 15 - ♦Trier 25.

Koch-Schilt, Prümzurlayer Str. 1, ✆ 8 60, Fax 1223, - P - 30. E. Zim
M a la carte 20/45 - **37 Z : 72 B** 60/75 - 90/110 - ½ P 60/90.

Irreler Mühle, Talstr. 17, ✆ 8 26, , - P. E VISA
6. Jan.- Feb. geschl. - **M** *(Dienstag geschl.)* a la carte 24/43 - **11 Z : 20 B** 40/45 - 75/80 - 3 Fewo 60/80 - ½ P 48/52.

In Prümzurlay **5521** NW : 4 km :

Haller, Michelstr. 3, ✆ (06523) 6 92, Fax 1369, , - P. AE E VISA. Zim
Mitte Jan.- Mitte Feb. geschl. - **M** *(Montag geschl.)* a la carte 27/51 - **25 Z : 47 B** 52/82 - 116/144 Fb - ½ P 73/97.

IRSCHENBERG **8167**. Bayern 413 S 23, 987 ㊲, 426 H 5 – 2 600 Ew – Höhe 730 m – ☎ 08062 (Bruckmühl).

◆München 48 – Miesbach 8 – Rosenheim 23.

Kramerwirt, Wendelsteinstr. 1, ☎ 15 31, Fax 6652, ≤, – P – **22 Z : 40 B**.

An der Autobahn A 8 Richtung Salzburg SW : 1,5 km :

Autobahn-Rasthaus Irschenberg, ✉ 8167 Irschenberg, ☎ (08025) 20 71, ≤ Alpen, – P **18 Z : 30 B**.

IRSEE Bayern siehe Kaufbeuren.

ISENBURG Rheinland-Pfalz siehe Dierdorf.

ISERLOHN **5860**. Nordrhein-Westfalen 411 412 G 12, 987 ⑭ – 100 000 Ew – Höhe 247 m – ☎ 02371.

Verkehrsbüro, Konrad-Adenauer-Ring 15, ☎ 1 32 33.

◆Düsseldorf 81 ④ – Dortmund 26 ⑤ – Hagen 18 ④ – Lüdenscheid 30 ③.

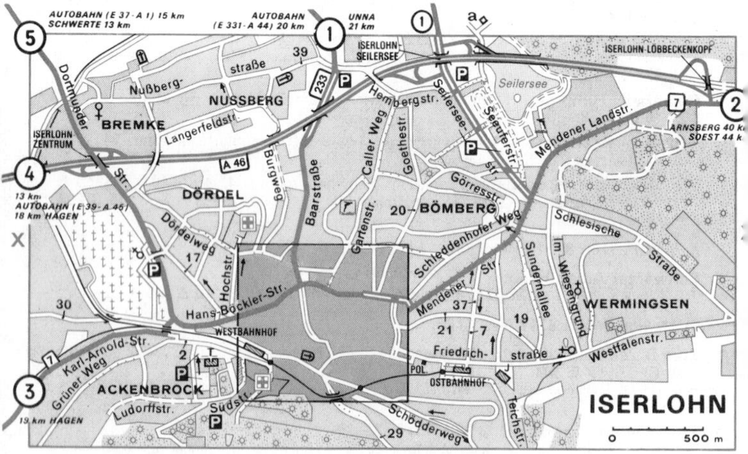

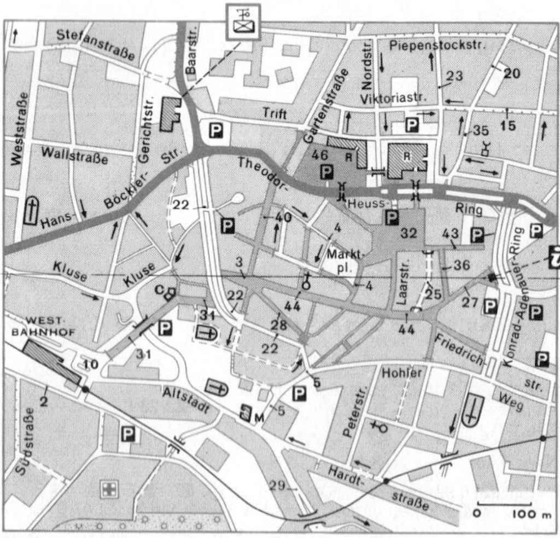

Alter Rathausplatz Y 3
Laarstraße YZ
Marktpassage Z 25
Poth Z 31
Stahlschmiede Y 36
Theodor-Heuss-Ring Y
Unnaer Straße Y 40
Vinckestraße Y 43
Wermingser Straße Z 44

Alexanderstraße X, Z 2
Am Dicken Turm YZ 4
An der Schlacht Z 5
Arnsberger Straße X 7
Bahnhofsplatz Z 10
Elisabethstraße Y 15
Gerlingser Weg X 17
Hansaallee X 19
Hindenburgstr. X, Y 20
Karnacksweg X 21
Kurt-Schumacher-Ring YZ 22
Lange Straße Y 23
Mendener Straße Z 27
Mühlentor Z 28
Obere Mühle X, Z 29
Oestricher Straße X 30
Schillerplatz Y 32
Sofienstraße Y 35
Teutoburger Str. X 37
Theodor-Fleitmann-Straße X 39
Werner-Jacobi-Pl. Y 46

Waldhotel Horn, Seilerwaldstr. 10, ✆ 48 71, Fax 40780, ⛱, ≘s, ⊡ – |‡| TV ℗ – 🏔 40. AE E VISA
23. Dez.- 5. Jan. geschl. – **M** *(Juli - Aug. 2 Wochen geschl.)* a la carte 45/82 – **44 Z : 80 B** 85/150 - 180/230 Fb. X a

Engelbert garni, Poth 4, ✆ 1 23 45, Fax 22158, ≘s – |‡| TV ☎ – 🏔 25. ✗ Z c
24 Z : 43 B Fb.

Korth, In der Calle 4, ✆ 4 04 10, Fax 44944, ⛱, Biergarten, ≘s, ⊡ , ⛱ – TV ☎ ℗ – 🏔 30. AE ◑ E VISA über Seilerseestr. und ① X
M *(Freitag geschl.)* a la carte 35/72 – **18 Z : 30 B** 115/125 - 155/180 Fb.

Franzosenhohl, Danzweg 25, ✆ 2 00 07, Fax 20009, ⛱, ≘s, ✗ – |‡| TV ☎ ℗ – 🏔 25 – **25 Z : 53 B** Fb. über Obere Mühle X

Café Spetsmann garni, Poth 6, ✆ 1 40 49, Fax 12708 – ☎. ✗ Z c
9 Z : 14 B 48/72 - 120.

Waldhaus Graumann, Danzweg 29, ✆ 2 36 05, ⛱ – ℗. E
Donnerstag und März geschl. – **M** a la carte 39/60. über Obere Mühle X

In Iserlohn 7-Dröschede W : 4 km über Oestricher Str. X :

Peiler, Oestricher Str. 145, ✆ (02374) 7 14 72, ⛱ – ℗. AE ◑ E VISA. ✗ Zim
M *(Freitag und Dez. geschl.)* a la carte 26/50 – **15 Z : 25 B** 51/56 - 95/100 Fb.

In Iserlohn-Grüne ③ : 5 km :

Zur Dechenhöhle, Untergrüner Str. 8, ✆ (02374) 73 34, Fax 7336 – ☎ ⇔ ℗. AE ◑ E VISA. ✗ Zim
Juli - Aug. 2 Wochen geschl. – **M** *(Sonntag geschl.)* a la carte 31/64 – **11 Z : 18 B** 45/75 - 90/130.

In Iserlohn-Kesbern S : 8 km über Obere Mühle X :

Zur Mühle, Grüner Talstr. 400 (Richtung Letmathe), ✆ (02352) 29 63, Fax 21609, ⛱ – TV ☎ ⇔ ℗. AE ◑ E
M *(Montag geschl.)* a la carte 30/58 – **15 Z : 26 B** 65/85 - 110/140.

In Iserlohn-Lössel ③ : 6 km :

Neuhaus, Lösseler Str. 149, ✆ (02374) 72 55, Fax 7664, ≘s – TV ☎ ⇔ ℗. AE ◑ E VISA
M *(wochentags nur Abendessen, Dienstag geschl.)* a la carte 40/70 – **15 Z : 25 B** 90/130 - 130/190.

ISERNHAGEN Niedersachsen siehe Hannover.

ISMANING 8045. Bayern 413 S 22, 987 ㊲, 426 H 4 – 13 000 Ew – Höhe 490 m – ✆ 089 (München).

♦München 14 – Ingolstadt 69 – Landshut 58 – ♦Nürnberg 157.

Zur Mühle, Kirchplatz 5, ✆ 96 09 30, Telex 529537, Fax 96093110, Biergarten, ≘s, ⊡ – |‡| TV ☎ ℗ – 🏔 35. AE ◑ E VISA
M a la carte 32/67 – **108 Z : 170 B** 105/140 - 155/215 Fb.

Frey garni, Hauptstr. 15, ✆ 96 30 33, Fax 967330, ≘s – TV ☎ ℗. AE ◑ E VISA
23 Z : 49 B 95/110 - 140/160 Fb.

Fischerwirt garni, Schloßstr. 17, ✆ 96 48 53, Fax 963583, ⛱ – |‡| TV ☎ ℗. AE E VISA. ✗
22. Dez.- 6. Jan. geschl. – **44 Z : 58 B** 70/150 - 110/200 Fb.

Neuwirt, Schloßstr. 7, ✆ 96 48 61, Fax 964863, Biergarten – TV ☎ ℗
24.- 31. Dez. geschl. – **M** a la carte 23/56 – **41 Z : 50 B** 55/125 - 90/160 Fb.

ISNY 7972. Baden-Württemberg 413 N 23, 987 ㊱, 426 C 5 – 12 700 Ew – Höhe 704 m – Heilklimatischer Kurort – Wintersport : 700/1 120 m ⛷9 ⛷13 – ✆ 07562.

ℹ Kurverwaltung, Untere Grabenstr. 18, ✆ 7 01 10, Fax 70172.

♦Stuttgart 189 – Bregenz 42 – Kempten (Allgäu) 25 – Ravensburg 41.

Hohe Linde, Lindauer Str. 75, ✆ 20 66, ⊡, ⛱ – ☎ ⇔ ℗
(wochentags nur Abendessen) – **26 Z : 43 B** Fb.

Garni am Roßmarkt, Roßmarkt 8, ✆ 40 51, ≘s – TV ☎ ⇔ ℗
Weihnachten - Anfang Jan. geschl. – **14 Z : 23 B** 72/92 - 134 Fb.

Krone mit Zim, Bahnhofstr. 13, ✆ 24 42 – ⇔. ◑ E. ✗ Zim
Juli 3 Wochen geschl. – **M** *(Sonntag ab 15 Uhr und Donnerstag geschl.)* a la carte 28/62 – **6 Z : 12 B** 50/65 - 90/110.

In Isny-Großholzleute O : 4 km an der B 12 :

Adler (Haus a.d. 15. Jh., mit Gästehaus), ✆ 20 41, Fax 55299, « Gaststuben im Bauernstil », Massage, ≘s, ⛱ – ☎ ⇔ ℗ – 🏔 30. AE ◑ E VISA
Mitte Nov.- Mitte Dez. geschl. – **M** *(auch vegetarische Gerichte)* (Montag geschl.) a la carte 26/58 – **22 Z : 40 B** 65/70 - 120.

In Isny-Neutrauchburg :

Terrassenhotel Isnyland , Dengeltshofer Hang 290, ✆ 20 45, Fax 2048, ≤, , - , AE E VISA
M *(wochentags nur Abendessen, Freitag, März 1 Woche und Mitte Okt.- Mitte Nov. geschl.)* a la carte 24/55 *(auch vegetarische Gerichte)* - **25 Z : 44 B** 72 - 124/170 Fb - ½ P 90/113

Schloßgasthof Sonne mit Zim, Schloßstr. 7, ✆ 32 73, -
6 Z : 10 B.

An der Straße nach Maierhöfen S : 2 km :

Gasthof zur Grenze, Schanz 103, ✉ 8999 Maierhöfen, ✆ (07562) 36 45, Fax 55401, ≤, , - . Zim
März - April 2 Wochen, Nov.- Dez. 4 Wochen geschl. - **M** *(Montag - Dienstag geschl.)* a la carte 23/50 - **16 Z : 30 B** 65/85 - 120/180 Fb - ½ P 80/110.

Außerhalb NW : 6,5 km über Neutrauchburg :

Berghotel Jägerhof , ✉ 7972 Isny, ✆ (07562) 7 70, Telex 7321511, Fax 77252, ≤ Allgäuer Alpen, , Massage, , , , , - - 25/80. AE E VISA
M 30/Buffet (mittags) und a la carte 51/70 - **69 Z : 120 B** 145/215 - 200/300 Fb - ½ P 137/252

Siehe auch : ***Argenbühl***

ISSELBURG **4294.** Nordrhein-Westfalen 412 C 11, 408 K 6 - 10 000 Ew - Höhe 23 m - ✆ 02874.
Sehenswert : Wasserburg Anholt★.
Isselburg-Anholt, Am Schloß 3, ✆ 34 44.
♦Düsseldorf 87 - Arnhem 46 - Bocholt 13.

In Isselburg 2-Anholt NW : 3,5 km :

Parkhotel Wasserburg Anholt , Klever Straße, ✆ 20 44, Fax 4035, ≤, , « Wasserschloß a.d. 17. Jh., Park, Schloßmuseum » - Rest - 25/50 E VISA. Rest
2.- 15. Jan. geschl. - **M** *(Montag bis 18 Uhr geschl.)* a la carte 56/90 - **28 Z : 50 B** 140/230 - 175/270 Fb.

ITZEHOE **2210.** Schleswig-Holstein 411 L 5, 987 ⑤ - 32 400 Ew - Höhe 7 m - ✆ 04821.
♦Kiel 69 - Bremerhaven 97 - ♦Hamburg 57 - ♦Lübeck 87 - Rendsburg 44.

Gästehaus Hinsch garni, Schillerstr. 27, ✆ 7 40 51, - . E
Weihnachten - Anfang Jan. geschl. - **16 Z : 24 B** 75/97 - 90/134.

Prinzesshof, Kirchenstr. 20, ✆ 21 31 - AE E VISA
Montag und Aug. geschl. - **M** a la carte 35/70.

An der Straße nach Lägerdorf SO : 3 km :

Jagdhaus Amönenhöhe, Breitenburger Weg, ✉ 2210 Itzehoe-Breitenburg, ✆ (04821) 98 68, - . AE E VISA
Dienstag und 7.- 28. Juli geschl. - **M** a la carte 40/79.

In Oelixdorf **2210** O : 3,5 km :

Auerhahn , Horststr. 31a, ✆ (04821) 9 10 61 -
(nur Abendessen für Hausgäste) - **19 Z : 33 B** 65/80 - 100/140.

JAGSTHAUSEN **7109.** Baden-Württemberg 413 L 19, 987 ㉕ - 1 400 Ew - Höhe 212 m - Erholungsort - ✆ 07943 (Schöntal).
Ausflugsziel : Ehemalige Abtei Schöntal : Kirche★ (Alabasteraltäre★★), Ordenssaal★ NO : 6 km.
Verkehrsverein, Schloßstr. 12, ✆ 22 95.
♦Stuttgart 82 - Heilbronn 40 - ♦Würzburg 80.

Burghotel Götzenburg , ✆ 22 22, Fax 8200 - - 25
nur Saison - **15 Z : 29 B** Fb.

JENA **O-6900.** Thüringen 984 ㉓, 987 ㉖ - 105 000 Ew - Höhe 144 m - ✆ 003778.
Sehenswert : Planetarium★ - Optisches Museum★.
Jena-Information, Löbderstr., ✆ 2 46 71, Fax 23382.
♦Berlin 241 - Bayreuth 147 - Chemnitz 112 - Erfurt 33.

Schwarzer Bär, Lutherplatz 2, ✆ 2 25 43, Telex 587439, Fax 23691 - .
65 Z : 89 B Fb.

In Jena - Lobeda-Ost **O-6902** S : 3,5 km :

Lobeda, Otto-Militzer-Str. 1, ✆ 3 17 11, Fax 34575 - . AE E VISA.
(nur Abendessen für Hausgäste) - **66 Z : 132 B** 120/200 - 170/250.

JESTEBURG 2112. Niedersachsen 411 M 7 - 6 000 Ew - Höhe 25 m - Luftkurort - ☎ 04183.
Verkehrsverein, Niedersachsenplatz, ☎ 53 63.
◆Hannover 126 - ◆Hamburg 34 - Lüneburg 39.

Niedersachsen, Hauptstr. 60, ☎ 20 43, Telex 2189783, Fax 4554, ... - 25/60. AE E VISA
M a la carte 23/67 - **38 Z : 70 B** 93/120 - 136/166 Fb - ½ P 115/121.

Parkhotel Jesteburg, Am alten Moor 2, ☎ 20 51, Fax 2054, ... - 25. AE E VISA
M a la carte 35/75 - **27 Z : 48 B** 105 - 150 Fb - ½ P 100/130.

Jesteburger Hof, Kleckerwaldweg 1, ☎ 20 08 - **18 Z : 36 B**.

In Asendorf **2116** SO : 4,5 km :

Zur Heidschnucke, Im Auetal 14, ☎ (04183) 20 94, Telex 2189781, Fax 4472, ... - Zim ... - 25/60. AE E VISA
M a la carte 38/75 - **50 Z : 100 B** 97/99 - 166/176 Fb.

JESTETTEN 7893. Baden-Württemberg 413 I 24, 427 J 3, 216 ⑦ - 4 200 Ew - Höhe 438 m - Erholungsort - ☎ 07745.
◆Stuttgart 174 - Schaffhausen 8 - Waldshut-Tiengen 34 - Zürich 42.

Zum Löwen (Gasthof a.d. 18. Jh.), Hauptstr. 22, ☎ 73 01 -
Feb. und Aug. geschl. - **M** *(Freitag geschl.)* a la carte 24/50 - **10 Z : 20 B** 35/45 - 62.

JEVER 2942. Niedersachsen 411 G 6, 987 ④ - 12 600 Ew - Höhe 10 m - ☎ 04461.
Verkehrsbüro, Alter Markt, ☎ 7 10 10.
◆Hannover 229 - Emden 59 - Oldenburg 59 - Wilhelmshaven 18.

Friesen-Hotel garni, Harlinger Weg 1, ☎ 25 00, Fax 2606 - VISA
37 Z : 56 B 65/86 - 110/136.

Stöber garni, Hohnholzstr. 10, ☎ 55 80, ...
9 Z : 18 B 48 - 86.

Alte Apotheke, Apothekerstr. 1, ☎ 40 88, ...

Haus der Getreuen, Schlachtstr. 1, ☎ 30 10, ... AE E VISA
M a la carte 29/60.

JOACHIMSTHAL O-1304. Brandenburg 984 ⑫, 987 ⑰ ⑱ - 3 200 Ew - Höhe 100 m.
◆Berlin 50 - Brandenburg 142 - ◆Frankfurt/Oder 119.

Am Werbellinsee SW : 5 km :

Haus am Werbellinsee, Seerandstr. 10, ☎ 2 27 -
44 Z : 88 B.

JÖSSNITZ Sachsen siehe Plauen.

JOHANNESBERG Bayern siehe Aschaffenburg.

JONSDORF Sachsen siehe Zittau.

JORK 2155. Niedersachsen 411 LM 6 - 10 500 Ew - Höhe 1 m - ☎ 04162.
Sehenswert: Bauernhäuser ★.
◆Hannover 167 - ◆Bremen 108 - ◆Hamburg 46.

Zum Schützenhof - Restaurant Ollanner Buurhuus, Schützenhofstr. 16, ☎ 3 33, Fax 5515, ... - 25/50. AE E VISA
M *(Donnerstag geschl.)* (auch vegetarische Gerichte) a la carte 26/52 - **15 Z : 26 B** 70/80 - 95/115 Fb.

Herbstprinz, Osterjork 76, ☎ 74 03, Fax 5729, ..., « Ehem. Altländer Bauernhaus mit antiker Einrichtung » - AE E VISA
Montag geschl. - **M** a la carte 30/68.

JÜLICH 5170. Nordrhein-Westfalen 412 C 14, 987 ㉓ - 30 300 Ew - Höhe 78 m - ☎ 02461.
◆Düsseldorf 55 - ◆Aachen 26 - ◆Köln 53.

Kaiserhof, Bahnhofstr. 5, ☎ 6 80 70, Fax 680777 - 25/70. AE E VISA
M *(Sonntag 15 Uhr - Montag 18 Uhr geschl.)* a la carte 43/67 - **43 Z : 60 B** 110 - 150 Fb.

Stadthotel garni, Kölnstr. 5, ☎ 24 08, Fax 58270 -
20.- 27. Dez. geschl. - **26 Z : 42 B** 70/120 - 110/150.

JÜTERBOG **O-1700.** Brandenburg 984 ⑮ ⑲ – 12 500 Ew – Höhe 75 m – ☎ 0037328.
◆Berlin 68 – Cottbus 105 – ◆Dresden 136 – ◆Leipzig 115.

Zum goldenen Stern, Markt 14, ☎ 24 76(Hotel) 25 97(Rest.), Telex 158037, Fax 2614 TV, E VISA
M *(Samstag und Sonntag jeweils ab 15 Uhr geschl.)* a la carte 19/34 – **32 Z : 56 B** 53/83 71/91.

JUIST (Insel) **2983.** Niedersachsen 411 DE 5, 987 ③ – 1 600 Ew – - Insel der ostfriesische Inselgruppe, Autos nicht zugelassen – Seeheilbad – ☎ 04935.
von Norddeich (ca. 1 h 15 min), ☎ 5 87.
Kurverwaltung, Rathaus, ☎ 80 92 22, Fax 809223.
◆Hannover 272 – Aurich/Ostfriesland 31 – Emden 35.

Achterdiek, Wilhelmstr. 36, ☎ 10 25, Fax 1754, – Rest TV 30. Rest
April - Okt. – **M** *(Montag geschl.)* a la carte 51/80 – **44 Z : 85 B** 120/140 - 220/350 Fb – 4 Appar 320/600 – ½ P 165/220.

Pabst, Strandstr. 15, ☎ 80 50, Fax 80555, Bade- und Massageabteilung, – TV ☎. AE ⓓ E VISA. Rest
Nov.- 15. Dez. geschl. – **M** *(in der Saison nur Abendessen)* a la carte 36/68 – **50 Z : 100** 105/160 - 196/270 Fb – 7 Appart. 336/380 – ½ P 123/185.

Nordsee Hotel Freese, Wilhelmstr. 60, ☎ 10 81, Fax 1803, – TV ☎ Rest
nur Saison – **90 Z : 180 B** Fb – 5 Appart. – 5 Fewo.

Friesenhof, Strandstr. 21, ☎ 10 87/80 60, Fax 1812 – ☎.
6. Jan.- 26. März und 25. Okt.- 27. Dez. geschl. – **M** *(auch vegetarische Gerichte)* (4.- 24. Ok geschl.) a la carte 32/74 – **78 Z : 139 B** 78/136 - 136/228 Fb – ½ P 87, 155.

Westfalenhof, Friesenstr. 24, ☎ 10 09, Fax 574 – TV ☎.
April - Mitte Okt. – (Restaurant nur für Pensionsgäste) – **30 Z : 50 B** (nur ½ P) 114/124 - 184/26 – 2 Fewo 160/350.

JUNGHOLZ IN TIROL **8965.** (über Wertach). 413 O 24, 426 D 6 – Österreichische Hoheitsgebiet, wirtschaftlich der Bundesrepublik Deutschland angeschlossen. Deutsche Währung – 280 Ew – Höhe 1 058 m – Wintersport : 1 150/1 600 m 6 3 – ☎ 08365 (Wertach)
Fremdenverkehrsverband, Rathaus, ☎ 81 20.
Füssen 31 – Kempten (Allgäu) 31 – Immenstadt im Allgäu 25.

Kur- und Sporthotel Tirol, ☎ 81 61, Fax 8210, ≤ Sorgschrofen und Allgäuer Berge, Bade- und Massageabteilung, – TV 25/60. Rest
Anfang Nov.- Mitte Dez. geschl. – (Restaurant nur für Hausgäste) – **100 Z : 160 B** 95/155 194/265 Fb – ½ P 110/170.

Sporthotel Waldhorn, ☎ 81 35, Fax 8265, ≤, Massage, – TV ☎
Anfang Nov.- 15. Dez. geschl. – **M** a la carte 24/65 – **33 Z : 62 B** 65/130 - 130/190 Fb.

Sporthotel Adler, ☎ 81 02, Fax 8163, ≤, – TV ☎
Anfang Nov.- Mitte Dez. geschl. – **M** a la carte 27/62 – **53 Z : 75 B** 38/95 - 60/148 Fb – ½ P 53/97.

Alpenhof, ☎ 81 14, Fax 8201, ≤, – TV ☎. E
Mitte April - Anfang Mai und Ende Okt.- Mitte Dez. geschl. – **M** a la carte 24/57 – **30 Z : 70 B** 80/140 - 140/180 Fb – 14 Appart. 200/260 – ½ P 100/170.

KÄNDLER Sachsen siehe Chemnitz.

KAARST Nordrhein-Westfalen siehe Neuss.

KÄMPFELBACH **7539.** Baden-Württemberg 413 I J 20 – 5 500 Ew – Höhe 196 m – ☎ 07232 (Königsbach-Stein) – ✦Stuttgart 63 – ✦Karlsruhe 25 – Pforzheim 10.

In Kämpfelbach-Bilfingen :

Langer, Talstr. 9, ✆ 40 40, Fax 40420, – TV ☎ – P. E VISA. Zim *Jan. 1 Woche und Aug. 2 Wochen geschl.* – **M** *(Freitag 14 Uhr - Samstag 17 Uhr geschl.)* a la carte 28/66 – **23 Z : 39 B** 85/105 - 120/180 Fb.

KAHL AM MAIN **8756.** Bayern 412 413 K 16 – 7 600 Ew – Höhe 107 m – ☎ 06188.
✦München 369 – Aschaffenburg 16 – ✦Frankfurt am Main 33.

Zeller, Aschaffenburger Str. 2 (B 8), ✆ 8 12 22, Fax 81221, – TV ☎ P. AE E *22. Dez.- 6. Jan. geschl.* – **M** *(Samstag bis 18 Uhr und Sonntag geschl.)* a la carte 34/64 – **60 Z : 90 B** 96/100 - 150 Fb.

Mainlust garni, Aschaffenburger Str. 12 (B 8), ✆ 20 07, Fax 2008 – TV ☎ P
22 Z : 40 B 58/68 - 88/98.

In Großkrotzenburg **6451** NW : 2 km :

Post-Hotel garni, Schulstr. 10, ✆ (06186) 80 56, Fax 8057 – ☎ P
15.- 31. Dez. geschl. – **22 Z : 26 B** 56 - 82.

KAISERSBACH **7061.** Baden-Württemberg 413 LM 20 – 2 100 Ew – Höhe 565 m – Erholungsort – ☎ 07184 – ✦Stuttgart 48 – Heilbronn 53 – Schwäbisch Gmünd 50.

In Kaisersbach-Ebni SW : 3 km :

Landhotel Hirsch Ebnisee, ✆ 29 20, Fax 292204, Massage, , , , , (Halle) – Zim TV P – 30
Restaurants : **Hirschstube** *(Sonntag 15 Uhr - Dienstag 19 Uhr und 7. Jan.- 12. März geschl.)* **M** a la carte 75/110 – **Flößerstube** **M** a la carte 43/60 – **50 Z : 70 B** 145/160 - 190/340 Fb – 3 Appart. 500.

Wirtshaus am Ebnisee, Winnender Str. 2, ✆ 29 22 39, , Biergarten – *Jan.- Feb. 4 Wochen geschl.* – **M** *(Montag geschl.)* a la carte 22/42 – **20 Z : 30 B** 73 - 110/135 – ½ P 75/93.

KAISERSESCH **5443.** Rheinland-Pfalz 412 E 16 – 2 500 Ew – Höhe 455 m – ☎ 02653.
Mainz 134 – Cochem 14 – ✦Koblenz 43 – Mayen 18.

Zur Post, Balduinstr. 1, ✆ 35 54 – P. Zim
M *(Montag geschl.)* a la carte 24/47 – **15 Z : 28 B** 28/35 - 56/70.

KAISERSLAUTERN **6750.** Rheinland-Pfalz 412 413 G 18, 987 ㉔, 242 ④ – 104 000 Ew – Höhe 235 m – ☎ 0631.
Verkehrs- und Informationsamt, Rathaus, ✆ 8 52 23 17, Fax 8522553.
ADAC, Altstadt-Parkhaus, Salzstraße, ✆ 6 30 81, Notruf ✆ 1 92 11, Telex 45849.
Mainz 90 ① – ✦Karlsruhe 92 ② – ✦Mannheim 61 ① – ✦Saarbrücken 70 ③ – ✦Trier 115 ③.

Stadtpläne siehe nächste Seiten

Dorint-Hotel Kaiserslautern, St.-Quentin-Ring 1, ✆ 2 01 50, Telex 45614, Fax 27640, , Massage, , , – Zim TV P – 25/170. AE VISA. Rest **M** a la carte 44/68 – **150 Z : 220 B** 160/185 - 210/230 Fb – 3 Appart. 320. über Kantstr. D

Gästehaus Schulte garni (Appartementhaus), Malzstr. 7, ✆ 20 16 90, Fax 2016919, « Modern-elegante Einrichtung », – TV ☎ P. AE E VISA. C **b**
20. Dez.- 15. Jan. geschl. – **14 Appart. : 42 B** 200/350 Fb – 3 Z : 5 B 118/143 - 200.

Blechhammer, Am Hammerweiher 1, ✆ 7 00 71, Fax 70075, – ☎ P – 25/40. AE E VISA über Blechhammerweg A
M a la carte 30/61 – **30 Z : 56 B** 115 - 175 Fb.

City-Hotel garni, Rosenstr. 28, ✆ 1 30 25, , – TV ☎ C **t**
18 Z : 33 B 89 - 129.

Altstadt-Hotel garni, Steinstr. 51, ✆ 6 30 84 – TV ☎. AE E VISA D **r**
22 Z : 33 B 75 - 110.

Schweizer Stuben, Königstr. 9, ✆ 1 30 88 – ☎ . Zim C **s**
15. Juli - 5. Aug. geschl. – **M** *(Sonntag ab 15 Uhr geschl.)* a la carte 31/58 – **11 Z : 16 B** 75/85 - 110.

Lautertalerhof, Mühlstr. 31, ✆ 7 30 31 (Hotel) 7 84 88 (Rest.) – TV ☎ B **a**
M *(Montag geschl.)* a la carte 29/50 – **23 Z : 37 B** 75 - 120/151.

Altes Zollamt, Buchenlochstr. 1, ✆ 1 60 16, Fax 16019 – TV ☎. AE E VISA B **e**
25. Juli - 17. Aug. geschl. – **M** *(nur Abendessen, Samstag sowie Sonn- und Feiertage geschl.)* a la carte 28/50 – **12 Z : 22 B** 92/98 - 125/140.

Zepp garni, Pariser Str. 4, ✆ 7 36 60 – P. AE E VISA C **x**
20. Dez.- 6. Jan. geschl. – **55 Z : 80 B** 39/69 - 81/110.

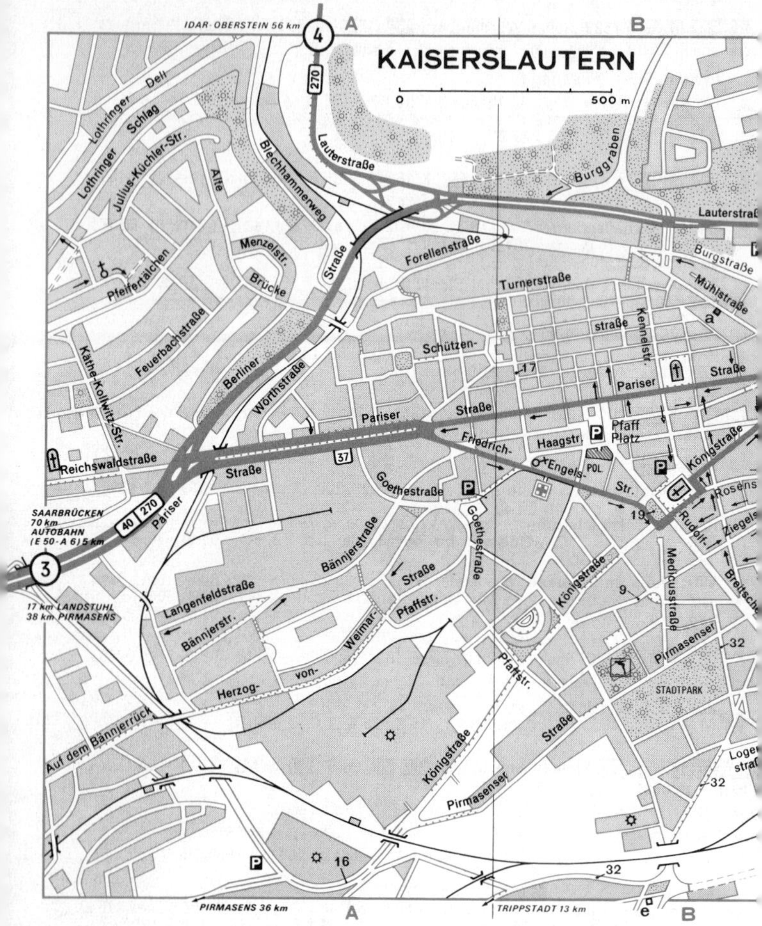

XX ✿ **Uwe's Tomate** (modernes Restaurant im Bistro-Stil), Schillerplatz 4, ✆ 9 34 06, 🌳 – E C a
Sonntag - Montag, über Ostern 1 Woche und Sept. 3 Wochen geschl. – **M** 85/100 und a la carte 51/83
Spez. Lasagne von Meeresfrüchten, Varié von Steinbutt, Seeteufel und Seezunge, Apfelkaiserschmarren.

XX **Alte Post,** Am Mainzer Tor 3, ✆ 6 43 71 – AE ⓓ E VISA ✂ D e
Samstag bis 18 Uhr, Sonntag und Aug. 2 Wochen geschl. – **M** a la carte 52/78.

XX **Haus Hexenbäcker,** Mühlstr. 1 (1. Etage), ✆ 7 29 20 – E C x
Samstag bis 18 Uhr, Sonntag und Juli 2 Wochen geschl., an Feiertagen nur Mittagessen – **M** 18 (mittags) und a la carte 32/60.

X **BBK-Stammhaus,** Pirmasenser Str. 27, ✆ 2 64 26 C n
Sonntag und Feb.- März 3 Wochen geschl. – Menu a la carte 34/55 🌡.

In Kaiserslautern 31 - Dansenberg SW : 6 km über Hohenecker Str. A :

🏠 **Fröhlich,** Dansenberger Str. 10, ✆ 5 50 91, 🌳, ≘s – TV ☎ P – 🏊 50. AE E VISA.
✂ Zim
M *(Montag und 1.- 22. Jan. geschl.)* a la carte 24/51 🌡 – **21 Z : 32 B** 50/65 - 90/120.

XX **Landhaus Woll** mit Zim, Dansenberger Str. 64, ✆ 5 16 02, Fax 52892, 🌳,
« Elegant-rustikale Einrichtung » – P. AE ⓓ E. ✂
M *(Dienstag geschl.)* 35/65 a la carte 31/71 – **9 Z : 18 B** 48/55 - 96/110.

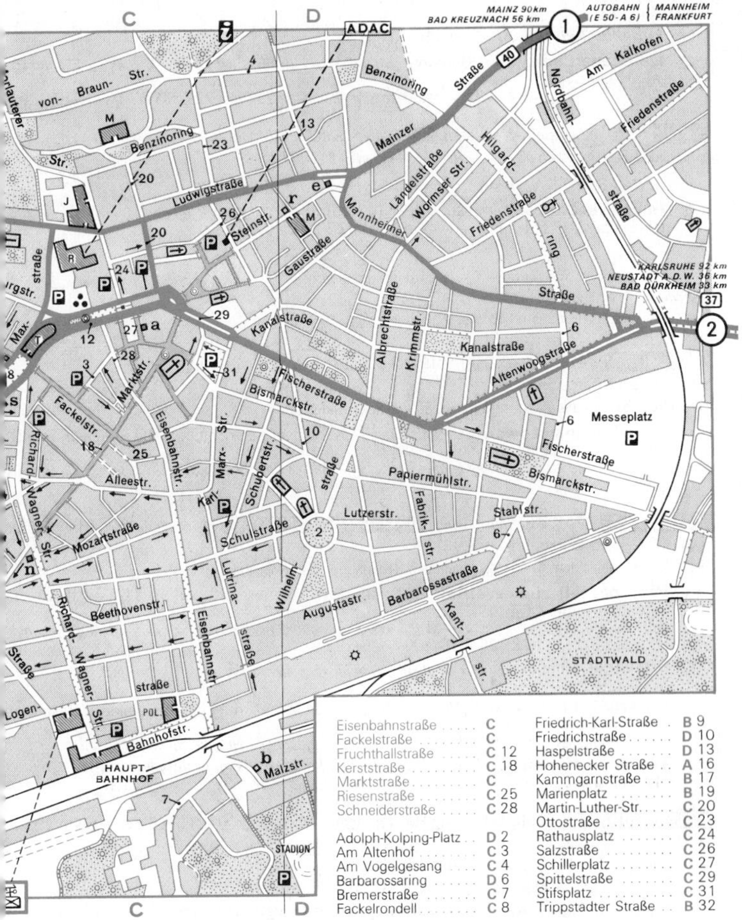

Eisenbahnstraße	C		Friedrich-Karl-Straße	B	9
Fackelstraße	C		Friedrichstraße	D	10
Fruchthallstraße	C	12	Haspelstraße	D	13
Kerststraße	C	18	Hohenecker Straße	A	16
Marktstraße	C		Kammgarnstraße	B	17
Riesenstraße	C	25	Marienplatz	B	19
Schneiderstraße	C	28	Martin-Luther-Str.	C	20
			Ottostraße	C	23
Adolph-Kolping-Platz	D	2	Rathausplatz	C	24
Am Altenhof	C	3	Salzstraße	C	26
Am Vogelgesang	C	4	Schillerplatz	C	27
Barbarossaring	D	6	Spittelstraße	C	29
Bremerstraße	C	7	Stifsplatz	C	31
Fackelrondell	C	8	Trippstadter Straße	B	32

In Kaiserslautern 32-Hohenecken SW : 7 km über Hohenecker Str. A :

Landgasthof Burgschänke, Schloßstr. 1, ✆ 5 60 41, Biergarten – TV ☎ P. AE E VISA
M a la carte 26/58 – **14 Z : 30 B** 55/70 - 85/95 Fb.

In Kaiserslautern 27-Morlautern N : 3,5 km über Burggraben B :

Zum Hasselberg, Otterbacher Str. 11, ✆ 7 27 84 – TV ☎ P. AE
1.- 5. Jan. geschl. – **M** *(Samstag bis 17 Uhr und 6.- 16. Jan. geschl.)* a la carte 22/53 – **30 Z : 54 B** 55/70 - 90 Fb.

KALBACH Hessen siehe Neuhof.

KALKAR **4192.** Nordrhein-Westfalen 412 B 11, 987 ⑬ – 11 300 Ew – Höhe 18 m – ✆ 02824.

Sehenswert : Nikolaikirche (Ausstattung★★).

Kalkar-Niedermörmter (O : 5 km), ✆ 51 43 – Stadtinformation, Grabenstr. 69, ✆ 1 32 09.

◆Düsseldorf 83 – Nijmegen 35 – Wesel 35.

Siekmann, Kesselstr. 32, ✆ 23 05, – TV ☎ . E
Aug. 3 Wochen und 21.- 26. Dez. geschl. – **M** *(Mittwoch geschl.)* a la carte 21/46 – **16 Z : 21 B** 50/75 - 100/140.

XXX **Ratskeller,** Markt 20, ✆ 24 60, « Ziegelgewölbe a. d. 15. Jh. » –
Montag - Dienstag und Mitte Juli - Anfang Aug. geschl. – **M** 27 (mittags) und a la carte 45/70.

In Kalkar-Kehrum SO : 6 km über die B 57 :

Landhaus Beckmann, Uedemer Str. 104, ✆ 20 86, Fax 2392, ☂, 🌳 - 📺 ☎ 🅿 🏃 40. ⓓ E VISA
Juli 2 Wochen geschl. - **M** *(Dienstag geschl.)* a la carte 23/44 - **22 Z : 31 B** 70/75 - 110/120 Fb

KALL **5370.** Nordrhein-Westfalen 412 C 15 - 9 800 Ew - Höhe 377 m - ☎ 02441.
♦Düsseldorf 92 - ♦Aachen 62 - Euskirchen 23 - ♦Köln 54.

In Kall-Sistig SW : 8 km :

Haus West, Schleidener Str. 24, ✆ (02445) 72 45, ☂, 🌳 - 🅿
M *(Dienstag geschl.)* a la carte 28/56 - **14 Z : 28 B** 45/65 - 80/120.

Europe — Si le nom d'un hôtel figure en petits caractères demandez, à l'arrivée, les conditions à l'hôtelier.

KALLMÜNZ **8411.** Bayern 413 S 19 - 3 000 Ew - Höhe 344 m - ☎ 09473.
Sehenswert : Burgruine : ≤★.
♦München 151 - Amberg 37 - ♦ Nürnberg 80 - ♦ Regensburg 28.

Zum Goldenen Löwen (Gasthaus a.d. 17. Jh., originelle Einrichtung), Alte Regensburger Str. 18, ✆ 3 80, « Hofterrasse » - E ✻
Montag - Dienstag und 1.- 8. Jan. geschl. - Menu (Tischbestellung erforderlich) a la carte 30/44.

KALLSTADT **6701.** Rheinland-Pfalz 412 413 H 18, 242 ④, 57 ⑩ - 1 000 Ew - Höhe 196 m - ☎ 06322 (Bad Dürkheim).
Mainz 69 - Kaiserslautern 37 - ♦Mannheim 26 - Neustadt an der Weinstraße 18.

Weincastell zum Weißen Roß mit Zim, Weinstr. 80, ✆ 50 33, Fax 8640, nur Eigenbauweine - 📺 ☎. E
Jan.- Feb. 4 Wochen geschl. - **M** *(Montag - Dienstag und Ende Juli - Anfang Aug. geschl.)* a la carte 58/85 - **14 Z : 26 B** 75/100 - 125/180.

Breivogel, Neugasse 59 (1. Etage), ✆ 6 11 08 - 🅿. AE E
Donnerstag geschl. - **M** a la carte 30/68 🍷.

Gutsschänke Henninger, Weinstr. 101, ✆ 6 34 69, ☂, nur Eigenbauweine, « Restaurant in einem Gewölbekeller »
nur Abendessen, Dienstag und 4. Feb.- 4. März geschl. - **M** a la carte 35/55 🍷.

Weinhaus Henninger, Weinstr. 93, ✆ 22 77, ☂, nur Eigenbauweine - 🅿
Montag und 22. Dez.- 15. Jan. geschl. - **M** a la carte 31/58.

KALTENKIRCHEN **2358.** Schleswig-Holstein 411 MN 5, 987 ⑤ - 11 300 Ew - Höhe 30 m - ☎ 04191.
⛳18 Kisdorferwohld (O : 13 km), ✆ (04194) 3 83.
♦Kiel 61 - ♦Hamburg 39 - Itzehoe 40 - ♦Lübeck 63.

Kaltenkirchener Hof, Alvesloher Str. 2, ✆ 78 61, Fax 6910 - 📺 ☎ 🚗 🅿 - 🏃 25/50. AE ⓓ E VISA
22. Dez.- 5. Jan. geschl. - **M** *(nur Abendessen, Sonn- und Feiertage geschl.)* a la carte 25/53 - **26 Z : 52 B** 75/90 - 110/130 Fb.

Kleiner Markt mit Zim, Königstr. 7, ✆ 21 05, Biergarten - 📺 ☎ 🅿. AE ⓓ E VISA. ✻ Zim
M *(Samstag und Mitte Jan.- Anfang Feb. geschl.)* a la carte 28/51 - **7 Z : 14 B** 75 - 110.

KAMEN **4708.** Nordrhein-Westfalen 411 412 F 12, 987 ⑭ - 46 000 Ew - Höhe 62 m - ☎ 02307.
ℹ Heimat- und Verkehrsverein, Markt 1, ✆ 14 84 59.
♦Düsseldorf 91 - Dortmund 25 - Hamm in Westfalen 15 - Münster (Westfalen) 48.

Stadt Kamen garni, Markt 11, ✆ 77 02 - 📺 ☎. ⓓ E VISA. ✻
14 Z : 23 B 94/110 - 145/180 Fb.

Gambrinus garni, Ängelholmer Str. 16, ✆ 1 80 15, ≘s - 📺 ☎ 🚗 🅿
12 Z : 24 B 60/80 - 95/120.

KAMP-BORNHOFEN **5424.** Rheinland-Pfalz 412 F 16, 987 ㉔ - 2 000 Ew - Höhe 72 m - ☎ 06773.
Ausflugsziel : "Feindliche Brüder" Burg Sterrenberg und Burg Liebenstein ≤★★.
ℹ Verkehrsamt, Rheinuferstr. 34, ✆ 3 60.
Mainz 76 - ♦Koblenz 24 - Lorch 28.

Rheinpavillon, Rheinuferstr. 64a (B 42), ✆ 3 37, Fax 331, ≤, ☂ - 🅿. AE ⓓ E VISA
Nov.- März nur an Wochenenden geöffnet - **M** a la carte 23/40 🍷 - **8 Z : 15 B** 51/70 - 92 Fb.

KAMPEN Schleswig-Holstein siehe Sylt (Insel).

KAMP-LINTFORT 4132. Nordrhein-Westfalen 412 C 12, 987 ⑬ – 40 300 Ew – Höhe 28 m – ☎ 02842 – ◆Düsseldorf 44 – Duisburg 24 – Krefeld 24.

🏨 **Parkhotel Niederrhein,** Neuendickstr. 96, ℘ 21 04, Telex 812406, Fax 2109, « Gartenterrasse an einem Teich », ⌯, ⌷ (geheizt), ⛵ – 🛗 📺 ⟺ ❷ – 🔬 25/60. ⚍ ① **E** 𝗩𝗜𝗦𝗔. ⌨ – **M** a la carte 41/82 – **43 Z : 80 B** 125/220 - 215/280 Fb.

In Kamp-Lintfort 13 - Hörstgen W : 6 km :

🏨 **Zur Post** (mit Gästehäusern, ⌂). Dorfstr. 29, ℘ 46 96, Fax 41509, 🐎 – 📺 ☎ ❷. ⚍ ① **E** 𝗩𝗜𝗦𝗔 – **M** a la carte 49/70 – **17 Z : 31 B** 55/125 - 98/175 Fb.

An der B 58, nahe der BAB-Auffahrt Alpen NO : 9,5 km :

✕✕ **Haus Pötters,** Weseler Str. 362, ✉ 4132 Kamp-Lintfort, ℘ (02802) 40 29 – ❷. ⚍ ① **E** 𝗩𝗜𝗦𝗔 *nur Abendessen, Montag, 1.- 8. Jan. und Juli - Aug. 4 Wochen geschl.* – **M** a la carte 38/60.

KANDEL 6744. Rheinland-Pfalz 412 413 H 19, 987 ㉔, 242 ⑫ – 8 400 Ew – Höhe 128 m – ☎ 07275.
◆Mainz 140 – ◆Karlsruhe 20 – Landau in der Pfalz 15 – Speyer 36 – Wissembourg 22.

🏨 **Zur Pfalz,** Marktstr. 57, ℘ 50 21, Fax 8268 – 🛗 📺 ☎ ❷ – 🔬 25/45. ⚍ ① **E** 𝗩𝗜𝗦𝗔 **M** *(Montag bis 17 Uhr geschl.)* a la carte 26/64 ⅓ – **44 Z : 76 B** 82/95 - 125/145 Fb.

KANDERN 7842. Baden-Württemberg 413 FG 23, 987 ㉞, 427 H 2 – 6 500 Ew – Höhe 352 m – ☎ 07626 – 🎽 Am Siedlungshof, ℘ 86 90.
🏙 Städt. Verkehrsamt, Hauptstr. 18, ℘ 70 29.
◆Stuttgart 252 – Basel 21 – ◆Freiburg im Breisgau 56 – Müllheim 15.

🏨 **Zur Weserei** (mit Gästehaus ⌂). Hauptstr. 70, ℘ 4 45, Fax 6581, 🐎 – 🛗 📺 ☎ ❷. ⚍ **M** *(Montag - Dienstag 17 Uhr geschl.)* a la carte 43/75 ⅓ – **27 Z : 44 B** 50/90 - 90/156 Fb.

In Kandern-Riedlingen W : 1 km :

✕✕ **Villa Umbach** ⌂, mit Zim, ℘ 88 00, « Gartenterrasse » – 📺 ☎ ❷ *über Fastnacht 1 Woche geschl.* – **M** *(Dienstag - Mittwoch 18 Uhr und Juli - Aug. 2 Wochen geschl.)* a la carte 49/85 – **5 Z : 9 B** 65/130 - 130/180.

KAPPELN 2340. Schleswig-Holstein 411 M 3, 987 ⑤ – 12 100 Ew – Höhe 15 m – ☎ 04642.
◆Kiel 58 – Flensburg 48 – Schleswig 32.

🏨 **Thomsen's Motel** garni, Theodor-Storm-Str. 5, ℘ 10 52 – 📺 ❷ **23 Z : 50 B** 65/75 - 110/130 Fb.

KAPPELRODECK 7594. Baden-Württemberg 413 H 21, 242 ⑳ – 5 600 Ew – Höhe 219 m – Erholungsort – ☎ 07842.
🏙 Verkehrsamt, Hauptstr. (Rathaus), ℘ 8 02 10, Fax 80275.
◆Stuttgart 132 – Baden-Baden 38 – Freudenstadt 40 – Offenburg 31.

🏨 **Zum Prinzen,** Hauptstr. 86, ℘ 20 88, Fax 8718 – 🛗 📺 ☎ ❷ – 🔬 30. ⚍ ① **E** 𝗩𝗜𝗦𝗔 *7.- 24. Jan. geschl.* – **M** *(Montag und 20. Juni - 7. Juli geschl.)* a la carte 27/62 ⅓ – **14 Z : 26 B** 68/75 - 105/110 Fb – ½ P 85/108.

🏨 **Hirsch,** Grüner Winkel 24, ℘ 21 90 – ☎ ⟺ ❷. ⌨ Zim – *Mitte Nov.- Mitte Dez. geschl.* ◆ – **M** *(Montag geschl.)* a la carte 24/44 ⅓ – **18 Z : 30 B** 40/65 - 80/96.

✕ **Zur Linde,** Marktplatz 112, ℘ 22 61 – ❷
◆ *Dienstag und März 3 Wochen geschl.* – **M** a la carte 24/51 ⅓.

In Kappelrodeck-Waldulm SW : 2,5 km :

✕ **Zum Rebstock** mit Zim (Fachwerkhaus a.d.J. 1750), Kutzendorf 1, ℘ 36 85, 🌤 – ❷ *2.- 25. Dez. geschl.* – Menu *(Montag geschl.)* (auch vegetarische Gerichte) a la carte 26/54 ⅓ – **6 Z : 13 B** 40 - 70 – ½ P 45.

KARBEN 6367. Hessen 412 413 J 16 – 20 000 Ew – Höhe 160 m – ☎ 06039.
◆Wiesbaden 54 – ◆Frankfurt am Main 20 – Gießen 47.

In Karben 1-Groß Karben :

🏨 **Stadt Karben** (Restaurant im Bistrostil), St. Egrève-Str. 25, ℘ 80 10, Fax 801222, 🌤 – 🛗 📺 ☎ ⟺ ❷. ⚍ ① **E** 𝗩𝗜𝗦𝗔 – **M** a la carte 35/54 – **37 Z : 68 B** 147/225 - 180/240 Fb.

✕ **Zuem Strissel** (Elsässische Küche), Bahnhofstr. 10, ℘ 39 17 – ❷. ⚍ ① **E** 𝗩𝗜𝗦𝗔 *Samstag bis 18 Uhr, Montag, Feb. 2 Wochen und Aug. 3 Wochen geschl.* – **M** (Tischbestellung ratsam) a la carte 30/62.

KARLSBAD 7516. Baden-Württemberg 413 I 20 – 13 500 Ew – Höhe 284 m – ☎ 07202.
♦Stuttgart 69 – ♦Karlsruhe 17 – Pforzheim 19.

In Karlsbad-Spielberg :

Turmfalke mit Zim, Im Obern Berg 3 (am Wasserturm), ☎ 64 66, ≤, – P. E
Juli - Aug. 2 Wochen geschl. – **M** *(auch vegetarische Gerichte)* (Montag geschl.) a la carte 25/4 – **5 Z : 7 B** 45 - 80.

KARLSDORF-NEUTHARD Baden-Württemberg siehe Bruchsal.

KARLSFELD 8047. Bayern 413 R 22 – 14 500 Ew – Höhe 490 m – ☎ 08131.
♦ München 14 – ♦ Augsburg 58.

Schwertfirm garni, Adalbert-Stifter-Str. 5, ☎ 9 00 50, Fax 900570 – ☎ P. E.
Weihnachten - 6. Jan. geschl. – **40 Z : 65 B** 85/105 - 120/130 Fb.

In Karlsfeld-Rotschwaige NW : 2 km :

Hubertus, Münchner Str. 7, ☎ 9 80 01, Telex 526659, Fax 97677, , , , – ☎ P – 25/120. AE E VISA – **M** a la carte 24/54 – **76 Z : 140 B** 46/95 - 81/14

KARLSHAFEN, BAD 3522. Hessen 411 412 L 12, 987 ⑮ – 4 300 Ew – Höhe 96 m – Soleheilba – ☎ 05672.
Sehenswert: Hugenottenturm ≤★.
Kurverwaltung, Rathaus, ☎ 10 22, Fax 1096.
♦Wiesbaden 276 – Göttingen 65 – Hameln 79 – ♦Kassel 47.

Zum Schwan (Jagdschloß, um 1765 erbaut), Conradistr. 3, ☎ 10 44, Fax 1046, « Blumengarten, Rokoko-Zimmer », – ☎ – 30. AE E VISA
6. Jan.- Feb. geschl. – **M** a la carte 40/63 – **32 Z : 55 B** 75/100 - 130/170 – ½ P 80/125.

Parkhotel Haus Schöneck , C.-D.-Stunzweg 10, ☎ 20 66, Fax 2950, , « Park », – ☎ P. AE E VISA – **M** a la carte 25/48 – **24 Z : 60 B** 77 - 136 Fb – ½ P 88/9

Am Kurpark, Brückenstr. 1, ☎ 18 50, Fax 18510, ≤ – ☎ P
10. Jan.- Feb. geschl. – **M** a la carte 27/51 – **38 Z : 68 B** 70/80 - 120/130 Fb – ½ P 80/9

Weserdampfschiff, Weserstr. 25, ☎ 24 25, ≤, – P
März - Okt. – **M** *(Montag ab 14 Uhr geschl.)* a la carte 20/45 – **13 Z : 22 B** 58/62 - 110/11

KARLSRUHE 7500. Baden-Württemberg 412 413 I 19,20, 987 ㉕ – 270 000 Ew – Höhe 116 m – ☎ 0721.
Sehenswert: Staatliche Kunsthalle (Gemälde★★ altdeutscher Meister, Hans Thoma-Gemäldesammlung★) EX **M1** – Schloß (Badisches Landesmuseum★) EX – Botanische Garten (Gewächshäuser★) EX.
☎ 4 10 37.
Karlsruher Kongreß- und Ausstellungszentrum (EY), Festplatz 3 (Ettlinger Straße), ☎ 3 72 00.
Verkehrsverein, Bahnhofplatz 6, ☎ 3 55 30.
Stadt - Information, Karl-Friedrich-Str. 22, ☎ 1 33 34 55.
ADAC, Steinhäuserstr. 22, ☎ 8 10 40, Notruf ☎ 1 92 11.
♦Stuttgart 88 ④ – ♦Mannheim 71 ② – ♦Saarbrücken 143 ⑦ – Strasbourg 82 ⑤.

Stadtpläne siehe nächste Seiten

Ramada Renaissance Hotel, Mendelssohnplatz, ☎ 3 71 70, Telex 7825699, Fax 37715 – Zim – 25/250. AE E VISA. Rest EY
Restaurants : **Zum Markgrafen M** a la carte 54/80 – **Zum Brigande** *(wochentags nu Abendessen, Sonntag und Aug. 3 Wochen geschl.)* **M** a la carte 37/66 – **215 Z : 365** 227/292 - 304/504 Fb.

Schloßhotel, Bahnhofplatz 2, ☎ 3 50 40, Telex 7826746, Fax 354413 – Zim P – 25/100. AE E VISA EZ
Restaurants : **La Résidence M** a la carte 48/78 – **Schwarzwaldstube M** a la carte 40/6 – **96 Z : 158 B** 155/220 - 235/270 Fb.

Queens Hotel am Kongresszentrum, Ettlinger Str. 23, ☎ 3 72 70, Telex 7825443 Fax 3727170, – Zim Rest P – 25/300. AE E VISA EY
M a la carte 42/74 – **147 Z : 193 B** 215/230 - 275/340 Fb.

Unter den Linden, Kaiserallee 71, ☎ 84 91 85, Fax 848945 – ☎ – 30. AE E VISA CX
M *(Sonntag geschl.)* a la carte 45/86 – **18 Z : 32 B** 125/195 - 185/285.

Residenz, Bahnhofplatz 14, ☎ 3 71 50, Telex 7826389, Fax 3715113, – Rest ☎ P – 25/100. AE E VISA DZ
M a la carte 52/73 – **106 Z : 175 B** 151/195 - 180/250 Fb.

Ambassador garni (mit Gästehaus), Hirschstr. 34, ☎ 1 80 20, Telex 7826360, Fax 180217 – ☎ – 40. AE E DX
Weihnachten - 2. Jan. geschl. – **72 Z : 130 B** 150/170 - 220/240 Fb.

KARLSRUHE

denauerring . . . . AT
lmendstraße . . . . AV 5
n Sportpark . . . . BT 6
n Wald . . . . AT 9
elchenstraße . . . . AV 19
eslauer Straße . . . . BT 20
axlander Straße . . . . AU 22
urlacher Allee . . . . BU 23
urmersheimer Straße . . . . AU 25
kenerstraße . . . . AU 26
zbergerstraße . . . . AT
tlinger Allee . . . . AV 31
erwigstraße . . . . BU 35
aid-und-Neu-
Straße . . . . BTU 38
ardtstraße . . . . AU 41
Herrenalber Straße . . . . AV
Hertzstraße . . . . AT
Hirtenweg . . . . BT
Honsellstraße . . . . AU 47
Kapellenstraße . . . . BU 53
Karl-Wilhelm-Straße . . . . . . BU 55
Killisfeldstraße . . . . BU 56
Kriegsstraße . . . . BU
Lameystraße . . . . AU 58
Lange Straße . . . . AV 59
Linkenheimer
Landstraße . . . . AT
Michelinstraße . . . . AU 62
Mitteltorstraße . . . . AT 73
Neureuter Hauptstraße . . . . AT 77
Neureuter Querallee . . . . . . AT 79
Neureuter Straße . . . . AT
Nürnberger Straße . . . . AV 82
Ostring . . . . BU 83
Ottostraße . . . . BU
Pulverhausstraße . . . . AU
Rastatter Straße . . . . AV 87
Rheinbrückenstraße . . . . . . AT 90
Rheinhafenstraße . . . . AU 92
Rheinstraße . . . . AT 93
Rintheimer Querallee . . . . . BT 94
Schlachthausstraße . . . . . . BU 97
Siemensallee . . . . AT 100
Starckstraße . . . . AU 101
Steinkreuzstraße . . . . BV 103
Stuttgarter Straße . . . . BU 106
Sudetenstraße . . . . AT
Theodor-Heuss-Allee . . . . . . BT
Tullastraße . . . . BU 107
Welschneureuter
Straße . . . . AT 115
Wolfartsweierer Straße . . . BU 122
Zeppelinstraße . . . . AU 124

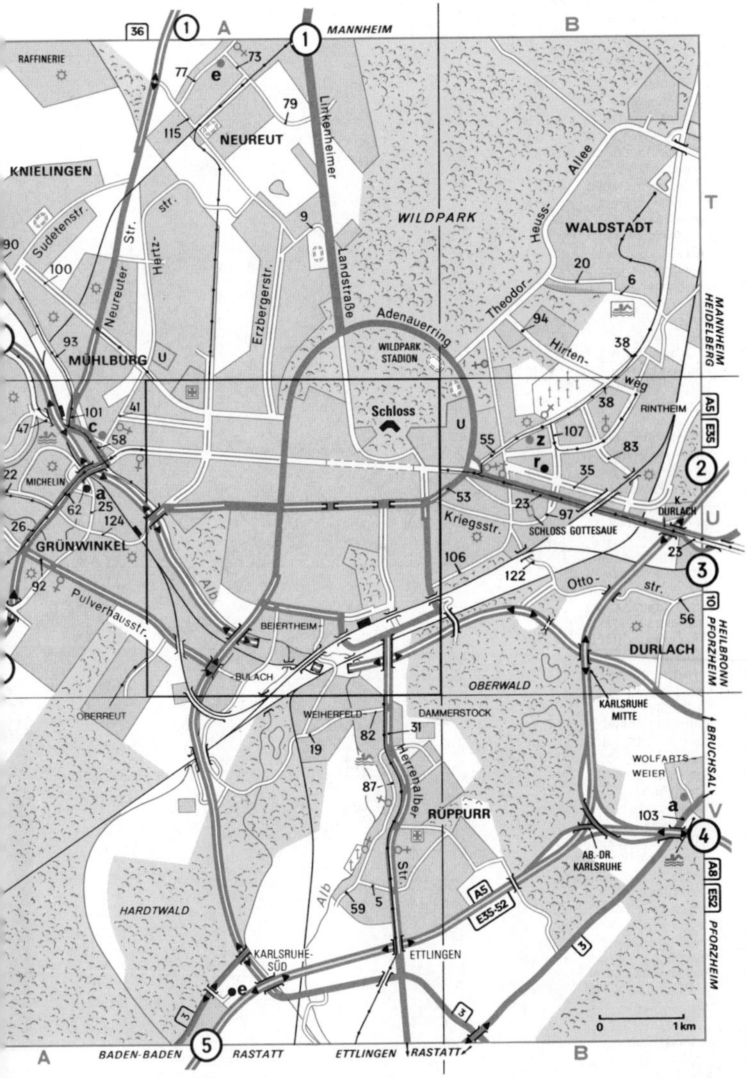

KARLSRUHE

Kaiserstraße .... DEX 50
Karlstraße .... DYZ
Rheinstraße .... CX 90
Werderplatz .... EY 116

Adenauerring ...... DX 2
Akademiestraße .... DX 3
Am Stadtgarten .... EZ 8
Amalienstraße ...... DX 12
Bahnhofplatz .... EZ 13
Bahnhofstraße ...... EZ 14
Bannwaldallee ..... CYZ
Baumeisterstraße ... EY 16
Beiertheimer Allee .. DYZ 17
Bismarckstraße ..... DX
Blücherstraße CX
Brauerstraße .... DY
Breite Straße .... DZ
Bulacher Straße .... DZ 21
Ebertstraße .... DZ
Eisenlohrstraße ..... CY
Erbprinzenstraße .... DX 29
Ettlinger Allee ...... EZ 31
Ettlinger Straße .... EYZ 32
Europaplatz .... DX
Fautenbruchstraße .. EZ
Fritz-Erler-Straße .... EY 34
Gartenstraße ...... CDY
Grünwinkler Straße .. CZ 37
Hans-Thoma-Straße .. EX 40
Hermann-Billing-Str. . EY 44
Herrenstraße .... DY 46
Hirschstraße .... DYZ
Jollystraße .... DY
Kaiserallee CX
Kaiserplatz .... DX 49
Karl-Friedrich-Str. .... EY 52
Kriegsstraße ...... CDEY
Linkenheimer
Landstr. .... DX 61
Litzenhardtstraße ... CZ
Ludwig-Marum-Str. ... CX
Luisenstraße .... EY 64
Marie-Alexandra-Str. . DZ 65
Marienstraße .... EY
Markgrafenstraße ... EXY 67
Marktplatz .... EX 68
Mathystraße .... DY 70
Mittelbruchstraße ... EZ 71
Moltkestraße ...... CDX
Nebeniusstraße ..... EZ 74
Neckarstraße .... DZ
Neue-Anlage-Str. .... CZ 76
Nördliche
Hildapromenade .. CX 80
Otto-Wels-Straße .... CZ
Poststraße .... EZ 86
Pulverhausstraße .... CZ
Reinhold-Frank-Str. ... DX 89
Ritterstraße .... DY
Rüppurrer Straße ... EYZ
Scheffelstraße ..... CXY
Schillerstraße ...... CXY
Schloßplatz .... EX 95
Schwarzwaldstraße .. EZ 98
Seldeneckstraße CX
Sophienstraße .... CDXY
Steinhäuserstraße ... CY
Stephanienstraße ... DX 104
Südendstraße ..... CDY
Waldhornstraße .... EX 110
Waldstraße .... DX 112
Weiherfeldstraße .... DZ 113
Wilhelm-Baur-Str. ... CY 119
Wilhelmstraße ...... EY 121
Yorckstraße .... CXY
Zeppelinstraße ..... CY 124
Zirkel .... EX 125

D
E
X
Y
Z
FACH-
HOCHSCHULE
SCHLOSSGARTEN
Botanischer Garten
Schloss
BUNDESVERFASSUNGS-GERICHT
Moltkestr.
Bismarck-
str.
R (WEST)
Europapl.
Kriegs-
str.
Garten-
str.
Jolly-
str.
Hirsch-
str.
Karl-
str.
Ritter-
str.
BUNDESGERICHTSHOF
KONGRESS ZENTRUM
POL.
SCHWARZWALD HALLE
STADTGARTEN
Zoo
Marienstr.
Rüppurrer Str.
Rüppurrer Str.
Brauerstr.
Südend-
str.
Ebert-
str.
Fautenbruchstr.
Breite Str.
Neckarstr.
0
300 m

Kaiserhof, Karl-Friedrich-Str. 12, 2 66 15, Telex 7825600, Fax 27672 – 25/80. – **M** a la carte 34/70 – **40 Z : 55 B** 125/145 - 180/190 Fb. EX

Eden, Bahnhofstr. 17, 1 81 80, Fax 1818222, « Gartenterrasse » – 25/60. – **M** a la carte 35/72 – **68 Z : 100 B** 125/135 - 170/195 Fb. DY

Alfa garni, Bürgerstr. 4, 2 99 26, Fax 29929 – . DX
38 Z : 80 B 170/190 - 220/260.

Kübler garni, Bismarckstr. 39, 14 40, Fax 144441, – – 5
97 Z : 150 B 108/148 - 120/220 Fb. DX

National garni, Kriegsstr. 90, 6 09 50, Telex 7826320, Fax 609560, –
. EY
24. Dez.- 6. Jan. geschl. – **49 Z : 72 B** 130/180 - 190/230 Fb.

Berliner Hof garni, Douglasstr. 7, 2 39 81, Telex 7825889, Fax 27218, –
DX
55 Z : 70 B 110/120 - 145 Fb.

Bahnpost garni, Am Stadtgarten 5, 3 49 77, Telex 7826360, Fax 34979 – .
– **26 Z : 40 B** 130/140 - 170/220 Fb. EZ

Rio, Hans-Sachs-Str. 2, 84 50 61, Telex 7826426, Fax 845065 – .
DX
21. Dez.- 10. Jan. geschl. – (nur Abendessen für Hausgäste) – **124 Z : 163 B** 132/150 - 175/195 Fb.

Am Tiergarten garni, Bahnhofplatz 6, 38 61 51 – EZ
18. Dez.- 6. Jan. geschl. – **19 Z : 37 B** 100/120 - 155/175 Fb.

Astoria garni, Mathystr. 22, 81 60 71, Fax 812460 – . DY
16 Z : 27 B 130 - 180 Fb.

Hasen, Gerwigstr. 47, 61 50 76, Fax 621101 – . . BU
M *(15. Juli - 25. Aug. und Samstag - Sonntag geschl.)* a la carte 51/87 – **37 Z : 58 B** 80/16 - 140/190 Fb.

Am Markt garni, Kaiserstr. 76, 2 09 21, Fax 28066 – . . EX
Weihnachten geschl. – **32 Z : 50 B** 85/130 - 145/160.

O'Henry's Restaurant, Breite Str. 24, 38 55 51, Fax 387930 – . DZ
Samstag bis 18 Uhr und Sonntag geschl. – **M** (Tischbestellung ratsam) 35/120.

Oberländer Weinstube, Akademiestr. 7, 2 50 66, bemerkenswerte Weinkarte « Innenhof » – DX
Samstag bis 18 Uhr und Sonntag geschl. – **M** (Tischbestellung ratsam) a la carte 53/82.

Kühler Krug, Wilhelm-Baur-Str. 3, 85 54 86, Fax 856026, « Gartenterrasse » –
25/200. CY
Montag geschl. – **M** a la carte 36/74.

Santa Lucia (Italienische Küche), Badenwerkstr. 1, 35 63 62, EY

Stadthallen-Restaurant, Festplatz 4 (im Kongreß - Zentrum), 37 77 77, Fax 379576
– 25/150. EY
13. Juli - 11. Aug. geschl. – **M** a la carte 40/67.

Dudelsack, Waldstr. 79, 2 21 66, « Innenhofterrasse » – DY
nur Abendessen, Sonntag geschl. – **M** (Tischbestellung ratsam) a la carte 52/75.

Adria (Italienische Küche), Ritterstr. 19, 35 66 55, – DY
Sonntag 15 Uhr - Montag, 20. Juli - 15. Aug. und 22. Dez.- 6. Jan. geschl. – **M** a la carte 43/6

Zum Ritter (Haus a.d.J. 1778), Hardtstr. 25, 55 14 55 – AU
Montag geschl. – **M** a la carte 31/65.

Goldenes Kreuz (Brauerei-Gaststätte), Karlstr. 21a, 2 20 54, DX
Mittwoch geschl. – **M** *(auch vegetarische Gerichte)* a la carte 21/52 .

Burghof (Brauerei - Gaststätte), Haid- und Neu- Str. 18, 61 57 35, Fax 621638, Biergarte
– . BU
Sonntag ab 15 Uhr geschl. – **M** a la carte 26/56.

In Karlsruhe 21-Daxlanden W : 5 km über Daxlander Straße AU :

Künstlerkneipe Zur Krone, Pfarrstr. 18, 57 22 47, , « Altbadische Weinstube, Bild Karlsruher Künstler um 1900 »
Sonntag - Montag und 23.- 27. Dez. geschl. – **M** (Tischbestellung ratsam) a la carte 56/8

In Karlsruhe 41-Durlach O : 7 km über Durlacher Allee BU :

Große Linde, Killisfeldstr. 18, 4 22 95, Biergarten – – **21 Z : 36 B.**

Zum Ochsen mit Zim, Pfinzstr. 64, 49 40 41, Fax 496140, bemerkenswerte Weinkarte « Restauriertes Gasthaus mit geschmackvoller Einrichtung » –
Aug.- Sept. 3 Wochen geschl. – **M** (Tischbestellung ratsam) *(Montag - Dienstag 18 Uhr gesch* 58/125 und a la carte 62/105 – **6 Z : 10 B** 250/330 - 420
Spez. Hummersalat mit Orangenbuttersauce, Goldbrassenfilet mit Salbei, Geeiste Charlotte vo weißer Schokolade mit Cassis.

Schützenhaus, Jean-Ritzert-Str. 8 (auf dem Turmberg), 49 13 68, – .
Dienstag, Feb. 2 Wochen und Nov. 3 Wochen geschl. – **M** a la carte 24/55.

In Karlsruhe 41-Grötzingen ③ : 9 km :

XX Schloß Augustenburg, Kirchstr. 20, ☎ 46 80 11 - P.

In Karlsruhe 21-Grünwinkel :

Beim Schupi garni, Durmersheimer Str. 6, ☎ 5 59 40, Fax 559480, Biergarten - TV ☎ P. AE ⓓ E VISA. ✻ AU a
34 Z : 45 B 110 - 150 Fb.

In Karlsruhe 21-Knielingen :

Burgau, Neufeldstr. 10, ☎ 56 30 34, Fax 563508 - TV ☎ P. ⓓ E VISA. ✻ Zim AT z
23. Dez.- 7. Jan. geschl. - **M** *(Samstag, Sonn- und Feiertage sowie Juli - Aug. 3 Wochen geschl.)* a la carte 35/62 ♁ - **17 Z : 29 B** 108/132 - 140/160 Fb.

In Karlsruhe 31-Neureut :

XX **Nagel's Kranz,** Neureuter Hauptstr. 210, ☎ 70 57 42, ☂ - P AT e
Samstag bis 19 Uhr, Sonn- und Feiertage sowie 1.- 15. Jan. geschl. - **M** (Tischbestellung ratsam) a la carte 52/83.

In Karlsruhe 41-Wolfartsweier :

X **Schloßberg-Stuben,** Wettersteinstr. 5, ☎ 49 48 53 - P. AE ⓓ E VISA BV a
Montag und Juli - Aug. 3 Wochen geschl. - **M** (abends Tischbestellung ratsam) a la carte 50/75.

In Pfinztal-Berghausen **7507** ③ : 13 km :

XX **Zur Linde** mit Zim, An der Bahn 1 (an der B 293), ☎ (0721) 4 61 18 - TV ☎. ⓓ E VISA. ✻ Zim
M *(Dienstag ab 15 Uhr und Samstag bis 18 Uhr geschl.)* a la carte 30/61 - **12 Z : 17 B** 80/110 - 140.

An der Autobahn A 5 (Anschlußstelle Karlsruhe Süd) : - Hotel Scandic Crown siehe unter Ettlingen

MICHELIN-REIFENWERKE KGaA. 7500 Karlsruhe 21
Werk : Michelinstraße 4 AU ☎ (0721) 5 96 00, Fax 590831
Bereich Vertrieb : Bannwaldallee 60 CZ, ☎ (0721) 8 60 00, Telex 7825868, Fax 8600290.

KARLSTADT **8782.** Bayern 412 413 M 17, 987 ㉕ - 14 600 Ew - Höhe 163 m - ☎ 09353.

Tourist-Information, Hauptstr. 24, ☎ 82 75.

München 304 - Aschaffenburg 52 - Bad Kissingen 45 - ♦Würzburg 24.

Alte Brauerei, Hauptstr. 58, ☎ 5 69, Fax 4747 - |♦| TV ☎ P. AE ⓓ E VISA
27. Dez.- 12. Jan. geschl. - **M** *(Samstag bis 18 Uhr und Sonntag ab 15 Uhr geschl.)* a la carte 34/58 - **20 Z : 38 B** 90/98 - 130/150 Fb.

KASENDORF **8658.** Bayern 413 R 16 - 2 400 Ew - Höhe 367 m - Wintersport : 400/500 m ≰1 ⛷3 (in Zultenberg) - ☎ 09228 (Thurnau).

♦München 260 - ♦Bamberg 43 - Bayreuth 25 - Kulmbach 11.

Goldener Anker, Marktplatz 9, ☎ 6 22, ≘s, ⛷ - ⇔ P - **46 Z : 80 B.**

KASSEL **3500.** Hessen 411 412 L 12,13, 987 ⑮ - 197 000 Ew - Höhe 163 m - ☎ 0561.

Sehenswert : Wilhelmshöhe★★ (Schloßpark★★ : Wasserkünste★, Herkules★, ≤★★) X - Schloß Wilhelmshöhe (Gemäldegalerie★★★, Antikensammlung★) X **M** - Neue Galerie★ Z **M2** - Park Karlsaue★ Z - Hessisches Landesmuseum★ (Deutsches Tapetenmuseum★★, Astronomisch-Physikalisches Kabinett★★) Z **M1**.

Ausflugsziel : Schloß Wilhelmsthal★ N : 12 km.

18 Kassel-Wilhelmshöhe, Am Ehlener Kreuz (AZ), ☎ 3 35 09 - 🚘 ☎ 78 68 88.

Ausstellungsgelände Messeplatz (Z), ☎ 1 49 23.

Tourist-Information im Intercity-Bahnhof Wilhelmshöhe, ☎ 3 40 54, Fax 315216.

ADAC, Rudolf-Schwander-Str. 17, ☎ 10 34 64, Telex 997037, Fax 103768.

♦Wiesbaden 215 ④ - Dortmund 167 ⑤ - Erfurt 150 ③ - ♦Frankfurt am Main 187 ② - ♦Hannover 164 ②.

Stadtplan siehe nächste Seite

Mövenpick, Spohrstr. 4, ☎ 7 28 50, Telex 992255, Fax 7285118 - |♦| TV ♿ ⇔ - 🏛 25/200 Y b
M a la carte 30/60 - **128 Z : 211 B** 184/224 - 243/319 Fb.

Domus, Erzbergerstr. 1, ☎ 7 29 60, Fax 7296498 - |♦| TV P - 🏛 25/50. AE ⓓ E VISA Y f
M a la carte 30/66 - **51 Z : 73 B** 120/135 - 190 Fb - 3 Appart. 210.

Dorint-Hotel Reiss, Werner-Hilpert-Str. 24, ☎ 7 88 30, Telex 99740, Fax 7883777 - |♦| TV ☎ ⇔ P - 🏛 25/400 - **102 Z : 127 B** Fb. Y a

Mercure - Hessenland garni, Obere Königstr. 2, ☎ 9 18 10, Fax 9181160 - |♦| ✻ Zim TV ☎. AE ⓓ E VISA Z e
48 Z : 67 B 120/180 - 145/225 Fb.

KASSEL

Königsplatz . . . . Z 19
Kurfürstenstraße . . . . Y 22
Neue Fahrt . . . . Z 25
Obere Königsstraße . . . . Z
Standeplatz . . . . Z
Treppenstraße . . . . Z
Untere Königsstraße . . . . Y

Wilhelmstraße . . . . Z 35

Baunsbergstraße . . . . X 2
Brüder-Grimm-Platz . . . . Z 3
Bürgerm.-Brunner-Str. . . . . . . Z 6
Dresdener Straße . . . . X 8
Freiherr-vom-Stein-Str . . . . . . X 9
Fünffensterstraße . . . . Z 12
Fuldabrücke . . . . Z 13
Gilsastraße . . . . X 15

Harleshäuser Str. . . . . X 1
Hugo-Preuß-Str. . . . . X 1
Landgraf-Karl-Str. . . . . X 2
Rasenallee . . . . X 2
Rudolf-Schwander-Str. . . . . . . Y 2
Scheidemannplatz . . . . Z 2
Schönfelder Str. . . . . X 2
Schützenstraße . . . . X 3
Teichstraße . . . . X 3
Werner-Hilpert-Str. . . . . Y 3

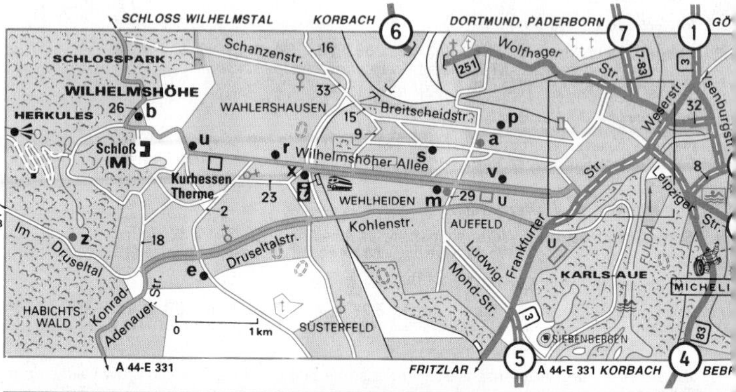

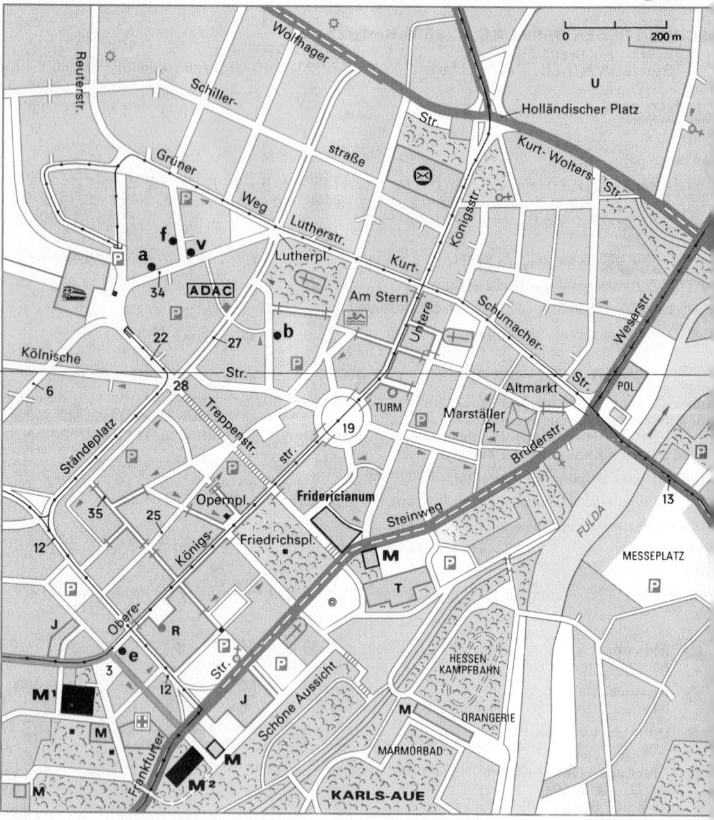

Chassalla garni, Wilhelmshöher Allee 99, 9 27 90, Fax 9279101 - 40. X **m**
22. Dez.- 3. Jan. geschl. - **44 Z : 77 B** 110/130 - 160/190 Fb.

City-Hotel garni, Wilhelmshöher Allee 40, 7 18 71, Telex 99524, Fax 102513, - X **v**
43 Z : 80 B 138/178 - 198/238 Fb.

Excelsior, Erzbergerstr. 2, 10 29 84, Fax 15110 - - 60. Y **v**
23.- 26. Dez. geschl. - **M** *(nur Abendessen, Nov.- April Samstag - Sonntag geschl.)* a la carte 27/35 - **56 Z : 83 B** 83/100 - 142/160 Fb.

Westend garni, Friedrich-Ebert-Str. 135, 10 38 21, Fax 102599 - .
Weihnachten - Anfang Jan. geschl. - **46 Z : 70 B** 118/168 - 188/288 Fb. X **s**

Kö 78 garni, Kölnische Str. 78, 7 16 14, Fax 17982 - . X **p**
23 Z : 29 B 69/79 - 109/118 Fb.

Landhaus Meister, Fuldatalstr. 140 (Wolfsanger), 9 87 99 87, Fax 9879933, « Gartenterrasse » - . über Weserstr. X
Sonntag - Montag und 1.- 13. Jan. geschl. - **M** a la carte 46/72.

Parkgärtchen, Parkstr. 42, 1 40 50, Fax 776270, - X **a**
nur Abendessen, Sonntag und 1.- 12. Jan. geschl. - **M** a la carte 54/74.

Ratskeller, Obere Königsstr. 8 (Rathaus), 1 59 28, Fax 776714, - 30. Z **R**
M *(auch vegetarische Gerichte)* a la carte 27/55.

Weinhaus Boos, Wilhelmshöher Allee 97, 2 22 09, - X **m**
nur Abendessen, Montag geschl. - **M** a la carte 28/56.

In Kassel-Bettenhausen ② : 4 km, nahe BAB-Anschluß Kassel-Ost :

Queens Hotel, Heiligenröder Str. 61, 5 20 50, Telex 99814, Fax 527400, , - Zim - 25/120.
M a la carte 35/64 - **142 Z : 267 B** 204/224 - 273/293 Fb.

In Kassel-Harleshausen NW : 7 km über Rasenallee X :

Am Sonnenhang , Aspenstr. 6, 6 20 70, Fax 62246, - .
27. Dez.- 14. Jan. geschl. - **M** *(wochentags nur Abendessen, Freitag geschl.)* a la carte 31/54 - **25 Z : 50 B** 75/88 - 118/145 Fb.

In Kassel-Niederzwehren ⑤ : 3,5 km :

Gude - Restaurant Pfeffermühle, Frankfurter Str. 299, 4 80 50, Fax 4805101, Bade- und Massageabteilung, , - Zim - 25/80.
M *(Sonn- und Feiertage ab 15 Uhr geschl.)* a la carte 24/57 - **64 Z : 120 B** 110/150 - 150/210 Fb.

In Kassel-Wilhelmshöhe :

Schloßhotel Wilhelmshöhe , Schloßpark 2, 3 08 80, Telex 99699, Fax 3088428, , , - - 25/100. X **b**
M a la carte 45/74 - **105 Z : 185 B** 160 - 210 Fb - 5 Appart. 300.

Kurparkhotel, Wilhelmshöher Allee 336, 3 18 90, Telex 99812, Fax 3189124, - - 25/100. X **u**
M *(Sonntag ab 18 Uhr geschl.)* a la carte 34/62 - **63 Z : 110 B** 130/150 - 190/250 Fb.

Kurfürst Wilhelm I., Wilhelmshöher Allee 257, 3 18 70, Fax 318777 - . X **x**
M (Italienische Küche) a la carte 36/61 - **44 Z : 83 B** 160/200 - 210/250 Fb.

Schweizer Hof, Wilhelmshöher Allee 288, 3 40 48, Telex 992416 - - 25/50. X **r**
M *(nur Abendessen, Sonntag geschl.)* a la carte 26/53 - **49 Z : 110 B** 100 - 180 Fb.

Calvados, Im Druseltal 12 (1. Etage,), 30 44 20, - . X **z**
M a la carte 30/77.

Haus Rothstein mit Zim, Heinrich-Schütz-Allee 56, 3 37 84, - . X **e**
M *(Montag geschl.)* a la carte 34/66 - **5 Z : 9 B** 75/90 - 115/140.

Nördlich vom Hercules N : 2 km (Zufahrt für Hotelgäste ab unterem Parkplatz über gesperrte Straße) :

Elfbuchen , im Habichtswald, 3500 Kassel-Wilhelmshöhe, (0561) 6 20 41, « Zimmereinrichtung im Landhausstil » -
Mitte Okt.- Mitte Nov. geschl. - **M** *(Freitag geschl.)* a la carte 27/55 - **10 Z : 20 B** 130/160 - 180/240 Fb.

In Calden **3527** NW : 14 km über ⑦ oder über Rasenallee X :

Schloßhotel Wilhelmsthal , Beim Schloß Wilhelmsthal (SW : 2 km), (05674) 8 48, « Gartenterrasse » - - 40.
2.- 31. Jan. geschl. - **M** a la carte 28/56 - **18 Z : 30 B** 100/150 - 175/200 Fb.

In Espenau-Schäferberg **3501** ⑦ : 10 km :

Waldhotel Schäferberg, Wilhelmsthaler Str. 14 (B 7), ✆ (05673) 79 51, Telex 991814, Fax 7973, - Zim - 25/200. AE E VISA
M a la carte 28/69 - **95 Z : 180 B** 120/160 - 160/200 Fb - 6 Appart. 260.

In Fuldatal 2-Simmershausen **3501** ① : 7 km - Luftkurort :

Haus Schönewald, Wilhelmstr. 17, ✆ (0561) 81 17 08, - TV P.
M *(nur Abendessen, Mittwoch und 3.- 15. Jan. geschl.)* a la carte 23/40 - **26 Z : 47 B** 40/50 - 80/100.

In Niestetal-Heiligenrode **3501** ② : 6 km, nahe BAB-Anschluß Kassel-Ost :

Althans garni, Friedrich-Ebert-Str. 65, ✆ (0561) 52 27 09 - P. E.
21. Dez.- 6. Jan. geschl. - **21 Z : 27 B** 42/60 - 72/98.

In Kaufungen-Niederkaufungen **3504** O : 9 km über ③

Gasthaus am Steinertsee, Am Steinertsee 1, ✆ (05605) 30 02, - TV P
AE E - **M** *(Montag geschl.)* a la carte 23/49 - **9 Z : 18 B** 60 - 100 Fb.

An der Autobahn A 7 nähe Kasseler Kreuz ④ : 7 km :

Autobahn-Rasthaus Kassel, ✉ 3503 Lohfelden, ✆ (0561) 58 30 31, Fax 581917, <,
- TV P - 25/130. AE E VISA
M (auch Self-Service) a la carte 28/55 - **87 Z : 184 B** 35/151 - 80/166 Fb.

MICHELIN-REIFENWERKE KGaA. Niederlassung 3500 Kassel 1 - Osterholzstr. 50 (AZ
✆(0561) 57 20 76, Fax 54596.

KASTELLAUN 5448. Rheinland-Pfalz 412 F 16, 987 ㉔ - 3 700 Ew - Höhe 435 m - ✆ 06762

Verkehrsamt, Rathaus, Kirchstr. 1, ✆ 40 30 - Mainz 80 - ♦Koblenz 44 - ♦Trier 96.

Zum Rehberg, Mühlenweg 1, ✆ 13 32, Fax 2640, - TV P - 25/50
(Restaurant nur für Hausgäste) - **36 Z : 72 B** 80/100 - 86/180 - 5 Fewo.

KATZENELNBOGEN 5429. Rheinland-Pfalz 412 G 16 - 1 700 Ew - Höhe 300 m - ✆ 06486

Mainz 51 - ♦Koblenz 50 - Limburg an der Lahn 21 - ♦Wiesbaden 46.

In Berghausen **5429** SO : 2,5 km :

Berghof, Bergstr. 3, ✆ (06486) 70 94 - P. AE E
M *(Montag geschl.)* a la carte 19/37 - **30 Z : 60 B** 42/49 - 70/78 Fb - 2 Fewo 40.

In Klingelbach **5429** NW : 1,5 km :

Sonnenhof, Kirchstr. 31, ✆ (06486) 70 86, Fax 1543, <, - P
- 30. AE E
3.- 17. Jan. geschl. - **M** *(Dienstag geschl.)* a la carte 21/47 - **24 Z : 45 B** 49/58 - 84/96 Fb

KAUB 5425. Rheinland-Pfalz 412 G 16, 987 ㉔ - 1 300 Ew - Höhe 79 m - ✆ 06774.

Sehenswert : Die Pfalz★ (Insel).

Verkehrsamt, im Rathaus, Metzgergasse 26, ✆ 2 22.

Mainz 54 - ♦Koblenz 45 - ♦Wiesbaden 51.

Zum Rebstock mit Zim, Blücherstr. 55a (NO : 1 km), ✆ 2 24, Fax 613 - P. AE E. Rest
24. Dez.- 29. Jan. geschl. - **M** *(nur Abendessen, Dienstag geschl.)* a la carte 26/46 - **7 Z : 13 B** 45/50 - 75/90.

Deutsches Haus mit Zim, Schulstr. 1, ✆ 2 66
Jan. geschl. - **M** *(Montag geschl.)* a la carte 20/50 - **11 Z : 19 B** 30/40 - 65/90.

KAUFBEUREN 8950. Bayern 413 O 23, 987 ㊱, 426 D 5 - 42 000 Ew - Höhe 680 m - Wintersport : 707/849 m 8 - ✆ 08341.

Verkehrsverein, Kaiser-Max-Str. 1 (Rathaus), ✆ 4 04 05, Fax 437660.

ADAC, Kaiser-Max-Str. 3, ✆ 24 07, Telex 54693, Fax 74604.

♦München 87 - Kempten (Allgäu) 35 - Landsberg am Lech 30 - Schongau 26.

Goldener Hirsch, Kaiser-Max-Str. 39, ✆ 4 30 30, Fax 18273, - TV -
35/150. AE E VISA
M a la carte 41/63 - **42 Z : 80 B** 88/145 - 130/245 Fb.

Hasen, Ganghoferstr. 7, ✆ 89 41, Fax 74451 - TV P. AE E VISA
M a la carte 18/47 - **56 Z : 110 B** 50/90 - 90/130 Fb.

Leitner, Neugablonzer Str. 68, ✆ 33 44 - P
M *(Freitag 14 Uhr - Samstag, 23. Dez.- 1. Jan. und Aug. 3 Wochen geschl.)* a la carte 21/38 - **22 Z : 33 B** 32/50 - 50/80.

Hofbräuhaus garni, Josef-Landes-Str. 1, ✆ 26 54 - TV P. AE E
29 Z : 45 B 43/65 - 70/95.

In Kaufbeuren-Oberbeuren SW : 2 km :

Engel, Hauptstr. 10, ✆ 21 24 – P. Zim
M *(nur Abendessen, Samstag - Sonntag, 4. Jan.- 4. Feb. und 15. Aug.- 15. Sept. geschl.)* a la carte 18/27 – **17 Z : 31 B** 35/45 - 65/75.

In Biessenhofen **8954** S : 6,5 km :

Neue Post, Füssener Str. 17 (B 16), ✆ (08341) 85 25, – TV P – 60. AE VISA – **M** a la carte 70/101 – **20 Z : 30 B** 70/150 - 120/250.

In Irsee **8951** NW : 7 km :

Klosterbräustüble, Klosterring 1, ✆ (08341) 43 22 00, Fax 432269, Brauerei-museum – TV P
7.- 24. Jan. geschl. – **M** a la carte 29/47 – **55 Z : 80 B** 82/108 - 136/148 Fb.

In Pforzen-Hammerschmiede **8951** N : 6,5 km :

Landgasthof Hammerschmiede, Kemptener Str. 46 (B 16), ✆ (08346) 2 71, Fax 245, – P. E
Okt.- März Dienstag geschl. – **M** a la carte 29/56.

KAUFUNGEN Hessen – siehe Kassel.

KAYHUDE **2061.** Schleswig-Holstein 411 N 5 – 1 000 Ew – Höhe 25 m – 040 (Hamburg).
♦Kiel 82 – ♦Hamburg 30 – ♦Lübeck 50 – Bad Segeberg 26.

Alter Heidkrug, Segeberger Str. 10 (B 432), ✆ 6 07 02 52, – P – 40. AE VISA
Donnerstag geschl. – **M** a la carte 30/56.

KEHL **7640.** Baden-Württemberg 413 G 21, 987 ㉞, 242 ㉔ – 31 000 Ew – Höhe 139 m – 07851.
Verkehrsamt, Am Marktplatz, ✆ 8 82 26, Fax 2140.
ADAC, Grenzbüro, Europabrücke, ✆ 21 88.
♦Stuttgart 149 – Baden-Baden 55 – ♦Freiburg im Breisgau 81 – ♦Karlsruhe 76 – Strasbourg 6.

Europa-Hotel garni, Straßburger Str. 9, ✆ 29 01, Fax 76440 – TV P – 25/100. AE E VISA
22. Dez.- 12. Jan. geschl. – **54 Z : 90 B** 111/131 - 170/200 Fb.

Rebstock, Hauptstr. 183, ✆ 24 70, Fax 78568 – TV P. E. Rest
1.- 12. Jan. und Feb. 2 Wochen geschl. – **M** *(wochentags nur Abendessen, Sonntag 15 Uhr - Montag geschl.)* a la carte 24/55 – **31 Z : 58 B** 60/75 - 90/110 Fb.

Milchkutsch, Hauptstr. 147a, ✆ 7 61 61 – P
(Tischbestellung ratsam).

In Kehl-Kork SO : 4 km :

Schwanen, Landstr. 3, ✆ 33 38, Fax 75187 – TV P. E VISA
M *(Montag geschl.)* a la carte 21/49 – **30 Z : 60 B** 55/65 - 90/95.

Hirsch, Gerbereistr. 20, ✆ 36 00, Fax 73059 – P. E
Mitte Dez.- Anfang Feb. geschl. – Menu *(nur Abendessen, Sonntag geschl.)* a la carte 23/60 – **50 Z : 100 B** 55/60 - 90/100.

In Kehl-Marlen S : 7 km :

Wilder Mann, Schlossergasse 28, ✆ (07854) 2 14 – P
Donnerstag und Freitag jeweils bis 17 Uhr, Mittwoch sowie 1.- 18. Aug. geschl. – Menu a la carte 31/63.

In Rheinau-Linx **7597** NO : 11 km :

Grüner Baum mit Zim, Tullastr. 30, ✆ (07853) 3 58, – P. AE E VISA
24. Feb.- 8. März geschl. – **M** *(April - Sept. Montag, Okt.- März Sonntag 18 Uhr - Montag geschl.)* a la carte 29/73 – **6 Z : 11 B** 40/50 - 70.

In Rheinau-Diersheim **7597** NO : 14 km :

La Provence garni, Hanauer Str. 1, ✆ (07844) 79 59 – TV P
20. Dez.- 5. Jan. geschl. – **10 Z : 20 B** 65/88 - 98/115.

KEITUM Schleswig-Holstein siehe Sylt (Insel).

KELBERG **5489.** Rheinland-Pfalz 412 D 16, 987 ㉓ ㉔ – 1 700 Ew – Höhe 490 m – Luftkurort – 02692.
Tourist - Information, Rathaus, Dauner Str. 22, ✆ 8 72 18, Fax 87239.
Mainz 157 – ♦Aachen 115 – ♦Bonn 65 – ♦Koblenz 66 – ♦Trier 78.

Eifeler Hof, Am Markt (B 410), ✆ 3 20, – P
Dez.- Ostern garni – **M** *(Montag geschl.)* a la carte 23/40 – **13 Z : 22 B** 45/55 - 80/100.

KELBRA O-4712. Sachsen-Anhalt 984 ⑲, 987 ⑯ – 3 500 Ew – Höhe 98 m – ✆ 0037 456(
(Roßlar) – Magdeburg 126 – Halle 74 – Nordhausen 20 – Weimar 61.

🏠 **Heinicke,** Jochstr., ✆ 61 83, 🍴, ⏚ – 📺 🅿 ✆. ✗
— **M** a la carte 20/35 – **16 Z : 27 B** 95/120 - 140 Fb.

KELHEIM 8420. Bayern 413 S 20, 987 ㉗ – 15 000 Ew – Höhe 354 m – ✆ 09441.
Ausflugsziele : Befreiungshalle★ W : 3 km – Weltenburg : Klosterkirche★ SW : 7 km – Schloß
Prunn : Lage★, W : 11 km.
🛈 Verkehrsbüro, Ludwigsplatz, ✆ 70 12 34, Fax 701229.
♦München 106 – Ingolstadt 56 – ♦Nürnberg 108 – ♦Regensburg 24.

🏠 **Stockhammer - Restaurant Ratskeller,** Am oberen Zweck 2, ✆ 32 54 – 📺 🅿 🆎 ①
— 🖻 VISA. ✗
6.- 24. Aug. geschl. – **M** (Montag geschl.) a la carte 24/68 – **10 Z : 16 B** 50 - 90.

🏠 **Aukofer,** Alleestr. 27, ✆ 14 60, Fax 21437 – 🛗 🚗 🅿 – 🔬 25/60. ✗
— 21. Dez.- 10. Jan. geschl. – **M** (Dez. - März Samstag geschl.) a la carte 18/34 – **70 Z : 120 ▮
40/58 - 80/98.

🏠 **Klosterbrauerei** 🏖, Klosterstr. 5, ✆ 35 48, Fax 4276, 🍴 – 🛗 🚗 🅿
— 4.- 26. Jan. und 22.- 27. Dez. geschl. – **M** (Nov.- April Montag geschl.) a la carte 18/37 – **38 Z :
65 B** 32/52 - 58/90.

🏠 **Weißes Lamm,** Ludwigstr. 12, ✆ 98 25, Fax 21442 – 🛗 🅿
— 10.- 25. April geschl. – **M** (Nov.- Mai Samstag geschl.) a la carte 17/41 – **32 Z : 65 B** 37/49
- 62/86.

In Essing W : 8 km :

🏠 **Weihermühle,** ✆ (09447) 3 55, Fax 683, Biergarten, ⏚, 🎱 (geheizt), 🍴 – 🛗 📺 🚗 🅿
🆎 ① 🖻 VISA
7. Jan.- 15. Feb. und 16. Nov.- 19. Dez. geschl. – **M** (Nov.- April Dienstag geschl.) a la carte
25/46 🍷 – **22 Z : 42 B** 65/90 - 90/120.

✗ **Brauerei-Gasthof Schneider** mit Zim, Altmühlgasse 10, ✆ (09447) 3 54, 🍴 – 🚗 🅿
✗
Montag und Feb. 2 Wochen geschl. – **M** a la carte 29/55 – **6 Z : 11 B** 40 - 70.

KELKHEIM 6233. Hessen 412 413 I 16 – 27 000 Ew – Höhe 202 m – ✆ 06195.
🛈 Verkehrsamt, Frankfurter Str. 55, ✆ 20 02.
♦Wiesbaden 27 – ♦Frankfurt am Main 19 – Limburg an der Lahn 47.

🏠 **Arkaden Hotel,** Frankenallee 2, ✆ 20 88, Fax 2055, ⏚ – 📺 ☎ 🚗 – 🔬 50. 🆎 ① 🖻
VISA
M a la carte 38/55 – **35 Z : 70 B** 115/210 - 160/270 Fb.

🏠 **Post,** Breslauer Str. 42, ✆ 20 58, Fax 2055 – 🛗 📺 🅿 🚗 🅿 – 🔬 25. 🆎 ① 🖻 VISA
M (Samstag bis 18 Uhr und Sonntag geschl.) a la carte 50/74 – **18 Z : 36 B** 115/190 - 160/250

🏠 **Kelkheimer Hof** garni, Großer Haingraben 7, ✆ 40 28, Fax 4031 – 📺 ☎ 🅿 🆎 ① 🖻 VISA
23 Z : 38 B 98/190 - 150/240 Fb.

🏠 **Becker's Waldhotel** 🏖 garni, Unter den Birken 19, ✆ 20 97, Fax 201211, ⏚ – 📺 ☎
🅿 ① 🖻 VISA
17 Z : 24 B 85/110 - 130/160 Fb.

In Kelkheim-Münster :

🏠 **Zum goldenen Löwen,** Alte Königsteiner Str. 1, ✆ 40 91, Fax 73917 – 📺 ☎ 🅿 🖻
Juni - Juli 3 Wochen geschl. – **M** (Donnerstag geschl.) a la carte 28/50 🍷 – **26 Z : 48 B** 78/84
- 114/122.

Außerhalb NW : 5 km über Fischbach und die B 455 Richtung Königstein :

🏩 **Schloßhotel Rettershof** 🏖 (Schlößchen mit modernem Hotelanbau), ✉ 6233 Kelkheim
✆ (06174) 2 90 90, Fax 25352, 🍴, Park, ⏚, ✗ – 📺 🚗 🅿 – 🔬 30. 🆎 ① 🖻 VISA
M (Sonntag - Montag geschl.) a la carte 66/86 – **35 Z : 69 B** 126/150 - 205/250 Fb.

✗ **Zum fröhlichen Landmann,** ✉ 6233 Kelkheim, ✆ (06174) 2 15 41, 🍴 – 🅿
Dienstag - Mittwoch und Jan.- 15. Feb. geschl. – **M** a la carte 34/53 🍷.

KELL AM SEE 5509. Rheinland-Pfalz 412 D 18 – 1 900 Ew – Höhe 441 m – Luftkurort –
✆ 06589 – 🛈 Tourist-Information, Brückenstraße (Alte Mühle), ✆ 10 44.
Mainz 148 – Saarburg 27 – ♦Trier 37.

🏠 **St. Michael,** Kirchstr. 3, ✆ 10 68, Fax 1567, 🍴, ⏚, 🍴 – 🛗 📺 ☎ 🕿 🅿 – 🔬 25/200
— ①
2.- 10. Jan. geschl. – **M** a la carte 23/43 – **35 Z : 70 B** 54/84 - 108/148.

🏠 **Haus Doris** 🏖, Nagelstr. 8, ✆ 71 10, ⏚, 🍴 – 🅿. 🖻. ✗
M (Mittwoch geschl.) a la carte 25/45 – **16 Z : 32 B** 40 - 70/80.

🏠 **Zur Post,** Hochwaldstr. 2, ✆ 16 00, Fax 2235, 🍴 – 🚗 🅿. 🖻. ✗
— Okt.- Nov. 2 Wochen geschl. – **M** (Samstag geschl.) a la carte 23/43 – **9 Z : 18 B** 45/48 - 84/90

KELLENHUSEN **2436.** Schleswig-Holstein 411 Q 4 – 1 000 Ew – Höhe 10 m – Ostseeheilbad – ☎ 04364 (Dahme).

ℹ Kurverwaltung, Strandpromenade, ✆ 10 81, Fax 1864.

◆Kiel 83 – Grömitz 11 – Heiligenhafen 25.

- **Vier Linden**, Lindenstr. 4, ✆ 10 50, Fax 9375, – P
  März - Okt. – **M** a la carte 27/37 – **50 Z : 100 B** 60/80 - 110/180.
- **Erholung,** Am Ring 35, ✆ 2 36, Fax 1705 – ☎ P. E
  15. März - 25. Okt. – **M** a la carte 30/49 – **34 Z : 65 B** 55/68 - 118/124 Fb – 4 Fewo 70/110 – ½ P 85/98.

KELSTERBACH **6092.** Hessen 412 413 I 16 – 14 500 Ew – Höhe 107 m – ☎ 06107.

◆Wiesbaden 26 – ◆Darmstadt 33 – ◆Frankfurt am Main 16 – Mainz 26.

- **Novotel Frankfurt Rhein-Main**, Am Weiher 20, ✆ 7 50 50, Fax 8060, – Zim TV ☎ P – 30/190. AE E VISA
  M a la carte 41/75 – **151 Z : 302 B** 210 - 260 Fb.
- **Tanne,** Tannenstr. 2, ✆ 30 81, Fax 5484 – TV ☎ P. AE E VISA
  M *(nur Abendessen, Freitag - Sonntag geschl.)* a la carte 28/46 – **36 Z : 56 B** 100/128 - 155/204.
- **Zeltinger Hof** garni, Waldstr. 73, ✆ 69 23, Fax 3694 – TV ☎ P. AE E VISA
  20. Dez.- 4. Jan. geschl. – **30 Z : 40 B** 85 - 135.
- **Alte Oberförsterei,** Staufenstr. 16 (beim Bürgerhaus), ✆ 6 16 73, – P. AE E
  Samstag bis 18 Uhr, Montag und Juni - Juli 3 Wochen geschl. – **M** (Tischbestellung ratsam) a la carte 43/72.

KELTERN **7538.** Baden-Württemberg 413 I 20 – 7 850 Ew – Höhe 190 m – ☎ 07236.

◆Stuttgart 61 – ◆Karlsruhe 24 – Pforzheim 11.

In Keltern-Dietlingen :

- **Zum Kaiser,** Bachstr. 41, ✆ 62 89
  Donnerstag - Freitag 17 Uhr, 27. Feb.- 12. März und 15. Juni - 15. Juli geschl. – **M** a la carte 30/65.

In Keltern 2-Ellmendingen :

- **Goldener Ochsen,** Durlacher Str. 8, ✆ 81 42, Fax 7108 – TV ☎ P
  M *(Sonntag geschl.)* a la carte 36/69 – **12 Z : 21 B** 75/85 - 120/160.
- **Zum Löwen,** Durlacher Str. 10, ✆ 81 31 – P – 50. E
  Jan. 2 Wochen und Juni 3 Wochen geschl. – **M** *(Montag geschl.)* a la carte 22/45 – **11 Z : 20 B** 45/80 - 70/120.

KEMMENAU Rheinland-Pfalz siehe Ems, Bad.

KEMPEN **4152.** Nordrhein-Westfalen 412 C 12, 987 ⑬ – 32 500 Ew – Höhe 35 m – ☎ 02152.

◆Düsseldorf 37 – Geldern 21 – Krefeld 13 – Venlo 22.

- **et kemp'sche huus** (restauriertes Fachwerkhaus a.d.J. 1725), Neustr. 31, ✆ 5 44 65 – E VISA
  Samstag bis 18 Uhr und Montag geschl. – **M** (Tischbestellung ratsam) a la carte 53/82.

KEMPENICH **5446.** Rheinland-Pfalz 412 E 15, 987 ㉔ – 1 500 Ew – Höhe 455 m – Erholungsort – ☎ 02655 (Weibern).

Mainz 144 – ◆Bonn 55 – ◆Koblenz 53 – ◆Trier 106.

- **Eifelkrone,** In der Hardt 1 (nahe der B 412), ✆ 13 01, – P
  Nov.- 15. Dez. geschl. – **M** a la carte 21/38 – **16 Z : 32 B** 42/50 - 76/84 – ½ P 44/48.

KEMPFELD **6581.** Rheinland-Pfalz 412 E 17 – 950 Ew – Höhe 530 m – Erholungsort – ☎ 06786.

Mainz 111 – Bernkastel-Kues 23 – Idar-Oberstein 15 – ◆Trier 66.

- **Ferienfreude,** Hauptstr. 43, ✆ 13 08, – P
  1.- 21. Nov. geschl. – **M** *(Freitag geschl.)* a la carte 21/39 – **10 Z : 20 B** 38/42 - 70/76 – ½ P 45/48.

In Asbacher Hütte, beim Feriendorf Harfenmühle **6581** NO : 2,5 km :

- **Zur Scheune,** Harfenmühle, ✆ (06786) 13 04, – P
  nur Abendessen, Dienstag und Jan. geschl. – **M** a la carte 42/67.

In some towns and their surrounding areas,
hoteliers are liable to increase their prices
during certain trade exhibitions and tourist events.

KEMPTEN (ALLGÄU) **8960.** Bayern 413 N 23, 987 ㊱, 426 C 5 – 61 000 Ew – Höhe 677 m – ☎ 0831.

ℹ Verkehrsamt, Rathausplatz 29, ☎ 2 52 52 37, Fax 2525226.

ADAC, Bahnhofstr. 55, ☎ 2 90 31.

♦München 127 ② – ♦Augsburg 102 ② – Bregenz 73 ⑤ – ♦Konstanz 135 ⑤ – ♦Ulm (Donau) 89 ①.

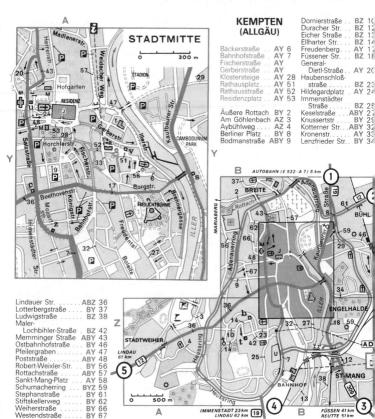

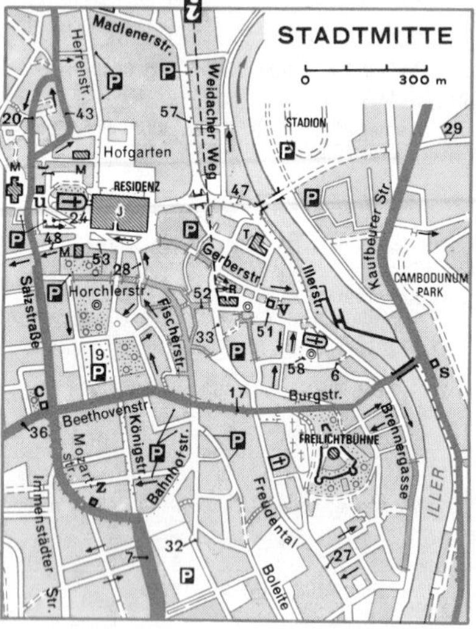

KEMPTEN (ALLGÄU)

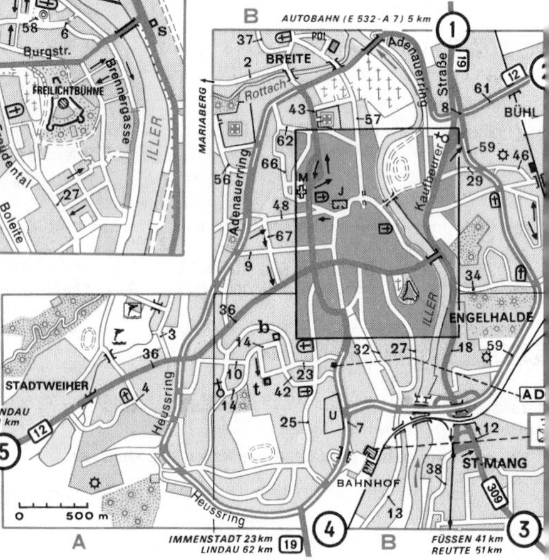

Fürstenhof, Rathausplatz 8, ☎ 2 53 60, Fax 2536120, 常 – |‡| ▢ ☎ ⇔ – 🏋 25/150
74 Z : 144 B Fb – 4 Appart.. AY v

Bayerischer Hof garni, Füssener Str. 96, ☎ 7 34 20, Fax 73708, ⛆ – ▢ ☎ ⇔ Ⓟ. AE E VISA – **39 Z : 65 B** 90/109 - 150/175 Fb. AY s

Peterhof, Salzstr. 1, ☎ 2 55 25, Telex 541535, Fax 2536120 – |‡| ▢ ☎ ⇔ – 🏋 25/60
51 Z : 102 B Fb. AY c

Auf'm Lotterberg 🍂 garni, Königsberger Str. 31, ☎ 9 77 53, Fax 94452, ← – ☎ ⇔ Ⓟ
AE E VISA über Lotterbergstr. BY
Anfang Nov.- Mitte Jan. geschl. – **26 Z : 33 B** 76 - 120 Fb.

Bei den Birken 🍂 garni, Goethestr. 25, ☎ 2 80 08, 🌳 – ☎ Ⓟ. ⓓ BZ b
20 Z : 25 B 35/55 - 95.

Sonnenhang 🍂, Mariaberger Str. 78, ☎ 9 37 56, Fax 97525, ←, 常, 🌳 – ▢ ☎ Ⓟ
13.- 21. Feb. und 20.- 30. Mai geschl. – **M** *(Mittwoch bis 17 Uhr, Sonntag ab 18 Uhr, Donnerstag und 8.- 26. Juni geschl.)* a la carte 28/49 – **16 Z : 32 B** 76 - 120 Fb.
über Äußere Rottach BY

XX **le tzigane,** Mozartstr. 8, ☎ 2 63 69, 常 – AE E VISA AY z
nur Abendessen, Montag geschl. – **M** (Tischbestellung ratsam) a la carte 62/83.

XX **Haubenschloß,** Haubenschloßstr. 37, ☎ 2 35 10, Fax 16082, 常 – Ⓟ. AE ⓓ E VISA
Montag geschl. – **M** a la carte 27/62. BZ t

Zum Stift (Brauerei-Gaststätte), Stiftsplatz 1, ✆ 2 23 88, Fax 17089, Biergarten AY **u**
Montag geschl. – **M** a la carte 21/45.

In Durach **8968** ③ : 4 km :

Zum Schwanen, Füssener Str. 26, ✆ (0831) 6 32 35, Biergarten – Ⓟ
6.- 12. April und 5.- 25. Okt. geschl. – **M** *(Mittwoch geschl.)* a la carte 21/41 – **11 Z : 18 B** 30/45 - 58/75.

In Sulzberg **8961** S : 7 km über Ludwigstraße BZ :

Sulzberger Hof, Sonthofener Str. 17, ✆ (08376) 3 01, ≤, – Ⓟ. Zim
M *(Dienstag und Nov. geschl.)* a la carte 25/51 – **23 Z : 46 B** 70/95 - 140/190 Fb – 3 Fewo 150 – ½ P 95/115.

Siehe auch : ***Buchenberg, Waltenhofen und Wiggensbach***

KENZINGEN **7832.** Baden-Württemberg 413 G 22, 987 ㉞, 242 ㉘ ㉜ – 7 200 Ew – Höhe 179 m – 07644.

◆Stuttgart 182 – ◆Freiburg im Breisgau 28 – Offenburg 40.

Gasthaus Schieble, Offenburger Str. 6 (B 3), ✆ 84 13, Fax 4330, – Ⓟ. E VISA
20. Jan.- 4. Feb. und 22. Okt.- 6. Nov. geschl. – **M** *(Sonntag 15 Uhr - Montag geschl.)* a la carte 24/54 – **23 Z : 48 B** 65/90 - 95/105 Fb.

Sporthotel, Breitenfeldstr. 51, ✆ 80 90, (geheizt), (Halle, Schule) – Ⓟ – 25/50. E VISA
M a la carte 27/55 – **45 Z : 90 B** 72 - 114 Fb.

KERKEN **4173.** Nordrhein-Westfalen 412 C 12, 987 ⑬ – 11 100 Ew – Höhe 35 m – 02833.

◆Düsseldorf 51 – ◆Duisburg 31 – Krefeld 17 – Venlo 22.

In Kerken-Aldekerk :

Haus Thoeren mit Zim, Marktstr. 14, ✆ 44 31 – . E. Zim
2.- 13. Jan. und 20. Juli - 10. Aug. geschl. – **M** *(auch vegetarische Gerichte)* (Montag bis 18 Uhr geschl.) a la carte 30/55 – **12 Z : 23 B** 70/90 - 110/132.

In Kerken-Nieukerk :

Wolters, Sevelener Str. 15, ✆ 22 06, Fax 5154 – Ⓟ. AE E VISA
M *(Samstag geschl.)* a la carte 27/48 – **11 Z : 22 B** 60/80 - 98/120 Fb.

KERNEN IM REMSTAL **7053.** Baden-Württemberg 413 L 20 – 14 000 Ew – Höhe 265 m – 07151 (Waiblingen).

◆Stuttgart 19 – Esslingen am Neckar 9 – Schwäbisch Gmünd 43.

In Kernen 2-Stetten :

Gästehaus Schlegel garni, Tannenäckerstr. 13, ✆ 4 20 16, Fax 47205 – Ⓟ. AE E VISA
28 Z : 47 B 75/100 - 120/150 Fb.

Romantik-Restaurant Zum Ochsen (ehem. Herberge a.d.J. 1763), Kirchstr. 15, ✆ 4 20 15, Fax 47103 – Ⓟ. AE E VISA
Mittwoch und 20. Feb.- 11. März geschl. – **M** a la carte 37/89
Spez. Gänsestopfleberterrine, Lammrücken provençale (2 Pers.), Variation von Früchten mit Zimt-Cassis-Parfait.

Weinstube Idler - Zur Linde mit Zim, Dinkelstr. 1, ✆ 4 20 18, – Ⓟ – 80. AE E VISA
M *(Montag - Dienstag 17 Uhr geschl.)* a la carte 34/75 – **10 Z : 20 B** 60/70 - 120/140.

Weinstube Bayer, Gartenstr. 5, ✆ 4 52 52 – E
nur Abendessen, Sonntag - Montag, Ende Feb.- Mitte März und Okt. 2 Wochen geschl. – **M** a la carte 43/72.

KERPEN **5014.** Nordrhein-Westfalen 412 D 14, 987 ㉓ – 56 000 Ew – Höhe 75 m – 02237.

◆Düsseldorf 60 – Düren 17 – ◆Köln 26.

In Kerpen-Blatzheim W : 5 km :

Neffelthal mit Zim, Dürener Str. 365, ✆ (02275)68 63 – Ⓟ. E
M *(Samstag bis 18 Uhr, Mittwoch und 7. Jan.- 1. Feb. geschl.)* a la carte 30/59 – **8 Z : 11 B** 60/80 - 90/140.

In Kerpen-Horrem N : 6 km :

Rosenhof, Hauptstr. 119, ✆ (02273) 45 81, Fax 4581 – Ⓟ.
Aug. 3 Wochen geschl. – **M** *(nur Abendessen, Mittwoch geschl.)* a la carte 30/46 – **20 Z : 28 B** 65/110 - 100/150.

In Kerpen-Sindorf NW : 4 km :

Park-Hotel garni, Kerpener Str. 183, ✆ (02273) 50 94, Fax 54985 – TV ☎ 🚗 P. AE ⓓ E VISA
25 Z : 37 B 68/90 - 95/150 Fb.

KESTERT **5421.** Rheinland-Pfalz 412 F 16 – 900 Ew – Höhe 74 m – ✆ 06773.
Mainz 68 – ♦Koblenz 30 – Lorch 21.

Krone, Rheinstr. 37 (B 42), ✆ 71 42, Fax 7124, ≤, – ☎ P – 25/50. AE ⓓ E VISA
März geschl. – **M** *(Montag geschl.)* a la carte 26/48 – **22 Z : 44 B** 35/45 - 60/110 Fb.

Goldener Stern, Rheinstr. 38 (B 42), ✆ 71 02, ≤, – ⓓ E VISA
März 3 Wochen geschl. – **M** *(Montag geschl.)* a la carte 25/46 – **13 Z : 22 B** 40/55 - 60/90

KETSCH Baden-Württemberg siehe Schwetzingen.

KEVELAER **4178.** Nordrhein-Westfalen 412 B 12, 987 ⑬, 408 J 7 – 23 100 Ew – Höhe 21 m – Wallfahrtsort – ✆ 02832.
Verkehrsverein, im neuen Rathaus, ✆ 12 21 52.
♦Düsseldorf 74 – Krefeld 41 – Nijmegen 42.

Am Bühnenhaus garni, Burg-St.Edmunds-Str. 13, ✆ 44 67 – TV ☎ ♿ P. E VISA
23. Dez.- 2. Jan. geschl. – **26 Z : 53 B** 62/89 - 98/135 Fb.

Zum weißen Kreuz, Kapellenplatz 21, ✆ 54 09
22. Jan.- 15. Feb. geschl. – **M** *(Montag geschl.)* a la carte 24/50 – **12 Z : 22 B** 35/55 - 69/99

Zur Brücke mit Zim, Bahnstr. 44, ✆ 23 89, « Gartenterrasse » – TV ☎ P. AE ⓓ E VISA
M *(Dienstag geschl.)* a la carte 38/61 – **6 Z : 12 B** 75 - 128.

In Kevelaer 3-Schravelen N : 1,5 km :

Sporthotel Schravelsche Heide, Grotendonker Str. 54, ✆ 8 05 51, Fax 80932, , (Halle), (Halle) – TV ☎ P – 30. AE ⓓ VISA
M *(auch vegetarische Gerichte)* a la carte 32/61 – **35 Z : 70 B** 79/84 - 132/145 Fb.

KIEDRICH **6229.** Hessen 412 H 16 – 3 500 Ew – Höhe 165 m – Erholungsort – ✆ 06123.
Sehenswert : Pfarrkirche (Kirchengestühl★★, Madonna★).
Ausflugsziel : Kloster Eberbach : Sammlung alter Keltern★★, W : 4 km.
♦Wiesbaden 17 – Mainz 20.

Nassauer Hof, Bingerpfortenstr. 17, ✆ 24 76, Fax 62220, – ☎ P – 25. AE ⓓ E VISA
Ende Dez.- Ende Jan. geschl. – **M** *(Montag geschl.)* a la carte 27/56 – **28 Z : 51 B** 68/75 - 106/130 Fb.

KIEFERSFELDEN **8205.** Bayern 413 T 24, 987 ㊲, 426 I 6 – 6 000 Ew – Höhe 506 m – Luftkurort – Wintersport : 500/800 m 2 3 – ✆ 08033.
Verkehrsamt, Rathausplatz 3, ✆ 6 93 94, Fax 69317.
ADAC, Grenzbüro, an der Autobahn, ✆ 83 20, Telex 525516.
♦München 86 – Innsbruck 78 – Rosenheim 31.

Zur Post, Bahnhofstr. 26, ✆ 70 51, Fax 8573, Biergarten, , – ☎ 🚗 P – 30. AE ⓓ E VISA
M a la carte 22/41 – **39 Z : 80 B** 75 - 115 Fb.

Gruberhof, König-Otto-Str. 2, ✆ 70 40, Fax 7550, , , (geheizt), – ☎ P. AE ⓓ E VISA.
M a la carte 26/49 – **34 Z : 65 B** 60/98 - 92/122 Fb – 2 Fewo 112.

Schaupenwirt, Kaiser-Franz-Josef-Allee 26, ✆ 82 15, Biergarten, – P
11 Z : 21 B.

Siehe auch : ***Kufstein*** (Österreich)

KIEL **2300.** Schleswig-Holstein 411 N 4, 987 ⑤ – 245 000 Ew – Höhe 5 m – ✆ 0431.
Sehenswert : Hindenburgufer★★, ≤★ R – Rathaus (Turm ≤★) R.
Ausflugsziele : Freilichtmuseum★★ ③ : 6 km – Kieler Förde★★ R.
Heikendorf-Kitzeberg (① : 10 km), ✆ (0431) 2 34 04 ; Gut Uhlenhorst (⑦ : 13 km), ✆ (04349) 5 39.
Ausstellungsgelände Ostseehalle (Y), ✆ 9 01 23 05, Telex 292511.
Touristinformation, Sophienblatt 30, ✆ 6 79 10, Fax 675439.
ADAC, Saarbrückenstr. 54, ✆ 6 60 20, Notruf ✆ 1 92 11.
Flensburg 88 ⑥ – ♦Hamburg 96 ⑤ – ♦Lübeck 92 ⑤.

KIEL
UND UMGEBUNG

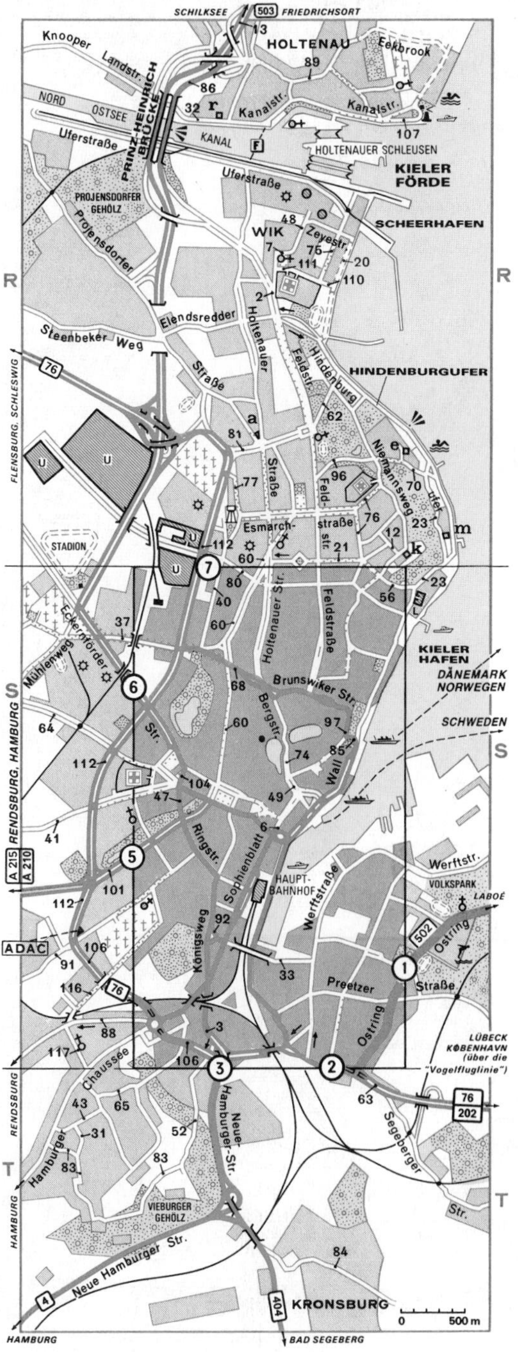

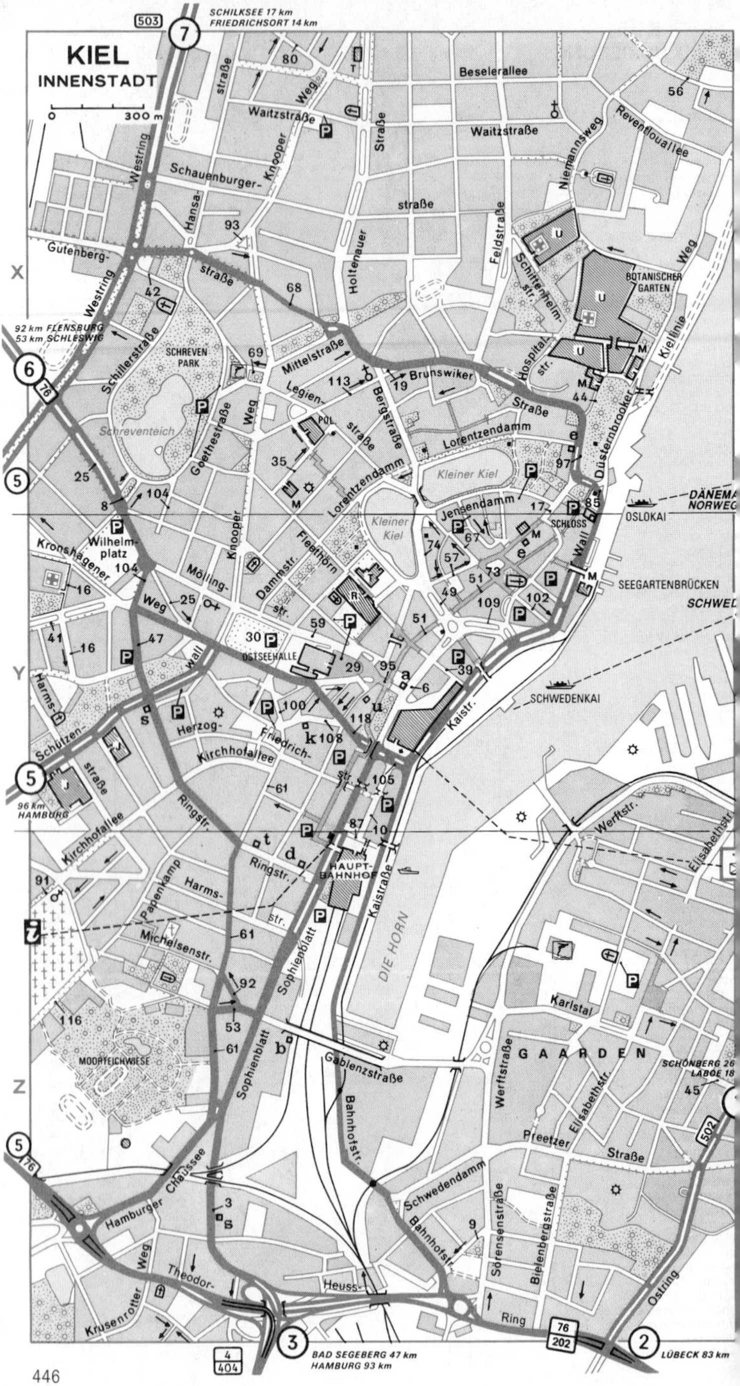
KIEL
INNENSTADT
0
300 m
SCHILKSEE 17 km
FRIEDRICHSORT 14 km
503
7
92 km FLENSBURG
53 km SCHLESWIG
6
76
5
96 km
HAMBURG
5
76
3
4
404
BAD SEGEBERG 47 km
HAMBURG 93 km
76
202
2
LÜBECK 83 km
SCHÖNBERG 26
LABOE 18
502
X
Y
Z
Beseleralle
Waitzstraße
Waitzstraße
Knooper
Weg
Straße
Schauenburger-
straße
Hansa-
straße
Westring
Westring
Gutenberg-
straße
Holtenauer
Feldstraße
Niemannsweg
Reventlouallee
Schittenhelm-
str.
Hospital-
str.
BOTANISCHER
GARTEN
Kiellinie
Weg
Düsternbrooker
Mittelstraße
Brunswiker
Straße
Legien-
straße
Bergstraße
Lorentzendamm
Lorentzendamm
Kleiner Kiel
Kleiner
Kiel
Jensendamm
SCHLOSS
Wall
OSLOKAI
DÄNEMA
NORWEG
SEEGARTENBRÜCKEN
SCHWED
SCHREVEN
PARK
Schreventeich
Schillerstraße
Goethestraße
Weg
Knooper
Dammstr.
Fleethörn
Kronshagener
Wilhelm-
platz
Weg
Mölling-
str.
OSTSEEHALLE
wall
Harms-
Schützen-
straße
Herzog-
Friedrich-
str.
Kirchhofallee
Kirchhofallee
Ringstr.
Ringstr.
Harms-
str.
Papenkamp
Michelsenstr.
HAUPT-
BAHNHOF
Sophienblatt
Sophienblatt
Kaistr.
Kaistraße
DIE HORN
SCHWEDENKAI
Werftstr.
Elisabethstr.
Karlstal
GAARDEN
Werftstraße
Elisabethstr.
Preetzer
Straße
Gablenzstraße
Bahnhofstr.
Bahnhofstr.
Schwedendamm
Sörensenstraße
Bielenbergstraße
MOORTEICHWIESE
Hamburger
Chaussee
Weg
Theodor-
Heuss-
Ring
Krusenrotter
Ostring
POL
M
U
R

Conti-Hansa, Schloßgarten 7, ✆ 5 11 50, Telex 292813, Fax 5115444, 🏞, 🏋 - 🛗 📺 ♿ 🚗 - 🏛 25/270. AE ⓓ E VISA X e
M a la carte 39/70 - **164 Z : 293 B** 220/385 - 275/490 Fb.

Maritim-Bellevue 🐎, Bismarckallee 2, ✆ 3 89 40, Telex 292444, Fax 338490, ≤ Kieler Förde, 🏞, 🏋, 🏊 - 🛗 📺 🚗 🅿 - 🏛 25/500. AE ⓓ E VISA. 🚫 Rest R e
M a la carte 45/89 - **89 Z : 180 B** 177/314 - 264/404 Fb - 10 Appart. 560/670.

Kieler Kaufmann 🐎, Niemannsweg 102, ✆ 8 50 11, Telex 292446, Fax 85015, 🏋, 🏊 - 📺 ☎ 🅿 - 🏛 25/80. AE ⓓ E VISA. 🚫 Rest R k
M a la carte 59/79 - **49 Z : 67 B** 125/165 - 190/280 Fb.

Kieler Yacht-Club, Hindenburgufer 70, ✆ 8 50 55, Telex 292869, Fax 85039, ≤ Kieler Förde, 🏞 - 🛗 📺 ☎ 🅿 - 🏛 25/150. AE ⓓ E VISA R m
M a la carte 57/75 - **55 Z : 85 B** 150/215 - 210/275 Fb.

Berliner Hof garni, Ringstr. 6, ✆ 6 63 40, Fax 6634345 - 🛗 📺 ☎ ♿ 🅿 - 🏛 30. AE ⓓ E VISA - *22. Dez.- 2. Jan. geschl.* - **82 Z : 140 B** 98/110 - 160. Z d

Consul, Walkerdamm 11, ✆ 6 30 15, Fax 63019 - 📺 ☎ 🚗 🅿. AE ⓓ E VISA Y k
M *(Samstag - Sonntag geschl.)* a la carte 35/69 - **35 Z : 65 B** 95/140 - 140/180 Fb.

Astor, Holstenplatz 1, ✆ 9 30 17, Telex 292720, Fax 96378, ≤ - 🛗 ☎ 🚗 - 🏛 25/60. AE ⓓ E VISA - **M** *(Sonntag geschl.)* a la carte 31/65 - **59 Z : 87 B** 100/115 - 150/160 Fb. Y a

Wiking - Restaurant Normandie, Schützenwall 1, ✆ 67 30 51 (Hotel) 67 34 24 (Rest.), Fax 673054, 🏋 - 🛗 📺 ☎ 🚗 🅿. AE ⓓ E VISA Y s
M *(nur Abendessen, Montag geschl.)* a la carte 42/70 - **41 Z : 71 B** 95/145 - 150/195.

Muhl's Hotel, Lange Reihe 5, ✆ 9 30 01, Fax 92048 - 📺 ☎. ⓓ E VISA Y u
M *(auch vegetarische Gerichte)* (Sonntag geschl.) a la carte 37/56 - **40 Z : 60 B** 89/119 - 140/160 Fb.

An der Hörn, Gablenzstr. 8, ✆ 66 30 30, Fax 6630390 - 📺 ☎ 🚗. AE ⓓ E VISA Z b
M *(nur Abendessen, Samstag geschl.)* a la carte 29/46 - **34 Z : 61 B** 80/150 - 120/160 Fb.

Erkenhof garni, Dänische Str. 12, ✆ 9 50 08, Fax 978965 - 🛗 📺 ☎. AE ⓓ E VISA Y e
19. Dez.- 4. Jan. geschl. - **28 Z : 50 B** 95/110 - 135/175 Fb.

Rabe's Hotel, Ringstr. 30, ✆ 67 60 91, Fax 673153 - 📺 ☎. AE ⓓ E VISA. 🚫 Rest
24. Dez.- 4. Jan. geschl. - (nur Abendessen für Hausgäste) - **27 Z : 45 B** 60/130 - 95/160. Z t

Restaurant im Schloß, Wall 80, ✆ 9 11 55, Fax 91157, ≤ - ▤ - 🏛 25/120. AE ⓓ E VISA
Sonntag 15 Uhr - Montag 18 Uhr geschl. - **M** a la carte 46/81. XY

L'Ermitage, Holtenauer Str. 203, ✆ 33 44 31 - E R a
nur Abendessen, Sonntag geschl. - **M** a la carte 60/80.

September, Alte Lübecker Chaussee 27 (1. Etage), ✆ 68 06 10 - 🚫 Z s
nur Abendessen.

In Kiel 17-Holtenau :

Zur Waffenschmiede, Friedrich-Voss-Ufer 4, ✆ 36 96 90, Fax 363994, ≤, « Gartenterrasse » - 📺 ☎ 🅿. E R r
20. Dez.- 15. Jan. geschl. - **M** *(Donnerstag geschl.)* a la carte 27/55 - **13 Z : 21 B** 75/110 - 110/170.

In Kiel 1-Mettenhof über Hasseldieksdammer Weg Y :

Birke-Restaurant Waldesruh 🐎, Martenshofweg 8, ✆ 52 40 11 (Hotel) 52 07 59 (Rest.), Telex 292396, Fax 529128, 🏋 - 🛗 📺 ☎ ♿ 🅿 - 🏛 40. AE E. 🚫 Rest
M a la carte 32/59 - **64 Z : 96 B** 95/230 - 140/240 Fb.

In Kiel 17-Schilksee ⑦ : 17 km :

Restaurant am Olympiahafen, Fliegender Holländer 45, ✆ 37 17 17, Fax 372957, ≤, 🏞 - 🅿. E - **M** a la carte 28/62.

In Molfsee **2300** SW : 6 km über die B 4 T :

Bärenkrug, Hamburger Chausee 10 (B 4), ✆ (04347) 33 09 - 🅿.

In Raisdorf-Vogelsang **2313** ② : 10 km :

Rosenheim, Preetzer Str. 1, ✆ (04307) 50 11, Fax 6300 - 📺 ☎ 🚗 🅿. AE ⓓ E VISA
M a la carte 28/52 - **23 Z : 32 B** 45/75 - 85/115.

Gli alberghi o ristoranti ameni sono indicati nella guida con un simbolo rosso.
Contribuite a mantenere la guida aggiornata segnalandoci gli alberghi e ristoranti dove avete soggiornato piacevolmente.

KINDERBEUERN Rheinland-Pfalz siehe Ürzig.

KINDING **8079.** Bayern 413 R 19,20 – 2 400 Ew – Höhe 374 m – ☎ 08467.
♦München 107 – Ingolstadt 34 – ♦Nürnberg 62 – ♦Regensburg 61.

Zum Krebs, Marktplatz 1, ✆ 3 39, Fax 207, – Ⓟ
9. Nov.- 3. Dez. geschl. – **M** *(Nov.- April Mittwoch geschl.)* a la carte 15/35 – **28 Z : 65 B** 42/4
- 68/70.

Krone, Marktplatz 14, ✆ 2 68 – Ⓟ
24. Okt. - Mitte Nov. geschl. – **M** *(im Sommer Dienstag bis 17 Uhr, im Winter Diensta ganztägig geschl.)* a la carte 13/26 – **30 Z : 55 B** 44 - 74.

KINHEIM **5561.** Rheinland-Pfalz 412 E 17 – 1 100 Ew – Höhe 105 m – Erholungsort – ☎ 065
(Zeltingen).
Mainz 127 – Bernkastel-Kues 14 – ♦Trier 52 – Wittlich 15.

Pohl, Moselweinstr. 3 (B 53), ✆ 21 96, ≤, , , , – Ⓟ
10. Jan.- 10. Feb. geschl. – **M** *(Nov.- April Donnerstag geschl.)* a la carte 24/44 – **30 Z : 55**
43/55 - 80/100.

KIPFENBERG **8079.** Bayern 413 R 20 – 4 800 Ew – Höhe 400 m – Erholungsort – ☎ 0846
Fremdenverkehrsbüro, Marktplatz 2, ✆ 1 74 30.
♦München 102 – Ingolstadt 28 – ♦Nürnberg 69.

In Kipfenberg-Pfahldorf W : 6 km :

Geyer , Alte Hauptstr. 10, ✆ 5 01, Fax 3396, , – Ⓟ. E
10.- 22. Dez. geschl. – **M** *(Donnerstag bis 18 Uhr geschl.)* a la carte 22/35 – **37 Z : 76**
45/52 - 70/85.

KIRCHBERG IM WALD **8378.** Bayern 413 W 20 – 4 300 Ew – Höhe 736 m – Erholungsort
Wintersport : 750/800 m 1 2 – ☎ 09927.
Verkehrsamt, Rathausplatz 1, ✆ 10 15, Fax 1043.
♦München 165 – Passau 52 – Regen 8 – ♦Regensburg 100.

Zum Amthof, Amthofplatz 5, ✆ 2 72, , , , – ☎ Ⓟ
Okt. geschl. – **M** *(Mittwoch geschl.)* a la carte 16/30 – **27 Z : 54 B** 35/45 - 60/70 – ½ P 42/5

KIRCHEN (SIEG) Rheinland-Pfalz siehe Betzdorf.

KIRCHENSITTENBACH Bayern siehe Hersbruck.

KIRCHHAM **8399.** Bayern 413 W 21 – 2 300 Ew – Höhe 354 m – ☎ 08533.
Verkehrsamt, Rathaus, Kirchplatz 3, ✆ 28 29.
♦ München 145 – Passau 34 – Salzburg 107.

Haslinger Hof , Ed 31 (NO : 1,5 km), ✆ 29 50, Fax 295200, , Biergarten, Massag
, – TV ☎ Ⓟ
M a la carte 20/36 – **44 Z : 80 B** 57/65 - 74/120 Fb – 32 Fewo 54/66.

KIRCHHEIM **6437.** Hessen 412 L 14, 987 ㉕ – 4 000 Ew – Höhe 245 m – Luftkurort – ☎ 0662
♦Wiesbaden 156 – Fulda 42 – Gießen 76 – ♦Kassel 67.

Eydt, Hauptstr. 19, ✆ 70 01, Telex 493124, Fax 5333 – TV ☎ Ⓟ – 25/80. E VIS
M a la carte 23/51 – **60 Z : 120 B** 63/72 - 94/112 Fb.

An der Autobahnausfahrt S : 1,5 km :

Motel-Center Kirchheim , ✉ 6437 Kirchheim, ✆ (06625) 10 80, Telex 49333
Fax 8656, ≤, , , , , – Zim Rest TV ☎ Ⓟ – 40. AE E VISA
M a la carte 23/55 – **140 Z : 254 B** 100/140 - 140/170.

KIRCHHEIM BEI MÜNCHEN **8011.** Bayern 413 S 22 – 11 700 Ew – Höhe 524 m – ☎ 089 (München).

München 17 – Landshut 86 – Rosenheim 74.

In Kirchheim-Heimstetten :

Räter-Park-Hotel-Räter Stuben, Räterstr. 9, ☎ 90 50 40 (Hotel) 9 04 51 79 (Rest.), Fax 9044642, – Zim – 25/85. AE E VISA
M *(Samstag geschl.)* a la carte 25/47 – **104 Z : 172 B** 195 - 235 Fb.

KIRCHHEIM UNTER TECK **7312.** Baden-Württemberg 413 L 21, 987 ㉟ – 34 500 Ew – Höhe 311 m – ☎ 07021.

Verkehrsverein, Alleenstr. 85, ☎ 30 27, Fax 83538.

Stuttgart 35 – Göppingen 19 – Reutlingen 30 – ♦Ulm (Donau) 59.

Zum Fuchsen, Schlierbacher Str. 28, ☎ 57 80, Fax 6691, – 40. AE E VISA
M *(Sonntag geschl.)* a la carte 32/71 – **80 Z : 110 B** 110/165 - 160/220 Fb.

Park-Hotel, Eichendorffstr. 99, ☎ 8 00 80, Fax 800888, – 40. AE E VISA – **M** a la carte 40/65 – **68 Z : 110 B** 110/170 - 160/220 Fb.

Schwarzer Adler, Alleenstr. 108, ☎ 26 13, Fax 71985 – AE E VISA. Zim
M *(Samstag - Sonntag geschl.)* a la carte 30/63 – **36 Z : 60 B** 95/125 - 130/160.

Altes Haus (Fachwerkhaus a.d.J. 1422), Alleenstr. 52, ☎ 4 72 91, Fax 47291, « Restaurant in einem Natursteingewölbekeller » – E VISA
nur Abendessen, Dienstag geschl. – **M** a la carte 43/77.

In Kirchheim-Nabern SO : 6 km :

Rössle (mit Gästehaus), Weilheimer Str. 1, ☎ 5 59 25, –
23. Dez.- 6. Jan. geschl. – **M** *(nur Abendessen, Samstag geschl.)* a la carte 31/50 – **26 Z : 38 B** 60/65 - 100/120.

KIRCHHEIMBOLANDEN **6719.** Rheinland-Pfalz 412 H 18, 987 ㉔ – 5 900 Ew – Höhe 285 m – Erholungsort – ☎ 06352.

Verkehrsbüro, Uhlandstr. 2, ☎ 17 12.

Mainz 50 – Kaiserslautern 36 – Bad Kreuznach 42 – Worms 33.

Schillerhain, Schillerhain 1, ☎ 41 41, Fax 6521, « Park », – – 25/50
Jan. 3 Wochen geschl. – **M** a la carte 28/49 – **22 Z : 35 B** 60/85 - 120/165 Fb.

Braun garni, Uhlandstr. 1, ☎ 23 43, Fax 6228 – – 25. AE E VISA
36 Z : 72 B 60/74 - 96/106 Fb.

In Dannenfels-Bastenhaus **6765** SW : 9 km – Erholungsort :

Bastenhaus, ☎ (06357) 50 21, – – 25/65. AE E
2.- 27. Jan. geschl. – **M** a la carte 23/50 – **22 Z : 41 B** 48/58 - 68/88 Fb.

KIRCHHUNDEM **5942.** Nordrhein-Westfalen 412 H 13, 987 ㉔ – 12 700 Ew – Höhe 308 m – ☎ 02723.

Verkehrsamt, Gemeindeverwaltung, ☎ 40 90.

Düsseldorf 136 – Meschede 51 – Olpe 22 – Siegen 35.

In Kirchhundem 5 - Heinsberg S : 8 km :

Schwermer, Talstr. 60, ☎ 76 38, Fax 73300, – . E VISA
M a la carte 25/52 – **22 Z : 45 B** 40/85 - 80/150 Fb.

In Kirchhundem 3-Selbecke O : 4 km :

Zur Post, Selbecke 21, ☎ 7 27 44, –
Nov. geschl. – **M** *(Donnerstag geschl.)* a la carte 24/43 – **11 Z : 21 B** 40 - 80.

Am Panorama-Park Sauerland SO : 12 km, Richtung Erndtebrück :

Waldhaus Hirschgehege, ✉ 5942 Kirchhundem 3, ☎ (02723) 76 58, Fax 72140, –
M a la carte 30/59 – **14 Z : 25 B** 43/50 - 60/100.

KIRCHLINTELN **2816.** Niedersachsen 411 KL 8 – 8 000 Ew – Höhe 40 m – ☎ 04237.

Hannover 87 – ♦Bremen 40 – Rotenburg (Wümme) 28.

In Kirchlinteln-Schafwinkel O : 10 km :

Landhaus Badenhoop, Zum Keenmoor 13, ☎ 8 88, Fax 539, – – 35. AE E VISA
M a la carte 30/58 – **18 Z : 38 B** 70/75 - 110/120 Fb.

KIRCHZARTEN 7815. Baden-Württemberg 413 G 23, 427 H 2, 242 ㊱ – 8 300 Ew – Höhe 392 m – Luftkurort – 07661.

Ausflugsziel: Hirschsprung★ SO : 10 km (im Höllental).

Krüttweg, 55 69.

Verkehrsamt, Hauptstr. 24, 39 39, Fax 39388.

◆Stuttgart 177 – Donaueschingen 54 – ◆Freiburg im Breisgau 9,5.

Sonne, Hauptstr. 28, 6 20 15, Fax 7535, – . *Ende Okt.- Mitte Nov. geschl.* – **M** *(Freitag - Samstag 17 Uhr geschl.)* a la carte 28/58 – **24 Z : 42 B** 52/70 - 96/110 Fb – ½ P 70/80.

Fortuna, Hauptstr. 7, 51 32, – . **M** a la carte 22/70 – **34 Z : 64 B** 58/70 - 95/110 Fb.

Haus Hubertus garni, Dr.-Gremmelsbacher-Str. 10, 41 01, Fax 4601, – . **17 Z : 28 B** 48 - 85 Fb.

Zur Krone, Hauptstr. 44, 42 15, Fax 2457, – . Zim *Mitte Jan.- Mitte Feb. geschl.* – **M** *(Mittwoch - Donnerstag 17 Uhr geschl.)* a la carte 20/4 – **11 Z : 19 B** 48/65 - 80/95 Fb.

Föhrenbacher garni, Hauptstr. 18, 54 16 – **18 Z : 36 B** 45/55 - 80/90 Fb.

Zum Rössle mit Zim (Gasthof a.d.J. 1750), Dietenbach 1 (S : 1 km), 22 40, – . *3.- 28. Feb. geschl.* – **M** *(Mittwoch geschl.)* a la carte 26/52 – **6 Z : 12 B** 50/70 - 80/110.

In Kirchzarten-Burg-Höfen O : 1 km :

Gasthaus Schlegelhof, Höfener Str. 92, 50 51, Fax 62312, – *13.- 30. Jan. geschl.* – **M** *(nur Abendessen, Mittwoch geschl.)* a la carte 30/45 – **10 Z : 20** 50/120 - 90/160 Fb.

In Buchenbach **7801** O : 3,5 km :

Gasthaus Zum Himmelreich (Hofgut a.d.J. 1518), Himmelreich 37 (B 31), (07661) 41 2 – *25. Nov.- 18. Dez. geschl.* – **M** *(Montag geschl.)* a la carte 23/49 – **14 Z : 28 B** 48/60 96/120 Fb.

In Stegen-Eschbach **7801** N : 4 km :

Landgasthof Reckenberg mit Zim, Reckenbergstr. 2, (07661) 6 11 12 – *Mitte Jan.- Mitte Feb. geschl.* – **M** *(Dienstag - Mittwoch 18 Uhr geschl.)* a la carte 55/78 – **3 Z : 6 B** 50/60 - 90/100.

KIRKEL 6654. Saarland 412 E 19, 242 ⑦ – 9 100 Ew – Höhe 240 m – 06849.

◆Saarbrücken 25 – Homburg/Saar 10 – Kaiserslautern 48.

In Kirkel 2-Neuhäusel :

Alt Kirkel, Kaiserstr. 87, 2 72, Fax 6160 – . *Samstag bis 18 Uhr, Dienstag und Juli - Aug. 4 Wochen geschl.* – **M** a la carte 45/82.

KIRN 6570. Rheinland-Pfalz 412 F 17, 987 ㉔ – 9 500 Ew – Höhe 200 m – 06752.

Ausflugsziel: Schloß Dhaun (Lage★) NO : 5 km.

Mainz 76 – Idar-Oberstein 16 – Bad Kreuznach 33.

Parkhotel, Kallenfelser Str. 40, 36 66, – – 30. Re *25. Jan.- 15. Feb. geschl.* – **M** a la carte 30/62 – **18 Z : 32 B** 48/60 - 78/95 Fb.

Nahe-Hotel Spielmann, an der B 41 (S : 2 km), 30 01, Fax 8921, – . *21. Dez.- 10. Jan. geschl.* – **M** a la carte 22/48 – **22 Z : 38 B** 50/70 - 85/95 Fb.

Kyrburg, bei der Burgruine, 65 44, « Gartenterrasse mit ≤ Kirn und Nahetal » – . **M** a la carte 45/74.

In Bruschied - Rudolfshaus **6570** NW : 9 km :

Forellenhof Reinhartsmühle, (06544) 3 73, Fax 1080, « Terrasse am Teich », – . *März - Nov.* – Menu *(Montag geschl.)* a la carte 36/68 – **30 Z : 55 B** 90/100 - 140/160 F

KIRRWEILER Rheinland-Pfalz siehe Maikammer.

KIRSCHWEILER Rheinland-Pfalz siehe Idar-Oberstein.

KISSINGEN, BAD **8730.** Bayern 413 N 16, 987 ㉖ – 22 700 Ew – Höhe 201 m – Heilbad – 0971.

usflugsziel : Schloß Aschach : Graf-Luxburg-Museum★ 7 km über ① (Mai - Okt. Fahrten mit hist. ostkutsche).

Euerdorfer Str. 11 (über ④), ☎ 36 08.

Staatl. Kurverwaltung, Am Kurgarten 1, ☎ 80 48 51, Fax 804840.

München 329 ④ – ♦Bamberg 81 ③ – Fulda 62 ⑤ – ♦Würzburg 61 ④.

BAD KISSINGEN

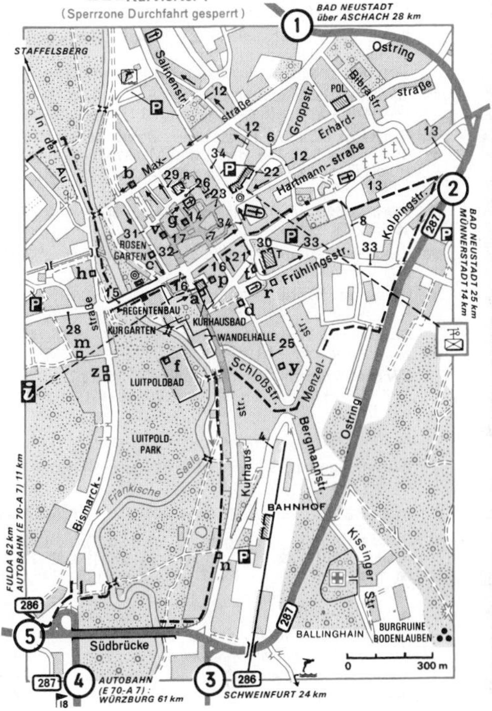

Benutzen Sie
auf Ihren Reisen in Europa
die Michelin-Länderkarten
1:400 000 bis 1:1 000 000.

Pour parcourir l'Europe,
utilisez les cartes Michelin
Grandes Routes
1/400 000 à 1/1 000 000.

Steigenberger Kurhaushotel, Am Kurgarten 3, ☎ 8 04 10, Telex 672808, Fax 8041597, Massage, Zim ♿ – 25/60. AE ⓓ E VISA. Rest
M *(auch Diät)* a la carte 47/72 – **100 Z : 140 B** 149/215 - 230/360 Fb – ½ P 160/260. **a**

Frankenland, Frühlingstr. 9, ☎ 8 10, Fax 812810, Bade- und Massageabteilung, Rest – 25/450. AE E. Rest **r**
M *(auch Diät)* a la carte 35/65 – **320 Z : 450 B** 92/140 - 148/196 Fb – 3 Appart. – 92 Fewo 118 – ½ P 104/170.

Laudensacks Parkhotel, Kurhausstr. 28, ☎ 12 24, Fax 99013, « Parkanlage mit Teich und Terrasse », AE ⓓ E VISA **n**
Mitte Dez.- Ende Jan. geschl. – **M** (Tischbestellung ratsam) *(Donnerstag geschl.)* a la carte 62/84 – **19 Z : 28 B** 92/137 - 160/190 Fb – ½ P 115/140.

Bristol-Hotel, Bismarckstr. 8, ☎ 82 40, Telex 672896, Fax 84565, Bade- und Massageabteilung, Rest **h**
Jan.- Feb. geschl. – **M** a la carte 40/67 – **82 Z : 118 B** 125/185 - 195/265 Fb – 7 Appart. – ½ P 135/170.

Kurhaus Tanneck, Altenbergweg 6, ☎ 40 36, Fax 68614, Bade- und Massageabteilung, Rest **m**
Mitte Feb.- Anfang Nov. – (Restaurant nur für Hausgäste) – **48 Z : 67 B** 70/140 - 140/190 – ½ P 90/160.

Diana, Bismarckstr. 40, 91 60, Fax 916200, Bade- und Massageabteilung, – AE.
März - Nov. – (Restaurant nur für Hausgäste) – **70 Z : 95 B** 86/140 - 172/280 Fb.

Kurhotel Altenberg, Bismarckstr. 36, 8 04 40, Fax 804480, Bade- und Massagabteilung, – Rest
6. Jan.- 22. Feb. geschl – (Restaurant nur für Hausgäste) – **43 Z : 59 B** 97/132 - 194/234 F – ½ P 117/137.

Kurhotel Das Ballinghaus, Martin-Luther-Str. 3, 12 34, Fax 68469, « Park », Bade- un Massageabteilung, – AE E VISA. Rest
20. Jan.- 1. März und 10. Nov.- 10. Dez. geschl. – (Restaurant nur für Hausgäste) – **70 Z : 100** 110/150 - 210/250 Fb – ½ P 140/170.

Erika, Prinzregentenstr. 23, 40 01, Bade- und Massageabteilung, – E
Dez.- Jan. geschl. – (Restaurant nur für Hausgäste) – **30 Z : 42 B** 63/88 - 130/170 Fb.

Astoria, Martin-Luther-Str. 1, 8 04 30 – E
Feb.- Mitte Nov. – (Restaurant nur für Hausgäste) – **32 Z : 48 B** 72/80 - 118 Fb – ½ P 82/9

Kurheim Dösch - Restaurant Bayerischer Hof, Maxstr. 9, 8 04 50 (Hotel) 52 7 (Rest.), Fax 8045133, Bade- und Massageabteilung – E
Hotel : Dez.- 10. Jan. geschl. – **M** *(Donnerstag und 26. Dez.- 15. Jan. geschl.)* a la carte 23/5 – **60 Z : 84 B** 78/93 - 97/145.

Humboldt garni, Theresienstr. 24, 50 97 –
15 Z : 26 B 53/79 - 106/118.

Casino-Restaurant "le jeton", im Luitpold-Park, 40 81
nur Abendessen.

Kissinger Stüble, Am Kurgarten 1, 8 04 15 40, – AE E VISA
Nov.- März Mittwoch geschl. – **M** a la carte 25/52.

Schubert's Weinstuben, Kirchgasse 2, 26 24 – AE E VISA
Sonntag geschl. – **M** a la carte 22/54.

Werner-Bräu mit Zim, Weingasse 1, 23 72, – AE E VISA
Dez.- 15. Jan. geschl. – **M** *(Sonntag 14 Uhr - Montag geschl.)* a la carte 26/46 – **9 Z : 11** 68 - 85.

In Bad Kissingen-Arnshausen ③ : 2 km :

Körner, Iringstr. 5-7, 28 09, Biergarten –
Freitag geschl. – Menu a la carte 25/58.

In Bad Kissingen - Reiterswiesen SO : 1 km über Bergmannstraße :

Sonnenhügel, Burgstr. 15, 8 30, Telex 672893, Fax 834828, (Halle) – – 25/400. AE E
M a la carte 28/49 – **162 Z : 324 B** 94/106 - 144/168 Fb – 238 Fewo 72/83 – ½ P 96 130.

GRÜNE REISEFÜHRER
Landschaften, Sehenswürdigkeiten
Schöne Strecken, Ausflüge
Besichtigungen
Stadt- und Gebäudepläne.

KISSLEGG

7964. Baden-Württemberg 413 M 23, 987 ㊱, 427 N 2 – 8 000 Ew – Höhe 650 m – Luftkurort – 07563.

Kurverwaltung, Im Neuen Schloß, 1 81 31 Fax 2382.

♦Stuttgart 185 – Bregenz 42 – Kempten (Allgäu) 46 – ♦Ulm (Donau) 93.

Gasthof Ochsen, Herrenstr. 21, 10 77, Fax 681 – E VISA
M *(Dienstag 14 Uhr - Mittwoch geschl.)* a la carte 23/43 – **26 Z : 50 B** 46 - 78 Fb – ½ P 56 63.

KITZINGEN

8710. Bayern 413 N 17, 987 ㉖ – 19 000 Ew – Höhe 187 m – 09321.

Larson Barracks, 49 56.

Verkehrsbüro, Schrannenstr. 1, 2 02 05, Fax 21146.

♦München 263 – ♦Bamberg 80 – ♦Nürnberg 92 – ♦Würzburg 20.

Esbach-Hof, Repperndorfer Str. 3 (B 8), 80 55, Fax 24456, Biergarten – AE E VISA
7.- 19. Jan. geschl. – **M** a la carte 25/51 – **32 Z : 56 B** 85/90 - 120/130 Fb.

Bayrischer Hof, Herrnstr. 2, 61 47, Fax 4047, – E VISA. Zim
20. Dez.- 9. Jan. und über Fasching geschl. – **M** a la carte 23/43 – **31 Z : 60 B** 70/85 100/120 Fb.

KLEINBLITTERSDORF Saarland siehe Saarbrücken.

KLEINICH **5551.** Rheinland-Pfalz 412 E 17 – 200 Ew – Höhe 420 m – ☎ 06536.
Mainz.

Landhaus Arnoth, Auf dem Pütz, ☎ 2 86, ≘, 🪑 – 🅟. E. ⚘ Zim
Juli - Aug. 3 Wochen geschl. – **M** *(nur Abendessen, Montag - Dienstag geschl.)* a la carte 31/54 – **15 Z : 30 B** 70/80 - 100/120 – ½ P 85/115.

KLEINMACHNOW Brandenburg siehe Potsdam.

KLEINWALSERTAL 413 N 24,25, 987 ㊱, 426 C 6 – Österreichisches Hoheitsgebiet, wirtschaftlich der Bundesrepublik Deutschland angeschlossen. Deutsche Währung, Grenzübertritt mit Personalausweis – Wintersport : 1 100/2 000 m ⛡2 ⛷33 ⛷6 – ☎ 08329 (Riezlern).
Sehenswert : Tal★.

Hotels und Restaurants : Außerhalb der Saison variable Schließungszeiten.

Verkehrsamt, Hirschegg, im Walserhaus, ☎ 5 11 40 Fax 511421.
Verkehrsamt, Mittelberg, Walserstr. 89, ☎ 5 11 40.
Verkehrsamt, Riezlern, Walserstr. 54, ☎ 5 11 40.

In Riezlern **8984** – Höhe 1 100 m

Almhof Rupp ⛰, Walserstr. 83, ☎ 50 04, Fax 3273, ≤, ≘, 🏊 – 🛗 📺 ☎ 🅟. ⚘ Rest
26. April - 21. Mai und 2. Nov.- 18. Dez. geschl. – Menu *(nur Abendessen)* (Tischbestellung erforderlich) a la carte 35/74 – **30 Z : 57 B** 105/160 - 126/240 Fb.

Jagdhof, Walserstr. 27, ☎ 56 03, Fax 56034, ≘ – 🛗 📺 ☎ 🚗 🅟
Mitte Nov.- Mitte Dez. geschl. – **M** a la carte 26/61 – **25 Z : 49 B** 80/125 - 160/240 Fb.

Haus Böhringer ⛰ garni, Westeggweg 6, ☎ 53 38, Fax 3475, ≤, ≘, 🏊 – 📺 ☎ 🚗 🅟. ⚘
Mitte April - Mitte Mai und Mitte Okt.- Mitte Dez. geschl. – **18 Z : 30 B** 51/130 - 92/148 Fb.

Stern, Walserstr. 61, ☎ 52 08, Fax 5765, ≘, 🏊 (geheizt) – 🛗 📺 ☎ 🅟. ⚘ Rest
Nov. geschl. – **M** *(im Sommer Montag geschl.)* a la carte 25/37 – **41 Z : 68 B** 128/148 - 196/282 Fb.

Traube, Walserstr. 56, ☎ 52 07, Fax 6126 – 🛗 📺 ☎ 🅟. ⚘
25. April - 28. Mai und 20. Okt.- 15. Dez. geschl. – **M** *(Mittwoch geschl.)* a la carte 23/59 – **23 Z : 43 B** 85/115 - 170/190.

Wagner, Walserstr. 1, ☎ 52 48, Fax 3266, ≤, ≘, 🏊, 🪑, 🎾 – 📺 ☎ 🚗 🅟. ⚘ Rest
Ende April - Ende Mai und 3. Nov.- 10. Dez. geschl. – (nur Abendessen für Hausgäste) – **20 Z : 40 B** 60/95 - 116/124 Fb.

Post, Walserstr. 48, ☎ 5 21 50, Fax 521525, 🍽 – 📺 ☎ 🚗 🅟. AE ⓓ E VISA
M a la carte 22/56 – **30 Z : 65 B** 80/115 - 160/200 Fb.

Alpenhof Kirsch ⛰ mit Zim, Zwerwaldstr. 28, ☎ 52 76, 🍽, 🪑 – 📺 ☎ 🅟. AE ⓓ E VISA
21. April - 9. Mai, 9.- 28. Juni und 19. Okt.- 20. Dez. geschl. – **M** *(Mittwoch - Donnerstag 15 Uhr geschl.)* (abends Tischbestellung ratsam) a la carte 33/60 – **6 Z : 10 B** 60/90 - 100/170 Fb.

In Riezlern-Egg **8984** W : 1 km :

Erlebach ⛰, Eggstr. 21, ☎ 53 69, Fax 3444, ≤, 🍽, ≘, 🏊 – 🛗 📺 ☎ 🚗 🅟. E
Mitte April - Ende Mai und Ende Okt.- Mitte Dez. geschl. – **M** a la carte 40/76 – **50 Z : 100 B** (½ P) 115/145 - 218/268 Fb.

In Riezlern-Schwende **8984** NW : 2 km :

Bellevue ⛰, Außerschwende 4, ☎ 56 20, Fax 5619, ≤, 🍽, ≘, 🪑 – 🅟
34 Z : 60 B Fb – 4 Fewo.

In Hirschegg **8985** – Höhe 1 125 m

Ifen-Hotel ⛰, Oberseitestr. 6, ☎ 50 71, Fax 3475, ≤ Kleinwalsertal, 🍽, Bade- und Massageabteilung, 🏋, ≘, 🏊, 🪑 – 🛗 📺 🚗 🅟 – 🏛 25/80. AE ⓓ E VISA.
⚘ Rest
22. April - 15. Juni und Anfang Nov.- Mitte Dez. geschl. – **M** *(nur Abendessen, Montag geschl.)* a la carte 52/85 – **69 Z : 120 B** 149/199 - 228/438 Fb – 12 Appart. 450.

Walserhof, Walserstr. 11, ☎ 56 84, Fax 5938, ≤, 🍽, ≘, 🏊, 🪑, 🎾 – 🛗 📺 ☎ 🅟.
⚘ Rest
Anfang Nov.- Mitte Dez. geschl. – **M** a la carte 27/68 – **38 Z : 70 B** (½ P) 176 - 218/278 Fb – 5 Appart. 258/306 – 5 Fewo 100/180.

Gemma ⛰, Schwarzwassertalstr. 21, ☎ 53 60, Fax 6861, ≤, Massage, ≘, 🏊, 🪑 – 🛗 📺 ☎ 🚗 🅟. E. ⚘ Rest
Anfang Nov.- Mitte Dez. geschl. – (nur Abendessen für Hausgäste) – **25 Z : 47 B** (½ P) 105/136 - 174/258 Fb.

Pension Sonnenberg (450 J. altes Bauernhaus), Am Berg 26, 54 33, Fax 54333 ≤ Kleinwalsertal, « Behagliche Atmosphäre, Gartenanlage », , , – . Re
Mitte April - Mitte Mai und Ende Okt.- Mitte Dez. geschl. – (nur Abendessen für Hausgäste)
16 Z : 30 B (½P) 88/128 - 164/238 Fb.

Haus Tanneneck, Walserstr. 25, 57 67, ≤, , – .
Mitte April - Mitte Mai und Nov.- 15. Dez. geschl. – (nur Abendessen für Hausgäste) – **15 Z**
30 B (½ P) 110/130 - 220 Fb.

Adler, Walserstr. 51, 54 24, ≤, , – . E
26. April - 27. Mai und 8. Nov.- 22. Dez. geschl. – **M** *(im Sommer Mittwoch - Donnerstag gesch.*
a la carte 33/50 – **24 Z : 32 B** 84/90 - 155/191 (½ P) Fb.

In Mittelberg **8986** – Höhe 1 220 m

Reinhard Leitner, Walserstr. 55, 57 88, Fax 641639, ≤, , , – . Re
Mitte April - 12. Juni und Nov.- 20. Dez. geschl. – (nur Abendessen für Hausgäste) – **25 Z : 50**
105/110 - 200/220 Fb – 25 Fewo 95/260.

Schwendle, Schwendlestr. 5, 59 88, ≤ Kleinwalsertal, –
Montag - Dienstag 17 Uhr, 23. April - 27. Mai und 20. Okt.- 20. Dez. geschl. – **M** a la cart
20/38.

In Mittelberg-Höfle **8986** S : 2 km, Zufahrt über die Straße nach Baad :

IFA-Hotel Alpenhof Wildental, Höfle 8, 6 54 40, Fax 65448, ≤, , , ,
– .
Mitte April - Mitte Mai und Ende Okt.- Mitte Dez. geschl. – **M** (Abendessen nur für Hausgäste
a la carte 32/54 – **57 Z : 109 B** (½P) 155/189 - 278/318 Fb.

In Mittelberg-Baad **8986** SW : 4 km – Höhe 1 250 m

Haus Hoeft garni, Starzelstr. 18, 50 36, ≤, , , – .
Mitte Okt.- Mitte Dez. geschl. – **18 Z : 34 B** 52 - 104.

In this guide,
*a symbol or a character, printed in red or **black**, in **bold** or light type,*
does not have the same meaning.
Please read the explanatory pages carefully.

KLETTGAU **7895.** Baden-Württemberg 413 I 24, 216 ⑦ – 6 500 Ew – Höhe 345 m – 07742
♦Stuttgart 179 – Donaueschingen 56 – Schaffhausen 24 – Waldshut-Tiengen 19 – Zürich 39.

In Klettgau-Griessen :

Landgasthof Mange, Kirchstr. 2, 54 17 – . AE E VISA
wochentags nur Abendessen, Mittwoch sowie Jan. und Aug. jeweils 2 Wochen geschl.
M a la carte 45/66
Spez. Wildreisflädle mit Edelfischen und Rieslingsauce, Crepinette vom Kaninchenrücken m
Morchel-Nudeln, Nüßchen vom Rehrücken mit Cognacsauce.

KLEVE **4190.** Nordrhein-Westfalen 412 B 11, 987 ⑬, 408 J 6 – 47 000 Ew – Höhe 46 m –
02821.

Bedburg-Hau/Moyland (SO : 8 km), (02824) 47 49.

ADAC, Großer Markt 19, 1 29 33, Notruf 1 92 11.

♦Düsseldorf 95 – Emmerich 11 – Nijmegen 23 – Wesel 43.

Parkhotel Schweizerhaus, Materborner Allee 3, 80 70, Fax 807100, –
– 25/300. AE E VISA
M a la carte 26/60 – **114 Z : 222 B** 85/95 - 120/140 Fb.

Heek garni, Lindenallee 37, 2 50 84, –
20 Z : 32 B.

Cordes (Restaurant in einer Villa aus der Zeit der Jahrhundertwende), Tiergartenstr. 50 (Ecke
Klever Ring), 1 76 40 –
Dienstag und 2.- 15. Jan. geschl. – **M** (Tischbestellung ratsam) a la carte 46/67.

Altes Landhaus Zur Münze, Tiergartenstr. 68 (B 9), 1 71 47, – .

In Bedburg-Hau **4194** S : 5 km :

Jagdhaus Klobasa, Peter-Eich-Str. 6, (02821) 64 99 – . Zim
Juli - Aug. 3 Wochen geschl. – **M** *(Dienstag geschl.)* a la carte 22/41 – **10 Z : 13 B**
29 - 58.

Landhaus Perlitz mit Zim, Gocher Landstr. 100 (B 9), (02821) 4 02 20, –
AE E VISA
M *(Okt.- März Montag geschl.)* a la carte 26/64 – **6 Z : 10 B** 65/95 - 130.

KLEVE KREIS STEINBURG 2213. Schleswig-Holstein 411 L 5 – 600 Ew – Höhe 20 m –
04823.
Kiel 96 – ◆Hamburg 66 – Itzehoe 11.

🏠 **Gut Kleve,** Hauptstr. 34 (B 431), 𝒫 86 85, « Park », ⊴ (geheizt), 🐎 (Halle) – 🅿
15. Jan.- 15. Feb. geschl. – **M** (Dienstag - Mittwoch 18 Uhr geschl.) a la carte 45/68 – **10 Z :**
20 B 40/60 - 70/100.

KLINGELBACH Rheinland-Pfalz siehe Katzenelnbogen.

KLINGENBERG AM MAIN 8763. Bayern 412 413 K 17 – 6 000 Ew – Höhe 141 m –
09372.
München 354 – Amorbach 18 – Aschaffenburg 29 – ◆Würzburg 78.

🏠 **Schöne Aussicht,** Bahnhofstr. 18 (am linken Mainufer), 𝒫 30 07, Fax 3012, 🍽 – 🛗 📺
🕿 🍽 🅿 – 🔬 40. 🆎 🇪. 🛇
22. Dez.- 20. Jan. geschl. – **M** (Donnerstag geschl.) a la carte 27/55 🍷 – **28 Z : 50 B** 70/85
- 99/120.

🎗🎗 ✤ **Winzerstübchen** mit Zim, Bergwerkstr. 8, 𝒫 26 50, Fax 2977 – 🆎 🇪 🛇 Zim
Juli 3 Wochen geschl. – **M** (Donnerstag - Freitag 18 Uhr geschl.) 70/98 – **7 Z : 13 B** 32/40
- 64/76
Spez. Lotte und Hummer in Buttersauce, Gefülltes Täubchen mit Portweinsauce, Quarkflan mit
Orangensauce.

In Klingenberg-Röllfeld S : 2 km :

🏠 **Paradeismühle** ⟨🌳⟩, Paradeismühle 1 (O : 2 km), 𝒫 25 87, Fax 1587, 🍽, Wildgehege, 🌿🌿,
⊴, 🍽 – 📺 🕿 🍽 🅿 – 🔬 25/40. 🆎 🆗 🇪
M a la carte 34/74 – **38 Z : 80 B** 55/85 - 90/150 Fb.

KLINK Mecklenburg-Vorpommern siehe Waren.

KLIPPENECK Baden-Württemberg siehe Denkingen.

KNIEBIS Baden-Württemberg siehe Schwarzwaldhochstraße.

KNITTLINGEN 7134. Baden-Württemberg 412 413 J 19 – 6 500 Ew – Höhe 195 m – ✪ 07043.
Sehenswert : Faust-Museum.
Stuttgart 49 – Heilbronn 50 – ◆Karlsruhe 32 – Pforzheim 23.

🏠 **Postillion** garni, Stuttgarter Str. 27, 𝒫 3 18 58 – 📺 🕿 🍽
7 Z : 16 B 62/96 - 92/140.

KNÜLLWALD 3589. Hessen 412 L 14 – 5 300 Ew – Höhe 265 m – ✪ 05685.
Wiesbaden 180 – Bad Hersfeld 27 – Fulda 59 – ◆Kassel 52 – Marburg 75.

In Knüllwald-Rengshausen :

🏠 Sonneck ⟨🌳⟩, Zu den einzelnen Bäumen, 𝒫 7 43, ≤, Bade- und Massageabteilung, 🌿🌿, 🖼 ,
🍽 – 🛗 🕿 🍽 🅿 – 🔬 25/40
(Restaurant nur für Hausgäste) – **53 Z : 80 B** Fb.

KOBERN-GONDORF 5401. Rheinland-Pfalz 412 F 16, 987 ㉔ – 3 300 Ew – Höhe 70 m –
02607.
🛈 Verkehrsverein, Kirchstraße, 𝒫 10 55.
Mainz 100 – Cochem 33 – ◆Koblenz 16.

🏠 **Simonis,** Marktplatz 4 (Kobern), 𝒫 2 03, Fax 204 – 📺 🕿. 🇪
27. Dez.- 25. Jan. geschl. – **M** (Montag geschl.) a la carte 31/60 – **17 Z : 31 B** 70/150 -
110/250 Fb.

Les guides Michelin

Guides Rouges (hôtels et restaurants) :

 Benelux, España Portugal, France, Great Britain and Ireland, Italia,
 Main Cities Europe

Guides Verts (Paysages, monuments et routes touristiques) :

 Allemagne, Autriche, Belgique, Canada, Espagne, France, Grèce, Hollande, Italie,
 Londres, Maroc, New York, Nouvelle Angleterre, Portugal, Rome, Suisse, Washington.
 ... la collection sur la **France.**

KOBLENZ

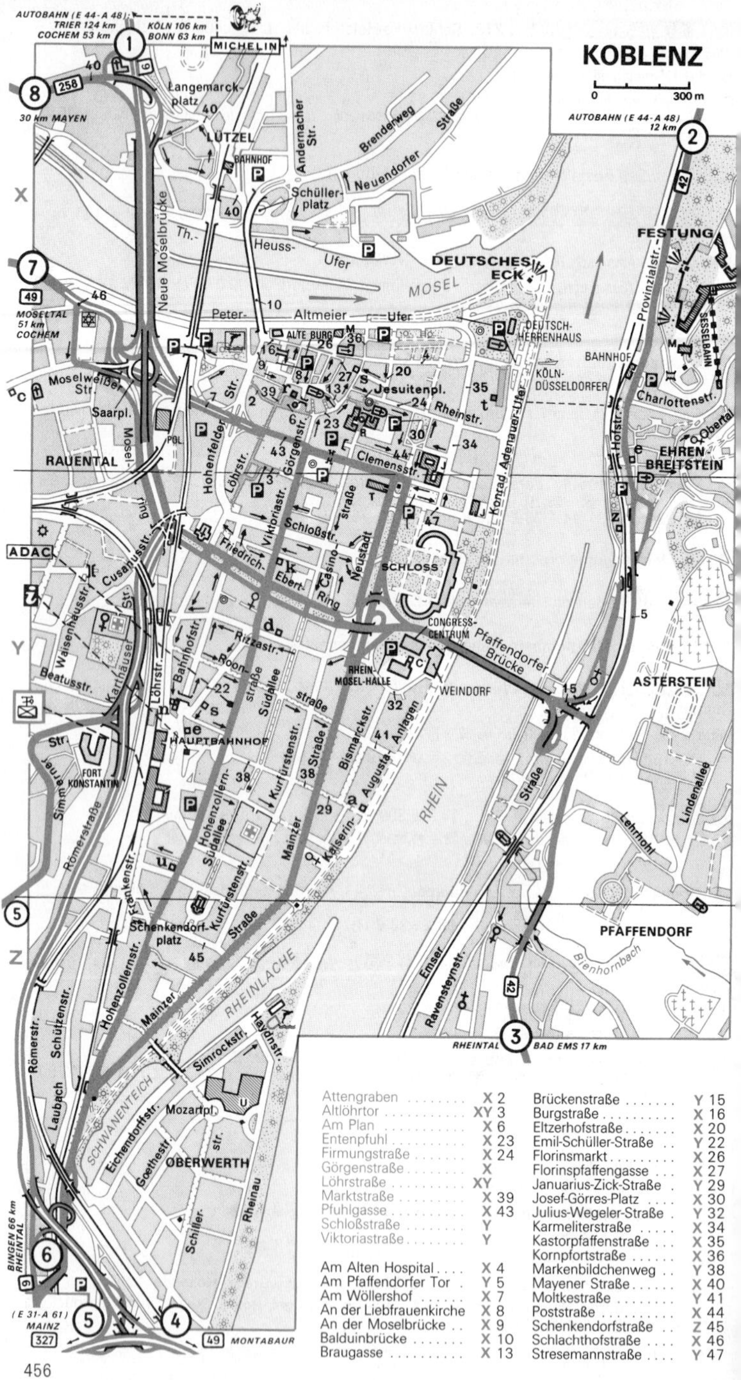

Attengraben . . . . X 2
Altlöhrtor . . . . XY 3
Am Plan . . . . X 6
Entenpfuhl . . . . X 23
Firmungstraße . . . . . . X 24
Görgenstraße X
Löhrstraße . . . . XY
Marktstraße . . . . X 39
Pfuhlgasse . . . . X 43
Schloßstraße . . . . Y
Viktoriastraße . . . . . . Y

Am Alten Hospital . . . . X 4
Am Pfaffendorfer Tor . Y 5
Am Wöllershof . . . . . . X 7
An der Liebfrauenkirche X 8
An der Moselbrücke . . X 9
Balduinbrücke . . . . . . X 10
Braugasse . . . . X 13

Brückenstraße . . . . . . Y 15
Burgstraße . . . . X 16
Eltzerhofstraße . . . . . . X 20
Emil-Schüller-Straße . . Y 22
Florinsmarkt . . . . X 26
Florinspfaffengasse . . . X 27
Januarius-Zick-Straße . Y 29
Josef-Görres-Platz . . . . X 30
Julius-Wegeler-Straße . Y 32
Karmeliterstraße . . . . . X 34
Kastorpfaffenstraße . . . X 35
Kornpfortstraße . . . . . . X 36
Markenbildchenweg . . . Y 38
Mayener Straße . . . . . . X 40
Moltkestraße . . . . Y 41
Poststraße . . . . X 44
Schenkendorfstraße . . . Z 45
Schlachthofstraße . . . . X 46
Stresemannstraße . . . . Y 47

KOBLENZ **5400.** Rheinland-Pfalz 412 F 15, 987 ㉔ – 107 000 Ew – Höhe 60 m –
· 0261.

ehenswert : Deutsches Eck★ ≤★ X.

usflugsziele : Festung Ehrenbreitstein★ (Terrasse ≤★) – Rheintal★★★ (von Koblenz
s Bingen) – Moseltal★★★ (von Koblenz bis Trier) – Schloß Stolzenfels (Einrichtung★) S :
km.

Fremdenverkehrsamt, Pavillon gegenüber dem Hauptbahnhof, ☎ 3 13 04, Fax 1293800.

DAC, Hohenzollernstr. 34, ☎ 1 30 30, Fax 130375.

ainz 100 ⑤ – ♦Bonn 63 ① – ♦Wiesbaden 102 ⑤.

Stadtplan siehe gegenüberliegende Seite

Scandic Crown Hotel, Julius-Wegeler-Str. 6, ☎ 13 60, Telex 862338, Fax 1361199, ≤, 🍽, ≘s – |‡| ✕ Zim ▤ TV ♿ 🚗 – 🔔 25/700. AE ⓓ E VISA. ✕ Rest — Y c
M a la carte 42/72 – **167 Z : 330 B** 215/255 - 275/315 Fb.

Brenner garni, Rizzastr. 20, ☎ 3 20 60, Fax 36278, « Garten » – |‡| ✕ TV ☎ 🚗. AE ⓓ E VISA — Y d
Mitte Dez.- Anfang Jan. geschl. – **25 Z : 45 B** 98/155 - 170/240.

Kleiner Riesen 🔇 garni, Kaiserin-Augusta-Anlagen 18, ☎ 3 20 77, Telex 862442, Fax 160725, ≤ – |‡| ☎ 🚗. AE ⓓ E VISA — Y a
27 Z : 50 B 90/150 - 150/220 Fb.

Continental-Pfälzer Hof garni, Bahnhofsplatz 1, ☎ 3 30 73, Telex 862664, Fax 12390 – |‡| TV ☎ 🚗 – 🔔 30. AE ⓓ E VISA — Y n
20. Dez.- 20. Jan. geschl. – **30 Z : 55 B** 95/125 - 140/350 Fb.

Hohenstaufen garni, Emil-Schüller-Str. 41, ☎ 3 70 81, Telex 862329, Fax 32303 – |‡| TV ☎. AE ⓓ E VISA — Y s
50 Z : 80 B 104/140 - 185/245 Fb.

Höhmann garni, Bahnhofsplatz 5, ☎ 3 50 11, Fax 18723 – |‡| TV ☎ Ⓟ. AE ⓓ E VISA — Y e
41 Z : 72 B 79/130 - 140/190 Fb.

Hamm garni, St.-Josef-Str. 32, ☎ 3 45 46, Telex 862357, Fax 160972 – |‡| TV ☎. AE ⓓ E VISA — Y u
15. Dez.- 15. Jan. geschl. – **29 Z : 55 B** 70/90 - 130/150 Fb.

Victoria garni, Stegemannstr. 25, ☎ 1 85 95, Telex 862370, Fax 18564 – |‡| TV ☎ 🚗. AE ⓓ E VISA — Y k
21. Dez.- 7. Jan. geschl. – **27 Z : 50 B** 95 - 150/170 Fb.

Reinhard garni, Bahnhofstr. 60, ☎ 3 48 35 – |‡| ☎. ✕ — Y n
21 Z : 34 B.

Kornpforte garni, Kornpfortstr. 11, ☎ 3 11 74 — X s
22. Dez.- 8. Jan. geschl. – **20 Z : 35 B** 50/70 - 90/115.

Warsteiner Stuben, Bahnhofstr. 58, ☎ 3 40 12 – AE ⓓ E VISA — Y n
15.- 30. Jan. geschl. – **M** a la carte 42/69.

Bistro Stresemann, Rheinzollstr. 8, ☎ 1 54 64, ≤, 🍽 — X t.

Ratsstuben, Am Plan 9, ☎ 3 88 34, 🍽 – AE E — X r
Dienstag geschl. – **M** a la carte 28/60 🍷.

In Koblenz-Ehrenbreitstein :

Diehls Hotel, Am Pfaffendorfer Tor 10 (B 42), ☎ 7 20 10, Telex 862663, Fax 72021, ≤ Rhein, ≘s, 🏊 – |‡| TV Ⓟ – 🔔 25/100. AE ⓓ E VISA — Y z
M a la carte 43/74 – **62 Z : 120 B** 128/168 - 140/440 Fb.

Hoegg - Ferrari's Restaurant, Hofstr. 282 (B 42), ☎ 7 36 29, Fax 77961 – 🔔 25. AE E VISA — X e
Menu a la carte 35/65 – **30 Z : 55 B** 69/75 - 105/120 Fb.

In Koblenz-Güls über ⑧ :

Gülser Weinstube garni, In der Laach 5 (B 416), ☎ 40 15 88, Fax 42732 – TV ☎ Ⓟ. E VISA
14 Z : 28 B 70 - 130/140 Fb.

Weinhaus Kreuter, Stauseestr. 31, ☎ 4 40 88, Fax 48327, 🍽 – TV ☎ Ⓟ. E VISA
M *(Freitag und 22. Dez.- 20. Jan. geschl.)* a la carte 23/38 – **36 Z : 65 B** 55/60 - 100/120.

In Koblenz-Metternich über ⑧ :

Fährhaus am Stausee 🔇, An der Fähre 3, ☎ 20 93, Fax 25912, ≤, 🍽 – TV ☎ Ⓟ – 🔔 25/60. AE ⓓ E VISA
22.- 30. Dez. geschl. – **M** *(Montag geschl.)* a la carte 32/62 – **20 Z : 38 B** 80/98 - 120/160 Fb.

In Koblenz-Moselweiß über Moselweißer Str. X :

🏦 **Oronto** garni, Ferd.-Sauerbruch-Str. 27, ℰ 4 80 81, Telex 862722, Fax 403192 – 🛗 📺 ◄
⇌. **E**
21. Dez.- 14. Jan. geschl. – **40 Z : 80 B** 80/90 - 120/140 Fb.

🏦 **Haus Bastian** ⤳, Maigesetzweg 12, ℰ 5 10 11 (Hotel) 5 14 75 (Rest.), Fax 57467, ≼, ⌖
– 📺 ☎ ❷. 🝆 ☰ ✛ Zim
M *(Mittwoch geschl.)* a la carte 29/62 – **26 Z : 56 B** 70 - 120 Fb.

🏠 **Zum schwarzen Bären,** Koblenzer Str. 35, ℰ 4 40 74, 🍴 – 📺 ☎ ❷ – 🖽 40. 🖭 ⓞ ◨
VISA. ✛ Zim
28. Feb.- 8. März und 20. Juli - 10. Aug. geschl. – Menu *(Sonntag 14 Uhr - Montag gesch.)*
(bemerkenswerte Weinkarte) a la carte 33/73
13 Z : 24 B 75/80 - 120/130.

In Koblenz-Rauental :

🏠 **Scholz,** Moselweißer Str. 121, ℰ 40 80 21, Telex 862648, Fax 408026 – 🛗 📺 ☎ ❷
➡ 🖽 25/60. 🖭 ⓞ **E** **VISA**. ✛ X
20. Dez.- 7. Jan. geschl. – **M** *(Samstag - Sonntag geschl.)* a la carte 23/45 – **62 Z : 120 B** 8
- 125 Fb.

MICHELIN-REIFENWERKE KGaA. Niederlassung 5403 Mülheim-Kärlich 1, Industriestr. ▮
ℰ (0261) 2 30 85, Fax 280159.

КОСHEL AM SEE 8113. Bayern 🉑🉒🉓 R 24, 🉖🉗🉘 ㉟, 🉓🉒🉖 G 6 – 4 100 Ew – Höhe 610 m
Luftkurort – Wintersport : 610/1 760 m ≼5 🏂3 – ✪ 08851.
Sehenswert : Franz-Marc-Museum.
Ausflugsziele : Walchensee★ (S : 9 km) – Herzogstand Gipfel ≯★★ (SW : 13,5 km, mit Sessell▮
ab Walchensee).
🛈 Verkehrsamt, Kalmbachstr. 11, ℰ 3 38.
♦München 70 – Garmisch-Partenkirchen 36 – Bad Tölz 23.

🏦 **Alpenhof-Postillion** garni, Kalmbachstr. 1, ℰ 8 84, Fax 7377, ☎s, 🔲 – 🛗 📺 ☎ ⇌ ◉
– 🖽 40. 🖭 **E**
34 Z : 70 B 70/120 - 140/196 Fb – 5 Fewo 60/120.

🏠 **Zur Post,** Schmied-von-Kochel-Platz 6, ℰ 15 26, Fax 1513, 🍴 – 🛗 ☎ ⇌ ❷. 🖭 **E**
➡ **M** a la carte 21/59 – **20 Z : 35 B** 58/90 - 95/150 – 2 Fewo 74/145 – ½ P 84/104.

🏠 **Seehotel Grauer Bär,** Mittenwalder Str. 82 (B 11, SW : 2 km), ℰ 8 61, Fax 160▮
≼ Kochelsee, « Terrasse am See », ⤳ – ☎ ⇌ ❷. 🖭 ⓞ **E** **VISA**
Mitte Jan.- Ende Feb. geschl. – **M** *(Mittwoch geschl.)* a la carte 26/58 – **25 Z : 44 B** 60/70
105/130 – 2 Fewo 75/80 – ½ P 78/95.

🏠 **Waltraud,** Bahnhofstr. 20, ℰ 3 33, Fax 5219, 🍴 – ❷
➡ **M** *(Okt.- Mai Mittwoch geschl.)* a la carte 23/45 – **30 Z : 53 B** 65/75 - 118/130.

🏠 **Herzogstand,** Herzogstandweg 3, ℰ 3 24, 🍴, 🌳 – ⇌ ❷
➡ *Mitte März - Okt.* – **M** *(nur Abendessen, Dienstag geschl.)* a la carte 20/33 – **14 Z : 25 B** 42/5
- 96/106.

In Kochel-Ried NO : 5 km :

🏠 **Rabenkopf,** Kocheler Str. 23 (B 11), ℰ (08857) 2 08, Fax 9167, 🍴 – ❷. 🖭 ⓞ **E** **VISA**
Mitte Feb.- Mitte März und Ende Sept.- Mitte Okt. geschl. – **M** *(Böhmische Küche)* a la cart
31/53 – **18 Z : 32 B** 48/53 - 90/106.

KÖFERING Bayern siehe Regensburg.

Benutzen Sie auf Ihren Reisen in Europa :

die Michelin-Länderkarten (1:400 000 bis 1:1 000 000) ;

die Michelin-Abschnittskarten (1:200 000) ;

die Roten Michelin-Führer (Hotels und Restaurants) :

Benelux, España Portugal, France, Great Britain and Ireland, Italia,
Main Cities Europe

die Grünen Michelin-Führer (Sehenswürdigkeiten und interessante Reisegebiete) :
Italien, Spanien

die Grünen Regionalführer von Frankreich
(Sehenswürdigkeiten und interessante Reisegebiete) :

Paris, Bretagne, Côte d'Azur (Französische Riviera)
Elsaß Vogesen Champagne,
Korsika, Provence, Schlösser an der Loire

KÖLN **5000.** Nordrhein-Westfalen 987 ㉓ ㉔, 412 D 14 – 992 000 Ew – Höhe 65 m – ☎ 0221.

ehenswert : Dom★★ (Dreikönigsschrein★★★, gotische Fenster★ im linken Seitenschiff, ɜrokreuz★, Marienkapelle : Altarbild★★★, Chorgestühl★, Domschatzkammer★) GY – Römisch-ɜrmanisches Museum★★★ (Dionysosmosaik) GY **M1** – Wallraf-Richartz-Museum und Museum udwig★★★ (Foto-Historama Agfa★) GY **M2** – Diözesan-Museum★ GY **M3** – chnütgen-Museum★★ GZ **M4** – Museum für Ostasiatische Kunst★★ S **M5** – Museum für Ange-andte Kunst★ GYZ **M6** – St. Maria Lyskirchen (Fresken★★) FX – St. Severin (Innenraum★) FX St. Pantaleon (Lettner★) EX – St. Aposteln (Chorabschluß★) EV – St. Ursula (Goldene Kammer★) J – St. Kunibert (Chorfenster★) FU – St. Maria-Königin (Glasfenster★) T **D** – Altes Rathaus★ GZ Botanischer Garten Flora★ R **B.**

Köln-Marienburg, Schillingsrotter Weg (T), ☎ 38 40 53 ; 18 Bergisch Gladbach-Refrath (③ : 7 km), ☎ (02204) 6 31 14.

Köln-Bonn in Wahn (④ : 17 km), ☎ (02203) 4 01.

☎ 1 41 26 66.

lesse- und Ausstellungsgelände (EUV), ☎ 82 11, Telex 8873426.

Verkehrsamt, Am Dom, ☎ 2 21 33 40, Telex 8883421, Fax 2213320.

DAC, Luxemburger Str.169, ☎ 47 27 47, Notruf ☎ 1 92 11.

Düsseldorf 40 ① – ♦Aachen 69 ⑨ – ♦Bonn 28 ⑥ – ♦Essen 68 ②.

> Die Angabe (K 15) nach der Anschrift gibt den Postzustellbezirk an : Köln 15
> L'indication (K 15) à la suite de l'adresse désigne l'arrondissement : Köln 15
> The reference (K 15) at the end of the address is the postal district : Köln 15
> L'indicazione (K 15) posta dopo l'indirizzo precisa il quartiere urbano : Köln 15

Messe-Preise : siehe S. 8
Foires et salons : voir p. 16
Fairs : see p. 24
Fiere : vedere p. 32

Stadtpläne : siehe Köln Seiten 3-5

Hotels und Restaurants : Wenn nichts anderes angegeben, siehe Plan Köln Seiten 6 und 7

Excelsior Hotel Ernst - Restaurant Hanse Stube, Trankgasse 1 (K 1), ☎ 27 01, Telex 8882645, Fax 135150 – |≡ ▭ TV – 25/100. AE ① E VISA. ✻ Rest GY **a**
M a la carte 62/102 – **160 Z : 250 B** 325/495 - 420/580 – 20 Appart. 950/1200.

Maritim, Heumarkt 20 (K 1), ☎ 2 02 70, Telex 8886667, Fax 2027826, Massage, ≘s, ⊠ – |≡ ✻ Zim ▭ TV – 25/1300. AE ① E VISA GZ **m**
Restaurants : **La Galérie** ✻ *(nur Abendessen, Sonntag - Montag und Juli - Aug. geschl.)* **M** a la carte 64/98 – **Bellevue** ✻ « Terrasse mit ≤ Köln » *(Sonntag nur Abendessen)* **M** 63/118 – **Rotisserie M** 39/45 (mittags Buffet) und a la carte 44/71 – **450 Z : 800 B** 219/389 - 264/464 Fb – 28 Appart. 550/800.

Hotel im Wasserturm ⑤ (ehem. Wasserturm a.d. 19. Jh. mit modern-eleganter Einrichtung), Kaygasse 2 (K 1), ☎ 2 00 80, Telex 8881109, Fax 2008888, Dachgartenterrasse mit ≤ Köln, ≘s – |≡ ✻ Zim ▭ Rest TV ⇔ – 20. AE ① E VISA. ✻ Rest FX **c**
M a la carte 66/91 – **90 Z : 170 B** 376/476 - 502 – 42 Appart. 582/852.

Dom-Hotel ⑤, Domkloster 2a (K 1), ☎ 2 02 40, Telex 8882919, Fax 2024260, « Terrasse mit ≤ » – |≡ TV – 25/70. AE ① E VISA GY **d**
M a la carte 49/94 – **126 Z : 182 B** 332/471 - 514/694 Fb.

Ramada Renaissance Hotel, Magnusstr. 20 (K 1), ☎ 2 03 40, Telex 8882221, Fax 2034777, ⛱, Massage, ≘s, ⊠ – |≡ ✻ Zim ▭ TV & ⇔ – 25/220. AE ① E VISA. ✻ Rest EV **b**
M 43 /Buffet (mittags) und a la carte 47/86 – **240 Z : 296 B** 265/505 - 315/775 Fb.

Inter-Continental, Helenenstr. 14 (K 1), ☎ 22 80, Telex 8882162, Fax 2281301, Massage, ≘s, ⊠ – |≡ ▭ TV ⇔ – 25/800. AE ① E VISA. ✻ Rest EV **p**
M 45 /Buffet (mittags) und a la carte 56/92 – **290 Z : 580 B** 300/535 - 365/845 Fb – 13 Appart. 1590/1848.

Holiday Inn Crowne Plaza, Habsburger Ring 9 (K 1), ☎ 2 09 50, Telex 8886618, Fax 251206, Massage, ≘s, ⊠ – |≡ ✻ Zim ▭ TV & ⇔ – 25/300. AE ① E VISA
Restaurants : **La Cave** *(nur Abendessen, Sonn- und Feiertage geschl.)* **M** a la carte 65/100 – **Le Bouquet M** a la carte 54/85 – **300 Z : 415 B** 286/476 - 402/592 Fb – 3 Appart. 1225/1652. S **j**

Consul, Belfortstr. 9 (K 1), ☎ 7 72 10, Telex 8885242, Fax 7721259, Massage, ≘s, ⊠ – |≡ ✻ Zim ▭ TV & ⇔ P – 25/200. AE ① E VISA. FU **v**
Restaurants : **Quirinal** ✻ **M** a la carte 55/70 – **Consülchen Pub M** a la carte 38/48 – **120 Z : 235 B** 186/316 - 241/502 Fb.

Senats Hotel, Unter Goldschmied 9 (K 1), ☎ 2 06 20, Telex 8881765, Fax 247863 – |≡ TV ☎ – 25/200. AE ① E VISA. ✻ Rest GZ **b**
21.- 31. Dez. geschl. – **M** *(Sonntag ab 15 Uhr geschl.)* 29 /38 (mittags) und a la carte 44/72 – **60 Z : 80 B** 198/245 - 285/335 Fb.

Pullman - Hotel Mondial, Kurt-Hackenberg-Platz 1 (K 1), ☎ 2 06 30, Telex 8881932, Fax 2063522, ⛱ – |≡ ✻ Zim TV ☎ ⇔ – 25/250. AE ① E VISA. ✻ Rest GY **f**
M 28 /38 (mittags) und a la carte 47/80 – **204 Z : 350 B** 195/332 - 239/350 Fb.

Breite Straße	S. 5	GZ	
Ehrenstraße	S. 4	EV	
Eigelstein	S. 4	FU	
Gürzenichstraße	S. 5	GZ	55
Habsburgerring	S. 4	EV	57
Hahnenstraße	S. 4	EV	
Hohenstaufenring	S. 4	EX	
Hohenzollernring	S. 4	EV	
Hohe Straße	S. 5	GYZ	
Mittelstraße	S. 4	EV	
Neumarkt	S. 4	EV	
Richmodstraße	S. 4	EV	102
Schildergasse	S. 5	GZ	
Severinstraße	S. 4	FX	
Zeppelinstraße	S. 4	EV	118
Aachener Straße	S. 3	S	
Agrippina-Ufer	S. 3	S	2
Albertusstraße	S. 4	EV	
Alter Markt	S. 5	GZ	
Am Bayenturm	S. 4	FX	3
Am Hof	S. 5	GY	
Am Leystapel	S. 5	GZ	4
Am Malzbüchel	S. 5	GZ	5
Amsterdamer Straße	S. 3	RS	
An den Dominikanern	S. 5	GY	8
An der Malzmühle	S. 4	FX	9
An der Rechtschule	S. 5	GY	
An der Schanz	S. 3	S	12
Annostraße	S. 4	FX	
An St. Agatha	S. 5	GZ	
An St.-Katharinen	S. 4	FX	14
Apostelnstraße	S. 4	EV	15
Auf dem Berlich	S. 4	EV	16
Augustinerstraße	S. 5	GZ	19
Barbarossaplatz	S. 4	EX	21
Bayenstraße	S. 4	FX	
Bechergasse	S. 5	GZ	22
Bergischer Ring	S. 3	S	23
Bergisch-Gladbacher-Straße	S. 3	R	24
Berliner Straße	S. 3	R	25
Bischofsgarten-Straße	S. 5	GY	26
Blaubach	S. 4	FX	28
Boltensternstraße	S. 3	RS	29
Bremerhavener Str.	S. 3	R	30
Brückenstraße	S. 5	GZ	32
Brühler Straße	S. 3	S	
Buchheimer Ring	S. 3	R	33
Burgmauer	S. 5	GY	
Butzweiler Straße	S. 3	S	34
Cäcilienstraße	S. 5	GZ	
Christophstraße	S. 4	EV	
Clevischer Ring	S. 3	S	35
Deutzer Brücke	S. 5	GZ	
Domstraße	S. 4	FU	
Dompropst-Ketzer-Str.	S. 5	GY	38
Drususgasse	S. 5	GY	39
Dürener Straße	S. 3	S	
Ebertplatz	S. 4	FU	
Ehrenfeldgürtel	S. 3	S	40
Eifelstraße	S. 4	EX	
Eintrachtstraße	S. 4	FU	
Erftstraße	S. 4	EU	
Follerstraße	S. 4	FX	
Frankfurter Straße	S. 3	S	
Gereonstraße	S. 4	EV	
Gladbacher Straße	S. 4	EU	48
Glockengasse	S. 5	GZ	50
Goldgasse	S. 5	GY	
Große Budengasse	S. 5	GZ	52
Große Neugasse	S. 5	GY	54
Gustav-Heinemann-Ufer	S. 3	T	56
Hansaring	S. 4	EFU	
Hauptstraße	S. 3	T	
Heinrich-Böll-Platz	S. 5	GY	58
Heumarkt	S. 5	GZ	
Hohenzollernbrücke	S. 4	FV	
Holzmarkt	S. 4	FX	
Im Sionstal	S. 4	FX	
Industriestraße	S. 3	R	59
Innere Kanalstraße	S. 3	S	60
Jahnstraße	S. 4	EX	
Kaiser-Wilhelm-Ring	S. 4	EV	62
Kalker Hauptstraße	S. 3	S	63
Kapellenstraße	S. 3	S	64
Kardinal-Frings-Str.	S. 4	EV	65
Karolingerring	S. 4	FX	66
Kattenbug	S. 4	EV	67
Kleine Budengasse	S. 5	GZ	68
Kleine Witschgasse	S. 4	FX	69
Klettenberggürtel	S. 3	T	70
Kölner Straße	S. 3	T	
Komödienstraße	S. 5	GY	71
Konrad-Adenauer-Ufer	S. 5	GY	
Krefelder Straße	S. 4	FU	
Kurt-Hackenberg-Platz	S. 5	GY	72
Kyotostraße	S. 4	EU	
Luxemburger Straße	S. 4	EX	
Machabäerstraße	S. 4	FU	
Martinstraße	S. 5	GZ	
Marzellenstraße	S. 5	GY	
Mathiasstraße	S. 4	FX	74
Mauenheimer Gürtel	S. 3	R	75
Mauritiussteinweg	S. 4	EVX	
Maybachstraße	S. 4	EU	
Mechtildisstraße	S. 4	FX	76
Mercatorstraße	S. 3	R	77
Militärringstraße	S. 3	RST	
Minoritenstraße	S. 5	GZ	79
Mühlenbach	S. 4	FX	
Mülheimer Brücke	S. 3	S	85
Mülheimer Straße	S. 3	R	
Neue Weyerstraße	S. 4	EX	
Neusser Landstraße	S. 3	R	
Neusser Straße	S. 4	FU	86
Niederländer Ufer	S. 3	S	87
Niehler Damm	S. 3	R	88
Nord-Süd-Fahrt	S. 5	GZ	
Obenmarspforten	S. 5	GZ	
Offenbachplatz	S. 5	GZ	90
Olpener Straße	S. 3	S	
Opladener Straße	S. 3	S	91
Ostheimer Straße	S. 3	S	92
Parkgürtel	S. 3	S	93
Perlengraben	S. 4	FX	
Pfälzer Straße	S. 4	EX	96
Pfälzischer Ring	S. 3	S	97
Pipinstraße	S. 5	GZ	
Poststraße	S. 4	EX	
Quatermarkt	S. 5	GZ	99
Riehler Straße	S. 4	FU	10
Rösrather Straße	S. 3	S	10
Roonstraße	S. 4	EX	10
Rothgerberbach	S. 4	EFX	
Rudolfplatz	S. 4	EV	
Sachsenring	S. 4	EFX	
Salierring	S. 4	EX	
Sankt-Apern-Straße	S. 4	EV	10
Severinswall	S. 4	FX	
Stadtautobahn	S. 3	R	10
Stadtwaldgürtel	S. 3	S	11
Stolkgasse	S. 5	GY	
Tel-Aviv-Straße	S. 4	FX	11
Theodor-Heuss-Ring	S. 4	FU	
Trierer Straße	S. 4	EX	
Tunisstraße	S. 5	GY	
Turiner Straße	S. 4	FU	
Ubierring	S. 4	FX	
Ulrichgasse	S. 4	FX	
Universitätsstraße	S. 3	S	11
Unter Goldschmied	S. 5	GZ	11
Unter Sachsenhausen	S. 5	GY	11
Venloer Straße	S. 3	R	
Victoriastraße	S. 4	FU	11
Volksgartenstraße	S. 4	EX	
Vorgebirgstraße	S. 4	FX	
Waisenhausgasse	S. 4	EX	
Weidengasse	S. 4	FU	
Zeughausstraße	S. 4	EV	12
Zoobrücke	S. 3	S	12
Zülpicher Straße	S. 3	S	12

Dorint Hotel, Friesenstr. 44 (K 1), ✆ 1 61 40, Telex 8881483, Fax 1614100 – Zir
Rest EV
M a la carte 46/78 – **103 Z : 197 B** 240/380 - 300/520 Fb.

Haus Lyskirchen, Filzengraben 28 (K 1), ✆ 2 09 70, Telex 8885449, Fax 2097718,
Rest 25/90. AE E VISA FX
23. Dez.- 2. Jan. geschl. – **M** *(Samstag bis 18 Uhr sowie Sonn- und Feiertage geschl.)* a la cart 48/70 – **94 Z : 128 B** 150/250 - 190/320 Fb.

Altea Hotel Severinshof, Severinstr. 199 (K 1), ✆ 2 01 30, Telex 8881852, Fax 2013666
25/140. AE E VISA. Rest FX
M a la carte 44/71 – **253 Z : 459 B** 180/280 - 220/300 Fb – 15 Appart. 310/420.

Viktoria garni, Worringer Str. 23 (K 1), ✆ 72 04 76, Telex 8881979, Fax 727067 –
AE E VISA S
24. Dez.- 1. Jan. geschl. – **47 Z : 75 B** 145/235 - 220/420 Fb.

Bristol garni (antike Zimmereinrichtung), Kaiser-Wilhelm-Ring 48 (K 1), ✆ 12 01 95
Telex 8881146, Fax 131495 – AE E VISA EU
22. Dez.- 2.Jan. geschl. – **44 Z : 60 B** 145/295 - 185/350 Fb.

Savoy garni, Turiner Str. 9 (K 1), ✆ 1 62 30, Telex 8886360, Fax 1623200, – Zir
AE E VISA FU
24.- 31. Dez. geschl. – **112 Z : 170 B** 160/300 - 220/450 Fb.

Ascot-Hotel garni, Hohenzollernring 95 (K 1), ✆ 52 10 76, Telex 8883018, Fax 521070,
– Zim AE E VISA. EV
23. Dez.- 4. Jan. geschl. – **46 Z : 78 B** 159/369 - 239/389 Fb.

Europa Hotel am Dom, Am Hof 38 (K 1), ✆ 2 05 80, Telex 8881728, Fax 211021 –
– 25. AE E VISA GYZ
M siehe Restaurant Ambiance am Dom – **90 Z : 130 B** 165/220 - 230/320 Fb.

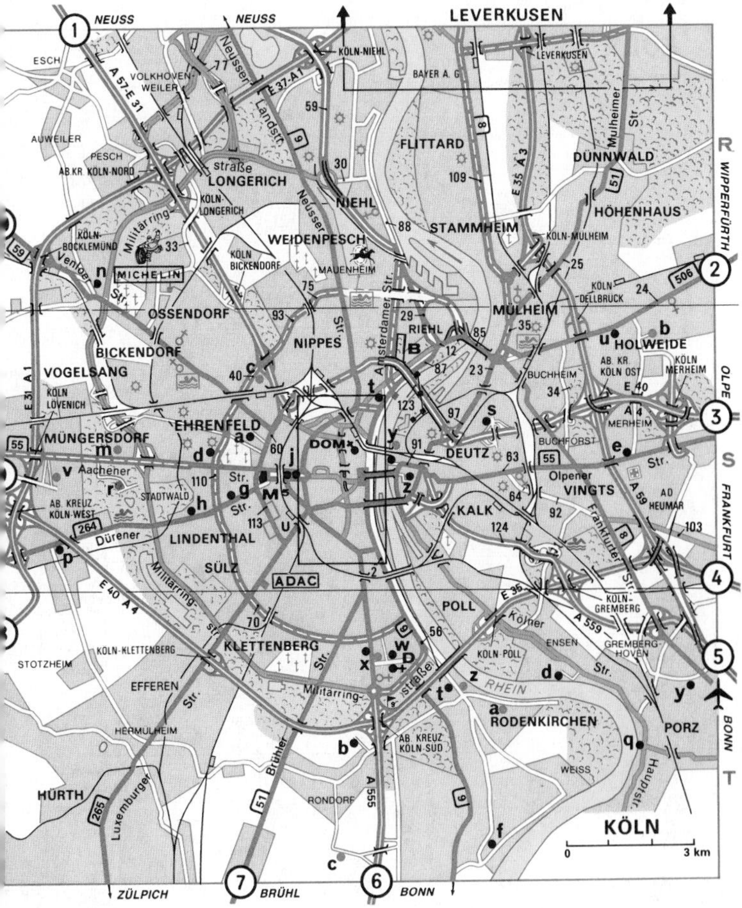

Straßenverzeichnis siehe Köln S. 2

Coellner Hof, Hansaring 100 (K 1), ✆ 12 20 75, Telex 8885264, Fax 135235 – |♦| [TV] ☎ – 30. AE ⓓ E VISA FU **k**
M *(Freitag 15 Uhr - Samstag geschl.)* a la carte 38/67 – **70 Z : 110 B** 125/230 - 155/280 Fb.

Königshof garni, Richartzstr.14 (K 1), ✆ 23 45 83, Telex 8881318, Fax 238642 – |♦| [TV] ☎. AE ⓓ E VISA GY **n**
85 Z : 140 B 115/350 - 185/395 Fb.

Kommerzhotel garni, Breslauer Platz (K 1), ✆ 1 61 00, Fax 1610122, – |♦| [TV] ☎. AE ⓓ E VISA GY **r**
77 Z : 100 B 155/195 - 205/255 Fb.

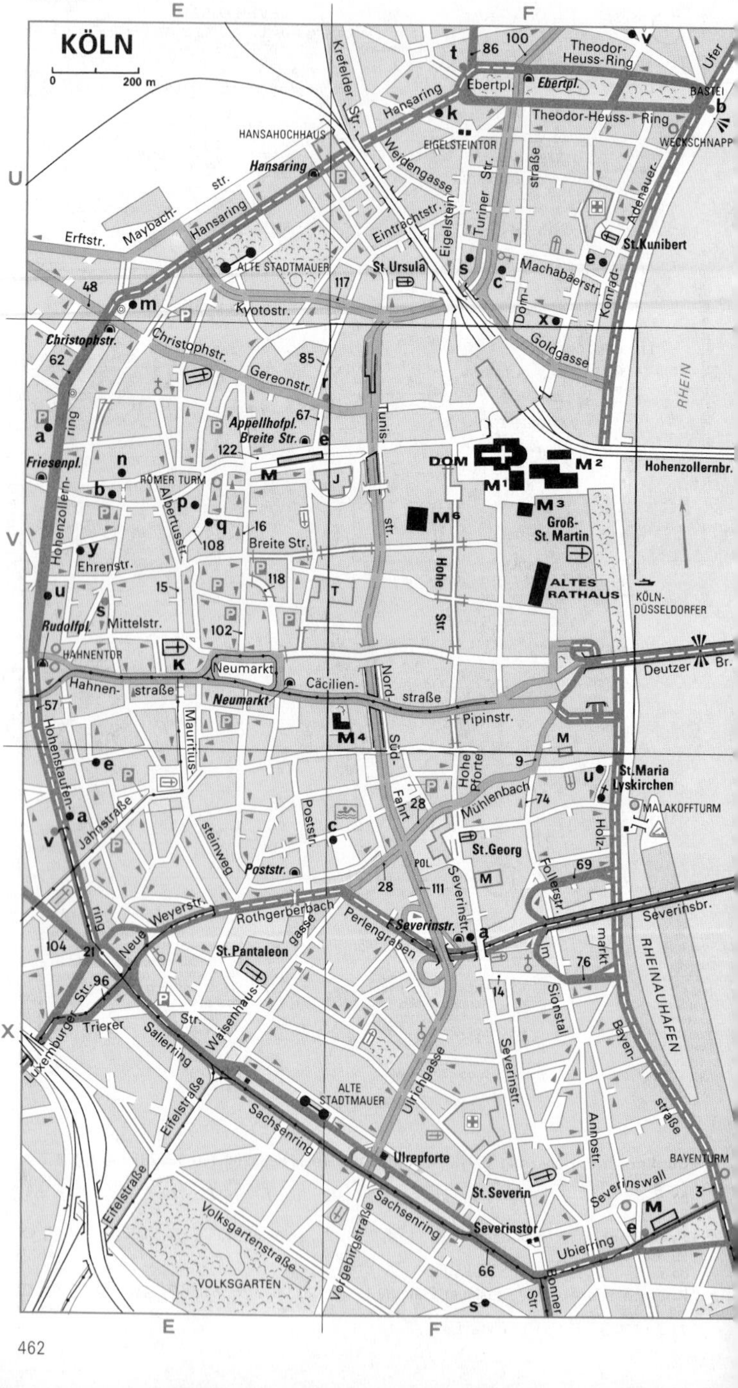
KÖLN
0
200 m
E
F
U
V
X
Theodor-Heuss-Ring
Ebertpl.
Ebertpl.
Theodor-Heuss- Ring
BASTEI
WECKSCHNAPP
Ufer
Hansaring
HANSAHOCHHAUS
Hansaring
EIGELSTEINTOR
Krefelder Str.
Weidengasse
Eigelstein
Turiner Str.
straße
Adenauer-
Konrad-
St.Kunibert
Eintrachtstr.
St.Ursula
Machabäerstr.
Dom-
Goldgasse
Erftstr.
Maybach-
str.
ALTE STADTMAUER
Kyotostr.
Christophstr.
Christophstr.
Gereonstr.
Appellhofpl.
Breite Str.
Tunis-
str.
RHEIN
DOM
Hohenzollernbr.
Friesenpl.
Hohenzollern-
ring
RÖMER TURM
Albertusstr.
Breite Str.
Groß-
St. Martin
ALTES
RATHAUS
KÖLN-
DÜSSELDORFER
Hohe
Str.
Ehrenstr.
Mittelstr.
Rudolfpl.
HAHNENTOR
Hahnen- straße
Neumarkt
Neumarkt
Cäcilien-
Nord-
straße
Deutzer Br.
Pipinstr.
Mauritius-
Hohenstaufen-
ring
Jahnstraße
steinweg
Poststr.
Poststr.
Süd-
Fahrt
Hohe
Pforte
Mühlenbach
St.Maria
Lyskirchen
MALAKOFFTURM
Holz-
markt
St.Georg
POL.
Severinstr.
Follerstr.
Severinsbr.
Im
Sionstal
RHEINAUHAFEN
Neue Weyerstr.
Rothgerberbach
Perlengraben
Severinstr.
St.Pantaleon
Waisenhaus-
gasse
Luxemburger Str.
Trierer
Str.
Salierring
Eifelstraße
Eifelstraße
ALTE
STADTMAUER
Ulrichgasse
Severinstr.
Annostr.
Bayen-
straße
BAYENTURM
Sachsenring
Ulrepforte
St.Severin
Severinswall
Volksgartenstraße
Vorgebirgstraße
Sachsenring
Severinstor
Ubierring
VOLKSGARTEN
Bonner
Str.

KÖLN

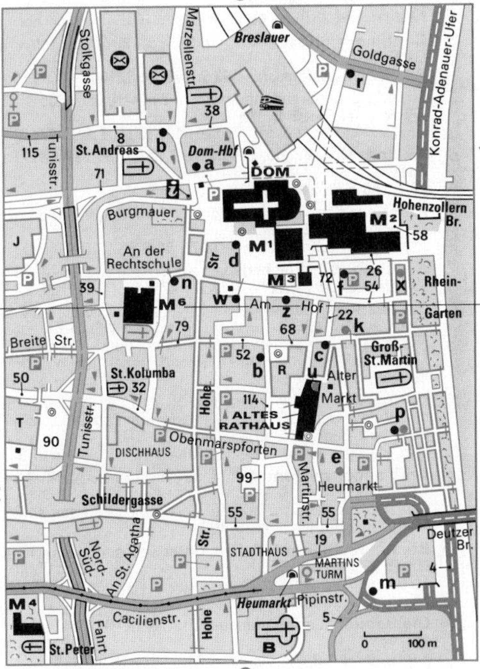

Straßenverzeichnis siehe Köln S.2

Lasthaus am Ring - Restaurant Charrue d'or, Hohenzollernring 20 (K 1), ✆ 2 57 00 85 (Hotel) 25 46 10 (Rest.), Telex 8882856, Fax 253714 – |\$| TV ☎ P. AE E
M *(Montag und 30. Juni - 20. Juli geschl.)* a la carte 47/80 - **52 Z : 75 B** 120/185 - 185/285 Fb. EV **u**

Residence garni, Alter Markt 55 (K 1), ✆ 23 57 81, Telex 8885344, Fax 234140 – |\$| Zim TV ☎. AE O E VISA GZ **c**
60 Z : 110 B 165/250 - 230/420 Fb.

Central Hotel garni, An den Dominikanern 3 (K 1), ✆ 13 50 88, Telex 8881807, Fax 135080 – |\$| TV ☎. AE O E VISA GY **b**
20. Dez.- 6. Jan. geschl. – **62 Z : 108 B** 105/195 - 160/310.

Esplanade garni, Hohenstaufenring 56 (K 1), ✆ 21 03 11, Telex 8881029, Fax 216822 – |\$| TV ☎. AE O E VISA EX **a**
24. Dez.- 2. Jan. geschl. – **33 Z : 60 B** 145/315 - 205/385 Fb.

Eden-Hotel garni, Am Hof 18 (K 1), ✆ 23 61 23, Telex 8882889, Fax 246604 – |\$| TV ☎. AE O E VISA GY **w**
24. Dez.- 3. Jan. geschl. – **33 Z : 60 B** 176/277 - 223/299 Fb.

Astor und Aparthotel garni, Friesenwall 68 (K 1), ✆ 25 31 01, Telex 8886367, Fax 253106 – |\$| Zim TV ☎ P. AE O E VISA EV **y**
52 Z : 90 B 144/264 - 194/284 Fb.

Merian-Hotel garni, Allerheiligenstr. 1 (K 1), ✆ 1 66 50, Telex 8883305, Fax 1665200 – |\$| TV ☎ FU **c**
22. Dez. - 4. Jan. geschl. – **32 Z : 48 B** 95/155 - 135/350 Fb.

Leonet garni, Rubensstr. 33 (K 1), ✆ 23 60 16, Telex 8883506, Fax 210893, – |\$| TV ☎ P. AE O E VISA EX **e**
20. Dez.- 5. Jan. geschl. – **78 Z : 150 B** 120/190 - 160/270 Fb.

Kolpinghaus International, St.-Apern-Str. 32 (K 1), ✆ 2 09 30, Fax 246518 – |⇕| ☎ Ⓟ – 25/200. AE ⓓ E VISA EV
M a la carte 28/62 – **48 Z : 85 B** 95/105 - 145/155 Fb.

Conti garni, Brüsseler Str. 40 (K 1), ✆ 25 20 62, Telex 8881644, Fax 252107 – |⇕| ☎ – AE E VISA S
13. Dez.- 1. Jan. geschl. – **43 Z : 78 B** 98/160 - 160/235 Fb.

Ludwig garni, Brandenburger Str. 24 (K 1), ✆ 16 05 40, Telex 8885326, Fax 16054444 – TV ☎. AE ⓓ E VISA FU
18. Dez.- 3. Jan. geschl. – **61 Z : 100 B** 110/195 - 175/275 Fb.

Altstadt Hotel garni, Salzgasse 7 (K 1), ✆ 23 41 87, Fax 234189, – |⇕| TV ☎. AE ⓓ E VISA GZ
28 Z : 46 B 85/95 - 120/190 Fb.

Hotel am Chlodwigplatz garni, Merowinger Str. 33 (K 1), ✆ 31 40 31, Fax 331484 – ☎. AE ⓓ E VISA FX
20. Dez.- 10. Jan. geschl. – **23 Z : 38 B** 86/110 - 140/170.

Buchholz garni Kunibertsgasse 5 (K 1), ✆ 12 18 24, Fax 131665 – |⇕| TV ☎. AE ⓓ E VISA FU
23. Dez.- 5. Jan. geschl. – **17 Z : 27 B** 95/115 - 120/220.

XXXX ✿ **Chez Alex,** Mühlengasse 1 (K 1), ✆ 23 05 60 – AE ⓓ E VISA GZ
Samstag bis 19 Uhr und außerhalb der Messezeiten Sonn- und Feiertage geschl. – **M** (Tischbestellung ratsam) 40 /60 (mittags) und a la carte 83/113
Spez. Mille-feuille von Gänseleber und Trüffel, Lammrücken mit Artischockenconfit, Tarte Tati mit weißem Kaffee-Eis.

XXXX ✿ **Rino Casati,** Ebertplatz 3 (K 1), ✆ 72 11 08, Fax 728097 – AE ⓓ E VISA FU
nur Abendessen, Juli - Aug. 4 Wochen und außerhalb der Messezeiten Sonntag geschl. – **M** (Tischbestellung ratsam) a la carte 75/107
Spez. Hausgemachte Nudelgerichte, Salm mit Sesam in Barolo, Barbarie-Ente mit Honigsauce

XXX **Ambiance am Dom** (im Europa-Hotel am Dom), Am Hof 38 (K 1), ✆ 24 91 27 – AE ⓓ E VISA GYZ
Samstag bis 18 Uhr, Montag, Sonn- und Feiertage sowie Aug. 3 Wochen geschl. – **M** 5 (mittags) und a la carte 65/100.

XXX **Börsen-Restaurant Maître,** Unter Sachsenhausen 10 (K 1), ✆ 13 30 21, Fax 133040 – AE ⓓ E VISA. EV
Sonn- und Feiertage sowie Juli - Aug. 4 Wochen geschl. – **M** a la carte 69/95 – **Börsenstube** **M** a la carte 42/74.

XXX **Die Bastei,** Konrad-Adenauer-Ufer 80 (K 1), ✆ 12 28 25, Fax 138047, ≤ Rhein – AE ⓓ E VISA FU
Samstag bis 19 Uhr geschl. – **M** a la carte 68/115.

XX **Em Krützche,** Am Frankenturm 1 (K 1), ✆ 21 14 32, Fax 253417, – ⓓ E VISA GY
Montag geschl. – **M** (Tischbestellung ratsam) a la carte 45/70.

XX **Weinhaus im Walfisch** (Fachwerkhaus a.d. 17. Jh.), Salzgasse 13 (K 1), ✆ 21 95 75 Fax 235681 – AE ⓓ E VISA GZ
Samstag bis 18 Uhr, Sonn- und Feiertage sowie 22. Dez.- 6. Jan. geschl. – **M** a la carte 60/96

XX **Soufflé,** Hohenstaufenring 53 (K 1), ✆ 21 20 22, – AE ⓓ E VISA EX
1.- 6. Jan. und außerhalb der Messezeiten Samstag bis 19 Uhr sowie Sonn- und Feiertage geschl. – **M** a la carte 62/75.

XX **Ratskeller,** Rathausplatz 1 (Eingang Alter Markt) (K 1), ✆ 21 83 01, Fax 246942 « Innenhofterrasse » – ▤ ♿ – 25/80. AE ⓓ E VISA GZ
M a la carte 38/68.

XX **Restaurant Wack,** Benesisstr. 57 (K 1), ✆ 24 36 46, Fax 241551 – ⓓ E VISA EV
20. Mai - 20. Aug., Samstag bis 18 Uhr und Sonntag geschl. – **M** (Tischbestellung ratsam) a la carte 61/81 – **Wackes** *(nur Abendessen)* **M** a la carte 34/50.

XX Daitokai (Japanisches Rest.), Kattenbug 2 (K 1), ✆ 12 00 48, Fax 137503 – ▤. EV

X **Ballarin** (Restaurant im Bistro-Stil), Ubierring 35 (K 1), ✆ 32 61 33 – ⓓ FX
nur Abendessen, Sonn- und Feiertage geschl. – **M** a la carte 62/79.

X **Ristorante Pan e vin** Heumarkt 75 (K 1), ✆ 24 84 10 – AE E GZ
außerhalb der Messezeiten Montag geschl. – **M** a la carte 48/78.

In Köln 30-Bocklemünd :

Wilms garni, Grevenbroicher Str. 16, ✆ 50 84 61, Fax 5003236 – TV ☎.
Weihnachten - Neujahr geschl. – **20 Z : 40 B** 75 - 110. (Köln S. 3) R

In Köln 41-Braunsfeld :

Regent, Melatengürtel 15, ✆ 5 49 90, Telex 8881824, Fax 5499998, – |⇕| Zim TV Ⓟ – 25/80. AE ⓓ E VISA (Köln S. 3) S
M *(24. Dez.- 7. Jan. geschl.)* a la carte 35/67 – **168 Z : 270 B** 203/413 - 276/436 Fb – 3 Appart 573/926.

In Köln 91-Brück über ③ und die B 55 :

Silencium garni, Olpener Str. 1031, ✆ 89 90 40, Fax 8990489 – |⇕| TV ☎ Ⓟ – 30. ⓓ E VISA.
65 Z : 115 B 125/260 - 165/320 Fb.

In Köln 80-Buchforst :

Kosmos, Waldecker Str. 11, ☏ 6 70 90, Telex 887706, Fax 6709321, ≘s, ▣ - |♦| ⇹ Zim ▤ Rest ▣ ☎ ♿ Ⓟ - 🏛 25/120. AE ⓓ E VISA (Köln S. 3) S **s**
M *(nur Abendessen, Mitte Juli - Mitte Aug. geschl.* a la carte 33/67 - **161 Z : 271 B** 152/286 - 215/370 Fb.

In Köln 21-Deutz :

Hyatt Regency, Kennedy-Ufer 2a, ☏ 8 28 12 34, Telex 887525, Fax 8281370, ≤, Biergarten, Massage, ℱ, ≘s, ▣ - |♦| ⇹ Zim ▤ ▣ ♿ ⇔ Ⓟ - 🏛 25/400. AE ⓓ E VISA. ✂ Rest
Restaurants : **Graugans** *(Samstag bis 18 Uhr und Sonntag geschl.)* **M** 45 (mittags) und a la carte 72/87 - **Glashaus M** a la carte 55/65 - **307 Z : 614 B** 320/614 - 344/641 Fb - 5 Appart.. (Köln S. 3) S **y**

Ilbertz garni, Mindener Str. 6, ☏ 88 20 49, Fax 883484, ≘s - |♦| ▣ ☎ ⇔. AE ⓓ E VISA
30 Z : 60 B 85/190 - 100/200 Fb. (Köln S. 3) S **z**

Der Messeturm, Kennedy-Ufer (18. Etage, |♦|), ☏ 88 10 08, Fax 811941, ≤ Köln - ▤ - 🏛 25. AE ⓓ E VISA. ✂ (Köln S. 3) S **y**
Samstag bis 19 Uhr und Mitte Juli - Mitte Aug. geschl. - **M** a la carte 55/86.

In Köln 30-Ehrenfeld :

Imperial, Barthelstr. 93, ☏ 51 70 57, Telex 8883452, Fax 520993, ≘s - |♦| ▣ ☎ ♿ ⇔. ⓓ E VISA (Köln S. 3) S **a**
M *(nur Abendessen)* a la carte 34/62 - **35 Z : 65 B** 160/198 - 240/320 Fb.

Zum offenen Kamin, Eichendorffstr. 25, ☏ 55 68 78 - AE ⓓ E VISA (Köln S. 3) S **c**
außerhalb der Messezeiten Samstag bis 18 Uhr und Sonntag geschl. - **M** *(auch vegetarisches Menu)* 50 (mittags) und a la carte 68/91.

In Köln 80-Holweide :

Bergischer Hof garni, Bergisch-Gladbacher-Str. 406 (B 506), ☏ 63 90 81, Telex 8873746, Fax 639085, ≘s - |♦| ▣ ☎ ⇔ Ⓟ. AE ⓓ E VISA (Köln S. 3) S **u**
23. Dez.- 2. Jan. geschl. - **33 Z : 65 B** 140/170 - 160/270 Fb.

Isenburg, Johann-Bensberg-Str. 49, ☏ 69 59 09, Fax 698703, « Gartenterrasse » - Ⓟ. ⓓ E VISA (Köln S. 3) S **b**
Samstag bis 18 Uhr, Sonntag - Montag, Mitte Juli - Mitte Aug. sowie über Weihnachten und Karneval geschl. - **M** (Tischbestellung ratsam) a la carte 51/85.

In Köln 50-Immendorf :

Bitzerhof mit Zim (Gutshof a.d.J. 1821), Immendorfer Hauptstr. 21, ☏ (02236) 6 19 21, Fax 62987, « Rustikale Einrichtung, Innenhofterrasse » - ▣ ☎ ⇔. E. ✂ Zim
M a la carte 56/79 - **3 Z : 6 B** 115 - 155. (Köln S. 3) T **c**

In Köln 40-Junkersdorf :

Vogelsanger Stübchen, Vogelsanger Weg 28, ☏ 48 14 78 (Köln S. 3) S **v**
Sonntag - Montag sowie März und Juli - Aug. jeweils 2 Wochen geschl. - **M** (Tischbestellung ratsam) a la carte 52/78.

In Köln 41-Lindenthal :

Queens Hotel, Dürener Str. 287, ☏ 4 67 60, Telex 8882516, Fax 433765, « Gartenterrasse » - |♦| ⇹ Zim ▤ Rest ▣ ☎ ⇔ Ⓟ - 🏛 25/600. AE E VISA. ✂ Rest
M a la carte 52/88 - **147 Z : 192 B** 238/353 - 326/451 Fb. (Köln S. 3) S **h**

Bremer (Mahlzeiten im Bremer Pub), Dürener Str. 225, ☏ 40 50 13, Telex 8882063, Fax 402034, ≘s, ▣ - |♦| ▣ ☎ ⇔. AE ⓓ E VISA (Köln S. 3) S **g**
16.- 22. April und 23. Dez.- 4. Jan. geschl. - **69 Z : 90 B** 120/160 - 175/205 Fb.

In Köln 40 - Lövenich über ⑨ : 8 km :

Landhaus Gut Keuchhof - Restaurant Zur Scheune ⛰, Braugasse 14, ☏ (02234) 7 60 33 (Hotel) 4 72 02 (Rest.), Fax 78687, 🌳, ℱ, ≘s - ▣ ☎ Ⓟ. AE E. ✂
20. Dez.- 6. Jan. geschl. - **M** *(Montag geschl.)* a la carte 44/68 - **50 Z : 80 B** 100/140 - 180/250.

In Köln 51-Marienburg :

Marienburger Bonotel, Bonner Str. 478, ☏ 3 70 20, Telex 8881515, Fax 3702132, ℱ, ≘s - |♦| ▣ ☎ ⇔ Ⓟ - 🏛 25/100. AE ⓓ E VISA. ✂ Rest (Köln S. 3) T **x**
M a la carte 46/68 - **93 Z : 186 B** 180/330 - 215/345 Fb - 4 Appart. 350/650.

Haus Marienburg ⛰ garni, Robert-Heuser-Str. 3, ☏ 3 76 12 18, Fax 344099 - ▣ ☎ ⇔. ✂ (Köln S. 3) T **w**
13 Z : 21 B 120/170 - 170/190 Fb.

Marienburger Eule, Bonner Str. 471, ☏ 38 15 78, Fax 343420 - AE ⓓ E VISA
Samstag und Sonntag jeweils bis 18 Uhr geschl. - **M** a la carte 61/91. (Köln S. 3) T **x**

In Köln 40-Marsdorf :

Novotel Köln-West, Horbeller Str. 1, ☏ (02234) 51 40, Telex 8886355, Fax 514106, 🌳, ≘s, ⛱ (geheizt), ▣ - |♦| ▤ Rest ▣ ☎ ♿ Ⓟ - 🏛 25/300. AE ⓓ E VISA (Köln S. 3) S **p**
M a la carte 36/62 - **199 Z : 396 B** 175 - 220 Fb.

In Köln 91-Merheim :

XXXX ⚙⚙ **Goldener Pflug,** Olpener Str. 421 (B 55), ✆ 89 55 09 – Ⓟ (Köln S. 3) S
Sonn- und Feiertage geschl. – **M** a la carte 64/116
Spez. Rouget und Langostinos mit Ratatouille, Steinbutt mit Meerrettichkruste, Crépinette vo Täubchen.

In Köln 41-Müngersdorf :

XXX **Landhaus Kuckuck,** Olympiaweg 2, ✆ 49 23 23, Fax 4972847, – 25/120. AE E VISA (Köln S. 3) S
24. Feb.- 3.März und Montag geschl. – **M** 45 (mittags) und a la carte 62/85.

XX **Remise,** Wendelinstr. 48, ✆ 49 18 81, « Historisches Gutsgebäude » – Ⓟ. E VISA
Samstag bis 18 Uhr und Sonntag geschl. – **M** (Tischbestellung ratsam) a la carte 56 90. (Köln S. 3) S

In Köln 90 - Porz :

Rheinhotel Domicil, Hauptstr. 369, ✆ (02203) 5 50 36, Fax 55931, – Zim – 25/100. AE E VISA (Köln S. 3) T
M *(1.- 12. Jan. geschl.)* a la carte 33/50 – **50 Z : 93 B** 159/299 - 169/345 Fb.

Terminal garni, Theodor-Heuss-Str. 78 (Porz-Eil), ✆ (02203) 30 00 21, Telex 887328 Fax 39738, – Zim Ⓟ. AE E VISA (Köln S. 3) T
61 Z : 120 B 154/244 - 194/274 Fb.

In Köln 90 - Porz-Grengel ④ : 15 km über die A 59 :

Spiegel, Hermann-Löns-Str. 122, ✆ (02203) 6 10 46, Fax 695653, – Ⓟ.
M *(Freitag - Samstag 18 Uhr und Juli - Aug. 3 Wochen geschl.)* a la carte 41/78 – **19 Z 25 B** 90/120 - 140/180 Fb.

In Köln 90 - Porz-Langel S : 17 km über Hauptstr. T :

XX **Zur Tant,** Rheinbergstr. 49, ✆ (02203) 8 18 83, Fax 87327, <, – Ⓟ. AE E VISA
Donnerstag und über Karneval 2 Wochen geschl. – **M** a la carte 64/94 – **Hütter's Piccol M** a la carte 33/52.

In Köln 90 - Porz-Wahn ④ : 17 km über die A 59 :

Geisler garni, Frankfurter Str. 172, ✆ (02203) 6 10 20, Fax 61597 – Ⓟ. AE VISA
52 Z : 89 B 95/130 - 170 Fb.

In Köln 90 - Porz-Wahnheide ④ : 17 km über die A 59 – ✪ 02203 :

Holiday Inn, Waldstr. 255, ✆ 56 10, Telex 8874665, Fax 5619, , – Zin Ⓟ – 25/90. AE E VISA
M a la carte 42/75 – **113 Z : 169 B** 252/342 - 319/404 Fb.

Quelle garni, Heidestr. 246, ✆ 60 81, Fax 608317 – Ⓟ – 30
95 Z : 170 B 80/95 - 140/160.

Karsten garni, Linder Weg 4 (Zufahrt über Gunterstraße), ✆ 6 20 82, Fax 62229 – Ⓟ. AE E VISA
24 Z : 36 B 85/155 - 120/195 Fb.

In Köln 90 - Porz-Westhoven :

Ambiente garni, Oberstr. 53, ✆ (02203) 1 40 97, Fax 14099 – Ⓟ – 30. AE E VISA. (Köln S. 3) T c
22. Dez.- 2. Jan. geschl. – **27 Z : 40 B** 95/160 - 135/195.

In Köln 71-Rheinkassel über Neusser Landstr. R :

Rheinkasseler Hof, Amandusstr. 8, ✆ 70 92 70, Telex 8882114, Fax 701073, – Ⓟ – 40. AE E VISA
M a la carte 32/63 – **41 Z : 65 B** 130/170 - 170/280 Fb.

In Köln 50 -Rodenkirchen :

Atrium-Rheinhotel garni, Karlstr. 2, ✆ 39 30 45, Telex 889919, Fax 394054, – Ⓟ. AE E VISA (Köln S. 3) T
50 Z : 90 B 98/238 - 148/328 Fb – 3 Appart..

Rheinblick garni, Uferstr. 20, ✆ 39 12 82, Fax 392139, <, , – . E VISA
28 Z : 48 B 85/110 - 110/160 Fb. (Köln S. 3) T a

St. Maternus , Karlstr. 9, ✆ 39 36 33, Fax 393245, « Terrasse mit < » –
10 Z : 18 B. (Köln S. 3) T z

An der Tennishalle Schmitte, Großrotter Weg 1 (Hochkirchen), ✆ (02233) 2 27 77 (Hotel) 2 24 31 (Rest.), Fax 23961, , (Halle) – Ⓟ. AE E VISA (Köln S. 3) T b
M a la carte 33/56 – **18 Z : 26 B** 108/160 - 150/180 Fb.

XX **Ufer-Galerie,** Uferstr. 16, ✆ 39 38 63, <, « Wechselnde Bilderausstellung ; Terrasse » –
Samstag bis 18 Uhr und Montag geschl. – **M** *(Tischbestellung ratsam)* a la carte 58/85. (Köln S. 3) T a

In Köln 50-Sürth :

Falderhof garni, Falderstr. 29, (02236) 6 42 44, Fax 68000, « Ehem. Gutshof mit geschmackvoller Einrichtung » - 25/100. AE E VISA (Köln S. 3) T f
34 Z : 44 B 145/195 - 190/270 Fb.

In Köln 40-Weiden :

Garten-Hotel garni, Königsberger Str. 5, (02234) 7 60 06, Fax 79160, - AE E VISA (Köln S. 3) S n
23.- 31. Dez. geschl. - **33 Z : 53 B** 85/130 - 140/150 Fb.

In Köln 71-Worringen N : 18 km über die B 9 R :

Matheisen, In der Lohn 45, 78 10 61 - AE E VISA
M *(Mittwoch geschl.)* a la carte 25/60 - **9 Z : 16 B** 64/98 - 106/140 Fb.

MICHELIN-REIFENWERKE KGaA. Niederlassung Köln 30-Ossendorf, Bleriotstr. 9 (Köln S. 3 R), 59 20 11 Fax 592559.

KÖNGEN 7316. Baden-Württemberg 413 KL 20 - 9 000 Ew - Höhe 280 m - 07024.

♦Stuttgart 26 - Reutlingen 28 - ♦Ulm (Donau) 67.

Schwanen, Schwanenstr. 1, 88 64, Fax 83607 - - 25/80. AE E.
24. Dez.- 6. Jan. geschl. - **M** *(Sonntag - Montag geschl.)* a la carte 37/65 - **45 Z : 60 B** 94/125 - 125/165 Fb.

Neckartal, Bahnhofstr. 19, 88 41,
40 Z : 60 B Fb.

KÖNGERNHEIM Rheinland-Pfalz siehe Nierstein.

KÖNIG, BAD 6123. Hessen 412 413 K 17, 987 ㉕ - 8 500 Ew - Höhe 183 m - Heilbad - 06063.

Verkehrsbüro, Elisabethenstr. 13, 15 65, Fax 5517.

♦Wiesbaden 85 - Aschaffenburg 44 - ♦Darmstadt 40 - Heidelberg 65.

Forst-Hotel Carnier, Kimbacher Str. 218, 20 51, Telex 4191662, Fax 5302, - - 25/40. AE E VISA. Rest
M *(Montag - Dienstag geschl.)* a la carte 51/78 - **44 Z : 73 B** 130/165 - 165/210 Fb - 4 Appart. 230/350.

Haus Ursula garni, Frankfurter Str. 6 (Eingang Schwimmbadstr.), 7 29, Fax 5583, - E.
20. Nov.- 20. Dez. geschl. - **25 Z : 45 B** 60/100 - 98/150 Fb.

Haus Stefan garni, Friedr.-Ebert-Str. 4, 25 04, Fax 3504, - E
15. Dez. - 20. Jan. geschl. - **9 Z : 14 B** 40/45 - 80/90.

Büchner, Frankfurter Str. 6, 6 05, Fax 5444 - Rest. AE E VISA. Zim
Jan. geschl. - **M** *(Dienstag geschl.)* 17 /25 (mittags) und a la carte 29/59 *(auch vegetarische Gerichte)* - **16 Z : 23 B** 31/55 - 62/100 - ½ P 47/71.

In Bad König-Momart SO : 2 km über Weyprechtstraße :

Zur Post, Hauswiesenweg 16, 15 10, -
1.- 20. Jan. und 1.- 15. Okt. geschl. - **M** *(Montag geschl.)* a la carte 20/45 - **11 Z : 19 B** 45 - 82.

In Bad König-Zell S : 2 km :

Zur Krone, Königer Str. 1, 18 13, Fax 3655, -
Mitte Jan.- Mitte Feb. geschl. - **M** a la carte 22/40 - **31 Z : 53 B** 30/39 - 78 Fb - ½ P 42/51.

KÖNIGHEIM Baden-Württemberg siehe Tauberbischofsheim.

KÖNIGSBACH-STEIN 7535. Baden-Württemberg 413 I 20 - 8 200 Ew - Höhe 192 m - 07232.

♦Stuttgart 65 - ♦Karlsruhe 23 - Pforzheim 16.

Im Ortsteil Königsbach :

Europäischer Hof, Steiner Str. 100, 10 05, Fax 4697 - - 25/40. AE E VISA
24. Feb.- 9. März und Juli - Aug. 3 Wochen geschl. - **M** *(abends Tischbestellung ratsam)* (Samstag bis 18 Uhr und Montag geschl.) a la carte 47/75 - **21 Z : 38 B** 85/100 - 150/160 Fb.

Zum Ochsen, Marktstr. 11, 52 25
Samstag bis 18 Uhr geschl. - **M** *(auch vegetarisches Menu)* a la carte 28/67.

Im Ortsteil Stein :

Zum goldenen Lamm, Marktplatz 2, 17 76 -
Dienstag und Aug.- Sept. 3 Wochen geschl. - **M** a la carte 23/64.

KÖNIGSBRONN **7923.** Baden-Württemberg 413 N 20 – 7 800 Ew – Höhe 500 m – Erholungsort – Wintersport : 1 – 07328.

♦Stuttgart 89 – Aalen 14 – Heidenheim an der Brenz 9.

Brauereigasthof Weißes Rößle, Zanger Str. 1, 62 82, Biergarten – E VISA
April 2 Wochen geschl. – **M** *(Sonn- und Feiertage ab 14.30 Uhr sowie Montag geschl.)* a la carte 25/51 – **15 Z : 25 B** 40/50 - 70/90.

In Königsbronn-Zang SW : 6 km :

Löwen mit Zim, Struthstr. 17, 62 92, Fax 7537,
Aug. 2 Wochen geschl. – **M** *(Dienstag - Mittwoch 18 Uhr geschl.)* a la carte 30/58 – **8 Z : 15 B** 55 - 95.

KÖNIGSBRUNN **8901.** Bayern 413 P 22, 987 ㊱ – 20 550 Ew – Höhe 520 m – 08231.

Föllstr. 32a, 3 26 37 ; Benzstr. 25, 3 27 72.

♦München 66 – ♦ Augsburg 12 – ♦ Ulm 94.

Zeller, Hauptstr. 78, 40 24, Fax 32545 – – 25/180. AE E VISA
M a la carte 24/66 – **79 Z : 130 B** 88/112 - 128/160 Fb.

Arkadenhof garni, Hauptstr. 72, 8 60 27, Fax 86020 – – 25. AE E VISA
24.- 31. Dez. geschl. – **39 Z : 70 B** 92 - 125 Fb.

Krone, Hauptstr. 44, 8 60 60, – E VISA
11. Aug.- 2. Sept. geschl. – **M** *(Montag geschl.)* a la carte 21/38 – **25 Z : 52 B** 55 - 70/90 Fb.

KÖNIGSDORF **8197.** Bayern 413 R 23, 426 G 5 – 2 100 Ew – Höhe 625 m – 08179.

Beuerberg, Gut Sterz (W : 5 km), (08179) 6 17.

♦München 45 – Bad Tölz 11 – Weilheim 29.

Posthotel Hofherr, Hauptstr. 31 (B 11), 7 11, Fax 659, Biergarten, – – 30. AE E. Zim
M *(Montag geschl.)* a la carte 27/59 – **49 Z : 100 B** 85 - 136 Fb.

KÖNIGSFELD IM SCHWARZWALD **7744.** Baden-Württemberg 413 I 22, 987 ㉟ – 5 800 Ew – Höhe 761 m – Heilklimatischer Kurort – Kneippkurort – Wintersport : 5 – 07725.

Angelmoos 20, 24 77.

Kurverwaltung, Friedrichstr. 5, 80 09 45, Fax 800922.

♦Stuttgart 126 – Schramberg 12 – Triberg 19 – Villingen-Schwenningen 13.

Fewotel Schwarzwaldtreff , Im Klimschpark, 80 80, Telex 7921558, Fax 808808, Bade- und Massageabteilung, , , , (Halle) – – 25/130. AE E VISA. Rest
M a la carte 36/70 – **103 Z : 140 B** 99/125 - 178/240 Fb – 32 Fewo 98/139 – ½ P 129/155.

Kurpension Gebauer-Trumpf , Bismarckstr. 10, 76 07, Bade- und Massageabteilung, , , – . Rest
5. Nov.- 26. Dez. geschl. – (Restaurant nur für Hausgäste) – **22 Z : 30 B** 70/105 - 140/200 – ½ P 95/120.

Zur Post, Mönchweiler Str. 10, 74 48 – Zim
15. Nov.- 15. Dez. geschl. – **M** *(Montag geschl.)* a la carte 24/40 – **13 Z : 26 B** 40/70 - 80/140 – ½ P 70/96.

KÖNIGSHOFEN, BAD **8742.** Bayern 413 O 16, 987 ㉖ – 6 500 Ew – Höhe 277 m – Heilbad – 09761 – Kurverwaltung, im Kurzentrum, 8 27, Fax 2005.

♦München 296 – ♦Bamberg 61 – Coburg 49 – Fulda 82.

Zur Linde, Hindenburgstr. 36, 15 09 – – **17 Z : 29 B.**

Schlundhaus mit Zim (historisches Gasthaus a.d. 17. Jh.), Marktplatz 25, 15 62 – . AE E VISA
15. - 31. Aug. geschl. – **M** *(Dienstag geschl.)* a la carte 23/48 – **6 Z : 11 B** 60 - 120.

KÖNIGSLUTTER AM ELM **3308.** Niedersachsen 411 P 10, 987 ⑯ – 16 500 Ew – Höhe 125 m – 05353.

Sehenswert : Ehemalige Abteikirche★ (Plastik der Hauptapsis★★, Nördlicher Kreuzgangflügel★).

Verkehrsbüro, Rathaus, 50 11 29.

♦Hannover 85 – ♦Braunschweig 22 – Magdeburg 67 – Wolfsburg 23.

Königshof, Braunschweiger Str. 21a (B 1), 50 30, Fax 503244, , , (Halle) – – 25/200
Restaurants : **La Trevise** *(wochentags nur Abendessen)* – **Grillstuben** *(nur Abendessen)* – **160 Z : 340 B** Fb – 15 Appart.

Parkhotel garni, Poststr. 5, 84 30 –
17 Z : 25 B.

In Königslutter 2-Bornum W : 5 km über die B 1 :

Lindenhof, Im Winkel 23, ✆ 10 01, Fax 4648 – ☎ P. E VISA
M *(Montag bis 17 Uhr und Juni - Juli 3 Wochen geschl.)* a la carte 26/41 – **19 Z : 30 B** 60/75 - 90/110 Fb.

KÖNIGSSEE Bayern siehe Schönau am Königssee.

KÖNIGSTEIN **8459.** Bayern 413 R 18 – 1 550 Ew – Höhe 500 m – Erholungsort – ✆ 09665.
Fremdenverkehrsverein, Oberer Markt 20, ✆ 17 64, Fax 219.
♦München 202 – Amberg 29 – Bayreuth 52 – ♦Nürnberg 56.

Königsteiner Hof, Marktplatz 10, ✆ 7 42, – P. Zim
15. Nov.- 15. Dez. geschl. – **M** a la carte 15/32 – **20 Z : 39 B** 35/42 - 65/75 – ½ P 41/45.

Reif, Oberer Markt 5, ✆ 2 52, –
10. Nov.- 15. Dez. geschl. – **M** a la carte 16/36 – **20 Z : 40 B** 32/40 - 56/68.

Wilder Mann, Oberer Markt 1, ✆ 2 37, – ☎
M *(9. Nov.- 14. Dez.geschl.)* a la carte 17/40 – **28 Z : 46 B** 38/48 - 64/80 – ½ P 40.

Post, Marktplatz 2, ✆ 7 41,
7. Jan.- 7. Feb. geschl. – **M** a la carte 14,50/30 – **15 Z : 28 B** 26/35 - 64/70.

In Edelsfeld **8459** SO : 7,5 km :

Goldener Greif, Sulzbacher Str. 5, ✆ (09665) 2 83, Fax 8123, – TV ☎ P
3.- 22. Aug. und 14.- 26. Dez. geschl. – **M** *(Dienstag geschl.)* a la carte 16/37 – **24 Z : 40 B** 42/48 - 75/95.

In Hirschbach **8459** SW : 10 km :

Goldener Hirsch, Dorfplatz 12, ✆ (09152) 85 07, – TV P.
27. Jan.- 13. März geschl. – **M** *(Montag geschl.)* a la carte 14/26 – **16 Z : 30 B** 20/34 - 40/68 – 2 Fewo 45/60.

KÖNIGSTEIN IM TAUNUS **6240.** Hessen 987 ㉔㉕, 412 413 I 16 – 16 500 Ew – Höhe 362 m – Heilklimatischer Kurort – ✆ 06174.
Sehenswert : Burgruine★.
Kurbüro, Hauptstr. 21, ✆ 20 22 51.
♦Wiesbaden 27 – ♦Frankfurt am Main 23 – Bad Homburg vor der Höhe 14 – Limburg an der Lahn 40.

Sonnenhof , Falkensteiner Str. 9, ✆ 2 90 80, Telex 410636, Fax 290875, ≤, , Park, , , – TV P – 25/40. AE E VISA. Zim
M (bemerkenswerte Weinkarte) 30 /35 (mittags) und a la carte 50/77 – **43 Z : 68 B** 110/148 - 155/255 Fb.

Königshof garni, Wiesbadener Str. 30, ✆ 2 90 70, Fax 290752, – TV ☎ P – 30. AE E VISA
21. Dez.- 5. Jan. geschl. – **26 Z : 36 B** 120/150 - 195 Fb.

Zum Hirsch garni, Burgweg 2, ✆ 50 34 – ☎
30 Z : 43 B 50/95 - 100/160.

Rats-Stuben, Hauptstr. 44, ✆ 52 50 – AE E VISA
Dienstag - Mittwoch 19 Uhr, Jan. 2 Wochen und Juli - Aug. 3 Wochen geschl. – **M** a la carte 45/85.

Weinstube Leimeister, Hauptstr. 27, ✆ 2 18 37
Sonntag 15 Uhr - Montag und Mitte Juli - Mitte Aug. geschl. – **M** 18 /35 (mittags) und a la carte 48/67.

KÖNIGSWINTER **5330.** Nordrhein-Westfalen 987 ㉔, 412 E 14 – 34 000 Ew – Höhe 60 m – ✆ 02223.
Ausflugsziel : Siebengebirge★ : Burgruine Drachenfels★ (nur zu Fuß, mit Zahnradbahn oder Kutsche erreichbar) ★★.
Städtisches Verkehrsamt, Drachenfelsstr. 7, ✆ (02244) 88 93 25.
♦Düsseldorf 83 – ♦Bonn 11 – ♦Koblenz 57 – Siegburg 20.

Maritim, Rheinallee 3, ✆ 70 70, Telex 886432, Fax 707811, ≤, , Massage, , – Zim TV P – 25/500. AE E VISA. Rest
M a la carte 54/82 – **250 Z : 500 B** 195/345 - 264/464 Fb – 32 Appart. 500/600.

Rheinhotel Königswinter, Rheinallee 9, ✆ 2 40 51, Telex 885264, Fax 26694, ≤, , , – TV ☎ – 40. AE E VISA
M a la carte 28/62 – **50 Z : 110 B** 110/250 - 150/300 Fb.

Loreley, Rheinallee 12, ✆ 2 30 13, Telex 8869458, Fax 24115, ≤ – TV ☎ P. AE E VISA
M a la carte 28/58 – **55 Z : 110 B** 130/160 - 180/220 Fb.

Auf dem Petersberg NO : 3 km :

Gästehaus Petersberg (mit Gästehaus der Bundesregierung), 5330 Königswinter, (02223) 7 44 40 (Hotel) 7 43 80 (Rest.), Fax 24313, Rheintal, « Naturpark » – – 15/200. AE E VISA
Reservierung für Hotel und Restaurant erforderlich – **M** *(nur Abendessen)* a la carte 67/85 – **49 Z : 70 B** 300/475 - 400/500 – 12 Appart. 900/1200.

In Königswinter 41-Ittenbach O : 6 km :

Im Hagen Oelbergringweg 45, 2 30 72, –
20 Z : 35 B Fb.

In Königswinter 41-Margarethenhöhe O : 5 km :

Berghof mit Zim, Löwenburger Str. 23, 2 30 70, Fax 21112, Siebengebirge, – – 30. E VISA
M *(Montag geschl.)* a la carte 31/69 – **8 Z : 15 B** 90 - 140.

In Königswinter 1-Oberdollendorf N : 2,5 km :

Weinhaus zur Mühle, Lindenstr. 7, 2 18 13, « Gemütliche Einrichtung » – . AE E VISA
Donnerstag geschl. – **M** 18 /35 (mittags) und a la carte 35/59.

Bauernschenke, Heisterbacher Str. 123, 2 12 82 – AE E
M a la carte 24/56.

In Königswinter 21-Stieldorf N : 8 km :

Sutorius, Oelinghovener Str. 7, (02244) 47 49, – . AE E
Montag - Dienstag 18 Uhr, Mitte - Ende Jan. und Juli - Aug. 4 Wochen geschl. – **M** (Tischbestellung ratsam) a la carte 53/78.

KÖSSEN **A-6345.** Österreich 413 U 23, 426 J 5 – 3 250 Ew – Höhe 591 m – Wintersport 600/1 700 m 7 10 – 05375 (innerhalb Österreich).

18, Mühlau 1, 21 22.

Verkehrsbüro, Dorf 15, 62 87, Fax 6989.

Wien 358 – Kitzbühel 29 – ♦München 111.

Die Preise sind in der Landeswährung (Ö.S.) angegeben

Auf dem Moserberg O : 6 km, Richtung Reit im Winkl, dann links ab :

Peternhof , Moserbergweg 60, A-6345 Kössen, (05375) 62 85, Fax 6944, Reit im Winkl, Kaisergebirge und Unterberg, , , , , (Halle), – 30
3. Nov.- 20. Dez. geschl. – **M** a la carte 185/400 – **87 Z : 175 B** 485/508 - 970/998 Fb – ½ P 448/483.

In Kössen-Kranzach W : 6 km :

Seehof und Panorama, A-6344 Walchsee, (05374) 56 61, Fax 5665, , , Massage, , (geheizt), , , (Halle), – . Rest
Nov. - 18. Dez. geschl. – **M** a la carte 190/380 – **142 Z : 260 B** 600/750 - 1080/1440 Fb – ½ P 640/850.

Seehotel Brunner, Kranzach 50, 6344 Walchsee, (05374) 53 20, Fax 5320350, , , , , – . Rest
50 Z : 95 B Fb.

In Walchsee **A-6344** W : 7 km :

Schick, Johannesstr. 1, (05374) 53 31, Telex 51447, Fax 5334550, Massage, , , , – – 25/60. E VISA
Nov. geschl. – **M** *(Montag geschl.)* a la carte 250/420 – **90 Z : 150 B** 680/1070 - 1200/1820 Fb – 3 Appart. – ½ P 720/980.

KOETHEN **O-4370.** Sachsen-Anhalt 984 ⑲ – 34 000 Ew – Höhe 75 m – 0037445.

Magdeburg 42 – Dessau 20 – Halle 38 – Nordhausen 120.

Anhalt, Ludwigstr. 53, 22 41 –
30 Z : 50 B Fb.

KÖTZTING **8493.** Bayern 413 V 19, 987 ㉗ – 6 800 Ew – Höhe 408 m – Luftkurort – 09941

Verkehrsamt, Herrenstr. 10, 60 21 50, Fax 602130.

♦München 189 – Cham 23 – Deggendorf 46.

Zur Post, Herrenstr. 10, 66 28, – – 25/80
13 Z : 28 B Fb.

Amberger Hof, Torstr. 2, 13 09 – . E
1.- 26. Dez. geschl. – **M** *(Freitag geschl.)* a la carte 20/33 – **24 Z : 41 B** 45/54 - 78/89 Fb

In Kötzting-Bonried **8491** SO : 7 km :

Gut Ulmenhof, ✆ (09945) 6 32, « Park », – P. *(Restaurant nur für Hausgäste)* – **20 Z : 40 B** 53 - 100/120 Fb – ½ P 75.

In Kötzting-Steinbach W : 1,5 km :

Am Steinbachtal, ✆ 16 94, Fax 8212, – P
Nov.- 20. Dez. geschl. – **M** a la carte 22/43 – **57 Z : 105 B** 45/60 - 90/100 Fb.

In Blaibach **8491** SW : 4 km :

Blaibacher Hof, Kammleiten 6b, ✆ (09941) 85 88, – P
Nov.- 20. Dez. geschl. – **M** *(Dienstag bis 18 Uhr geschl.)* a la carte 18/40 – **17 Z : 34 B** 40 - 70.

KOHLBERG Baden-Württemberg siehe Metzingen.

KOHLGRUB, BAD **8112.** Bayern 413 Q 23, 426 ⑯ – 2 000 Ew – Höhe 815 m – Moorheilbad – Wintersport : 820/1 406 m 4 – 08845.

Kurverwaltung im Haus der Kurgäste, ✆ 90 21.

München 83 – Garmisch-Partenkirchen 31 – Landsberg am Lech 51.

Kurhotel Der Schillingshof, Fallerstr. 11, ✆ 10 01, Fax 8349, , Bade- und Massageabteilung, Rest P – 25/50. AE E VISA. Rest
M a la carte 28/57 – **131 Z : 248 B** 127/137 - 198/213 Fb – ½ P 125/163.

Pfeffermühle, Trillerweg 10, ✆ 6 68 – P. Zim
Feb.- Okt. – **M** *(Mittwoch 14 Uhr - Donnerstag geschl.)* a la carte 32/57 – **9 Z : 14 B** 65/70 - 116.

KOLBERMOOR **8208.** Bayern 413 T 23, 987 ㊲, 426 I 5 – 13 900 Ew – Höhe 465 m – 08031 (Rosenheim).

München 63 – Rosenheim 5.

Heider, Rosenheimer Str. 35, ✆ 9 60 76, Fax 91410 – P. E. Zim
Mitte Dez.- Jan. geschl. – (nur Abendessen für Hausgäste) – **39 Z : 70 B** 54/80 - 98/120.

KOLLNBURG **8371.** Bayern 413 V 19 – 2 700 Ew – Höhe 670 m – Erholungsort – Wintersport : 600/1 000 m 2 2 – 09942.

Verkehrsamt, Schulstr. 1, ✆ 50 91, Fax 5600.

München 177 – Cham 30 – Deggendorf 34.

Schlecht, Viechtacher Str. 6, ✆ 50 71, – P. E. Zim
Nov. geschl. – **M** a la carte 19/38 – **40 Z : 75 B** 34/39 - 58/64 Fb – ½ P 41/46.

Burggasthof, Burgstr. 11, ✆ 86 86, – P
April 1 Woche und Nov. 2 Wochen geschl. – **M** *(Dienstag ab 14 Uhr geschl.)* a la carte 16,50/31 – **20 Z : 43 B** 30 - 58 – ½ P 42.

KONKEN Rheinland-Pfalz siehe Kusel.

KONSTANZ **7750.** Baden-Württemberg 413 K 23, 24, 987 ㉟, 427 L 2,3 – 75 000 Ew – Höhe 407 m – 07531.

Sehenswert : Lage★ – Seeufer★ – Münster★ (Türflügel★) **A.**

Ausflugsziel : Insel Mainau★★ ② : 7 km.

18 Allensbach-Langenrain (NW : 15 km), ✆ (07533) 51 24.

Tourist-Information, Bahnhofplatz 13, ✆ 28 43 76, Fax 284364.

ADAC, Wollmatinger Str. 6, ✆ 5 46 60.

Stuttgart 180 ① – Bregenz 62 ③ – Ulm (Donau) 146 ① – Zürich 76 ④.

Steigenberger Insel-Hotel, Auf der Insel 1, ✆ 2 50 11, Telex 733276, Fax 26402, Bodensee, « Kreuzgang des ehem. Klosters, Gartenterrasse am See », – Zim P – 25/70. AE E VISA. Rest Y **h**
Restaurants : **Seerestaurant M** 50/60 (mittags) und a la carte 65/100 – **Dominikaner Stube** (regionale Küche) **M** a la carte 40/64 – **100 Z : 169 B** 215/285 - 300/450 Fb – 5 Appart. 470/580 – ½ P 205/290.

Halm, Bahnhofplatz 6, ✆ 12 10, Telex 733280, Fax 21803, – – 20/50. AE E VISA. Rest Z **c**
Restaurants : **Maurischer Saal** *(nur Abendessen)* **M** 90/140 – **Brasserie M** a la carte 45/60 – **102 Z : 175 B** 150/260 - 290/390 Fb – 9 Appart. 400/670.

Parkhotel am See, Seestr. 25a, ✆ 5 10 77, Telex 733379, Fax 50143, – – 50. AE E VISA über ②
M a la carte 35/62 – **39 Z : 74 B** 169/229 - 199/320 Fb – 5 Appart. 290/450.

KONSTANZ

Hussenstraße	3
Kanzleistraße	4
Marktstätte	8
Paradiesstraße	13
rosgartenstraße	14
Wessenbergstraße	
Alleestraße	2
Katzgasse	6
Kreuzlinger Straße	7
Münzgasse	9
Obermarkt	12
St.-Stephans-Platz	17
Zähringerplatz	19
Zollernstraße	21

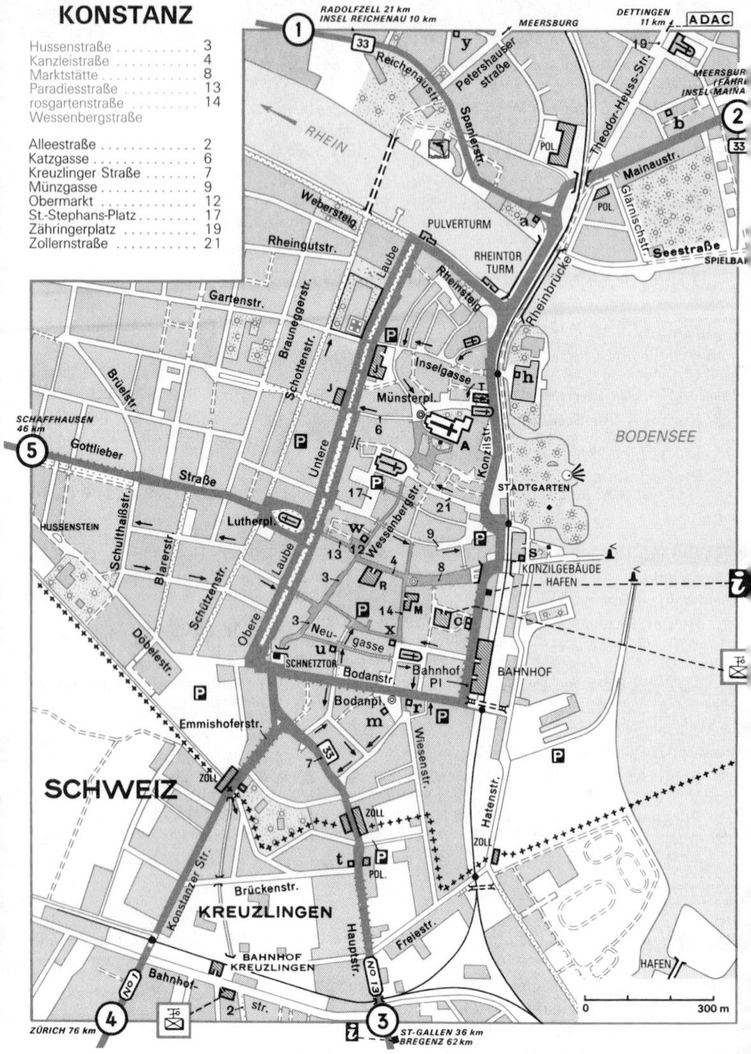

Seeblick, Neuhauser Str. 14, 5 40 18, Fax 67567, – 25/60. Rest über ②
M a la carte 32/65 – **85 Z : 120 B** 80/120 - 140/180 Fb.

Mago-Hotel garni, Bahnhofplatz 4, 2 70 01, Fax 27003 – Z c
31 Z : 55 B 110/150 - 150/190 Fb – 3 Appart. 220/240.

Buchner Hof garni, Buchnerstr.6, 5 10 35, Fax 67137, – über ②
18. Dez.- 4. Jan. geschl. – **13 Z : 25 B** 105/140 - 140/190 Fb.

Stadthotel garni, Bruderturmgasse 2, 2 40 72, Fax 29064 – Z u
24 Z : 44 B 95/130 - 135/180 Fb.

Bayrischer Hof garni, Rosgartenstr. 30, 2 20 75, Fax 16931 – Z x
23. Dez.- 7. Jan. geschl. – **25 Z : 36 B** 95/140 - 155/180 Fb.

Petershof, St. Gebhard-Str. 14, ℘ 6 53 67, Fax 53562 – Zim ☎ über ①
37 Z : 51 B Fb.

Barbarossa, Obermarkt 8, ℘ 2 20 21, Fax 27630 – ☎ – 25. AE ① E VISA Z **w**
Feb. geschl. – **M** *(Sonntag 15 Uhr - Montag geschl.)* a la carte 41/69 – **65 Z : 100 B** 80/120 - 150/185.

Hirschen, Bodanplatz 9, ℘ 2 22 38, Fax 22120, – . Z **m**
20. Dez.- 28. Jan. geschl. – **M** *(Nov.- Ostern Freitag geschl.)* a la carte 28/49 – **33 Z : 58 B** 90/110 - 180/200.

Goldener Sternen, Bodanplatz 1, ℘ 2 52 28, Fax 21673 – . AE ① E VISA Z **r**
Jan. geschl. – **M** a la carte 39/70 – **20 Z : 30 B** 65/90 - 120/180 Fb.

XXXX ✿ **Seehotel Siber** mit Zim, Seestr. 25, ℘ 6 30 44, Fax 64813, <, « Modernisierte Jugendstilvilla, elegante Einrichtung, Terrasse » – ☎ Ⓟ. AE ① E VISA
Feb. 2 Wochen geschl. – **M** 52 (mittags) und a la carte 81/132 – **12 Z : 24 B** 320/480 (Doppelzimmer) über ②
Spez. Bouillabaisse von Bodenseefischen, Gänseleberterrine, Lammsattel mit Sauce Hermitage.

XXX **Casino-Restaurant,** Seestr. 21, ℘ 6 36 15, Fax 67628, Terrasse mit < – Ⓟ. AE ① E VISA
nur Abendessen – **M** (Tischbestellung ratsam) a la carte 45/78. über ②

XX **Zum Nicolai-Torkel** mit Zim, Eichhornstr. 83, ℘ 6 48 02, – ☎.
9.- 31. März geschl. – **M** *(Jan.- April Dienstag geschl.)* a la carte 37/64 – **5 Z : 10 B** 90/125 - 165. über ②

XX **Neptun,** Spanierstr. 1 (Zufahrt über Seestraße), ℘ 5 32 33, – Ⓟ. AE ① E VISA Y **a**
Donnerstag 15 Uhr - Samstag 18 Uhr und Mitte Dez.- Mitte Jan. geschl. – **M** a la carte 46/66.

X **Konzil-Gaststätten,** Hafenstr. 2, ℘ 2 12 21, Terrasse mit < Bodensee und Hafen – 25/400 Z **s**
Okt.- April Montag 18 Uhr - Dienstag geschl., Mai - Sept. Montag - Dienstag nur Mittagessen, 23. Dez.- Jan. geschl. – **M** a la carte 34/59.

In Konstanz 19-Dettingen NW : 10 km über ① :

Landhotel Traube garni, Kapitän-Romer-Str. 9b, ℘ (07533) 30 33, Fax 4565 – ☎ Ⓟ – 50. AE ① E VISA
20 Z : 40 B 55/80 - 110/124 Fb.

In Konstanz-Staad ② : 4 km :

Schiff, William-Graf-Platz 2, ℘ 3 10 41, Fax 31981, <, – ☎ Ⓟ. AE ① E VISA
M *(Montag - Dienstag geschl.)* a la carte 37/59 – **30 Z : 50 B** 88/130 - 120/175 – 5 Appart. 200.

Schönblick garni, Schiffstr. 12, ℘ 3 25 70 – ☎ Ⓟ
24. Dez.- 24. Jan. geschl. – **23 Z : 44 B** 70/80 - 120.

XX **Staader Fährhaus,** Fischerstr. 30, ℘ 3 31 18, – ① E VISA
Dienstag - Mittwoch 18 Uhr, über Fasching, 3.- 13. Juni, 26. Sept.- 10. Okt. und 23. Dez.- 2. Jan. geschl. – **M** 30 (mittags) und a la carte 45/80.

In Konstanz-Wollmatingen NW : 5 km über ① :

Goldener Adler-Tweer, Fürstenbergstr. 70, ℘ 7 71 28, Fax 76989, – ☎ Ⓟ. AE ① E VISA – **M** *(nur Abendessen, Sonntag und 23. Dez.- 15. Jan. geschl.)* a la carte 26/57 – **30 Z : 60 B** 70/110 - 100/170.

In Kreuzlingen **CH-8280** – 072. – Verkehrsbüro, Hauptstr. 39, ℘ 72 38 40

Preise in Schweizer Franken (sfr)

Schweizerland garni, Hauptstr. 6, ℘ 72 17 17 – ☎ Ⓟ. AE ① E VISA Z **t**
20. Dez.- 5. Jan. geschl. – **24 Z : 52 B** 43/53 - 77/97.

In Gottlieben **CH-8274** ⑤ : 4 km :

Drachenburg und Waaghaus , Am Schloßpark, ℘ (072) 69 14 14, Fax 691709, <, – Ⓟ – 40 – **60 Z : 100 B**.

Romantik-Hotel Krone , Seestr. 11, ℘ (072)69 23 23, Fax 692456, <, « Stilvolle Einrichtung, Terrasse am See » – ☎ Ⓟ. AE ① E VISA
5. Jan.- 26. Feb. geschl. – **M** 40 (mittags) und a la carte 59/101 – **24 Z : 44 B** 85/130 - 130/240 Fb.

In Bottighofen **CH-8598** ③ : 5 km :

Schlössli , Seestraße, ℘ (072) 75 12 75, Fax 751540, <, « Gartenterrasse », Bootssteg – ☎ Ⓟ – 25. AE ① E VISA
10. Jan.- 19. Feb. geschl. – **M** *(Okt.- April Mittwoch geschl.)* a la carte 54/90 – **Schifferstube** **M** a la carte 40/66 – **11 Z : 21 B** 100/130 - 170/240 Fb.

In Ermatingen **CH-8272** ⑤ : 10 km :

Ermatingerhof garni, Hauptstr. 82, ℘ (072) 64 24 11, Fax 642832, – ☎ Ⓟ. E VISA
20 Z : 43 B 49/65 - 75/98.

XX **Adler** (Historischer Gasthof a.d. 16. Jh.), Fruthwiler Str. 2, ℘ (072) 64 11 33, – Ⓟ. AE ① E VISA – *Mitte Jan.- Mitte Feb. und Montag 15 Uhr - Dienstag geschl.* – **M** a la carte 31/68.

KONZ **5503.** Rheinland-Pfalz 987 ㉓, 412 C 17, 409 M 6 – 15 700 Ew – Höhe 137 m – ☎ 0650

ℹ Fremdenverkehrsgemeinschaft Obermosel - Saar, Granastr. 24, ✆ 77 90.

Mainz 171 – Luxembourg 42 – Merzig 40 – ♦Trier 9.

Alt Conz , Gartenstr. 8, ✆ 30 12, Fax 7775, – ☎ Ⓟ. AE E VISA
M *(Montag geschl.)* a la carte 22/55 – **14 Z : 27 B** 45/60 - 90/100 Fb.

Römerstuben, Wiltinger Str. 25, ✆ 20 75, Fax 2117 – ☎ Ⓟ. E VISA
M a la carte 23/60 – **25 Z : 48 B** 55/65 - 96/150.

Ratskeller, Am Markt 11, ✆ 22 58, – AE E VISA
Dienstag und 20.- 25. Juli geschl. – **M** a la carte 28/59.

In Konz-Karthaus :

Schons, Merzlicher Str. 8, ✆ 20 41, Fax 2834, – Ⓟ
24. Dez.- 2. Feb. geschl. – **M** *(Sonntag 14 Uhr - Montag 16 Uhr geschl.)* a la carte 21/43
42 Z : 68 B 39/60 - 75/95.

In Wasserliesch **5505** W : 2,5 km :

❀ **Scheid** , Reinigerstr. 48, ✆ (06501) 1 39 58, Fax 13959 – Ⓟ. AE E VISA. Res
2.- 12. März und 21.- 30. Dez. geschl. – **M** *(bemerkenswerte Weinkarte)* (Montag - Diensta
18 Uhr geschl.) a la carte 59/96 – **13 Z : 23 B** 45/65 - 75/110
Spez. Gänseleber mariniert in Eiswein, Steinbutt mit Sauce Hollandaise, Rehnüßchen m
Waldpilzen.

KORB Baden-Württemberg siehe Waiblingen.

KORBACH **3540.** Hessen 411 412 J 13, 987 ⑮ – 23 000 Ew – Höhe 379 m – ☎ 05631.

ℹ Verkehrsamt, Rathaus, ✆ 5 32 31.

♦Wiesbaden 187 – ♦Kassel 60 – Marburg 67 – Paderborn 73.

Touric, Medebacher Landstr. 10, ✆ 80 61, direkter Zugang zum städt. – TV ☎
– 40. E VISA
M a la carte 28/50 – **39 Z : 78 B** 68 - 112 Fb.

Zum Rathaus, Stechbahn 8, ✆ 5 00 90, Fax 500959, – TV ☎ Ⓟ – 25/70.
E VISA – **M** *(Sonntag geschl.)* a la carte 28/57 – **38 Z : 65 B** 60/100 - 105/160 Fb.

In Korbach 62-Meineringhausen SO : 6 km :

Kalhöfer, Sachsenhäuser Str. 35 (an der B 251), ✆ 34 25 – Ⓟ.
M *(Freitag bis 17 Uhr geschl.)* a la carte 19/45 – **13 Z : 20 B** 30/35 - 60/70.

KORDEL **5501.** Rheinland-Pfalz 412 C 17, 409 M 6 – 2 500 Ew – Höhe 145 m – ☎ 06505.

Mainz 167 – Bitburg 21 – ♦Trier 15 – Wittlich 39.

Raach, Am Kreuzfeld 1, ✆ 5 99 – TV ☎ Ⓟ. AE
M *(Donnerstag geschl.)* a la carte 24/55 – **15 Z : 27 B** 42/62 - 80/90.

In Zemmer-Daufenbach **5506** N : 5 km :

❀ **Landhaus Mühlenberg,** Mühlenberg 2, ✆ (06505) 87 79, <, – Ⓟ. E VISA.
wochentags nur Abendessen, Montag - Dienstag sowie Jan. und Juni jeweils 2 Wochen gesch
– **M** (Tischbestellung erforderlich) 75 /95
Spez. Geräucherter Lachs auf rosa Linsen, Gegrillte Seezungenfilets auf Gemüsevinaigrette
Lasagne von Kalbsfilet, -bries und -nieren.

KORNTAL-MÜNCHINGEN Baden-Württemberg siehe Stuttgart.

KORNWESTHEIM **7014.** Baden-Württemberg 413 K 20, 987 ㉟ – 28 000 Ew – Höhe 297 m
– ☎ 07154.

Aldinger Straße(O : 1 km), ✆ (07141)87 13 19.

✆ 2 80 47.

♦Stuttgart 11 – Heilbronn 41 – Ludwigsburg 5 – Pforzheim 47.

Domizil, Stuttgarter Str. 1, ✆ 80 90, Fax 24142 – TV ☎ – 25/60. AE E VISA
M *(Samstag sowie Sonn- und Feiertage geschl.)* 18 /24 (mittags), Abendessen im Bistro -
50 Z : 96 B 142 - 172 Fb.

Zum Hasen, Christofstr. 22, ✆ 63 06 – TV ☎ Ⓟ. Zim
Dez.- Jan. 2 Wochen und Aug. geschl. – **M** *(Montag geschl.)* a la carte 25/48 – **19 Z : 32 B**
70/75 - 98/104.

Gästehaus Im Kirchle garni, Zügelstr. 1, ✆ 2 45 46, – ☎
10 Z : 15 B 65/70 - 105/110.

Bäuerle garni, Bahnhofstr. 80, ✆ 61 15 – ☎. E
35 Z : 55 B 45/85 - 70/135.

Stuttgarter Hof, Stuttgarter Str. 130, ✆ 31 01, – Ⓟ. AE E. Zim
Ende Juli - Mitte Aug. geschl. – **M** *(Samstag geschl.)* a la carte 23/43 – **23 Z : 31 B** 43/70
95

KORSCHENBROICH Nordrhein-Westfalen siehe Mönchengladbach.

KRÄHBERG Hessen siehe Beerfelden.

KRANZBERG **8051.** Bayern 413 R 21 – 3 000 Ew – Höhe 486 m – ☎ 08166.
♦München 50 – Ingolstadt 46 – Landshut 50.

Metzgerwirt, Obere Dorfstr. 11, ☎ 2 61 – TV P
30 Z : 46 B.

Fischerwirt, Obere Dorfstr. 19, ☎ 78 88, – P
nur Abendessen, Montag - Dienstag geschl. – **M** a la carte 40/62.

KRAUCHENWIES **7482.** Baden-Württemberg 413 K 22, 987 ㉟ – 4 700 Ew – Höhe 583 m – ☎ 07576.
♦Stuttgart 123 – ♦Freiburg im Breisgau 131 – Ravensburg 46 – ♦Ulm (Donau) 78.

In Krauchenwies 3 - Göggingen W : 4,5 km :

Löwen, Mengener Str. 5, ☎ 8 12 – P
13 Z : 21 B.

KRAUTHEIM **7109.** Baden-Württemberg 413 L 18, 987 ㉕ – 4 000 Ew – Höhe 298 m – Erholungsort – ☎ 06294.
♦Stuttgart 99 – Heilbronn 59 – ♦Nürnberg 162 – ♦Würzburg 67.

Krone, König-Albrecht-Str. 3, ☎ 3 62, Fax 1623, – 35
Montag 14 Uhr - Dienstag und Aug. geschl. – **M** *(auch Diät und vegetarische Gerichte)* a la carte 28/46 .

KREFELD **4150.** Nordrhein-Westfalen 411 412 C 13, 987 ⑬ – 242 000 Ew – Höhe 40 m – ☎ 02151.
18 Krefeld-Linn (Y), ☎ 57 00 71 ; 9 Krefeld-Bockum, Stadtwald (Y), ☎ 59 02 43.
Verkehrsverein, im Seidenweberhaus, ☎ 2 92 90.
ADAC, Friedrichsplatz 14, ☎ 2 91 19, Notruf ☎ 1 92 11.
♦Düsseldorf 25 ② – Eindhoven 86 ⑤ – ♦Essen 38 ①.

Stadtpläne siehe nächste Seiten

Parkhotel Krefelder Hof , Uerdinger Str. 245, ☎ 58 40, Telex 853748, Fax 58435, « Gartenterrassen, Park », , – Zim TV P – 25/450. AE E VISA
Restaurants : **L'escargot** *(nur Abendessen, Sonntag und 16. Juli - 29. Aug. geschl.)* **M** 155 und a la carte 60/102 – **Rôtisserie im Park M** a la carte 46/94 – **148 Z : 174 B** 200/280 - 280/360 Fb – 10 Appart. 440/640. Y **a**

Hansa Hotel, Am Hauptbahnhof 1, ☎ 82 90, Fax 829150, – TV – 25/150. AE E VISA Z **c**
M *(Samstag und Sonntag jeweils bis 18 Uhr geschl.)* a la carte 38/75 – **105 Z : 220 B** 189/225 - 265/315 Fb – 5 Appart..

City-Hotel, Philadelphiastr. 63, ☎ 6 09 51, Fax 60955 – TV ☎ . AE E VISA Z **x**
M *(nur Abendessen, Samstag geschl.)* a la carte 37/61 – **72 Z : 108 B** 140/240 - 190/380 Fb.

Comfort-Inn-Hotel, Schönwasserstr. 12a, ☎ 59 02 96, Telex 8589146 – TV ☎ P Y **v**
(nur Abendessen für Hausgäste) – **52 Z : 70 B** Fb.

Bayrischer Hof garni, Hansastr. 105, ☎ 3 70 67, Telex 853383, Fax 37069 – TV ☎. AE E VISA Z **b**
18 Z : 26 B 85/95 - 125/150 Fb.

✿ **Koperpot,** Rheinstr. 30, ☎ 6 48 14, – AE E Z **a**
Sonntag 14 Uhr - Montag sowie über Ostern und Juli - Aug. jeweils 2 Wochen geschl. – **M** 78/98 und a la carte 58/74
Spez. Carpaccio von Lachs auf Limonensauce, Wiener Tafelspitz in Dillsauce, Kirschenstrudel mit Vanillesauce und Pralineneis.

Restaurant im Seidenweberhaus, Theaterplatz 1, ☎ 2 10 94 – 25/70. AE E VISA
M a la carte 44/72. Z **e**

Villa Medici mit Zim, Schönwasserstr. 73, ☎ 50 00 04, « Restaurierte Villa, Gartenterrasse » – TV ☎ P. AE E VISA Y **n**
Mitte Juli - Anfang Aug. geschl. – **M** *(Italienische Küche, Samstag geschl.)* a la carte 45/73 – **9 Z : 15 B** 90 - 130/140.

Gasthof Korff, Kölner Str. 256, ☎ 31 17 89, – P. AE E VISA Y **p**
Samstag bis 18 Uhr und Sonntag geschl. – **M** 40 /98.

Le Crocodile, Uerdinger Str. 336, ☎ 50 01 10, – AE Y **b**
Sonntag bis 18 Uhr, Montag sowie Jan.- Feb. und Okt.- Nov. jeweils 2 Wochen geschl. – **M** a la carte 45/77.

Et Bröckske (Brauerei-Gaststätte), Marktstr. 41, ☎ 2 97 40, Z **s**

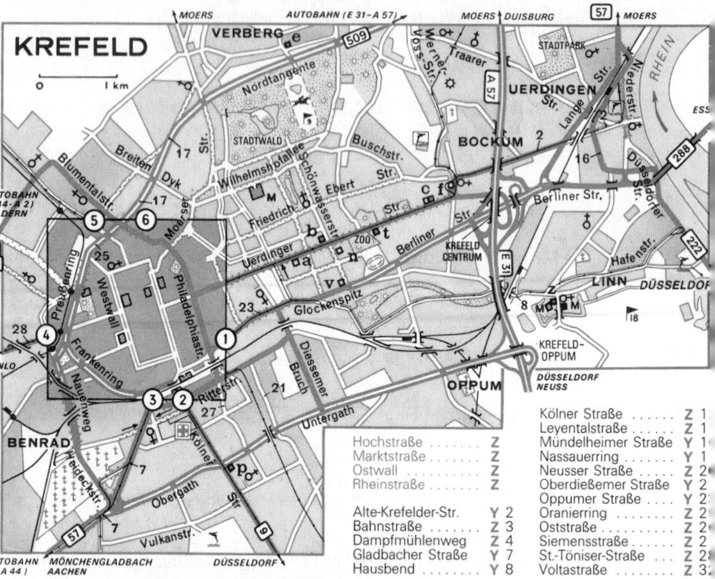

Hochstraße	Z	
Marktstraße	Z	
Ostwall	Z	
Rheinstraße	Z	
Alte-Krefelder-Str.	Y	2
Bahnstraße	Z	3
Dampfmühlenweg	Z	4
Gladbacher Straße	Y	7
Hausbend	Y	8
Kölner Straße	Z	1
Leyentalstraße	Z	1
Mündelheimer Straße	Y	1
Nassauerring	Y	1
Neusser Straße	Z	2
Oberdießemer Straße	Y	2
Oppumer Straße	Y	2
Oranierring	Z	2
Oststraße	Z	2
Siemensstraße	Z	2
St.-Töniser-Straße	Z	28
Voltastraße	Z	3

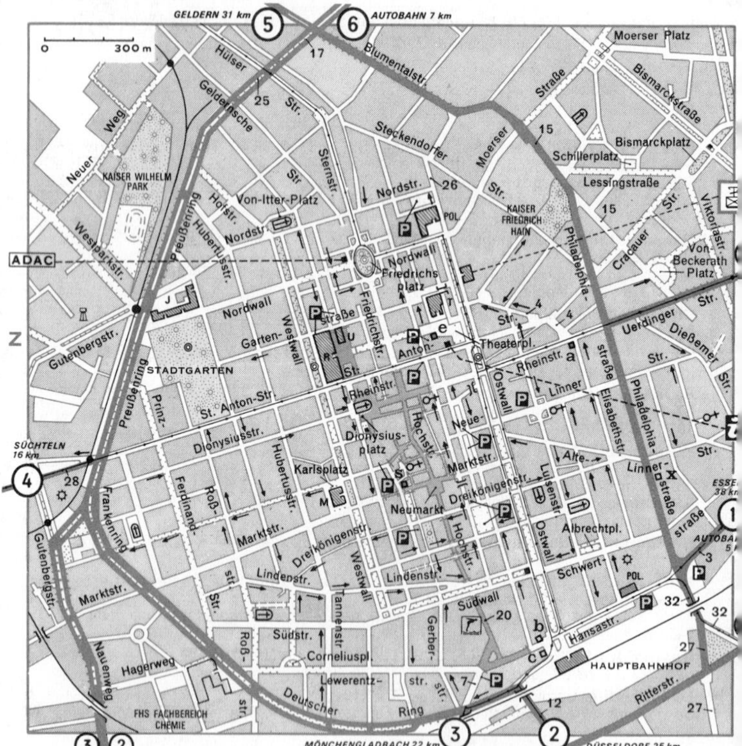

In Krefeld 1-Bockum :

Benger, Uerdinger Str. 620, ✆ 59 01 41, Telex 8531613, Fax 500888 – TV ☎ 🚗. AE ⓓ E VISA Y f
24. Dez.- 3. Jan. geschl. – **M** *(Samstag geschl.)* a la carte 34/62 – **19 Z : 30 B** 85/90 - 120/140.

Alte Post garni, Uerdinger Str. 550a, ✆ 59 03 11, Telex 8531613, Fax 500888 – |‡| TV ☎ 🚗 Ⓟ. AE ⓓ E VISA Y c
24. Dez.- 2. Jan. geschl. – **33 Z : 50 B** 90/105 - 125/150 Fb.

La Capannina (Italienische Küche), Uerdinger Str. 552, ✆ 59 14 61, 🍴 – Ⓟ. AE ⓓ E VISA
Samstag bis 18 Uhr und Sonntag geschl. – **M** a la carte 43/72. Y c

Sonnenhof, Uerdinger Str. 421, ✆ 59 35 40, Fax 505165, 🍴 – AE E VISA Y t
M a la carte 42/70.

In Krefeld 12-Linn :

Winkmannshof (ehem. Bauernhaus), Albert-Steeger-Str. 19, ✆ 57 14 66, Fax 572394, « Terrasse » – AE ⓓ E VISA Y z
M a la carte 41/85.

In Krefeld-Verberg :

Gut Heyenbaum, Zwingenbergstr. 2, ✆ 5 67 66, Fax 563978, 🍴, « Ehemaliger Gutshof, bäuerliche Einrichtung » – Ⓟ. AE ⓓ E VISA Y e
nur Abendessen, Samstag und 24. Dez.- 1. Jan. geschl. – **M** a la carte 39/73.

KREIENSEN Niedersachsen siehe Gandersheim, Bad.

KRESSBRONN AM BODENSEE **7993.** Baden-Württemberg 413 L 24, 427 M 3, 426 A 6 – 200 Ew – Höhe 410 m – Erholungsort – ☎ 07543.

ℹ Verkehrsamt, Seestr. 20, ✆ 6 02 92.

Stuttgart 170 – Bregenz 19 – Ravensburg 23.

Strandhotel 🐌, Uferweg 5, ✆ 68 41, Fax 7002, ≤, « Terrasse am Seeufer », 🏖 – |‡| TV ☎ 🚗 Ⓟ. AE
10. Jan.- 10. März geschl. – **M** 25 (mittags) und a la carte 40/75 – **30 Z : 60 B** 88/96 - 130/160.

Seehof, Seestr. 25, ✆ 64 80, 🌳 – TV ☎ Ⓟ. ✂
März - 15. Nov. – (nur Abendessen für Hausgäste) – **20 Z : 32 B** 65/85 - 104/116.

Krone, Hauptstr. 41, ✆ 9 60 80, 🏊, 🌳 – Ⓟ. ⓓ E VISA
25. Okt.- 10. Nov. und 20. Dez.- 5. Jan. geschl. – **M** *(Mittwoch geschl.)* a la carte 27/50 ♂ – **25 Z : 49 B** 39/80 - 80/140 – 3 Fewo 80/120 – ½ P 59/89.

Engel, Lindauer Str. 2, ✆ 65 42 – Ⓟ
Jan. geschl. – **M** *(Montag geschl.)* a la carte 20/31 ♂ – **18 Z : 34 B** 35/42 - 60/80.

In Kressbronn-Gohren S : 2,5 km :

Bürgerstüble 🐌, Tunauer Weg 6, ✆ 86 45, 🍴 – TV Ⓟ
10. Okt.- 20. Nov. und 24.- 31. Dez. geschl. – **M** *(Dienstag geschl.)* a la carte 23/33 ♂ – **15 Z : 26 B** 45 - 80.

KREUTH **8185.** Bayern 413 S 24, 987 ㊲, 426 H 6 – 3 300 Ew – Höhe 786 m – Heilklimatischer Kurort – Wintersport : 800/1 600 m ⛷8 ⛷5 – ☎ 08029.

ℹ Kurverwaltung, Nördl. Hauptstr. 3, ✆ 18 19, Fax 1828.

München 63 – Miesbach 28 – Bad Tölz 29.

Zur Post, Nördl. Hauptstr. 5, ✆ 10 21, Fax 322, 🍴, Biergarten, ≘s – |‡| TV ☎ ♿ 🚗 Ⓟ – 🏛 25/100. AE ⓓ E VISA
M a la carte 29/60 – **57 Z : 93 B** 110/120 - 150/170 Fb.

Gästehaus Sonnwend 🐌 garni, Setzbergweg 4, ✆ 3 68, ≤, ≘s, 🌳 – |‡| ☎ Ⓟ
16 Z : 32 B.

In Kreuth-Weißach N : 6 km – ✉ **8183** Rottach-Weißach

Bachmair Weißach, Tegernseer Str. 103, ✆ (08022) 27 10, Telex 526900, Fax 67240, ≤, 🍴, Massage, ≘s, 🏊, 🌳, 🎾(Halle) – |‡| TV 🚗 Ⓟ – 🏛 30. ✂ Zim
M a la carte 35/82 – **54 Z : 85 B** 90/165 - 175/340 Fb – ½ P 135/215.

KREUZAU Nordrhein-Westfalen siehe Düren.

KREUZLINGEN Schweiz siehe Konstanz.

Le ottime tavole

Per voi abbiamo contraddistinto alcuni ristoranti con Menu, ✿, ✿✿ o ✿✿✿.

KREUZNACH, BAD **6550.** Rheinland-Pfalz 987 ㉔. 412 G 17 – 39 800 Ew – Höhe 105 m – Heilbad – ☎ 0671.

Sehenswert : Römerhalle★ (Fußboden-Mosaiken★★).

ℹ Kurverwaltung, Kurhausstr. 23 (Bäderkolonnade), ☎ 9 23 25. – **ADAC**, Kreuzstr. 15, ☎ 3 22 67.

Mainz 45 ② – Idar-Oberstein 50 ⑤ – Kaiserslautern 56 ④ – ♦Koblenz 81 ② – Worms 55 ②.

BAD KREUZNACH

Hochstraße	Y	Gerbergasse	Y 5
Kreuzstraße	Y 10	Holzmarkt	Y 7
Mannheimer Str.	YZ	Hospitalgasse	Y 8
Römerstraße	Y 14	Kornmarkt	Y 9
Salinenstraße	YZ	Nahestraße	Y 12
Wilhelmstraße	Y	Poststraße	Y 13
		Stromberger Straße	Y 16
Am Römerkastell	Y 2	Wilhelmsbrücke	Y 17
Baumstraße	Z 3	Wormser Str.	Y 18
Eiermarkt	Y 4		

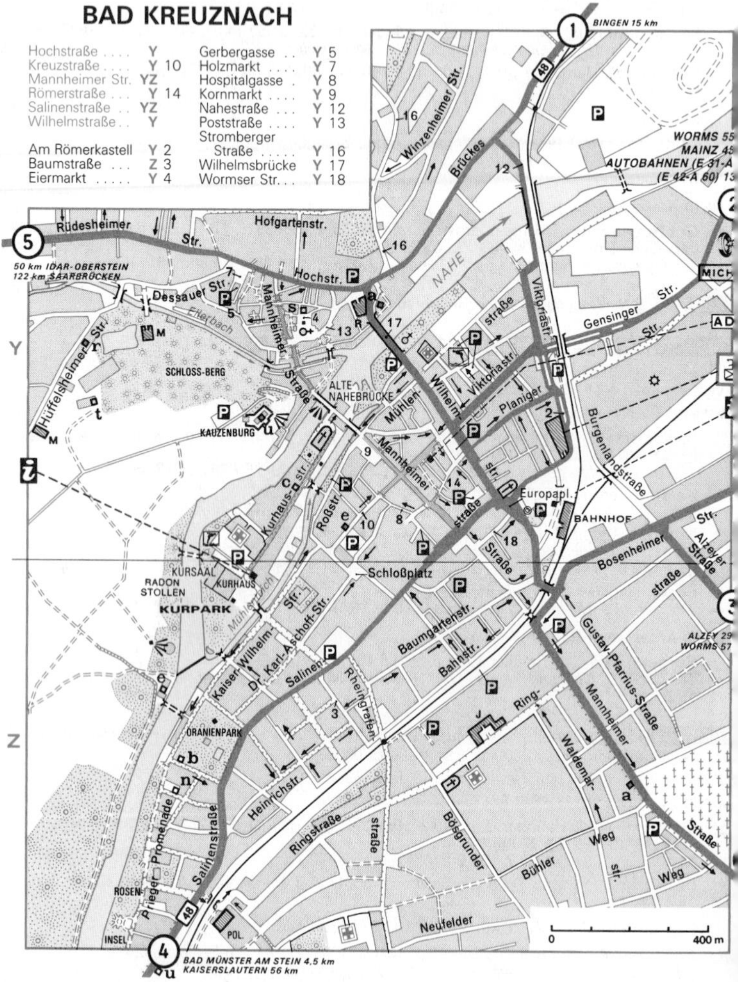

Steigenberger Hotel Kurhaus ⛰, Kurhausstr. 28, ☎ 20 61, Telex 42752, Fax 35477, 🏖, direkter Zugang zum Thermal-Sole-Bad – |♦| ⟳ Zim 📺 🚗 🅟 – 🏃 25/500. AE ⓓ E VISA. ⟳ Rest Z
M 39 (mittags) und a la carte 46/82 – **108 Z : 200 B** 159/199 - 250/320 Fb – 6 Appart. 470/660 – ½ P 164/238.

Landhotel Kauzenberg ⛰, Auf dem Kauzenberg, ☎ 2 54 61, Telex 426800, Fax 25465, 🏊, 🏖 – 📺 ☎ 🅟 – 🏃 40. AE ⓓ E VISA Y
M : siehe Restaurant Die Kauzenburg – **45 Z : 87 B** 106/118 - 160/198 Fb – ½ P 110/148.

Insel-Hotel ⛰, Kurhausstr. 10, ☎ 4 30 43, Fax 27234, 🏖 – |♦| 📺 ☎ 🅟 – 🏃 30. AE ⓓ E VISA. ⟳ Y
M *(Sonntag 18 Uhr - Montag geschl.)* a la carte 57/93 – **23 Z : 37 B** 95/105 - 170/190 Fb

🏨 **Der Quellenhof** ⚲, Nachtigallenweg 2, ℘ 21 91, Fax 35218, ≤, ♨, Bade- und Massage-abteilung, ⇌, ◨, ⚞ – ◨ ☎ ⇔ – ⚥ 30. ◍ ⋿ 𝘝𝘐𝘚𝘈. ⚘ Zim Z **e**
M a la carte 33/63 ⚗ – **45 Z : 65 B** 85/120 - 185/200 Fb.

🏨 **Engel im Salinental,** Heinrich-Held-Str. 10, ℘ 21 02, Fax 43805, ⇌ – ▮⅋ ◨ ☎ ❹ – über ④
⚥ 25/40. ◍ ⋿ 𝘝𝘐𝘚𝘈. ⚘
(Restaurant nur für Hausgäste) – **22 Z : 40 B** 90/110 - 150/170 Fb.

🏨 **Caravelle** ⚲, im Oranienpark, ℘ 37 40, Fax 374888, ♨, ⇌, ☒, – ▮⅋ ◨ ☎ ⇔ ❹ – Z **b**
⚥ 25/100. ⌧ ◍ ⋿ 𝘝𝘐𝘚𝘈
M a la carte 41/62 ⚗ – **110 Z : 160 B** 105/120 - 170/185 Fb – ½ P 112/147.

🏨 **Michel Mort** garni, Eiermarkt 9, ℘ 23 89 – ◨ ☎ Y **s**
17 Z : 36 B 82/100 - 138 Fb.

🏠 **Oranienhof** ⚲, Priegerpromenade 5, ℘ 3 00 71, Fax 36472, ♨ – ▮⅋ ◨ ☎ – ⚥ 30 Z **n**
Jan. geschl. – **M** a la carte 28/53 – **24 Z : 34 B** 56/80 - 100/150 Fb.

🏠 Haus Hoffmann garni, Salinenstr. 141, ℘ 3 27 39 Z **u**
17 Z : 27 B.

✕✕ **Im Gütchen** (modernes Restaurant in einem ehem. Hofgut), Hüffelsheimer Str. 1, ℘ 4 26 26
– ❹. ⌧ ⋿ Y **r**
Dienstag geschl. – **M** a la carte 59/82.

✕✕ **La Cuisine,** Mannheimer Str. 270, ℘ 7 26 66 – ⋿ Z **a**
Samstag bis 18 Uhr, Donnerstag, 1.- 8. Jan. und Aug. 3 Wochen geschl. – **M** (bemerkenswertes Angebot regionaler Weine) 27 /43 (mittags) und a la carte 60/87.

✕✕ **Die Kauzenburg** (modernes Restaurant in einer Burgruine), Auf dem Kauzenberg, ℘ 2 54 61, Telex 426800, Fax 25465, ≤ Bad Kreuznach, « Rittersaal in einem 800 J. alten Gewölbe, Aussichtsterrassen » – ❹ – ⚥ 25/100. ⌧ ◍ ⋿ 𝘝𝘐𝘚𝘈 Y **u**
Montag geschl. – **M** a la carte 39/62 ⚗.

✕ **Im Kleinen Klapdohr,** Kreuzstr. 72, ℘ 3 23 60 Y **e**
Donnerstag ab 15 Uhr, Sonntag 15 Uhr - Montag, Juli und 23. Dez.- 15. Jan. geschl. –
M a la carte 27/58 ⚗.

✕ **Historisches Dr.-Faust-Haus** (Fachwerkhaus a.d.J. 1492), Magister-Faust-Gasse 47,
➡ ℘ 2 87 58, bemerkenswertes Weinangebot – ◍ Y **a**
Montag - Freitag nur Abendessen, Feb. und Dienstag geschl. – **M** a la carte 23/41 ⚗.

In Hackenheim 6551 SO : 2 km über Mannheimer Straße Z :

✕✕ ✿ **Metzlers Gasthof,** Hauptstr. 69, ℘ (0671) 6 53 12, ♨ – ❹. ⋿
wochentags nur Abendessen, Sonntag nur Mittagessen, Montag und Juli - Aug. 3 Wochen geschl. – **M** a la carte 57/75
Spez. Variation von der Entenleber, Lammsattel unter der Senf-Kräuter-Kruste, Gratin von Zitrusfrüchten.

MICHELIN-REIFENWERKE KGaA. 6550 Bad Kreuznach, Michelinstraße (über ②), ℘60 71
Fax 74467.

KREUZTAL 5910. Nordrhein-Westfalen 𝟦𝟙𝟤 G 14, 𝟫𝟪𝟩 ㉔ – 30 100 Ew – Höhe 310 m – ✆ 02732.
Düsseldorf 120 - Hagen 78 - ♦Köln 83 – Siegen 11.

🏨 **Keller,** Siegener Str. 33 (B 54), ℘ 40 05, Biergarten, ⇌ – ◨ ☎ ⇔ ❹. ⌧ ◍ ⋿ 𝘝𝘐𝘚𝘈
M (Samstag bis 15 Uhr geschl.) a la carte 34/63 – **14 Z : 20 B** 78/87 - 98/137.

In Kreuztal-Ferndorf O : 2 km :

🏠 **Finke,** Marburger Str. 168 (B 508), ℘ 23 02, « Fachwerkhaus a.d.J. 1780 » – ☎ ⇔ ❹.
➡ ⌧ ⋿
M (Samstag bis 18 Uhr geschl.) a la carte 24/54 – **12 Z : 16 B** 39/49 - 66/102.

In Kreuztal 7-Krombach NW : 5 km :

⚱ **Hambloch,** Olper Str. 2 (B 54), ℘ 8 02 32, Fax 86156 – ❹ – ⚥ 40. ⌧ ◍ ⋿ 𝘝𝘐𝘚𝘈
Juli - Aug. 3 Wochen geschl. – **M** (Dienstag geschl.) a la carte 28/56 – **11 Z : 15 B** 38/55 - 70/95.

KREUZWERTHEIM Bayern siehe Wertheim.

KRIFTEL Hessen siehe Hofheim am Taunus.

Besonders angenehme Hotels oder Restaurants
sind im Führer rot gekennzeichnet. 🏰🏰🏰 ... 🏠

Sie können uns helfen, wenn Sie uns die Häuser angeben,
in denen Sie sich besonders wohl gefühlt haben. ✕✕✕✕✕ ... ✕

Jährlich erscheint eine komplett überarbeitete Ausgabe
aller Roten Michelin-Führer.

KRÖV **5563.** Rheinland-Pfalz 412 E 17 – 2 500 Ew – Höhe 105 m – Erholungsort – ☎ 065 (Traben-Trarbach).

ℹ Verkehrsbüro, Robert-Schuman-Str. 63, ☎ 94 86, Fax 6799.

Mainz 131 – Bernkastel-Kues 18 – ♦Trier 56 – Wittlich 19.

Ratskeller (mit Gästehaus), Robert-Schuman-Str. 49, ☎ 99 97, Fax 3202 – |♦| P. E
10. Jan.- 10. Feb. geschl. – **M** *(Dienstag geschl.)* a la carte 24/47 – **29 Z : 60 B** 48/70 - 100/15

Haus Sonnenlay, Im Flurgarten 19 (an der B 53), ☎ 96 60, ≤, – TV P
Anfang März - Mitte Nov. – **M** a la carte 22/35 – **16 Z : 30 B** 30/35 - 60/80.

KRONACH **8640.** Bayern 413 QR 16, 987 ㉖ – 18 900 Ew – Höhe 325 m – ☎ 09261.

Sehenswert: Festung Rosenberg (Fränkische Galerie).

ℹ Städt. Verkehrsamt, Rathaus, Marktplatz 5, ☎ 9 72 36, Fax 97289.

♦München 279 – ♦Bamberg 58 – Bayreuth 44 – Coburg 32.

Bauer, Kulmbacher Str. 7, ☎ 9 40 58, Fax 52298 – TV ☎ P. AE ① E VISA
Menu *(Sonntag ab 14 Uhr, 1.-14. Jan. und 3.- 16. Aug. geschl.)* a la carte 30/66 – **18 Z** **28 B** 77/89 - 125/135 Fb.

Sonne, Bahnhofstr. 2, ☎ 34 34 – TV ☎. AE ① E VISA
23. Dez.- 10. Jan. geschl. – **M** a la carte 24/53 – **24 Z : 50 B** 65/110 - 110/150 Fb.

Försterhof , Paul-Keller-Str. 3, ☎ 10 41 – TV ☎ P. AE ① E VISA. Zim
M *(nur Abendessen)* a la carte 33/58 – **22 Z : 44 B** 59 - 100 Fb.

Kath. Vereinshaus, Adolf-Kolping-Str. 14, ☎ 31 84
Montag und Aug. geschl. – **M** a la carte 21/38 .

KRONBERG IM TAUNUS **6242.** Hessen 412 413 I 16 – 18 000 Ew – Höhe 257 m – Luftkuro – ☎ 06173.

Schloß Friedrichshof, ☎ 14 26.

ℹ Verkehrsverein, Rathaus, Katharinenstr. 7, ☎ 70 32 23.

♦Wiesbaden 28 – ♦Frankfurt am Main 17 – Bad Homburg vor der Höhe 13 – Limburg an der Lahn 43.

Schloß-Hotel , Hainstr. 25, ☎ 7 01 01, Telex 415424, Fax 701267, ≤ Schloßpark,
« Einrichtung mit wertvollen Antiquitäten » – |♦| TV P – 25/60. AE ① E VISA. Re
M a la carte 82/115 – **57 Z : 88 B** 285/575 - 430/650 – 7 Appart. 750/1650.

Viktoria garni, Viktoriastr. 7, ☎ 40 74, Telex 410511, Fax 2863, , – |♦| TV ☎
P. AE E
42 Z : 72 B 185/285 - 235/335 Fb – 3 Appart. 420.

Frankfurter Hof, Frankfurter Str. 1, ☎ 7 95 96, Fax 5776 – ☎ P. E
M *(wochentags nur Abendessen, Freitag und Juni - Juli 3 Wochen geschl.)* a la carte 24/6 – **11 Z : 15 B** 65/100 - 130/170.

Schützenhof, Friedrich-Ebert-Str. 1, ☎ 49 68,
M *(Donnerstag geschl.)* a la carte 25/45 – **12 Z : 18 B** 60/100 - 120/180.

Kronberger Hof mit Zim, Bleichstr. 12, ☎ 7 90 71, Fax 5905, , – ☎ P. AE
M *(Samstag - Sonntag, 25. Mai - 13. Juni und 5.- 16. Okt. geschl.)* a la carte 33/60 – **12 Z** **18 B** 95/130 - 150/170 Fb.

Zum Feldberg, Grabenstr. 5, ☎ 7 91 19, – AE ① E VISA
M a la carte 43/65.

KROZINGEN, BAD **7812.** Baden-Württemberg 413 G 23, 987 ㉞, 427 ④ – 12 000 Ew – Höh 233 m – Heilbad – ☎ 07633.

ℹ Kurverwaltung, Herbert-Hellmann-Allee 12, ☎ 40 08 63, Fax 150105.

♦Stuttgart 217 – Basel 53 – ♦Freiburg im Breisgau 15.

Litschgi-Haus (Patrizierhaus a.d.J. 1564), Basler Str. 10 (B 3), ☎ 1 40 33 (Hote 1 58 78 (Rest.), Telex 7721754, Fax 13231 – |♦| Zim TV ☎ – 25/60. AE E
M *(Montag - Dienstag 18 Uhr sowie Jan. und Aug. jeweils 2 Wochen geschl.)* 39 /79 – **26 Z** **48 B** 95/125 - 140/230 Fb – ½ P 105/160.

Appartement-Hotel Amselhof , Kemsstr. 21, ☎ 20 77, Fax 150187, , – |♦| TV
☎ P. ① E VISA
M *(Samstag bis 18 Uhr und Dienstag geschl.)* a la carte 28/61 – **30 Z : 50 B** 74/123 - 140/166 F – ½ P 94/126.

Rössle garni, Baseler Str. 18, ☎ 31 03, Fax 3027 – TV ☎
20. Dez.- 10. Jan. geschl. – **9 Z : 15 B** 60/90 - 110/140 Fb.

Biedermeier garni, In den Mühlenmatten 12, ☎ 32 01, Fax 3458, – TV ☎ P
15. Jan.- Feb. geschl. – **24 Z : 36 B** 55/75 - 100/120 – 3 Appart. 160.

Bären , In den Mühlenmatten 3, ☎ 41 01, Fax 150812 – TV ☎ P. E
M *(Sonntag ab 14 Uhr, Donnerstag sowie Feb. und Juli jeweils 2 Wochen geschl.)* a la cart 27/56 – **20 Z : 30 B** 56/80 - 105/120 – ½ P 76/98.

Gästehaus Hofmann garni, Litschgistr. 6, ☎ 31 40, – P. ① E.
24 Z : 35 B 37/70 - 72/106.

XX **Batzenberger Hof** mit Zim, Freiburger Str. 2 (B 3), ℘ 41 50, Fax 150253 – ☎ ᵽ. ᴀᴇ ⓞ
 ᴇ ⱽⁱˢᵃ
 Menu *(Sonntag 15 Uhr - Montag sowie Jan. und Aug. jeweils 2 Wochen geschl.)* a la carte
 32/66 ᵭ – **13 Z : 24 B** 60/90 - 98/120.

 Im Kurgebiet :

🏛 **Haus Pallotti,** Thürachstr. 3, ℘ 4 00 60, Fax 400610, ⇪, ⫞ – ▐ ᵀⱽ ☎ ᵽ – ⚏ 30
 Dez.- Jan. geschl. – **M** *(Sonntag 15 Uhr - Montag geschl.)* a la carte 33/46 ᵭ – **63 Z : 83 B** 48/74
 - 115/140 Fb – ½ P 66/91.

🏠 **Ascona** ⸲, Thürachstr. 11, ℘ 1 40 23, Fax 150260, ⫞ – ☎ ᵽ. ⫞
 Mitte Feb.- Mitte Nov. – (Restaurant nur für Hausgäste) – **27 Z : 32 B** 58 - 96/116 Fb – ½ P 70/80.

🏠 **Vier Jahreszeiten** ⸲, Herbert-Hellmann-Allee 24, ℘ 31 86, Fax 14438, ⫞ – ☎ ⬳ ᵽ
 Dez.- 25. Jan. geschl. – **M** *(Donnerstag geschl.)* a la carte 25/40 – **17 Z : 24 B** 62/90 - 110/155
 – ½ P 74/109.

XX **Kurhaus Restaurant,** Kurhausstraße, ℘ 40 08 71, ⩽, ⇪ – ᵽ – ⚏ 25/200. ᴀᴇ ⓞ ᴇ ⱽⁱˢᵃ.
 ⫞
 1.- 6. Jan. geschl. – **M** *(auch Diät und vegetarische Gerichte)* 21/33 (mittags) und a la carte
 30/49.

 In Bad Krozingen 2-Biengen NW : 4 km :

🏠 **Gästehaus Hellstern** garni, Hauptstr. 34, ℘ 38 14, ⫞ – ▐ ☎ ⬳ ᵽ. ⫞
 24. Dez.- Jan. geschl. – **16 Z : 28 B** 38/50 - 50/69.

 In Bad Krozingen 5-Schmidhofen S : 3,5 km :

X **Storchen** mit Zim, Felix- und Nabor-Str. 2, ℘ 53 29 – ᵽ
 Montag - Dienstag 18 Uhr sowie Jan. und Juli jeweils 2 Wochen geschl. – Menu a la carte 35/60
 ᵭ – **5 Z : 9 B** 35/50 - 65/90.

☞ *Benutzen Sie für weite Fahrten in Europa die* **Michelin-Länderkarten :**

 ⑨⑦⓪ *Europa,* ⑨⑧⓪ *Griechenland,* ⑨⑧④ *Deutschland,* ⑨⑧⑤ *Skandinavien-Finnland,*
 ⑨⑧⑥ *Großbritannien-Irland,* ⑨⑧⑦ *Deutschland-Österreich-Benelux,* ⑨⑧⑧ *Italien,*
 ⑨⑧⑨ *Frankreich,* ⑨⑨⓪ *Spanien-Portugal,* ⑨⑨① *Jugoslawien.*

KRÜN 8108. Bayern ④①③ Q 24, ⑨⑧⑦ ㊲, ④②⑥ F 6 – 1 700 Ew – Höhe 875 m – Erholungsort –
Wintersport : 900/1 200 m ⥩2 ⥍4 – 🟢 08825.
🛈 Verkehrsamt, Schöttlkarspitzstr. 15, ℘ 10 94.
München 96 - Garmisch-Partenkirchen 16 - Mittenwald 8.

🏛 **Alpenhof** ⸲, Edelweißstr. 11, ℘ 10 14, ⩽ Karwendel- und Wettersteinmassiv, ⩳ₛ, ◳ , ⫞
 – ☎ ᵽ. ⫞
 (Restaurant nur für Hausgäste) – **39 Z : 70 B** Fb – 3 Fewo.

🏠 **Schönblick** ⸲ garni, Soiernstr. 1, ℘ 20 08, ⩽ Karwendel- und Wettersteinmassiv, ⫞ –
 ⬳ ᵽ. ⫞
 5.- 30. April und 25. Okt.- 20.Dez. geschl. – **29 Z : 45 B** 42/44 - 68/80 – 3 Fewo 75/80.

 In Krün-Barmsee W : 2 km :

🏠 **Alpengasthof Barmsee** ⸲, Am Barmsee 4, ℘ 20 34, ⩽ Karwendel- und
 Wettersteinmassiv, ⇪, ⩳ₛ, ⩰₀, ⫞ – ☎ ᵽ ⫞
 April 2 Wochen und 26. Okt.- 18. Dez. geschl. – **M** *(Mittwoch geschl.)* a la carte 25/52 – **23 Z :
 45 B** 35/65 - 60/110 Fb – ½ P 46/69.

 In Krün-Klais 8101 SW : 4 km :

🏠 **Post,** Bahnhofstr. 7, ℘ (08823) 22 19, ⇪, Biergarten – ⬳ ᵽ
 30. März - 24. April und 26. Okt.- 18. Dez. geschl. – **M** *(Montag geschl.)* a la carte 23/48 –
 11 Z : 20 B 40/70 - 90/130 – ½ P 57/82.

🏠 **Gästehaus Ingeborg** garni, An der Kirchleiten 7, ℘ (08823) 81 68, ⩽, ⫞ – ᵽ. ⫞
 Nov.- Mitte Dez. geschl. – **11 Z : 21 B** 35/42 - 70.

KRUMBACH 8908. Bayern ④①③ O 22, ⑨⑧⑦ ㊱, ④②⑥ CD 4 – 11 600 Ew – Höhe 512 m – 🟢 08282.
München 124 - ◆Augsburg 48 - Memmingen 38 - ◆Ulm (Donau) 41.

🏠 **Traubenbräu,** Marktplatz 14, ℘ 20 93, Fax 5873 – ᵀⱽ ⬳ ᵽ. ᴀᴇ ᴇ ⱽⁱˢᵃ
 M *(Samstag und 14.- 31. Aug. geschl.)* a la carte 21/44 – **20 Z : 36 B** 32/57 - 60/96.

🏠 **Diem,** Kirchenstr. 5, ℘ 30 60, Fax 2754, ⩳ₛ – ☎ ᵽ. ᴇ
 M *(auch vegetarische Gerichte)* a la carte 20/41 ᵭ – **29 Z : 48 B** 33/55 - 60/95 Fb.

🏠 **Falk,** Heinrich-Sinz-Str. 4, ℘ 20 11, Biergarten, ⫞ – ᵀⱽ ☎ ⬳ ᵽ. ᴀᴇ ᴇ
 M *(Samstag ab 14 Uhr geschl.)* a la carte 23/35 ᵭ – **18 Z : 28 B** 50 - 90.

🏠 **Brauerei-Gasthof Munding,** Augsburger Str. 40 (B 300), ℘ 44 62, Biergarten – ᵀⱽ ⬳
 ᵽ – ⚏ 25/60
 M *(Sept. 2 Wochen geschl.)* a la carte 21/38 ᵭ – **26 Z : 48 B** 29/42 - 55/80 Fb.

KRUMMHÖRN **2974.** Niedersachsen 411 E 6 – 12 300 Ew – Höhe 5 m – ☎ 04923.

Verkehrsbüro, Zur Hauener Hooge 15 (in Greetsiel), ☎ (04926) 13 31.

♦Hannover 265 – Emden 14 – Groningen 112.

In Krummhörn 3-Greetsiel – Erholungsort :

Witthus, Kattrepel 7, ☎ (04926) 5 40, Fax 1471, « Ständige Kunstausstellungen, Gartenterrasse » – TV ☎. E VISA.
25. Nov. - 24. Dez. geschl. – **M** *(auch vegetarische Gerichte)* (außer Saison Dienstag geschl.) a la carte 31/62 – **14 Z : 26 B** 85/95 - 140/195 Fb.

KÜHLUNGSBORN Mecklenburg-Vorpommern siehe Rostock.

KÜMMERSBRUCK **8457.** Bayern 413 S 18 – 7 900 Ew – Höhe 370 m – ☎ 09621.

♦ München 186 – Bayreuth 82 – ♦Nürnberg 68 – ♦Regensburg 62.

In Kümmersbruck-Haselmühl :

Zur Post, Vilstalstr. 82, ☎ 8 17 82, Fax 74730, Biergarten, – TV ☎ P. AE E VISA
1.- 17. Aug. geschl. – **M** *(Sonntag geschl.)* a la carte 22/48 – **27 Z : 47 B** 70/80 - 120 Fb.

KÜNZELSAU **7118.** Baden-Württemberg 413 LM 19, 987 ㉕ ㉖ – 11 600 Ew – Höhe 218 m – ☎ 07940.

♦Stuttgart 94 – Heilbronn 52 – Schwäbisch Hall 23 – ♦Würzburg 84.

Frankenbach, Bahnhofstr. 10, ☎ 23 33 – P
Juli - Aug. 3. Wochen geschl. – **M** *(Sonn- und Feiertage ab 14 Uhr sowie Dienstag geschl.)* a la carte 24/40 – **12 Z : 17 B** 35/42 - 65/85.

Comburgstuben, Komburgstr. 12, ☎ 35 70, –
M *(Freitag 14 Uhr - Samstag und Juli - Aug. 3 Wochen geschl.)* a la carte 24/39 – **14 Z : 24 B** 42/65 - 84/105.

XX **Ausonia** (Italienische Küche), Gaisbacher Str. 2, ☎ 5 33 34 – AE E VISA
M a la carte 36/68.

KÜPS **8643.** Bayern 413 Q 16 – 7 100 Ew – Höhe 299 m – ☎ 09264.

♦München 278 – ♦ Bamberg 52 – Bayreuth 50 – Hof 59.

In Küps-Oberlangenstadt :

Hubertus, Hubertusstr. 7, ☎ 5 68, Fax 8338, ≤, , , – TV ☎ P – 40. E
2.- 10. Jan. geschl. – **M** a la carte 30/57 – **24 Z : 44 B** 65 - 100 Fb.

KÜRNBACH **7519.** Baden-Württemberg 412 413 J 19 – 2 600 Ew – Höhe 203 m – ☎ 07258.

♦Stuttgart 67 – Heilbronn 37 – ♦Karlsruhe 42.

Lamm, Lammgasse 5, ☎ 65 88 – P. Zim
Juli - Aug. 3 Wochen geschl. – **M** *(Mittwoch geschl.)* a la carte 20/38 – **10 Z : 16 B** 40/4. - 80/90.

X **Weiss,** Austr. 63, ☎ 65 60 – E
wochentags nur Abendessen, Dienstag sowie Jan. und Juli - Aug. jeweils 2 Wochen gesch. – Menu (Tischbestellung ratsam) 58 und a la carte 30/53.

KÜRTEN **5067.** Nordrhein-Westfalen 412 E 13 – 17 000 Ew – Höhe 250 m – Luftkurort – ☎ 02268.

♦Düsseldorf 82 – ♦Köln 35 – Lüdenscheid 47.

In Kürten-Waldmühle S : 1 km :

Café Tritz garni, Wipperfürther Str. 341, ☎ 4 74 – P
7 Z : 12 B 45 - 70/80.

KÜSTEN Niedersachsen siehe Lüchow.

KUFSTEIN **A-6330.** Österreich 413 T 24, 987 ㊲, 426 I 6 – 14 800 Ew – Höhe 500 m – Wintersport : 515/1 600 m 9 4 – ☎ 05372 (innerhalb Österreich).

Sehenswert : Festung : Lage★, ≤★, Kaiserturm★.

Ausflugsziel : Ursprungpaß-Straße★ (von Kufstein nach Bayrischzell).

Fremdenverkehrsverband, Münchener Str. 2, ☎ 22 07, Fax 71455.

Wien 401 – Innsbruck 72 – ♦München 90 – Salzburg 106.

Die Preise sind in der Landeswährung (ö. S.) angegeben.

Andreas Hofer, Georg-Pirmoser-Str. 8, ✆ 32 82, Telex 51686, Fax 3282501 – 25/70. AE VISA
M *(Sonntag geschl.)* a la carte 210/440 – **75 Z : 130 B** 550/720 - 810/1120 Fb.

Alpenrose, Weißachstr. 47, ✆ 6 21 22, Fax 621227, – 30.
Menu 260 /690 – **19 Z : 35 B** 510/660 - 940/1100.

Goldener Löwe, Oberer Stadtplatz 14, ✆ 6 21 81, Fax 621818 – AE VISA
M a la carte 140/310 – **37 Z : 70 B** 425/600 - 710/750 Fb.

Weinhaus Auracher Löchl, Römerhofgasse 3, ✆ 21 38, Fax 493951, « Tiroler Weinstuben, Terrasse am Inn » – 25. VISA
M a la carte 188/355 – **32 Z : 58 B** 360/380 - 720 Fb.

Tiroler Hof, Am Rain 16, ✆ 6 23 31, Fax 71909, – VISA
16. März - 6.April und 9.- 30. Nov. geschl. – **M** *(Montag geschl.)* a la carte 185/295 –
11 Z : 21 B 380/450 - 605/700.

Bären, Salurner Str. 36, ✆ 6 22 29, Telex 51692, Fax 6222941, –
25 Z : 50 B.

KULMBACH **8650.** Bayern 413 R 16, 987 ㉖ – 28 700 Ew – Höhe 306 m – ✆ 09221.
Sehenswert: Plassenburg★ (Schöner Hof★★, Zinnfigurenmuseum★).
Fremdenverkehrs- und Veranstaltungsbetrieb, Sutte 2 (Stadthalle) ✆ 80 22 16, Fax 84083.
München 257 ② – ♦Bamberg 60 ② – Bayreuth 22 ② – Coburg 50 ④ – Hof 49 ①.

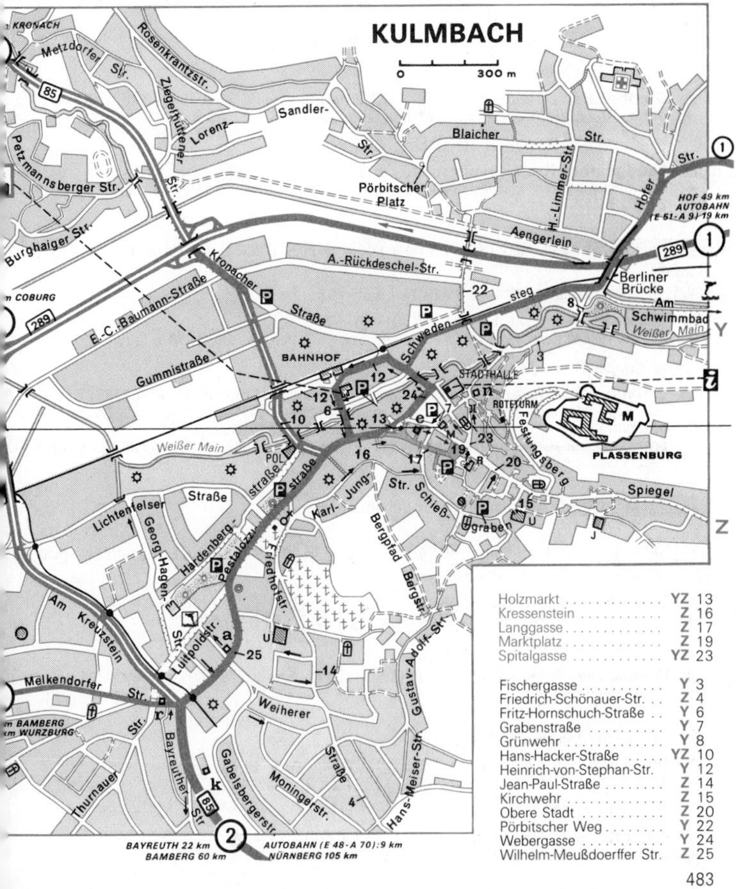

Hansa-Hotel, Weltrichstr. 2a, ✆ 79 95, Fax 66887, « Einrichtung in modernem Design - TV ☎ . AE E VISA Z
20.- 29. Dez. geschl. – **M** *(nur Abendessen, Samstag - Sonntag und 29. Dez.- 6. Jan. geschl.)* a la carte 40/72 – **30 Z : 58 B** 95/135 - 180/235 Fb.

Kronprinz, Fischergasse 4, ✆ 8 40 31, Fax 1585 – TV ☎. AE E VISA. Y
M *(nur Abendessen, Montag und 25. Juli - 3. Aug. geschl.)* a la carte 25/47 – **19 Z : 28 B** 85/11 - 120/160 Fb.

Purucker, Melkendorfer Str. 4, ✆ 77 57, Fax 66949, – TV ☎ P. AE E VISA
Ende Aug.- Mitte Sept. geschl. – **M** *(Sonntag geschl.)* a la carte 36/54 – **26 Z : 50 B** 68/85 115/135 Fb. Z

Christl garni, Bayreuther Str. 7 (B 85), ✆ 79 55 – TV ☎ P. AE E Z
28 Z : 40 B 48/65 - 105/125.

Kupferpfanne, Klostergasse 7, ✆ 57 88 Y
Sonntag 14 Uhr - Montag, 17. Feb.- 2. März und 17.- 31. Aug. geschl. – **M** a la carte 35/56

In Kulmbach-Höferänger ⑤ : 4 km :

Dobrachtal, Höferänger 10, ✆ 20 85, Fax 81418, – TV ☎ P. AE E VISA
21. Dez.- 5. Jan. geschl. – **M** *(Montag - Donnerstag nur Abendessen, Freitag geschl.)* a la carte 29/55 – **58 Z : 87 B** 65/95 - 130/160 Fb.

KUNREUTH-REGENSBERG Bayern siehe Forchheim.

KUPFERZELL **7115.** Baden-Württemberg 413 M 19, 987 ㉕ – 4 600 Ew – Höhe 345 m – ☎ 07944.

♦ Stuttgart 86 – Heilbronn 46 – Schwäbisch Hall 17 – ♦Würzburg 91.

In Kupferzell-Beltersrot S : 8 km :

Gasthof Beck, Hauptstr. 69, ✉ 7177 Untermünkheim, ✆ (07944) 3 18 – P
Mitte Jan.- Mitte Feb. geschl. – **M** a la carte 22/45 – **21 Z : 39 B** 40 - 80.

In Kupferzell-Eschental SO : 6 km :

Landgasthof Krone, Hauptstr. 40, ✆ 20 96, – ☎ P
Feb. und Juli - Aug. jeweils 2 Wochen geschl. – **M** *(Dienstag geschl.)* a la carte 24/44 – **13 Z : 21 B** 28/42 - 75.

KUPPENHEIM **7554.** Baden-Württemberg 413 H 20 – 6 200 Ew – Höhe 126 m – ☎ 0722 (Rastatt).

♦Stuttgart 98 – Baden-Baden 12 – ♦Karlsruhe 24 – Rastatt 5,5.

Ochsen, Friedrichstr. 53, ✆ 4 15 30 – P. E VISA
Sonntag - Montag, 4.- 17. März und 21. Juli - 11. Aug. geschl. – **M** a la carte 28/54.

In Kuppenheim 2-Oberndorf SO : 2 km :

✿ **Raub's Restaurant** (modern-elegantes Restaurant), Hauptstr. 41, ✆ (07225) 7 56 23 –
Sonntag - Montag, sowie März und Aug.- Sept. jeweils 2 Wochen geschl. – **M** 98 /140 und a la carte 75/110 – **Kreuz-Stübl** (badische Küche,) Menu 32/68
Spez. Kalbsbries-Tortellini mit Gurken und Pfifferlingen, Lachs mit Ingwersauce, Zwetschgen-Täschchen mit Honigparfait.

KURORT GOHRISCH Sachsen siehe Schandau, Bad.

KUSEL **6798.** Rheinland-Pfalz 987 ㉔, 412 F 18, 242 ③ – 6 100 Ew – Höhe 240 m – ☎ 06381

Mainz 107 – Kaiserslautern 40 – ♦Saarbrücken 50.

Rosengarten, Bahnhofstr. 38, ✆ 29 33 – P
1.- 14. Jan. geschl. – **M** a la carte 21/43 – **27 Z : 50 B** 40/50 - 80.

In Blaubach **6799** NO : 2 km :

Reweschnier, Kuseler Str. 5, ✆ (06381) 50 46, Fax 40976, – TV ☎ – 25/80. Rest
29 Z : 59 B Fb – 2 Fewo.

In Thallichtenberg **6799** NW : 5 km :

Burgblick, Ringstr. 6, ✆ (06381) 15 26, ←, – ☎ P
M *(Montag geschl.)* a la carte 21/43 – **17 Z : 29 B** 42/45 - 75/80 Fb.

In Konken **6799** SW : 6 km :

Haus Gerlach, Hauptstr. 39 (B 420), ✆ (06384) 3 27 – P
M *(Montag geschl.)* a la carte 19/40 – **8 Z : 14 B** 35 - 70.

KYLLBURG **5524.** Rheinland-Pfalz 987 ㉓, 412 C 16, 409 M 5 – 1 200 Ew – Höhe 300 m – Luftkurort – Kneippkurort – ☎ 06563.

Kurverwaltung, Haus des Gastes, Hochstr. 19, ☎ 59 38.

Mainz 157 – ♦Koblenz 103 – ♦Trier 48 – Wittlich 28.

- **Kurhotel Eifeler Hof,** Hochstr. 2, ☎ 20 01, Fax 2046, « Gartenterrasse », Bade- und Massageabteilung, ♨, ≘s, ⌂ – |♦| ☎ ♿ ℗. AE ⓓ E VISA
  M a la carte 25/45 – **63 Z : 92 B** 60/100 - 104/144 Fb.
- Pension Müller, Mühlengasse 3, ☎ 85 85 – ⇔
  (nur Abendessen für Hausgäste) – **19 Z : 34 B.**

In Malberg-Mohrweiler **5524** N : 4,5 km :

- **Berghotel Rink** ⚲, Höhenstr. 14, ☎ (06563) 24 44, ≘s, ⌂, ⌘, ✂(Halle) – TV ⇔ ℗. E. ✗ Rest
  M *(nur Abendessen)* a la carte 36/56 ⚲ – **15 Z : 34 B** 60/80 - 90/150.

LAABER **8411.** Bayern 413 S 19 – 4 600 Ew – Höhe 438 m – ☎ 09498.

♦München 138 – ♦Nürnberg 83 – ♦Regensburg 22.

In Frauenberg **8411** NO : 2 km :

- **Frauenberg,** Marienplatz 7, ☎ (09498) 87 49, ⌘ – ℗
  Aug. 3 Wochen und 21. Dez.- 7. Jan. geschl. – **M** *(Samstag ab 14 Uhr und Freitag geschl.)* a la carte 19/38 – **37 Z : 57 B** 55/65 - 85 Fb – ½ P 58/70.

LAASPHE, BAD **5928.** Nordrhein-Westfalen 987 ㉔, 412 I 14 – 16 000 Ew – Höhe 335 m – Kneippheilbad – ☎ 02752.

Kurverwaltung, Haus des Gastes, ☎ 8 98, Telex 875219.

♦Düsseldorf 174 – ♦Kassel 108 – Marburg 43 – Siegen 44.

- **Wittgensteiner Hof**, Wilhelmsplatz 1 (B 62), ☎ 8 29, ≘s – ☎ ⇔ ℗
  M a la carte 24/57 – **31 Z : 47 B** 42/50 - 84/96 – ½ P 50/58.

In Bad Laasphe - Feudingen W : 9 km – ☎ 02754 :

- **Doerr,** Sieg-Lahn-Str. 8, ☎ 30 81, Fax 3084, ≘s, ⌂ – |♦| ☎ ℗ – ⚲ 25/60. ⓓ E VISA. ✗
  M a la carte 39/76 – **37 Z : 65 B** 88/158 - 176/195 Fb – 5 Appart. 277.
- **Lahntal-Hotel,** Sieg-Lahn-Str. 23, ☎ 12 85, ≘s – |♦| TV ☎ ℗ – ⚲ 25/100. ✗ Zim
  M *(Dienstag geschl.)* a la carte 32/73 – **25 Z : 48 B** 95/135 - 190/250 Fb – 3 Appart. 290.
- **Im Auerbachtal** ⚲, Wiesenweg 5, ☎ 5 88, ≘s, ⌂, ⌘ – ☎ ℗. ✗
  Nov.- Dez. geschl. – (Restaurant nur für Hausgäste) – **16 Z : 26 B** 60 - 110 – ½ P 75/80.

In Bad Laasphe-Glashütte W : 14 km über Bad Laasphe-Volkholz :

- **Jagdhof Glashütte** ⚲, Glashütter Str. 20, ☎ (02754) 39 90, Fax 8814, « Einrichtung im alpenländischen Stil », ≘s, ⌂, ⌘, ✂ – |♦| TV ℗ – ⚲ 25/100. AE ⓓ E VISA
  M a la carte 40/75 – **Gourmet-Restaurant M** a la carte 70/90 – **30 Z : 58 B** 163/203 - 296/416 Fb.

In Bad Laasphe 9-Hesselbach SW : 10 km :

- XXX ❀ **L'école,** Hesselbacher Str. 23, ☎ 53 42, « Elegante Einrichtung » – ℗. AE E
  Samstag bis 18 Uhr, Montag - Dienstag und Jan. geschl. – **M** *(Tischbestellung ratsam)* a la carte 64/85
  Spez. Entenleber-Parfait im Baumkuchenmantel, Crépinette vom Stubenküken in Trüffelsauce, Blätterteigschnitte mit Kirschragout.

LAATZEN Niedersachsen siehe Hannover.

LABOE **2304.** Schleswig-Holstein 411 N 3, 987 ⑤ – 4 500 Ew – Höhe 5 m – Seebad – ☎ 04343.

Sehenswert : Marine-Ehrenmal★ (Turm ≤★★).

Kurverwaltung, im Meerwasserbad, ☎ 73 53.

♦Kiel 18 – Schönberg 13.

- **Seeterrassen,** Strandstr. 86, ☎ 81 50, ≤, ⌘ – ☎ ℗. ✗
  Dez. - Jan. geschl. – **M** a la carte 23/42 – **29 Z : 50 B** 50/55 - 84/116.

In Stein **2304** NO : 4 km :

- **Bruhn's Deichhotel** ⚲, Dorfring 36, ☎ (04343) 90 07, ≤ Kieler Förde, ⌘ – ☎ ℗. AE ⓓ VISA. ✗ Zim
  Jan. 3 Wochen und Okt. 2 Wochen geschl. – **M** *(Sept.- Ostern Montag geschl.)* a la carte 32/67 – **12 Z : 20 B** 70/95 - 130/150.

LACHENDORF **3101.** Niedersachsen 411 N 9 – 4 400 Ew – Höhe 45 m – ☎ 05145.

♦Hannover 55 – ♦Braunschweig 54 – Celle 12 – Lüneburg 84.

In Beedenbostel **3101** N : 4 km :

Schulz, Ahnsbecker Str. 6, ☎ (05145) 82 12 – TV ☎ 🚗 P. E. Zim
Juli 2 Wochen geschl. – **M** *(Sonntag 18 Uhr - Montag geschl.)* a la carte 26/52 – **7 Z : 11 B**
62/77 - 90/100.

LADBERGEN **4544.** Nordrhein-Westfalen 411 412 G 10, 987 ⑭ – 6 450 Ew – Höhe 50 m –
☎ 05485.

♦Düsseldorf 149 – Enschede 66 – Münster (Westfalen) 28 – ♦Osnabrück 33.

Zur Post (350 J. alter Gasthof), Dorfstr. 11, ☎ 21 07, Fax 2291, – TV ☎ 🚗 P –
25. AE E VISA
2.- 20. Jan. und 28. Juli - 10. Aug. geschl. – **M** a la carte 45/71 – **21 Z : 44 B** 60/90 - 100/160

Rolinck's Alte Mühle, Mühlenstr. 17, ☎ 14 84, « Rustikale Einrichtung » – P. AE E VISA
Juli 3 Wochen, Samstag bis 18 Uhr und Dienstag geschl. – **M** (Tischbestellung ratsam) a la
carte 57/85.

The overnight or full board prices may
in some cases be increased by the addition of a local bed tax or
a charge for central heating.
Before making your reservation confirm with the hotelier
the exact price that will be charged.

LADENBURG **6802.** Baden-Württemberg 412 413 I 18 – 11 500 Ew – Höhe 98 m –
☎ 06203.

♦Stuttgart 130 – Heidelberg 13 – Mainz 82 – ♦Mannheim 13.

Altes Kloster garni, Zehntstr. 2, ☎ 20 01, Fax 16565 – TV ☎. E VISA
Juli - Aug. 4 Wochen und 22. Dez.- 6. Jan. geschl. – **26 Z : 38 B** 96/115 - 126/165 Fb.

Im Lustgarten, Kirchenstr. 6, ☎ 59 74, – ☎ P. AE E VISA.
Dez.- Jan. und Juli - Aug. jeweils 3 Wochen geschl. – **M** *(nur Abendessen, Freitag sowie Sonn- und Feiertage geschl.)* a la carte 24/43 – **19 Z : 30 B** 55/90 - 85/130 Fb.

Zur Sackpfeife, Kirchenstr. 45, ☎ 31 45, « Fachwerkhaus a.d.J. 1598, historische Weinstube, Innenhof »
Samstag bis 18 Uhr, Sonn- und Feiertage sowie 22. Dez.- 10. Jan. geschl. – **M** (Tischbestellung ratsam) a la carte 38/60.

LAER, BAD **4518.** Niedersachsen 411 412 H 10 – 6 300 Ew – Höhe 79 m – Heilbad – ☎ 05424.

Kurverwaltung, Glandorfer Str. 5, ☎ 8 09 33.

♦Hannover 141 – Bielefeld 37 – Münster (Westfalen) 39 – Bad Rothenfelde 5,5.

Haus Große Kettler, Bahnhofstr. 11 (am Kurpark), ☎ 80 70, – TV ☎ P
– 25/50
(Restaurant nur für Hausgäste) – **32 Z : 53 B** 64/79 - 112/122 – ½ P 70/91.

Storck, Paulbrink 4, ☎ 90 08, Fax 7944, – TV ☎ P. Zim
17.- 26.Feb. geschl. – **M** *(Montag geschl.)* a la carte 25/55 – **14 Z : 26 B** 59/62 - 96/118 Fb

In Bad Laer-Winkelsetten :

Lindenhof , Winkelsettener Ring 9, ☎ 91 07, – ☎ 🚗 P –
30. AE AE E VISA
6. Jan.- 4. Feb. geschl. – **M** *(Dienstag geschl.)* a la carte 27/59 – **22 Z : 33 B** 72/82 - 124/154 Fb

LAGE (LIPPE) **4937.** Nordrhein-Westfalen 411 412 J 11, 987 ⑮ – 33 500 Ew – Höhe 103 m
– ☎ 05232.

Ottenhauser Str. 100, ☎ 6 68 29.

Verkehrsamt in Lage-Hörste, Freibadstr. 3, ☎ 81 93.

♦Düsseldorf 189 – Bielefeld 20 – Detmold 9 – ♦Hannover 106.

Zur Krone, Heidensche Str. 38, ☎ 23 44 – TV ☎
12 Z : 16 B.

Brinkmann'sches Haus, Heidensche Str. 1, ☎ 6 64 80 – AE AE E VISA
Dienstag und Anfang - Mitte Jan. geschl. – **M** a la carte 40/68.

In Lage-Stapelage SW : 7 km – Luftkurort :

Haus Berkenkamp , Im Heßkamp 50 (über Billinghauser Straße), ☎ 7 11 78,
« Garten », – P.
Nov. geschl. – (Restaurant nur für Hausgäste) – **17 Z : 28 B** 44/52 - 80/90.

LAHNAU Hessen siehe Wetzlar.

LAHNSTEIN **5420.** Rheinland-Pfalz 412 F 16, 987 ㉔ – 19 500 Ew – Höhe 70 m – ☎ 02621.
Städt. Verkehrsamt, Stadthalle (Passage), ✆ 17 52 41, Fax 175340.
Mainz 102 – Bad Ems 13 – ♦Koblenz 8.

Dorint Hotel Rhein Lahn, im Kurzentrum (SO : 4,5 km), ✆ 1 51, Telex 869827, Fax 15052, Panorama-Café und Restaurant (15. Etage) mit < Rhein und Lahntal, Bade- und Massageabteilung, ≘s, (geheizt), , , (Halle) – – 25/300. Rest
M a la carte 42/65 – **210 Z : 330 B** 150/200 - 220/240 Fb – 10 Appart. 350.

Straßburger Hof, Koblenzer Str. 2, ✆ 70 70, Fax 8484, – – 30
M *(außer Saison Samstag geschl.)* 19 /33 (mittags) und a la carte 28/52 – **28 Z : 50 B** 55/70 - 90/120.

Kaiserhof, Hochstr. 9, ✆ 24 13
20.- 29. Dez. geschl. – **M** *(Freitag geschl.)* a la carte 21/42 – **18 Z : 36 B** 40/50 - 80.

XX ✿ **Hist. Wirtshaus an der Lahn,** Lahnstr. 8, ✆ 72 70 – .
nur Abendessen, Donnerstag, über Fasching 1 Woche und August 2 Wochen geschl. – **M** (Tischbestellung ratsam) 68 /98 und a la carte 59/75
Spez. Kalbszunge und Kaninchen in Madeiragelee, Lammcarré in Kräuterkruste, Krokant-Eisblättertorte.

LAHR/SCHWARZWALD **7630.** Baden-Württemberg 413 G 21, 987 ㉞, 87 ⑥ – 34 000 Ew – Höhe 168 m – ☎ 07821.
Lahr-Reichenbach (O : 4 km), ✆ 7 72 27.
Städt. Verkehrsbüro, Neues Rathaus, Rathausplatz 4, ✆ 28 22 16.
♦Stuttgart 168 – ♦Freiburg im Breisgau 54 – Offenburg 26.

Schulz, Alte Bahnhofstr. 6, ✆ 2 60 97, Fax 22674 –
M *(Samstag bis 18 Uhr und Sonntag geschl.)* a la carte 35/64 – **48 Z : 85 B** 48/135 - 78/175 Fb.

Schwanen, Gärtnerstr. 1, ✆ 2 10 74, Fax 37617, –
M *(Sonntag - Montag 18 Uhr geschl.)* a la carte 37/60 – **68 Z : 120 B** 75/100 - 100/190 Fb.

Am Westend, Schwarzwaldstr. 97, ✆ 4 30 86, Fax 51709 –
20. Dez.- 6. Jan. geschl. – **M** *(nur Abendessen, Samstag, Sonn- und Feiertage geschl.)* a la carte 32/50 – **36 Z : 60 B** 80/110 - 110/140 Fb.

Zum Löwen (Fachwerkhaus a.d. 18. Jh.), Obertorstr. 5, ✆ 2 30 22, Fax 1514 – – 25/80.
24. Dez.- 7. Jan. geschl. – **M** *(Sonntag geschl.)* a la carte 25/54 – **33 Z : 45 B** 60/90 - 100/130 Fb.

In Lahr-Reichenbach O : 3,5 km – Erholungsort :

✿ **Adler,** Reichenbacher Hauptstr. 18 (B 415), ✆ 70 35, Fax 7033 –
M *(Dienstag und 25. Feb - 18. März geschl.)* 38 /95 – **21 Z : 40 B** 90 - 130/140 Fb
Spez. Fischsuppe mit Blätterteighaube, Zander in Kartoffelsauce, Das Beste vom Kalb.

An der Straße nach Sulz S : 2 km :

Dammenmühle (mit 3 Gästehäusern), ✉ 7630 Lahr-Sulz, ✆ (07821) 2 22 90, Fax 22262, « Gartenterrasse », (geheizt), – . Zim
M *(auch vegetarische Gerichte)* (Montag, Jan.-Feb. 3 Wochen und Sept.- Okt. 2 Wochen geschl.) a la carte 24/54 – **17 Z : 33 B** 65/100 - 120/190.

LAICHINGEN **7903.** Baden-Württemberg 413 LM 21, 987 ㉟ – 9 100 Ew – Höhe 756 m – Wintersport : 750/810 m, 2, 2 – ☎ 07333.
♦Stuttgart 75 – Reutlingen 46 – ♦Ulm (Donau) 33.

Krehl zur Ratstube, Radstr. 7, ✆ 40 21, Fax 4020 – – 25.
M *(nur Abendessen, Samstag - Sonntag geschl.)* a la carte 30/50 – **30 Z : 54 B** 58/72 - 93/120 Fb – 2 Fewo 105.

LALLING **8351.** Bayern 413 W 20 – 1 300 Ew – Höhe 446 m – Wintersport : 5 – ☎ 09904.
♦München 167 – Deggendorf 24 – Passau 51.

Außerhalb N : 2,5 km Richtung Zell :

Thula Sporthotel, ✉ 8351 Lalling, ✆ (09904) 3 23, < Donauebene, , ≘s, , , – . Rest
Nov.- 20. Dez. geschl. – **M** a la carte 22/39 – **16 Z : 28 B** 49/55 - 94/110.

LAM **8496.** Bayern 413 W 19, 987 ㉘ – 3 000 Ew – Höhe 576 m – Luftkurort – Wintersport : 520/620 m 1 2 – ☎ 09943.
Verkehrsamt, Marktplatz 1, ✆ 10 81.
♦München 196 – Cham 39 – Deggendorf 53.

Steigenberger-Hotel Sonnenhof, Himmelreich 13, 3 70, Telex 69932, Fax 8191, Bade- und Massageabteilung, (geheizt), (Halle) – Zim – 25/80. AE E VISA. Rest
M *(auch vegetarisches Menu)* a la carte 39/68 – **158 Z : 295 B** 113/130 - 196/224 Fb – 22 Appart. 220/250 – ½ P 130/152.

Ferienhotel Bayerwald, Arberstr. 73, 7 12, Fax 8366, Massage, –
60 Z : 100 B Fb.

Sonnbichl, Lambacher Str. 31, 7 33, Fax 8249, –
8. Nov.- 18. Dez. geschl. – **M** *(Montag geschl.)* a la carte 18/42 – **30 Z : 55 B** 49 - 88 Fb.

Café Wendl, Marktplatz 16, 5 12, –
(nur Abendessen für Pensionsgäste) – **21 Z : 42 B** 46 - 82 Fb.

Post, Marktplatz 6, 12 15, –
Nov. geschl. – **M** *(Okt.- Mai Freitag geschl.)* a la carte 17/32 – **20 Z : 40 B** 40 - 70 Fb – ½ P 50/52.

Huber, Arberstr. 39, 12 50 –
(Restaurant nur für Hausgäste) – **9 Z : 16 B** Fb.

In Lam-Oberschmelz NW : 2 km :

Blaslhöhe mit Zim, Oberschmelz 1, 4 22, –
6 Z : 12 B Fb.

LAMBRECHT 6734. Rheinland-Pfalz 412 413 H 18, 987 ㉔, 242 ⑧ – 4 300 Ew – Höhe 176 m – 06325.

Mainz 101 – Kaiserslautern 30 – Neustadt an der Weinstraße 6,5.

Kuckert, Hauptstr. 51, 81 33 –
Weihnachten - Anfang Jan. geschl. – **M** *(Freitag 14 Uhr - Samstag 18 Uhr geschl.)* a la carte 24/46 – **19 Z : 34 B** 52/57 - 85.

In Lindenberg **6731** NO : 3 km – Erholungsort :

Hirsch, Hauptstr. 84, (06325) 24 69, – AE E VISA
Aug. und 23.- 30. Dez. geschl. – **M** *(Montag - Dienstag 18 Uhr geschl.)* a la carte 20/54 – **17 Z : 30 B** 35/40 - 70/80.

LAMPERTHEIM 6840. Hessen 987 ㉔ ㉕, 412 413 I 18 – 31 000 Ew – Höhe 96 m – 06206.

♦Wiesbaden 78 – ♦Darmstadt 42 – ♦Mannheim 16 – Worms 11.

Page-Hotel garni, Andreasstr. 4, 5 20 97, Telex 466929, Fax 52097 – – 25. AE E VISA
67 Z : 134 B 135/145 - 170/190 Fb.

Deutsches Haus, Kaiserstr. 47, 20 22, Fax 2024, – AE E VISA
27. Dez.- 10. Jan. geschl. – **M** *(Freitag - Samstag 17 Uhr geschl.)* a la carte 31/50 – **30 Z : 37 B** 67/85 - 100/120 Fb.

Kaiserhof, Bürstädter Str. 2, 26 93 – AE E VISA
Juli geschl. – **M** *(Samstag bis 18 Uhr, Sonntag ab 14 Uhr geschl.)* a la carte 34/58 – **10 Z : 12 B** 72 - 105.

✿ **Waldschlöss'l**, Neuschloßstr. 12a, 5 12 21 – E VISA.
Samstag bis 19 Uhr, Montag, Feb. und Juni - Juni jeweils 2 Wochen geschl. – **M** (Tischbestellung ratsam) 98/145 und a la carte 72/99 – **Bistro M** a la carte 44/69
Spez. Wachtelpraline mit Gänsestopfleber, Canelloni gefüllt mit Steinbutt und Hummer, Barbarie Ente aus dem Ofen.

Zum Fährhaus, Biedensandstr. 58, 22 60 –

In Lampertheim-Hüttenfeld O : 9,5 km :

Kurpfalz, Lampertheimer Str. 26, (06256) 3 42, Biergarten, – E
Ende Dez.- Mitte Jan. geschl. – **M** *(Dienstag geschl.)* a la carte 25/54 – **12 Z : 16 B** 50 - 85

LANDAU AN DER ISAR 8380. Bayern 413 V 20, 987 ㉗ – 11 500 Ew – Höhe 390 m – 09951.

♦München 115 – Deggendorf 31 – Landshut 46 – Straubing 28.

Gästehaus Numberger garni (ehemalige Villa) Dr.-Aicher-Str. 2, 80 38, –
18 Z : 24 B 48/52 - 85/95 Fb.

Zur Post Hauptstr. 86, 4 41 –
Aug. geschl. – **M** *(Montag geschl.)* a la carte 24/54 – **20 Z : 26 B** 30/40 - 55/70.

In Eichendorf-Exing **8383** SO : 9 km :

Zum Alten Brauhaus, Haus-Nr. 7, (09956) 3 50, Fax 371, Biergarten –
M *(Mittwoch geschl.)* a la carte 17/30 – **16 Z : 25 B** 43 - 73/78.

LANDAU IN DER PFALZ **6740.** Rheinland-Pfalz 987 ㉔, 412 413 H 19, 242 ⑧ – 37 000 Ew – Höhe 188 m – ☎ 06341.

ℹ Büro für Tourismus, Neues Rathaus, Marktstr. 50, ✆ 1 31 80, Fax 13195.

ADAC, Waffenstr. 14, ✆ 8 44 01.

Mainz 109 – ♦Karlsruhe 35 – ♦Mannheim 50 – Pirmasens 45 – Wissembourg 25.

- **Kurpfalz,** Horstschanze 8, ✆ 45 23, Fax 85724 – TV ☎ ⇔ P. E VISA
  23. Dez.- 10. Jan. geschl. – **M** *(nur Abendessen, Samstag und Aug. 2 Wochen geschl.)* a la carte 32/50 ♁ – **19 Z : 36 B** 68/72 - 125/140.
- **Brenner,** Linienstr. 16, ✆ 2 00 39 – TV ☎ ⇔ P. E VISA
  M *(Freitag 15 Uhr - Samstag 17 Uhr geschl.)* a la carte 28/40 ♁ – **25 Z : 40 B** 72/85 - 120/160.
- **Augustiner,** Königstr. 26, ✆ 44 05. – ◑ E VISA
  Mittwoch, 26. Feb.- 7. März und 9.- 31. Juli geschl. – **M** a la carte 33/54 ♁.

In Landau 16-Dammheim NO : 3 km :

- Zum Schwanen, Speyerer Str. 26 (B 272), ✆ 5 30 78, 余 – TV ☎ P
  (wochentags nur Abendessen) – **17 Z : 28 B.**

In Landau 14-Godramstein W : 4 km :

- **Keller,** Bahnhofstr. 28, ✆ 6 03 33 – P
  Mittwoch 14 Uhr - Donnerstag, 5.- 30. Juli und 21. Dez.- 10. Jan. geschl. – Menu *(Tischbestellung ratsam)* 16,50 /60 und a la carte 30/55 ♁.

In Landau 15-Nußdorf NW : 3 km :

- **Zur Pfalz,** Geisselgasse 15, ✆ 6 04 51 – ⇔ P. E
  Feb. geschl. – **M** *(Sonntag 15 Uhr - Montag geschl.)* a la carte 24/45 ♁ – **9 Z : 18 B** 45/60 - 90/120 Fb.

In Bornheim **6741** NO : 5,5 km :

- **Zur Weinlaube** ♨ garni, Wiesenstr. 31, ✆ (06348) 15 84, ≘s, 🌳
  18 Z : 38 B 45/58 - 76/95 – 4 Fewo 95/110.

In Birkweiler **6741** W : 7 km :

- **St. Laurentius Hof** ♨ (Gasthof mit rustikaler Einrichtung), Hauptstr. 21, ✆ (06345) 89 45, Fax 7029, « Innenhofterrasse » – TV ☎ P. E VISA
  M *(Montag - Dienstag 17 Uhr geschl.)* a la carte 24/62 ♁ – **13 Z : 27 B** 70/100 - 80/130 Fb.

MICHELIN-REIFENWERKE KGaA. Regionales Vertriebszentrum 6740 Landau-Mörlheim, Landkommissärstraße, ✆(06341) 59 51 10 Fax 595101.

LANDKIRCHEN Schleswig-Holstein siehe Fehmarn (Insel).

LANDSBERG AM LECH **8910.** Bayern 413 P 22, 987 ㊱, 426 E 4 – 20 000 Ew – Höhe 580 m – ☎ 08191.

Sehenswert : Lage★ – Marktplatz★.

⛳ Igling (NW : 7 km), ✆(08248) 10 03.

ℹ Verkehrsamt, Rathaus, Hauptplatz, ✆ 12 82 46.

♦München 57 – ♦Augsburg 38 – Garmisch-Partenkirchen 78 – Kempten (Allgäu) 67.

- **Goggl,** Herkomer Str. 19, ✆ 32 40, Fax 324100 – |♦| TV ☎ ⇔. AE ◑ VISA
  M a la carte 31/65 – **54 Z : 104 B** 85/180 - 135/225 Fb.
- **Landsberger Hof,** Weilheimer Str. 5, ✆ 3 20 20, Fax 3202100, 🌳 – ☎ P. AE ◑ E VISA
  M a la carte 22/52 – **35 Z : 70 B** 45/100 - 90/150 Fb.
- **Zederbräu,** Hauptplatz 155, ✆ 22 41
  15. Okt.- 5. Nov. geschl. – **M** a la carte 22/44 – **18 Z : 36 B** 35 - 70.
- **Alt Landtsperg,** Alte Bergstr. 435, ✆ 58 38 – AE ◑ E VISA
  Samstag bis 18 Uhr, Mittwoch, Mitte - Ende Feb. und Aug. geschl. – **M** a la carte 30/62.

LANDSCHEID **5565.** Rheinland-Pfalz 412 D 17 – 2 300 Ew – Höhe 250 m – ☎ 06575.

Mainz 141 – Bitburg 24 – ♦Trier 35 – Wittlich 12.

In Landscheid-Burg NO : 3 km :

- **Waldhotel Viktoria** ♨, Burger Mühle, ✆ 6 41, Fax 8944, Damwildgehege, ≘s, 🏊, 🌳 – TV ☎ ⇔ P – 🏛 25/50. AE ◑ E VISA. ✂ Rest
  6. Jan.- 21. Feb. geschl. – **M** a la carte 31/57 – **50 Z : 100 B** 65/100 - 110/140 – ½ P 75/95.

In Landscheid-Niederkail SW : 2 km :

- **Lamberty,** Brückenstr. 8, ✆ 42 86, 余, 🌳 – ☎ P. AE. ✂
  Feb. geschl. – **M** *(Montag geschl.)* a la carte 22/54 – **21 Z : 40 B** 40/60 - 80/90.

LANDSHUT **8300.** Bayern 413 T 21, 987 ㊲ – 59 000 Ew – Höhe 393 m – ☎ 0871.

Sehenswert: St. Martinskirche★ (Turm★★) Z – "Altstadt"★ Z.

ℹ Verkehrsverein, Altstadt 315, ✆ 2 30 31, Fax 89275.

ADAC, Kirchgasse 250, ✆ 2 68 36.

♦München 72 ⑤ – Ingolstadt 83 ① – ♦Regensburg 60 ② – Salzburg 128 ③.

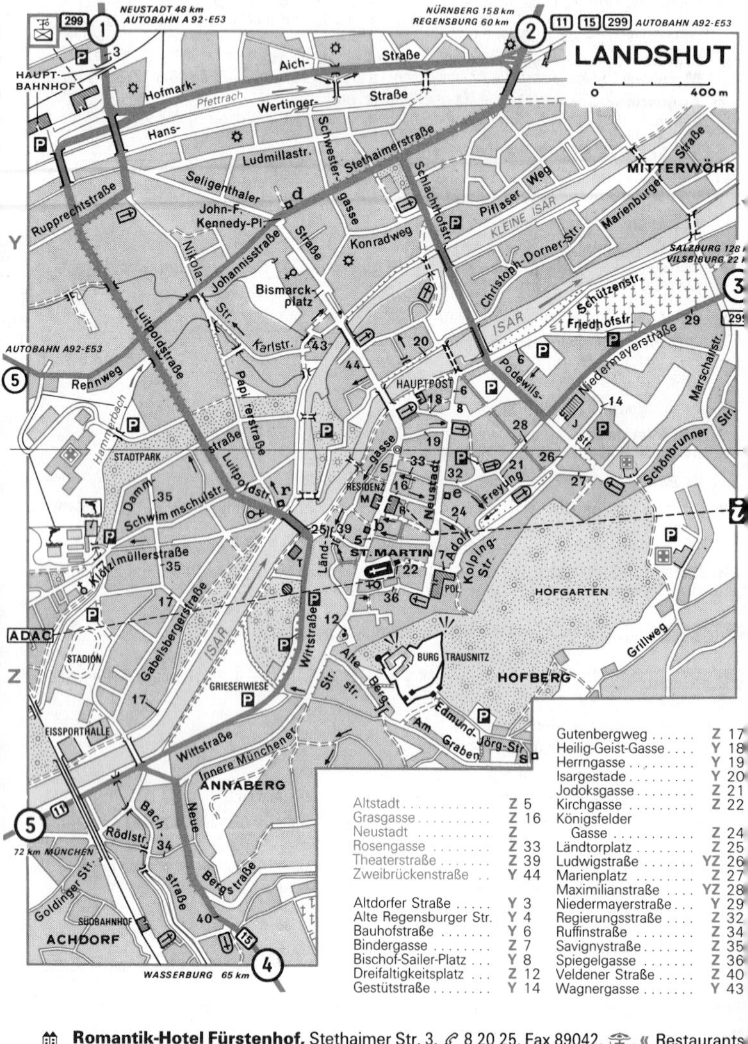

Altstadt	Z	5
Grasgasse	Z	16
Neustadt	Z	
Rosengasse	Z	33
Theaterstraße	Z	39
Zweibrückenstraße	Y	44
Altdorfer Straße	Y	3
Alte Regensburger Str.	Y	4
Bauhofstraße	Y	6
Bindergasse	Z	7
Bischof-Sailer-Platz	Y	8
Dreifaltigkeitsplatz	Z	12
Gestütstraße	Y	14
Gutenbergweg	Z	17
Heilig-Geist-Gasse	Y	18
Herrngasse	Y	19
Isargestade	Y	20
Jodoksgasse	Z	21
Kirchgasse	Z	22
Königsfelder Gasse	Z	24
Ländtorplatz	Z	25
Ludwigstraße	YZ	26
Marienplatz	Z	27
Maximilianstraße	YZ	28
Niedermayerstraße	Y	29
Regierungsstraße	Z	32
Ruffinstraße	Z	34
Savignystraße	Z	35
Spiegelgasse	Z	36
Veldener Straße	Z	40
Wagnergasse	Y	43

Romantik-Hotel Fürstenhof, Stethaimer Str. 3, ✆ 8 20 25, Fax 89042, 🏡, « Restaurants Herzogstüberl und Fürstenzimmer », ⇌ – ⇸ Zim 📺 ☎ 🚗 🅟. AE ⓓ E VISA Y d
M *(Sonntag geschl.)* a la carte 52/80 – **22 Z : 40 B** 105/165 - 168/185 Fb – 3 Appart. 225.

Lindner Hotel Kaiserhof, Papiererstr. 2, ✆ 68 70, Telex 58440, Fax 687403, 🏡 – 🛗 📺 ☎ 🚗 – 🏛 25/250. AE ⓓ E VISA Z r
M a la carte 50/66 – **144 Z : 276 B** 185/245 - 215/305 Fb.

Goldene Sonne, Neustadt 520, ✆ 2 30 87, Fax 24069, Biergarten – 🛗 📺 ☎ 🅟 – 🏛 30. AE ⓓ E VISA Z e
M *(Freitag ab 14 Uhr und 6.- 12. Jan. geschl.)* a la carte 25/45 – **55 Z : 78 B** 88/98 - 125/140 Fb.

XX **Stegfellner,** Altstadt 71 (1. Etage), ✆ 2 80 15, Fax 26797. - Z **b**
nur Mittagessen, Sonntag geschl. - **M** a la carte 32/50.

X **Zum Ochsenwirt** mit Zim, Kalcherstr. 30, ✆ 2 34 39, Biergarten - TV ☎ P Z **s**
Mitte Aug.- Mitte Sept. und 27. Dez.- 10. Jan. geschl. - **M** *(Dienstag geschl.)* a la carte 18/39
- **9 Z : 18 B** 50/65 - 95/110.

In Landshut-Löschenbrand W : 2,5 km über Rennweg Y :

Flutmulde, Löschenbrandstr. 23, ✆ 6 50 48 - TV ☎ P
(nur Abendessen für Hausgäste) - **24 Z : 29 B** 35/60 - 70/95.

In Ergolding-Piflas **8300** NO : 2 km über Alte Regensburger Straße Y :

Ulrich Meyer, Dekan-Simbürger-Str. 22, ✆ (0871) 7 34 07, Biergarten - P
Mitte Aug.- Anfang Sept. geschl. - (nur Abendessen für Hausgäste) - **32 Z : 46 B** 35/45 - 65/85 Fb.

In Altdorf **8300** ① : 5 km :

Gästehaus Elisabeth, Bernsteinstr. 40, ✆ (0871) 3 20 49, Fax 34609, , - TV ☎
P - 25/100. E
M *(wochentags nur Abendessen, Sonntag ab 14 Uhr geschl.)* a la carte 25/44 - **26 Z : 38 B** 50/70 - 110/150 Fb.

Wadenspanner, Kirchgasse 2 (B 299), ✆ (0871)93 21 30, Fax 9321370 - TV ☎ P. AE
E VISA
2.- 15. Jan. und Mitte Aug.- Anfang Sept. geschl. - **M** *(Montag geschl.)* a la carte 27/52 -
17 Z : 28 B 62/83 - 103/125 Fb.

In Niederaichbach **8301** NO : 15 km über Niedermayerstraße Y :

XXX ✿ **Krausler,** Georg-Baumeister-Str. 25, ✆ (08702) 22 85, Fax 3035, ←, - P. AE E.
Montag - Dienstag und 1.- 12. Sept. geschl. - **M** a la carte 71/94
Spez. Taube in Gelée, Geräucherte Meerbarbe in Rote-Rüben-Sauce, Vanillesoufflé mit Apfelkompott.

LANDSTUHL

6790. Rheinland-Pfalz 987 ㉔, 412 413 F 18, 57 ⑧ - 9 000 Ew - Höhe 248 m - Erholungsort - ✆ 06371.

Mainz 100 - Kaiserslautern 17 - ♦Saarbrücken 56.

Moorbad garni, Hauptstr.39, ✆ 1 40 66, Fax 17990 - TV ☎ P. AE E VISA
24 Z : 44 B 105/115 - 150/170 Fb.

Rosenhof, Am Köhlerwäldchen 6, ✆ 20 20, Fax 801722, - TV ☎ P - 25/50. AE
E VISA
M *(Montag - Dienstag 17 Uhr geschl.)* a la carte 28/55 - **35 Z : 52 B** 70/100 - 120/180 Fb.

Christine, Kaiserstr. 3, ✆ 30 44 - TV ☎ P. AE E VISA
M *(nur Abendessen, Sonn- und Feiertage sowie 20. Dez.- Mitte Jan. geschl.)* a la carte 29/45 - **41 Z : 76 B** 70/85 - 110/120.

Zum Zuckerbäcker, Hauptstr. 1, ✆ 1 25 55, Fax 17850 - TV ☎ P. AE E VISA
M *(Mittwoch und 1.- 15. Jan. geschl.)* a la carte 26/45 - **21 Z : 38 B** 70/80 - 100/140 Fb.

LANGDORF

8371. Bayern 413 W 19 - 1 950 Ew - Höhe 675 m - Erholungsort - Wintersport : 650/700 m 5 - ✆ 09921 (Regen).

Verkehrsamt, Rathaus, ✆ 46 41, Fax 7587.

♦München 175 - Cham 55 - Deggendorf 32 - Passau 66.

Wenzl, Degenbergstr. 18, ✆ 23 91, , , , - P. Rest
Nov.- 20. Dez. geschl. - **M** *(Sonntag bis 18 Uhr geschl.)* a la carte 16/34 - **24 Z : 48 B** 40 - 80 - ½ P 48/50.

LANGELSHEIM

3394. Niedersachsen 411 NO 11, 987 ⑯ - 14 500 Ew - Höhe 212 m - ✆ 05326.

Kurverwaltung, in Wolfshagen, Heinrich-Steinweg-Str. 8, ✆ 40 88.

♦Hannover 80 - ♦Braunschweig 41 - Göttingen 71 - Goslar 9.

XX **La Casserole,** Mühlenstr. 15, ✆ 14 60, - E
Samstag bis 18 Uhr sowie Sonn- und Feiertage geschl. - **M** a la carte 47/61.

In Langelsheim-Wolfshagen S : 4 km - Höhe 300 m - Erholungsort :

Wolfshof, Kreuzallee 22, ✆ 79 90, Fax 799119, ←, , Massage, , , - TV
☎ P
49 Z : 120 B Fb.

Berg-Hotel, Heimbergstr. 1, ✆ 40 62, Fax 4432, , , - ☎ P
M a la carte 30/57 - **35 Z : 66 B** 50/60 - 100/108 Fb - ½ P 68/78.

Graber, Spanntalstr. 15, ✆ 41 40, , , , - ☎ P
M a la carte 28/48 - **25 Z : 50 B** 75/110 - 130/150 - ½ P 81/106.

In Langelsheim-Astfeld SO : 5 km :

Granetalsperre, Zur Granetalsperre 9, 8 50 05, Fax 8173, -
M *(Sonntag 18 Uhr - Montag und Nov. geschl.)* a la carte 24/38 - **13 Z : 27 B** 50 - 100.

An der Innerstetalsperre SW : 6 km :

Berghof Innerstetalsperre, 3394 Langelsheim 1, (05326) 10 47,
Jan. - Feb. geschl. - **M** *(Freitag geschl.)* a la carte 26/41 - **17 Z : 29 B** 35/60 - 65/108.

LANGEN **6070.** Hessen 987 ㉕, 412 413 J 17 - 33 000 Ew - Höhe 142 m - 06103.
Städt. Information, Südliche Ringstr. 80, 20 31 45.
♦Wiesbaden 42 - ♦Darmstadt 14 - ♦Frankfurt am Main 16 - Mainz 36.

Apollo Hotel Langner Hof, Robert-Bosch-Str. 26 (Industriegebiet), 77 01, Telex 413794, Fax 73448, - Rest - 25/90.
M a la carte 40/66 - **60 Z : 100 B** 173/263 - 228/278 Fb.

Holiday Inn Garden Court garni, Rheinstr. 25, 50 50, Telex 4032293, Fax 505100,
90 Z : 180 B 195/295 - 210/310 Fb.

Dreieich, Frankfurter Str. 49 (B 3), 2 10 01, Fax 52030 -
M *(nur Abendessen, Samstag - Sonntag geschl.)* a la carte 24/51 - **60 Z : 115 B** 45/95 - 60/180 Fb.

Deutsches Haus, Darmstädter Str. 23 (B 3), 2 20 51, Telex 415088, Fax 22052 - 25. Rest
(wochentags nur Abendessen) - **60 Z : 80 B** Fb.

Scherer garni, Mörfelder Landstr. 55 (B 486), 7 13 66, Fax 74727 -
32 Z : 45 B Fb.

Europe — Wenn der Name eines Hotels dünn gedruckt ist, dann hat uns der Hotelier Preise und Öffnungszeiten nicht oder nicht vollständig angegeben.

LANGENARGEN **7994.** Baden-Württemberg 413 L 24, 987 ㉟, 427 M 3 - 6 200 Ew - Höhe 398 m - Erholungsort - 07543.
Verkehrsamt, Obere Seestr. 2/2, 3 02 92.
♦Stuttgart 175 - Bregenz 24 - Ravensburg 27 - ♦Ulm (Donau) 116.

Engel, Marktplatz 3, 24 36, Fax 4201, « Terrasse am See »,
23. Dez.- 15. März geschl. - **M** *(Mittwoch geschl.)* a la carte 28/51 - **39 Z : 70 B** 70/120 - 98/170 Fb - 5 Fewo 70/110.

Löwen, Obere Seestr. 4, 30 10 (Hotel) 3 01 30 (Rest.), Fax 30151,
Hotel 7. Jan.- Feb., Rest. 3.- 20. Dez. geschl. - **M** *(Dienstag, Dez.- Feb. auch Montag geschl.)* a la carte 30/59 - **27 Z : 54 B** 110/160 - 150/200 Fb.

Schiff, Marktplatz 1, 24 07, Fax 4546,
April - Okt. - **M** a la carte 32/50 - **43 Z : 70 B** 80/160 - 140/220 Fb.

Seeterrasse, Obere Seestr. 52, 20 98, Fax 3804, « Terrasse am See », (geheizt),
Mitte April - Okt. - (nur Abendessen für Hausgäste) - **45 Z : 80 B** 75/150 - 140/240 - ½ P 90/140.

Strand-Café garni (mit Gästehaus Charlotte), Obere Seestr. 32, 24 34,
Jan. geschl. - **16 Z : 27 B** 60/100 - 110/140 Fb.

Litz garni, Obere Seestr. 11, 45 01, Fax 3232,
Mitte März - Okt. - **36 Z : 57 B** 65/120 - 100/170 Fb.

XX **Adler** mit Zim, Oberdorfer Str. 11, 30 90, Fax 30950 -
Dez.- Jan. 2 Wochen geschl. - **M** *(wochentags nur Abendessen, Sonntag nur Mittagessen, Montag geschl.)* a la carte 59/79 - **15 Z : 30 B** 90/110 - 140/180
Spez. Gratin von Edelfischen, Kaninchenrücken mit Morchelrahmsauce, Terrine von dreierlei Schokoladen.

In Langenargen-Oberdorf NO : 3 km :

Hirsch, Ortsstr. 1, 22 17,
20. Dez.- 15. Feb. geschl. - **M** *(wochentags nur Abendessen, Freitag geschl.)* a la carte 26/55 - **25 Z : 48 B** 60/80 - 90/130 Fb.

In Langenargen-Schwedi NW : 2 km :

Schwedi, 21 42, Fax 4667, « Gartenterrasse am See », (geheizt),
Nov. geschl. - **M** *(Dienstag geschl.)* a la carte 29/53 - **24 Z : 41 B** 75/85 - 120/150 Fb.

Reifen o.k. – alles o.k.!

MICHELIN

Korrekter Luftdruck hat einen ganz entscheidenden Einfluß auf Komfort und Fahrsicherheit Ihres Autos.

Daher unser Tip:

- Luftdruck alle 14 Tage am kalten Reifen überprüfen, d. h. bevor sich die Reifen nach längerer Fahrt erwärmen.
- Reifendruck erhöht sich während der Fahrt – das ist völlig normal. Niemals an warmen Reifen Luft ablassen.
- Ventilkappen nicht vergessen. Sie schützen das Ventil vor Schmutz und Feuchtigkeit – und garantieren völlige Dichtheit des Reifens.

Montagetip:

Wenn Sie lediglich zwei neue Reifen montieren lassen, dann diese immer auf die Hinterachse (auch bei Autos mit Frontantrieb)! Pro Achse dürfen nur Reifen gleichen Fabrikats und gleicher Ausführung verwendet werden. Am besten läuft Ihr Auto dann, wenn Sie ringsum identische Reifen fahren.

Für starke und sportliche Autos. Hervorragender Geradeauslauf, sehr guter Nässegriff, leise und lenkpräzise. Je nach Ausführung in H, V oder ZR lieferbar.

MXV

H- und V-Reifen bis 210 bzw. 240 km/h

Hochleistungsreifen mit direkter Lenkansprache und hoher Seitenführungskraft. Ausgezeichnetes Aquaplaning-Verhalten durch breite Längsrillen und zahlreiche Querkanäle.

MXV 2

V-Reifen bis 240 km/h

NEU

Neuer Breitreifen Serie 40 bis 55. Sportliche Optik – viel Fahrfreude. Für die „maßgeschneiderte“ Umrüstung.

XGT-V

V-Reifen bis 240 km/h

Luftdrucktabelle für Pkw X-Reifen

Fahrzeugtyp	Reifengröße	Luftdruck (bar) Vollast u. Autob. VA	Vollast u. Autob. HA	Teillast VA	Teillast HA
ALFA ROMEO (I)					
Alfa 33 1,3	165/70 R 13 79 T MXL	1,8	1,6	1,8	1,6
Alfa 33 1,5/87 Alfa 33 1,5 TI/88	175/70 R 13 82 T MXL 185/60 R 14 82 H MXV	1,8	1,6	1,8	1,6
Alfa 75 1,8	185/70 R 13 86 H MXV	1,8	2,0	1,8	2,0
Alfa 75 Twin Spark	195/60 VR 14 MXV				
Alfa 75 2,5, 3,0, 1,8 Turbo	195/60 VR 14 MXV	2,2	2,5	2,0	2,0
Alfa 164 Twin Spark	185/70 VR 14 MXV 195/60 VR 15 MXV	2,5	2,5	2,2	2,0
Alfa 164 V6 3.0	195/60 VR 15 MXV				
AUDI [1]) (D)					
80 ab Mod. 87: 1,8 l/55 kW 1,6 l/51 u. 55 kW	175/70 R 14 84 S MXL 195/60 R 14 85 H MXV 2	2,4 2,3	2,4 2,3	1,9 1,9	1,9 1,9
80 u. 80 Quattro ab Mod. 87: 1,8 l/65, 66 u. 82 kW	175/70 R 14 84 H MXV 195/60 R 14 85 H MXV 2	2,4 2,3	2,4 2,3	1,9 1,9	1,9 1,9
80 u. 80 Quattro ab Mod. 87: 2,0 l/83 kW	175/70 R 14 84 H MXV 195/60 R 14 85 H MXV 2	2,6 2,5	2,6 2,5	2,1 2,1	2,1 2,1
90 ab 5/87: 2,0 E/85 kW	195/60 R 14 85 H MXV 2	2,5	2,5	2,1	2,1
100/Avant 4/88–12/90: 1,8 l/65 u. 66 kW	185/70 R 14 88 S MXL 185/70 R 14 88 T MXL	2,0	2,3	1,9	1,9
100 4/88–12/90: 2,0 E/85 kW	185/70 R 14 88 H MXV	2,6	2,4	2,2	2,0
100/Avant Quattro 4/88–12/90: 1,8 l/65 u. 66 kW	185/70 R 14 88 S/T MXL 205/60 R 15 91 V MXV 2	2,6	2,4	2,2	2,0
100/Avant u. Qu. 4/88–12/90: 2,2 l/101 kW, 2,3 l/100 kW	185/70 R 14 88 H MXV 205/60 R 15 91 V MXV 2	2,5	2,7	2,1	2,2
100 2.0 i ab 12/90 (C 4)	195/65 R 15 91 T MXT 205/60 R 15 91 V MXV 2	2,2	2,5	1,9	1,9
100/100 Quattro 2,3 E ab 12/90 (C 4)	195/65 R 15 91 H MXV 2 205/60 R 15 91 V MXV 2	2,7	2,8	2,3	2,3
100/100 Quattro 2,8 E ab 12/90 (C 4)	195/65 R 15 91 V MXV 2 205/60 R 15 91 V MXV 2	2,7	2,8	2,3	2,3
200 Turbo 4/88–12/90: 2,2 i/121, 140 u. 147 kW	205/60 R 15 91 V MXV 2	2,5 2,5	2,5 2,5	2,0 2,2	1,8[1…] 2,0[1…]
200/Avant Turbo Quattro 4/80 –12/90: 2,2 i/121 u. 147 kW		2,7 2,7	2,9 2,9	2,1 2,3	2,1[1…] 2,3[1…]
BMW [1]) (D)					
316, 318 i, 324 d (E 30) ab Mod. 87 316 i	195/65 R 14 89 H MXV 205/55 VR 15 MXV 200/60 HR 365 TDX [14])	2,0	2,4	1,8	1,9
E 30: 318 iS 320 i, 325 e ab Mod. 87 320 i Cabrio bis Mod. 90	195/65 R 14 89 H MXV 200/60 HR 365 TDX [14])	2,1	2,5	1,9	2,1
	205/55 VR 15 MXV	2,3	2,7	2,1	2,3
325 i, 325 i Cabrio (E 30) 325 i X (E 30) ab Mod. 87	195/65 VR 14 MXV 200/60 VR 365 TDX [14])	2,4	2,8	2,2	2,3
	205/55 VR 15 MXV	2,6	3,1	2,4	2,6
M 3 ab Mod. 88	225/45 ZR 16 MXX	2,5	3,0	2,2	2,4
E 36: 316 i, 318 i	185/65 R 15 87 H MXV 2 205/60 R 15 91 H MXV 2	2,2 2,0	2,7 2,5	2,0 1,8	2,2 2,0
E 36: 320 i	205/60 R 15 91 V MXV 2	2,1	2,6	1,9	2,1
E 36: 325 i	205/60 ZR 15 MXV 2	2,3	2,8	2,0	2,3
524 td, 520 i (E 34) 2/88 – Mod. 90	195/65 R 15 91 H MXV	2,3	2,8	2,0	2,3
	205/65 R 15 94 H MXV 225/60 R 15 95 V MXM 240/45 ZR 415 TRX [3])	2,1	2,6	2,0	2,1
520 i (24 V) E 34/M 50	205/65 R 15 94 V MXV 2 225/60 R 15 95 V MXM 240/45 ZR 415 TRX [3])	2,2	2,7	2,0	2,1
	195/65 R 15 91 V MXV 2	2,4	2,9	2,0	2,3
525 i (E 34) 2/88 – Mod. 90	195/65 R 15 91 V MXV	2,7	3,2	2,2	2,6
	205/65 R 15 94 V MXV 225/60 R 15 95 V MXM 240/45 ZR 415 TRX [3])	2,4	2,9	2,0	2,3

Fahrzeugtyp	Reifengröße	Luftdruck (bar) Vollast u. Autob. VA	HA	Teillast VA	HA
BMW [1]) (D) (Fortsetzung)					
525 i (24 V) E 34/M 50	205/65 R 15 94 V MXV 225/60 R 15 95 V MXM 240/45 ZR 415 TRX [3])	2,4	2,9	2,0	2,3
530 i (E 34)	205/65 R 15 94 V MXV 225/60 R 15 95 V MXM 240/45 ZR 415 TRX [3])	2,4	3,0	2,0	2,4
535 i (E 34)	225/60 ZR 15 MXM 240/45 ZR 415 TRX [3])	2,5	3,1	2,0	2,4
M 5 (E 34)	235/45 ZR 17 MXX 2	3,0	3,5	2,7	2,9
730 i (E 32) ab Mod 87	205/65 R 15 94 V MXV 225/60 R 15 95 V MXM 240/45 ZR 415 TRX [3])	2,6	3,1	2,2	2,7
735 i (E 32) ab Mod. 87	225/60 ZR 15 MXM 240/45 ZR 415 TRX [3])	2,6	3,1	2,2	2,7
750 i, 750 iL	225/60 ZR 15 MXM 240/45 ZR 415 TRX [3])	2,9	3,3	2,6	3,0
CITROËN (F)					
ZX 1,4 I	165/70 R 13 79 T MXT	2,2	2,2	2,2	2,2
ZX 1,6 I	175/65 R 14 82 T MXT	2,1	2,1	2,1	2,1
ZX 1,9 I	185/60 R 14 82 H MXV 2	2,2	2,2	2,2	2,2
BX 16 S, RS, TRS, TGE BX 19 D/RD/TRD	165/70 R 14 81 T MXL	2,1	2,1	2,1	2,1
BX 19 GT, TRS	165/70 R 14 81 H MXV	2,0	2,2	2,0	2,2
BX 16/19 Break	165/70 R 14 81 T MXL	2,3	2,5	2,3	2,5
XM 2,0 i	195/60 R 15 87 H MXV 2	2,1	1,9	2,1	1,9
XM 2,1 Turbodiesel	195/65 R 15 91 H MXV 2	2,2	1,9	2,2	1,9
XM V6 3.0	205/60 R 15 91 V MXV 2	2,2	1,9	2,2	1,9
CX 20 ab Mod. 85, RE, TRE CX 22 TRS	195/70 R 14 91 T MXL 185/70 R 14 88 T MXL	2,2 –	2,1 2,1	2,2 –	2,1 2,1
CX 25 GTi Turbo, Turbo 2 CX 25 Prestige Turbo 2	210/55 VR 390 TRX 190/65 HR 390 TRX M+S	2,3	1,5	2,3	1,5
CX 25 RD, TRD ab Mod. 85	195/70 R 14 91 T MXL 185/70 R 14 88 T MXL	2,4 –	1,8 1,8	2,4 –	1,8 1,8
CX 25 ab Mod. 85: Pallas Prestige, RI, GTI, Turbodiesel	195/70 R 14 91 H MXV	2,4	2,0	2,4	2,0
CX 20 RE, CX 22 RS, CX 25 RI, TRI, RD, TRD Turbo Break, Fam. ab Mod. 85	195/70 R 14 91 H MXV 190/65 HR 390 TRX [3])	2,5 2,6	2,3 2,3	2,5 2,6	2,3 2,3
FIAT (I)					
Ritmo 60, 65, 70, 75 Ritmo 70/75/85 S	145 R 13 74 S MX 165/70 R 13 79 S MXL	1,9	2,2	1,9	1,8
	165/65 R 14 78 T MXL	2,0	2,2	2,0	1,8
Tipo 1400, 1600	165/70 R 13 79 S MXL 165/65 R 14 78 T MXL	2,0	2,2	2,0	1,9
Tipo Diesel	165/70 R 13 79 S MXL 165/65 R 14 78 T MXL	2,1 2,2	2,2 2,2	2,1 2,2	1,9 1,9
Tipo Turbo Diesel	175/65 R 14 82 T MXL	2,4	2,4	2,2	2,2
Croma 2,0 CHT	175/70 R 14 84 T MXL	2,2	2,2	2,0	2,0
Croma 2,0 i.e., 2,0 CHT	175/70 R 14 84 H MXL 195/60 R 14 85 H MXV	2,2 2,3	2,2 2,3	2,0 2,2	2,0 2,2
Croma i.e. Turbo	195/60 VR 14 MXV	2,3	2,3	2,2	2,2
Croma Turbo Diesel bis Mod. 88	185/65 R 14 85 T MXL 195/60 R 14 85 H MXV				
FORD (D)					
Fiesta S ab Mod. 85	165/65 R 13 76 S MXL	2,1	2,3	1,6	1,8
Escort ab 3/86: 1,3/1,4 I	155 R 13 78 S MX 155 R 13 78 T MX	2,0	2,3	1,6	2,0
Escort ab 3/86: 1,6/1,8 D		2,0	2,3	1,8	2,0
Orion ab 3/86: 1,6 I 1,6i Ghia	185/60 R 14 82 H MXV 175/70 R 13 X M+S	2,0 2,0	2,3 2,3	1,8 1,6	1,8 1,8
Sierra 2,0 i S, 2,0 i GL bis 1/87	195/60 R 14 85 H MXV	2,0	2,5	1,8	1,8
Sierra 2,0/2,0 i bis 12/88	165 R 13 82 H MXV 185/70 R 13 86 H MXV				

Fahrzeugtyp	Reifengröße	Luftdruck (bar) Vollast u. Autob. VA	HA	Teillast VA	HA
FORD (D) (Fortsetzung)					
Sierra 2,0/2,0 i ab 1/89	165 R 13 82 T MX 185/70 R 13 86 T MXL 185/65 R 14 86 T MXL				
Sierra GL 2,9 i	185/70 R 13 86 H MXV	2,0	2,5	1,8	1,8
Sierra Ghia 2,9 i	195/65 R 14 89 H MXV 195/65 R 14 89 V MXV				
Scorpio GL, Ghia 2,0 i, 2,4 i	185/70 R 14 88 H MXV 195/65 R 15 91 H MXV 205/60 R 15 91 V MXV 2	2,1	2,9	1,8	1,8
Scorpio 2,8 i, 2,9 i	185/70 VR 14 MXV 195/65 VR 15 MXV 205/60 R 15 91 V MXV 2				
Scorpio 2,9 i / 24 V	195/65 R 15 91 V MXV 2	2,3	3,1		
HONDA (J)					
Accord 2,0 u. 2,0 i ab Mod. 88 (CA 5)	185/65 R 14 85 H MXV 195/60 R 14 85 H MXV	1,9	2,2	1,9	1,9
Accord EX 2,0 i–16 V	195/60 VR 14 MXV	2,1	2,4	2,1	2,1
Prelude 2,0 ab Mod. 88 (BA 4)	185/70 R 13 86 H MXV	2,2	2,2	2,0	1,8
Prelude 2,0 i Mod. 88 (BA 4)	195/60 R 14 85 H MXV	2,1	2,2	2,1	2,0
Legend 2,5	195/65 VR 15 MXV 205/60 VR 15 MXV	2,2	2,4	2,2	2,2
Legend 3,2 Lim.	205/65 ZR 15 MXV 3	2,6	3,0	2,5	2,4
JAGUAR (GB)					
XJ 6 ab Mod. 87	220/65 VR 390 TDXV 14)	2,3	2,3	1,8	1,8
LANCIA (I)					
Delta 1600 GT i.e. Prisma 1600 i.e.	165/65 R 14 78 H MXV	2,2	2,2	2,0	2,0
Delta HF Turbo ab Mod. 86	165/65 VR 14 MXV	2,2	2,2	2,0	2,0
Delta HF/Prisma 4 WD	185/60 VR 14 MXV	2,2	2,4	2,2	2,2
Delta HF Integrale	195/55 VR 15 MXV	2,2	2,2	2,0	2,0
Thema i.e. Thema i.e. 16 V	175/70 R 14 84 H MXV 195/60 R 14 85 H MXV	2,2 2,3	2,2 2,3	2,0 2,2	2,0 2,2
Thema 2000 i.e. Turbo	195/60 VR 14 MXV 205/60 VR 14 MXV	2,3 2,2	2,3 2,2	2,2 2,1	2,2 2,1
Thema 6 V	185/70 VR 14 MXV 205/60 VR 14 MXV	2,3 2,2	2,3 2,2	2,2 2,1	2,2 2,1
MAZDA (J)					
323 (BF) 323 Kombi (BW)	155 R 13 78 S MX 175/70 R 13 82 S MXL	2,0	1,9	2,0	1,8
323 GTi (BF 1)	185/60 R 14 82 H MXV	2,0	1,8	2,0	1,8
626 1600/2000 (CB 2) 626 Coupé (CB 2)	165 R 13 MX 185/70 R 13 86 S MXL	1,8	2,0	1,8	2,0
626 2,0 l (GC)	185/70 R 14 88 H MXV	2,0	2,0	2,0	2,0
929 (HC) 2,0 u. 2,2 l	195/70 R 14 91 H MXV 205/60 R 15 90 H MXV	1,9	1,9	1,9	1,9
929 (HC) 3,0 V 6	205/60 VR 15 MXV	2,0	2,0	2,0	2,0
MERCEDES-BENZ (D)					
Typ 201: 190 D ab 1/85 190 D 2.5	185/65 R 15 87 T MXL 205/55 R 15 87 H MXV	2,0	2,3	1,8	2,0
Typ 201: 190, 190 E ab 1/85 190 E 1,8/2,3	185/65 R 15 87 H MXV 205/55 R 15 87 H MXV	2,2	2,6	2,0	2,2
Typ 201: 190 E 2,5 - 16	205/55 ZR 15 MXV	2,5	3,0	2,3	2,5
Typ 201: 190 E 2,6	185/65 VR 15 MXV 205/55 ZR 15 MXV	2,3	2,8	2,1	2,3
Typ 124: 200 D	185/65 R 15 87 T MXL	2,0	2,5	2,0	2,2 6)
Typ 124: 200	185/65 R 15 87 H MXV	2,2	2,7	2,2	2,2 7)
Typ 124: 250 D	195/65 R 15 91 T MXL				
Typ 124: 200 E, 230 E/CE 250 D Turbo, 300 D	195/65 R 15 91 H MXV	2,0 2,2	2,5 2,7	2,0 2,2	2,0 6) 2,2 7)
Typ 124: 260 E, 300 CE	195/65 VR 15 MXV				

Fahrzeugtyp	Reifengröße	Luftdruck (bar) Vollast u. Autob. VA	HA	Teillast VA	HA
MERCEDES-BENZ (D) (Fortsetzung)					
Typ 124: 300 E 300 D Turbo	195/65 VR 15 MXV	2,0 2,3	2,5 2,8	2,0 2,3	2,0 6) 2,3 7)
Typ 124: 300 E - 24 300 CE - 24	195/65 ZR 15 MXV 205/60 ZR 15 MXV	2,5 2,5	3,2 3,2	2,4 2,4	2,5 2,7
Typ 124: 200 T 200 TD, 250 TD, 300 TD	195/65 R 15 91 T MXL	2,2	2,8	2,0	2,2
Typ 124: 200 TE, 230 TE 300 TD Turbo	195/65 R 15 91 H MXV	2,2 2,2	2,8 3,1	2,0 2,0	2,2 6) 2,5 7)
Typ 124: 300 TE	195/65 VR 15 MXV				
Typ 107 ab Mod. 86: 300/420/500/560 SL	205/65 VR 15 MXV	2,0 2,4	2,4 2,8	2,0 2,4	2,4 6) 2,8 7)
Typ 126: 280 SE, 280 SEL	195/70 VR 14 XDX, XWX	2,2 2,5	2,5 2,8	2,1 2,4	2,3 6) 2,6 7)
Typ 126: 380 SE, SEL, SEC	205/70 VR 14 XDX, XWX				
Typ 126: 500 SE, SEL, SEC	205/70 VR 14 XDX, XWX	2,2 2,6	2,7 3,1	2,1 2,5	2,3 6) 2,7 7)
Typ 126: 260 SE	205/65 R 15 94 H MXV	2,2 2,5	2,5 2,8	2,1 2,4	2,3 6) 2,6 7)
Typ 126: 300 SE/SEL 420/500 SE, SEL, SEC mit hydropneum. Federung	205/65 VR 15 MXV 205/65 R 15 94 V MXV				
Typ 126: 300 SE/SEL 420/500 SE, SEL, SEC mit Stahlfederung		2,2 2,6	2,7 3,1	2,1 2,5	2,3 6) 2,7 7)
MITSUBISHI (J)					
Colt 1200, 1500 (C 10) Lancer 1200, 1500 (C 10)	155 R 13 MX 175/70 R 13 MXL	1,6 1,8	1,6 1,8	1,6 1,8	1,6 1,8
Colt 1600 Turbo ECI	185/60 R 14 MXV	1,8	1,8	1,8	1,8
Galant ab Mod. 88 (E 30) 1800, 1800 Diesel	165 R 14 84 S MX 185/70 R 14 88 S MXL 195/60 R 15 87 H MXV	2,0	1,8	2,0	1,8
Galant ab Mod. 88 (E 30) 2000 GLSi, 2000 GTi-16 V	185/70 R 14 88 H MXV 195/65 R 14 89 H MXV 195/60 R 15 87 H MXV				
NISSAN (J)					
Sunny GTI (N 13/B 12)	185/60 R 14 82 H MXV	2,0	2,0	2,0	2,0
300 ZX Twin Turbo	225/50 ZR 16 MXX NO 245/45 ZR 16 MXX NO	2,6 –	– 2,8	2,3 –	– 6) 2,5 7)
OPEL 1) (D)					
Corsa GL, Swing 1,3 i Kat. 1,2 S–1,3 S ab Mod. 88, 1,4 i	145 R 13 74 S MX 165/70 R 13 79 T MXL 165/65 R 14 78 T MXL	2,0	2,4	1,7	1,7
Kadett-E LS, GL, GLS, CS 1,6 S, 1,8 N, 1,8 S	155 R 13 78 T MX	2,1	2,5	2,0	1,8
	175/70 R 13 82 T MXL 175/65 R 14 82 T MXL	2,1	2,3	2,0	1,8
Kadett-E 1,8 i	175/70 R 13 82 H MXV 175/65 R 14 82 H MXV 2 185/60 R 14 82 H MXV 2	2,2	2,4	2,1	1,9
Kadett-E GT 1,6 S, 1,8 N Cabrio 1,3 S, 1,6 S, 1,6 i Kat.	175/70 R 13 82 T MXL 175/65 R 14 82 T MXL	2,1	2,3	2,0	1,8
	185/60 R 14 82 H MXV 2	2,0	2,2	1,9	1,9
Kadett-E GSi / Sprint 2,0 i Cabrio 2,0 i	185/60 R 14 82 H MXV 2	2,2	2,4	2,1	1,9
Astra 1,4 u. 1,6 l, 1,7 D	175/70 R 13 82 T MXT 175/65 R 14 82 T MXT 185/60 R 14 82 H MXV 2 195/60 R 14 85 H MXV 2	2,1	2,3	1,9	1,6
Astra 1,8 l	175/65 R 14 82 MXT 175/65 R 14 82 H MXV 2 185/60 R 14 82 H MXV 2 195/60 R 14 85 H MXV 2	2,3	2,5	2,1	1,8
Astra 2,0 l / 85 kW	175/65 R 14 82 H MXV 2 185/60 R 14 82 H MXV 2 195/60 R 14 85 H MXV 2 205/50 R 15 85 V MXV 2	2,5	2,7	2,3	2,0
Astra GSi 2,0 l / 110 kW	205/50 R 15 85 V MXV 2				
Vectra GL, GLS 1,6 i, 1,8 i	175/70 R 14 84 T MXL 165 R 13 82 T MX	2,1	2,3	1,9	1,7

Fahrzeugtyp	Reifengröße	Luftdruck (bar) Vollast u. Autob. VA	HA	Teillast VA	HA
OPEL [1]) (D) (Fortsetzung)					
Vectra GT/CD 1,8 i	195/60 R 14 85 H MXV 2	2,1	2,3	1,9	1,7
Vectra GL, GLS/GT 2,0 i/85 kW		2,4	2,6	2,1	1,9
Vectra 2,0 i, 16 V	195/60 R 15 87 V MXV 2	2,5	3,0	2,3	2,1
Calibra Calibra 16 V	195/60 R 14 85 V MXV 2 205/55 R 15 87 V MXV 2	2,5	3,2	2,3	2,1
Omega 1,8 i, 2,0 i, 2,4 i	185/70 R 14 88 H MXV 195/65 R 15 91 H MXV 2	2,5	2,9	2,2	2,2
Omega 3000 130 kW	195/65 R 15 91 V MXV 2 205/65 R 15 94 V MXV	2,6	3,0	2,5	2,5
PEUGEOT (F)					
205 GR, SR, XR, 1,4 l	165/70 R 13 79 T MXL	1,8	2,0	1,8	2,0
205 GTI, CTI, 1,6 l Cabrio	185/60 R 14 82 H MXV	2,0	2,0	2,0	2,0
205/309 GTI 1,9 l/96 kW	185/55 R 15 81 V MXV-P	2,0	2,0	2,0	2,0
309 GT	175/65 R 14 82 H MXV	1,9	1,8	1,9	1,8
405 GL, GR, SR 1,6 l	165/70 R 14 81 T MXL	2,1	2,1	2,1	2,1
405 SR/GR 1,9 l	175/70 R 14 84 T MXL 185/65 R 14 85 H MXV	2,0	2,0	2,0	2,0
405 GRD/SRD Turbo	185/65 R 14 85 H MXV	2,1	2,2	2,1	2,2
405 GRI, SRI 1,9 l	185/65 R 14 85 H MXV	2,0	2,1	2,0	2,1
505 GL ab Mod. 85, SX 505 GR 1,8 l Mod. 87	175 R 14 88 S MX-P	1,8	2,0	1,8	2,0
505 GTi Mod. 89, 505 ST	185/65 R 15 87 T MXL	2,1	2,2	2,1	2,2
505 V6 i	195/60 R 15 87 H MXV	2,0	2,2	2,0	2,2
605 SRI	195/65 R 15 91 H MXV 2	2,2	2,2	2,2	2,2
605 SR, SV 3,0	205/60 R 15 91 V MXV 2	2,3	2,3	2,3	2,3
PORSCHE (D)					
911 Carrera	205/55 ZR 16 MXX NO[0]) 225/50 ZR 16 MXX NO[0])	2,0 –	– 2,5	2,0 –	– 2,5
911 Turbo ab Mod. 86	205/55 ZR 16 MXX NO[0]) 245/45 ZR 16 MXX NO[0])	2,0 –	– 3,0	2,0 –	– 3,0
911 Carrera 2 u. 4 Mod. 92 911 RS, Turbo, T-Look Mod. 92	205/50 ZR 17 MXX 3 NO[0]) 255/40 ZR 17 MXX 3 NO[0])	2,5 –	– 2,5	2,5 –	– 2,5
911 Turbo S Mod. 92	205/50 ZR 17 MXX 3 NO[0]) 255/40 ZR 17 MXX 3 NO[0])	2,5 –	– 3,0	2,5 –	– 3,0
944 Turbo ab Mod. 90	205/55 ZR 16 MXX NO[0]) 225/50 ZR 16 MXX NO[0])	2,5 –	– 3,0	2,5 –	– 3,0
968	225/45 ZR 17 MXX 3 NO[0]) 255/40 ZR 17 MXX 3 NO[0])	2,5 –	– 2,5	2,5 –	– 2,5
928 S 4 bis Mod. 90	225/50 ZR 16 MXX NO[0]) 245/45 ZR 16 MXX NO[0])	2,5 –	– 3,0	2,5 –	– 3,0
928 S	225/50 ZR 16 MXX NO[0])	2,5	3,0	2,5	3,0
928 S4, GT Mod. 92	225/45 ZR 17 MXX 3 NO[0]) 255/50 ZR 17 MXX 3 NO[0])	2,5 –	– 2,5	2,5 –	– 2,5
RENAULT (F)					
R 5 ab Mod. 85: GTL, GTR, GTS, TSE	155/70 R 13 75 S MXL	2,0	2,2	1,8	2,0
R 5 TS, GTS, TSE	165/65 R 13 76 S MXL	2,0	2,2	1,8	2,0
Clio 1,4 l	165/65 R 13 76 T MXL	2,1	2,3	2,0	2,1
Clio 1,7 l	165/60 R 14 75 H MXV	2,3	2,3	2,1	2,1
R 9/R 11 1,7 l	175/70 R 13 82 T MXL 175/70 R 13 82 H MXV	1,9	2,0	1,7	1,9
R 19, R 19 Chamade GTX, TXE	175/70 R 13 82 H MXV 175/65 R 14 82 H MXV	2,0	2,2	1,8	2,0
R 21 TS, RS, GTS, TSE	175/70 R 13 82 H MXV 175/65 R 14 82 H MXV	2,0	2,2	1,8	2,0 [8])
R 21 RX, GTX, TXE	185/65 R 14 85 H MXV				
R 25 TS, GTS, GTX, TX	165 R 14 84 H MXV 185/70 R 14 88 H MXV 195/60 R 15 86 H MXV	2,0	2,2	1,8	2,0 [8])
R 25 V6 Injection ab Mod. 88	195/60 R 15 87 V MXV 2	2,3	2,5	2,1	2,2 [8])
R 25 V6 Turbo	205/60 VR 15 MXV 205/55 ZR 16 MXV 2	2,5	2,3	2,2	2,0

Fahrzeugtyp	Reifengröße	Luftdruck (bar) Vollast u. Autob. VA	HA	Teillast VA	HA
SAAB (S)					
90/900 ab Mod. 86	175/70 R 15 86 T MXL	2,3	2,4	2,1	2,2
900 i/i 16/T 8	185/65 R 15 87 T MXL	2,2	2,3	2,0	2,1
900 Turbo 16/16 S/16 CV	195/60 VR 15 MXV	2,4	2,5	2,1	2,2
9000 i 16	185/65 R 15 87 H MXV	2,4	2,4	2,1	2,1
9000 Turbo 9000 T 16	205/55 VR 15 MXV 2 195/60 VR 15 MXV	3,0 2,9	3,0 2,9	2,3 2,3	2,3 2,3
9000 CD T 16	195/65 R 15 91 V MXV 2	2,2	2,2	1,9	1,9
TOYOTA (J)					
Corolla XL Mod. 88 (CE 90)	165 R 13 82 S MX 175/70 R 13 82 S MXL	1,8 2,0	1,9 2,1	1,8 2,0	1,8 [4] 2,0 [4]
Corolla GTi (AE 92)	185/60 R 14 82 H MXV	1,8	2,1	1,8	1,8 [4]
Corolla Coupé (AE 86 GT)	185/70 R 13 86 H MXV 195/60 R 14 85 H MXV	1,9	1,9	1,9	1,9
Camry (SV 21)	185/70 R 14 88 H MXV	2,1	2,1	1,9	1,9 [4]
Celica GT Coupé, Liftback (RA 40, TA 40, RA 63)	185/70 R 14 88 H MXV	2,0	2,1	1,7	1,7
Celica GT (ST 162)	195/60 VR 14 MXV	2,4	2,4	2,4	2,4
Celica Supra (MA 61)	195/70 VR 14 XDX, XWX 205/60 VR 15 MXV	2,1 2,1	2,1 2,1	1,8 2,0	1,8 2,0
Supra (MA 70)	225/50 VR 16 MXX	3,0	3,0	2,3	2,5
VOLKSWAGEN [1] (D)					
Polo GT 1,3, 1,3 i Polo Coupé ab Mod. 86	155/70 R 13 75 S MXL 165/65 R 13 76 S MXL	2,1	2,4	1,8	1,8
Golf Cabriolet ab Mod. 90 1,8 i/82 kW	175/70 R 13 82 H MXV 185/60 R 14 82 H MXV 2	2,1	2,4	1,9	1,9
Golf (19) ab Mod. 90: 1,8 l	175/70 R 13 82 H MXV 185/60 R 14 82 H MXV 2 185/55 R 15 81 V MXV 2 195/50 R 15 82 V MXV 2	2,0	2,4	2,0	1,8
Golf (19) ab Mod. 90: GTi		2,4	2,6	2,0	1,8
Golf Syncro ab Mod. 90		2,3	2,7	2,1	2,1
Golf (19) ab Mod. 90: GTi 16 V 1.8 i Kat.	185/60 R 14 82 H MXV 2 185/55 R 15 81 V MXV 2 195/50 R 15 82 V MXV 2	2,5	2,7	2,2	2,0
Golf (A 3) 1,8 l/55 kW Diesel 1,9 l/47 kW	175/70 R 13 82 T MXT 185/60 R 14 82 H MXV 2 195/50 R 15 82 V MXV 2	2,2	2,4	2,0	1,8
Golf (A 3) 1,8 l/66 kW Diesel 1,9 l/ 55 u. 63 kW		2,4	2,6	2,2	2,0
Golf (A 3) GT 1,8 l/66 kW CL, GL, GT 2,0 l/85 kW	185/60 R 14 82 H MXV 2 195/50 R 15 82 V MXV 2	2,4	2,6	2,2	2,0
Golf (A 3) GTI 1,8 l/66 kW	195/50 R 15 82 V MXV 2 205/50 R 15 86 V MXV 2	2,4 2,1	2,6 2,3	2,2 1,9	2,0 1,9
Golf (A 3) GTI 2,0 l/85 kW	205/50 R 15 86 V MXV 2	2,1	2,3	1,9	1,9
Golf (A 3) 2,0 l/105 kW	195/50 R 15 82 V MXV 2 205/50 R 15 86 V MXV 2	2,7 2,3	2,9 2,5	2,5 2,2	2,5 2,0
Golf (A 3) 2,8 l/128 kW	205/50 R 15 86 V MXV 2	2,7	2,9	2,5	2,3
Jetta (19) ab Mod. 90: 1,8 l/62 u. 66 kW	185/60 R 14 82 H MXV 2 185/55 R 15 81 V MXV 2	2,2	2,6	2,0	1,8
1,8 l/79 u. 82 kW		2,4	2,8	2,0	1,8
Jetta GT 16 V 1,8 i/95 kW		2,5	2,9	2,2	2,0
Scirocco GT/GTX 16 V Kat.	185/60 R 14 82 H MXV	2,3	2,5	2,1	1,9
Corrado 1,8 i/118 kW	185/55 R 15 81 V MXV 2 195/50 R 15 82 V MXV 2	3,0	2,7	2,8	2,5
Passat ab 4/88: 1,6 l, 1,9 l Diesel	165/70 R 14 81 T MXL	2,6	2,9	2,2	2,2
	185/65 R 14 86 T MXL 195/60 R 14 85 H MXV 2 195/55 R 15 84 V MXV 2	2,3	2,6	2,0	2,0
Passat ab 4/88: 1,6 Turbo-Diesel, 1,8 l/66 kW	185/65 R 14 86 H MXV 2 195/60 R 14 85 H MXV 2 195/55 R 14 84 V MXV 2	2,4	2,7	2,1	2,1
Passat ab 4/88: 1,8 l/82 kW 1,9 G-Lader-Diesel		2,6	2,9	2,2	2,2
Passat GT 16 V	195/60 R 14 85 V MXV 2 195/55 R 15 84 V MXV 2 205/50 R 15 85 V MXV 2	2,8	3,1	2,4	2,4

Fahrzeugtyp	Reifengröße	Luftdruck (bar) Vollast u. Autob. VA	 HA	 Teillast VA	 HA
VOLKSWAGEN [1]) (D) (Fortsetzung)					
Passat Variant ab 6/88: 1,6 l 1,6 l, 1,9 l Diesel	185/65 R 14 86 T MXL 195/60 R 14 85 H MXV 2	2,3	2,9	2,0	2,0
Passat Variant ab 6/88: 1,6 Turbodiesel, 1,8 l/66 kW	195/55 R 15 84 V MXV 2 205/50 R 15 85 V MXV 2	2,4	3,0	2,1	2,1
Passat Variant ab 6/88: 1,8 l/79 u. 82 kW	185/65 R 14 86 H MXV 2 195/60 R 14 85 H MXV 2 195/55 R 15 84 V MXV 2 205/50 R 15 85 V MXV 2	2,6	3,2	2,2	2,2
Passat Variant GT 16 V	195/60 R 14 85 H MXV 2	2,8	3,4	2,4	2,4
Transporter/Caravelle (T 4) (Vorderachse 1280 kg)	185 R 14 XZX C PR 6 205/65 R 15 98 S MXL	3,0 2,6	3,8 3,4	3,0 2,6	3,8 3,4
Transporter/Caravelle (T 4) (Vorderachse 1350 kg)	185 R 14 XZX C PR 6 205/65 R 15 98 S MXL	3,4 3,0	3,8 3,4	3,4 3,0	3,8 3,4
VOLVO (S)					
240 DL, GL	175 R 14 88 S MX 185/70 R 14 88 T MXL	1,8 1,9	2,2 2,3	1,8 1,8	1,9 1,9
240 Turbo	195/60 R 15 87 H MXV	2,1	2,3	1,9	1,9
240 GLT 242 GT, GLT	185/70 R 14 88 T MXL 195/60 R 15 87 H MXV	1,9	2,3	1,8	1,9
340 DLS, GLS 360 GL, GLS, GLE	175/70 R 13 82 T MXL 185/60 R 14 82 H MXV	1,9	2,4	1,9	2,1
440 (64 u. 70 kW)	165/70 R 14 81 T MXL 175/65 R 14 82 T MXL				
440 (78 kW), 440 Turbo	175/65 R 14 82 H MXV 2 185/60 R 14 82 H MXV	2,3	2,1	2,1	1,9
460, 460 Turbo	185/60 R 14 82 H MXV				
480 ES	185/60 R 14 82 H MXV	2,1	2,1	2,1	1,9
740 GL, GLE, Diesel bis Mod. 88	185/70 R 14 88 T MXL 175 R 14 88 H MXV				
740 GL, GLE ab Mod. 89	185/65 R 15 87 T MXL	2,1	2,3	1,9	1,9
740 GLE 16 V	195/60 R 15 87 H MXV				
760 GLE 760 Turbo	195/60 R 15 87 H MXV 205/60 R 15 90 H MXV	2,1	2,3	1,9	1,9
760 Turbo-Diesel	185/65 R 15 87 T MXV 205/60 R 15 90 H MXV				

Erläuterungen zu den Luftdrucktabellen

– Vollast und Autobahn

Diese Werte gelten für das voll ausgelastete Fahrzeug auf Landstraßen und Autobahnen sowie für teilbelastete Fahrzeuge im Autobahneinsatz. Abweichende Einsatzkriterien sind bei den entsprechenden Fahrzeugen durch Fußnoten gekennzeichnet.

– Teillast

Die in dieser Spalte angeführten Werte entsprechen dem normalen Einsatz des Fahrzeuges unter mittleren Belastungen und Geschwindigkeiten im Stadtverkehr und auf Landstraßen.
Erscheinen in beiden Spalten die gleichen Werte, gilt der angegebene Luftdruck für alle Belastungen und Geschwindigkeiten.

[1]) Die Teillastluftdrücke gelten für alle Geschwindigkeiten.
[3]) TRX-Reifen nur in Verbindung mit dem entsprechenden TR-Rad.
[4]) Bis 160 km/h.
[6]) Bis 180 km/h.
[7]) Über 180 km/h.
[8]) Fahrzeuge mit automatischem Getriebe Vorderachse + 0,1 bar.
[12]) Bis 200 km/h.
[13]) Über 200 km/h.
[14]) TDX-Reifen mit Sicherheitswulst dürfen nur auf TD-Räder montiert werden.
([0]) Nur Reifen mit Zusatzmarkierung „NO" verwenden.

Achtung! Bei der Montage folgender Reifen müssen alle Räder mit dem gleichen Reifentyp ausgerüstet werden:
XVR, XZR, TRX, TDX.

LANGENAU **7907.** Baden-Württemberg 413 N 21, 987 ㊱ – 11 600 Ew – Höhe 467 m – ☎ 07345.
♦Stuttgart 99 – ♦Augsburg 69 – Heidenheim an der Brenz 32 – ♦Ulm (Donau) 18.

Lobinger Hotel Weisses Ross, Hindenburgstr. 29, ☎ 80 10, Fax 80151, – TV ☎ P – 25/80. AE E VISA
M a la carte 29/62 – **81 Z : 144 B** 55/155 - 75/175 Fb.

Pflug garni, Hindenburgstr.56, ☎ 95 00, Fax 950150 – TV ☎. E VISA
24. Dez.- 6. Jan. geschl. – **29 Z : 40 B** 50/60 - 95/100 Fb.

Zum Bad, Burghof 11, ☎ 9 60 00, Fax 960050 – ☎ P.
Juli - Aug. 2 Wochen und 24. Dez.- 1. Jan. geschl. – **M** *(Montag geschl.)* a la carte 23/40 – **14 Z : 20 B** 65/75 - 98.

In Rammingen **7901** NO : 4 km :

Romantik-Hotel Landgasthof Adler, Riegestr. 15, ☎ (07345) 70 41, Fax 21145 – TV ☎ P
12 Z : 18 B Fb.

LANGENFELD **4018.** Nordrhein-Westfalen 412 D 13, 987 ㉓ ㉔ – 51 000 Ew – Höhe 45 m – ☎ 02173.
♦Düsseldorf 23 – ♦Köln 26 – Solingen 13.

Lohmann's Hotel Gravenberg, Elberfelder Str. 45 (B 229, NO : 4 km), ☎ 2 30 61, Fax 22777, Damwildgehege, – TV ☎ P – 25/40. AE E VISA
23. Dez.- 7. Jan. geschl. – **M** *(Sonntag 15 Uhr - Montag und Mitte Juli - Mitte Aug. geschl.)* a la carte 43/75 – **41 Z : 62 B** 128/168 - 180/280 Fb.

Mondial garni, Solinger Str. 188 (B 229), ☎ 2 30 33, Telex 8515657, Fax 22297, – Zim TV ☎ P – 30. AE E VISA
24.- 31. Dez. geschl. – **62 Z : 106 B** 170/240 - 270 Fb – 6 Appart. 350.

Kutscheid garni, Schulstr. 44, ☎ 1 30 36, Fax 148114 – TV ☎ P. AE E VISA
15 Z : 25 B 85/88 - 105/115 Fb.

In Langenfeld-Reusrath S : 4 km :

Landhotel Lohmann mit Zim, Opladener Str. 19 (B 8), ☎ 1 70 33, – TV ☎ P. AE E VISA
17. Feb.- 8. März geschl. – **M** *(Dienstag 14 Uhr - Mittwoch geschl.)* a la carte 33/68 – **25 Z : 40 B** 80/120 - 130/180.

LANGENHAGEN Niedersachsen siehe Hannover.

LANGEOOG (Insel) **2941.** Niedersachsen 411 F 5, 987 ④ – 2 100 Ew – Seeheilbad – Insel der ostfriesischen Inselgruppe. Autos nicht zugelassen – ☎ 04972.
von Esens-Bensersiel (ca. 45 min), ☎ (04972) 69 30.
Kurverwaltung, Hauptstr. 28, ☎ 69 30.
♦Hannover 266 – Aurich/Ostfriesland 28 – Wilhelmshaven 54.

Flörke, Hauptstr. 17, ☎ 60 97, Fax 1690, – TV ☎ – 30.
Mitte März - Anfang Nov. – (Restaurant nur für Hausgäste) – **50 Z : 90 B** 80/100 - 150/190 Fb – ½ P 95/120.

Strandeck, Kavalierspad 2, ☎ 7 55, Fax 6277, – TV ☎. E VISA. Rest
Ende März - Mitte Okt. – **M** *(nur Abendessen, Dienstag geschl.)* (Tischbestellung erforderlich) 85 /110 – **42 Z : 72 B** 85/120 - 170/250 Fb – ½ P 120/155.

Upstalsboom, Hauptstr. 38, ☎ 60 66, – TV ☎. AE E VISA
M a la carte 39/71 – **35 Z : 64 B** 105/139 - 198/250 Fb.

Haus Westfalen, Abke-Jansen-Weg 6, ☎ 2 65 –
30 Z : 55 B Fb.

LANGERRINGEN Bayern siehe Schwabmünchen.

LATHEN **4474.** Niedersachsen 411 EF 8, 987 ⑭ – 3 800 Ew – Höhe 30 m – ☎ 05933.
♦Hannover 235 – Cloppenburg 57 – Groningen 86 – Lingen 37.

Pingel Anton, Sögeler Str. 2, ☎ 3 27, Fax 1833, – TV ☎ P. AE E VISA
Juli 2 Wochen und 27. Dez.- 15. Jan. geschl. – **M** *(Montag geschl.)* a la carte 30/55 – **32 Z : 60 B** 68/75 - 125/145 Fb – 7 Fewo 65/70.

LAUBACH **6312.** Hessen 413 JK 15 – 10 300 Ew – Höhe 250 m – Luftkurort – ☎ 06405.
Kurverwaltung, Friedrichstr. 11 (Rathaus), ☎ 2 81.
♦Wiesbaden 101 – ♦Frankfurt am Main 73 – Gießen 28.

Waldhaus, An der Ringelshöhe (B 276 - O : 2 km), ☎ 2 52, Fax 1041, – TV ☎ P – 30. AE
M *(Sonntag ab 15 Uhr geschl.)* a la carte 25/61 – **34 Z : 60 B** 70/85 - 115/130 Fb.

In Laubach-Gonterskirchen SO : 4 km :

XX **Tannenhof** mit Zim, ✆ 17 32, Fax 3931, ≤, ☂, - TV ☎ P. AE ⓓ E VISA. ✗
M *(Montag geschl.)* a la carte 30/60 - **9 Z : 17 B** 68/95 - 110/165 Fb - ½ P 80/120.

In Laubach-Münster W : 5,5 km :

Zum Hirsch, Licher Str. 32, ✆ 14 56, - P. AE E. ✗ Zim
3.- 18. Feb. und 13.- 27. Juli geschl. - **M** *(Montag geschl.)* a la carte 18/37 - **18 Z : 27 B** 40/50 - 75/80 - ½ P 55/60.

LAUBENHEIM Rheinland-Pfalz siehe Bingen.

LAUCHRINGEN Baden-Württemberg siehe Waldshut-Tiengen.

LAUDA-KÖNIGSHOFEN **6970.** Baden-Württemberg 413 M 18 - 14 700 Ew - Höhe 192 m - ☎ 09343.

♦Stuttgart 120 - Bad Mergentheim 12 - ♦Würzburg 40.

Ratskeller, Josef-Schmitt-Str. 17 (Lauda), ✆ 9 57, Fax 2820, ☂ - TV ☎ P. AE E ✗
Aug. 2 Wochen und 22.- 25. Dez. geschl. - Menu *(Montag bis 17 Uhr geschl.)* a la carte 33/62 - **11 Z : 20 B** 55/75 - 98/120 Fb.

XX **Gemmrig's Landhaus** mit Zim, Hauptstr. 68 (Königshofen), ✆ 70 51, - TV ☎ P
1.- 10. Jan. und 20.- 31. Juli geschl. - **M** *(Sonntag 14 Uhr - Montag geschl.)* 18 /48 - **5 Z : 7 B** 48 - 80.

In Lauda-Königshofen - Beckstein SW : 2 km ab Königshofen :

Adler, Weinstr. 24, ✆ 20 71, ☂ - TV ☎ P
26 Z : 52 B.

Gästehaus Birgit garni (siehe auch Weinstuben Beckstein), Am Nonnenberg 12, ✆ 9 98 ≤, - ☎ P
Jan. geschl. - **16 Z : 32 B** 50/60 - 80/100.

X **Weinstuben Beckstein,** Weinstr. 32, ✆ 82 00, ☂ - P
Jan. und Mittwoch geschl. - **M** a la carte 19/47 .

LAUDENBACH **8761.** Bayern 412 413 K 17 - 1 200 Ew - Höhe 129 m - ☎ 09372.

♦München 358 - Amorbach 14 - Aschaffenburg 32 - ♦Würzburg 82.

XX **Zur Krone** mit Zim (Gasthof a.d.J. 1726), Obernburger Str. 4, ✆ 24 82, « Hübsches bäuerliches Restaurant, Gartenterrasse » - TV ☎ P. E
27. Feb.- 20. März und 31. Juli - 21. Aug. geschl. - **M** *(Donnerstag - Freitag 17 Uhr geschl.)* a la carte 38/74 - **3 Z : 5 B** 70/95 - 100/125 - 9 Appart. 140/180.

LAUENBURG AN DER ELBE **2058.** Schleswig-Holstein 411 O 6, 987 ⑥ ⑯ - 11 000 Ew - Höhe 45 m - ☎ 04153.

Fremdenverkehrsamt, im Schloß, ✆ 59 09 81.

♦Kiel 121 - ♦Hannover 149 - ♦Hamburg 44 - Lüneburg 25.

Möller, Elbstr. 48 (Unterstadt), ✆ 20 11, Fax 53759, ≤, ☂ - TV ☎ - 30. AE ⓓ E VISA
M a la carte 25/55 - **34 Z : 62 B** 39/95 - 72/150 Fb.

LAUF AN DER PEGNITZ **8560.** Bayern 413 Q 18, 987 ㉖ - 24 500 Ew - Höhe 310 m - ☎ 09123.

♦München 173 - Bayreuth 62 - ♦Nürnberg 17.

Gasthof Wilder Mann, Marktplatz 21, ✆ 50 05, « Altfränkische Hofanlage » - ☎ P
22. Dez.- 10. Jan. geschl. - **M** *(Samstag - Sonntag geschl.)* a la carte 27/46 - **24 Z : 34 B** 35/80 - 70/120.

Weinstube Schwarzer Bär, Marktplatz 6, ✆ 27 89
März geschl. - (nur Abendessen für Hausgäste) - **13 Z : 26 B** 35/75 - 60/95.

XX **Altes Rathaus,** Marktplatz 1, ✆ 27 00
Montag und 1.- 18. Aug. geschl. - **M** a la carte 27/48.

In Lauf-Bullach N : 8 km :

Grüner Baum , Untere Eisenstr. 3, ✆ (09126) 97 29, Fax 8030, ☂ - TV ☎ P
22 Z : 42 B.

An der Straße nach Altdorf S : 2,5 km :

Waldgasthof Am Letten, Letten 13, ✉ 8560 Lauf an der Pegnitz, ✆ (09123) 20 61, Telex 626887, Fax 2064, ☂, Biergarten, - TV ☎ P - 25/80
23. Dez.- 11. Jan. geschl. - **M** *(Sonntag 18 Uhr - Montag geschl.)* a la carte 34/64 - **50 Z : 72 B** 89/95 - 120/130 Fb.

LAUFELD Rheinland-Pfalz siehe Manderscheid.

LAUFEN 8229. Bayern 413 V 23, 987 ㊳, 426 K 5 – 5 800 Ew – Höhe 401 m – Erholungsort – ✿ 08682.

🛈 Verkehrsverband, Laufen-Leobendorf, Römerstr. 6, ✆ 18 10.

◆München 154 – Burghausen 38 – Salzburg 20.

Am Abtsdorfer See SW : 4 km :

🏠 **Seebad** ⊗, ⊠ 8229 Laufen-Abtsee, ✆ (08682) 2 58, Fax 1204, ≼, 🏠, 🐾, 🐎 – 🅿
— Dez.- Jan. geschl. – **M** *(Freitag geschl.)* a la carte 24/39 – **25 Z : 43 B** 35/65 - 60/130.

LAUFENBURG (BADEN) 7887. Baden-Württemberg 413 H 24, 987 ㉞ ㉟, 427 I 3 – 7 500 Ew – Höhe 337 m – ✿ 07763.

◆Stuttgart 195 – Basel 39 – Waldshut-Tiengen 15.

🏠 **Alte Post,** Andelsbachstr. 6a, ✆ 78 36, 🏠, 🐎 – 🅿
M *(Montag geschl.)* a la carte 26/44 – **11 Z : 20 B** 55/75 - 100.

In Laufenburg-Luttingen O : 2,5 km :

🏠 **Kranz,** Luttinger Str. 22 (B 34), ✆ 38 33 – 📺 ⇔ 🅿. 🆎 ① 🅴 𝚅𝙸𝚂𝙰
über Fastnacht 2 Wochen und Juli 3 Wochen geschl. – **M** *(Dienstag 14 Uhr - Mittwoch geschl.)* a la carte 25/53 ⅃ – **13 Z : 18 B** 40/50 - 70/95.

LAUFFEN AM NECKAR 7128. Baden-Württemberg 413 K 19, 987 ㉕ – 9 000 Ew – Höhe 172 m – ✿ 07133.

◆Stuttgart 49 – Heilbronn 10 – Ludwigsburg 33.

🏛 **Elefanten,** Bahnhofstr. 12, ✆ 1 41 35, Fax 17817 – 📳 ☎ 🅿. 🆎 ① 🅴 𝚅𝙸𝚂𝙰
1.- 20. Jan. geschl. – Menu *(Freitag geschl.)* a la carte 36/65 ⅃ – **13 Z : 22 B** 90/100 - 150/170.

LAUINGEN AN DER DONAU 8882. Bayern 413 O 21, 987 ㊱ – 9 400 Ew – Höhe 439 m – ✿ 09072.

◆München 113 – ◆Augsburg 55 – Donauwörth 31 – ◆Ulm (Donau) 48.

🏠 **Reiser,** Bahnhofstr. 4, ✆ 30 96 – ☎ 🅿 – 🔏 40. 🅴 🛇 Rest
— Aug. 3 Wochen geschl. – **M** *(Sonn- und Feiertage ab 14 Uhr und Samstag geschl.)* a la carte 22/53 ⅃ – **31 Z : 53 B** 50/65 - 75/110.

🏠 **Drei Mohren,** Imhofstr. 6, ✆ 40 71 – 📺 ☎
M *(Freitag 15 Uhr - Samstag und 15.- 30. Aug. geschl.)* a la carte 31/64 – **13 Z : 18 B** 75/95 - 120 Fb.

LAUPHEIM 7958. Baden-Württemberg 413 M 22, 987 ㊱, 426 B 4 – 15 500 Ew – Höhe 515 m – ✿ 07392.

◆Stuttgart 118 – Ravensburg 62 – ◆Ulm (Donau) 26.

🏠 **Krone,** Marktplatz 15, ✆ 1 80 88, 🏠 – 📳 📺 ☎. 🅴 𝚅𝙸𝚂𝙰
M *(Samstag geschl.)* a la carte 25/50 – **13 Z : 25 B** 80/120 - 110/150 Fb.

❌❌ **Schildwirtschaft zum Rothen Ochsen** mit Zim (restauriertes Haus a.d.J. 1808), Kapellenstr. 23, ✆ 60 41, 🏠 – 📺 ☎. 🆎 🅴
Menu *(abends Tischbestellung ratsam)* (Samstag bis 18 Uhr, Dienstag, 1.- 7. Jan. und Juli - Aug. 4 Wochen geschl.) a la carte 38/56 ⅃ – **7 Z : 9 B** 70/80 - 115.

LAURENBURG Rheinland-Pfalz siehe Holzappel.

LAUTENBACH (ORTENAUKREIS) 7606. Baden-Württemberg 413 H 21, 242 ㉔ – 1 900 Ew – Höhe 210 m – Luftkurort – ✿ 07802 (Oberkirch).

🛈 Verkehrsamt, Hauptstr. 48, ✆ 23 13.

◆Stuttgart 143 – Freudenstadt 39 – Offenburg 19 – Strasbourg 33.

🏠 **Sonne** (mit Gästehaus Sonnenhof), Hauptstr. 51 (B 28), ✆ 45 35, 🏠, 🐎 – 📳 📺 ☎ 🅿. ①
🅴 𝚅𝙸𝚂𝙰
Nov. geschl. – **M** *(auch vegetarische Gerichte)* (Mittwoch geschl.) a la carte 26/60 ⅃ – **32 Z : 52 B** 55/90 - 80/120 Fb – ½ P 65/100.

🏠 **Sternen,** Hauptstr. 47 (B 28), ✆ 35 38 – 📳 🔥 🅿. ① 🅴 𝚅𝙸𝚂𝙰
Mitte Nov.- Mitte Dez. geschl. – **M** *(Montag geschl.)* a la carte 29/56 ⅃ – **43 Z : 70 B** 46/56 - 74/104 – ½ P 57/64.

🏠 **Zum Kreuz** (mit Gästehaus), Hauptstr. 66 (B 28), ✆ 45 60, Fax 3983, 🐎 – ⇔ 🅿. 🅴
15. Nov.- 15. Dez. geschl. – **M** *(Dienstag geschl.)* a la carte 25/47 ⅃ – **25 Z : 45 B** 45/50 - 84/100.

Auf dem Sohlberg NO : 6 km – Höhe 780 m

Berggasthaus Wandersruh, Sohlbergstr. 34, 7606 Lautenbach, (07802) 24 73, Schwarzwald und Rheinebene, , , –
10. Jan.- Feb. geschl. – **M** *(Dienstag geschl.)* a la carte 23/33 – **21 Z : 40 B** 33/38 - 66/80.

LAUTERBACH **7233.** Baden-Württemberg 413 I 22 – 3 500 Ew – Höhe 575 m – Luftkurort – Wintersport : 800/900 m 1 2 – 07422 (Schramberg).

Kurverwaltung, Rathaus, Schramberger Str. 5, 43 70, Fax 22017.

♦Stuttgart 122 – ♦Freiburg im Breisgau 60 – Freudenstadt 41 – Offenburg 55 – Schramberg 4.

Tannenhof, Schramberger Str. 61, 30 81, Fax 3775, – . AE E VISA
über Fastnacht 3 Wochen geschl. – **M** *(Freitag - Samstag 18 Uhr geschl.)* a la carte 26/58 – **38 Z : 70 B** 65 - 116 Fb.

LAUTERBACH **6420.** Hessen 412 L 15, 987 ㉕ – 14 000 Ew – Höhe 296 m – Luftkurort – 06641.

Verkehrsverein, Rathaus, Marktplatz 14, 1 84 12.

♦Wiesbaden 151 – Fulda 25 – Gießen 68 – ♦Kassel 110.

Schubert, Kanalstr. 12, 30 74, Telex 49276, Fax 5171 – . AE E VISA. Rest
Juni - Juli 2 Wochen geschl. – **M** *(Sonntag 15 Uhr - Montag geschl.)* a la carte 31/63 – **29 Z : 48 B** 71/99 - 126/180 Fb – ½ P 93/129.

In Lauterbach-Maar NW : 3 km :

Jägerhof, Hauptstr. 9, 40 55, Fax 62132 – – 25/70. E.
Jan. 2 Wochen geschl. – **M** *(Sonntag ab 15 Uhr geschl.)* a la carte 37/54 – **29 Z : 54 B** 55/65 - 85/95 Fb.

LAUTERBERG, BAD **3422.** Niedersachsen 411 412 O 12, 987 ⑯ – 13 000 Ew – Höhe 300 m – Kneippheilbad und Schrothkurort – 05524.

Städtische Kur- und Badeverwaltung, im Haus des Kurgastes, 40 21.

♦Hannover 116 – ♦Braunschweig 87 – Göttingen 49.

Revita, Promenade 56 (Am Kurpark), 8 31, Telex 96245, Fax 80412, , Bade- und Massageabteilung, , , , (Halle) – – 25/500. E VISA. Rest
M a la carte 48/72 – **283 Z : 564 B** 90/198 - 160/275 Fb – ½ P 111/145.

Kneipp-Kurhotel Wiesenbeker Teich, Wiesenbek 75 (O : 3 km), 29 94, , « Gartenterrasse », Bade- und Massageabteilung, , , , – . AE E VISA – **M** a la carte 32/67 – **Le Gourmet** *(nur Abendessen)* **M** a la carte 42/78 – **39 Z : 66 B** 60/85 - 110/160 – ½ P 80/110.

Kneipp-Kurhotel St. Hubertusklause , Wiesenbek 16, 29 55, Bade- und Massageabteilung, , , – . Zim – **31 Z : 38 B** Fb.

LAUTERECKEN **6758.** Rheinland-Pfalz 987 ㉔, 412 F 18 – 2 300 Ew – Höhe 165 m – 06382.

Mainz 83 – Bad Kreuznach 38 – Kaiserslautern 32 – ♦Saarbrücken 85.

Pfälzer Hof, Hauptstr. 12, 73 38, – .
27. Juli - 10. Aug. und 22. Dez.- 8. Jan. geschl. – **M** *(Freitag geschl.)* a la carte 22/37 – **18 Z : 35 B** 48/58 - 84/90 Fb.

LAUTERSEE Bayern – siehe Mittenwald.

LEBACH **6610.** Saarland 987 ㉔, 412 D 18, 242 ⑥ ⑦ – 22 000 Ew – Höhe 275 m – 06881.

♦Saarbrücken 24 – Saarlouis 20 – St. Wendel 24.

Klein, Marktstr. 2, 23 05 –
23. Dez.- 5. Jan. geschl. – (nur Abendessen für Hausgäste) – **14 Z : 20 B** 34/40 - 62/72.

LECHBRUCK **8923.** Bayern 413 P 23, 426 E 5 – 2 200 Ew – Höhe 730 m – Erholungsort – 08862.

Ausflugsziel : Wies : Kirche★★ SO : 10 km.

Verkehrsamt im Rathaus, Flößerstr. 1, 85 21.

♦München 103 – Füssen 20 – Landsberg am Lech 47 – Marktoberdorf 20.

Königshof , Hochbergle 1a, 71 71, Fax 8460, , , Bade- und Massageabteilung , – – 25/100. AE E VISA
M a la carte 31/60 – **57 Z : 114 B** 85/115 - 145/175 Fb – ½ P 96/138.

LECK **2262.** Schleswig-Holstein 411 J 2, 987 ④ ⑤ – 7 700 Ew – Höhe 6 m – 04662.

♦Kiel 110 – Flensburg 33 – Husum 36 – Niebüll 11.

Thorsten garni, Hauptstr. 31, 9 63 – . AE E VISA – **18 Z : 30 B** 56 - 100.

LEER **2950.** Niedersachsen 411 F 7, 987 ⑭ – 30 000 Ew – Höhe 7 m – ☎ 0491.
Verkehrsbüro, Mühlenstraße (am Denkmal), ☎ 6 10 71, Telex 27603, Fax 5628.
♦Hannover 234 – Emden 31 – Groningen 69 – Oldenburg 63 – Wilhelmshaven 66.

- **Ostfriesen Hof,** Groninger Str. 109, ☎ 45 05, Fax 66300 – TV ☎ ♿ P – 🏛 25/200. AE ⓓ E VISA – **M** a la carte 27/56
30 Z : 64 B 75/130 - 130/180 Fb.
- Central-Hotel, Pferdemarktstr. 47, ☎ 23 71 – TV ☎ 🚗 P
20 Z : 35 B.
- Oberledinger Hof, Bremer Str. 33, ☎ 1 20 72 – TV ☎ P
40 Z : 70 B.

Nahe der B 70, Richtung Papenburg SO : 4,5 km :

- **Lange,** Zum Schöpfwerk 1, ✉ 2950 Leer-Nettelburg, ☎ (0491) 1 20 11, Fax 12016, ≤, 🏡, ≘s, 🏊, 🌳 – TV ☎ 🚗 P – 🏛 30. AE ⓓ E VISA
M *(Sonntag geschl.)* a la carte 30/55 – **52 Z : 84 B** 80/110 - 130/160 Fb.

Nahe der B 75, Richtung Hesel NO : 5 km :

- **Park-Hotel Waldkur** garni, Zoostr. 14, ✉ 2950 Leer-Logabirum, ☎ (0491) 7 10 88, Fax 72742 – TV ☎ P – 🏛 40. AE ⓓ E VISA – **40 Z : 80 B** 75/100 - 125/160 Fb.

LEEZEN Schleswig-Holstein siehe Segeberg, Bad.

LEHRE **3306.** Niedersachsen 411 P 10, 987 ⑯ – 10 200 Ew – Höhe 90 m – ☎ 05308.
♦Hannover 72 – ♦Braunschweig 14 – Goslar 58.

In Lehre-Flechtorf NO : 4 km :

- Zum Dorfkrug, Alte Braunschweiger Str. 24, ☎ 39 11 – TV ☎ P
(nur Abendessen) – **26 Z : 36 B**.

LEHRTE **3160.** Niedersachsen 411 412 MN 9, 987 ⑮ – 40 800 Ew – Höhe 66 m – ☎ 05132.
♦Hannover 20 – ♦Braunschweig 47 – Celle 33.

In Lehrte-Ahlten SW : 4 km :

- **Zum Dorfkrug,** Hannoversche Str. 29, ☎ 60 03, Fax 7833, ≘s, 🏊 (Gebühr), 🌳 – TV ☎ P. AE E
15. Juli - 10. Aug. und 20. Dez.- 5. Jan. geschl. – **M** *(nur Abendessen, Sonntag geschl.)* a la carte 32/56 – **35 Z : 66 B** 95/160 - 135/250.

LEICHLINGEN **5653.** Nordrhein-Westfalen 412 E 13 – 26 600 Ew – Höhe 60 m – ☎ 02175.
♦Düsseldorf 29 – ♦Köln 23 – Solingen 11.

- Am Stadtpark, Am Büscherhof 1a, ☎ 10 18, Fax 72510, 🏡, ≘s – |♦| TV ☎ – 🏛 25/150
35 Z : 60 B Fb.
- XX Cremer's Restaurant, Bahnhofstr. 11 B, ☎ 9 00 01, Fax 72590 – P.

In Leichlingen-Witzhelden O : 8,5 km :

- XX **Landhaus Lorenzet,** Neuenhof 1, ☎ (02174) 3 86 86, Fax 39518, 🏡 – P. AE ⓓ E VISA
Jan. 2 Wochen geschl. – **M** a la carte 48/94.

LEINSWEILER **6741.** Rheinland-Pfalz 412 413 H 19, 242 ⑧, 87 ① – 450 Ew – Höhe 260 m – ☎ 06345 – Büro für Tourismus, Rathaus, Weinstr. 3, ☎ 35 31.
Mainz 122 – Landau in der Pfalz 9 – Pirmasens 46 – Wissembourg 20.

- **Leinsweiler Hof** 🌿, An der Straße nach Eschbach (S : 1 km), ☎ 36 40, Fax 3614, ≤ Weinberge und Rheinebene, « Gartenterrasse », ≘s, 🏊, 🌳 – TV ☎ P – 🏛 25/40. ⓓ E VISA. ✂ Rest
3. Feb.- 6. März geschl. – **M** *(Montag geschl.)* a la carte 35/59 🍷 – **41 Z : 80 B** 75/180 - 140/240 Fb.
- **Rebmann,** Weinstr. 8, ☎ 25 30, 🏡 – TV ☎. E
15. Jan.- 15. Feb. geschl. – **M** *(auch vegetarische Gerichte)* (Mittwoch geschl.) a la carte 30/60 🍷 – **11 Z : 20 B** 58/70 - 95/150 Fb.

LEIPHEIM **8874.** Bayern 413 N 21, 987 ㊱ – 5 800 Ew – Höhe 470 m – ☎ 08221 (Günzburg).
♦München 117 – ♦Augsburg 59 – Günzburg 5 – ♦Ulm (Donau) 24.

- **Zur Post,** Bahnhofstr. 6, ☎ 7 20 03, Fax 71630, 🏡 – |♦| TV ☎ 🚗 P – 🏛 25/60. AE ⓓ E VISA – **M** a la carte 20/44 🍷 – **56 Z : 100 B** 56/70 - 95/140 Fb.

An der Autobahn A 8 Richtung Augsburg :

- **Rasthaus und Motel Leipheim,** ✉ 8874 Leipheim, ☎ (08221) 7 20 37, Fax 71414, 🏡 – P – **M** *(auch vegetarische Gerichte)* a la carte 22/47 – **27 Z : 54 B** 50/60 - 89/110.

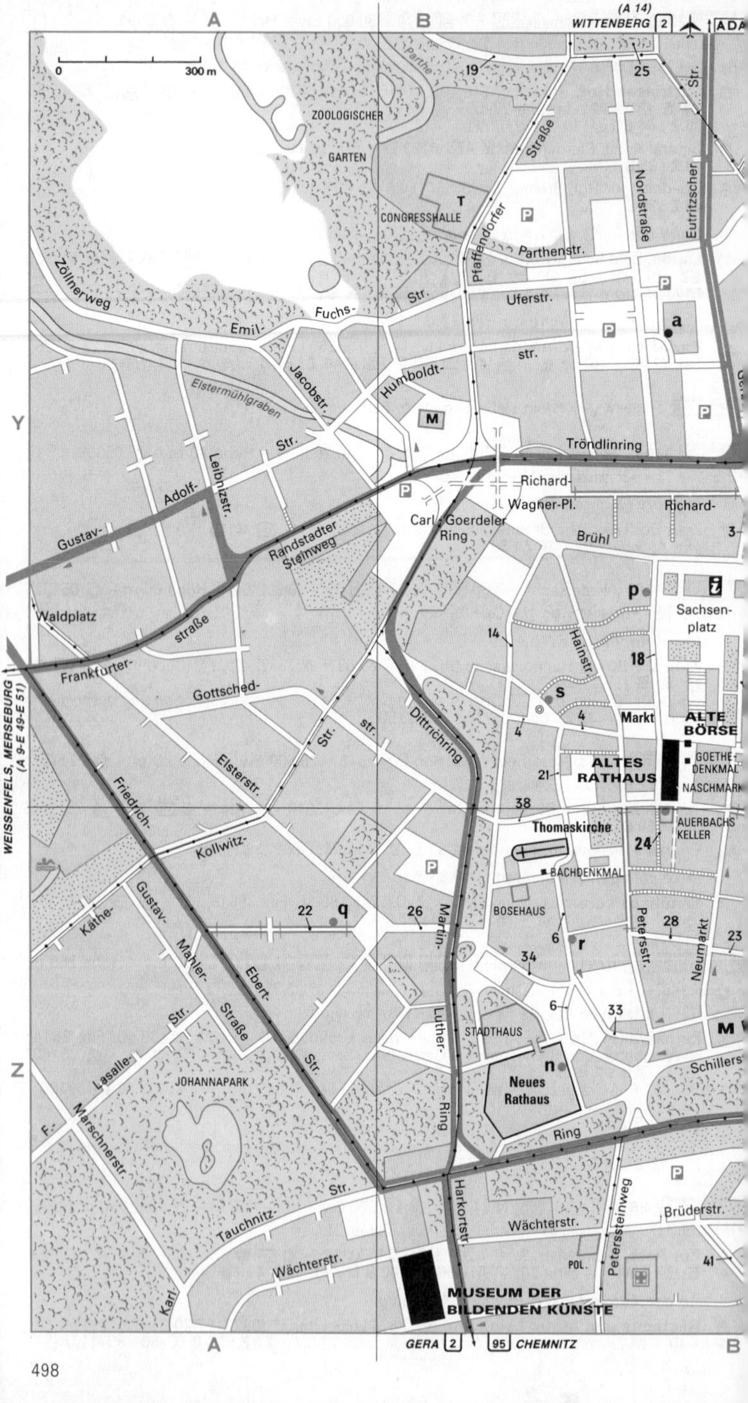
(A 14)
WITTENBERG 2
ADA
A
B
0
300 m
Parthe
19
25
ZOOLOGISCHER
GARTEN
CONGRESSHALLE
T
P
Straße
Pfaffendorfer
Nordstraße
Eutritzscher
Str.
Parthenstr.
Uferstr.
Zöllnerweg
Emil-
Fuchs-
Str.
a
str.
Jacobstr.
Humboldt-
Elstermühlgraben
M
Y
Str.
Tröndlinring
Leibnizstr.
Adolf-
Gustav-
Richard-
Wagner-Pl.
Richard-
Carl-Goerdeler
Ring
Brühl
3
Randstadter
Steinweg
Waldplatz
p
Sachsen-
platz
straße
14
Hainstr.
18
Frankfurter-
Gottsched-
s
Dittrichring
4
4
Markt
ALTE
BÖRSE
GOETHE-
DENKMAL
NASCHMARKT
ALTES
RATHAUS
21
Str.
str.
Elsterstr.
WEISSENFELS, MERSEBURG
(A 9-E 49-E 51)
Friedrich-
38
Thomaskirche
AUERBACHS
KELLER
24
Kollwitz-
BACHDENKMAL
Käthe-
Gustav-
Mahler-
Straße
22
q
26
Martin-
Luther-
Ring
BOSEHAUS
Petersstr.
28
Neumarkt
23
6
r
34
Ebert-
Str.
6
33
STADTHAUS
M
Schillerst
Z
Lasalle-
Str.
JOHANNAPARK
n
Neues
Rathaus
Ring
F.-
Marschnerstr.
Harkortstr.
Tauchnitz-
Str.
Peterssteinweg
Brüderstr.
Wächterstr.
Wächterstr.
POL.
41
Karl-
MUSEUM DER
BILDENDEN KÜNSTE
GERA 2
95 CHEMNITZ
A
B

LEIPZIG

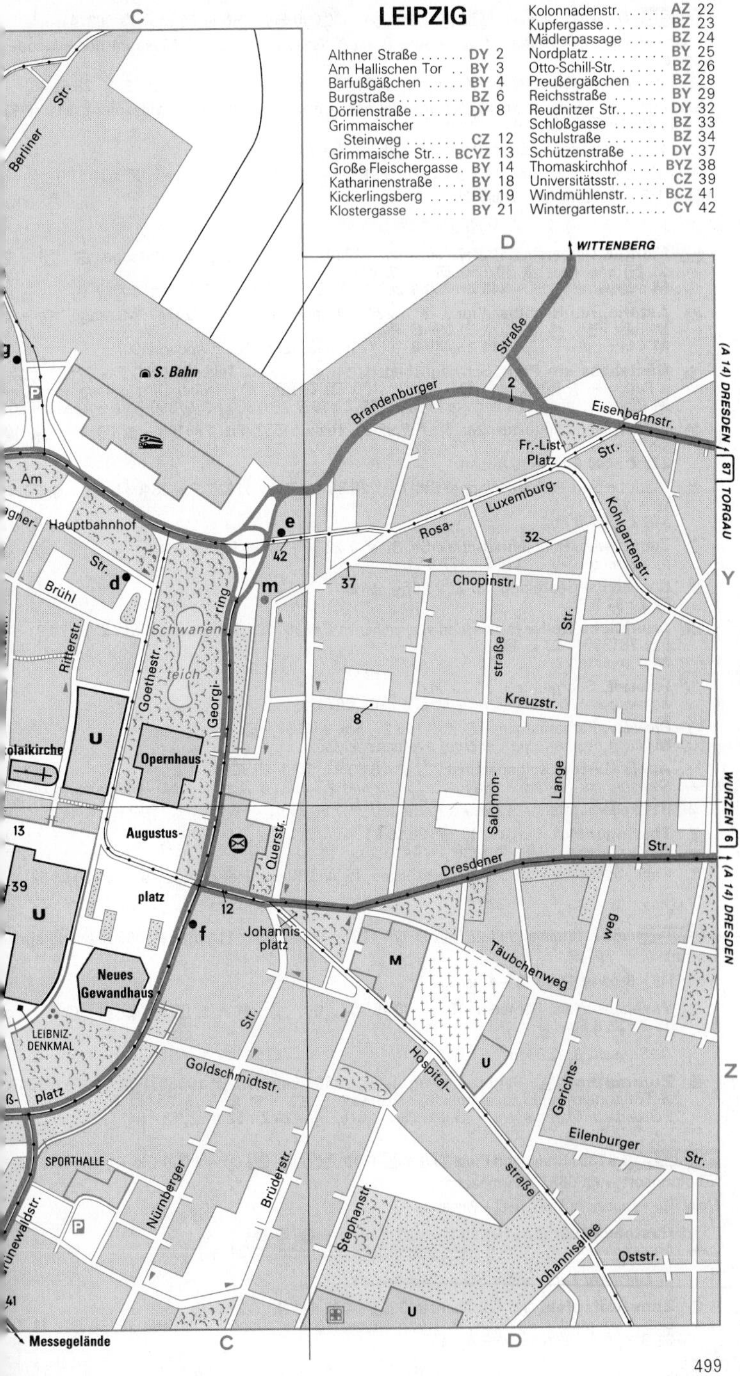

C
D
Y
Z
WITTENBERG
(A 14) DRESDEN
87 TORGAU
WURZEN 6
(A 14) DRESDEN
Berliner Str.
S. Bahn
Brandenburger Straße
Eisenbahnstr.
Fr.-List-Platz
Rosa-Luxemburg-Str.
Kohlgartenstr.
Am
Hauptbahnhof
Wagner-Str.
Brühl
Chopinstr.
Ritterstr.
Schwanenteich
Goethestr.
Georgiring
Kreuzstr.
Salomonstraße
Lange Str.
Opernhaus
Nikolaikirche
Augustusplatz
Querstr.
Dresdener Str.
Johannisplatz
Neues Gewandhaus
Täubchenweg
LEIBNIZ-DENKMAL
Goldschmidtstr.
Hospitalstraße
Gerichtsweg
Eilenburger Str.
SPORTHALLE
Nürnberger Str.
Brüderstr.
Stephanstr.
Johannisallee
Oststr.
Grünewaldstr.
Messegelände

LEIPZIG **O-7010.** Sachsen 984 ⑲, 987 ⑰ – 530 000 Ew – Höhe 88 m – ☏ 003741.

Sehenswert: Altes Rathaus★ BY – Alte Börse★ (Naschmarkt) BY – Museum der bildende Künste★ ABZ.

✈ Leipzig-Schkeuditz (NW : 15 km), ☏ 39 13 65. Stadtbüro, Sachsenplatz 1, ☏ 28 62 46.

Messegelände, Universitätsstr. 5 (Informationszentrum), ☏ 29 53 36. Messeamt, Markt 11 ☏ 7 18 10, Telex 512294, Fax 7181575.

ℹ Leipzig-Information, Sachsenplatz 1, ☏ 7 95 90, Fax 281854.

ADAC, Georg-Schumann-Str. 134, ✉ 0-7022, ☏ 41 58 42 81, Pannenhilfezentrale, ☏ 5 13 57.

♦Berlin 165 – ♦Dresden 109 – Erfurt 126.

Stadtpläne siehe vorhergehende Seiten

Merkur, Gerberstr. 15, ☏ 79 90, Telex 512609, Fax 7991229, Massage, – Rest – 30/350. AE VISA BY
M a la carte 38/82 – **440 Z : 720 B** 265/350 - 375/420 Fb – 16 Appart. 600/900.

Astoria, Am Hauptbahnhof 2, ☏ 7 22 20, Telex 51535, Fax 7224747, Massage, – Rest – 30/100. AE VISA CY
M a la carte 43/76 – **314 Z : 440 B** 195/235 - 335/395 Fb – 5 Appart. 490.

Gästehaus am Park, Schwägrichenstr. 14, ☏ 3 93 90, Telex 512301, Fax 326098, « Park » – – 30/120. AE VISA über Dimitroffstraße BZ
M *(Sonntag geschl.)* a la carte 25/59 – **35 Z : 70 B** 250/350 - 270/350 Fb – 5 Appart. 550.

Deutschland, Augustusplatz 5, ☏ 7 95 20, Telex 51559, Fax 289165 – – 40 Rest CZ
275 Z : 400 B Fb – 10 Appart.

Stadt Leipzig, Richard-Wagner-Str. 1, ☏ 28 88 14, Telex 51426, Fax 284037, – – 25/120 CY
348 Z : 384 B Fb.

Zum Löwen, Rudolf-Breitscheid-Str. 1, ☏ 7 22 30 – Rest CY
(nur Abendessen) – **110 Z : 177 B** Fb.

Continental Georgiring 13, ☏ 75 66 – CY
52 Z : 97 B Fb.

Auerbachs Keller (historische Weinschenke a.d. 16. Jh.), Grimmaische Str. 2, ☏ 20 91 31 Fax 281990 – AE VISA BYZ
M a la carte 29/60.

Falstaff, Georgiring 9, ☏ 28 64 03 CY
Sonntag ab 15 Uhr geschl. – **M** a la carte 26/42.

Plovdiv, Katharinenstr. 17, ☏ 20 92 27, Fax 291767 – AE BY
M *(auch vegetarische Gerichte)* a la carte 41/65.

Apels Garten, Kolonnadenstr. 2, ☏ 28 50 93, – AE VISA AZ
Samstag bis 18 Uhr, Sonntag ab 15 Uhr und 23. Juli - 5. Aug. geschl. – **M** a la carte 24/43

Ratskeller, Lotterstr. 1 (Neues Rathaus), ☏ 7 91 35 91 BZ

Thüringer Hof, Burgstr. 19, ☏ 20 98 84 BZ
Freitag geschl. – **M** a la carte 19/44.

Kaffeebaum (Historisches Bürgerhaus a.d. 15. Jh.), Kleine Fleischergasse 4, ☏ 20 04 52 BY

LEIWEN **5501.** Rheinland-Pfalz 412 D 17 – 1 700 Ew – Höhe 114 m – ☏ 06507 (Neumagen-Dhron).

Mainz 142 – Bernkastel-Kues 29 – ♦Trier 33.

Weinhaus Weis, Römerstr. 10, ☏ 30 48, –
18 Z : 32 B Fb.

Außerhalb O : 2,5 km :

Zummethof, Panoramaweg 1, ✉ 5501 Leiwen, ☏ (06507) 30 44, Fax 3040, ≤ Trittenheim und Moselschleife, « Terrasse », – – 25/80.
20. Jan.- 9. März geschl. – **M** a la carte 25/52 – **24 Z : 52 B** 58/65 - 94/112.

LEMBERG **6786.** Rheinland-Pfalz 412 413 F 19, 242 ⑫, 87 ② – 4 000 Ew – Höhe 320 m – Erholungsort – ☏ 06331 (Pirmasens).

Mainz 129 – Landau in der Pfalz 42 – Pirmasens 5,5.

Gasthaus Neupert, Hauptstr. 2, ☏ 4 92 36 – VISA
Mittwoch und 15. Jan.- 5. Feb. geschl. – **M** a la carte 24/51.

In Lemberg-Langmühle SO : 2,5 km :

Zum Grafenfels, Salzbachstr. 33, ☏ 4 92 41, –
Dez.- Feb. geschl. – **M** *(Donnerstag - Freitag 18 Uhr geschl.)* a la carte 18/34 – **18 Z : 32 B** 30/35 - 56/64 – ½ P 41/45.

LEMBRUCH 2841. Niedersachsen 👁👁👁 I 9 – 900 Ew – Höhe 40 m – Erholungsort – 📞 05447.

◆Hannover 119 – ◆Bremen 77 – ◆Osnabrück 42.

🏨 **Seeschlößchen,** Große Str. 154, ℘ 12 12, Fax 796, 🏤, 🚬 – 📺 ☎ 🕭 📵 – 🔏 25/100. 🖭 ⓞ ⓔ 𝘝𝘐𝘚𝘈
M a la carte 28/60 – **20 Z : 40 B** 85/95 - 128/138 Fb – 2 Fewo 80/90 – ½ P 86/117.

🏨 **Seeblick** 🔖, Birkenallee, ℘ 2 13, Fax 1441, ≤, 🏤, 🚬, 🔲 – 📺 ☎ 🚙 📵. ⓞ ⓔ 𝘝𝘐𝘚𝘈
M *(Nov.- April Freitag geschl.)* a la carte 31/61 – **24 Z : 42 B** 58/85 - 98/148 Fb – ½ P 67/103.

🏨 **Strandlust** 🔖, Seestr. 1, ℘ 2 51, Fax 656, ≤, 🏤, 🍃 – 📺 ☎ 📵. 🖭 ⓔ 𝘝𝘐𝘚𝘈, 🎿 Zim
M *(Okt.- April Dienstag geschl.)* a la carte 31/56 – **12 Z : 21 B** 65/95 - 95/145.

🏵🏵 ⚙ **Landhaus Götker,** Tiemanns Hof 1, ℘ 12 57, bemerkenswerte Weinkarte – 📵. 🖭 ⓞ ⓔ 𝘝𝘐𝘚𝘈
Montag - Dienstag, 18 Uhr 2.- 18. Jan. und Okt. 2 Wochen geschl. – **M** 50 /130 und a la carte 60/91
Spez. Terrine vom Dümmerhecht, Dümmer-Zander auf Gurken mit Wermutsauce, Wildhasenrücken mit Civetsauce (15. Okt.- Dez.).

LEMFÖRDE 2844. Niedersachsen 👁👁👁 👁👁👁 I 9. 👁👁👁 ⑭ – 2 100 Ew – Höhe 44 m – 📞 05443.

◆Hannover 126 – ◆Bremen 84 – ◆Osnabrück 36.

In Lemförde-Stemshorn SW : 2,5 km :

🏨 **Tiemanns-Hotel,** An der Brücke 26, ℘ 5 38, Fax 2809, « Kleiner Garten, Terrasse » – 📺 ☎ 🚙 📵 – 🔏 25/50. 🖭 ⓞ ⓔ 𝘝𝘐𝘚𝘈
M a la carte 37/62 – **28 Z : 48 B** 68/78 - 110/130 Fb.

In Hüde-Sandbrink 2844. NW : 3,5 km – Erholungsort :

🏡 **Gästehaus Sandbrink,** Sandbrinker Weg 42, ℘ (05443) 6 58, 🏤, 🚬 – 📵. 🖭 ⓞ ⓔ 𝘝𝘐𝘚𝘈
Jan. geschl. – **M** *(Mittwoch geschl.)* a la carte 18/44 – **16 Z : 32 B** 53 - 85.

LEMGO 4920. Nordrhein-Westfalen 👁👁👁 👁👁👁 J 10. 👁👁👁 ⑮ – 39 600 Ew – Höhe 98 m – 📞 05261.

Sehenswert : Altstadt★ (Rathaus★★, Junkerhaus★).

🛈 Verkehrsamt, Papenstr. 7, ℘ 21 33 47.

◆Düsseldorf 198 – Bielefeld 29 – Detmold 12 – ◆Hannover 88.

🏨 **Stadtpalais** (Adelshof a.d. 16. Jh.), Papenstr. 24, ℘ 1 04 81 – 📺 ☎ 🚙 📵. ⓞ ⓔ 𝘝𝘐𝘚𝘈
24. Dez.- 5. Jan. geschl. – **M** *(nur Abendessen, Mittwoch geschl.)* a la carte 28/50 – **24 Z : 46 B** 75/115 - 125/175 Fb.

🏡 **Lemgoer Hof,** Detmolder Weg 14 (B 238), ℘ 7 11 97 – ☎ 📵. 🖭 ⓞ ⓔ 𝘝𝘐𝘚𝘈
M *(nur Abendessen, Sonntag geschl.)* a la carte 27/49 – **12 Z : 24 B** 78/85 - 110/120 Fb.

🏵🏵 **In der Neustadt,** Breite Str. 40, ℘ 52 19 – 🖭 ⓔ
Donnerstag und Juli - Aug. 3 Wochen geschl. – **M** a la carte 34/70.

In Lemgo 2-Kirchheide N : 8 km :

🏨 **Im Borke,** Salzufler Str. 132, ℘ (05266) 16 91, Fax 1231, 🚬, 🍃 – 📵 – 🔏 25/100. ⓔ. 🎿 Zim
M *(Mittwoch geschl.)* a la carte 25/53 – **41 Z : 70 B** 60/70 - 100/120 Fb.

In Lemgo 2-Matorf N : 5,5 km :

🏨 **Gasthof Hartmann - Hotel An der Ilse,** Vlothoer Str. 77, ℘ (05266) 80 90, Fax 1071, 🚬, 🔲, 🍃 – 📺 ☎ 📵 – 🔏 25/50
M *(nur Abendessen)* a la carte 21/45 – **46 Z : 74 B** 42/59 - 74/95 Fb – 3 Fewo 80/89.

Per viaggiare in Europa, utilizzate :

le carte Michelin scala 1/400 000 a 1/1 000 000 **Le Grandi Strade** ;

Le carte Michelin dettagliate ;

Le guide Rosse Michelin (alberghi e ristoranti) :

Benelux, España Portugal, France, Great Britain and Ireland, Italia, main cities Europe

Le guide Verdi Michelin :

(descrizione delle curiosità, itinerari regionali, luoghi di soggiorno).

LENGERICH 4540. Nordrhein-Westfalen 411 412 G 10. 987 ⑭ – 21 000 Ew – Höhe 80 m –
🅶 05481.

🖪 Städt. Verkehrsamt, Rathausplatz 1, 𝄐 3 74 71.

◆Düsseldorf 173 – Bielefeld 57 – Münster (Westfalen) 39 – ◆Osnabrück 17.

🏠 **Zur Mühle,** Tecklenburger Str. 29, 𝄐 63 15 – 📺 ☎ ⇔ 🄿. 🄰🄴 ⓘ 🄴 𝗩𝗜𝗦𝗔
 M *(Dienstag und Aug. 3 Wochen geschl.)* a la carte 30/61 – **16 Z : 25 B** 40/78 - 80/130.

🏠 **Heckmann,** Lienener Str. 35, 𝄐 40 88 – ☎ ⇔ 🄿. 🄰🄴 🄴
⬥ *Juli - Aug. 3 Wochen geschl.* – **M** *(Sonntag geschl.)* a la carte 23/45 – **10 Z : 15 B** 46/55 - 86/100.

XX Römer Rathausplatz 5 (1. Etage), 𝄐 3 78 50, 🍴 – 🍴.

LENGGRIES 8172. Bayern 413 R 23. 987 ㊲. 426 G 5 – 8 400 Ew – Höhe 679 m – Luftkurort
– Wintersport : 680/1 700 m ⬩⛷1 ⛷20 ⛷3 – 🅶 08042.

🖪 Verkehrsamt, Rathausplatz 1, 𝄐 50 08 20, Fax 500850.

◆München 60 – Bad Tölz 9 – Innsbruck 88.

🏨 **Brauneck-Hotel,** Münchner Str. 25, 𝄐 50 20, Telex 526247, Fax 4224, ≤, Biergarten, ≦s
 – 🛗 📺 ☎ ⇔ 🄿 – 🔬 25/200. 🄰🄴 ⓘ 🄴 𝗩𝗜𝗦𝗔. 🍴 Rest
 M a la carte 32/57 – **107 Z : 198 B** 120/135 - 165/180 Fb – 7 Appart. 200/245 – ½ P 110/160.

🏠 **Alpenrose** garni, Brauneckstr. 1, 𝄐 80 61, ≦s, 🍃 – ☎ 🄿. ⓘ 🄴
 21 Z : 38 B 55/75 - 90/110.

🏠 **Altwirt,** Marktstr. 13, 𝄐 80 85, 🍴, ≦s – ☎ ⇔ 🄿
 12. Nov.- 20. Dez. geschl. – **M** *(Montag - Dienstag geschl.)* a la carte 25/46 🍴 – **21 Z : 35 B**
 50/56 - 80/90 Fb – ½ P 60/76.

🏠 **Gästehaus Seemüller** 🐾 garni, Oberreiterweg 3, 𝄐 27 81, ≦s, 🖂, 🍃 – 📺 ☎ ⇔ 🄿
 13 Z : 23 B 50/90 - 105/120 Fb.

 In Lenggries-Fleck S : 3 km :

🏠 Alpengasthof Papyrer, Fleck 5, 𝄐 24 67, 🍴, 🍃 – 📺 ☎ 🄿
 15 Z : 30 B.

LENNESTADT 5940. Nordrhein-Westfalen 987 ㉔. 412 H 13 – 28 000 Ew – Höhe 285 m –
🅶 02723.

🖪 Verkehrsamt, Rathaus, Helmut-Kumpf-Str. 25 (Altenhundem), 𝄐 60 88 01, Fax 608119.

◆Düsseldorf 130 – Meschede 48 – Olpe 19.

 In Lennestadt 1-Altenhundem :

XX **Cordial,** Hundemstr. 93, 𝄐 56 33 – 🄿. 🄴
 Montag und 1.- 14. Aug. geschl. – **M** a la carte 26/58.

 In Lennestadt 16-Bilstein SW : 6 km ab Altenhundem :

🏨 **Faerber-Luig,** Freiheit 42, 𝄐 (02721) 8 00 08, Fax 82025, ≦s, 🖂 – 🛗 📺 🄿 – 🔬 25/80.
 ⓘ 𝗩𝗜𝗦𝗔
 Juli 2 Wochen geschl. – **M** a la carte 46/71 – **75 Z : 130 B** 79/136 - 140/220 Fb.

 In Lennestadt 11-Bonzel W : 9 km ab Altenhundem :

🏠 **Haus Kramer,** Bonzeler Str. 7, 𝄐 (02721) 8 12 23, ≦s, 🖂 – 📺 ☎ 🄿 – 🔬 60. 🄴. 🍴 Rest
⬥ *5.- 22. Jan. geschl.* – **M** *(Montag geschl.)* a la carte 20/40 – **28 Z : 50 B** 46/54 - 82/104.

 In Lennestadt 1-Gleierbrück O : 6 km ab Altenhundem :

🏠 **Pieper,** Gleierstr. 2, 𝄐 82 11, Fax 80217, ≦s, 🖂, 🍃 – 🛗 🄿. ⓘ 🄴 𝗩𝗜𝗦𝗔
 M a la carte 25/47 – **24 Z : 46 B** 47/60 - 90/100.

 In Lennestadt-Kirchveischede SW : 7 km ab Altenhundem :

🏠 **Landgasthof Laarmann,** Westfälische Str. 52, 𝄐 (02721) 8 13 30, Fax 81499 – 📺 ☎ 🄿
 – 🔬 40. 🄰🄴 ⓘ 🄴 𝗩𝗜𝗦𝗔
 M a la carte 40/77 – **20 Z : 37 B** 58/75 - 100/160 Fb.

 In Lennestadt-Oedingen NO : 11 km ab Altenhundem :

🏠 **Haus Buckmann,** Rosenweg 10, 𝄐 (02725) 2 51, Fax 7340, 🍴, ≦s, 🍃 – 📺 ☎ ⇔ 🄿. 🄴
 Juli - Aug. 2 Wochen geschl. – **M** *(Mittwoch geschl.)* a la carte 42/75 – **12 Z : 21 B** 50 - 94 Fb.

 In Lennestadt 1-Saalhausen O : 8 km ab Altenhundem – Luftkurort :

🏨 **Haus Hilmeke** 🐾 (O : 1 km), 𝄐 81 71, Fax 80016, ≤, 🍴, ≦s, 🖂, 🍃 – 🛗 ☎ ⇔ 🄿.
 🍴 Zim
 2.- 25. Dez. geschl. – **M** a la carte 27/50 – **27 Z : 45 B** 68/91 - 102/142.

🏨 **Voss,** Winterberger Str. 36, 𝄐 81 14, Fax 8287, ≦s, 🖂, 🍃 – 🛗 ☎ ⇔ 🄿 – 🔬 30. 🍴
 Ende Nov.- 25. Dez. geschl. – **M** *(Mittwoch ab 14 Uhr geschl.)* a la carte 26/55 – **19 Z :**
 33 B 63/83 - 125/150 – ½ P 80/100.

🏠 **Haus Rameil,** Winterberger Str. 49 (B 236), 𝄐 81 09, Fax 80104, ≦s, 🍃 – 🛗 🄿. ⓘ 🄴 𝗩𝗜𝗦𝗔
⬥ *Okt.- Nov. 3 Wochen geschl.* – **M** *(Montag ab 14 Uhr, außer Saison Montag ganztägig geschl.)*
 a la carte 22/49 – **17 Z : 28 B** 45/55 - 80/105.

LENNINGEN **7318.** Baden-Württemberg 413 L 21 - 9 400 Ew - Höhe 530 m - Wintersport : 700/870 m ≴3 - ☏ 07026.

◆Stuttgart 44 - Reutlingen 27 - ◆Ulm (Donau) 66.

In Lenningen 3-Schopfloch :

✗ Sommerberg Kreislerstr. 4, ✆ 21 07, ≤, 🌳 - Ⓟ.

In Lenningen 2-Unterlenningen :

✗ **Lindenhof,** Kirchheimer Str. 29, ✆ 29 30 - Ⓟ
Montag 14 Uhr - Dienstag sowie Feb.- März und Aug.- Sept. jeweils 3 Wochen geschl. - **M** a la carte 32/57.

LENZKIRCH **7825.** Baden-Württemberg 413 H 23, 987 ㉟, 427 I 2 - 4 500 Ew - Höhe 810 m - Heilklimatischer Kurort - Wintersport : 800/1 192 m ≴5 ⛷8 - ☏ 07653.

ℹ Kurverwaltung, Kurhaus am Kurpark, ✆ 6 84 39, in Saig : Rathaus, ✆ 7 86, in Kappel : Rathaus, ✆ 3 09.

◆Stuttgart 158 - Donaueschingen 35 - ◆Freiburg im Breisgau 40 - Schaffhausen 50.

Schwarzwaldhotel und Ferienpark Ruhbühl 🐦, (O : 3 km, Richtung Bonndorf), ✆ 8 21, Telex 7722360, Fax 6643, ≤, 🌳, ⛲, 🏊, 🌲, 🎾 - 🛗 📺 ♿ Ⓟ. AE E VISA
Nov.-Dez. 4 Wochen geschl. - **M** a la carte 42/71 - **38 Z : 76 B** 128/168 - 206/286 Fb - 30 Fewo und 30 Bungalows 49/162 - ½ P 118/183.

Ursee 🐦, Grabenstr. 18, ✆ 68 80, Fax 688188, ≤, 🌳, ⛲, 🌲 - 🛗 📺 ☎ ♿ Ⓟ - 🎪 30. AE ⓓ E VISA
Anfang Jan.- Feb. und Dez. 2 Wochen geschl. - **M** *(Montag - Dienstag geschl.)* a la carte 33/60 🍷 - **49 Z : 82 B** 68/74 - 136/162 Fb - ½ P 96/102.

In Lenzkirch-Kappel NO : 3 km - Luftkurort :

Zum Pfauen, Mühlhaldenweg 1, ✆ 7 88, ≤, 🌳, ⛲, 🌲 - 🛗 Ⓟ. ⓓ E
Mitte Nov.- Mitte Dez. geschl. - **M** *(Montag geschl.)* a la carte 29/46 🍷 - **25 Z : 50 B** 40/46 - 76/105 Fb - ½ P 58/72.

Straub 🐦, Neustädter Str. 3, ✆ 2 22, ≤, ⛲, 🌲 - ♿ 🚗 Ⓟ. E
Mitte Nov.- Mitte Dez. geschl. - **M** *(Samstag geschl.)* a la carte 26/44 🍷 - **35 Z : 57 B** 45/84 - 80/114 Fb - 16 Fewo 45/140.

In Lenzkirch-Raitenbuch W : 4 km :

Grüner Baum 🐦, Raitenbucher Str. 17, ✆ 2 63, ≤, 🌲 - 🚗 Ⓟ
30. März - 11. April und 2. Nov.- 12. Dez. geschl. - **M** *(Montag geschl.)* a la carte 24/45 🍷 - **18 Z : 35 B** 49/51 - 80/88 Fb - ½ P 56/67.

In Lenzkirch-Saig NW : 7 km - Heilklimatischer Kurort :

Kur- und Sporthotel Saigerhöh 🐦, ✆ 68 50, Telex 7722314, Fax 741, ≤, 🌳, Bade- und Massageabteilung, ⛹, ⛲, 🏊, 🌲, 🎾 (Halle) - 🛗 ⇔ Rest 📺 ♿ 🚗 Ⓟ - 🎪 25/90. AE ⓓ E VISA
M *(auch vegetarische Gerichte)* a la carte 34/75 - **105 Z : 165 B** 76/180 - 158/240 Fb - 16 Appart. 270/290 - ½ P 109/148.

Ochsen (Schwarzwaldgasthof a.d. 17. Jh.), Dorfplatz 1, ✆ 7 35, Fax 6091, ⛲, 🏊, 🌲, 🎾 - 🛗 ☎ 🚗 Ⓟ. E
9. Nov.- 18. Dez. geschl. - **M** *(Dienstag - Mittwoch 17 Uhr geschl.)* a la carte 27/60 🍷 - **35 Z : 65 B** 72/90 - 120/180 Fb - ½ P 84/114.

Hochfirst, Dorfplatz 5, ✆ 7 51, « Gartenterrasse », ⛲, 🏊, 🌲 - ☎ 🚗 Ⓟ. AE ⓓ E VISA
27. April - 15. Mai und 2. Nov.- 20. Dez. geschl. - **M** *(Mittwoch 14 Uhr - Donnerstag geschl.)* a la carte 25/49 🍷 - **25 Z : 45 B** 36/79 - 98/180 Fb - ½ P 74/100.

Café Alpenblick 🐦, Titiseestr. 17, ✆ 7 30, ≤, 🌲 - 🚗 Ⓟ
(Restaurant nur für Hausgäste) - **16 Z : 25 B** 42/45 - 80/92 Fb - 4 Fewo 85/110.

Sporthotel Sonnhalde 🐦, Hochfirstweg 24, ✆ 8 08, ≤, 🌳, ⛲, 🏊, 🌲 - ☎ Ⓟ - 🎪 25/60
Mitte Nov.- 20. Dez. geschl. - **M** *(Montag geschl.)* a la carte 23/44 🍷 - **35 Z : 70 B** 42/77 - 60/130 Fb - ½ P 46/81.

LEONBERG **7250.** Baden-Württemberg 413 JK 20, 987 ㉟ - 40 200 Ew - Höhe 385 m - ☏ 07152.

◆Stuttgart 20 - Heilbronn 55 - Pforzheim 33 - Tübingen 43.

In Leonberg-Eltingen :

Hirsch, Hindenburgstr. 1, ✆ 4 30 71, Telex 7245714, Fax 73590, « Weinstube mit Innenhof », ⛲ - 🛗 📺 ☎ Ⓟ - 🎪 30. AE ⓓ E VISA
M a la carte 34/66 - **69 Z : 100 B** 100/150 - 160/200 Fb.

Kirchner, Leonberger Str. 14, ✆ 6 06 30, Fax 606360 - 🛗 ☎ Ⓟ - 🎪 45. AE E VISA
M *(Samstag und Ende Juli - Anfang Aug. geschl.)* 13/26 (mittags) und a la carte 31/60 - **37 Z : 57 B** 85/115 - 120/160 Fb.

In Leonberg-Höfingen N : 4 km :

XX ✿ **Schloß Höfingen** mit Zim (Schloß a.d. 11.Jh.), Am Schloßberg 17, ✆ 2 10 49 – TV ☎ P
AE ◑ E VISA
Juli - Aug. 4 Wochen geschl. – **M** *(Sonntag - Montag und Feiertage geschl.)* 79 /129 und a la carte 55/85 – **8 Z : 13 B** 90/95 - 135 Fb
Spez. Gefüllte Wachtelbrüstchen, Kalbsfilet und Hummer in zwei Saucen, Faden-Nudeln mi Garnelen.

In Leonberg-Ramtel :

Eiss, Neue Ramtelstr. 28, ✆ 2 00 41, Telex 724141, Fax 42134, ⛱, ≘s – |‡| TV ⇔ P
25/150. ◑ E VISA
M a la carte 44/88 – **86 Z : 120 B** 160/200 - 210/290 Fb – 3 Appart. 480.

In Leonberg-Warmbronn SW : 6 km, über die B 295 :

X **Grüner Baum,** Büsnauer Str. 2, ✆ 4 31 36 – P
Mittwoch - Donnerstag 17 Uhr, 13.- 23. Jan. und 7.- 25. Juli geschl. – **M** a la carte 22/60

Im Glemstal SO : 4 km :

Glemseck, ✉ 7250 Leonberg-Eltingen, ✆ (07152) 4 31 34, ⛱, Biergarten – ☎ ⇔ P
– 25/100. AE ◑ E VISA
M *(Donnerstag geschl.)* a la carte 27/54 – **16 Z : 22 B** 75/85 - 120/150 Fb.

In Renningen **7253** SW : 6,5 km :

Gästehaus am Kirchplatz garni, Kleine Gasse 6, ✆ (07159) 60 78 – TV ☎ P. AE E VISA
8 Z : 12 B 80 - 120.

LEUN **6337.** Hessen 412 413 I 15 – 5 000 Ew – Höhe 140 m – ☎ 06473.

♦ Wiesbaden 80 – ♦ Frankfurt am Main 83 – Gießen 27.

Leuner Hof ⛰, Vogelsang 4, ✆ 4 22, ⛱ – ⇔ P. ✻ Zim
2.- 10. Jan. und 15. Juli - 5. Aug. geschl. – **M** *(Freitag geschl.)* a la carte 18/38 – **11 Z : 15 B** 30/35 - 60/70.

LEUTENBERG Thüringen siehe Saalfeld.

LEUTKIRCH **7970.** Baden-Württemberg 413 N 23, 987 ㊱, 426 C 5 – 20 000 Ew – Höhe 655 m – ☎ 07561.

ℹ Gästeamt, Gänsbühl 6, ✆ 8 71 54, Fax 87194.

♦Stuttgart 171 – Bregenz 50 – Kempten (Allgäu) 31 – ♦Ulm (Donau) 79.

Zum Rad, Obere Vorstadtstr. 5, ✆ 20 66 – ☎ ⇔ P
M *(Freitag geschl.)* a la carte 25/55 – **30 Z : 45 B** 45/65 - 102/120.

Mohren, Wangener Str. 1, ✆ 24 00, ⛱ – ⇔ P
9 Z : 16 B.

In Leutkirch 1-Adrazhofen SO : 2,5 km :

XX **Schneiders Adler,** Rathausstr. 29, ✆ 36 00, ⛱ – P. AE E VISA
Samstag bis 18 Uhr, Montag und Aug. geschl. – Menu a la carte 33/59.

LEVERKUSEN **5090.** Nordrhein-Westfalen 987 ㉔, 412 D 13 – 158 000 Ew – Höhe 45 m – ☎ 0214.

ℹ Touristinformation im Stadthaus, Friedrich-Ebert-Platz 1, ✆ 3 52 83 16.

ADAC, Dönhoffstr. 40, ✆ 4 50 89, Notruf ✆ 1 92 11.

♦Düsseldorf 33 ① – ♦Köln 16 ⑥ – Wuppertal 41 ①.

Stadtplan siehe nächste Seite

Ramada, Am Büchelter Hof 11, ✆ 38 30, Telex 8510238, Fax 383800, ⛱, ≘s, ▣ – |‡|
⇔ Zim ▤ TV P – 25/200. AE ◑ E VISA. ✻ Rest AZ h
M a la carte 43/70 – **202 Z : 404 B** 213/318 - 286/496 Fb.

City Hotel garni, Wiesdorfer Platz 8, ✆ 4 20 46, Telex 8510244, Fax 43025 – |‡| ⇔ Zim
TV ☎ – 35. AE ◑ E VISA AZ e
24. Dez.- 7. Jan. geschl. – **71 Z : 140 B** 160/305 - 235/380 Fb.

XX **La Concorde,** Hardenbergstr. 91, ✆ 6 39 38 – ◑ E VISA AY s
Samstag bis 18 Uhr, Sonntag und Juli - Aug. 3 Wochen geschl. – **M** a la carte 45/78.

In Leverkusen-Fettehenne über ④ :

Fettehenne garni, Berliner Str. 40 (B 51), ✆ 9 10 43, ▣, ⛱ – TV ☎ P. E
35 Z : 45 B 70/95 - 110/140 Fb.

LEVERKUSEN

ahnhofstraße	BZ 7
reidenbachstraße	AZ 13
üsseldorfer Straße	BZ 17
riedrich-Ebert-Str.	AZ 21
oethestraße	BZ 25
auptstraße	AZ
pladener Platz	BZ 41
iesdorfer Platz	AZ 56
lkenrather Straße	BY 2
m Abtshof	BZ 3
ahnallee	BZ 5
ergische Landstr.	BY 8
ismarckstraße	AY 10
racknellstraße	BZ 12
arl-Leverkus-Straße	AZ 14
uroparing	AY, AZ 18
reiherr-vom-Stein-Straße	BZ 19
riedlieb-Ferdinand-Runge-Straße	AZ 20
artenstraße	BZ 22
erichtstraße	BZ 23
ezelinallee	BY 24
ustav-Heinemann-Straße	ABY 26
erzogstraße	BZ 27
lanforter-Str.	AY, AZ 37
lof-Palme-Str.	AY 40
aoul-Wallenberg-Straße	AX 43
at-Deycks-Straße	BZ 44
ennbaumstraße	AX 45
obert-Blum-Str.	BX 49
obert-Koch-Straße	BZ 50
hlandstraße	BZ 52
on-Knoeringen-Str.	BX 54

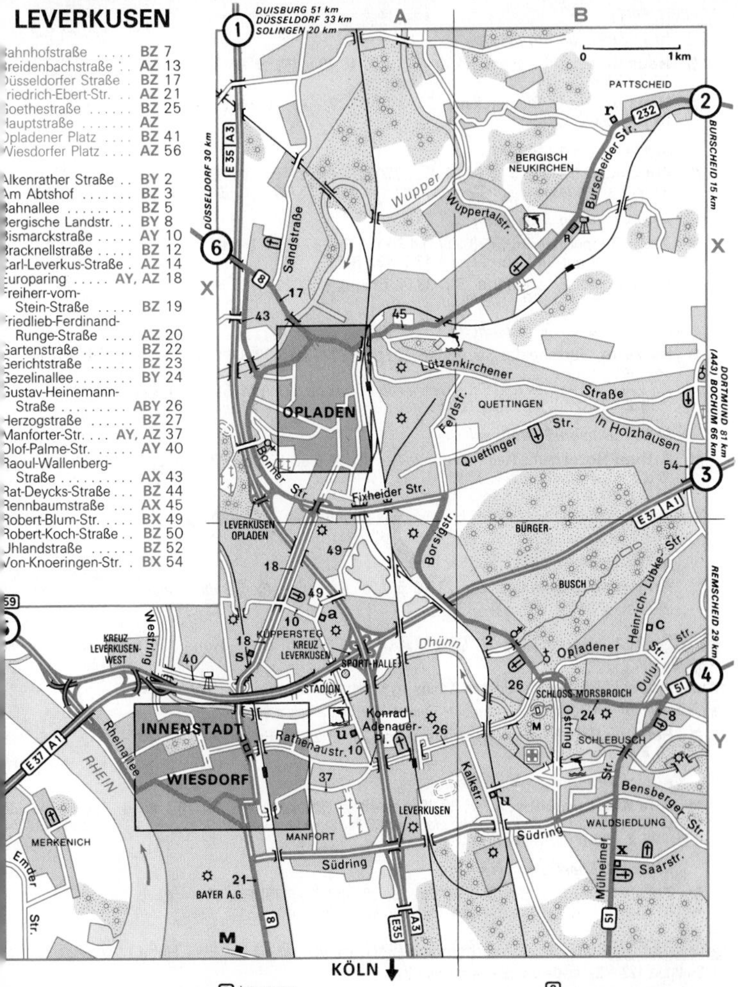

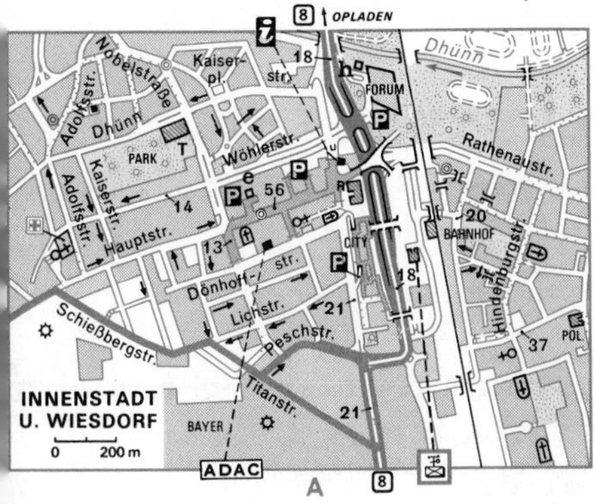

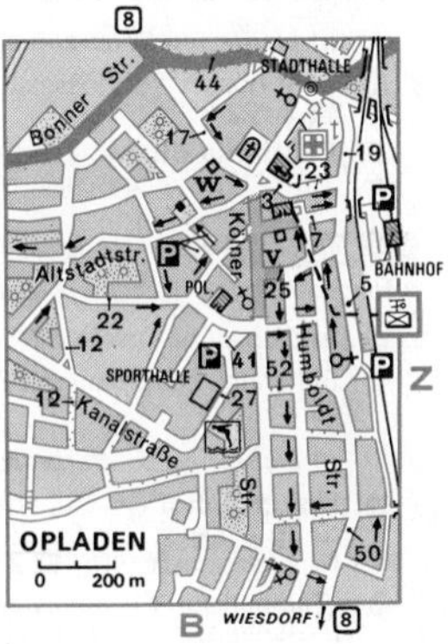

In Leverkusen-Küppersteg :

Haus Janes garni, Bismarckstr. 71, ✆ 6 40 43 – TV ☎ P AY a
48 Z : 61 B 42/100 - 98/140.

Haus am Park, Bismarckstr. 186, ✆ 4 63 70 – P. AE ⓓ E VISA AY u
M a la carte 35/65.

In Leverkusen-Manfort :

Fück, Kalkstr. 127, ✆ 7 63 94, Fax 77030 – TV ☎ P. E BY u
M *(nur Abendessen, Sonntag geschl.)* a la carte 25/57 – **20 Z : 30 B** 70/110 - 130/160.

In Leverkusen 3-Opladen :

Astor, Bahnhofstr. 16, ✆ (02171) 4 80 08, Fax 47228 – TV ☎ BZ v
(Restaurant nur für Hausgäste) – **17 Z : 32 B** Fb.

Hohns garni, Düsseldorfer Str. 33 (4. Etage), ✆ (02171) 12 81 – TV ☎. BZ w
15 Z : 23 B 110/150 - 160/250.

In Leverkusen 3-Pattscheid :

May-Hof, Burscheider Str. 285 (B 232), ✆ (02171) 3 09 39, Fax 33872 – TV ☎ P. ⓓ E
Zim BX
Juli - Aug. 2 Wochen und Ende Dez.- Anfang Jan. geschl. – **M** *(Montag geschl.)* a la carte 25/54 – **15 Z : 21 B** 60/80 - 130/140 Fb.

In Leverkusen-Schlebusch :

Atrium-Hotel garni, Heinrich-Lübke-Str. 40, ✆ 5 60 10, Telex 8510268, Fax 56011, – TV ☎ P – 35. AE ⓓ E VISA BY c
51 Z : 102 B 140/230 - 180/250 Fb.

Kürten garni, Saarstr. 1, ✆ 5 50 51, Fax 505654, – ☎ P BY x
37 Z : 66 B.

In Leverkusen 1-Steinbüchel über ④ :

Angerhausen, Berliner Str. 270(B 51), ✆ 9 12 09 – P. AE ⓓ E VISA
Montag geschl. – **M** a la carte 34/62.

LICH

LICH 6302. Hessen 987 ㉕, 412 413 J 15 – 11 200 Ew – Höhe 170 m – Erholungsort – ✆ 06404.

Ausflugsziel : Ehemaliges Kloster Arnsburg★ : Ruine der Kirche★ SW : 4 km.

♦Wiesbaden 87 – ♦Frankfurt am Main 59 – Gießen 13 – Bad Hersfeld 90.

Pension Bergfried garni, Kreuzweg 25, ✆ 20 41, Fax 63365, – ☎ P. AE E VISA
20 Z : 38 B 70 - 110 Fb.

In Lich-Arnsburg SW : 4 km :

Alte Klostermühle, ✆ 20 29, Fax 4867, – Rest TV ☎ P – 25/40. AE E VISA – **M** *(auch vegetarische Gerichte)* (Montag - Dienstag 17 Uhr geschl.) a la carte 30/74 – **25 Z : 40 B** 65/102 - 138/185 Fb.

In Lich 2-Eberstadt SW : 6 km :

Zum Pfaffenhof, Butzbacher Str. 25, ✆ (06004) 6 29, Fax 530 – P. E
M *(Sonntag geschl.)* a la carte 24/50 – **17 Z : 27 B** 40/90 - 70/110.

LICHTENAU

LICHTENAU 7585. Baden-Württemberg 413 G 20, 242 ⑳ – 4 300 Ew – Höhe 129 m – ✆ 07227.

♦ Stuttgart 122 – Baden-Baden 28 – Strasbourg 31.

In Lichtenau-Scherzheim S : 2,5 km :

Zum Rössel, Rösselstr. 6, ✆ 34 82, – ☎ P
11 Z : 22 B Fb.

Gasthaus Blume, Landstr. 18 (B 36), ✆ 23 42 – P. E VISA
Jan. 3 Wochen geschl. – **M** *(Mittwoch geschl.)* a la carte 24/53 – **16 Z : 30 B** 45/50 - 75/90.

LICHTENAU

LICHTENAU 4791. Nordrhein-Westfalen 411 412 J 12 – 9 200 Ew – Höhe 308 m – ✆ 05295.

♦ Düsseldorf 186 – ♦Kassel 70 – Marburg 118 – Paderborn 17.

In Lichtenau-Atteln SW : 9 km :

Birkenhof Zum, Sauertal 36 (NO : 1 km), ✆ (05292) 5 70, – P
10 Z : 18 B.

In Lichtenau 5 - Herbram-Wald NO : 9 km :

Hubertushof, Hubertusweg 5, ✆ (05259) 8 00 90, Fax 800999, – TV ☎ P – 30. ⓓ E VISA
M a la carte 26/56 – **52 Z : 97 B** 75/85 - 120/140 Fb.

Waldpension Küchmeister, Eggering 10, ✆ (05259) 2 31, – P
(Restaurant nur für Hausgäste) – **18 Z : 33 B.**

In Lichtenau-Kleinenberg SO : 7 km :

XX **Landgasthof zur Niedermühle** mit Zim, Niedermühlenweg 7, (05647) 2 52, – P. AE E
15.- 31. Jan. und 15.- 30. Juli geschl. – **M** *(Dienstag geschl.)* a la carte 39/62 – **4 Z : 7 B** 48 - 95.

LICHTENBERG Bayern siehe Steben, Bad.

LICHTENFELS **8620.** Bayern 413 Q 16, 987 ㉖ – 21 000 Ew – Höhe 272 m – ☎ 09571.

Ausflugsziel : Wallfahrtskirche Vierzehnheiligen★★ (Nothelfer-Altar★★) S : 5 km.

Städt. Verkehrsamt, Marktplatz 1, 79 52 21.

♦München 268 – ♦Bamberg 33 – Bayreuth 53 – Coburg 19.

Krone, Robert-Koch-Str. 11, 7 00 50, Fax 70065, – Rest TV ☎ P – 25/70. AE E VISA
M a la carte 29/48 – **67 Z : 135 B** 89 - 120 Fb.

Preussischer Hof, Bamberger Str. 30, 50 15, Fax 2802, – TV ☎ P. E
24.- 30. Dez. geschl. – **M** *(Freitag ab 14 Uhr und Juli 2 Wochen geschl.)* a la carte 18/46 – **40 Z : 72 B** 48/69 - 85/110 Fb.

In Lichtenfels-Reundorf SW : 5 km :

Müller, Kloster-Banz-Str. 4, 60 21, – ☎ P. Zim
Mitte Nov.- Mitte Dez. geschl. – **M** *(Mittwoch geschl.)* a la carte 18/34 – **40 Z : 65 B** 40/45 - 76 Fb.

In Michelau **8626** NO : 5 km :

Spitzenpfeil, Alte Post 4 (beim Hallenbad), (09571) 8 80 81 – P
Mitte - Ende Aug. und 24. Dez.- 6. Jan. geschl. – **M** *(Montag geschl.)* a la carte 18,50/34 – **18 Z : 30 B** 28/58 - 50/96.

In Marktzeuln **8621** NO : 9 km :

Mainblick, Schwürbitzer Str. 25, (09574) 30 33, Fax 4005, – ☎ P
M a la carte 40/62 – **17 Z : 32 B** 52/69 - 89/106.

In this guide,
a symbol or a character, printed in red or ***black****, in* ***bold*** *or light type,*
does not have the same meaning.
Please read the explanatory pages carefully.

LICHTENFELS **3559.** Hessen 412 J 13 – 4 400 Ew – Höhe 420 m – Erholungsort – ☎ 05636.

♦Wiesbaden 175 – ♦Kassel 76 – Marburg 55.

In Lichtenfels 4-Fürstenberg :

Zur Igelstadt, Mittelstr. 2, 12 76, Fax 8018, – P. AE E VISA
M *(Montag geschl.)* a la carte 20/36 – **31 Z : 60 B** 75 - 100 Fb.

Zum Deutschen Haus, Violinenstr. 4, 12 27 – P. E
M *(Mittwoch geschl.)* a la carte 14/34 – **16 Z : 28 B** 31/33 - 60/62.

LICHTENSTEIN **7414.** Baden-Württemberg 413 K 21 – 8 200 Ew – Höhe 565 m – Wintersport : 700/820 m 4 3 – ☎ 07129.

♦Stuttgart 57 – Reutlingen 16 – Sigmaringen 48.

In Lichtenstein-Honau :

Adler (mit Gästehaus Herzog Ulrich), Heerstr. 26 (B 312), 40 41, Fax 60220, – ☎ P – 25/100. E VISA
M a la carte 25/55 – **56 Z : 100 B** 75/120 - 100/200 Fb.

Forellenhof Rössle, Heerstr. 20 (B 312), 40 01, Fax 60121, – TV ☎ P
14.- 24. Jan. geschl. – **M** a la carte 23/56 – **13 Z : 22 B** 55/70 - 85/100 Fb.

LIEBENZELL, BAD **7263.** Baden-Württemberg 413 IJ 20, 987 ㉟ – 8 400 Ew – Höhe 321 m – Heilbad und Luftkurort – ☎ 07052.

Bad Liebenzell-Monakam, 43 53.

Kurverwaltung, Kurhausdamm 4, 40 81 01, Fax 408108.

♦Stuttgart 46 – Calw 7,5 – Pforzheim 19.

Kronen-Hotel, Badweg 7, 40 90, Fax 409420, – TV P – 40.
M 25 /43 (mittags) und a la carte 50/83 – **60 Z : 100 B** 99/130 - 178/235 Fb – ½ P 119/ 150.

Waldhotel-Post, Hölderlinstr. 1, 40 70, Fax 40790, Massage, – TV P – 25. E.
M a la carte 55/80 – **43 Z : 72 B** 85/129 - 166/248 Fb – ½ P 121/160.

Thermen-Hotel garni (Fachwerkhaus a.d.J. 1415), am Kurpark, ✆ 40 83 00, Fax 408305 Bade- und Massageabteilung, – – 25/60.
22 Z : 42 B 80/120 - 150/190 Fb - 3 Appart..

Ochsen, Karlstr. 12, ✆ 20 74, Fax 2076, – Rest – 25/80
M a la carte 29/62 – **42 Z : 64 B** 95/107 - 180 Fb.

Schwarzwaldhotel Emendörfer garni, Neuer Schulweg 4, ✆ 23 23, –
20 Z : 30 B 60/70 - 100/140 Fb.

Am Bad-Wald garni, Reuchlinweg 19, ✆ 30 11, –
38 Z : 58 B 46/58 - 96/104 Fb – 4 Fewo 65.

Haus Hubertus garni, Eichendorffstr. 2, ✆ 14 43,
12 Z : 21 B Fb.

Litz - Restaurant Heßler, Wilhelmstr. 28, ✆ 20 08 (Hotel) 18 28 (Rest.) –
Zim – **M** a la carte 33/60 – **25 Z : 39 B** 50/61 - 94/108 Fb.

Gästehaus Koch garni, Sonnenweg 3, ✆ 13 06, –
17 Z : 28 B 30/60 - 60/88.

In Bad Liebenzell-Monakam NO : 4,5 km – Höhe 536 m

Waldblick, Monbachstr. 25, ✆ 8 35, –
Ende Nov.- Mitte Dez. geschl. – (Restaurant nur für Hausgäste) – **10 Z : 16 B** 58/70 - 106/110 Fb

LIENEN **4543.** Nordrhein-Westfalen 411 412 G 10 – 8 300 Ew – Höhe 94 m – Erholungsort – 05483.
Tourist-Information im Haus des Gastes, Diekesdamm 1, ✆ 89 10.
♦Düsseldorf 183 – Bielefeld 47 – Münster (Westfalen) 50 – ♦Osnabrück 19.

Landgasthof Lichtenberg, Holpersdorper Str. 31, ✆ 83 95, – 40
14 Z : 27 B.

LIESER **5550.** Rheinland-Pfalz 412 E 17 – 1 400 Ew – Höhe 107 m – 06531 (Bernkastel-Kues).
Mainz 117 – Bernkastel-Kues 4 – ♦Trier 40 – Wittlich 14.

Mehn zum Niederberg, Moselstr. 2, ✆ 60 19, –
Jan.- 15. Feb. geschl. – **M** a la carte 26/53 – **22 Z : 48 B** 45/70 - 90/140 Fb – 9 Fewo 60/80

In Maring-Noviand **5554** NW : 2 km :

Weinhaus Liesertal, Moselstr. 39 (Maring), ✆ (06535) 8 48, Fax 1245, –
3. Jan.- 10. Feb. geschl. – **M** *(Nov.- März Montag - Dienstag geschl.)* a la carte 28/54 – **26 Z : 52 B** 60/75 - 90/140 Fb.

LILIENTHAL Niedersachsen siehe Bremen.

LIMBACH **6958.** Baden-Württemberg 412 413 K 18 – 4 400 Ew – Höhe 385 m – Luftkurort – 06287.
♦Stuttgart 101 – Amorbach 22 – Heidelberg 57 – Heilbronn 47.

Volk, Baumgarten 3, ✆ 18 11, Fax 1488, – – 30.
M a la carte 20/57 – **24 Z : 45 B** 60/80 - 90/200 Fb – ½ P 70/90.

In Limbach-Krumbach SW : 2 km :

Engel-Restaurant Zur alten Scheune, Engelstr. 19, ✆ 2 62, –
nur Hotel : 20. Nov.- 24. Dez. geschl. – **M** *(wochentags nur Abendessen, Montag geschl.)* a la carte 22/47 – **20 Z : 39 B** 49/52 - 94/100 Fb – ½ P 64.

LIMBACH Rheinland-Pfalz siehe Hachenburg.

LIMBURG AN DER LAHN **6250.** Hessen 987 ㉔, 412 H 15 – 31 100 Ew – Höhe 118 m – 06431.
Sehenswert : Dom★ (Lage★★) A – Friedhofterrasse ★ – Diözesanmuseum★ A **M1.**
Ausflugsziel : Burg Runkel★ (Lage★★) O : 7 km.
Städt. Verkehrsamt, Hospitalstr. 2, ✆ 61 66.
♦Wiesbaden 52 ② – ♦Frankfurt am Main 74 ② – Gießen 56 ① – ♦Koblenz 50 ① – Siegen 70 ①.

Stadtpläne siehe nächste Seite

Romantik-Hotel Zimmermann, Blumenröder Str. 1, ✆ 46 11, Fax 41314 – Zim
A
20. Dez.- 3. Jan. geschl. – (nur Abendessen für Hausgäste) – **30 Z : 55 B** 125/168 - 148/268 Fb

Dom-Hotel, Grabenstr. 57, ✆ 2 40 77, Fax 6856 – – 20. A
Weihnachten - Anfang Jan. geschl. – **M** a la carte 29/60 – **59 Z : 101 B** 86/150 - 135/215 Fb

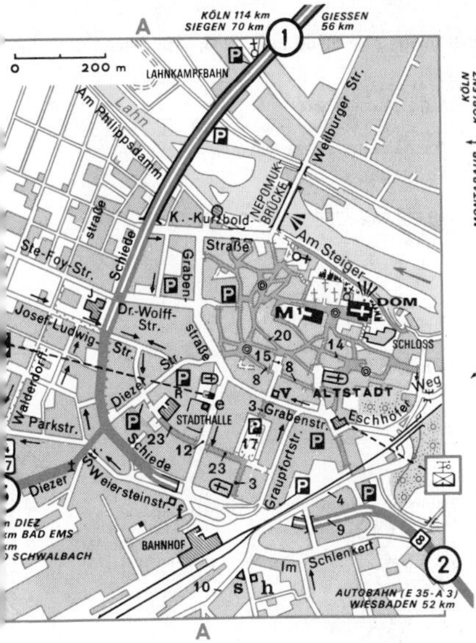

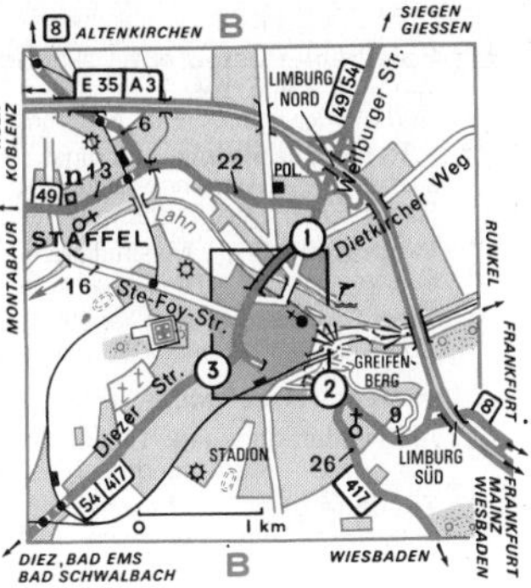

LIMBURG AN DER LAHN

Bahnhofstraße	A	3	Holzheimer Str.	A	10
Diezer Straße	A		Hospitalstraße	A	12
Fleischgasse	A	8	Koblenzer Str.	B	13
Frankfurter Str.	B	9	Kolpingstraße	A	14
Grabenstraße	A		Kornmarkt	A	15
Neumarkt	A		Limburger Weg	B	16
Salzgasse	A	20	Neumarkt	A	17
Schiede	A		Verbindungsstr.	B	22
Eisenbahnstr.	A	4	Werner-Senger-Straße	A	23
Elzer Straße	B	6	Wiesbadener-Str.	B	26

Martin, Holzheimer Str. 2, ☎ 4 10 01, Fax 43185 – TV ☎ P (nur Abendessen) – **29 Z : 53 B** Fb. — A **s**

Huss - China-Restaurant Lotos, Bahnhofsplatz 3, ☎ 2 50 87 (Hotel) 63 66 (Rest.), Fax 25136 – ☎ P. E VISA
M a la carte 26/46 – **32 Z : 62 B** 85/90 - 130/150 Fb. — A **f**

St. Georgsstube, Hospitalstr. 4 (Stadthalle), ☎ 2 60 27, Fax 22902 – ♿ – 25/400. E VISA – **M** a la carte 28/60. — A **e**

In Limburg 3-Staffel NW : 3 km :

Alt-Staffel, Koblenzer Str. 56, ☎ 37 65 – TV ☎ P – **16 Z : 32 B.** — B **n**

LINDAU IM BODENSEE **8990.** Bayern 413 LM 24, 987 ㉟ ㊱, 427 AB 6 – 24 000 Ew – Höhe 400 m – ☎ 08382 – **Sehenswert :** Hafen mit Römerschanze ≤★ Z.

Ausflugsziel : Deutsche Alpenstraße★★★ (von Lindau bis Berchtesgaden).

18 Am Schönbühl 5 (über ①), ☎ 7 80 90 ; 18 Weißensberg (NO : 7 km über ①), ☎ (08389) 8 91 90.

☎ 40 00.

Tourist-Information, am Hauptbahnhof, ☎ 2 60 00.

♦München 180 ① – Bregenz 10 ② – Ravensburg 33 ③ – ♦Ulm (Donau) 123 ①.

Stadtplan siehe nächste Seite

Auf der Insel :

Bayerischer Hof, Seepromenade, ☎ 50 55, Telex 54340, Fax 5055202, (geheizt), – TV P – 25/120. E VISA.
Ostern - Okt. – **M** a la carte 59/70 – **104 Z : 190 B** 130/230 - 230/470 Fb. — Z **b**

Reutemann - Seegarten , Seepromenade, ☎ 50 55, Telex 54340, Fax 5055202, « Terrasse mit ≤ », (geheizt), – TV P – 25/90. E VISA.
M a la carte 46/66 – **64 Z : 116 B** 115/185 - 190/310 Fb. — Z **k**

Lindauer Hof Seepromenade, ☎ 40 64, Fax 24203, ≤, – TV. AE E VISA
7. Jan.- Feb. geschl. – **M** a la carte 26/60 – **23 Z : 46 B** 100/155 - 170/270 Fb – ½ P 115/185. — Z **y**

Helvetia , Seepromenade, ☎ 40 02, Fax 4004, « Terrasse mit ≤ », – TV ☎. AE E VISA
März - Okt. – **M** a la carte 31/63 – **50 Z : 100 B** 150/220 - 220/320 Fb – ½ P 180/210. — Z **x**

Peterhof garni, Schafgasse 10, ☎ 57 00 – TV. AE E VISA
März - Okt. – **30 Z : 60 B** 130/180 - 180/220 Fb. — Y **n**

Insel-Hotel garni, Maximilianstr. 42, ☎ 50 17, Fax 6756 – TV ☎. AE E VISA
6. Jan.- 8. März geschl. – **28 Z : 44 B** 93/140 - 156/164 Fb. — Z **a**

Brugger garni, Bei der Heidenmauer 11, ☎ 60 86, Fax 4133 – TV ☎. AE E VISA.
21 Z : 44 B 70/90 - 130/140 Fb. — Y **r**

XXX **Spielbank-Restaurant,** Oskar-Groll-Anlage 2, ✆ 52 00, Fax 21943, ≤ Bodensee und Alpen – AE ⓓ E VISA — Y
Donnerstag geschl. – **M** a la carte 48/72.

XX ✿ **Bistro Beaujolais,** Ludwigstr. 7, ✆ 64 49 – ⓓ VISA — Z
Dienstag und Mittwoch jeweils bis 18 Uhr und Montag geschl. – **M** a la carte 69/86
Spez. Bouillabaisse, Lachs in weißem Morchelrahm, Dessertvariation.

X **Weinstube Frey,** Maximilianstr. 15 (1. Etage), ✆ 52 78 – E — Z
Sonntag geschl. – **M** a la carte 30/55.

X **Zum Sünfzen,** Maximilianstr. 1, ✆ 58 65, Fax 6756, – AE ⓓ E VISA — Z
28. Jan.- Feb. geschl. – **M** a la carte 27/52.

In Lindau-Aeschach :

Am Holdereggenpark, Giebelbachstr. 1, ✆ 60 66 – ☎ ⇔ P — X
nur Saison – (nur Abendessen für Hausgäste) – **26 Z : 40 B** Fb.

Toscana garni, Am Aeschacher Ufer 14, ✆ 31 31, – ☎ ⇔ P. — X
Mitte Dez.- Mitte Feb. geschl. – **22 Z : 28 B** 65/70 - 98/125.

LINDAU IM BODENSEE

Bahnhofplatz	Z
Bindergasse	Z 18
Cramergasse	Y 27
In der Grub	Y
Maximilianstraße	YZ
Aeschacher Ufer	X 2
Anheggerstraße	X 5
Bäckergässele	Y 8
B.d. Heidenmauer	Y 1
Bregenzer Straße	X 2
Brettermarkt	Z 2
Dammgasse	Z 3
Fischergasse	Z 3
Giebelbachstraße	X 3
Hafenplatz	Z 3
Inselgraben	Z 4
Karl-Bever-Platz	X 4
Kirchplatz	Y 4
Köchlinstraße	X 5
Langenweg	X 5
Lotzbeckpark	X 5
Paradiesplatz	Y 6
Reichsplatz	Z 6
Reutiner Straße	X 6
Rickenbacher Straße	X 7
Schachener Straße	X 7
Schafgasse	YZ 7
Schmidgasse	Y 8
Schonauer Straße	X 8
Schrannenplatz	Y 8
Seepromenade	Z 8
Stiftsplatz	YZ 8
Thierschbrücke	Y 9
Vordere Metzgerg	Z 9

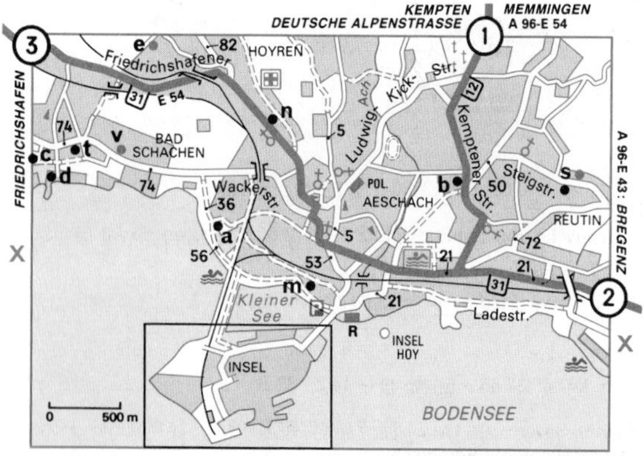

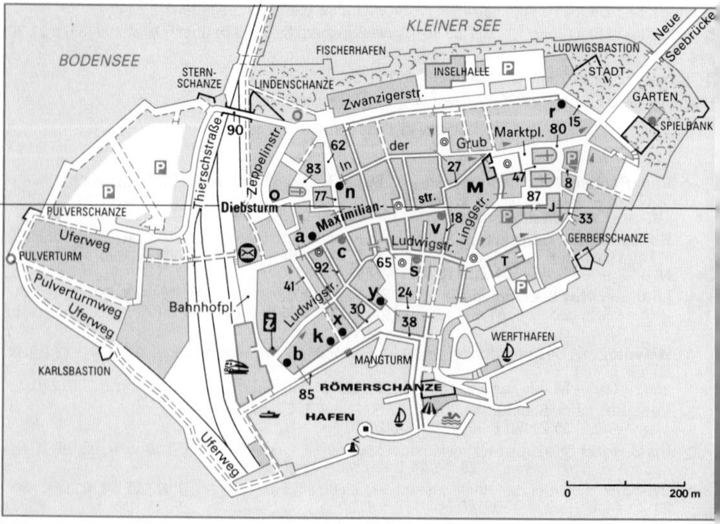

In Lindau - Hoyren :

Schöngarten garni, Schöngartenstr. 15, ☎ 2 50 30, ≘, ⛱ - 🛗 TV ☎ ♿ 🚗 P. ⓓ E VISA - **12 Z : 21 B** 65/70 - 100/140 Fb. X n

XXX ✿ **Hoyerberg Schlössle,** Hoyerbergstr. 64 (auf dem Hoyerberg), ☎ 2 52 95, Fax 1837, « Terrasse mit ≤ Bodensee und Alpen » - P. AE ⓓ E VISA X e
Montag und Mitte Jan.- Mitte Feb. geschl. - **M** (Tischbestellung ratsam) 94/140 und a la carte 71/100
Spez. Salat Gourmet, Zander mit Weißbrotkruste gratiniert, Rehrücken mit Rotweinbirne.

In Lindau-Reutin :

Reulein ⛰ garni, Steigstr. 28, ☎ 7 90 99, Fax 75262, ≤, ⛱ - 🛗 TV ☎ P. AE ⓓ E VISA
23. Dez.- 15. Jan. geschl. - **26 Z : 52 B** 105/160 - 150/200 Fb. X s

Köchlin (ehemaliges Zollhaus), Kemptener Str. 41, ☎ 7 90 37, Biergarten - ⇹ Rest TV ☎ P. AE ⓓ E VISA X b
1.- 24. Nov. geschl. - **M** *(Montag geschl.)* a la carte 27/44 🍷 - **21 Z : 34 B** 62/70 - 120.

X **Brauereigasthof Steig** mit Zim, Steigstr. 31, ☎ 7 80 66, Biergarten - ☎ P X s
M *(Donnerstag geschl.)* a la carte 24/60 - **10 Z : 14 B** 65 - 112/120.

In Lindau-Bad Schachen :

Bad Schachen ⛰, Bad Schachen 1, ☎ 50 11, Telex 54396, Fax 25390, ≤ Bodensee, Lindau und Alpen, ⛱, « Park », Bade- und Massageabteilung, 🏊 (geheizt), 🏊, 🎾, ⛱, 🎾 - 🛗 TV ♿ 🚗 P - 🎤 25/125. ✱ Rest X d
129 Z : 204 B Fb - 18 Appart.

Parkhotel Eden ⛰ garni, Schachener Str. 143, ☎ 58 16, Fax 23730, ⛱ - 🛗 ☎ P
Mitte März - Okt. - **26 Z : 45 B** 70/115 - 140/150 Fb. X t

Lindenhof ⛰ garni, Dennenmoosstr. 3, ☎ 40 75, ≘, 🏊, ⛱ - P. ✱ X c
Mitte März - Mitte Nov. - **18 Z : 35 B** 80/150 - 145/185 Fb.

XX ✿ **Schachener Hof** ⛰ mit Zim, Schachener Str. 76, ☎ 31 16, ⛱ - TV P. E X v
Jan.- Mitte Feb. geschl. - **M** *(wochentags nur Abendessen, Dienstag - Mittwoch geschl.)* a la carte 50/76 - **6 Z : 12 B** 90 - 140/170
Spez. Steinbeißerkaviar mit Kartoffelrösti, Pot au feu vom Fisch, Saltimbocca vom Bodenseefelchen.

Auf dem Golfplatz Weißensberg NO : 7 km über ① :

Golfhotel Bodensee ⛰, Lampertsweiler 51, ✉ 8995 Weißensberg, ☎ (08389) 89 10, Telex 541836, Fax 89120, ≤, « Elegantes Landhaushotel », ≘ - 🛗 TV P - 🎤 30. AE ⓓ E VISA
Dez.- Mitte Feb. geschl. - **M** a la carte 37/63 - **Gourmet-Restaurant M** 72/128 - **33 Z : 74 B** 210/300 - 320/420 Fb - 3 Appart. 580.

In Hergensweiler - Stockenweiler **8997** NO : 10 km über ① :

XX ✿ **Stockenweiler,** an der B 12, ☎ (08388) 2 43 - P. ⓓ E
nur Abendessen, Donnerstag sowie 15.-31. Jan. und 16.-30. Juni geschl. - **M** (Tischbestellung ratsam) 87 und a la carte 65/86
Spez. Flußkrebse im Wurzelsud, Filet vom Bodensee-Zander mit Majorankruste, Das Beste vom Hasen mit Pfifferlingen.

Siehe auch : ***Bregenz*** (Österreich)

LINDBERG Bayern siehe Zwiesel.

LINDENBERG Rheinland-Pfalz siehe Lambrecht.

LINDENBERG IM ALLGÄU **8998.** Bayern 413 M 24, 987 ㊱, 427 N 3 - 11 000 Ew - Höhe 800 m - Höhenluftkurort - ☎ 08381.

🅘 Städt. Verkehrsamt, im Rathaus, Stadtplatz 1, ☎ 8 03 24.

♦München 174 - Bregenz 24 - Kempten (Allgäu) 56 - Ravensburg 36.

An der Deutschen Alpenstraße O : 2 km :

Alpengasthof Bavaria, Manzen 8, ✉ 8998 Lindenberg, ☎ (08381) 13 26, ≤ Allgäuer Berge, ⛱, 🏊 (geheizt), ⛱ - TV ☎ 🚗 P
Mitte Jan.- Mitte Feb. geschl. - **M** *(Freitag geschl.)* a la carte 26/50 🍷 - **20 Z : 36 B** 55/60 - 90.

Einige Hotels in größeren Städren
bieten preisgünstige Wochenendpauschalen an.

LINDENFELS **6145.** Hessen 412 413 J 17 – 4 700 Ew – Höhe 364 m – Heilklimatischer Kurort – 06255.

Kurverwaltung im Rathaus, Burgstraße, 24 25.

♦Wiesbaden 86 – ♦Darmstadt 46 – ♦Mannheim 42.

Waldschlösschen, Nibelungenstr. 102, 24 60, – . *Feb. 2 Wochen und Nov. geschl.* – **M** *(Montag geschl.)* a la carte 30/59 – **13 Z : 21 B** 58/80 - 110 Fb.

Hessisches Haus, Burgstr. 32, 24 05, – . *Nov. geschl.* – **M** *(Mittwoch geschl.)* a la carte 31/51 – **24 Z : 40 B** 55/60 - 88/98 Fb.

Altes Rauch'sches Haus, Burgstr. 31, 5 21, – *10. Jan.- Feb. geschl.* – **M** *(Dienstag geschl.)* a la carte 23/49 – **14 Z : 22 B** 36/42 - 68/80.

In Lindenfels-Kolmbach NW : 4 km :

Buchenhof, Winterkastener Weg 10, (06254) 8 33, Fax 836, – *21. Jan.- 4. Feb. geschl.* – **M** *(Montag geschl.)* a la carte 32/65 – **14 Z : 25** 58/68 - 88/98.

In Lindenfels 2-Winkel NW : 3 km :

Zum Wiesengrund, Talstr. 3, 20 71, – – 25/50 *Mitte Jan.- Anfang Feb. geschl.* – **M** *(Montag geschl.)* 15/29 und a la carte 22/46 – **39 Z : 70 B** 51/54 - 92/108 Fb – ½ P 58/63.

In Lindenfels 3-Winterkasten N : 6 km :

Landhaus Sonne, Bismarckturmstr. 26, 25 23, – *15. Feb.- 15. März geschl.* – **M** *(Sonntag - Montag geschl.)* a la carte 30/45 – **8 Z : 14 B** 50 - 100/120 Fb.

LINDLAR **5253.** Nordrhein-Westfalen 412 F 13 – 18 700 Ew – Höhe 246 m – 02266.

Schloß Georghausen (SW : 8 km), (02207) 49 38.

Verkehrsamt, Eichenhofstr. 6, 96 82.

♦Düsseldorf 78 – Gummersbach 25 – ♦Köln 41 – Wipperfürth 13.

Zum Holländer, Kölner Str. 6, 66 05, Fax 44388 – – 30. **M** *(Sonntag ab 15 Uhr geschl.)* a la carte 30/56 – **12 Z : 16 B** 80 - 90/100 Fb.

Lintlo garni, Hauptstr. 5, 62 40 – . – **15 Z : 30 B** 60 - 90.

In Lindlar-Frielingsdorf NO : 6 km :

Montanushof Montanusstr. 8, 80 85 – – **9 Z : 18 B**.

In Lindlar-Georghausen SW : 8 km :

Schloß Georghausen, im Sülztal, (02207) 25 61, Fax 7683, – – 25/65. **M** *(Montag - Dienstag geschl.)* a la carte 53/78 – **14 Z : 29 B** 100/125 - 135/175 Fb.

In Lindlar 3-Kapellensüng N : 5 km :

Zur Dorfschänke, Anton-Esser-Str. 42, 65 65, – . *Ende Juli - Mitte Aug. geschl.* – **M** *(Montag geschl.)* a la carte 25/46 – **11 Z : 22 B** 40/45 - 70/80.

LINGEN **4450.** Niedersachsen 411 E 9, 987 ⑭, 408 M 4 – 52 000 Ew – Höhe 33 m – 0591.

Altenlingen, Gut Beversundern, (0591) 6 38 37.

Städt. Verkehrsbüro, Rathaus, Elisabethstr. 14, 8 23 35.

♦Hannover 204 – ♦Bremen 135 – Enschede 47 – ♦Osnabrück 65.

Parkhotel, Marienstr. 29, 5 38 88, Fax 54455, – – 25/100 **M** a la carte 37/78 – **31 Z : 58 B** 95/110 - 150/160 Fb.

Van Olften garni, Frerener Str. 4, 41 94, – – **18 Z : 25 B** Fb.

XXX **Altes Forsthaus Beck,** Georgstr. 22, 37 98, « Ständige Kunstausstellung » – . *Samstag bis 18 Uhr und Montag geschl.* – **M** *(auch vegetarisches Menu)* 60/125 Spez. Baby-Steinbuttfilet in Orangensauce, Lammrückenfilet in Minzsauce, Topfengratin mit Himbeeren.

In Lingen-Darme S : 4,5 km :

Am Wasserfall, Hanekenfähr, 40 99, Fax 2278, – – 25/200. **M** a la carte 38/66 – **Zur Lachstreppe M** 24/49 – **39 Z : 54 B** 68 - 106 Fb.

B 70, An der Kapelle 2 - Ecke Rheiner Straße, 42 63, – – 40. *1.- 11. Jan. geschl.* – **M** *(Samstag bis 18 Uhr geschl.)* a la carte 29/62 – **22 Z : 40 B** 62 - 80.

In Lingen-Schepsdorf SW : 3 km :

Hubertushof, Nordhorner Str. 18, 35 14, Fax 51562, – – 25/200. **M** a la carte 32/60 – **32 Z : 50 B** 68/80 - 108/118 Fb.

LINNICH **5172.** Nordrhein-Westfalen 412 B 14, 409 L 3 – 13 000 Ew – Höhe 67 m – ☎ 02462.
♦Düsseldorf 59 – ♦Aachen 27 – ♦Köln 76.

XX **Rheinischer Hof,** Rurstr. 21, ✆ 10 32 – ⓓ E VISA
Samstag bis 18 Uhr, Dienstag 15 Uhr - Mittwoch und 18. Juli - 9. Aug. geschl. – **M** a la carte 34/63.

XX **Waldrestraurant Ivenhain,** Ivenhain 1 (O : 1 km), ✆ 63 19, Fax 6419 – Ⓟ. ⓓ E VISA. ✂
Donnerstag, Aug. 3 Wochen und 24.- 31. Dez. geschl. – **M** a la carte 43/61.

LINSENGERICHT Hessen siehe Gelnhausen.

LINZ AM RHEIN **5460.** Rheinland-Pfalz 987 ㉔, 412 E 15 – 6 000 Ew – Höhe 60 m – ☎ 02644.
🅸 Verkehrsamt, Rathaus, Marktplatz, ✆ 25 26, Fax 5801.
Mainz 131 – ♦Bonn 28 – ♦Koblenz 40.

Café Weiß garni, Mittelstr. 7, ✆ 70 81 – |♦| ☎
8 Z : 14 B 80/90 - 130/140.

Weinstock, Linzhausenstr. 38 (B 42), ✆ 24 59, Fax 8857, « Gartenterrasse », – Ⓟ. AE ⓓ E VISA
April - Okt. – **M** *(Montag geschl.)* a la carte 27/65 – **26 Z : 48 B** 42/70 - 78/150.

LIPPSPRINGE, BAD **4792.** Nordrhein-Westfalen 411 412 J 11, 987 ⑮ – 13 000 Ew – Höhe 123 m – Heilbad – Heilklimatischer Kurort – ☎ 05252.
18 9 Sennelager, ✆ 33 74.
🅸 Verkehrsbüro, Friedrich-Wilhelm-Weber-Platz 33, ✆ 5 03 03.
♦Düsseldorf 179 – Detmold 18 – ♦Hannover 103 – Paderborn 9.

Parkhotel ⛭, Peter-Hartmann-Allee 4, ✆ 20 10, Telex 936933, Fax 201111, ≘s, ⊠ – |♦| TV Ⓟ – 🔬 25/150. AE ⓓ E VISA. ✂ Rest
M a la carte 37/68 – **100 Z : 160 B** 167/197 - 223/252 Fb – ½ P 141/226.

Gästehaus Scherf ⛭ garni, Arminiusstr. 23, ✆ 20 40, Fax 20488, ≘s, ⊠, – |♦| TV ☎ Ⓟ. E
28 Z : 36 B 60/110 - 100/150 Fb.

Zimmermann garni, Detmolder Str. 180, ✆ 5 00 61 – |♦| ☎ Ⓟ. E. ✂
22. Dez.- 10. Jan. geschl. – **23 Z : 40 B** 65/68 - 92/100 Fb.

LIPPSTADT **4780.** Nordrhein-Westfalen 411 412 HI 11, 987 ⑭ – 63 000 Ew – Höhe 77 m – ☎ 02941.
✈ bei Büren-Ahden, SO : 17 km über Geseke, ✆ (02955) 7 70.
🅸 Städt. Verkehrsverein, Lange Str. 14, ✆ 5 85 15.
🅸 Kurverwaltung, Bad Waldliesborn, Quellenstr. 60, ✆ 80 00.
♦Düsseldorf 142 – Bielefeld 52 – Meschede 43 – Paderborn 31.

City-Hotel garni, Lange Str. 1, ✆ 50 33, Fax 4930, ≘s – |♦| TV ☎ Ⓟ. AE ⓓ E VISA
25 Z : 45 B 67/120 - 144/180 Fb.

In Lippstadt 4-Bad Waldliesborn N : 5 km :

Parkhotel Ortkemper ⛭, Im Kreuzkamp 10, ✆ 88 20 – |♦| TV ☎ ♿ Ⓟ – 🔬 25/70. E
M a la carte 30/49 – **41 Z : 75 B** 60/65 - 120 Fb.

Hubertushof, Holzstr. 8, ✆ 85 40 – Ⓟ. ✂ Zim
20. Dez.- 15. Jan. geschl. – **M** *(Sonntag 15 Uhr - Montag geschl.)* a la carte 26/52 – **14 Z : 24 B** 55 - 110.

LIST Schleswig-Holstein siehe Sylt (Insel).

LOCHAU Österreich siehe Bregenz.

LÖF **5401.** Rheinland-Pfalz 412 F 16 – 2 100 Ew – Höhe 85 m – ☎ 02605.
Mainz 94 – Cochem 26 – ♦Koblenz 23.

Krähennest, Auf der Kräh 26, ✆ 80 80, Telex 862366, Fax 808180, ≤, 🌳, ✂ – TV ☎ Ⓟ – 🔬 25/70
M a la carte 28/51 – **74 Z : 141 B** 82 - 134 Fb.

In Löf-Kattenes :

Langen, Oberdorfstr. 6, ✆ 45 75, 🌳, – Ⓟ. AE ⓓ E VISA. ✂ Zim
Dez.- Jan. geschl. – **M** *(Dienstag - Mittwoch geschl.)* a la carte 21/43 🍷 – **29 Z : 60 B** 30/50 - 60/80.

LÖFFINGEN 7827. Baden-Württemberg **413** HI 23, **987** ㉟, **427** J 2 – 6 000 Ew – Höhe 802 m – Erholungsort – ✪ 07654.

🛈 Kurverwaltung, Rathausplatz 14, 𝒫 4 00.

◆Stuttgart 139 – Donaueschingen 16 – ◆Freiburg im Breisgau 46 – Schaffhausen 51.

🏨 **Pilgerhof** ♨, Maienlandstr. 24, 𝒫 3 58, ⇌, ☞ – 📺 ☎ ⇌ ❷ – ⚐ 40
➡ **M** (Montag geschl.) a la carte 22/43 ♨ – **26 Z : 50 B** 55 - 106 Fb.

🏨 **Wildpark** ♨, am Wildpark (NW : 2 km), 𝒫 2 39, Fax 77325, 🍴, ☒, ☞, ⚒ – ☎ ⇌
❷ – ⚐ 35. 🗲
16. Nov.- 17. Dez. geschl. – **M** (Dienstag geschl.) a la carte 27/60 – **23 Z : 50 B** 58/66 - 96/154.

In Löffingen 6-Reiselfingen S : 3,5 km :

🏨 **Sternen** ♨, Mühlezielstr. 5, 𝒫 3 41, ☞ – ⇌ ❷
10. Nov.- 15. Dez. geschl. – (nur Abendessen für Hausgäste) – **13 Z : 25 B** 45 - 85/90 – ½ P 53.

🌳 **Krone** Dietfurtstr. 14, 𝒫 5 07, ☞ – ⇌ ❷
➡ Nov. geschl. – **M** (Montag geschl.) a la carte 16/28 ♨ – **10 Z : 19 B** 34 - 68 – ½ P 43.

LÖHNE 4972. Nordrhein-Westfalen **411** **412** J 10, **987** ⑮ – 39 000 Ew – Höhe 60 m – ✪ 05732.

🖂 Löhne-Wittel, Auf dem Stickdorn 65, 𝒫 (05228) 70 50.

◆Düsseldorf 208 – ◆Hannover 85 – Herford 12 – ◆Osnabrück 53.

In Löhne 2-Ort :

🏨 **Schewe** ♨, Dickendorner Weg 48, 𝒫 8 10 28, Fax 82669 – 📺 ☎ ❷ – ⚐ 40. 🗲 **VISA**
M (nur Abendessen) a la carte 29/55 – **30 Z : 42 B** 58/70 - 95/105 Fb.

In Löhne 3-Gohfeld :

XX Kramer, Koblenzer Str. 183, 𝒫 (05731) 8 38 38, 🍴 – ❷.

In Löhne 1-Wittel :

XX Landhotel Witteler Krug mit Zim, Koblenzer Str. 305 (B 61), 𝒫 31 31 – 📺 ⇌ ❷
7 Z : 10 B.

LÖNINGEN 4573. Niedersachsen **411** G 8, **987** ⑭ – 11 800 Ew – Höhe 35 m – ✪ 05432.

◆Hannover 202 – ◆Bremen 91 – Enschede 91 – ◆Osnabrück 69.

🏨 **Deutsches Haus,** Langenstr. 14, 𝒫 24 22, 🍴, Bade- und Massageabteilung, ⇌, ☞ –
📺 ☎ ❷. 🗲. ⚒ Rest
M (Samstag bis 18 Uhr geschl.) a la carte 29/48 – **22 Z : 36 B** 38/70 - 75/110 Fb.

LÖRRACH 7850. Baden-Württemberg **413** G 24, **987** ㉞, **427** GH 3 – 41 000 Ew – Höhe 294 m – ✪ 07621.

Ausflugsziel : Burg Rötteln★ N : 3 km.

🚠 𝒫 80 26.

🛈 Verkehrsbüro, Bahnhofsplatz, 𝒫 41 56 20.

ADAC, Brombacher Str. 76, 𝒫 1 06 27 und Grenzbüro, Lörrach-Stetten, 𝒫 17 22 50.

◆Stuttgart 265 – Basel 9 – Donaueschingen 96 – ◆Freiburg im Breisgau 69 – Zürich 83.

🏨 **Villa Elben** ♨ garni, Hünerbergweg 26, 𝒫 20 66, Fax 43280, ≤, « Park », ☞ – 🛗 📺 ☎
⇌ ❷ – **34 Z : 44 B** 95/120 - 140/160 Fb.

🏨 **City-Hotel** garni, Weinbrennerstr. 2a, 𝒫 4 00 90, Fax 400966 – 🛗 📺 ☎ ⇌. 🆎 ⓪ 🗲 **VISA**
28 Z : 56 B 95/125 - 135/180 Fb.

XX **Zum Kranz** mit Zim Basler Str. 90, 𝒫 8 90 83, 🍴 – 📺 ☎ ❷. 🆎 ⓪ 🗲 **VISA**
Menu (Tischbestellung ratsam) (Sonntag - Montag geschl.) a la carte 39/76 – **9 Z : 17 B** 75/95 - 120/140.

In Lörrach-Haagen NO : 3,5 km :

🏨 **Henke** ♨ garni, Markgrafenstr. 48, 𝒫 5 15 10 – ☎ ⇌ ❷
20 Z : 36 B 35/60 - 70/85.

X **Markgrafen-Stuben,** Hauinger Str. 34, 𝒫 5 23 65 – 🆎 ⓪ 🗲 **VISA**
Montag - Dienstag geschl. – **M** a la carte 31/55 ♨.

An der B 316 SO : 4 km :

XX **Landgasthaus Waidhof,** ⊠ 7854 Inzlingen, 𝒫 (07621) 26 29 – ❷
Sonntag - Montag sowie Feb. und Juli jeweils 2 Wochen geschl. – **M** a la carte 46/83.

In Inzlingen 7854 SO : 6 km :

XX ✿ **Inzlinger Wasserschloß** (Wasserschloß a.d.15.Jh., mit Gästehaus), Riehenstr. 5,
𝒫 (07621) 4 70 57, Fax 13555 – 📺 ☎ ❷. 🗲
Dienstag - Mittwoch und Ende Juli - Anfang Aug. geschl. – **M** (Tischbestellung ratsam) 49
(mittags) und a la carte 88/128 – **12 Z : 24 B** 130 - 180
Spez. Wachtel mit Gänseleber gefüllt, Steinbutt mit Forellenkaviarsauce, Milchlamm-Carré "provençale".

LÖWENSTEIN **7101.** Baden-Württemberg 412 413 L 19 – 2 500 Ew – Höhe 384 m – ☎ 07130.
♦Stuttgart 49 – Heilbronn 18 – Schwäbisch Hall 30.

Lamm, Maybachstr. 43, ☎ 5 42 – TV ☎ P
Jan. und März jeweils 1 Woche, Aug. 2 Wochen geschl. – **M** *(Montag geschl.)* a la carte 32/51 – **8 Z : 13 B** 60/70 - 98/115.

In Löwenstein-Hösslinsülz NW : 3,5 km :

Roger, Heiligenfeldstr. 56 (nahe der B 39), ☎ 67 36, Fax 6033, – TV ☎ P – 30. E
M a la carte 27/48 – **41 Z : 72 B** 58/95 - 98/135.

LOHBERG **8491.** Bayern 413 W 19, 987 ㉘ – 2 000 Ew – Höhe 650 m – Erholungsort – Wintersport : 550/850 1 6 – ☎ 09943 (Lam).
Verkehrsamt, Haus des Gastes, Rathausweg 1, ☎ 34 60, Fax 8369.
♦München 205 – Cham 44 – Deggendorf 62 – Passau 90.

Landhaus Baumann, Ringstr. 7, ☎ 6 47, – P.
15. Okt.- 15. Dez. geschl. – (nur Abendessen für Hausgäste) – **12 Z : 21 B** 40 - 60/79 – ½ P 40/50.

In Lohberg-Altlohberghütte O : 3 km – Höhe 900 m

Bergpension Kapitän Goltz, ☎ 13 87, Fax 2236, – ☎ P. AE E VISA
Ende Nov.- Mitte Dez. geschl. – **M** *(auch vegetarische Gerichte)* a la carte 22/44 – **13 Z : 26 B** 35/43 - 60/78 Fb – ½ P 42/50.

In Lohberg-Lohberghütte SW : 2,5 km :

Pension Grüne Wiese, Sommerauer Str. 10, ☎ 12 08, Wildgehege, – P
Nov.- 24. Dez. geschl. – (nur Abendessen für Hausgäste) – **26 Z : 46 B** 45/65 - 76/80 Fb – ½ P 50/57.

In Lohberg-Silbersbach **8496** NW : 6 km :

Osserhotel, ☎ 7 41, Wildgehege, « Restaurant mit Ziegelgewölbe », – ☎ P. Rest
M *(Mittwoch geschl.)* a la carte 16,50/40 – **45 Z : 90 B** 55/65 - 84/110 Fb – ½ P 59/80.

LOHMAR **5204.** Nordrhein-Westfalen 412 E 14 – 26 800 Ew – Höhe 75 m – ☎ 02246.
♦Düsseldorf 63 – ♦Köln 23 – Siegburg 5.

In Lohmar 1-Donrath :

Meigermühle, an der Straße nach Rösrath (NW : 2 km), ☎ 50 00, Fax 18375, – P. AE E VISA
Donnerstag ab 16 Uhr und Dienstag geschl. – **M** a la carte 35/62.

In Lohmar 21-Honrath N : 9 km :

Haus am Berg mit Zim, Zum Kammerberg 22, ☎ (02206) 22 38, Fax 1786, « Gartenterrasse » – TV ☎ P. E.
Juli - Aug. 3 Wochen geschl. – **M** *(Sonntag geschl.)* a la carte 56/76 – **14 Z : 25 B** 70/85 - 130/155.

In Lohmar 21-Wahlscheid NO : 4 km – ☎ 02206 :

Landhotel Naafs - Häuschen, an der B 484 (NO : 3 km), ☎ 8 00 81, Fax 82165, – TV ☎ P – 25/50. E VISA. Zim
M a la carte 35/70 – **44 Z : 60 B** 120/145 - 160/175 Fb.

Schloß Auel, an der B 484 (NO : 1 km), ☎ 20 41, Telex 887510, Fax 2316, « Park, Schloßkapelle », – TV ☎ P – 25/120. AE E VISA
2.- 12. Jan. geschl. – **M** a la carte 48/68 – **23 Z : 44 B** 110/170 - 190/270 Fb.

Aggertal-Hotel Zur alten Linde, Bartholomäusstr. 8, ☎ 62 25, Fax 80525, – TV ☎ P – 25/40. E VISA.
Juli - Aug. 2 Wochen und 24.- 30. Dez. geschl. – **M** *(Sonntag - Montag 15 Uhr geschl.)* a la carte 41/69 – **27 Z : 36 B** 95/120 - 150/200 Fb.

Haus Säemann, Am alten Rathaus 17, ☎ 77 87, Fax 83017 – TV ☎ P. E
M *(Montag geschl.)* a la carte 32/60 – **10 Z : 16 B** 60/70 - 110/120 Fb.

Haus Stolzenbach, an der B 484 (SW : 1 km), ☎ (02246) 58 00, – P
Montag geschl. – **M** a la carte 37/66.

LOHNE **2842.** Niedersachsen 411 H 8,9, 987 ⑭ – 20 200 Ew – Höhe 34 m – ☎ 04442.
♦Hannover 123 – ♦Bremen 81 – Oldenburg 61 – ♦Osnabrück 50.

Waldhotel, Burgweg 16, ☎ 32 60, Fax 71036, – ☎ P. AE E VISA
M a la carte 25/55 – **14 Z : 20 B** 55 - 95 Fb.

Deutsches Haus, Brinkstr. 18, ☎ 15 44 – ☎ P. E VISA
M *(Samstag geschl.)* a la carte 23/35 – **10 Z : 16 B** 45 - 80.

LOHR AM MAIN **8770.** Bayern 987 ㉕, 412 413 L 17 – 17 000 Ew – Höhe 162 m – ☎ 09352.
Städt. Verkehrsamt, Rathaus, Hauptstraße, ☎ 50 02 82.
Verkehrsverein, Am Stadtbahnhof, ☎ 51 52.
♦München 321 – Aschaffenburg 35 – Bad Kissingen 51 – ♦Würzburg 41.

Parkhotel Leiss garni, Jahnstr. 2, ☎ 60 90, Fax 609409 – **57 Z : 97 B** 95/105 - 150/190 Fb.

Bundschuh, Am Kaibach 7, ☎ 25 06, – *22. Dez.- 15. Jan. geschl.* – (nur Abendessen für Hausgäste) – **34 Z : 54 B** 59/130 - 99/200.

Beck's Hotel garni, Lindenstr. 2, ☎ 20 93 – **20 Z : 26 B** 53/65 - 95.

In Lohr-Sendelbach SO : 1 km :

Zur alten Post, Steinfelder Str. 1, ☎ 27 65, Biergarten, – *27. Dez.- 10. Jan. geschl.* – **M** *(Mittwoch geschl.)* a la carte 20/42 – **11 Z : 19 B** 45/50 - 75/85.

In Lohr-Steinbach NO : 3 km :

Adler, Steinbacher Str. 14, ☎ 20 74, – **18 Z : 29 B.**

Bei Maria Buchen SO : 5,5 km über Lohr-Steinbach :

Buchenmühle (Sandsteinbau a.d. 18. Jh.) Buchentalstr. 23, ✉ 8771 Lohr-Land, ☎ (09352) 34 24, « Terrasse mit ≤ », – *Feb. geschl.* – **M** *(Montag geschl.)* a la carte 33/63 – **16 Z : 28 B** 65/80 - 95/150.

LOICHING Bayern siehe Dingolfing.

LONGUICH **5501.** Rheinland-Pfalz 412 D 17 – 1 200 Ew – Höhe 150 m – ☎ 06502.
Mainz 151 – Bernkastel-Kues 38 – ♦Trier 13 – Wittlich 26.

Zur Linde, Cerisiersstr. 10, ☎ 55 82, – *Feb. 2 Wochen geschl.* – **M** *(Montag geschl.)* a la carte 28/49 – **13 Z : 24 B** 45 - 75.

Auf der Festung, Maximinstr. 30, ☎ 49 20, bemerkenswerte Weinkarte – *Sonntag 14 Uhr - Montag und Juli - Aug. 3 Wochen geschl.* – **M** a la carte 50/77.

LORCH **7073.** Baden-Württemberg 413 M 20, 987 ㉟ – 9 200 Ew – Höhe 288 m – ☎ 07172.
♦Stuttgart 45 – Göppingen 18 – Schwäbisch Gmünd 8.

Sonne, Stuttgarter Str. 5, ☎ 73 73, Biergarten – *Nov. 2 Wochen geschl.* – **M** *(Freitag geschl.)* a la carte 24/44 – **27 Z : 55 B** 57/80 - 84/130.

LORCH AM RHEIN **6223.** Hessen 412 G 16, 987 ㉔ – 5 000 Ew – Höhe 85 m – Erholungsort – ☎ 06726.
Sehenswert : Pfarrkirche (Kruzifix★).
♦Wiesbaden 45 – ♦Koblenz 51 – Limburg an der Lahn 68 – Mainz 48.

Arnsteiner Hof, Schwalbacher Str. 8, ☎ 93 71 – – **14 Z : 26 B.**

An der Straße nach Bad Schwalbach, im Wispertal :

Alte Villa (NO : 9 km), ✉ 6223 Lorch, ☎ (06726) 12 62, – *Dienstag, 17. Feb.- 6. März und 16.- 30. Nov. geschl.* – **M** a la carte 48/72.

Laukenmühle (NO : 13 km), ✉ 6223 Lorch 4, ☎ (06775) 3 55, Fax 1291, « Gartenterrasse » – *Montag und 26. Dez.- 21. Feb. geschl.* – **M** a la carte 29/51.

Kammerburg (NO : 9 km), ✉ 6223 Lorch, ☎ (06726) 94 15, « Gartenterrasse » – *Montag und Dez.- Feb. geschl.* – **M** a la carte 23/55.

In Lorch 4-Espenschied NO : 15 km – Höhe 404 m – Luftkurort :

Sonnenhang, Borngasse 1, ☎ (06775) 3 14, ≤, – *nur Saison* – **16 Z : 27 B.**

LORSCH **6143.** Hessen 412 413 I 18 – 11 000 Ew – Höhe 100 m – ☎ 06251 (Bensheim an der Bergstraße).
Sehenswert : Königshalle★.
Kultur- und Verkehrsamt, Marktplatz 1, ☎ 59 67 50.
♦Wiesbaden 65 – ♦Darmstadt 29 – Heidelberg 34 – ♦Mannheim 26 – Worms 15.

Sandhas, Kriemhildenstr. 2, ☎ 59 50, Telex 468291, Fax 595111, « Restaurant Alte Abtei » – 25/60 **104 Z : 150 B** Fb.

Zum Schwanen, Nibelungenstr. 52, ☎ 5 22 53 – *nur Abendessen, über Ostern, Juni - Juli 3 Wochen und 23. Dez.- 7. Jan. geschl.* – **M** *(Tischbestellung erforderlich)* a la carte 51/75.

LOSHEIM **6646.** Saarland 412 D 18 - 15 300 Ew - Höhe 300 m - Erholungsort - ☎ 06872.
♦Saarbrücken 58 - Luxembourg 55 - ♦Trier 40.

Am Stausee N : 1 km :

Seehotel, Zum Stausee 202, ✉ 6646 Losheim, ✆ (06872) 6 00 80, Fax 600811, ≤, - - ☎ Ⓟ - 25/40. AE ⓓ E VISA
M a la carte 34/53 - **30 Z : 60 B** 70/80 - 120/130 Fb.

LOSSBURG **7298.** Baden-Württemberg 413 I 21, 987 ㉟ - 6 000 Ew - Höhe 666 m - Luftkurort - Wintersport : 650/800 m 1 6 - ☎ 07446.
Kurverwaltung, Hauptstr. 35, ✆ 1 83 49, Fax 18344.
♦Stuttgart 100 - Freudenstadt 8,5 - Villingen-Schwenningen 60.

Hirsch, Hauptstr. 5, ✆ 20 20 - TV ☎ Ⓟ. E
Dez. 3 Wochen geschl. - **M** a la carte 26/55 - **46 Z : 80 B** 58/78 - 98/134 Fb - ½ P 75/104.

Traube, Gartenweg 3, ✆ 15 14, Fax 3297, , , - Ⓟ
Mitte Nov.- Mitte Dez. geschl. - **M** *(Montag geschl.)* a la carte 29/42 - **34 Z : 57 B** 52/58 - 96/108 Fb.

Ochsen garni, Buchenweg 12, ✆ 15 06, , - Ⓟ.
11 Z : 22 B.

Zum Bären, Hauptstr. 4, ✆ 13 52, - Ⓟ
M *(Okt.- März Donnerstag geschl.)* a la carte 18/42 - **22 Z : 40 B** 35/45 - 60/80 - ½ P 50/60.

In Lossburg-Oedenwald W : 3 km :

Adrionshof, ✆ 20 41, , - ☎ Ⓟ. Rest
16. Okt.- Nov. geschl. - **M** *(ab 19 Uhr geschl.)* a la carte 26/46 - **22 Z : 38 B** 52/57 - 96/104 Fb.

In Lossburg-Rodt :

Café Schröder, Pflegersäcker 5, ✆ 5 74, , - ☎ Ⓟ. AE ⓓ E VISA
M a la carte 22/39 - **35 Z : 54 B** 54/60 - 92/112 Fb.

Panorama-Hotel, Breuninger Weg 30, ✆ 20 91, , , - Ⓟ
38 Z : 73 B.

In Lossburg-Wittendorf O : 5 km :

Sonnenrain, Sonnenrain 44, ✆ 21 72, ≤, , - ☎ Ⓟ - 25/120
29 Z : 58 B.

LUDWIGSBURG **7140.** Baden-Württemberg 413 K 20, 987 ㉕ ㉟ - 81 000 Ew - Höhe 292 m - ☎ 07141.
Sehenswert : Blühendes Barock : Schloß★, Park★ (Märchengarten★★) Y.
18 Ludwigsburg-Pattonville (über ④), Aldinger Straße, ✆ 87 13 19.
Fremdenverkehrsamt, Wilhelmstr. 12, ✆ 91 02 52.
ADAC, Neckarstr. 102, ✆ 5 10 15, Telex 7264670.
♦Stuttgart 16 ④ - Heilbronn 36 ① - ♦Karlsruhe 86 ⑤.

Stadtplan siehe nächste Seite

Favorit garni, Gartenstr. 18, ✆ 9 00 51, Fax 902991 - TV ☎ . AE ⓓ E VISA.
50 Z : 57 B 110/135 - 160/170. Y r

Schiller-Hospiz, Gartenstr. 17, ✆ 92 34 63, Fax 902991 - TV ☎ Ⓟ - 30. AE E VISA.
M *(Samstag sowie Sonn- und Feiertage geschl.)* a la carte 34/60 - **52 Z : 68 B** 95/135 - 130/170. Y a

Alte Sonne, Bei der kath. Kirche 3, ✆ 92 52 31, Fax 902635 - TV ☎. AE ⓓ E VISA Y n
Juli - Aug. 3 Wochen geschl. - **M** *(bemerkenswerte Weinkarte, Tischbestellung ratsam)* (Samstag - Sonntag geschl.) a la carte 35/69 - **12 Z : 16 B** 85/104 - 135/155.

Westend Friedrich-List-Str. 26, ✆ 4 23 12 - ☎. Zim
16 Z : 22 B. Z d

Württemberger Hof Bismarckstr. 24, ✆ 90 16 02, Fax 901568, - 25/90. AE E
Dienstag geschl. - **M** *(auch vegetarische Gerichte)* a la carte 33/52. Y s

Zum Postillion, Asperger Str. 12, ✆ 92 47 77 - AE ⓓ E VISA Y c
Samstag - Sonntag und Juli - Aug. 3 Wochen geschl. - **M** a la carte 41/62.

Post-Cantz, Eberhardstr. 6, ✆ 92 35 63 - AE ⓓ E VISA Y e
Mittwoch - Donnerstag und Juli - Aug. 3 Wochen geschl. - Menu a la carte 34/67.

Ratskeller, Wilhelmstr. 13, ✆ 92 70 60, Fax 902537, - Ⓟ - 25/150. AE VISA Y u
M a la carte 34/70.

Zum Justinus, Marktplatz 9, ✆ 92 48 28, Y v

In Ludwigsburg-Hoheneck :

Hoheneck, Uferstraße (beim Heilbad), ✆ 5 11 33, - TV ☎ Ⓟ. E V s
20. Dez.- 7. Jan. geschl. - **M** *(Sonn- und Feiertage geschl.)* a la carte 31/56 - **15 Z : 20 B** 65/95 - 140.

LUDWIGSBURG

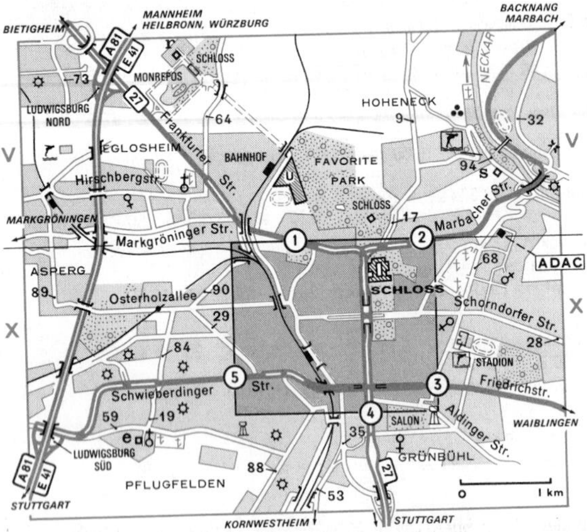

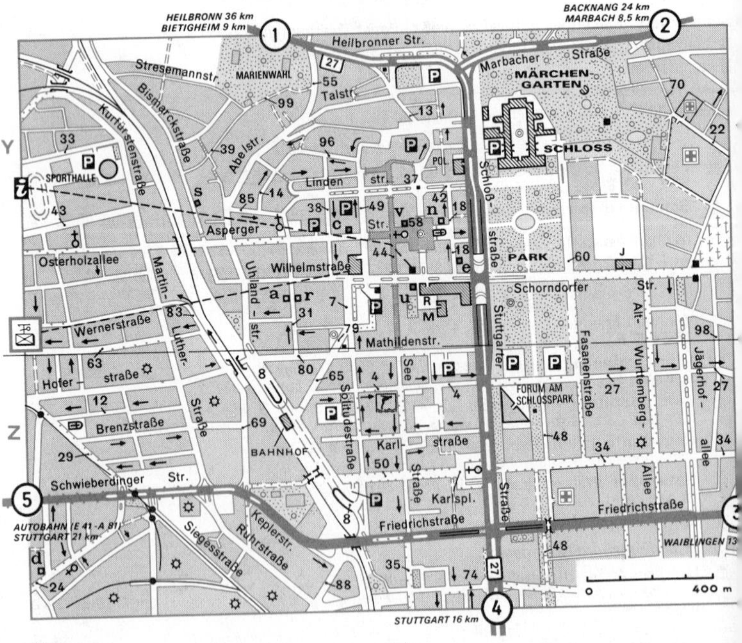

In Ludwigsburg-Oßweil W : 2 km über Schorndorfer Straße Y :

Kamin, Neckarweihinger Str. 52, 8 67 67, Fax 86769 –
M *(nur Abendessen, Donnerstag und 14. Feb.- 12. März geschl.)* a la carte 30/60 - **14 Z : 19 B** 85/105 - 115/140.

In Ludwigsburg 9-Pflugfelden :

Stahl - Restaurant Zum goldenen Pflug, Dorfstr. 4, 4 07 40, Telex 7264374, Fax 407442 – AE E VISA X e
M *(Samstag bis 18 Uhr, Sonntag ab 15 Uhr und Montag geschl.)* a la carte 37/75 - **24 Z : 43 B** 95/120 - 180 Fb.

Beim Schloß Monrepos :

Schloßhotel Monrepos, 30 20, Telex 7264720, Fax 302200, « Gartenterrasse », – 25/80. AE E VISA V r
22. Dez.- 7. Jan. geschl. – Restaurants : **Bugatti** (, Italienische Küche) *(nur Abendessen, Sonn- und Feiertage geschl.)* **M** a la carte 57/92 – **Gutsschenke M** a la carte 42/70 – **81 Z : 120 B** 170/210 - 240/380 Fb.

In Freiberg **7149** N : 4 km – 07141 :

Gästehaus Baumann garni, Ruitstr. 67 (Gewerbegebiet Ried), 7 30 57 –
18 Z : 22 B 68 - 118 Fb.

Schwabenstuben, Marktplatz 5, 7 50 37, Fax 75038, – . AE E VISA
Samstag bis 17 Uhr, Montag, Jan. und Juli-Aug. jeweils 2 Wochen geschl. – **M** a la carte 35/72.

Spitznagel, Ludwigsburger Str. 58 (Beihingen), 7 25 80, – .

LUDWIGSHAFEN AM RHEIN **6700.** Rheinland-Pfalz 987 ㉔ ㉕, 412 413 I 18 – 165 000 Ew – Höhe 92 m – 0621.

Siehe auch Mannheim-Ludwigshafen (Übersichtsplan).

Verkehrsverein, Informationspavillon am Hauptbahnhof, 51 20 35.

ADAC, Theaterplatz 10, 51 93 61, Telex 464770.

Mainz 82 ② – Kaiserslautern 55 ② – ♦Mannheim 3 ④ – Speyer 22 ③.

Stadtplan siehe nächste Seite

Ramada, Pasadena-Allee 4, 51 93 01, Telex 464545, Fax 511913, – Zim – 25/130. AE E VISA Z v
M a la carte 57/84 – **195 Z : 400 B** 225/255 - 300/330 Fb – 3 Appart. 500.

Europa Hotel, Am Ludwigsplatz 5, 5 98 70, Telex 464701, Fax 5987122, – – 25/280. AE E VISA Y a
M *(Sonntag ab 14 Uhr und Samstag geschl.)* a la carte 40/68 – **113 Z : 224 B** 185/218 - 228/380 Fb.

Regina garni, Bismarckstr. 40, 51 90 26 – Y c
34 Z : 58 B 75/80 - 95/100.

Folgende Häuser finden Sie auf dem Stadtplan Mannheim-Ludwigshafen :

In Ludwigshafen-Friesenheim :

Ebert Park Hotel garni, Kopernikusstr. 67, 6 90 60, Fax 6906601 – . AE E VISA. BV a
23. Dez.- 2. Jan. geschl. – **91 Z : 190 B** 120/128 - 150/160 Fb.

Karpp, Rheinfeldstr. 56, 69 10 78, – . Rest BV e
20.Dez.- Mitte Jan. geschl. – **M** *(nur Abendessen, Samstag - Sonntag geschl.)* a la carte 29/50 – **20 Z : 32 B** 65/95 - 95/130.

In Ludwigshafen-Gartenstadt :

Gartenstadt, Maudacher Str. 188, 55 10 51, Fax 551054, , (Halle) – . AE E VISA BV h
(nur Abendessen für Hausgäste) – **48 Z : 74 B** 96/100 - 140/160 Fb.

In Ludwigshafen 25 - Oggersheim :

L'Echalote, Schillerstr. 75 (im Oggersheimer Hof), 68 25 34 – AE E VISA AV v
nur Abendessen, Sonntag, Juli 2 Wochen sowie Ostern und Weihnachten geschl. – **M** a la carte 32/53.

In Altrip **6701** SO : 10 km über Rheingönheim und Hoher Weg BCV :

Strandhotel Darstein, Zum Strandhotel 10, (06236) 20 73, Fax 39323, ≤, , – – 25/40. E VISA
M *(Montag - Dienstag 18 Uhr und 2.- 21. Jan. geschl.)* a la carte 32/64 – **17 Z : 29 B** 61/102 - 129/165 Fb.

LUDWIGSHAFEN AM RHEIN INNENSTADT

Bismarckstraße	Y
Ludwigstraße	Y
Bürgermeister-Krafft-Platz	Z 2
Bürgermeister-Kutterer-Str.	Z 3
Danziger Platz	Y 4
Deutsche Straße	Y 5
Goerdelerplatz	Y 6
Pasadena-Allee	YZ 10
Wittelsbachplatz	Z 12
Wredestraße	Z 13

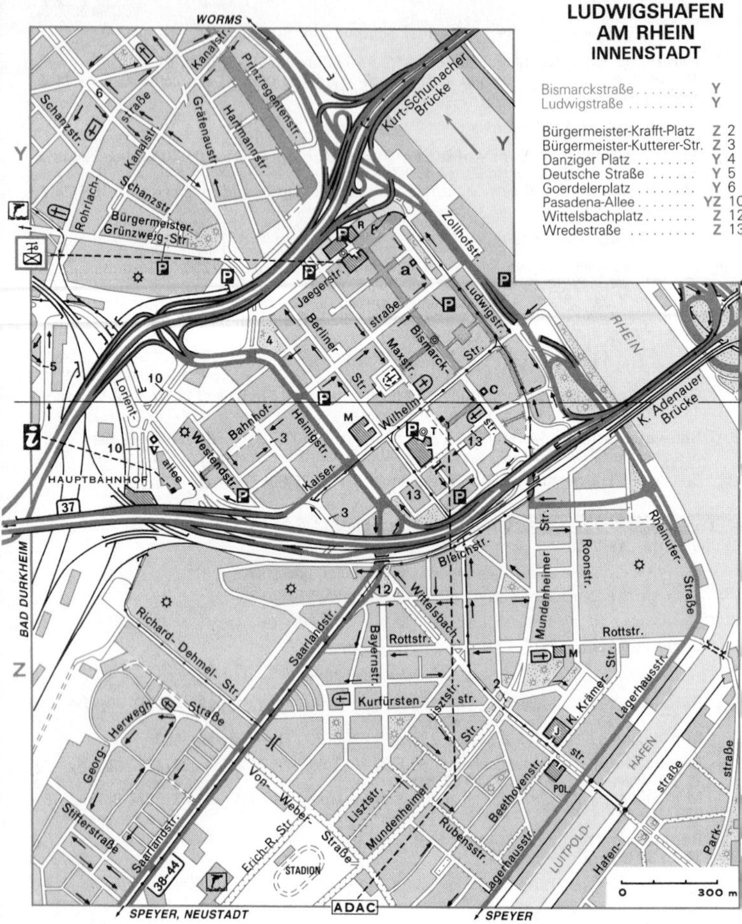

"Check in (all'arrivo)
Nella maggior parte degli alberghi, le camere non prenotate per iscritto,
non sono più disponibili dopo le 18.
Se si prevede di arrivare dopo tale ora,
è preferibile precisare l'orario di arrivo o,
meglio ancora, effettuare la prenotazione per iscritto."

LUDWIGSSTADT **8642.** Bayern 413 QR 15, 987 ㉖ – 4 100 Ew – Höhe 444 m – Erholungso
– Wintersport : 500/700 m 3 6 – ☎ 09263.
◆München 310 – ◆Bamberg 89 – Bayreuth 75 – Coburg 58.

In Ludwigsstadt-Lauenstein N : 3 km :

Posthotel Lauenstein, Orlamünder Str. 2, ☎ 5 05, Fax 7167, ←, , Bade- und Massage-abteilung, , – – 30. VISA
M a la carte 29/53 – **26 Z : 52 B** 45/75 - 80/115 – ½ P 60/85.

Burghotel Lauenstein , Burgstr. 4, ☎ 2 56, Fax 7167, ←, – . VISA
M a la carte 24/45 – **20 Z : 32 B** 35/65 - 65/110 – ½ P 51/55.

Siehe auch : ***Steinbach am Wald***

LÜBBECKE 4990. Nordrhein-Westfalen 411 412 I 10, 987 ⑭ – 25 000 Ew – Höhe 110 m – ☎ 05741.

◆Düsseldorf 215 – ◆Bremen 105 – ◆Hannover 95 – ◆Osnabrück 45.

🏨 **Quellenhof** ⑤, Obernfelder Allee 1, ℰ 70 13, Fax 7014, « Gartenterrasse », 🛲 – 🛗 📺 ☎ 🅿 – 🔬 25. ◑ 𝚅𝙸𝚂𝙰
2.- 11. Jan. geschl. – **M** (Freitag - Samstag 15 Uhr geschl.) a la carte 33/59 – **24 Z : 39 B** 75/100 - 130/190 Fb.

Im Industriegebiet N : 2 km :

🏨 Borchard, Langekamp 26, ☒ 4990 Lübbecke, ℰ (05741) 10 45, Fax 1038 – 📺 ☎ 🚗 🅿.
🍽 Zim – **27 Z : 44 B** Fb.

In Hüllhorst-Oberbauerschaft 4971 S : 4 km :

🏨 **Berghotel,** Buchenweg 1 (nahe der B 239), ℰ (05741) 9 03 03, Fax 90501, ⇔, 🔲 – 📺 ← ☎ 🅿. 🖭 ◑ 𝙴 𝚅𝙸𝚂𝙰
M (Montag und 20. Juli - 3. Aug. geschl.) a la carte 23/51 – **14 Z : 26 B** 60/75 - 110/130.

☞ *Pour voyager rapidement, utilisez les cartes Michelin "Grandes Routes":*

970 Europe, 980 Grèce, 984 Allemagne, 985 Scandinavie-Finlande,
986 Grande-Bretagne-Irlande, 987 Allemagne-Autriche-Benelux, 988 Italie,
989 France, 990 Espagne-Portugal, 991 Yougoslavie.

LÜBECK 2400. Schleswig-Holstein 411 P 5, 987 ⑥ – 216 000 Ew – Höhe 15 m – ☎ 0451.
Sehenswert : Altstadt★★★ – Holstentor★★ Y – Marienkirche★★ Y B – Haus der Schiffergesellschaft★ (Innenausstattung★★) X E – Rathaus★ Y R – Heiligen-Geist-Hospital★ X F – St.-Annen-Museum★ Z M1 – Burgtor★ X V – Füchtingshof★ Y S – Jakobikirche★ (Orgel★★) X K – Katharinenkirche (Figurenreihe★ von Barlach) Y N – Petrikirche (Turm ≼★) Y A.
🏊 Lübeck-Travemünde (über Kaiserallee C), ℰ (04502) 7 40 18.
🛈 Touristbüro, Markt, ℰ 1 22 81 06, Telex 26894.
🛈 Touristbüro, Beckergrube 95, ℰ 1 22 81 09.
🛈 Auskunftspavillon im Hauptbahnhof, ℰ 1 22 81 07.
ADAC, Katharinenstr. 37, ℰ 4 39 39, Telex 26213.
◆Kiel 92 ⑥ – ◆Hamburg 66 ⑤ – Neumünster 58 ⑥.

Stadtpläne siehe nächste Seiten

🏨🏨 **Mövenpick Hotel,** Auf der Wallhalbinsel 3, ℰ 1 50 40, Telex 26707, Fax 1504111, ☕ –
🛗 ⇆ Zim 🍴 Rest 📺 ౨ 🚗 🅿 – 🔬 25/300. 🖭 ◑ 𝙴 𝚅𝙸𝚂𝙰 V s
M a la carte 38/59 – **197 Z : 380 B** 169/209 - 218/279 Fb – 3 Appart. 338.

🏨🏨 **Scandic Crown Hotel,** Gustav-Radbruch-Platz, ℰ 3 70 60, Telex 26643, Fax 3706666,
⇔, 🔲 – ⇆ Zim 📺 ← 🔬 25/220. 🖭 ◑ 𝙴 𝚅𝙸𝚂𝙰 X a
M a la carte 40/72 – **160 Z : 320 B** 205/245 - 265/305 Fb – 3 Appart. 465.

🏨 **Kaiserhof** garni (mit 2 Gästehäusern), Kronsforder Allee 13, ℰ 79 10 11, Telex 26603,
Fax 795083, « Restaurierte Patrizierhäuser mit geschmackvoller Einrichtung », ⇔, 🔲 –
🛗 📺 ☎ 🅿 – 🔬 30. 🖭 ◑ 𝙴 𝚅𝙸𝚂𝙰. 🍽 V f
70 Z : 140 B 110/155 - 145/195 Fb – 5 Appart. 260/330.

🏨 **Jensen,** Obertrave 4, ℰ 7 16 46, Telex 26360, Fax 73386 – 🛗 📺 ☎. 🖭 ◑ 𝙴 𝚅𝙸𝚂𝙰 Y k
M a la carte 32/63 – **46 Z : 94 B** 90/150 - 140/180 Fb.

🏨 **Excelsior,** Hansestr. 3, ℰ 8 80 90, Telex 26595, Fax 880999 – 🛗 📺 ☎ 🚗 🅿 – 🔬 25/60.
🖭 ◑ 𝙴 𝚅𝙸𝚂𝙰. 🍽 V a
(nur Abendessen für Hausgäste) – **70 Z : 130 B** 80/160 - 120/270 Fb.

🏨 **Lindenhof** garni, Lindenstr. 1a, ℰ 8 40 15, Telex 26621 – 🛗 📺 ☎ 🚗. 🖭 ◑ 𝙴 𝚅𝙸𝚂𝙰
51 Z : 85 B 95/110 - 130/160. V a

🏨 **Park Hotel** garni, Lindenplatz 2, ℰ 8 46 44, Fax 863840 – 📺 ☎. 🖭 ◑ 𝙴 𝚅𝙸𝚂𝙰 V a
22. Dez.- 14. Jan. geschl. – **18 Z : 38 B** 98/120 - 135/175 Fb.

🏨 **Wakenitzblick,** Augustenstr. 30, ℰ 79 12 96, Fax 6104018, ≼, ☕ – ☎ 🚗. 🖭 𝙴 V n
M a la carte 30/47 – **23 Z : 44 B** 75/100 - 120/135.

🏨 **Motel Zur Lohmühle,** Bei der Lohmühle 54, ℰ 47 33 81, Telex 26494, Fax 42827 – 📺 ☎
🅿 – 🔬 30. 🖭 ◑ 𝙴 𝚅𝙸𝚂𝙰 U b
24. Dez.- 2. Jan. geschl. – **M** a la carte 28/50 – **36 Z : 104 B** 65/90 - 120/140 Fb.

🏨 **Altstadt-Hotel** garni, Fischergrube 52, ℰ 7 20 83, Fax 73778 – 📺 ☎ X n
22. Dez.- 20. Jan. geschl. – **25 Z : 45 B** 60/110 - 110/150.

XX ❀ **Wullenwever** (Patrizierhaus a.d. 16. Jh.), Beckergrube 71, ℰ 70 43 33 – 🖭 ◑ 𝙴 𝚅𝙸𝚂𝙰
Samstag bis 19 Uhr, Sonntag 14 Uhr - Montag und Jan. 3 Wochen geschl. – **M** (Tischbestellung
ratsam) 40 (mittags) und a la carte 67/101 Y s
Spez. Taube in Trüffelsauce, Rehbockmedaillons auf Rotweinsauce, Soufflierter Apfelcrêpe mit
Calvadoscreme.

XX **Stadtrestaurant,** Am Bahnhof 2 (1. Etage), ℰ 8 40 44, Fax 862436 – 🔬 25/180. 🖭 ◑
𝙴 𝚅𝙸𝚂𝙰 V
M a la carte 35/67.

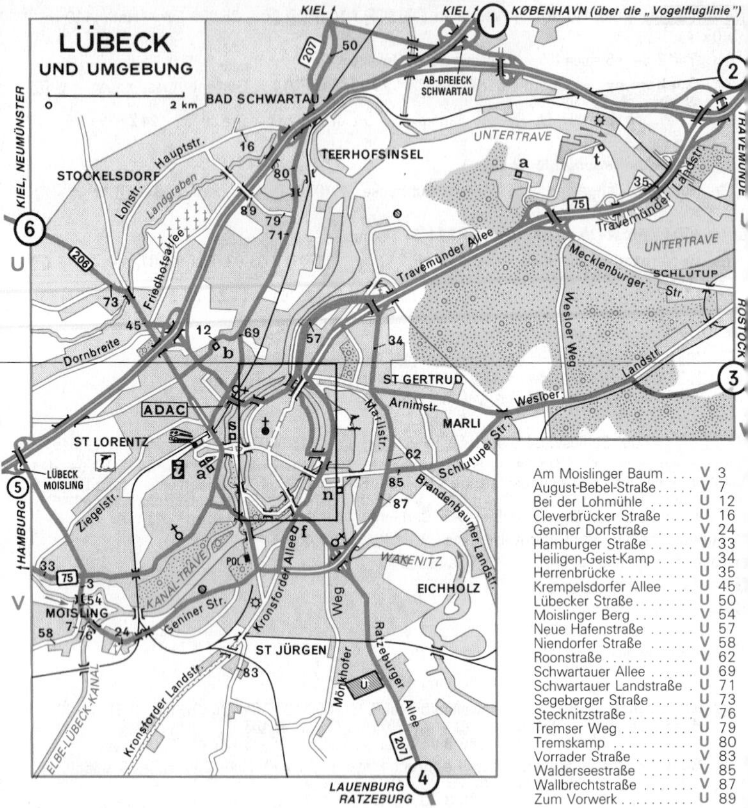

Am Moislinger Baum	V	3
August-Bebel-Straße	V	7
Bei der Lohmühle	U	12
Cleverbrücker Straße	U	16
Geniner Dorfstraße	V	24
Hamburger Straße	V	33
Heiligen-Geist-Kamp	U	34
Herrenbrücke	U	35
Krempelsdorfer Allee	U	45
Lübecker Straße	U	50
Moislinger Berg	V	54
Neue Hafenstraße	U	57
Niendorfer Straße	V	58
Roonstraße	V	62
Schwartauer Allee	U	69
Schwartauer Landstraße	U	71
Segeberger Straße	U	73
Stecknitzstraße	V	76
Tremser Weg	U	79
Tremskamp	U	80
Vorrader Straße	V	83
Walderseestraße	V	85
Wallbrechtstraße	V	87
Zum Vorwerk	U	89

XX **L'Etoile,** Große Petersgrube 8, ☎ 7 64 40 – AE E VISA Y r
Sonn- und Feiertage geschl. – **M** a la carte 53/68.

XX **Schiffergesellschaft,** Breite Str. 2, ☎ 7 67 76, Fax 73279, « Historische Gaststätte a.d.J. 1535 mit zahlreichen Andenken an Lübecker Seefahrer » – 25/100 X E
Montag geschl. – **M** (Tischbestellung ratsam) a la carte 37/78.

XX **Die Gemeinnützige,** Königstr. 5, ☎ 7 38 12, « Stilvolle Festsäle, Gartenterrasse » – 25/200. E VISA X e
Sonntag geschl. – **M** a la carte 33/53.

XX **Lübecker Hanse,** Kolk 3, ☎ 7 80 54 – AE E VISA Y a
Samstag, Sonn- und Feiertage sowie 1.- 6. Jan. geschl. – **M** (Tischbestellung ratsam) a la carte 39/70.

X **Ratskeller,** Markt 13 (im Rathaus), ☎ 7 20 44, Fax 73239, , « Restaurant mit kleiner Brauerei in einem Kreuzgewölbe a.d.J. 1235 » – AE E VISA Y R
Jan.- März und Sept.- Nov. Sonntag geschl. – **M** *(auch vegetarische Gerichte)* a la carte 39/63

In Lübeck 1-Gothmund :

XX **Fischerklause** mit Zim, Fischerweg 21, ☎ 39 32 83, Fax 25865, – TV ☎ P. AE E VISA – **M** *(Montag geschl.)* a la carte 36/59 – **6 Z : 12 B** 85 - 140. U

In Lübeck 1-Israelsdorf :

Waldhotel Twiehaus , Waldstr. 41, ☎ 39 33 13, Fax 393498, – TV ☎ P. AE E VISA U a
M *(Montag, Freitag, 8.- 25. Juli und 26. Dez.- Mitte Feb. geschl.)* a la carte 23/42 – **10 Z 26 B** 90/100 - 150/170 Fb.

In Lübeck-Ivendorf ② : 14 km :

Grüner Jäger, Ivendorfer Landstr. 40, ☎ 26 67, Fax 2065, , – ☎ P. AE E VISA
M *(nur Abendessen, Montag geschl.)* a la carte 28/55 – **30 Z : 60 B** 65/75 - 120/140 Fb.

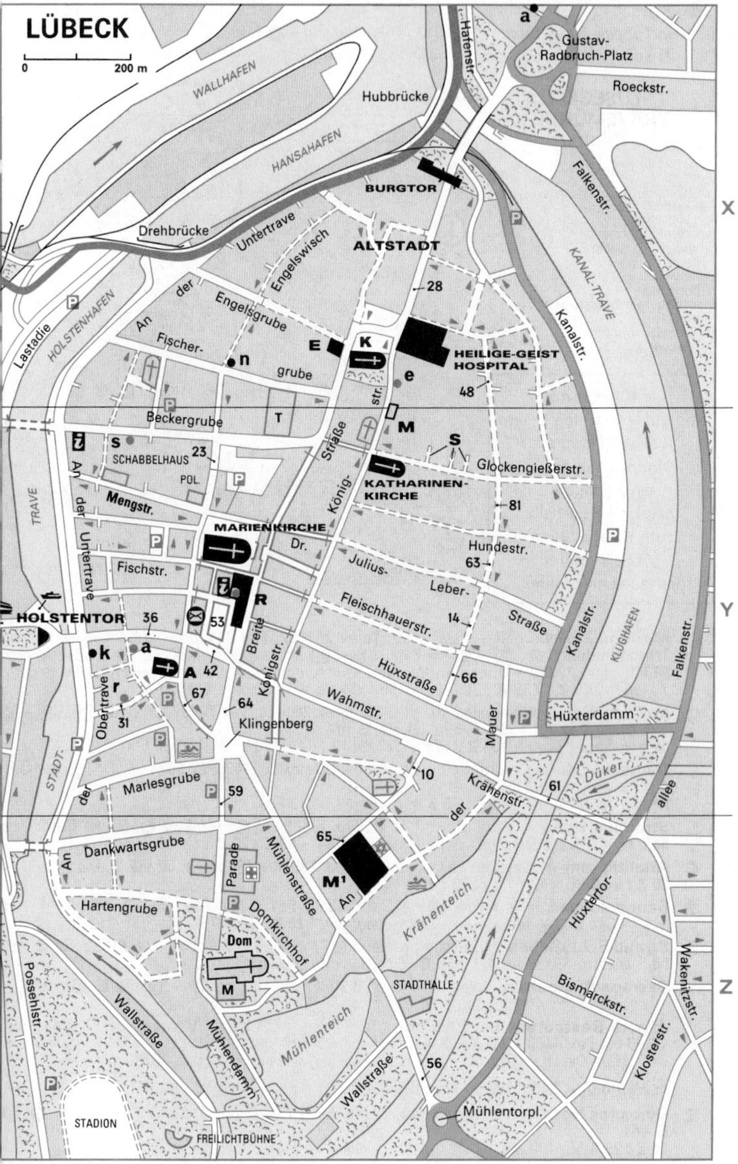

Beckergrube	Y		Mühlenstraße	Z		Marktplatz	Y	53
Breite Straße	Y		Sandstraße	Y	64	Mühlentorbrücke	Z	56
Fleischhauerstraße	Y		Wahmstraße	Y		Pferdemarkt	Y	59
Große Burgstraße	X	28				Rehderbrücke	Y	61
Holstenstraße	Y	36	Balauerfohr	Y	10	Rosengarden	Y	63
Hüxstraße	Y		Bei St. Johannis	Y	14	St.-Annen-Straße	Z	65
Klingenberg	Y		Fünfhausen	Y	23	Schlumacherstraße	Y	66
Königstraße	XY		Große Petersgrube	Y	31	Schmiedestraße	Y	67
Kohlmarkt	Y	42	Langer Lohberg	X	48	Tünkenhagen	Y	81

In Lübeck-Travemünde ② : 19 km – Seeheilbad – ☎ 04502.
🅸 Kurverwaltung, Strandpromenade 1b, ✆ 8 04 31

LÜBECK-TRAVEMÜNDE

Die Hotelbesitzer sind gegenüber den Lesern dieses Führers Verpflichtungen eingegangen. Zeigen Sie deshalb dem Hotelier Ihren Michelin-Führer des laufenden Jahres.

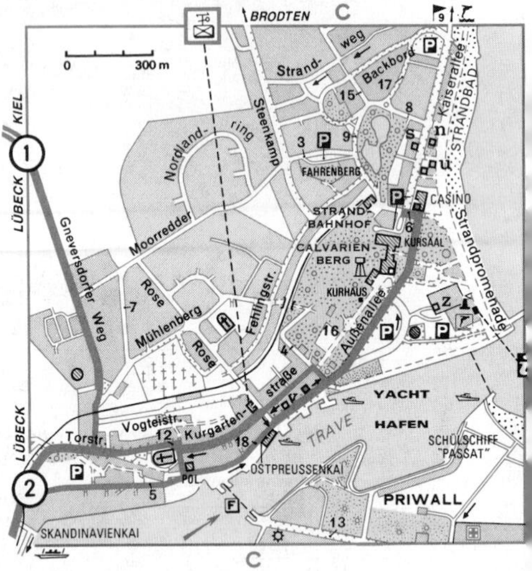

Maritim, Trelleborgallee 2, ✆ 8 90, Telex 261432, Fax 74439, ≤ Lübecker Bucht und Travemündung, ≘s, 🏊 – |‡| ⇔ Zim ▤ Rest 📺 🚗 – 🏛 25/1400. AE ⓓ E VISA. ✻ Rest
M a la carte 39/90 – **Über den Wolken** *(nur Abendessen, Sonntag geschl.)* **M** a la carte 71/94 – **240 Z : 435 B** 179/293 - 256/404 Fb – 10 Appart. 550/590. C z

Kurhaus-Hotel, Außenallee 10, ✆ 8 10, Telex 261414, Fax 74437, 🏖, ≘s, 🏊, 🌳 – |‡| ⇔ Zim 📺 ☎ Ⓟ – 🏛 25/500. AE ⓓ E VISA C
M a la carte 45/80 – **104 Z : 170 B** 177/314 - 254/334 Fb – 4 Appart. 500.

Deutscher Kaiser, Vorderreihe 52, ✆ 50 28, Telex 261443, Fax 3574, ≤, 🏖, 🏊 (geheizt) – |‡| ☎ 🚗. AE ⓓ E VISA C v
M a la carte 32/54 – **47 Z : 95 B** 95/175 - 145/240 Fb.

Strandperle, Kaiserallee 10, ✆ 7 42 49, Fax 73486, ≤, 🏖 – 📺 ☎ Ⓟ. AE ⓓ E VISA C n
M *(Nov.- Jan. Dienstag geschl.)* a la carte 34/64 – **10 Z : 20 B** 85/100 - 140/160 Fb.

Atlantic garni, Kaiserallee 2a, ✆ 7 50 57, Fax 73508 – 📺 ☎ Ⓟ. AE ⓓ E VISA C u
30 Z : 54 B 70/142 - 120/258 Fb.

Sonnenklause garni, Kaiserallee 21, ✆ 7 33 30, Fax 75280 – ☎ 🚗 Ⓟ. ✻ C s
März - Okt. und Weihnachten - 7. Jan. geöffnet – **25 Z : 38 B** 75/125 - 135/190.

Strand-Schlößchen 🌙, Strandpromenade 7, ✆ 7 50 35, ≤, 🏖 – ☎ Ⓟ. AE ⓓ E VISA
M a la carte 39/69 – **34 Z : 50 B** 75/120 - 150/200 Fb. C u

Casino - Restaurant, Kaiserallee 2, ✆ 8 20, Fax 82102, ≤, 🏖 – Ⓟ. ⓓ E VISA. ✻ C
wochentags nur Abendessen – **M** a la carte 55/98.

Jägers Restaurant Lord Nelson (Restaurant im Pub-Stil), Vorderreihe 56 (Passage), ✆ 63 69, Fax 4463 – AE ⓓ E VISA C v
Okt.- März Dienstag geschl. – **M** (Tischbestellung ratsam) a la carte 38/66.

In Hamberge **2401** SW : 7 km über die B 75 :

Oymanns Hotel garni, Stormarnstr. 12 (an der B 75), ✆ (0451) 89 13 51 – ☎ 🚗 Ⓟ. ⓓ E VISA
21 Z : 29 B 55/70 - 85.

Ne confondez pas :

Confort des hôtels	: 🏨🏨🏨 ... 🏨, 🏠
Confort des restaurants	: XXXXX ... X
Qualité de la table	: ✿✿✿, ✿✿, ✿, Menu

LÜCHOW 3130. Niedersachsen 411 Q 8, 987 ⑯ – 9 600 Ew – Höhe 18 m – ☎ 05841.

Gästeinformation im Amtshaus, Theodor-Körner-Str. 4, ☎ 1 26 49.

Hannover 138 – ♦Braunschweig 125 – Lüneburg 66.

- Altstadt garni, Lange Str. 53, ☎ 22 40 – TV ☎ – **7 Z : 12 B** Fb.
- Ratskeller, Lange Str. 56, ☎ 55 10 – P – **11 Z : 18 B** Fb.
- **Jahn,** Burgstr. 2, ☎ 22 15 –
  22. Dez.- 5. Jan. geschl. – **M** *(wochentags nur Abendessen, Sonntag ab 14 Uhr und Freitag geschl.)* a la carte 25/47 – **21 Z : 35 B** 60 - 105 Fb.

In Küsten-Lübeln **3131** W : 4,5 km :

- **Kartoffel-Hotel** (restauriertes Fachwerkhaus a.d.J. 1805), ☎ (05841) 50 81, Fax 1688, , , – TV ☎ P
  M a la carte 25/48 – **20 Z : 40 B** 65/75 - 110/130.

LÜDENSCHEID 5880. Nordrhein-Westfalen 411 412 F 13, 987 ㉔ – 80 000 Ew – Höhe 420 m – ☎ 02351.

Schalksmühle-Gelstern (N : 5 km), ☎ (02351) 5 64 60.

ADAC, Knapper Str. 26, ☎ 2 66 87, Notruf ☎ 1 92 11.

Düsseldorf 97 – Hagen 30 – Dortmund 47 – Siegen 59.

- **Queens Hotel Lüdenscheid,** Parkstr. 66, ☎ 15 60, Telex 826644, Fax 39157, , Massage, , – Zim TV ☎ P – 25/280. AE E VISA
  M a la carte 51/73 – **165 Z : 304 B** 175/195 - 250/270 Fb – 4 Appart. 450.
- **Haus Sissi** garni, Honseler Str. 7, ☎ 88 57 – TV ☎ P. AE E VISA
  4.- 19. Jan. geschl. – **11 Z : 22 B** 75/80 - 120.
- XX ✿ **Petersilie,** Loher Str. 19, ☎ 8 32 31, « Villa a.d.J. 1884 » – P. E.
  nur Abendessen, Montag und Jan. 2 Wochen geschl. – **M** a la carte 68/84
  Spez. Glattbutt und Lachs im Frühlingsrollenteig, Gefülltes Kotelett vom Stubenküken, Mascarponetörtchen.
- X Heerwiese, Heedfelder Str. 136, ☎ 69 04 – P.
- X **Stadtgarten-Restaurant,** Freiherr-vom-Stein-Str. 9 (Kulturhaus), ☎ 2 74 30 – P – 25/450. E
  Montag und Juli - Aug. 2 Wochen geschl. – **M** a la carte 28/62.

In Lüdenscheid-Brügge W : 5 km über die B 229 :

- **Passmann,** Volmestr. 83 (B 229), ☎ 7 90 96, Fax 71483 – TV ☎ P – 25. E VISA
  M *(Samstag bis 17 Uhr geschl.)* a la carte 47/84 – **28 Z : 50 B** 90 - 140 Fb.

In Lüdenscheid-Oberrahmede N : 4 km Richtung Altena :

- Zum Markgrafen, Altenaer Str. 209, ☎ 59 04, Fax 54521 – ☎ P
  12 Z : 19 B Fb – 3 Appart.

Siehe auch : ***Altena-Großendrescheid*** (N : 8 km)

LÜDINGHAUSEN 4710. Nordrhein-Westfalen 411 412 F 11, 987 ⑭ – 20 000 Ew – Höhe 60 m – ☎ 02591.

Düsseldorf 97 – Dortmund 37 – Münster (Westfalen) 28.

- **Westfalenhof,** Münsterstr. 17, ☎ 38 20, Fax 3218, « Restaurant mit altdeutscher Einrichtung » – TV ☎ P. AE E VISA
  1.- 10. Jan. und Juli - Aug. 3 Wochen geschl. – **M** *(Samstag bis 18 Uhr und Sonntag - Montag 18 Uhr geschl.)* a la carte 28/50 – **7 Z : 14 B** 60/65 - 100/110 Fb.

In Lüdinghausen-Seppenrade W : 4 km :

- XX **Schulzenhof** mit Zim, Alter Berg 2, ☎ 81 61, Fax 88082, – TV ☎ P
  Mitte Feb.- Mitte März geschl. – **M** *(Dienstag ab 15 Uhr und Montag geschl.)* a la carte 35/65 – **8 Z : 16 B** 55 - 105.

LÜGDE 4927. Nordrhein-Westfalen 411 412 K 11, 987 ⑮ – 11 700 Ew – Höhe 106 m – ☎ 05281 (Bad Pyrmont).

Auf dem Winzenberg 2, ☎ 81 96.

Verkehrsamt, Mittlere Str. 3, ☎ 7 80 29.

Düsseldorf 219 – Detmold 32 – ♦Hannover 68 – Paderborn 49.

- **Stadt Lügde,** Vordere Str. 35, ☎ 7 80 71, – ☎ P. AE E VISA
  M a la carte 24/45 – **13 Z : 22 B** 60/65 - 110.
- **Berggasthaus Kempenhof** , Am Golfplatz (W : 1,5 km), ☎ 86 47, <, , , – TV ☎ P
  M a la carte 20/41 – **17 Z : 32 B** 50 - 85.
- **Sonnenhof,** Zum Golfplatz 2, ☎ 74 71, <, , – P
  Jan. 3 Wochen geschl. – **M** a la carte 23/40 – **22 Z : 37 B** 45/50 - 80/90.

In Lügde-Hummersen SO : 16 km :

Lippische Rose, Detmolder Str. 35, (05283) 70 90, Fax 709155, - 25/100. VISA
13.- 31. Jan. geschl. – **M** a la carte 32/59 – **60 Z : 100 B** 70/120 - 130/150 Fb.

LÜNEBURG **2120.** Niedersachsen 411 NO 7, 987 ⑮ – 60 000 Ew – Höhe 17 m – Heilbad
04131.

Sehenswert : Rathaus★★ (Große Ratsstube★★) Y **R** – "Am Sande"★ (Stadtplatz) Z – Wasse viertel : ehemaliges Brauhaus★ Y **F.**

Lüdersburg (NO : 16 km über ①), (04153) 61 12 ; St. Dionys (N : 11 km über ①), (0413 62 77.

Verkehrsverein, Rathaus, Marktplatz, 3 22 00.

ADAC, Egersdorffstr. 1, 3 20 20, Notruf 1 92 11.

♦Braunschweig 116 ③ – ♦Bremen 132 ① – ♦Hamburg 55 ①.

Stadtplan siehe gegenüberliegende Seite

Seminaris, Soltauer Str. 3, 71 30, Telex 2182161, Fax 713727, direkter Zugang zur Kurzentrum – Zim Rest – 25/250. AE E VISA Z
M *(auch vegetarische Gerichte)* a la carte 30/63 – **185 Z : 248 B** 110/190 - 150/290 Fb 7 Appart. 290.

Bergström, Bei der Lüner Mühle, 30 80, Fax 308499, – Zim – 25/40. AE E VISA Y
M a la carte 43/65 – **70 Z : 120 B** 156/166 - 223/233 Fb.

Residenz, Munstermannskamp 10, 4 50 47, Telex 2182213, Fax 401637, – . AE E VISA über Sulztorstraße Z
M a la carte 41/78 – **35 Z : 60 B** 98/125 - 170 Fb.

Bremer Hof, Lüner Str. 13, 3 60 77, Fax 38304 – . AE E VISA Y
M *(Sonn- und Feiertage ab 15 Uhr geschl.)* a la carte 28/59 – **56 Z : 104 B** 72/120 - 125/190 F

Wellenkamp's Hotel, Am Sande 9, 4 30 26, Fax 43027 – – 30. AE E VISA
M *(Sonntag ab 15 Uhr geschl.)* 24 /32 und a la carte 43/68 – **45 Z : 70 B** 59/98 - 110 158 Fb. Z

Heiderose, Uelzener Str. 29, 4 44 10 – . E. über Sulztorstraße Z
(Restaurant nur für Hausgäste) – **22 Z : 32 B** 54/62 - 82/102.

Zum Heidkrug mit Zim, Am Berge 5, 3 12 49, « Gotischer Backsteinbau a.d. 15. Jh. – . AE E VISA Y
4.- 14. Jan. geschl. – **M** a la carte 45/71 – **7 Z : 13 B** 85/95 - 145.

Ratskeller, Am Markt 1, 3 17 57, Fax 34526 – AE E VISA Y
Mittwoch geschl. – **M** a la carte 28/58.

Kronen-Brauhaus (Brauerei-Gaststätte), Heiligengeiststr. 39, 71 32 00, Fax 40358 Biergarten – AE E VISA Z
M a la carte 29/64.

Ristorante Italia, Auf dem Schmaarkamp 2, 3 71 73 – .
nur Abendessen. über Vor dem Bardowicker Tore Y

An der B 4 ① : 4 km :

Motel Landwehr, Hamburger Str. 37, 2120 Lüneburg, (04131) 12 10 24, Fax 12157 (geheizt), – . E VISA.
23. Dez.- Jan. geschl. – **M** *(nur Abendessen, Sonntag geschl.)* a la carte 30/53 – **34 Z : 70** 55/130 - 130/200.

In Brietlingen **2121** ① : 10 km über die B 209 :

Gasthof Franck, an der B 209, (04133) 4 00 90, Fax 400933, – – 25/200. E VISA
M a la carte 27/61 – **33 Z : 63 B** 63/140 - 120/200 Fb.

In Deutsch-Evern **2121** ③ : 7 km :

Niedersachsen, Bahnhofstr. 1, (04131) 7 93 74, Fax 79726, « Gartenterrasse » – 25/60. E VISA
Donnerstag geschl. – **M** a la carte 29/56.

In Embsen **2121** SW : 10 km über Soltauer Str. Z :

Stumpf (mit Gästehaus), Ringstr.6, (04134) 2 15, « Historische Sammlungen », –
M *(Montag bis 17 Uhr geschl.)* a la carte 20/47 – **16 Z : 30 B** 48 - 90/120.

In Südergellersen-Heiligenthal **2121** SW : 6 km über Soltauer Str. Z, in Rettmer rechts ab

Wassermühle (mit Gästehaus), (04135) 71 57, – . VISA
wochentags nur Abendessen, Dienstag geschl. – **M** a la carte 28/44 – **11 Z : 19 B** 75 - 110/12

LÜNEBURG

Am Markt	Y 5	Altenbrücker Damm	Y 2	Egersdorffstraße	Y 27
Am Sande	Z	Altenbrückertor Str.	Z 3	Görgesstraße	Y 28
An den Brodbänken	Y 9	Am Ochsenmarkt	Y 6	Kaufhausstraße	Y 32
Bardowicker Str.	Y 17	Am Schifferwall	Y 7	Kuhstraße	Z 35
Grapengießerstraße	Z	Am Werder	Y 8	Lüner Str	Y 36
Große Bäckerstraße	Y 30	An den Reeperbahnen	Z 10	Lünertor Str.	Y 37
Kleine Bäckerstraße	Z 34	An der Münze	Y 12	Neue Torstraße	Y 38
Rosenstraße	Y 42	Auf dem Meere	Y 14	Reitende-Diener-Str.	Y 40
Rote Str.	Z	Bahnhofstraße	Y 16	Rotehahnstraße	Y 43
Waagestraße	Y 48	Bei der Abtspferdetränke	Y 18	Schreßgrabenstraße	YZ 44
		B. d. St. Johanniskirche	Z 19	Schröderstraße	YZ 45
		Beim Benedikt	YZ 21	Sülfmeisterstraße	Z 46
		Bockelmannstraße	Y 24	Vor dem Bardowicker Tore	Y 47

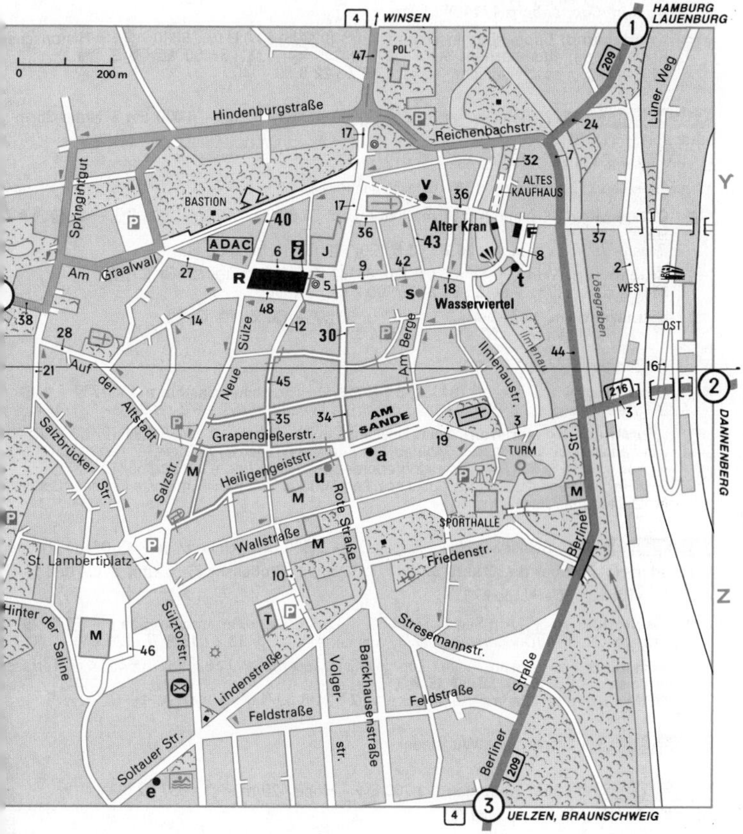

La guida cambia, cambiate la guida ogni anno.

LÜNEN **4670.** Nordrhein-Westfalen 411 412 F 12, 987 ⑭ – 89 000 Ew – Höhe 45 m – ☎ 02306.
◆Düsseldorf 94 – Dortmund 15 – Münster (Westfalen) 50.

- **Am Stadtpark,** Kurt-Schumacher-Str. 43, ☎ 2 01 00, Fax 2010555, 余, Fa, ≘s, ☐ – |‡| ⇔ Zim ▣ ☎ ◉ – 🔔 25/300. AE ① E VISA
  M a la carte 42/62 – **69 Z : 117 B** 135/145 - 168 Fb – 5 Appart. 260.
- **Zur Persiluhr,** Münsterstr. 25, ☎ 6 19 31, Fax 5810, 余 – |‡| ▣ ☎ ⇔. ⇔ Zim
  20. Dez.- 10. Jan. geschl. – **M** *(Samstag geschl.)* a la carte 29/60 – **20 Z : 38 B** 80/90 - 135/145.

Beim Schloß Schwansbell SO : 2 km über Kurt-Schumacher-Straße :

- XX **Schwansbell,** Schwansbeller Weg 32, ✉ 4670 Lünen, ☎ (02306) 28 10, Fax 23454, 余 – ◉. AE ① E VISA
  Samstag ab 15 Uhr und Montag geschl. – **M** a la carte 56/72.

An der Straße nach Bork NW : 4 km :

Siebenpfennigsknapp, Borker Str. 281 (B 236), ✉ 4670 Lünen, ✆ (02306) 58 6
Fax 5851 – ☎ 🚗 P. E
Juli - Aug. 3 Wochen geschl. – **M** *(Montag und Donnerstag jeweils bis 17 Uhr und Freita geschl.)* 13,50/28 (mittags) und a la carte 24/48 – **23 Z : 39 B** 48/70 - 95/110.

In Selm **4714** NW : 12 km :

Haus Knipping 🐦, Ludgeristr. 32, ✆ (02592) 30 09 – TV ☎ P. AE ⓞ E
Sept. geschl. – **M** *(Mittwoch geschl.)* a la carte 22/47 – **20 Z : 30 B** 60 - 110 Fb.

In Selm-Cappenberg **4714** N : 5 km :

Kreutzkamp, Cappenberger Damm 3, ✆ (02306) 58 89, Fax 5880, 🏡, « Historische Restaurant in altdeutschem Stil » – TV ☎ 🚗 P – 🏛 25/100. AE ⓞ E VISA
M *(Montag geschl.)* a la carte 31/67 – **15 Z : 22 B** 80 - 140.

LÜTJENBURG **2322.** Schleswig-Holstein 411 O 4, 987 ⑤ ⑥ – 6 000 Ew – Höhe 25 m
Luftkurort – ☏ 04381.

ℹ Verkehrsamt, Markt 12, ✆ 91 49 ; Fax 9124.

♦Kiel 34 – ♦Lübeck 75 – Neumünster 56 – Oldenburg in Holstein 21.

Ostseeblick 🐦 garni, Am Bismarckturm, ✆ 66 88, Fax 7240, ≤, 🏊, 🏊 – ☎ P. ⓞ E VISA
3. Jan.- 15. Feb. geschl. – **26 Z : 52 B** 120/140 (Doppelzimmer) Fb.

Brüchmann, Markt 20, ✆ 70 01, Fax 6035, 🏊 – TV ☎ P. AE ⓞ E VISA
M a la carte 31/51 – **30 Z : 54 B** 75/100 - 128/140 Fb.

Bismarckturm, Vogelberg 3, ✆ 79 21, ≤, 🏡 – P. AE ⓞ E VISA
10.- 30. Jan. geschl. – **M** a la carte 38/53.

In Panker **2322** N : 4,5 km :

Ole Liese 🐦 mit Zim, ✆ (04381) 3 74, 🏡, « Historischer Gasthof a.d.J. 1797 » – P
27. Dez.- Feb. geschl. – **M** *(Montag geschl.)* a la carte 35/57 – **5 Z : 9 B** 78 - 121/141.

✿ **Forsthaus Hessenstein,** beim Hessenstein (W : 3 km), ✆ (04381) 94 16, 🏡 – P
wochentags nur Abendessen, Montag, Okt.- April auch Dienstag, 6. Jan.- 5. Feb. und 12. Ok 1. Nov. geschl. – **M** (Tischbestellung erforderlich) 72/98 und a la carte 65/101
Spez. Terrine von Lachs und Langostinos, Lammrücken mit Basilikumkruste (2 Pers.), Schwar brotauflauf mit Kirschkompott.

LÜTJENSEE **2073.** Schleswig-Holstein 411 O 6 – 2 500 Ew – Höhe 50 m – ☏ 04154 (Trittau

⛳18 Hoisdorf-Hof Bornbek (W : 2 km), ✆ (04107) 78 31 ; ⛳9 Großensee (S : 5 km), ✆ (04154) 64 7

♦Kiel 85 – ♦Hamburg 30 – ♦Lübeck 43.

Fischerklause 🐦, Am See 1, ✆ 71 65, ≤ Lütjensee, « Terrasse am See » – TV ☎ P.
Jan. geschl. – **M** *(Donnerstag geschl.)* a la carte 45/80 – **12 Z : 19 B** 75/120 - 130/160.

Forsthaus Seebergen 🐦 mit Zim (in Gästehäusern), ✆ 71 82, Fax 70645, ≤, « Terrass am See » – TV ☎ P. AE ⓞ E VISA
M (Montag geschl.) a la carte 44/79 – **12 Z : 24 B** 60/110 - 100/160.

LUISENBURG Bayern. siehe Wunsiedel.

LUISENTHAL **O-5806.** Thüringen – 1 700 Ew – Höhe 420 m – ☏ 0037 62297.

Erfurt 49 – Bad Hersfeld 115 – Coburg 78.

Luisenthal, E.-Thälmann-Str. 28, ✆ 3 70, Fax 370, 🏊 – TV P
M a la carte 15/30 – **28 Z : 58 B** 35/50 - 70/90.

LUTTER AM BARENBERGE **3372.** Niedersachsen 411 N 11 – 2 800 Ew – Höhe 165 m
☏ 05383.

♦Hannover 70 – ♦Braunschweig 40 – Goslar 21.

Barenberger Hof mit Zim, Frankfurter Str. 13, ✆ 2 71 – P
M *(Dienstag geschl.)* a la carte 23/48 – **7 Z : 14 B** 40 - 70.

Kammerkrug mit Zim, Frankfurter Str. 1, ✆ 2 51 – P
M a la carte 23/48 – **7 Z : 11 B** 40 - 70.

An der Straße nach Othfresen O : 6 km :

Der Harhof 🐦, ✉ 3384 Liebenburg 1, ✆ (05383) 3 66, « Gartenterrasse », 🏡 – 🚗
Anfang - Mitte Jan. und Anfang - Mitte Juni geschl. – **M** *(Montag - Dienstag geschl.)* a la car 21/41 – **10 Z : 16 B** 40/45 - 72/80.

MAASHOLM **2341.** Schleswig-Holstein 411 MN 2 – 600 Ew – Höhe 5 m – ☎ 04642.
Kiel 71 – Flensburg 36 – Schleswig 68.

Martensen - Maasholm ⑤, Hauptstr. 38, ☎ 60 42 – TV ☎ P. AE ① E VISA
5.- 31. Jan. geschl. – **M** *(Montag geschl.)* a la carte 23/67 – **16 Z : 29 B** 65 - 100.

MAGDEBURG **O-3010.** Sachsen-Anhalt 984 ⑮, 987 ⑯ – 287 000 Ew – Höhe 55 m – ☎ 003791.
Sehenswert : Dom★★★ (Jungfrauen-Portal : Statuen★★, Statue★ des Hl. Mauritius, Bronze-Grabplatten★★, Thronendes Herrscherpaar★, Deckplatte★ der Tumba des Erzbischofs Ernst) – Kloster Unser Lieben Frauen★★ (Kreuzgang★).
Magdeburg-Information, Alter Markt 9, ☎ 3 16 67.
ADAC, Pannenhilfezentrale, ☎ 3 00 71.
Berlin 145 – ◆Braunschweig 89 – Dessau 63.

Goethestrasse, Goethestr. 49, ✉ O-3080, ☎ 34 47 77, Telex 8515, Biergarten – TV ☎ – 25/45. AE E VISA. Rest
M a la carte 22/39 – **34 Z : 64 B** 110/180 - 167/221 Fb – 3 Appart. 290/312.

International, Otto-von-Guericke-Str. 87, ☎ 38 40, Telex 8375, Fax 54140, – TV ☎ – 25/100. AE E VISA. Rest
M a la carte 29/60 – **350 Z : 600 B** 145/200 - 195/215 Fb – 9 Appart. 330/480.

Congress-Center, Schmidtstr. 27 a, ✉ O-3018, ☎ 24 20, Telex 8683, Fax 242533, – ☎ P – 25/500. AE E VISA
M a la carte 24/38 – **167 Z : 270 B** 85/135 - 110/185 Fb.

Zur Ratswaage, Ratswaageplatz 1, ✉ O-3040, ☎ 5 83 71, Telex 8653 – ☎
(nur Abendessen für Hausgäste) – **55 Z : 110 B** – 3 Appart..

Ristorante Roma (Italienische Küche), Erich-Weinert-Str. 27, ☎ 3 19 91, – P. AE ① E VISA.
M a la carte 30/59.

Savarin, Breiter Weg 226, ☎ 34 47 10 – . E VISA.
Sonntag und 15. Juli - 15. Aug. geschl. – **M** (Tischbestellung ratsam) a la carte 27/55.

MAHLBERG **7631.** Baden-Württemberg 413 G 22, 242 ㉘ – 3 300 Ew – Höhe 170 m – ☎ 07825 (Kippenheim).
Stuttgart 173 – ◆Freiburg im Breisgau 40 – ◆Karlsruhe 98 – Strasbourg 51.

Löwen, Karl-Kromer-Str. 8, ☎ 10 06, Fax 2830, – TV ☎ P – 30. AE ① E VISA. Rest
M a la carte 40/81 – **27 Z : 51 B** 70/95 - 120/170 Fb.

MAIKAMMER **6735.** Rheinland-Pfalz 412 413 H 19, 242 ⑧, 87 ① – 3 700 Ew – Höhe 180 m – Erholungsort – ☎ 06321 (Neustadt an der Weinstraße).
Ausflugsziel : Kalmit ★★ NW : 6 km.
Verkehrsamt, Marktstr. 1, ☎ 58 99 17.
Mainz 101 – Landau in der Pfalz 15 – Neustadt an der Weinstraße 6.

Apart-Hotel Immenhof, Immengartenstr. 26, ☎ 5 80 01, Fax 58004, – TV ☎ P – 25/40. AE ① E VISA
M *(Donnerstag und Mitte Dez.- Mitte Jan. geschl.)* a la carte 26/52 – **35 Z : 70 B** 59/80 - 103/110 Fb – 3 Appart. 120 – ½ P 76/104.

Goldener Ochsen, Marktstr. 4, ☎ 5 81 01, Fax 58673 – TV P – 25. ① VISA
20. Dez.- Jan. geschl. – **M** *(Donnerstag - Freitag 17 Uhr geschl.)* a la carte 27/57 – **24 Z : 43 B** 55/65 - 96/120 – ½ P 75.

Motel am Immengarten garni, Marktstr. 71, ☎ 55 18, Fax 5510, – ☎ P. ① VISA.
24. Dez.- 10. Jan. geschl. – **13 Z : 26 B** 64 - 98 Fb.

Gästehaus Mandelhöhe garni, Maxburgstr. 9, ☎ 5 99 82 – P
April - Nov. – **10 Z : 17 B** 36 - 64 – 2 Fewo 60.

Dorfchronik, Marktstr. 7, ☎ 5 82 40.

Außerhalb W : 2,5 km :

Waldhaus Wilhelm , Kalmithöhenstr. 6, ☎ (06321) 5 80 44, Fax 58564, ←, , – ☎ P. AE ① E VISA
M *(Montag geschl.)* a la carte 26/62 – **26 Z : 42 B** 55/63 - 110/140 Fb – ½ P 72/77.

In Kirrweiler **6731** O : 2,5 km :

Zum Schwanen, Hauptstr. 3, ☎ (06321) 5 80 68 – TV P
Feb. geschl. – **M** *(Mittwoch - Donnerstag 17 Uhr geschl.)* a la carte 24/52 – **17 Z : 34 B** 45 - 80 – ½ P 55/60.

Gästehaus Sebastian garni, Hauptstr. 77, ☎ (06321) 5 99 76, , – TV ☎ P
13 Z : 26 B 45/70 - 90/130 Fb.

MAINAU (Insel) **7750.** Baden-Württemberg 413 K 23, 427 L 2, 216 ⑩ – Insel im Bodense (tagsüber für PKW gesperrt, Eintrittspreis bis 18 Uhr 11 DM, ab 18 Uhr Zufahrt mit PKW möglic – Höhe 426 m – ☎ 07531 (Konstanz).

Sehenswert: "Blumeninsel"★★.

♦Stuttgart 191 – ♦Konstanz 7 – Singen (Hohentwiel) 34.

- X **Schwedenschenke,** ✆ 30 30, ⛱ – ♿. AE ⓓ E VISA
  Jan. geschl. – **M** a la carte 25/62.

MAINBERNHEIM Bayern siehe Iphofen.

MAINBURG **8302.** Bayern 413 S 21, 987 ㊲ – 11 800 Ew – Höhe 456 m – ☎ 08751.

⛳18 ⛳9 Rudelzhausen-Weihern (S : 8 km), ✆ (08756) 15 61.

♦München 69 – Ingolstadt 44 – Landshut 34 – ♦Regensburg 53.

- **Post** garni, Poststr. 10, ✆ 15 17, Fax 3011 – TV ☎ P. AE E VISA
  12 Z : 22 B 58/62 - 89 Fb.
- X **Espert-Klause,** Espertstr. 7, ✆ 13 42 –
  Montag und 5. Juli - 14. Aug. geschl. – **M** a la carte 23/35 ⅄.

MAINHARDT **7173.** Baden-Württemberg 413 L 19 – 4 200 Ew – Höhe 500 m – Luftkurort ☎ 07903.

ℹ Rathaus, Hauptstraße, ✆ 20 21.

♦Stuttgart 53 – Heilbronn 35 – Schwäbisch Hall 16.

In Mainhardt-Ammertsweiler NW : 4 km :

- **Zum Ochsen,** Löwensteiner Str. 15 (B 39), ✆ 23 91, ≘s, ⛱ – 🚗 P – 🏛 40
  Mitte Feb.- Mitte März geschl. – **M** *(Montag geschl.)* a la carte 25/51 ⅄ – **21 Z : 40 B** 38/5 - 76/110 – ½ P 65/70.

In Mainhardt-Stock O : 2,5 km :

- **Löwen,** an der B 14, ✆ 10 91, ≘s, ⛱, ⛱ – ☎ 🚗 P – 🏛 25/120. ⓓ
  M a la carte 26/45 ⅄ – **40 Z : 75 B** 63 - 100.

MAINTAL **6457.** Hessen 412 413 J 16 – 40 000 Ew – Höhe 95 m – ☎ 06109.

♦Wiesbaden 53 – ♦Frankfurt am Main 13.

In Maintal 2-Bischofsheim :

- **Hübsch** ⛰, Griesterweg 12, ✆ 6 40 06, Telex 4185938, Fax 64009 – ▤ TV ☎ P – 🏛 3
  AE ⓓ E VISA
  24. Dez.- 2. Jan. geschl. – **M** *(3.- 6. Jan., Juli 2 Wochen und außerhalb der Messezeiten Samsta - Sonntag geschl.)* 39/108 – **80 Z : 100 B** 102/150 - 134/280 Fb.
- XX **Ratsstuben,** Dörnigheimer Weg 21 (Bürgerhaus), ✆ 6 36 84, ⛱ – P – 🏛 25/300
  Sonntag 15 Uhr - Montag sowie Jan. und Juni - Juli je 3 Wochen geschl. – **M** a la carte 30/6
- XX **Ristorante Lario,** Fechenheimer Weg 45, ✆ 6 57 67 – AE ⓓ E
  1.- 18. Jan. geschl. – **M** a la carte 48/72.

In Maintal 1-Dörnigheim :

- **Zum Schiffchen** ⛰, Untergasse 21, ✆ (06181) 49 13 32, Fax 495805, ≤, ⛱ – ☎
  26. Dez.- 7. Jan. geschl. – **M** *(Sonntag ab 15 Uhr, Samstag und Juli 3 Wochen geschl.)* a carte 31/57 – **25 Z : 40 B** 70/88 - 98/125 Fb.
- XXX ✿ **Hessler,** Am Bootshafen 4, ✆ (06181) 49 29 51, bemerkenswerte Weinkarte – P. E.
  Sonntag - Montag und Juli 3 Wochen geschl. – **M** (Tischbestellung erforderlich) 60/7 (mittags) und a la carte 88/117
  Spez. Lasagne von Meeresfrüchten in Jngwersauce, Galantine von Kaninchenrücken in Trüff sauce, Taube in Piroggenteig.
- XX Al Boschetto, Eschenweg 3, ✆ (06181) 4 56 67 – P.

MAINZ **6500.** Rheinland-Pfalz 987 ㉔, 412 413 H 17 – 180 000 Ew – Höhe 82 m ☎ 06131.

Sehenswert: Gutenberg-Museum★★ (Gutenberg-Bibel★★★) Z **M1** – Leichhof ≤★★ auf den Do Z – Dom★ (Grabdenkmäler der Erzbischöfe★, Kreuzgang★) – Mittelrheinisches Landesmuseum Z **M3** – Römisch-Germanisches Zentralmuseum★ BV **M2** – Ignazkirche (Kreuzigungsgruppe★) E – Stefanskirche (Chagall-Fenster★★) ABY.

Ausstellungsgelände Volkspark (DZ), ✆ 8 10 44.

ℹ Verkehrsverein, Bahnhofstr. 15, ✆ 23 37 41, Telex 4187725, Fax 234034.

ADAC, Große Langgasse 3a, ✆ 23 40 01, Fax 237314.

♦Frankfurt am Main 42 ② – ♦Mannheim 82 ⑤ – ♦Wiesbaden 13 ⑧.

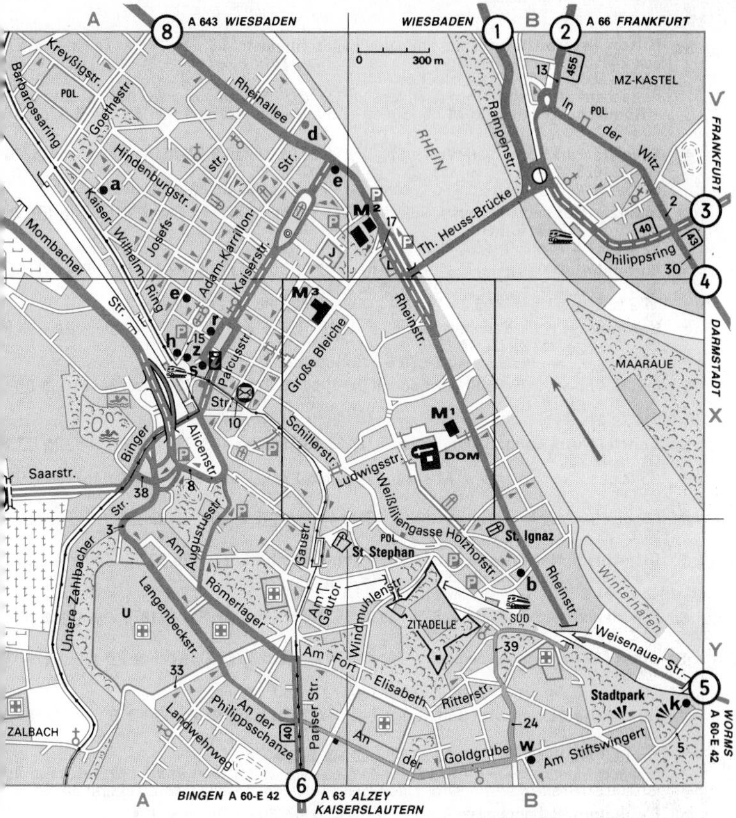

MAINZ

ugustinerstr.		Z 6
ahnhofstr.	AX	10
schtorstr.		Z 21
achsmarktstr.		Z
oße Bleiche		Z
dwigsstr.		Z
arkt		Z
chillerstr.		Z
chusterstr.		Z
dmiral-Scheer-Str.	BV	2
n Linsenberg	AY	3
n der Favorite	BY	5
ugustusstr.	AX	8
schofsplatz		Z 12
oelckestr.	BV	13
onifaziusstr.	AX	15
hristofsstr.		Z 16
eutschhaus Platz	BV	17
omstr.		Z 19
utenbergplatz		Z 23
echtsheimer-Str.	BY	24
öfchen		Z 26
armeliterstr.		Z 27
rschgarten		Z 29
ostheimer Landstr.	BV	30
ebfraunplatz		Z 32
bere Zahlbacher Str.	AY	33
eter-Altmeier-Allee		Z 35
uintinsstr		Z 36
ömerwall	AX	38
alvatorstr.	BY	39
chöfferstr		Z 40
eughausgasse		Z 43

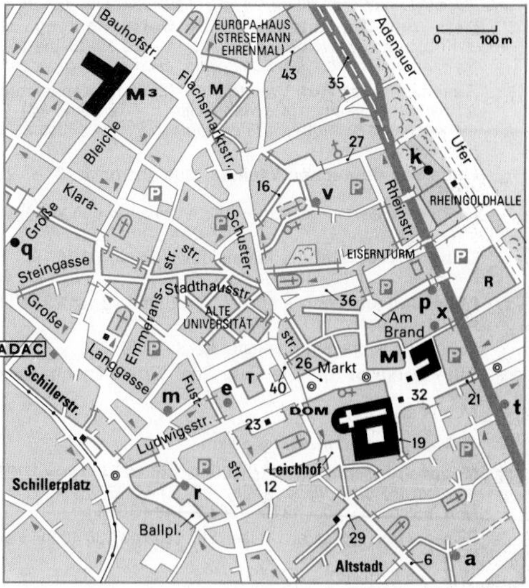

Hilton International (mit Rheingoldhalle), Rheinstr. 68, ✆ 24 50, Telex 418757 Fax 245589, ←, Massage, direkter Zugang zur Spielbank – 25/3000. AE E VISA. Rest Z
Restaurants : **Rheingrill** *(nur Abendessen, Montag - Dienstag geschl.)* **M** a la carte 58/8 - **Römische Weinstube M** 35 (Buffet) und a la carte 34/63 - **435 Z : 844 B** 376/446 402/522 Fb.

Favorite Parkhotel, Karl-Weiser-Str. 1, ✆ 8 20 91 (Hotel) 8 27 30 (Rest.), Telex 418726 Fax 831025, ← – 25/200. AE E BY
M *(Samstag und Juli geschl.)* a la carte 34/66 - **46 Z : 90 B** 180 - 240/360 Fb.

Mainzer Hof garni, Kaiserstr. 98, ✆ 23 37 71, Telex 4187787, Fax 228255 – 25/50. AE E VISA AV
99 Z : 121 B 149/250 - 190/380 Fb.

Europahotel, Kaiserstr. 7, ✆ 97 50 (Hotel) 22 25 15 (Rest.), Telex 4187702, Fax 975555 Rest – 25/120. AE E VISA AX
M a la carte 47/67 - **105 Z : 166 B** 148/283 - 286/386 Fb - 11 Appart. 456.

Hammer garni, Bahnhofsplatz 6, ✆ 61 10 61, Telex 4187739, Fax 611065, – 25/40. AE E AX
23. Dez.- 1. Jan. geschl. - **40 Z : 60 B** 120/150 - 150/190 Fb.

Ibis, Holzhofstr. 2 /Ecke Rheinstraße (B 9), ✆ 24 70, Telex 4187424, Fax 234126 – 25/70 BY
144 Z : 212 B Fb.

Central-Hotel Eden, Bahnhofsplatz 8, ✆ 67 40 01, Telex 4187794, Fax 672806 – AE E VISA AX
23. Dez.- 3. Jan. geschl. - **M** siehe Restaurant L'échalote - **61 Z : 87 B** 115/198 - 186 230 Fb.

Moguntia garni, Nackstr. 48, ✆ 67 10 41 – . AE E VISA AV
18 Z : 32 B 98/125 - 145 Fb.

City-Hotel Neubrunnenhof garni Große Bleiche 26, ✆ 23 22 37, Telex 418732 Fax 232240 – . AE E VISA Z
42 Z : 62 B 89/110 - 138/160 Fb.

Schottenhof garni, Schottstr. 6, ✆ 23 29 68, Telex 4187664, Fax 221970 – AX
38 Z : 55 B.

Stadt Mainz garni, Frauenlobstr. 14, ✆ 67 40 84, Fax 677230, – 40. E VISA AX
20. Dez.- 6. Jan. geschl. - **45 Z : 90 B** 110/120 - 160/180 Fb.

Stiftswingert garni, Am Stiftswingert 4, ✆ 8 24 41 – . AE E BY
30 Z : 42 B 108 - 160 Fb.

XXX **Drei Lilien,** Ballplatz 2, ✆ 22 50 68 – AE E VISA Z
Sonntag, Montag sowie Feb. 1 Woche und Juli - Aug. 2 Wochen geschl. - **M** (Tischbestellur ratsam) a la carte 73/87 - **Drei Lilien-Keller** *(nur Abendessen)* **M** a la carte 44/65.

XXX **L'échalote,** Bahnhofsplatz 8, ✆ 61 43 31, Fax 672806 – AE E VISA AX
nur Abendessen, Sonntag und 15. Dez.- 10. Jan. geschl. - **M** a la carte 70/95.

XX **Rats- und Zunftstuben Heilig Geist,** Rentengasse 2, ✆ 22 57 57, Fax 23614 « Kreuzrippengewölbe a.d. 13. Jh. » – AE E VISA Z
Sonntag ab 15 Uhr sowie Juli - Aug. auch Montag geschl. - **M** a la carte 23/70.

XX **Zum Leininger Hof,** Weintorstr. 6 (Eingang Kappelhofgasse), ✆ 22 84 84, Fax 23704 « Restaurant in einem Gewölbekeller » – AE E VISA Z
nur Abendessen, Sonn- und Feiertage sowie über Fastnacht 1 Woche geschl. - **M** a la car 60/82.

XX **Haus des deutschen Weines,** Gutenbergplatz 3, ✆ 22 86 76, Fax 237819 – 50. E VISA Z
Sonn- und Feiertage geschl. - **M** (bemerkenswerte Weinkarte) 25/38 (mittags) und a la car 45/77.

XX **Geberts Weinstuben,** Frauenlobstr. 94, ✆ 61 16 19 – AE E VISA AV
Samstag - Sonntag 18 Uhr und Juli 3 Wochen geschl. - **M** a la carte 43/75.

XX **Man-Wah** (Chinesische Küche), Am Brand 42, ✆ 23 16 69, – AE E VISA Z
M a la carte 27/59.

X Weinhaus Schreiner, Rheinstr. 38, ✆ 22 57 20 Z

X **Zum Salvator** (Brauerei-Gaststätte), Große Langgasse 4, ✆ 22 06 44, – AE VISA Z
M a la carte 28/60.

In Mainz-Bretzenheim ⑥ : 3 km

Novotel, Essenheimer Str. 200, ✆ 36 10 54, Telex 4187236, Fax 366755, – Zim – 25/300. AE E VISA
M a la carte 36/60 - **121 Z : 242 B** 149 - 187 Fb.

Römerstein garni, Draiser Str. 136 f, ✆ 36 40 36, Fax 364020, – . AE E VISA.
15 Z : 28 B 75/125 - 105/160.

In Mainz-Finthen ⑦ : 7 km :

Kurmainz, Flugplatzstr. 44, ✆ 49 10, Telex 4187001, Fax 491128, ≘s, ☒, ⛱, ✂ - |‡| TV
🚗 P - 🏊 25/60. AE ① E VISA
21. Dez.- 6. Jan. geschl. - **M** *(nur Abendessen, Sonntag geschl.)* a la carte 28/68 ♁ - **85 Z : 153 B** 140/170 - 180/220 Fb - 6 Appart. 280.

Stein's Traube, Poststr. 4, ✆ 4 02 49 - E
Montag und Mitte Feb.- Mitte März geschl. - Menu a la carte 31/62 ♁.

Krone, Flugplatzstr. 3, ✆ 4 02 77 - AE ① VISA
wochentags nur Abendessen, Montag, 2.- 20. Jan. und 7.- 20. Juli geschl. - **M** a la carte 37/65.

Gänsthaler's Kuchlmasterei, Kurmainzstr. 35, ✆ 47 42 75, ☂ - E
Sonntag - Montag, über Fasching 1 Woche und Juli - Aug. 3 Wochen geschl. - **M** a la carte 35/75.

In Mainz-Gonsenheim ⑦ : 5 km :

Zum Löwen, Mainzer Str. 2, ✆ 4 36 05 - ① E
Sonntag - Montag und Juli - Aug. 2 Wochen geschl. - **M** (abends Tischbestellung ratsam) a la carte 66/91.

In Mainz-Hechtsheim S : 5 km über Hechtsheimer Straße BY :

Hechtsheimer Hof garni, Alte Mainzer Str. 31, ✆ 50 90 16, Fax 509257 - TV ☎ P. AE ① E
24 Z : 47 B 91/105 - 117/150 Fb.

Am Hechenberg garni, Am Schinnergraben 82, ✆ 50 70 01, Fax 507003, ≘s - TV ☎ P. AE ① E VISA
44 Z : 75 B 55/98 - 110/130 Fb.

In Mainz-Kastel **6503** :

Alina garni, Wiesbadener Str. 124 (B 42), ✆ (06134) 6 10 45, Fax 69312 - |‡| TV ☎ ♿ P. AE E VISA über ①
35 Z : 60 B 115/140 - 140 Fb.

In Mainz-Lerchenberg ⑦ : 6 km :

Am Lerchenberg, Hindemithstr. 5, ✆ 7 30 01, Fax 73004, ☂, ≘s - |‡| TV ☎ ♿ P - 🏊 50
53 Z : 80 B Fb.

In Mainz-Mombach ⑧ : 3 km :

Zum goldenen Engel, Kreuzstr. 72, ✆ 96 20 40, Fax 9620444 - ☎. AE ① E VISA
M *(Samstag, Juli 2 Wochen und 27.- 30. Dez. geschl.)* a la carte 26/61 - **18 Z : 27 B** 70/90 - 130/140 Fb.

In Mainz-Weisenau über ⑥ :

Bristol Hotel Mainz ⛉, Friedrich-Ebert-Str. 20, ✆ 80 60, Telex 4187136, Fax 806100, ≘s, ☒ - |‡| ⇎ Zim ▤ Rest TV ☎ P - 🏊 25/130. AE ① E VISA
M a la carte 33/62 - **72 Z : 150 B** 165/220 - 210/340 Fb.

In Ginsheim-Gustavsburg **6095** ④ : 9 km :

Rheinischer Hof ⛉, Hauptstr. 51 (Ginsheim), ✆ (06144) 21 48, Fax 31765 - TV ☎ P
4.- 18. Feb. geschl. - **M** *(Sonntag 15 Uhr - Montag geschl.)* a la carte 28/50 - **25 Z : 40 B** 100/140 - 140/200 Fb.

Alte Post garni, Dr.-Hermann-Str. 28 (Gustavsburg), ✆ (06134) 5 20 41, Fax 52645, ≘s, ☒ - |‡| TV ☎ P. AE E VISA. ✻
24. Dez.- 4. Jan. geschl. - **38 Z : 44 B** 75/150 - 110/160.

In Bodenheim **6501** ⑤ : 9 km :

Landhotel Battenheimer Hof, Rheinstr. 2, ✆ 29 94, ☂ - P
(nur Abendessen) - **22 Z : 42 B** Fb.

Gutsausschank Kapellenhof, Kirchbergstr. 22, ✆ (6135) 22 57 - TV ☎ P. ✻
22. Dez.- 6. Jan. geschl. - **M** *(nur Abendessen, Montag - Dienstag geschl.)* a la carte 30/38 - **11 Z : 18 B** 60 - 90/100.

In Gau-Bischofsheim **6501** ⑥ : 10 km :

Weingut Nack, Pfarrstr. 13, ✆ (06135) 30 43, « Restaurant mit geschmackvoller Einrichtung in einem ehem. Weinguts-Keller » - P. AE ① E VISA
wochentags nur Abendessen, Dienstag geschl. - **M** a la carte 72/91.

In Nieder-Olm **6501** ⑥ : 10 km :

Dietrich garni, Maler-Metten-Weg 20, ✆ (06136) 50 85, Fax 3887, ≘s, ☒ - |‡| TV ☎ 🚗 P. AE ① E VISA. ✻
29 Z : 53 B 160 - 190/300 Fb.

In Nackenheim **6506** ⑤ : 13 km :

Kulla's Hotel, Im Brühl 1, ✆ (06135) 30 29 - TV ☎ P. AE ① E
M *(Sonntag geschl.)* 28 /45 (mittags) und a la carte 50/83 - **13 Z : 26 B** 90/95 - 150/160 Fb.

MAISACH **8031.** Bayern 413 Q 22, 987 ㊱ ㊲, 426 F 4 – 10 000 Ew – Höhe 516 m – 08141 (Fürstenfeldbruck).
♦München 29 – ♦Augsburg 46 – Landsberg am Lech 44.

Strobel garni, Josef-Sedlmayr-Str. 6, 9 05 31 – *20. Dez.- 12. Jan. geschl.* – **22 Z : 35 B** 50/75 - 75/90.

MALBERG Rheinland-Pfalz siehe Kyllburg.

MALENTE-GREMSMÜHLEN **2427.** Schleswig-Holstein 411 O 4, 987 ⑤ ⑥ – 11 500 Ew – Höhe 35 m – Kneippheilbad – Luftkurort – 04523.
Verkehrsverein, Pavillon am Bahnhof, 30 96.
♦Kiel 41 – ♦Lübeck 47 – Oldenburg in Holstein 36.

Dieksee, Diekseepromenade 13, 30 65, Fax 6448, ≤, « Terrasse am See », – 30
6. Jan.- 12. März geschl. – **M** a la carte 43/68 – **66 Z : 115 B** 85/116 - 140/170 Fb – ½ P 95/141.

Intermar, Diekseepromenade 2, 40 40, Telex 261367, Fax 6535, ≤, , Bade- und Massageabteilung, – 25/260. Rest
M a la carte 34/59 – **165 Z : 300 B** 108/161 - 177/227 Fb – ½ P 132/165.

Weißer Hof, Voßstr. 45, 39 62, Fax 6899, « Garten, Terrasse », –
3.- 30. Nov. geschl. – **M** *(Dienstag geschl.)* a la carte 42/68 – **19 Z : 36 B** 105/120 - 170/200 Fb – 3 Appart. 260/300 – ½ P 110/145.

Admiralsholm, Schweizer Str. 60 (NO : 2,5 km), 30 51, Fax 3053, ≤, , « Lage am See, Park », Massage, – 25. Rest
Jan.- Feb. geschl. – **M** *(Nov.- März Montag geschl.)* a la carte 38/60 – **25 Z : 40 B** 85/98 - 160/190 Fb – ½ P 108/126.

Dieksee Holm, Diekseepromenade 25, 30 88 (Hotel) 24 64 (Rest.), ≤, – – **36 Z : 72 B** Fb.

Brahmberg, Bahnhofstr. 6, 12 22, Fax 4655, –
(nur Abendessen für Hausgäste) **29 Z : 47 B** Fb.

Diekseehöh garni, Diekseepromenade 17, 36 18, Fax 1266, ≤, « Geschmackvolle Einrichtung », –
15. Dez.- 2. Jan. geschl. – **9 Z : 18 B** 60/80 - 100/150.

Kurhotel Godenblick, Godenbergredder 7, 26 44, Bade- und Massageabteilung, –
April - Okt. – (Restaurant nur für Hausgäste) – **46 Z : 80 B** 67/70 - 101/138 – ½ P 70/89.

Diekseequell garni, Diekseepromenade 21, 17 10, Fax 6373, ≤, –
März - Nov. – **22 Z : 44 B** 60/90 - 110/130.

Raven, Janusallee 16, 33 56, –
15. Jan.- Feb. geschl. – (nur Abendessen für Hausgäste) – **21 Z : 33 B** 45/65 - 84/110 - ½ P 61/82.

Deutsches Haus, Bahnhofstr. 71, 14 05, – VISA
März und Nov. jeweils 3 Wochen geschl. – **M** a la carte 26/50 – **28 Z : 50 B** 48/58 - 96/126 Fb

Godenberghorst, Godenbergredder 15, 36 66, –
März - Okt. – (nur Abendessen für Hausgäste) – **17 Z : 24 B** 75 - 120.

In Malente-Gremsmühlen - Neversfelde N : 2 km :

Landhaus am Holzberg, Grebiner Weg 2, 40 90, Fax 40931, « Park Gartenterrasse », Bade- und Massageabteilung, – Rest
20. Nov.- 6. Jan. geschl. – **M** *(auch Diät und vegetarische Gerichte)* a la carte 37/61 – **48 Z 70 B** 75/130 - 140/220 Fb – ½ P 98/138.

MALLERSDORF-PFAFFENBERG **8304.** Bayern 413 T 20, 987 ㉗ – 6 000 Ew – Höhe 411 m – 08772.
♦München 100 – Landshut 31 – ♦Regensburg 38 – Straubing 28.

Im Ortsteil Steinrain :

Steinrain, 3 66, –
28. Dez.- 6. Jan. und Aug. 2 Wochen geschl. – **M** *(Samstag geschl.)* a la carte 15/29 – **12 Z : 22 B** 26/30 - 52/60.

MALSCH **7502.** Baden-Württemberg 413 HI 20 – 12 000 Ew – Höhe 147 m – 07246.
♦Stuttgart 90 – ♦Karlsruhe 18 – Rastatt 13.

In Malsch 4 - Waldprechtsweier-Tal S : 3 km :

Waldhotel Standke, Talstr. 45, 10 88, Fax 5272, – 40. VISA
23. Dez.- 25. Jan. geschl. – **M** *(Dienstag geschl.)* a la carte 30/62 – **28 Z : 48 B** 66/95 - 120/145

MALSFELD Hessen siehe Melsungen.

MALTERDINGEN Baden-Württemberg siehe Riegel.

MANDERSCHEID **5562.** Rheinland-Pfalz 987 ㉓, 412 D 16 – 1 200 Ew – Höhe 388 m – Heilklimatischer Kurort – ☎ 06572.

Sehenswert: <** (vom Pavillon Kaisertempel) – Niederburg*, <*.

ℹ Kurverwaltung, im Kurhaus, Grafenstraße, ✆ 89 49.

Mainz 168 – ♦Bonn 98 – ♦Koblenz 78 – ♦Trier 57.

- **Zens,** Kurfürstenstr. 35, ✆ 7 68, « Garten », – ☎ . AE E
6. Jan.- 26. Feb. und 9. Nov.- 20. Dez. geschl. – **M** *(Dienstag geschl.)* a la carte 24/64 – **31 Z : 44 B** 62/92 - 112/166 Fb – ½ P 82/109.
- **Kaiser's Parkhotel**, Talblick, ✆ 7 15, <, – TV ☎ . E
6. Jan.- 20. Feb. geschl. – **M** *(Montag geschl.)* a la carte 29/46 – **13 Z : 24 B** 62/82 - 104/144 – ½ P 70/85.
- **Heidsmühle**, Mosenbergstr. 22 (W : 1,5 km), ✆ 7 47, « Gartenterrasse » – TV . E VISA
März - 15. Nov. – **M** *(Dienstag geschl.)* a la carte 21/45 – **10 Z : 17 B** 48/60 - 88/92 – ½ P 60/64.
- **Haus Burgblick**, Klosterstr. 18, ✆ 7 84, <, – . Rest
Mitte März - Mitte Nov. – (Restaurant nur für Hausgäste) – **21 Z : 35 B** 32/37 - 64/68 – ½ P 42/47.
- Café Bleeck garni Dauner Str. 10, ✆ 44 31, – . – **16 Z : 26 B.**

In Laufeld **5561** SO : 9 km – Erholungsort :

- **Laufelder Hof,** Hauptstr. 7, ✆ (06572) 7 62, – ☎ – 30. AE E. Rest
6.- 31. Jan. geschl. – **M** a la carte 28/58 – **25 Z : 50 B** 60/65 - 100/120 Fb.

MANNHEIM **6800.** Baden-Württemberg 987 ㉕, 412 413 I 18 – 310 000 Ew – Höhe 95 m – ☎ 0621.

Sehenswert: Städtische Kunsthalle** DZ **M1** – Landesmuseum für Technik und Arbeit* CV – Städtisches Reiß-Museum* (im Zeughaus) CY **M2** – Museum für Archäologie und Völkerkunde* CY **M3**.

Viernheim, Alte Mannheimer Str. 3 (DU), ✆ (06204) 7 87 37.

Ausstellungsgelände (CV), ✆ 44 50 90, Telex 462594.

ℹ Verkehrsverein, Kaiserring 10, ✆ 10 10 11, Fax 24141.

ADAC, Am Friedensplatz 6, ✆ 41 00 10, Fax 4100111, Notruf 1 92 11.

♦Stuttgart 133 ④ – ♦Frankfurt am Main 79 ② – Strasbourg 145 ④.

Stadtpläne siehe nächste Seiten

- **Maritim Parkhotel,** Friedrichsplatz 2, ✆ 4 50 71, Telex 463418, Fax 152424, Massage, – Zim TV – 25/120. AE E VISA — DZ **y**
Restaurants : **Parkrestaurant M** a la carte 53/76 – **Weintruhe** *(nur Abendessen)* **M** a la carte 33/54 – **187 Z : 262 B** 203/333 - 264/424 Fb – 3 Appart. 590.
- **Holiday Inn,** N 6, ✆ 1 07 10, Telex 462264, Fax 1071167, – Zim TV – 25/120. AE E VISA — DZ **p**
M a la carte 44/76 – **146 Z : 212 B** 237/317 - 305/340 Fb.
- **Steigenberger Mannheimer Hof,** Augusta-Anlage 4, ✆ 4 00 50, Telex 462245, Fax 4005190, « Atriumgarten » – Zim TV – 25/200. AE E VISA. Rest
M a la carte 52/75 – **165 Z : 200 B** 205/265 - 280/470 Fb. — DZ **r**
- **Augusta-Hotel,** Augusta-Anlage 43, ✆ 41 80 01, Telex 462395, Fax 414624 – TV – 25/90. AE E VISA — FZ **c**
Restaurants (Samstag bis 18 Uhr sowie Sonn- und Feiertage geschl.) : **Le Petit Restaurant** **M** a la carte 70/97 – **Mannemer Stubb M** a la carte 46/72 – **105 Z : 150 B** 195 - 230/260 Fb.
- **Wartburg,** F 4, 4 - 11, ✆ 2 89 91, Telex 463571, Fax 101337 – TV ☎ – 25/300. AE E VISA — CY **k**
M *(Sonntag ab 15 Uhr geschl.)* a la carte 41/66 – **140 Z : 250 B** 160/210 - 240/450 Fb.
- **Novotel,** Auf dem Friedensplatz, ✆ 4 23 40, Telex 463694, Fax 417343, – TV ☎ – 25/200. AE E VISA — CV **t**
M a la carte 35/59 – **180 Z : 360 B** 173 - 213 Fb.
- **Page-Hotel** garni, L 12,15, ✆ 1 00 37, Fax 10037 – TV ☎ – 25. AE E VISA
62 Z : 107 B 150/170 - 180/210 Fb. — DZ **e**
- **Intercity-Hotel,** im Hauptbahnhof, ✆ 1 59 50, Telex 463604, Fax 1595450 – TV ☎ – 25/50. AE E VISA — DZ
M a la carte 25/50 – **47 Z : 87 B** 112/128 - 156/164 Fb.
- **Am Bismarck** garni, Bismarckplatz 9, ✆ 40 30 96, Fax 444605 – TV ☎ . AE VISA.
20. Dez.- 6. Jan. geschl. – **48 Z : 75 B** 99 - 140/150 Fb. — DZ **m**
- **Wegener** garni, Tattersallstr. 16, ✆ 44 40 71, Fax 406948 – TV ☎ — DZ **a**
24. Dez.- 7. Jan. geschl. – **54 Z : 74 B** 60/100 - 90/134 Fb.

MANNHEIM
LUDWIGSHAFEN
FRANKENTHAL

Adlerdamm . . . . . . BV 2
Am Aubuckel . . . . . CV 3
Am Oberen Luisenpark . . . . . CV 5
Augusta-Anlage . . . CV 6
Berliner Straße . . . . AU 8
Carl-Bosch-Straße . BV 13
Casterfeldstraße . . CV 14
Dürkheimer Straße AV 16
Edigheimer Straße AU 18
Frankenthaler Str. BCU 19
Friedrich-Ebert-Str. CV 22
Friesenheimer Straße . . . . BU 24
Hauptstraße . . . . . DV 26
Helmertstraße . . . . CV 27
Ilvesheimer Straße DV 28
Kaiserwörthdamm BV 29

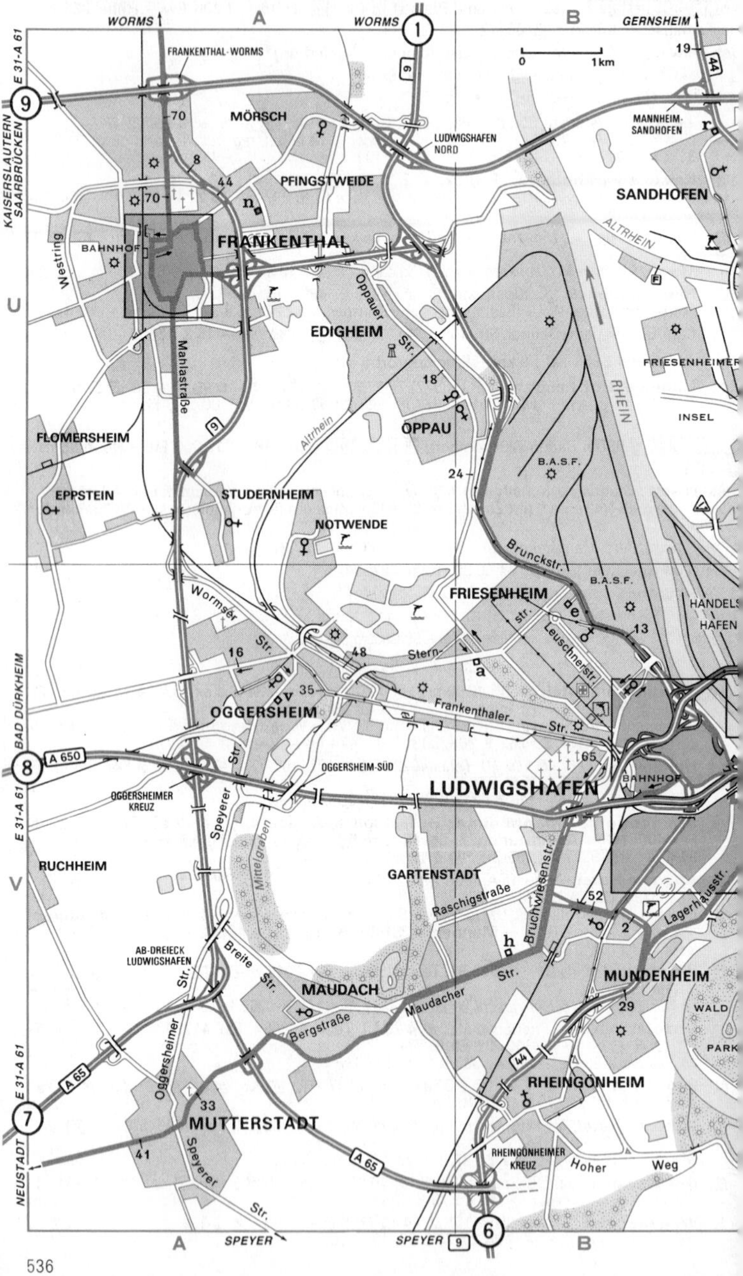

Ludwigshafener Str. AV 33
Luzenbergstraße ... CU 34
Mannheimer Str. .. AV 35
Möhlstraße .... CV 37
Morchfeldstraße ... CV 40
Neustadter Straße . AV 41
Ostring .... AU 44
Prälat-Caire-Str. .. AV 48
Röntgenstraße ... CV 50
Rollbühlstraße ... CU 51
Schänzeldamm .. BV 52
Schienenstraße .. CU 54
Schubertstraße .. CV 57
Schwabenstraße . DV 58
Seckenheimer Hauptstraße ... DV 60
Theodor-Heuss-Anlage .... CV 63
Untermühlaustr. ... CU 64
Valentin-Bauer-Straße .... BV 65
Waldhofstraße .... CU 66
Wingertsbuckel ... DV 68
Wormser Straße ... AU 70

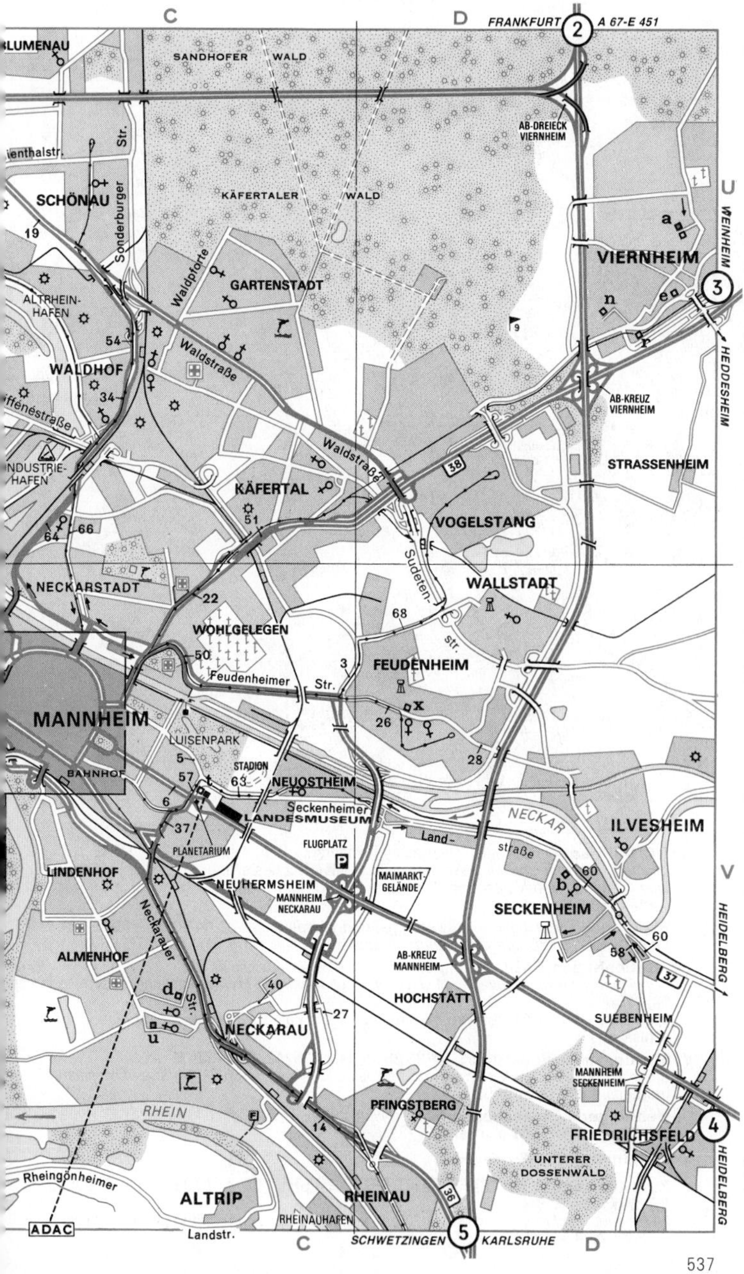

MANNHEIM

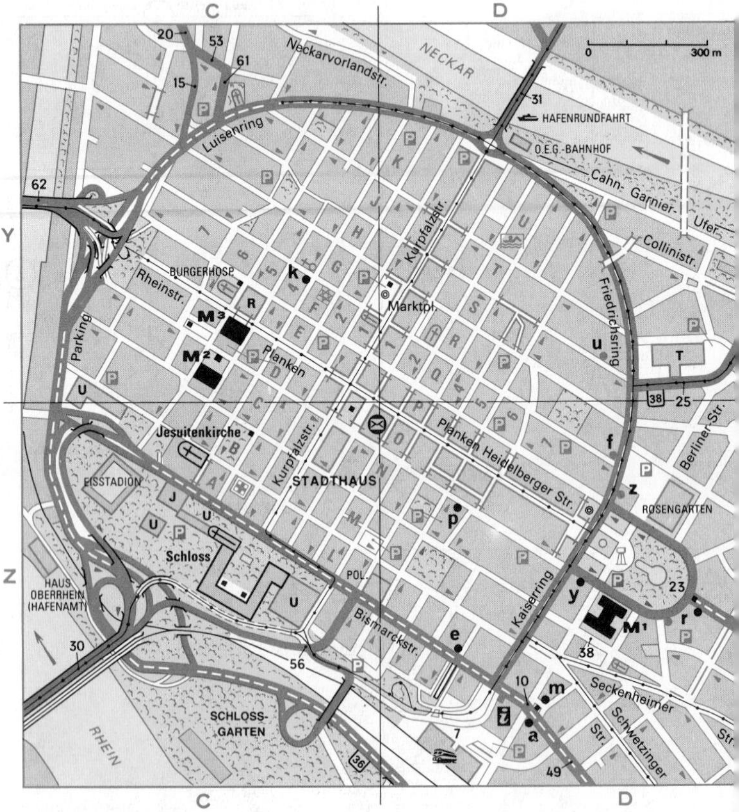

XXX ✿✿ **Da Gianni** (elegantes italienisches Restaurant), R 7,34, ✆ 2 03 26 – AE E DZ
Montag, Feiertage und Juli 3 Wochen geschl. – **M** (Tischbestellung erforderlich) a la carte 84/102
Spez. Variation von Vorspeisen, Risotto mit Taube und Bohnen, Steinbutt und Muscheln im Tomatensud.

XXX **Blass** (moderne, elegante Einrichtung), **Friedrichsplatz 12**, ✆ 44 80 04 – AE E VISA DZ
Samstag bis 18.30 Uhr und Sonntag geschl. – **M** a la carte 61/95.

XX ✿ **Kopenhagen,** Friedrichsring 2a, ✆ 1 48 70 – ▤. AE ⓓ E VISA DZ
Sonn- und Feiertage sowie Juni 3 Wochen geschl. – **M** (Tischbestellung ratsam) a la carte 64/120
Spez. Schalen- und Krustentiere, Hummerravioli auf Petersiliensauce, Steinbutt in Champagnersenfsauce.

XX **Martin,** Lange Rötterstr. 53, ✆ 33 38 14, Fax 335242, 🏕 – AE E ✈ FX
Samstag bis 18 Uhr, Mittwoch und 15. Juli - 15. Aug. geschl. – **M** *(auch Diät-Menu)* 29/4 (mittags) und a la carte 52/93.

X **Henninger's Gutsschänke** (Pfälzer Weinstube), T 6,28, ✆ 1 49 12 – AE E VISA DY
nur Abendessen – **M** a la carte 32/52 🍷.

In Mannheim 51-Feudenheim :

XX **Zum Ochsen** mit Zim (Gasthof a.d.J. 1632), **Hauptstr. 70**, ✆ 79 95 50, Fax 7995533, 🏕 – TV ☎ Ⓟ. AE E VISA DV
M *(abends Tischbestellung ratsam)* (Samstag bis 18 Uhr und Sonntag geschl.) a la carte 29/6 – **12 Z : 20 B** 110/135 - 145/170 Fb.

In Mannheim 24-Neckarau :

Axt, Adlerstr. 23, ✆ 85 14 77 CV **d**
Aug. geschl. – **M** *(nur Abendessen, Freitag geschl.)* a la carte 18/42 – **14 Z : 19 B** 60 - 95.

Jägerlust, Friedrichstr. 90, ✆ 85 22 35, Fax 856411 – AE ① E VISA CV **u**
Samstag bis 18 Uhr, Sonntag - Montag und Aug.- Sept. 3 Wochen geschl. – **M** (Tischbestellung ratsam) a la carte 58/90.

In Mannheim 31-Sandhofen :

Weber Hotel garni (siehe auch Rest. Schwarzwaldstube), Frankenthaler Str. 85 (B 44), ✆ 7 70 10, Telex 463537, Fax 7701113, – – 25/60. AE ① E VISA BU **r**
100 Z : 140 B 99/195 - 159/233 Fb.

Schwarzwaldstube im Weber Hotel, Frankenthaler Str. 85 (B 44), ✆ 77 22 00 – . AE E VISA BU **r**
Donnerstag und Weihnachten - 6. Jan. geschl. – **M** a la carte 30/62.

In Mannheim 61-Seckenheim :

Löwen, Hauptstr. 159(B 37), ✆ 4 80 80 (Hotel) 4 80 81 50 (Rest.), Telex 463788, Fax 4814154, – . AE E DV **b**
22. Dez.- 6. Jan. geschl. – **M** *(Montag und Samstag nur Abendessen, Sonn- und Feiertage sowie Juli - Aug. 3 Wochen geschl.)* 19/27 (mittags) und a la carte 38/69 – **70 Z : 91 B** 92/126 - 132/172 Fb.

Siehe auch : ***Ludwigshafen am Rhein*** (auf der linken Rheinseite)

MARBACH AM NECKAR **7142.** Baden-Württemberg 413 K 20, 987 ㉕ – 13 000 Ew – Höhe 229 m – ✆ 07144.

Sehenswert : Schiller-Nationalmuseum.

Stadtverwaltung, Rathaus, ✆ 10 22 45.

Stuttgart 32 – Heilbronn 32 – Ludwigsburg 8,5.

Parkhotel garni, Schillerhöhe 14, ✆ 90 50, Fax 90588 – . E VISA
43 Z : 65 B 89/109 - 150/175 Fb.

Goldener Löwe, Niklastorstr. 39, ✆ 66 63
wochentags nur Abendessen, Sonntag nur Mittagessen, Montag und Juli - Aug. 3 Wochen geschl. – **M** a la carte 38/57.

Stadthalle, Schillerhöhe 12, ✆ 54 68, – – 25/360
Dienstag und Aug. 3 Wochen geschl. – **M** a la carte 29/54.

In Benningen **7141** NW : 2 km :

Mühle garni, Ostlandstr. 2, ✆ (07144) 50 21, Fax 4166 – . E VISA
20 Z : 33 B 74/79 - 125/135 Fb.

MARBURG **3550.** Hessen 987 ㉕, 412 J 14 – 75 000 Ew – Höhe 180 m – ✆ 06421.

Sehenswert : Elisabethkirche★★ (Kunstwerke★★★ : Elisabethschrein★★) BY – Marktplatz★ AY – Schloß★ AY – Museum für Kulturgeschichte★ (im Schloß) AY.

Ausflugsziel : Spiegelslustturm ←★, O : 9 km.

Cölbe-Bernsdorf (① : 8 km), ✆ (06427) 85 58.

Verkehrsamt, Neue Kasseler Str. 1 (am Hauptbahnhof), ✆ 20 12 49.

ADAC, Bahnhofstr. 6b, ✆ 6 70 67.

Wiesbaden 121 ② – Gießen 30 ② – Kassel 93 ① – Paderborn 140 ① – Siegen 81 ②.

Stadtplan siehe nächste Seite

Europäischer Hof - Restaurant Atelier, Elisabethstr. 12, ✆ 69 60, Telex 482636, Fax 66404 – – 25 BY **a**
100 Z : 170 B Fb.

Waldecker Hof garni, Bahnhofstr. 23, ✆ 6 00 90, Telex 4821945, Fax 600959, , – . AE ① E VISA BY **d**
41 Z : 60 B 98/175 - 135/250 Fb.

Zur Sonne (Fachwerkhaus a. d. 16. Jh.), Markt 14, ✆ 2 60 36, Fax 161348 – . AE ① E VISA AY **s**
M *(Montag geschl.)* a la carte 28/50 – **11 Z : 17 B** 55/80 - 130/150.

Milano (Italienische Küche), Biegenstr. 19, ✆ 2 24 88 – AE ① E VISA BZ **e**
Dienstag und Juli geschl. – **M** a la carte 41/64.

In Marburg 18-Gisselberg ② : 5 km :

Fasanerie , Zur Fasanerie 13, ✆ 70 39, Fax 77491, ←, , , – . AE E VISA
20. Dez.- 10. Jan. geschl. – **M** *(wochentags nur Abendessen, Sonntag nur Mittagessen, Freitag geschl.)* a la carte 25/54 – **35 Z : 50 B** 60/95 - 110/190.

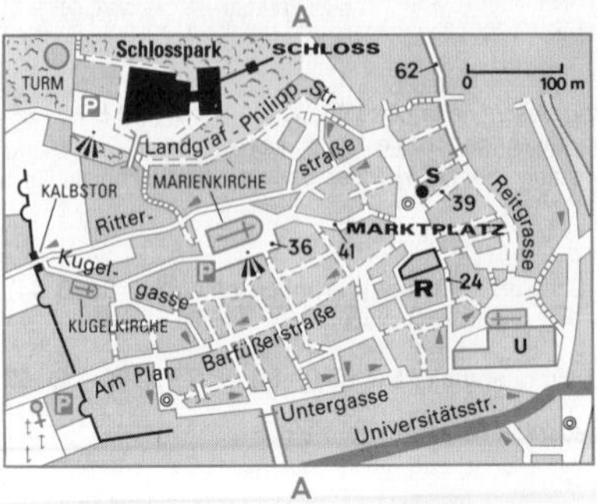

MARBURG

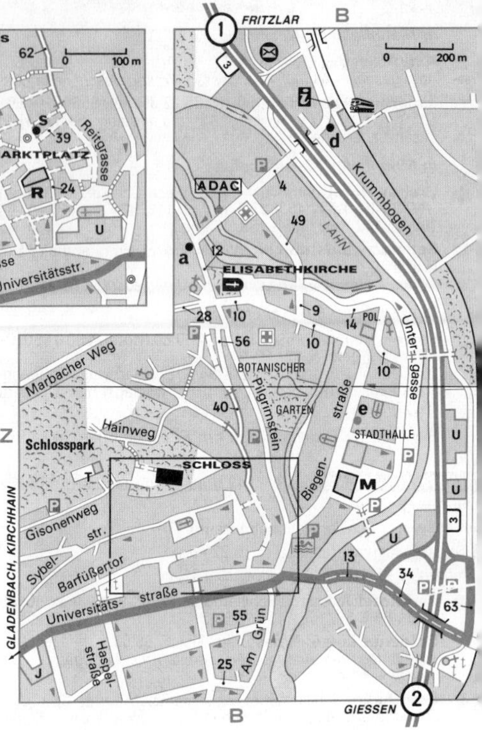

In Marburg 9-Michelbach NW : 7 km über Ketzerbach BY :

Stümpelstal ⑤, Stümpelstal 2, ✆ (06420) 5 15, Fax 514, 🍴, 🍴 - 📺 ☎ 🚗 🅿 🏊 25/80. ⊏
M *(Donnerstag geschl.)* a la carte 33/53 - **53 Z : 100 B** 75/85 - 120/150 Fb.

In Marburg 1-Wehrshausen-Dammühle W : 5 km über Barfüßertor BZ :

Dammühle ⑤, Dammühlenstr. 1, ✆ 3 10 07, Fax 36118, 🍴, 🍴 - 📺 ☎ 🅿. AE VISA
M *(Freitag und 24. - 31. Dez. geschl.)* a la carte 23/58 - **21 Z : 40 B** 59/80 - 105-130 Fb.

In Ebsdorfergrund 9-Frauenberg **3557** ② :

Seebode ⑤ (Fachwerkhaus a.d. Zeit der Jahrhundertwende), Burgweg 2, ✆ (06424) 8 9 🍴, ≘s - 📺 ☎ 🅿. AE ⊙ E VISA. ✗
M *(Dienstag, 21. Feb.- 18. März und 3.- 10. Nov. geschl.)* a la carte 32/57 - **12 Z : 20 B** 52/6 - 96.

Zur Burgruine ⑤, Cappeler Str. 10, ✆ (06424) 13 79, Fax 4472, Biergarten, ≘s - 🅿 🏊 25/60
Mitte Jan.- Mitte Feb. geschl. - **M** *(Montag geschl.)* a la carte 28/65 - **18 Z : 27 B** 60/75 120/155.

In Weimar-Wolfshausen **3556** ② : 10 km :

Bellevue, Hauptstr. 35 (an der B 3), ✆ 7 90 90, Fax 790915, ≤, 🍴, ≘s, 🍴 - 📺 ☎ ♿ - 🏊 30. AE ⊙ E VISA
M a la carte 30/68 - **32 Z : 52 B** 50/120 - 90/180 Fb.

MARCH **7806.** Baden-Württemberg 413 G 22, 242 ㉜, 87 ⑦ - 8 200 Ew - Höhe 190 m ✆ 07665.

◆Stuttgart 198 - ◆Freiburg im Breisgau 11 - Offenburg 56.

In March 4-Holzhausen :

Zum Löwen, Vörstetter Str. 11, ✆ 13 28, 🍴 - 🚗 🅿
12 Z : 24 B.

In March 3-Neuershausen :

Zur Krone mit Zim, Eichstetter Str. 26, ✆ 15 05, Fax 1652, – ☎ Ⓟ. AE ⓓ E VISA
M *(Mittwoch - Donnerstag 17 Uhr und 3.- 17. Feb. geschl.)* a la carte 30/60 *(auch vegetarisches Menu)* – **13 Z : 23 B** 60 - 110.

MARIA BUCHEN Bayern siehe Lohr am Main.

MARIA LAACH **5471.** Rheinland-Pfalz – Höhe 285 m – Benediktiner-Abtei – ✆ 02652 (Mendig).
Sehenswert : Abteikirche★.
Mainz 121 – ♦Bonn 55 – ♦Koblenz 31 – Mayen 13.

Seehotel Maria Laach, ✆ 58 40, ≤, – ☎ Ⓟ – 25/100
66 Z : 90 B Fb.

MARIENBERG, BAD **5439.** Rheinland-Pfalz 412 G 15 – 5 700 Ew – Höhe 500 m – Kneippheilbad – Luftkurort – Wintersport : 500/572 m 1 2 – ✆ 02661.
Kurverwaltung, Wilhelmstr. 10, ✆ 70 31, Fax 61565.
Mainz 102 – Limburg an der Lahn 43 – Siegen 43.

Kneipp-Kurhotel Wildpark, Kurallee (am Wildpark, W : 1 km), ✆ 62 20, Fax 622404, ≤, Bade- und Massageabteilung, – ☎ Ⓟ – 25/80
51 Z : 78 B Fb.

Westerwälder Hof, Wilhelmstr. 21, ✆ 12 23, Fax 63833, – ☎ Ⓟ – 40. E VISA
M a la carte 30/60 – **16 Z : 28 B** 52/77 - 84/134 Fb.

Kristall, Goethestr. 21, ✆ 6 30 99, ≤, – ☎ Ⓟ. E
Nov.- 5. Dez. geschl. – **M** *(Dienstag geschl.)* 20 (mittags) und a la carte 32/53 – **20 Z : 31 B** 65 - 120 Fb – ½ P 68.

Landhaus Kogge, Rauscheidstr. 2, ✆ 51 32, – ☎ Ⓟ. AE E VISA
2.- 31. Jan. geschl. – **M** *(Dienstag geschl.)* a la carte 21/41 – **10 Z : 15 B** 47/57 - 88.

MARIENFELD Nordrhein-Westfalen siehe Harsewinkel.

MARIENHEIDE **5277.** Nordrhein-Westfalen 412 F 13 – 13 400 Ew – Höhe 317 m – ✆ 02264.
Reise- und Verkehrsbüro, Landwehrstr. 2, ✆ 70 21.
Düsseldorf 80 – Gummersbach 10 – Lüdenscheid 31 – Wipperfürth 12.

In Marienheide-Rodt SO : 3 km :

Landhaus Wirth - Restaurant Im Krug, Friesenstr.8, ✆ 2 70, Fax 2788, – ☎ Ⓟ – 25/60. AE ⓓ E VISA. Zim
M *(Samstag bis 18 Uhr, Sonn- und Feiertage sowie 22.- 31. Dez. geschl.)* a la carte 38/68 – **50 Z : 90 B** 94/220 - 120/240 Fb.

MARIENTHAL, KLOSTER Hessen siehe Geisenheim.

MARING-NOVIAND Rheinland-Pfalz siehe Lieser.

MARKDORF **7778.** Baden-Württemberg 413 L 23, 987 ㉟, 427 M 2 – 10 900 Ew – Höhe 453 m – ✆ 07544.
Fremdenverkehrsverein, Marktstr. 1, ✆ 50 02 90.
Stuttgart 167 – Bregenz 45 – ♦Freiburg im Breisgau 154 – Ravensburg 20.

Bischofschloß, Schloßweg 6, ✆ 81 41, Fax 72313, – – 25/60. AE ⓓ E VISA
20. Dez.- 7. Jan. geschl. – **M** (Sonntag ab 15 Uhr geschl.) a la carte 43/74 – **43 Z : 80 B** 110/190 - 198/295 Fb.

Landhaus Traube, Steibensteg 7 (B 33, O : 1 km), ✆ 81 33, – ☎ Ⓟ. AE ⓓ E VISA. Zim
21. Dez.- Jan. geschl. – Menu *(Freitag - Samstag 17 Uhr geschl.)* a la carte 34/62 – **16 Z : 29 B** 78/95 - 110/150 Fb.

MARKERSBACH **O-9439.** Sachsen – 2 300 Ew – Höhe 570 m – Wintersport : 570/856 m, 2 – ✆ 0037 7618.
♦Dresden 138 – Chemnitz 50 – Zwickau 39.

Ferienhotel, Obermittweida 5, ✆ 8 11 68, Telex 78075, Fax 89699, Massage, – ☎ Ⓟ – 25/60. E
M a la carte 24/47 – **57 Z : 114 B** 85/145 - 90/160 Fb – 4 Appart. 180.

MARKGRÖNINGEN **7145.** Baden-Württemberg 413 K 20, 987 ㉕ ㉟ – 12 350 Ew – Höhe 286 m – ☎ 07145.

Sehenswert: Rathaus★.

♦Stuttgart 19 – Heilbronn 42 – Pforzheim 34.

Goldener Becher garni, Schloßgasse 4, ✆ 80 54 – TV ☎. E
20. Dez.- 12. Jan. geschl. – **7 Z : 13 B** 68/78 - 94/108.

Ratstüble mit Zim (Haus a.d. 16. Jh.), Marktplatz 2, ✆ 53 83 – AE ⓓ E VISA
Jan. 1 Woche und Aug.- Sept. 2 Wochen geschl. – **M** *(Sonntag 15 Uhr - Montag geschl.)* a la carte 23/53 – **6 Z : 8 B** 40 - 70.

MARKLOHE Niedersachsen siehe Nienburg (Weser).

MARKNEUKIRCHEN **O-9659.** Sachsen 413 T 16, 984 ㉗, 987 ㉗ – 8 000 Ew – Höhe 468 m – ☎ 0037 7586.

ℹ Fremdenverkehrsbüro, Am Rathaus, ✆ 23 54, Fax 2295.

♦Dresden 177 – Bayreuth 115 – Plauen 28 – Weiden i.d.Oberpfalz 97.

Sächsischer Hof Adorfer Str. 17, ✆ 22 40 – TV Ⓟ – **10 Z : 33 B**.

In Wernitzgrün **O-9651** SO : 5 km :

Haus Vogtland, Zollstr. 25, ✆ (00377586) 24 52, Fax 2408, – TV ☎ Ⓟ
M *(Montag geschl.)* a la carte 18/25 – **19 Z : 60 B** 41/82 - 55/110.

MARKT BIBART **8536.** Bayern 413 O 18 – 1 900 Ew – Höhe 312 m – ☎ 09162 (Scheinfeld).

♦München 234 – ♦Bamberg 70 – ♦Nürnberg 58 – ♦Würzburg 50.

Zum Hirschen, Nürnberger Str. 13 (B 8), ✆ 82 78, Fax 8710 – Ⓟ
M *(Montag geschl.)* a la carte 25/40 – **28 Z : 56 B** 37 - 70/76.

MARKTBREIT **8713.** Bayern 413 N 17, 18, 987 ㉖ – 4 000 Ew – Höhe 191 m – ☎ 09332.

Sehenswert: Maintor und Rathaus★.

♦München 272 – Ansbach 58 – ♦Bamberg 89 – ♦Würzburg 25.

Löwen (Gasthof a.d.J. 1450 mit Anbau und Gästehaus), Marktstr. 8, ✆ 30 85, Fax 9438 – TV ☎ . AE ⓓ E VISA
7. Jan.- 15. Feb. geschl. – **M** a la carte 28/50 – **26 Z : 52 B** 55/70 - 96/110 Fb.

MARKT ERLBACH **8531.** Bayern 413 O 18, 987 ㉖ – 4 000 Ew – Höhe 382 m – ☎ 09106.

♦München 208 – ♦Bamberg 70 – ♦Nürnberg 33 – ♦Würzburg 80.

In Markt Erlbach-Linden W : 6 km :

Zum Stern, Hauptstr. 60, ✆ 8 91, – Ⓟ
Feb. geschl. – **M** *(Mittwoch geschl.)* a la carte 14/32 – **15 Z : 28 B** 42/45 - 72.

MARKTHEIDENFELD **8772.** Bayern 412 413 L 17, 987 ㉕ – 10 300 Ew – Höhe 153 m – ☎ 09391.

ℹ Fremdenverkehrsverein, Marktplatz 24 (Altes Rathaus), ✆ 50 04 41.

♦München 322 – Aschaffenburg 46 – ♦Würzburg 29.

Anker garni (siehe auch Weinhaus Anker), Obertorstr. 6, ✆ 6 00 40, Fax 600477 – TV ☎ Ⓟ – 35. AE E
38 Z : 65 B 100/125 - 150/280.

Zum Löwen, Marktplatz 3, ✆ 15 71
M *(Mittwoch und Mitte Nov.- 7. Dez. geschl.)* a la carte 22/47 – **30 Z : 60 B** 55/65 - 85/110.

Mainblick, Mainkai 11, ✆ 30 21 – TV ☎
M *(Montag und 16. Aug.- 5. Sept. geschl.)* a la carte 23/47 – **11 Z : 21 B** 65 - 95.

Schöne Aussicht, Brückenstr. 8, ✆ 30 55, Fax 3722 – Ⓟ – 25/80
M a la carte 23/64 – **48 Z : 94 B** 60/90 - 98/120.

XXX ✿ **Weinhaus Anker,** Obertorstr. 13, ✆ 17 36, Fax 1742, bemerkenswerte Weinkarte ⓓ E
März - Okt. : Dienstag und Freitag nur Abendessen, Montag geschl., Nov.- Feb. : Sonntag 18 Uhr - Dienstag 18 Uhr sowie Feb. 3 Wochen geschl. – **M** (Tischbestellung ratsam) 60/110
Spez. Zander mit Kräutersauce (ab 2 Pers.), Taubenkotelett in fränkischer Rotweinglace, Rehkeulchen auf Ebereschensauce (Juni - Feb.).

MARKTLEUGAST **8654.** Bayern 413 R 16 – 4 100 Ew – Höhe 555 m – ☎ 09255.

♦München 261 – Bayreuth 33 – Hof 32 – Kulmbach 19.

In Marktleugast-Hermes SW : 4 km :

Landgasthof Haueis, Hermes 1, ✆ 2 45, Fax 7263, – Ⓟ. AE ⓓ E
10. Jan.- 10. März geschl. – **M** a la carte 19/38 – **36 Z : 60 B** 30/45 - 60/90.

MARKTOBERDORF **8952.** Bayern 413 O 23, 987 ㊱, 426 DE 5 – 15 500 Ew – Höhe 758 m – rholungsort – ☎ 08342.

München 99 – Füssen 29 – Kaufbeuren 13 – Kempten (Allgäu) 28.

Sepp, Bahnhofstr. 13, ☎ 20 48, Fax 2040, – TV ☎ – P – 25/50
M *(Samstag bis 17 Uhr geschl.)* a la carte 22/48 – **54 Z : 94 B** 80/90 - 120/140 Fb.

MARKTSCHELLENBERG **8246.** Bayern 413 W 23 – 1 800 Ew – Höhe 480 m – Heilklimatischer urort – Wintersport : 800/1 000 m 1 1 – ☎ 08650.

Verkehrsamt, Rathaus, ☎ 3 52.

München 144 – Berchtesgaden 10 – Salzburg 13.

Am Eingang der Almbachklamm S : 3 km über die B 305 :

Zur Kugelmühle mit Zim, ✉ 8246 Marktschellenberg, ☎ (08650) 4 61, ≤, « Gartenterrasse, Sammlung von Versteinerungen » – P. Zim
10. Jan.- 15. Feb. und 25. Okt.- 25. Dez. geschl. – **M** *(Jan.- April Samstag geschl.)* a la carte 20/38 – **10 Z : 18 B** 45/55 - 80/98.

MARKTZEULN Bayern siehe Lichtenfels.

MARL **4370.** Nordrhein-Westfalen 411 412 E 12, 987 ⑭ – 90 000 Ew – Höhe 62 m – ☎ 02365.
ehenswert : Skulpturenmuseum Glaskasten.

Düsseldorf 66 – Gelsenkirchen 17 – Gladbeck 12 – Münster (Westfalen) 62 – Recklinghausen 10.

Novotel , Eduard-Weitsch-Weg 2, ☎ 10 20, Telex 829916, Fax 14454, , , (geheizt) – Zim TV ☎ P – 25/200. AE E VISA
M a la carte 31/56 – **93 Z : 186 B** 140 - 180 Fb.

Haus Müller garni, Breddenkampstr. 126, ☎ 4 30 85 – ☎.
20. Dez.- 15. Jan. geschl. – **11 Z : 13 B** 67/85 - 110.

In Marl-Hüls :

Loemühle , Loemühlenweg 221, ☎ 4 40 15, Fax 44256, « Park, Gartenterrasse », Massage, , (geheizt), , – TV ☎ P – 25/60. AE E VISA
M a la carte 38/67 – **55 Z : 90 B** 75/140 - 140/185 Fb.

MARLOFFSTEIN Bayern siehe Erlangen.

MARNE **2222.** Schleswig-Holstein 411 K 5, 987 ⑤ – 5 600 Ew – Höhe 3 m – ☎ 04851.

Kiel 110 – Flensburg 111 – ♦ Hamburg 95 – Neumünster 77.

Gerson, Königstr. 45 (B 5), ☎ 5 34 – ☎ P. AE E VISA
21. Dez.- 3. Jan. geschl. – **M** *(Sonntag geschl.)* a la carte 23/34 – **10 Z : 19 B** 60/70 - 90/110.

MARQUARTSTEIN **8215.** Bayern 413 U 23, 987 ㊲, 426 J 5 – 3 000 Ew – Höhe 545 m – uftkurort – Wintersport : 600/1 200 m 3 2 – ☎ 08641 (Grassau).

Verkehrsamt, Bahnhofstr. 3, ☎ 82 36, Fax 61701.

München 96 – Rosenheim 37 – Salzburg 55 – Traunstein 23.

Gästehaus am Schnappen garni (siehe auch Restaurant Alpenrose), Freiweidacher Str. 32, ☎ 82 29 (über Restaurant Alpenrose), ≤, , (geheizt), – P.
14 Z : 28 B.

Prinzregent, Loitshauser Str. 5, ☎ 82 56, Fax 8710, , – P
M *(Montag - Dienstag nur Mittagessen)* a la carte 22/43 – **14 Z : 30 B** 48 - 85 Fb – ½ P 50/55.

Alpenrose, Staudacher Str. 3, ☎ 82 29, Biergarten – P.

In Marquartstein-Pettendorf N : 2 km :

Weßnerhof, Pettendorfer Str. 55, ☎ 89 23, Fax 61962, Biergarten, – ☎ P
Nov.- 10. Dez. geschl. – **M** *(Mittwoch geschl.)* a la carte 18/45 – **30 Z : 60 B** 44/55 - 77/106 Fb – ½ P 52/58.

MARSBERG **3538.** Nordrhein-Westfalen 411 412 J 12, 987 ⑮ – 22 500 Ew – Höhe 255 m – ☎ 02992.

Verkehrsbüro, Bülbergstr. 2, ☎ 33 88.

Düsseldorf 185 – Brilon 22 – ♦Kassel 67 – Paderborn 44.

Kurhaus Karp, Schildstr. 4, ☎ 7 39, Fax 8841, Bade- und Massageabteilung, , , – TV ☎ P
M *(Mittwoch geschl.)* a la carte 20/42 – **16 Z : 30 B** 55/75 - 85/95 Fb.

Haus Wegener , Stobkeweg 8 (NO : 2 km), ☎ 26 29, , – P
7 Z : 13 B.

In Marsberg-Bredelar SW : 7 km :

Haus Nolte, Mester-Everts-Weg 1, ✆ (02991) 3 29, – ☎ Ⓟ. Rest
M *(Montag geschl.)* a la carte 30/57 – **9 Z : 18 B** 45/48 - 90/96.

In Marsberg-Helminghausen SW : 14 km, an der Diemeltalsperre :

Waldschänke, Uferrandstr. 139, ✆ (02991) 63 79, ≤,
M a la carte 20/40 – **28 Z : 52 B** 32/45 - 64/84.

MASSERBERG 0-6113. Thüringen 418 P 15 – 800 Ew – Höhe 830 m – Wintersport : 1
– 0037 67790.
Erfurt 63 – ♦Berlin 327 – Coburg 23 – Suhl 34.

Am Rennsteig, Hauptstraße, ✆ 4 31, Fax 388, – ☎ Ⓟ – 25/7
AE E VISA – **M** a la carte 23/40 – **70 Z : 144 B** 100 - 140 Fb.

MASSWEILER 6666. Rheinland-Pfalz 412 F 19 – 1 100 Ew – Höhe 340 m – 06334.
Mainz 138 – Kaiserslautern 48 – Pirmasens 15 – Zweibrücken 23.

XX **Borst** mit Zim, Luitpoldstr. 4, ✆ 14 31 –
Jan.- Feb. 4 Wochen geschl. – **M** *(Tischbestellung erforderlich)* (Samstag bis 18 Uhr un
Dienstag geschl.) a la carte 42/85 – **5 Z : 8 B** 45 - 90/100.

MAULBRONN 7133. Baden-Württemberg 413 J 19,20, 987 ㉕ – 5 900 Ew – Höhe 250 m
07043.
Sehenswert : Ehemaliges Zisterzienserkloster★★ (Kreuzgang★★, Brunnenkapelle★★
Klosterräume★★, Klosterkirche★).
♦Stuttgart 45 – Heilbronn 55 – ♦Karlsruhe 37 – Pforzheim 20.

Birkenhof, Bahnhofstr. 1, ✆ 67 63, Fax 7726, – Ⓟ
Feb. 2 Wochen geschl. – **M** *(Dienstag geschl.)* a la carte 27/54 – **19 Z : 32 B** 60/70 - 98/120 F

MAULBURG Baden-Württemberg siehe Schopfheim.

MAUTH 8391. Bayern 413 X 20, 426 M 2 – 2 800 Ew – Höhe 820 m – Erholungsort
Wintersport : 820/1 341 m 3 8 – 08557. – Verkehrsamt, Rathaus, ✆ 3 15, Fax 1499.
♦München 211 – Grafenau 21 – Passau 43.

Gasthof Fuchs, Am Goldenen Steig 16, ✆ 2 70, Biergarten, – Ⓟ
Nov. 3 Wochen geschl. – **M** a la carte 17/36 – **12 Z : 24 B** 32 - 64 Fb – ½ P 41.

In Mauth-Finsterau N : 7 km – Höhe 998 m

Bärnriegel, ✆ 7 01, ≤, – ☎ Ⓟ.
11. Nov.- 9. Dez. geschl. – Menu *(April - Mai Mittwoch geschl.)* a la carte 22/46 – **12 Z**
24 B 40/50 - 62/72 – ½ P 49/68.

MAYEN 5440. Rheinland-Pfalz 987 ㉔, 412 E 15 – 19 500 Ew – Höhe 240 m – 02651.
Ausflugsziel : Schloß Bürresheim★ NW : 5 km.
Städtisches Verkehrsamt, im alten Rathaus, Markt, ✆ 8 82 60.
Mainz 126 – ♦Bonn 63 – ♦Koblenz 35 – ♦Trier 99.

Neutor, Am Neutor 2, ✆ 7 30 95 – ☎ Ⓟ. AE E VISA
Juli - Aug. 3 Wochen geschl. – **M** *(Donnerstag 14 Uhr - Freitag 17 Uhr geschl.)* a la carte 24
47 – **20 Z : 30 B** 60/70 - 90/110 Fb.

Katzenberg, Koblenzer Str. 174, ✆ 4 35 85, – ☎ Ⓟ. E VISA
M *(nur Abendessen, Freitag geschl.)* a la carte 30/57 – **26 Z : 56 B** 65/85 - 110/120.

Zur Traube garni, Bäckerstr. 6, ✆ 30 18 – ☎. AE E
25 Z : 40 B 42/50 - 75/85.

Zum Alten Fritz, Koblenzer Str. 56, ✆ 4 32 72 – ☎ Ⓟ. AE E VISA
Menu *(Dienstag und 26. Juli - 18. Aug. geschl.)* a la carte 31/55 – **19 Z : 36 B** 30/45 - 60/9

Jägerhof, Ostbahnhofstr. 33, ✆ 4 32 93 – ☎. AE E VISA
M *(Donnerstag geschl.)* a la carte 21/42 – **20 Z : 32 B** 32/37 - 66/78.

Maifelder Hof, Polcher Str. 74, ✆ 7 30 66, Fax 76558, Biergarten – Ⓟ. E VI
23. Dez.- 1. Jan. geschl. – **M** *(Samstag geschl.)* 17/32 (mittags) und a la carte 24/48
14 Z : 20 B 38/65 - 95.

XXX ✿ **Gourmet-Restaurant Wagner,** Markt 10, ✆ 28 61, Fax 76980 – E
wochentags nur Abendessen, Montag sowie Feb. und Juli jeweils 2 Wochen geschl.
M *(Tischbestellung ratsam)* (bemerkenswerte Weinkarte) a la carte 68/100
Spez. Entensülze mit Trüffelvinaigrette, Zanderfilet mit Kartoffelschuppen auf Rahmsauerkrau
Cannelloni von Meeresfrüchten auf Blattspinat.

X **Im Römer,** Marktstr. 46, ✆ 23 15
Mittwoch - Donnerstag 18 Uhr und Ende Mai - Mitte Juni geschl. – **M** a la carte 29/47.

In Riedener Mühlen **5441** NW : 11 km, im Nettetal :

Haus Hubertus, Hauptstr. 3a, (02655) 14 84, « Garten mit Wasserspielen », , , , – – 25/50
40 Z : 70 B Fb.

MAYSCHOSS **5481.** Rheinland-Pfalz 412 E 15 – 1 100 Ew – Höhe 141 m – 02643 (Altenahr).
Mainz 158 – Adenau 22 – ◆Bonn 34.

Zur Saffenburg, Bundesstr. 43 (B 267), 83 92, Fax 8100, – . E. Rest
Dez.- 20. Jan. geschl. – **M** *(Montag geschl.)* a la carte 30/56 – **19 Z : 34 B** 50/80 - 90/100.

In Mayschoß-Laach :

Lochmühle, an der B 267, 80 80, Telex 861766, Fax 808445, , , –
– 25/50. AE E
M a la carte 52/79 – **64 Z : 106 B** 94/130 - 166/292 Fb.

MECHERNICH **5353.** Nordrhein-Westfalen 412 C 15 – 22 300 Ew – Höhe 298 m – 02443.
◆Düsseldorf 94 – ◆Bonn 43 – Düren 33 – ◆Köln 52.

In Mechernich-Kommern NW : 4 km :

Sporthotel Kommern am See, an der B 266/477, 50 95, Fax 6841, , , ,
(Halle) – – 25. AE E VISA
M a la carte 47/63 – **30 Z : 60 B** 75/110 - 110/175 Fb.

MECKENBEUREN **7996.** Baden-Württemberg 413 L 23, 987 ㉟, 216 ⑪ – 9 900 Ew – Höhe 417 m – 07542 (Tettnang).
◆Stuttgart 158 – Bregenz 32 – Ravensburg 11.

In Meckenbeuren-Madenreute NO : 5 km über Liebenau :

Jägerhaus, 37 39 (Hotel) 46 32 (Rest.), Fax 3895, , –
M *(im Gasthaus, wochentags nur Abendessen, Mittwoch geschl.)* a la carte 25/44 – **22 Z : 41 B** 75/100 - 120/140 Fb.

In Meckenbeuren-Reute SW : 2 km :

Haus Martha garni, Hügelstr. 21, 26 66, –
14 Z : 30 B 48/55 - 90/105.

MECKENHEIM **5309.** Nordrhein-Westfalen 412 E 15 – 24 200 Ew – Höhe 160 m – 02225.
◆Düsseldorf 94 – ◆Bonn 16 – ◆Koblenz 65.

City-Hotel, Bonner Str. 25, 60 95, Telex 886419, Fax 17720 – – 25/200
97 Z : 137 B Fb.

Zwei Linden garni, Merlerstr. 1, 60 22, Fax 12892 – . AE E VISA
18 Z : 30 B 90/100 - 130 Fb.

MEDEBACH **5789.** Nordrhein-Westfalen 987 ⑮ ㉕, 412 J 13 – 7 400 Ew – Höhe 411 m – 02982.
◆Düsseldorf 195 – ◆Kassel 76 – Marburg 61 – Paderborn 89 – Siegen 101.

Café Trippel, Oberstr. 6, 85 70 –
18. Mai - 5. Juni und 2.- 20. Nov. geschl. – **M** *(Mittwoch geschl.)* a la carte 19/39 – **9 Z : 17 B** 44/50 - 82/86.

In Medebach 6-Küstelberg NW : 8,5 km :

Schloßberghotel, Im Siepen 1, (02981) 26 61, , , , , –
15. Nov.- 15. Dez. geschl. – **M** *(Mittwoch geschl.)* a la carte 26/54 – **17 Z : 30 B** 59 - 118/138 Fb – ½ P 77/87.

MEERBUSCH Nordrhein-Westfalen siehe Düsseldorf.

MEERSBURG **7758.** Baden-Württemberg 413 K 23, 987 ㉟, 216 ⑩ – 5 000 Ew – Höhe 444 m – Erholungsort – 07532.
Sehenswert: Oberstadt★ (Marktplatz★ B, Steigstraße★ A) – Neues Schloß (Terrasse ★) AB.
Kur- und Verkehrsamt, Kirchstr. 4, 8 23 83, Fax 7881.
◆Stuttgart 191 ① – Bregenz 48 ① – ◆Freiburg im Breisgau 143 ① – Ravensburg 31 ①.

Stadtplan siehe nächste Seite

3 Stuben, Kirchstr. 7, 8 00 90 (Hotel) 60 19 (Rest.), Fax 1367, « Restauriertes Fachwerkhaus mit moderner Einrichtung » – . AE E. B v
M *(Dienstag - Mittwoch 18 Uhr und Anfang Jan.- Mitte Feb. geschl.)* a la carte 61/86 – **25 Z : 50 B** 130/180 - 190/230 Fb.

MEERSBURG

Pour les grands voyages
d'affaires ou de tourisme
Guide MICHELIN rouge :
Main Cities EUROPE.

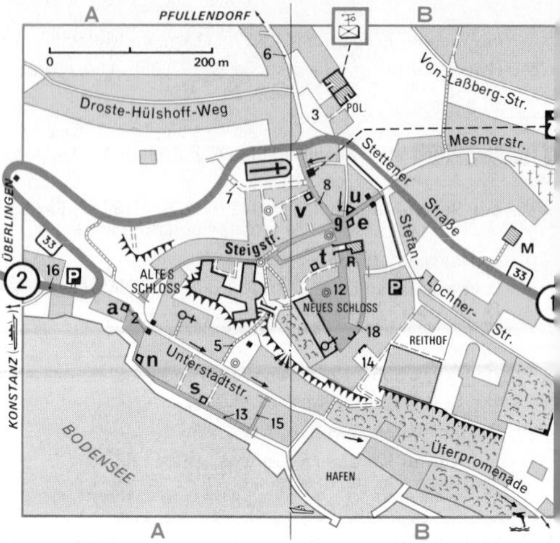

🏠 **Strandhotel Wilder Mann,** Bismarckplatz 2, ℘ 90 11, Fax 9014, « Gartenterrasse, Rosengarten », ▲ , 🐾 – 📺 ☎ ☜ . ⚘ A a
15. Dez.- Jan. geschl. – **M** *(Feb. und 30. Nov.- 15. Dez. geschl.)* a la carte 37/75 – **30 Z :
50 B** 130/180 - 160/325 Fb.

🏠 **Kurallee** garni, Kurallee 2, ℘ 10 05, 🐾 – 📺 ☎ ☜ **ⓟ**. ⅍ **E**. ⚘
14 Z : 28 B 110/130 - 150/190. über Daisendorfer Str. A

🏠 Terrassenhotel Weißhaar ⚘, Stefan-Lochner-Str. 24, ℘ 90 06, Fax 9191, < Bodensee, « Gartenterrasse » – ☎ ☜ **ⓟ** über Stefan-Lochner-Str. B
26 Z : 48 B.

🏠 **Villa Bellevue** ⚘ garni, Am Rosenhag 5, ℘ 97 70, Fax 1367, <, 🐾 – 📺 ☎ ☜ . ⚘
März - Nov. – **12 Z : 20 B** 100/140 - 180/200 Fb. über Stefan-Lochner-Str. B

🏠 **Löwen** (Gasthof a.d. 15. Jh.), Marktplatz 2, ℘ 60 13 – ⅍ Zim 📺 ☎ . ⅍ ⓞ **E** 𝘝𝘐𝘚𝘈 B e
Mitte Nov.- Mitte Dez. geschl. – **M** *(Nov.- April Mittwoch geschl.)* a la carte 41/72 – **21 Z :
38 B** 80/140 - 140/165 Fb – ½ P 95/125.

🏠 **Bären** (Historischer Gasthof a. d. 17. Jh.), Marktplatz 11, ℘ 60 44 – ☜ B u
Mitte März - Mitte Nov. – **M** *(auch vegetarische Gerichte)* (Montag und März - Juni auch Dienstag geschl.) a la carte 29/52 – **16 Z : 29 B** 58 - 110/120.

🏠 **Zum Schiff,** Bismarckplatz 5, ℘ 60 25, Fax 1537, <, 🐾 – 📺 ☎ **ⓟ**. ⅍ ⓞ **E** 𝘝𝘐𝘚𝘈 A n
Ostern - Mitte Nov. – **M** a la carte 26/55 – **35 Z : 70 B** 60/120 - 110/170 Fb.

🏠 **Café Off** ⚘, Uferpromenade 51, ℘ 3 33, <, 🐾 – 📺 ☎ ☜ **ⓟ**. **E**. ⚘ Rest
März - Okt. – **M** a la carte 27/60 – **16 Z : 27 B** 85/95 - 130/150 – ½ P 89/119. B

🏠 **Gästehaus Seegarten** ⚘ garni, Uferpromenade 47, ℘ 64 00, < – ☷ 📺 ☎ ☜ **ⓟ**. ⚘
März - Okt. – **16 Z : 32 B** 120 - 140/220 Fb. über Uferpromenade B

🏠 **Seehotel zur Münz - Restaurant Stärk** ⚘, Seestr. 7, ℘ 90 90 (Hotel) 77 28 (Rest.), <,
🐾 – ☷ ☎ ☜ A s
März - Okt. – **M** a la carte 30/54 – **14 Z : 28 B** 76/140 -115/156.

❌❌ **Winzerstube zum Becher,** Höllgasse 4, ℘ 90 09, Fax 1699 – ⅍ ⓞ 𝘝𝘐𝘚𝘈 B t
Montag - Dienstag 17 Uhr und Mitte Dez.- Mitte Jan. geschl. – **M** (Tischbestellung ratsam) a la carte 39/74.

MEHRING 5501. Rheinland-Pfalz 🔢 D 17 – 2 000 Ew – Höhe 122 m – ☺ 06502 (Schweich).
🏌 Ensch-Birkenheck (N : 7 km), ℘ (06507) 43 74.
Mainz 153 - Bernkastel-Kues 40 - ◆Trier 19.

🏠 **Weinhaus Molitor** ⚘ garni (mit Wein- und Bierstube), Maximinstr. 9, ℘ 27 88, 🐾 – &
☜ **ⓟ**. **E**
10 Z : 20 B 60 - 80/90.

🏠 Zum Fährturm Peter-Schroeder-Platz 2 (B 53), ℘ 24 03, <, 🐾 – ☜ **ⓟ**. ⚘
9 Z : 18 B.

In Pölich 5501 O : 3 km :

🛖 **Pölicher Held,** Hauptstr. 5 (B 53), ℘ (06507) 33 17, <, 🐾 – **ⓟ**
✦ *22. Dez.- 5. Jan. geschl.* – **M** *(Nov.- April Donnerstag geschl.)* a la carte 17,50/40 ⚘ – **10 Z :
24 B** 33/40 - 60/75.

MEHRSTETTEN Baden-Württemberg siehe Münsingen.

MEINERZHAGEN **5882.** Nordrhein-Westfalen 987 ㉔, 412 F 13 - 19 800 Ew - Höhe 385 m - Wintersport : 400/500 m 5 2 - ☎ 02354.

Kierspe-Varmert, an der B 237 (W : 9 km), ☎ (02269) 72 99.

Verkehrsamt, Bahnhofstr. 11, ☎ 7 71 32.

♦Düsseldorf 86 - Lüdenscheid 19 - Olpe 21 - Siegen 47.

Wirth, Hauptstr. 19, ☎ 60 58, Fax 6050 - ☎ P. AE E VISA
22. Dez.- 2. Jan. geschl. - (nur Abendessen für Hausgäste) - **19 Z : 35 B** 43/95 - 85/160.

In Meinerzhagen-Windebruch, an der Listertalsperre O : 16 km :

Fischerheim, Seeuferstr. 1, ☎ (02358) 2 70, ≤, , - P. Zim
15. Dez.- 15. Feb. geschl. - **M** *(Donnerstag geschl.)* a la carte 29/53 - **12 Z : 20 B** 34/48 - 63/85 - ½ P 43/54.

MEINHARD Hessen siehe Eschwege.

MEININGEN **0-6100.** Thüringen 412 413 O 15 - 25 500 Ew - Höhe 286 m - ☎ 0037676.

Meiningen-Information, Lindenallee, ☎ 27 70.

Erfurt 75 - ♦Berlin 339 - Coburg 69 - Fulda 27.

Schloß Landsberg mit Zim, Landsberger Straße 150 (NW : 4 km), ☎ 23 52, , « Gotische Holztäfelung im Restaurant » - ☎. Rest
7 Z : 21 B.

MEISSEN **O-8250.** Sachsen 984 ㉔, 987 ⑱ - 36 000 Ew - Höhe 110 m - ☎ 003753.

Sehenswert : Staatliche Porzellanmanufaktur★ - Albrechtsburg★★ - Dom★ (Grabplatten★ in der Fürstenkapelle, Laienaltar★, Stifterfiguren★★).

Meißen-Information, An der Frauenkirche 3, ☎ 44 70.

♦Berlin 175 - Chemnitz 61 - ♦Dresden 23 - ♦Leipzig 85.

Goldener Löwe, Heinrichsplatz 6, ☎ 33 04 - P. Rest - **11 Z : 25 B.**

Vincenz Richter, An der Frauenkirche 12, ☎ 32 85, « Weinstube in einem historischen Gebäude a.d.J. 1523, Innenhofterrasse » - E
nur Abendessen, Sonntag - Montag und 10.- 29. Feb. geschl. - **M** a la carte 19,50/31.

Parkrestaurant, Elbgasse 1, ☎ 22 86, ≤, - P
M a la carte 17/31.

MELDORF **2223.** Schleswig-Holstein 411 K 4, 987 ⑤ - 7 200 Ew - Höhe 6 m - ☎ 04832.

Fremdenverkehrsverein, Nordermarkt 10, ☎ 70 45.

♦Kiel 93 - Flensburg 94 - ♦Hamburg 95 - Neumünster 72.

Zur Linde (mit Gästehaus), Südermarkt 1, ☎ 70 33, Fax 43 12, - ☎ - 25/120. AE E VISA
M 22/30 (mittags) und a la carte 36/57 - **17 Z : 35 B** 65/95 - 105/120.

Stadt Hamburg, Nordermarkt 2, ☎ 14 61, Fax 4053 - ☎ P - 40. AE VISA
M a la carte 23/53 - **13 Z : 25 B** 75 - 120.

Am alten Meldorfer Hafen W : 2 km :

Dithmarscher Bucht mit Zim (restauriertes Gasthaus mit geschmackvoller Einrichtung ; historische Spielzeugsammlung), ✉ 2223 Meldorf, ☎ (04832) 71 23, Fax 4077, , - P
3. Jan.- Feb. geschl. - **M** *(auch vegetarische Gerichte)* (Montag geschl., Okt.- Ostern Dienstag - Freitag nur Abendessen) a la carte 40/61 - **7 Z : 14 B** 60 - 100.

MELLE **4520.** Niedersachsen 411 412 I 10, 987 ⑭ - 42 000 Ew - Höhe 80 m - Kurort (Solbad) - ☎ 05422.

Fremdenverkehrsamt, Rathaus, Am Markt, ☎ 10 33 12.

♦Hannover 115 - Bielefeld 36 - Münster (Westfalen) 80 - ♦Osnabrück 26.

Berghotel , Walter-Sudfeldt-Weg 6, ☎ 50 05, Fax 44450, « Terrasse mit ≤ », s, - ☎ P - 25/150. AE E VISA
M a la carte 29/54 - **32 Z : 55 B** 75 - 110/150 Fb.

Bayrischer Hof, Bahnhofstr. 14, ☎ 55 66, Biergarten - ☎ P. E
M a la carte 19/50 - **20 Z : 37 B** 50/60 - 90/100 Fb - ½ P 65/70.

Lumme, Haferstr. 7, ☎ 33 64 - ☎ P. Zim
24. Dez.- 5. Jan. und Juli geschl. - **M** *(Samstag bis 18 Uhr und Montag geschl.)* a la carte 20/45 - **11 Z : 17 B** 48/75 - 80/120.

Heimathof, Friedr.-Ludwig-Jahn-Str. 10 (im Erholungszentrum Am Grönenberg), ☎ 55 61, , « Fachwerkhaus a.d. J. 1620 » - P. AE E
Montag und Freitag geschl. - **M** *(auch vegetarisches Menu)* a la carte 40/63.

In Melle 7-Riemsloh SO : 7 km :

Alt Riemsloh, Alt-Riemsloh 51, ✆ (05226) 55 44 – TV ☎ P. Zim
M *(Samstag geschl.)* a la carte 23/50 – **11 Z : 20 B** 50 - 84.

MELLINGHAUSEN Niedersachsen siehe Sulingen.

MELLRICHSTADT **8744.** Bayern 412 413 N 15, 987 ㉖ – 6 300 Ew – Höhe 270 m – ✆ 09776.
Fremdenverkehrsbüro, Altes Rathaus, Marktplatz 2, ✆ 92 41.
◆München 359 – ◆Bamberg 89 – Fulda 72 – ◆Würzburg 91.

Sturm, Ignaz-Reder-Str. 3, ✆ 4 70, Fax 5709, – TV ☎ P – 30/80
M *(Sonntag ab 14 Uhr geschl.)* a la carte 27/51 – **44 Z : 77 B** 70/90 - 95/120 Fb.

MELSUNGEN **3508.** Hessen 987 ㉕, 412 L 13 – 14 300 Ew – Höhe 182 m – Luftkurort – ✆ 05661.
Sehenswert : Rathaus★ – Fachwerkhäuser★.
Verkehrsbüro im Rathaus, am Markt, ✆ 23 48.
◆Wiesbaden 198 – Bad Hersfeld 45 – ◆Kassel 34.

Sonnenhof, Franz-Gleim-Str. 11, ✆ 60 51 – ☎ P
M *(nur Abendessen, Sonntag, 15. Juli - 1. Aug. und 27. Dez.- 7. Jan. geschl.)* a la carte 42/80 – **23 Z : 38 B** 75/120 - 110/160.

In Malsfeld-Beiseförth **3509** S : 7 km :

Park-Hotel, Bahnhofstr. 19, ✆ (05664) 4 66, – TV ☎ P – 70. AE E VISA
M a la carte 31/50 – **14 Z : 25 B** 75 - 120 Fb.

Auf dem Heiligenberg W : 7 km, über die B 253, nach der Autobahn rechts ab :

Burg Heiligenberg , ✉ 3582 Felsberg-Gensungen, ✆ (05662) 8 31, Fax 2550, Edertal, – ☎ P.
28. Dez.-Jan. geschl. – **M** 17,50 /35 (mittags) und a la carte 25/59 – **30 Z : 50 B** 32/75 - 64/130.

MEMMELSDORF **8608.** Bayern 413 PQ 17 – 8 100 Ew – Höhe 285 m – ✆ 0951.
◆München 240 – ◆Bamberg 7 – Coburg 45.

Brauerei-Gasthof Drei Kronen, Hauptstr. 19 (B 22), ✆ 4 30 01, Fax 43869 – TV ☎ P. E VISA
M *(Sonntag 15 Uhr - Montag 17 Uhr sowie 27. Dez.- 7. Jan. und 1.- 15. Aug. geschl.)* a la carte 28/49 – **30 Z : 60 B** 74 - 130 Fb.

MEMMINGEN **8940.** Bayern 413 N 23, 987 ㊱, 426 C 4 – 38 000 Ew – Höhe 595 m – ✆ 08331.
Sehenswert : Pfarrkirche St. Martin (Chorgestühl★) Y **A.**
Städt. Verkehrsamt, Ulmer Str. 9 (Parishaus), ✆ 85 01 72.
ADAC, Sankt-Josefs-Kirchplatz 8, ✆ 7 13 03.
◆München 114 ② – Bregenz 74 ④ – Kempten (Allgäu) 35 ③ – ◆Ulm (Donau) 55 ⑤.

Stadtplan siehe gegenüberliegende Seite

Park-Hotel an der Stadthalle - Restaurant Schwarzer Ochsen, Ulmer Str. 7, ✆ 8 70 41, Telex 541038, Fax 48439, Biergarten, – Zim TV ☎ – 25/400. AE E VISA Y **r**
M 27/31 und a la carte 43/66 – **85 Z : 110 B** 90/145 - 150/210 Fb.

Falken garni, Roßmarkt 3, ✆ 4 70 81, Fax 47086 – TV ☎ . AE E VISA Z **v**
Aug. und 20. Dez.- 8. Jan. geschl. – **40 Z : 63 B** 85/105 - 135/160 Fb.

Weißes Ross, Kalchstr. 16, ✆ 20 20, Fax 84057 – ☎ . E VISA Y **e**
M a la carte 31/55 – **40 Z : 75 B** 65/85 - 110/130 Fb.

Garni am Südring, Pulvermühlstr. 1, ✆ 31 37 – ☎ P Z **n**
24. Dez.- 6. Jan. geschl. – **40 Z : 52 B** 35/75 - 65/95.

Weinhaus Knöringer, Weinmarkt 6, ✆ 27 15 – E Z **t**
Freitag geschl. – **M** *(auch vegetarische Gerichte)* 15/18 (mittags) und a la carte 30/50.

In Memmingen-Amendingen ① : 2 km :

Hiemer, Obere Str. 24, ✆ 8 79 51, Fax 87954 – ☎ P – 25/100. AE E VISA
Anfang Jan. 1 Woche geschl. – **M** a la carte 25/52 – **32 Z : 56 B** 75 - 115/130 Fb.

In Buxheim **8941** ⑤ : 4,5 km :

Weiherhaus , Am Weiherhaus 13, ✆ (08331) 7 21 23, – ☎ P. AE E. Zim
M a la carte 22/45 – **8 Z : 15 B** 69 - 109.

MEMMINGEN

ılchstraße .... Y
ımerstraße .... Z 23
ıximilianstraße .... Z 30
einmarkt .... Z 50

n Kuhberg .... Y 2
n Luginsland .... Y 3
ı der Hohen Wacht ...... Z 5
ı der Kaserne .... Z 6
ı der Mauer .... Z 7
ıgsburger Straße .... Y 8
ıumstraße .... Z 10
ınninger Straße .... Y 12
ıxacher Straße .... Y 14
ınaustraße .... Y 15
auenkirchplatz .... Z 16
ıllhof .... YZ 17
ırrenstraße .... Z 18
ndenburgring .... Z 19
rschgasse .... Z 20
ınigsgraben .... YZ 21
ıhlschanzstraße .... Y 22
euzstraße .... Z 24
ıttelgasse .... Z 25
ndauer Straße .... Z 26
ndentorstraße .... Z 27
arktplatz .... Y 28
artin-Luther-Platz .... Z 29
ünchner Straße .... Y 33
ıtzengraben .... Y 34
ıßmarkt .... Z 35
ılzstraße .... Y 36
.-Joseph-Kirchplatz .... Z 37
chießstattstraße .... Z 38
chleiferplatz .... Z 39
chrannenplatz .... Z 41
chweizerberg .... Z 42
einbogenstraße .... Z 43
roler Ring .... Z 46
eberstraße .... Z 49
estertorplatz .... Z 51
ıngmeisterstraße .... Y 52
ıllerbachstraße .... Z 53

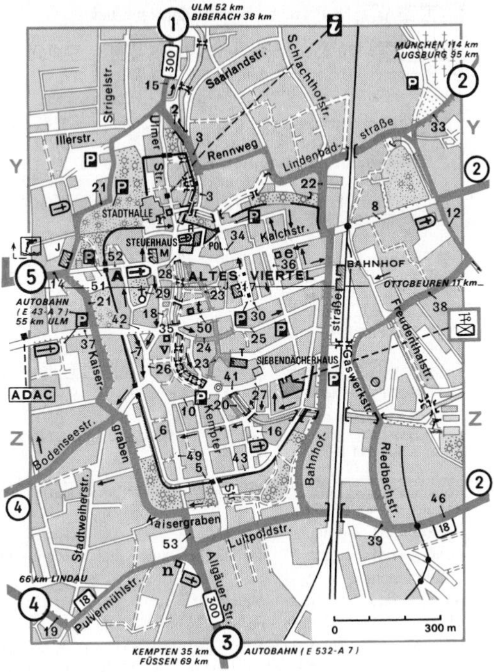

MENDEN **5750.** Nordrhein-Westfalen 411 412 G 12, 987 ⑭ – 56 900 Ew – Höhe 145 m – ☎ 02373 – ♦Düsseldorf 92 – Dortmund 34 – Iserlohn 12.

- **Central** garni, Unnaer Str. 33, ☎ 50 45, Fax 5531 – TV ☎. AE ⓓ E VISA
  über Ostern und Weihnachten - Neujahr geschl. – **16 Z : 20 B** 90 - 120 Fb.
- **Haus Slamic,** Unnaer Landstr. 2 (an der B 515, NW : 1,5 km), ☎ 6 30 91, Fax 67316, – TV ☎ P. AE ⓓ E.
  M a la carte 26/59 – **14 Z : 21 B** 65/85 - 110/170 Fb.

MENDIG **5442.** Rheinland-Pfalz 412 E 15 – 7 900 Ew – Höhe 200 m – ☎ 02652.
ainz 120 – ♦Bonn 56 – ♦Koblenz 29 – Mayen 8.

Im Ortsteil Niedermendig :

- **Hansa,** Laacher-See-Str. 11, ☎ 44 10, Fax 2316, – P. AE ⓓ E. Zim
  Mitte Dez.- Feb. geschl. – **M** *(Donnerstag geschl.)* a la carte 21/45 – **24 Z : 50 B** 37/48 - 64/90.
- **Felsenkeller,** Bahnstr. 35, ☎ 12 72, Fax 51398 – P. AE ⓓ E VISA
  M *(Samstag bis 18 Uhr, Sonntag und Juli - Aug. 3 Wochen geschl.)* a la carte 32/56 – **28 Z : 51 B** 38/65 - 75/120.

In Bell **5441** NW : 4 km :

- **Eifelperle,** Hauptstr. 62, ☎ (02652) 44 18 – .
  (Restaurant nur für Hausgäste) – **19 Z : 36 B** 25/36 - 50/64.

Siehe auch : ***Maria Laach***

MENGEN **7947.** Baden-Württemberg 413 KL 22, 987 ㉟, 427 M 1 – 9 500 Ew – Höhe 560 m
☎ 07572 – ♦Stuttgart 116 – Bregenz 89 – ♦Freiburg im Breisgau 138 – ♦Ulm (Donau) 72.

- **Baier,** Hauptstr. 10, ☎ 35 01 – ☎ P
  M *(Samstag geschl.)* a la carte 20/40 – **29 Z : 56 B** 55/65 - 100/120.
- **Rebstock,** Hauptstr. 93, ☎ 34 11, – TV ☎ P
  24. Dez.- 6. Jan. und Ende Juli - Anfang Aug. geschl. – Menu *(Freitag - Samstag 17 Uhr geschl.)* a la carte 35/58 – **15 Z : 22 B** 65/70 - 110/120 Fb.
- Roter Ochsen, Hauptstr. 92, ☎ 29 83 – TV P – **20 Z : 32 B**.

MENSLAGE Niedersachsen siehe Quakenbrück.

MEPPEN **4470.** Niedersachsen 411 EF 8, 987 ⑭, 408 ⑭ – 32 300 Ew – Höhe 20 m – ☎ 0593

Fremdenverkehrsamt, Rathaus, Markt 43, ✆ 15 31 06.

♦Hannover 240 – ♦Bremen 129 – Groningen 96 – ♦Osnabrück 85.

Pöker, Herzog-Arenbergstr. 15a, ✆ 30 63, Fax 6945, – 25/100.
M a la carte 24/49 – **48 Z : 80 B** 40/85 - 85/130 Fb.

Hülsmann am Bahnhof, Hüttenstr. 2, ✆ 22 21, Fax 5205 –
M *(Samstag bis 18 Uhr geschl.)* a la carte 25/57 – **26 Z : 42 B** 55/68 - 98/128 Fb.

Parkhotel, Lilienstr. 21 (nahe der Freilichtbühne), ✆ 1 80 11, Fax 89494, – Zim
M a la carte 29/60 – **30 Z : 45 B** 70/90 - 130/180 Fb.

Schmidt, Markt 17, ✆ 1 22 80 –
Juli - Aug. 3 Wochen geschl. – **M** *(Freitag ab 14 Uhr geschl.)* a la carte 21/47 – **23 Z : 30** 50/60 - 90/100 Fb.

Zum Schlagbaum, Dürenkämpe 1 (B 402, O : 2 km), ✆ 66 83 –
21 Z : 31 B Fb.

MERCHWEILER **6689.** Saarland 412 E 18, 242 ⑦, 57 ⑥ – 12 500 Ew – Höhe 359 m – ☎ 0682

♦Saarbrücken 18 – Homburg (Saar) 28 – Saarlouis 25.

Römerhof mit Zim, Hauptstr. 112, ✆ 53 73 –
Ende Juli - Mitte Aug. geschl. – **M** *(Samstag bis 18 Uhr und Dienstag geschl.)* a la carte 40/(– **8 Z : 11 B** 35/40 - 70.

MERGENTHEIM, BAD **6990.** Baden-Württemberg 413 M 18, 987 ㉕ – 21 000 Ew – Höhe 210 – Heilbad – ☎ 07931.

Sehenswert : Deutschordensschloß.

Ausflugsziel : Stuppach : Pfarrkirche (Stuppacher Madonna★★ von Grünewald) S : 6 km.

Erlenbachtal, ✆ 75 79.

Kultur- und Verkehrsamt, Marktplatz 3, ✆ 5 71 35.

♦Stuttgart 117 – Ansbach 78 – Heilbronn 75 – ♦Würzburg 53.

Maritim Parkhotel, Lothar-Daiker-Str. 6 (im Kurpark), ✆ 53 90, Telex 7422 Fax 539100, , Bade- und Massageabteilung, , , – Zim 25/220. Rest
M *(auch Diät)* a la carte 42/70 – **116 Z : 158 B** 167/254 - 238/318 Fb – ½ P 156/284.

Victoria, Poststr. 2, ✆ 59 30, Telex 74224, Fax 593500, « Gartenterrasse », – Zi – 25/150. Rest
3.- 17. Jan. geschl. – **M** *(bemerkenswerte Weinkarte)* a la carte 43/87 – **87 Z : 141 B** 120/18 - 190/320 Fb.

Bundschu, Cronbergstr. 15, ✆ 30 43, Fax 3046, – – 25.
Menu *(Montag geschl.)* a la carte 38/61 – **50 Z : 70 B** 95/110 - 130/150 Fb.

Kurhotel Stefanie, Erlenbachweg 11, ✆ 70 55, Bade- und Massageabteilung, , – Zim
Mitte Dez.- Anf. Jan. geschl. – (Restaurant nur für Hausgäste) – **30 Z : 43 B** 60/80 - 120/160 F

Steinmeyer, Wolfgangstr. 2, ✆ 72 20, Bade- und Massageabteilung –
Weihnachten - Mitte Jan. geschl. – **M** *(Freitag geschl.)* a la carte 27/47 – **15 Z : 25 B** 65/8 - 130/140.

Zum wilden Mann Reichengässle 6, ✆ 76 38 –
14 Z : 19 B.

In Bad Mergentheim - Löffelstelzen NO : 4 km :

Hirschen, Alte Würzburger Str. 29, ✆ 74 94 – Zim
17. Dez.- 20. Jan. geschl. – **M** *(Donnerstag geschl.)* a la carte 20/39 – **12 Z : 16 B** 32 - 6

In Bad Mergentheim - Markelsheim SO : 6 km :

Weinstube Lochner, Hauptstr. 39, ✆ 20 81, Fax 2080, , – – 25/8
55 Z : 110 B Fb.

In Bad Mergentheim - Neunkirchen S : 2 km :

Gasthof Rummler (mit Gästehaus), Althäuser Str. 18, ✆ 4 50 25, Biergarten, – Zim
13. Feb.- 4. März und 7.- 20. Sept. geschl. – **M** *(1. Sonntag im Monat ab 14 Uhr und Monta geschl.)* a la carte 26/53 – **11 Z : 22 B** 62 - 104 – ½ P 77.

We have established for your use a classification
of certain restaurants by awarding them the mention
Menu, ✿, ✿✿ or ✿✿✿.

/IERING **8905.** Bayern 413 PQ 22, 987 ㊱, 426 EF 4 – 9 100 Ew – Höhe 526 m – ☎ 08233.
/lünchen 53 – ♦Augsburg 15 – Landsberg am Lech 29.

Schlosserwirt, Münchner Str. 29, ✆ 95 04 – Ⓟ
20. Juli - 15. Aug. geschl. – **M** *(Samstag - Sonntag geschl.)* a la carte 18/31 – **20 Z : 27 B** 45/62 - 88/110.

/IERKLINGEN **7901.** Baden-Württemberg 413 M 21 – 1 600 Ew – Höhe 699 m – ☎ 07337
ellingen).
;tuttgart 68 – Reutlingen 53 – ♦Ulm (Donau) 26.

Ochsen, Hauptstr. 12, ✆ 2 83, – TV ☎ Ⓟ. AE E VISA
Mitte - Ende Mai und Nov. geschl. – **M** *(nur Abendessen, Sonntag geschl.)* a la carte 22/45 – **19 Z : 40 B** 65/88 - 90/125 Fb.

In Berghülen **7901** S : 8 km :

Ochsen, Blaubeurer Straße 14, ✆ (07344) 63 18 – Ⓟ.
27. Juli - 16. Aug. geschl. – **M** *(Montag geschl.)* a la carte 18,50/33 – **14 Z : 25 B** 25/35 - 50/70.

/IERTESDORF Rheinland-Pfalz siehe Trier.

/IERZIG **6640.** Saarland 987 ㉓, 412 C 18, 409 M 7 – 29 500 Ew – Höhe 174 m – ☎ 06861.
Kultur- und Verkehrsamt, Zur Stadthalle 4, ✆ 28 77.
;aarbrücken 46 – Luxembourg 56 – Saarlouis 21 – ♦Trier 49.

Zum Römer Schankstr. 2, ✆ 26 45, – Ⓟ
13 Z : 18 B.

Merll-Rieff mit Zim, Schankstr. 27, ✆ 25 65 – ☎ Ⓟ. AE ⓓ E VISA
Juli - Aug. 3 Wochen geschl. – **M** *(Mittwoch geschl.)* a la carte 23/52 – **12 Z : 23 B** 50/60 - 85/120.

In Beckingen 4-Honzrath **6645** SO : 7 km :

Sporthotel Honzrath, beim Sportzentrum Hellwies, ✆ (06835) 40 41, , – TV Ⓟ. AE E
M *(Mittwoch geschl.)* a la carte 29/54 – **14 Z : 20 B** 40/60 - 80/100.

/IESCHEDE **5778.** Nordrhein-Westfalen 411 412 H 12, 987 ⑭ – 33 000 Ew – Höhe 262 m – ☎ 0291.
Verkehrsamt, Pavillon Am Rathaus, Ruhrstr. 25, ✆ 20 52 77, Fax 205519.
DAC, Ruhrplatz 2, ✆ 14 13.
Düsseldorf 150 – Brilon 22 – Lippstadt 43 – Siegen 97.

Von Korff mit Zim, Le-Puy-Str. 19, ✆ 9 91 40, Fax 2309 – TV ☎ Ⓟ. AE ⓓ E VISA
Juli - Aug. 3 Wochen geschl. – **M** a la carte 35/61 – **11 Z : 18 B** 75/150 - 120/195 Fb.

In Meschede 3-Freienohl NW : 10 km :

Haus Luckai, Christine-Koch-Str. 11, ✆ (02903) 77 52, – Ⓟ
M a la carte 25/50 – **15 Z : 25 B** 45/50 - 80/90.

In Meschede 12-Grevenstein SW : 13,5 km – Wintersport : 450/600 m 1 – ☎ 02934 :

Gasthof Becker, Burgstr. 9, ✆ 10 66 – TV ☎ Ⓟ. AE ⓓ E VISA
Juli - Aug. 3 Wochen geschl. – **M** *(Dienstag geschl.)* a la carte 36/68 – **11 Z : 20 B** 50/65 - 100/130 Fb.

Holländer Hof, Ohlstr. 4, ✆ 2 60 – ☎ Ⓟ
17 Z : 33 B.

In Meschede-Olpe W : 9 km :

Landgasthof Hütter, Freienohler Str. 31, ✆ (02903) 76 64, – Ⓟ.
M a la carte 25/47 – **12 Z : 20 B** 35/50 - 70/100.

/IESPELBRUNN **8751.** Bayern 987 ㉕, 412 413 K 17 – 2 200 Ew – Höhe 269 m – Erholungsort
☎ 06092 (Heimbuchenthal).
Verkehrsverein, Hauptstr. 158, ✆ 3 19.
München 342 – Aschaffenburg 16 – ♦Würzburg 66.

Schloß-Hotel, Schloßallee 25, ✆ 60 80, Fax 608100, , – TV ☎ Ⓟ – 35.
AE ⓓ E VISA
1.- 26. Dez. geschl. – **M** *(3. Jan.- 1. Feb. geschl.)* a la carte 21/44 – **40 Z : 70 B** 65/145 - 105/185.

Engel, Hauptstr. 268, ✆ 3 13, , « Zirbelstube », – ☎ Ⓟ
15. Nov.- 25. Dez. geschl. – **M** *(Jan.- April Montag - Dienstag geschl.)* a la carte 19/50 – **17 Z : 32 B** 35/60 - 60/88 – ½ P 42/52.

In Mespelbrunn 2-Hessenthal N : 4 km :

Hobelspan, Hauptstr. 49, ✆ 2 62, Fax 7073, (geheizt), – Ⓟ
6. Jan.- 1. Feb. geschl. – **M** *(Dienstag geschl.)* a la carte 20/45 – **25 Z : 43 B** 50/75 - 80/1
– ½ P 50/75.

MESSKIRCH 7790. Baden-Württemberg 413 K 23, 427 L 1,2 – 7 800 Ew – Höhe 605 m
07575.
Städt. Verkehrsamt, Schloßstr. 1, ✆ 2 06 46.
♦Stuttgart 118 – ♦Freiburg im Breisgau 119 – ♦Konstanz 59 – ♦Ulm (Donau) 91.

In Messkirch-Menningen NO : 5 km :

Zum Adler Leitishofen mit Zim, Leitishofen 35 (B 311), ✆ 31 57 – Ⓟ. E
Mitte Jan.- Mitte Feb. geschl. – Menu *(Dienstag geschl.)* a la carte 29/50 – **9 Z : 16 B** 48 - 8

MESSTETTEN Baden-Württemberg siehe Albstadt.

METELEN 4439. Nordrhein-Westfalen 411 412 E 10, 408 M 5 – 5 800 Ew – Höhe 58 m
02556.
♦Düsseldorf 136 – Enschede 30 – Münster (Westfalen) 42 – ♦Osnabrück 69.

Haus Herdering-Hülso garni, Neutor 13, ✆ 70 48, – Ⓟ. AE E
8 Z : 16 B 48/54 - 78/86.

Pfefferkörnchen, Viehtor 2, ✆ 13 99 – Ⓟ. AE E VISA
Dienstag und 26. Dez.- 15. Jan. geschl. – **M** (Tischbestellung ratsam) a la carte 47/71.

METTINGEN 4532. Nordrhein-Westfalen 411 412 G 10, 987 ⑭ – 10 000 Ew – Höhe 90 m
05452.
♦Düsseldorf 185 – ♦Bremen 132 – Enschede 75 – ♦Osnabrück 21.

Romantik-Hotel Telsemeyer, Markt 6, ✆ 30 11, Fax 3581, « Wintergarte
Tüöttenmuseum », – Ⓟ – 25/100. AE E VISA.
M *(auch vegetarische Gerichte)* 25 /43 (mittags) und a la carte 42/72 – **55 Z : 100 B** 80/1
– 140/200 Fb.

METTLACH 6642. Saarland 987 ㉓, 412 C 18, 409 M 7 – 12 400 Ew – Höhe 165 m – 0686
Ausflugsziel : Cloef ≤★★, W : 7 km.
♦Saarbrücken 54 – Saarlouis 29 – ♦Trier 41.

Zum Schwan, Freiherr-vom-Stein-Str. 34, ✆ 72 79, Fax 7277, – Ⓟ. AE
VISA
M a la carte 27/56 – **12 Z : 24 B** 80 - 120 Fb.

Zur Post, Heinertstr. 17, ✆ 5 57, – Ⓟ
M a la carte 21/49 – **10 Z : 18 B** 45/50 - 80/90.

Haus Schons garni, von-Boch-Liebig-Str. 1, ✆ 12 14 – Ⓟ
7 Z : 12 B 47 - 70.

In Mettlach 5-Orscholz NW : 6 km :

Zur Saarschleife (mit Gästehaus), Cloefstr. 44, ✆ (06865) 7 11, Fax 290,
– Ⓟ – 25/40. AE E VISA
M a la carte 33/61 – **59 Z : 115 B** 70/125 - 100/170 Fb.

Zum Orkelsfels, Cloefstr. 97, ✆ (06865) 3 17 – Ⓟ
Ende Feb.- Mitte März geschl. – **M** *(Donnerstag geschl.)* a la carte 20/38 – **11 Z : 21 B** 35/4
– 65/70.

METTMANN 4020. Nordrhein-Westfalen 411 412 D 13, 987 ㉔ – 35 700 Ew – Höhe 131 m
02104.
♦Düsseldorf 16 – ♦Essen 33 – Wuppertal 16.

In Mettmann-Metzkausen NW : 3 km :

Luisenhof garni, Florastr. 82, ✆ 5 30 31, Fax 54050, – Ⓟ – 30. AE E VIS
Rest
32 Z : 55 B 110/180 - 150/250 Fb.

An der B 7 W : 3 km :

Gut Höhne, Düsseldorfer Str. 253, ✉ 4020 Mettmann, ✆ (02104) 77 8
Telex 8581297, Fax 75625, « Rustikale Hotelanlage in einem ehemaligen Landgut
(geheizt), – Ⓟ – 25/100. E VISA
M a la carte 39/78 – **80 Z : 144 B** 135/250 - 270/380 Fb – 5 Appart. 480/960.

METTNAU (Halbinsel) Baden-Württemberg siehe Radolfzell.

METZINGEN 7430. Baden-Württemberg 413 K 21, 987 ㉟ – 20 000 Ew – Höhe 350 m – ☎ 07123 – ♦Stuttgart 35 – Reutlingen 8 – ♦Ulm (Donau) 79.

Schwanen, Bei der Martinskirche 10, ✆ 13 16, Fax 6827, 🏨, ≘s – TV ☎ – 🏃 25/60. AE ⓓ E VISA
M a la carte 36/70 – **36 Z : 60 B** 85/180 - 135/250 Fb.

Kuhn garni, Bohlstr. 8, ✆ 26 32 – ☎ 🚗 P
21 Z : 26 B 36/52 - 70/85.

In Metzingen 4-Glems S : 4 km :

Stausee-Hotel ⛰, Unterer Hof 3 (am Stausee, W : 1,5 km), ✆ 49 16, Fax 41572, ≤ Stausee und Schwäbische Alb – TV ☎ P – 🏃 25/50. AE ⓓ E VISA
Feb. 2 Wochen geschl. – **M** *(Sonntag 18 Uhr - Montag geschl.)* a la carte 41/64 – **18 Z : 26 B** 90/95 - 130/140.

Waldhorn, Neuhauser Str. 32, ✆ 1 51 67 – 🚗 P. E. ✻ Zim
Jan. 1 Woche und Juli - Aug. 3 Wochen geschl. – **M** *(Dienstag geschl.)* a la carte 28/56 🍷 – **11 Z : 18 B** 42/55 - 80/95.

In Riederich **7434** N : 3 km :

Parkhotel Lutz ⛰, Hegwiesenstr. 20, ✆ 3 80 30, Fax 35544, 🏨 – |♦| TV P – 🏃 25/45. AE ⓓ E VISA
M *(auch vegetarische Gerichte)* a la carte 39/63 – **53 Z : 96 B** 150/170 - 170/250 Fb.

In Kohlberg **7441** NO : 5 km :

XX Beim Schultes, Neuffener Str. 1, ✆ (07025) 24 27, « Ehem. Rathaus a.d.J. 1665, Galerie verkäuflicher Bilder »
nur Abendessen – (Tischbestellung ratsam).

MICHELAU Bayern siehe Lichtenfels.

MICHELSTADT 6120. Hessen 412 413 K 17, 987 ㉕ – 16 000 Ew – Höhe 208 m – ☎ 06061.
Sehenswert : Rathaus★ – **Ausflugsziel :** Jagdschloß Eulbach : Park★ O : 9 km.
Michelstadt-Vielbrunn (NO : 13,5 km), ✆ (06066) 2 58.
Verkehrsamt, Marktplatz 1, ✆ 7 41 46.
Wiesbaden 92 – Aschaffenburg 51 – ♦Darmstadt 47 – ♦Mannheim 62 – ♦Würzburg 99.

Drei Hasen (Sandsteinbau a.d.J. 1813), Braunstr. 5, ✆ 7 10 17, Fax 72596, Biergarten – TV ☎ P. ⓓ E VISA. ✻ Zim
1.- 24. Jan. und 20.- 27. Juli geschl. – **M** *(Montag geschl.)* a la carte 31/55 🍷 – **21 Z : 42 B** 72/85 - 110/125 Fb.

Zum Wilden Mann, Erbacher Str. 10, ✆ 25 93 – ☎ 🚗
(nur Abendessen) – **21 Z : 41 B.**

XX **Grüner Baum** mit Zim (Fachwerkhaus a.d.J. 1685), Große Gasse 17, ✆ 24 09, 🏨 – TV. E VISA
M a la carte 21/54 🍷 – **4 Z : 8 B** 40 - 80.

In Michelstadt-Vielbrunn NO : 13,5 km – Luftkurort – ☎ 06066 :

Weyrich, Waldstr. 5, ✆ 2 71, ≘s, 🏊, 🌳 – P. AE E
M a la carte 29/45 – **29 Z : 52 B** 56/61 - 112/122.

Geiersmühle ⛰ (ehem.Getreidemühle), Im Ohrnbachtal (O : 2 km), ✆ 7 21, 🏨, ≘s – P
7. - 31. Jan. und 5.- 19. Nov. geschl. – **M** *(Montag - Dienstag geschl., Mittwoch - Freitag nur Abendessen)* a la carte 35/64 – **11 Z : 20 B** 60 - 110/120.

Haus Talblick garni, Hauptstr. 61, ✆ 2 15, 🌳 – P. ✻
13 Z : 25 B 35/50 - 70/80.

In Michelstadt - Weiten-Gesäß NO : 6 km – Luftkurort :

Berghof, Hauptstr. 9, ✆ 37 01, Fax 73508, ≤, 🌳 – ☎ 🚗 P – 🏃 30. AE ⓓ E
Mitte Feb. - Mitte März und 20.- 24. Dez. geschl. – **M** *(auch vegetarische Gerichte)* (Dienstag geschl.) a la carte 29/60 🍷 – **20 Z : 36 B** 54/60 - 96/108 Fb.

MIESBACH 8160. Bayern 413 S 23, 987 ㊲, 426 H 5 – 9 400 Ew – Höhe 686 m – ☎ 08025.
♦München 54 – Rosenheim 29 – Salzburg 101 – Bad Tölz 23.

Gästehaus Wendelstein garni, Bayrischzeller Str. 19 (B 307), ✆ 78 02, 🌳 – 🚗 P
Anfang Okt.- Anfang Nov. geschl. – **12 Z : 20 B** 45/65 - 95/100.

Auf dem Harzberg :

Sonnenhof ⛰, Heckenweg 8, ✉ 8160 Miesbach, ✆ (08025) 42 48, ≤, 🏨, 🌳 – 🚗 P. E
Mitte Nov.- Mitte Dez. geschl. – **M** a la carte 19/37 – **25 Z : 50 B** 55/80 - 75/95.

MILTENBERG 8760. Bayern 987 ㉕, 412 413 K 17 – 9 500 Ew – Höhe 127 m – 😊 09371.

Sehenswert : Marktplatz★.

🛈 Tourist Information, Rathaus, Engelplatz 69, ℰ 40 01 19.

◆München 347 – Aschaffenburg 44 – Heidelberg 78 – Heilbronn 84 – ◆Würzburg 71.

🏨 **Jagd-Hotel Rose** (Haus a. d. 17. Jh.), Hauptstr. 280, ℰ 4 00 60, Telex 689297, Fax 400617
☎ – 📺 ☎ – 🏧 25/50. 🖭 ⓞ 🅴 𝚅𝙸𝚂𝙰
M *(Sonntag ab 18 Uhr geschl.)* a la carte 39/63 – **27 Z : 50 B** 89/98 - 139/149 Fb.

🏨 **Riesen** garni, Hauptstr. 97, ℰ 36 44, « Fachwerkhaus a.d.J. 1590 mit stilvoller Einrichtung
– 🛗 ☎ ⇌. ⓞ 🅴
Mitte März - Anfang Dez. – **14 Z : 26 B** 68/98 - 108/178.

🏨 **Altes Bannhaus,** Hauptstr. 211, ℰ 30 61, Fax 68754, « Restaurant in einem historischer
Gewölbekeller » – 🛗 📺 ☎. ⓞ 🅴 𝚅𝙸𝚂𝙰. ⨯ Zim
3.- 24. Jan. geschl. – **M** *(Donnerstag geschl.)* a la carte 51/71 – **10 Z : 16 B** 65/85 - 132
146.

🏨 **Brauerei Keller,** Hauptstr. 66, ℰ 24 48/50 80, Fax 508100 – 📺 ☎ ⇌ – 🏧 30. 🖭 ⓞ
🅴 𝚅𝙸𝚂𝙰
7. Jan.- 15. Feb. geschl. – **M** *(Montag geschl.)* a la carte 27/57 – **28 Z : 48 B** 65/75 - 106
135 Fb.

🏠 **Weinhaus am Alten Markt** ⤷ garni (Fachwerkhaus a.d.J. 1508), Marktplatz 185, ℰ 55 0
– 📺 ☎. ⨯
Feb. geschl. – **9 Z : 14 B** 52/90 - 86/135.

🏠 **Hopfengarten,** Ankergasse 16, ℰ 31 31, 🍴 – 📺 ☎. ⓞ 🅴 𝚅𝙸𝚂𝙰
3. Feb.- 3. März und 9.- 20. Nov. geschl. – **M** *(Dienstag geschl.)* a la carte 40/57 🍷 – **13 Z
23 B** 51/75 - 96/120 Fb.

🏠 **Mildenburg,** Mainstr. 77, ℰ 27 33, Fax 80227, ≤, 🍴 – 📺. ⓞ 🅴 𝚅𝙸𝚂𝙰
Mitte Feb.- Mitte März geschl. – **M** *(Montag geschl.)* a la carte 25/57 🍷 – **15 Z : 26 B** 35/6
- 70/112.

🏠 **Fränkische Weinstube,** Hauptstr. 111, ℰ 21 66, Fax 69821 – 📺. 🖭 ⓞ 🅴 𝚅𝙸𝚂𝙰
➜ 12. Jan.- 13. Feb. geschl. – **M** *(Mittwoch geschl.)* a la carte 21/50 🍷 – **8 Z : 14 B** 43/45 - 75/85

In Miltenberg-Breitendiel SW : 4 km :

✗ **Troll** ⤷ mit Zim, Odenwaldstr. 21, ℰ 72 83, ≤, 🍴 – 🅿
Feb. 2 Wochen geschl. – **M** *(Dienstag geschl.)* a la carte 26/44 🍷 – **5 Z : 9 B** 30/40 - 66/72

MINDELHEIM 8948. Bayern 413 O 22, 987 ㊱, 426 D 4 – 12 200 Ew – Höhe 600 m – 😊 08261
◆München 86 – ◆Augsburg 55 – Memmingen 28 – ◆Ulm (Donau) 66.

🏠 **Stern,** Frundsbergstr. 17, ℰ 50 55, Fax 1803, 🍴 – ⇌ 🅿 – 🏧 25/80
➜ Aug. geschl. – **M** *(Samstag 14 Uhr - Sonntag geschl.)* a la carte 22/42 – **46 Z : 70 B** 50/6
- 90/110.

✗✗ **Weberhaus,** Mühlgasse 1 (1. Etage), ℰ 36 35, 🍴
M *(bemerkenswerte Weinkarte)* (Tischbestellung ratsam) a la carte 37/60.

An der Straße nach Bad Wörishofen SO : 5 km :

🔝 **Jägersruh** ✉ 8948 Mindelheim-Mindelau, ℰ (08261) 17 86, 🍴 – ☎ 🅿
➜ **M** *(Montag geschl.)* a la carte 22/45 🍷 – **16 Z : 28 B** 35/45 - 65/85 Fb.

MINDEN 4950. Nordrhein-Westfalen 411 412 J 10, 987 ⑮ – 78 000 Ew – Höhe 46 m – 😊 0571
Sehenswert : Dom★ (Westwerk★★, Domschatzkammer★ mit Bronze-Kruzifix★★) Y **A** –
Schachtschleuse★★ Y – Kanalbrücke★ Y.

🛈 Verkehrs- und Werbeamt, Großer Domhof 3, ℰ 8 93 85, Fax 89401.

ADAC, Königstr. 105, ℰ 2 31 56, Notruf ℰ 1 92 11.

◆Düsseldorf 220 ③ – ◆Bremen 100 ① – ◆Hannover 72 ② – ◆Osnabrück 81 ④.

Stadtplan siehe gegenüberliegende Seite

🏨 **Bad Minden,** Portastr. 36, ℰ 5 10 49, Telex 97993, Fax 58953, Bade- und Massage
abteilung, ⇌ – 📺 ☎ 🅿 – 🏧 25/150. 🖭 ⓞ 🅴 𝚅𝙸𝚂𝙰 Z n
M 22 /30 (mittags) und a la carte 40/61 – **33 Z : 62 B** 95/248 - 170/298 Fb.

🏨 **Kruses Park-Hotel,** Marienstr. 108, ℰ 4 60 33, Telex 97986, Fax 49022 – 📺 ☎ 🕭 🅿
🏧 25. 🖭 ⓞ 🅴 𝚅𝙸𝚂𝙰 Y
M a la carte 36/64 – **32 Z : 58 B** 85/99 - 130/146 Fb.

🏨 **Exquisit,** In den Bärenkämpen 2a, ℰ 4 30 55, Telex 97994, Fax 49799, ⇌, ⬛ – 🛗 ⤭ Zir
📺 ☎ 🅿 – 🏧 35. ⓞ 🅴 𝚅𝙸𝚂𝙰 über Hahler Straße und Sandtrift Y
(nur Abendessen für Hausgäste) – **45 Z : 85 B** 80/110 - 125/165 Fb.

🏨 **Silke** ⤷ garni, Fischerglacis 21, ℰ 2 37 36, ⇌, ⬛, 🌲 – 📺 ☎ ⇌ 🅿 Y
21 Z : 30 B 102/108 - 160/180 - 3 Appart..

🏠 **Altes Gasthaus Grotehof,** Wettineralle 14, ℰ 5 40 18, ⇌, 🌲 – 📺 ☎ 🅿. ⓞ 🅴 𝚅𝙸𝚂𝙰
⨯ über Rodenbecker Str. Z
M *(nur Abendessen, Sonntag, Juli - Aug. 3 Wochen und Weihnachten - Neujahr geschl.)* a l
carte 33/61 – **20 Z : 32 B** 45/89 - 75/138 Fb.

Bäckerstraße	Y	3
Hufschmiede	Y	8
Kampstraße	Y	9
Markt	Y	15
Obermarktstraße	Z	17
Scharn	Y	
Simeonstraße	Z	22
Alte Kirchstraße	Y	2
Brüderstraße	Y	4
Greisenbruchstraße	Y	5
Hausberger Straße	Y	6
Hohe Straße	Z	7
Kisaustraße	Z	10
Kleiner Domhof	Y	13
Martinkirchhof	Y	16
Papenmarkt	Z	18
Poststraße	Y	19
Ritterstraße	Z	20
Schwichowwall	Z	21
Tonhallenstraße	Z	23
Videbullenstraße	Z	24
Viktoriastraße	Y	25
Vinckestraße	Y	26

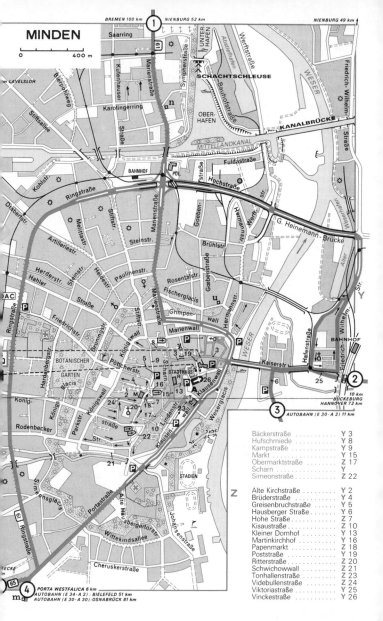

Teilen Sie uns Ihre Meinung
über die von uns empfohlenen Hotels und Restaurants
sowie über ihre Spezialitäten mit.

MITTELBERG Österreich siehe Kleinwalsertal.

MITTELZELL Baden-Württemberg siehe Reichenau (Insel).

MITTENAAR **6349.** Hessen 412 I 14 – 5 000 Ew – Höhe 230 m – ☎ 02772.
♦Wiesbaden 126 – Gießen 47 – Limburg an der Lahn 58 – Siegen 41.

In Mittenaar-Ballersbach :

Berghof, Bergstr. 4, ☎ 6 20 55, – – **17 Z : 23 B.**

In Mittenaar-Bicken :

Thielmann, Wiesenstr. 5, ☎ 6 20 11, Fax 63720, – . AE E VISA
Anfang - Mitte Jan. und Juni - Juli 2 Wochen geschl. – **M** *(Freitag - Samstag 18 Uhr geschl.)*
a la carte 31/58 – **19 Z : 25 B** 47/65 - 110/140 Fb.

MITTENWALD **8102.** Bayern 413 Q 24, 987 ㊲, 426 F 6 – 8 300 Ew – Höhe 920 m – Luftkurort
– Wintersport : 920/2 244 m 1 7 1 – ☎ 08823.

Sehenswert : Häuser am Obermarkt mit Freskenmalerei★★.

Ausflugsziel : Karwendel, Höhe 2 244 m, 10 Min. mit , ★★.

Kurverwaltung und Verkehrsamt, Dammkarstr. 3, ☎ 3 39 81, Fax 3355.

ADAC Beim Grenzzollamt (S : 5 km), ☎ 59 50.

♦München 103 – Garmisch-Partenkirchen 18 – Innsbruck 37.

Post, Obermarkt 9, ☎ 10 94, Fax 1096, , , , – – 30/80
M *(23. Nov.- 15. Dez. geschl.)* a la carte 22/54 – **87 Z : 160 B** 60/110 - 116/190 Fb – 6 Appart
220/270 – ½ P 82/159.

Alpenrose (mit Gästehaus Bichlerhof), Obermarkt 1, ☎ 50 55, , , –
. AE E VISA – **M** a la carte 27/56 – **44 Z : 85 B** 74/107 - 128/184 Fb – 4 Fewo 65/90

Berghotel Latscheneck , Kaffeefeld 1 (Höhe 1 100 m), ☎ 14 19, Fax 1058
Mittenwald und Karwendel, , , – .
April - 18. Mai und Nov.- 25. Dez. geschl. – (nur Abendessen für Hausgäste) – **12 Z : 25 B** 115
- 230/260 Fb – ½ P 125/140.

Rieger, Dekan-Karl-Platz 28, ☎ 50 71, , , , , – . AE E VISA
Rest
Nov.- 18. Dez. geschl. – **M** *(Montag geschl.)* a la carte 31/60 – **45 Z : 80 B** 72/152 - 118/186 Fb
– ½ P 77/119.

Berggasthof Gröblalm , Gröblalm (N : 2 km), ☎ 50 33, Mittenwald und Karwendel
, , –
Anfang Nov.- Mitte Dez. geschl. – **M** *(Montag geschl.)* a la carte 25/63 – **27 Z : 50 B** 74 - 120/136

Gästehaus Franziska garni, Innsbrucker Str. 24, ☎ 50 51, , – . AE VISA
7. Nov.- 12. Dez. geschl. – **19 Z : 36 B** 55/75 - 90/160 Fb.

Mühlhauser, Partenkirchner Str. 53, ☎ 15 90, , – .
Mitte Nov.- Mitte Dez. geschl. – **M** *(wochentags nur Abendessen, Dienstag geschl.)* a la carte
22/41 – **19 Z : 38 B** 58/70 - 100/140 Fb.

Gästehaus Sonnenbichl garni, Klausnerweg 32, ☎ 50 41, Mittenwald und
Karwendel, , – .
27. Okt.- 15. Dez. geschl. – **20 Z : 40 B** 65/80 - 115/128.

Pension Hofmann garni, Partenkirchner Str. 25, ☎ 13 18 – .
Nov.- 20. Dez. geschl. – **26 Z : 45 B** 48/60 - 86/98.

Gästehaus Zerhoch garni, Hermann-Barth-Weg 7, ☎ 15 08, –
Nov.- 20. Dez. geschl. – **16 Z : 30 B** 45 - 80 – 2 Fewo 95.

Wipfelder garni, Riedkopfstr. 2, ☎ 10 57 –
ab Ostern 3 Wochen und 20. Okt.- 20. Dez. geschl. – **11 Z : 22 B** 50/78 - 88/135.

Arnspitze, Innsbrucker Str. 68, ☎ 24 25, – . AE
ab Ostern 3 Wochen, 25. Okt.- 19. Dez. und Dienstag - Mittwoch 18 Uhr geschl. – Menu
35 und a la carte 37/68.

Postkeller (Brauerei-Gaststätte), Innsbrucker Str. 13, ☎ 17 29 – . E
6. Nov.- 6. Dez. und Montag geschl. – **M** a la carte 22/47.

Am Lautersee SW : 3 km – (Zufahrt nur für Hotelgäste mit schriftlicher Zimmerreservierung
oder entsprechender Bestätigung der Kurverwaltung) :

Lautersee mit Zim, ✉ 8102 Mittenwald, ☎ (08823) 10 17, Fax 5246, See und
Karwendel, « Gartenterrasse am See », , –
23. April - 10. Mai und 3. Nov.- 20. Dez. geschl. – **M** a la carte 26/59 – **8 Z : 18 B** 75/100 -
140/180 – ½ P 98/118.

Außerhalb N : 4 km, Richtung Klais bis zum Schmalensee, dann rechts ab – Höhe 1 007 m

Tonihof , Brunnenthal 3, ✉ 8102 Mittenwald, ☎ (08823) 50 31, Fax 3927, Karwendel
und Wettersteinmassiv, , , , –
Mitte April - Anfang Mai und Ende Okt.- 22. Dez. geschl. – **M** *(Mittwoch geschl.)* a la carte 23/51
– **18 Z : 30 B** 52/80 - 104/160 – ½ P 72/98.

MITWITZ **8621.** Bayern 413 Q 16 – 3 000 Ew – Höhe 313 m – ☎ 09266.
♦München 285 – ♦ Bamberg 57 – Bayreuth 47 – Coburg 23 – Hof 65.

In Mitwitz-Bächlein NO : 4 km :

Waldgasthof Bächlein, ☏ 5 35, Fax 335, – TV P. Rest
M a la carte 29/53 – **56 Z : 97 B** 50/70 - 88/120 Fb.

MODAUTAL **6101.** Hessen 412 413 J 17 – 4 800 Ew – Höhe 405 m – ☎ 06254 (Gadernheim).
♦Wiesbaden 62 – ♦Darmstadt 13 – ♦Mannheim 60.

In Modautal 3-Lützelbach :

Zur Neunkircher Höhe, Brandauer Str. 3, ☏ 8 51, – ☎ P
10 Z : 17 B.

MÖCKMÜHL **7108.** Baden-Württemberg 987 ㉕, 412 413 L 19 – 6 000 Ew – Höhe 179 m – ☎ 06298.
♦Stuttgart 77 – Heilbronn 35 – ♦Würzburg 86.

Württemberger Hof, Bahnhofstr. 11, ☏ 50 02 – P – 30. AE E VISA. Rest
Mitte Dez.- Anfang Jan. geschl. – **M** *(Sonntag ab 14 Uhr und Samstag geschl.)* a la carte 24/50 – **16 Z : 26 B** 38/54 - 72/90.

In Möckmühl 2-Korb NO : 6 km :

Krone, Widderner Str. 2, ☏ 16 35 – ☎ P
M a la carte 25/42 – **11 Z : 19 B** 40 - 65.

In Roigheim **7109** N : 6 km :

Hägele, Gartenstr. 6, ☏ (06298) 52 05 – P. E.
Montag und Juli - Aug. 3 Wochen geschl. – **M** a la carte 29/57.

Benutzen Sie für weite Fahrten in Europa die ***Michelin-Länderkarten :***

970 Europa, 980 Griechenland, 984 Deutschland, 985 Skandinavien-Finnland, 986 Großbritannien-Irland, 987 Deutschland-Österreich-Benelux, 988 Italien, 989 Frankreich, 990 Spanien-Portugal, 991 Jugoslawien.

MÖGLINGEN **7141.** Baden-Württemberg 413 K 20 – 10 400 Ew – Höhe 270 m – ☎ 07141.
♦ Stuttgart 17 – Heilbronn 38 – ♦Karlsruhe 70 – Pforzheim 38.

Zur Traube, Rathausplatz 5, ☏ 4 80 50 – TV ☎ . AE E VISA
M *(nur Abendessen, Samstag - Sonntag geschl.)* a la carte 39/56 – **18 Z : 26 B** 102/110 - 130/150.

MÖHNESEE **4773.** Nordrhein-Westfalen 411 412 H 12 – 9 200 Ew – Höhe 244 m – ☎ 02924.
Sehenswert : 10 km langer Stausee★ zwischen Haarstrang und Arnsberger Wald.
Verkehrsamt, in Möhnesee-Körbecke, Brückenstr. 2, ☏ 4 97.
♦Düsseldorf 122 – Arnsberg 13 – Soest 10.

In Möhnesee-Delecke :

Haus Delecke, Linkstr. 12, ☏ 80 90, Fax 80967, «Park», – TV P – 25/50. AE E VISA
2.- 31. Jan. geschl. – **M** a la carte 66/86 – **35 Z : 60 B** 120/160 - 180/280 Fb.

Haus Kleis, Linkstr. 32, ☏ 18 74, – P.
15 Z : 30 B.

Torhaus mit Zim, Arnsberger Str. 4 (S : 3 km), ☏ 6 81, Fax 5192, – ☎ P. AE E VISA
9. Nov.- 6. Dez. geschl. – **M** a la carte 46/74 – **9 Z : 16 B** 79/110 - 130 Fb.

In Möhnesee-Günne :

Der Seehof, Möhnestr. 10, ☏ 3 76, Fax 1768, – P.
M a la carte 35/71.

In Möhnesee-Körbecke :

Haus Griese, Seestr. 5 (am Freizeitpark), ☏ 18 40, – P – 25/50. E
Feb. geschl. – **M** *(Donnerstag geschl.)* a la carte 40/72 – **21 Z : 40 B** 75 - 138 Fb.

In Möhnesee-Wamel :

Parkhotel, Seestr. 8 (B 516), ☏ 6 38, – TV ☎ P – 25/100. E VISA. Rest
M a la carte 39/75 – **23 Z : 33 B** 70/88 - 110/130 Fb.

MÖLLN 2410. Schleswig-Holstein 𝟜𝟙𝟙 OP 6, 𝟿𝟠𝟟 ⑥ – 16 400 Ew – Höhe 19 m – Kneippkurort – ✿ 04542.

Sehenswert : Seenlandschaft (Schmalsee★).

🛇 Grambek, Schloßstr. 21 (S : 7 km), ℰ (04542) 46 27.

🖪 Städt. Kurverwaltung, im Kurzentrum, ℰ 70 90.

◆Kiel 112 – ◆Hamburg 55 – ◆Lübeck 29.

🏨 **Schwanenhof** ♨, am Schulsee, ℰ 50 15, Fax 87833, ≤, 🍽, ⇌, 🅰, 🚗 – 🛗 ☎ 🅿 –
🔬 30. 🖭 ⓞ 🗉 𝑉𝐼𝑆𝐴
M a la carte 33/66 – **28 Z : 56 B** 95 - 150/155 Fb – ½ P 85/110.

🏨 **Park-Hotel** ♨ garni, Am Kurgarten, ℰ 39 30, Fax 68698, 🚗 – 🛗 📺 ☎ 🚗 🅿. 🖭 ⓞ
🗉 𝑉𝐼𝑆𝐴
35 Z : 64 B 75/95 - 120/145.

🏨 **Kurhotel Waldlust** ♨, Lindenweg 1, ℰ 28 37, 🚗 – 🅿. 🛇 Rest
April - Okt. – (Restaurant nur für Pensionsgäste) – **24 Z : 35 B** 40/45 - 80/100 – ½ P 50/55.

🏨 **Haus Hubertus** ♨ garni, Villenstr. 15, ℰ 35 93, ⇌, 🚗 – 📺 ☎ 🅿
35 Z : 52 B 85/120 - 140/150 – 4 Fewo 95/130.

🏨 **Seeschlößchen** ♨ garni (ehemalige Villa) Auf den Dämmen 11, ℰ 37 37, 🅰, 🚗 – ☎
🅿
10 Z : 18 B 60/80 - 100/130 Fb.

🍽 **Paradies am See,** Doktorhofweg 16, ℰ 41 80, ≤, « Terrasse am See » – 🅿
Montag geschl. – **M** a la carte 25/52.

🍽 **Seeblick,** Seestr. 52, ℰ 28 26, ≤, « Terrasse am See » – 🅿. 🗉
10. Feb.- 10. März und 24. Okt.- 21. Nov. geschl. – **M** a la carte 27/56.

🍽 **Forsthaus am Wildpark,** Villenstr. 13a, ℰ 46 40, 🍽 – 🅿. 🗉
Dienstag und Ende Jan.- Ende Feb. geschl. – **M** 17/33 (mittags) und a la carte 39/55.

MÖMBRIS 8752. Bayern 𝟜𝟙𝟚 𝟜𝟙𝟛 K 16 – 11 300 Ew – Höhe 175 m – ✿ 06029.
◆ München 356 – Aschaffenburg 12 – ◆Frankfurt am Main 46.

🏨 **Ölmühle,** Markthof 2, ℰ 80 01, Fax 8012, 🍽 – 🛗 📺 ☎ 🚗 – 🔬 35. ⓞ 🗉 𝑉𝐼𝑆𝐴
3.- 23. Aug. geschl. – **M** (Sonntag geschl.) a la carte 45/76 – **26 Z : 45 B** 70/80 - 120/150 Fb.

MÖNCHBERG 8761. Bayern 𝟜𝟙𝟚 𝟜𝟙𝟛 K 17 – 2 200 Ew – Höhe 252 m – Luftkurort –
✿ 09374 (Eschau).
◆München 351 – Aschaffenburg 32 – Miltenberg 13 – ◆Würzburg 75.

🏨 **Schmitt** ♨, Urbanusstr. 12, ℰ 3 83, Fax 319, ≤, 🍽, « Gartenanlage mit Teich », ⇌, 🖾,
🛠 – 🛗 ☎ 🅿 – 🔬 30. 🛇 Zim
3.- 31. Jan. und 17.- 25. Dez. geschl. – **M** (Nov.- April Samstag geschl.) a la carte 28/57 –
40 Z : 72 B 54/60 - 98/106 Fb – ½ P 57/67.

🏠 **Krone,** Mühlweg 7, ℰ 5 39, 🚗 – 🅿. 🗉 🛇 Zim
März geschl. – **M** (Donnerstag geschl.) a la carte 19/38 – **33 Z : 52 B** 38 - 75.

MÖNCHENGLADBACH 4050. Nordrhein-Westfalen 𝟿𝟠𝟟 ㉓, 𝟜𝟙𝟚 C 13 – 260 000 Ew – Höhe
50 m – ✿ 02161.

Sehenswert : Städt. Museum Abteiberg★ Y **M1**.

🛇 Korschenbroich, Schloß Myllendonk (③ : 5 km), ℰ (02161) 64 10 49.

🖪 Verkehrsverein, Bismarckstr. 23-27, ℰ 2 20 01.

ADAC, Bismarckstr. 17, ℰ 2 03 76, Notruf ℰ 1 92 11.

◆Düsseldorf 31 ① – ◆Aachen 64 ⑥ – Duisburg 50 ① – Eindhoven 88 ① – ◆Köln 63 ① – Maastricht 81 ⑨.

Stadtpläne siehe nächste Seiten

🏨 **Dorint-Hotel,** Hohenzollernstr. 5, ℰ 89 30, Telex 852656, Fax 87231, ⇌, 🖾 – 🛗 ⇌ Zim
📺 – 🔬 25/140. 🖭 ⓞ 🗉 𝑉𝐼𝑆𝐴 Y **a**
Restaurants : **Duca Enrico** (Samstag - Sonntag und Juli - Aug. 4 Wochen geschl.) **M** a la
carte 47/70 – **Bierstube M** a la carte 38/60 – **163 Z : 250 B** 195/275 - 245/490 Fb.

🏨 **Queens Hotel Ambassador,** Am Geroplatz, ℰ 30 70, Telex 852363, Fax 30719 – 🛗 ⇌
📺 🛠 🅿 – 🔬 25/150. 🖭 ⓞ 🗉 𝑉𝐼𝑆𝐴 Y **b**
M a la carte 42/79 – **127 Z : 196 B** 218/248 - 308/338 Fb.

🏨 **Dahmen,** Aachener Str. 120, ℰ 30 60, Telex 8529269, Fax 306140 – 🛗 📺 ☎ 🚗 –
🔬 25/120. 🖭 ⓞ 🗉 𝑉𝐼𝑆𝐴 Y **h**
M (nur Abendessen, außerhalb der Messezeiten Samstag - Sonntag geschl.) a la carte 32/64
– **98 Z : 142 B** 150/290 - 220/330 Fb.

🏨 **Burgund,** Kaiserstr. 85, ℰ 2 01 55, Fax 13607 – 🛗 📺 ☎. 🖭 ⓞ 🗉 𝑉𝐼𝑆𝐴 Y **e**
Ende Juli - Mitte Aug. und 24. Dez.- 12. Jan. geschl. – **M** (nur Abendessen, Sonntag geschl.)
a la carte 37/64 – **14 Z : 22 B** 85/100 - 115/160.

MÖNCHEN-GLADBACH

Aachener Straße . . . . . X 2
Dohler Straße . . . . X 20
Gingterstraße . . . . X 26
Grevenbroicher Str. . . X 30
Großheide . . . . X 31
Hardterbroicher Straße . . . . X 32
Konstantinstraße . . . . . X 36
Korschenbroicher Straße . . . . X 37
Künkelstraße . . . . X 38
Metzenweg . . . . X 46
Monschauer Straße . . X 47
Neußer Straße . . . . . . X 50
Nordring . . . . X 52
Reststrauch . . . . X 58
Stapper Weg . . . . X 68
Stationsweg . . . . X 70
Waldnieler Straße . . . . X 82
Wickrather Straße . . . . X 83
Willicher Damm . . . . . X 87
Zeppelinstraße . . . . . . X 88

Benachrichtigen Sie sofort das Hotel, wenn Sie ein bestelltes Zimmer nicht belegen können

Prévenez immédiatement l'hôtelier si vous ne pouvez pas occuper la chambre que vous avez retenue.

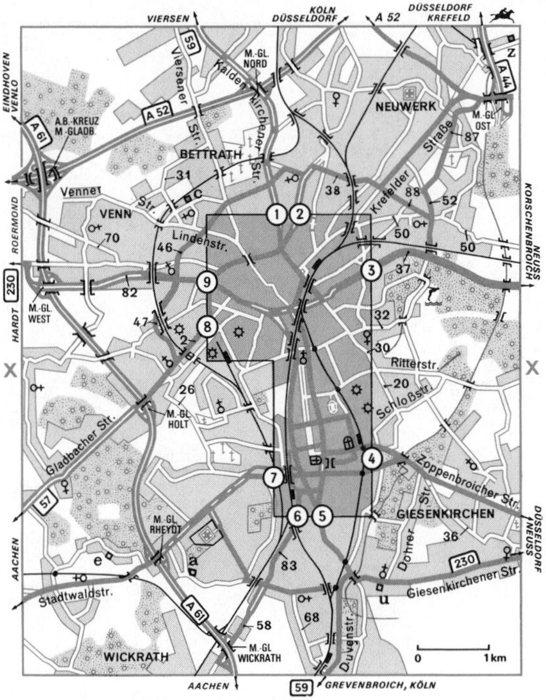

ꝏ Flughafen-Restaurant, Krefelder Str. 820, ☏ 66 20 13, ≤, 🍽 - P — X **z**

ꝏ **Kaiser-Friedrich-Halle,** Hohenzollernstr. 15, ☏ 1 70 10, Fax 207749, ≤, 🍽 - P - 🚶 25/160. AE ⓓ E VISA — Y **u**
Montag geschl. - **M** a la carte 32/72.

✗ **Haus Baues,** Bleichgrabenstr. 23, ☏ 8 73 73 - P. AE ⓓ E VISA — X **c**
Dienstag und Anfang - Mitte Aug. geschl. - **M** a la carte 36/59.

In Mönchengladbach 5-Genhülsen :

🏨 **Haus Heinen** 🐎, Genhülsen 112, ☏ 5 86 00, Fax 584443, ≘s, 🏊 - TV ☎ P. AE ⓓ E VISA
M *(Dienstag geschl.)* a la carte 22/53 - **28 Z : 50 B** 90 - 160. — X **e**

In Mönchengladbach 6-Hardt über ⑨ :

🏨 **Lindenhof,** Vorster Str. 535, ☏ 55 93 40 - TV ☎ 🚗 P
M *(wochentags nur Abendessen, Donnerstag - Freitag, Anfang - Mitte Jan. und Juli - Aug. 2 Wochen geschl.)* a la carte 30/51 - **10 Z : 17 B** 60/70 - 95/105.

ꝏ **Haus Herrentann** 🐎 mit Zim, Ungermannsweg 19 (Richtung Rheindahlen), ☏ 55 93 36, Fax 556249, « Park, Gartenterrasse » - TV ☎ P - 🚶 25. AE ⓓ E VISA
M *(Montag geschl.)* 29/76 - **7 Z : 10 B** 75/85 - 140/150.

In Mönchengladbach 2-Rheydt - ✆ 02166 :

🏨 **Coenen** 🐎, Giesenkirchener Str. 41 (B 230), ☏ 1 00 88, Fax 186795, « Garten » - 🛗 TV 🚗 P - 🚶 25/80. AE ⓓ E VISA — X **u**
M *(wochentags nur Abendessen, Mittwoch, 21. Juli - 19. Aug. und 23. Dez.- 2. Jan. geschl.)* a la carte 47/70 - **50 Z : 80 B** 135/160 - 175/225 Fb.

🏨 Besch-Parkhotel Rheydt, Hugo-Junkers-Str. 2, ☏ 4 40 11, Telex 8529143, Fax 40857 - 🛗 ⇆ Zim TV ☎ 🚗 P - 🚶 25/100 — Z **r**
68 Z : 114 B Fb.

🏨 Elisenhof 🐎, Klusenstr. 97, ☏ 36 41, Fax 34143, 🍽, 🏊 - 🛗 TV ☎ 🚗 P — X **a**
60 Z : 120 B Fb.

🏨 **Spickhofen,** Dahlener Str. 88, ☏ 4 30 71, Telex 852245, Fax 42234 - 🛗 TV ☎ P. AE ⓓ E VISA — Z **m**
M *(auch vegetarische Gerichte)* a la carte 30/56 - **42 Z : 84 B** 80/120 - 120/149 Fb.

🏨 Zur Post, Bahnhofstr. 41, ☏ 4 70 23, Fax 49193 - TV ☎ P - **24 Z : 36 B** Fb. — Z **v**

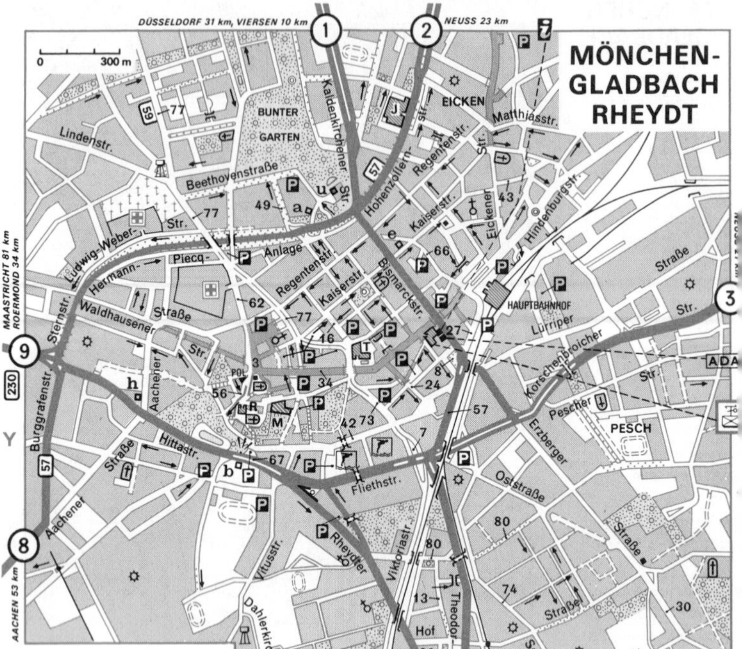

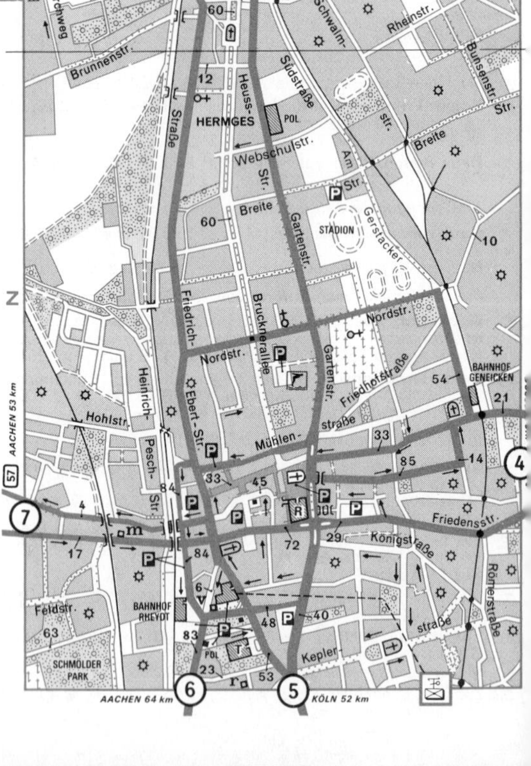

Alter Markt	Y	3
Bahnhofstraße	Z	6
Bismarckstraße	Y	
Eickener Straße	Y	
Friedrich-Ebert-Str.	Z	
Friedrichstraße	Y	24
Gracht	Z	29
Hauptstraße	Z	33
Hindenburgstraße	Y	34
Limitenstraße	Z	40
Marktstraße	Z	45
Odenkirchener Str.	Z	53
Stresemannstraße	Z	72
Waldhausener Str.	Y	

Bachstraße	Z	4
Berliner Platz	Y	7
Bismarckplatz	Y	8
Bonnenbroicher Str.	Z	10
Brandenberger Str.	Z	12
Buscherstraße	Y	13
Bylandtstraße	Z	14
Croonsallee	Y	16
Dahlener Straße	Z	17
Düsseldorfer Straße	Z	21
Endepohlstraße	Z	23
Goebenstraße	Y	27
Grevenbroicher Str.	Y	30
Lüpertzender Straße	Y	42
Marienstraße	Y	43
Moses-Stern-Straße	Z	48
Mozartstraße	Y	49
Otto-Saffran-Straße	Z	54
Rathausstraße	Y	56
Rathenaustraße	Y	57
Richard-Wagner-Str.	YZ	60
Sandradstraße	Y	62
Schmölderstraße	Z	63
Sittardstraße	Y	66
Speicker Straße	Y	67
Stepgesstraße	Y	73
Ückelhofer Straße	Y	74
Viersener Straße	Y	77
Volksgartenstraße	Y	80
Wickrather Straße	Z	83
Wilhelm-Schiffer-Straße	Z	84
Wilhelm-Strauß-Str.	Z	85

In Korschenbroich **4052** ③ : 5 km :

St. Andreas garni, Gustav-Heinemann-Str. 1, (02161) 6 47 64, - **19 Z : 30 B** 90 - 140.

Alt Herrenshoff, Schaffenbergstr. 13, (02161) 64 10 80, *Samstag bis 18 Uhr und Dienstag geschl.* - **M** a la carte 40/68.

In Korschenbroich 2-Kleinenbroich **4052** ③ : 7 km :

Gästehaus im Kamp garni, Im Kamp 5, (02161) 6 74 79, Fax 672744 - *15.- 31. Juli geschl.* - **16 Z : 25 B** 80/90 - 130.

Zur Traube, Haus-Randerath-Str. 15, (02161) 67 04 04, Fax 670010, Biergarten - *Mittwoch und 2.- 25. Jan. geschl.* - **M** a la carte 32/73.

MÖNCHSDEGGINGEN Bayern siehe Nördlingen.

MÖRFELDEN-WALLDORF **6082.** Hessen 412 413 I 17 - 29 800 Ew - Höhe 95 m - 06105 - ♦Wiesbaden 35 - ♦Darmstadt 19 - ♦Frankfurt am Main 17.

Im Stadtteil Walldorf :

Walldorf garni, Nordendstr. 42, 50 31, Fax 5033 - **58 Z : 72 B** 90/105 - 130/150 Fb.

La Fattoria (Italienische Küche), Jourdanallee 4, 7 41 01, *Montag geschl.* - **M** a la carte 56/86.

MÖRLENBACH **6942.** Hessen 412 413 J 18 - 9 200 Ew - Höhe 160 m - 06209.
♦Wiesbaden 81 - ♦Darmstadt 45 - Heidelberg 28 - ♦Mannheim 25.

In Mörlenbach-Juhöhe NW : 5 km - Erholungsort :

Waldschenke Fuhr, Kreiswaldweg 25, (06252) 49 67, *Ende Jan.- Feb. geschl.* - **M** *(Montag - Dienstag geschl.)* a la carte 22/53 - **18 Z : 36 B** 50/60 - 80/100 Fb.

MÖRNSHEIM **8831.** Bayern 413 Q 20 - 2 000 Ew - Höhe 420 m - 09145.
♦München 127 - Ingolstadt 47 - ♦Nürnberg 86.

Zum Brunnen Brunnenplatz 1, 71 27 - *Nov. geschl.* - **M** *(Mittwoch geschl.)* a la carte 19,50/30 - **8 Z : 17 B** 35 - 64.

Lindenhof Marktstr. 25, 71 22.

MOERS **4130.** Nordrhein-Westfalen 411 412 C 12, 987 ⑬ - 104 600 Ew - Höhe 29 m - 02841 - Stadtinformation, Unterwallstr. 9, 2 22 21, Fax 201229.
♦Düsseldorf 40 - Duisburg 12 - Krefeld 17.

Kurlbaum, Burgstr. 7 (1. Etage), 2 72 00 - *Samstag und Sonntag jeweils bis 18 Uhr sowie Dienstag und Anfang Jan. 1 Woche geschl.* - **M** (Tischbestellung ratsam) a la carte 65/86.

Nahe der Autobahn A 2 - Ausfahrt Moers-West SW : 2 km :

Motel Moers, Krefelder Str. 169, 4130 Moers, (02841) 14 60, Telex 8121335, Fax 146239, - 25/600 - **127 Z : 254 B** Fb.

In Moers 3-Repelen N : 3,5 km :

Zur Linde, An der Linde 2, 7 30 61, Fax 71259, Biergarten, - 25/70. **M** a la carte 45/81 - **30 Z : 62 B** 98/160 - 150/220 Fb.

In Moers-Schwafheim S : 4 km :

Schwarzer Adler garni, Düsseldorfer Str. 309 (B 57), 38 21, Fax 3 46 30 - **20 Z : 27 B** 80/85 - 130 Fb.

Les hôtels ou restaurants agréables
sont indiqués dans le guide par un signe rouge.
Aidez-nous en nous signalant les maisons où,
par expérience, vous savez qu'il fait bon vivre.
Votre guide Michelin sera encore meilleur.

MÖSSINGEN **7406.** Baden-Württemberg 413 K 21 – 15 500 Ew – Höhe 475 m – ☎ 07473

Reise- und Verkehrsbüro, Rathaus, Freiherr-vom-Stein-Str. 20, ☎ 40 88.

◆Stuttgart 60 – Tübingen 14 – ◆Ulm (Donau) 112 – Villingen-Schwenningen 65.

- **Brauhaus Mössingen** garni, Auf der Lehr 30, ☎ 60 23 – ☎ P
  30 Z : 50 B 43/65 - 79/90.
- XX Lamm, Lange Str. 1, ☎ 62 63 – P.
- XX Ochsen, Falltorstr. 73, ☎ 62 48 – P.

MOLBERGEN **4599.** Niedersachsen 411 G 8 – 4 700 Ew – Höhe 32 m – ☎ 04475.

◆ Hannover 189 – ◆ Bremen 76 – ◆ Osnabrück 87.

- **Thole - Vorwerk,** Cloppenburger Str. 4, ☎ 3 31 – P. AE E VISA
  Juni - Juli 2 Wochen geschl. – **M** *(bemerkenswerte Weinkarte, Montag und Samstag nu Abendessen)* a la carte 23/48 – **11 Z : 16 B** 32/40 - 64/72.

MOLFSEE Schleswig-Holstein siehe Kiel.

MOMMENHEIM Rheinland-Pfalz siehe Nierstein.

MONDSEE Österreich siehe Salzburg.

MONHEIM **4019.** Nordrhein-Westfalen 412 D 13 – 41 800 Ew – Höhe 40 m – ☎ 02173.

◆Düsseldorf 25 – ◆Köln 28 – Solingen 19.

- **Climat,** An der alten Ziegelei 4, ☎ 5 80 11, Fax 30076 – TV ☎ P – 50. AE VISA
  Juli 3 Wochen geschl. – **M** a la carte 26/35 – **45 Z : 61 B** 109/169 - 149/219 Fb.

In Monheim-Baumberg N : 3 km :

- **Lehmann** garni (mit Gästehaus), Thomasstr. 24, ☎ 6 20 56, – ☎ P
  24 Z : 34 B 79/110 - 110/150.
- **Seifert** garni, Schallenstr. 12, ☎ 6 40 01 – TV ☎
  18 Z : 32 B 80/90 - 120/130.

MONREPOS (Schloß) Baden-Württemberg siehe Ludwigsburg.

MONSCHAU **5108.** Nordrhein-Westfalen 987 ㉓, 412 B 15, 409 L 4 – 12 000 Ew – Höhe 405 r – ☎ 02472.

Sehenswert: Fachwerkhäuser★★ – Rotes Haus (Innenausstattung★) – Friedhofkapelle ≤★.

Ausflugsziel: ≤★★ vom oberen Aussichtsplatz an der B 258, NW : 2 km.

Tourist-Information, Stadtstr. 1, ☎ 33 00.

◆Düsseldorf 110 – ◆Aachen 34 – Düren 43 – Euskirchen 53.

- **Carat,** Laufenstr. 82, ☎ 8 60, Fax 7784, – Zim TV ☎ P – 25 100
  M a la carte 39/60 – **100 Z : 200 B** 130 - 170/230 Fb.
- **Royal** garni, Stadtstr. 6, ☎ 20 33 – TV ☎
  8. Jan.- 10. Feb. und Nov.- 1. Dez. geschl. – **10 Z : 20 B** 55/70 - 100/120.
- Haus Rolshausen garni, Kirchstr. 33, ☎ 20 38, Telex 833915 – ☎
  19 Z : 32 B.
- **Burgau** garni, St. Vither Str. 16, ☎ 21 20, Fax 4962, – TV
  Jan. geschl. – **9 Z : 18 B** 60/85 - 90/120.
- XX **Alte Herrlichkeit,** Stadtstr. 7, ☎ 22 84
  Montag - Dienstag und Jan. geschl. – **M** a la carte 25/66.
- X **Hubertusklause** mit Zim, Bergstr. 45, ☎ 50 36, ≤, – TV P
  M *(Mittwoch geschl.)* a la carte 22/50 – **7 Z : 13 B** 35/43 - 70/76.

In Monschau-Höfen S : 4 km – Wintersport : 3 :

- **Aquarium** , Heidgen 34, ☎ 6 93, (geheizt), – TV ☎ P
  (nur Abendessen für Hausgäste) – **13 Z : 25 B** 65/75 - 92/126 – 2 Fewo 100.

In Monschau - Perlenau S : 2 km :

- **Perlenau** , nahe der B 258, ☎ 22 28, Fax 4946, – ☎ P. AE E
  3.- 31. Jan. geschl. – **M** *(Mittwoch geschl.)* a la carte 27/60 – **7 Z : 14 B** 65/75 - 120/140.

MONTABAUR **5430.** Rheinland-Pfalz 987 ㉔, 412 G 15 – 12 000 Ew – Höhe 230 m – ☎ 02602.
ℹ Tourist-Information, Kirchstr. 48a, ✆ 30 01, Fax 5245.
Mainz 71 – ♦Bonn 80 – ♦Koblenz 32 – Limburg an der Lahn 22.

Am Peterstor garni, Peterstorstr. 1, ✆ 16 07 20, Fax 160710 – |$| TV ☎ ⇔ P – 🏛 40. AE E VISA
16 Z : 29 B 90 - 150 Fb.

Zur Post, Bahnhofstr. 30, ✆ 33 61, Telex 90498 – |$| TV ☎ ⇔ P. AE ⓓ E VISA
16. - 26. Juli geschl. – **M** *(Donnerstag geschl.)* a la carte 20/51 – **22 Z : 35 B** 45/75 - 75/150.

Schlemmer - Zur Goldenen Krone (Gasthof seit 1673), Kirchstr. 18, ✆ 50 22 – ⇔
22. Dez.- 5. Jan. geschl. – **M** *(Sonntag geschl.)* a la carte 23/44 – **26 Z : 46 B** 48/75 - 80/130.

Im Gelbachtal SO : 3,5 km :

Stock mit Zim, ✉ 5430 Montabaur, ✆ (02602) 40 13, – P
13 Z : 22 B.

An der Autobahn A 3 NO : 4,5 km, Richtung Frankfurt :

Hotel Heiligenroth, ✉ 5431 Heiligenroth, ✆ (02602) 50 44, Fax 5047, – |$| TV ☎ ♿ ⇔ P – 🏛 65. AE ⓓ E VISA
M a la carte 26/56 – **30 Z : 67 B** 100 - 139/197.

In Wirges **5432** NW : 5 km :

Paffhausen, Bahnhofstr. 100, ✆ (02602) 7 00 62, Fax 70065, – TV ☎ ♿ P – 🏛 30. E VISA
M *(Samstag bis 18 Uhr und Sonntag ab 15 Uhr geschl.)* a la carte 33/65 – **32 Z : 60 B** 95/118 - 145/165.

MOOS Baden-Württemberg siehe Radolfzell.

MORBACH/Hunsrück **5552.** Rheinland-Pfalz 987 ㉔, 412 E 17 – 10 000 Ew – Höhe 450 m – Luftkurort – ☎ 06533.
Ausflugsziel : Hunsrück-Höhenstraße★.
ℹ Verkehrsamt, Unterer Markt, ✆ 71 50.
Mainz 107 – Bernkastel-Kues 17 – Birkenfeld 21 – ♦Trier 63.

St. Michael, Bernkasteler Str. 3, ✆ 30 25, Fax 1211, – |$| TV ☎ ⇔ P – 🏛 25/80. AE ⓓ E VISA
M a la carte 26/53 – **41 Z : 70 B** 60/70 - 100/120 Fb – ½ P 65/85.

Hochwaldcafé garni, Unterer Markt 4, ✆ 33 78 – ☎ ⇔
13 Z : 27 B 45 - 80.

In Horbruch **6541** NO : 12 km über die B 327 :

Historische Bergmühle (ehem. gräfliche Schloßmühle), ✆ (06543) 40 41, Fax 3178, , – TV ☎ P. ⓓ E VISA.
M *(Montag geschl.)* a la carte 54/81 – **10 Z : 20 B** 95/150 - 160/200 Fb.

Alter Posthof mit Zim, Oberdorf 2, ✆ (06543) 40 60 – TV ☎ P. AE ⓓ E VISA. Zim
Mitte Jan.- Anfang Feb. geschl. – **M** *(Dienstag geschl.)* a la carte 27/58 – **4 Z : 10 B** 60/70 - 110/130.

MORINGEN **3413.** Niedersachsen 411 412 M 11 – 7 600 Ew – Höhe 179 m – ☎ 05554.
♦Hannover 106 – ♦Braunschweig 91 – Göttingen 27 – Hardegsen 8,5.

An der Straße nach Einbeck N : 2 km :

Stennebergsmühle , ✉ 3413 Moringen, ✆ (05554) 80 02, Telex 965576, Fax 2268, , , – TV ☎ ⇔ P – 🏛 40. AE ⓓ E VISA
M a la carte 43/85 – **30 Z : 60 B** 85 - 150 Fb.

In Moringen 3-Fredelsloh NW : 8 km :

Pfeffermühle im Jägerhof mit Zim, Schafanger 1, ✆ (05555) 4 10, – TV ☎ P – 🏛 40
3 Z : 5 B.

MORSBACH **5222.** Nordrhein-Westfalen 987 ㉔, 412 G 14 – 10 500 Ew – Höhe 250 m – ☎ 02294.
Ausflugsziel : Wasserschloß Crottorf★ NO : 10 km.
ℹ Verkehrsamt, Waldbröler Straße, ✆ 6 99 18.
♦Düsseldorf 107 – ♦Köln 70 – Siegen 33.

Goldener Acker , Zum goldenen Acker 44, ✆ 80 24, Fax 7375, , , – ☎ P – 🏛 25/55. E. Rest
3.- 18. Jan. und Aug. 2 Wochen geschl. – Menu *(Sonntag 14 Uhr - Montag geschl.)* a la carte 37/61 – **32 Z : 60 B** 70/80 - 110/135 Fb.

An der Straße nach Waldbröl NW : 5,5 km :

Potsdam, Hülstert 2, ✉ 5222 Morsbach, ☎ (02294) 87 32, ≤, 🌳, 🌲 – 🚗 Ⓟ
Anfang Jan.- Anfang Feb. geschl. – **M** a la carte 24/38 – **21 Z : 37 B** 45/55 - 80.

MORSUM Schleswig-Holstein siehe Sylt (Insel).

MOSBACH **6950.** Baden-Württemberg 987 ㉕, 412 413 K 18 – 25 000 Ew – Höhe 151 m – ☎ 06261.
ℹ Städtisches Verkehrsamt, Am Marktplatz, ☎ 8 22 36, Fax 82249.
♦Stuttgart 87 – Heidelberg 45 – Heilbronn 33.

Lamm (Fachwerkhaus a.d. 18. Jh.), Hauptstr. 59, ☎ 8 90 20, Fax 890291 – |♦| TV ☎. AE ⓪ E VISA
M a la carte 21/43 ⚗ – **55 Z : 96 B** 56/65 - 98/112.

Gärkammer, Hauptstr. 12, ☎ 1 69 14, 🌳.

Gasthaus zum Amtsstüble, Lohrtalweg 1, ☎ 23 06 – Ⓟ
Montag und Juli - Aug. 3 Wochen geschl. – **M** a la carte 28/54 ⚗.

In Mosbach-Neckarelz SW : 4 km :

Lindenhof, Martin-Luther-Str. 3, ☎ 6 00 66 – ☎ 🚗 Ⓟ
22 Z : 30 B.

In Mosbach-Nüstenbach NW : 4 km :

Gästehaus Haaß 🌿 garni, Im Weiler 8, ☎ 1 26 81 – TV ☎ 🚗 Ⓟ
8 Z : 14 B 40 - 80.

Landgasthof zum Ochsen, Im Weiler 6, ☎ 1 54 28, 🌳.

In Elztal-Dallau **6957** NO : 5,5 km :

Zur Pfalz, Hauptstr. 5 (B 27), ☎ (06261) 22 93, Fax 37293, 🌳 – 🚗 Ⓟ. AE
9.- 23. März geschl. – **M** *(auch vegetarische Gerichte)* (Montag geschl.) a la carte 22/51 ⚗ – **13 Z : 20 B** 30/42 - 60/84.

MOSELKERN **5401.** Rheinland-Pfalz 412 F 16 – 600 Ew – Höhe 83 m – ☎ 02672 (Treis-Karden).
Ausflugsziel : Burg Eltz★★, Lage★★ NW : 1 km und 30 min zu Fuß.
Mainz 106 – Cochem 17 – ♦Koblenz 32.

Anker-Pitt, Moselstr. 42, ☎ 13 03, ≤, ≘s – |♦| Ⓟ – 🏛 40
Jan. geschl. – **M** *(Montag geschl.)* a la carte 19/45 – **25 Z : 50 B** 40/55 - 75/100.

MOSELTAL Rheinland-Pfalz 987 ㉓ ㉔, 412 D 17 - F 16.
Sehenswert : Tal★★ von Trier bis Koblenz (Details siehe unter den erwähnten Mosel-Orten).

MOSSAUTAL **6121.** Hessen 412 413 J 18 – 2 500 Ew – Höhe 390 m – Erholungsort – ☎ 06061 (Erbach im Odenwald).
♦Wiesbaden 99 – Beerfelden 12 – ♦Darmstadt 59 – ♦Mannheim 50.

In Mossautal 1-Güttersbach :

Zentlinde 🌿, Hüttenthaler Str. 37, ☎ 20 80, Fax 5900, ≘s, ⛆, 🌲 – |♦| TV ☎ Ⓟ – 🏛 40. ⚔
Jan. 3 Wochen geschl. – **M** *(Montag geschl.)* a la carte 23/44 ⚗ – **36 Z : 64 B** 65 - 120 Fb – ½ P 62/67.

Haus Schönblick 🌿, Hüttenthaler Str. 30, ☎ 53 80, 🌳, 🌲 – Ⓟ
Jan. 2 Wochen geschl. – **M** *(Dienstag geschl.)* a la carte 18/32 ⚗ – **24 Z : 38 B** 35/45 - 70 Fb – ½ P 37/45.

In Mossautal-Obermossau :

Brauerei-Gasthof Schmucker, Hauptstr. 91, ☎ (06061) 7 10 01, Fax 2861, Biergarten, ⛆ (geheizt), 🌲, 🎾 – TV ☎ Ⓟ – 🏛 30. AE E VISA
30. Dez.- 18. Jan., 28. Feb.- 4. März und 12.- 16. Juni geschl. – **M** *(Montag geschl.)* a la carte 25/54 – **25 Z : 50 B** 78 - 130/136 – ½ P 84/97.

MOTTEN **8789.** Bayern 412 413 M 15 – 1 700 Ew – Höhe 450 m – ☎ 09748.
♦München 358 – Fulda 20 – ♦Würzburg 93.

In Motten-Speicherz S : 7 km :

Zum Biber, Hauptstr. 15 (B 27), ☎ 2 14, Fax 1249, 🌲 – 🚗 Ⓟ. ⓪ E VISA
Mitte Jan.- Anfang Feb. und Nov. 2 Wochen geschl. – **M** a la carte 20/37 – **39 Z : 70 B** 36/45 - 66/72.

MOTZEN Brandenburg siehe Teupitz

MUCH 5203. Nordrhein-Westfalen 412 F 14 – 12 500 Ew – Höhe 195 m – 🕲 02245.

🏰 Burg Overbach, 𝒫 (02245) 55 50.

◆Düsseldorf 77 – ◆Bonn 33 – ◆Köln 40.

In Much-Bövingen NW : 3 km :

🏨 **Activotel,** Bövingen 129 (Gewerbegebiet), 𝒫 55 88, Fax 740, ≤, 🏖, Massageabteilung, 🐟, ≘s, 🔲, 🎾(Halle) – 📳 ↩️ Zim 📺 ☎ 🅿 – 🔏 25/60. 🖭 ⑩ 🗲 🆅🆂🅰. ⅙ Rest
M a la carte 39/72 – **57 Z : 114 B** 190 – 270 Fb – 2 Appart. 400.

In Much-Sommerhausen SW : 3 km :

XXX **Landhaus Salzmann** 🐎 mit Zim, Sommerhausener Weg 97, 𝒫 14 26, Fax 6965, ≤, 🏖 – 📺 ☎ 🅿. 🖭 ⑩
M *(Montag geschl.)* a la carte 36/58 – **2 Z : 4 B** 75 - 105.

MÜCKE 6315. Hessen 412 K 15 – 9 500 Ew – Höhe 300 m – 🕲 06400.

◆Wiesbaden 107 – Alsfeld 31 – Gießen 28.

In Mücke-Atzenhain :

🔶 Zur Linde, Lehnheimer Str. 2, 𝒫 (06401) 64 65, ≘s, 🚗 – 🚙 🅿
23 Z : 36 B.

MÜDEN Rheinland-Pfalz siehe Treis-Karden.

MÜHLACKER 7130. Baden-Württemberg 413 J 20, 987 ㉕ ㉟ – 23 800 Ew – Höhe 225 m – 🕲 07041.

◆Stuttgart 39 – Heilbronn 65 – ◆Karlsruhe 47 – Pforzheim 12.

In Ötisheim 7136 NW : 4 km :

🏨 Zur Krone, Maulbronner Str. 11, 𝒫 (07041) 28 07 – 🅿. ⅙ Zim
17 Z : 25 B.

MÜHLDORF AM INN 8260. Bayern 413 U 22, 987 ㊲, 426 J 4 – 14 400 Ew – Höhe 383 m – 🕲 08631.

◆München 80 – Landshut 57 – Passau 95 – Salzburg 77.

🏨 **Altöttinger Tor,** Stadtplatz 85, 𝒫 40 88 – 📳 📺 ☎. 🖭 ⑩ 🗲 🆅🆂🅰
M a la carte 27/54 – **11 Z : 22 B** 80 - 120 Fb.

🏨 **Bastei,** Münchener Str. 69, 𝒫 58 02, Fax 15158 – 📳 📺 ☎ & 🅿. 🖭 🗲
← **M** a la carte 21/48 – **25 Z : 37 B** 58/68 - 85/90.

🏨 **Wetzel** garni, Stadtplatz 36, 𝒫 73 36 – 📳 ☎ ⇔. ⑩
31. Dez.- 15. Jan. geschl. – **22 Z : 35 B** 42/75 - 95/105.

🔶 Garni, Pflanzenau 31 (nahe der B 12), 𝒫 70 54 – ⇔ 🅿
20 Z : 25 B.

In Mühldorf am Inn-Hammer S : 1 km :

Ж **Landgasthof Hammerwirt,** Hammerstr. 2, 𝒫 57 70, 🏖 – 🅿
Samstag bis 18 Uhr, Montag und Aug.- Sept. 2 Wochen geschl. – **M** 18/44 (mittags) und a la carte 32/71.

MÜHLENBACH 7611. Baden-Württemberg 413 H 22 – 1 500 Ew – Höhe 260 m – Erholungsort – 🕲 07832 (Haslach im Kinzigtal).

◆Stuttgart 178 – ◆Freiburg im Breisgau 42 – Freudenstadt 54 – Offenburg 32.

🔶 **Kaiserhof,** Fanis 10 (B 294, S : 2,5 km), 𝒫 23 93, 🏖, ≘s, 🔲, 🚗 – ⇔ 🅿
← *Nov. 3 Wochen geschl.* – **M** *(Donnerstag geschl.)* a la carte 21/38 ♨ – **11 Z : 20 B** 44 - 78.

MÜHLHAUSEN IM TÄLE Baden-Württemberg – siehe Wiesensteig.

MÜHLHAUSEN O-5700. Thüringen 412 O 13, 984 ㉓, 987 ⑯ – 43 000 Ew – Höhe 244 m – 🕲 0037625.

Sehenswert : Altstadt★ (Stadtmauer★, Kirche St. Marien★).

◆Berlin 286 – Erfurt 58 – ◆Kassel 103.

🏨 Stadt Mühlhausen, Untermarkt 18, 𝒫 55 12 – 📳 📺 ☎ 🅿
59 Z : 90 B.

Ж **Zum Nachbarn,** Steinweg 65, 𝒫 25 13 – 🗲
← **M** a la carte 21/39.

In Ammern **O-5701** N : 4 km über die B 247 :

Am Brühl, Hauptstraße, ✆ (0037625) 30 63, 🏖 - Ⓟ
M a la carte 24/46.

MÜHLHEIM AM MAIN **6052.** Hessen 412 413 J 16 - 24 500 Ew - Höhe 105 m - ☎ 06108.

♦Wiesbaden 51 - ♦Frankfurt am Main 14 - Hanau am Main 8.

Adam garni, Albertstr. 7, ✆ 6 09 11 - TV ☎ Ⓟ. AE E
20. Dez. - 6. Jan. geschl. - **21 Z : 27 B** 85/125 - 140/180.

Café Kinnel, Gerhart-Hauptmann-Str. 54, ✆ 7 60 52, Fax 67684 - TV ☎ Ⓟ. AE E
M *(nur Abendessen, Dienstag und 1.- 9. Jan. geschl.)* a la carte 36/58 - **40 Z : 60 B** 80/150 - 120/210 Fb.

In Mühlheim 3-Lämmerspiel SO : 5 km :

Landhaus Waitz, Bischof-Ketteler-Str. 26, ✆ 60 60, Fax 606488, 🏖 - |♦| TV Ⓟ - 🔺 25/50. AE ⓞ E VISA
22. Dez.- 8. Jan. geschl., Restaurant Weihnachten geöffnet - **M** *(Samstag bis 18 Uhr, Sonntag ab 14 Uhr geschl.)* a la carte 52/80 - **76 Z : 112 B** 138/200 - 220/380 Fb.

MÜHLTAL Hessen siehe Darmstadt.

MÜLHEIM AN DER RUHR **4330.** Nordrhein-Westfalen 411 412 D 12, 987 ⑬ ⑭ - 176 000 Ew - Höhe 40 m - ☎ 0208.

ℹ Verkehrsverein, Viktoriastr. 15, ✆ 4 55 99 02.

ADAC, Löhstr. 3, ✆ 47 00 77, Notruf ✆ 1 92 11.

♦Düsseldorf 26 ③ - Duisburg 9 ④ - ♦Essen 10 ② - Oberhausen 5,5 ⑤.

Stadtplan siehe gegenüberliegende Seite

Noy 🐚, Schloßstr. 28, ✆ 4 50 50, Fax 4505300 - |♦| TV ☎ - 🔺 50. AE ⓞ E VISA. ✻
M *(Sonntag geschl.)* a la carte 42/75 - **60 Z : 80 B** 140/235 - 250/310 Fb. Y **a**

Friederike garni (ehemalige Villa), Friedrichstr. 32, ✆ 38 32 34, Fax 383215, « Garten » - TV ☎. AE E VISA Z **f**
28 Z : 38 B 98/168 - 128/198 Fb.

Hopfen-Sack, Kalkstr. 23, ✆ 38 36 36, Fax 592641 - TV ☎ 🚗. AE ⓞ E VISA Y **d**
M a la carte 29/49 - **24 Z : 41 B** 95/140 - 140/190.

Kastanienhof - Restaurant Haus Dimbeck, Dimbeck 27, ✆ 3 21 39, 🏖, « Garten », ≘s - |♦| TV ☎ Ⓟ Z **s**
28 Z : 50 B Fb.

Am Schloß Broich garni, Am Schloß Broich 27, ✆ 42 20 38, Fax 425575, ≘s - |♦| TV ☎ 🚗. AE ⓞ E VISA Y **v**
22 Z : 36 B 97/127 - 144/174 Fb.

Kölner Hof, Hagdorn 12, ✆ 3 59 59 - TV ☎ Ⓟ. AE ⓞ E VISA Y **x**
M *(nur Abendessen, Montag - Dienstag und Aug. 3 Wochen geschl.)* a la carte 28/39 - **10 Z : 15 B** 65/95 - 140/150.

Am Kamin (Fachwerkhaus a.d.J. 1732), Striepensweg 62, ✆ 76 00 36, « Gartenterrasse mit offenem Kamin » - Ⓟ. AE ⓞ E VISA X **s**
Aug. 3 Wochen geschl. - **M** 40 /98.

Becker-Eichbaum, Obere Saarlandstr. 5 (B 1), ✆ 3 40 93 - Ⓟ Z **n**
M a la carte 40/69.

Im Rhein-Ruhr-Zentrum über ② und die B 1 :

Mövenpick, Humboldtring 13, ✆ 4 99 48 - Ⓟ siehe Stadtplan Essen R **b**

In Mülheim-Dümpten :

Kuhn, Mellinghofer Str. 277, ✆ 79 00 10, Fax 7900168, ≘s, 🏊 - |♦| TV ☎ 🚗 Ⓟ. AE ⓞ E VISA X **z**
M *(nur Abendessen, Samstag und Juli - Aug. 4 Wochen geschl.)* a la carte 32/66 - **60 Z : 100 B** 85/150 - 120/220 Fb.

In Mülheim-Menden :

Müller-Menden, Mendener Str. 109, ✆ 37 40 15, 🏖 - Ⓟ. AE ⓞ E VISA X **v**
Montag geschl. - **M** a la carte 40/61.

In Mülheim-Mintard über Mendener Brücke X :

Mintarder Wasserbahnhof 🐚, August-Thyssen-Str. 129, ✆ (02054) 72 72, « Terrasse mit ≤ » - TV ☎ 🚗 Ⓟ
33 Z : 42 B.

MÜLHEIM AN DER RUHR

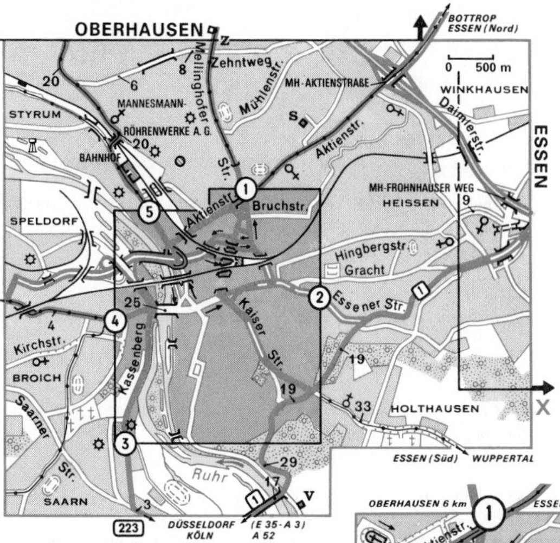

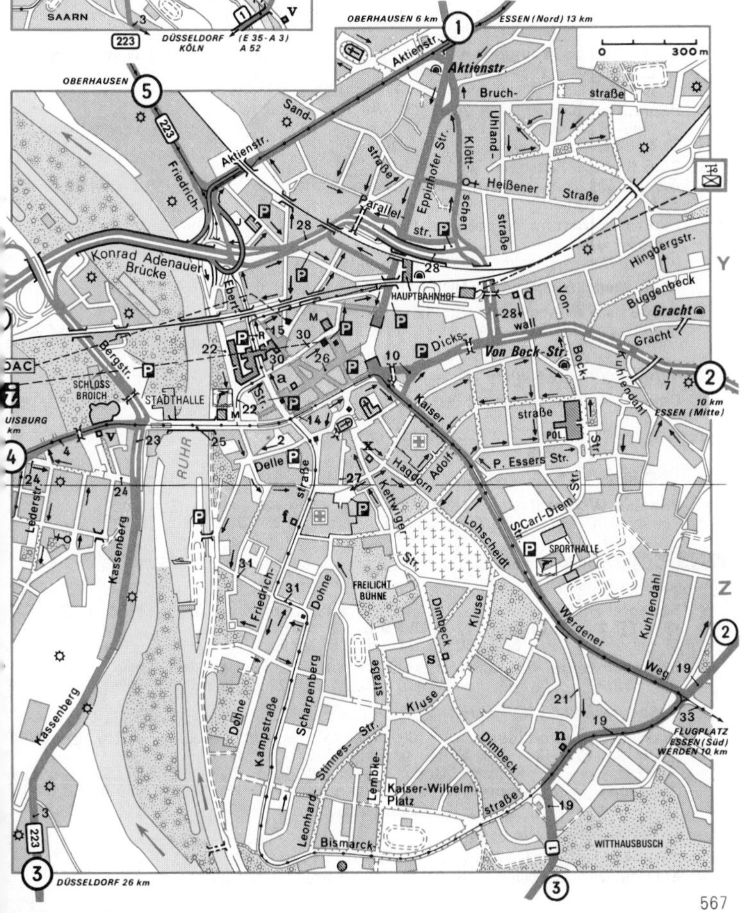

In Mülheim-Saarn über Mendener Brücke X :

Dicken am Damm, Mintarder Str. 139, ☎ 48 01 15, Biergarten, « Terrasse mit ≤ » - Ⓟ. AE ⓓ E VISA
Okt.- März Montag geschl. - **M** a la carte 37/64.

In Mülheim-Speldorf über ④ :

Altes Zollhaus, Duisburger Str. 228, ☎ 5 03 49
Samstag bis 18 Uhr, Montag, 1.- 12. Jan. und 30. Juli - 15. Aug. geschl. - **M** a la carte 42/67.

MÜLHEIM (MOSEL) 5556. Rheinland-Pfalz 412 E 17 - 1 200 Ew - Höhe 110 m - ☎ 06534.

Mainz 119 - Bernkastel-Kues 6 - ♦Trier 40 - Wittlich 14.

Zur Post, Hauptstr. 65, ☎ 13 21, , - ☎ Ⓟ. AE ⓓ E VISA
Jan.- Feb. geschl. - **M** *(Dienstag geschl.)* a la carte 25/56 ♁ - **10 Z : 18 B** 48/78 - 88/90 Fb.

Moselhaus Selzer, Moselstr. 7 (B 53), ☎ 7 07, ≤, , - Ⓟ
März - 10. Dez. - **M** *(Montag geschl.)* a la carte 25/45 ♁ - **14 Z : 26 B** 40/60 - 78/98.

MÜLLHEIM 7840. Baden-Württemberg 413 F 23, 987 ㉞, 427 G 2 - 14 000 Ew - Höhe 230 m - ☎ 07631.

ℹ Städtisches Verkehrsamt, Werderstr. 48, ☎ 40 70.

♦Stuttgart 238 - Basel 41 - ♦Freiburg im Breisgau 42 - Mulhouse 26.

Alte Post, an der B 3, ☎ 55 22, Fax 15524, « Gartenterrasse » - TV ☎ Ⓟ - 25/80. ⓓ E VISA. Rest
M *(Dienstag bis 18 Uhr und Sonntag geschl.)* 29 /45 (mittags) und a la carte 50/83 - **50 Z : 80 B** 80/140 - 130/250 Fb.

Gästehaus im Weingarten (Appartementhotel), Kochmatt 8, ☎ 1 41 46, ≤, , - TV ☎ Ⓟ
(Restaurant nur für Hausgäste) - **9 Z : 18 B** 65/100 - 110/180.

Bauer, Eisenbahnstr. 2, ☎ 24 62, , - ☎ Ⓟ. E
22. Feb.- 9. März und 19. Dez.- 7. Jan. geschl. - **M** *(Sonntag geschl.)* a la carte 25/59 ♁ - **59 Z : 90 B** 55/78 - 85/115.

Zum Bad, Badstr. 40, ☎ 38 85, - TV Ⓟ
Feb.- 3. März geschl. - **M** *(Dienstag geschl.)* a la carte 25/52 ♁ - **9 Z : 17 B** 50/60 - 94 Fb.

Parkrestaurant im Bürgerhaus, Hauptstr. 122, ☎ 60 39, Fax 15428, « Gartenterrasse » - Ⓟ - 25/600
Dienstag geschl. - **M** *(auch vegetarische Gerichte)* a la carte 31/61 ♁.

In Müllheim 16-Britzingen NO : 5 km - Erholungsort :

Krone mit Zim, Markgräfler Str. 32, ☎ 20 46 - Ⓟ
Jan. geschl. - **M** *(Donnerstag geschl.)* 16 /24 (mittags) und a la carte 31/46 ♁ - **7 Z : 14 B** 50 - 60/70.

In Müllheim 14-Feldberg SO : 6 km :

Ochsen mit Zim (Landgasthof a.d. Jahre 1763), Bürgelnstr. 32, ☎ 35 03, , , - Ⓟ. Zim
8. Jan.- 10. Feb. und 3.- 17. Juli geschl. - **M** *(Donnerstag - Freitag 17 Uhr geschl.)* a la carte 29/70 ♁ - **8 Z : 15 B** 56/64 - 92/110.

In Müllheim 11-Niederweiler O : 1,5 km - Erholungsort :

Pension Weilertal garni, Weilertalstr. 15, ☎ 57 94, - ☎ Ⓟ. E
15. Jan.- 16. Feb. und 25. Nov.- 15. Dez. geschl. - **10 Z : 18 B** 48/90 - 95/135.

MÜNCHBERG 8660. Bayern 413 S 16, 987 ㉗ - 11 800 Ew - Höhe 553 m - ☎ 09251.

♦München 266 - Bayreuth 37 - Hof 20.

Seehotel Hintere Höhe, Hintere Höhe 7 (S : 2 km), ☎ 30 01, Fax 3976, ≤, , , - TV ☎ Ⓟ - 25/80. AE ⓓ E VISA. Rest
M a la carte 42/75 - **32 Z : 60 B** 102/130 - 165/220 Fb.

Braunschweiger Hof, Bahnhofstr. 13, ☎ 81 81 - ☎ Ⓟ. ⓓ E VISA
Feb.- März 2 Wochen geschl. - **M** a la carte 24/55 - **27 Z : 40 B** 45/85 - 75/115 Fb.

In Sparneck **8663** SO : 6 km :

Waldhotel Heimatliebe , ☎ (09251) 81 13, Fax 7598, « Gartenterrasse », , - TV ☎ Ⓟ - 40. ⓓ E VISA. Rest
7.- 26. Jan. geschl. - **M** *(auch Diät und vegetarische Gerichte)* (Montag bis 17 Uhr geschl.) a la carte 31/65 ♁ - **Gourmetstübchen M** a la carte 47/85 - **25 Z : 50 B** 110/140 - 160/180 Fb.

In Zell am Waldstein **8665** S : 7 km :

Zum Waldstein, Marktplatz 16, ☎ (09257) 2 61,
M *(Mittwoch geschl.)* a la carte 17/31 - **17 Z : 28 B** 40/50 - 60/90.

MÜNCHEN **8000.** Bayern 413 R 22, 987 ㊲, 426 G 4 – 1 300 000 Ew – Höhe 520 m – ☎ 089.

Sehenswert: Marienplatz★ KZ – Frauenkirche★ (Turm ✳★) KZ – Alte Pinakothek★★★ KY – Deutsches Museum★★★ LZ – Residenz★ (Schatzkammer★★, Altes Residenztheater★) KY – Asamkirche★ KZ – Nymphenburg★★ (Schloß★, Park★, Amalienburg★★, Botanischer Garten★★, Marstallmuseum und Porzellansammlung★) BS – Neue Pinakothek★ KY – Münchner Stadtmuseum★ (Moriskentänzer★★) KZ **M7** – Städt. Galerie im Lenbachhaus (Porträts Lenbachs★) JY **M4** – Staatliche Antikensammlungen★ JY **M3** – Glyptothek★ JY **M2** – Deutsches Jagdmuseum★ KZ **M1** – Olympia-Park (Olympia-Turm ✳★★★) CR – Tierpark Hellabrunn★ CT – Englischer Garten★ (Blick vom Monopteros★) LY.

Straßlach, Tölzer Straße (S : 17 km), ☎ (08170) 4 50 ; München-Thalkirchen, Zentralländstr. 40 (CT), ☎ 7 23 13 04 ; Eichenried (NO : 24 km), Münchener Str. 55, ☎ (08123)10 05.

München-Riem (③ : 11 km) ☎ 92 11 21, City Air Terminal, Arnulfstraße (Hauptbahnhof, Nordseite).

☎ 12 88 44 25.

Messegelände (EX), ☎ 5 10 70, Telex 5212086, Fax 5107506.

Verkehrsamt im Hauptbahnhof (gegenüber Gleis 11), ☎ 2 39 12 56.

Tourist-Information, Pettenbeckstr. 3, ☎ 2 39 12 72, Fax 2391313.

Verkehrsamt im Flughafen München-Riem, ☎ 2 39 12 66.

ADAC Sendlinger-Tor-Platz 9, ☎ 59 39 79, Notruf ☎ 1 92 11.

DTC, Amalienburgstr. 23 BS, ☎ 8 11 10 48, Telex 524508.

Innsbruck 162 ⑤ – ♦Nürnberg 165 ② – Salzburg 140 ⑤ – ♦Stuttgart 222 ⑨.

> Die Angabe (M 15) nach der Anschrift gibt den Postzustellbezirk an : München 15
> L'indication (M 15) à la suite de l'adresse désigne l'arrondissement : München 15
> The reference (M 15) at the end of the address is the postal district : München 15
> L'indicazione (M 15) posta dopo l'indirizzo, precisa il quartiere urbano : München 15

Messe-Preise : siehe S. 8
Foires et salons : voir p. 16
Fairs : see p. 24
Fiere : vedere p. 32

Stadtpläne siehe nächste Seiten

✿ **Vier Jahreszeiten Kempinski**, Maximilianstr. 17 (M 22), ☎ 23 03 90, Telex 523859, Fax 23039693, Massage, ≘s, ▣ – |♦| ⚹ Zim ▤ TV – 🚗 – 🏛 25/350. AE ⓓ E VISA. ✗ Rest LZ **a**
M *(Samstag und Montag jeweils bis 18 Uhr sowie Aug. geschl.)* 95 /135 und a la carte 66/105 - **Bistro-Eck** (auch vegetarische Gerichte) **M** a la carte 46/74 – **344 Z : 570 B** 362/462 - 554/684 Fb – 25 Appart. 1279/2806.

Rafael, Neuturmstr. 1 (M 2), ☎ 29 09 80, Telex 5213666, Fax 222539, « Dachgartenterrasse mit ▣ » – |♦| ▤ TV 🚗 – 🏛 25/60. AE ⓓ E VISA. ✗ Rest KZ **s**
M 45 (mittags) und a la carte 67/107 – **74 Z : 148 B** 380/580 - 580/680 – 7 Appart. 1400/2000.

✿ **Königshof,** Karlsplatz 25 (M 2), ☎ 55 13 60, Telex 523616, Fax 55136113 – |♦| ▤ TV 🚗 – 🏛 30/90. AE ⓓ E VISA. ✗ Rest JY **s**
M *(bemerkenswerte Weinkarte)* (Tischbestellung ratsam) 108 /138 und a la carte 73/112 – **106 Z : 181 B** 275/305 - 365/415 Fb – 9 Appart. 540/1000
Spez. Gänseleberterrine mit Rosinenbrioche, Petersfisch gebraten mit Orangen-Basilikumsauce, Rinderfilet in schwarzer Trüffelsauce.

Bayerischer Hof - Palais Montgelas, Promenadeplatz 6 (M 2), ☎ 2 12 00, Telex 523409, Fax 2120906, 🏊, Massage, ≘s, ▣ – |♦| ⚹ Zim TV 🚗 – 🏛 25/800. AE ⓓ E VISA KY **y**
Restaurants : **Garden-Restaurant M** a la carte 54/84 – **Trader Vic's** *(nur Abendessen)* **M** a la carte 46/77 – **Palais Keller M** a la carte 28/50 – **442 Z : 762 B** 265/330 - 399/519 – 40 Appart. 699/1549.

Park Hilton, Am Tucherpark 7 (M 22), ☎ 3 84 50, Telex 5215740, Fax 38451845, 🏊, Biergarten, Massage, ≘s, ▣ – |♦| ⚹ Zim ▤ TV ♿ 🚗 – 🏛 25/250. AE ⓓ E VISA
Restaurants : **Hilton-Grill** (auch vegetarische Gerichte) *(Samstag bis 18 Uhr, Jan. 1 Woche und Juli - Aug. 3 Wochen geschl.)* **M** a la carte 66/103 – **Tse Yang** (China-Restaurant) **M** a la carte 45/76 – **Isar-Terrassen** (auch vegetarische Gerichte) **M** a la carte 36/58 – **477 Z : 954 B** 309/459 - 408/553 Fb – 21 Appart. 858/1658. HU **n**

Continental, Max-Joseph-Str. 5 (M 2), ☎ 55 15 70, Telex 522603, Fax 55157500, 🏊 – |♦| ⚹ Zim TV 🚗 – 🏛 25/160. AE ⓓ E VISA. ✗ Rest KY **f**
M a la carte 62/94 – **149 Z : 245 B** 282/537 - 384/564 Fb – 12 Appart. 710/1270.

Excelsior, Schützenstr. 11 (M 2), ☎ 55 13 70, Telex 522419, Fax 55137121 – |♦| TV – 🏛 30. AE ⓓ E VISA. ✗ Rest JY **z**
M a la carte 51/90 – **Vinothek** *(Sonn- und Feiertage geschl.)* **M** a la carte 36/77 – **114 Z : 166 B** 223/258 - 316/341 Fb – 4 Appart. 396/426.

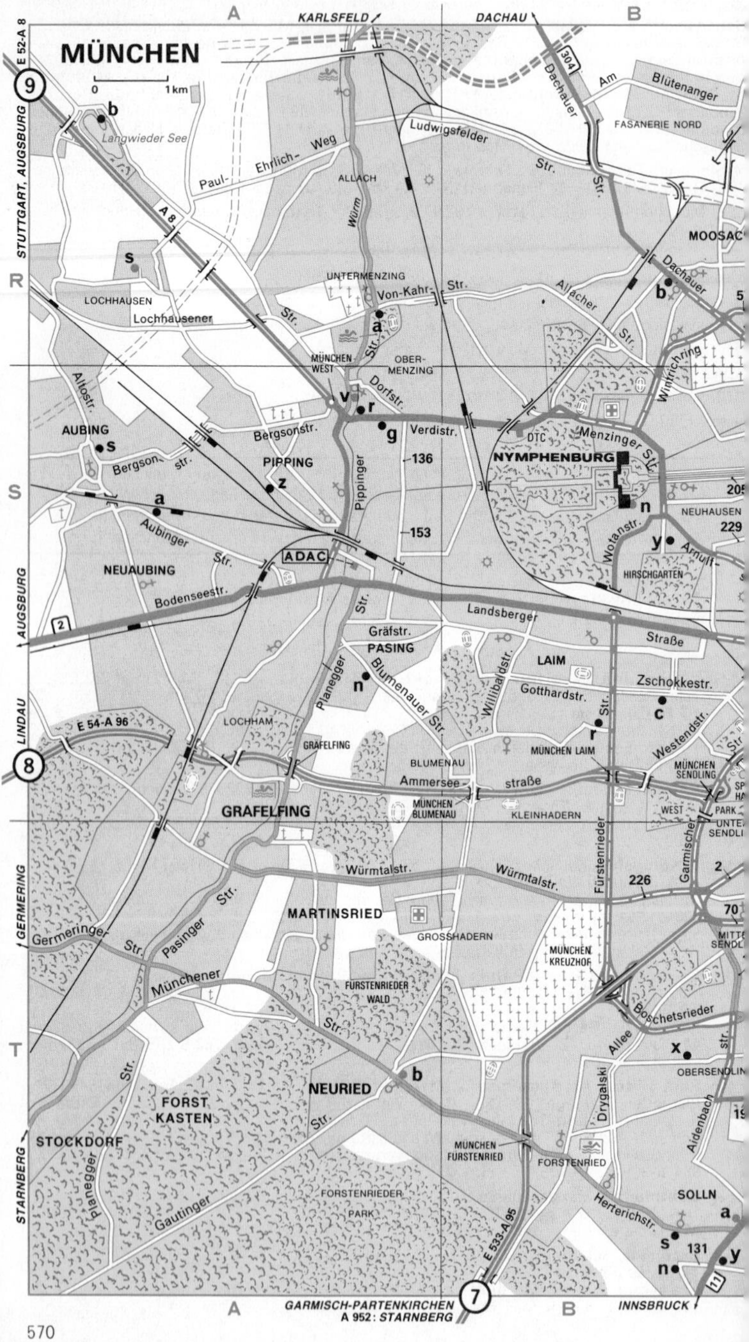
MÜNCHEN
0 1 km
A
B
R
S
T
KARLSFELD
DACHAU
STUTTGART, AUGSBURG
E 52-A 8
9
Langwieder See
A 8
304
Dachauer Str.
Am Blütenanger
FASANERIE NORD
Ludwigsfelder Str.
Paul-Ehrlich-Weg
ALLACH
Würm
MOOSACH
LOCHHAUSEN
Lochhausener Str.
UNTERMENZING
Von-Kahr-Str.
Allacher Str.
Dachauer
Wintrichring
MÜNCHEN-WEST
OBER-MENZING
Dorfstr.
Altostr.
AUBING
Bergsonstr.
Verdistr.
DTC
Menzinger Str.
NYMPHENBURG
PIPPING
136
Pippinger Str.
Aubinger Str.
153
NEUHAUSEN
229
205
Wotanstr.
Arnulfstr.
HIRSCHGARTEN
ADAC
NEUAUBING
Bodenseestr.
AUGSBURG
2
Landsberger Straße
Gräfstr.
PASING
LAIM
Zschokkestr.
Planegger Str.
Blumenauer Str.
Willibaldstr.
Gotthardstr.
LINDAU
E 54-A 96
LOCHHAM
GRÄFELFING
Westendstr.
8
BLUMENAU
MÜNCHEN LAIM
MÜNCHEN SENDLING
Ammersee-straße
MÜNCHEN BLUMENAU
KLEINHADERN
WEST
PARK
GRÄFELFING
Fürstenrieder
Garmischer
Würmtalstr.
226
MARTINSRIED
GERMERING
Germeringer Str.
Pasinger Str.
GROSSHADERN
MÜNCHEN KREUZHOF
Münchener Str.
FÜRSTENRIEDER WALD
Boschetsrieder
Allee
x
OBERSENDLING
Drygalski
STOCKDORF
FORST KASTEN
NEURIED
STARNBERG
Planegger
MÜNCHEN FÜRSTENRIED
FORSTENRIED
Aidenbach
FORSTENRIEDER PARK
Gautinger
E 533-A 95
Herterichstr.
SOLLN
131
11
7
GARMISCH-PARTENKIRCHEN
A 952: STARNBERG
INNSBRUCK

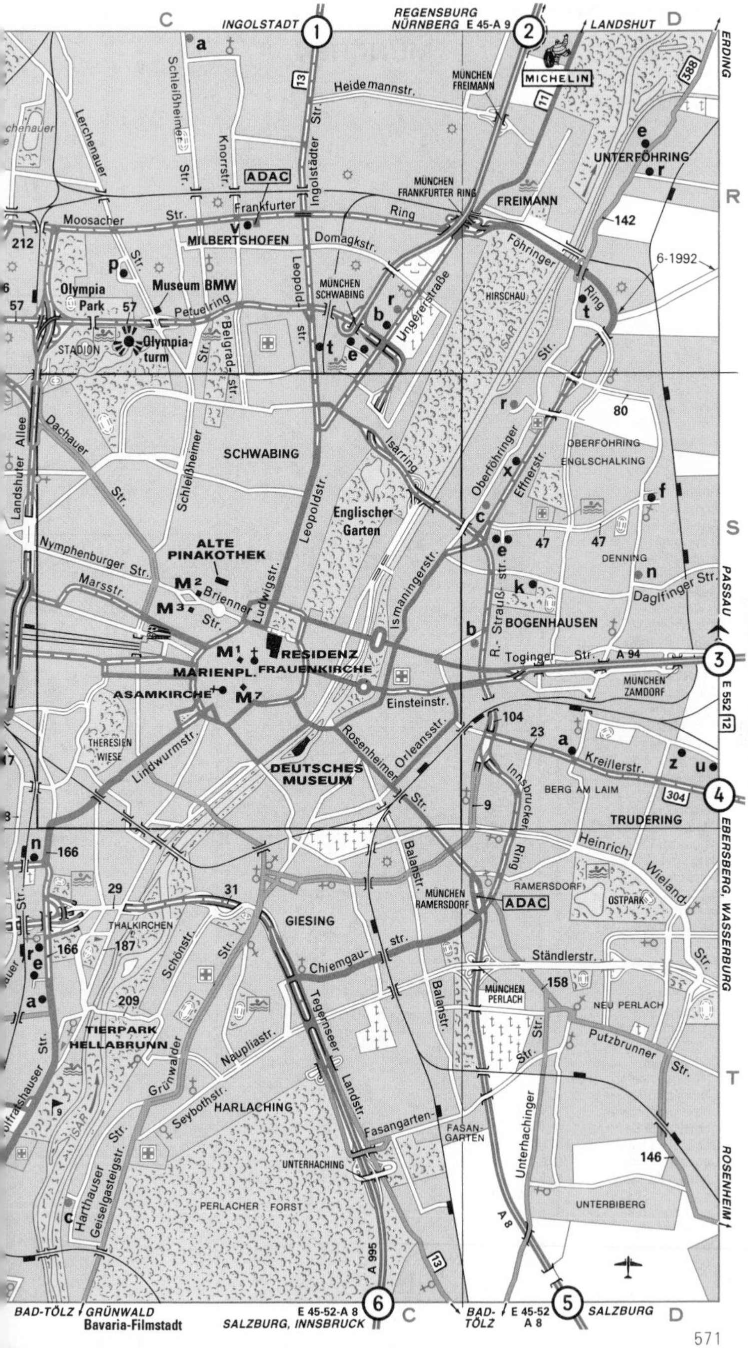
C
D
INGOLSTADT
REGENSBURG
NÜRNBERG E 45-A 9
LANDSHUT
ERDING
MICHELIN
MÜNCHEN FREIMANN
Heidemannstr.
Schleißheimer Str.
Lerchenauer
Knorrstr.
Ingolstädter Str.
ADAC
UNTERFÖHRING
MÜNCHEN FRANKFURTER RING
FREIMANN
R
Moosacher Str.
Frankfurter Ring
MILBERTSHOFEN
Domagkstr.
Föhringer Ring
142
6-1992
212
Olympia Park
Museum BMW
Petuelring
57
MÜNCHEN SCHWABING
Leopoldstr.
Ungererstraße
HIRSCHAU
Belgradstr.
STADION
Olympiaturm
80
SCHWABING
Dachauer Str.
Landshuter Allee
Schleißheimer Str.
Isarring
Oberföhringer Str.
OBERFÖHRING
ENGLSCHALKING
Effnerstr.
Englischer Garten
Leopoldstr.
S
47
DENNING
ALTE PINAKOTHEK
Nymphenburger Str.
Marsstr.
Brienner Str.
Ludwigstr.
Ismaningerstr.
R.-Strauß-str.
Daglfinger Str.
PASSAU
BOGENHAUSEN
RESIDENZ
MARIENPL.
FRAUENKIRCHE
ASAMKIRCHE
Toginger Str.
A 94
MÜNCHEN ZAMDORF
Einsteinstr.
E 552
12
104
23
THERESIEN WIESE
Lindwurmstr.
Rosenheimer Str.
Orleansstr.
Kreillerstr.
DEUTSCHES MUSEUM
Innsbrucker Ring
BERG AM LAIM
304
9
TRUDERING
EBERSBERG, WASSERBURG
166
Balanstr.
Heinrich-Wieland-Str.
29
31
MÜNCHEN RAMERSDORF
ADAC
RAMERSDORF
OSTPARK
THALKIRCHEN
GIESING
166
187
Schönstr.
Chiemgaustr.
Ständlerstr.
158
MÜNCHEN PERLACH
NEU PERLACH
209
Tegernseer Landstr.
Balanstr.
TIERPARK HELLABRUNN
Naupliastr.
Putzbrunner Str.
Grünwalder Str.
T
Seybothstr.
HARLACHING
Fasangarten-
FASANGARTEN
Unterhachinger Str.
146
ISAR
UNTERHACHING
ROSENHEIM
Harthauser Str.
Geiselgasteigstr.
PERLACHER FORST
UNTERBIBERG
A 8
A 995
13
BAD-TÖLZ
GRÜNWALD
Bavaria-Filmstadt
E 45-52-A 8
SALZBURG, INNSBRUCK
C
BAD-TÖLZ
E 45-52
A 8
SALZBURG
D

STRASSENVERZEICHNIS

Fortetzung
siehe München S. 6-7 und 8

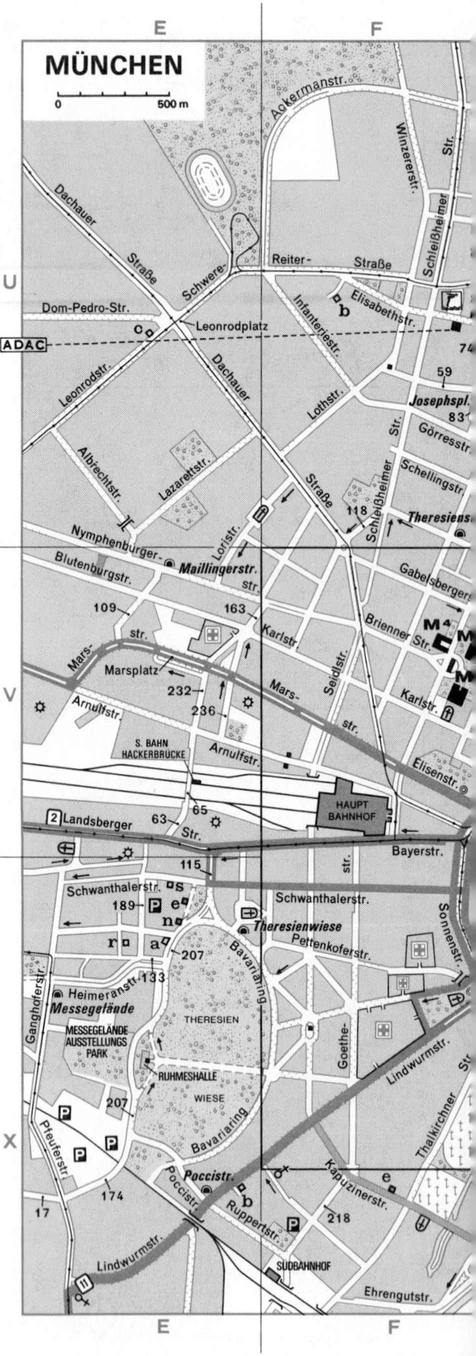

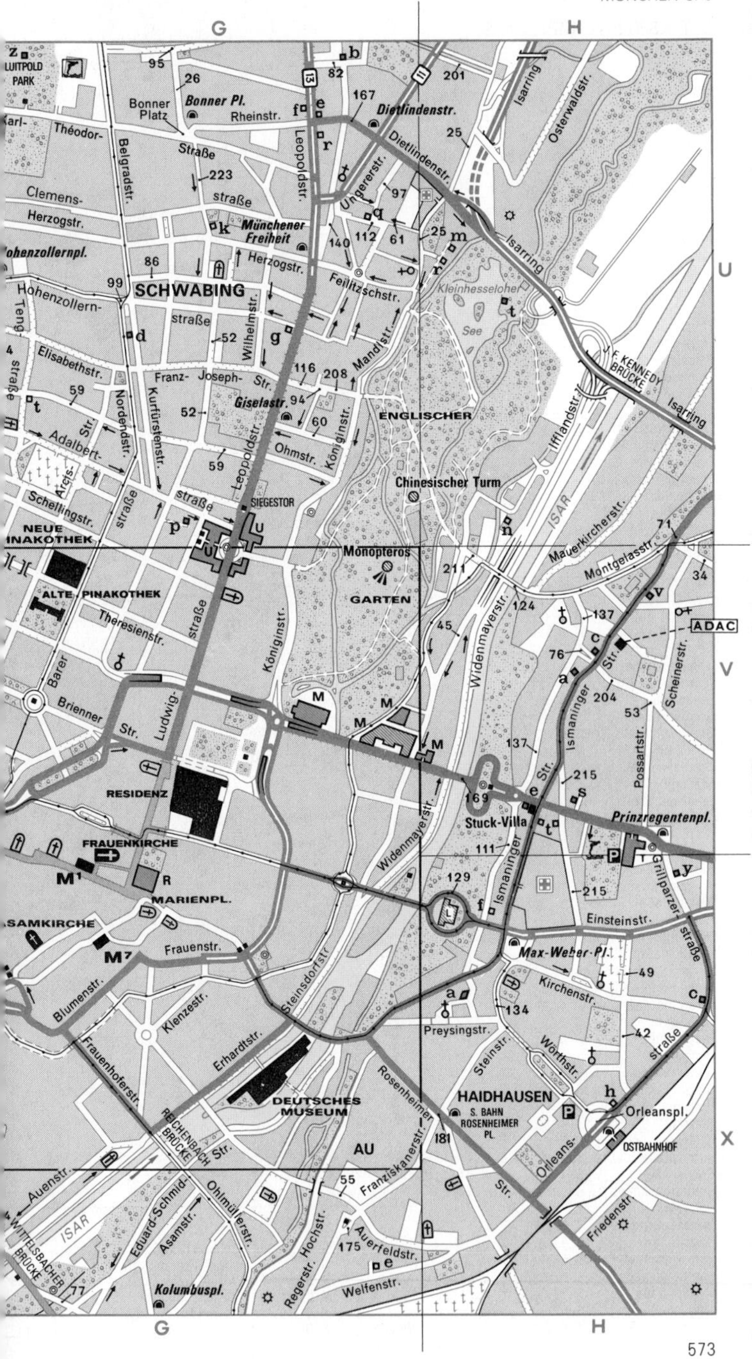
G
H
U
V
X
LUITPOLD PARK
Bonner Platz
Bonner Pl.
Rheinstr.
Dietlindenstr.
Isarring
Osterwaldstr.
Karl-Théodor-Straße
Belgradstr.
Leopoldstr.
Clemens-straße
Herzogstr.
Münchener Freiheit
Ungererstr.
Hohenzollernpl.
SCHWABING
Hohenzollern-straße
Feilitzschstr.
Kleinhesseloher See
Wilhelmstr.
Mandlstr.
J. F. KENNEDY BRÜCKE
Elisabethstr.
Franz-Joseph-Str.
Giselastr.
ENGLISCHER
Ifflandstr.
Nordendstr.
Kurfürstenstr.
Königinstr.
Ohmstr.
Adalbert-straße
Arcisstr.
Chinesischer Turm
ISAR
Schellingstr.
SIEGESTOR
NEUE PINAKOTHEK
Monopteros
Mauerkircherstr.
Montgelasstr.
ALTE PINAKOTHEK
GARTEN
Theresienstr.
Widenmayerstr.
ADAC
Ismaninger Str.
Scheinerstr.
Barer Str.
Brienner Str.
Ludwigstraße
Possartstr.
RESIDENZ
Stuck-Villa
Prinzregentenpl.
FRAUENKIRCHE
Grillparzerstraße
MARIENPL.
Einsteinstr.
ASAMKIRCHE
Frauenstr.
Max-Weber-Pl.
Kirchenstr.
Steinsdorfstr.
Blumenstr.
Klenzestr.
Preysingstr.
Steinstr.
Wörthstr.
Erhardtstr.
Frauenhoferstr.
DEUTSCHES MUSEUM
Rosenheimer Str.
HAIDHAUSEN
S. BAHN ROSENHEIMER PL.
Orleanspl.
Orleans-
OSTBAHNHOF
REICHENBACH BRÜCKE
AU
Franziskanerstr.
Auenstr.
Ohlmüllerstr.
Eduard-Schmid-Str.
Asamstr.
Auerfeldstr.
Friedenstr.
Regerstr.
Hochstr.
Welfenstr.
WITTELSBACHER BRÜCKE
Kolumbuspl.

STRASSENVERZEICHNIS

Drygalski-Allee . . . . . S. 2 BT
Eduard-Schmid-Str. . S. 7 KLZ
Effnerstraße . . . . S. 3 DS
Ehrengutstraße . . . . . S. 4 FX
Einsteinstraße . . . . . . S. 5 HX
Eisenmannstraße . . . S. 7 KL 39
Elisabethstraße . . . . . S. 4 FGU 5
Elisenstraße . . . . S. 6 JY
Elsässer Straße . . . . S. 5 HX 42
Emil-Riedel-Straße . . S. 5 HV 45
Englschalkinger Str. . S. 3 DS 47
Erhardtstraße . . . . . . S. 7 KLZ
Fasangartenstraße . . S. 3 CDT
Feilitzschstraße . . . . S. 5 GU
Flurstraße . . . . S. 5 HX 49
Föhringer Ring . . . . . S. 3 DR
Frankfurter Ring . . . . S. 3 CR
Franziskanerstraße . . S. 5 GX
Franz-Joseph-Straße . S. 5 GU
Franz-Joseph-Strauß-Ring . . . . S. 7 LY 50
Frauenstraße . . . . . . S. 7 KZ
Fraunhoferstraße . . . S. 7 KZ
Friedenstraße . . . . . . S. 5 HX
Friedrichstraße . . . . . S. 5 GU 52
Fürstenrieder Straße . S. 2 BST
Gabelsbergerstraße S. 6-7 JKY
Gärtnerplatz . . . . S. 7 KZ
Galileiplatz . . . . S. 5 HV 53
Ganghoferstraße . . . S. 4 EX
Garmischer Straße . . S. 2 BST
Gautinger Straße . . . S. 2 AT
Gebsattelstraße . . . . S. 5 GX 55
Geiselgasteigstraße . S. 3 CT
Georg-Brauchle-Ring S. 3 CR 57
Georgenstraße . . . S. 4-5 FGU 59
Germeringer Straße . S. 2 AT
Giselastraße . . . . S. 5 GU 60
Görresstraße . . . . S. 4 FU
Goethestraße . . . . S. 6 JZ
Gohrenstraße . . . . . . S. 5 GU 61
Gotthardstraße . . . . . S. 2 BS
Gräfstraße . . . . S. 2 AS
Grasserstraße . . . . . . S. 4 EV 63
Grillparzerstraße . . . . S. 5 HX
Grünwalder Straße . . S. 3 CT
Hackerbrücke . . . . S. 4 EV 65
Häberlstraße . . . . S. 6 JZ
Hanauer Straße . . . . S. 2 BR 66
Hansastraße . . . . S. 3 CS 68
Hans-Sachs-Straße . . S. 7 KZ
Harthauser Straße . . S. 3 CT
Haydnstraße . . . . S. 6 JZ
Heckenstallerstraße . S. 2 BT 70
Heidemannstraße . . . S. 3 CR
Heimeranstraße . . . . S. 4 EX
Heinrich-Wieland-Str. S. 3 DT
Herkomerplatz . . . . . S. 5 HU 71
Herrnstraße . . . . S. 7 LZ
Herterichstraße . . . . S. 2 BT
Herzog-Heinrich-Str. . S. 6 JZ
Herzogstraße . . . . . . S. 5 GU
Herzog-Wilhelm-Str. . S. 6 JZ
Hiltenspergerstraße S. 4-5 FGU 74
Hirtenstraße . . . . S. 6 JY
Hochstraße . . . . S. 7 LZ
Hofgartenstraße . . . . S. 7 KY
Hofgraben . . . . S. 7 KZ 75
Hohenzollernstraße . S. 5 GU
Holzstraße . . . . S. 6 JZ
Hompeschstraße . . . S. 5 HV 76
Humboldtstraße . . . . S. 5 GX 77
Ickstattstraße . . . . . . S. 7 KZ
Ifflandstraße . . . . S. 5 HU
Infanteriestraße . . . . S. 4 FU

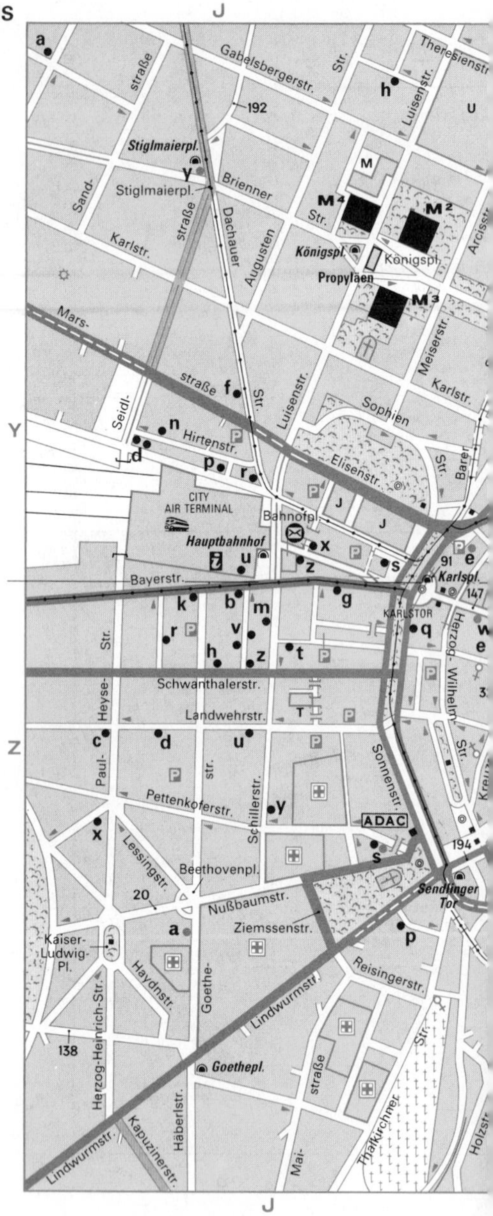

Ingolstädter Straße . . . . . S. 3 CR
Innere Wiener Straße . . . S. 7 LZ 79
Innsbrucker Ring . . . . S. 3 DST
Isarring . . . . S. 5 HU
Ismaninger Straße . . . . . . S. 5 HVX
Johanneskirchner Str. . . . S. 3 DS 80
Johann-Fichte-Str. . . . . . . S. 5 GU 8
John-F.-Kennedy-Br. . . . . . S. 5 HU
Josephsplatz . . . . S. 4 FU 8
Kaiser-Ludwigs-Platz . . . . S. 6 JZ
Kaiserstraße . . . . S. 5 GU 8
Kapuzinerstraße . . . . S. 6 JZ

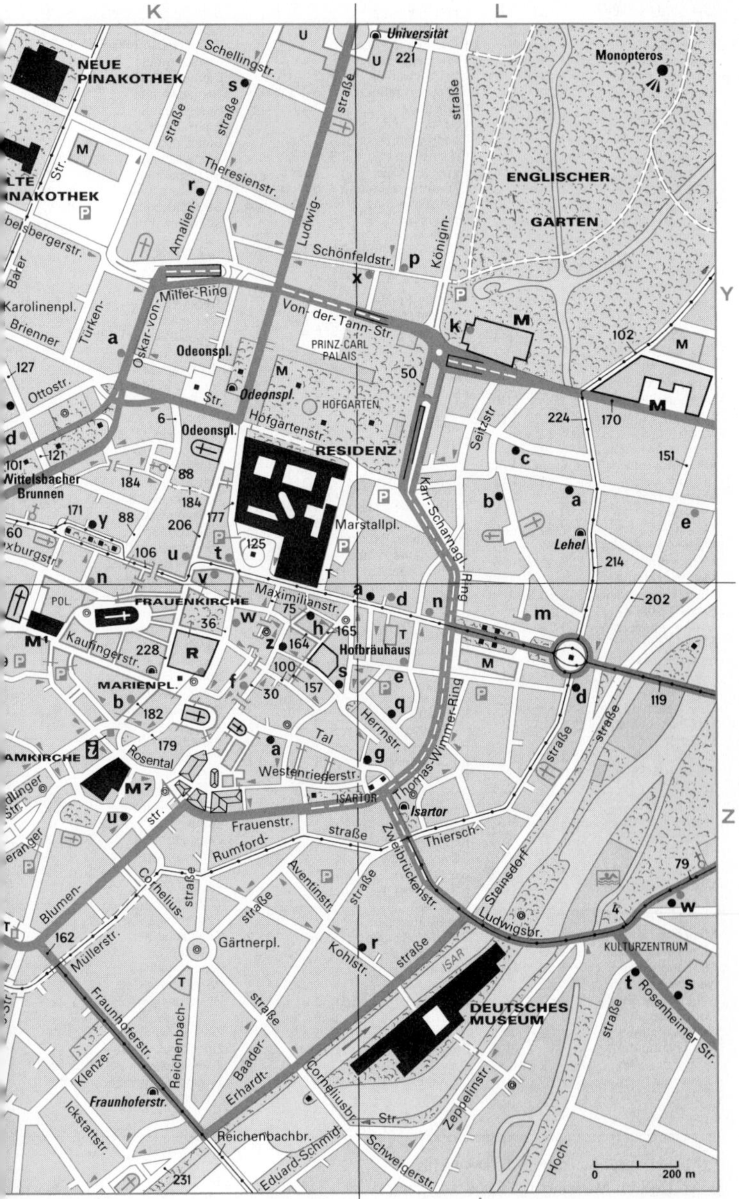

Fortsetzung siehe München S. 8

STRASSENVERZEICHNIS (Anfang siehe München S. 4-6-7

Kunigundenstraße . . S. 5 **GU** 97
Kurfüstenplatz . . . . . S. 5 **GU** 99
Kurfürstenstraße . . . . S. 5 **GU**
Landsberger Straße . S. 4 **EV**
Landshuter Allee . . . S. 3 **CS**
Landwehrstraße . . . . S. 6 **JZ**
Lazarettstraße . . . . . S. 4 **EU**
Ledererstraße . . . . . . S. 7 **KZ** 100
Lenbachplatz . . . . . . S. 7 **KY** 101
Leonrodplatz . . . . . . S. 4 **EU**
Leonrodstraße . . . . . S. 4 **EU**
Leopoldstraße . . . . . S. 5 **GU**
Lerchenauer Straße . S. 3 **CR**
Lerchenfeldstraße . . S. 7 **LY** 102
Lessingstraße . . . . . . S. 6 **JZ**
Leuchtenbergring . . S. 3 **DS** 104
Lindwurmstraße . . . . S. 6 **JZ**
Lochhausener Str. . . S. 2 **AR**
Loristraße . . . . S. 4 **EUV**
Lothstraße . . . . S. 4 **FU**
Ludwigsbrücke . . . . . S. 7 **LZ**
Ludwigsfelder Straße S. 2 **ABR**
Ludwigstraße . . . . . . S. 7 **KY**
Luisenstraße . . . . S. 6 **JY**
Maffeistraße . . . . S. 7 **KY** 106
Maillingerstraße . . . . S. 4 **EV** 109
Maistraße . . . . S. 6 **JZ**
Mandlstraße . . . . S. 5 **GU**
Maria-Theresia-Str. . . S. 5 **HV** 111
Marschallstraße . . . . S. 5 **GU** 112
Marsplatz . . . . S. 4 **EV**
Marsstraße . . . . S. 6 **JY**
Marstallplatz . . . . S. 7 **KLY**
Martin-Greif-Straße . . S. 4 **EX** 115
Martiusstraße . . . . . . S. 5 **GU** 116
Maßmannstraße . . . . S. 4 **FU** 118
Mauerkircherstraße . S. 5 **HUV**
Maxburgstraße . . . . . S. 7 **KY**
Maximiliansbrücke . . S. 7 **LZ** 119
Maximiliansplatz . . . S. 7 **KY** 121
Max-Josephs-
Brücke . . . . S. 5 **HV** 124
Max-Joseph-Platz . . . S. 7 **KY** 125
Max-Joseph-Straße . S. 7 **KY** 127
Max-Planck-Straße . . S. 5 **HX** 129
Meiserstraße . . . . . . S. 6 **JY**
Melchiorstraße . . . . . S. 2 **BT** 131
Menzinger Straße . . S. 2 **BS**
Messeplatz . . . . S. 4 **EX** 133
Metzgerstraße . . . . . S. 5 **HX** 134
Meyerbeerstraße . . . S. 2 **AS** 136
Möhlstraße . . . . S. 5 **HV** 137
Montgelasstraße . . . S. 5 **HUV**
Moosacher Straße . . S. 3 **CR**
Mozartstraße . . . . . . S. 6 **JZ** 138
Müllerstraße . . . . S. 7 **KZ**
Münchener Freiheit . S. 5 **GU** 140
Münchner Straße . . . S. 3 **DR** 142
Münchener Straße . . S. 2 **AT**
Murnauer Straße . . . S. 2 **BT** 145
Naupliastraße . . . . . . S. 3 **CT**
Neubiberger Straße . S. 3 **DT** 146
Nordendstraße . . . . . S. 5 **GU**
Nußbaumstraße . . . . S. 6 **JZ**
Nymphenburger
Straße . . . . S. 4 **EUV**
Oberanger . . . . S. 7 **KZ**
Oberföhringer
Straße S. 3 **DRS**
Odeonsplatz . . . . S. 7 **KY**
Oettingenstraße . . . . S. 7 **LY** 151
Offenbachstraße . . . . S. 2 **AS** 153
Ohlmüllerstraße . . . . S. 5 **GX**
Ohmstraße . . . . S. 5 **GU**
Orlandostraße . . . . . S. 7 **KZ** 157
Orleansplatz . . . . S. 5 **HX**
Orleansstraße . . . . . . S. 5 **HX**
Oskar-von-Miller-Ring S. 7 **KY**
Osterwaldstraße . . . . S. 5 **HU**
Ottobrunner Straße . S. 3 **DT** 158
Ottostraße . . . . S. 7 **KY**
Pacellistraße . . . . S. 7 **KY** 160
Papa-Schmid-Straße . S. 7 **KZ** 162
Pappenheimstraße . . S. 4 **EV** 163
Passauerstraße . . . . . S. 3 **CT**
Pasinger Straße . . . . S. 2 **AT**
Paul-Ehrlich-Weg . . . S. 2 **AR**
Paul-Heyse-Straße . . S. 6 **JZ**
Pettenkoferstraße . . . S. 6 **JZ**
Petuelring . . . . S. 3 **CR**
Pfeuferstraße . . . . . . S. 4 **EX**
Pfisterstraße . . . . S. 7 **KZ** 164
Pippinger Straße . . . S. 2 **ARS**
Planegger Straße . . . S. 2 **AST**
Platzl . . . . S. 7 **KZ** 165
Plinganserstraße . . . S. 3 **CT** 166
Poccistraße . . . . S. 4 **EX**
Possartstraße . . . . . . S. 5 **HV**
Potsdamer Straße . . S. 5 **GU** 167
Preysingstraße . . . . . S. 5 **HX**
Prinzregentenbrücke S. 5 **HV** 169
Prinzregentenstraße . S. 7 **LY** 170
Promenadeplatz . . . . S. 7 **KY** 171
Putzbrunner Straße . S. 3 **DT**
Radlkoferstraße . . . . S. 4 **EX** 174
Regerplatz . . . . S. 5 **GX** 175
Regerstraße . . . . S. 5 **GX**
Reichenbachbrücke . S. 7 **KZ**
Reichenbachstraße . S. 7 **KZ**
Reisingerstraße . . . . S. 6 **JZ**
Rheinstraße . . . . S. 5 **GU**
Richard-
Strauß-Straße . . . . S. 3 **DS**
Rindermarkt . . . . S. 7 **KZ** 179
Rosenheimer Platz . . S. 5 **HX** 181
Rosenheimer Straße . S. 7 **LZ**
Rosenstraße . . . . S. 7 **KZ** 182
Rosental . . . . S. 7 **KZ**
Rumfordstraße . . . . . S. 7 **KZ**
Ruppertstraße . . . . . S. 4 **EFX**
Salvatorstraße . . . . . S. 7 **KY** 184
Sandstraße . . . . S. 6 **JY**
Schäftlarnstraße . . . . S. 3 **CT** 187
Scheinerstraße . . . . . S. 5 **HV**
Schellingstraße . . . . . S. 7 **KY**
Schießstättstraße . . . S. 4 **EX** 189
Schillerstraße . . . . . . S. 6 **JZ**
Schleißheimer
Straße . . . . S. 6 **JY** 192
Schönfeldstraße . . . . S. 7 **KLY**
Schönstraße . . . . S. 3 **CT**
Schwanthalerstraße . S. 6 **JZ**
Schweigerstraße . . . S. 7 **LZ**
Schwere-Reiter-
Straße . . . . S. 4 **EFU**
Seidlstraße . . . . S. 6 **JY**
Seitzstraße . . . . S. 7 **LY**
Sendlinger-Tor-Platz . S. 6 **JZ** 19
Seybothstraße . . . . . S. 3 **CT**
Siemensallee . . . . . . S. 2 **BT** 19
Sophienstraße . . . . . S. 6 **JY**
Ständlerstraße . . . . . S. 3 **DT**
Steinsdorfstraße . . . . S. 7 **LZ**
Steinstraße . . . . S. 5 **HX**
Stengelstraße . . . . . . S. 5 **HU** 20
Sternstraße . . . . S. 7 **LZ** 20
Sternwartstraße . . . . S. 5 **HV** 20
Stiglmaierplatz . . . . . S. 6 **JY**
Südl. Auffahrtsallee . S. 2 **BS** 20
Tal . . . . S. 7 **KZ**
Tegernseer
Landstraße . . . . . . S. 3 **CT**
Tengstraße . . . . S. 5 **GU**
Thalkirchner Straße . S. 6 **JZ**
Theresienhöhe . . . . . S. 4 **EX** 20
Theresienstraße . . S. 6-7 **JK**
Thiemestraße . . . . . . S. 5 **GU** 20
Thierschstraße . . . . . S. 7 **LZ**
Thomas-Wimmer-
Ring . . . . S. 7 **LZ**
Tierparkstraße . . . . . S. 3 **CT** 20
Tivolistraße . . . . S. 5 **HV** 21
Töginger Straße . . . . S. 3 **DS**
Triebstraße . . . . S. 3 **CR** 21
Triftstraße . . . . S. 7 **LY** 21
Trogerstraße . . . . S. 5 **HVX** 21
Tübinger Straße . . . . S. 2 **BS** 21
Türkenstraße . . . . . . S. 7 **KY**
Tumblingerstraße . . . S. 4 **FX** 21
Ungererstraße . . . . . S. 5 **GU**
Unterhachinger
Straße . . . . S. 3 **DT**
Verdistraße . . . . S. 2 **ABS**
Veterinärstraße . . . . . S. 7 **LY** 22
Viktoriastraße . . . . . . S. 5 **GU** 22
Von-der-Tann-Straße S. 7 **KLY**
Von-Karl-Straße . . . . S. 2 **ABR**
Wagmüllerstraße . . . S. 7 **LY** 22
Waldfriedhofstraße . S. 2 **BT** 22
Welfenstraße . . . . . . S. 5 **GX**
Wendl-Dietrich-
Straße . . . . S. 2 **BS** 22
Westendstraße . . . . . S. 2 **BS**
Westenriederstraße . S. 7 **KZ**
Widenmayerstraße . . S. 5 **GVX**
Wilhelmstraße . . . . . S. 5 **GU**
Willibaldstraße . . . . . S. 2 **BS**
Wintrichring . . . . S. 2 **BRS**
Winzererstraße . . . . . S. 4 **FU**
Wittelsbacherbrücke **S. 5 GX**
Wittelsbacherstraße . S. 7 **KZ** 23
Wörthstraße . . . . S. 5 **HX**
Wolfratshauser
Straße . . . . S. 3 **CT**
Wotanstraße . . . . S. 2 **BS**
Wredestraße . . . . S. 4 **EV** 23
Würmtalstraße . . . . . S. 2 **ABT**
Zeppelinstraße . . . . . S. 7 **LZ**
Ziemssenstraße . . . . S. 6 **JZ**
Zirkus-Krone-Straße . S. 4 **EV** 23
Zschokkestraße . . . . S. 2 **BS**
Zweibrückenstraße . S. 7 **LZ**

Michelin Straßenkarten für Deutschland:
Nr. 984 im Maßstab 1:750 000
Nr. 987 im Maßstab 1:1 000 000
Nr. 411 im Maßstab 1:400 000 (Schleswig-Holstein, Niedersachsen)
Nr. 412 im Maßstab 1:400 000 (Nordrhein-Westfalen, Rheinland-Pfalz, Hessen, Saarland)
Nr. 413 im Maßstab 1:400 000 (Bayern und Baden-Württemberg)

Regent, Seidlstr. 2 (M 2), 55 15 90, Telex 523787, Fax 55159154, - Rest - 25/70. JY **d**
M a la carte 38/69 - **183 Z : 330 B** 205/285 - 285/400 Fb.

Eden-Hotel-Wolff, Arnulfstr. 4 (M 2), 55 11 50, Telex 523564, Fax 55115555 - - 25/250. JY **p**
M a la carte 33/66 - **214 Z : 320 B** 165/330 - 240/370 Fb - 4 Appart. 550.

Arabella-Westpark-Hotel, Garmischer Str. 2 (M 2), 5 19 60, Telex 523680, Fax 5196649, - Zim Rest - 25/80. CR **t**
21. Dez.- 5. Jan. geschl. - **M** *(auch vegetarische Gerichte)* 35 /Buffet (mittags) und a la carte 44/67 - **258 Z : 495 B** 215/320 - 275/380 Fb - 5 Appart. 380/440.

King's Hotel garni, Dachauer Str. 13 (M 2), 55 18 70, Fax 5232667 - - 30. JY **f**
20. Dez.- 4. Jan. geschl. - **85 Z : 148 B** 180/220 - 220 Fb - 8 Appart. 320/540.

Drei Löwen, Schillerstr. 8 (M 2), 55 10 40, Telex 523867, Fax 55104905 - Zim - 35. JZ **m**
M a la carte 39/67 - **130 Z : 200 B** 165/180 - 208/238 Fb.

Trustee Parkhotel, Parkstr. 31 (Zufahrt Gollierstraße) (M 2), 51 99 50, Telex 5218296, Fax 51995420 - - 25. EX **r**
24. Dez.- 2. Jan. geschl. - (nur Abendessen für Hausgäste) - **36 Z : 79 B** 211/306 - 287/372 Fb - 7 Appart.

Exquisit garni, Pettenkoferstr. 3 (M 2), 5 51 99 00, Telex 529863, Fax 55199499, - - 25. JZ **s**
50 Z : 95 B 180/220 - 260 Fb - 5 Appart. 340.

Krone garni, Theresienhöhe 8 (M 2), 50 40 52, Telex 5213870, Fax 506706 - . EX **a**
30 Z : 60 B 170/260 - 195/280 Fb.

Platzl - Restaurant Pfistermühle, Platzl 1 (Eingang Sparkassenstraße) (M 2), 23 70 30, Telex 522910, Fax 23703800, - Zim - 25/120. . Rest KZ **z**
M *(Sonntag und Mitte Juli - Mitte Aug. geschl.)* 35 (mittags) und a la carte 46/68 - **167 Z : 272 B** 188/246 - 252/375 Fb.

Arabella-Central-Hotel garni, Schwanthalerstr. 111 (M 2), 51 08 30, Telex 5216031, Fax 51083249, - Zim - 30. EX **s**
21. Dez.- 7. Jan. geschl. - **103 Z : 210 B** 170/275 - 220/375 Fb.

Erzgießerei - Europe, Erzgießereistr. 15 (M 2), 12 68 20, Telex 5214977, Fax 1236198 - - 70. JY **a**
M a la carte 39/61 - **106 Z : 220 B** 160/235 - 190/260 Fb.

Mercure garni, Senefelder Str. 9 (M 2), 55 13 20, Telex 5218428, Fax 596444 - - 25/80 JZ **r**
167 Z : 335 B Fb.

Hungar-Hotel, Paul-Heyse-Str. 24 (M 2), 51 49 00, Telex 522395, Fax 51490701, - - 25/90. JZ **c**
M a la carte 44/55 - **182 Z : 360 B** 170/310 - 199/395 Fb.

Budapest, Schwanthalerstr. 36 (M 2), 55 11 10, Telex 529213, Fax 55111992 - Rest - 25/150. JZ **h**
M *(Sonntag und Juli- Aug. geschl.)* a la carte 35/55 - **100 Z : 182 B** 170/310 - 199/395 Fb.

Germania, Schwanthalerstr. 28 (M 2), 5 16 80, Telex 523790, Fax 598491, - Zim - 40. JZ **z**
M *(Sonntag geschl.)* a la carte 34/65 - **100 Z : 150 B** 205/305 - 305/355 Fb.

Metropol, Bayerstr. 43, (Eingang Goethestr.) (M 2), 53 07 64, Telex 522816, Fax 5328134 - - 25/60. JZ **k**
M a la carte 29/65 - **275 Z : 371 B** 115/150 - 155/210.

Concorde garni, Herrnstr. 38 (M 22), 22 45 15, Telex 522002, Fax 2283282 - . LZ **q**
23 Dez.- 1. Jan. geschl. - **73 Z : 115 B** 170/240 - 230/360 Fb.

Domus garni, St.-Anna-Str. 31 (M 22), 22 17 04, Telex 529835, Fax 2285359 - . LY **b**
23. Dez.- 2. Jan. geschl. - **45 Z : 82 B** 180/220 - 220/280 Fb.

Austrotel - Deutscher Kaiser, Arnulfstr. 2 (M 2), 5 38 60, Telex 522650, Fax 53862255, Restaurant in der 15. Etage mit München - - 25/300.
M a la carte 39/77 - **174 Z : 300 B** 195/260 - 290/360 Fb. JY **r**

Intercity-Hotel, Bayerstr. 10 (M 2), 55 85 71, Telex 523174, Fax 596229 - - 25/150. JY **u**
M a la carte 37/62 - **209 Z : 300 B** 150/225 - 195/265 Fb - 4 Appart. 295.

Admiral garni, Kohlstr. 9 (M 5), 22 66 41, Telex 529111, Fax 293674 - . LZ **r**
33 Z : 55 B 180/240 - 230/270 Fb.

Torbräu garni, Tal 37 (M 2), 22 50 16, Telex 522212, Fax 225019 - . LZ **g**
22. Dez.- 11. Jan. geschl. - **88 Z : 150 B** 160/240 - 220/290 - 3 Appart.

Atrium garni, Landwehrstr. 59 (M 2), 51 41 90, Telex 5212162, Fax 598491, – Zim – 50. AE E VISA JZ **d**
163 Z : 261 B 195 - 245 Fb.

Apollo garni, Mittererstr. 7 (M 2), 53 95 31, Telex 5212981, Fax 534033 – . AE E VISA JZ **r**
20.- 30. Dez. geschl. – **74 Z : 150 B** 130/160 - 165/245 Fb.

Europäischer Hof garni, Bayerstr. 31 (M 2), 55 15 10, Telex 522642, Fax 55151222 – . AE E VISA JZ **b**
160 Z : 230 B 100/170 - 140/280 Fb.

Splendid garni, Maximilianstr. 54 (M 22), 29 66 06, Telex 522427, Fax 2913176 – . AE E VISA LZ **d**
40 Z : 60 B 95/310 - 145/375 Fb.

Ariston garni, Unsöldstr. 10 (M 22), 22 26 91, Telex 522437, Fax 2913595 – . AE E VISA LY **c**
Weihnachten - Anfang Jan. geschl. – **61 Z : 112 B** 120/170 - 140/210 Fb.

An der Oper garni, Falkenturmstr. 10 (M 2), 2 90 02 70, Telex 522588, Fax 29002729 – – **55 Z : 100 B** 130/180 - 193/215. KZ **h**

Königswache, Steinheilstr. 7 (M 2), 52 20 01 (Hotel) 5 23 31 83 (Rest.), Fax 5232114 – . AE E VISA JY **h**
M a la carte 28/57 – **39 Z : 58 B** 145/205 - 195/255 Fb.

Reinbold garni, Adolf-Kolping-Str. 11 (M 2), 59 79 45, Telex 522539, Fax 596272 – . AE E VISA – **61 Z : 95 B** 116/251 - 192/266. JZ **t**

Kraft garni, Schillerstr. 49 (M 2), 59 48 23, Telex 5213466, Fax 5232856 – . AE E VISA JZ **y**
23.- 26. Dez. geschl. – **39 Z : 60 B** 120/180 - 160/195 Fb.

Schlicker garni, Tal 74 (M 2), 22 79 41, Fax 296059 – . AE E VISA KZ **a**
20. Dez.- 7. Jan. geschl. – **70 Z : 120 B** 115/135 - 165/250 Fb.

Brack garni, Lindwurmstr. 153 (M 2), 77 10 52, Telex 524416, Fax 7250615 – . AE E VISA – **50 Z : 80 B** 125/170 - 175/195 Fb. EX **b**

Mark garni, Senefelderstr. 12 (M 2), 55 98 20, Telex 522721, Fax 55982333 – . AE E VISA – **91 Z : 140 B** 120/140 - 160/190 Fb. JZ **v**

Daniel garni, Sonnenstr. 5 (M 2), 55 49 45, Telex 523863, Fax 553420 – . AE E VISA – **76 Z : 120 B** 110/160 - 165/280 Fb. JZ **q**

Adria garni, Liebigstr. 8 a (M 22), 29 30 81, Telex 5214111, Fax 227015 – . AE E VISA LY **a**
22.- 25. Dez. geschl. – **47 Z : 71 B** 98/180 - 160/200 Fb.

Andi garni, Landwehrstr. 33 (M 2), 59 60 67, Fax 553427 – . AE E VISA
21. Dez.- 7. Jan. geschl. – **30 Z : 69 B** 98/120 - 130/140 Fb. JZ **u**

Müller garni, Fliegenstr. 4 (M 2), 26 60 63, Fax 268624 – . E VISA JZ **p**
23. Dez.- 6. Jan. geschl. – **44 Z : 70 B** 105/165- 135/195 Fb.

Bosch garni, Amalienstr. 25 (M 2), 28 10 61, Telex 5214939 – KY **r**
75 Z : 120 B Fb.

Luitpold garni, Schützenstr. 14 (Eingang Luitpoldstr.) (M 2), 59 44 61, Fax 554520 – . AE E VISA JY **x**
48 Z : 76 B 110/160 - 160/280.

Alfa garni, Hirtenstr. 22 (M 2), 59 84 61, Telex 5212461, Fax 592301 – . AE E VISA – **80 Z : 130 B** 125/210 - 175/250. JY **n**

Uhland garni, Uhlandstr. 1 (M 2), 53 92 77, Fax 531114 – . E VISA JZ **x**
25 Z : 50 B 95/190 - 130/210 Fb.

Amba garni, Arnulfstr. 20 (M 2), 59 29 21, Telex 523389, Fax 554160 – . AE E VISA JY **d**
23. Dez.- 4. Jan. geschl. – **86 Z : 150 B** 95/150 - 140/220.

Stachus garni, Bayerstr. 7 (M 2), 59 28 81, Telex 523696, Fax 5232133 – . AE E VISA – **65 Z : 110 B** 112/165 - 155/185 Fb. JZ **g**

Blauer Bock garni, Sebastiansplatz 9 (M 2), 23 17 80, Fax 23178200 – KZ **u**
76 Z : 120 B 65/110 - 95/150 Fb.

XXXX ✿✿✿ **Aubergine,** Maximiliansplatz 5 (M 2), 59 81 71, Fax 5236753 – E VISA KY **d**
Sonntag - Montag, Feiertage, Anfang - Mitte Aug. und 23. Dez.- 7. Jan. geschl. – **M** (Tischbestellung erforderlich) 165/225 und a la carte 105/146
Spez. Sauté von Hummer mit Tomaten und Oliven, Bresse-Taube mit Linsen, Feigen mit geeistem Schokoladen-Schaum und Ingwer.

XXXX ✿ **Le Gourmet Schwarzwälder** (Stilvoll eingerichtetes Restaurant im Weinhaus Schwarzwälder, Weinkarte mit 700 Weinen), Hartmannstr. 8 (1. Etage) (M 2), 2 12 09 58, Fax 2023172 – AE E KYZ **n**
Sonntag, Montag und 23. Dez.- 7. Jan. geschl. – **M** (Tischbestellung erforderlich) 150 /180 und a la carte 88/116
Spez. Salat mit glacierten Schweinsschwänzchen, Soufflierte Wachtelbrüstchen mit Trüffelsauce, Champagnercreme mit Vanille-Sabayon.

XXX ✿ **Sabitzer,** Reitmorstr. 21 (M 22), ✆ 29 85 84, Fax 3003304 - AE E VISA LY **e**
nur Abendessen, Sonntag, 7.- 24. Jan. und 10.- 22. Aug. geschl. - **M** (Tischbestellung ratsam) a la carte 89/119
Spez. Lasagne von Lachs und Steinbutt in Schnittlauchsauce, Lamm- und Wildgerichte, Topfenmousse auf Himbeermark.

XXX **Weinhaus Schwarzwälder** (altes Münchener Weinrestaurant mit Vinothek und Bistro), Hartmannstr. 8 (M 2), ✆ 2 12 09 79, Fax 2120172 - AE E KYZ **n**
M a la carte 49/83.

XXX **El Toula,** Sparkassenstr. 5 (M 2), ✆ 29 28 69 - ▤. AE ⓓ E VISA KZ **f**
Sonntag - Montag und Juli - Aug. 3 Wochen geschl. - **M** (abends Tischbestellung ratsam) a la carte 68/95.

XX ✿ **Boettner** (kleines Alt-Münchener Restaurant), Theatinerstr. 8 (M 2), ✆ 22 12 10 - AE ⓓ E VISA KY **u**
Samstag ab 15 Uhr sowie Sonn- und Feiertage geschl. - **M** (Tischbestellung ratsam) a la carte 67/130
Spez. Hechtsoufflé mit Sauce Nantua, Hummereintopf "Hartung", Rote Grütze.

XX **Zum Bürgerhaus,** Pettenkoferstr. 1 (M 2), ✆ 59 79 09, « Bäuerliche Einrichtung, Innenhofterrasse » - JZ **s**
Samstag bis 18 Uhr sowie Sonn- und Feiertage geschl. - **M** (Tischbestellung erforderlich) 30 (mittags) und a la carte 55/76.

XX **Gasthaus Glockenbach** (ehemalige altbayerische Bierstube), Kapuzinerstr. 29 (M 2), ✆ 53 40 43 - E FX **e**
Sonntag - Montag, Feiertage und 24. Dez.- 2. Jan. geschl. - **M** (Tischbestellung erforderlich) a la carte 79/89.

XX **Weinhaus Neuner** (Weinhaus a.d.J. 1852), Herzogspitalstr. 8 (M 2), ✆ 2 60 39 54 - E
Sonn- und Feiertage sowie Aug. geschl. - **M** a la carte 43/65. JZ **e**

XX **Halali,** Schönfeldstr. 22 (M 22), ✆ 28 59 09. - E LY **x**
Sonn- und Feiertage geschl. - **M** (Tischbestellung ratsam) a la carte 48/76.

XX La Belle Epoque, Maximilianstr. 29 (M 22), ✆ 29 33 11, 🏕 LZ **n**

XX **Goethe-Keller,** Goethestr. 68 (M 2), ✆ 5 30 93 21, Fax 5309321, 🏕 - AE ⓓ E VISA JZ **a**
21. Dez.- 12. Jan. geschl. - **M** a la carte 37/73.

XX Chesa Rüegg, Wurzerstr. 18 (M 22), ✆ 29 71 14 - ▤ LZ **d**
(Tischbestellung ratsam).

XX **Austernkeller,** Stollbergstr. 11 (M 22), ✆ 29 87 87 - AE ⓓ E VISA ⅌ LZ **e**
nur Abendessen, Montag und 23.- 26. Dez. geschl. - **M** (Tischbestellung erforderlich) a la carte 47/83.

XX **La Piazzetta,** Oskar-v.-Miller-Ring 3 (M 2), ✆ 28 29 90, Fax 2809324, 🏕, Biergarten - AE ⓓ E VISA KY **a**
M (Tischbestellung ratsam) a la carte 55/78.

XX Mövenpick, Lenbachplatz 8 (M 2), ✆ 55 78 65, Fax 5236538, 🏕 - 🏛 25/280 JY **e**

XX **Csarda Piroschka** (Ungarisches Restaurant mit Zigeunermusik), Prinzregentenstr. 1 (Haus der Kunst) (M 22), ✆ 29 54 25, Fax 293850 - Ⓟ. AE ⓓ E VISA LY **k**
ab 18 Uhr geöffnet, Sonntag geschl. - **M** (Tischbestellung ratsam) a la carte 38/65.

XX **Dallmayr,** Dienerstr. 14 (1. Etage) (M 2), ✆ 2 13 51 00, Fax 2135167 - AE ⓓ E VISA KZ **w**
Samstag 15 Uhr - Sonntag geschl., Aug. nur Mittagessen - **M** a la carte 43/83.

X **Goldene Stadt** (Böhmische Spezialitäten), Oberanger 44 (M 2), ✆ 26 43 82 - AE ⓓ E
M (abends Tischbestellung ratsam) a la carte 26/57. JZ **f**

X **Ratskeller,** Marienplatz 8 (M 2), ✆ 22 03 13, Fax 229195 - AE E VISA LY **R**
M a la carte 29/55.

X Schönfelder Hof, Schönfeldstr. 15a (M 22), ✆ 28 53 57 LY **p**

X **Zum Klösterl,** St.-Anna-Str. 2 (M 22), ✆ 22 50 86 LZ **m**
nur Abendessen, Sonn- und Feiertage geschl. - **M** (Tischbestellung erforderlich) a la carte 34/58.

Brauerei-Gaststätten :

X **Spatenhaus-Bräustuben,** Residenzstr. 12 (M 2), ✆ 22 78 43, Fax 294076, 🏕, « Einrichtung im alpenländischen Stil » - ⓓ E VISA KY **t**
M a la carte 38/74.

X **Augustiner Gaststätten,** Neuhauser Str. 16 (M 2), ✆ 55199257, Fax 2605379, « Biergarten » - AE ⓓ E VISA JZ **w**
M a la carte 26/56.

X **Franziskaner Fuchs'n Stuben,** Perusastr. 5 (M 2), ✆ 2 31 81 20, Fax 23181244, 🏕 - AE ⓓ E VISA KY **v**
M a la carte 31/58.

X **Zum Spöckmeier,** Rosenstr. 9 (M 2), ✆ 26 80 88, Fax 2022909, 🏕 - AE ⓓ E VISA
Juni - Aug. Sonntag geschl. - **M** a la carte 31/56. KZ **b**

X **Spatenhofkeller,** Neuhauser Str. 26 (M 2), ✆ 26 40 10, Fax 685586, 🏕 - AE E VISA
◆ **M** a la carte 23/47. JZ **w**

X **Löwenbräukeller,** Nymphenburger Str. 2 (M 2), ✆ 52 60 21, Fax 528933, Biergarten. - E
M a la carte 30/65. JY **y**

Hackerkeller und Schäfflerstuben, Theresienhöhe 4 (M 2), 50 70 04, Fax 501721, Biergarten EX e

Pschorr-Keller, Theresienhöhe 7 (M 2), 50 10 88, Biergarten – 25/800. AE E VISA
M a la carte 26/55. EX n

In München 90-Au :

Aurbacher garni, Aurbacher Str. 5, 48 09 10, Telex 528439, Fax 48091600 – . AE E VISA GX e
Weihnachten - Anfang Jan. geschl. – **59 Z : 79 B** 145/185 - 180/260 Fb.

In München 60-Aubing :

Pollinger garni, Aubinger Str. 162, 8 71 40 44, Fax 8712203, – 35. AE E VISA AS a
50 Z : 72 B 120/160 - 160/210 Fb.

Grünwald garni, Altostr. 38, 8 63 30 26, Fax 8632329 – . E VISA. AS s
20. Dez.- 7. Jan. und 7.- 24. Aug. geschl. – **37 Z : 52 B** 80/115 - 115/120 Fb.

In München 80-Berg am Laim :

Eisenreich garni, Baumkirchner Str. 17, 43 40 21, Fax 4312924 – . AE E VISA DS a
Weihnachten - 11. Jan. geschl. – **36 Z : 48 B** 87/90 - 132.

In München-Bogenhausen :

Sheraton, Arabellastr. 6 (M 81), 9 26 40, Telex 522391, Fax 916877, München, Biergarten, Massage, , – Zim – 25/1200. AE E VISA. Rest
Restaurants : **Atrium M** a la carte 56/85 – **Alt Bayern Stuben** *(nur Abendessen)* **M** a la carte 57/74 – **650 Z : 1 300 B** 258/448 - 316/536 Fb – 16 Appart. 906/2000. DS e

Palace garni, Trogerstr. 21 (M 80), 4 70 50 91, Telex 528256, Fax 4705090, « Elegante Einrichtung mit Stilmöbeln », , – – 50. AE E VISA HV t
73 Z : 110 B 249/424 - 358/468 Fb – 9 Appart. 488/898.

Arabella-Hotel, Arabellastr. 5 (M 81), 9 23 20, Telex 529987, Fax 92324449, München Massage, , – Zim Rest – 25/320. AE E VISA DS e
M a la carte 38/69 – **478 Z : 780 B** 243/346 - 312/432 Fb – 32 Appart. 500/1450.

Rothof garni, Denninger Str. 114 (M 81), 91 50 61, Fax 915066, – . AE E VISA. DS k
24. Dez.- 6. Jan. geschl. – **37 Z : 74 B** 198/298 - 278/460 Fb.

Prinzregent garni, Ismaninger Str. 42 (M 80), 41 60 50, Telex 524403, Fax 41605466, – – 40. AE E VISA HV t
23. Dez.- 7. Jan. geschl. – **68 Z : 100 B** 230/320 - 290/410 Fb.

Queens Hotel München, Effnerstr. 99 (M 81), 92 79 80, Telex 524757, Fax 983813 – Zim Rest – 25/220. AE E VISA DS x
M a la carte 49/62 – **155 Z : 285 B** 249/384 - 333/408 Fb.

da Pippo (Italienische Küche), Mühlbaurstr. 36 (M 80), 4 70 48 48, Fax 476464, – E DS b
Samstag bis 18 Uhr sowie Sonn- und Feiertage geschl. – **M** a la carte 51/86.

Käfer Schänke, Schumannstr. 1 (M 80), 4 16 82 47, Fax 4703658, , « Mehrere Stuben mit rustikaler und Stil-Einrichtung » – AE E VISA HV s
Sonn- und Feiertage geschl. – **M** (Tischbestellung erforderlich) a la carte 54/105.

Bogenhauser Hof (ehemaliges Jagdhaus a.d.J. 1825), Ismaninger Str. 85 (M 80), 98 55 86, Fax 9810221, « Gartenterrasse » – VISA HV c
Sonn- und Feiertage sowie Weihnachten - 6. Jan. geschl. – **M** (Tischbestellung erforderlich) a la carte 61/99.

Louis XIII, Ismaninger Str. 71a (M 80), 98 92 00, – AE E HV a
Sonn- und Feiertage geschl. – **M** a la carte 64/86.

Prielhof, Oberföhringer Str. 44 (M 81), 98 53 53, – E DS c
Samstag bis 18 Uhr, Sonn- und Feiertage sowie 23. Dez.- 6. Jan. geschl. – **M** (Tischbestellung ratsam) a la carte 63/84.

Tai Tung (China-Restaurant), Prinzregentenstr. 60 (Villa Stuck) (M 80), 47 11 00, Fax 4707413 – AE E VISA HV e
M *(auch vegetarische Gerichte)* a la carte 32/61.

Mifune (Japanisches Restaurant), Ismaninger Str. 136 (M 80), 98 75 72, Fax 10256 – (Tischbestellung ratsam). HV v

Zum Klösterl, Schneckenburger Str. 31 (M 80), 47 61 98 – E HX y
Samstag geschl. – **M** a la carte 36/59.

In München 81-Denning :

Casale (Italienische Küche), Ostpreußenstr. 42, 93 62 68, – E DS n
Samstag bis 18 Uhr geschl. – **M** a la carte 44/70.

In München 81-Englschalking :

Kent garni, Englschalkinger Str. 245, ✆ 93 50 73, Telex 5216716, Fax 935072, ≘s - |⇕| TV ☎ - 25. AE ⓓ E VISA DS f
1.- 5. Jan. geschl. - **49 Z : 90 B** 150/185 - 215/260 Fb.

In München 80-Haidhausen :

City Hilton, Rosenheimer Str. 15, ✆ 4 80 40, Telex 529437, Fax 48044804, - |⇕| Zim ▤ TV ♿ - 25/180. AE ⓓ E VISA LZ s
Restaurants : **Zum Gasteig M** a la carte 49/73 - **Löwenschänke M** a la carte 44/59 - **483 Z : 765 B** 277/427 - 354/514 Fb - 10 Appart.

Preysing, Preysingstr. 1, ✆ 48 10 11, Telex 529044, Fax 4470998, ≘s, - |⇕| ▤ TV
23. Dez.- 6. Jan. geschl. - **M** : siehe Restaurant Preysing-Keller - **76 Z : 92 B** 155/249 - 284 - 5 Appart. 357/515. LZ w

München Penta Hotel, Hochstr. 3, ✆ 4 80 30, Telex 529046, Fax 4488277, Massage, ≘s, - |⇕| Zim ▤ TV - 25/400. AE ⓓ E VISA LZ t
M a la carte 51/83 - **583 Z : 1130 B** 264/366 - 343/392 Fb - 12 Appart. 602.

Habis, Maria-Theresia-Str. 2a, ✆ 4 70 50 71, Fax 4705101 - TV ☎. AE ⓓ E VISA HX f
M *(nur Abendessen, 20. Juli - 13. Aug. geschl.)* a la carte 38/60 - **25 Z : 40 B** 130/150 - 170/190 Fb.

Stadt Rosenheim garni, Orleansplatz 6a, ✆ 4 48 24 24, Fax 485987 - |⇕| TV ☎. AE ⓓ E VISA HX h
58 Z : 98 B 59/119 - 98/184.

XXX ✿ **Preysing-Keller,** Innere-Wiener-Str. 6, ✆ 48 10 15, « Gewölbe mit rustikaler Einrichtung » - ▤ LZ w
nur Abendessen, 23. Dez.- 6. Jan. sowie Sonn- und Feiertage geschl. - **M** *(bemerkenswerte Weinkarte)* (Tischbestellung ratsam) 109 und a la carte 61/82
Spez. Sautierte Garnelen auf Chicoree mit Limonenbutter, Hasenrücken in Crêpeteig gebraten, Rotweinparfait mit Briochekrapfen.

XX **Balance,** Grillparzerstr. 1, ✆ 4 70 54 72, - AE ⓓ E HX c
Samstag bis 18 Uhr sowie Sonn- und Feiertage geschl. - **M** a la carte 50/68.

X **Rue Des Halles** (Restaurant im Bistro-Stil), Steinstr. 18, ✆ 48 56 75 - E HX a
nur Abendessen - **M** (Tischbestellung ratsam) a la carte 54/71.

In München 90-Harlaching :

X **Gutshof Menterschwaige,** Menterschwaigstr. 4, ✆ 64 07 32, Fax 6422971, , Biergarten - Ⓟ - 25/50. AE ⓓ E VISA CT c
M a la carte 42/74.

In München 45-Harthof :

XX **Zur Gärtnerei,** Schleißheimer Str. 456, ✆ 3 13 13 73, - Ⓟ CR a
Mittwoch geschl. - Menu 36 und a la carte 40/60.

In München 21-Laim :

Transmar-Park-Hotel garni, Zschokkestr. 55, ✆ 57 93 60, Telex 5218609, Fax 57936100, ≘s - |⇕| TV ☎ - 30. AE ⓓ E VISA BS c
71 Z : 125 B 175/225 - 225/295 Fb.

Petri garni, Aindorferstr. 82, ✆ 58 10 99, - |⇕| TV ☎ BS r
45 Z : 70 B Fb.

In München 60-Langwied :

XX ✿ **Das kleine Restaurant im Gasthof Böswirth** mit Zim, Waidachanger 9, ✆ 8 64 41 63, Fax 8643857 - Ⓟ. AE ⓓ E AR s
Jan. 3 Wochen und Juni 2 Wochen geschl. - **M** *(Sonn- und Feiertage sowie Montag geschl.)* (bemerkenswerte Weinkarte) 70 /120 und a la carte 67/92 - **12 Z : 19 B** 70/90 - 115
Spez. Sülze von geräucherter Lachsforelle, Bayerisches Lamm in Rosmarin, Karamelisierte Apfeltarte.

In München 40-Milbertshofen :

Königstein garni, Frankfurter Ring 28, ✆ 3 59 60 11, Fax 3597880 - |⇕| Zim TV ☎ . AE ⓓ E VISA. CR v
22. Dez.- 7. Jan. geschl. - **42 Z : 57 B** 145/230 - 185/245 Fb.

In München 50-Moosach :

Mayerhof garni, Dachauer Str. 421, ✆ 1 41 30 41, Telex 524675, Fax 1402417 - |⇕| TV ☎ . AE ⓓ E VISA BR b
71 Z : 150 B 105/165 - 135/195 Fb.

In München 19-Neuhausen :

Königin Elisabeth, Leonrodstr. 79, ✆ 12 68 60, Fax 12686459, ≘s - |⇕| TV ☎. AE ⓓ E VISA EU c
M a la carte 29/55 - **80 Z : 130 B** 145/195 - 205/225 Fb.

In München 83-Neu Perlach :

Orbis Hotel, Karl-Marx-Ring 87, ✆ 6 32 70, Telex 5213357, Fax 6327407, Biergarten, ⛾, 🏊 – 🛗 ⇔ Zim ▤ Rest 📺 🚗 🅟 – 🏛 25/130 über Ständlerstr. DT
Restaurants : **Perlacher Bürgerstuben** – **Hubertuskeller** *(nur Abendessen)* – **Sakura** *(nur Abendessen)* – **185 Z : 328 B** Fb – 4 Appart.

In München 19-Nymphenburg :

Kriemhild garni, Guntherstr. 16, ✆ 17 00 77, Fax 177478, ⛾ – 📺 ☎ 🅟. AE E VISA BS
18 Z : 32 B 75/120 - 98/145 Fb.

Schloßwirtschaft zur Schwaige, Schloß Nymphenburg Eingang 30, ✆ 17 44 21, Fax 1784101, Biergarten – 🅟. E BS
M a la carte 27/66.

In München 81-Oberföhring :

Wirtshaus im Grün Tal, Grüntal 15, ✆ 98 09 84, Fax 981867, 🏡, Biergarten – 🅟. AE ◑ E VISA DS
M a la carte 44/73.

In München 60-Obermenzing :

Blutenburg garni, Verdistr. 130, ✆ 8 11 20 35, Fax 8111925 – 📺 ☎ 🚗 🅟. AE ◑ E VISA ✻ AS
19 Z : 30 B 95/120 - 150/170 Fb.

Verdi garni, Verdistr. 123, ✆ 8 11 14 84 – 🅟. ✻ AS
11.- 26. Juli und 19. Dez.- 10. Jan. geschl. – **15 Z : 20 B** 52/115 - 86/115.

Weichandhof, Betzenweg 81, ✆ 8 11 16 21, Fax 8116200, « Hübscher bayr. Landgasthof, Gartenterrasse » – 🅟 AS
Samstag geschl. – **M** (Tischbestellung ratsam) a la carte 30/65.

In München 60-Pasing :

Stadt Pasing garni, Blumenauer Str. 151, ✆ 8 34 40 66, Fax 8342318 – 📺 ☎ 🚗 🅟. E VISA. ✻ AS
24. Dez.- 6. Jan. geschl. – **24 Z : 44 B** 89/134 - 123/169 Fb.

Petra garni, Marschnerstr. 73, ✆ 83 20 41, 🌳 – ☎ 🚗. ✻ AS
23. Dez.- 6. Jan. geschl. – **18 Z : 26 B** 75/100 - 110/120.

In München 82-Riem über ③ und die A 94 DS :

Landhotel Martinshof - Restaurant Goldene Gans, Martin-Empl-Ring 8, ✆ 92 20 80, Fax 92208400, 🏡 – 📺 ☎ 🚗. AE ◑ E VISA
M *(Samstag - Sonntag geschl.)* a la carte 45/65 – **15 Z : 27 B** 155/210 - 190/250 Fb.

In München 40-Schwabing :

Ramada Parkhotel, Theodor-Dombart-Str. 4 (Ecke Berliner Straße), ✆ 36 09 90, Telex 5218720, Fax 36099684, 🏡, ⛾ – 🛗 ⇔ Zim 📺 🚗 – 🏛 25/60. AE ◑ E VISA CR
M a la carte 36/70 – **260 Z : 520 B** 241/356 - 307/422 Fb – 80 Appart. 500/632.

Marriott-Hotel, Berliner Str. 93, ✆ 36 00 20, Telex 5216641, Fax 36002200, 🏋, ⛾, 🏊 – 🛗 ⇔ Zim ▤ 📺 ♿ 🚗 – 🏛 25/350. AE ◑ E VISA. ✻ Rest CR
M a la carte 48/81 – **350 Z : 482 B** 329/379 - 497 Fb – 18 Appart. 542/1352.

Holiday Inn, Leopoldstr. 194, ✆ 38 17 90, Fax 38179888, 🏡, Massage, ⛾, 🏊 – 🛗 ⇔ Zim 📺 🚗 – 🏛 25/320. AE ◑ E VISA CR
M a la carte 42/74 – **363 Z : 690 B** 275/405 - 380/480 Fb – 3 Appart. 1050.

Residence, Artur-Kutscher-Platz 4, ✆ 38 17 80, Telex 529788, Fax 38178951, 🏡, 🏊 – 🛗 ⇔ Zim ▤ Rest 📺 ☎ 🚗 – 🏛 25/100. AE ◑ E VISA. ✻ Rest GU
M a la carte 49/68 – **165 Z : 300 B** 193/270 - 268/350.

König Ludwig garni, Hohenzollernstr. 3, ✆ 33 59 95, Telex 5216607, Fax 394658 – 🛗 📺 ☎ 🚗. AE ◑ E VISA GU
46 Z : 87 B 180/210 - 220/280 Fb.

Mercure garni, Leopoldstr. 120, ✆ 39 05 50, Fax 349344 – 🛗 📺 ☎ 🚗. AE ◑ E VISA GU
67 Z : 119 B 148/270 - 168/290 Fb.

Vitalis, Kathi-Kobus-Str. 24, ✆ 12 00 80, Telex 5215161, Fax 1298382 – 🛗 📺 ☎ 🚗 🅟 – 🏛 25/100. AE ◑ E VISA FU
M *(nur Abendessen, Samstag, Sonn- und Feiertage geschl.)* a la carte 37/65 – **100 Z : 200 B** 150/190 - 195/235 Fb.

Arabella - Olympiapark-Hotel, Helene-Mayer-Ring 12, ✆ 3 51 60 71, Telex 5215231, Fax 3543730, 🏡 – 🛗 📺 ☎ 🅟 – 🏛 30. AE ◑ E VISA CR
18. Dez.- 6. Jan. geschl. – **M** a la carte 31/55 – **105 Z : 200 B** 194/239 - 243/288 Fb.

Weinfurtners Garden-Hotel garni, Leopoldstr. 132, ✆ 36 80 04, Telex 5214315, Fax 362089 – 🛗 📺 ☎ 🚗 – 🏛 30. AE E GU
174 Z : 320 B 170/180 - 230 Fb.

Consul garni, Viktoriastr. 10, 33 40 35, Fax 399266 – GU **k**
31 Z : 50 B 70/140 - 140/180 Fb.

Leopold, Leopoldstr. 119, 36 70 61, Telex 5215160, Fax 367061, – . AE E VISA GU **f**
23. Dez.- 3. Jan. geschl. – **M** *(Samstag und 4.- 10. Jan. geschl.)* a la carte 36/65 – **78 Z : 116 B** 120/155 - 155/195 Fb.

Ibis, Ungererstr. 139, 36 08 30, Telex 5215080, Fax 363793, – Rest – 35 CR **b**
M a la carte 28/44 – **138 Z : 203 B** 149/179 - 193 Fb.

Biederstein garni, Keferstr. 18, 39 50 72, Fax 348511, – . AE E HU **m**
31 Z : 39 B 130/160 - 160/220.

Gästehaus Englischer Garten garni, Liebergesellstr. 8, 39 20 34, Fax 391233 – HU **r**
14 Z : 22 B 96/152 - 122/172.

Lettl garni, Amalienstr. 53, 28 30 26, Fax 2805318 – KY **s**
Mitte Dez.- 6. Jan. geschl. – **27 Z : 55 B** 105/160 - 165/210 Fb.

Tantris, Johann-Fichte-Str. 7, 36 20 61, Fax 3618469, – . AE E VISA.
Montag und Samstag nur Abendessen, Sonn- und Feiertage sowie 1.- 8. Jan. und 7.- 28. Juni geschl. – **M** (Tischbestellung ratsam) a la carte 93/145. GU **b**

Romagna Antica (Italienische Küche), Elisabethstr. 52, 2 71 63 55, Fax 2711364, – . AE E VISA. FU **a**
Sonn- und Feiertage geschl. – **M** (Tischbestellung ratsam) a la carte 47/65.

Seehaus, Kleinhesselohe 3, 3 81 61 30, Fax 341803, ←, « Terrasse am See » – . AE E VISA HU **t**
M a la carte 44/74.

Bistro Terrine, Amalienstr. 89 (Amalien-Passage), 28 17 80, – AE E GU **q**
Sonntag - Montag 19 Uhr, 1.- 10. Jan. und Juli - Aug. 3 Wochen geschl. – **M** (abends Tischbestellung ratsam) a la carte 65/90.

Daitokai (Japanisches Restaurant), Nordendstr. 64 (Eingang Kurfürstenstr.), 2 71 14 21, Fax 2718392 – . AE E VISA. GU **d**
Sonntag geschl. – **M** (Tischbestellung ratsam) a la carte 51/78.

Savoy (Italienische Küche), Tengstr. 20, 2 71 14 45 GU **t**

Bamberger Haus, Brunnerstr. 2 (im Luitpoldpark), 3 08 89 66, Fax 3003304, « Ehem. Bürgerpalais a.d. 18.Jh., Terrasse, Hausbrauerei » – . AE E VISA GU **z**
M a la carte 34/68.

Ristorante Grazia (Italienische Küche), Ungererstr. 161, 36 69 31 – E CR **r**
Samstag - Sonntag geschl. – **M** (Tischbestellung ratsam) a la carte 48/62.

In München 70-Sendling :

Holiday Inn München-Süd, Kistlerhofstr. 142, 78 00 20, Telex 5218645, Fax 78002672, Biergarten, Massage, , – Zim – 25/100. AE E VISA
M a la carte 53/75 – **320 Z : 400 B** 253/363 - 346/406 Fb – 8 Appart. 596. BT **x**

Ambassador Parkhotel, Plinganserstr. 102, 72 48 90, Telex 524444, Fax 72489100, Biergarten – Zim – 30. AE E VISA CT **r**
20. Dez.- 6. Jan. geschl. – **M** a la carte 40/63 – **42 Z : 80 B** 160/190 - 190/230 Fb.

K u.K Hotel am Harras, Albert-Rosshaupter-Str. 4, 77 00 51, Telex 5213167, Fax 7212820 – – 40. AE E VISA CT **n**
(Restaurant nur für Hausgäste) – **129 Z : 205 B** 180/225 - 220/330 Fb.

Amenity garni, Passauerstr. 28, 7 69 10 67, Fax 7694843 – . E VISA
42 Z : 84 B 155/220 - 195/265 Fb. CT **f**

Avella garni, Steinerstr. 20, 7 23 70 91, Fax 7241675 – . E VISA.
23. Dez.- 6. Jan. geschl. – **33 Z : 50 B** 130/140 - 160/210 Fb. CT **e**

Galleria garni, Plinganserstr. 142, 7 23 30 01, Telex 5213122, Fax 7241564 – . AE E VISA CT **a**
19 Z : 35 B 130/210 - 170/230 Fb.

In München 71-Solln :

Pegasus garni, Wolfratshauser Str. 211, 7 90 00 24, Fax 7912970, – . AE E VISA BT **y**
24. Dez.- 6. Jan. geschl. – **22 Z : 30 B** 98/150 - 138/160 Fb.

Villa Solln garni, Wilh.-Leibl-Str. 16, 79 20 91, Fax 7900428, , – . E.
24. Dez.- 4. Jan. geschl. – **24 Z : 40 B** 95/105 - 135/150 Fb. BT **n**

Hotel und Gasthof Sollner Hof, Herterichstr. 63, 79 20 90, Fax 7900394, Biergarten – BT **s**
M *(Dienstag, Samstag, 1.- 21. Aug. und 23. Dez.- 5. Jan. geschl.)* a la carte 31/48 – **25 Z : 38 B** 105/125 - 140/168 Fb.

Al Pino (Italienische Küche), Franz-Hals-Str. 3, 79 98 85, – . AE E VISA BT **a**
Samstag geschl. – **M** a la carte 46/67.

In München 82-Trudering über ④ und die B 304 :

Am Moosfeld, Am Moosfeld 35, ✆ 42 91 90, Fax 424662, ≘s - |♦| TV ☎ ⇐ P - 30. AE ◑ E VISA
22. Dez.- 1. Jan. geschl. – **M** *(nur Abendessen, Freitag - Samstag geschl.)* a la carte 29/53 - **75 Z : 140 B** 128/144 - 160/176 Fb.

Am Schatzbogen garni, Truderinger Str. 198, ✆ 42 92 79, Fax 429930 – TV ☎ ⇐ P. AE ◑ E VISA DS z
24. Dez.- 6. Jan. geschl. – **20 Z : 34 B** 120/160 - 155/250 Fb.

Obermaier garni, Truderinger Str. 304b, ✆ 42 90 21, Fax 426400 – |♦| TV ☎ P. AE ◑ E VISA – **33 Z : 60 B** 95/150 - 130/210 Fb. DS u

Passatore (Italienische Küche), Wasserburger Landstr. 212 (B 304), ✆ 4 30 30 00, ♣ – AE ◑ E VISA
Mittwoch geschl. – **M** (abends Tischbestellung ratsam) a la carte 46/70.

In München 50-Untermenzing :

Romantik-Hotel Insel Mühle, Von-Kahr-Str. 87, ✆ 8 10 10, Telex 5218292, Fax 8120571 ♣, Biergarten, « Restaurierte Mühle a.d. 16. Jh. » – TV ⇐ P. AE ◑ E VISA AR a
M *(Sonn- und Feiertage geschl.)* 28 (mittags) und a la carte 51/77 – **37 Z : 80 B** 150/195 - 240/370.

In Neuried **8027** :

Neurieder Hof, Münchner Str. 2, ✆ (089) 7 55 82 72, Fax 7551833 – P. AE ◑ E VISA
Montag 15 Uhr - Dienstag geschl. – **M** (abends Tischbestellung ratsam) a la carte 35/70. AT b

In Unterföhring **8043** – ✆ 089 :

Quality Inn, Feringastr. 2, ✆ 95 71 60, Telex 5218885, Fax 95716111, Massage, ≘s – |♦| ⋈ Zim TV ☎ ⇐ P – 80. AE ◑ E VISA DR t
M *(auch vegetarische Gerichte)* a la carte 28/62 – **104 Z : 220 B** 150/195 - 190/360 Fb.

Lechnerhof ♨ garni, Eichenweg 4, ✆ 9 50 61 41, Fax 9506966, ≈ – |♦| TV ☎ ⇐ P – 30. AE ◑ E VISA DR e
24. Dez.- 1. Jan. geschl. – **40 Z : 75 B** 120/195 - 165/225 Fb.

Tele-Hotel, Bahnhofstr. 15, ✆ 95 01 46, Fax 9506652, ♣ – |♦| TV ☎ ⇐ P. AE ◑ E VISA
M *(Samstag und 23. Dez.- 2. Jan. geschl.)* a la carte 25/61 – **59 Z : 120 B** 95/140 - 130/200 Fb. DR

In Feldkirchen **8016** ③ : 10 km :

Bauer, Münchner Str. 6, ✆ (089) 9 09 80, Telex 529637, Fax 9098414, ♣, ≘s, ▣ – |♦| TV ☎ ♿ ⇐ P – 25/200. AE ◑ E VISA – **M** a la carte 34/64 – **103 Z : 160 B** 125/155 - 165/250 Fb.

In Unterhaching **8025** S : 10 km über Tegernseer Landstraße und B 13 CT – ✆ 089 :

Schrenkhof garni, Leonhardsweg 6, ✆ 6 10 09 10, Fax 61009150, « Einrichtung im alpenländischen Stil », ≘s – |♦| TV ☎ ⇐ P – 35. AE ◑ E VISA
20. Dez.- 8. Jan. geschl. – **26 Z : 47 B** 160/200 - 200/310 Fb.

Huber - Restaurant Huber Klausn, Kirchfeldstr. 8, ✆ 61 90 51 (Hotel) ✆ 6 11 16 18 (Rest.), Fax 6113842, ♣, ≘s, ▣, ≈, % – |♦| TV ☎ ⇐ P – 25/50. AE ◑ E VISA ⊁
Hotel : 20. Dez.- 10. Jan. geschl. – **M** *(Samstag - Sonntag 17 Uhr, 2.- 7. Jan. und 31. Juli - 25. Aug. geschl.)* a la carte 38/61 – **65 Z : 93 B** 120 - 170 Fb.

Demas garni, Hauptstr. 32, ✆ 6 11 40 84, Fax 6115070 – |♦| TV ☎ ⇐ P. AE E VISA
23 Z : 38 B 108/140 - 140/175 Fb.

Kölbl - Restaurant Pfeffermühle, Münchner Str. 107, ✆ 6 11 43 65 (Hotel) ✆ 6 11 19 7 (Rest.), Fax 6113851, ♣ – TV ☎ P. E. ⊁ Zim
M *(nur Abendessen, Sonntag geschl.)* a la carte 48/72 – **17 Z : 27 B** 95/140 - 150/170 Fb.

Schrenkhof, Leonhardsweg 2, ✆ 6 11 62 36, Fax 6116200, ♣ – P. AE E
M a la carte 32/60.

In Haar **8013** SO : 12 km über ③ – ✆ 089 :

Wiesbacher, Waldluststr. 25, ✆ 46 40 49, Fax 4605385, ♣, Zugang zum öffentlichen ▣ – |♦| TV ☎ P. AE E VISA
26. Dez.- 6. Jan. geschl. – **M** *(nur Abendessen)* a la carte 29/56 – **32 Z : 52 B** 120/130 - 170/190 Fb.

Motel Heberger garni, Jagdfeldring 95, ✆ 46 45 74, Fax 4603394 – TV ☎ ⇐ P
24 Z : 35 B 105/125 - 165 Fb.

Kreitmair (bayerischer Landgasthof), Keferloh 2 (S : 1 km), ✉ 8011 Keferloh 2, ✆ 46 46 57 Fax 4603768, Biergarten – P. ◑ E VISA
Montag und Jan. 3 Wochen geschl. – **M** (Tischbestellung ratsam) a la carte 34/81.

In Neubiberg **8014** SO : 12 km über Neubiberger Str. DT :

Rheingoldhof ♨ garni, Rheingoldstr. 4, ✆ (089) 6 60 04 40 – ☎ ⇐ P. ◑ E VISA
Mitte Aug.- Mitte Sept. und 23. Dez.- Ende Jan. geschl. – **18 Z : 33 B** 65/75 - 98/120.

In Ottobrunn **8012** SO : 12 km über Neubiberger Str. DT - 089 :

Aigner garni, Rosenheimer Landstr. 118, 60 81 70, Fax 6083213 - ... AE VISA
70 Z : 120 B 140/240 - 160/390 Fb.

Gästehaus Heidi garni, Bürgermeister-Wild-Str. 23, 6 09 72 77, Fax 6093475 -
20. Dez.- 7. Jan. geschl. - **18 Z : 27 B** 68 - 90.

Bistro Cassolette, Nauplia - Allee 6 (Eingang Margreider Platz), 6 09 86 83 - E
Samstag bis 19 Uhr, Sonn- und Feiertage sowie 22. Dez.- 7. Jan. geschl. - **M** (abends Tischbestellung ratsam) 35 (mittags) und a la carte 60/78.

In Aschheim **8011** ③ : 13 km über Riem :

Schreiberhof, Erdinger Str. 2, (089) 90 00 60, Fax 90006459, - Zim - 25/100. AE E VISA
M a la carte 49/77 - **86 Z : 144 B** 180/210 - 235/265 Fb.

Zur Post, Ismaninger Str. 11 (B 471), (089) 9 03 20 27, Fax 9044669, - - 30. AE E
M a la carte 24/50 - **55 Z : 80 B** 75/110 - 125/155 Fb.

In Grünwald **8022** S : 13 km über Geiselgasteigstr. CT - 089 :

Tannenhof garni, Marktplatz 3, 6 41 70 74, Fax 6415608, « Modernisiertes Jugendstilhaus » - AE E VISA
20. Dez.- 6. Jan. geschl. - **21 Z : 40 B** 130/180 - 180/200 Fb.

Alter Wirt, Marktplatz 1, 6 41 78 55, Fax 6414266, , « Bayerischer Landgasthof » - - 25/70. AE E
M a la carte 37/70 - **49 Z : 75 B** 110/160 - 150/190 Fb.

Schloß-Hotel Grünwald, Zeillerstr. 1, 6 41 79 35, Fax 6414771, ≤, « Gartenterrasse » - AE E VISA
27. Dez.- 15. Jan. geschl. - **M** a la carte 35/71 - **16 Z : 27 B** 120/230 - 190/270 Fb.

In Grünwald-Geiselgasteig **8022** S : 12 km über Geiselgasteigstr. CT :

Ritterhof garni, Nördliche Münchner Str. 6, (089) 6 49 32 41, Fax 6493012, , - AE E VISA
11 Z : 22 B 98/120 - 140/180.

Zur Einkehr (bayerischer Landgasthof), Nördliche Münchner Str. 2, (089) 6 49 23 04, Fax 649053, Biergarten - AE E VISA
M a la carte 57/84.

In Oberhaching **8024** S : 14 km über ⑥ :

Hachinger Hof, Pfarrer-Socher-Str. 39, (089) 6 13 50 91, Fax 6131492, - AE E
24. Dez.- 8. Jan. geschl. - **M** *(nur Abendessen, Samstag - Sonntag geschl.)* a la carte 26/50 - **47 Z : 62 B** 110 - 130/170 Fb.

An der Autobahn A 8 Richtung Augsburg (W : 5 km ab Autobahneinfahrt Obermenzing) :

Rasthaus Langwieder See, Kreuzkapellenstr. 68, ✉ 8000 München 60, (089) 8 64 10 54, Fax 8643777, ≤, - AR **b**
94 Z : 179 B.

MICHELIN-REIFENWERKE KGaA. Regionales Vertriebszentrum 8046 Garching(über ② und die A 9), Gutenbergstr. 4, (089) 3 20 20 41 Fax 3202047.

MÜNDER AM DEISTER, BAD **3252.** Niedersachsen 411 412 L 10, 987 ⑮ - 20 000 Ew - Höhe 120 m - Heilbad - 05042.

Kurverwaltung, im Haus des Kurgastes, 6 04 54.

♦Hannover 33 - Hameln 16 - Hildesheim 38.

Kastanienhof, Am Stadtbahnhof 11 (am Süntel), 30 63, Fax 3885, , , , - - 40. E
M a la carte 32/66 - **36 Z : 72 B** 98/165 - 134/190 Fb - ½ P 82/190.

Wiesengrund, Lange Str. 70, 20 22, Fax 3823, - E
Nov.- 15. Dez. geschl. - **M** *(Freitag - Samstag geschl.)* a la carte 25/60 - **35 Z : 40 B** 80/230 - 130/260 Fb.

Terrassen-Café, Querlandweg 2, 30 45, Fax 6303, , - AE E VISA - **M** a la carte 24/47 - **23 Z : 37 B** 85/105 - 150/170 Fb.

Goldenes M garni, Lange Str. 70a, 27 17, -
Mitte Nov.- Mitte Dez. geschl. - **9 Z : 16 B** 75/130 - 110/150.

In Bad Münder 1-Klein Süntel SW : 9 km :

Landhaus Zur schönen Aussicht, Klein-Sünteler-Str. 6, 5 10 31, ≤, « Gartenterrasse », - E. Zim
Nov. geschl. - **M** *(Dienstag geschl.)* a la carte 29/52 - **17 Z : 24 B** 68/78 - 110/140 Fb.

MÜNNERSTADT **8732.** Bayern 413 N 16, 987 ㉖ – 8 100 Ew – Höhe 234 m – ☎ 09733.

Sehenswert: Stadtpfarrkirche (Werke★ von Veit Stoss und Riemenschneider).

Tourist-Information, Marktplatz 1, ☎ 90 31.

◆München 331 – ◆Bamberg 86 – Fulda 76 – Schweinfurt 29.

- **Bayerischer Hof** (Fachwerkhaus a.d. 17. Jh.), Marktplatz 9, ☎ 2 25, Fax 227, – ☎. E VISA
  M *(bemerkenswerte Weinkarte)* a la carte 35/61 – **33 Z : 60 B** 74/80 - 118.
- **Gasthof Hellmig,** Meiningerstr. 1, ☎ 30 72 – ☎
  M *(Dienstag geschl.)* a la carte 19/31 – **9 Z : 14 B** 42 - 80.
- **Café Winkelmann** garni, Marktplatz 13, ☎ 94 41
  Anfang - Mitte Nov. geschl. – **14 Z : 26 B** 31/45 - 62/80.

MÜNSINGEN **7420.** Baden-Württemberg 413 L 21, 987 ㉟ – 11 200 Ew – Höhe 707 m – Wintersport : 700/850 m 4 7 – ☎ 07381.

Fremdenverkehrsamt, Rathaus, Bachwiesenstr. 7, ☎ 18 21 45.

◆Stuttgart 61 – Reutlingen 32 – ◆Ulm (Donau) 51.

- **Herrmann** (mit Gästehäusern), Ernst-Bezler-Str. 1, ☎ 22 02, – . E VISA
  M *(Freitag geschl.)* a la carte 33/53 – **35 Z : 60 B** 55/75 - 78/110 Fb.

In Münsingen 1-Gundelfingen S : 13 km :

- **Wittstaig,** Wittstaig 10, ☎ (07383) 12 72, , , , – . Zim
  Anfang Jan.- Anfang Feb. geschl. – **M** *(Dienstag geschl.)* a la carte 21/44 – **28 Z : 55 B** 41/55 - 70/88.

In Mehrstetten **7421** SO : 9 km :

- **Hirsch im Grünen** , Süssweg 12, ☎ (07381) 24 79, Fax 1009, ≤, – . E
  Mitte Nov.- Mitte Dez. geschl. – **M** *(Montag geschl.)* a la carte 25/46 – **11 Z : 22 B** 55 - 85.

MÜNSTER AM STEIN - EBERNBURG, BAD **6552.** Rheinland-Pfalz 987 ㉔, 412 G 17 – 4 500 Ew – Höhe 120 m – Heilbad – Heilklimatischer Kurort – ☎ 06708.

Sehenswert: Rheingrafenstein★★, ≤★ – Kurpark★.

18 Drei Buchen (SW : 2 km), ☎ (06708) 21 45.

Verkehrsverein, Berliner Str. 56, ☎ 39 93, Fax 3999.

Mainz 51 – Kaiserslautern 52 – Bad Kreuznach 4,5.

- **Hotel am Kurpark** , Kurhausstr.10, ☎ 12 92, ≤, Massage, , – ☎ .
  6. Jan.- 15. März und 5. Nov.- 22. Dez. geschl. – (nur Abendessen für Hausgäste) – **32 Z : 40 B** 63/90 - 130/150 Fb – 4 Appart. 165 – ½ P 90/115.
- **Kurhotel Krone,** Berliner Str. 73, ☎ 8 40, Fax 84189, , – ☎ – 25/100. AE E VISA
  M a la carte 34/62 – **66 Z : 101 B** 95/150 - 150/170 Fb – 4 Appart. 260 – ½ P 100/150.
- Parkhotel Plehn , Kurhausstr. 8, ☎ 8 30, Fax 1302 – ☎ – 25/40
  68 Z : 103 B Fb – 5 Appart..
- **Haus Lorenz** , Kapitän-Lorenz-Ufer 18, ☎ 18 41, ≤, , – .
  15. Nov.- 14. Jan. geschl. – **M** *(Montag geschl.)* a la carte 27/55 – **19 Z : 28 B** 58/75 - 98/102 – ½ P 67/93.
- Weinhotel Schneider , Gartenweg 2a, ☎ 20 43 – ☎
  9 Z : 18 B.
- Kaiserhof garni, Berliner Str. 35, ☎ 39 50, , –
  28 Z : 40 B.
- **Gästehaus Weingut Rapp** garni, Schloßgartenstraße (Ebernburg), ☎ 23 12, – ☎ .
  11 Z : 22 B 54 - 84 – 4 Fewo 62/75.
- **Haus in der Sonne** , Bismarckstr. 24, ☎ 15 36, ≤ – ☎ . E.
  März - Nov. – (Restaurant nur für Hausgäste) – **12 Z : 20 B** 50/70 - 96.

MÜNSTER (WESTFALEN) **4400.** Nordrhein-Westfalen 411 412 FG 11, 987 ⑭ – 252 000 Ew – Höhe 62 m – ☎ 0251.

Sehenswert : Prinzipalmarkt★ YZ – Dom★ (Domkammer★★ Y **M2**, astronomische Uhr★, Sakramentskapelle★) Y **M2** – Rathaus (Friedenssaal★) YZ – Residenz-Schloß★ Y – Landesmuseum für Kunst und Kulturgeschichte★ (Altarbilder★★) YZ **M1** – Lambertikirche (Turm★) Y – Westfälisches Museum für Naturkunde★ (größter Ammonit★, Planetarium★) X **M3**.

Ausflugsziel : Straße der Wasserburgen★ (Vornholz★, Hülshoff★, Lembeck★, Vischering★) über Einsteinstr. X.

18 Steinfurter Str. 448 (X), ☎ 21 12 01.

bei Greven, N : 31 km über ⑤ und die A 1, ☎ (02571) 50 30.

☎ 69 13 26.

Ausstellungsgelände Halle Münsterland (X), ☎ 6 60 00, Telex 892681.

Verkehrsverein, Berliner Platz 22, ☎ 51 01 80, Fax 5101830.

ADAC, Ludgeriplatz 11, ☎ 53 10 72, Notruf ☎ 1 92 11.

◆Düsseldorf 124 ④ – Bielefeld 87 ① – Dortmund 70 ④ – Enschede 64 ⑤ – ◆Essen 86 ④.

Stadtplan siehe nächste Seite

Dorint Hotel Münster, Engelstr. 39, ☎ 4 17 10, Telex 891669, Fax 4171100, – – 25/250. AE E VISA Z **v**
M a la carte 36/65 – **156 Z : 260 B** 170/230 - 230/290 Fb.

Mövenpick Hotel am Aasee, Kardinal-von-Galen-Ring 65, ☎ 8 90 20, Telex 891411, Fax 8902616, – Zim – 25/200. AE E VISA X **s**
Restaurants : **Rössli M** a la carte 42/75 – **Mövenpick M** a la carte 34/64 – **120 Z : 165 B** 209/219 - 268 Fb – 4 Appart. 378.

Schloß Wilkinghege (Wasserschloß a.d. 16. Jh. mit Gästehaus in ländlicher Parklandschaft), Steinfurter Str. 374 (B 54), ☎ 21 30 45, Fax 212898, « Restauranträume mit stilvoller Einrichtung, Schloßkeller », 18 – – 25/50. AE E VISA. Rest X **r**
M a la carte 65/81 – **39 Z : 72 B** 140/165 - 210/240 Fb – 4 Appart. 420.

Kaiserhof garni, Bahnhofstr. 14, ☎ 4 17 80, Telex 892141, Fax 4178666 – – 25/60. AE E VISA Z **b**
109 Z : 150 B 123 - 177 Fb – 6 Appart. 242.

Am Schloßpark garni, Schmale Str. 2, ☎ 2 05 41, Fax 22977 – X **e**
28 Z : 53 B Fb – 3 Appart.

Central garni, Aegidiistr. 1, ☎ 4 03 55, Fax 40400 – AE E VISA.
20. Dez.- 8. Jan. geschl. – **25 Z : 40 B** 125/165 - 165/275. Z **n**

Steinburg, Mecklenbecker Str. 80, ☎ 7 71 79, Fax 72267, – – 35. AE E VISA. X **u**
23. Dez.- 6. Jan. geschl. – **M** *(Sonntag 18 Uhr - Montag und 1.- 15. Juli geschl.)* a la carte 32/59 – **17 Z : 29 B** 94 - 149.

Windsor, Warendorfer Str. 177, ☎ 3 03 28 (Hotel) 39 20 45 (Rest.), Telex 892604, Fax 391610 – AE E X **v**
M *(Italienische Küche)* a la carte 31/55 – **30 Z : 48 B** 108/138 - 138/178 Fb.

Feldmann, An der Clemenskirche 14, ☎ 4 33 09, Fax 43318 – – 30. AE E
M *(Sonn- und Feiertage sowie 20. Juli - 10. Aug. geschl.)* a la carte 38/70 – **29 Z : 45 B** 95/150 - 150/195. Z **m**

Mauritzhof - Restaurant Cartiz, Eisenbahnstr. 15, ☎ 4 17 20(Hotel) 5 17 22(Rest.), Fax 46686 – AE E VISA. Rest Z **s**
M *(Italienische Küche, Montag geschl.)* a la carte 45/69 – **37 Z : 68 B** 145/165 - 185/205 Fb.

Überwasserhof, Überwasserstr. 3, ☎ 4 17 70, Fax 4177100 – AE E VISA
2.- 15. Jan. geschl. – **M** a la carte 31/60 – **50 Z : 80 B** 115/140 - 150/180. Y **k**

City-Hotel garni, Friedrich-Ebert-Str. 55, ☎ 7 72 44, Fax 791206 – – 25/100. AE E VISA X **t**
32 Z : 55 B 95/110 - 115/165.

Martinihof garni, Hörster Str. 25, ☎ 4 00 73, Fax 54743 – E VISA Y **z**
15. Juli - 15. Aug. und 22. Dez.- 8. Jan. geschl. – **54 Z : 72 B** 50/88 - 92/124 Fb.

Conti garni, Berliner Platz 2a, ☎ 4 04 44, Telex 892113, Fax 51711 – AE E VISA Z **r**
60 Z : 120 B 59/145 - 98/179 Fb.

Hansa-Haus garni, Albersloher Weg 1, ☎ 6 43 24, Fax 67665, – AE E VISA X **n**
20. Dez.- 6. Jan. geschl. – **13 Z : 19 B** 85/100 - 120/140.

✿ **Kleines Restaurant im Oerschen Hof** (Französische Küche), Königsstr. 42, ☎ 4 20 61, bemerkenswerte Weinkarte – AE E VISA BZ **e**
nur Abendessen, Sonntag - Montag sowie Jan.- Feb. 2 Wochen und Juli - Aug. 3 Wochen geschl. – **M** (Tischbestellung ratsam) a la carte 85/130
Spez. Gänsestopfleberpastete, Seezungenfilets mit Waldpilzen, Gratin von Früchten mit Sabayon.

MÜNSTER

Bahnhofstraße	YZ	
Bogenstraße	Y	12
Drubbel	Y	
Hammer Straße	XZ	30
Ludgeristraße	Z	
Prinzipalmarkt	YZ	
Rothenburg	Z	69
Salzstraße	Z	72
Warendorfer Straße	X	
Wolbecker Straße	XZ	96
Alter Fischmarkt	Y	2
Alter Steinweg	Y	5
An der Apostelkirche	Y	8
Cheruskerring	X	15
Einsteinstraße	X	18
Friedrich-Ebert-Straße	X	21
Friesenring	X	24
Frie-Vendt-Straße	X	27
Hansaring	X	33
Hohenzollernring	X	36
Johannisstraße	Z	39
Kaiser-Wilhelm-Ring	X	42
Kolde-Ring	X	45
Mauritzstraße	Y	48
Mauritztor	YZ	51
Niedersachsenring	X	54
Orléans-Ring	X	60
Pferdegasse	Y	63
Sentruper Straße	X	75
Spiekerhof	Y	78
Steinfurter Straße	Y	80
Überwasserstraße	Y	83
Universitätsstraße	YZ	86
Verspoel	Y	89
Wasserstraße	Y	92
Wilhelmstraße	X	93
York-Ring	X	99

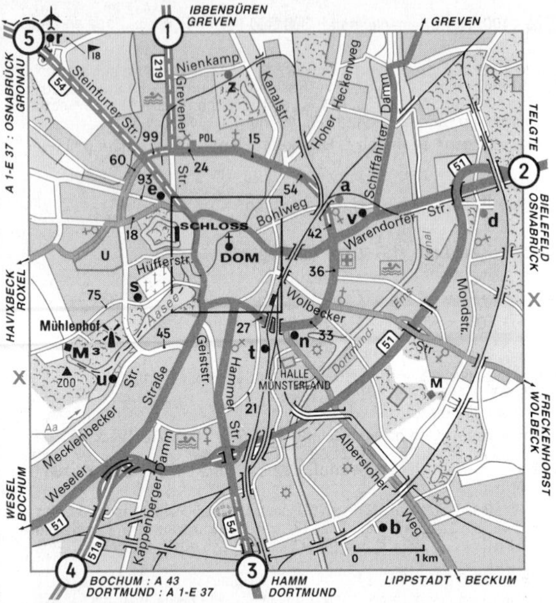

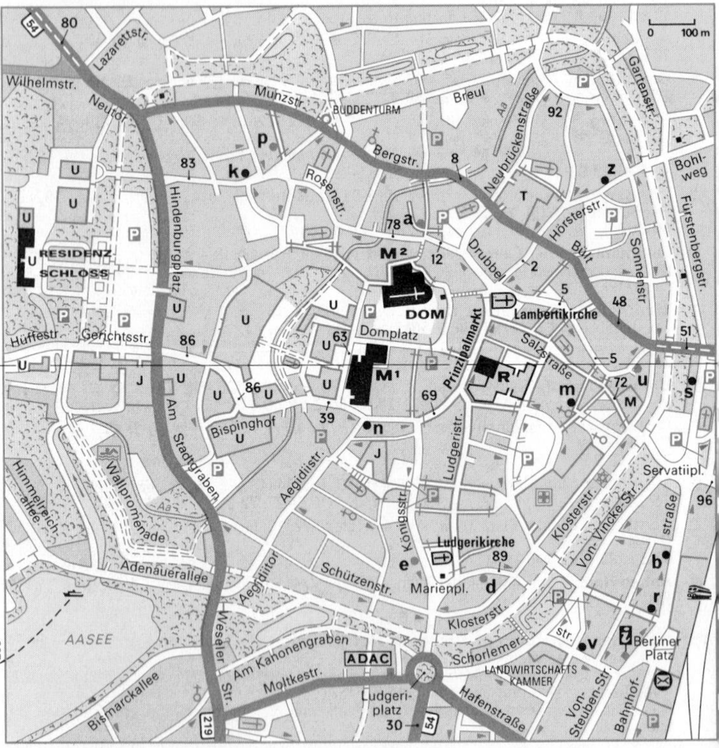

XX **Tannenhof** mit Zim, Prozessionsweg 402, ✆ 3 13 73, Fax 3111406, 🏞 - Ⓟ X **d**
M *(Montag und 24. Feb.- 13. März geschl.)* a la carte 53/75 - **6 Z : 10 B** 56/98 - 98/165.

XX **Villa Medici** (Italienische Küche), Ostmarkstr. 15, ✆ 3 42 18 - E X **a**
Sonntag - Montag sowie Feb. und Aug. jeweils 2 Wochen und über Weihnachten geschl. - **M** a la carte 39/63.

XX **Ratskeller,** Prinzipalmarkt 8, ✆ 4 42 26, Fax 57240 - AE ① E VISA YZ **R**
M a la carte 32/60.

X **Wienburg** 🐎 mit Zim, Kanalstr. 237, ✆ 29 33 54, Fax 294001, Biergarten, « Gartenterrasse » - [TV] ☎ Ⓟ - 🎪 40. AE E VISA X **z**
M *(Montag geschl.)* a la carte 36/60 - **7 Z : 13 B** 70/79 - 130/140.

X **Shanghai** (China-Restaurant), Verspoel 22, ✆ 5 64 77 - AE ① E VISA Z **d**
M a la carte 22/42.

Brauerei-Gaststätten :

X **Altes Gasthaus Leve,** Alter Steinweg 37, ✆ 4 55 95, « Gemütliche, altdeutsche Bierstuben » Z **u**
Montag geschl. - **M** a la carte 20/49.

X **Restaurant Wielers - Kleiner Kiepenkerl,** Spiekerhof 47, ✆ 4 34 16, Fax 43417, 🏞 - AE ① E VISA Y **a**
Montag geschl. - **M** a la carte 28/64.

X **Pinkus Müller** (Altbier-Küche, traditionelles Studentenlokal), Kreuzstr. 4, ✆ 4 51 51, Fax 57136 Y **p**
Sonn- und Feiertage geschl. - **M** (westfälische und münstersche Spezialitäten) a la carte 28/57.

In Münster-Amelsbüren ③ : 11 km :

XXX ✿ **Davert Jagdhaus** 🐎, Wiemannstr. 4, ✆ (02501) 5 80 58, « Gartenterrasse » - Ⓟ. ① E VISA
Montag - Dienstag, Juli - Aug. 4 Wochen und Weihnachten - Neujahr geschl. - **M** a la carte 62/84
Spez. Warmer Kartoffelsalat mit Jacobsmuscheln, Steinbutt mit Lachscarpaccio in Trüffelbuttersauce, Cassoulet von Bresse-Taube mit Linsen.

In Münster-Gremmendorf :

Münnich 🐎, Heeremansweg 11, ✆ 62 40 81/ 6 18 70, Fax 6187199, 🏞 - [TV] ☎ Ⓟ - 🎪 25/100 X **b**
M a la carte 21/43 - **46 Z : 90 B** 74 - 109 Fb.

In Münster-Handorf ② : 7 km :

Romantik-Hotel Hof zur Linde 🐎 (westfälischer Bauernhof), Handorfer Werseufer 1, ✆ 32 50 02, Fax 328209, « Geschmackvoll eingerichtete Zimmer in verschiedenen Stilarten, Bauernstuben mit offenem Herdfeuer » - [Lift] [TV] ☎ Ⓟ - 🎪 25/45. AE ① E VISA. ✗
M *(auch vegetarische Gerichte)* a la carte 47/78 - **34 Z : 64 B** 115/150 - 175/230 Fb.

Haus Eggert 🐎, Zur Haskenau 81 (N : 5 km über Dorbaumstr.), ✆ 3 20 83, Fax 327147, 🏞, ≘s, 🌳 - [TV] ☎ Ⓟ - 🎪 25/40. AE ① E VISA
M a la carte 34/60 - **33 Z : 70 B** 95/115 - 140/180 Fb.

Deutscher Vater, Petronillaplatz 9, ✆ 3 20 33, Fax 327321, ≘s - [Lift] [TV] ☎ Ⓟ - 🎪 25/50. AE ① E VISA. ✗ Zim
M *(Donnerstag - Freitag 17 Uhr geschl.)* a la carte 39/72 - **24 Z : 38 B** 55/80 - 100/140.

Parkhotel Haus Vennemann 🐎, Vennemannstr. 6, ✆ 32 90 71, Fax 327339, « Gartenterrasse », 🌳 - [Lift] [TV] ☎ 🚗 Ⓟ - 🎪 25/150. AE ① E VISA
M *(Sonn- und Feiertage nur Mittagessen)* a la carte 33/56 - **23 Z : 40 B** 90/100 - 140/150 Fb.

Handorfer Hof, Handorfer Str. 22, ✆ 32 60 21, Fax 328257 - [TV] ☎ Ⓟ. E VISA
26. Dez.- 11. Jan. geschl. - **M** *(Montag - Dienstag 17 Uhr geschl.)* a la carte 26/54 - **15 Z : 22 B** 75 - 130 Fb.

In Münster-Hiltrup ③ : 6 km - ☎ 02501 :

Waldhotel Krautkrämer 🐎, Am Hiltruper See 173 (SO : 2,5 km), ✆ 80 50, Telex 892140, Fax 805104, <, 🏞, ≘s, 🏊, 🌳 - [Lift] [TV] Ⓟ - 🎪 25/130. AE ① E VISA. ✗ Rest
23.- 26. Dez. geschl. - **M** *(bemerkenswerte Weinkarte)* 60 (mittags) und a la carte 72/105 - **Cabaret** (Einrichtung im Stil der 20-er Jahre) *(nur Abendessen, Sonntag - Montag geschl.)* **M** a la carte 53/68 - **70 Z : 130 B** 235/325 - 350/410 Fb - 3 Appart. 500.

Hiltruper Gästehaus garni, Marktallee 44, ✆ 40 16, Fax 13066 - [Lift] [TV] ☎ Ⓟ. AE ① E VISA. ✗
21 Z : 42 B 110 - 160 Fb.

Gästehaus Landgraf 🐎, Thierstr. 26, ✆ 12 36, 🏞 - [TV] ☎ Ⓟ. AE E
M *(Montag sowie Feb. und Juli - Aug. je 2 Wochen geschl.)* a la carte 41/67 - **10 Z : 19 B** 90 - 130.

In Münster-Roxel W : 6,5 km über Einsteinstraße X, vor der Autobahn links ab :

Parkhotel Schloß Hohenfeld 🐎, Dingbänger Weg 400, ✆ (02534) 80 80, Fax 7114, « Gartenterrasse », ≘s, 🏊, 🌳 - [Lift] ⇆ Zim [TV] ☎ Ⓟ - 🎪 25/120. AE ① E VISA
M a la carte 43/70 - **90 Z : 150 B** 135/195 - 205/225 Fb.

In Münster-Wolbeck SO : 9 km über Wolbecker Straße X :

Thier-Hülsmann (westfälisches Bauernhaus a. d. J. 1676), Münsterstr. 33, ☎ (02506) 20 66, Fax 3403, – TV ☎ – P – 25/40. AE D VISA.
M *(Dienstag geschl.)* (bemerkenswerte Weinkarte) a la carte 45/74 – **31 Z : 55 B** 88/150 – 125/220 Fb.

MÜNSTEREIFEL, BAD **5358.** Nordrhein-Westfalen 987 ㉓, 412 D 15 – 16 000 Ew – Höhe 290 m – Kneippheilbad – ☎ 02253.

Sehenswert: Ehemalige Stadtbefestigung*.

ℹ Kurverwaltung, Langenhecke 2, ☎ 50 51 82.

♦Düsseldorf 91 – ♦Bonn 39 – Düren 43 – ♦Köln 50.

Jungmühle garni, Unnaustr. 14, ☎ 51 55, Bade- und Massageabteilung, – ☎ P.
1.- 27. Dez. geschl. – **18 Z : 30 B** 55/80 - 90/104.

Waldhotel Brezing, Am Quecken, ☎ 45 06, Fax 4581, – TV ☎ P. E
Jan. geschl. – (Restaurant nur für Hausgäste) – **18 Z : 30 B** 60/80 - 90/120 Fb.

Witten, Werther Str. 5, ☎ 64 55, – TV ☎. Zim
20 Z : 38 B.

Grunwald's-Hotel, Kettengasse 4, ☎ 81 50, – ☎. AE D E
(Restaurant nur für Hausgäste) – **13 Z : 22 B** 45/74 - 78/90 Fb – ½ P 51/61.

Weinhaus an der Rauschen, Heisterbacher Str. 1, ☎ 73 37, – D E VISA
Montag - Dienstag 18 Uhr und 5.- 23. Jan. geschl. – **M** a la carte 33/60.

In Bad Münstereifel - Eicherscheid S : 3 km :

Café Oberfollmühle, Ahrweiler Str. 41, ☎ 79 04, – P. Rest
10.- 27. Dez. geschl. – **M** 14 /26 – **10 Z : 20 B** 50 - 100 – ½ P 62.

MÜNSTER-SARMSHEIM Rheinland-Pfalz siehe Bingen.

MÜNSTERTAL **7816.** Baden-Württemberg 413 G 23, 987 ㉞, 427 H 2 – 4 600 Ew – Höhe 400 m – Luftkurort – Wintersport : 800/1 300 m 5 5 – ☎ 07636.

Ausflugsziel: Belchen *** S : 18 km.

ℹ Kurverwaltung, Untermünstertal, ☎ 7 07 30.

♦Stuttgart 229 – Basel 65 – ♦Freiburg im Breisgau 27.

In Untermünstertal :

Adler-Stube, Münster 59, ☎ 2 34, Fax 7390, – ☎ P. AE E VISA
5. Nov.- 20. Dez. geschl. – **M** *(Dienstag - Mittwoch geschl.)* a la carte 31/63 – **19 Z : 35 B** 71/105 - 116/178 Fb – ½ P 88/135.

Landgasthaus Langeck, Langeck 6, ☎ 2 09, Fax 7565, – TV ☎ P. E
M *(Nov.- April Mittwoch - Donnerstag 15 Uhr geschl.)* a la carte 30/66 – **18 Z : 36 B** 60/135 - 98/185 Fb – 4 Appart. 240 – ½ P 77/148.

Münstertäler Hof, Hofstr. 49, ☎ 2 28 – P
Mitte Feb.- Mitte März geschl. – **M** *(Mittwoch - Donnerstag geschl.)* a la carte 30/52 – **8 Z : 15 B** 38/45 - 75/85 – ½ P 58.

Parkhotel, Wasen 56, ☎ 2 29, Fax 7341, « Park mit Forellenteich », (geheizt), – ☎ P. AE D E VISA
9. Nov.- 6. Dez. geschl. – (Restaurant nur für Hausgäste) – **30 Z : 50 B** 60/100 - 120/160 – 3 Appart. 170/190.

Schmidt's Gasthof zum Löwen, Wasen 54, ☎ 5 42, Fax 77919, « Gartenterrasse » – P
15. Jan.- 25. Feb. und Dienstag - Mittwoch geschl. – **M** a la carte 48/82.

In Obermünstertal :

Romantik-Hotel Spielweg (Schwarzwaldgasthof mit 2 Gästehäusern), Spielweg 61, ☎ 7 09 77, Fax 70966, (geheizt), – TV ☎ P. AE D E VISA
M *(Montag - Dienstag geschl.)* (Tischbestellung ratsam) 62 /115 – **42 Z : 80 B** 130/160 - 180/370 Fb – 5 Appart. 400/550 – ½ P 136/231
Spez. Gratin von Bachsaibling und Steinpilzen, Münstertäler Rehbäckle mit Estragonsauce (Mai - Dez.), Eingemachte Quitten mit Holunder.

Landgasthaus zur Linde (historischer Gasthof a.d. 17. Jh.), Krumlinden 13, ☎ 4 47, Fax 1632, – TV ☎ P
6.- 27. März geschl. – **M** *(Montag geschl.)* a la carte 35/54 – **10 Z : 20 B** 56/104 - 124/172

MULDENBERG Sachsen siehe Schöneck.

MUMMELSEE Baden-Württemberg siehe Schwarzwaldhochstraße.

MUNSTER **3042.** Niedersachsen 411 N 8, 987 ⑮ – 16 000 Ew – Höhe 73 m – ☎ 05192.
♦Hannover 92 – ♦Bremen 106 – ♦Hamburg 82 – Lüneburg 48.

Kaiserhof, Breloher Str. 50, ☎ 50 22, Fax 7079 – TV ☎ ⇔ P – 🏛 80
M *(Montag geschl.)* a la carte 27/46 – **13 Z : 22 B** 50/70 - 90/110.

Lüneburger Hof, Fr.-Heinrich-Platz 32, ☎ 31 23, Fax 7534 – ☎ P. ⓓ E VISA
M *(Dienstag bis 16 Uhr geschl.)* a la carte 24/41 – **17 Z : 27 B** 40/80 - 80/140.

In Munster-Oerrel SO : 8 km :

Kaminhof (Niedersächsischer Bauernhof a.d.J. 1600), Salzwedeler Str. 5, ☎ 28 41, – ☎ ⇔ P. Rest
Feb. geschl. – **M** a la carte 26/43 – **14 Z : 28 B** 60 - 92.

MURG **7886.** Baden-Württemberg 413 H 24, 427 I 3, 216 ⑤ ⑥ – 6 500 Ew – Höhe 312 m – ☎ 07763.
♦Stuttgart 215 – Basel 37 – Zürich 70.

Fischerhaus mit Zim, Fährstr. 15, ☎ 60 74, – TV ☎ ⇔ P. AE ⓓ E VISA
über Fastnacht 2 Wochen und 23. Okt.- 7. Nov. geschl. – **M** *(Freitag 14 Uhr - Samstag geschl.)* a la carte 30/55 – **10 Z : 19 B** 70/85 - 110/130.

Jährlich eine neue Ausgabe,
Aktuellste Informationen,
jährlich für Sie !

MURNAU **8110.** Bayern 413 Q 23,24, 987 ㊲, 426 F 5 – 11 000 Ew – Höhe 700 m – Luftkurort – ☎ 08841.
Verkehrsamt, Kohlgruber Str. 1, ☎ 20 74.
♦München 70 – Garmisch-Partenkirchen 24 – Weilheim 20.

Alpenhof Murnau , Ramsachstr. 8, ☎ 10 45, Fax 5438, ≤ Ammergauer Alpen und Estergebirge, « Gartenterrasse », (geheizt), – TV P – 🏛 25/70. Rest
6. Jan.- 2. Feb. geschl. – **M** *(bemerkenswerte Weinkarte)* a la carte 63/94 – **48 Z : 90 B** 140/285 - 210/340 Fb – ½ P 167/232.

Seidlpark , Seidlpark 2, ☎ 20 11, Telex 59530, Fax 4633, ≤, , , – TV ☎ P – 🏛 25/100. AE ⓓ
M a la carte 32/60 – **62 Z : 93 B** 135/160 - 185/205 Fb – ½ P 120/162.

Klausenhof, Burggraben 10, ☎ 50 41, Fax 5043, , – TV ☎ ⇔ – 🏛 30. E VISA. Zim
M a la carte 21/57 – **18 Z : 33 B** 75/120 - 105/170 Fb – ½ P 71/138.

Post garni, Obermarkt 1, ☎ 18 61, Fax 99411 – ☎ ⇔. E VISA.
7. Nov.- 7. Dez. geschl. – **20 Z : 30 B** 70/85 - 130.

Griesbräu, Obermarkt 37, ☎ 14 22 – ☎ P
M *(15. Jan.- 15. Feb. und Donnerstag geschl.)* a la carte 19/38 – **14 Z : 28 B** 45/65 - 80/125 – ½ P 60/75.

In Riegsee **8110** NO : 5 km :

Alpspitz garni, Seestr. 14, ☎ (08841) 4 00 01, , , – TV ☎ P. ⓓ E VISA.
April - Okt. – **8 Z : 18 B** 65/85 - 105/150 Fb.

In Riegsee-Aidling **8110** NO : 6 km :

Post , Dorfstr. 26, ☎ (08847) 62 25, ≤ Wettersteingebirge, – P
M *(Mittwoch geschl.)* a la carte 21/43 – **13 Z : 26 B** 45 - 75/85 – ½ P 56/63.

MURRHARDT **7157.** Baden-Württemberg 413 L 20, 987 ㉕ – 13 000 Ew – Höhe 291 m – Erholungsort – ☎ 07192.
Sehenswert : Stadtkirche (Walterichskapelle★).
Verkehrsamt, Marktplatz 10, ☎ 21 31 24.
♦Stuttgart 48 – Heilbronn 41 – Schwäbisch Gmünd 34 – Schwäbisch Hall 34.

Sonne - Post, Walterichsweg 1, ☎ 80 83, Fax 1550, , , – TV ☎ P – 🏛 40. AE ⓓ E VISA
M : siehe Restaurant Sonne-Post – **37 Z : 70 B** 97/147 - 137/192 Fb.

Sonne-Post, Karlstr. 6, ☎ 80 81 – P – 🏛 25/65. AE ⓓ E VISA
Menu *(auch vegetarisches Menu)* 29 /60 und a la carte 39/82.

In Murrhardt-Fornsbach O : 6 km :

Landgasthof Krone, Rathausplatz 3, ☎ 54 01 – TV ☎ P
17. Feb.- 3. März und 14.- 29. Sept. geschl. – **M** *(Montag - Dienstag geschl.)* a la carte 21/50 – **7 Z : 11 B** 48 - 86.

MUTLANGEN Baden-Württemberg siehe Schwäbisch Gmünd.

MUTTERSTADT **6704.** Rheinland-Pfalz 987 ㉔ ㉕, 412 413 I 18 – 12 800 Ew – Höhe 95 m – ☎ 06234.
Mainz 77 – Kaiserslautern 58 – ♦Mannheim 12 – Speyer 22.

- Jägerhof, An der Fohlenweide 29 (Gewerbegebiet-Süd), ✆ 10 31, – ☎ P. Zir *(nur Abendessen)* – **20 Z : 28 B**.
- **Ebnet,** Neustadter Str. 53, ✆ 17 31 – ☎ P. *22. Dez.- 6. Jan. geschl.* – **M** *(nur Abendessen, Freitag - Sonntag geschl.)* a la carte 21/31 – **22 Z : 32 B** 50/65 - 85/95 Fb.

NABBURG **8470.** Bayern 413 T 18, 987 ㉗ – 6 500 Ew – Höhe 385 m – ☎ 09433.
♦München 184 – ♦Nürnberg 92 – ♦Regensburg 62 – Weiden in der Oberpfalz 29.

- **Pension Ruhland** garni, Am Kastanienbaum 1, ✆ 5 34, ≤, – ☎ P **15 Z : 28 B** 35/40 - 60/70.
- **Post,** Regensburger Str. 2 (B 15), ✆ 61 05 – P. E *20. Dez.- 15. Jan. geschl.* – **M** *(nur Abendessen, Samstag - Sonntag geschl.)* a la carte 19/3 – **28 Z : 37 B** 37/45 - 70/90.

NACKENHEIM Rheinland-Pfalz siehe Mainz.

NAGEL **8591.** Bayern 413 S 17 – 2 000 Ew – Höhe 585 m – Erholungsort – ☎ 09236.
♦München 268 – Bayreuth 38 – Hof 56 – Weiden in der Oberpfalz 47.

In Nagel-Grünlas SO : 1,5 km :

- **Grenzhaus** , Grünlas 16, ✆ 2 52, , – P *20. Jan.- 15. März und 25. Okt.- 15. Dez. geschl.* – **M** *(Dienstag geschl.)* a la carte 16/33 – **16 Z : 29 B** 25/40 - 50/70 Fb.

NAGOLD **7270.** Baden-Württemberg 413 J 21, 987 ㉟ – 20 500 Ew – Höhe 411 m – ☎ 07452
Rathaus, Marktstr. 27, ✆ 68 10.
♦Stuttgart 52 – Freudenstadt 39 – Tübingen 34.

- **Gästehaus Post** garni, Bahnhofstr. 3, ✆ 40 48, Fax 4040 – ☎ P. AE E VISA **23 Z : 33 B** 90/112 - 140/178.
- Schiff, Unterm Wehr 19, ✆ 26 05, – ☎ P. Rest **23 Z : 40 B** Fb.
- **Köhlerei,** Marktstr. 46, ✆ 20 07 – P *Mitte Dez.- Mitte Jan. geschl.* – **M** *(Freitag geschl.)* a la carte 24/50 – **20 Z : 28 B** 39/60 78/105 Fb.
- XXX **Alte Post,** Bahnhofstr. 2, ✆ 42 21, Fax 67118, « Fachwerkhaus a.d.J. 1697 » – P. AE E VISA *Montag geschl.* – **M** *(bemerkenswerte Weinkarte)* 35 /105.
- XX **Zur Burg,** Burgstr. 2, ✆ 37 35 – P *Montag 15 Uhr - Dienstag, 24. Feb.- 12. März und 3.- 27. Aug. geschl.* – **M** a la carte 38/58
- XX **Eles Restaurant,** Neuwiesenweg 44, ✆ 54 85 – P *nur Abendessen, Sonntag, nach Pfingsten 1 Woche und Juli - Aug. 3 Wochen geschl.* – **M** a la carte 43/64.

In Nagold 4-Pfrondorf N : 4,5 km :

- **Pfrondorfer Mühle** (Gasthof mit modernem Gästehaus), an der B 463, ✆ 6 60 44, Fax 66469 , , – ☎ P. AE E VISA *1.- 20. Aug. geschl.* – **M** a la carte 45/67 – **16 Z : 23 B** 79 - 126 Fb.

NAILA **8674.** Bayern 413 S 16, 987 ㉗ – 9 000 Ew – Höhe 511 m – Wintersport : 500/600 m 1 1 – ☎ 09282.
Fremdenverkehrsamt, Peunthgasse 5, ✆ 68 29.
♦München 288 – Bayreuth 59 – Hof 18.

- **Grüner Baum,** Marktplatz 5, ✆ 70 61 – ☎ P. E *Mitte Aug.- Mitte Sept. geschl.* – **M** *(Donnerstag geschl.)* a la carte 20/36 – **13 Z : 19 B** 44/65 - 88.

In Naila-Culmitz SW : 5 km :

- **Zur Mühle** , Zur Mühle 6, ✆ 63 61, Fax 6384, , – ☎ P. E **M** a la carte 19/32 – **16 Z : 24 B** 37/45 - 74/90.

In Naila-Hölle N : 6 km – Luftkurort :

- **König David,** Humboldtstr. 27, ✆ (09288) 10 08, Fax 5445, – ☎ P *Ende Nov.- Mitte Dez. geschl.* – **M** a la carte 27/51 – **33 Z : 56 B** 50/75 - 90/100 – 3 Fewo 66.

NASSAU **5408.** Rheinland-Pfalz 987 ㉔, 412 G 16 – 5 400 Ew – Höhe 80 m – Luftkurort – ☎ 02604.
Verkehrsamt, Rathaus, ✆ 7 02 30, Fax 70258.
Mainz 57 – ♦Koblenz 26 – Limburg an der Lahn 49 – ♦Wiesbaden 52.

- **Rüttgers** garni, Dr.-Haupt-Weg 4, ✆ 41 22 – TV ☎ P. E
  14 Z : 24 B 52 - 94.

In Nassau-Hömberg **5409** N : 4 km :

- Taunusblick, Nassauer Str. 5, ✆ 42 58, ≘s, ⊠, – P
  25 Z : 48 B.

In Weinähr **5409** NO : 6 km :

- **Weinhaus Treis,** Hauptstr. 1, ✆ (02604) 50 15, Fax 4543, , ≘s, (geheizt), , – TV ☎ P – 25/50. AE E
  M a la carte 31/52 – **50 Z : 85 B** 45/80 - 80/130.

NASTÄTTEN **5428.** Rheinland-Pfalz 412 G 16 – 3 300 Ew – Höhe 250 m – ☎ 06772.
Mainz 46 – ♦Koblenz 45 – Limburg an der Lahn 34 – ♦Wiesbaden 41.

- **Oranien** , Oranienstr. 10, ✆ 10 35, Fax 2962, , – ☎ P. E
  M *(Freitag geschl.)* a la carte 28/58 – **18 Z : 30 B** 40/90 - 80/180.

NAUHEIM, BAD **6350.** Hessen 987 ㉕, 412 413 IJ 15 – 28 000 Ew – Höhe 145 m – Heilbad – ☎ 06032.
Ausflugsziel : Burg Münzenberg★, N : 13 km.
Am Golfplatz, ✆ 21 53.
Verkehrsverein, Pavillon in der Parkstraße, ✆ 21 20.
♦Wiesbaden 64 – ♦Frankfurt am Main 36 – Gießen 31.

- **Parkhotel am Kurhaus** , Nördlicher Park 16, ✆ 30 30, Telex 415514, Fax 303419, <, , ≘s, ⊠ – Zim TV P – 25/300. AE E VISA
  M *(auch Diät und vegetarische Gerichte)* a la carte 43/68 – **99 Z : 166 B** 138/172 - 218/298 Fb – 8 Appart. 560.
- **Rosenau,** Steinfurther Str. 1, ✆ 8 60 61, Fax 86063, ≘s, ⊠ – TV P – 25/150. AE E VISA.
  27. Dez.- 4. Jan. geschl. – **M** a la carte 42/63 – **54 Z : 100 B** 147/197 - 214/268 Fb.
- **Am Hochwald** , Carl-Oelemann-Weg 9, ✆ 34 80, Telex 415518, Fax 348195, , Massage, ≘s, ⊠ – Zim Rest TV P – 25/350. AE E VISA
  M a la carte 44/65 – **124 Z : 210 B** 130/165 - 176/220 Fb – 3 Appart. 360/460 – ½ P 117/194.
- **Brunnenhof** garni, Ludwigstr. 13, ✆ 20 17, Fax 5408 – ☎ P
  21. Dez.- 2. Jan. geschl. – **28 Z : 52 B** 90/140 - 140/210 Fb.
- **Rex,** Reinhardstr. 2, ✆ 20 47, Fax 2050 – TV ☎ . AE E VISA
  (nur Abendessen für Hausgäste) – **24 Z : 44 B** 90/99 - 145/155 Fb – ½ P 91/117.
- **Intereuropa,** Bahnhofsallee 13, ✆ 20 36, Telex 4102053, Fax 71254 – TV ☎. AE E VISA
  M *(Montag geschl.)* a la carte 30/52 – **35 Z : 65 B** 90/121 - 120/155 Fb.
- **Lindemann,** Frankfurter Str. 95 (B 275), ✆ 8 20 74 – TV ☎ P.
  15. Dez.- 8. Jan. geschl. – **M** *(nur Abendessen, Montag geschl.)* a la carte 21/32 – **15 Z : 30 B** 70 - 100.
- **Gaudesberger** mit Zim, Hauptstr. 6, ✆ 25 08 – ☎. AE E VISA
  15. Jan.- 15. Feb. geschl. – **M** *(Mittwoch geschl.)* 16,50 /29 (mittags) und a la carte 29/56 – **8 Z : 12 B** 36/43 - 66/78.

NAUMBURG **3501.** Hessen 411 412 K 13 – 5 000 Ew – Höhe 280 m – Luftkurort – ☎ 05625.
♦Wiesbaden 218 – ♦Kassel 36 – Korbach 27 – Fritzlar 17.

- **Haus Weinrich,** Bahnhofstr. 7, ✆ 2 23, – P. E VISA. Zim
  Nov. geschl. – **M** a la carte 21/46 – **17 Z : 27 B** 40 - 80 Fb – ½ P 55.

In Naumburg 4-Heimarshausen SO : 9 km :

- Ferienhof Schneider , Kirschhäuserstr. 7, ✆ (05622) 17 98, , ≘s, , , (Reitplatz) – P
  32 Z : 60 B Fb.

Pleasant hotels or restaurants
are shown in the Guide by a red sign.

Please send us the names
of any where you have enjoyed your stay.

Your Michelin Guide will be even better.

...

XXXXX ... X

NEBEL Schleswig-Holstein siehe Amrum (Insel).

NECKARGEMÜND **6903.** Baden-Württemberg 987 ㉕, 412 413 J 18 – 15 000 Ew – Höhe 124 m – ☏ 06223.

Ausflugsziel : Dilsberg : Burg (Turm ✻★) NO : 5 km.

ℹ Verkehrsamt, Hauptstr. 25, ✆ 35 53.

♦Stuttgart 107 – Heidelberg 10 – Heilbronn 53.

- **Zum Ritter** (Haus a. d. 16. Jh.), Neckarstr. 40, ✆ 70 35, Telex 461837, Fax 73339, ← – ☎ – 🏛 25/40. AE E VISA – **M** a la carte 38/72 – **38 Z : 79 B** 79/145 - 99/185 Fb.
- Zum letzten Heller, Brückengasse 10, ✆ 35 65
  wochentags nur Abendessen.

In Neckargemünd 2-Dilsberg NO : 4,5 km :

- **Sonne,** Obere Str. 14, ✆ 22 10 – AE ⓓ E VISA
  Donnerstag, 27. Feb.- 5. März und 16.- 30. Juli geschl. – **M** a la carte 34/62.

In Neckargemünd-Kleingemünd N : 1 km :

- **Zum Schwanen** ⛺, Uferstr. 16, ✆ 70 70, Fax 2413, ← – TV ☎ P – 🏛 40. AE ⓓ E VISA
  M a la carte 47/73 – **24 Z : 38 B** 130/160 - 160/220.

In Neckargemünd-Rainbach O : 2 km :

- **Landgasthof Die Rainbach,** Ortsstr. 9, ✆ 24 55, Fax 71491, « Gartenterrasse » – P. E
  Sept.- Mai Dienstag und 2. Jan.- 7. Feb. geschl. – **M** a la carte 37/70.

In Neckargemünd - Waldhilsbach SW : 5 km :

- **Zum Rössl** mit Zim, Heidelberger Str. 15, ✆ 26 65, Fax 6859, 🌳 – 🚗 P. AE ⓓ VISA
  M *(Montag und Donnerstag geschl.)* a la carte 36/60 🍷 – **15 Z : 22 B** 48/54 - 84/94.

NECKARSTEINACH **6918.** Hessen 987 ㉕, 412 413 J 18 – 3 900 Ew – Höhe 127 m – ☏ 06229

♦Wiesbaden 111 – Heidelberg 14 – Heilbronn 57.

- **Vierburgeneck,** Heiterswiesenweg 11 (B 37), ✆ 5 42, ←, 🌳, 🌲 – P. ✗
  20. Dez.- 5. Feb. und 20. Aug.- 5. Sept. geschl. – **M** *(nur Abendessen, Dienstag geschl.)* a la carte 24/50 – **15 Z : 31 B** 45/68 - 88/96 Fb.

NECKARSULM **7107.** Baden-Württemberg 987 ㉕, 412 413 K 19 – 22 000 Ew – Höhe 150 m – ☏ 07132.

♦Stuttgart 58 – Heilbronn 5,5 – ♦Mannheim 78 – ♦Würzburg 106.

- **Astron,** Sulmstr. 2, ✆ 38 80, Fax 388113, ≘s – 🛗 ✗ Zim TV ☎ ♿ 🚗 P – 🏛 25/150. AE ⓓ E VISA – **M** a la carte 40/65 – **84 Z : 168 B** 137 - 184/220 Fb.
- **Linde,** Stuttgarter Str. 11, ✆ 8 11 17, Fax 82487, 🌳 – TV ☎ P. E
  1.- 7. Jan. und Juli - Aug. 3 Wochen geschl. – **M** *(Sonntag geschl.)* a la carte 43/65 🍷 – **28 Z : 42 B** 75/105 - 120/160 Fb.
- **Post,** Neckarstr. 8, ✆ 50 81 – TV ☎ P – 🏛 25. ⓓ VISA
  1.- 15. Aug. und 24. Dez.- 10. Jan. geschl. – **M** *(Samstag geschl.)* a la carte 30/72 – **41 Z : 54 B** 90/100 - 140/160.
- Sulmana ⛺ garni, Ganzhornstr. 21, ✆ 50 24, Fax 6891 – 🛗 TV ☎ P. ✗
  29 Z : 50 B Fb.
- **Ballei,** Deutschordensplatz, ✆ 60 11 – P – 🏛 25/120. E VISA
  Montag und Juli - Aug. 3 Wochen geschl. – **M** a la carte 34/65.

NECKARTENZLINGEN **7449.** Baden-Württemberg 413 K 21 – 5 000 Ew – Höhe 292 m – ☏ 07127.

♦Stuttgart 32 – Reutlingen 15 – Tübingen 18 – ♦ Ulm (Donau) 80.

- **Krone-Knöll** mit Zim, Marktplatz 1, ✆ 3 14 07 – TV ☎ P. AE E VISA. ✗
  1.- 6. Jan., 28. Feb.- 8. März und 3.- 26. Juli geschl. – **M** *(Freitag - Samstag geschl.)* a la carte 40/66 – **9 Z : 18 B** 120 - 180.

NECKARWESTHEIM **7129.** Baden-Württemberg 412 413 K 19 – 2 700 Ew – Höhe 266 m – ☏ 07133 (Lauffen am Neckar).

⛳18 Schloß Liebenstein, ✆ 1 60 19.

♦Stuttgart 41 – Heilbronn 13 – Ludwigsburg 25.

- **Schloßhotel Liebenstein** ⛺ (mit Renaissancekapelle a.d.J. 1600), S : 2 km, ✆ 60 41, Telex 720976, Fax 6045, ←, ⛳18 – 🛗 TV ☎ P – 🏛 25/100. AE ⓓ E VISA
  2.- 31. Jan. geschl. – **M** *(wochentags nur Abendessen, Montag geschl.)* a la carte 61/97 – **24 Z : 33 B** 155/170 - 220/300 Fb.
- Pension Hofmann garni, Hauptstr. 12, ✆ 78 76 – ☎ P
  17 Z : 26 B.

NECKARZIMMERN **6951.** Baden-Württemberg 412 413 K 19 – 1 650 Ew – Höhe 151 m – ☎ 06261 (Mosbach).

Sehenswert: Burg Hornberg (Turm ≤ ★).

◆Stuttgart 80 – Heilbronn 25 – Mosbach 8.

Burg Hornberg (Burg Götz von Berlichingens), ✆ 40 64, Telex 466169, Fax 18864, ≤ Neckartal – ☎ P – 45. E VISA
März - Nov. – **M** a la carte 39/77 – **24 Z : 48 B** 100/160 - 150/300 Fb.

NEETZE Niedersachsen siehe Bleckede.

NEHREN **5594.** Rheinland-Pfalz 412 E 16 – 100 Ew – Höhe 90 m – ☎ 02673.

Mainz 120 – Koblenz 63 – ◆Trier 74.

Quartier Andre, Moselstr. 2, ✆ 40 15, – TV ☎ P. AE ① E VISA. Rest
Jan.- 15. März und 15. Nov.- 20. Dez. geschl. – **M** *(Dienstag geschl.)* a la carte 23/48 – **13 Z : 30 B** 65 - 95/98 – 4 Appart. 110.

NELLINGEN **7901.** Baden-Württemberg 413 M 21 – 1 600 Ew – Höhe 680 m – ☎ 07337.

◆Stuttgart 72 – Göppingen 41 – ◆Ulm 28.

Landgasthof Krone, Aicher Str. 7, ✆ 2 86, Fax 288, – TV ☎ P – 50. Rest
40 Z : 80 B Fb.

NENNDORF, BAD **3052.** Niedersachsen 411 412 KL 9, 987 ⑮ – 8 800 Ew – Höhe 70 m – Heilbad – ☎ 05723.

Kur- und Verkehrsverein, Kurhausstr. 4, ✆ 34 49.

◆Hannover 32 – Bielefeld 85 – ◆Osnabrück 115.

Residenz-Hotel, Kurhausstr. 1, ✆ 60 11, Fax 5069, – TV ☎ P – 25/100. AE ① E VISA
M a la carte 33/77 – **90 Z : 146 B** 155/205 - 205/260 Fb.

Kurhotel Hannover, Hauptstr. 12a, ✆ 20 77, Fax 76144, – Zim ☎ P – 25/150. AE E VISA
M a la carte 35/61 – **58 Z : 72 B** 85/190 - 160/300 Fb.

Kurpension Harms, Gartenstr. 5, ✆ 70 31, Fax 703280, Massage, – TV ☎ P
20. Dez.- 5. Jan. geschl. – (Rest. nur für Hausgäste) – **50 Z : 75 B** 62/70 - 94/140 Fb.

Schaumburg-Diana, Rodenberger Allee 28, ✆ 50 94, Telex 972265, Fax 3585, – TV ☎ P. AE ① E VISA. Rest
23. Dez.- 2. Jan. geschl. – (Rest. nur für Hausgäste) – **44 Z : 71 B** 79/154 - 125/212 Fb – ½ P 86/177.

Villa Kramer garni, Kramerstr. 4, ✆ 20 15, – ☎
6. Jan.- 6. Feb. geschl. – **15 Z : 19 B** 55 - 109.

In Bad Nenndorf 2 - Riepen NW : 4,5 km über die B 65 :

XXX ✿ **Schmiedegasthaus - Restaurant La forge** mit Zim, Riepener Str. 21, ✆ (05725) 50 55, Fax 7282 – TV ☎ P – 25/100. AE ① E VISA. Rest
3.- 17. Feb. und Juni - Juli 3 Wochen geschl. – **M** *(nur Abendessen, Schmiederestaurant auch Mittagessen, Montag - Dienstag geschl.)* a la carte 74/91 – **Schmiederestaurant** *(nur Montag geschl.)* Menu a la carte 31/48 – **17 Z : 25 B** 55/170 - 100/295
Spez. Rauchaaltorte, Zander mit Majoransauce, Holunderbeermousse mit Weinschaumsauce.

In Bad Nenndorf 3-Waltringhausen NO : 1,5 km :

Deisterblick garni, Finkenweg 1, ✆ 30 36, Fax 4686 – TV ☎ P
20. Dez.- 5. Jan. geschl. – **16 Z : 22 B** 74/88 - 98.

Außerhalb SO : 3,5 km, von der B 65 vor der Autobahnauffahrt rechts abbiegen :

X **Waldgasthof Mooshütte** mit Zim, ✉ 3052 Bad Nenndorf, ✆ (05723) 36 10, – TV P
15. Dez.- 10. Jan. geschl. – **M** *(Donnerstag geschl.)* a la carte 23/33 – **5 Z : 7 B** 43/51 - 102.

NENNIG Saarland siehe Perl.

NENTERSHAUSEN Hessen siehe Sontra.

Verwechseln Sie nicht :

Komfort der Hotels	: ...
Komfort der Restaurants	: XXXXX ... X
Gute Küche	: ✿✿✿, ✿✿, ✿, Menu

NERESHEIM **7086.** Baden-Württemberg 413 NO 20, 987 ㉖ – 6 700 Ew – Höhe 500 m – ☎ 07326.

Sehenswert: Klosterkirche★.

Hofgut Hochstadt (S : 3 km), ☎ (07326) 79 79.

Verkehrsamt, Hauptstr. 21, ☎ 81 49, Fax 8146.

♦Stuttgart 101 – Aalen 26 – Heidenheim an der Brenz 21 – ♦Nürnberg 111.

In Neresheim - Ohmenheim N : 3 km :

Zur Kanne, Brühlstr. 2, ☎ 70 88, Fax 6343, – TV ☎ P – 35. VISA
M a la carte 21/46 – **56 Z : 105 B** 45/65 - 80/108 Fb.

NESSELWANG **8964.** Bayern 413 O 24, 987 ㉖, 426 D 6 – 3 100 Ew – Höhe 865 m – Luftkurort – Wintersport : 900/1 600 m 7 3 – ☎ 08361.

Verkehrsamt, Rathaus, Hauptstr. 18, ☎ 7 50, Fax 3788.

♦München 120 – Füssen 17 – Kempten (Allgäu) 24.

Post, Hauptstr. 25, ☎ 3 09 10, Fax 30974, Brauereimuseum – TV ☎ P. VISA
M a la carte 26/51 – **23 Z : 38 B** 72/85 - 134/144 Fb.

Bergcafé, Sudetenweg 2, ☎ 2 23, Fax 3696, ≤, , Bade- und Massageabteilung, , , – ☎ P. AE VISA
Dez.- 3. Jan. geschl. – **M** *(Dienstag geschl.)* a la carte 29/50 – **40 Z : 75 B** 60/110 - 110/180 Fb – 2 Fewo 82 – ½ P 82/117.

Gisela , Falkensteinstr. 9, ☎ 2 17, Fax 3889, , , – TV ☎ P.
23. April - 3. Juni und 25. Okt.- Nov. geschl. – **M** *(Montag - Freitag nur Abendessen, Mittwoch geschl.)* a la carte 33/50 – **16 Z : 25 B** 59/80 - 110 – ½ P 73.

Marianne, Römerstr. 11, ☎ 32 18, Fax 1091, ≤, , – P.
23. März - 2. April und Nov.- 20. Dez. geschl. – **M** *(nur Abendessen)* a la carte 21/43 – **30 Z : 55 B** 41/71 - 106/118 – ½ P 67/83.

Alpenhotel Martin , An der Riese 18, ☎ 14 24, , – P
12. Nov.- 10. Dez. geschl. – **M** a la carte 24/48 – **20 Z : 38 B** 51/56 - 92/102 – ½ P 59/70.

An der Bergstation der Alpspitzbahn Berg- und Talfahrt 10 DM – Höhe 1 500 m

Berggasthof Sportheim Böck , ✉ 8964 Nesselwang, ☎ (08361) 31 11, ≤ Alpen, , – P (an der Talstation)
27. April - 22. Mai und 16. Nov.- 19. Dez. geschl. – **M** *(Montag geschl.)* a la carte 22/35 – **20 Z : 30 B** 35 - 64 – ½ P 45.

In Nesselwang-Lachen NO : 2 km :

Löwen, an der Straße nach Marktoberdorf, ☎ 6 40, Fax 1752, , , , – P. VISA
4. Nov.- 18. Dez. geschl. – **M** a la carte 24/37 – **27 Z : 58 B** 45/50 - 88/106 – ½ P 56/68.

NETPHEN **5902.** Nordrhein-Westfalen 412 H 14 – 24 000 Ew – Höhe 250 m – ☎ 02738.

Verkehrsverein, Neumarkt 18, ☎ 60 30.

♦Düsseldorf 138 – Siegen 8.

In Netphen 1-Sohlbach NO : 8 km :

Waldhaus , Vorm Breitenberg 27, ☎ 12 84, ≤, Biergarten, , , – TV ☎ P
Nov. geschl. – **M** *(wochentags nur Abendessen)* a la carte 22/45 – **11 Z : 21 B** 44/55 - 74/104.

NETTETAL **4054.** Nordrhein-Westfalen 987 ⑬ ㉓, 412 B 13 – 39 000 Ew – Höhe 46 m – ☎ 02153.

♦Düsseldorf 47 – Krefeld 24 – Mönchengladbach 24 – Venlo 15.

In Nettetal 1-Hinsbeck :

Haus Josten, Wankumer Str. 3, ☎ 20 36, Fax 13188 – TV ☎ P – 25/70. AE VISA
Mitte Juli - Anfang Aug. geschl. – **M** *(Mittwoch geschl.)* a la carte 31/55 – **18 Z : 33 B** 75/90 - 120/150.

Zum Mühlenberg garni, Büschen 14, ☎ 9 18 80, Fax 918833 – TV ☎ P.
15 Z : 30 B 55 - 85.

In Nettetal 2-Leuth :

Leuther Mühle, Hinsbecker Str. 34 (B 509), ☎ (02157)20 61, Fax 2527, , – TV ☎ P – 25.
26 Z : 52 B Fb.

In Nettetal 1-Lobberich :

Haus am Rieth, Reinersstr. 5, ☎ 6 00 41, , – TV ☎ P
(nur Abendessen für Hausgäste) – **22 Z : 34 B** Fb.

Zum Schänzchen, Dyck 58 (südlich der BAB-Ausfahrt), ☎ 24 65, Fax 89618 – ☎ P.
M *(Montag und Juli - Aug. 3 Wochen geschl.)* a la carte 31/58 – **21 Z : 32 B** 60/80 - 100/130.

NEUALBENREUTH 8591. Bayern 413 U 17 – 1 450 Ew – Höhe 549 m – ✪ 09638.
; Schloß Ernestgrün (S : 1 km), 🖉 12 71.
München 254 – Bayreuth 83 – ◆Nürnberg 171.

🏨 **Schloßhotel Ernestgrün** 🦢, Rothmühle 15 (S : 1,5 km), 🖉 8 00, Fax 80400,
« Gartenterrasse », ≦, 🔲, 🐎, 🎾 – 🛗 ⇆ Zim 📺 ☎ 🅿 – 🔬 25/40. 🖭 ⓪ 🖪 🚾
M a la carte 27/55 – **76 Z : 152 B** 90/120 - 120/170 Fb.

NEUBERG Hessen siehe Erlensee.

NEUBEUERN 8201. Bayern 413 T 23, 426 I 5 – 3 200 Ew – Höhe 478 m – Luftkurort – ✪ 08035
Raubling).
München 69 – Miesbach 31 – Rosenheim 12.

🏨 **Burghotel - Burgdacherl** 🦢, Marktplatz 23, 🖉 24 56, Fax 1312, ≤ Riesenkopf und
↔ Kaisergebirge, Massage, ≦ – 🛗 ☎ ⇌. 🖭 ⓪ 🖪 🚾. 🎇 Zim
15.- 28. Feb. geschl. – **M** (Montag geschl.) a la carte 22/64 – **13 Z : 26 B** 50/85 - 85/115.

🏠 **Hofwirt**, Marktplatz 5, 🖉 23 40, Biergarten – ⓪ 🖪 🚾
↔ 28. Okt.- 26. Nov. geschl. – **M** (Montag geschl.) a la carte 22/40 – **17 Z : 34 B** 42/47 - 60/78.

NEUBIBERG Bayern siehe München.

NEUBRANDENBURG O-2000. Mecklenburg-Vorpommern 984 ⑦. 987 ⑦ – 95 000 Ew – Höhe
19 m – ✪ 003790.
🛈 Fremdenverkehrsbüro, Pfefferstr. 11, 🖉 22 67.
ADAC, Warliner Str. 6, 🖉 2 01, Pannenhilfezentrale, 🖉 68 14 12.
◆Berlin 140 – ◆Rostock 103 – Stralsund 99 – Szczecin 99.

🏨 **Vier Tore,** Treptower Str. 1, 🖉 51 41, Telex 33176, Fax 41015, 🏤 – 🛗 📺 ☎ 🅿 – 🔬 25/100.
🖭 ⓪ 🚾
M a la carte 30/54 – **249 Z : 450 B** 120/126 - 165 Fb – 10 Appart..

🏨 Centrum für Tourismus und Kongresse, Friedrich-Engels-Ring 52, 🖉 68 60, Fax 6862682,
Massage, ≦ – 🛗 📺 ☎ 🅿 – 🔬 25/350. 🎇 Rest
175 Z : 350 B Fb – 3 Appart.

🗶 Spezialitäten-Eck, Behmenstr. 1, 🖉 60 50, 🏤.

🗶 Weinstube am Wall, 4. Ringstr. 5, 🖉 37 66.

In Usadel O-2081 SO : 15 km, an der E 251 :

🏨 Motel Usadel, 🖉 (003799184) 2 23, 🏤, 🐎 – 📺 ☎ 🅿
37 Z : 50 B Fb.

NEUBRUNN 8702. Bayern 412 413 M 17 – 2 200 Ew – Höhe 290 m – ✪ 09307.
◆München 300 – Wertheim 14 – ◆Würzburg 21.

In Neubrunn-Böttigheim SW : 5 km :

🏠 **Berghof** 🦢, Neubrunner Weg 15, 🖉 (09349) 12 48, ≤, 🏤, 🐎 – 📺 ☎ 🅿
↔ **M** (Montag und Mitte Jan.- Mitte Feb. geschl.) a la carte 21/41 🐚 – **13 Z : 22 B** 45 - 85.

NEUBULACH 7265. Baden-Württemberg 413 J 20,21 – 3 800 Ew – Höhe 584 m – Luftkurort
– ✪ 07053.
🛈 Kurverwaltung, Rathaus, 🖉 75 92.
◆Stuttgart 57 – Calw 10 – Freudenstadt 41.

🏠 **Hirsch**, Calwer Str. 5, 🖉 70 90, 🐎 – ⇌ 🅿. 🎇 Zim
↔ Mitte Nov.- Mitte Dez. geschl. – **M** (Mittwoch geschl.) a la carte 23/49 🐚 – **14 Z : 26 B** 47/49
- 88/90 Fb.

🏠 **Lamm**, Calwer Str. 22, 🖉 71 23, Fax 3205, 🐎 – ⇌ 🅿. 🎇 Zim
15. Dez.- 20. Jan. geschl. – **M** (Freitag geschl.) a la carte 40/79 – **15 Z : 26 B** 50/60 - 80/140.

In Neubulach-Martinsmoos SW : 5 km :

🏠 **Schwarzwaldhof,** Wildbader Str. 28, 🖉 (07055) 73 55, 🏤, 🐎 – ↩ Rest 🅿. 🎇 Zim
12.- 28. Feb. geschl. – **M** (Dienstag geschl.) a la carte 25/40 – **16 Z : 26 B** 37/43 - 68/80 Fb
– ½ P 51/54.

In Neubulach-Oberhaugstett SW : 1 km :

🏠 **Löwen**, Hauptstr. 21, 🖉 62 00, 🏤 – ↩ Rest ⇌ 🅿
↔ Feb. und Nov. je 2 Wochen geschl. – **M** (Dienstag ab 14 Uhr geschl.) a la carte 23/41 🐚 –
17 Z : 33 B 42 - 70/90 – ½ P 45/52.

NEUBURG AN DER DONAU **8858.** Bayern 413 Q 20, 987 ㊱ – 24 400 Ew – Höhe 403 m – ☏ 08431.

Sehenswert: Hofkirche (Stuckdecke★, Barockaltar★).

Gut Rohrenfeld (O : 7 km), ✆ (08431) 4 41 18.

Städt. Fremdenverkehrsbüro, Amalienstr. A 51, ✆ 5 52 40.

♦München 95 – ♦Augsburg 53 – Ingolstadt 22 – ♦Ulm (Donau) 124.

- **Bergbauer**, Fünfzehnerstr. 11, ✆ 4 70 95, , – TV ☎
  22 Z : 40 B Fb.
- **Garni**, Schrannenplatz C 153, ✆ 4 76 99 – ☎. E
  1.- 6. Jan. geschl. – **13 Z : 17 B** 44 - 72.
- **Kieferlbräu**, Eybstr. B 239, ✆ 20 14 – P
  M *(Donnerstag und 24. Juli - 15. Aug. geschl.)* a la carte 18/60 – **26 Z : 39 B** 40/70 - 60/96.
- Neuwirt, Färberstr. C 88, ✆ 20 78 – P
  30 Z : 40 B.

In Neuburg-Bergen NW : 8 km :

- **Zum Klosterbräu** mit Zim, Kirchplatz 1, ✆ 30 78, Fax 41120, , « Altbayrische Landgasthof », – ☎ P
  Sept. 1 Woche und 24. Dez.- 17. Jan. geschl. – **M** *(Sonntag 17 Uhr - Montag geschl.)* a la carte 18/48 – **10 Z : 16 B** 46/50 - 76/80.

In Neuburg-Bittenbrunn NW : 2 km :

- **Kirchbaur-Hof** (traditioneller Landgasthof), Monheimer Str. 119, ✆ 25 32, Fax 41122, « Gartenterrasse », – TV ☎ P
  26. Dez.- 6. Jan. geschl. – **M** *(Sonntag ab 15 Uhr und Samstag geschl.)* a la carte 29/60 – **40 Z : 60 B** 45/85 - 85/145 Fb.

NEUDROSSENFELD **8581.** Bayern 413 R 16 – 3 000 Ew – Höhe 340 m – ☏ 09203.

♦München 241 – ♦Bamberg 55 – Bayreuth 10.

Im Ortsteil Altdrossenfeld S : 1 km :

- **Brauerei-Gasthof Schnupp**, ✆ 64 74, – TV ☎ P
  M *(Freitag geschl.)* a la carte 24/47 – **18 Z : 33 B** 75/98 - 105/160 Fb.

NEUENAHR-AHRWEILER, BAD **5483.** Rheinland-Pfalz 987 ㉔, 412 E 15 – 27 000 Ew – Höhe 92 m – Heilbad – ☏ 02641.

Sehenswert: Ahrweiler : Altstadt★.

, Köhlerhof (über ③), ✆ (02641) 23 25.

Kur- und Verkehrsverein Bad Neuenahr, Pavillon am Bahnhof und Verkehrsverein Ahrweiler, Marktplatz, ✆ 22 78, Fax 29758.

Mainz 147 ③ – ♦Bonn 30 ② – ♦Koblenz 56 ③.

Stadtplan siehe gegenüberliegende Seite

Im Stadtteil Bad Neuenahr :

- **Steigenberger Kurhotel**, Kurgartenstr. 1, ✆ 22 91, Telex 861812, Fax 70 01, , , , direkter Zugang zum Bäderhaus – Zim TV P – 25/200. AE E VISA. Rest
  Restaurants : **Pfeffermühle M** a la carte 53/76 – **Kurhaus-Restaurant M** a la carte 37/60 – **171 Z : 223 B** 170/270 - 260/340 Fb – 12 Appart. 410/900. CZ v
- **Dorint-Hotel**, Am Dahliengarten, ✆ 89 50, Telex 861805, Fax 895834, « Terrasse mit », Bade- und Massageabteilung, , – Zim TV P – 25/250. AE E VISA. Rest BY u
  M *(auch Diät und vegetarische Gerichte)* a la carte 40/67 – **180 Z : 300 B** 178/188 - 262 Fb – 8 Appart. 390 – ½ P 166/223.
- **Giffels Goldener Anker**, Mittelstr. 14, ✆ 80 40, Telex 861768, Fax 804192, , « Garten », Bade- und Massageabteilung, , , – Rest TV ☎ P – 25/200. AE E VISA. Rest CZ w
  M *(auch Diät)* a la carte 39/75 – **89 Z : 150 B** 95/150 - 175/250 Fb – ½ P 118/155.
- **Seta Hotel**, Landgrafenstr. 41, ✆ 80 30, Telex 861850, Fax 803555, Biergarten, , – TV ☎ P – 25/120. AE E VISA CZ r
  M a la carte 31/58 – **107 Z : 146 B** 106/129 - 168/224 Fb – ½ P 110/155.
- **Aurora**, Georg-Kreuzberg-Str. 8, ✆ 2 60 20, Fax 79565, , – TV ☎ P. AE E VISA CZ z
  15. Nov.-14. Dez. geschl. – (Restaurant nur für Hausgäste) – **52 Z : 74 B** 80/200 - 172/280 Fb – ½ P 106/158.
- **Elisabeth**, Georg-Kreuzberg-Str. 11, ✆ 2 60 74, Fax 24068, , , – TV ☎ P – 40. Rest CZ z
  März-Nov. – **M** *(auch Diät)* a la carte 34/48 – **60 Z : 85 B** 73/160 - 160/206 Fb – 4 Fewo 140/160 – ½ P 107/189.

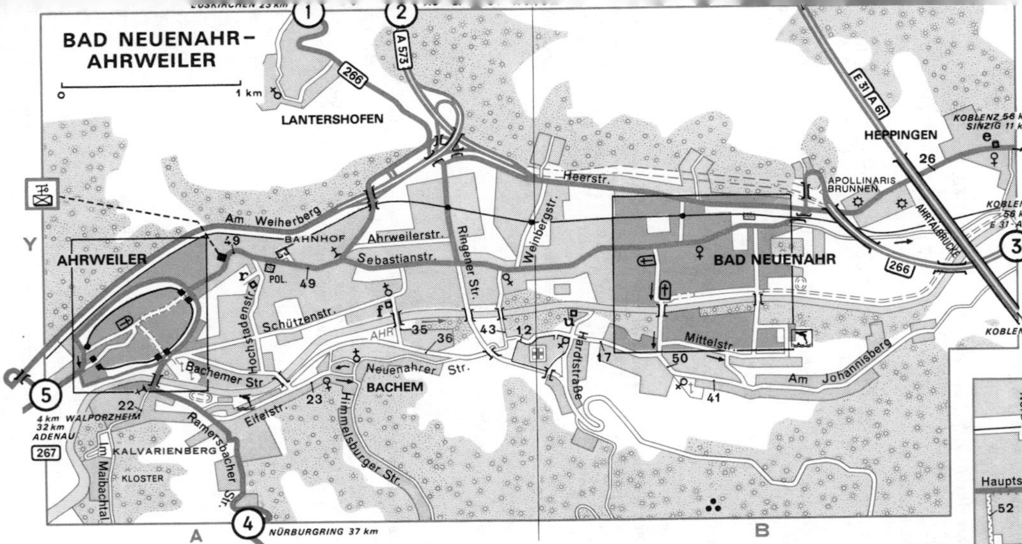

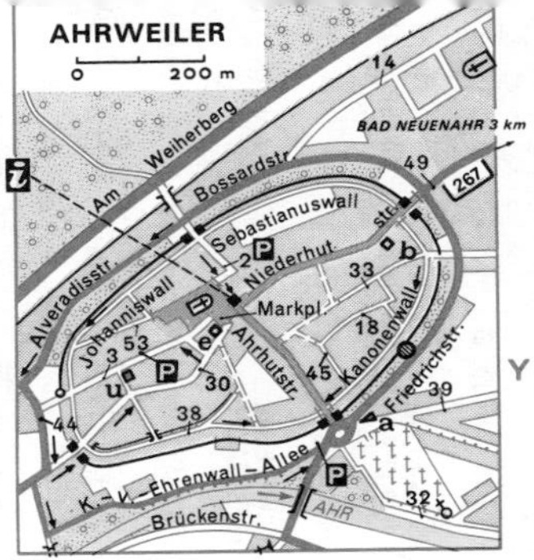

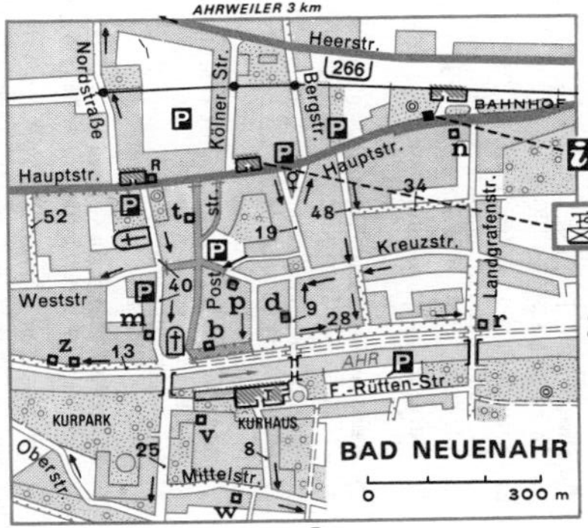

Ahrhutstraße . . . . CY
Hauptstraße . . . . CZ
Kreuzstraße . . . . CZ
Kurgartenstraße . . . . CZ 25
Niederhutstraße . . . . CY
Poststraße . . . . CZ
Telegrafenstraße . . . . CZ 40

Adenbachhutstraße . . . . CY 2
Altenbaustraße . . . . CY 3
Beethovenstraße . . . . CZ 8
Casinostraße . . . . CZ 9
Dahlienweg . . . . AY 12

Georg-Kreuzberg-Straße . . . . . CZ 13
Grafschafter Straße . . . . . . CY 14
Hochstraße . . . . BY 17
Hostertsgasse . . . . CY 18
Jesuitenstraße . . . . CZ 19
Kalvarienbergstraße . . . . . . AY 22
Königstraße . . . . AY 23
Landskroner Straße . . . . . . BY 26
Lindenstraße . . . . CZ 28
Oberhutstraße . . . . CY 30
Otlerstraße . . . . CY 32
Plätzerstraße . . . . CY 33
Ravensberger Straße . . . . . . CZ 34

St.-Pius-Brücke . . . . AY 35
St.-Pius-Straße . . . . AY 36
Schützbahn . . . . CY 38
Schützenstraße . . . . CY 39
Schweizer Straße . . . . BY 41
Uhlandstraße . . . . AY 43
Walporzheimer Straße . . . . . CY 44
Wehrscheid . . . . CY 45
Wendelstraße . . . . CZ 48
Wilhelmstraße . . . . ACY 49
Willibrordusstraße . . . . BY 50
Wolfgang-Müller-Straße . . . . . CZ 52
Wolfsgasse . . . . CY 53

Rieck garni, Hauptstr. 45, ✆ 2 66 99, – TV ☎ P. E 12 Z : 20 B 59/69 - 100/110. CZ

Krupp, Poststr. 4, ✆ 22 73, Fax 79316 – ☎ P – 25/50. AE E. M (auch Diät und vegetarische Gerichte) (Montag und Donnerstag jeweils ab 14 Uhr geschl.) a la carte 25/47 – **35 Z : 50 B** 80/90 - 150/170 Fb – ½ P 95/105. CZ

Central garni, Lindenstr. 2, ✆ 2 55 46 – ☎ P. **22 Z : 40 B** 75/100 - 150/160. CZ

Kurpension Haus Ernsing, Telegrafenstr. 30 (1. Etage), ✆ 22 21 – ☎. Rest CZ *20. Nov.- 19. Dez. geschl.* – **M** a la carte 24/37 – **24 Z : 32 B** 38/63 - 110/116.

Ratskeller, Casinostr. 8, ✆ 2 54 66 – E CZ *Montag - Freitag nur Abendessen, Dienstag und Juli - Aug. 2 Wochen geschl.* – **M** a la carte 51/83.

Astoria am Rathaus mit Zim, Hauptstr. 12, ✆ 2 70 37, Fax 24236, – ☎ P. AE E VISA CZ *2.- 10. Jan. geschl.* – **M** *(auch vegetarische Gerichte)* (Montag geschl.) a la carte 32/63 – **7 Z : 14 B** 68/85 - 110.

Piccola Milano da Gianni (Italienische Küche), Kreuzstr. 8c, ✆ 2 43 75 – AE E VISA *Juli - Aug. 4 Wochen geschl.* – **M** a la carte 30/60. CZ

Im Stadtteil Ahrweiler :

Hohenzollern an der Ahr , Silberbergstr. 50, ✆ 42 68, Fax 5997, ≤ Ahrtal, « Gartenterrasse » – TV ☎ P. AE E VISA über ⑤ *Mitte Jan.- Mitte Feb. geschl.* – **M** a la carte 45/78 – **17 Z : 34 B** 80/120 - 120/180.

Avenida garni, Schützenstr. 136, ✆ 33 66, , – TV ☎ P. **23 Z : 40 B** – 5 Fewo. AY

Zum Ännchen (mit Gästehaus), Niederhutstr. 10, ✆ 3 60 21 – ☎ P. AE E VISA *25. Jan.- 15. Feb. geschl.* – **M** *(Donnerstag geschl.)* a la carte 21/57 – **23 Z : 43 B** 65 - 105. CY

Schützenhof- Restaurant Le Petit Manchot, Schützenstr. 1, ✆ 3 43 77 (Hotel) 3 66 98 (Rest.), – ☎ P. Zim CY **M** *(Mittwoch und 1.- 16. Jan. geschl.)* a la carte 23/46 – **10 Z : 19 B** 65 - 96/110.

Zum Römer garni, Schülzchenstr. 11, ✆ 3 61 01 – P. **10 Z : 18 B** 50/65 - 100. AY

Altes Zunfthaus, Oberhutstr. 34, ✆ 47 51 – AE E VISA CY *Montag und März 2 Wochen geschl.* – **M** a la carte 39/74.

Im Stadtteil Heppingen :

Steinheuer's Restaurant - Zur Alten Post mit Zim, Landskroner Str. 110 (Eingang Konsumgasse), ✆ 70 11, Fax 7013 – TV ☎ P. AE E VISA BY *Juli - Aug. 2 Wochen geschl. (nur die Restaurants)* – **M** *(Dienstag - Mittwoch 18 Uhr geschl.)* 92 /125 und a la carte 70/96 – **Poststuben** *(Dienstag - Mittwoch 18 Uhr geschl.)* **M** a la carte 39/54 – **6 Z : 12 B** 120 - 200
Spez. Sauerbratensülze mit Apfel-Rosinen-Sauce, Lasagne von der Rotbarbe in Pestosauce, Quarkravioli mit Passionsfruchtparfait.

Im Stadtteil Lohrsdorf über Landskroner Straße B :

Kaiser's Restaurant, Sinziger Str. 11, ✆ 2 10 98, Fax 28957 – P. AE E VISA *wochentags nur Abendessen, Montag und 6. Jan.- 7. Feb. geschl.* – **M** (Tischbestellung ratsam) a la carte 51/72.

Im Stadtteil Walporzheim ⑤ : 1 km ab Ahrweiler :

Romantik-Restaurant Brogsitter's Sanct Peter (Historisches Gebäude, Gasthaus seit 1246), Walporzheimer Str. 134 (B 267), ✆ 38 99 11, Telex 861773, Fax 36659, « Innenhofterrasse » – P – 35. AE E VISA **M** 105 /130 und a la carte 73/112 – **Weinkirche M** 66/94 und a la carte 50/82
Spez. Sauerkrautsuppe mit Rauchfleisch, Steinbutt mit Hummer gratiniert, Lammrücken mit Kräuterkruste.

NEUENBÜRG **7540.** Baden-Württemberg 413 I 20, 987 ㉟ – 7 200 Ew – Höhe 325 m – ☎ 07082.

♦Stuttgart 62 – Baden-Baden 40 – Pforzheim 12.

Zum Grünen Baum, Flößerstr. 7, ✆ 29 55, – ☎. Zim
Okt.- Nov. 4 Wochen geschl. – **M** *(Freitag 14 Uhr - Samstag geschl.)* a la carte 23/65 – **10 Z : 17 B** 45 - 80.

NEUENBURG **7844.** Baden-Württemberg 413 F 23, 427 G 2, 242 ㊱㊵ – 8 200 Ew – Höhe 231 m – ☎ 07631 (Müllheim).

♦Stuttgart 232 – Basel 35 – ♦Freiburg im Breisgau 36 – Mulhouse 20.

Zur Krone, Breisacher Str. 1, ✆ 78 04, Fax 7803, – ☎ Ⓟ. E VISA
ab Pfingsten 2 Wochen und Mitte Okt.- Mitte Nov. geschl. – **M** *(Dienstag 14 Uhr - Mittwoch geschl.)* a la carte 26/58 – **25 Z : 48 B** 38/80 - 66/104.

Touristik-Hotel garni, Basler Str. 2, ✆ 78 76 – TV Ⓟ
14 Z : 30 B.

Ratskeller, Bahnhofstr. 1, ✆ 7 26 11 – Ⓟ. AE E VISA
Montag - Dienstag 16 Uhr und Nov. 3 Wochen geschl. – **M** a la carte 25/57.

NEUENDETTELSAU **8806.** Bayern 413 P 19 – 7 000 Ew – Höhe 440 m – ☎ 09874.

♦München 187 – Ansbach 19 – ♦Nürnberg 41.

Sonne, Hauptstr. 43, ✆ 50 80, Fax 50818 – ☎ Ⓟ – 30. Rest
2.- 9. Jan. und 13. Juli - 5. Aug. geschl. – **M** a la carte 28/47 – **53 Z : 70 B** 45/80 - 90/120.

NEUENHAUS **4458.** Niedersachsen 411 DE 9, 408 LM 4 – 8 000 Ew – Höhe 22 m – ☎ 05941.

♦Hannover 235 – ♦Bremen 166 – Groningen 101 – Münster(Westfalen) 84.

Haus Brünemann mit Zim, Kirchstr. 11, ✆ 50 25, – TV ☎ Ⓟ. AE E VISA. Zim
M a la carte 51/85 – **5 Z : 10 B** 80 - 140.

NEUENKIRCHEN KREIS SOLTAU-FALLINGBOSTEL **3044.** Niedersachsen 411 LM 7, 987 ⑮ – 5 000 Ew – Höhe 68 m – Luftkurort – ☎ 05195.

Verkehrsverein, Kirchstr. 9, ✆ 17 18.

♦Hannover 90 – ♦Bremen 71 – ♦Hamburg 88 – Lüneburg 62.

Tödter, Hauptstr. 2, ✆ 12 47 – TV ☎ Ⓟ – 40
Nov. geschl. – **M** *(Freitag bis 16 Uhr geschl.)* a la carte 22/51 – **16 Z : 24 B** 50 - 100.

NEUENKIRCHEN KREIS STEINFURT **4445.** Nordrhein-Westfalen 411 412 F 10 – 12 000 Ew – Höhe 64 m – ☎ 05973.

♦Düsseldorf 180 – Enschede 37 – Münster (Westfalen) 43 – ♦Osnabrück 54.

Wilminks Parkhotel, Wettringer Str. 46 (B 70), ✆ 8 58, Fax 1817, « Stilvolle, rustikale Räume », – Zim TV ☎ Ⓟ – 25/80. AE E VISA
1.- 7. Jan. geschl. – **M** *(auch Diät und vegetarische Gerichte)* a la carte 33/70 – **30 Z : 46 B** 90/100 - 140/150 Fb.

NEUENKIRCHEN (OLDENBURG) **2846.** Niedersachsen 411 H 9 – 5 800 Ew – Höhe 31 m – ☎ 05493.

♦Hannover 179 – ♦Bremen 97 – ♦Osnabrück 28.

Beim Kloster Lage SW : 5 km :

Kommende Lage (Hotel in einem Rittergut a.d. 13.Jh.), ✉ 4555 Rieste, ✆ (05464) 51 51, Fax 5153, « Gartenterrasse », – ☎ Ⓟ – 25/80. E
6.- 31. Jan. geschl. – **M** *(Montag - Dienstag 17 Uhr geschl.)* a la carte 33/54 – **23 Z : 40 B** 60/95 - 90/140 Fb.

NEUENRADE **5982.** Nordrhein-Westfalen 411 412 G 13 – 11 200 Ew – Höhe 324 m – ☎ 02392.

♦Düsseldorf 103 – Iserlohn 22 – Werdohl 6.

Kaisergarten mit Zim, Hinterm Wall 15, ✆ 6 10 15, Fax 61052 – TV ☎ Ⓟ – 25/400. AE E VISA
M *(Dienstag bis 18 Uhr geschl.)* a la carte 33/70 – **9 Z : 18 B** 72 - 105.

NEUENSTEIN **7113.** Baden-Württemberg 413 L 19 – 5 100 Ew – Höhe 284 m – ☎ 07942.

Sehenswert : Schloß Neuenstein.

♦Stuttgart 74 – Heilbronn 34 – ♦ Nürnberg 132 – ♦ Würzburg 93.

Am Schloß, Hintere Str. 18, ✆ 20 95 – ☎ Ⓟ. E VISA
Jan. 2 Wochen geschl. – **M** *(Sonntag 18 Uhr - Montag geschl.)* a la carte 35/58 – **11 Z : 19 B** 74 - 108.

Goldene Sonne (Fachwerkhaus a.d.J. 1786), Vorstadt 2, ✆ 30 55 – AE E VISA
Sonntag ab 15 Uhr und Jan.- Feb. 2 Wochen geschl. – **M** a la carte 56/80.

NEUENSTEIN **6431.** Hessen 412 L 14 – 3 200 Ew – Höhe 400 m – ✆ 06677.
♦Wiesbaden 166 – Fulda 53 – Bad Hersfeld 11 – ♦Kassel 58.

In Neuenstein-Aua 987 ㉕ :

Landgasthof Hess, Geistalstr. 8, ✆ 4 43, Fax 1322, « Grillgarten », ≘s, – |♣| TV ☎ – P – 25/60. AE ⓓ E VISA
M 18 /24 (mittags) und a la carte 32/62 – **37 Z : 68 B** 65/85 - 105/140 Fb.

NEUENWEG **7861.** Baden-Württemberg 413 G 23, 427 H 2, 242 ㊱ ㊵ – 380 Ew – Höhe 750 m – Erholungsort – Wintersport : 800/1 414 m ≴2 ⛷1 – ✆ 07673 (Schönau im Schwarzwald).
♦Stuttgart 259 – Basel 49 – ♦Freiburg im Breisgau 49 – Müllheim 21.

Markgräfler Hof, Ortsstr. 22, ✆ 3 77 – P. ⓓ
15. Nov.- 15. Dez. geschl. – **M** *(Dienstag - Mittwoch geschl.)* a la carte 27/52 ⅄ – **25 Z : 45 B** 45/70 - 80/100.

Belchenstüble, Schönauer Str. 63, ✆ 72 05, – P. ⌘
Mitte März - Mitte April geschl. – **M** *(Mai - Okt. Donnerstag, Nov.- April Mittwoch und Donnerstag geschl.)* a la carte 23/43 – **11 Z : 20 B** 24/36 - 44/74 – ½ P 42/55.

In Neuenweg-Hinterheubronn NW : 5 km :

Haldenhof ⛰, ✆ 2 84, ←, , ≘s, – P
15. Nov.-Dez. geschl. – **M** *(Dienstag geschl.)* a la carte 21/53 ⅄ – **14 Z : 24 B** 40/45 - 64/75 – ½ P 66/70.

In Bürchau **7861** S : 3 km – Erholungsort :

Berggasthof Sonnhalde ⛰, Sonnhaldenweg 37, ✆ (07629) 2 60, ←, , , , ⛷ – P
15. Nov.- 20. Dez. geschl. – **M** *(Montag - Dienstag geschl.)* a la carte 18,50/60 ⅄ – **21 Z : 39 B** 37/48 - 74/92 Fb – ½ P 52/66.

NEUERBURG **5528.** Rheinland-Pfalz 987 ㉓, 412 B 16, 409 LM 5 – 2 000 Ew – Höhe 337 m – Luftkurort – ✆ 06564.
ℹ Tourist-Information, Herrenstr. 2, ✆ 26 73.
Mainz 189 – Bitburg 23 – Prüm 33 – Vianden 19.

Zur Stadt Neuerburg, Poststr. 10, ✆ 21 26 – P. E. ⌘ Zim
2.- 18. Jan. geschl. – **M** a la carte 23/42 – **20 Z : 40 B** 35/40 - 65/80.

Schloß-Hotel, Bitburger Str. 13, ✆ 23 73 – P
27 Z : 52 B.

NEUFAHRN **8056.** Bayern 413 R 22 – 14 500 Ew – Höhe 463 m – ✆ 08165.
♦München 18 – Landshut 55 – ♦Regensburg 109.

Gumberger, Echinger Str. 1, ✆ 30 42, Telex 526728, Fax 62848 – |♣| TV ☎ P – 25/200. AE ⓓ E VISA
3.- 16. Aug. und 16.- 26. Dez. geschl. – **M** a la carte 27/46 – **55 Z : 100 B** 115/140 - 150/170 Fb.

NEUFAHRN in Niederbayern **8301.** Bayern 413 T 20, 987 ㉗ – 3 300 Ew – Höhe 404 m – ✆ 08773.
♦München 94 – Ingolstadt 74 – Landshut 22 – ♦Regensburg 38.

Schloßhotel Neufahrn, Schloßweg 2, ✆ 8 74, Fax 1559, Biergarten, « Innenhofterrasse » – TV ☎ P – 25/150. AE ⓓ E VISA
M a la carte 35/64 – **19 Z : 27 B** 75/90 - 140/160 Fb.

NEUFELD Schleswig-Holstein siehe Brunsbüttel.

NEUFFEN **7442.** Baden-Württemberg 413 L 21, 987 ㉟ – 5 000 Ew – Höhe 405 m – ✆ 07025.
Ausflugsziel : Hohenneuffen : Burgruine★ (✳★), O : 12 km.
♦Stuttgart 41 – Reutlingen 17 – ♦Ulm (Donau) 70.

Traube mit Zim, Hauptstr. 24, ✆ 28 94, Fax 5121, ≘s – ☎ P. AE E
Juli - Aug. 3 Wochen geschl. – **M** *(Freitag 14 Uhr - Samstag geschl.)* a la carte 26/62 – **11 Z : 22 B** 90/120 - 120/140.

Stadthalle, Oberer Graben 28, ✆ 26 66 – P – 25/500. ⓓ E
Montag 15 Uhr - Dienstag, 1.- 12. Jan. und Anfang - Mitte Aug. geschl. – **M** a la carte 33/60.

Le ottime tavole
Per voi abbiamo contraddistinto alcuni ristoranti con Menu, ✿, ✿✿ o ✿✿✿.

NEUHARLINGERSIEL **2943.** Niedersachsen 411 G 5 – 1 500 Ew – Höhe 2 m – Seebad – ☎ 04974.

Kurverwaltung, Hafenzufahrt-West 1, ☎ 4 01, Fax 788.

♦Hannover 257 – Emden 59 – Oldenburg 87 – Wilhelmshaven 46.

Mingers, Am Hafen - Westseite 1, ☎ 3 17, ← – TV ☎ – P. . *März - 20. Nov.* – **M** *(Mittwoch geschl.)* a la carte 28/65 – **24 Z : 46 B** 74/93 - 145/180 Fb.

Janssen's Hotel, Am Hafen - Westseite 7, ☎ 2 24, ← – TV ☎ P. AE E. *Mitte Feb.- Mitte Nov.* – (nur Abendessen für Hausgäste) – **23 Z : 43 B** 74/100 - 122.

Rodenbäck, Am Hafen - Ostseite 2, ☎ 2 25, ← – ☎. Zim *5. Nov.- 26. Dez. geschl.* – **M** *(Montag geschl.)* a la carte 24/51 – **14 Z : 23 B** 60/65 - 90/105.

In Neuharlingersiel-Großholum SW : 3 km :

Kissmann's Hotel garni, Ost 4, ☎ 2 44 – P. *April - Okt.* – **14 Z : 31 B** 45 - 78.

NEUHAUS AM INN **8399.** Bayern 413 X 21 – 3 000 Ew – Höhe 312 m – ☎ 08503.

♦München 162 – Linz 96 – Passau 18 – Regensburg 142.

Alte Innbrücke, Finkenweg 7, ☎ 80 01, Fax 8323, ←, – P **M** *(Montag und nach Fasching 2 Wochen geschl.)* a la carte 19,50/32 – **40 Z : 82 B** 46/48 - 70 Fb.

NEUHAUS AM RENNWEG **0-6420.** Thüringen 984 ㉗ – 7 800 Ew – Höhe 835 m – Erholungsort – Wintersport : 2 – ☎ 0037675.

Städt. Fremdenverkehrsamt, am Marktplatz, ☎ 20 61.

Erfurt 109 – ♦Berlin 320 – Coburg 46 – Fulda 168.

Thüringer Hof, Eisfelder Str. 26, ☎ 20 70 – TV – 25/80 *(nur Abendesssen)* – **23 Z : 68 B** Fb.

Am Rennsteig, Schmalenbuchener Str. 2, ☎ 25 29, , , *(nur Abendessen)* – **19 Z : 39 B**.

NEUHAUS AN DER PEGNITZ **8574.** Bayern 413 R 18 – 3 000 Ew – Höhe 400 m – ☎ 09156.

Sehenswert : Lage★.

♦München 199 – Amberg 38 – Bayreuth 47 – ♦Nürnberg 53.

Burg Veldenstein, Burgstr. 88, ☎ 6 33, Fax 1749, , , – P. AE E VISA *5. Jan.- 28. Feb. geschl.* – **M** *(Montag geschl.)* a la carte 20/36 – **19 Z : 40 B** 43 - 82/105.

Bayerischer Hof, Unterer Markt 9, ☎ 6 71, , – P. Zim *1.- 28. Nov. geschl.* – **M** *(Montag geschl.)* a la carte 17/36 – **13 Z : 22 B** 38/60 - 70/90.

NEUHOF **6404.** Hessen 412 ㉑⑭④ 413 L 15 – 10 500 Ew – Höhe 275 m – ☎ 06655.

♦Wiesbaden 133 – ♦Frankfurt am Main 89 – Fulda 15.

Schützenhof, Gieseler Str. 2, ☎ 20 71, Fax 72555, – ☎ P. E *Juni - Juli 2 Wochen geschl.* – **M** *(Samstag bis 17 Uhr geschl.)* a la carte 20/45 – **15 Z : 30 B** 43/53 - 80/98.

In Kalbach 1-Grashof **6401** S : 8 km über Kalbach - Mittelkalbach :

Landhotel Grashof, ☎ (06655) 27 72, Fax 1710, ←, – ☎ P – 25/40. E *Jan. 2 Wochen geschl.* – **M** *(Montag geschl.)* a la carte 28/50 – **18 Z : 24 B** 68/84 - 125/145.

NEUHOF AN DER ZENN **8501.** Bayern 413 O 18 – 1 700 Ew – Höhe 335 m – ☎ 09107.

♦München 198 – ♦Nürnberg 34 – ♦Würzburg 81.

Riesengebirge, Marktplatz 14, ☎ 13 71, Telex 624321, Fax 1479, « Innenhofterrasse », – TV P – 25/80. E VISA. Rest *28. Dez.- 6. Jan. und 10.- 30. Aug. geschl.* – **M** *(Sonntag geschl.)* a la carte 47/75 – **64 Z : 105 B** 98/205 - 150/420 Fb.

NEU-ISENBURG Hessen siehe Frankfurt am Main.

NEUKIRCHEN BEIM HL. BLUT **8497.** Bayern 413 VW 19 – 4 200 Ew – Höhe 490 m – Wintersport : 670/1 050 m 3 4 – ☎ 09947.

Verkehrsamt, Marktplatz 2, ☎ 24 21, Fax 2444.

♦München 208 – Cham 30 – Zwiesel 46.

Zum Bach, Marktstr. 1, ☎ 12 18, – TV P *10. Nov.- 5. Dez. geschl.* – **M** *(Donnerstag geschl.)* a la carte 16/31 – **16 Z : 32 B** 30/32 - 56 Fb – ½ P 38.

NEUKIRCHEN (Knüllgebirge) **3579.** Hessen 412 L 14 – 7 400 Ew – Höhe 260 m – Kneipp- und Luftkurort – ☎ 06694.

ℹ Kurverwaltung, im Rathaus, Kurhessenstraße, ✆ 60 33.

♦Wiesbaden 148 – Bad Hersfeld 33 – ♦Kassel 80 – Marburg 52.

- **Landgasthof Combecher,** Kurhessenstr. 32 (B 454), ✆ 60 48, Fax 6116, – P. AE ⓓ E VISA
  3.- 12. Jan. geschl. – **M** *(Montag bis 18 Uhr geschl.)* a la carte 20/57 – **40 Z : 75 B** 60/85 - 96/130 Fb – ½ P 58/91.

NEUKIRCHEN KREIS NORDFRIESLAND **2268.** Schleswig-Holstein 411 J 2, 987 ④ – 1 300 Ew – Höhe 2 m – ☎ 04664.

Ausflugsziel : Hof Seebüll : Nolde-Museum★ N : 5 km.

♦Kiel 133 – Flensburg 56 – Niebüll 14.

- **Fegetasch,** Osterdeich, ✆ 2 02, – TV P.
  20. Dez.- 6. Jan. geschl. – **M** *(Okt.- Ostern Sonntag geschl.)* a la carte 24/41 – **22 Z : 42 B** 30/48 - 58/82.

NEUKIRCHEN VORM WALD **8391.** Bayern 413 X 20 – 2 400 Ew – Höhe 464 m – ☎ 08504.

ℹ Verkehrsamt, Kirchenweg 2, ✆ 17 63.

♦München 191 – Passau 15 – ♦Regensburg 113 – Salzburg 150.

In Neukirchen-Feuerschwendt O : 6 km :

- **Gut Giesel**, ✆ (08505)7 87, Fax 4149, – P. Rest
  15. Nov. - 15. Dez. geschl. – (Restaurant nur für Hausgäste) – **6 Z : 11 B** 67/82 - 114/164 (½ P) Fb – 10 Appart. 214/264 (½ P) – 20 Fewo.

NEUKLOSTER Mecklenburg-Vorpommern siehe Wismar.

NEULEININGEN Rheinland-Pfalz siehe Grünstadt.

NEULINGEN Baden-Württemberg siehe Pforzheim.

NEUMAGEN-DHRON **5507.** Rheinland-Pfalz 412 D 17 – 3 000 Ew – Höhe 120 m – ☎ 06507.

Mainz 133 – Bernkastel-Kues 20 – ♦Trier 39.

- **Gutshotel**, Balduinstr. 1, ✆ 20 35, Fax 5644, « Ehemaliges Weingut », – P. AE E VISA
  Jan. geschl. – **M** *(Montag geschl.)* a la carte 41/80 – **19 Z : 50 B** 110/160 - 156/210 Fb.
- **Berghof** garni, Bergstr. 10, ✆ 21 08 – P.
  April - Okt. – **13 Z : 24 B** 40 - 60/70 – 2 Fewo 70/90.
- **Zur Post** garni, Römerstr. 79, ✆ 21 14 – P.
  16 Z : 29 B 45/50 - 75/80.

NEUMARKT IN DER OBERPFALZ **8430.** Bayern 413 R 19, 987 ㉖ ㉗ – 31 600 Ew – Höhe 429 m – ☎ 09181.

Lauterhofen (NO : 17 km), ✆ (09186) 15 74.

♦München 138 – Amberg 40 – ♦Nürnberg 40 – ♦Regensburg 72.

- **Nürnberger Hof,** Nürnberger Str. 28a, ✆ 3 24 28, Fax 44467 – TV P
  24. Dez.- 10. Jan. geschl. – **M** *(nur Abendessen)* a la carte 23/40 – **59 Z : 98 B** 50/70 - 95/110.
- **Gasthof Ostbahn,** Bahnhofstr. 4, ✆ 50 41, Fax 6515 – TV P. AE ⓓ E VISA.
  M *(Dienstag geschl.)* a la carte 26/53 – **20 Z : 39 B** 70/90 - 105/150.
- **Mehl**, Kirchengasse 3, ✆ 57 16, Fax 6296 – TV. ⓓ E VISA. Rest
  24. Dez.- 12. Jan. geschl. – **M** *(nur Abendessen, Sonntag geschl.)* a la carte 21/38 – **23 Z : 33 B** 38/70 - 68/105.
- **Stern,** Oberer Markt 32, ✆ 52 38, Fax 21854 – TV P. ⓓ E VISA
  15. Feb.- 15. März geschl. – **M** *(Mittwoch geschl.)* a la carte 18,50/46 – **50 Z : 100 B** 60/85 - 95/110.

NEUMARKT-ST. VEIT **8267.** Bayern 413 U 21, 987 ㊲ – 5 000 Ew – Höhe 448 m – ☎ 08639.

♦München 98 – Landshut 39 – Passau 93 – Salzburg 89.

- **Peterhof,** Bahnhofstr. 31, ✆ 3 09 – P. E VISA.
  M *(Samstag geschl.)* a la carte 20/35 – **19 Z : 30 B** 30/40 - 62/72.

In Niedertaufkirchen **8267** SO : 8 km :

- **Söll** mit Zim, Hundhamer Str. 2, ✆ (08639) 2 27, – TV P. E
  29. Aug.- 9. Sept. geschl. – **M** *(Mittwoch geschl.)* a la carte 21/36 – **7 Z : 11 B** 37/45 - 60/75.

NEUMÜNSTER **2350.** Schleswig-Holstein 411 MN 4, 987 ⑤ – 79 500 Ew – Höhe 22 m – ✆ 04321.

ℹ Tourist-Information, Großflecken (Verkehrspavillon), ✆ 4 32 80.

ADAC, Wasbeker Str. 306 (B 430), ✆ 6 22 22.

♦Kiel 34 ⑥ – Flensburg 100 ⑥ – ♦Hamburg 66 ⑤ – ♦Lübeck 58 ③.

NEUMÜNSTER

Gänsemarkt . . . . Z 6
Großflecken . . . . Z 8
Holstenstraße . . . . Z 10
Kleinflecken . . . . Z 14
Kuhberg . . . . Y 16
Lütjenstraße . . . . Z 18
Parkstraße . . . . Y 24

Am Teich . . . . Z 2
Anscharstraße . . . . Y 3
Bismarckstraße . . . . Y 4
Brachenfelder Straße . . . . YZ 5
Goethestraße . . . . Y 7
Kaiserstraße . . . . YZ 12
Klaus-Groth-Straße . . . . Y 13
Marienstraße . . . . YZ 19
Mühlenhof . . . . Z 22
Sauerbruchstraße . . . . Y 25
Schleusberg . . . . Z 26
Schützenstraße . . . . Z 28
Tungendorfer Straße . . . . Y 29
Warmsdorfstraße . . . . Z 30

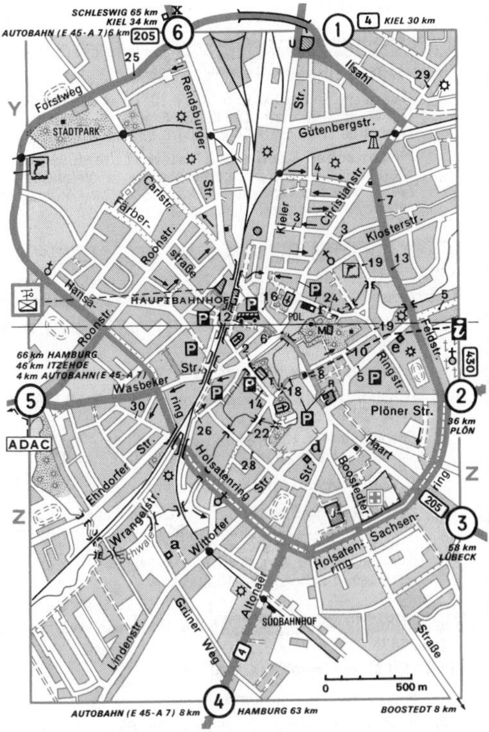

Parkhotel garni, Parkstr. 29, ✆ 4 30 27, Telex 299602, Fax 43020 – |♦| TV ☎ ♿ 🚗 P. AE ⓓ E VISA — Y r
53 Z : 95 B 98/115 - 130/165 Fb.

Friedrichs garni, Rügenstr. 11, ✆ 80 11, Telex 299510, Fax 8013 – |♦| TV ☎ P — Z a
20. Dez.- 3. Jan. geschl. – **38 Z : 57 B** 62/70 - 103/112.

Firzlaff's Hotel garni, Rendsburger Str. 183 (B 205), ✆ 5 14 66, Fax 54248 – TV ☎ P. E — Y x
18 Z : 31 B 58/85 - 110/125.

Am Kamin, Probstenstr. 13, ✆ 4 28 53 – AE E — Z d
Sonn- und Feiertage sowie Juni - Juli 2 Wochen geschl. – **M** a la carte 55/76.

Ratskeller, Großflecken 63, ✆ 4 23 99, Fax 44256 – AE ⓓ E — Z R
Montag geschl. – **M** a la carte 37/60.

Holsteiner Bürgerhaus mit Zim, Brachenfelder Str. 58, ✆ 2 32 84 – AE ⓓ E — Z e
M a la carte 30/70 – **6 Z : 11 B** 60/70 - 90/98.

In Neumünster 2-Einfeld über ①

Tannhof, Kieler Str. 452 (B 4), ✆ 52 91 97, Fax 529190, 🏊, 🌳 – TV ☎ ♿ P – 🏛 25/100. AE E VISA. ✈
M a la carte 30/65 – **34 Z : 68 B** 66/91 - 115/145 – 3 Appart. 265.

Zur Alten Schanze, Einfelder Schanze 96 (B 4), ✆ 5 22 55, Fax 528891, « Terrasse » – P. AE E
M a la carte 45/88.

In Neumünster 1 - Gadeland ③ : 3,5 km :

Kühl (mit Gästehaus), Segeberger Str. 74 (B 205), ✆ 70 80, Fax 70880 – ☎ 🚗 P
M *(nur Abendessen, Sonntag geschl.)* a la carte 25/48 – **34 Z : 56 B** 60/75 - 85/108.

NEUNKIRCHEN **6951.** Baden-Württemberg 412 413 K 18 – 1 500 Ew – Höhe 350 m – ☎ 06262.

♦Stuttgart 92 – Heidelberg 34 – Heilbronn 40 – Mosbach 15.

Park- und Sporthotel Stumpf ⑤, Zeilweg 16, ☎ 8 98, Fax 4498, ≤, 🏠, « Garten », ≘, ☐, ✂ – 🛗 TV ☎ P – 🏃 25. AE ① E VISA
1.- 21. Aug. geschl. – **M** *(auch vegetarische Gerichte)* a la carte 32/62 – **50 Z : 93 B** 80/100 - 172/196 Fb.

NEUNKIRCHEN AM BRAND **8524.** Bayern 413 Q 18 – 6 500 Ew – Höhe 317 m – ☎ 09134.

♦München 190 – ♦Bamberg 40 – ♦Nürnberg 26.

Selau ⑤, In der Selau 5, ☎ 70 10, Telex 629728, Fax 70187, ≘, ☐, ⛱, ✂ (Halle) – 🛗 TV ☎ 🚗 P – 🏃 25/80. AE E VISA. ✂ Rest
M a la carte 34/58 – **54 Z : 104 B** 85/128 - 126/180 Fb.

XX **Historisches Gasthaus Klosterhof** (Gebäude a.d. 17. Jh., rustikale Einrichtung), Innerer Markt 7, ☎ 15 85, 🏠, bemerkenswerte Weinkarte – AE ① E VISA
Feb. 1 Woche, Mitte Aug.- Anfang Sept. und Montag geschl. – **M** *(abends Tischbestellung ratsam)* a la carte 50/70.

NEUNKIRCHEN/SAAR **6680.** Saarland 987 ㉔, 412 E 18, 242 ⑦ – 52 000 Ew – Höhe 255 m – ☎ 06821.

♦Saarbrücken 22 – Homburg/Saar 15 – Idar-Oberstein 60 – Kaiserslautern 51.

Am Zoo ⑤ garni, Zoostr. 29, ☎ 2 70 74 – 🛗 TV ☎ P – 🏃 30/60
34 Z : 58 B Fb.

In Neunkirchen 5-Furpach SO : 4 km :

Gutshof garni, Beim Wallratsroth 1, ☎ 3 10 59 – TV ☎ P
20 Z : 34 B Fb.

Furpacher Hof, Kohlhofweg 3, ☎ 3 11 82 – P
(Montag - Freitag nur Abendessen) – **12 Z : 14 B**.

In Neunkirchen-Kohlhof SO : 5 km :

XXX ✿ **Hostellerie Bacher** mit Zim, Limbacher Str. 2, ☎ 3 13 14, 🏠 – TV ☎ P. AE ① E VISA
Ende Juli - Mitte Aug. geschl. – **M** *(Tischbestellung ratsam)* (Sonntag geschl.) 60 /130 und a la carte 50/86 *(bemerkenswerte Weinkarte)* – **4 Z : 7 B** 80 - 160 Fb
Spez. Scampi im Kartoffelmantel, Gebratene Goldbrasse mit Rotweinsauce, Geeiste Karamelmousse auf Schokoladen-Nußboden.

NEUNKIRCHEN-SEELSCHEID **5206.** Nordrhein-Westfalen 412 F 14 – 17 000 Ew – Höhe 180 m – ☎ 02247.

♦Düsseldorf 81 – ♦Bonn 24 – ♦Köln 40.

Im Ortsteil Neunkirchen :

Kurfürst, Hauptstr. 13, ☎ 10 38, Fax 8884, 🏠, ⛱ – TV ☎ P – 🏃 25/100. AE ① E VISA
M 22 /68 – **22 Z : 38 B** 75/85 - 130 Fb.

NEUÖTTING **8265.** Bayern 413 V 22, 987 ㊲ ㊳, 426 JK 4 – 7 900 Ew – Höhe 392 m – ☎ 08671.

♦München 94 – Landshut 62 – Passau 82 – Salzburg 74.

Krone, Ludwigstr. 69, ☎ 23 43 – 🛗 🚗
24. Dez.- 4. Jan. geschl. – **M** *(Samstag ab 14 Uhr geschl.)* a la carte 14/27 🍷 – **23 Z : 34 B** 25/45 - 50/80.

NEUPOTZ **6729.** Rheinland-Pfalz 412 413 H 19 – 1 600 Ew – Höhe 110 m – ☎ 07272.

Mainz 123 – ♦Karlsruhe 23 – Landau 23 – ♦Mannheim 52.

Zum Lamm, Hauptstr. 7, ☎ 28 09 – P
M *(Sonntag ab 14 Uhr, Dienstag, Jan.- Feb. 2 Wochen und Juli - Aug. 4 Wochen geschl.)* a la carte 22/52 🍷 – **8 Z : 12 B** 40 - 80.

NEURIED **7607.** Baden-Württemberg 413 G 21, 242 ㉔ – 7 700 Ew – Höhe 148 m – ☎ 07807.

♦ Stuttgart 156 – ♦ Freiburg im Breisgau 59 – Lahr 21 – Offenburg 11 – Strasbourg 19.

In Neuried 2-Altenheim :

Ratsstüble, Kirchstr. 38, ☎ 35 11, 🏠, ⛱ – TV ☎ P
M *(Samstag bis 18 Uhr, Sonntag, Feb.- März und Juli - Aug. jeweils 2 Wochen geschl.)* a la carte 21/45 🍷 – **33 Z : 53 B** 38/50 - 60/85.

NEURIED Bayern siehe München.

NEURUPPIN **O-1950.** Brandenburg 984 ⑪, 987 ⑰ - 27 000 Ew - Höhe 47 m - ✆ 0037362.
◆Berlin 74 - Brandenburg 90.

Märkischer Hof, Karl-Marx-Str. 51, ✆ 28 01, - Zim
M a la carte 23/37 - **21 Z : 42 B** 50/110 - 70/150.

NEUSÄSS **8902.** Bayern 413 P 21 - 20 000 Ew - Höhe 525 m - ✆ 0821 (Augsburg).
◆München 75 - ◆ Augsburg 7 - ◆ Ulm (Donau) 89.

Neusässer Hof, Hauptstr. 7a, ✆ 46 10 51, Fax 467910, Biergarten -
23. Dez.- 8. Jan. geschl. - **M** *(im Gasthof Schuster, Dienstag geschl.)* a la carte 20/45 - **50 Z : 60 B** 50/75 - 90/115.

Ägidius-Klause, Hauptstr. 13, ✆ 46 57 51 - AE E VISA
Sonn- und Feiertage geschl. - **M** a la carte 51/65.

In Neusäß-Steppach S : 2 km :

Brauereigasthof Fuchs, Alte Reichsstr. 10, ✆ 48 10 57, Fax 485845, Biergarten -
24. Dez.- 8. Jan. geschl. - **M** *(Montag geschl.)* a la carte 25/47 - **28 Z : 60 B** 65/75 - 108/120 Fb.

NEUSCHÖNAU Bayern siehe Grafenau.

NEUSS **4040.** Nordrhein-Westfalen 411 412 D 13, 987 ㉓ - 147 000 Ew - Höhe 40 m - ✆ 02131.
Sehenswert : St. Quirinus-Münster★ Y.
Ausflugsziel : Schloß Dyck★ SW : 9 km über ④.
Verkehrsverein, Friedrichstr. 40, ✆ 27 98 17.
ADAC An der Münze 7-9, ✆ 27 33 80, Notruf ✆ 1 92 11.
◆Düsseldorf 10 - ◆Köln 38 ② - Krefeld 20 ① - Mönchengladbach 21 ⑤.

Stadtplan siehe nächste Seite

Swissotel Düsseldorf-Neuss, Rheinallee 1, ✆ 15 30, Telex 8517521, Fax 153666, - Zim - 25/1500. Rest X b
Restaurants : **Pavillon** (nur Abendessen) - **Petit Paris** - **250 Z : 500 B** Fb - 6 Appart.

Viktoria garni, Kaiser-Friedrich-Str. 2, ✆ 2 39 90, Fax 2399100 - Zim AE E VISA Z e
66 Z : 110 B 154/314 - 194/384 Fb.

City-Hotel garni, Adolf-Flecken-Str. 18, ✆ 27 50 21, Telex 8517780, Fax 23298 - AE E VISA Y r
50 Z : 82 B 154/284 - 194/384 Fb.

Hamtor-Hotel (Restaurant im Bistrostil), Hamtorwall 17, ✆ 22 20 02, Fax 277694, - AE E VISA Y s
M *(nur Abendessen)* a la carte 27/48 - **36 Z : 56 B** 88/105 - 155 Fb.

Climat, Hellersbergstr. 16, ✆ 10 40, Fax 130201 - - 25/50. AE E VISA
M a la carte 25/36 - **49 Z : 65 B** 119/179 - 159/239 Fb. Z s

Haus Hahn garni, Bergheimer Str. 125 (B 477), ✆ 4 90 51, Fax 43908 - E VISA Z u
Juli 3 Wochen und Ende Dez.- Anfang Jan. geschl. - **15 Z : 20 B** 95/125 - 165/210.

An de Poz (Restaurant in einem alten Kellergewölbe), Oberstr. 7, ✆ 27 27 77, Fax 277104 - AE E VISA Z b
Samstag bis 18 Uhr, Sonn- und Feiertage, Juli - Aug. 3 Wochen und 24.- 31. Dez. geschl. - **M** (Tischbestellung ratsam) a la carte 63/80.

Zum Stübchen, Preussenstr. 73, ✆ 8 22 16, Fax 82325 - AE E VISA X n
Montag geschl. - **M** (Tischbestellung ratsam) a la carte 38/78.

Rosengarten in der Stadthalle, Selikumer Str. 25, ✆ 27 41 81, Fax 277493, - - 25/400. AE E VISA Z
27. Dez.- 6. Jan. geschl. - **M** a la carte 35/57.

In Neuss-Erfttal SO : 5 km über ②

Novotel Neuss, Am Derikumer Hof 1, ✆ 13 80, Telex 8517634, Fax 120687, - Zim Rest - 25/120. AE E VISA
M a la carte 35/60 - **110 Z : 220 B** 169/186 - 207 Fb.

In Neuss-Grimlinghausen SO : 6 km über Kölner Str. X :

Landhaus Hotel, Hüsenstr. 17, ✆ 3 70 30, Telex 8517891, Biergarten - - 25/50. E
M a la carte 49/72 **30 Z : 55 B** 150/250 - 199/290 Fb.

In Kaarst **4044** NW : 6 km über Kaarster Str. X :

Landhaus Michels garni, Kaiser-Karl-Str. 10, ✆ (02131) 60 40 04, Fax 605339 - . AE E VISA
23. Dez.- 7. Jan. geschl. - **21 Z : 38 B** 55/100 - 90/140.

NEUSS

Büchel	Y	
Further Straße	X	12
Glockhammer	Y	13
Meererhof	Y	
Neustraße	Z	21
Niederstraße	Y	22
Sebastianusstraße	Y	28
Berghäuschens Weg	X	2
Bergheimer Straße	X	3
Burgunder Straße	X	6
Danziger Straße	Y	7
Dreikönigenstraße	Z	8
Düsseldorfer Straße	X	9
Fesserstraße	X	10
Hammefelddamm	X	14
Hamtorplatz	YZ	15
Jülicher Landstraße	X	16
Konrad-Adenauer-Ring	X	17
Marienkirchplatz	Y	18
Münsterplatz	Y	20
Platz am Niedertor	Y	23
Römerstraße	X	26
Schulstraße	Y	27
Selikumer Straße	Z	29
Stiftsgasse	YZ	30
Stresemannallee	X	31
Venloer Straße	X	33
Viersener Straße	X	34

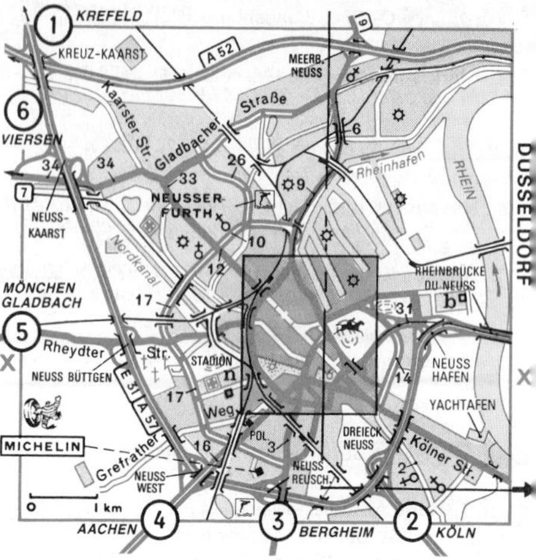

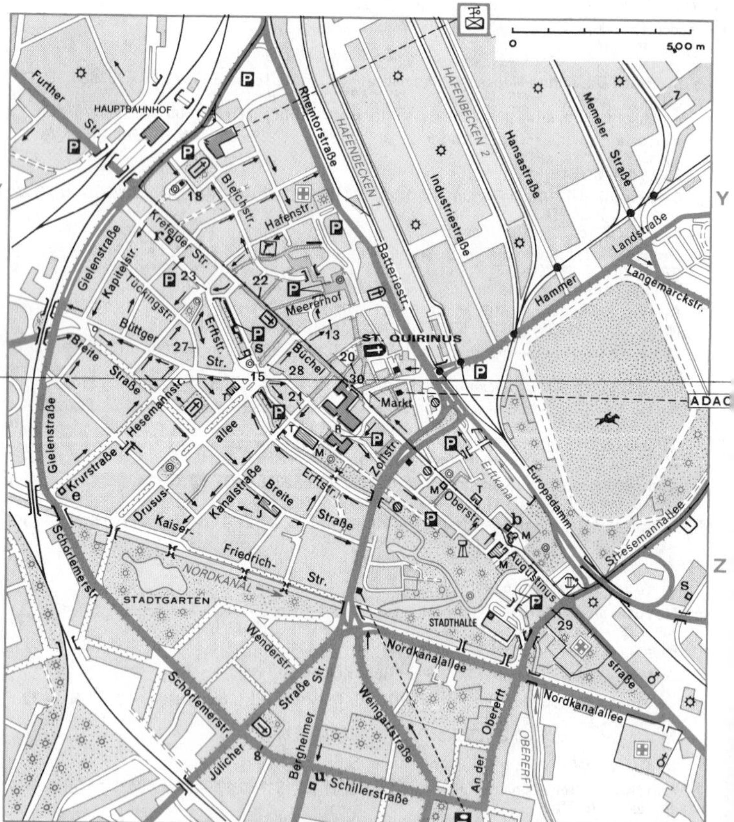

In Kaarst 2-Büttgen **4044** W : 6 km über ⑤ :

Jan van Werth, Rathausplatz 20, ✆ (02131) 51 41 60, Fax 511433 – |♦| TV ☎ P. Ⓓ E
M *(Montag geschl.)* a la carte 36/59 – **22 Z : 30 B** 75/100 - 125/150 Fb.

Gästehaus Alt Büttgen garni, Kölner Str. 30, ✆ (02131) 51 80 66, Fax 516195 – TV ☎ P
16 Z : 20 B 65/85 - 110/140.

In Kaarst 2 - Holzbüttgen **4044** NW : 7 km über Viersener Str. X :

Hotel im Open-Air-Tennispark, August-Thyssen-Str. 13, ✆ (02131) 66 20, Fax 662516, Fitness, Sauna, Tennis (Halle) – |♦| TV ☎ P – 25/100. AE Ⓓ E VISA
M a la carte 36/60 – **34 Z : 64 B** 138/188 - 188/248 Fb.

MICHELIN-REIFENWERKE KGaA. Niederlassung 4040 Neuss 1, Moselstr. 11 X, ✆ 4 90 61.

NEUSTADT AM MAIN **8771.** Bayern 412 413 L 17 – 1 500 Ew – Höhe 153 m – ☎ 09393.
♦München 338 – Lohr am Main 8 – ♦Würzburg 43.

Zum Engel, Hauptstr. 1, ✆ 5 05, Terrasse – |♦| Garage P
15. Nov.- 15. Dez. geschl. – **M** *(Montag geschl.)* a la carte 18,50/44 ♨ – **20 Z : 32 B** 35/55 - 70/90.

NEUSTADT AN DER AISCH **8530.** Bayern 413 O 18, 987 ㉖ – 11 700 Ew – Höhe 292 m – ☎ 09161.
ℹ Verkehrsamt, Würzburger Str. 33 ✆ 6 66 47.
♦München 217 – ♦Bamberg 53 – ♦Nürnberg 41 – ♦Würzburg 67.

Römerhof - Ristorante Forum, Richard-Wagner-Str. 15, ✆ 30 11 (Hotel) 30 13 (Rest.) – ☎ P. AE Ⓓ E VISA. ✱ Rest
M *(Donnerstag und Aug. - 5. Sept. geschl.)* a la carte 25/52 ♨ – **20 Z : 40 B** 50/65 - 95/115.

Neustadt-Stuben, Ansbacher Str. 20c, ✆ 56 22 – P. AE Ⓓ E VISA
Samstag bis 18 Uhr und Dienstag geschl. – **M** a la carte 38/58.

In Dietersheim **8531** SW : 6,5 km :

Frankenland ✠, Schützenstr. 15, ✆ (09161) 28 76, Fax 7476, Terrasse – Garage P
9.- 27. März geschl. – **M** *(Sonntag 15 Uhr - Montag geschl.)* a la carte 28/50 – **10 Z : 15 B** 60/65 - 85/100.

In Dietersheim-Oberroßbach **8531** S : 6 km :

Fiedler ✠, Oberroßbach 28, ✆ (09161) 24 25, Terrasse, Sauna, Liegewiese – P
M *(Mittwoch - Donnerstag 18 Uhr geschl.)* a la carte 18,50/30 ♨ – **12 Z : 24 B** 40/50 - 80/90 Fb.

NEUSTADT AN DER DONAU **8425.** Bayern 413 S 20, 987 ㉗ – 10 000 Ew – Höhe 355 m – ☎ 09445.
ℹ Kurverwaltung, Heiligenstädter Straße (Bad Gögging), ✆ 80 66, Fax 8609.
♦München 90 – Ingolstadt 33 – Landshut 48 – ♦Regensburg 43.

Gigl, Herzog-Ludwig-Str. 6, ✆ 70 97 – ☎ Garage P. E
1.- 6. Jan. geschl. – **M** *(Freitag - Samstag, 7.- 25. Jan. und 22. Aug.- 5. Sept. geschl.)* a la carte 16/36 ♨ – **22 Z : 35 B** 32/43 - 57/71.

In Neustadt-Bad Gögging NO : 4 km – Heilbad :

Eisvogel ✠, An der Abens 20, ✆ 80 75, Fax 8475, Terrasse, Bade- und Massageabteilung, Sauna, Liegewiese – |♦| TV Garage P – 30 – **34 Z : 60 B** Fb – 4 Appart.

Kurhotel Centurio ✠, Am Brunnenforum 6, ✆ 20 50, Fax 205420, Terrasse, Bade- und Massageabteilung, Liegewiese direkter Zugang zur Limestherme – |♦| TV ☎ Garage P – 25/50. AE Ⓓ E VISA
M a la carte 26/57 – **67 Z : 134 B** 83/105 - 132/190 Fb – ½ P 82/108.

NEUSTADT AN DER SAALE, BAD **8740.** Bayern 413 N 16, 987 ㉖ – 14 300 Ew – Höhe 243 m – Heilbad – ☎ 09771.
ℹ Kurverwaltung, Löhriether Str. 2, ✆ 9 09 83.
♦München 344 – ♦Bamberg 86 – Fulda 59 – ♦Würzburg 76.

Romantik-Hotel Schwan und Post (Gasthof a.d.J. 1772), Hohnstr. 35, ✆ 9 10 70, Fax 910720, Terrasse, Sauna – TV ☎ Garage P – 25/120. AE Ⓓ E VISA
M a la carte 39/73 – **32 Z : 53 B** 95/140 - 150/200 Fb – ½ P 110/175.

Da Rosario, Schweinfurter Str. 4, ✆ 22 31, Fax 991180, Biergarten – TV ☎ Garage P. AE Ⓓ E VISA
M a la carte 21/39 – **23 Z : 44 B** 75 - 135/175.

Zum goldenen Löwen, Hohnstr. 26, ✆ 80 22, Fax 2245 – ☎ P
M *(Mittwoch geschl.)* a la carte 21/55 – **31 Z : 50 B** 45/65 - 90/95.

NEUSTADT AN DER WALDNAAB **8482.** Bayern 413 T 17, 987 ㉗ – 5 800 Ew – Höhe 408 m – ☎ 09602.

♦München 210 – Bayreuth 60 – ♦Nürnberg 105 – ♦Regensburg 87.

- **Grader,** Freyung 39, ☎ 70 85, Fax 8220 – |♦| ☎ P – 🏛 25. AE E
  1.- 12. Jan. geschl. – **M** *(Sonntag geschl.)* a la carte 26/49 ⅋ – **49 Z : 80 B** 35/70 - 58/90 Fb.
- Zum Bären, Stadtplatz 26, ☎ 13 80, Biergarten – ☎
  13 Z : 21 B.
- Kronprinz, Knorrstr. 16, ☎ 12 18 – 🚗
  15 Z : 27 B Fb.

NEUSTADT AN DER WEINSTRASSE **6730.** Rheinland-Pfalz 412 413 H 18, 987 ㉔, 242 ⑧ – 50 000 Ew – Höhe 140 m – ☎ 06321.

🏌18 Neustadt-Geinsheim (SO : 10 km), ☎ (06327) 29 73.

ℹ Tourist-Information, Exterstr. 2, ☎ 85 53 29, Telex 454869, Fax 81986.

ADAC Martin-Luther-Str. 69, ☎ 8 90 50, Telex 454849.

Mainz 94 – Kaiserslautern 36 – ♦Karlsruhe 56 – ♦Mannheim 29 – Wissembourg 46.

- **Page-Hotel** garni, Exterstr. 2/ Ecke Landauer Straße, ☎ 89 80, Telex 454649, Fax 898150, ≘s – |♦| ⇔ Zim TV ☎ ♿ 🚗 – 🏛 25/1200. AE ① E VISA
  123 Z : 246 B 125/150 - 160/190 Fb – 6 Appart. 300/400.
- **Festwiese,** Festplatzstr. 6, ☎ 8 20 81, Fax 31006 – |♦| TV ☎ ♿ 🚗 P – 🏛 25/60. AE ① E VISA
  M *(Sonn- und Feiertage ab 14 Uhr geschl.)* a la carte 44/60 ⅋ – **32 Z : 62 B** 98 - 170 Fb.
- **Kurfürst** garni, Mussbacher Landstr. 2, ☎ 74 41, Telex 454895, Fax 32151 – |♦| TV ☎ 🚗 P – 🏛 25/50. AE ① E VISA
  40 Z : 60 B 90 - 140 Fb – 4 Appart. 165.

In Neustadt 14-Gimmeldingen N : 3 km – Erholungsort :

- **Kurpfalzterrassen** ⛰ mit Zim, Kurpfalzstr. 162, ☎ 62 68, ≤, 🏡 – P – 🏛 40. ① E VISA
  10. Feb.- 2. März und 27. Juli - 11. Aug. geschl. – **M** *(Montag - Dienstag geschl.)* a la carte 37/57 ⅋ – **3 Z : 7 B** 43 - 80.
- **Mugler's Kutscherhaus,** Peter-Koch-Str. 47, ☎ 6 63 62, « Winzerhaus a.d.J. 1773 »
  nur Abendessen, Montag, Aug. 2 Wochen und über Fasching 3 Wochen geschl. – **M** a la carte 32/45 ⅋.

In Neustadt 13-Haardt N : 2 km – Erholungsort :

- **Tenner** ⛰ garni, Mandelring 216, ☎ 65 41, Fax 69306, « Park », ≘s, 🏊, 🌳 – TV ☎ 🚗 P – 🏛 30. AE ① E VISA
  über Weihnachten geschl. – **38 Z : 65 B** 85/100 - 135/160 Fb – 2 Fewo 90/120.
- **Haardter Herzel** ⛰, Eichkehle 58, ☎ 64 21, ≤, 🏡, 🌳 – 🚗 P
  M a la carte 20/36 ⅋ – **9 Z : 19 B** 55 - 85.

In Neustadt 19-Hambach SW : 3 km :

- **Rittersberg** ⛰ mit Zim, beim Hambacher Schloß, ☎ 8 62 50, Fax 32799, ≤ Rheinebene, 🏡 – P – 🏛 30. ⛝
  Jan.- Feb. 3 Wochen und Juli - Aug. 2 Wochen geschl. – **M** *(Donnerstag geschl.)* a la carte 29/55 ⅋ – **5 Z : 12 B** 100/110 (Doppel-Zimmer).

NEUSTADT AN DER WIED **5466.** Rheinland-Pfalz 412 F 15 – 5 600 Ew – Höhe 165 m – ☎ 02683 (Asbach).

ℹ Verkehrsbüro, im Bürgerhaus, ☎ 3 24 24.

Mainz 123 – ♦Koblenz 49 – ♦Köln 65 – Limburg an der Lahn 64.

In Neustadt-Fernthal SO : 4 km :

- **Dreischläger Hof,** Dreischläger Str. 23, ☎ 37 81, Fax 2383 – P
  April 3 Wochen und Mitte - Ende Okt. geschl. – **M** *(Dienstag geschl.)* a la carte 18/35 – **9 Z : 18 B** 30/55 - 70/100.

An der Autobahn A 3 S : 4,5 km :

- **Autobahn-Rasthaus Fernthal,** ✉ 5466 Neustadt-Fernthal, ☎ (02683) 35 34, Fax 2109, ≤, 🏡 – ☎ P. E
  M *(auch vegetarische Gerichte)* a la carte 28/56 – **29 Z : 60 B** 72/133 - 120/150.

NEUSTADT BEI COBURG **8632.** Bayern 413 Q 15, 16, 987 ㉖ – 17 000 Ew – Höhe 344 m – ☎ 09568.

♦München 296 – ♦Bamberg 61 – Bayreuth 68 – Coburg 14.

In Neustadt-Fürth am Berg SO : 7 km :

- **Grenzgasthof** ⛰, Allee 37, ☎ 30 96, Fax 7595, ≘s, 🌳 – 🚗 P – 🏛 25/200
  2.- 18. Aug. geschl. – **M** *(Freitag geschl.)* a la carte 24/46 – **40 Z : 68 B** 30/80 - 60/140 Fb -(Anbau mit 35 Z, |♦| ab Frühjahr 1992).

In Neustadt-Wellmersdorf S : 5 km :

Heidehof, Wellmersdorfer Str. 50, ✆ 21 55, Fax 4042, – . Zim
Mitte - Ende März und Mitte - Ende Sept. geschl. – **M** *(Sonntag geschl.)* a la carte 22/36 – **41 Z : 81 B** 60/80 - 90/150.

NEUSTADT IN HOLSTEIN **2430.** Schleswig-Holstein 411 P 4, 987 ⑥ – 14 500 Ew – Höhe 4 m – Seebad – ✆ 04561.

Gut Bensloe, Baumallee 14 (NO : 3 km), ✆ (04561) 81 40.

◆Kiel 60 – ◆Lübeck 34 – Oldenburg in Holstein 21.

Hamburger Hof, Lienaustr. 26a, ✆ 62 40 – TV . AE E.
Weihnachten - Anfang Jan. geschl. – **M** *(nur Abendessen)* a la carte 20/46 – **10 Z : 20 B** 60/66 - 106.

Ratskeller, Am Markt 1, ✆ 80 11, – AE E VISA
Nov.- April Montag geschl. – **M** a la carte 37/64.

In Neustadt 2-Pelzerhaken O : 5 km :

Eichenhain mit Zim, Eichenhain 3, ✆ 74 80, Fax 7833, ≤, , – TV . E VISA
3. Jan.- Feb. und Nov.- 10. Dez. geschl. – **M** a la carte 39/67 – **10 Z : 20 B** 95/125 - 140/180 Fb – 10 Fewo 130/160.

NEUTRAUBLING Bayern siehe Regensburg.

NEU-ULM **7910.** Bayern 413 N 21, 987 ㊱ – 50 000 Ew – Höhe 468 m – ✆ 0731 (Ulm/Donau).

Stadtplan siehe Ulm (Donau).

Städt. Verkehrsbüro, Ulm, Münsterplatz, ✆ 6 41 61.

ADAC Ulm, Neue Str. 40, ✆ 6 66 66, Notruf ✆ 1 92 11.

Mövenpick-Hotel, Silcherstr. 40 (Edwin-Scharff-Haus), ✆ 8 01 10, Telex 712539, Fax 85967, ≤, , – Zim TV – 25/500. AE E VISA X e
M a la carte 30/60 – **135 Z : 235 B** 198/259 - 258/328 Fb.

City-Hotel garni, Ludwigstr. 27, ✆ 7 40 25, Fax 78334 – TV . AE E VISA. X r
1.- 6. Jan. geschl. – **20 Z : 35 B** 95/105 - 140/155 Fb.

Deckert, Karlstr. 11, ✆ 7 60 81 – X s
22. Dez.- 8. Jan. geschl. – (nur Abendessen für Hausgäste) – **23 Z : 33 B** 55/78 - 112 Fb.

Glacis (ehem. Villa mit Wintergarten), Schützenstr. 72, ✆ 8 68 43, – X u

In Neu-Ulm -Finningen O : 7 km über Reuttier Str. X und Europastraße :

Landgasthof Hirsch, Dorfstr. 4, ✆ 7 01 71, Fax 724131, – TV – 35. AE E VISA
M *(Dienstag und 1.- 14. Aug. geschl.)* a la carte 26/53 – **22 Z : 39 B** 125 - 168 Fb.

In Neu-Ulm - Reutti SO : 6,5 km über Reuttier Str. X :

Landhof Meinl, Marbacher Str. 4, ✆ 7 05 20, Fax 7052222, Massage, – TV . AE E VISA
23. Dez.- 6. Jan. geschl. – (nur Abendessen für Hausgäste) – **30 Z : 50 B** 112/125 - 120/155 Fb.

In Neu-Ulm - Schwaighofen über Reuttier Str. X :

Zur Post, Reuttier Str. 172, ✆ 7 74 10, – . AE E
Samstag bis 17 Uhr, Montag, 2.- 12. Jan. und 10.- 31. Aug. geschl. – **M** a la carte 35/61.

NEUWEILER **7266.** Baden-Württemberg 413 I 21 – 2 500 Ew – Höhe 640 m – Wintersport : 4 – ✆ 07055.

Touristik-Information, Rathaus, ✆ 4 77.

◆Stuttgart 66 – Freudenstadt 36 – Pforzheim 41.

In Neuweiler-Oberkollwangen NO : 3 km :

Talblick, Breitenberger Str. 15, ✆ 70 32, , , – . E
10. Nov.- 10. Dez. geschl. – **M** *(Montag geschl.)* a la carte 20/35 – **18 Z : 32 B** 48 - 96 Fb.

NEUWIED **5450.** Rheinland-Pfalz 987 ㉔, 412 F 15 – 63 000 Ew – Höhe 62 m – ✆ 02631.

Städt. Verkehrsamt, Kirchstr. 52, ✆ 80 22 60.

Mainz 114 – ◆Bonn 54 – ◆Koblenz 15.

Stadt-Hotel garni, Pfarrstr. 1a, ✆ 2 21 95, Fax 21335 – TV
14 Z : 24 B Fb.

Stadtpark-Hotel garni, Heddesdorfer Str. 84, ✆ 3 23 33 – TV .
10 Z : 20 B Fb.

Deichkrone, Deichstr. 14, ✆ 2 38 93, ≤ Rhein, – AE E
Montag geschl. – **M** a la carte 43/75.

In Neuwied 21-Engers O : 7 km :

Euro-Hotel Fink, Werner-Egk-Str. 2, ☎ (02622) 49 50 (Hotel) 58 57 (Rest.) – *15. Juli - 10. Aug. geschl.* – **M** *(nur Abendessen, Freitag geschl.)* a la carte 21/47 – **35 Z : 72 B** 40/45 - 80.

In Neuwied 22 - Heimbach-Weis NO : 7 km :

Lindenhof, Sayner Str. 34, ☎ (02622) 8 36 78 – *15. Juli - 10. Aug. geschl.* – (nur Abendessen für Hausgäste) – **12 Z : 25 B** 40 - 80.

In Neuwied 23-Oberbieber NO : 6 km :

Waldhaus Wingertsberg, Wingertsbergstr. 48, ☎ 4 90 21, Fax 46808, ← – AE E VISA
M *(Montag geschl.)* a la carte 44/61 – **30 Z : 50 B** 55/80 - 90/150 Fb.

In Neuwied 13-Segendorf N : 5,5 km :

Fischer mit Zim, Austr. 2, ☎ 5 35 24, – AE E
M *(Freitag geschl.)* a la carte 23/71 – **8 Z : 18 B** 45 - 90.

NIDDA 6478. Hessen 412 413 K 15 – 16 200 Ew – Höhe 150 m – 06043.
♦Wiesbaden 88 – ♦Frankfurt am Main 56 – Gießen 43.

In Nidda 11-Bad Salzhausen – Heilbad :

Jäger, Kurstr. 9, ☎ 8 00 70/40 20, Telex 6043914, Fax 402100, « Geschmackvolle, elegante Einrichtung », – – 25/50. AE E VISA
M a la carte 57/85 – **29 Z : 52 B** 150/210 - 220/280 Fb.

Kurhaus-Hotel, Kurstr. 2, ☎ 4 09 17, Fax 6010, , direkter Zugang zum Kurmittelhaus – – 25/250. AE E VISA
M 21/30 (mittags) und a la carte 33/63 – **52 Z : 75 B** 85/105 - 150/190 – ½ P 98/128.

NIDDERAU 6369. Hessen 987 ㉕, 412 413 J 16 – 15 000 Ew – Höhe 182 m – 06187.
♦Wiesbaden 60 – ♦Frankfurt am Main 22 – Gießen 52.

In Nidderau 1 - Heldenbergen

Zum Adler, Windecker Str. 2, ☎ 30 58 – . E
27. Dez.- 5. Jan. geschl. – **M** *(Freitag geschl.)* a la carte 20/52 – **17 Z : 25 B** 55/80 - 92/110.

NIDEGGEN 5168. Nordrhein-Westfalen 987 ㉓, 412 C 14 – 9 000 Ew – Höhe 325 m – Luftkurort – 02427.

Sehenswert : Burgmuseum ←★.

Städt. Verkehrsamt, Rathaus, Zülpicher Str. 1, ☎ 80 90, Fax 80947.
♦Düsseldorf 91 – Düren 14 – Euskirchen 25 – Monschau 30.

In Nideggen-Abenden S : 3 km :

Zur Post mit Zim (Haus a.d. 16. Jh.), Mühlbachstr. 9, ☎ 2 79 – . E VISA
M *(Donnerstag geschl.)* a la carte 22/67 – **18 Z : 32 B** 50 - 100.

In Nideggen-Rath N : 2 km :

Forsthaus Rath, Rather Str. 126, ☎ 63 53, Fax 6920, ←, – – 25. AE E
M a la carte 24/56 – **20 Z : 32 B** 75 - 120 Fb.

In Nideggen-Schmidt SW : 9 km – Höhe 430 m

Roeb - Zum alten Fritz, Monschauer Str. 1, ☎ (02474) 4 77, Fax 400, – – 40
2.- 28. Jan. geschl. – **M** *(Dienstag geschl.)* a la carte 22/50 – **25 Z : 45 B** 40/50 - 68/90.

Bauernstube, Heimbacher Str. 53, ☎ (02474) 4 49, – .
24. Nov.- 27. Dez. geschl. – **M** *(Freitag geschl.)* a la carte 21/43 – **9 Z : 17 B** 41/46 - 70/80.

Besonders angenehme Hotels oder Restaurants
sind im Führer rot gekennzeichnet.

Sie können uns helfen, wenn Sie uns die Häuser angeben,
in denen Sie sich besonders wohl gefühlt haben.

Jährlich erscheint eine komplett überarbeitete Ausgabe
aller Roten Michelin-Führer.

XXXXX ... X

NIEDENSTEIN **3501.** Hessen 411 412 KL 13 – 4 800 Ew – Höhe 305 m – Luftkurort – ☎ 05624.
♦Wiesbaden 200 – ♦Kassel 22.

Ratskeller, Hauptstr. 15, ☎ 7 44, – ☎ P
M *(Montag bis 18 Uhr geschl.)* a la carte 30/60 – **12 Z : 22 B** 55 - 100.

NIEDERAICHBACH Bayern siehe Landshut.

NIEDERALTEICH **8351.** Bayern 413 VW 20, 987 ㉘ – 1 800 Ew – Höhe 310 m – ☎ 09901.
Sehenswert : Klosterkirche ★.
♦München 134 – Landshut 86 – Passau 55 – ♦Regensburg 92.

XX Klosterhof, Mauritiushof 2 (1. Etage), ☎ 76 73, – P.

NIEDERAULA **6434.** Hessen 987 ㉕, 412 L 14 – 5 500 Ew – Höhe 210 m – ☎ 06625.
♦Wiesbaden 158 – Bad Hersfeld 11 – Fulda 35 – ♦Kassel 70.

XX **Schlitzer Hof** mit Zim, Hauptstr. 1, ☎ 3 41 – P. AE ⓓ E
2.-31. Jan. geschl. – **M** *(Montag geschl.)* a la carte 36/58 – **9 Z : 18 B** 68 - 110.

NIEDERESCHACH **7732.** Baden-Württemberg 413 I 22 – 4 500 Ew – Höhe 638 m – ☎ 07728.
♦Stuttgart 108 – Freudenstadt 57 – Villingen-Schwenningen 12.

Eschach - Hof, Ifflinger Str. 29, ☎ 13 30, – ☎ P
M *(Freitag geschl.)* a la carte 23/45 – **10 Z : 18 B** 50 - 83.

NIEDERFISCHBACH **5241.** Rheinland-Pfalz 412 G 14 – 4 700 Ew – Höhe 270 m – ☎ 02734.
Mainz 169 – Olpe 29 – Siegen 13.

Fuchshof, Siegener Str. 22, ☎ 54 77, – TV ☎ P. E
23.- 29. Dez. geschl. – **M** *(Sonntag ab 17 Uhr geschl.)* a la carte 31/56 – **17 Z : 30 B** 52/85 - 104/175 Fb.

In Niederfischbach-Fischbacherhütte SW : 2 km :

Bähner, Konrad-Adenauer-Str. 26, ☎ 65 46, Fax 55271, – TV ☎
P – 50. Rest
32 Z : 60 B Fb.

NIEDERKASSEL **5216.** Nordrhein-Westfalen 412 E 14 – 28 000 Ew – Höhe 50 m – ☎ 02208.
♦Düsseldorf 67 – ♦Bonn 20 – ♦Köln 23.

In Niederkassel-Ranzel N : 2,5 km :

Zur Krone, Kronenweg 1, ☎ 35 01 – P
M *(nur Abendessen, Mittwoch geschl.)* a la carte 18/30 – **13 Z : 19 B** 42 - 78.

NIEDERNHAUSEN **6272.** Hessen 412 413 H 16 – 13 500 Ew – Höhe 259 m – ☎ 06127.
♦Wiesbaden 14 – ♦Frankfurt am Main 43 – Limburg an der Lahn 41.

In Niedernhausen 2-Engenhahn NW : 6 km :

Wildpark-Hotel, Trompeterstr. 21, ☎ (06128) 7 10 33, Fax 73874, – TV ☎ P
– 25/80. AE ⓓ E VISA
Juli - Aug. 3 Wochen geschl. – **M** *(Sonntag ab 18 Uhr geschl.)* a la carte 35/65 – **40 Z : 70 B** 88/165 - 108/220 Fb.

In Niedernhausen 4-Oberjosbach NO : 2 km :

Gästehaus Baum, Langgraben 4, ☎ 84 28 – TV ☎ P
(nur Abendessen) – **7 Z : 14 B**.

NIEDERNWÖHREN Niedersachsen siehe Stadthagen.

NIEDER-OLM Rheinland-Pfalz siehe Mainz.

NIEDERSTETTEN **6994.** Baden-Württemberg 413 M 18, 987 ㉕ ㉖ – 2 600 Ew – Höhe 307 m – ☎ 07932.
♦Stuttgart 127 – Crailsheim 37 – Bad Mergentheim 21 – ♦Würzburg 52.

Krone, Marktplatz 3, ☎ 12 22, Fax 1232 – TV ☎ P. AE ⓓ E VISA
M *(Montag geschl.)* a la carte 28/59 – **18 Z : 38 B** 60 - 110.

NIEDERSTOTZINGEN **7908.** Baden-Württemberg 413 N 21, 987 ㊱ – 4 200 Ew – Höhe 450 m – ✆ 07325.
♦Stuttgart 117 – ♦Augsburg 65 – Heidenheim an der Brenz 30 – ♦Ulm(Donau) 38.

In Niederstotzingen-Oberstotzingen :

Schloßhotel Oberstotzingen ⑤, Stettener Str. 37, ✆ 10 30, Fax 10370, ⛱, ≘s, 🎾 – TV P – 🏛 25/80. AE ⓓ E VISA. ✻ Rest
Restaurants : **Vogelherd** *(wochentags nur Abendessen)* **M** a la carte 69/90 – **Schenke** *(Mittwoch geschl.)* **M** a la carte 32/46 – **17 Z : 33 B** 183 - 226/336.

NIEDERTAUFKIRCHEN Bayern siehe Neumarkt-St. Veit.

NIEDERWINKLING Bayern siehe Bogen.

NIEFERN-ÖSCHELBRONN **7532.** Baden-Württemberg 413 J 20 – 9 700 Ew – Höhe 228 m – ✆ 07233 – ⛳18 Mönsheim (SO : 14 km), ✆ (07044) 69 09.
♦Stuttgart 47 – ♦Karlsruhe 42 – Pforzheim 7.

Im Ortsteil Niefern :

Krone, Schloßstr. 1, ✆ 70 70, Fax 70799, ⛱ – 🛗 TV ☎ 🚗 P – 🏛 25/60. AE ⓓ E VISA. ✻
27. Dez.- 7. Jan. geschl. – **M** *(Sonntag ab 15 Uhr und Samstag geschl.)* a la carte 26/54 – **55 Z : 80 B** 106/140 - 138/180 Fb.

Kirnbachtal, Hauptstr. 123, ✆ 31 11, Fax 4846 – TV ☎ 🚗 P. E
ab Fasching 2 Wochen und Anfang - Mitte Aug. geschl. – **M** *(Freitag geschl.)* a la carte 25/56 – **20 Z : 30 B** 70/90 - 89/119.

Goll garni, Hebelstr. 6, ✆ 12 44, Fax 5831 – 🛗 TV ☎ P – **16 Z : 33 B** 58/74 - 94/117 Fb.

Siehe auch : ***Pforzheim*** SW : 7 km

NIEHEIM **3493.** Nordrhein-Westfalen 412 K 11 – 6 900 Ew – Höhe 183 m – ✆ 05274.
♦Düsseldorf 203 – Detmold 29 – Hameln 48 – ♦Kassel 90.

Berghof ⑤, Piepenborn 17, ✆ 3 42, ≤, ⛱, 🌳 – 🚗 P. ✻ Zim
5. Okt.- 3. Nov. geschl. – **M** *(Montag geschl.)* a la carte 22/38 – **10 Z : 18 B** 45 - 90.

NIENBURG (WESER) **3070.** Niedersachsen 411 K 9, 987 ⑮ – 30 000 Ew – Höhe 25 m – ✆ 05021 – ℹ Stadtkontor-Touristbüro, Lange Str. 18, ✆ 8 73 55, Fax 64070.
♦Hannover 48 – Bielefeld 103 – ♦Bremen 63.

Weserschlößchen, Mühlenstr. 20, ✆ 6 20 81, Telex 502126, Fax 63257, ≤, ≘s – 🛗 TV ☎ P – 🏛 25/100. AE ⓓ E VISA
M 20 /30 (mittags) und a la carte 38/68 – **36 Z : 68 B** 110 - 150 Fb – 4 Appart. 220.

Nienburger Hof, Hafenstr. 3, ✆ 1 30 48, Fax 13508 – 🛗 TV ☎ P – 🏛 40. AE ⓓ E VISA
M *(Juni - Sept. Mittwoch geschl.)* a la carte 26/56 – **20 Z : 30 B** 85/120 - 150/180.

Zum Kanzler, Lange Str. 63, ✆ 30 77 – TV ☎ 🚗 P – **16 Z : 24 B** Fb.

In Nienburg-Holtorf N : 4 km :

Der Krügerhof, Verdener Landstr. 267 (B 215), ✆ 29 06 – P.

In Marklohe-Neulohe **3072** NW : 9 km :

Neuloher Hof mit Zim, Bremer Str. 26 (B 6), ✆ (05022) 3 82 – TV ☎ P. E
M *(Donnerstag geschl.)* a la carte 24/50 – **4 Z : 6 B** 55 - 90.

NIENHAGEN Niedersachsen siehe Celle.

NIENSTÄDT Niedersachsen siehe Stadthagen.

NIERSTEIN **6505.** Rheinland-Pfalz 987 ㉔, 412 413 I 17 – 6 200 Ew – Höhe 85 m – ✆ 06133 (Oppenheim) – ℹ Verkehrsverein, Rathaus, Bildstockstr. 10, ✆ 51 11.
Mainz 20 – ♦Darmstadt 23 – Bad Kreuznach 39 – Worms 28.

Villa Spiegelberg ⑤, Hinter Saal 21, ✆ 51 45, Fax 57432, ≤, « Garten » – TV ☎ P – 🏛 25. ✻
Juli geschl. – (Restaurant nur für Hausgäste) – **12 Z : 23 B** 120/200 - 160/260.

Rheinhotel, Mainzer Str. 16, ✆ 51 61, Telex 4187784, Fax 5165, ≤, ⛱ – TV ☎ 🚗 P AE ⓓ E VISA
10. Dez.- 9. Jan. geschl. – **M** *(Mitte Nov.- Mitte März Samstag - Sonntag geschl.)* (Weinkarte mit über 250 rheinhessischen Weinen) a la carte 40/95 – **15 Z : 30 B** 129/250 - 149/350.

Alter Vater Rhein, Große Fischergasse 4, ✆ 56 28, Fax 5440 – TV. ✻
10.- 30. Aug. und Dez.- Jan. 3 Wochen geschl. – **M** *(Freitag bis 17 Uhr sowie Sonn- und Feiertage geschl.)* a la carte 25/60 🍷 – **11 Z : 18 B** 50 - 100.

In Mommenheim **6501** NW : 8 km :

Zum Storchennest, Wiesgartenstr. 3, ✆ (06138) 12 33, ☂, ⛱ - ⇐ **P**. ✗ Rest
15 Z : 33 B Fb.

In Köngernheim **6501** SW : 9 km :

XX **Untermühle** ✿ mit Zim, Außerhalb 1, ✆ (06737) 10 63, Fax 9747, ☂ - TV ☎ **P** - 30. **E**. ✗ Rest
M *(Donnerstag geschl.)* a la carte 37/62 ♨ - **15 Z : 27 B** 110 - 140.

NIESTETAL-HEILIGENRODE Hessen siehe Kassel.

NITTEL **5515.** Rheinland-Pfalz 412 C 18, 409 M 7, 214 ⑳ - 1 700 Ew - Höhe 160 m - ✆ 06584 (Wellen).
Mainz 187 - Luxembourg 32 - Saarburg 20 - ♦Trier 25.

Zum Mühlengarten, Uferstr. 5 (B 419), ✆ 3 87, Fax 837, ☂, ≘s, ⛱ - ⇐ **P**. **E**
15. Jan.- 15. Feb. geschl. - **M** *(Montag geschl.)* a la carte 22/49 ♨ - **21 Z : 41 B** 40/45 - 80/90.

NITTENAU **8415.** Bayern 413 T 19, 987 ㉗ - 7 500 Ew - Höhe 350 m - ✆ 09436.
i Verkehrsamt, Hauptstr. 14, ✆ 3 09 24, Fax 2680.
♦München 158 - Amberg 49 - Cham 36 - ♦Regensburg 36.

Aumüller, Brucker Str. 7, ✆ 5 34, Fax 2433, ☂ - ⇔ Zim TV ☎ **P** - 25/120. AE ⓓ
E VISA. ✗ Rest
M *(nur Abendessen, Montag - Dienstag geschl.)* a la carte 53/72 - **Stüberl** *(auch Mittagessen)* Menu a la carte 28/58 - **40 Z : 64 B** 60/85 - 100/140 Fb.

Pirzer, Brauhausstr. 3, ✆ 82 26, Fax 1564, Biergarten, ⛱ - **P**
Mitte März - Anfang April geschl. - **M** *(Okt.- April Freitag geschl.)* a la carte 19/39 - **39 Z : 65 B** 28/42 - 56/84.

NÖRDLINGEN **8860.** Bayern 413 O 20, 987 ㉖ ㊱ - 19 700 Ew - Höhe 430 m - ✆ 09081.
Sehenswert : St.-Georg-Kirche★ (Magdalenen-Statue★) - Stadtmauer★ - Museum★ **M1**.
i Verkehrsamt, Marktplatz 2, ✆ 43 80, Fax 84102.
♦München 128 ② - ♦Nürnberg 92 ① - ♦Stuttgart 112 ④ - ♦Ulm (Donau) 82 ③.

NÖRDLINGEN

Baldinger Straße	2
Bei den Kornschrannen	4
Deininger Straße	12
Eisengasse	14
Löpsinger Straße	23
Marktplatz	25
Polizeigasse	32
Reimlinger Straße	34
Schäfflesmarkt	36
Schrannenstraße	39
Bauhofgasse	3
Beim Klösterle	6
Brettermarkt	8
Bürgermeister-Reiger-Straße	9
Drehergasse	13
Frauengasse	15
Hafenmarkt	16
Hallgasse	17
Herrengasse	19
Kreuzgasse	21
Luckengasse	24
Nürnberger Straße	28
Obstmarkt	29
Oskar-Mayer-Straße	30
Salvatorgasse	35
Ulmer Straße	40
Vordere Gerbergasse	41
Weinmarkt	43
Wemdinger Straße	45
Würzburger Straße	46

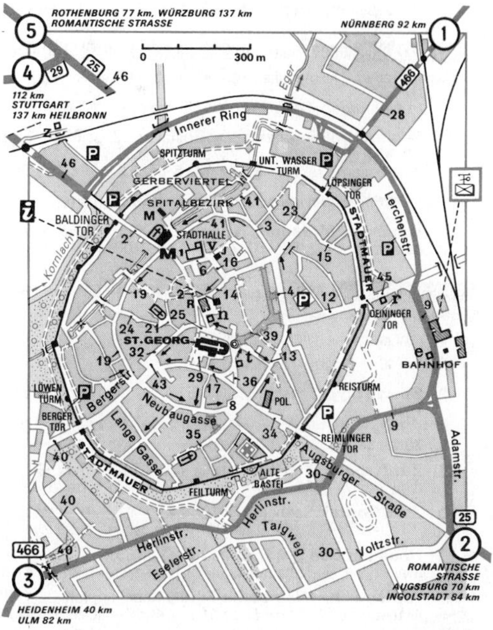

Michelin hängt keine Schilder an die empfohlenen Hotels und Restaurants.

Klösterle, Beim Klösterle 1, ✆ 8 80 54, Fax 22740, 余, ≘ - |♦| ⇹ Zim TV ⇔ - 🏛 25/500. AE ◑ E VISA v
M a la carte 46/61 - **98 Z : 176 B** 115/135 - 150/200.

Am Ring, Bürgermeister-Reiger-Str. 14, ✆ 40 28, Fax 23170 - |♦| TV ☎ ⇔ Ⓟ - 🏛 45. AE E e
22. Dez.- 10. Jan. geschl. - **M** *(Sonntag ab 15 Uhr geschl.)* a la carte 38/52 ♁ - **39 Z : 65 B** 61/80 - 115/145 Fb.

Kaiserhof Hotel Sonne, Marktplatz 3, ✆ 50 67, Fax 23999 - TV ☎ Ⓟ - 🏛 30. E VISA n
M *(auch vegetarische Gerichte)* a la carte 27/60 - **40 Z : 70 B** 50/90 - 130/150 Fb.

Schützenhof, Kaiserwiese 2, ✆ 39 40, Fax 88815, Biergarten - TV ☎ ⇔ Ⓟ. ⚘ z
15 Z : 28 B Fb.

Zum Engel, Wemdinger Str. 4, ✆ 31 67 - ☎ ⇔ Ⓟ. AE E VISA r
6.- 25. Okt. geschl. - **M** *(Samstag geschl.)* a la carte 28/45 ♁ - **9 Z : 15 B** 45/48 - 80/90.

Zum Goldenen Lamm, Schäfflesmarkt 3, ✆ 42 06 - Ⓟ t
9.- 23. März und 2.- 22. Nov. geschl. - **M** *(Montag geschl.)* a la carte 18/32 ♁ - **8 Z : 16 B** 25/36 - 50/75.

Meyers-Keller, Marienhöhe 8, ✆ 44 93, 余 - Ⓟ. AE E über Oskar-Mayer-Str.
Dienstag und Mittwoch jeweils bis 18 Uhr, Montag und Jan. 2 Wochen geschl. - **M** a la carte 61/84.

In Mönchsdeggingen **8866** ② : 14 km über die B 25 :

Martinsklause ⛰ mit Zim, im Klosterhof, ✆ (09088) 2 28, 余 - Ⓟ
10. Jan.- 15. Feb. geschl. - **M** *(Montag geschl.)* a la carte 22/45 - **10 Z : 23 B** 30 - 60.

NÖRTEN-HARDENBERG 3412. Niedersachsen 411 412 M 12, 987 ⑮ - 8 800 Ew - Höhe 140 m - ☎ 05503.

♦Hannover 109 - ♦Braunschweig 96 - Göttingen 11 - ♦Kassel 57.

Burghotel Hardenberg ⛰, Im Hinterhaus 11 a, ✆ 10 47, Telex 96634, Fax 1650, 余, ≘ - |♦| TV ♿ Ⓟ - 🏛 25/200. AE ◑ E VISA. ⚘ Rest
M *(Sonntag geschl.)* (bemerkenswerte Weinkarte) a la carte 66/92 - **46 Z : 86 B** 115/160 - 170/240 Fb.

Im Rodetal O : 3 km, an der B 446 :

Rodetal mit Zim, Rodetal 1, ✉ 3406 Bovenden 1, ✆ (05594) 6 33, Fax 8158, 余 - TV ☎ Ⓟ. E
27. Jan.- Feb. geschl. - **M** *(Montag geschl.)* a la carte 26/55 - **9 Z : 21 B** 70/75 - 110.

NOHFELDEN 6697. Saarland 987 ㉔, 412 E 18, 242 ③ - 10 650 Ew - Höhe 350 m - ☎ 06852.

♦ Saarbrücken 57 - Kaiserslautern 59 - ♦Trier 55 - ♦Wiesbaden 117.

In Nohfelden 14-Bosen W : 8,5 km :

Seehotel Weingärtner ⛰, Bostalstr. 12, ✆ 88 90, Telex 445359, Fax 81651, 余, ≘, ⛋, 🌳 - |♦| TV ☎ Ⓟ - 🏛 25/80. AE ◑ E VISA
M a la carte 39/73 - **99 Z : 180 B** 89/135 - 138/218 Fb.

In Nohfelden-Neunkirchen/Nahe SW : 7,5 km :

Landhaus Mörsdorf, Nahestr. 27, ✆ 5 10, Fax 6659, 余 - ☎ Ⓟ - 🏛 50. AE E VISA
M a la carte 32/53 - **17 Z : 34 B** 60 - 100.

NONNENHORN 8993. Bayern 413 L 24 - 1 500 Ew - Höhe 406 m - Luftkurort - ☎ 08382 (Lindau im Bodensee).

ℹ Verkehrsamt, Seehalde 2, ✆ 82 50.

♦München 187 - Bregenz 17 - Ravensburg 25.

Seewirt ⛰, Seestr. 15, ✆ 8 91 42, « Caféterrasse am See mit ≤ », 🌳 - |♦| TV ☎ ⇔ Ⓟ
20. Dez.- 25. Feb. geschl. - **M** *(Okt.- März Montag - Dienstag geschl.)* a la carte 26/58 ♁ - **30 Z : 54 B** 65/95 - 110/180.

Zur Kapelle, Kapellenplatz 3, ✆ 82 74 - TV ☎ Ⓟ
Nov. geschl. - **M** *(Donnerstag geschl.)* a la carte 25/56 ♁ - **17 Z : 30 B** 65/90 - 100/150.

Zum Torkel, Seehalde 14, ✆ 84 12, 余, 🌳 - ☎ Ⓟ
15. Dez.- Jan. geschl. - **M** *(Mittwoch geschl.)* a la carte 30/49 - **22 Z : 38 B** 55/65 - 110/120.

Haus am See ⛰, Uferstr. 23, ✆ 82 69, ≤, 🏖, 🌳 - Ⓟ. ⚘ Rest
März - Okt. - (Restaurant nur für Hausgäste) - **26 Z : 47 B** 60/80 - 95/175.

Altdeutsche Weinstube Fürst, Kapellenplatz 2, ✆ 82 03 - Ⓟ
Mittwoch und Mitte - Ende März geschl. - Menu 19,50 /50.

NONNWEILER **6696.** Saarland 412 D 18 – 8 400 Ew – Höhe 375 m – Heilklimatischer Kurort – ☎ 06873.
◆Saarbrücken 50 – Kaiserslautern 75 – ◆Trier 42.

Parkschenke, Auensbach 68, ✆ 60 44 – ☎ Ⓟ
14 Z : 21 B.

NORDDORF Schleswig-Holstein siehe Amrum (Insel).

NORDEN **2980.** Niedersachsen 411 E 6, 987 ③ ④, 408 M 1 – 25 500 Ew – Höhe 3 m – ☎ 04931.
von Norden-Norddeich nach Norderney (Autofähre) und nach Juist, ✆ 1 80 20, Fax 8520.
Kurverwaltung-Verkehrsamt, Dörperweg, ✆ 17 22 00.
◆Hannover 268 – Emden 31 – Oldenburg 97 – Wilhelmshaven 78.

Reichshof, Neuer Weg 53, ✆ 24 11, Fax 167219, – TV ☎ Ⓟ – 25/350. AE E VISA
M *(auch vegetarische Gerichte)* a la carte 31/60 – **23 Z : 46 B** 52/60 - 104/120 Fb.

Deutsches Haus, Neuer Weg 26, ✆ 42 71, Fax 16592 – TV ☎ Ⓟ – 25/80
41 Z : 68 B Fb.

In Norden 2 - Norddeich NW : 4,5 km – Seebad :

Regina Maris, Badestr. 7c, ✆ 1 89 30, Fax 189375, – TV ☎ Ⓟ. Rest
10. Jan.- Feb. geschl. – **M** a la carte 31/70 – **44 Z : 100 B** 90/110 - 130/195 Fb – 11 Fewo 150.

Fährhaus, Hafenstr. 1, ✆ 80 27, Telex 27252, Fax 8030, – TV ☎ Ⓟ. AE E VISA
Anfang Nov.- Mitte Dez. geschl. – **M** a la carte 38/78 – **35 Z : 65 B** 80/109 - 125/220 – ½ P 93/125.

Deichkrone, Muschelweg 21, ✆ 80 31, – TV ☎ Ⓟ
15. Nov.- 15. Dez. geschl. – **M** a la carte 27/60 – **30 Z : 60 B** 95 - 120/200 Fb.

Reinders Hotel garni, Deichstr. 16, ✆ 80 92, Fax 81666, – TV Ⓟ. AE E VISA
20 Z : 40 B 70 -140 Fb – 4 Fewo 90/130.

In Hage-Lütetsburg **2984** O : 3 km :

Landhaus Spittdiek, Landstr. 67, ✆ (04931) 34 13, Fax 14537, – TV ☎ Ⓟ
2.- 6. Jan. geschl. – **M** *(Montag bis 18 Uhr geschl.)* a la carte 30/65 – **10 Z : 20 B** 60/70 - 110/140.

NORDENHAM **2890.** Niedersachsen 411 I 6, 987 ④ – 28 700 Ew – Höhe 2 m – ☎ 04731.
◆Hannover 200 – ◆Bremen 81 – Bremerhaven 7 – Oldenburg 54.

Am Markt, Marktplatz, ✆ 50 94, Fax 5098, – TV ☎ – 25/60. AE E VISA
M a la carte 28/60 – **35 Z : 67 B** 90 - 125/150 Fb.

Aits garni, Bahnhofstr. 120, ✆ 8 00 44 – TV ☎ Ⓟ. AE E VISA
21 Z : 35 B 60 - 96.

In Nordenham-Abbehausen SW : 4,5 km :

Butjadinger Tor, Butjadinger Str. 67, ✆ 8 80 44, Fax 88422, – TV ☎ Ⓟ. AE E VISA
M a la carte 26/57 – **17 Z : 30 B** 65 - 100 Fb.

In Nordenham-Tettens N : 10 km :

Landhaus Tettens (Bauernhaus a.d.J. 1832), Am Dorfbrunnen 17, ✆ 3 94 24, , bemerkenswerte Weinkarte – Ⓟ
Montag, 6.- 17. Jan. und 7.- 18. Sept. geschl. – Menu 30/79.

NORDERNEY (Insel) **2982.** Niedersachsen 411 E 5, 987 ③ ④ – 6 300 Ew – Seeheilbad – Insel der ostfriesischen Inselgruppe, eingeschränkter Kfz-Verkehr - Seeheilbad – ☎ 04932.
Golfplatz Karl-Rieger-Weg (O : 5 km), ✆ 6 80.
am Leuchtturm, ✆ 24 55.
von Norddeich (ca. 1h), ✆ 1 80 20, Fax 8520.
Verkehrsbüro, Bülowallee 5, ✆ 5 02, Fax 82494.
◆Hannover 272 – Aurich/Ostfriesland 31 – Emden 35.

Inselhotel Vier Jahreszeiten, Herrenpfad 25, ✆ 89 40, Fax 1460, Bade- und Massageabteilung, – TV ☎. AE E VISA
M a la carte 38/64 – **93 Z : 186 B** 120/190 - 190/240 Fb – 3 Appart. 350.

Nordstern, Luisenstr. 14, ✆ 80 40, Fax 804666, – TV ☎
M a la carte 38/69 – **50 Z : 150 B** 109/168 - 168/240 Fb – 7 Appart. 407.

Hanseatic, Gartenstr. 47, ✆ 30 32, Fax 732, – TV ☎. Rest
2. Nov.- 24. Dez. geschl. – (nur Abendessen für Hausgäste) – **36 Z : 72 B** 140/170 - 190/260 Fb.

Strandhotel Pique, Am Weststrand 4, ✆ 7 53, – TV ☎ Ⓟ. AE VISA.
Anfang Jan.- Mitte Feb. und Anfang Nov.- Weihnachten geschl. – **M** *(Dienstag geschl.)* a la carte 41/66 – **23 Z : 45 B** 105/175 - 225/235 Fb – 4 Appart. 350/400.

Golf-Hotel, Am Golfplatz 1 (O : 5 km), 89 60, Fax 89666, – TV P
M a la carte 35/78 – **35 Z : 65 B** 108/155 - 196/280 Fb – 3 Fewo 184.

Strandhotel Georgshöhe, Kaiserstr. 24, 89 80, Fax 892000, Bade- und Massageabteilung, (Halle) – TV P – 30.
20. Jan.- 6. Feb. und 23. Nov.- 20. Dez. geschl. – **M** *(Nov.- März Montag geschl.)* a la carte 43/68 – **100 Z : 200 B** 95/190 - 170/280 Fb – ½ P 96/171.

Haus am Meer - Rodehuus und Wittehuus garni, Kaiserstr. 3, 89 30, Fax 3673, – TV P.
– **35 Z : 66 B** 94/175 - 175/310 Fb – 10 Fewo 150/250.

Seeschlößchen garni, Damenpfad 13, 30 21, Fax 81046, – TV.
14 Z : 24 B.

Friese, Friedrichstr. 34, 80 20, Fax 80234, – . Zim
M *(Mittwoch geschl.)* a la carte 26/55 – **45 Z : 69 B** 88/128 - 156/176 – ½ P 98/118.

Haus Waterkant garni, Kaiserstr. 9, 80 01 00, Fax 800200, Bade- und Massageabteilung, – TV P.
Feb.- Nov. – **49 Z : 80 B** 89/150 - 116/192 – 6 Fewo 95/160.

Bruns Hotel garni, Langestr. 7, 87 50, Fax 875600, – .
6. Jan.- 2. Feb. geschl. – **70 Z : 150 B** 100 - 170/190 – 3 Fewo.

Le Pirate, Friedrichstr. 37, 18 66, Fax 1619
(überwiegend Fischgerichte).

NORDERSTEDT 2000. Schleswig-Holstein 411 N 5, 987 ⑤ – 70 000 Ew – Höhe 26 m – 040 (Hamburg).

ADAC Berliner Allee 38 (Herold Center), 5 23 38 00.

♦Kiel 79 – ♦Hamburg 19 – Itzehoe 58 – ♦Lübeck 69.

Kupferpfanne am Park, Rathausallee 35 (Moorbek-Passage), 5 22 45 43, Biergarten – AE E VISA
M a la carte 55/80 – **Bistro M** a la carte 35/62.

In Norderstedt-Garstedt :

Maromme garni, Marommer Str. 58, 52 10 90, Fax 5210930 – TV P – 25. AE E VISA
18 Z : 37 B 95/105 - 140 Fb.

Heuberg garni, Niendorfer Str. 52, 5 23 11 97, Fax 5238067 – TV P. AE E VISA.
24 Z : 35 B 85/135 - 120/190 -(Anbau mit 28 Z bis Frühjahr 1992).

In Norderstedt-Glashütte :

Norderstedter Hof, Mittelstr. 54, 5 24 00 46, Telex 2164128, Fax 5248366 – TV P
(nur Abendessen) – **90 Z : 120 B** Fb.

In Norderstedt-Harksheide :

Wilhelm Busch, Wilhelm-Busch-Platz (B 432), 5 27 20 00, Fax 52720019, – TV P. AE E VISA
M a la carte 46/68 – **40 Z : 80 B** 140 - 185 Fb.

In Norderstedt-Harkshörn :

Schmöker Hof, Oststr. 18, 52 60 70, Fax 5262231, – TV P – 25/150 AE E VISA
M a la carte 51/70 – **63 Z : 104 B** 145/180 - 185/230 Fb.

NORDHEIM Bayern siehe Volkach.

NORDHORN 4460. Niedersachsen 411 412 E 9, 987 ⑭, 408 M 4 – 50 000 Ew – Höhe 22 m – 05921.

Verkehrs- und Veranstaltungsverein, Firnhaberstr. 17, 1 30 36, Fax 32283.

ADAC, Firnhaberstr. 17, 3 92 36, Fax 39231.

♦Hannover 224 – ♦Bremen 155 – Groningen 113 – Münster (Westfalen) 73.

Determann, Bernhard-Niehues-Str. 12, 60 21, Fax 77948, – TV P – 25/100. AE E VISA
M *(Sonntag ab 14 Uhr geschl.)* a la carte 27/60 – **47 Z : 65 B** 60/100 - 100/140 Fb.

Am Stadtring, Am Stadtring 31, 1 40 54, Fax 75391 – TV P – 25/70. AE E VISA
M a la carte 29/53 – **22 Z : 34 B** 53/90 - 90/150 Fb.

Euregio, Denekamper Str. 43, 50 77 – TV P – 30. AE E VISA. Rest
M *(nur Abendessen)* a la carte 27/43 – **26 Z : 34 B** 49/55 - 83/85 Fb.

Möllers, Lingener Str. 52, 3 54 14 – P. AE E
M *(Sonntag ab 14 Uhr geschl.)* a la carte 22/37 – **20 Z : 28 B** 35/50 - 70/100.

NORDRACH **7618.** Baden-Württemberg 413 H 21, 242 ㉔ – 1 900 Ew – Höhe 300 m – Luftkurort – ☎ 07838.
♦Stuttgart 130 – Freudenstadt 39 – Lahr 23 – Offenburg 28.

Stube, Im Dorf 28, ✆ 2 02 – P
Jan. 3 Wochen geschl. – **M** *(Dienstag geschl.)* a la carte 24/47 – **13 Z : 20 B** 35/40 - 70/80.

NORDSTRAND **2251.** Schleswig-Holstein 411 J 3, 987 ④ – 2 700 Ew – Höhe 1 m – ☎ 04842.
Ausflugsziele : Die Halligen★ (per Schiff).
♦Kiel 103 – Flensburg 61 – Husum 19 – Schleswig 53.

In Nordstrand-Herrendeich :

Landgasthof Kelting ⛰, Herrendeich 6, ✆ 3 35, Fax 8355, 🌳 – TV P. AE ① E VISA
M *(Okt.- März Montag geschl.)* a la carte 24/40 – **19 Z : 38 B** 50/80 - 85/98.

NORTHEIM **3410.** Niedersachsen 411 412 N 11, 987 ⑮ – 33 000 Ew – Höhe 121 m – ☎ 05551.
18 Schloß Levershausen (S. 6 km), ✆6 19 15.
ℹ Fremdenverkehrsbüro, Am Münster 30 (1. Etage), ✆ 6 36 50.
♦Hannover 98 – ♦Braunschweig 85 – Göttingen 27 – ♦Kassel 69.

Leineturm, an der B 241 (W : 1,5 km), ✆ 35 76, 🌳 – TV ☎ 🚗 P – 🏛 25/50. AE ① E VISA
1.- 6. Jan. geschl. – **M** *(Sonntag 14 Uhr - Montag geschl.)* a la carte 31/71 – **8 Z : 14 B** 70/85 - 120/150.

Deutsche Eiche, Bahnhofstr. 16, ✆ 22 93 – TV ☎ 🚗. AE ① E VISA
20. Dez.- 4. Jan. geschl. – **M** *(Sonn- und Feiertage geschl.)* a la carte 29/45 – **22 Z : 32 B** 50/65 - 90/110.

Sonne garni, Breite Str. 59, ✆ 40 71, Fax 4073 – 🛗 ☎ 🚗. AE E VISA
24 Z : 50 B 65/85 - 120/145.

Bei der Freilichtbühne O : 3 km über die B 241 :

Waldhotel Gesundbrunnen ⛰, ✉ 3410 Northeim, ✆ (05551) 60 70, Telex 965581, Fax 607200, 🌳, ≘s – 🛗 ☎ 🚗 P – 🏛 25/200 – **90 Z : 140 B** Fb.

NORTORF **2353.** Schleswig-Holstein 411 M 4, 987 ⑤ – 6 000 Ew – Höhe 30 m – ☎ 04392.
♦Kiel 29 – Flensburg 81 – ♦Hamburg 78 – Neumünster 16.

Kirchspiels Gasthaus, Große Mühlenstr. 9, ✆ 49 22, Fax 3454 – TV ☎ 🚗 P – 🏛 25/80. AE ① E VISA. 🚫
M a la carte 33/69 – **11 Z : 22 B** 65/85 - 100/130 Fb.

NOTHWEILER Rheinland-Pfalz siehe Rumbach.

NOTSCHREI Baden-Württemberg siehe Todtnau.

NOTTULN Nordrhein-Westfalen siehe Havixbeck.

NÜMBRECHT **5223.** Nordrhein-Westfalen 412 F 14 – 14 000 Ew – Höhe 280 m – Heilklimatischer Kurort – ☎ 02293.
ℹ Kur- und Verkehrsverein Homburger Land, Rathaus-Pavillon, Hauptstr. 18, ✆ 5 18, Fax 510.
♦Düsseldorf 91 – ♦Köln 53 – Waldbröl 8.

Park-Hotel ⛰, Parkstraße, ✆ 30 30, Telex 887943, Fax 3650, 🌳, Massage, ≘s, 🏊, 🌳, 🎾(Halle) – 🛗 ⇔ Zim TV P – 🏛 25/220. AE ① E VISA. 🚫 Rest
M a la carte 43/67 – **89 Z : 169 B** 135/155 - 180/225 Fb.

Derichsweiler Hof ⛰, Jacob-Engels-Str. 22, ✆ 60 61, Fax 4222, 🌳, ≘s – 🛗 ☎ P – 🏛 25/70. 🚫 – **53 Z : 77 B** Fb.

Am Kurpark ⛰, Lindchenweg 15, ✆ 15 76, 🌳, ≘s, 🌳 – ☎ 🚗 P. ① E VISA
Anfang Jan.- Mitte Feb. geschl. – **M** *(Nov.- März Dienstag geschl.)* a la carte 23/45 – **18 Z : 36 B** 55/60 - 75/80 – ½ P 50/68.

In Nümbrecht-Marienberghausen NW : 8 km :

Zur alten Post ⛰, Humperdinckstr. 6, ✆ 71 73, Fax 4332 – TV ☎ P – 🏛 25. E
23. Dez.- Jan. geschl. – **M** *(Montag geschl.)* a la carte 24/52 – **15 Z : 23 B** 60/90 - 100/120.

Se scrivete ad un albergo all'estero,
allegate alla vostra lettera un tagliando-risposta internazionale
(disponibile presso gli uffici postali).

NÜRBURG **5489.** Rheinland-Pfalz 987 ㉔, 412 D 15 – 200 Ew – Höhe 610 m – Luftkurort – ☎ 02691 (Adenau).

Sehenswert : (Burg ✻★).

Ausflugsziel : Nürburgring★ (Rennsport-Museum★).

Mainz 152 – ◆Bonn 56 – Mayen 26 – Wittlich 57.

Dorint, Am Nürburg-Ring, ☎ 30 90, Fax 309460, ≤, Massage, ☎s, ⊠ – |♦| TV – P – 🏛 25/130
M 28 (Buffet) und a la carte 40/68 – **137 Z : 250 B** 160/350 - 210/420 Fb – 8 Appart.

Zur Burg, Burgstr. 4, ☎ 75 75, Fax 7711, ☎s – P – 🏛 25. AE ⓓ E VISA. ✻ Zim
20.Nov.- 20. Dez. geschl. – **M** a la carte 24/46 – **38 Z : 68 B** 40/90 - 70/130.

Döttinger Höhe, an der B 258 (NO : 2 km), ☎ 73 21, Fax 7323 – TV ☎ P
15. März - 15. Dez. – **M** *(Mittwoch geschl.)* a la carte 28/49 – **17 Z : 30 B** 95/125 - 125/185 Fb.

NÜRNBERG **8500.** Bayern 413 Q 18, 987 ㉖ – 478 000 Ew – Höhe 300 m – ☎ 0911.

Sehenswert : Germanisches Nationalmuseum★★★ JZ – St.-Sebaldus-Kirche★ (Kunstwerke★★) JY – Stadtbefestigung★ – Dürerhaus★ JY – Schöner Brunnen★ JY **C** – St.-Lorenz-Kirche★ (Engelsgruß★★, Gotischer Kelch★★) JZ – Kaiserburg (Sinwellturm ≤★) JY – Frauenkirche★ JY **E** – Verkehrsmuseum (Eisenbahnabteilung★) JZ **M4.**

18 N-Kraftshof (über Kraftshofer Hauptstr. CS), ☎ 30 57 30.

✈ Nürnberg BS, ☎ 37 54 40.

☎ 2 19 53 04.

Messezentrum (CT), ☎ 8 60 60, Fax 8606228.

ℹ Tourist-Information, im Hauptbahnhof (Mittelhalle), ☎ 23 36 32 und Am Hauptmarkt (Rathaus), ☎ 23 36 35.

ADAC Prinzregentenufer 7, ☎ 5 39 01, Notruf ☎ 1 92 11.

◆München 165 ⑤ – ◆Frankfurt am Main 226 ⑧ – ◆Leipzig 276 ③ – ◆Stuttgart 205 ⑤ – ◆Würzburg 110 ⑧.

> Die Angabe (N 15) nach der Anschrift gibt den Postzustellbezirk an : Nürnberg 15
> L'indication (N 15) à la suite de l'adresse désigne l'arrondissement : Nürnberg 15
> The reference (N 15) at the end of the address is the postal district : Nürnberg 15
> L'indicazione (N 15) posta dopo l'indirizzo, precisa il quartiere urbano : Nürnberg 15

Messe-Preise : siehe S. 8 **Foires et salons :** voir p. 16
Fairs : see p. 24 **Fiere :** vedere p. 32

Stadtpläne siehe nächste Seiten

Maritim, Frauentorgraben 11 (N 70), ☎ 2 36 30, Telex 622709, Fax 2363823, ☎s, ⊠ – |♦| ✻ Zim TV ♿ – 🏛 25/600. AE ⓓ E VISA JZ e
Restaurants : **Die Auster** *(nur Abendessen, Sonn- und Feiertage sowie Aug. geschl.)* **M** a la carte 72/93 – **Nürnberger Stuben M** 35 Buffet (mittags) und a la carte 55/84 – **316 Z : 520 B** 207/347 - 268/418 Fb – 9 Appart. 600/1350.

Grand-Hotel, Bahnhofstr. 1 (N 1), ☎ 2 32 20, Telex 622010, Fax 2322444, ☎s – |♦| ✻ Zim TV – 🏛 25/250. AE ⓓ E VISA KZ d
M a la carte 37/78 – **185 Z : 280 B** 232/372 - 299/394 Fb – 5 Appart. 684.

Atrium-Hotel, Münchener Str. 25 (N 50), ☎ 4 74 80, Telex 626167, Fax 4748420, ☎s, ⊠ – |♦| ▤ Rest TV ♿ P – 🏛 25/120. AE ⓓ E VISA. ✻ Rest GX g
M *(25. Dez.- 7. Jan. geschl.)* a la carte 48/72 – **200 Z : 300 B** 185/329 - 264/398 Fb.

Altea Hotel Carlton, Eilgutstr. 13 (N 70), ☎ 2 00 30, Telex 622329, Fax 2003532, ☎s – |♦| ✻ Zim TV P – 🏛 25/120. AE ⓓ E VISA JZ f
M a la carte 58/76 – **130 Z : 200 B** 205/335 - 255/355 Fb – 3 Appart. 427/545.

Queens Hotel Nürnberg, Münchener Str. 283 (N 50), ☎ 4 94 41, Telex 622930, Fax 468865, ☎s – |♦| ✻ Zim TV P – 🏛 25/190. AE ⓓ E VISA BT y
M a la carte 47/71 – **141 Z : 211 B** 215/243 - 285/295 Fb.

Wöhrdersee Hotel Mercure, Dürrenhofstr. 8 (N 30), ☎ 9 94 90, Telex 622137, Fax 9949444, ☎s – |♦| ✻ Zim ▤ TV ☎ ♿ – 🏛 25/120. AE ⓓ E VISA GV a
M *(auch vegetarische Gerichte)* a la carte 38/66 – **145 Z : 290 B** 164/240 - 223/300 Fb.

Deutscher Hof, Frauentorgraben 29 (N 70), ☎ 20 38 21, Telex 622992, Fax 227634 – |♦| ▤ Rest TV ☎ – 🏛 25/200. ✻ Rest JZ p
Weinstube Bocksbeutelkeller « Rustikale Einrichtung » *(ab 17 Uhr geöffnet)* – **50 Z : 70 B** Fb.

Merkur, Pillenreuther Str. 1 (N 40), ☎ 44 02 91, Telex 622428, Fax 459037, ☎s, ⊠ – |♦| TV ☎ ♿ P – 🏛 25/60. AE ⓓ E VISA FX a
M a la carte 35/62 – **160 Z : 300 B** 120/220 - 160/350 Fb.

Dürer-Hotel garni, Neutormauer 32 (N 1), ☎ 20 80 91, Telex 623567, Fax 223458, ☎s – |♦| TV ☎ ♿ – 🏛 25/50. AE ⓓ E VISA JY r
107 Z : 180 B 185 - 190/250 Fb.

Am Jakobsmarkt garni, Schottengasse 3 (N 1), 24 14 37, Telex 623853, Fax 22874, – TV ☎ . AE E VISA HZ **h**
24. Dez.- 6. Jan. geschl. – **70 Z : 110 B** 105/128 - 154/174 Fb – 3 Appart. 184.

Weinhaus Steichele, Knorrstr. 2 (N 1), 20 43 78, Fax 221914, – TV ☎ . Rest
Menu *(Sonn- und Feiertage bis 16 Uhr sowie Montag geschl.)* a la carte 27/47 – **52 Z : 90 B** 95/130 - 160 Fb. HZ **x**

Avenue garni, Josephsplatz 10 (N 1), 24 40 00, Fax 243600 – TV ☎ – 30. AE E VISA JZ **c**
Ende Dez.- Anfang Jan. geschl. – **41 Z : 73 B** 105/165 - 145/265 Fb.

Victoria garni, Königstr. 80 (N 1), 20 38 01, Telex 626923, Fax 227432 – TV ☎ . AE E VISA KZ **x**
23. Dez.- 6. Jan. geschl. – **64 Z : 90 B** 85/95 - 145/225 Fb.

Novotel Nürnberg-Süd, Münchener Str. 340 (N 50), 8 12 60, Telex 626449, Fax 8126137, , , (geheizt), – Zim TV ☎ . AE E VISA. Rest
M a la carte 38/60 – **117 Z : 234 B** 168 - 209 Fb. BT **s**

Gästehaus Maximilian garni, Obere Kanalstr. 11 (N 80), 2 72 40, Telex 623387, Fax 2724706, – TV ☎ . AE E VISA DV **a**
150 Z : 230 B 125/190 - 170/250 Fb.

Drei Linden, Äußere Sulzbacher Str. 1 (N 20), 53 32 33, Telex 626455, Fax 554047 – TV ☎ . AE E GU **p**
M a la carte 30/60 – **28 Z : 40 B** 100/120 - 150/170 Fb.

Senator garni, Landgrabenstr. 25 (N 70), 4 19 71, Telex 626748, Fax 41978, – TV ☎ . AE E VISA EX **c**
71 Z : 110 B 165/315 - 225/395 Fb.

Marienbad garni, Eilgutstr. 5 (N 70), 20 31 47, Telex 626179, Fax 204260 – TV ☎ JZ **y**
55 Z : 100 B Fb.

Bayerischer Hof garni, Gleißbühlstr. 15 (N 1), 2 32 10, Telex 626547, Fax 2321511 – Zim TV ☎ . AE E VISA KZ **u**
80 Z : 105 B 97/111 - 140/150 Fb.

Romantik Hotel Am Josephsplatz garni, Josephsplatz 30 (N 1), 24 11 56, Fax 243165, – TV ☎. AE E VISA JZ **k**
25. Dez.- 6. Jan. geschl. – **35 Z : 67 B** 100/150 - 140/190 Fb – 3 Appart.

Hamburg garni, Hasstr. 3 (N 80), 32 72 18, Fax 312589 – TV ☎. E VISA DV **e**
24. Dez.- 2. Jan. geschl. – **25 Z : 40 B** 85/138 - 113/196 Fb.

Prinzregent garni, Prinzregentenufer 11 (N 20), 53 31 07, Telex 622728, Fax 556236 – TV ☎. AE E VISA KZ **a**
24. Dez.- 10. Jan. geschl. – **55 Z : 90 B** 105/140 - 140/200 Fb.

Burghotel-Großes Haus garni, Lammsgasse 3 (N 1), 20 44 14, Telex 623567, Fax 223854, , – TV ☎. AE E VISA JY **k**
46 Z : 85 B 115/150 - 150/250.

Drei Raben garni, Königstr. 63 (N 1), 20 45 83, Fax 232611 – Zim TV ☎. AE E VISA JKZ **v**
31 Z : 40 B 115/125 - 150/180 Fb.

Reichshof , Johannesgasse 16 (N 1), 20 37 17, Telex 626300, Fax 243504 – TV ☎ – 25/80. AE E VISA KZ **n**
M *(Sonn- und Feiertage sowie Aug. geschl.)* 17 (mittags) und a la carte 33/68 – **65 Z : 110 B** 100/140 - 150/180 Fb.

Ibis, Steinbühlerstr. 2 (N 70), 2 37 10, Telex 626884, Fax 223319 – TV ☎ – 25/60 HZ **s**
155 Z : 235 B Fb.

Petzengarten , Wilhelm-Spaeth-Str. 47 (N 40), 4 95 81, Fax 472836, Biergarten – TV ☎ . AE E VISA GX **a**
25.- 30. Dez. geschl. – **M** *(Sonntag ab 14 Uhr geschl.)* a la carte 25/59 – **32 Z : 57 B** 120 - 175.

Urbis garni, Königstr. 74, 23 20 00, Telex 622300, Fax 209684 – TV ☎. AE E VISA KZ **x**
53 Z : 62 B 129/159 - 173 Fb.

Fackelmann garni, Essenweinstr. 10 (N 70), 20 41 21, Fax 241604, – TV ☎. E VISA JZ **g**
24. Dez.- 3. Jan. geschl. – **34 Z : 50 B** 78/120 - 140/180 Fb.

Merian - Restaurant Opatija, Unschlittplatz 7 (N 1), 20 41 94 (Hotel) 22 71 96 (Rest.) – TV ☎. AE E VISA JY **x**
M a la carte 40/66 – **21 Z : 32 B** 115/125 - 160.

Astoria garni, Weidenkellerstr. 4 (N 70), 20 85 05, Fax 243670 – TV ☎. AE E VISA JZ **r**
26 Z : 60 B 120/180 - 150/280 Fb.

Am Heideloffplatz garni, Heideloffplatz 9 (N 30), 44 94 51, Fax 4469661 – TV ☎ . AE E VISA FX **t**
24. Dez.-6. Jan. geschl. – **50 Z : 70 B** 78/115 - 140/160 Fb.

NÜRNBERG

Äußere Sulzbacher Straße . . . . BS 4
Am Europakanal . . . . AS 7
Ansbacher Straße . . . . AT 14
Beuthener Straße . . . . CT 20
Bierweg . . . . BS 21
Bingstraße . . . . CS 23
Breslauer Straße . . . . CT 26
Cadolzburger Straße . . . . AS 27
Deutenbacher Straße . . . . AT 31
Dianastraße . . . . BT 32
Eibacher Hauptstraße . . . . AT 33
Eichendorffstraße . . . . BS 34
Erlanger Straße . . . . AS 36
Erlenstegenstraße . . . . CS 37
Finkenbrunn . . . . BT 40
Fischbacher Hauptstraße . . . . . . CT 41
Fronmüllerstraße (FÜRTH) . . . . AS 44
Fürther Straße (ZIRNDORF) . . . . AS 45
Gebersdorfer Straße . . . . AS 47
Gründlacher Straße . . . . AS 52
Hauptstraße (FEUCHT) . . . . CT 54
Hauptstraße (STEIN) . . . . AT 55
Heilstättenstraße . . . . AS 56
Hügelstraße . . . . AS 61
Julius-Loßmann-Straße . . . . BT 65
Karl-Martell-Straße . . . . AS 70
Karl-Schönleben-Straße . . . . . . CT 71
Katzwangen Straße . . . . BT 74
Kraftshofer Hauptstraße . . . . . . BS 79
Leyher Straße . . . . AS 83
Löwenberger Straße . . . . CT 85
Minervastraße . . . . BT 94
Moritsbergstraße . . . . CS 96
Mühlhofer Hauptstraße . . . . AT 98
Nürnberger Straße (FEUCHT) . . . . CT 100
Nürnberger Straße (FÜRTH) . . . . AS 102
Nürnberger Straße (STEIN) . . . . AT 103
Otto-Bärnreuther-Straße . . . . . . BT 108
Poppenreuther Straße (FÜRTH) . . . . AS 115
Rednitzstraße . . . . AT 119
Reichelsdorfer Hauptstr. . . . . AT 120
Saarbrückener Straße . . . . BT 121
Schmausenbuckstraße . . . . CS 126
Schwabacher Straße (FÜRTH) . . . . AS 128
Schwabacher Straße (FEUCHT) . . . . CT 130
Schwabacher Straße (ZIRNDORF) . . . . AS 131
Seeackerstraße . . . . AS 133
Siedlerstraße . . . . CS 134
Sigmundstraße . . . . AS 135
Stadenstraße . . . . CS 136
Valznerweiherstraße . . . . CS 145
Wallensteinstraße . . . . AS 150
Weißenburger Straße . . . . AT 153
Wetzendorfer Straße . . . . AS 155
Würzburger Straße . . . . AS 159

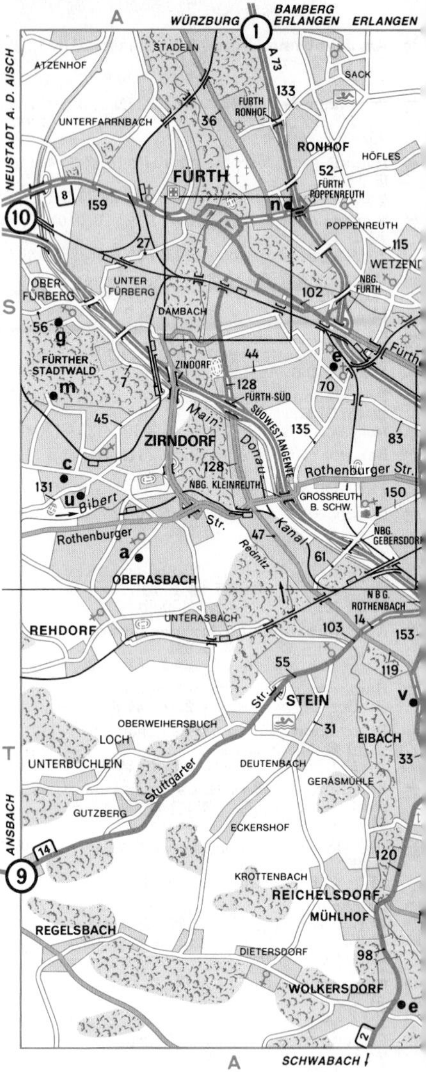

Le piante topografiche sono orientate col Nord in alto.

🏨 **Klughardt** garni, Tauroggenstr. 40 (N 20), ✆ 59 70 17, Fax 595989 – TV ☎ P. AE E VISA GU
24. Dez.- 6. Jan. geschl. – **31 Z : 43 B** 90/98 - 130/150.

🏨 **Cristal** garni, Willibaldstr. 7 (N 20), ✆ 56 40 05, Fax 564006, – |‡| TV ☎. AE ① E VISA GU
42 Z : 60 B 85/95 - 98/120 Fb.

🏨 **Burghotel-Kleines Haus** garni, Schildgasse 14 (N 1), ✆ 20 30 40, Fax 226503 – |‡| TV ☎ AE ① E VISA – **22 Z : 35 B** 75/95 - 125/135. JY

🏨 **Kröll** garni, Hauptmarkt 6 (4. Etage) (N 1), ✆ 22 71 13 – |‡| ☎ JY
28 Z : 52 B 60/110 - 98/130.

🏨 **Westend** garni, Karl-Martell-Str. 42 (N 80), ✆ 31 37 63, Fax 3263601 – TV ☎ P. E AS
30 Z : 40 B 63/89 - 103/113.

🏨 **Wöhrder Hof** garni, Rahm 18 (N 20), ✆ 53 60 60, Fax 538617 – TV ☎ GV
27 Z : 38 B 93/115 - 150/180 Fb.

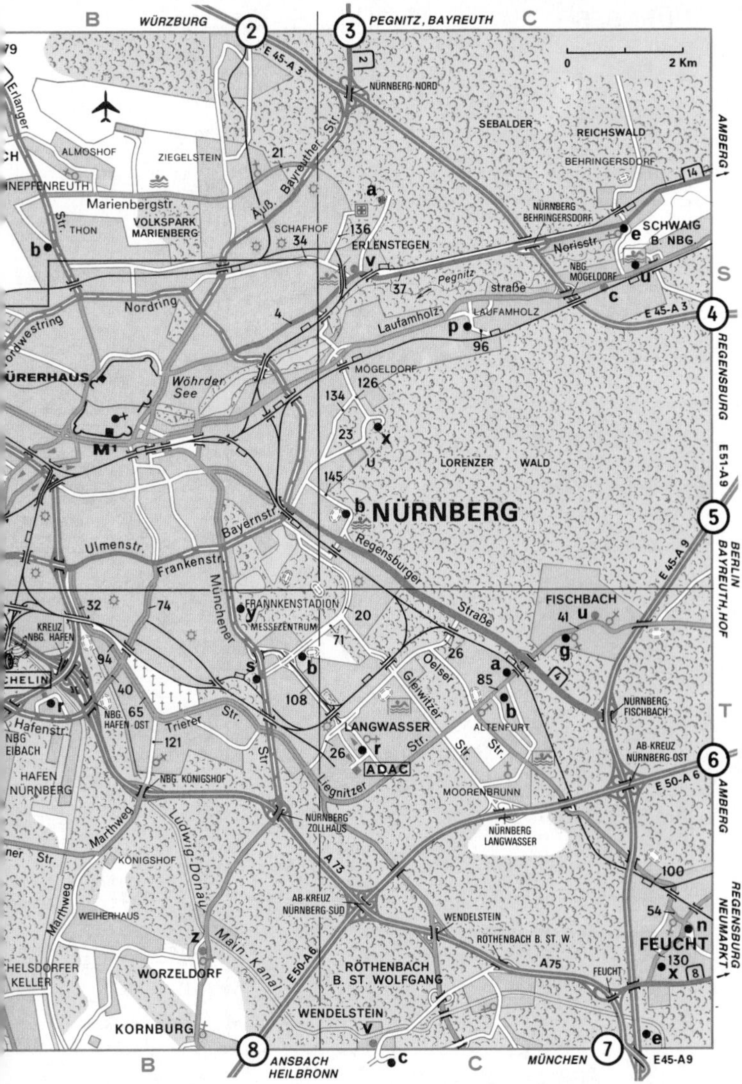

🏨 **City-Hotel** garni, Königstr. 25 (3. Etage) (N 1), ☎ 22 56 38, Fax 203999 – |‡| ☎. AE ⓓ E VISA — JZ **z**
22. Dez.- 6. Jan. geschl. – **21 Z : 32 B** 95/105 - 150/160.

🏨 Pfälzer Hof garni, Am Gräslein 10 (N 1), ☎ 22 14 11 – 🚗 — JZ **a**
21 Z : 27 B.

XX **Stadtpark-Restaurant,** Berliner Platz 9 (N 10), ☎ 55 21 02, « Parkterrasse » – Ⓟ – 25/400. AE E — GU **k**
M a la carte 33/59.

XX **Essigbrätlein,** Weinmarkt 3 (N 1), ☎ 22 51 31, – ⓓ E VISA — JY **z**
Sonntag - Montag sowie Jan. und Aug. jeweils 2 Wochen geschl. – **M** (abends Tischbestellung erforderlich) a la carte 70/85.

XX **Quo vadis** (Italienische Küche), Elbinger Str. 28 (N 20), ☎ 51 55 53, – AE E — GU **e**
Mittwoch und Aug. geschl. – **M** (Tischbestellung ratsam) a la carte 42/69.

NÜRNBERG

Allersberger Str.	FGX	
Fürther Straße	DV	
Äußere Cramer-Klett-Straße	GV	3
Am Messehaus	GU	8
Beuthener Straße	GX	20
Celtisstraße	EX	28
Deumentenstraße	GU	29
Endterstraße	EX	35
Galgenhofstraße	FX	46
Gostenhofer Hauptstr.	DV	49
Himpfelshofstr.	DV	59
Hinterm Bahnhof	FX	60
Knauerstraße	DVX	76
Kressengartenstr.	GV	81
Leyher Straße	DV	83
Marienbader Str.	GX	86
Maxfeldstraße	FU	91
Maximilianstraße	DV	93
Obere Kanalstr.	DV	104
Poppenreuther Str.	DU	113
Prinzregentenufer	GV	116
Schafhofstraße	GU	122
Scheurlstraße	FGX	124
Schuckertstraße	EX	127
Schweiggerstraße	GX	132
Steinbühler Straße	EX	137
Südliche Fürther Str.	DV	139
Tafelfeldstraße	EX	141
Teutoburger Straße	GU	142
Tunnelstraße	EX	144
Wallensteinstraße	DX	150
Wassertorstraße	GV	152
Wöhrder Hauptstr.	GV	157
Wöhrder Talübergang	GV	158
Zufuhrstraße	EX	160

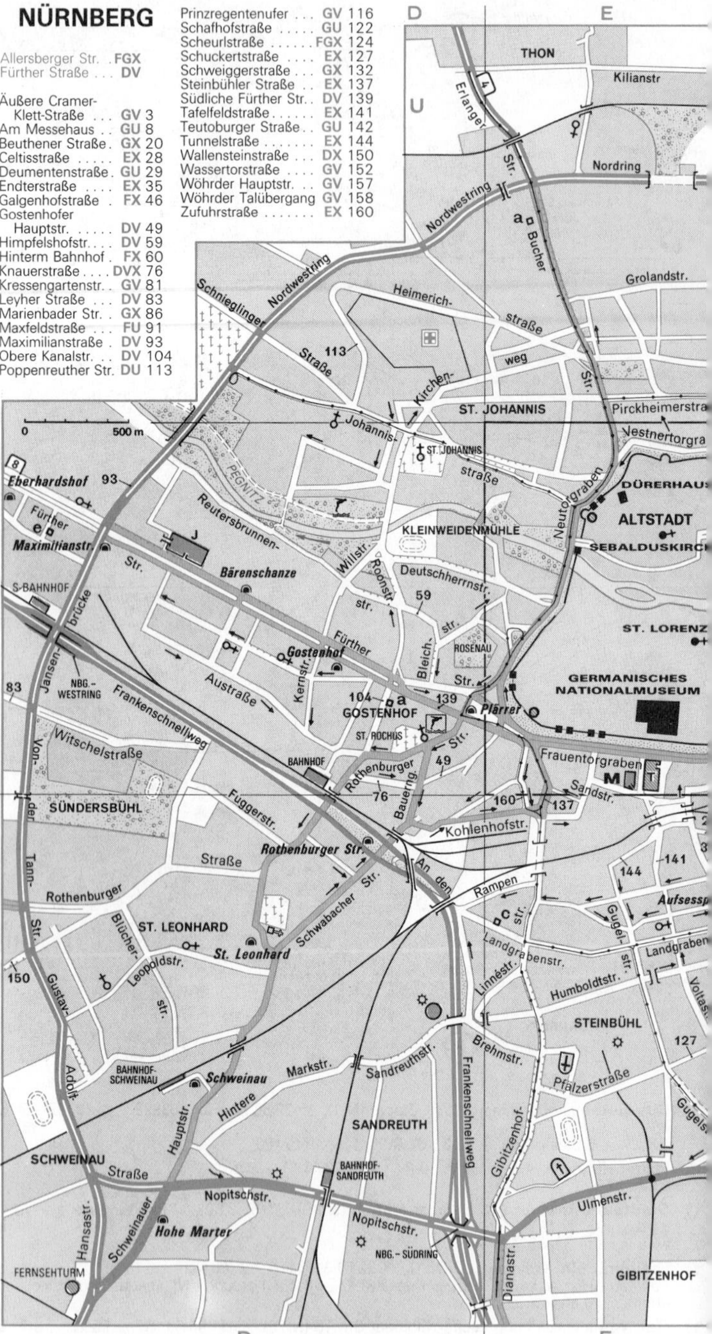

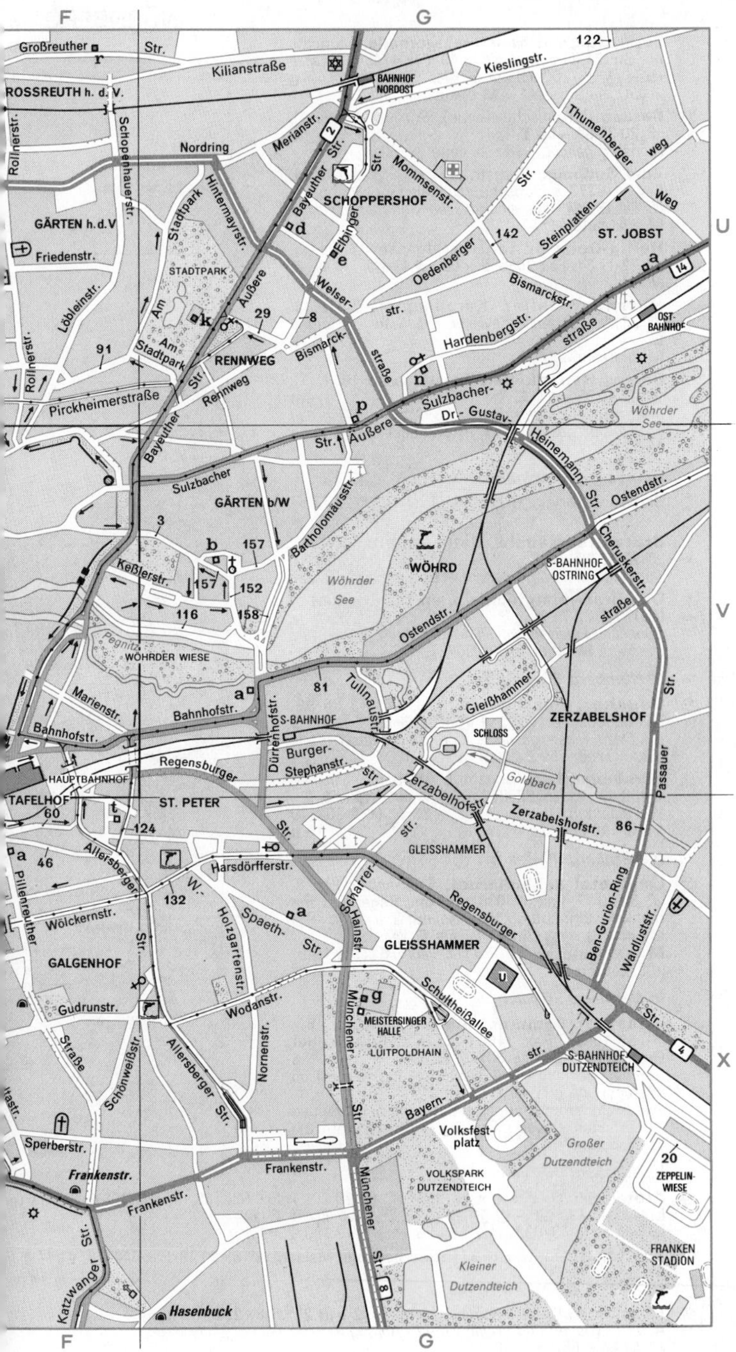
F
G
U
V
X
Großreuther
Str.
Kilianstraße
ROSSREUTH h. d. V.
BAHNHOF NORDOST
122
Kieslingstr.
Rollnerstr.
Schopenhauerstr.
Nordring
Merianstr.
2
Bayreuther Str.
Str.
Mommsenstr.
Thumenberger weg
Weg
Str.
Hintermayrstr.
Stadtpark
GÄRTEN h.d.V
SCHOPPERSHOF
Steinplatten-
ST. JOBST
d
142
Friedenstr.
STADTPARK
Äußere
e
Elbinger
Oedenberger
Bismarckstr.
a
14
Löbleinstr.
Am
Welser-
str.
OST-BAHNHOF
Am Stadtpark
k
29
8
Hardenbergstr.
straße
91
RENNWEG
Bismarck-
Rollnerstr.
Str.
Rennweg
straße
n
Pirckheimerstraße
Bayreuther
p
Sulzbacher-
Dr.- Gustav-
Wöhrder See
Str.
Äußere
Heinemann-
Sulzbacher
Str.
Ostendstr.
GÄRTEN b/W
3
Bartholomausstr.
Cheruskerstr.
b
157
WÖHRD
S-BAHNHOF OSTRING
Keßlerstr.
157
152
Wöhrder See
straße
116
158
Ostendstr.
Pegnitz
WÖHRDER WIESE
Str.
a
81
Tullnaustr.
Marienstr.
Gleißhammer-
ZERZABELSHOF
Bahnhofstr.
S-BAHNHOF
Bahnhofstr.
Dürrenhofstr.
SCHLOSS
Passauer
Regensburger
Burger-
Stephanstr.
HAUPTBAHNHOF
str.
Zerzabelhofstr.
Goldbach
TAFELHOF
ST. PETER
60
t
124
Str.
Zerzabelshofstr.
86
str.
Allersberger
GLEISSHAMMER
a
46
Harsdörfferstr.
Pillenreuther
132
W.-
Regensburger
Ben-Gurion-Ring
Wölckerstr.
Spaeth-
a
Scharrer-
Str.
Holzgartenstr.
Str.
Waldluststr.
GALGENHOF
GLEISSHAMMER
u
Hainstr.
Str.
g
Schultheißallee
Gudrunstr.
Wodanstr.
MEISTERSINGER HALLE
4
Straße
Allersberger
Münchener
S-BAHNHOF DUTZENDTEICH
LUITPOLDHAIN
str.
Schönweißstr.
Nornenstr.
Str.
Bayern-
Str.
Volksfest-platz
Großer Dutzendteich
Sperberstr.
20
Frankenstr.
Frankenstr.
ZEPPELIN-WIESE
Frankenstr.
VOLKSPARK DUTZENDTEICH
Münchener
Str.
Kleiner Dutzendteich
FRANKEN STADION
8
Katzwanger
Str.
Hasenbuck

NÜRNBERG

Parkrestaurant Meistersingerhalle, Münchener Str. 21 (N 50), 47 48 49, Fax 4748420, – – 25/200. GX **g**
2.- 30. Aug. geschl. – **M** a la carte 35/64.

Caruso (Italienische Küche), Burgstr. 25 (N 1), 20 32 83 – JY **u**
Dienstag geschl. – **M** a la carte 39/60.

Zum Sudhaus, Bergstr. 20 (N 1), 20 43 14, Fax 2418373, « Hübsche, rustikale Einrichtung » – – *nur Abendessen, Sonntag geschl.* – **M** a la carte 41/70. JY **n**

Heilig-Geist-Spital, Spitalgasse 16 (N 1), 22 17 61, Fax 208655 – JY **e**
M a la carte 24/61.

Nassauer Keller, Karolinenstr. 2 (N 1), 22 59 67, « Kellergewölbe a.d.13.Jh. » – JZ **u**
M a la carte 29/57.

Böhms Herrenkeller, Theatergasse 19 (N 1), 22 44 65 – JZ **m**
Mai - Sept. Sonntag ganztägig, Okt.- April Sonntag ab 14 Uhr geschl. – **M** 16 (mittags) und la carte 29/60.

Nürnberger Bratwurst-Lokale :

Bratwurst-Röslein, Obstmarkt 1 (N 1), 22 77 94 JY **v**

Bratwurst-Häusle, Rathausplatz 1 (N 1), 22 76 95, JY **s**
Sonn- und Feiertage geschl. – **M** a la carte 15/23.

Das Bratwurstglöcklein, im Handwerkerhof (N 1), 22 76 25, KZ **z**
Sonn- und Feiertage sowie Weihnachten - Mitte März geschl. – **M** a la carte 16,50/27.

In Nürnberg 50-Altenfurt :

Daucher, Habsburgerstr. 9, 83 56 99, Fax 836053, – . CT **b**
23. Dez.- 7. Jan. geschl. – **M** *(Sonntag geschl.)* a la carte 37/56 – **50 Z : 70 B** 55/75 - 100/110 Fb.

Nürnberger Trichter garni, Löwenberger Str. 147, 83 43 07, Fax 835880 – .
Weihnachten - 6. Jan. geschl. – **35 Z : 60 B** 80/110 - 110/140 Fb. CT **a**

In Nürnberg 90-Boxdorf ① : 9 km :

Landhotel Schindlerhof, Steinacher Str. 8, 30 20 77, Fax 304038, « Ehem. Bauernhof mit rustikaler Einrichtung, Innenhof mit Grill », – – 25/50.
M a la carte 58/80 – **71 Z : 135 B** 155/190 - 205/240 Fb.

In Nürnberg 90-Buch :

Gasthof Bammes, Bucher Hauptstr. 63, 38 13 03, Fax 346313, , « Fränkischer Gasthof » – – 30/80. BS **a**
Sonntag geschl. – **M** (Tischbestellung ratsam) 55 (mittags) und a la carte 72/90
Spez. Hummer mit Parmesan-Basilikumsauce, Rinderlende in Frankenwein gesotten, Schokoladentarte mit Walnußeis.

In Nürnberg 60-Eibach :

Arotel, Eibacher Hauptstr. 135, 64 20 20, Telex 622128, Fax 633052, Biergarten, Massage, , – – 25/100. AT
M a la carte 43/62 – **71 Z : 142 B** 145/175 - 190/250 Fb.

Am Hafen garni, Isarstr. 37 (Gewerbegebiet Maiach), 63 30 78, Fax 644778, – . BT
28 Z : 56 B 95/100 - 130/135.

Eibacher Hof garni, Eibacher Hauptstr. 2 a (B 2), 63 23 91 – AT
Aug. 3 Wochen und Weihnachten - Anfang Jan. geschl.
27 Z : 44 B 55/85 - 110.

Breite Gasse . . . . JZ
Kaiserstraße . . . . JZ 67
Karolinenstraße . . . . JZ
Königstraße . . . . JZ 78
Ludwigstraße . . . . HZ
Luitpoldstraße . . . . JZ 86
Pfannenschmiedsgasse . . . . . JZ 11

Äußere Laufer Gasse . . . . . . KY 5

\lbrecht-Dürer-Str.	JY 6
\n der Fleischbrücke	JY 10
\n der Karlsbrücke	JY 13
;ahnhofsplatz	KZ 16
ieckschlagergasse	KY 17
iergstraße	JY 18
iischof-Meiser-Str.	JY 24
indelgasse	JZ 38
;rübelstraße	KY 50
ians-Sachs-Gasse	JY 53
ienkersteg	JY 58
ın.-Cramer-Klett-Str.	KY 62
Innere Laufer Gasse	KY 63
Johannesgasse	KZ 64
K.-Grillenberger-Str.	HZ 69
Karlstraße	JY 72
Katharinengasse	KZ 73
Königstorgraben	KZ 77
Lessingstraße	JZ 82
Lorenzer Str.	KZ 84
Marientorgraben	KZ 87
Maxbrücke	JY 90
Mohrengasse	HYZ 95
Museumsbrücke	JY 99
Obere Krämersgasse	JY 105
Obere Wörthstraße	JZ 106
Obstmarkt	JY 107
Prinzregentenufer	KZ 116
Rathausplatz	JY 117
Schlotfegergasse	HZ 125
Steubenbrücke	KY 138
Sulzbacher Str.	KY 140
Tafelhofstraße	JZ 142
Vordere Ledergasse	HZ 148
Vordere Sterngasse	JZ 149
Weißgerbergasse	JY 154

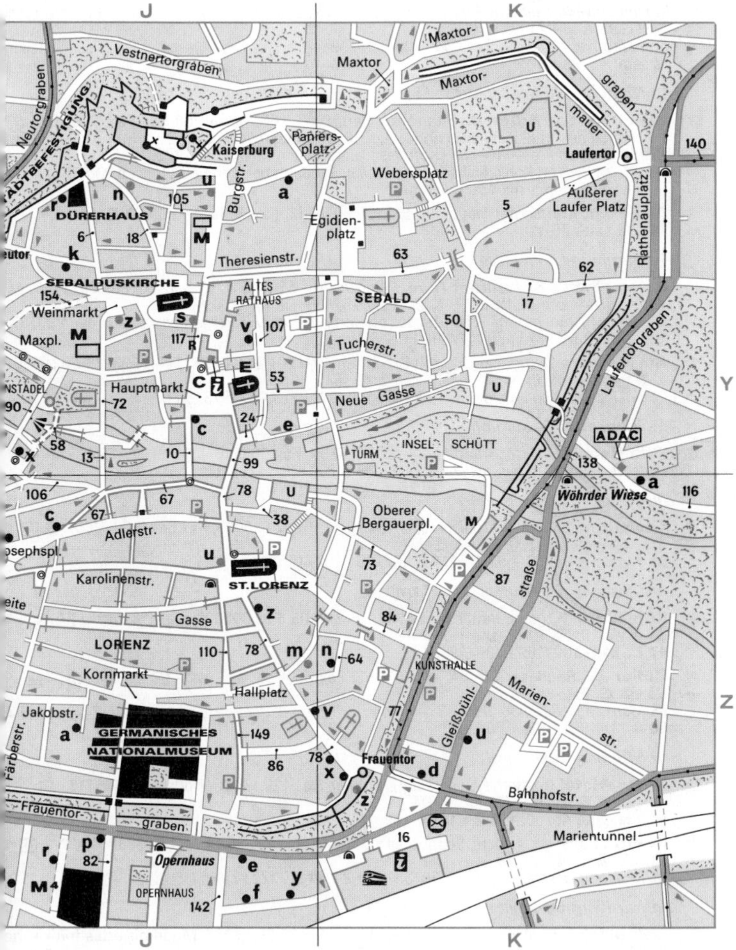

In Nürnberg 20-Erlenstegen :

Erlenstegen garni, Äußere Sulzbacher Str. 157, ✆ 59 10 33, Fax 591036 – |‡| TV ☎ P. AE E VISA – *24. Dez.- 6. Jan. geschl.* – **40 Z : 70 B** 115/155 - 165/215 Fb. GU **a**

Goldener Stern mit Zim, Erlenstegenstr. 95, ✆ 59 55 58 – P. AE ⓓ E VISA CS **v**
M *(Mai - Sept. Montag geschl.)* a la carte 35/74 – **4 Z : 8 B** 90 - 140.

✿ **Entenstub'n im Schießhaus,** Günthersbühler Str. 145, ✆ 5 98 04 13, Fax 5980559 – P. E VISA – *Sonntag - Montag und 1.- 10. Jan. geschl.* – **M** (Tischbestellung ratsam) a la carte 65/88
Spez. Seeteufel mit Paprikakruste und roter Pimentosauce, Entenbrust mit Chiantisauce, Gefüllte Rehmedaillons. CS **a**

In Nürnberg 50-Fischbach :

Silberhorn, Fischbacher Hauptstr. 112, ✆ 83 10 84, Telex 626342, Fax 832316, , , , (Halle) – – 25/100. AE E VISA CT
21. Dez.- 2. Jan. geschl. – **M** a la carte 34/57 – **65 Z : 115 B** 115/170 - 160/240 Fb.

XXX **Schelhorn,** Am Schloßpark 2, ✆ 83 24 24, , « Wechselnde Bilderausstellung » – . E VISA. CT
Montag und 1.- 9. Jan. geschl. – **M** a la carte 66/86.

In Nürnberg 80-Großreuth bei Schweinau :

XX **Romantik-Restaurant Rottner,** Winterstr. 15, ✆ 61 20 32, Fax 613759, « Gartenterrass Grill-Garten » – AS
Samstag bis 18 Uhr, Sonn- und Feiertage sowie 27. Dez.- Jan. geschl. – **M** (Tischbestellur ratsam) 48/98.

In Nürnberg 90-Kraftshof N : 7 km über ① und Kraftshofer Hauptstr. BS :

XXX ❀ **Schwarzer Adler,** Kraftshofer Hauptstr. 166, ✆ 30 58 58, Fax 305867, « Historisches fränkisches Gasthaus a.d. 18. Jh., elegant-rustikale Einrichtung » – AE
22. Dez.- 3. Jan. geschl. – **M** (Tischbestellung ratsam) a la carte 71/96
Spez. Lasagne von Kohlrabi, Lachs und Kaviar, Taubenbrüstchen und Stopfleber im Strudeltei Schokoladenblätter mit Mangocreme.

X **Alte Post,** Kraftshofer Hauptstr. 164, ✆ 30 58 63, Fax 305654 – AE E VISA
M a la carte 26/60.

In Nürnberg-Langwasser :

Arvena Park - Restaurant Arve, Görlitzer Str. 51 (N 51), ✆ 8 92 20, Fax 8922115, – Zim Rest – 25/450. AE E VISA CT
24. Dez.- 3. Jan. geschl. – **M** *(August sowie Sonn- und Feiertage geschl.)* a la carte 63/82
240 Z : 350 B 198/315 - 248/390 Fb – 6 Appart..

Am Messezentrum garni, Bertolt-Brecht-Str. 2 (N 50), ✆ 8 67 11, Telex 623983, Fax 86867 – – 25/50. AE E VISA BT
Ende Dez.- Anfang Jan. geschl. – **62 Z : 100 B** 169/263 - 219/313 Fb.

In Nürnberg 30-Laufamholz :

Park-Hotel garni, Brandstr. 64, ✆ 50 10 57, Fax 503510 – . AE E. CS
Ende Dez.- Anfang Jan. geschl. – **21 Z : 39 B** 88/128 - 128/168.

In Nürnberg 30-Mögeldorf :

Tiergarten , Am Tiergarten 8, ✆ 54 70 71, Telex 626005, Fax 5441866, – – 25/200. AE E VISA CS
M a la carte 30/58 – **63 Z : 118 B** 90/145 - 130/190 Fb.

In Nürnberg 90-Reutles ① : 11 km :

Käferstein garni, Reutleser Str. 67, ✆ 3 09 05, Fax 306900, , , – – 40. AE E VISA
47 Z : 84 B 100/160 - 130/190 Fb.

Höfler , Reutleser Str. 61, ✆ 30 50 73, Fax 306621, , – – 2 AE E VISA
M *(Samstag - Sonntag, 10.- 20. Aug. und 24. Dez.- 6. Jan. geschl.)* a la carte 24/58 – **35 Z 60 B** 115/150 - 150/180 Fb.

In Nürnberg 90 - Thon :

Nestor-Hotel (moderne Einrichtung), Bucher Str. 125, ✆ 3 47 60, Fax 3476113, – Zim . AE E VISA EU
M a la carte 45/60 – **75 Z : 147 B** 185 - 250/285 Fb.

Kreuzeck (mit Anbau), Schnepfenreuther Weg 1, ✆ 34 14 74, Fax 383304, – . AE E VISA BS
M *(Sonntag geschl.)* a la carte 20/33 – **30 Z : 40 B** 70/130 - 85/150.

In Nürnberg 60-Worzeldorf :

XXX ❀ **Zirbelstube** mit Zim, Fr.-Overbeck-Str. 1, ✆ 8 81 55, , « Modernisiertes fränkische Gasthaus » – . AE E BT
Feb. 2 Wochen und Aug. 3 Wochen geschl. – **M** *(nur Abendessen, Montag gesch* (Tischbestellung ratsam) 76/98 – **8 Z : 16 B** 120/140 - 160/190
Spez. Kalbsbries mit Linsensalat, Baramundi mit Olivensauce, Gefüllte Wachtel.

In Nürnberg 30-Zerzabelshof :

Scandic Crown Hotel, Valznerweiherstr. 200, ✆ 4 02 90, Telex 623503, Fax 404067, , , Sportpark – Zim – 25/300. AE E VISA. Rest
M a la carte 48/72 – **152 Z : 304 B** 205/295 - 265/385 Fb. CS

MICHELIN-REIFENWERKE KGaA. Niederlassung Lechstr. 29 (Gewerbegebiet Maiach) B ✆ 63 30 53 Fax 633413.

NÜRTINGEN **7440.** Baden-Württemberg 413 KL 21, 987 ㉟ – 36 700 Ew – Höhe 291 m – ☎ 07022. – ♦Stuttgart 33 – Reutlingen 21 – ♦Ulm (Donau) 66.

Am Schloßberg, Europastr. 13, ☎ 70 40, Telex 7267355, Fax 704343, Massage, – 25/270 – **170 Z : 320 B** Fb.

Vetter, Marienstr. 59, ☎ 3 30 11, Fax 32617, – 30. E VISA
Ende Dez.- Anfang Jan. geschl. – **M** *(nur Abendessen, Freitag - Sonntag geschl.)* a la carte 34/49 – **39 Z : 53 B** 85/105 - 130/150.

Pflum, Steingrabenstr. 6, ☎ 3 30 80, Fax 34156 –
Anfang - Mitte Jan. und Ende Juli - Mitte Aug. geschl. – **M** *(Samstag geschl.)* a la carte 40/70 – **25 Z : 36 B** 95 - 150 Fb.

In Nürtingen-Hardt NW : 3 km :

Ulrichshöhe, Herzog-Ulrich-Str. 14, ☎ 5 23 36, « Terrasse mit ≤ » – .
Sonntag - Montag und Juli - Aug. 3 Wochen geschl. – **M** (abends Tischbestellung ratsam) 136 und a la carte 82/104
Spez. Frikassee von Seezunge und Hummer, Ente mit Majoran (2 Pers.), Quittenstrudel mit Maroneneis (Okt.- Dez.).

In Frickenhausen **7443** SO : 4 km :

Landgasthaus zum Mühlstein, Wielandstr. 1, ☎ (07022) 4 56 56, « Gartenterrasse » – . AE E VISA
Montag, 1.- 13. Jan. und 27. Juli - 11. Aug. geschl. – **M** *(auch vegetarische Gerichte)* 45/95.

In Wolfschlugen **7448** NW : 4,5 km :

Reinhardtshof garni, Reinhardtstr. 13, ☎ (07022) 57 31, Fax 54153 – . AE E VISA.
Juli und Weihnachten geschl. – **14 Z : 16 B** 98/108 - 145 Fb.

In Großbettlingen **7441** SW : 5 km :

Café Bauer garni, Nürtinger Straße, ☎ (07022) 4 10 11 –
15 Z : 20 B 65/70 - 120 Fb.

NUSSDORF AM INN **8201.** Bayern 413 T 23, 426 I 5 – 2 200 Ew – Höhe 500 m – Erholungsort – Wintersport : 600/900 m 1 – ☎ 08034.
Verkehrsamt, Brannenburger Str. 10, ☎ 23 87.
♦München 75 – Innsbruck 96 – Passau 188 – Rosenheim 18 – Salzburg 89.

Café Heuberg, Mühltalweg 12, ☎ 23 35, –
9.- 23. Jan. und 4.- 11. Nov. geschl. – **M** *(Mittwoch geschl.)* a la carte 21/56 – **18 Z : 27 B** 42/95 - 84/170.

Nußdorfer Hof mit Zim, Hauptstr. 4, ☎ 75 66, Fax 1532, – . AE E VISA
M *(Dienstag geschl.)* a la carte 49/76 – **10 Z : 16 B** 50/90 - 75/110.

NUSSLOCH Baden-Württemberg siehe Leimen.

OBERAMMERGAU **8103.** Bayern 413 Q 24, 987 ㊱, 426 ⑯ – 4 600 Ew – Höhe 834 m – Luftkurort – Wintersport : 850/1 700 m 1 11 4 – ☎ 08822.
Ausflugsziel : Schloß Linderhof★★ (Schloßpark★★) SW : 10 km.
Verkehrsbüro, Eugen-Pabst-Str. 9a, ☎ 10 21, Fax 7325.
♦München 92 – Garmisch-Partenkirchen 19 – Landsberg am Lech 59.

Alois Lang, St.-Lukas-Str. 15, ☎ 7 60, Telex 59623, Fax 4723, « Gartenterrasse », – 25/80. AE E VISA
M a la carte 32/60 – **70 Z : 124 B** 85/105 - 140/240 Fb – ½ P 95/125.

Wittelsbach, Dorfstr. 21, ☎ 10 11, Telex 592407, Fax 6688 – . AE E VISA
10.- 27. Jan. und 2. Nov.- 20. Dez. geschl. – **M** *(Dienstag geschl.)* a la carte 30/49 – **46 Z : 90 B** 65/90 - 120/160 Fb – ½ P 80/105.

Böld, König-Ludwig-Str. 10, ☎ 30 21, Telex 592406, Fax 7102, – 25/100. AE E VISA. Rest
M a la carte 31/70 – **57 Z : 110 B** 111/121 - 166/186 Fb.

Turmwirt, Ettaler Str. 2, ☎ 30 91, Fax 1437 – . AE E VISA
26. Okt.- 17. Dez. geschl. – **M** *(Mittwoch geschl.)* a la carte 34/58 – **21 Z : 42 B** 90/110 - 130/165 Fb.

Alte Post, Dorfstr. 19, ☎ 10 91, Fax 1094 –
25. Okt.- 19. Dez. geschl. – **M** a la carte 22/41 – **32 Z : 65 B** 50/80 - 120/140 – ½ P 77/87.

Wolf, Dorfstr. 1, ☎ 30 71, Telex 592402, Fax 1096, – . AE E VISA
M a la carte 25/53 – **32 Z : 55 B** 60/110 - 98/180 Fb.

Parkhotel Sonnenhof, König-Ludwig-Str. 12, ☎ 10 71, Telex 592426, Fax 3047, – 25/100. AE E VISA
10.- 20. Dez. geschl. – **M** a la carte 33/60 – **72 Z : 140 B** 95/125 - 160/240 Fb – ½ P 98/148.

Schilcherhof, Bahnhofstr. 17, ✆ 47 40, – P. *(nur Abendessen für Hausgäste)* – **26 Z : 45 B**.

Friedenshöhe, König-Ludwig-Str. 31, ✆ 5 98, Fax 4345, ≤, – ☎ P. AE ① E VISA
25. Okt.- 20. Dez. geschl. – **M** *(Donnerstag geschl.)* a la carte 23/54 – **11 Z : 20 B** 77/95 - 130/160 Fb.

Wenger garni, Ludwig-Lang-Str. 20, ✆ 47 88, – ☎ P. E VISA
Nov. geschl. – **7 Z : 13 B** 60/80 - 80/120 Fb – 2 Fewo 65/110.

Enzianhof garni, Ettaler Str. 33, ✆ 2 15 – P
Mitte Nov.- Mitte Dez. geschl. – **16 Z : 29 B** 43/50 - 80.

Zur Rose, Dedlerstr. 9, ✆ 47 06, Fax 6753 – P. AE ① E VISA
2. Nov.- 6. Dez. geschl. – **M** *(Montag geschl.)* a la carte 24/47 – **25 Z : 45 B** 45/60 - 80/100 – 10 Fewo 55/110.

OBERASBACH 8507. Bayern 413 P 18 – 15 300 Ew – Höhe 295 m – ☎ 0911 (Nürnberg).

Siehe Nürnberg (Umgebungsplan).

♦München 174 – ♦Nürnberg 10 – ♦Würzburg 108.

Jesch garni, Am Rathaus 5, ✆ 69 97 03, Fax 693319 – 🛗 TV ☎ P. ① E VISA AS a
25 Z : 32 B 74/84 - 104/114.

OBERAU Bayern siehe Farchant.

OBERAUDORF 8203. Bayern 413 T 24, 987 ㊲, 426 I 6 – 5 000 Ew – Höhe 482 m – Luftkurort – Wintersport : 500/1 300 m ⛷20 ⛷6 – ☎ 08033.

Kur- und Verkehrsamt, Kufsteiner Str. 6, ✆ 3 01 20, Fax 30129.

♦München 81 – Innsbruck 82 – Rosenheim 28.

Ochsenwirt, Carl-Hagen-Str. 14, ✆ 40 21, Biergarten, – ☎ P – 30. E
20. Okt.- 21. Nov. geschl. – **M** *(Montag 13 Uhr - Dienstag geschl.)* a la carte 26/51 – **26 Z : 54 B** 58 - 90/110.

Hotel am Rathaus, Kufsteiner Str. 4, ✆ 14 70, – TV
25. Nov.- 15. Dez. geschl. – **M** *(Mittwoch geschl.)* a la carte 25/44 – **11 Z : 22 B** 60 - 90.

Alpenhotel Suppenmoser, Marienplatz 2, ✆ 10 04, Fax 4251 – ☎
Juni und Nov. jeweils 1 Woche geschl. – **M** *(Montag geschl.)* a la carte 25/58 – **21 Z : 40 B** 55/75 - 96/140 Fb.

Lambacher garni, Rosenheimer Str. 4, ✆ 10 46 – 🛗 ☎ P. AE ① E
23 Z : 46 B 70 - 104/120.

Alpenrose, Rosenheimer Str. 3, ✆ 32 41, Biergarten.

Im Ortsteil Niederaudorf N : 2 km :

Alpenhof, Rosenheimer Str. 97, ✆ 10 36, ≤, – ☎ P. E
20. Nov.- 20. Dez. geschl. – **M** *(Donnerstag geschl.)* a la carte 20/43 – **16 Z : 30 B** 53/60 - 100/110 Fb – ½ P 65/70.

An der Straße nach Bayrischzell NW : 10 km :

Alpengasthof Feuriger Tatzlwurm, ✉ 8203 Oberaudorf, ✆ (08034) 86 95, Fax 7170, « Terrasse mit ≤ Kaisergebirge », – TV ☎ P – 40
M a la carte 21/52 – **26 Z : 46 B** 55/75 - 100/140 Fb.

OBERAULA 6435. Hessen 412 L 14 – 3 700 Ew – Höhe 320 m – Luftkurort – ☎ 06628.

Am Golfplatz, ✆ 15 73.

♦Wiesbaden 165 – Fulda 50 – Bad Hersfeld 22 – ♦Kassel 69.

Zum Stern, Hersfelder Str. 1 (B 454), ✆ 80 91, Fax 8094, Biergarten, « Garten mit Teich und Grill-Pavillon », (Halle) – ☎ P – 25/60. AE E VISA. Zim
M a la carte 28/59 – **50 Z : 94 B** 55/75 - 85/130 Fb – ½ P 56/83.

OBERAURACH Bayern siehe Eltmann.

OBERBOIHINGEN 7446. Baden-Württemberg 413 L 21 – 4 500 Ew – Höhe 285 m – ☎ 07022 (Nürtingen).

♦Stuttgart 32 – Göppingen 26 – Reutlingen 25 – ♦Ulm (Donau) 70.

Traube mit Zim, Steigstr. 45, ✆ 68 46 – TV ☎ P
1.- 7. Jan. und Juli - Aug. 3 Wochen geschl. – **M** *(Samstag bis 17 Uhr und Montag geschl.)* a la carte 36/62 – **6 Z : 7 B** 75/95 - 100/120.

Zur Linde, Nürtinger Str. 24, ✆ 6 11 68 – P. AE ① VISA.
Montag, über Fasching 2 Wochen und Aug. 3 Wochen geschl. – Menu a la carte 31/64.

OBERDING Bayern siehe Erding.

OBERELSBACH **8741.** Bayern 412 413 N 15 – 3 000 Ew – Höhe 420 m – Wintersport : 3 – ☎ 09774.

Verkehrsamt, Rathaus, ☎ 2 12.

♦München 325 – Bamberg 99 – ♦Frankfurt am Main 134 – Fulda 48 – ♦Würzburg 90.

Rhöner Trachtenstube, Hauptstr. 13, ☎ 2 18, – ☎ P
Mitte Nov.- Mitte Dez. geschl. – **M** *(Dienstag geschl.)* a la carte 22/56 – **7 Z : 11 B** 35 - 70.

In Oberelsbach-Unterelsbach SO : 2,5 km :

Hubertus, Röderweg 9, ☎ 4 32, Bade- und Massageabteilung, , , , (Halle) – TV ☎ P. E
M *(nur Abendessen, Mittwoch geschl.)* a la carte 28/56 – **18 Z : 42 B** 75 - 130 Fb – 3 Appart. 150 – 3 Fewo.

OBERGÜNZBURG **8953.** Bayern 413 O 23, 987 ㊱, 426 D 5 – 5 300 Ew – Höhe 737 m – Erholungsort – ☎ 08372.

♦München 108 – Kempten (Allgäu) 21 – Landsberg am Lech 48 – Schongau 47.

Goldener Hirsch mit Zim, Marktplatz 4, ☎ 74 80, – ☎
5 Z : 8 B.

OBERHACHING Bayern siehe München.

OBERHARMERSBACH **7617.** Baden-Württemberg 413 H 21 – 2 500 Ew – Höhe 300 m – Luftkurort – ☎ 07837.

Verkehrsverein, Reichstalhalle, ☎ 2 77, Fax 678.

♦Stuttgart 126 – ♦Freiburg im Breisgau 63 – Freudenstadt 35 – Offenburg 30.

Schwarzwald-Idyll, Obertal 50 (N : 4 km), ☎ 2 42, Fax 693, – P. AE E VISA
11.- 24. Jan. und 20. Nov.- 20 Dez. geschl. – **M** *(Dienstag geschl.)* a la carte 24/48 – **25 Z : 46 B** 36/55 - 66/98 Fb – ½ P 46/65.

Zur Stube, Dorf 32, ☎ 2 07, , – . E
März 2 Wochen geschl. – **M** *(Nov.- Mai Montag geschl.)* a la carte 21/49 – **20 Z : 40 B** 35/42 - 60/76 – ½ P 48/52.

Sonne, Obertal 12, ☎ 2 01, – P
Mitte Jan.- Mitte Feb. und Mitte Nov.- Anfang Dez. geschl. – **M** *(Mittwoch geschl.)* a la carte 22/48 – **20 Z : 35 B** 28/49 - 56/84 – ½ P 45/62.

Hubertus, Dorf 2, ☎ 8 31, , – P.
Mitte Nov.- Mitte Dez. geschl. – **M** a la carte 19/39 – **23 Z : 36 B** 38/40 - 70/74 – ½ P 46/50.

OBERHAUSEN **8859.** Bayern 413 Q 20 – 1 900 Ew – Höhe 409 m – ☎ 08431.

♦München 101 – Donauwörth 28 – Ingolstadt 28.

Im Ortsteil Unterhausen W : 1,5 km :

Lindenhof mit Zim, Lindenstr. 6 (B 16), ☎ 26 17 – P.
4 Z : 7 B.

OBERHAUSEN **4200.** Nordrhein-Westfalen 411 412 D 12, 987 ⑬ ⑭ – 224 000 Ew – Höhe 45 m – ☎ 0208.

Verkehrsverein, Berliner Platz 4, ☎ 80 50 51, Telex 856934.

ADAC, Lessingstr. 2 (Buschhausen), ☎ 56 06 66, Notruf ☎ 1 92 11, Telex 8561194.

♦Düsseldorf 33 ③ – ♦Duisburg 10 ③ – ♦Essen 12 ② – Mülheim an der Ruhr 6 ③.

Stadtplan siehe nächste Seite

Ruhrland, Berliner Platz 2, ☎ 80 50 31, Fax 27340 – TV ☎ P – 25/100. AE E VISA. Y a
M *(Samstag - Sonntag geschl.)* a la carte 31/75 – **60 Z : 73 B** 65/160 - 130/260 Fb.

Hagemann, Buschhausener Str. 84, ☎ 2 00 58, Fax 26797 – TV ☎. AE E VISA X c
23. Dez.- 4. Jan. geschl. – **M** *(nur Abendessen, Sonntag geschl.)* a la carte 26/47 – **10 Z : 14 B** 85/90 - 140/150.

In Oberhausen 12-Osterfeld :

Parkhotel Zur Bockmühle, Teutoburger Str. 156, ☎ 6 90 20, Telex 856489, Fax 6902158, – Zim TV P – 25/100. AE E VISA V s
22. Dez.- 2. Jan. geschl. – **M** a la carte 58/79 – **90 Z : 150 B** 112/194 - 188/318 Fb.

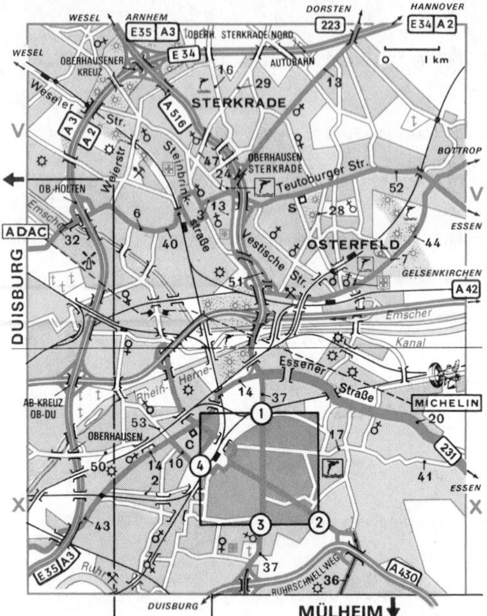

OBERHAUSEN

Bahnhofstraße	V 3
Bottroper Straße	V 7
Elsässer Straße	Z 15
Marktstraße	Z
Alleestraße	X 2
Berliner Platz	Y 5
Biefangstraße	V 6
Buschhausener Straße	Y 8
Christian-Steger-Straße	Z 9
Concordiastraße	Z 10
Dorstener Straße	V 13
Duisburger Straße	X 14
Erzbergerstraße	V 16
Falkensteinstraße	X 17
Friedensplatz	Z 19
Frintroper Straße	X 20
Gerichtstraße	Z 21
Holtener Straße	V 24
Kapellenstraße	V 28
Kirchhellener Straße	V 29
Königstraße	V 32
Langemarktstraße	Z 33
Mellinghofer Straße	X 36
Mülheimer Straße	X 37
Neumühler Straße	V 40
Oberhauser Straße	X 41
Obermeidericher Straße	X 43
Osterfelder Straße	V 44
Poststraße	Z 46
Postweg	V 47
Prälat-Wirtz-Straße	Z 49
Ruhrorter Straße	X 50
Sterkrader Straße	V 51
Sterkrader Straße (BOTTROP)	V 52
Wilmsstraße	X 53

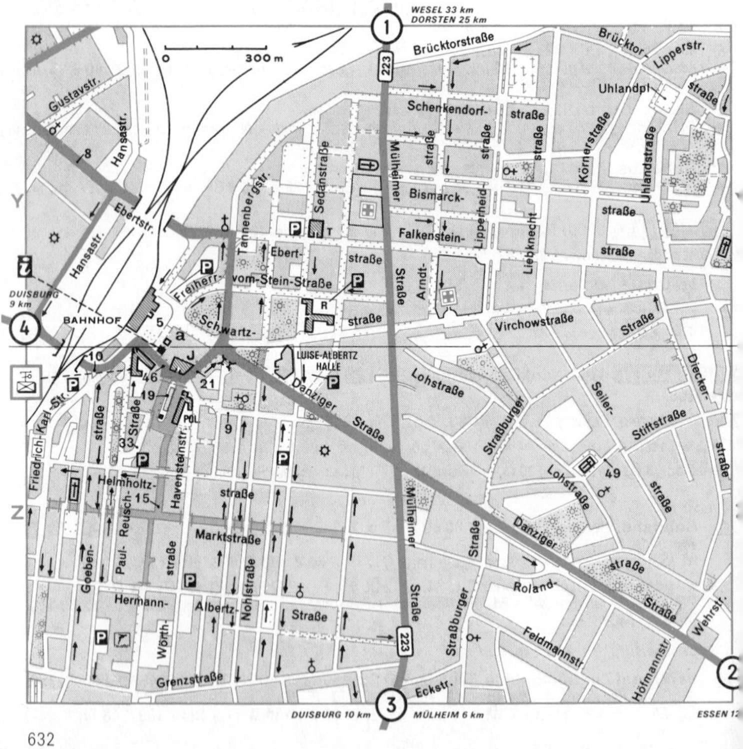

In Oberhausen 11-Schmachtendorf NW : 11 km über Weseler Str. V :

Gerlach-Thiemann, Buchenweg 14, ✆ 68 00 81, Fax 68983, ≘s - |♦| TV ☎ P - 🏛 35. AE ⓓ VISA. ✗ Rest
M a la carte 32/65 - **21 Z : 40 B** 130 - 194 Fb.

MICHELIN-REIFENWERKE KGaA. Regionales Vertriebszentrum Max-Eyth-Str. 2 (V), ✆ 65 40 21, Fax 653666.

OBERHOF **O-6055.** Thüringen 984 ㉓, 987 ㉖ - 2 500 Ew - Höhe 835 m - Wintersport : 700/880 m - ⛷ 2, ⛷ - ☎ 0037 6682. - **Ausflugsziel** : Ohratalsperre (N : 5 km).
ℹ Kurverwaltung, Crawinkler Str. 2, ✆ 3 32.
♦Berlin 316 - ♦Bamberg 106 - Eisenach 53 - Erfurt 52.

Hotel am Grenzadler ⛰, Tambacher Str. 31 (SW : 1 km), ✆ 3 92, Telex 62583, Fax 395, 🏞, ≘s - |♦| TV ☎ - 🏛 25/50. AE E VISA
M a la carte 36/60 - **22 Z : 38 B** 92/114 (Einzelzimmer) - 13 Appart. 254/478.

Panorama ⛰, Theodor-Neubauer-Str. 29, ✆ 5 01, Telex 62321, Fax 551, ≤, 🏞, ≘s, 🏊 - |♦| ⊭ Zim TV ☎ 🚗 P - 🏛 25/180. AE ⓓ E VISA
M a la carte 27/45 - **358 Z : 750 B** 115/145 - 160/230 Fb - ½ P 105/170.

OBERKIRCH **7602.** Baden-Württemberg 413 H 21, 987 ㉞, 242 ㉔ - 17 500 Ew - Höhe 194 m - Erholungsort - ☎ 07802. - ℹ Städt. Verkehrsamt, Eisenbahnstr. 1, ✆ 8 22 41, Fax 82179.
♦Stuttgart 140 - Freudenstadt 42 - Offenburg 16 - Strasbourg 30.

Romantik-Hotel Obere Linde, Hauptstr. 25, ✆ 80 20, Telex 752640, Fax 3030, 🏞, « Geschmackvolle, gemütliche Einrichtung », 🏞, ✗ - |♦| TV P - 🏛 25/200. AE ⓓ E VISA
M a la carte 44/78 - **37 Z : 70 B** 120/180 - 170/270 Fb - ½ P 115/173.

Lamm ⛰, Gaisbach 1, ✆ 33 46, Fax 5966, 🏞, 🏞 - |♦| TV ☎ P - 🏛 25/60. AE ⓓ E VISA. ✗ Zim
M *(auch vegetarisches Menu)* (Dienstag geschl.) a la carte 32/68 🍷 - **18 Z : 32 B** 78/85 - 110/130 Fb - ½ P 78/108.

Pflug, Fernacher Platz 1, ✆ 40 81, Fax 50322 - |♦| ☎ P - 🏛 40. E VISA
7.- 25. Jan. geschl. - **M** *(Mittwoch geschl.)* a la carte 23/48 🍷 - **36 Z : 68 B** 68/90 - 95/120 Fb - ½ P 73/118.

Pfauen, Josef-Geldreich-Str. 18, ✆ 30 77, Fax 4529, 🏞 - TV ☎ 🚗 P. AE ⓓ E VISA
3.- 25. März geschl. - **M** *(Mittwoch geschl.)* a la carte 25/52 🍷 - **11 Z : 22 B** 48/60 - 86/106 - ½ P 65/86.

Ochsen, Obere Grendelstr. 14, ✆ 41 15, 🏞 - ☎ 🚗 P. AE ⓓ E
6.- 20. Jan. und 6.- 20. Juli geschl. - **M** *(Sonntag 15 Uhr - Montag geschl.)* a la carte 27/49 🍷 - **10 Z : 19 B** 60/65 - 90/94.

Haus am Berg ⛰ mit Zim, Am Rebhof 5 (Zufahrt über Privatweg), ✆ 47 01, ≤ Oberkirch und Renchtal, « Lage in den Weinbergen, große Freiterrasse », 🏞 - P
Feb. und Nov. jeweils 2 Wochen geschl. - Menu *(Dienstag und Nov.- April auch Montag ab 15 Uhr geschl.)* 30/89 und a la carte 44/70 🍷 - **Badische Stube M** a la carte 24/45 - **10 Z : 20 B** 55/65 - 95/100 Fb - ½ P 76/83.

Schwanen, Eisenbahnstr. 3, ✆ 22 20, 🏞 - P. E
Mitte Nov.- Anfang Dez. und Montag geschl. - **M** a la carte 28/50.

Löwen, Hauptstr. 46, ✆ 45 51 - ⓓ E
Freitag geschl. - **M** a la carte 26/62.

In Oberkirch-Nußbach W : 6 km :

Rose ⛰, Herztal 48 (im Ortsteil Herztal), ✆ (07805) 35 40, 🏞, 🏞 - TV P. E
zwischen 10. Jan. und 10. März 4 Wochen und 1.- 20. Aug. geschl. - **M** *(Dienstag geschl.)* a la carte 24/49 🍷 - **11 Z : 22 B** 45/50 - 84/98 Fb - ½ P 63/68.

In Oberkirch-Ödsbach S : 3 km :

Waldhotel Grüner Baum ⛰, Alm 33, ✆ 80 90, Telex 752627, Fax 80988, 🏞, ≘s, 🏊, 🏞, ✗ - |♦| TV 🚗 P - 🏛 25/50. AE ⓓ E VISA
M a la carte 42/77 - **59 Z : 103 B** 84/150 - 130/280 Fb - ½ P 94/149.

OBERKOCHEN **7082.** Baden-Württemberg 413 N 20, 987 ㉟ - 8 000 Ew - Höhe 495 m - ☎ 07364. - ♦Stuttgart 80 - Aalen 9 - ♦ Ulm/Donau 66.

Am Rathaus ⛰, Eugen-Bolz-Platz 2, ✆ 3 95, Fax 5955, 🏞 - |♦| TV ☎ 🚗 P - 🏛 35. ⓓ E VISA. ✗
Juli - Aug. 3 Wochen geschl. - **M** *(Freitag - Samstag 18 Uhr geschl.)* a la carte 36/62 - **41 Z : 50 B** 79/120 - 130/160 Fb.

Lamm, Heidenheimer Str. 2, ✆ 64 70 - AE ⓓ E VISA
Sonntag 15 Uhr - Montag, 1.- 20. Jan. und Mai - Juni 2 Wochen geschl. - Menu (Tischbestellung ratsam) a la carte 35/59.

OBERLAHR Rheinland-Pfalz siehe Döttesfeld.

OBERLEICHTERSBACH Bayern siehe Brückenau, Bad.

OBERMAISELSTEIN Bayern siehe Fischen im Allgäu.

OBERMOSCHEL **6763.** Rheinland-Pfalz 412 G 17 – 1 300 Ew – Höhe 187 m – ☎ 06362 (Alsenz)
Mainz 63 – Kaiserslautern 46 – Bad Kreuznach 18.

- **Burg-Hotel** ⛰, ☎ 34 70, ≤ Obermoschel, ⛴, ⌂, 🌳 – ☎ 🚗 P
22. Dez.- 22. Jan. geschl. – **M** a la carte 26/45 🍷 – **20 Z : 30 B** 50 - 92.

OBERNBURG **8753.** Bayern 412 413 K 17 – 7 100 Ew – Höhe 127 m – ☎ 06022.
♦München 356 – Aschaffenburg 20 – ♦Darmstadt 47 – ♦Würzburg 80.

- **Karpfen** (Fachwerkhaus a.d. 17. Jh. mit Gästehaus), Mainstr. 8, ☎ 86 45, Fax 5276 – |♦| TV ☎ P. E. ✈ Zim
M *(Samstag geschl.)* a la carte 26/50 🍷 – **29 Z : 50 B** 75/85 - 110/125.
- **Anker** (Fachwerkhaus a.d. 16. Jh.), Mainstr. 3, ☎ 86 47, Fax 7545, 🌳 – ⇆ Zim TV ☎ P AE ◑ E VISA
M *(Sonntag ab 14 Uhr geschl.)* a la carte 35/65 – **35 Z : 70 B** 85 - 125 Fb.

OBERNDORF **7238.** Baden-Württemberg 413 I 22, 987 ㉟ – 13 800 Ew – Höhe 460 m – ☎ 07423.
♦Stuttgart 80 – Freudenstadt 36 – Rottweil 18.

- **Wasserfall,** Lindenstr. 60, ☎ 35 79, ⛴ – ☎ P. ◑ E VISA
5.- 20. März und 13. Juli- 5. Aug. geschl. – **M** *(Freitag - Samstag 17 Uhr geschl.)* a la carte 21/49 🍷 – **25 Z : 45 B** 30/60 - 60/120 Fb.

In Oberndorf-Lindenhof W : 3 km :

- **Bergcafé Link** ⛰, Mörikeweg 1, ☎ 34 91, 🌳, 🌳 – ☎ 🚗 P. E VISA
(nur Abendessen für Hausgäste) – **16 Z : 22 B** 45/55 - 75/90.

OBERNZELL **8391.** Bayern 413 X 21, 987 ㉘ ㊳, 426 M 3 – 3 500 Ew – Höhe 294 m – Erholungsort – ☎ 08591.
ℹ Verkehrsamt, Marktplatz 42, ☎ 18 77.
♦München 193 – Passau 16.

- **Zur Post,** Marktplatz 1, ☎ 10 30, Fax 2576, 🌳 – TV ☎. E
M *(Montag und 15. Jan.- Feb. geschl.)* a la carte 22/50 – **16 Z : 32 B** 70/85 - 130/155 Fb.

In Obernzell-Erlau NW : 6 km :

- **Zum Edlhof,** Edlhofstr. 10 (nahe der B 388), ☎ 4 66, Biergarten, 🌳 – P
6.- 31. Jan. geschl. – **M** *(Dienstag geschl.)* a la carte 23/39 – **25 Z : 50 B** 48 - 80.

OBERNZENN **8802.** Bayern 413 O 18 – 2 600 Ew – Höhe 376 m – ☎ 09107.
♦München 228 – Ansbach 26 – ♦Nürnberg 59 – ♦Würzburg 72.

In Obernzenn-Hechelbach NO : 6,5 km :

- Grüne Au ⛰, Hechelbach 1, ☎ 2 77, ⌂, 🌳 – P
15 Z : 29 B.

OBERPFRAMMERN **8011.** Bayern 413 S 22, 426 H 4 – 1 500 Ew – Höhe 613 m – ☎ 08093
♦München 25 – Salzburg 119.

- **Bockmaier** garni, Münchner Str. 3, ☎ 50 44, Fax 2338 – TV P. E
30 Z : 50 B 65/80 - 100/120 Fb.

OBER-RAMSTADT **6105.** Hessen 412 413 J 17 – 14 300 Ew – Höhe 200 m – ☎ 06154.
♦Wiesbaden 58 – ♦Darmstadt 8,5 – ♦Mannheim 56.

- **Hessischer Hof** (ehemalige Zehntscheune a.d. 17. Jh.), Schulstr. 14, ☎ 30 66, 🌳 – TV ☎ P – 🏛 30. AE E
15. Juli - 5. Aug. und 27. Dez.- 4. Jan. geschl. – Menu *(Freitag - Samstag 17 Uhr geschl.)* a la carte 29/60 – **19 Z : 25 B** 45/70 - 100/120.

In Ober-Ramstadt - Modau S : 3 km :

- Zur Krone, Kirchstr. 39, ☎ 30 87, ⛴ – |♦| TV ☎ P – 🏛 35
35 Z : 53 B Fb.

OBERREICHENBACH **7261.** Baden-Württemberg 413 IJ 20 – 2 200 Ew – Höhe 600 m – Wintersport : 5 – 07051 (Calw).
♦Stuttgart 52 – Freudenstadt 40 – Pforzheim 30 – Tübingen 46.

In Oberreichenbach - Würzbach SW : 5 km :

Pension Talblick, Panoramaweg 1, (07053) 87 53, –
Mitte Nov.- Mitte Dez. geschl. – **M** a la carte 20/40 – **25 Z : 40 B** 35/55 - 70/100.

OBERREUTE **8999.** Bayern 413 M 24, 426 B 6 – 1 350 Ew – Höhe 860 m – Erholungsort – Wintersport : 840/1 040 m 1 3 – 08387 (Weiler-Simmerberg).
Verkehrsamt, Hauptstr. 34, 12 33.
♦München 182 – Bregenz 35 – Ravensburg 45.

Alpenhof, Unterreute 6, 4 96,
nur Abendessen, Dienstag und Nov. geschl. – **M** a la carte 38/57.

OBERRIED **7801.** Baden-Württemberg 413 G 23, 87 ⑧ – 2 500 Ew – Höhe 455 m – Erholungsort – Wintersport : 650/1 300 m 8 4 – 07661.
Ausflugsziel : Schauinsland ≤★.
Verkehrsbüro, Rathaus, 79 93, Fax 7831.
♦Stuttgart 182 – Basel 67 – Donaueschingen 59 – ♦Freiburg im Breisgau 13.

Zum Hirschen, Hauptstr. 5, 70 14, Fax 7016, –
M *(Donnerstag - Freitag 16 Uhr geschl.)* a la carte 26/54 – **14 Z : 33 B** 52/70 - 90/100.

In Oberried-Hofsgrund SW : 6,5 km :

Zum Hof, Silberbergstr. 21 (am Schauinsland), (07602) 2 50, , , , –
 – **15 Z : 34 B.**

In Oberried-Weilersbach NO : 1 km :

Zum Schützen, Weilersbacher Str. 7, 70 11, Fax 7013, , –
15. Jan.- 15. Feb. geschl. – **M** *(Dienstag - Mittwoch 16 Uhr geschl.)* a la carte 24/52 – **15 Z : 30 B** 60 - 90 Fb – 2 Fewo 70.

Am Notschrei (S : 11,5 km) – siehe ***Todtnau***

OBERSCHEINFELD Bayern siehe Scheinfeld.

OBERSCHLEISSHEIM **8042.** Bayern 413 R 22, 426 G 4 – 11 000 Ew – Höhe 477 m – 089 (München).
Sehenswert : Schloß Schleißheim★.
♦München 14 – ♦Augsburg 64 – Ingolstadt 67 – Landshut 62.

Blauer Karpfen garni, Dachauer Str. 1, 3 15 40 51, Telex 523143, Fax 3154483 –
 – 40 – **35 Z : 53 B** Fb.

In Oberschleißheim-Lustheim O : 1 km :

Kurfürst, Kapellenweg 5, 31 57 90, Telex 522560, Fax 31579400, , –
 – 25/200. AE E VISA
M *(1.- 15. Jan. und 1.-15. Aug. geschl.)* a la carte 34/80 *(auch vegetarische Gerichte)* – **90 Z : 130 B** 90/115 - 110/170 Fb.

OBERSTAUFEN **8974.** Bayern 413 MN 24, 987 ㊱, 426 BC 6 – 6 500 Ew – Höhe 792 m – Schrothkurort – Heilklimatischer Kurort – Wintersport : 740/1 800 m 1 36 12 – 08386.
Oberstaufen-Steibis, 85 29.
Kurverwaltung, Schloßstr. 8, 20 24, Telex 541136, Fax 1088.
♦München 161 – Bregenz 43 – Kempten (Allgäu) 37 – Ravensburg 53.

Lindner Parkhotel, Argenstr. 1, 70 30, Fax 703704, ≤, , « Rustikal-elegante Einrichtung im alpenländischen Stil », Bade- und Massageabteilung, , , , ,
–
M a la carte 50/84 – **87 Z : 159 B** 190/340 - 310/420 Fb – 5 Appart. 750.

Allgäu Sonne, Am Stießberg 1, 70 20, Telex 54370, Fax 7826, ≤ Weißachtal, Steibis und Hochgrat, , Bade- und Massageabteilung, , , , , –
AE E VISA. Rest
M a la carte 58/79 – **121 Z : 280 B** 110/260 - 320/400 Fb.

Löwen, Kirchplatz 8, 49 40, Fax 494222, , Massage, , , – . AE
 VISA
Mitte Nov.- Mitte Dez. geschl. – **M** *(Mittwoch geschl.)* a la carte 60/98 – **Café am Markt** (auch vegetarische Gerichte) *(Mittwoch geschl.)* **M** a la carte 30/53 – **31 Z : 52 B** 150/190 - 250/300 Fb – 3 Appart. 390 – ½ P 165/235.

Kurhotel Hirsch garni, Kalzhofer Str. 4, ✆ 49 10, Fax 891317, Massage,
36 Z : 48 B – 4 Appart.

Kurhotel Alpina garni, Am Kurpark 7, ✆ 16 61, Fax 2991,
1.- 23. Dez. geschl. – **10 Z : 20 B** 120 - 200/276 Fb.

Interest Aparthotel, Auf der Höh 1, ✆ 16 33 (Hotel) 25 30 (Rest.), Fax 7925, Bade- und Massageabteilung, Rest
M *(Mittwoch geschl.)* a la carte 31/58 – **52 Z : 110 B** 132/150 - 186/204 – ½ P 93/140.

Kurhotel Hochbühl garni, Auf der Höh 12, ✆ 6 44, Fax 7619, Massage,
21 Z : 27 B 95 - 180.

Alpenhof garni, Gottfried-Resl-Weg 8a, ✆ 20 21, Massage,
31 Z : 43 B.

Am Rathaus, Schloßstr. 6, ✆ 20 40 – Zim
Mitte Nov.- Mitte Dez. geschl. – **M** *(Freitag - Samstag 17 Uhr geschl.)* 20/28 (mittags) und a la carte 34/56 – **7 Z : 13 B** 58 - 116.

Sonnhalde garni, Paul-Rieder-Str. 2, ✆ 20 82, Fax 2083, Massage,
15 Z : 25 B Fb.

Kurhotel Pelz garni, Bürgermeister-Hertlein-Str. 1, ✆ 20 88, Massage,
15. Nov.- 25. Dez. geschl. – **33 Z : 41 B** 65 - 140.

Beim Kesslar, Lindauer Str. 1, ✆ 12 08, « Rustikale Gaststube in einem renovierten Fachwerkhaus »
nur Abendessen, Dienstag sowie Juni und Dez. jeweils 2 Wochen geschl. – **M** (Tischbestellung ratsam) a la carte 57/80.

In Oberstaufen-Bad Rain W : 1,5 km :

Alpengasthof Bad Rain, ✆ 3 58, Fax 7110, Massage,
25. Nov.- 20. Dez. geschl. – **M** *(auch Diät)* (Montag geschl.) a la carte 35/52 – **22 Z : 37 B** 90/11· - 180/230 Fb – ½ P 90/100.

In Oberstaufen-Buflings N : 1,5 km :

Kurhotel Engel, ✆ 70 90, Fax 70982, Bade- und Massageabteilung, Zim
Mitte Nov.- Mitte Dez. geschl. – **M** *(Montag und 27. April - 10. Mai geschl.)* a la carte 22/4· – **60 Z : 90 B** 60/122 - 104/260 Fb.

In Oberstaufen-Konstanzer O : 7 km :

Konstanzer Hof, an der B 308, ✆ (08325) 4 61, Fax 738, AE VISA
25. Nov.- 22. Dez. geschl. – **M** *(Dienstag geschl.)* a la carte 25/58 – **24 Z : 47 B** 47/60 - 84

In Oberstaufen-Steibis S : 5 km – Höhe 860 m :

Kurhotel Burtscher, Im Dorf 29, ✆ 89 10, Telex 838681, Fax 891317, Bade- und Massageabteilung,
Mitte Nov.- Mitte Dez. geschl. – (Restaurant nur für Hausgäste) – **70 Z : 126 B** 115/260 200/380 Fb – ½ P 125/260.

In Oberstaufen-Thalkirchdorf O : 6 km – Erholungsort :

Traube (Altes Fachwerkhaus mit rustikaler Einrichtung), ✆ (08325) 4 51, Fax 756, AE E VISA. Zim
Anfang Nov.-Mitte Dez. geschl. – Menu *(Montag - Dienstag geschl.)* a la carte 33/53 – **28 Z : 47 B** 76/97 - 116/140 Fb – ½ P 83/122.

In Oberstaufen-Weißbach S : 2 km :

Kurhotel Mühlenhof garni, ✆ 16 14,
22 Z : 34 B Fb.

OBERSTDORF 8980. Bayern 413 N 24, 987 ㊱, 426 C 6 – 11 000 Ew – Höhe 815 m – Heilklimatischer Kurort – Kneippkurort – Wintersport : 843/2 200 m 2 23 10 – ✆ 08322.

Ausflugsziele : Nebelhorn ✱★★ 30 min mit und Sessellift – Breitachklamm★★ SW : 7 km.

Oberstdorf-Gruben (S : 2 km), ✆ 28 95.

Kurverwaltung und Verkehrsamt, Marktplatz 7, ✆ 70 00, Fax 700236.

◆München 165 – Kempten (Allgäu) 39 – Immenstadt im Allgäu 20.

Parkhotel Frank, Sachsenweg 11, ✆ 70 60, Fax 706286, ≤, Bade- und Massageabteilung, – TV P. Rest
Nov.-Mitte Dez. geschl. – **M** *(26. April - Mitte Mai geschl.)* a la carte 46/85 – **70 Z : 130 B** 140/280 - 272/380 Fb – 5 Appart. – ½ P 156/185.

Kurhotel Filser, Freibergstr. 15, ✆ 70 80, Fax 708530, Bade- und Massageabteilung, – TV P. Rest
Nov.-Mitte Dez. geschl. – **M** a la carte 32/56 – **132 Z : 145 B** 93/115 - 186/230 Fb – ½ P 123/145.

Kur- und Sporthotel Exquisit, Prinzenstr. 17, ✆ 10 34, Fax 1037, ≤, Bade- und Massageabteilung, – TV P. AE . Rest
2. Nov.- 19. Dez. geschl. – (nur Abendessen für Hausgäste) – **38 Z : 80 B** 109/173 - 164/342 Fb.

Haus Wiese garni, Stillachstr. 4a, ✆ 30 30, ≤, – TV ✆ P.
13 Z : 21 B 80/150 - 160/210.

Sporthotel Menning garni, Oeschlesweg 18, ✆ 30 29, – TV ✆
P. AE.
21 Z : 40 B 71/120 - 114/180 Fb – 2 Fewo 100/130.

Tannhof, Stillachstr. 12, ✆ 40 66, ≤, – TV ✆ P
April 3 Wochen und 1.- 19. Dez. geschl. – (nur Abendessen für Hausgäste) – **17 Z : 31 B** 79/142 - 170/244.

Hölting garni, Lorettostr. 23, ✆ 40 99, – TV ✆ P.
13 Z : 24 B Fb.

Adler, Fuggerstr. 1, ✆ 30 59, Fax 8187, – ✆ P
28. April - 10. Mai und 3. Nov.- 18. Dez. geschl. – **M** *(Dienstag geschl.)* a la carte 33/65 – **33 Z : 61 B** 75/130 - 140/200 Fb – 8 Fewo 170/200 – ½ P 100/165.

Waldesruhe, Stillachstr. 20 (Zufahrt über Alte Walserstraße), ✆ 40 61, Fax 8327, ≤ Allgäuer Alpen, – TV ✆ P
25. Okt.- 17. Dez. geschl. – **M** *(Dienstag geschl.)* a la carte 27/54 – **40 Z : 66 B** 80/130 - 140/240 Fb – ½ P 96/145.

Kurparkhotel garni, Prinzenstr. 1, ✆ 30 34, Fax 8544, ≤, – TV ✆ P. E VISA.
25. April - 10. Mai und 4. Nov.- 20. Dez. geschl. – **23 Z : 43 B** 68/89 - 118/198 Fb.

Wittelsbacher Hof, Prinzenstr. 24, ✆ 10 18, Telex 541905, Fax 8106, ≤, Massage, (geheizt), – ✆ P. AE E VISA
5. April - 12. Mai und 2. Nov.- 17. Dez. geschl. – **M** a la carte 40/66 – **90 Z : 140 B** 86/110 - 142/210 Fb – 4 Appart. 300 – ½ P 103/142.

Landhaus Thomas garni, Weststr. 49, ✆ 42 47, – ✆.
14 Z : 27 B Fb.

Luitpold garni, Ludwigstr. 18, ✆ 40 74, Bade- und Massageabteilung, – ✆ P
15. Nov.- 15. Dez. geschl. – **34 Z : 50 B** 75/85 - 140 Fb – 2 Fewo 75.

Kappelerhaus garni, Am Seeler 2, ✆ 10 07, ≤, (geheizt), – ✆ P. AE
E VISA.
60 Z : 90 B 55/90 - 100/135 Fb.

Rex garni, Clemens-Wenzeslaus-Str. 3, ✆ 30 17, – ✆ P
Nov.- 15. Dez. geschl. – **39 Z : 53 B** 65/80 - 120/150 Fb.

Steinacker, Am Otterrohr 3, ✆ 21 46, ≤, – ✆ P. Rest
Ostern - Pfingsten und 6. Okt.- 20. Dez. geschl. – (nur Abendessen für Hausgäste) – **17 Z : 30 B** 50/70 - 100/130 – 2 Fewo 100/120 – ½ P 70/85.

Grüns Restaurant, Nebelhornstr. 49, ✆ 24 24,
Montag - Dienstag 18 Uhr und Juni 3 Wochen geschl. – **M** (abends Tischbestellung ratsam) a la carte 46/88.

Restaurant 7 Schwaben, Pfarrstr. 9, ✆ 38 70 – AE E VISA
Mittwoch und April - Mai 4 Wochen geschl. – **M** a la carte 30/73.

Bacchus-Stuben, Freibergstr. 4, ✆ 47 87, – P
Mitte April - 10. Mai, Mitte Okt.- 19. Dez., Montag und im Sommer Sonntag 14 Uhr - Montag geschl. – **M** a la carte 27/44.

In Oberstdorf-Jauchen W : 1,5 km – Höhe 900 m

Kurhotel Adula, In der Leite 6, ✆ 70 90, Fax 709403, ≤ Oberstdorf und Allgäuer Alpen, Bade- und Massageabteilung, – Zim TV P – 25/80.
AE E VISA. Rest
M *(auch Diät und vegetarische Gerichte)* a la carte 49/83 – **78 Z : 130 B** 161/208 - 292/312 Fb – 5 Appart. 366/406 – ½ P 183/236.

16

In Oberstdorf-Reute W : 2 km – Höhe 950 m

Gebirgsaussicht, ✆ 30 80, ≤ Allgäuer Alpen, ☂, ⛺, ⊠, ⛱ – ☎ 🚗 Ⓟ
26 Z : 52 B Fb.

Panorama, ✆ 30 74, Fax 3076, ≤ Oberstdorf und Allgäuer Alpen, ☂, ⛱ – TV ☎ 🚗 Ⓟ
21. April - 9. Mai und 19. Okt.- 19. Dez. geschl. – **M** a la carte 25/45 – **11 Z : 20 B** 70/120 - 140/160 Fb.

In Oberstdorf-Tiefenbach NW : 6 km – Höhe 900 m

Bergruh ⛰, Im Ebnat 2, ✆ 40 11, Fax 4656, ≤, ☂, ⛺, ⛱ – TV ☎. ✗
10. Nov.- 20. Dez. geschl. – **M** a la carte 36/67 – **29 Z : 56 B** 78/100 - 146/180 Fb – 6 Fewo 100/130.

Die im Michelin-Führer
verwendeten Zeichen und Symbole haben -
***fett** oder dünn gedruckt, rot oder **schwarz** -*
jeweils eine andere Bedeutung. Lesen Sie daher die Erklärungen aufmerksam durch.

OBERSTENFELD **7141.** Baden-Württemberg 412 413 K 19 – 6 400 Ew – Höhe 227 m – ☎ 07062 (Beilstein).
♦Stuttgart 39 – Heilbronn 18 – Schwäbisch Hall 49.

Zum Ochsen, Großbottwarer Str. 31, ✆ 30 33, Fax 3208, ☂, ⛺ – 🛗 TV ☎ Ⓟ – 🏛 30. AE ⓓ E VISA
M *(1.- 21. Jan. und Dienstag geschl.)* a la carte 30/62 🍷 – **35 Z : 62 B** 89/99 - 145/170 Fb.

OBERTHAL **6692.** Saarland 412 E 18, 242 ③ – 6 300 Ew – Höhe 300 m – ☎ 06852.
♦Saarbrücken 50 – Idar Oberstein 39 – St.Wendel 9.

In Oberthal 3-Steinberg-Deckenhardt NO : 5 km :

Zum Blauen Fuchs, Walhausener Str. 1, ✆ 67 40 – Ⓟ. E. ✗
wochentags nur Abendessen, Dienstag, Jan.- Feb. und Juli - Aug. jeweils 2 Wochen geschl. – **M** (Tischbestellung ratsam) a la carte 64/72.

OBERTHULBA **8731.** Bayern 413 M 16 – 4 400 Ew – Höhe 270 m – ☎ 09736.
♦München 327 – Fulda 58 – Bad Kissingen 9,5 – ♦Würzburg 59.

Rhöner Land, Zum Weißen Kreuz 20, ✆ 40 88, Fax 4087, ☂, ⛺ – TV ☎ ♿ Ⓟ – 🏛 25/60. AE ⓓ E VISA. ✗ Rest
Mitte Jan.- Mitte Feb. geschl. – **M** a la carte 30/46 – **26 Z : 60 B** 65/75 - 93/130 Fb.

Zum grünen Kranz, Obere Torstr. 11, ✆ 40 14, Fax 333 – ☎ Ⓟ. AE ⓓ E VISA. ✗ Rest
2.- 31. Jan. und Juli 2 Wochen geschl. – **M** *(Mittwoch geschl.)* a la carte 21/39 – **9 Z : 17 B** 46/49 - 78/82.

OBERTRAUBLING Bayern siehe Regensburg.

OBERTRUBACH **8571.** Bayern 413 R 17 – 2 100 Ew – Höhe 420 m – Erholungsort – ☎ 09245.
🅸 Verkehrsamt, Teichstr. 5 (Rathaus), ✆ 7 11, Fax 778.
♦München 206 – Bayreuth 44 – Forchheim 28 – ♦Nürnberg 41.

Fränkische Schweiz, Bergstr. 1, ✆ 2 18, ☂, ⛱ – 🛗 Ⓟ. ✗ Zim
15.- 30. Nov. geschl. – **M** a la carte 19/30 – **30 Z : 56 B** 40 - 70.

Treiber ⛰, Reichelsmühle 5 (SW : 1,5 km), ✆ 4 89, ☂, ⛺, ⛱ – Ⓟ. ✗
M *(Freitag geschl.)* a la carte 18/34 – **12 Z : 22 B** 38/45 - 70/90 – ½ P 45/55.

In Obertrubach-Bärnfels N : 2,5 km :

Drei Linden, ✆ 3 25 – 🚗 Ⓟ
28 Z : 56 B.

OBERTSHAUSEN **6053.** Hessen 412 413 J 16 – 24 000 Ew – Höhe 100 m – ☎ 06104 (Heusenstamm).
♦Wiesbaden 59 – Aschaffenburg 30 – ♦Frankfurt am Main 19.

Park-Hotel, Münchener Str. 12, ✆ 47 63, Fax 44163 – TV ☎ Ⓟ – 🏛 25/50
39 Z : 52 B Fb.

In Obertshausen 2-Hausen NO : 2 km :

Kroko-Hotel garni, Egerländer Platz 17, ✆ 7 90 41, Fax 79161 – 🛗 TV ☎ 🚗 Ⓟ. AE ⓓ E VISA
20. Dez.- 7. Jan. und 4.- 15. Aug. geschl. – **28 Z : 50 B** 80/90 - 110/130 Fb.

OBERURSEL (Taunus) **6370.** Hessen 987 ㉕, 412 413 I 16 – 40 000 Ew – Höhe 225 m – ☎ 06171.

♦Wiesbaden 47 – ♦Frankfurt am Main 19 – Bad Homburg vor der Höhe 4.

- Parkhotel Waldlust, Hohemarkstr. 168 (NW : 4 km), ☎ 28 69, Fax 26627, « Park » – |‡| TV ☎ P – 25/100
105 Z : 140 B Fb.
- **Mergner** garni, Liebfrauenstr. 20, ☎ 35 92 – ☎ P
12 Z : 20 B 45/75 - 80/110.
- **Rôtisserie Le Cognac,** Liebfrauenstr. 6, ☎ 5 19 23 – P. AE ⓓ E VISA
Samstag und Sonntag jeweils bis 19 Uhr, Montag, 15.- 31. Mai und 1.- 15. Sept. geschl. – **M** *(auch vegetarisches Menu)* a la carte 44/80.
- **Zum Schwanen,** Hollerberg 7, ☎ 5 53 83, Fax 54993. – E
M 19/35 (mittags) und a la carte 34/54.

In Oberursel-Oberstedten :

- **Sonnenhof** garni, Weinbergstr. 94, ☎ (06172) 3 10 72, Fax 301272, – TV ☎ P.
15 Z : 19 B 90/110 - 130/150.

OBERWESEL **6532.** Rheinland-Pfalz 412 G 16, 987 ㉔ – 4 600 Ew – Höhe 70 m – ☎ 06744.

Sehenswert : Liebfrauenkirche★.

Ausflugsziel : Burg Schönburg★ S : 2 km.

ℹ Verkehrsamt, Rathausstr. 3, ☎ 15 21, Fax 1540.

Mainz 56 – Bingen 21 – ♦Koblenz 42.

- **Burghotel Auf Schönburg** (Hotel in einer 1000-jährigen Burganlage), Schönburg (S : 2 km) – Höhe 300 m, ☎ 70 27, Fax 1613, ≤, – |‡| TV ☎ P. AE ⓓ E VISA. Rest
März - Nov. – **M** (Montag geschl.) a la carte 54/86 – **22 Z : 42 B** 85/250 - 140/330.
- **Weinhaus Weiler,** Marktplatz 4, ☎ 70 03, Fax 7303, – TV ☎. AE E VISA
24. Dez.- Feb. geschl. – **M** *(Donnerstag geschl.)* a la carte 29/57 ♁ – **9 Z : 20 B** 50/70 - 75/100.
- **Römerkrug** mit Zim, Marktplatz 1, ☎ 81 76, – TV ☎. E VISA
15. Dez.- 15. Feb. geschl. – **M** *(Mittwoch geschl.)* a la carte 32/62 ♁ – **7 Z : 14 B** 70/110 - 110/180.

In Oberwesel-Dellhofen SW : 2,5 km :

- **Gasthaus Stahl**, Am Talblick 6, ☎ 4 16, – P
Dez.- Jan. geschl. – **M** *(Mittwoch geschl.)* a la carte 22/40 ♁ – **19 Z : 38 B** 35/55 - 60/100.

OBERWIESENTHAL **O-9312.** Sachsen 984 ㉗ ㉘, 987 ㉗ – 4 000 Ew – Höhe 914 m – Kurort – Wintersport : 914/1214 m 1 7 – ☎ 0037 76598.

Ausflugsziele : Annaberg-Buchholz (St. Annen-Kirche★★ : Schöne Pforte★★, Kanzel★, Bergaltar★) N : 24 km – Fichtelberg★ (1214 m) ★ (mit Sessellift oder zu Fuß erreichbar) N : 3 km – Schwarzenberg : Pfarrkirche St. Georg★ NW : 26 km.

ℹ Kurverwaltung, Rathaus, Marktplatz, ☎ 6 14, Fax 503.

♦Dresden 125 – Chemnitz 55 – Plauen 110.

- **Birkenhof**, Vierenstr. 18, ☎ 4 81, Telex 774640, Fax 485, – |‡| TV ☎ P – 25/100. AE ⓓ E VISA
M a la carte 20/33 ♁ – **104 Z : 193 B** 58/120 - 95/155 Fb – 6 Appart. 180/220.
- **Haus Bergfrieden**, Vierenstr. 14, ☎ 3 50, – TV P
Nov. geschl. – **M** *(Donnerstag geschl.)* a la carte 23/32 – **16 Z : 34 B** 60 - 90/120 Fb.

OBERWOLFACH **7620.** Baden-Württemberg 413 H 22 – 2 700 Ew – Höhe 280 m – Luftkurort – ☎ 07834 (Wolfach).

ℹ Verkehrsamt, Rathaus (Walke), ☎ 2 65.

♦Stuttgart 139 – ♦Freiburg im Breisgau 60 – Freudenstadt 40 – Offenburg 42.

In Oberwolfach-Kirche :

- **Drei Könige,** Wolftalstr. 28, ☎ 2 60, Fax 285 – |‡| ☎ ♿ P – 40. AE ⓓ E VISA
M a la carte 26/45 ♁ – **40 Z : 70 B** 54 - 88/96 Fb – ½ P 61/71.

In Oberwolfach-Walke :

- **Hirschen,** Schwarzwaldstr. 2, ☎ 3 66, Fax 6775, – |‡| TV ☎ P – 25/40. AE ⓓ E VISA
6.- 31. Jan. geschl. – **M** *(Montag geschl.)* a la carte 24/52 ♁ – **35 Z : 70 B** 56/80 - 88/140 Fb.

OBERZELL Baden-Württemberg siehe Reichenau (Insel).

OBING **8201.** Bayern 413 U 22,23, 987 ㊲, 426 J 4,5 – 3 200 Ew – Höhe 564 m – ☎ 08624
♦München 72 – Passau 123 – Rosenheim 31 – Salzburg 70.

Oberwirt, Kienberger Str. 14, ☎ 42 96, Biergarten, ≘s, ⛺, 🛋, 🏸 – |‡| TV ☎ ⇐ 🅟 – 🏃 30. E – **M** *(Mittwoch und 10.- 31. Okt. geschl.)* a la carte 23/52 – **37 Z : 72 B** 48/53 - 80/95 – 5 Fewo 50/115.

In Obing-Großbergham SO : 2,5 km :

Pension Griessee 🌿, ☎ 22 80, 🏡, ⛺, 🛋 – ⇐ 🅟
10. Jan.- Feb. geschl. – **M** *(Nov.- März Montag geschl.)* a la carte 18/34 🍷 – **28 Z : 60 B** 28/34 - 56/68 – ½ P 35/48.

OBRIGHEIM **6952.** Baden-Württemberg 412 413 K 18 – 5 100 Ew – Höhe 134 m – ☎ 06261 (Mosbach).
♦Stuttgart 85 – Eberbach am Neckar 24 – Heidelberg 39 – Heilbronn 31 – Mosbach 6.

Schloß Neuburg 🌿, ☎ 70 01, Fax 7747, ≤ Neckartal und Neckarelz, 🏡 – ☎ 🅟 – 🏃 25. ⓓ E VISA
1.- 8. Jan. und Aug. 2 Wochen geschl. – **M** *(Sonntag 15 Uhr - Montag 15 Uhr geschl.)* a la carte 45/73 – **13 Z : 25 B** 85 - 165.

Wilder Mann, Hauptstr. 22, ☎ 6 20 91, ≘s, 🏊 – TV ☎ ⇐ 🅟
20. Dez.- 7. Jan. geschl. – **M** *(Samstag geschl.)* a la carte 18/36 – **28 Z : 47 B** 65 - 120 Fb.

OCHSENFURT **8703.** Bayern 413 N 17,18, 987 ㉖ – 11 400 Ew – Höhe 187 m – ☎ 09331.
Sehenswert : Ehemalige Stadtbefestigung★ mit Toren und Anlagen.
ℹ Verkehrsbüro, Hauptstr. 39, ☎ 58 55. – ♦München 278 – Ansbach 59 – ♦Bamberg 95 – ♦Würzburg 19.

Bären, Hauptstr. 74, ☎ 22 82 – ⇐ 🅟. ⓓ E
10. Jan.- Feb. geschl. – **M** *(nur Abendessen, Montag geschl.)* a la carte 33/62 – **28 Z : 50 B** 50/85 - 78/130 Fb.

Zum Schmied, Hauptstr. 26, ☎ 24 38, Fax 20203
20. Dez.- Jan. geschl. – **M** *(Feb. und Mittwoch geschl.)* a la carte 25/45 🍷 – **23 Z : 43 B** 60 - 65/90.

In Ochsenfurt-Großmannsdorf NW : 3 km :

Weißes Roß, Rechte Bachgasse 5, ☎ 71 14, Fax 7115 – 🏃 25/50
24. Dez.- 6. Jan. geschl. – **M** *(Mittwoch geschl.)* a la carte 20/36 🍷 – **30 Z : 60 B** 50/55 - 90/95 – 13 Fewo 60/80.

Nahe der Straße nach Marktbreit O : 2,5 km :

Waldhotel Polisina, Marktbreiter Str. 265, ✉ 8703 Ochsenfurt, ☎ (09331) 30 81, Fax 7603, 🏡, ≘s, 🏊, 🛋, 🏸 – |‡| TV 🅟 – 🏃 25/50. AE ⓓ E VISA
M a la carte 41/63 – **27 Z : 54 B** 115/170 - 160/300 Fb.

In Sommerhausen **8701** NW : 6 km über die B 13 – ☎ 09333 :

Ritter Jörg, Maingasse 14, ☎ 12 21, Fax 1883 – ☎ 🅟
M *(wochentags nur Abendessen, Montag geschl.)* a la carte 24/54 🍷 – **22 Z : 36 B** 65/75 - 95/115.

Pension zum Weinkrug garni, Steingraben 5, ☎ 2 92, Fax 281 – TV ☎ 🅟. E. 🚫
Mitte Dez.- Mitte Jan. geschl. – **14 Z : 29 B** 65/95 - 98/165 Fb.

Weinhaus Unkel, Maingasse 6, ☎ 2 27 – ⇐
10. Feb.- 15. März geschl. – **M** *(nur Abendessen, Mittwoch geschl.)* a la carte 24/40 🍷 – **12 Z : 22 B** 40/65 - 70/85.

Restaurant von Dungern, Hauptstr. 12, ☎ 14 06
23. Dez.- 23. Jan., 3. Aug.- 2. Sept. und Montag - Mittwoch geschl. – **M** (Tischbestellung erforderlich) a la carte 47/61.

OCHSENHAUSEN **7955.** Baden-Württemberg 413 MN 22, 987 ㊱, 426 B 4 – 7 000 Ew – Höhe 609 m – Erholungsort – ☎ 07352.
♦Stuttgart 139 – Memmingen 22 – Ravensburg 55 – ♦Ulm (Donau) 47.

Mohren, Grenzenstr. 4, ☎ 32 86, Fax 1707, Massage, ≘s – |‡| TV ☎ 🅟 – 🏃 25/80. ⓓ E VISA. 🚫 Zim
M a la carte 34/80 – **28 Z : 55 B** 75/102 - 126/172 Fb.

Adler, Schloßstr. 7, ☎ 15 03, Fax 4857, 🏡 – TV ☎ 🅟
Juni 2 Wochen geschl. – **M** *(Sonntag 14 Uhr - Montag geschl.)* a la carte 28/60 – **9 Z : 17 B** 60 - 110.

Zum Bohrturm, Poststr. 41 (B 312), ☎ 32 22 – ⇐
24.- 27. Dez. geschl. – **M** *(Mittwoch, April 1 Woche und Juli - Aug. 3 Wochen geschl.)* a la carte 24/47 – **20 Z : 30 B** 38/65 - 70/130 Fb – ½ P 47/77.

In Gutenzell-Hürbel **7959** NO : 6 km :

Klosterhof, Schloßbezirk 2 (Gutenzell), (07352) 30 21 –
23.- 31. Dez. geschl. – **M** *(Freitag geschl.)* a la carte 25/48 – **18 Z : 29 B** 36/60 - 80/110.

OCHTENDUNG **5405.** Rheinland-Pfalz 412 F 15 – 4 200 Ew – Höhe 190 m – 02625.
Mainz 110 – ♦Koblenz 20 – Mayen 13.

Gutshof Arosa mit Zim, Koblenzer Str. 2 (B 258), 44 71, « Innenhofterrasse » –
11 Z : 22 B.

OCHTRUP **4434.** Nordrhein-Westfalen 411 412 E 10, 987 ⑭, 408 M 5 – 17 200 Ew – Höhe 55 m – 02553.
♦Düsseldorf 139 – Enschede 21 – Münster (Westfalen) 43 – ♦Osnabrück 70.

Münsterländer Hof, Bahnhofstr. 7, 20 88, Fax 6330 –
M *(Samstag bis 18 Uhr und Sonntag ab 14 Uhr geschl.)* 19/37 (mittags) und a la carte 31/59 – **19 Z : 33 B** 50/85 - 90/135 Fb.

An der B 54 SO : 4,5 km :

Alter Posthof, Bökerhook 4, ✉ 4434 Ochtrup-Welbergen, (02553) 34 87, « Historischer Münsterländer Gasthof » –
Ende Dez.- Mitte Jan. und Montag - Dienstag geschl. – **M** 21/30 (mittags) und a la carte 29/46.

OCKFEN **5511.** Rheinland-Pfalz 412 C 18 – 600 Ew – Höhe 160 m – 06581 (Saarburg).
Mainz 173 – Saarburg 5 – ♦Trier 24.

Abtei St. Martin, Klosterstr. 1, 10 52, –
21 Z : 53 B Fb.

Klostermühle, Hauptstr. 1, 30 91, Fax 6760, – – 40
Jan. geschl. – **M** *(Dienstag geschl.)* a la carte 19/44 – **16 Z : 31 B** 42/52 - 70/90.

OCKHOLM Schleswig-Holstein siehe Bredstedt.

ODELZHAUSEN **8063.** Bayern 413 Q 22, 987 ㊱ ㊲ – 3 000 Ew – Höhe 507 m – 08134.
18 Gut Todtenried, 16 18.
♦München 37 – Augsburg 33 – Donauwörth 65 – Ingolstadt 77.

Staffler garni, Hauptstr. 3, 60 06, Fax 7737 –
20. Dez.- 20. Jan. und Pfingsten geschl. – **23 Z : 40 B** 60/65 - 90 Fb.

Schloßbrauerei, Am Schloßberg 1, 60 21 (Hotel) 66 06 (Rest.), Fax 7260, –
M *(20. Jan.- 10. Feb. und Samstag geschl.)* a la carte 22/48 – **10 Z : 16 B** 82/85 - 122/135.

ODENTHAL **5068.** Nordrhein-Westfalen 987 ㉔, 412 E 13 – 12 900 Ew – Höhe 80 m – 02202 (Bergisch Gladbach).
Ausflugsziel : Odenthal-Altenberg : Altenberger Dom (Buntglasfenster★) N : 3 km.
♦Düsseldorf 43 – ♦Köln 18.

Zur Post mit Zim, Altenberger Domstr. 23, 7 81 24, « Gasthof im bergischen Stil » –
M *(Donnerstag geschl.)* 25/39 (mittags) und a la carte 45/62 – **4 Z : 8 B** 68 - 115.

In Odenthal-Altenberg N : 2,5 km :

Altenberger Hof, Eugen-Heinen-Platz 7, (02174) 42 42, Fax 41608 – – 25/80.
M 34/48 (mittags) und a la carte 53/91 – **46 Z : 75 B** 99/149 - 137/197 Fb.

In Odenthal-Eikamp SO : 7 km :

Eikamper Höhe garni, Schallemicher Str. 11, (02207) 23 21, –
22 Z : 42 B 50/80 - 80/130 Fb.

ÖHNINGEN **7763.** Baden-Württemberg 413 J 24, 427 K 3, 216 ⑨ – 3 500 Ew – Höhe 440 m – Erholungsort – 07735.
Verkehrsbüro, Rathaus, 5 05.
♦Stuttgart 168 – Schaffhausen 22 – Singen (Hohentwiel) 16 – Zürich 61.

Adler, Oberdorfstr. 14, 4 50, – .
Feb. und Nov. geschl. – **M** *(Dienstag - Mittwoch 14 Uhr geschl.)* a la carte 27/51 – **22 Z : 40 B** 50/65 - 90/100 – ½ P 65/85.

In Öhningen 3-Wangen O : 3 km :

Adler, Kirchplatz 6, 7 24, –
M *(Donnerstag geschl.)* a la carte 24/48 – **23 Z : 45 B** 70 - 130.

ÖHRINGEN **7110.** Baden-Württemberg 413 L 19, 987 ㉕ – 18 000 Ew – Höhe 230 m – ☎ 07941.
Sehenswert : Ehemalige Stiftskirche★ (Margarethen-Altar★).
Friedrichsruhe (N : 6 km), ☎ (07941) 6 28 01.
♦Stuttgart 68 – Heilbronn 28 – Schwäbisch Hall 29.

Post, Karlsvorstadt 4, ☎ 80 51, Fax 35856, – TV ☎ P – 25/50. AE ⓓ VISA
23. Dez.- 6. Jan. und Juli - Aug. 1 Woche geschl. – **M** *(Sonntag ab 14 Uhr geschl.)* a la carte 31/65 – **47 Z : 85 B** 60/95 - 95/155 Fb.

Krone , Marktstr. 24, ☎ 72 78 – TV
Jan. 3 Wochen geschl. – **M** *(Samstag geschl.)* a la carte 32/55 – **10 Z : 15 B** 35/68 - 98.

In Öhringen-Cappel O : 2 km :

Gästehaus Schmidt, Haller Str. 128, ☎ 88 80, – P
(nur Abendessen für Hausgäste) – **12 Z : 15 B** 35/45 - 68/75.

In Friedrichsruhe **7111** N : 6 km :

✿✿ **Waldhotel und Schloß Friedrichsruhe** , ☎ (07941) 6 08 70, Telex 74498, Fax 61468, , « Garten, Park », , , , , – P – 25/80. AE ⓓ E VISA
M *(bemerkenswerte Weinkarte)* (Montag - Dienstag geschl.) 115/185 und a la carte 85/120 – **49 Z : 98 B** 165/312 - 270/405 – 11 Appart. 427/573
Spez. Bretonischer Hummer auf marinierten Kartoffelscheiben, Jacobsmuscheln mit Lauchvariationen, Lammkoteletts im Kartoffelrösti.

OELDE **4740.** Nordrhein-Westfalen 411 412 H 11, 987 ⑭ – 27 500 Ew – Höhe 98 m – ☎ 02522.
♦Düsseldorf 137 – Beckum 13 – Gütersloh 23 – Lippstadt 29.

Mühlenkamp, Geiststr. 36, ☎ 21 71 – TV ☎ P – **30 Z : 53 B** Fb.

Engbert, Lange Str. 24, ☎ 10 94, Fax 3378 – TV ☎ P. AE ⓓ E VISA
Dez.- Jan. 2 Wochen geschl. – (nur Abendessen für Hausgäste) – **35 Z : 48 B** 75/85 - 110/130.

Oelder Brauhaus, Am Markt 3, ☎ 22 09 – P – 25/70 – **8 Z : 14 B.**

In Oelde 3-Lette N : 6,5 km :

Hartmann, Hauptstr. 40, ☎ (05245) 51 65 – TV ☎ P – 25/250. Rest
(wochentags nur Abendessen) – **49 Z : 85 B** Fb.

Westermann, Clarholzer Str. 26, ☎ (05245) 53 09, Fax 5402 – ☎ P. AE E.
1.- 15. Jan. geschl. – **M** *(nur Abendessen)* a la carte 27/46 – **23 Z : 46 B** 48/60 - 90/100.

In Oelde 4-Stromberg SO : 5 km – Erholungsort :

Zur Post, Münsterstr. 16, ☎ (02529) 2 46, – P. – **15 Z : 24 B.**

OELIXDORF Schleswig-Holstein siehe Itzehoe.

OER-ERKENSCHWICK **4353.** Nordrhein-Westfalen 411 412 E 12 – 25 000 Ew – Höhe 85 m – ☎ 02368.
♦ Düsseldorf 76 – Dortmund 29 – Münster (Westfalen) 64 – Recklinghausen 5.

Stimbergpark , Am Stimbergpark 78, ☎ 10 67, Fax 58206, , – TV ☎ P – 25/70. AE ⓓ E VISA
M a la carte 28/57 – **39 Z : 72 B** 70/90 - 90/130.

OERLINGHAUSEN **4811.** Nordrhein-Westfalen 411 412 I 11 – 16 200 Ew – Höhe 250 m – ☎ 05202.
♦Düsseldorf 182 – Bielefeld 13 – Detmold 19 – Paderborn 32.

Berghotel Birner , Danziger Str. 8, ☎ 34 73, Fax 2029, , – ☎ P
M a la carte 28/50 – **15 Z : 24 B** 65 - 110.

Am Tönsberg , Piperweg 17, ☎ 65 01, Fax 4235, – TV ☎
(nur Abendessen für Hausgäste) – **14 Z : 20 B** 75 - 120 Fb.

Altes Gasthaus Nagel mit Zim (Fachwerkhaus a.d.J. 1721), Hauptstr. 43, ☎ 56 55 – TV ☎ AE E
M *(nur Abendessen, Donnerstag und 15. Juni - 9. Juli geschl.)* a la carte 26/51 – **7 Z : 12 B** 59 - 99.

OESTRICH-WINKEL **6227.** Hessen 412 GH 16 – 12 200 Ew – Höhe 90 m – ☎ 06723.
Verkehrsamt, Rheinweg 20 (Stadtteil Winkel), ☎ 62 50.
♦Wiesbaden 21 – ♦Koblenz 74 – Mainz 24.

Im Stadtteil Oestrich :

Schwan, Rheinallee 5, ☎ 80 90, Fax 7820, , « Gartenterrasse » – TV ☎ P – 25/50. AE ⓓ E VISA
Ende Nov.- Mitte Feb. geschl. – **M** a la carte 46/68 – **43 Z : 80 B** 110/195 - 170/295 Fb.

Im Stadtteil Winkel :

Nägler am Rhein, Hauptstr. 1, ✆ 50 51, Fax 5054, ≤ Rhein und Ingelheim, 🏞, ≘ - |‡| TV ☎ ♿ 🅟 - 🏆 25/100. AE ⓓ E VISA
M a la carte 44/67 - **45 Z : 80 B** 115/195 - 160/250 Fb.

Gästehaus Weingut Carl Strieth garni, Hauptstr. 128, ✆ 33 57, Fax 7086, 🏞 - ☎ 🅟. AE E VISA
12 Z : 23 B 75/90 - 100/140.

Graues Haus, Graugasse 10 (an der B 42), ✆ 26 19, Fax 1848, 🏞, « Modernes Restaurant in einem historischen Steinhaus » - 🅟. AE ⓓ E VISA. ✗
Mittwoch - Freitag nur Abendessen, Montag - Dienstag und 17. Feb.- 8. März geschl. - **M** (Tischbestellung ratsam) 80/125 und a la carte 75/95
Spez. Gänsestopfleber gebraten mit Honig-Schalotten, Steinbuttfilet mit rohem Lachs in Rieslingsauce, Geschmorte Lammkeule mit Basilikum.

Haus am Strom, Gänsgasse 13, ✆ 22 50, ≤, 🏞 - 🅟
Dienstag - Mittwoch sowie Feb. und Juli - Aug. jeweils 2 Wochen geschl. - **M** a la carte 29/56 ♂.

ÖSTRINGEN **7524.** Baden-Württemberg 412 413 J 19 - 10 500 Ew - Höhe 165 m - ☏ 07253.
♦Stuttgart 97 - Heilbronn 45 - ♦ Karlsruhe 41 - ♦ Mannheim 44.

Östringer Hof, Hauptstr. 113, ✆ 2 10 87, Fax 2 10 80 - TV ☎ 🅟. AE ⓓ E VISA
M *(nur Abendessen, Sonn- und Feiertage geschl.)* a la carte 57/70 - **19 Z : 28 B** 85/95 - 130/160.

ÖTISHEIM Baden-Württemberg siehe Mühlacker.

OEVERSEE Schleswig-Holstein siehe Flensburg.

Jährlich eine neue Ausgabe,
Aktuellste Informationen,
jährlich für Sie !

OEYNHAUSEN, BAD **4970.** Nordrhein-Westfalen 411 412 J 10, 987 ⑭ ⑮ - 48 000 Ew - Höhe 71 m - Heilbad - ☏ 05731. - ⛳ Löhne-Wittel, ✆ (05228) 70 50.
ℹ Verkehrshaus, Am Kurpark, ✆ 2 04 30.
♦Düsseldorf 211 - ♦Bremen 116 - ♦Hannover 79 - ♦Osnabrück 62.

Wittekind ⛬, Am Kurpark 10, ✆ 2 10 96, Fax 3182 - |‡| TV ☎. ⓓ E VISA. ✗
(Restaurant nur für Hausgäste) - **22 Z : 34 B** 75/115 - 145/170 Fb - ½ P 95/120.

Stickdorn, Wilhelmstr. 17, ✆ 2 11 41, Fax 21142, 🏞 - TV ☎ ♿ 🚗. AE E. ✗
M *(Sonn- und Feiertage geschl.)* a la carte 38/65 - **29 Z : 50 B** 95/115 - 138/158 Fb.

Bosse garni, Herforder Str. 40, ✆ 2 80 61, Fax 28063 - TV ☎. E
32 Z : 44 B 65/110 - 130/160 Fb.

Kurhaus - Restaurant Lenné (Spielcasino im Hause), Im Kurgarten 8, ✆ 2 99 55, Fax 180849, 🏞 - 🅟 - 🏆 25/500. ✗
nur Abendessen - **M** a la carte 39/77.

Café Sonntag mit Zim, Schützenstr. 2, ✆ 2 13 40, Fax 213429, « Gartenterrasse » - TV ☎. AE ⓓ E VISA
M *(Montag geschl.)* a la carte 33/58 - **8 Z : 12 B** 75/110 - 160/170 Fb.

Nahe der B 61 NO : 2,5 km :

Hahnenkamp, Alte Reichsstr. 4, ✉ 4970 Bad Oeynhausen, ✆ (05731) 50 41, Fax 5047, 🏞 - TV ☎ 🅟 - 🏆 25/60. ✗ - **24 Z : 40 B** Fb.

Trollinger Hof, Detmolder Str. 89, ✆ 90 91, Fax 980286, 🏞 - ⇔ Zim TV ☎ 🅟. AE ⓓ E VISA
M *(Dienstag geschl.)* a la carte 35/60 - **16 Z : 20 B** 75/85 - 120/140 Fb.

Windmühle, Detmolder Str. 273, ✆ 9 24 62, ≤ - 🅟. AE ⓓ E VISA
15. Jan.- 15. Feb. und Montag geschl. - Menu a la carte 33/72.

Siehe auch : ***Löhne***

OFFENBACH **6050.** Hessen 987 ㉕, 412 413 J 16 - 115 000 Ew - Höhe 100 m - ☏ 069 (Frankfurt am Main).
Sehenswert : Deutsches Ledermuseum** Z **M1**.
Messehalle (Z), ✆ 81 70 91, Telex 411298.
ℹ Offenbach - Information, Am Stadthof 17 (Pavillon), ✆ 80 65 29 46.
ADAC Frankfurter Str. 74, ✆ 8 01 61, Telex 4185494.
♦Wiesbaden 44 ④ - ♦Darmstadt 28 ④ - ♦Frankfurt am Main 6 ⑤ - ♦Würzburg 116 ④.

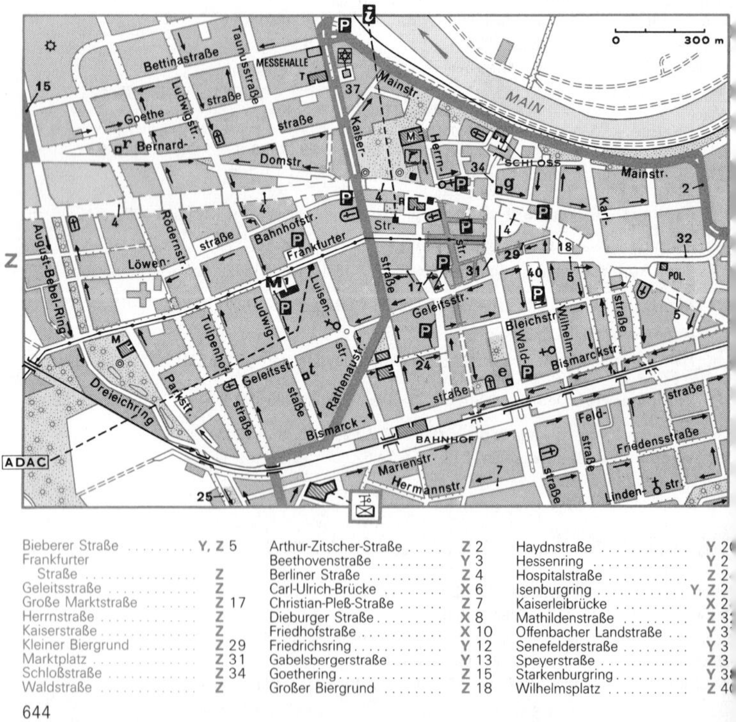

Bieberer Straße . . . . Y, Z 5	Arthur-Zitscher-Straße . . . . . Z 2	Haydnstraße . . . . Y 2(
Frankfurter Straße . . . . Z	Beethovenstraße . . . . Y 3	Hessenring . . . . Y 2
Geleitsstraße . . . . Z	Berliner Straße . . . . Z 4	Hospitalstraße . . . . Z 2
Große Marktstraße . . . . Z 17	Carl-Ulrich-Brücke . . . . X 6	Isenburgring . . . . Y, Z 2
Herrnstraße . . . . Z	Christian-Pleß-Straße . . . . . Z 7	Kaiserleibrücke . . . . X 2
Kaiserstraße . . . . Z	Dieburger Straße . . . . X 8	Mathildenstraße . . . . Z 3
Kleiner Biergrund . . . . Z 29	Friedhofstraße . . . . X 10	Offenbacher Landstraße . . . Y 3
Marktplatz . . . . Z 31	Friedrichsring . . . . Y 12	Senefelderstraße . . . . Y 3
Schloßstraße . . . . Z 34	Gabelsbergerstraße . . . . . . Y 13	Speyerstraße . . . . Z 3
Waldstraße . . . . Z	Goethering . . . . Z 15	Starkenburgring . . . . Y 3
	Großer Biergrund . . . . Z 18	Wilhelmsplatz . . . . Z 4(

Scandic Crown Hotel, Kaiserleistr. 45, ✆ 8 06 10, Telex 416839, Fax 8004797, ≘s, ⊠ - |‡| ⇆ Zim TV ♿ ⇐ - 🎤 25/150. AE ⓓ E VISA. ✻ Rest X s
M a la carte 46/81 - **239 Z : 460 B** 235/330 - 295/400 Fb.

Bismarckhof - Restaurant Die Terrine, Bismarckstr. 99, ✆ 8 00 25 80, Fax 8002540, ☂, bemerkenswerte Weinkarte - |‡| TV ☎ ⇐ Ⓟ. AE ⓓ E VISA Z e
22. Dez.- 5. Jan. geschl. - **M** *(Samstag bis 18 Uhr, Sonntag und Juni - Juli 3 Wochen geschl.)* a la carte 46/64 - **51 Z : 102 B** 150 - 180 Fb.

Offenbacher Hof garni, Ludwigstr. 33, ✆ 81 42 55, Telex 4152851, Fax 8004844, ≘s - |‡| TV ☎ Ⓟ - 🎤 25/140. AE ⓓ E VISA Z t
Weihnachten - Anfang Jan. geschl. - **65 Z : 92 B** 120/225 - 155/280 Fb - 7 Appart. 300/600.

Novotel, Strahlenberger Str. 12, ✆ 82 00 40, Telex 413047, Fax 82004126, ⊥ (geheizt), ☂ - |‡| ⇆ Zim ▤ Rest TV ☎ Ⓟ - 🎤 25/200. AE ⓓ E VISA X u
M a la carte 36/61 - **122 Z : 244 B** 169 - 218 Fb.

Graf garni, Ziegelstr. 4, ✆ 81 17 02, Fax 887937 - TV ☎ ⇐. AE E VISA Z g
Weihnachten - Anfang Jan. geschl. - **32 Z : 40 B** 85/140 - 140/200 Fb.

Hansa garni, Bernardstr. 101, ✆ 88 80 75, Fax 823218 - TV ☎ ♿. AE ⓓ E VISA Z r
24. Dez.- 10. Jan. geschl. - **26 Z : 31 B** 65/100 - 120/140 Fb.

In Offenbach-Bürgel NO : 2 km über Mainstraße X :

Mainbogen, Altkönigstr. 4, ✆ 8 60 80 (Hotel) 8 60 86 00 (Rest.) - |‡| TV ☎ Ⓟ. ✻
(nur Abendessen) - **39 Z : 57 B** Fb.

Lindenhof ≫, Mecklenburger Str. 10, ✆ 86 14 58, Fax 866196 - TV ☎ Ⓟ - 🎤 25/50. AE E VISA
M *(nur Abendessen)* a la carte 31/62 - **32 Z : 60 B** 95/180 - 135/225 Fb.

Zur Post mit Zim, Offenbacher Str. 33, ✆ 86 13 37, ☂ - ☎ Ⓟ. ✻ Zim
Juni - Juli 3 Wochen geschl. - **M** *(Sonntag 15 Uhr - Montag und Samstag bis 18 Uhr geschl.)* a la carte 37/62 - **8 Z : 12 B** 80/90 - 125/165.

OFFENBURG 7600. Baden-Württemberg 413 GH 21, 987 ㉞, 242 ㉔ - 53 000 Ew - Höhe 165 m - ✆ 0781.

Messegelände Oberrheinhalle, Messeplatz, ✆ 5 20 31, Telex 752725, Fax 57514.
🅑 Städt. Verkehrsamt, Gärtnerstr. 6, ✆ 8 22 53, Fax 82582.
ADAC, Gerberstr. 2, ✆ 13 35, Fax 71275.
♦Stuttgart 148 - Baden-Baden 54 - ♦Freiburg im Breisgau 64 - Freudenstadt 58 - Strasbourg 26.

Dorint-Hotel, Messeplatz (bei der Oberrheinhalle), ✆ 50 50, Telex 752889, Fax 505513, ≘s, ⊠ - |‡| ⇆ Zim ▤ Rest TV ♿ Ⓟ - 🎤 30/350. AE ⓓ E VISA
M a la carte 46/76 - **130 Z : 219 B** 185 - 230 Fb - 4 Appart. 330.

Senator-Hotel Palmengarten ≫ (mit Gästehaus), Okenstr. 13, ✆ 20 80, Telex 752744, Fax 20853 - |‡| TV ☎ Ⓟ - 🎤 25/200
(nur Abendessen für Hausgäste) - **63 Z : 128 B** Fb.

Central-Hotel garni, Poststr. 5, ✆ 7 20 04, Fax 74093 - TV ☎ Ⓟ. AE ⓓ E VISA
20 Z : 35 B 105 - 140 Fb.

Union garni, Hauptstr. 19, ✆ 7 40 91, Fax 74093 - |‡| TV ☎ ⇐. E VISA
20. Dez.- 7. Jan. geschl. - **35 Z : 65 B** 90/115 - 120/130 Fb.

Sonne, Hauptstr. 94, ✆ 7 10 39 - ☎ ⇐. AE E VISA
M *(Samstag und 27. April - 16. Mai geschl.)* a la carte 28/49 - **37 Z : 56 B** 50/90 - 78/120 Fb.

✿ **Le canard** (Gewölbekeller a.d. 17.Jh.), Hauptstr. 83a (Eingang Ritterstraße), ✆ 7 77 27, Fax 25725 - ⓓ E VISA
Sonntag 15 Uhr - Montag, Samstag bis 18.30 Uhr und Juli - Aug. 3 Wochen geschl. - **M** 40 (mittags) und a la carte 68/99
Spez. Landaiser Entenleberterrine, Rehrücken mit Steinpilzen, Charlotte mit Marc de Gewürztraminer.

In Offenburg - Albersbösch :

Hubertus, Kolpingstr. 4, ✆ 6 55 15, Fax 59490 - |‡| TV ☎ Ⓟ. AE ⓓ E VISA. ✻ Rest
M *(Sonntag ab 15 Uhr, Samstag, über Fastnacht und Juli - Aug. 3 Wochen geschl.)* a la carte 29/66 - **26 Z : 50 B** 95/150 - 150/250 Fb.

In Offenburg-Rammersweier NO : 3 km - Erholungsort :

Blume mit Zim (Fachwerkhaus a.d. 18. Jh.), Weinstr. 160, ✆ 3 36 66, ☂ - TV ☎ Ⓟ. E VISA
24. Feb.- 10. März geschl. - Menu *(Montag - Dienstag 17 Uhr geschl.)* a la carte 35/68 - **6 Z : 10 B** 65 - 98.

In Offenburg - Zell-Weierbach O : 3,5 km :

Gasthaus Riedle-Rebenhof ≫, Talweg 43, ✆ 3 30 73, Fax 41154, ⊠ - TV ☎ Ⓟ - 🎤 25/50. E
M *(Montag geschl.)* a la carte 26/47 🍷 - **35 Z : 60 B** 78/80 - 120/130 Fb.

Gasthaus Sonne mit Zim, Obertal 1, ✆ 9 38 80, Fax 938899 - TV ☎ ⇐ Ⓟ - 🎤 25/120
über Fastnacht 1 Woche geschl. - Menu *(Mittwoch geschl.)* a la carte 26/59 🍷 - **6 Z : 9 B** 65 - 104.

In Ortenberg **7601** S : 4 km – Erholungsort :

XX **Glattfelder** mit Zim, Kinzigtalstr. 20, ✆ (0781) 3 12 19, – ☎ P. AE ⓓ E VISA
2.- 12. Jan. geschl. – **M** *(Sonntag geschl.)* a la carte 37/71 – **14 Z : 20 B** 38/48 - 75/82.

OFTERSCHWANG Bayern siehe Sonthofen.

OFTERSHEIM **6836.** Baden-Württemberg 412 413 I 18 – 10 600 Ew – Höhe 102 m – ✆ 06202.

an der B 291 (SO : 2 km), ✆ (06202) 5 37 67.

♦Stuttgart 119 – Heidelberg 11 – ♦ Mannheim 18 – Speyer 17.

In Oftersheim-Hardtwaldsiedlung S : 1 km über die B 291 :

XX **Landhof,** Am Fuhrmannsweg 1, ✆ 5 13 76,
nur Abendessen, Dienstag und Aug. geschl. – **M** (Tischbestellung ratsam) a la carte 40/63.

OHLSTADT **8115.** Bayern 413 Q 24, 987 ㊲, 426 F 6 – 2 800 Ew – Höhe 644 m – Erholungsort – ✆ 08841.

Verkehrsamt, Rathausplatz 1, ✆ 74 80, Fax 7825.

♦München 63 – Garmisch-Partenkirchen 21 – Weilheim 26.

Alpenhotel Ohlstadt, Weichser Str. 5, ✆ 72 30, – P
29 Z : 51 B Fb.

OLCHING **8037.** Bayern 413 QR 22, 426 F 4 – 20 400 Ew – Höhe 503 m – ✆ 08142.

Feursstr. 89, ✆ 32 40.

♦München 27 – ♦Augsburg 51 – Dachau 13.

Am Krone-Center garni, Kemeter Str. 55, ✆ 1 87 01, Telex 40980 – TV ☎ P
38 Z : 72 B Fb.

Schiller, Nöscherstr. 20, ✆ 28 40, Fax 2899, – Zim TV ☎ P –
25/60. AE ⓓ E VISA
M *(Montag, 9.- 27. Aug. und 21.- 30. Dez. geschl.)* a la carte 26/62 – **60 Z : 102 B** 65/90 - 95/135 Fb.

OLDENBURG **2900.** Niedersachsen 411 H 7, 987 ⑭ – 145 000 Ew – Höhe 7 m – ✆ 0441.

Sehenswert : Schloßgarten★ Y – Stadtmuseum★ X **M1.**

Verkehrsverein, Wallstr. 14, ✆ 1 57 44, Fax 2489202.

ADAC, Julius-Mosen-Platz 2, ✆ 1 45 45, Notruf ✆ 1 92 11.

♦Hannover 171 ② – ♦Bremen 49 ② – Bremerhaven 58 ① – Groningen 132 ④ – ♦Osnabrück 105 ③.

Stadtplan siehe gegenüberliegende Seite

City-Club-Hotel, Europaplatz 4, ✆ 80 80, Fax 808100, – TV P –
25/350. AE ⓓ E VISA. X c
M a la carte 31/63 – **90 Z : 200 B** 130/174 - 190/330 Fb.

Heide, Melkbrink 49, ✆ 80 40, Telex 25604, Fax 884060, – TV ☎ P –
25/120. AE ⓓ E VISA. Rest X b
M a la carte 24/58 – **91 Z : 180 B** 95/130 - 140/180 Fb – 4 Appart. 295.

Wieting, Damm 29, ✆ 2 72 14, Fax 26149 – TV ☎ P. AE ⓓ E VISA Y z
M *(nur Abendessen, Samstag - Sonntag geschl.)* a la carte 18,50/44 – **70 Z : 105 B** 75/105 - 100/160.

Posthalter, Mottenstr. 13, ✆ 2 51 94, Fax 2489287 – TV ☎. AE E VISA Z u
M *(Sonntag geschl.)* a la carte 29/50 – **34 Z : 60 B** 69/98 - 95/130 Fb – 6 Appart. 150.

Park-Hotel, Cloppenburger Str. 418, ✆ 4 30 24, Telex 25811, Fax 44811 – TV ☎ P
M a la carte 25/50 – **32 Z : 62 B** 59/89 - 100/138 Fb. über ③

Graf von Oldenburg garni, Heiligengeiststr. 10, ✆ 2 50 77, Fax 14869 – TV ☎ P.
AE ⓓ E X x
25 Z : 50 B 85/115 - 125/185.

XX **Le Journal** (Bistro), Wallstr. 13, ✆ 1 31 28, – AE ⓓ E VISA Z a
M (abends Tischbestellung erforderlich) 32/49 (mittags) und a la carte 57/85.

X **Harmonie** mit Zim, Dragonerstr. 59, ✆ 2 77 04, Fax 27706 – P – 25/600. ⓓ VISA Y h
M *(Sonntag geschl.)* a la carte 30/61 – **9 Z : 14 B** 42 - 72.

An der Straße nach Rastede N : 6 km :

XX **Der Patentkrug,** Wilhelmshavener Heerstr. 359 (B 69), ✉ 2900 Oldenburg, ✆ (0441) 3 94 71, Fax 391038, – P – 25/100. AE ⓓ E VISA
Montag geschl. – **M** a la carte 39/74.

Siehe auch : *Rastede*

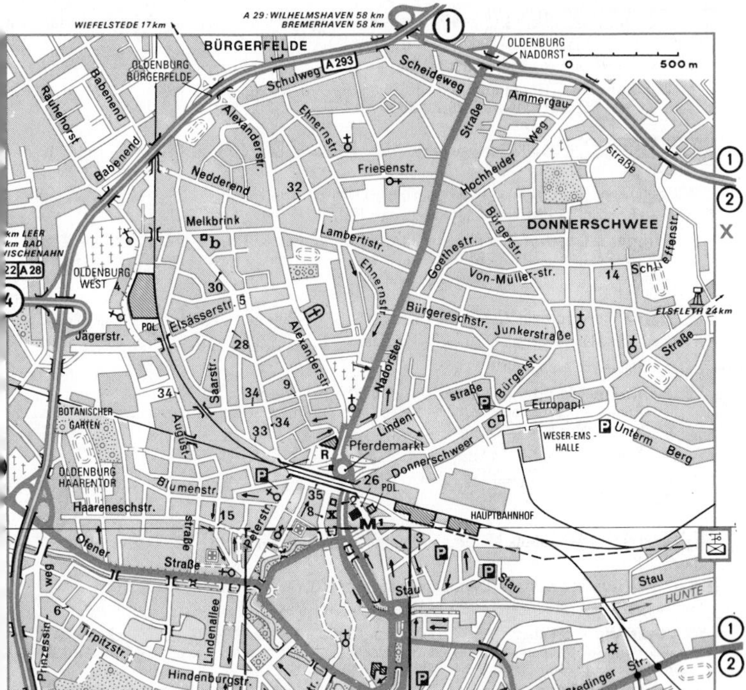

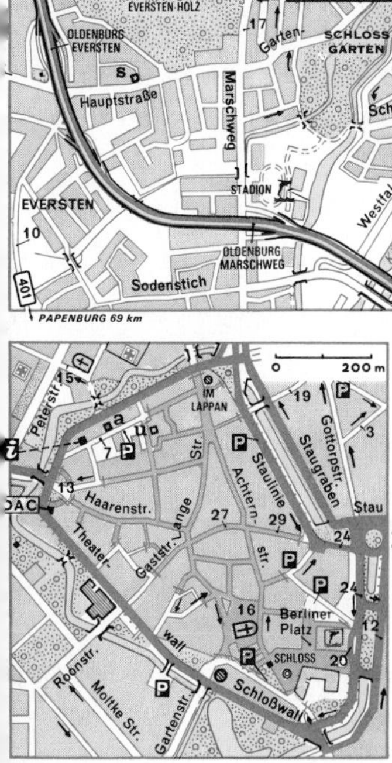

OLDENBURG

Achternstraße . . . . . Z
Gaststraße . . . . . Z
Haarenstraße . . . . . Z
Heiligengeiststraße . . X 8
Lange Straße . . . . . Z
Schüttingstraße . . . . Z 27
Staustraße . . . . . Z 29

Am Stadtmuseum . . X 2
Bahnhofstraße . . . . . Z 3
Friedhofsweg . . . . . X 4
Friedrich-August-Pl. . X 5
Gerberhof . . . . Y 6
Heiligengeistwall . . . Z 7
Humboldtstraße . . . . X 9

Hundsmühler Str. . . Y 10
Huntestraße . . . . . . Z 12
Julius-Mosen-Platz . Z 13
Kasernenstraße . . . X 14
Katharinenstraße . . Z 15
Markt . . . . Z 16
Meinardusstraße . . Y 17
Osterstraße . . . . . . Z 19
Paradewall . . . . Z 20
Poststraße . . . . Z 24
Raiffeisenstraße . . . X 26
Sedanstraße . . . . . X 28
Wardenburgstraße . X 30
Widukindstraße . . . X 32
Würzburger Straße . X 33
Ziegelhofstraße . . . X 34
91er Straße . . . . . . X 35

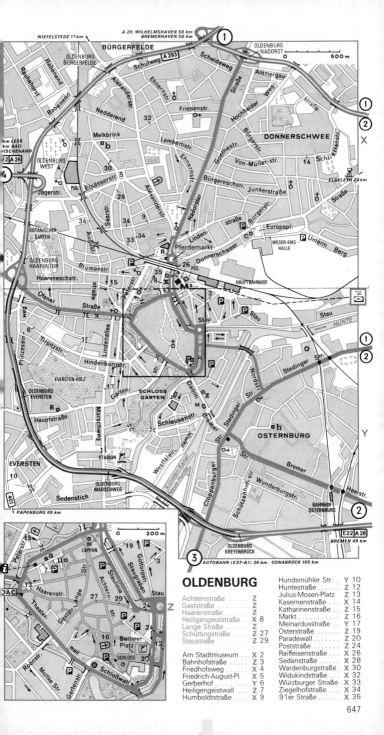

OLDENBURG IN HOLSTEIN **2440.** Schleswig-Holstein 411 P 4, 987 ⑥ – 9 800 Ew – Höhe 4 m – Erholungsort – ☎ 04361.

◆Kiel 55 – ◆Lübeck 55 – Neustadt in Holstein 21.

Zur Eule garni, Hopfenmarkt 1, ☎ 24 85, Fax 2008 – P. E VISA
20. Dez.- 10. Jan. geschl. – **20 Z : 36 B** 75/110 - 98/120.

OLDESLOE, BAD **2060.** Schleswig-Holstein 411 O 5, 987 ⑤ – 22 000 Ew – Höhe 10 m – ☎ 04531.

ADAC, Sehmsdorfer Str. 56 (beim Verkehrsübungsplatz), ☎ 8 54 11.

◆Kiel 66 – ◆Hamburg 48 – ◆Lübeck 28 – Neumünster 45.

Wigger's Gasthof, Bahnhofstr. 33, ☎ 8 81 41, Fax 87918 – TV ☎ P. AE E VISA
20. Dez.- 8. Jan. geschl. – **M** *(Samstag bis 18 Uhr geschl.)* a la carte 28/52 – **28 Z : 43 B** 65/7 - 98.

OLFEN **4716.** Nordrhein-Westfalen 411 412 F 11 – 9 800 Ew – Höhe 40 m – ☎ 02595.

◆Düsseldorf 88 – Münster (Westfalen) 37 – Recklinghausen 19.

In Olfen-Kökelsum NW : 2 km :

Füchtelner Mühle, Kökelsum 66, ☎ 4 30, – P.
wochentags nur Abendessen, Montag - Dienstag geschl., Jan.- Feb. nur Samstag - Sonntag geöffnet – **M** a la carte 33/65.

In Olfen-Vinnum SO : 4 km :

Mutter Althoff, Hauptstr. 42, ☎ 4 16, – TV P
13 Z : 19 B.

OLPE / BIGGESEE **5960.** Nordrhein-Westfalen 987 ㉔, 412 G 13 – 25 000 Ew – Höhe 350 m – ☎ 02761.

Tourist-Information, Rathaus, Franziskanerstr. 6, ☎ 8 32 29, Fax 83330.

◆Düsseldorf 114 – Hagen 62 – ◆Köln 75 – Meschede 63 – Siegen 34.

Altes Olpe, Bruchstr. 16, ☎ 51 71, Fax 40460 – TV ☎ P – 25/80. E VISA
Juli - Aug. 3 Wochen geschl. – **M** *(Sonntag ab 15 Uhr geschl.)* a la carte 44/72 – **26 Z : 46 B** 85/110 - 145/185 Fb.

Biggeschlößchen, Biggesee 72, ☎ 6 20 62, Fax 62061 – TV ☎ P. AE E VISA
1.- 15. Jan. geschl. – **M** *(Montag geschl.)* a la carte 47/69 – **12 Z : 24 B** 79/85 - 145/185 Fb.

Zum Schwanen, Westfälische Str. 26, ☎ 20 11, Fax 2013 – TV ☎ P. AE E VISA
M *(Sonntag geschl.)* a la carte 27/59 – **20 Z : 40 B** 65/90 - 120/160 Fb.

In Olpe-Oberveischede NO : 10 km :

Haus Sangermann, Oberveischeder Str. 13 (nahe der B 55), ☎ (02722) 81 65 – ☎ P – 100. E
M a la carte 25/56 – **16 Z : 29 B** 55/75 - 110/160.

OLSBERG **5787.** Nordrhein-Westfalen 411 412 I 12, 987 ⑭ ⑮ – 15 000 Ew – Höhe 333 m – Kneippkurort – Wintersport : 480/780 m 3 9 – ☎ 02962.

Kurverwaltung, Bigger Platz 6, ☎ 80 22 00.

◆Düsseldorf 167 – ◆Kassel 99 – Marburg 81 – Paderborn 58.

Parkhotel, Stehestr. 23, ☎ 80 40, Fax 5889, , direkter Zugang zum Kurmittelhaus, – TV ☎ P – 25/120. AE E. Rest
M a la carte 31/56 – **114 Z : 228 B** 95 - 140 Fb.

In Olsberg 5-Assinghausen S : 6 km :

Weiken-Kracht, Grimmestr. 30, ☎ 18 47 – P
Dienstag und Nov. geschl. – **M** a la carte 21/55 – auch 25 Fewo (2 - 9 Pers.) 45/140.

In Olsberg 1-Bigge W : 2 km :

Schettel mit Zim, Hauptstr. 52, ☎ 18 32, – ☎ P. E
27. Jan.- 11. Feb. und 13.- 29. Juli geschl. – **M** *(Dienstag geschl.)* a la carte 28/56 – **12 Z : 20 B** 50 - 100.

In Olsberg 8-Gevelinghausen W : 4 km :

Stratmann, Kreisstr. 2, ☎ (02904) 22 79, , – P. E
Nov. geschl. – **M** *(Dienstag geschl.)* a la carte 21/50 – **17 Z : 34 B** 42 - 71/79 – ½ P 58.

OPPENAU **7603.** Baden-Württemberg 413 H 21, 987 ㉞, 242 ㉔ – 5 400 Ew – Höhe 270 m – Luftkurort – ☎ 07804.

Städt. Verkehrsamt, Rathausplatz 1, ☎ 48 37, Fax 4822.

◆Stuttgart 150 – Freudenstadt 32 – Offenburg 26 – Strasbourg 40.

Linde (Gasthof a.d. 17. Jh.), Straßburger Str. 72 (B 28), ℘ 14 15 – ☎ P. E
Feb. geschl. – **M** *(Montag geschl.)* a la carte 28/65 – **8 Z : 13 B** 45 - 85 – ½ P 58.

Krone, Hauptstr. 32, ℘ 20 23, Fax 3627 – P
15. Nov.- 15. Dez. geschl. – **M** *(Mittwoch geschl.)* a la carte 27/48 – **20 Z : 39 B** 30/40 - 60/70 – ½ P 48/58.

Rebstock, Straßburger Str. 13 (B 28), ℘ 7 28, – ☎ P – **11 Z : 20 B.**

Badischer Hof, Hauptstr. 61, ℘ 6 81 – (Tischbestellung ratsam).

In Oppenau-Kalikutt W : 5 km über Ramsbach – Höhe 600 m

Höhenhotel Kalikutt, ℘ 31 79, ≤ Schwarzwald, – ☎ P – 30. E
7.- 31. Jan und 22.- 24. Dez. geschl. – **M** a la carte 29/63 – **31 Z : 52 B** 55/85 - 100/140 Fb – ½ P 72/97.

In Oppenau-Lierbach NO : 3,5 km :

Blume, Rotenbachstr. 1, ℘ 30 04, Fax 3017, – ☎ P. AE E VISA
Mitte Feb.- Mitte März geschl. – **M** *(Donnerstag geschl.)* a la carte 23/60 – **11 Z : 21 B** 45/50 - 80/90 – ½ P 55/65.

In Oppenau-Löcherberg S : 5 km :

Erdrichshof, Schwarzwaldstr. 57 (B 28), ℘ 9 79 80, Fax 979898, « Typischer Schwarzwaldgasthof », – ☎ P. AE E VISA.
M a la carte 29/64 – **13 Z : 26 B** 68/90 - 136/170 – ½ P 92/109.

OPPENHEIM **6504.** Rheinland-Pfalz 987 ㉔ ㉕, 412 413 I 17 – 6 000 Ew – Höhe 100 m – ☎ 06133. – **Sehenswert** : Katharinenkirche★.
Verkehrsverein, Rathaus, Marktplatz, ℘ 24 44.
Mainz 23 – ◆Darmstadt 23 – Bad Kreuznach 41 – Worms 26.

Oppenheimer Hof, Friedrich-Ebert-Str. 84, ℘ 20 32, Fax 4270 – ☎ P – 45. AE E VISA
22. Dez.- 7. Jan. geschl. – **M** *(Sonn- und Feiertage geschl.)* a la carte 38/64 – **25 Z : 45 B** 98/115 - 145/165.

ORB, BAD **6482.** Hessen 412 413 L 16, 987 ㉕ – 8 300 Ew – Höhe 170 m – Heilbad – ☎ 06052.
Verkehrsverein, Untertorplatz, ℘ 10 16, Fax 3155.
◆Wiesbaden 99 – ◆Frankfurt am Main 55 – Fulda 57 – ◆Würzburg 80.

Steigenberger Kurhaus-Hotel, Horststr. 1, ℘ 8 80, Telex 4184013, Fax 88135, direkter Zugang zum Leopold-Koch-Bad – Zim P – 25/300. AE E VISA. Rest
M a la carte 51/81 – **112 Z : 176 B** 146/325 - 222/342 Fb – 8 Appart. 390/440 – ½ P 151/216.

Orbtal, Haberstalstr. 1, ℘ 8 10, Fax 81444, « Park », Massage, – ☎ P. Rest – (Restaurant nur für Hausgäste) – **40 Z : 65 B** Fb.

Madstein, Am Orbgrund 1, ℘ 20 28, Fax 6213, direkter Zugang zur Badeabteilung mit des Hotel Elisabethpark – ☎ P – 50. AE E. Rest
M *Mittwoch ab 14 Uhr geschl.)* a la carte 35/64 – **37 Z : 50 B** 90/120 - 166/230 Fb.

Elisabethpark garni, Rotahornallee 5, ℘ 30 51, Bade- und Massageabteilung, – ☎ P. E – **26 Z : 48 B** 95/130 - 140/190 Fb.

Weißes Roß, Marktplatz 4, ℘ 20 91, Fax 6631, « Garten » – ☎ P. AE VISA. Rest
M a la carte 27/65 – **43 Z : 65 B** 80 - 150 Fb.

Rheinland, Lindenallee 36, ℘ 8 50, Fax 8588, Massage, – ☎ P – 25. E
Mitte Dez.- Mitte Jan. geschl. – (Restaurant nur für Hausgäste) – **39 Z : 58 B** 60/75 - 110/140 Fb – ½ P 75/95.

Fernblick, Sälzerstr. 51, ℘ 10 81, Fax 1082, ≤, Massage, – ☎ P – 25. E VISA. Rest
12. Jan.- Feb. geschl. – (Restaurant nur für Hausgäste) – **27 Z : 38 B** 50/80 - 100/150 Fb – ½ P 65/85.

ORSINGEN-NENZINGEN **7769.** Baden-Württemberg 413 J 23, 216 ⑨ – 2 400 Ew – Höhe 450 m – ☎ 07771 (Stockach). – ◆Stuttgart 155 – ◆Freiburg im Breisgau 107 – ◆Konstanz 40 – ◆Ulm (Donau) 117.

Landgasthof Ritter, Stockacher Str. 69 (B 31, Nenzingen), ℘ 21 14, – ☎ P – 40
21 Z : 40 B.

Schönenberger Hof, Stockacher Str. 16 (B 31, Nenzingen), ℘ 20 12, – ☎ P. E
Ende Okt.- Mitte Nov. geschl. – **M** *(Montag geschl.)* a la carte 27/51 – **18 Z : 30 B** 32/45 - 60/80.

Gasthof Auer mit Zim, Stockacher Str. 62 (B 31, Nenzingen), ℘ 24 97 – P – **6 Z : 11 B.**

ORTENBERG Baden-Württemberg siehe Offenburg.

ORTENBURG **8359.** Bayern 413 W 21, 426 L 3 – 6 300 Ew – Höhe 350 m – Erholungsort – ☎ 08542.

Verkehrsamt, Marktplatz 11, ✆ 73 21.

♦München 166 – Passau 24 – ♦Regensburg 127 – Salzburg 129.

In Ortenburg-Vorderhainberg O : 2 km :

Zum Koch, ✆ 16 70, Fax 167440, , Massage, , , – – 25/50 AE
7.- 17. Jan. und 18. Nov.- 5. Dez. geschl. – **M** a la carte 23/44 – **105 Z : 180 B** 33/42 - 56 – ½ P 41/46.

OSANN-MONZEL **5561.** Rheinland-Pfalz 412 D 17 – 1 500 Ew – Höhe 140 m – ☎ 06535.

Mainz 124 – Bernkastel-Kues 11 – ♦ Trier 32 – Wittlich 12.

Apostelstuben, Steinrausch 3 (Osann), ✆ 8 41, Fax 843, , – – **34 Z : 72 B.**

OSNABRÜCK **4500.** Niedersachsen 411 412 H 10, 987 ⑭ – 150 000 Ew – Höhe 65 m – ☎ 0541

Sehenswert: Rathaus (Friedenssaal★) Y **R** – Marienkirche (Passionsaltar★) Y **B.**

Lotte (W : 11 km über ⑤), ✆ (05404) 52 96.

bei Greven, SW : 34 km über ⑤, die A 30 und A 1, ✆ (02571) 50 30.

Städt. Verkehrsamt, Markt 22, ✆ 3 23 22 02, Fax 3234213.

ADAC, Dielinger Str. 40, ✆ 2 24 88, Fax 22222.

♦Hannover 141 ④ – Bielefeld 55 ④ – ♦Bremen 121 ① – Enschede 91 ⑥ – Münster (Westfalen) 57 ⑤.

Stadtplan siehe gegenüberliegende Seite

Hohenzollern, Heinrich-Heine-Str. 17, ✆ 3 31 70, Telex 94776, Fax 3317351, , – Zim – 25/350. AE E VISA Z
M a la carte 38/82 – **98 Z : 140 B** 95/225 - 140/350 Fb.

Residenz garni, Johannisstr. 138, ✆ 58 63 58, Telex 944710, « Elegante, behagliche Einrichtung » – Z
22 Z : 41 B 95/120 - 140/150 Fb.

Walhalla (Renoviertes Fachwerkhaus a.d. 17. Jh.), Bierstr. 24, ✆ 2 72 06, Fax 23751, – . AE E VISA Y
M a la carte 27/56 – **27 Z : 40 B** 95/140 - 140/170 Fb.

Nikolai-Zentrum garni, Kamp 1, ✆ 33 13 00, Fax 3313088 – . AE E VISA
32 Z : 53 B 98/140 - 150/180 Fb. Y

Kulmbacher Hof, Schloßwall 67, ✆ 2 78 44, Fax 27848 – – 50. AE E
M *(nur Abendessen, Sonntag geschl.)* a la carte 32/62 – **42 Z : 75 B** 95/115 - 150/165 Fb. Z

Ibis, Blumenhaller Weg 152, ✆ 4 04 90, Telex 94831, Fax 41945 – 25/150. AE E VISA – **M** a la carte 31/45 – **96 Z : 192 B** 117 - 161 Fb. X

Klute, Lotter Str. 30, ✆ 4 50 01, Fax 45302 – . AE E VISA Y
M *(Sonntag ab 15 Uhr und Juli 2 Wochen geschl.)* a la carte 36/52 – **20 Z : 32 B** 75/95 - 120/130 Fb.

Welp, Natruper Str. 227, ✆ 12 33 07, Fax 128937, – X
25 Z : 33 B.

Intourhotel garni, Maschstr. 10, ✆ 4 66 43, Fax 434239 – . AE E VISA X
23 Z : 40 B 40/75 - 70/120.

Dom-Hotel, Kleine Domsfreiheit 5, ✆ 2 15 54, Fax 201739 – . AE VISA Y
M *(nur Abendessen, Samstag - Sonntag geschl.)* a la carte 22/38 – **22 Z : 30 B** 55/85 - 90/120 Fb.

La Vie, Rheiner Landstr. 163, ✆ 43 02 20 – AE E VISA X
Dienstag geschl. – **M** a la carte 66/95 – **Bistro M** a la carte 47/68.

Artischocke (Bistro-Restaurant), Buersche Str. 2, ✆ 2 33 31 Y
nur Abendessen, Montag, über Ostern 1 Woche und Juli - Aug. 2 Wochen geschl. – **M** a la carte 40/62.

Der Landgraf, Domhof 9, ✆ 2 23 72 Y

In Osnabrück-Atter :

Gensch, Zum Flugplatz 85, ✆ 12 68 81, ≤, – . AE E VISA. X
27. Jan.- 10. Feb., Juni - Juli 3 Wochen, Donnerstag ab 15 Uhr, Samstag bis 18 Uhr und Montag geschl. – **M** 26/39 (mittags) und a la carte 45/70.

In Osnabrück-Gretesch :

Gretescher Hof garni, Sandforter Str. 1, ✆ 3 74 17, Fax 385732 – . AE E VISA
20 Z : 32 B 70/100 - 120/140 Fb. X

In Osnabrück-Nahne :

Himmelreich, Zum Himmelreich 11, ✆ 5 17 00, Fax 53010, , – . AE VISA X
(nur Abendessen für Hausgäste) – **42 Z : 52 B** 72/88 - 98/122 Fb.

OSNABRÜCK

ierstraße	Y	
omhof	Y	9
roße Straße	YZ	
ohannisstraße	Z	
rahnstraße	Y	
tterstraße	X	3
elmer Straße	X	4
llerstraße	X	10
ansastraße	X	13
asetorwall	Y	15
aster Weg	X	16
einrich-Heine-Straße	Z	19
errenteichsstraße	Y	20
burger Straße	X	21
ohannisfreiheit	Z	23
nollstraße	X	25
olpingstraße	Z	26
urt-Schumacher-Damm	X	27
engericher Landstraße	X	28
ieneschweg	X	29

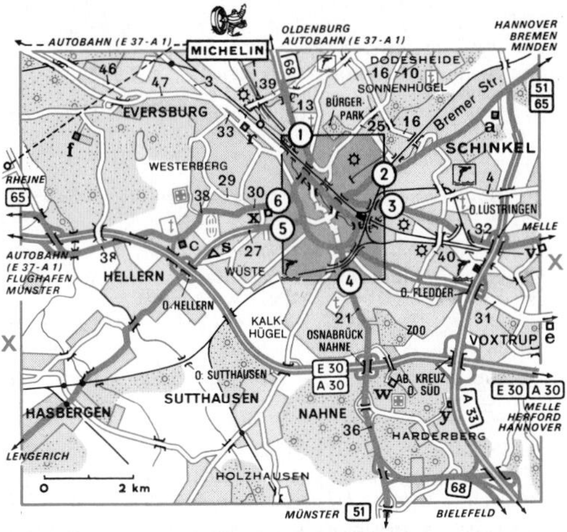

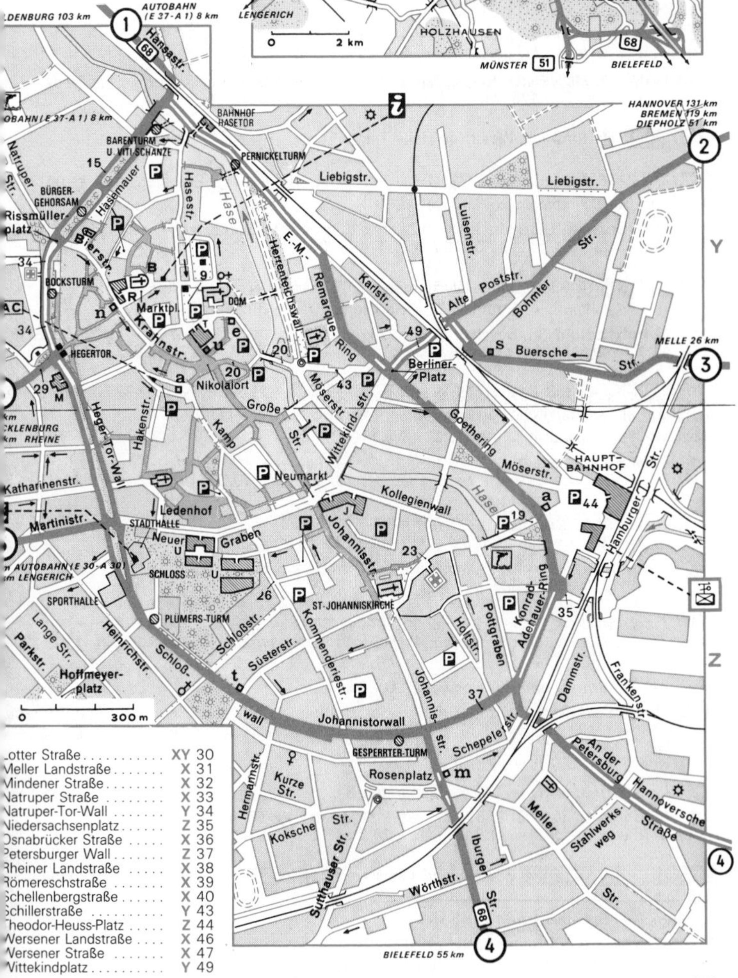

otter Straße	XY	30
Meller Landstraße	X	31
Mindener Straße	X	32
Natruper Straße	X	33
Natruper-Tor-Wall	Y	34
Niedersachsenplatz	Z	35
Osnabrücker Straße	X	36
Petersburger Wall	Z	37
Rheiner Landstraße	X	38
Römereschstraße	X	39
Schellenbergstraße	X	40
Schillerstraße	Y	43
Theodor-Heuss-Platz	Z	44
Wersener Landstraße	X	46
Wersener Straße	X	47
Wittekindplatz	Y	49

In Osnabrück-Schinkel :

Niedersachsenhof, Nordstraße 109, ✆ 7 59 50, « 200 Jahre altes Bauernhaus mit rustikaler Einrichtung » - Ⓟ. AE E
Nov.- März Montag 14 Uhr - Dienstag, April - Okt. Dienstag sowie Feb. geschl. - **M** a la carte 25/54.

In Osnabrück-Voxtrup :

Haus Rahenkamp, Meller Landstr. 106, ✆ 38 69 71 - Ⓟ - 25/450
M *(nur Abendessen, Freitag geschl.)* a la carte 20/33 - **16 Z : 20 B** 50/55 - 90.

Außerhalb, Nähe Franziskus-Hospital :

Haus Waldesruh, ✉ 4504 Georgsmarienhütte 4 - Harderberg, ✆ (0541) 5 43 23, Fax 54376, - ☎ Ⓟ. AE ⓓ E VISA
Feb. geschl. - **M** *(Montag geschl.)* a la carte 20/51 - **27 Z : 36 B** 40/60 - 80/95 Fb.

In Wallenhorst **4512** ① : 10 km :

Bitter, Große Str. 26, ✆ (05407) 20 15, Fax 9943, - ☎ Ⓟ - 25/70. AE ⓓ E VISA
M a la carte 39/63 - **48 Z : 90 B** 88/152 - 125/159 Fb.

In Belm-Vehrte **4513** ② : 12 km :

Kortlüke, Venner Str. 5, ✆ (05406) 20 01, Fax 3192, - ☎ Ⓟ
M *(Dienstag geschl.)* a la carte 18/44 - **20 Z : 40 B** 48 - 80.

MICHELIN-REIFENWERKE KGaA. Niederlassung 4500 Osnabrück-Atterfeld, Im Felde 4 (X), ✆ (0541) 91 20 20, Fax 128728.

OSTBEVERN Nordrhein-Westfalen siehe Telgte.

OSTEN **2176.** Niedersachsen 411 K 5 - 2 100 Ew - Höhe 2 m - Erholungsort - ☎ 04771.
♦Hannover 206 - Bremerhaven 56 - Cuxhaven 47 - ♦Hamburg 85 - Stade 28.

Fährkrug, Deichstr. 1, ✆ 39 22, Fax 2338, ≤, Bootssteg - - 30. AE VISA
M a la carte 32/64 - **14 Z : 29 B** 45/60 - 80/100.

OSTERBURKEN **6960.** Baden-Württemberg 413 L 18, 987 ㉕ - 4 600 Ew - Höhe 247 m - ☎ 06291 (Adelsheim). - ♦Stuttgart 91 - Heilbronn 49 - ♦Würzburg 68.

Märchenwald, Boschstr. 3 (NO : 2 km), ✆ 80 26, - ☎ Ⓟ - 25/50. E VISA
M *(Sonntag ab 14 Uhr und Samstag geschl.)* a la carte 25/51 - **33 Z : 56 B** 60/70 - 90/96 Fb.

OSTERHOFEN **8353.** Bayern 413 W 20, 987 ㉘, 426 L 2 - 11 000 Ew - Höhe 320 m - ☎ 09932.
Ausflugsziel : Klosterkirche★ in Osterhofen - Altenmarkt (SW : 1 km).
♦München 152 - Deggendorf 27 - Passau 38 - Straubing 41.

Café Pirkl, Altstadt 1, ✆ 12 76, (Halle) - Ⓟ
24. Dez.- 7. Jan. geschl. - **M** *(Montag geschl.)* a la carte 20/37 - **18 Z : 30 B** 40/42 - 78.

OSTERHOLZ-SCHARMBECK **2860.** Niedersachsen 411 J 7, 987 ⑭ ⑮ - 25 000 Ew - Höhe 20 m - ☎ 04791. - ♦Hannover 144 - ♦Bremen 28 - Bremerhaven 45.

Zum alten Torfkahn (rustikale Einrichtung), Am Deich 9, ✆ 76 08, Fax 59606, ☎ Ⓟ. AE ⓓ E VISA
M *(Sonntag ab 18 Uhr geschl.)* a la carte 61/86 - **12 Z : 25 B** 95/140 - 150/220.

Tivoli, Beckstr. 2, ✆ 80 50, Fax 80560 - ☎ Ⓟ. ⓓ E.
26. Dez.- 15. Jan. geschl. - **M** *(nur Abendessen, Sonntag geschl.)* a la carte 31/68 - **51 Z : 120 B** 64/70 - 94/110 Fb.

An der Straße nach Worpswede SO : 3 km :

Tietjen's Hütte mit Zim, An der Hamme 1, ✉ 2860 Osterholz-Scharmbeck, ✆ (04791) 24 15, Fax 13547, Bootssteg, « Gartenterrasse an der Hamme » - ☎ Ⓟ. AE ⓓ E VISA. Zim
M a la carte 33/68 - **8 Z : 15 B** 95 - 160.

Im Stadtteil Heilshorn W : 5 km, an der B 6 :

Mildahn, ✆ (04795) 15 61, - ☎ Ⓟ. AE ⓓ VISA.
M *(Freitag geschl.)* a la carte 22/40 - **28 Z : 45 B** 55/88 - 80/98.

OSTERODE AM HARZ **3360.** Niedersachsen 411 N 11, 987 ⑯ - 28 000 Ew - Höhe 230 m - ☎ 05522.
Ausflugsziel : Sösetalsperre★ O : 5 km.
Verkehrs- und Reisebüro, Dörgestr. 40, ✆ 68 55.
♦Hannover 94 - ♦Braunschweig 81 - Göttingen 48 - Goslar 30.

Tiroler Stuben, Scheerenberger Str. 45, ☏ 20 22, Fax 75343, 🏞 - TV ☎ 🚗 P. AE ⓓ E VISA
M a la carte 28/52 - **12 Z : 24 B** 58/65 - 90/100.

Zum Röddenberg, Steiler Ackerweg 6, ☏ 40 84, Fax 3501 - TV ☎ 🚗 P. ⓓ E
M *(nur Abendessen, Sonntag geschl.)* a la carte 23/45 - **30 Z : 50 B** 35/70 - 65/100 Fb.

Grüner Jäger, Obere Neustadt 11, ☏ 33 67, Fax 3368 - TV ☎. AE ⓓ E VISA
M *(nur Abendessen)* a la carte 17/27 - **12 Z : 21 B** 45/50 - 84/100.

Ratskeller, Martin-Luther-Platz 2, ☏ 64 44, Fax 75617 - AE ⓓ E VISA
Sonntag ab 14.30 Uhr geschl. - **M** 17/29 (mittags) und a la carte 27/55.

In Osterode-Freiheit NO : 4 km :

Zur Alten Harzstraße mit Zim, Hengstrücken 148 (an der B 241), ☏ 29 15, 🏞 - P
M *(Montag geschl.)* a la carte 23/50 - **4 Z : 8 B** 40 - 80.

In Osterode-Lerbach NO : 5 km :

Sauerbrey, Friedrich-Ebert-Str. 129, ☏ 20 65, Fax 3817, 🏞, 🌳 - |‡| TV ☎ P. AE ⓓ E VISA
M a la carte 34/69 - **20 Z : 42 B** 80/105 - 110/140 Fb.

In Osterode-Riefensbeek NO : 12 km - Erholungsort :

Landhaus Meyer, Sösetalstr. 23 (B 498), ☏ 38 37, 🏞, 🌳 - P
Nov.- 7. Dez. geschl. - **M** a la carte 21/43 - **10 Z : 22 B** 40/55 - 65/80.

OSTFILDERN

7302. Baden-Württemberg 413 K 20 - 28 000 Ew - Höhe 420 m - ☏ 0711 (Stuttgart). - ♦Stuttgart 22 - Göppingen 39 - Reutlingen 35 - ♦Ulm (Donau) 76.

In Ostfildern 4-Kemnat :

Kemnater Hof, Sillenbucher Straße (NW : 1,5 km), ☏ 45 50 48, Fax 4569516, 🏞 - |‡| TV ☎ P - 🏛 25. AE E VISA
22. Dez.- 10. Jan. und 17. Juli - 3. Aug. geschl. - **M** *(Sonntag 14 Uhr - Montag 17 Uhr geschl.)* a la carte 33/58 - **28 Z : 52 B** 100/135 - 140/170 Fb.

In Ostfildern 2-Nellingen :

Filderhotel 🔇, In den Anlagen 1, ☏ 3 41 20 91, Fax 3412001, 🏞 - |‡| ⇆ Zim ▤ Rest TV ☎ ♿ 🚗 P. AE ⓓ E VISA. ✂
M *(Freitag - Samstag, 1.- 12. Jan. und 10. Juli - 8. Aug. geschl.)* a la carte 29/65 - **45 Z : 90 B** 145/175 - 185/215 Fb.

Germania garni (mit Gästehäusern), Esslinger Str. 3, ☏ 3 41 13 93 - TV ☎ P. ✂
Juli 3 Wochen geschl. - **32 Z : 45 B** 55/115 - 75/135 Fb.

Adler garni, Rinnenbachstr. 4, ☏ 3 41 14 24, Fax 3412767 - TV ☎ P. AE ⓓ E VISA
19. Juli - 2. Aug. geschl. - **22 Z : 37 B** 90 - 130 Fb.

Stadthalle, In den Anlagen 6, ☏ 34 20 94, Fax 342001 - P - 🏛 25/90. AE ⓓ E VISA
Samstag bis 18 Uhr sowie Sonn- und Feiertage jeweils ab 15 Uhr geschl. - **M** a la carte 25/54.

In Ostfildern 1-Ruit :

Hirsch Hotel Gehrung, Stuttgarter Str. 7, ☏ 44 20 88, Telex 722061, Fax 4411824 - |‡| TV ☎ 🚗 P - 🏛 25/60. AE ⓓ E VISA. ✂ Rest
M *(Sonntag geschl.)* a la carte 35/67 - **50 Z : 67 B** 125/145 - 155/195 Fb.

In Ostfildern 3-Scharnhausen :

Lamm, Plieninger Str. 3, ☏ (07158) 1 70 60, Fax 170644, 🏞, ≘s - |‡| TV ☎ ♿ 🚗 P - 🏛 30. AE ⓓ E VISA
23. Dez.- 6. Jan. geschl. - **M** *(nur Abendessen, Samstag - Sonntag geschl.)* a la carte 30/49 - **27 Z : 50 B** 115/130 - 145/170 Fb.

OSTRACH

7965. Baden-Württemberg 413 L 23, 987 ㉟, 427 M 2 - 5 200 Ew - Höhe 620 m - ☏ 07585. - ♦Stuttgart 128 - ♦Freiburg im Breisgau 144 - Ravensburg 33 - ♦Ulm (Donau) 83.

Hirsch, Hauptstr. 27, ☏ 6 01 - |‡| TV ☎ 🚗 P. E
25. Okt.- 5. Nov. und 27. Dez.- 5. Jan. geschl. - Menu *(Freitag geschl.)* a la carte 29/55 - **16 Z : 28 B** 60/68 - 95/105 Fb.

OTTENHÖFEN IM SCHWARZWALD

7593. Baden-Württemberg 413 H 21 - 3 500 Ew - Höhe 311 m - Luftkurort - ☏ 07842 (Kappelrodeck).

Ausflugsziel : Allerheiligen : Lage★ - Wasserfälle★ SO : 7 km.

ℹ Kurverwaltung, Allerheiligenstr. 2, ☏ 20 97, Fax 2098.

♦Stuttgart 137 - Baden-Baden 43 - Freudenstadt 35.

Pflug, Allerheiligenstr. 1, ☏ 20 58, Fax 2846, 🏞, 🎾 - |‡| TV ☎ P - 🏛 25/50. E
M a la carte 26/53 🍷 - **61 Z : 108 B** 50/85 - 98/130 Fb - ½ P 64/90.

Wagen, Ruhesteinstr. 77, ☏ 4 85, « Gartenterrasse », 🌳 - |‡| ☎ 🚗 P - 🏛 25/100
M a la carte 26/52 🍷 - **30 Z : 57 B** 35/65 - 70/140 - ½ P 50/90.

OTTERNDORF **2178.** Niedersachsen 411 J 5, 987 ④ ⑤ – 6 300 Ew – Höhe 5 m – Erholungsort – ☎ 04751. – **i** Tourist-Information, Rathausplatz, ☎ 1 31 31.
♦Hannover 217 – Bremerhaven 40 – Cuxhaven 17 – ♦Hamburg 113.

Eibsens's Hotel, Marktstr. 33, ☎ 27 73, Fax 4179 – P
M *(nur Abendessen, Sonntag und 24. Dez.- 3. Jan. geschl.)* a la carte 24/39 – **11 Z : 22 B** 55/70 - 95/120.

Ratskeller, Rathausplatz 1, ☎ 38 11 – AE E VISA
Dienstag und 3. Feb.- 1. März geschl. – **M** a la carte 36/71.

Elb-Terrassen, An der Schleuse 18 (NW : 2 km), ☎ 22 13, ← – P. AE E.
Montag und Mitte Dez.- Jan. geschl. – **M** a la carte 26/58.

OTTOBEUREN **8942.** Bayern 413 N 23, 987 ㊱, 426 C 5 – 7 300 Ew – Höhe 660 m – Kneippkurort – ☎ 08332.
Sehenswert: Klosterkirche★★★ (Vierung★★★, Chor★★, Chorgestühl★★, Chororgel★★).
Hofgut Boschach (S : 3 km), ☎ (08332) 13 10.
i Kurverwaltung und Verkehrsamt, Marktplatz 14, ☎ 68 17.
♦München 110 – Bregenz 85 – Kempten (Allgäu) 29 – ♦Ulm (Donau) 66.

Hirsch, Marktplatz 12, ☎ 79 90, Fax 799103, – 25/100. Rest
M a la carte 25/46 – **62 Z : 100 B** 58/89 - 125/159 Fb.

OTTOBRUNN Bayern siehe München.

OTTWEILER **6682.** Saarland 412 E 18, 987 ㉔, 242 ⑦ – 10 600 Ew – Höhe 246 m – ☎ 06824.
♦Saarbrücken 31 – Kaiserslautern 63 – ♦Trier 80.

Prinz-Heinrich garni, Wilhelm-Heinrich-Str. 39, ☎ 40 52, Fax 7864 –
10 Z : 15 B 65 - 95/110 Fb.

Eisel (ehemalige Mühle), Mühlstr. 15a, ☎ 75 77 – P. AE E VISA
Samstag bis 18 Uhr, Montag und Juli - Aug. 3 Wochen geschl. – **M** 56/98.

OVERATH **5063.** Nordrhein-Westfalen 987 ㉔, 412 E 14 – 24 300 Ew – Höhe 92 m – ☎ 02206.
♦Düsseldorf 62 – ♦Bonn 30 – ♦ Köln 25.

In Overath-Brombach NW : 10 km :

Zur Eiche, Dorfstr. 1, ☎ (02207) 75 80, Fax 5303, – P. Zim
24. Dez.- Mitte Jan. geschl. – **M** *(Donnerstag geschl.)* a la carte 27/55 – **10 Z : 20 B** 80/90 - 100/120.

In Overath-Immekeppel NW : 7 km :

Sülztaler Hof mit Zim, Lindlarer Str. 83, ☎ (02204) 77 46 – . Zim – **4 Z : 6 B.**

In Overath-Klef NO : 2 km :

Lüdenbach, Klef 99 (B 55), ☎ 21 53, Fax 81602, – P. Zim
Mitte Juli - Mitte Aug. geschl. – **M** *(Dienstag - Freitag nur Abendessen, Montag geschl.)* a la carte 28/57 – **22 Z : 44 B** 70/85 - 115.

An der Straße nach Much (L 312) SO : 8 km :

Fischermühle mit Zim, ✉ 5063 Overath, ☎ (02206) 35 10, – P.
M a la carte 35/58 – **5 Z : 10 B** 50 - 90.

OWSCHLAG **2372.** Schleswig-Holstein 411 L 3 – 2 300 Ew – Höhe 15 m – ☎ 04336.
♦Kiel 48 – Rendsburg 18 – Schleswig 21.

Förster-Haus, Beeckstr. 41, ☎ 2 02, Fax 625, ←, – P – 30/100. AE E VISA
M a la carte 28/52 – **68 Z : 120 B** 65/95 - 130/180 Fb.

OY-MITTELBERG **8967.** Bayern 413 O 24, 987 ㊱, 426 D 6 – 4 000 Ew – Höhe 960 m – Luft- und Kneippkurort – Wintersport : 950/1 200 m 2 6 – ☎ 08366.
i Kur- und Verkehrsamt, Oy, Wertacher Str. 11, ☎ 2 07.
♦München 124 – Füssen 22 – Kempten (Allgäu) 19.

Im Ortsteil Oy :

Kurhotel Tannenhof, Tannenhofstr. 19, ☎ 5 52, Fax 894, ←, Bade- und Massageabteilung, – P. Rest
15. Nov.- 15. Dez. geschl. – (Restaurant nur für Hausgäste) – **30 Z : 48 B** 110/175 - 220/300 Fb – ½ P 135/175.

Löwen, Hauptstr. 12, ☎ 2 12, – P. AE E VISA
4. Nov.- 20. Dez. geschl. – **M** *(Mittwoch geschl.)* a la carte 19/45 – **17 Z : 36 B** 50/60 - 90/100 – ½ P 50/60.

Im Ortsteil Mittelberg :

Kur- und Sporthotel Mittelburg, 1 80, Fax 1835, Bade- und Massageabteilung, - Rest
10. Nov.- 15. Dez. geschl. - (Restaurant nur für Hausgäste) - **27 Z : 50 B** 80/90 - 140/220 Fb.

Gasthof Rose, Dorfbrunnenstr. 10, 8 76, Biergarten - E
23. März - 10. April und 2. Nov.- 18. Dez. geschl. - **M** *(Montag - Dienstag 16 Uhr geschl.)* a la carte 20/42 - **15 Z : 28 B** 44/56 - 94/110 Fb - ½ P 52/66.

Krone, Dorfbrunnenstr. 2, 2 14, -
8.- 29. Jan. und 26. Nov.- 17. Dez. geschl. - **M** *(Mittwoch 14 Uhr - Donnerstag geschl.)* a la carte 21/36 - **16 Z : 27 B** 45 - 90.

Im Ortsteil Maria Rain O : 5 km :

Sonnenhof, Kirchweg 3, (08361) 39 17, Fax 3973, Allgäuer Berge -
Nov.- 18. Dez. geschl. - **M** a la carte 19/38 - **22 Z : 42 B** 35/57 - 70/114 Fb.

OYBIN Sachsen siehe Zittau.

OYTEN Niedersachsen siehe Bremen.

*Die im Michelin-Führer verwendeten Zeichen und Symbole haben - **fett** oder dünn gedruckt, rot oder schwarz - jeweils eine andere Bedeutung. Lesen Sie daher die Erklärungen aufmerksam durch.*

PADERBORN **4790.** Nordrhein-Westfalen 411 412 J 11, 987 ⑮ - 123 000 Ew - Höhe 119 m - 05251.

Sehenswert : Dom★ Z **A** - Diözesanmuseum (Imadmadonna★) Z **M1.**

18 9 Paderborn-Sennelager (über ⑥), (05252) 33 74.

bei Büren-Ahden, SW : 20 km über ⑤, (02955) 7 70.

Verkehrsverein, Marienplatz 2a, 2 64 61.

ADAC, Kamp 9, 2 77 76, Notruf 1 92 11.

♦Düsseldorf 167 ⑤ - Bielefeld 45 ⑥ - Dortmund 101 ⑤ - ♦Hannover 143 ⑥ - ♦Kassel 92 ④.

Stadtplan siehe nächste Seite

Arosa, Westernmauer 38, 20 00, Telex 936798, Fax 200806, - Zim Rest - 25/140. AE E VISA — Z **s**
M a la carte 45/69 - **100 Z : 150 B** 150/189 - 225/305 Fb.

Ibis, Paderwall 3, 2 50 31, Telex 936972, Fax 27179 - - 40. AE E VISA — Y **u**
M a la carte 31/48 - **90 Z : 117 B** 119 - 163 Fb.

Schweizer Haus, Warburger Str. 99, 6 19 61 - E — über ③
Samstag bis 18 Uhr und Sonntag geschl. - **M** a la carte 47/77.

Zu den Fischteichen, Dubelohstr. 92, 3 32 36, Fax 37366, - - 25/120. AE E VISA — über Fürstenweg Y
Donnerstag und Okt. geschl. - **M** a la carte 28/60.

L'Amaretto (Italienische Küche), Kasseler Str. 1, 2 64 45 - AE E VISA — Z **e**
Montag bis 18 Uhr geschl. - **M** a la carte 27/52.

Bistro Le Mans, Hathumarstr. 1, 2 58 51, - AE E VISA — Y **n**
Sonntag - Montag 18 Uhr und Juli - Aug. 2 Wochen geschl. - Menu (abends Tischbestellung ratsam) a la carte 35/78.

In Paderborn-Elsen ⑥ : 4,5 km :

Kaiserpfalz, von-Ketteler-Str. 20, (05254) 55 11, Fax 69657, - . AE E VISA
Juli - Aug. 3 Wochen und 23.- 30. Dez. geschl. - **M** *(nur Abendessen, Samstag geschl.)* a la carte 30/53 - **24 Z : 32 B** 89 - 140 Fb.

In Paderborn-Schloß Neuhaus ⑥ : 5 km :

Hellmann, Neuhäuser Kirchstr. 19, (05254) 22 97
(Montag - Freitag nur Abendessen) - **20 Z : 28 B** Fb.

In Borchen 2-Nordborchen **4799** ④ : 6 km :

Haus Amedieck, Paderborner Str. 7 (B 480), (05251) 3 94 24, Fax 391918 -
20. Dez.- 9. Jan. geschl. - **M** *(nur Abendessen, Sonntag geschl.)* a la carte 24/51 - **41 Z : 70 B** 80/85 - 110/120.

Pfeffermühle, Paderborner Str. 66 (B 480), (05251) 3 94 97, -
30 Z : 50 B Fb.

Kamp	Z	
Königstraße	YZ	
Rosenstraße	Z	19
Schildern	Z	21
Westernstraße	Z	
Am Abdinghof	Z	2
Am Bogen	Z	3
Am Rothoborn	Y	4
Am Westerntor	Z	5
Domplatz	Z	7
Le-Mans-Wall	Z	12
Marienstraße	Z	13
Michaelstraße	Y	15
Mühlenstraße	Y	16
Warburger Straße	Z	23

PANKER Schleswig-Holstein siehe Lütjenburg.

PAPENBURG **2990.** Niedersachsen 411 F 7, 987 ⑭ – 30 000 Ew – Höhe 5 m – ☎ 04961.
Papenburg-Aschendorf, ☎ 7 48 11.
Verkehrsverein, Rathaus, Hauptkanal rechts, ☎ 8 22 21.
♦Hannover 240 – Groningen 67 – Lingen 68 – ♦Oldenburg 69.

- **Stadt Papenburg,** Am Stadtpark 25, ☎ 41 64 (Hotel) 63 45 (Rest.), Fax 3471, – TV ☎ P – 25/60. AE E VISA
  M a la carte 40/76 – **46 Z : 90 B** 87 - 140/170 Fb – 5 Appart. 180/205.
- Am Stadtpark, Deverweg 27, ☎ 41 45 – TV ☎ P – 60
  33 Z : 58 B Fb.
- **Engeln,** Mittelkanal rechts 97, ☎ 7 18 59, Fax 72056 – TV ☎ P. AE E VISA.
  M a la carte 28/56 – **73 Z : 132 B** 50/90 - 90/180 Fb.

In Papenburg 2-Herbrum SW : 9,5 km :

- **Emsblick**, Fährstr. 31, ☎ (04962) 2 45, Fax 6657, – TV ☎ P
  M *(Mittwoch bis 18 Uhr geschl.)* a la carte 23/44 – **21 Z : 37 B** 50/75 - 100/110 Fb.

PAPPENHEIM **8834.** Bayern 413 PQ 20, 987 ㉖ – 4 200 Ew – Höhe 410 m – Luftkurort – ☎ 09143. Fremdenverkehrsbüro, Graf-Karl-Str. 3, ☎ 62 66.
♦München 134 – ♦Augsburg 76 – ♦Nürnberg 72 – ♦Ulm (Donau) 113.

- **Sonne,** Deisinger Str. 20, ☎ 5 44 – ☎
  Jan. 3 Wochen geschl. – **M** *(Sonntag 14 Uhr - Montag geschl.)* a la carte 21/39 – **12 Z : 20 B** 37/48 - 70/80.
- **Pension Hirschen** garni, Marktplatz 4, ☎ 4 34 –
  10 Z : 19 B 42 - 84.
- **Gästehaus Dengler** garni, Deisinger Str. 32, ☎ 63 52, Fax 1678 – .
  9 Z : 18 B 33/36 - 62/68.

PARSBERG **8433.** Bayern 413 S 19, 987 ㉗ – 5 800 Ew – Höhe 550 m – ☎ 09492.
◆München 137 – Ingolstadt 63 – ◆Nürnberg 64 – ◆Regensburg 42.

Zum Hirschen, Dr.-Schrettenbrunner-Str. 1, ✆ 60 60, Fax 606222, – P – 25/80. E
20. Dez.- 10. Jan. geschl. – **M** *(Sonntag ab 15 Uhr geschl.)* a la carte 24/45 – **78 Z : 126 B** 53/75 - 85/105 Fb.

PASSAU **8390.** Bayern 413 X 21, 987 ㉘ ㊳, 426 M 3 – 50 000 Ew – Höhe 290 m – ☎ 0851.
Sehenswert : Lage★★ am Zusammenfluß von Inn, Donau und Ilz (Dreiflußeck★) B – Dom (Apsis★★) B – Glasmuseum★ B **M2.**
Ausflugsziele : Veste Oberhaus (B) ≤★★ auf die Stadt – Bayerische Ostmarkstraße ★ (bis Weiden in der Oberpfalz).
Thyrnau-Raßbach (NO : 9 km über ②), ✆ (08501) 13 13.
Fremdenverkehrsverein, Rathausplatz 3, ✆ 3 34 21, Fax 35107.
ADAC, Badhausgasse 1, ✆ 5 11 31, Fax 72448.
◆München 192 ⑦ – Landshut 119 ⑤ – Linz 110 ④ – ◆Regensburg 118 ⑦ – Salzburg 142 ⑤.

Stadtplan siehe nächste Seite

Holiday Inn, Bahnhofstr. 24, ✆ 5 90 00, Telex 57818, Fax 5900514, ≤, – Zim – 25/200. AE E VISA A **d**
M a la carte 33/60 – **132 Z : 240 B** 182 - 254/278 Fb.

Passauer Wolf, Rindermarkt 6, ✆ 3 40 46, Fax 36757, ≤ – – 25/50. AE E VISA A **r**
M *(Sonntag ab 15 Uhr geschl.)* a la carte 35/66 – **40 Z : 60 B** 110/150 - 160/225 Fb.

König garni, Untere Donaulände 1, ✆ 3 50 28, Telex 57956, Fax 31784, ≤, – – 45. AE E VISA A **t**
39 Z : 78 B 85/95 - 140/150 Fb.

Wilder Mann, Am Rathausplatz, ✆ 3 50 71 (Hotel) 3 50 75 (Restaurant), Fax 31712, « Restauriertes Patrizierhaus, Glasmuseum » – 70. AE E VISA. Zim
M a la carte 64/87 – **49 Z : 78 B** 74/120 - 128/228 Fb. B **M²**

Residenz garni, Fritz-Schäffer-Promenade, ✆ 3 50 05, Telex 57910, ≤ – . AE E VISA B **c**
März - Nov. – **49 Z : 93 B** 85/120 - 150/175 Fb.

Weisser Hase, Ludwigstr. 23, ✆ 3 40 66, Telex 57960, Fax 34069 – – 25/100. AE E VISA A **e**
M a la carte 24/46 – **117 Z : 210 B** 95 - 160 Fb.

Altstadt-Hotel, Bräugasse 27 (am Dreiflußeck), ✆ 33 70, Fax 337100, ≤, – – 25/60. AE E VISA B **s**
M a la carte 29/56 – **55 Z : 108 B** 70/100 - 120/160 Fb.

Spitzberg garni, Neuburger Str. 29, ✆ 5 70 15, Fax 57017, – . E VISA
29 Z : 60 B 65/85 - 100/140 Fb. A **z**

Donaulände garni, Badhausgasse 1, ✆ 60 63, Fax 73674 – . AE E VISA
24 Z : 44 B 75/80 - 110/120 Fb. A **b**

Herdegen garni, Bahnhofstr. 5, ✆ 5 69 95, Fax 54178 – P. AE E VISA A **m**
34 Z : 60 B 65/75 - 120/140 Fb.

Zum König, Rindermarkt 2, ✆ 3 40 98, Fax 34097, ≤, – . AE E VISA
M a la carte 25/47 – **16 Z : 30 B** 65/75 - 98/120 Fb. A **r**

Schloß Ort, Ort 11 (am Dreiflußeck), ✆ 3 40 72 (Hotel) 3 33 31 (Rest.), Fax 31817, ≤ – P. AE E VISA B **a**
7.- 31. Jan. geschl. – **M** *(Dienstag geschl.)* a la carte 21/46 – **36 Z : 58 B** 45/85 - 85/145.

Heilig-Geist-Stift-Schenke, Heiliggeistgasse 4, ✆ 26 07, « Gaststätte a.d.J. 1358, Stiftskeller, Wachauer Garten ». AE E VISA A **v**
Mittwoch und 7.- 31. Jan. geschl. – **M** a la carte 24/48.

In Passau-Grubweg ② : 4 km :

Firmiangut, Firmiangut 12a, ✆ 4 19 55, Fax 49860, – P. AE E
(nur Abendessen für Hausgäste) – **27 Z : 47 B** 55/69 - 95/115 Fb.

In Passau-Kastenreuth ① : 4 km :

Burgwald, Salzweger Str. 9, ✆ 4 34 39, , – P. AE E
M a la carte 21/44 – **24 Z : 46 B** 40/65 - 70/85 Fb.

In Passau-Kohlbruck ⑤ : 3 km :

Albrecht, Kohlbruck 18, ✆ 95 99 60, Fax 9599630, – P. AE E VISA.
20. Dez.- 6. Jan. geschl. – **M** *(Freitag geschl.)* a la carte 20/40 – **36 Z : 72 B** 65 - 105/130 Fb.

Dreiflüssehof, Danziger Str. 42, ✆ 5 10 10, Fax 72478, – P – 50. E VISA
M *(Sonntag - Montag 16 Uhr geschl.)* a la carte 23/41 – **67 Z : 130 B** 60/80 - 100/130 Fb.

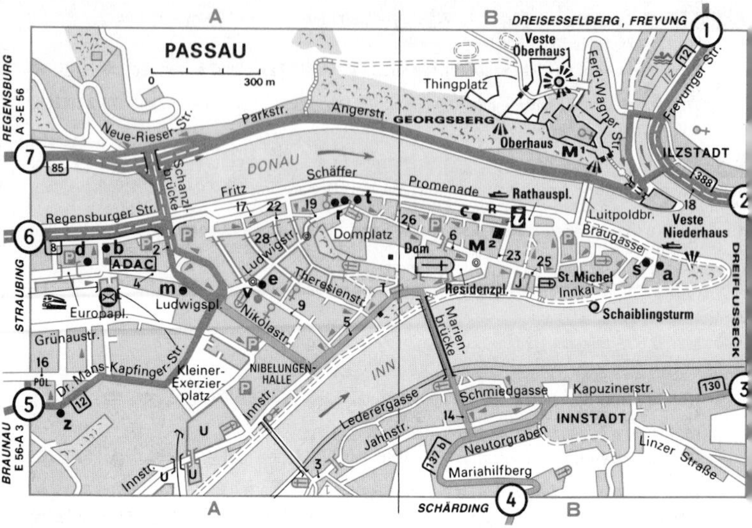

Bahnhofstraße	A 4	Steinweg	B 26	Große Messergasse	B 6
Dr.-Hans-Kapfinger-Str.	A	Theresienstraße	A	Mariahilfstraße	B 14
Heiliggeistgasse	A 9	Wittgasse	A 28	Nibelungenstraße	A 16
Ludwigstraße	A			Obere Donaulände	A 17
Rindermarkt	A 19	Am Schanzl	A 2	Obernzeller Straße	B 18
Schmiedgasse	B	Am Severinstor	A 3	Roßtränke	A 22
Schustergasse	B 25	Gottfried-Schäffer-Straße	A 5	Schrottgasse	B 23

Außerhalb SW : 5 km über Innstraße A , nach dem Kraftwerk rechts ab :

Abrahamhof, Abraham 1, ✉ 8390 Passau, ☏ (0851) 67 88, ≤, 🏖, 🌲 - ☎ **P**
M *(Montag geschl.)* a la carte 18/39 - **28 Z : 53 B** 35/50 - 75/85.

PATTENSEN **3017.** Niedersachsen 411 412 M 10 - 14 000 Ew - Höhe 75 m - ☏ 05101.
♦Hannover 13 - Hameln 36 - Hildesheim 23.

Leine-Hotel, Schöneberger Str. 43, ☏ 1 30 36, Fax 13367, ≘s - |☰| ⇔ Zim TV ☎ ♿ **P** - 🏛 25/80. AE ⓞ E VISA
M a la carte 40/60 - **80 Z : 110 B** 111/348 - 186/382 Fb.

Zur Linde, Göttinger Str. 14 (B 3), ☏ 1 23 22, Fax 12332 - TV ☎ **P**. AE ⓞ E VISA
M a la carte 39/65 - **40 Z : 60 B** 55/100 - 130/150 Fb.

PEETZSEE Berlin siehe Berlin.

PEGNITZ **8570.** Bayern 413 R 17, 987 ㉗ - 14 000 Ew - Höhe 424 m - Erholungsort - ☏ 09241.
ℹ Stadtverwaltung, Hauptstr. 37, ☏ 72 30.
♦München 206 - ♦Bamberg 67 - Bayreuth 33 - ♦Nürnberg 60 - Weiden in der Oberpfalz 55.

Pflaums Posthotel, Nürnberger Str. 14, ☏ 72 50, Telex 642433, Fax 80404, 🏖, 🚲, ≘s, 🏊, 🌲 - |☰| TV 🚗 **P** - 🏛 25/80. AE ⓞ E VISA
M (Tischbestellung ratsam) 115/165 - **Posthalter-Stube M** 39 - **50 Z : 100 B** 188/298 - 210/590 Fb - 25 Appart. 470/985.

In Pegnitz-Hollenberg NW : 6 km :

Landgasthof Schatz, Hollenberg 1, ☏ 21 49, 🏖, ≘s - TV ☎ 🚗 **P**. ⚐ Zim
Nov. geschl. - **M** *(nur Mittagessen, Montag geschl.)* a la carte 18/29 - **16 Z : 20 B** 55 - 100.

PEINE **3150.** Niedersachsen 411 N 10, 987 ⑮ ⑯ - 45 500 Ew - Höhe 67 m - ☏ 05171.
ℹ Verkehrsverein, Werderstr. 49, ☏ 4 06 78. - ♦Hannover 39 - ♦Braunschweig 28 - Hildesheim 32.

Am Herzberg garni, Am Herzberg 18, ☏ 69 90 - ⇔ Zim TV ☎ 🚗 **P**. ⚐
22 Z : 30 B 80/85 - 140/145.

Peiner Hof garni, Am Silberkamp 23, ☏ 1 50 92 - ☎ 🚗 **P**
16 Z : 20 B 70/100 - 130/160.

Schützenhaus, Schützenstr. 23, ☏ 1 52 09 - ☎. AE ⓞ E VISA
1.- 15. Aug. geschl. - **M** *(Sonntag geschl.)* a la carte 26/56 - **9 Z : 13 B** 60/65 - 130.

In Peine-Stederdorf N : 3 km :

Schönau, Peiner Str. 17 (B 444), ✆ 30 26, Fax 12534 – TV ☎ P
15. Juli - 4. Aug. geschl. – **M** *(Samstag geschl.)* a la carte 25/57 – **24 Z : 35 B** 70/100 - 120/160.

In Ilsede 1-Groß Bülten **3152** S : 10 km :

Schuhmann - Gästehaus Ilsede mit Zim, Triftweg 2, ✆ (05172) 60 88, Fax 5521 – ☎ P – 30/80
12 Z : 20 B.

In Wendeburg-Rüper **3304** NO : 9 km :

Zum Jägerheim, Meerdorfer Str. 40, ✆ (05303) 20 26, (Gebühr) – ☎ P – 25/60.
28. Dez.- 16. Jan. geschl. – **M** *(Montag geschl.)* a la carte 26/52 – **18 Z : 33 B** 70/80 - 120/140.

PEITING **8922.** Bayern 413 P 23, 987 ㊱, 426 E 5 – 11 000 Ew – Höhe 718 m – Erholungsort – ☎ 08861.

Verkehrsverein, Hauptplatz 1, ✆ 65 35.

♦München 87 – Füssen 33 – Landsberg am Lech 30.

Dragoner, Ammergauer Str. 11 (B 23), ✆ 60 51, Fax 67758, – TV ☎ P – 35. AE ⓓ E VISA
M a la carte 21/42 – **51 Z : 95 B** 50/75 - 85/125 Fb – ½ P 61/93.

Zum Pinzger, Am Hauptplatz 9, ✆ 62 40, Fax 68107, – TV P. AE ⓓ E VISA. Zim
M a la carte 18/43 – **26 Z : 52 B** 42/70 - 70/120.

PENTLING Bayern siehe Regensburg.

PERL **6643.** Saarland 412 C 18, 409 M 7, 242 ② – 6 500 Ew – Höhe 254 m – ☎ 06867.

Ausflugsziel : Nennig : Römische Villa (Mosaikfußboden ★★) N : 9 km.

♦Saarbrücken 72 – ♦Luxembourg 32 – Saarlouis 47 – ♦Trier 46.

Hammes, Hubertus-von-Nell-Str. 15, ✆ 2 35, Fax 1240 – P. E
1.- 12. Jan. geschl. – **M** *(Mittwoch geschl.)* a la carte 26/50 – **14 Z : 23 B** 40 - 80.

Winandy, Biringerstr. 2, ✆ 3 64, – P
16. Feb.- 8. März geschl. – **M** *(Montag geschl.)* a la carte 24/38 – **10 Z : 20 B** 38 - 70.

In Perl-Nennig N : 9 km :

Schloß Berg, Schloßhof 7, ✆ (06866) 7 90, Fax 79100, ≤, « Modernes Hotel in ehem. Wasserschloß » – TV – 25/60. AE ⓓ E VISA
M *(Dienstag geschl.)* a la carte 69/97 – **Die Scheune** *(nur Abendessen, Montag geschl.)*
M a la carte 31/49 – **17 Z : 34 B** 179/295 - 275/450 Fb.

PERLEBERG **O-2910.** Brandenburg 984 ⑪, 987 ⑯ – 11 500 Ew – Höhe 31 m – ☎ 0037854.

♦Berlin 134 – Brandenburg 122.

Henningshof, über Quitzower Straße, ✆ 25 84, (Gebühr) – TV ☎ P. E
M a la carte 22/42 – **22 Z : 44 B** 125 - 145/180 Fb.

PETERSBERG **6415.** Hessen 412 413 M 15 – 13 000 Ew – Höhe 350 m – ☎ 0661 (Fulda).

Sehenswert : Kirche auf dem Petersberg (romanische Steinreliefs★★, Lage★, ≤★).

♦Wiesbaden 147 – ♦ Frankfurt am Main 107 – Fulda 6 – ♦ Würzburg 114.

Hotel am Rathaus garni, Am neuen Garten 1, ✆ 6 90 03, – ☎
20 Z : 29 B 68/73 - 104/110 Fb.

In Petersberg 6-Almendorf NO : 2,5 km :

Berghof, Hubertusstr. 2, ✆ 6 60 03, Fax 63257, – TV ☎ P – 25/50
M a la carte 23/43 – **54 Z : 85 B** 68/73 - 104/110 Fb.

In Petersberg 4-Horwieden O : 2 km :

Horwieden, Tannenküppel 2, ✆ 6 50 01, Biergarten, (Halle) – ☎ P
24. Dez.- 20. Jan. geschl. – **M** *(Sonntag 15 Uhr - Montag 17 Uhr geschl.)* a la carte 20/45 – **22 Z : 31 B** 33/48 - 65/85.

In Petersberg 3-Marbach N : 9 km :

Hahner, Bahnhofstr. 6, ✆ 6 17 62, Fax 606489, – TV ☎ P – 25. AE E
M a la carte 24/58 – **26 Z : 50 B** 49 - 89.

PETERSDORF Brandenburg siehe Saarow-Pieskow, Bad.

PETERSHAGEN **4953.** Nordrhein-Westfalen 411 412 J 9, 987 ⑮ – 23 500 Ew – Höhe 45 m – ☎ 05707.

♦Düsseldorf 230 – ♦Bremen 90 – ♦Hannover 82 – ♦Osnabrück 78.

XXX **Schloß Petershagen** mit Zim, Schloßstr. 5, ☎ 3 46, Fax 2373, ≤, « Fürstbischöfliche Residenz a.d. 14. Jh. ; stilvolle Einrichtung », (geheizt), – ☎ – 30/80. AE E VISA
Jan. 3 Wochen geschl. – **M** *(auch vegetarische Gerichte)* 30 (mittags) und a la carte 52/77 – **11 Z : 19 B** 110/120 - 180/220 Fb.

In Petershagen-Heisterholz S : 2 km :

Waldhotel Morhoff, Forststr. 1, ☎ 4 68, Fax 2206 – TV ☎ – **17 Z : 30 B** Fb.

PETERSTAL-GRIESBACH, BAD **7605.** Baden-Württemberg 413 H 21, 987 ㉞ ㉟ – 3 400 Ew – Höhe 400 m – Heilbad – Kneippkurort – Wintersport : 700/800 m 1 2 – ☎ 07806.

Kurverwaltung, Bad Peterstal, Schwarzwaldstr. 11, ☎ 79 33, Fax 1040.

♦Stuttgart 115 – Freudenstadt 24 – Offenburg 34 – Strasbourg 48.

Im Ortsteil Bad Peterstal :

Bärenwirtshof, Schwimmbadstr. 4, ☎ 10 74, « Gartenterrasse », Bade- und Massageabteilung, – ☎ . AE VISA
Nov.- Dez. 2 Wochen geschl. – **M** *(Dienstag geschl.)* a la carte 26/57 – **24 Z : 40 B** 37/60 - 86/120 Fb.

Kurhotel Faißt, Am Eckenacker 5, ☎ 5 22, Fax 590, Bade- und Massageabteilung, – ☎ – 25
M *(Montag und Nov.- Mitte Dez. geschl.)* a la carte 25/50 – **25 Z : 45 B** 50/80 - 100/180 Fb – 5 Fewo 85/120 – ½ P 70/110.

Hubertus garni, Insel 3, ☎ 5 95, – ☎
5. Nov.- 15. Dez. geschl. – **16 Z : 24 B** 38/45 - 76/90.

Schauinsland, Forsthausstr. 21, ☎ 81 91, ≤ Bad Peterstal, –
Anfang Nov.- Mitte Dez. geschl. – (Restaurant nur für Hausgäste) – **12 Z : 24 B** 48/56 - 93/109 – ½ P 67/76.

Schützen, Renchtalstr. 21 (B 28), ☎ 2 41, – Zim
10. Jan.- 15. Feb. geschl. – **M** *(Donnerstag geschl.)* a la carte 25/47 – **11 Z : 20 B** 47/50 - 90/94.

Im Ortsteil Bad Griesbach :

Kur- und Sporthotel Dollenberg, Dollenberg 3, ☎ 7 80, Fax 1272, ≤, Bade- und Massageabteilung, – TV – 30
Menu a la carte 34/72 – **50 Z : 100 B** 75/110 - 138/240 Fb – ½ P 92/143.

Adlerbad (mit Gästehaus), Kniebisstr. 55, ☎ 10 71, , Bade- und Massageabteilung, – TV ☎ – **30 Z : 50 B** Fb.

Döttelbacher Mühle, Kniebisstr. 8, ☎ 10 37, – TV ☎
11. Nov.- 6. Dez. geschl. – **M** *(Dienstag geschl.)* a la carte 23/54 – **16 Z : 28 B** 50/58 - 96/116 Fb – ½ P 58/70.

Hoferer, Wilde Rench 29, ☎ 85 66, Fax 1283, –
Mitte Nov.- Mitte Dez. geschl. – **M** *(Montag geschl.)* a la carte 24/48 – **14 Z : 23 B** 38/45 - 72/90.

Café Kimmig, Kniebisstr. 57, ☎ 10 55 – TV ☎ . AE E VISA
M a la carte 29/54 – **11 Z : 22 B** 55/60 - 100/120 – ½ P 57/74.

Herbstwasen, Wilde Rench 68, ☎ 6 27, ≤, , –
20. Nov.- 20. Dez. geschl. – **M** *(Mittwoch geschl.)* a la carte 29/54 – **18 Z : 30 B** 42/50 - 80/90 – ½ P 57/65.

Außerhalb SO : 5 km über die Straße nach Wolfach :

Palmspring, Palmspring 1, ✉ 7605 Bad Peterstal-Griesbach 1, ☎ (07806) 3 01, Fax 1282, ≤, , – TV ☎ . E VISA
7.- 24 Jan. geschl. – **M** *(Dienstag geschl.)* a la carte 28/56 – **16 Z : 32 B** 60/70 - 90/110 Fb.

PETTENDORF Bayern siehe Regensburg.

PFAFFENWEILER **7801.** Baden-Württemberg 413 G 23, 242 ㊱ – 2 650 Ew – Höhe 252 m – ☎ 07664.

♦Stuttgart 213 – Basel 66 – ♦Freiburg im Breisgau 9.

XXX ✿ **Gasthaus zur Stube** (ehemaliges Rathaus a.d.J. 1575), ☎ 62 25, Fax 61624 – . E
Sonntag - Montag 18 Uhr und Juli 3 Wochen geschl. – **M** (bemerkenswerte Weinkarte) 39/125 (mittags) und a la carte 69/93
Spez. Tiramisu von Gänseleber und Wachtel, Lammrücken mit Kräuterkruste, Mandelkuchen mit Sabayon und Rieslingeis.

PFALZGRAFENWEILER 7293. Baden-Württemberg **413** I 21, **987** ㉟ – 5 400 Ew – Höhe 635 m
– Luftkurort – ✆ 07445.

🛈 Kurverwaltung, im Haus des Gastes, Marktplatz, ✆ 1 82 40.
◆Stuttgart 76 – Freudenstadt 16 – Tübingen 57.

🏠 **Schwanen,** Marktplatz 1, ✆ 20 44, Fax 6821, ≘s, 🍴 – 🛗 📺 ☎ 🅿 – 🔬 30. **E**
12. Feb.- 4. März geschl. – **M** *(auch vegetarische Gerichte)* (Mittwoch geschl.) a la carte 27/
52 🍴 – **36 Z : 57 B** 58/73 - 105/135 Fb – ½ P 78/93.

🔾 Pfalzgraf, Bellingstr. 19, ✆ 25 91, 🍽, 🍴 – 🚗 🅿
10 Z : 18 B.

In Pfalzgrafenweiler - Herzogsweiler SW : 4 km :

🏠 **Sonnenschein,** Birkenbuschweg 11, ✆ 22 10, 🍴 – 🅿. **E**
Anfang Nov.- Mitte Dez. geschl. – (Restaurant nur für Hausgäste) – **33 Z : 55 B** 37/43 - 74/86 Fb
– ½ P 54/61.

🔾 **Hirsch,** Alte Poststr. 20, ✆ 22 91, 🍴 – 🚗 🅿
◆ *6. Jan.- 2. Feb. geschl.* – **M** *(Montag geschl.)* a la carte 19/44 🍴 – **28 Z : 45 B** 40/45 - 76/86 Fb
– ½ P 60/65.

In Pfalzgrafenweiler - Kälberbronn W : 7 km :

🏩 **Schwanen** 🐾, Große Tannenstr. 10, ✆ 18 80, Fax 18899, 🍽, Bade- und Massageabteilung, ≘s, 🏊, 🍴 – 🛗 🚗 🅿 – 🔬 25/50. 🍸 Rest
Mitte Nov.- Mitte Dez. geschl. – **M** *(auch vegetarische Gerichte)* a la carte 32/65 – **55 Z : 100 B**
90/135 - 170/180 Fb – ½ P 109/119.

🏨 **Waldsägmühle** 🐾, an der Straße nach Durrweiler (SO : 2 km), ✆ 20 35, Fax 6750, 🍽,
≘s, 🏊 – 🛗 📺 ☎ 🅿 – 🔬 25/70. ⓞ **E** 𝖵𝖨𝖲𝖠
6. Jan.- 12. Feb. und Aug. 2 Wochen geschl. – **M** *(Sonntag 17 Uhr - Montag geschl.)* 38/
75 🍴 – **38 Z : 69 B** 80/90 - 150/160 Fb – ½ P 105/120.

In Pfalzgrafenweiler - Neu-Nuifra SO : 5 km :

🔾 **Schwarzwaldblick,** Vörbacher Str. 3, ✉ 7244 Waldachtal 1, ✆ (07445) 24 79, 🍴 – 🅿
◆ *Okt.- Nov. 4 Wochen geschl.* – **M** *(Montag geschl.)* a la carte 20/29 🍴 – **17 Z : 34 B** 37 - 74.

PFARRKIRCHEN 8340. Bayern **413** V 21, **987** ㊳, **426** K 3 – 10 300 Ew – Höhe 380 m – ✆ 08561.
🏌 beim Bahnhof Kaismühle (W : 2 km), ✆ (08561) 59 69.
◆München 135 – Landshut 70 – Passau 58.

🏠 **Ederhof,** Zieglstadl 1a, ✆ 17 50, 🍽 – 🛗 ☎ 🅿
M *(Sonntag ab 14 Uhr und 3.- 10. Jan. geschl.)* a la carte 25/40 – **18 Z : 36 B** 55/59 - 85/95 Fb.

🍴🍴 Casa Toscana (Italienische Küche), Ringstr. 14, ✆ 26 53.

PFARRWEISACH Bayern siehe Ebern.

PFEDELBACH 7114. Baden-Württemberg **413** L 19 – 7 100 Ew – Höhe 237 m – ✆ 07941
(Öhringen).
◆Stuttgart 72 – Heilbronn 32 – Schwäbisch Hall 33.

🏠 Schellhorn, Max-Eyth-Str. 8, ✆ 70 03, ≘s – 🛗 📺 ☎ 🅿 – 🔬 25/50
33 Z : 50 B Fb.

In Pfedelbach-Untersteinbach SO : 8 km - Erholungsort :

🏠 **Gästehaus Karin** 🐾 garni, In der Heid 3, ✆ (07949) 6 70, ≘s, 🍴 – 🅿
12 Z : 19 B 40 - 70.

PFEFFENHAUSEN 8308. Bayern **413** S 20,21, **987** ㊲ – 4 200 Ew – Höhe 434 m – ✆ 08782.
◆München 85 – Landshut 24 – ◆Regensburg 61.

🔾 **Brauerei-Gasthof Pöllinger,** Moosburger Str. 23, ✆ 16 70, 🍽 – 📺 ☎ 🅿
◆ **M** a la carte 17,50/41 – **13 Z : 26 B** 50/60 - 79/100.

PFINZTAL Baden-Württemberg siehe Karlsruhe.

PFOFELD Bayern siehe Gunzenhausen.

PFORZEN Bayern siehe Kaufbeuren.

Les bonnes tables
Nous distinguons à votre intention certains restaurants par
Menu, ✤, ✤✤ ou ✤✤✤.

PFORZHEIM **7530.** Baden-Württemberg 413 J 20, 987 ㉟ – 110 000 Ew – Höhe 280 m
☎ 07231. – **Sehenswert :** Reuchlinhaus AB **M** – Technisches Museum A**M.**
Ölbronn-Dürrn (NO : 9 km), Karlshäuser Hof, ✆ (07237) 91 00.
ℹ Stadtinformation, Marktplatz 1, ✆ 39 21 90, Fax 33172.
ADAC, Julius-Moser-Str. 1, (Gewerbegebiet, über ⑤), ✆ 1 50 91, Notruf 1 92 11.
♦Stuttgart 53 ② – Heilbronn 82 ② – ♦Karlsruhe 36 ⑤.

Goldene Pforte, Hohenstaufenstr. 6, ✆ 3 79 20, Fax 3792144, – 25/300. AE E VISA — B
M a la carte 50/78 – **115 Z : 219 B** 177/247 - 236/326 Fb.

Gute Hoffnung garni, Dillsteiner Str. 9, ✆ 2 20 11 – ☎ . E VISA — A
23 Z : 34 B 75/95 - 110/125.

City garni, Bahnhofstr. 8, ✆ 35 80 11, Fax 32424 – ☎. AE E VISA — B
20 Z : 27 B 99/125 - 160/170.

PFORZHEIM

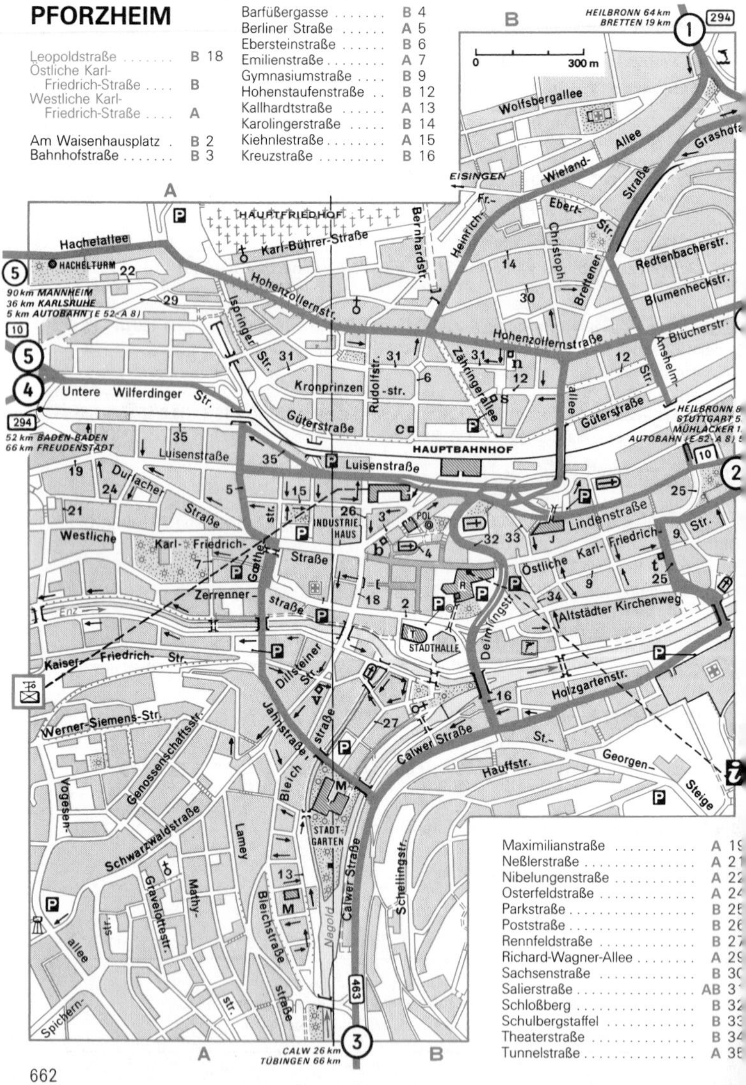

XX **Goldener Bock,** Ebersteinstr. 1, ✆ 10 51 23 - AE E B c
Donnerstag - Freitag 17 Uhr, Juli - Aug. 3 Wochen und 27. Dez.- 10. Jan. geschl. - Menu (abends Tischbestellung ratsam) a la carte 39/63.

XX **Ratskeller,** Marktplatz 1 (Rathaus), ✆ 10 12 22, 🏖 - ♿. E B R
M a la carte 29/58.

X ✿ **L'escale** (kleines Restaurant im Bistro-Stil), Parkstr. 16, ✆ 3 49 32, Fax 357301 - AE ⓓ E VISA ✗ B t
nur Abendessen, Dienstag und 21. Juli - 6. Aug. geschl. - **M** (Tischbestellung erforderlich) a la carte 71/96
Spez. Terrinen und Pasteten, Fischteller mit Safransauce, Gebratene Wachtel mit Pilzen.

In Pforzheim-Brötzingen über ④ :

XX **Silberburg,** Dietlinger Str. 27, ✆ 4 11 59
Montag - Dienstag 18 Uhr und Juli - Aug. 3 Wochen geschl. - **M** a la carte 50/76.

In Pforzheim-Büchenbronn SW : 5 km über Kaiser-Friedrich-Str. A :

XX **Adler,** Lerchenstr. 21, ✆ 7 12 25, 🏖 - Ⓟ. ⓓ E
Sonn- und Feiertage ab 15 Uhr, Montag, Anfang Jan. 1 Woche, über Fasching sowie Mitte Juli - Mitte Aug. geschl. - **M** a la carte 33/59.

In Pforzheim-Dillweißenstein über ④

X **Trattoria Ballotta** (Italienische Küche), Hirsauer Str. 211 (B 463), ✆ 7 46 70, 🏖 - Ⓟ
Dienstag und 25. Aug.- 18. Sept. geschl. - **M** a la carte 45/60.

In Pforzheim-Eutingen ② : 3 km :

Stadt Pforzheim - Bären, Hauptstr. 70, ✆ 5 13 55 - Ⓟ - 🏛 25/220
4.- 19. März und 8. Juli - 6. Aug. geschl. - **M** *(Mittwoch - Donnerstag geschl.)* a la carte 23/44 - **20 Z : 30 B** 40/55 - 70/90.

An der Straße nach Huchenfeld ③ : 4 km :

XX Hoheneck, Huchenfelder Str. 70, ✉ 7530 Pforzheim, ✆ (07231) 7 16 33, 🏖 - Ⓟ.

An der Autobahnausfahrt Pforzheim-Ost ② : 6 km :

Queens Hotel Niefern, Pforzheimer Str. 52, ✉ 7532 Niefern-Öschelbronn, ✆ (07233) 7 09 90, Telex 783905, Fax 5365, 🏖 - |♿| ⇆ Zim TV ☎ Ⓟ - 🏛 25/60. AE E VISA - **M** a la carte 42/75 - **69 Z : 100 B** 157 - 218/249 Fb.

In Birkenfeld **7534** ④ : 6,5 km :

XX **Zur Sonne** mit Zim, Dietlinger Str. 134, ✆ (07231) 4 78 24, « Gemütliche Einrichtung » - TV ☎ Ⓟ - *Mitte Juli - Anfang Aug. geschl.* - **M** *(Mittwoch 14 Uhr - Donnerstag geschl.)* a la carte 44/70 - **5 Z : 8 B** 80 - 140.

In Neulingen-Bauschlott **7531** ① : 10 km :

Goldener Ochsen, Brettener Str. 1, ✆ (07237) 2 25, Biergarten - Ⓟ - 🏛 40
Juli - Aug. 3 Wochen geschl. - **M** *(auch vegetarische Gerichte)* (Montag bis 17 Uhr und Dienstag geschl.) a la carte 29/55 - **15 Z : 25 B** 50/65 - 100.

In Wimsheim **7251** SO : 12 km über St.-Georgen-Steige B :

XX **Widmann - Le Gourmet,** Austr. 48, ✆ (07044) 4 13 23 - Ⓟ. AE E
Montag, Jan.- Feb. 1 Woche und Juli - Aug. 3 Wochen geschl. - **M** a la carte 40/64 - **Le Gourmet M** a la carte 60/77.

PFRONTEN **8962.** Bayern 413 O 24, 987 ㊱, 426 D 6 - 7 500 Ew - Höhe 850 m - Luftkurort - Wintersport : 840/1 840 m 🚡2 ⛷15 ⛷7 - ☎ 08363.

Hotels und Restaurants : Außerhalb der Saison variable Schließungszeiten.

ℹ Verkehrsamt, Haus des Gastes, Pfronten-Ried, Vilstalstraße, ✆ 6 98 88, Fax 69866.

♦München 131 - Füssen 12 - Kempten (Allgäu) 29.

In Pfronten-Dorf :

Bavaria 🐦, Kienbergstr. 62, ✆ 50 04, Fax 6815, ≤, Bade- und Massageabteilung, ≘s, 🏊 (geheizt), 🏊, 🌳 - |♿| TV 🚗 Ⓟ - 🏛 25. AE
M *(nur Abendessen)* a la carte 45/68 - **51 Z : 100 B** 100/130 - 200/260 Fb - 3 Appart. 340.

Haus Achtal 🐦 garni, Brentenjochstr. 4, ✆ 83 29, ≤, ≘s, 🏊, 🌳, 🎾 - ☎ Ⓟ
4. Nov.- 18. Dez. geschl. - **16 Z : 26 B** 35/55 - 80/100.

In Pfronten-Halden :

Zugspitzblick 🐦 garni, Edelsbergweg 71, ✆ 50 75, ≤ Tannheimer Gruppe und Pfronten, ≘s, 🏊 (geheizt), 🏊, 🌳 - TV ☎ 🚗
26. Okt.- 18. Dez. geschl. - **51 Z : 110 B** 45/87 - 86/156.

In Pfronten-Heitlern :

Café am Kurpark 🐦 garni, Schlickestr. 11, ✆ 81 12, 🌳 - Ⓟ. E. ✗
April und 29. Okt.- 17. Dez. geschl. - **14 Z : 22 B** 49/76 - 88/102.

In Pfronten-Meilingen :

Alpenhotel, Falkensteinweg 9, 50 55, Fax 5057, ≤, -
3. Nov.- 15. Dez. geschl. - **M** *(Mittwoch geschl.)* a la carte 26/49 - **23 Z : 45 B** 63/68 - 112/122 Fb - ½ P 77/87.

Berghof, Falkensteinweg 13, 50 17, ≤ Pfronten mit Kienberg und Breitenberg, -
29 Z : 50 B Fb - 6 Fewo.

In der Sonne, Neuer Weg 14, 50 19, Fax 6839, - . Zim
5. Nov.- 15. Dez. geschl. - **M** *(Dienstag geschl.)* a la carte 24/46 - **20 Z : 35 B** 55/60 - 90/116 Fb - 2 Fewo 110 - ½ P 63/76.

In Pfronten-Obermeilingen :

Berghotel Schloßanger-Alp, Am Schloßanger 1 - Höhe 1 130 m, 60 86, Fax 6667, ≤ Tiroler Berge, - . AE E VISA
Anfang - Mitte Dez. und Anfang - Mitte Jan. geschl. - **M** *(Nov.- Juni Dienstag geschl.)* a la carte 24/55 - **14 Z : 30 B** 60/100 - 110/170 Fb - 16 Fewo 82/144 - ½ P 80/125.

In Pfronten-Ried :

Haus Manhard garni, Birkenweg 21, 66 38, -
18 Z : 31 B.

Kutschers Einkehr, Allgäuer Str. 37 (1. Etage), 82 29,
Dienstag und April 3 Wochen geschl. - **M** a la carte 29/45.

In Pfronten-Röfleuten :

Frisch, Zerlachweg 1, 50 89, ≤, -
34 Z : 58 B Fb.

In Pfronten-Steinach :

Chesa Bader garni, Enzianstr. 12, 83 96, « Chalet mit rustikal-behaglicher Einrichtung », - .
15. Nov.- 20. Dez. geschl. - **8 Z : 16 B** 68 - 108/130.

In Pfronten-Weißbach :

Post, Kemptener Str. 14, 50 32, Fax 5035, - . AE E VISA
5. Nov.- 20. Dez. geschl. - **M** *((Montag geschl.)* a la carte 28/53 - **41 Z : 80 B** 80 - 120/140 - 17 Fewo 90/120 - ½ P 78/98.

Parkhotel Flora, Auf der Geigerhalde 43, 50 71, Fax 1002, ≤ Allgäuer Berge, - . AE E VISA. Rest
2. Nov.- 18. Dez. geschl. - **M** *(Dienstag geschl.)* a la carte 27/55 - **57 Z : 100 B** 78/95 - 132/142 Fb.

PFULLENDORF **7798.** Baden-Württemberg 413 K 23, 987 ㉟, 427 L 2 - 10 500 Ew - Höhe 650 m - 07552.

Kultur- und Verkehrsamt, Marktplatz (Rathaus), 26 11 60.

◆Stuttgart 123 - ◆Freiburg im Breisgau 137 - ◆Konstanz 62 - ◆Ulm (Donau) 92.

Adler, Heiligenberger Str. 20, 80 54, Fax 5005 - . E VISA
M *(wochentags nur Abendessen)* a la carte 37/70 *(auch vegetarische Gerichte)* - **28 Z : 46 B** 73/90 - 120/160 Fb.

Krone, Hauptstr. 18, 81 11, Fax 8388 - . AE E VISA
22. Dez.- 10. Jan. geschl. - **M** a la carte 30/53 - **25 Z : 48 B** 55/80 - 90/130 Fb.

Stadtblick garni, Am Pfarröschle 2/1, 60 03 - .
über Fastnacht 1 Woche geschl. - **14 Z : 27 B** 70/75 - 120/130.

PFULLINGEN **7417.** Baden-Württemberg 413 K 21, 987 ㉟ - 16 000 Ew - Höhe 426 m - 07121 (Reutlingen).

◆Stuttgart 53 - Reutlingen 4 - ◆ Ulm (Donau) 78.

Engelhardt garni, Hauffstr. 111, 7 70 38, Fax 790287, - . AE E VISA
58 Z : 95 B 95/115 - 140/155 Fb.

Waldcafé, Vor dem Urselberg 1 (O : 2 km), 7 10 81, ≤ Pfullingen, -
Donnerstag und 3.- 28. Feb. geschl. - **M** a la carte 29/57.

PFUNGSTADT **6102.** Hessen 987 ㉕, 412 413 I 17 - 24 000 Ew - Höhe 103 m - 06157.

◆Wiesbaden 52 - ◆Darmstadt 10 - Mainz 45 - ◆Mannheim 45.

Weingärtner garni, Sandstr. 26, 29 58, Fax 81890 -
39 Z : 61 B 42/73 - 80/102.

XX **Kirchmühle,** Kirchstr. 31, ✆ 68 20, Fax 86444, « Originelle Einrichtung aus Teilen einer alten Mühle » - AE ⓓ E VISA
Samstag bis 18 Uhr und Sonntag 15 Uhr - Montag geschl. - **M** (Tischbestellung ratsam) a la carte 46/82.

X **Restaurant VM** (kleines Restaurant im Bistrostil), **Borngasse 16 (Zentrum am Rathaus),** ✆ 8 54 40
Samstag und Montag nur Abendessen, Sonntag sowie 2 Wochen vor Ostern und Mitte - Ende Sept. geschl. - **M** *(auch vegetarisches Menu)* (Tischbestellung ratsam) a la carte 46/71.

An der Autobahn A 67 :

Raststätte und Motel (Ostseite), ✉ 6102 Pfungstadt, ✆ (06157) 30 31, Fax 2426, - ☎ Ⓟ
M (auch self-service) a la carte 25/49 - **50 Z : 72 B** 62/75 - 106/126.

PHILIPPSREUT **8391.** Bayern 413 X 20, 426 ⑦ - 850 Ew - Höhe 978 m - ☎ 08550.
Verkehrsamt, Hauptstr. 11, ✆ 2 65.
♦München 221 - Grafenau 30 - Passau 49.

In Philippsreut-Mitterfirmiansreut NW : 5 km - Erholungsort - Wintersport 940/1140 m 5 2 :

Almberg, Schmelzler Str. 27, ✆ (08557)3 61, ≤, - TV ☎ Ⓟ
40 Z : 80 B Fb.

Sporthotel Mitterdorf, Schmelzler Str. 47, ✆ (08557) 7 33, Fax 614, ≤, (Halle) - TV ☎ Ⓟ
(nur Abendessen für Hausgäste) - **30 Z : 50 B**.

PHILIPPSTHAL **6433.** Hessen 412 N 14 - 5 400 Ew - Höhe 226 m - Erholungsort - ☎ 06620.
♦Wiesbaden 190 - Fulda 77 - Bad Hersfeld 26.

Hessisches Wappen, Rathausstr. 14, ✆ 2 09, - Ⓟ
Juli 2 Wochen geschl. - **M** *(Montag - Freitag nur Abendessen)* a la carte 19/40 - **11 Z : 20 B** 40/45 - 70/80.

PIDING **8235.** Bayern 413 V 23, 426 K 5 - 4 300 Ew - Höhe 457 m - Luftkurort - ☎ 08651 (Bad Reichenhall). - Verkehrsamt, Thomastr. 2 (Rathaus), ✆ 38 60.
♦München 128 - Bad Reichenhall 9 - Salzburg 13.

In Piding - Högl N : 4 km :

Berg- und Sporthotel Neubichler Alm , Kleinhögl 87 - Höhe 800 m, ✆ (08656) 8 74, Fax 1233, ≤ Salzburg und Berchtesgadener Land, - Zim TV ☎ Ⓟ - 25/80. ⓓ E VISA
M a la carte 29/52 - **60 Z : 120 B** 85/126 - 150/195 Fb - ½ P 100/151.

In Piding-Mauthausen :

Pension Alpenblick , Gaisbergstr. 9, ✆ 43 60, - ☎ Ⓟ.
(nur Abendessen für Hausgäste) - **17 Z : 36 B** 53/59 - 78/112.

PINNEBERG **2080.** Schleswig-Holstein 411 M 6, 987 ⑤ - 38 200 Ew - Höhe 11 m - ☎ 04101.
ADAC, Elmshorner Str. 73, ✆ 7 29 39. - ♦Kiel 89 - ♦Bremen 128 - ♦Hamburg 18 - ♦Hannover 173.

Cap Polonio , Fahltskamp 48, ✆ 2 24 02, Fax 513330, « Festsaal mit Original-Einrichtung des Dampfers Cap Polonio » - TV ☎ Ⓟ - 25/150. AE
M a la carte 35/75 - **64 Z : 99 B** 93/128 - 136/168 Fb.

PIRMASENS **6780.** Rheinland-Pfalz 412 413 F 19, 987 ㉔, 57 ⑧ - 51 000 Ew - Höhe 368 m - ☎ 06331. - **Sehenswert:** Deutsches Schuhmuseum★ **M**.
Messegelände Wasgauhalle, ✆ 6 40 41, Telex 452468.
Verkehrsamt, Messehaus, Dankelsbachstr. 19, ✆ 8 44 44, Fax 842540.
ADAC, Schloßstr. 6, ✆ 6 44 40, Telex 452348, Fax 92563.
Mainz 122 ① - Kaiserslautern 36 ① - Landau in der Pfalz 46 ② - ♦Saarbrücken 63 ①.

Stadtplan siehe nächste Seite

Matheis, Bahnhofstr. 47, ✆ 6 30 75, Fax 97764, - TV ☎ - 25/100. AE ⓓ E VISA **a**
27. Dez.- Anfang Jan. geschl. - **M** *(Samstag und Juli 2 Wochen geschl.)* 15/29 (mittags) und a la carte 25/60 - **75 Z : 105 B** 45/70 - 66/110 Fb.

Hans-Sachs-Hof, Schloßstr. 59, ✆ 7 00 91, Telex 452428, Fax 44582 - Rest ☎ Ⓟ - 25/100. AE ⓓ E VISA **e**
M *(Sonntag und Juli geschl.)* a la carte 30/62 - **71 Z : 113 B** 75/95 - 110/220 Fb.

Wasgauland garni, Bahnhofstr. 35, ✆ 6 60 23, Fax 66252 - ☎ Ⓟ. AE ⓓ E VISA
44 Z : 56 B 65/80 - 108/113 Fb. **r**

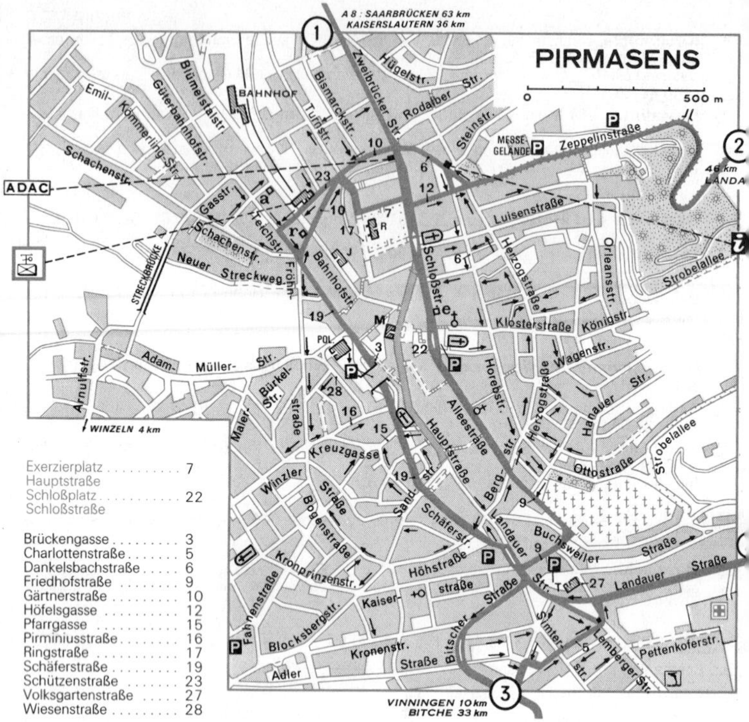

Exerzierplatz	7
Hauptstraße	
Schloßplatz	22
Schloßstraße	
Brückengasse	3
Charlottenstraße	5
Dankelsbachstraße	6
Friedhofstraße	9
Gärtnerstraße	10
Höfelsgasse	12
Pfarrgasse	15
Pirminiusstraße	16
Ringstraße	17
Schäferstraße	19
Schützenstraße	23
Volksgartenstraße	27
Wiesenstraße	28

In Pirmasens 17 - Winzeln W : 4 km über Winzler Str. oder Arnulfstr. :

Kunz, Bottenbacher Str. 74, ✆ 9 80 53, Fax 98054, – P – 25/100.
24. Dez.- 5. Jan. geschl. – **M** *(Freitag - Samstag 18 Uhr und 10.- 25. Juli geschl.)* a la carte 27/56 – **42 Z : 80 B** 48/70 - 90/130 Fb.

PIRNA **O-8300.** Sachsen 984 ㉔, 987 ⑱ – 45 000 Ew – Höhe 120 m – 003756.
Fremdenverkehrsbüro, Dohnaische Str. 31, ✆ 28 97.
♦Dresden 21 – Chemnitz 91 – Görlitz 97.

Deutsches Haus garni, Niedere Burgstr. 1, ✆ 28 54 – **23 Z : 45 B**.

PLÄTTIG Baden-Württemberg siehe Schwarzwaldhochstraße.

PLAIDT **5472.** Rheinland-Pfalz 412 F 15 – 5 500 Ew – Höhe 110 m – 02632 (Andernach).
Mainz 109 – ♦Bonn 63 – ♦Koblenz 19.

Geromont, Römerstr. 3a, ✆ 60 55, Fax 6066 – P. AE E
23. Dez.- 5. Jan. geschl. – **M** *(nur Abendessen, Sonntag geschl.)* a la carte 23/45 – **29 Z : 58 B** 62/65 - 90/98 Fb.

PLANEGG Bayern siehe Gräfelfing.

PLATTLING **8350.** Bayern 413 V 20, 987 ㉘ – 11 500 Ew – Höhe 320 m – 09931.
♦München 134 – Deggendorf 12 – Landshut 65 – Passau 53 – ♦Regensburg 71.

Zur Grünen Isar, Passauer Str. 2, ✆ 24 17, Fax 5716, Biergarten – AE E VISA
M *(Donnerstag geschl.)* a la carte 19/44 – **53 Z : 85 B** 59/80 - 96/120 Fb.

Bahnhof-Hotel Liebl, Bahnhofsplatz 3, ✆ 24 12, – P. AE E VISA
M *(Freitag geschl.)* a la carte 20/54 – **32 Z : 49 B** 33/55 - 62/110 Fb.

In Plattling-Altholz NO : 7 km :

Reiter Stuben Hutter, ✆ (0991) 73 22, – P – 50.

PLAU am See **O-2864.** Mecklenburg-Vorpommern 984 ⑪, 987 ⑦ – 6 700 Ew – Höhe 75 m – ☎ 0037 8585.

Touristinformation, Marktstr. 14, ✆ 8 86.

Schwerin 73 – ♦Berlin 150 – ♦Rostock 84 – Stendal 123.

Am Plauer See S : 4 km :

Seehotel Plau am See ⛰, Hermann-Niemann-Str. 6, ✉ O-2864 Plau am See, ✆ (00378585) 5 68, Fax 2279, ≤, 🏞, 🏊, ⛵ – TV ☎ P – 🏛 25. E
M a la carte 24/39 – **43 Z : 85 B** 79/126 - 126/168 Fb.

PLAUEN **O-9900.** Sachsen 984 ㉗, 987 ㉗ – 72 800 Ew – Höhe 350 m – ☎ 003775.

Plauen-Information, Rädelstr. 2, ✆ 2 49 45.

♦Berlin 300 – Bayreuth 105 – Chemnitz 80 – Erfurt 144.

Echo, Alte Pausaer Str. 169, ✆ 2 21 01, Fax 22101, 🏊, 🏋 – TV P – 🏛 25. ✻
M a la carte 22/42 – **22 Z : 39 B** 69/126 - 126 Fb – 9 Appart. 195/400.

Frankfurter Hof, Friedensstr. 35, ✆ 2 45 36 – TV
14 Z : 25 B.

Ratskeller, Herrenstr. 1, ✆ 2 49 02, 🏞.

In Jößnitz **O-9904** N : 4 km :

Ferienhotel, Bahnhofstr. 1, ✆ (003775) 27 62 82, Fax 276283, 🏞, 🏊 – |🛗| P – **82 Z : 164 B** Fb.

An der Talsperre Pirk S : 9 km :

Seeblick ⛰, ✉ O-9921 Taltitz, ✆ (00377596) 2 55, ≤, 🏊 – P – **39 Z : 78 B**.

PLECH **8571.** Bayern 413 R 18 – 1 200 Ew – Höhe 461 m – Erholungsort – ☎ 09244 (Betzenstein). – ♦München 192 – Bayreuth 40 – ♦Nürnberg 46.

In Plech-Bernheck NO : 2,5 km :

Veldensteiner Forst ⛰, ✆ 4 14, Fax 239, 🏞, 🏊, 🏊, 🏋 – TV ☎ 🚗 P – 🏛 25/50. AE ⓓ E VISA. ✻
Mitte Feb.- Mitte März geschl. – **M** *(Montag geschl.)* a la carte 23/48 🍷 – **35 Z : 56 B** 52/55 - 90/190 Fb.

PLEINFELD **8835.** Bayern 413 PQ 19 – 6 000 Ew – Höhe 371 m – ☎ 09144.

Verkehrs- und Reisebüro, Marktplatz 11, ✆ 67 77.

♦München 140 – Donauwörth 49 – Ingolstadt 60 – ♦Nürnberg 46.

Landhotel Der Sonnenhof ⛰, Badstr. 11, ✆ 5 41, Fax 6463, 🏞, 🏊 – |🛗| ☎ P – 🏛 25/100. AE ⓓ E VISA
27. Dez.- 6. Jan. geschl. – **M** a la carte 36/66 – **54 Z : 104 B** 98/156 - 148/172 Fb.

Zum Blauen Bock, Brückenstr. 5, ✆ 18 51, Fax 8277 – P
24. Dez.- 6. Jan. geschl. – **M** *(nur Abendessen, Mittwoch geschl.)* a la carte 18/24 – **15 Z : 31 B** 40 - 70 Fb.

Landgasthof Siebenkäs mit Zim, Kirchenstr. 1, ✆ 82 82, 🏞 – ☎. E
2.- 13. Jan. geschl. – **M** *(Montag geschl.)* a la carte 32/63 – **3 Z : 5 B** 65/80 - 115.

PLEISWEILER-OBERHOFEN Rheinland-Pfalz siehe Bergzabern, Bad.

PLETTENBERG **5970.** Nordrhein-Westfalen 411 412 G 13, 987 ㉔ – 28 200 Ew – Höhe 210 m – ☎ 02391.

♦Düsseldorf 117 – Arnsberg 43 – Hagen 50 – Lüdenscheid 23 – Olpe 29.

Berghaus Tanneneck, Brachtweg 61, ✆ 33 66, ≤ Plettenberg und Ebbegebirge – P
Anfang - Mitte Jan. und Dienstag geschl. – **M** a la carte 30/58.

PLEYSTEIN **8481.** Bayern 413 U 18 – 2 500 Ew – Höhe 549 m – Erholungsort – Wintersport : 600/800 m ⛷1 ⛷4 – ☎ 09654. – Rathaus, Neuenhammer Str. 1, ✆ 4 62.

♦München 216 – ♦Nürnberg 116 – ♦Regensburg 94 – Weiden in der Oberpfalz 23.

Zottbachhaus ⛰, Gut Peugenhammer (N : 2 km), ✆ 2 62, 🏞, 🏋 – P
Nov.- 25. Dez. geschl. – **M** *(Montag geschl.)* a la carte 22/42 – **12 Z : 24 B** 30/45 - 70/90.

Weißes Lamm, Neuenhammer Str. 11, ✆ 2 73, 🏋 – 🚗 P. E. ✻ Zim
Nov. geschl. – **M** *(Dez.- Feb. Freitag geschl.)* a la carte 18/36 – **25 Z : 44 B** 26/33 - 52/66.

PLIEZHAUSEN **7401.** Baden-Württemberg 413 K 21 – 6 700 Ew – Höhe 350 m – ☎ 07127.

♦Stuttgart 32 – Reutlingen 8,5 – ♦Ulm (Donau) 80.

Schönbuch-Hotel ⛰, Lichtensteinstr. 45, ✆ 72 86, Fax 7710, ≤ Schwäbische Alb, 🏊, 🏊, 🏋 – |🛗| TV ☎ ♿ 🚗 P – 🏛 25/100. AE ⓓ E VISA
Juli - Aug. 2 Wochen geschl. – **M** a la carte 43/77 – **31 Z : 42 B** 140/180 - 220/250 Fb.

PLOCHINGEN **7310.** Baden-Württemberg 413 L 20, 987 ㉟ – 12 100 Ew – Höhe 276 m – ☎ 07153. – ◆Stuttgart 25 – Göppingen 20 – Reutlingen 36 – ◆Ulm (Donau) 70.

Princess (Restaurant im Bistrostil), Widdumstr. 3, ✆ 2 10 67, Fax 72044 – 🛗 TV ☎ 🚗 – 25. Rest
M *(nur Abendessen, Samstag, 10.- 25. Aug. und 24. Dez.- 5. Jan. geschl.)* a la carte 33/40 – **42 Z : 53 B** 105/165 - 165/205 Fb.

Schurwaldhotel garni, Marktstr. 13, ✆ 20 64, Fax 72675 – 🛗 TV ☎ 🚗
27 Z : 34 B Fb.

In Plochingen-Stumpenhof N : 3 km Richtung Schorndorf :

XX **Stumpenhof,** Stumpenhof 1, ✆ 2 24 25 – Ⓟ
Montag - Dienstag, über Fasching 2 Wochen und Juli geschl. – Menu a la carte 38/70.

In Altbach **7305** NW : 3 km :

Altbacher Hof (mit 4 Gästehäusern), Kirchstr. 11, ✆ (07153) 70 70, Fax 25072 – TV ☎ Ⓟ. ⓓ E VISA
M *(nur Abendessen, Freitag - Samstag geschl.)* a la carte 28/50 – **75 Z : 100 B** 60/90 - 120.

In Deizisau **7301** W : 3 km :

X **Ochsen,** Sirnauer Str. 1, ✆ (07153) 2 79 45 – Ⓟ
Sonntag 15 Uhr - Montag, 5.- 26. Juli und 24. Dez.- 10. Jan. geschl. – **M** a la carte 26/57.

PLÖN **2320.** Schleswig-Holstein 411 O 4, 987 ⑤ – 10 000 Ew – Höhe 22 m – Luftkurort – ☎ 04522. – **Sehenswert** : Großer Plöner See : Schloßterrasse ≤★.

ℹ Kurverwaltung, Lübecker Straße (Schwentinehaus), ✆ 27 17.

◆Kiel 29 – ◆Lübeck 55 – Neumünster 36 – Oldenburg in Holstein 41.

A. C. Kurhotel Plön, Ölmühlenallee 1a, ✆ 80 90, Telex 261317, Fax 809160, direkter Zugang zum städt. , Bade- und Massageabteilung, , , – 🛗 TV ☎ Ⓟ – 25/300. AE ⓓ E VISA
M a la carte 35/67 – **53 Z : 106 B** 99/119 - 172/192 Fb – ½ P 124/158.

Touristic garni, August-Thienemann-Str. 1 (nahe der B 76), ✆ 81 32, – Ⓟ
16 Z : 35 B 58/80 - 95/100.

In Dörnick **2323** W : 3 km :

Johannestal garni, Fuchsberg 10 (nahe der B 430), ✆ (04522) 46 83, – ☎ Ⓟ.
13 Z : 28 B.

POCKING **8398.** Bayern 413 WX 21, 987 ㊳, 426 L 3 – 12 000 Ew – Höhe 323 m – ☎ 08531.
◆München 149 – Landshut 102 – Passau 27 – Salzburg 112.

Pockinger Hof, Klosterstr. 13, ✆ 73 39, Fax 8881, – 🛗 TV Ⓟ
M a la carte 19/35 – **45 Z : 96 B** 44/48 - 78/82 Fb.

Rauch, Bahnhofstr. 3, ✆ 73 12 – 🚗 Ⓟ. E
23. Dez.- 6. Jan. geschl. – **M** *(Montag bis 17 Uhr geschl.)* a la carte 19/34 – **30 Z : 50 B** 42 - 55/77 Fb.

PÖCKING **8134.** Bayern 413 Q 23, 426 F 5 – 5 200 Ew – Höhe 672 m – ☎ 08157.
◆München 32 – ◆Augsburg 71 – Garmisch-Partenkirchen 65.

Kefer garni, Hindenburgstr : 12, ✆ 12 47, Fax 4575, – TV ☎ Ⓟ. E
18 Z : 30 B 65/85 - 95/180 Fb.

In Pöcking-Possenhofen SO : 1,5 km :

Forsthaus am See , Am See 1, ✆ 73 07, Fax 4292, ≤, « Terrasse am See » Bootssteg – 🛗 TV ☎ 🚗 Ⓟ. AE E – **M** a la carte 44/73 – **21 Z : 44 B** 165/200 - 195/260 Fb.

PÖLICH Rheinland-Pfalz siehe Mehring.

PÖTTMES **8897.** Bayern 413 Q 21, 987 ㊱ – 4 200 Ew – Höhe 406 m – ☎ 08253.
◆München 87 – ◆Augsburg 33 – Ingolstadt 42 – ◆Ulm (Donau) 104.

Krone, Kirchplatz 1, ✆ 3 30 – 🚗
20. Juli - 30. Aug. geschl. – **M** *(Montag geschl.)* a la carte 19.50/40 – **18 Z : 25 B** 30/35 - 60/65.

POHLHEIM Hessen siehe Gießen.

POING **8011.** Bayern 413 S 22 – 6 200 Ew – Höhe 517 m – ☎ 08121.
◆München 21 – Landshut 95.

Strasser, Rathausstr. 5, ✆ 8 10 31 (Hotel) 8 11 10 (Rest.), Fax 79995, – 🛗 ☎ 🚗 Ⓟ. AE ⓓ E VISA
M *(Freitag geschl.)* a la carte 26/52 – **32 Z : 50 B** 65/75 - 110.

POLLE **3453.** Niedersachsen 411 412 L 11, 987 ⑮ – 1 300 Ew – Höhe 100 m – Erholungsort – ☎ 05535. – ⛳18 Weißenfelder Mühle, ☎ 2 70.
♦Hannover 83 – Detmold 44 – Hameln 38 – ♦Kassel 88.

Zur Burg, Amtsstr. 10, ☎ 2 06, Fax 8671, – . AE E VISA
2.- 16. Jan. geschl. – **M** *(Montag geschl.)* a la carte 25/54 – **12 Z : 25 B** 40 - 80.

Graf Everstein, Amtsstr. 6, ☎ 2 78, <, –
Okt.- März Dienstag und Feb. geschl. – **M** a la carte 29/96.

POMMELSBRUNN Bayern siehe Hersbruck.

POMMERSFELDEN **8602.** Bayern 413 P 17, 987 ㉖ – 2 200 Ew – Höhe 269 m – ☎ 09548.
Sehenswert : Schloß★ : Treppenhaus★.
♦München 216 – ♦Bamberg 21 – ♦Nürnberg 45 – ♦Würzburg 74.

Schloßhotel , im Schloß Weißenstein, ☎ 6 80, Fax 486, , « Schloßpark », , , , – – 25/50. Zim
M a la carte 27/49 – **85 Z : 160 B** 70/90 - 80/150 Fb.

In Pommersfelden-Limbach S : 1,5 km :

Volland, ☎ 2 81 –
18. Mai - 18. Juni geschl. – **M** *(Dienstag geschl.)* a la carte 20/32 – **12 Z : 30 B** 28/36 - 46/56.

POPPENHAUSEN/WASSERKUPPE **6416.** Hessen 412 413 M 15 – 2 700 Ew – Höhe 446 m – Luftkurort – ☎ 06658. – ♦Wiesbaden 201 – Fulda 18 – Gersfeld 7,5.

Hof Wasserkuppe garni, Pferdskopfstr. 3, ☎ 5 33, , , –
14 Z : 30 B – 3 Fewo.

In Poppenhausen-Schwarzerden O : 4 km :

Rhön-Hotel Sinai , beim Guckaisee, ☎ 5 11, Fax 796, , , , – – 35. E VISA.
M a la carte 37/67 – **51 Z : 110 B** 80/130 - 145/220 Fb.

In Poppenhausen - Sieblos NO : 4 km :

Gasthof Alte Schule, St. Laurentius-Str. 1, ☎ 4 66, – . AE E VISA
Mittwoch - Donnerstag 18 Uhr und Nov. geschl., Dez.- März nur Abendessen – **M** a la carte 33/60.

PORTA WESTFALICA **4952.** Nordrhein-Westfalen 411 412 J 10, 987 ⑮ – 35 000 Ew – Höhe 50 m – ☎ 0571 (Minden). – **Sehenswert :** Porta Westfalica★ : Kaiser-Wilhelm-Denkmal <★, Porta Kanzel <★ (auf dem rechten Weserufer).
Haus des Gastes, Porta Westfalica - Hausberge, Kempstr. 4a, ☎ 79 12 80, Fax 277.
♦Düsseldorf 214 – ♦Bremen 106 – ♦Hannover 71 – ♦Osnabrück 75.

Im Ortsteil Barkhausen linkes Weserufer – Luftkurort :

Der Kaiserhof, Freiherr-vom-Stein-Str. 1 (B 61), ☎ 7 24 47, Fax 74884, – – 25/200. AE E VISA
M a la carte 32/62 – **41 Z : 75 B** 110/160 - 160/220 Fb.

Friedenstal, Alte Poststr. 4, ☎ 7 01 47, Fax 710923, – . E VISA
3.- 31. Jan. geschl. – **M** *(im Winter Freitag geschl.)* a la carte 30/55 – **21 Z : 35 B** 58/90 - 98/150 Fb.

Im Ortsteil Hausberge – Kneipp-Kurort :

Porta Berghotel, Hauptstr. 1, ☎ 7 90 90, Telex 97975, Fax 7909789, <, , , – Zim – 25/200
105 Z : 195 B Fb.

Landhaus Waldeslust , Heerweg 16, ☎ 7 11 09, Fax 795980, , –
M a la carte 28/51 – **30 Z : 55 B** 48/83 - 96/110 Fb.

Waldhotel Porta Westfalica garni, Findelsgrund 81, ☎ 7 27 29, , –
22 Z : 42 B 40/65 - 80/110.

Im Ortsteil Lerbeck :

Haus Hubertus, Zur Porta 14, ☎ 73 27, Telex 97963, Fax 70667, – – 25/250 – **42 Z : 90 B** Fb.

POSTBAUER-HENG **8439.** Bayern 413 QR 19 – 5 700 Ew – Höhe 490 m – ☎ 09188.
♦München 152 – ♦Nürnberg 28 – ♦Regensburg 82.

In Postbauer-Heng - Dillberg O : 3 km, über die B 8 :

Berghof , ☎ 6 31, Fax 641, <, , – – 25/80. E
3.- 23. Aug. und 21.- 24. Dez. geschl. – **M** a la carte 37/75 – **34 Z : 60 B** 68/80 - 115/130.

POTSDAM **O-1500.** Brandenburg 984 ⑮, 987 ⑰ – 140 000 Ew – Höhe 40 m – ☎ 003733.

Sehenswert : Schloß und Park Sanssouci★★★ (Neues Palais★★, Chinesisches Teehaus★★ Orangerie★, Schloß Charlottenhof★) – Schloß Cecilienhof★ – Neuer Garten★ – Nikolaikirche★★ – Marstall★ – Wasserpumpwerk★ – Holländisches Viertel★.

Potsdam-Information, Friedrich-Ebert-Str. 5, ✆ 2 11 00.

ADAC, Heinrich-Mann-Allee 105b, ✆ 43 83 und 2 40 18, Pannenhilfezentrale, ✆ (03355) 26 11.

♦Berlin 24 – Brandenburg 38 – ♦Frankfurt/Oder 114 – ♦Leipzig 141.

Schloß Cecilienhof (ehem. Hohenzollernschloß im englischen Landhaus-Stil), Neuer Garten, ✉ O-1561, ✆ 2 31 41, Telex 15571, Fax 22498, Massage – TV ☎ P – 25 AE VISA
M a la carte 38/67 – **40 Z : 72 B** 150/330 - 250/350 Fb – 3 Appart. 900/1700.

Potsdam, Lange Brücke, ✉ O-1561, ✆ 46 31, Telex 15416, Fax 23496, Massage – TV ☎ P – 25/90. AE E VISA
Restaurants : **Havellandgrill M** a la carte 31/48 – **Fortuna M** a la carte 23/39 – **187 Z : 363 B** 170/210 - 210/245 Fb – 4 Appart. 340/640.

Bayrisches Haus, Im Wildpark 1 (über Lelinallee), ✉ O-1570, ✆ 9 31 92, – TV ☎ P
19 Z : 35 B.

Touristen- und Congreßhotel, Otto-Grotewohl-Str. 60, ✉ O-1580, ✆ 8 60, Fax 82006, – TV ☎ P – 25/550
230 Z : 490 B Fb.

Minsk, Max-Planck-Str. 10, ✉ O-1560, ✆ 2 36 36 – P. E VISA
M a la carte 20/42.

Pegasus, Am Karl-Liebknecht-Forum 3, ✉ O-1560, ✆ 2 15 06
Sonntag ab 16 Uhr geschl. – **M** a la carte 16/39.

In Kleinmachnow **O-1532** O : 15 km über Nuthestraße :

Hakeburg, Zehlendorfer Damm 185, ✆ 2 28 58, – TV P – 25/40.
M a la carte 26/48 – **18 Z : 34 B** 115/135 - 150/200.

In Groß Kreutz **O-1508** W : 24 km über die B 1 :

Zur Post, Brandenburger Str. 17, ✆ 22 06 – P. E
M a la carte 20/44.

POTTENSTEIN **8573.** Bayern 413 R 17 – 5 300 Ew – Höhe 368 m – Luftkurort – ☎ 09243.

Ausflugsziel : Fränkische Schweiz★★.

Städtisches Verkehrsbüro, Rathaus, ✆ 8 33, Fax 1071.

♦München 212 – ♦Bamberg 51 – Bayreuth 40 – ♦Nürnberg 66.

Kurhotel Schwan garni, Am Kurzentrum 6, ✆ 8 36, Fax 7351, direkter Zugang zum Kurhaus – ☎ P – 30. AE E
Mitte Jan.- Mitte Feb. geschl. – **28 Z : 51 B** 66/76 - 118 Fb.

Tucher Stuben, Hauptstr. 44, ✆ 3 39 – P. Zim
Mitte Nov.- 20. Dez. geschl. – **M** a la carte 16/36 – **13 Z : 22 B** 45/55 - 50/90 – 2 Fewo 60/100.

Steigmühle garni, Franz-Wittmann-Gasse 24, ✆ 3 38, ← – P.
18 Z : 34 B 32/60 - 70/85.

Wagner-Bräu, Hauptstr. 1, ✆ 2 05 – P.

In Pottenstein-Kirchenbirkig S : 4 km :

Bauernschmitt, ✆ 10 62, – ☎ P. AE E
Mitte Nov.- Mitte Dez. geschl. – **M** *(Dez.- März Donnerstag geschl.)* a la carte 16/35 – **29 Z : 55 B** 33/40 - 60/71 Fb – ½ P 45/50.

In Pottenstein-Tüchersfeld NW : 4 km :

Zur Einkehr, ✆ (09242) 8 09 – P.
Nov. geschl. – (Restaurant nur für Hausgäste) – **10 Z : 18 B** 29/32 - 60.

PRACHT Rheinland-Pfalz siehe Hamm (Sieg).

PREETZ **2308.** Schleswig-Holstein 411 N 4, 987 ⑤ – 15 600 Ew – Höhe 34 m – Luftkurort – ☎ 04342.

♦Kiel 16 – ♦Lübeck 68 – Puttgarden 82.

In Schellhorn **2308** SO : 1,5 km :

Landhaus Hahn, am Berg 12, ✆ (04342) 8 60 01, Fax 82791, – TV ☎ P – 25/100. AE E VISA
M *(Samstag bis 18 Uhr geschl.)* a la carte 47/70 – **22 Z : 50 B** 95 - 120 Fb.

PRESSIG **8644.** Bayern 413 Q 15 – 4 400 Ew – Höhe 400 m – ☎ 09265.
♦München 292 – ♦Bamberg 71 – Bayreuth 57 – Coburg 38.

Barnickel mit Zim, Kronacher Str. 2 (B 85), ☎ 2 73 – P
6 Z : 9 B.

In Pressig-Förtschendorf NO : 6 km :

Brauerei-Gasthof Leiner-Bräu, Bamberger Str. 13 (B 85), ☎ (09268) 2 27 – ☎ P AE. E
26. Okt.- 15. Nov. geschl. – **M** *(Freitag geschl.)* a la carte 17/52 – **11 Z : 20 B** 38/45 - 70/75.

PREUSSISCH OLDENDORF **4994.** Nordrhein-Westfalen 411 412 I 10 – 11 000 Ew – Höhe 72 m – Luftkurort – ☎ 05742.
Verkehrsamt, Rathausstr. 3, ☎ 8 07 30.
♦Düsseldorf 225 – ♦Bremen 110 – ♦Hannover 105 – ♦Osnabrück 35.

In Preußisch Oldendorf - Börninghausen SO : 7 km :

Waidmanns Ruh mit Zim, Bünder Str. 15, ☎ 22 80, – ☎ P
Juni - Juli 3 Wochen geschl. – **M** *(Donnerstag geschl.)* a la carte 21/40 – **9 Z : 13 B** 50 - 100.

In Büscherheide **4994** S : 4 km :

Lindenhof, ☎ 42 86, – TV P. Zim
M *(Mittwoch geschl.)* a la carte 22/47 – **11 Z : 21 B** 45/52 - 84/95.

PRICHSENSTADT **8718.** Bayern 413 O 17 – 2 800 Ew – Höhe 278 m – ☎ 09383 (Abtswind).
Sehenswert: Hauptstraße ★ mit Fachwerkhäusern.
♦ München 254 – ♦Bamberg 49 – ♦Nürnberg 82 – Schweinfurt 32 – ♦Würzburg 45.

Zum Storch (Gasthof a.d.J. 1658), Luitpoldstr. 7, ☎ 5 87,
9 Z : 20 B.

In Prichsenstadt-Neuses am Sand N : 3 km :

Gästehaus Neuses, ☎ 71 55, – E
März - April 2 Wochen geschl. – **M** *(Dienstag geschl.)* a la carte 26/56 – **10 Z : 18 Z** 38/58 - 76/98.

PRIEN AM CHIEMSEE **8210.** Bayern 413 U 23, 987 ㊲, 426 J 5 – 9 700 Ew – Höhe 531 m – Luftkurort – Kneippkurort – ☎ 08051.
Sehenswert: Chiemsee★ (Überfahrt zur Herren- und Fraueninsel).
Prien-Bauernberg, ☎ 48 20.
Kurverwaltung, Alte Rathausstr. 11, ☎ 6 90 50, Fax 690540.
♦München 85 – Rosenheim 23 – Salzburg 64 – Wasserburg am Inn 27.

Yachthotel Chiemsee, Harrasser Str. 49, ☎ 69 60, Telex 525482, Fax 5171, ≤ Chiemsee und Herrenchiemsee, « Gartenterrasse am See », Bade- und Massageabteilung, , , , , Yachthafen – TV P – 25/200. AE E VISA
M a la carte 47/80 – **101 Z : 206 B** 170/240 - 225/300 Fb – 5 Appart. 320/500.

Sport-u. Golf-Hotel garni, Erlenweg 16, ☎ 10 01, , , – TV ☎ P. AE E
Ostern - Okt. – **40 Z : 68 B** 86/95 - 160/200 Fb – 4 Appart. 250/300.

Reinhart, Seestr. 117, ☎ 10 45, Fax 1043, ≤, , – TV ☎ P. AE E VISA
Jan.- Ostern und 20. Okt.- 10. Dez. geschl. – **M** *(Donnerstag geschl.)* a la carte 31/53 – **24 Z : 44 B** 90/95 - 130/190 Fb – ½ P 92/124.

Luitpold am See garni, Seestr. 110, ☎ 60 91 00, Fax 62943, ≤, « Caféterrasse am Hafen », – Zim ☎ P – 25/80
nur Saison – **60 Z : 90 B** Fb – 3 Appart.

Bayerischer Hof, Bernauer Str. 3, ☎ 60 30, Fax 62917, – TV ☎ P. E VISA
Nov. geschl. – **M** *(Montag geschl.)* a la carte 26/55 – **47 Z : 90 B** 68/70 - 126/130 Fb – ½ P 90/92.

Möwe garni, Seestr. 111, ☎ 50 04, ≤, – TV ☎ P
12 Z : 24 B.

Seehotel Feldhütter, Seestr. 101, ☎ 43 21, Fax 2542, , Biergarten – P. AE E VISA
April - Okt. – **M** a la carte 23/40 – **30 Z : 50 B** 56/70 - 90/110 Fb.

✿ **Le Petit,** Bernauer Str. 40, ☎ 37 96 – P. E
Dienstag - Mittwoch 18 Uhr und Juni 2 Wochen geschl. – **M** (Tischbestellung ratsam) 41 (mittags) und a la carte 62/88
Spez. Gefüllte Schweinebacke in Gelee, Eintopf von Chiemseefischen, Quarkrahmstrudel mit Milchreiseis.

In Prien-Harras SO : 4 km :

Fischer am See, Harrasser Str. 145, ☎ 10 08, Fax 62940, ≤, « Terrasse am See », Bootssteg – ☎ P. AE E VISA
2. Jan.- 7. Feb. geschl. – **M** *(Okt.- April Montag geschl.)* a la carte 28/54 – **15 Z : 30 B** 50/75 - 120/124.

PROBSTEIERHAGEN **2316.** Schleswig-Holstein 411 N 3 – 1 700 Ew – Höhe 40 m – ☎ 04348.
♦Kiel 15 – ♦Hamburg 111 – ♦Lübeck 107.

XX Waldklause, Hagener Moor 4 (SW : 1,5 km), ☎ 3 85, Fax 382, « Gartenterrasse » – P.

PRÜM **5540.** Rheinland-Pfalz 987 ㉓, 412 C 16 – 6 000 Ew – Höhe 442 m – Luftkurort – ☎ 06551.
Verkehrsamt, Rathaus, Hahnplatz, ☎ 5 05. – Mainz 196 – ♦Köln 104 – Liège 104 – ♦Trier 64.

Tannenhof, Am Kurpark 2, ☎ 24 06, Fax 854, – P. E VISA.
M *(Sonntag 14 Uhr-Montag 17 Uhr geschl.)* a la carte 25/51 – **27 Z : 40 B** 45/70 - 85/100 Fb – ½ P 63/75.

Haus am Kurpark garni, Teichstr. 27, ☎ 8 46, – TV ☎.
12 Z : 27 B 48/58 - 82/90.

Zum Goldenen Stern garni, Hahnplatz 29, ☎ 30 75 – ☎ P
47 Z : 77 B 36/52 - 70/92.

In Prüm-Held S : 1,5 km :

Zur Held, an der B 51, ☎ 30 16, – P. AE.
Nov. geschl. – **M** *(Sonntag 16 Uhr - Montag geschl.)* a la carte 23/47 – **15 Z : 30 B** 35/65 - 70/100.

An der B 410 O : 5 km :

Schoos - Baselter Hof, ✉ 5546 Fleringen - Baselt, ☎ (06558) 5 48, Fax 8542, Damwildgehege, – TV ☎ P – 25/100. AE E VISA
M *(Montag geschl.)* a la carte 26/56 – **30 Z : 60 B** 90/100 - 160.

In Weinsheim-Gondelsheim **5540** NO : 7 km :

Kirst, Am Bahnhof, ☎ (06558) 4 21, – P.
M a la carte 18/38 – **23 Z : 36 B** 30/40 - 60/76.

In Bleialf **5542** NW : 14 km :

Waldblick, Oberbergstr. 2, ☎ (06555) 84 69, – P
Sept. 2 Wochen geschl. – **M** *(Montag geschl.)* a la carte 19/40 – **11 Z : 20 B** 35/40 - 60/70.

PRÜMZURLAY Rheinland-Pfalz siehe Irrel.

PUCHHEIM Bayern siehe Germering.

PÜNDERICH **5587.** Rheinland-Pfalz 412 E 16 – 1 000 Ew – Höhe 108 m – Erholungsort – ☎ 06542 (Zell a.d. Mosel). – Mainz 108 – Bernkastel-Kues 36 – Cochem 45.

Weinhaus Lenz, Hauptstr. 31, ☎ 23 50, ≤ – P
März geschl. – **M** *(Donnerstag geschl.)* a la carte 20/42 – **14 Z : 27 B** 50 - 90.

Alte Dorfschenke, Marienburger Str. 20, ☎ 28 97 – **10 Z : 19 B.**

PULHEIM **5024.** Nordrhein-Westfalen 412 D 13 – 49 000 Ew – Höhe 45 m – ☎ 02238.
♦Düsseldorf 30 – ♦Köln 13 – Mönchengladbach 43.

In Pulheim 2 - Brauweiler S : 5 km :

Abtei-Park-Hotel garni, Bernhardstr. 50, ☎ (02234) 8 10 58, Telex 8886366, Fax 89232 – TV ☎. AE E VISA – **40 Z : 61 B** 95/150 - 145/170 Fb.

In Pulheim 2-Dansweiler SW : 6 km über Ortsteil Brauweiler :

XX **Landhaus Ville,** Friedenstr. 10, ☎ (02234) 8 33 45, – P. AE E VISA
nur Abendessen, Montag geschl. – **M** a la carte 49/75.

In Pulheim 3-Stommeln NW : 4 km :

In der Gaffel, Hauptstr. 45, ☎ 20 15, Fax 3844 – ☎ P – **15 Z : 20 B** Fb.

PYRMONT, BAD **3280.** Niedersachsen 411 412 K 11, 987 ⑮ – 22 000 Ew – Höhe 114 m – Heilbad – ☎ 05281.
Sehenswert : Kurpark★. – 18 (2 Plätze), Schloß Schwöbber (N : 16 km) ☎ (05154) 20 04.
Kur- und Verkehrsverein, Arkaden 14, ☎ 46 27.
♦Hannover 67 – Bielefeld 58 – Hildesheim 70 – Paderborn 54.

Bergkurpark, Ockelstr. 11, ☎ 40 01, Fax 4004, « Gartenterrasse », Bade- und Massageabteilung, – P – 25/100. AE E VISA
M a la carte 36/74 – **57 Z : 70 B** 67/180 - 180/322 Fb – 3 Appart. 430/450 – ½ P 105/174.

Park-Hotel Rasmussen, Hauptallee 8, ☎ 44 85, Fax 606872, « Terrasse an der Allee » – TV ☎. AE
März - Okt. – **M** *(Montag geschl.)* a la carte 36/60 – **12 Z : 20 B** 85/105 - 150/180 Fb.

Bad Pyrmonter Hof, Brunnenstr. 32, ☎ 60 93 03 – TV ☎. AE E VISA
(Restaurant nur für Hausgäste) – **45 Z : 70 B** 55/100 - 120/160 – 7 Fewo 75/120 – ½ P 75/110.

Quellenhof, Rathausstr. 22, ☎ 20 62, Telex 931634, Fax 3068, - ☎ - 25/100. AE ⓓ E VISA
M a la carte 30/53 - **40 Z : 60 B** 66/90 - 155/180 Fb.

Kaiserhof, Kirchstr. 1, ☎ 40 11, Fax 3006, - TV ☎ - 40 - **49 Z : 86 B** Fb.

Schloßblick garni, Kirchstr. 23, ☎ 37 23 - TV ☎ P
März - Okt. - **18 Z : 28 B** 57/62 - 114/124 Fb.

Schaumburg garni, Annenstr. 1, ☎ 25 54 - ☎ P
15. Jan.- 20. Feb. geschl. - **19 Z : 22 B** 50/70 - 105/110.

QUAKENBRÜCK **4570.** Niedersachsen 411 G 8, 987 ⑭ - 10 900 Ew - Höhe 40 m - ☎ 05431.
Verkehrsamt, Rathaus, Markt 1, ☎ 18 20.
♦Hannover 144 - ♦Bremen 90 - Nordhorn 84 - ♦Osnabrück 50.

Niedersachsen, St. Antoniort 2, ☎ 22 22, Fax 5368 - TV ☎ P. AE ⓓ E VISA
M *(Sonntag geschl.)* a la carte 27/50 - **17 Z : 27 B** 66/74 - 104/114.

Zur Hopfenblüte, Lange Str. 48, ☎ 33 59, « Fachwerkhaus a.d.J. 1661 » -
Montag 15 Uhr - Dienstag und 21. Sept.- 3. Okt. geschl. - **M** a la carte 23/48.

In Menslage-Bottorf **4575** W : 7 km :

Gut Vahlkampf, Bruchweg 1, ☎ (05437) 6 33, Fax 5153, , , , - ☎ P - 35. E
M *(Montag geschl.)* a la carte 33/47 - **20 Z : 35 B** 50/90 - 100/130 Fb.

QUEDLINBURG **O-4300.** Sachsen-Anhalt 984 ⑲, 987 ⑯ - 28 000 Ew - Höhe 122 m - ☎ 0037455.
Sehenswert : Markt★ - Altstadt★ (Fachwerkhäuser) - Schloßberg★ - Stiftskirche St.Servatius★★ (Kapitelle★, Krypta★★ mit Fresken★, Domschatz★★) - Schloßmuseum★.
Ausflugsziele : Gernrode : Stiftskirche St. Cyriak★ (Skulptur "Heiliges Grab"★) S : 7 km - Halberstadt : St. Stephan-Dom★★ (Lettner★, Triumphkreuzgruppe★, Domschatz★★) NW : 14 km - Bodetal★★ (Roßtrappe★★, ≤★★★).
Quedlinburg-Information, Markt 12, ☎ 28 66.
♦Berlin 219 - Erfurt 133 - Halle 76 - Magdeburg 71.

Bär, Markt 8, ☎ 22 24 - TV - **34 Z : 61 B** Fb.

Motel, Wipertistr. 9, ☎ 28 55 - TV ☎ P - **40 Z : 80 B** Fb.

Prinz Heinrich, Pölle 29, ☎ 37 07
M *(Tischbestellung ratsam)* a la carte 20/30.

QUERN **2391.** Schleswig-Holstein 411 M 2 - 3 000 Ew - Höhe 47 m - ☎ 04632.
♦Kiel 71 - Flensburg 19.

In Quern-Nübelfeld N : 3,5 km :

Landhaus Schütt mit Zim, nahe der B 199, ☎ 3 18 - TV P. AE ⓓ E VISA
15. Jan.- 5. Feb. und 17. Sept.- 1. Okt. geschl. - **M** *(Montag - Dienstag 18 Uhr geschl.)* a la carte 40/69 - **8 Z : 13 B** 43/48 - 85/90.

QUICKBORN **2085.** Schleswig-Holstein 411 M 5, 987 ⑤ - 18 300 Ew - Höhe 25 m - ☎ 04106.
Quickborn-Renzel (SW : 2 km), ☎ 8 18 00. - ♦Kiel 76 - ♦Hamburg 23 - Itzehoe 45.

Romantik-Hotel Jagdhaus Waldfrieden, Kieler Str. 1 (B 4, N : 3 km), ☎ 37 71, Fax 69196, « Ehem. Villa, Park » - TV ☎ P. AE ⓓ E VISA
M 48 (mittags) und a la carte 62/85 - **25 Z : 45 B** 100/150 - 165/195 Fb.

Sporthotel Quickborn, Harksheider Weg 258, ☎ 40 91, Fax 67195, , , - TV ☎ P - 35. AE ⓓ E VISA. Zim
M a la carte 45/80 - **27 Z : 38 B** 105/110 - 152/160 Fb.

In Quickborn-Heide NO : 5 km :

Landhaus Quickborner Heide (mit Gästehaus), Ulzburger Landstr. 447, ☎ 7 30 80, Fax 74969 - TV ☎ ♿ P. AE ⓓ E VISA
Dienstag geschl. - **M** a la carte 38/62 - **10 Z : 20 B** 108 - 140.

QUIERSCHIED **6607.** Saarland 412 E 19, 242 ⑦, 87 ⑪ - 16 800 Ew - Höhe 215 m - ☎ 06897.
♦Saarbrücken 13 - Neunkirchen/Saar 12 - Saarlouis 24.

Da Nico (Italienische Küche), Am Schwimmbad 1 (beim Freibad), ☎ 6 28 31 - P. AE ⓓ E VISA.
Samstag und Sonntag jeweils bis 18 Uhr sowie Juli - Aug. 3 Wochen geschl. - **M** a la carte 38/61.

Im Ortsteil Fischbach-Camphausen SW : 4,5 km :

Kerner mit Zim, Dudweiler Str. 20, ☎ 6 10 99 - P. Zim
Juli geschl. - **M** *(Sonntag 15 Uhr - Montag geschl.)* a la carte 21/50 - **10 Z : 17 B** 43/55 - 80/90.

RADEVORMWALD 5608. Nordrhein-Westfalen 411 412 F 13. 987 ㉔ – 23 800 Ew – Höhe 367 – ✿ 02195.

◆Düsseldorf 51 – Hagen 27 – Lüdenscheid 22 – Remscheid 13.

Außerhalb NO : 3 km an der B 483, Richtung Schwelm :

🏨 **Zur Hufschmiede** ⟍, Neuenhof 1, ✉ 5608 Radevormwald, ☎ (02195) 82 38, Fax 874፤
🚗 – 📺 ☎ ⟸ Ⓟ
M *(Freitag - Samstag 18 Uhr, Donnerstag und Juli - Aug. 4 Wochen geschl.)* a la carte 40/6፤
– **20 Z : 30 B** 85/120 - 135/155.

RADOLFZELL 7760. Baden-Württemberg 413 J 23. 987 ㉟, 427 KL 2 – 27 700 Ew – Höhe 400 – Kneippkurort – ✿ 07732.

🅱 Städt. Verkehrsamt, Rathaus, Marktplatz 2, ☎ 38 00, Fax 57087.

◆Stuttgart 163 – ◆Konstanz 21 – Singen (Hohentwiel) 11 – Zürich 91.

🏨 Am Stadtgarten garni, Höllturmpassage Haus 2, ☎ 40 11, Fax 57612 – 📶 📺 ☎ ⟸
31 Z : 55 B Fb.

🏨 Zur Schmiede garni, Friedrich-Werber-Str. 22, ☎ 40 51, Fax 56134 – 📶 🗐 📺 ☎ ⟸. 🛎
28 Z : 52 B Fb.

🏨 Adler, Seestr. 34, ☎ 34 73 – 📺 ☎
17 Z : 27 B Fb.

🏨 Kreuz garni, Obertorstr. 3, ☎ 40 66 – 📺 ☎
24 Z : 48 B Fb.

🏠 Krone am Obertor, Obertorstr. 2, ☎ 48 04 – 📺 ☎
12 Z : 20 B.

XX **Basilikum,** Löwengasse 30, ☎ 5 67 76 – **E**
Samstag bis 18 Uhr, Sonntag und Jan. 3 Wochen geschl. – **M** a la carte 42/66.

Auf der Halbinsel Mettnau :

🏨 **Café Schmid** ⟍ garni, St.Wolfgang-Str. 2, ☎ 1 00 66, Fax 10162, 🚗 – 📺 ☎ Ⓟ
15. Dez.- 10. Jan. geschl. – **20 Z : 26 B** 80/90 - 150/180 Fb.

🏨 **Iris am See** ⟍ garni, Rebsteig 2, ☎ 70 26 – 📺 ☎ Ⓟ
15. Dez.- 10. Jan. geschl. – **17 Z : 27 B** 78/120 - 134/150 Fb.

In Radolfzell 15-Güttingen N : 4,5 km :

🏨 **Adler - Gästehaus Sonnhalde** ⟍, Schloßbergstr. 1, ☎ 1 50 20, ≤, 🌤, 🍴s, 🚗, ✗
⟵ 📶 📺 ☎ ⟸ Ⓟ
Jan.- Feb. geschl. – **M** *(Dienstag geschl.)* a la carte 23/45 🍷 – **30 Z : 45 B** 45/70 - 75/120
½ P 57/78.

In Moos 7761 SW : 4 km :

🏨 **Gottfried,** Böhringer Str. 1, ☎ (07732) 41 61, Fax 52502, 🌤, 🍴s, 🗐, 🚗, ✗ – 📺 ☎ ⟸
Ⓟ. ⓸ **E** 𝘝𝘐𝘚𝘈
Jan. 3 Wochen geschl. – **M** *(Donnerstag - Freitag 17 Uhr geschl.)* 40/89 – **17 Z : 35 B** 90
140/220 – ½ P 110/150.

RAESFELD 4285 Nordrhein-Westfalen 411 412 D 11. 987 ⑬ – 9 200 Ew – Höhe 50 m – ✿ 02865.

◆Düsseldorf 77 – Borken 9 – Dorsten 16 – Wesel 23.

🏨 **Landhaus Krebber,** Weseler Str. 71, ☎ 6 00 00, Fax 600050, 🌤 – 📺 ☎ Ⓟ – 🔬 25/75
🄰🄴 ⓸ **E** 𝘝𝘐𝘚𝘈
M a la carte 43/74 – **21 Z : 42 B** 110 - 160 Fb.

XX **Schloß Raesfeld,** Freiheit 27, ☎ 80 18 – Ⓟ. 🄰🄴 **E**
Sonntag 18 Uhr - Montag geschl. – **M** a la carte 40/69.

RAHDEN 4993. Nordrhein-Westfalen 411 412 I 9. 987 ⑭ – 14 000 Ew – Höhe 43 m – ✿ 05771
◆Düsseldorf 231 – ◆Bremen 91 – ◆Hannover 101 – ◆Osnabrück 88.

🏨 **Westfalen Hof** (mit Gästehaus), Rudolf-Diesel-Str. 13, ☎ 8 38, Fax 5539, 🌤, 🍴s, ✗ (Halle
– 📺 ☎ Ⓟ – 🔬 25/100
M a la carte 35/60 – **46 Z : 88 B** 92/98 - 140/150 Fb.

RAISDORF Schleswig-Holstein siehe Kiel.

RAMBERG 6741. Rheinland-Pfalz 412 413 H 19 – 1 000 Ew – Höhe 270 m – ✿ 06345.
Mainz 121 – Kaiserslautern 51 – ◆ Karlsruhe 50 – Pirmasens 43.

🏠 Gästehaus Eyer ⟍, Im Harzofen 4, ☎ 83 18, 🌤 – Ⓟ
18 Z : 27 B – 2 Fewo.

RAMMINGEN Baden-Württemberg siehe Langenau.

RAMSAU 8243. Bayern 413 V 24, 987 ㊳, 426 K 6 – 1 700 Ew – Höhe 669 m – Heilklimatischer Kurort – Wintersport : 670/1 400 m ≰6 ⛷2 – ☎ 08657.
Ausflugsziele : Schwarzbachwachtstraße : ≤★★, N : 7 km – Hintersee★ W : 5 km.
Verkehrsamt, Im Tal 2, ✆ 12 13, Fax 772.
München 138 – Berchtesgaden 11 – Bad Reichenhall 17.

Rehlegg ⑤, Holzengasse 16, ✆ 12 14, Fax 501, ≤, ≘s, ⛱ (geheizt), ⛱, ⛱, ✂ – |‡| TV P – 🏛 40. AE ⓞ E VISA
M *(wochentags Mittagessen nur für Hausgäste)* a la carte 35/70 – **60 Z : 108 B** 104/210 - 174/238 Fb – ½ P 117/149.

Oberwirt, Im Tal 86, ✆ 2 25, Biergarten, ⛱ – |‡| P
Nov.- 20. Dez. geschl. – **M** *(Jan.- Mai Montag geschl.)* a la carte 25/38 – **27 Z : 54 B** 60 - 96/104.

Am Eingang der Wimbachklamm O : 2 km über die B 305 :

Wimbachklamm, Rotheben 1, ✉ 8243 Ramsau, ✆ (08657) 12 25, ⛱, ≘s, ⛱ – |‡| TV ☎ P
15. Jan.- 10. Feb. und Nov.- 15. Dez. geschl., Dez.- April garni – **M** *(Dienstag geschl.)* a la carte 22/47 – **26 Z : 52 B** 55/65 - 90/124.

Am Eingang zum Zauberwald W : 2 km, Richtung Hintersee :

Datzmann ⑤, Hinterseer Str. 45, ✉ 8243 Ramsau, ✆ (08657) 2 35, ≤, ⛱, ⛱ – |‡| P
Mitte Jan.- Mitte Feb. und 25. Okt.- 20. Dez. geschl. – **M** *(Donnerstag geschl.)* a la carte 25/48 ♁ – **30 Z : 50 B** 40 - 76.

An der Alpenstraße N : 5 km :

Hindenburglinde mit Zim, Alpenstr. 66 – Höhe 850 m, ✉ 8243 Ramsau, ✆ (08657) 5 50, ≤, ⛱ – TV P
10. April - 1. Mai und 10. Nov.- 20. Dez. geschl. – **M** *(Dienstag 17 Uhr - Mittwoch geschl.)* a la carte 22/48 ♁ – **12 Z : 24 B** 45 - 82/90.

An der Straße nach Loipl N : 6 km :

Nutzkaser ⑤, Am Gseng 10 – Höhe 1 100 m, ✉ 8243 Ramsau, ✆ (08657) 3 88, Fax 659, ≤ Watzmann und Hochkalter, ⛱ – |‡| TV ☎ P. AE E VISA
Ende Nov.- Mitte Dez. geschl. – **M** a la carte 21/50 – **23 Z : 46 B** 90/95 - 120/140 Fb.

In Ramsau-Hintersee W : 5 km – Höhe 790 m

Seehotel Gamsbock ⑤, Am See 75, ✆ 2 79, Fax 748, ≤ See mit Hochkalter, ⛱, ⛱ – ☎ P. E
Nov.- 22. Dez. geschl. – **M** a la carte 25/46 – **26 Z : 45 B** 42/61 - 77/109 Fb.

Alpenhof ⑤, Am See 27, ✆ 2 53, Fax 418, ≤, ⛱ – P. ⛌ Zim
März - Okt. – **M** *(außer Saison Donnerstag geschl.)* a la carte 18/39 – **18 Z : 35 B** 45/55 - 90/100.

RAMSTEIN-MIESENBACH 6792. Rheinland-Pfalz 412 413 F 18, 987 ㉔, 242 ③, 57 ⑧ – 7 700 Ew – Höhe 262 m – ☎ 06371 (Landstuhl).
Mainz 100 – Kaiserslautern 19 – ◆ Saarbrücken 57.

Ramsteiner Hof, Miesenbacher Str. 26 (Ramstein), ✆ 54 27, Fax 57600 – TV ☎ P. AE ⓞ E VISA. ⛌
M *(Samstag geschl.)* a la carte 24/52 – **22 Z : 44 B** 75 - 110.

Landgasthof Pirsch, Auf der Pirsch 12 (Ramstein), ✆ 59 30, Fax 59399 – |‡| TV ☎ P. ⓞ E VISA. ⛌
M *(nur Abendessen, Sonntag und Juli - Aug. 3 Wochen geschl.)* a la carte 33/56 ♁ – **36 Z : 66 B** 75 - 110/150 Fb.

In Steinwenden **6791** NW : 3 km :

Raisch, Moorstr. 40, ✆ (06371) 5 06 70, Fax 58384 – TV ☎ 🚗 P. AE ⓞ E VISA. ⛌
M *(nur Abendessen, Sonn- und Feiertage geschl.)* (Tischbestellung ratsam) a la carte 30/65 – **14 Z : 21 B** 50/100 - 85/140 Fb.

RANDERSACKER 8701. Bayern 413 M 17 – 3 600 Ew – Höhe 178 m – ☎ 0931 (Würzburg).
München 278 – Ansbach 71 – ◆Würzburg 7.

Bären (mit Gästehaus), Würzburger Str. 6, ✆ 70 60 75, Fax 706415 – TV ☎ P
Feb.- Mitte März geschl. – **M** a la carte 30/49 ♁ – **36 Z : 65 B** 62/72 - 98/112 Fb.

RANSBACH-BAUMBACH 5412. Rheinland-Pfalz 412 G 15 – 7 000 Ew – Höhe 300 m – ☎ 02623.
Mainz 92 – ◆Bonn 72 – ◆Koblenz 24 – Limburg an der Lahn 31.

Sporthotel ⑤, Zur Fuchshohl (beim Tennisplatz), ✆ 30 51, Fax 80339, ≘s, ✂ (Halle) – TV ☎ P. AE ⓞ E VISA
M a la carte 27/49 – **23 Z : 50 B** 79/98 - 146/190 Fb.

Eisbach, Schulstr. 2, ✆ 23 76, ⛱ – 🚗 P – **11 Z : 16 B**.

RAPPENAU, BAD **6927.** Baden-Württemberg 987 ㉕, 412 413 K 19 – 15 600 Ew – Höhe 265
– Soleheilbad – ☎ 07264.

ℹ Kur- und Verkehrsamt, Salinenstr. 20, ✆ 8 61 25.

♦Stuttgart 74 – Heilbronn 22 – ♦Mannheim 71 – ♦Würzburg 122.

Häffner Bräu, Salinenstr. 24, ✆ 80 50, Fax 805119, – TV ☎ P 35. AE ◑ E VISA
22. Dez.- 20. Jan. geschl. – **M** *(Freitag geschl.)* a la carte 25/45 – **62 Z : 88 B** 52/103 - 140/160
– ½ P 76/123.

Salinen-Hotel, Salinenstr. 7, ✆ 10 93, Fax 5724, – TV ☎ P – 25/35
Jan.- Feb. 4 Wochen geschl. – **M** a la carte 35/60 – **37 Z : 52 B** 75/110 - 140 Fb – ½ P 90/1

In Bad Rappenau 4-Heinsheim NO : 6 km :

Schloß Heinsheim (Herrensitz a.d.J. 1730), ✆ 10 45, Telex 782376, Fax 4208,
« Park, Schloßkapelle », – TV ☎ P – 25/120. ◑ E VISA
20. Dez.- Jan. geschl. – **M** a la carte 53/87 – **41 Z : 72 B** 115/165 - 165/205 Fb – ½ P 133/17

GRÜNE REISEFÜHRER
Landschaften, Sehenswürdigkeiten
Schöne Strecken, Ausflüge
Besichtigungen
Stadt- und Gebäudepläne.

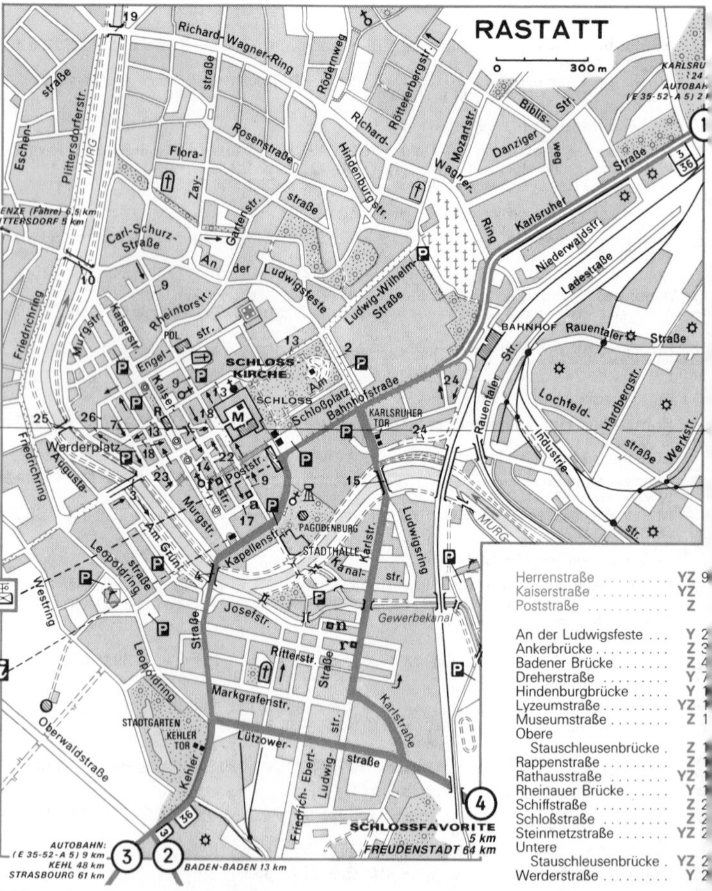

Herrenstraße	YZ	9
Kaiserstraße	YZ	
Poststraße	Z	
An der Ludwigsfeste	Y	2
Ankerbrücke	Z	3
Badener Brücke	Z	4
Dreherstraße	Y	7
Hindenburgbrücke	Y	
Lyzeumstraße	YZ	
Museumstraße	Z	1
Obere Stauschleusenbrücke	Z	
Rappenstraße	Z	
Rathausstraße	YZ	
Rheinauer Brücke	Y	
Schiffstraße	Z	2
Schloßstraße	Z	2
Steinmetzstraße	YZ	2
Untere Stauschleusenbrücke	YZ	2
Werderstraße	Y	2

RASTATT **7550.** Baden-Württemberg 413 H 20, 987 ㉞, 242 ⑯ – 40 000 Ew – Höhe 123 m – ☎ 07222.

Sehenswert: Schloßkirche★ Y.

Ausflugsziel: Schloß Favorite★, ④ : 5 km.

Verkehrspavillon, Kaiserstraße, ✆ 3 30 53.

♦Stuttgart 97 ① – Baden-Baden 13 ② – ♦Karlsruhe 24 ① – Strasbourg 61 ③.

Stadtplan siehe gegenüberliegen Seite

Schwert (im Barockstil erbautes Haus mit modernem Interieur), Herrenstr. 3a, ✆ 76 80, Telex 786574, Fax 768120 – TV ☎ – 25/45. AE E VISA Z a
M *(Samstag bis 18 Uhr geschl.)* a la carte 45/65 – **50 Z : 78 B** 135 - 200/230 Fb.

Zum Schiff garni, Poststr. 2, ✆ 77 20, Fax 772127, – TV ☎. E VISA. Z f
22 Z : 40 B 75/85 - 110/125 Fb.

Im Münchfeld garni, Donaustr. 7, ✆ 3 12 70 – ☎ P. AE E VISA über ②
10 Z : 20 B 70 - 100.

Katzenberger's Adler mit Zim, Josefstr. 7, ✆ 3 21 03, Fax 37938 – TV ☎ P. AE E VISA Z n
Sonntag, 5.- 21. Jan. und 2.- 18. Aug. geschl. – **M** a la carte 46/88 – **9 Z : 15 B** 90/110 - 150/160.

Zum Storchennest, Karlstr. 24, ✆ 3 22 60, Z r

RASTEDE **2902.** Niedersachsen 411 H 7, 987 ⑭ – 18 900 Ew – Höhe 20 m – Luftkurort – ☎ 04402.

Wemkendorf (NW : 3 km), ✆ (04402) 72 40.

♦Hannover 181 – ♦Oldenburg 11 – Wilhelmshaven 44.

Petershof , Peterstr. 14, ✆ 8 10 64, Fax 81126 – TV ☎ P – 25. AE E VISA
M *(Sonntag ab 19 Uhr geschl.)* a la carte 26/45 – **28 Z : 38 B** 70 - 130 Fb.

✿ **Landhaus am Schloßpark,** Südender Str. 1, ✆ 32 43, « Gartenterrasse » – P. AE E VISA
nur Abendessen, Montag - Dienstag geschl. – **M** (Tischbestellung ratsam) a la carte 75/89
Spez. Rasteder Aaltorte, Pökelgans in Meerrettich-Korinthensauce (Nov.- Feb.), Ziegenkäse in der Kartoffelkruste.

RATINGEN **4030.** Nordrhein-Westfalen 411 412 D 13, 987 ⑬ – 91 200 Ew – Höhe 70 m – ☎ 02102.

Rittergut Rommeljans, ✆ 8 10 92.

♦Düsseldorf 9,5 – ♦Duisburg 19 – ♦Essen 22.

Quality Inn garni, Stadionring 1, ✆ 1 00 20, Telex 8589146, Fax 1002140 – TV ☎ & P – 25/50. AE E VISA
68 Z : 97 B 149/219 - 189/269 Fb.

Haus Kronenthal, Brachter Str. 85, ✆ 8 50 80, Fax 850850, – TV ☎ & P – 60. AE E VISA
M *(Montag geschl.)* a la carte 39/62 – **30 Z : 50 B** 125/150 - 170/280 Fb.

Altenkamp, Marktplatz 17, ✆ 2 70 44, Telex 8585141, Fax 21217 – TV ☎ – 30. AE E VISA
M *(Samstag - Sonntag und Juli - Aug. 4 Wochen geschl.)* a la carte 50/88 – **25 Z : 48 B** 140/160 - 200/270 Fb.

Astoria garni, Mülheimer Str. 72, ✆ 8 20 05, Telex 8589111, Fax 845868 – TV ☎ P. AE E VISA.
20. Dez.- 7. Jan. geschl. – **27 Z : 59 B** 135/190 - 180/270 Fb.

Allgäuer Hof, Beethovenstr. 24, ✆ 2 50 08, Fax 23940 – TV ☎ P. E VISA
M *(Samstag bis 18 Uhr, Montag, Juli - Aug. 2 Wochen und 27. Dez.- 13. Jan. geschl.)* a la carte 40/71 – **14 Z : 18 B** 105/180 - 150/200 Fb.

Am Düsseldorfer Platz garni, Düsseldorfer Platz 1, ✆ 2 70 14, Fax 25646 – TV ☎. AE E
20. Dez.- 10. Jan. geschl. – **29 Z : 45 B** 95/120 - 140/160 Fb.

Anger - Steakhaus, Angerstr. 20, ✆ 8 20 11, Fax 870482 – TV ☎. AE E VISA
22. Dez.- 2. Jan. geschl. – **M** a la carte 29/64 – **27 Z : 43 B** 105/165 - 165/250 Fb.

Haus zum Haus, Mühlenkämpchen, ✆ 2 25 86, « Wasserschloß a.d. 13. Jh. » – P.

Auermühle, Auf der Aue (O : 2 km), ✆ 8 10 64, – P. AE E VISA
Montag geschl. – **M** a la carte 43/66.

La Taverna (Italienische Küche), Bahnstr. 7, ✆ 2 82 19, Fax 24223, – AE E VISA
Samstag bis 18 Uhr geschl. – **M** a la carte 44/76.

L'auberge fleurie - Chez René, Mülheimer Str. 61, ✆ 87 06 26, – P. E VISA
Samstag und 4. Aug.- 1. Sept. geschl. – **M** a la carte 35/55.

In Ratingen-West :

Relexa Hotel, Berliner Str. 95, ✆ 45 80, Telex 8589108, Fax 458599, – Zim Rest – 25/140. AE E VISA. Rest – **M** 33/Buffet (mittags) und a la carte 38/73 – **169 Z : 315 B** 220/365 - 280/430 Fb – 8 Appart. 450/580.

Holiday Inn, Broichhofstr. 3, ✆ 45 60, Telex 8585235, Fax 456444, (geheizt), – Zim – 25/200. AE E VISA
M a la carte 46/78 – **199 Z : 288** 291/341 - 362/422 Fb.

Beim Autobahnkreuz Breitscheid N : 5 km, Ausfahrt Mülheim :

Novotel Düsseldorf Nord, Lintorfer Weg 75, ✉ 4030 Ratingen 5 - Breitscheid, ✆ 18 70, Telex 8585272, Fax 18418, (geheizt), – – 25/200
120 Z : 240 B Fb.

In Ratingen 4-Lintorf N : 4 km :

Am Hallenbad garni, Jahnstr. 41, ✆ 3 41 79, Fax 37303, – . AE E VISA
11 Z : 22 B 110/130 - 160/170.

Angerland garni, Lintorfer Markt 10, ✆ 3 50 33, Fax 36415 – . E
14 Z : 26 B 100/120 - 150/170 Fb.

RATTENBERG

8441. Bayern 413 V 19 – 1 800 Ew – Höhe 570 m – Erholungsort – ☎ 09963.

Verkehrsamt, Gemeindeverwaltung, ✆ 7 03, Fax 2385.

♦München 153 – Cham 25 – Deggendorf 43 – Straubing 33.

Zur Post, Dorfplatz 2, ✆ 7 14, Fax 1025, – – 50. E
M a la carte 19/41 – **40 Z : 90 B** 52/65 - 104/160 Fb – ½ P 65/78.

RATZEBURG

2418. Schleswig-Holstein 411 P 5, 987 ⑥ – 12 000 Ew – Höhe 16 m – Luftkurort – ☎ 04541.

Sehenswert : Ratzeburger See★ (Aussichtsturm am Ostufer ≤★) – Dom★ (Hochaltarbild★).

Verkehrsamt, Alte Wache, Am Markt 9, ✆ 80 00 81, Fax 84253.

♦Kiel 107 – ♦Hamburg 68 – ♦Lübeck 24.

Der Seehof (mit Gästehaus Hubertus), Lüneburger Damm 3, ✆ 20 55, Telex 261835, Fax 7861, ≤, « Terrasse am See », Bootssteg – – 25/80. AE E VISA
M a la carte 32/74 – **64 Z : 137 B** 70/174 - 100/215 Fb.

Hansa-Hotel, Schrangenstr. 25, ✆ 20 94, Fax 6437 –
M a la carte 32/58 – **28 Z : 45 B** 90/115 - 150/170 Fb.

Wittlers Hotel - Gästehaus Cäcilie, Große Kreuzstr. 11, ✆ 32 04, Fax 3815 –
M *(Okt.- März Sonntag geschl.)* a la carte 30/55 – **42 Z : 78 B** 50/120 - 100/180.

In Fredeburg **2418** SW : 5,5 km :

Fredenkrug, Lübecker Str. 5 (B 207), ✆ (04541) 35 55, –
M a la carte 24/51 – **15 Z : 26 B** 65/90 - 110/120.

In Seedorf **2411** SO : 13 km :

Schaalsee-Hotel, Schloßstr. 9, ✆ (04545) 2 82, ≤, – . Rest
20. Dez.- Jan. geschl. – **M** a la carte 30/55 – **15 Z : 29 B** 60 - 110 Fb.

RAUBLING

8201. Bayern 413 T 23, 987 ㊲, 426 I 5 – 8 900 Ew – Höhe 459 m – ☎ 08035.

♦ München 65 – Rosenheim 7 – Salzburg 81.

In Raubling - Kirchdorf S : 1,5 km :

Gasthof Lichtnecker, Kufsteiner Str. 56, ✆ 84 31, – .
Mittwoch - Donnerstag 17 Uhr und 30. Okt.- 15. Nov. geschl. – **M** a la carte 23/45.

RAUENBERG

6914. Baden-Württemberg 412 413 J 19 – 6 100 Ew – Höhe 130 m – ☎ 06222 (Wiesloch).

♦Stuttgart 99 – Heidelberg 22 – Heilbronn 47 – ♦Karlsruhe 45 – ♦Mannheim 35.

Winzerhof, Bahnhofstr. 6, ✆ 6 20 67, – – 25/100. AE E VISA
Menu *(auch vegetarische Gerichte)* (2.- 13. Jan. geschl.) a la carte 39/74 – **Martins gute Stube** (Tischbestellung ratsam) *(nur Abendessen, Sonntag - Montag, Jan. und Juli - Aug. 4 Wochen geschl.)* **M** a la carte 69/102 – **67 Z : 83 B** 99/159 - 150/200 Fb.

Kraski, Hohenaspen 58 (Gewerbegebiet), ✆ 6 15 70, Fax 615755, – . E
21. Dez.- 10. Jan. geschl. – **M** *(nur Abendessen, Sonntag geschl.)* a la carte 34/53 – **27 Z : 38 B** 115/125 - 145/165 Fb.

Café Laier, Wieslocher Str. 36, ✆ 6 22 89 –
Mitte Mai - Mitte Juni geschl. – **M** *(Samstag bis 15 Uhr und Dienstag geschl.)* a la carte 19/38 – **13 Z : 20 B** 38/65 - 70/100.

RAUNHEIM Hessen siehe Rüsselsheim.

RAUSCHENBERG **3576.** Hessen 412 J 14 – 4 500 Ew – Höhe 282 m – Luftkurort – ☎ 06425.
♦Wiesbaden 140 – ♦Kassel 78 – Marburg 20.

Schöne Aussicht, an der B 3 (NW : 3,5 km), ✆ 7 17, Fax 2925, ≘s, ▣, ⛱ – ▣ ☎ ⇐ ℗ – 🏔 50. AE ⓓ E VISA. ✗ Rest
2.- 15. Jan. und 10.- 30. Juli geschl. – **M** *(Montag geschl.)* 15/25 (mittags) und a la carte 24/44 – **16 Z : 24 B** 50/75 - 100.

RAVENSBURG **7980.** Baden-Württemberg 413 LM 23, 987 ㉟ ㊱, 427 MN 2 – 45 000 Ew – Höhe 430 m – ☎ 0751.
Sehenswert: Liebfrauenkirche (Kopie der "Ravensburger Schutzmantelmadonna"★★).
ℹ Städt. Kultur- u. Verkehrsamt, Marienplatz 54, ✆ 8 23 24, Fax 82466.
ADAC, Jahnstr. 26, ✆ 2 37 08, Telex 732968.
♦Stuttgart 147 – Bregenz 41 – ♦München 183 – ♦Ulm (Donau) 86.

✿ **Waldhorn,** Marienplatz 15, ✆ 1 60 21, Fax 17533 – |♦| ▣ ⇐ – 🏔 25/60. AE ⓓ E VISA
M *(Tischbestellung ratsam)* (Sonntag - Montag 18 Uhr und Weihnachten geschl.) 44 (mittags) und a la carte 79/119 – **38 Z : 50 B** 95/148 - 135/242 Fb
Spez. Lachs im Shisoblatt, Der gefüllte Wachtelspieß mit Entenleber, Kaninchenrücken mit marinierten Jacobsmuscheln.

Obertor, Marktstr. 67, ✆ 3 20 81, Fax 25584, ≘s – ▣ ☎ ℗. AE ⓓ E VISA
M *(nur Abendessen, Sonntag und 22. Dez.- 5. Jan. geschl.)* a la carte 25/54 – **30 Z : 47 B** 70/90 - 120/140 Fb.

Sennerbad ⛰ garni, Am Sennerbad 24 (Weststadt), ✆ 20 83, Fax 33345, ≤, ⛱ – |♦| ▣ ☎ ℗. ⓓ E VISA
21. Dez.- 12. Jan. geschl. – **24 Z : 40 B** 38/70 - 95/102 Fb.

Residenz - Restaurant Grafenstube, Herrenstr. 16, ✆ 3 69 80, Fax 369850 – |♦| ☎ ⇐. E VISA – **M** a la carte 55/85 – **19 Z : 36 B** 52/98 - 80/148 – 3 Appart.

XX Restaurant Sennerbad, Am Sennerbad 18 (Weststadt), ✆ 3 18 48, ≤, ☂ – ℗.

XX **Waldgasthof am Flappachweiher,** Strietach 4 (SO : 5 km über die B 32), ✆ 6 14 40, ☂ – ℗. E
Montag - Dienstag und 23. Dez.- 2. Jan. geschl. – **M** a la carte 26/57.

X **Ristorante La Gondola** (Italienische Küche), Gartenstr. 75 (B 32), ✆ 2 39 40 – ℗. AE E VISA
Sonntag und Mitte Juli - Mitte Aug. geschl. – **M** a la carte 42/58.

In Ravensburg-Dürnast SW : 9,5 km :

Landvogtei (Haus a.d.J. 1470), an der B 33, ✆ (07546) 52 39, Fax 1578, ☂ – ⇐ ℗. E VISA
15. Nov.- 15. Dez. geschl. – **M** *(Freitag geschl.)* a la carte 22/38 ♂ – **18 Z : 36 B** 35/55 - 65/90.

In Ravensburg 19-Obereschach S : 6 km über die B 30 und die B 467 :

Bräuhaus, Kirchstr. 8, ✆ 6 20 63, Biergarten – ☎ ℗. ✗ Zim – **16 Z : 30 B.**

In Berg **7981** N : 4 km :

Haus Hubertus ⛰, Maierhofer Halde 9, ✆ (0751) 4 10 58, Fax 54164, ≤, ☂, Wildgehege – ▣ ☎ ℗. AE E VISA
1.- 7. Jan. geschl. – **M** *(Sonntag 15 Uhr - Montag 17 Uhr und 2.- 8. Aug. geschl.)* a la carte 30/43 – **27 Z : 41 B** 76 - 109.

In Schlier **7981** O : 5 km :

XXX **Krone,** Eibeschstr. 2, ✆ (07529) 12 92, ☂ – ℗
Dienstag - Mittwoch geschl. – **M** a la carte 60/82.

RAVENSBURG (Burg) Baden-Württemberg siehe Sulzfeld.

RECHTENBACH **8771.** Bayern 412 413 L 17 – 1 100 Ew – Höhe 335 m – ☎ 09352.
♦München 327 – Aschaffenburg 29 – ♦Würzburg 47.

Krone, Hauptstr. 52, ✆ 22 38, ⛱ – ⇐
M *(Freitag geschl.)* a la carte 18/33 ♂ – **17 Z : 28 B** 28/38 - 56/76.

An der B 26 W : 3,5 km :

XX **Bischborner Hof** mit Zim, ✉ 8771 Neuhütten, ✆ (09352) 33 56, ☂ – ☎ ℗. AE ⓓ E VISA
M a la carte 27/61 – **4 Z : 8 B** 70 - 90.

RECKE **4534.** Nordrhein-Westfalen 411 412 G 9, 987 ⑭ – 10 000 Ew – Höhe 60 m – ☎ 05453.
♦Düsseldorf 183 – ♦Bremen 140 – Enschede 70 – ♦Osnabrück 40.

Altes Gasthaus Greve ⛰, Markt 1, ✆ 30 99, ☂ – ▣ ☎ ⇐ ℗
M *(Montag geschl.)* a la carte 27/48 – **15 Z : 27 B** 50 - 90/95 Fb.

RECKLINGHAUSEN **4350.** Nordrhein-Westfalen 411 412 E 12, 987 ⑭ – 119 300 Ew – Höhe 76 m – ☎ 02361 – **Sehenswert:** Ikonenmuseum★★ X **M1.**

Bockholter Str. 475 (über ⑥), ✆ 2 65 20. – Städt. Reisebüro, Kunibertistr. 23, ✆ 50 28 93.
ADAC, Martinistr. 11, ✆ 1 54 20, Notruf ✆ 1 92 11.

♦Düsseldorf 71 ④ – Bochum 17 ④ – Dortmund 28 ③ – Gelsenkirchen 20 ④ – Münster (Westfalen) 63 ⑦.

RECKLINGHAUSEN

Breite Straße	X	Hinsbergstraße	Y 18
Große Geldstraße	X 13	Holzmarkt	X 19
Kunibertistraße	X 27	Im Romberg	Y 20
Löhrhof	X	Josef-Wulff-Straße	Y 22
Markt	X	Kemnastraße	Z 23
Schaumburgstraße	X 37	Kirchplatz	X 24
Am Lohtor	X 2	Klosterstraße	X 26
Augustinessenstr.	X 4	Kurfürstenwall	X 28
August-Schmidt-Ring	Z 5	Martinistraße	X 30
Börster Weg	Y 6	Münsterstraße	X 33
Bockholter Straße	Z 7	Ossenbergweg	Y 34
Buddestraße	Y 9	Reitzensteinstr.	Z 36
Grafenwall	X 12	Springstraße	X 39
Heilig-Geist-Straße	X 15	Steinstraße	X 40
Hillen	Z 16	Steintor	X 42
		Viehtor	X 43
		Wickingstraße	Y 44

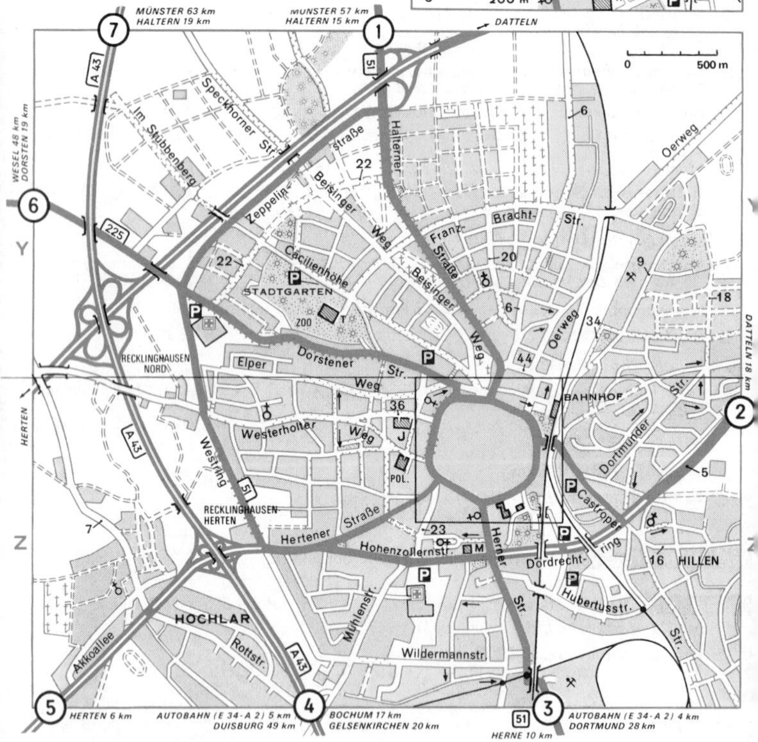

Barbarossa-Hotel garni, Löhrhof 8, ✆ 2 50 71, Fax 57051 – Zim – 40. AE E VISA X **a**
22. Dez.- 7. Jan. geschl. – **63 Z : 107 B** 87/130 - 158/285 Fb.

Sporthotel Quellberg-Park garni, Holunderweg 9, ✆ 4 80 50, Fax 480550, (Halle) – – 40 – **34 Z : 66 B** Fb. über Castroper Straße Z

XX **Landhaus Scherrer,** Bockholter Str. 385, ✆ 2 27 20, 余 - P. AE ⓓ E VISA
Samstag bis 18 Uhr und Montag geschl. - **M** a la carte 42/70. über Bockholter Str. Y

XX **Die weiße Brust,** Münsterstr. 4, ✆ 2 99 04, 余. - AE ⓓ E VISA X u
M a la carte 46/78.

X Boente, Augustinessenstr. 4, ✆ 1 76 09, Biergarten, « Kleine Brauerei im Restaurant » X e

X Ratskeller, Rathausplatz 3, ✆ 5 99 11, 余 X R

In Recklinghausen-Süd über ③ : 7 km :

Bergedick, Hochlarmarkstr. 66, ✆ 6 22 27, Fax 61266 - TV ☎ P
40 Z : 70 B Fb.

REDNITZHEMBACH **8540.** Bayern 413 Q 19 - 4 300 Ew - Höhe 315 m - ☎ 09122 (Schwabach).
♦München 154 - Ansbach 41 - Donauwörth 74 - ♦Nürnberg 22.

In Rednitzhembach - Plöckendorf :

Hembacher Hof, Untermainbacher Weg 21, ✆ 70 91, Fax 61630 - ☎ P - 25/250. AE E
M *(Sonn- und Feiertage ab 15 Uhr sowie Aug. 3 Wochen geschl.)* a la carte 27/57 - **22 Z : 37 B** 75/85 - 120/130 Fb.

Kuhrscher Keller ⑤, Bahnhofstr. 5, ✆ 70 71, 余 - ☎ P. ✻ Zim
(Restaurant nur für Hausgäste) - **12 Z : 24 B** 58 - 98.

In Schwanstetten-Schwand **8501** O : 3 km :

Erbschänke Zum Schwan (Fachwerkhaus a.d. 14. Jh.), Marktplatz 7, ✆ (09170) 10 52, Fax 2377, 余 - TV ☎ P. E VISA
20. Dez.- 7. Jan. geschl. - **M** a la carte 27/46 - **20 Z : 35 B** 60 - 90 Fb.

REES **4242.** Nordrhein-Westfalen 987 ⑬, 412 C 11 - 18 600 Ew - Höhe 20 m - ☎ 02851.
♦Düsseldorf 87 - Arnhem 49 - Wesel 24.

Rheinhotel Dresen, Markt 6, ✆ 12 55, ≤ Rheinschiffahrt, 余 - TV ☎
2.- 20. Jan. geschl. - **M** *(Freitag geschl.)* 22 (mittags) und a la carte 34/60 - **14 Z : 22 B** 68/80 - 136.

XXX **Op de Poort,** Vor dem Rheintor 5, ✆ 74 22, ≤ Rheinschiffahrt, 余 - P. ✻
Montag - Dienstag und 23. Dez.- 14. Feb. geschl. - Menu (Tischbestellung ratsam) a la carte 33/72.

In Rees-Grietherort NW : 8 km :

XX **Inselgasthof Nass** ⑤ mit Zim, ✆ 63 24, ≤, 余 - TV P. ✻
M *(Montag geschl.)* a la carte 31/60 - **5 Z : 10 B** 45 - 90.

REGEN **8370.** Bayern 413 W 20, 987 ㉘ - 11 000 Ew - Höhe 536 m - Erholungsort - Wintersport : 3 - ☎ 09921.
Verkehrsamt, Haus des Gastes, Stadtplatz 4, ✆ 29 29, Fax 60432.
♦München 169 - Cham 49 - Landshut 100 - Passau 60.

Brauerei-Gasthof Falter, Am Sand 15, ✆ 43 13 - ☎ P - 25/100
12 Z : 19 B Fb.

Pension Panorama ⑤ garni, Johannesfeldstr. 27, ✆ 23 56, ≤, ▭, 余 - TV P. ✻
Ostern - Okt. - **17 Z : 31 B** 45 - 90.

Krampersbacher Hof, Krampersbacher Steig 34, ✆ 31 10, 余 - TV ☎ P. AE ⓓ E VISA
Nov. 2 Wochen geschl. - **M** *(Montag bis 18 Uhr geschl.)* a la carte 18/40 ⅛ - **11 Z : 21 B** 35/48 - 70/90 Fb.

Pichelsteinerhof ⑤, Talstr. 35, ✆ 24 72, 余 - P
M a la carte 19/37 - **9 Z : 18 B** 42 - 78.

In Regen 2-March W : 6,5 km :

Zur alten Post, Hauptstr. 37, ✆ 23 93, ≦s, 余 - P
Nov. 3 Wochen geschl. - **M** a la carte 16/27 ⅛ - **36 Z : 70 B** 45/50 - 70/85 Fb.

In Regen-Weißenstein SO : 3 km :

Burggasthof Weißenstein ⑤, ✆ 22 59, ≤, 余, 余 - ⇔ P
5. Nov.- 15. Dez. geschl. - **M** *(Dienstag geschl.)* a la carte 21/45 ⅛ - **17 Z : 31 B** 40/45 - 80.

Les bonnes tables
Nous distinguons à votre intention certains restaurants par
Menu, ✿, ✿✿ ou ✿✿✿.

REGENSBURG **8400.** Bayern 413 T 19, 987 ㉗ – 128 000 Ew – Höhe 339 m – ☎ 0941.

Sehenswert : Dom★ (Glasgemälde★★) E – Alter Kornmarkt★ E – Alte Kapelle★ E – Städt. Museum★ E **M1** – St. Emmeram★ (Grabmal★ der Königin Hemma) D – Alte Kapelle★ E – St. Jakobskirche (romanisches Portal★) A – Steinerne Brücke (≤★) E – Haidplatz★ D – Altes Rathaus★ D – Diözesanmuseum★ E – **Ausflugsziel :** Walhalla★ O : 11 km über Walhalla-Allee B.

18 Donaustauf, Jagdschloß Thiergarten (② : 13 km), ☏ (09403) 5 05 ; 9 Sinzing (SW : 6 km über Kirchmeierstraße Y), ☏ (0941) 3 25 04.

Tourist-Information, Altes Rathaus, ☏ 5 07 21 41, Fax 5072022.

ADAC Luitpoldstr. 2, ☏ 5 56 73, Notruf ☏ 1 92 11.

♦München 122 ④ – ♦Nürnberg 100 ④ – Passau 115 ③.

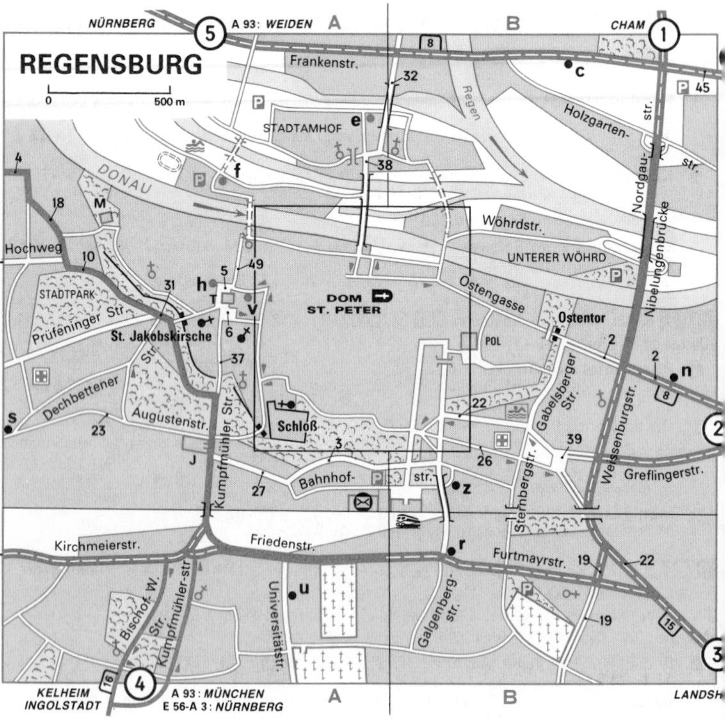

Ramada, Bamberger Str. 28, ☏ 8 10 10, Telex 65188, Fax 84047, Biergarten, ≘s – |♠| ✈ Zim ▤ TV ♿ P – 🏆 25/180. AE ⓘ E VISA — über ⑤
M a la carte 40/75 – **125 Z : 205 B** 175/220 - 215/390 Fb – 4 Appart. 420.

Avia-Hotel, Frankenstr. 1, ☏ 43 00, Telex 65703, Fax 42093, ♨ – |♠| TV ⇔ P – 🏆 25/70. AE ⓘ E VISA — B c
M *(27. Dez.- 7. Jan. geschl.)* a la carte 34/63 – **81 Z : 123 B** 116/180 - 160/235 Fb.

Parkhotel Maximilian garni, Maximilianstr. 28, ☏ 5 10 42, Telex 65181, Fax 52942 – |♠| ✈ Zim TV ⇔ – 🏆 25/100. AE ⓘ E VISA — E f
52 Z : 103 B 205 - 255 Fb – 6 Appart. 480.

Altstadt-Hotel Arch garni, Am Haidplatz 4, ☏ 50 20 60, Fax 5020668, « Modernisiertes Patrizierhaus a.d. 18. Jh. » – |♠| TV ☎. AE ⓘ E VISA – **48 Z : 82 B** 109/145 - 164/280 Fb. D n

Am Sportpark garni, Gewerbepark D 90, ☏ 4 02 80, Telex 652604, Fax 49172 – |♠| TV ☎ P – 🏆 25/200. AE ⓘ E VISA — über ①
96 Z : 144 B 98/135 - 140/290 Fb.

REGENSBURG

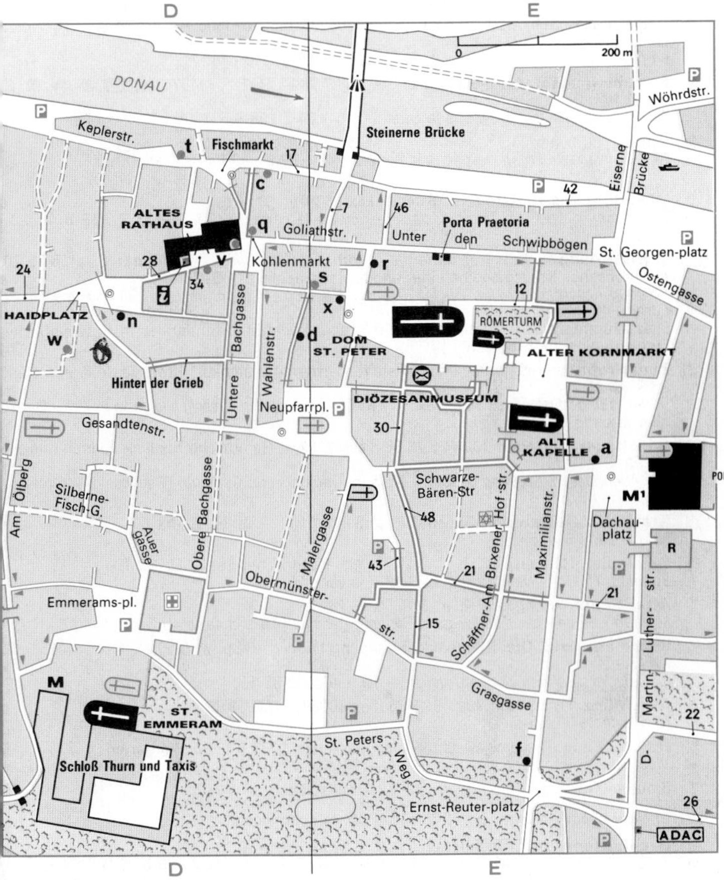

Bischofshof am Dom, Krauterermarkt 3, ✆ 5 90 86, Fax 53508, Biergarten – 25/60. AE VISA — E r
M a la carte 35/80 – **60 Z : 100 B** 75/170 - 115/300 Fb.

Karmeliten - Restaurant Taverne (Spanische Küche), Dachauplatz 1, ✆ 5 43 08 (Hotel) 5 49 10 (Rest.), Telex 65170, Fax 561751 – 25/40. AE E VISA — E a
1.- 20. Jan. geschl. – **M** *(nur Abendessen, Sonntag geschl.)* a la carte 30/55 – **72 Z : 130 B** 80/150 - 145/180 Fb – 8 Appart. 200.

St. Georg, Karl-Stieler-Str. 8, ✆ 9 70 66, Telex 652504, – 25/80 — über Bischof-Wittmann-Str. A
65 Z : 115 B Fb.

Kaiserhof am Dom, Kramgasse 10, ✆ 5 40 27, Fax 54025, – . AE E VISA — E x
23. Dez.- 6. Jan. geschl. – **M** a la carte 24/56 – **31 Z : 50 B** 75/95 - 120/125 Fb.

Ibis, Furtmayrstr. 1, ✆ 7 80 40, Telex 652691, Fax 7804509 – Zim Rest – 25/80 — B r
114 Z : 185 B Fb.

Fortsetzung →

Münchner Hof , Tändlergasse 9, 5 82 62, Telex 652593, Fax 561709 – AE E VISA D c
M a la carte 23/43 – **41 Z : 70 B** 78/85 - 110/140 Fb.

Bischofshof Braustuben, Dechbettener Str. 50, 2 14 73, Fax 22224, Biergarten – AE E VISA A s
M a la carte 25/51 – **12 Z : 19 B** 70 - 99 Fb.

Arcade, Bahnhofstr. 22, 5 69 30, Telex 65736, Fax 5693505 – 25/50 AE E VISA B z
M *(Sonntag geschl.)* a la carte 24/41 – **123 Z : 249 B** 110 - 152 Fb.

Straubinger Hof, Adolf-Schmetzer-Str. 33, 79 83 55, Fax 794826 – AE E VISA B n
M *(22. Dez.- 8. Jan. geschl.)* a la carte 17/46 – **64 Z : 98 B** 60/105 - 125/175 Fb.

Apollo 11, Neuprüll 17, 9 70 47, Fax 948187, – – 40
M *(Samstag - Sonntag geschl.)* a la carte 20/45 – **52 Z : 80 B** 38/70 - 65/100 Fb.
über Universitätsstr. A

Wiendl, Universitätsstr. 9, 9 04 16, Fax 563575, – A u
M *(Samstag und 24. Dez.- 6. Jan. geschl.)* a la carte 18/39 – **33 Z : 55 B** 40/60 - 70/90.

XXX **Historisches Eck** (restauriertes Stadthaus a.d. 13. Jh.), Watmarkt 6, 5 89 20, « Historisches Kreuzgewölbe einer ehem. Hauskapelle » – AE E E s
Sonntag - Montag 19 Uhr, 6.- 12. Jan. und 23. Aug.- 6. Sept. geschl. – **M** (Tischbestellung ratsam) 48 (mittags) und a la carte 66/86
Spez. Hummermaultaschen in Pernod-Sauce, Pochiertes Rinderfilet in Rotweinbutter, Erdbeerterrine mit Blaubeeren.

XXX **Zum Krebs** (kleines Restaurant in einem renovierten Altstadthaus), Krebsgasse 6, 5 58 03 – AE E D w
Sonntag und Mitte - Ende Aug. geschl. – **M** (Tischbestellung ratsam) a la carte 65/92 – **Bistro** **M** a la carte 34/52.

XXX **Gänsbauer,** Keplerstr. 10, 5 78 58, Fax 52792, « Gemütliche rustikale Einrichtung » – AE E VISA D t
nur Abendessen, Sonntag geschl. – **M** *(auch vegetarische Gerichte)* (Tischbestellung ratsam) a la carte 68/82.

XX **Kreutzer's Restaurant,** Badstr. 54, 8 87 11, – AE E VISA A t
M a la carte 51/75.

XX **Ratskeller,** Rathausplatz 1, 5 17 77, , Historischer Saal – AE E D v
Sonntag 15 Uhr - Montag geschl. – **M** a la carte 25/47.

X **Alter Simpl,** Fischgässel 4, 5 16 50. E VISA D q
Montag - Freitag nur Abendessen, Sonntag geschl. – **M** a la carte 40/58.

X **Bistro am Haid,** Drei Mohrenstr. 5/Eingang Ludwigstraße, 5 50 11, Fax 561615 – AE E VISA A v
bis 18 Uhr geöffnet, Sonntag geschl. – **M** a la carte 33/63.

X **Alte Münz,** Fischmarkt 7, 5 48 86, Fax 560397 – AE E VISA D c
M a la carte 31/55.

X **Hofbräuhaus** (Brauereigaststätte), Waaggässchen 1, 5 12 80, Biergarten D v
Mitte Mai - Mitte Sept. Sonntag geschl. – **M** a la carte 15/32 .

X Brauerei Kneitinger (Brauereigaststätte), Arnulfsplatz 3, 5 24 55 A h

In Regensburg-Dechbetten SW : 4 km über Kirchmeierstr. Y :

Dechbettener Hof, Dechbetten 11, 3 52 83, –
6.- 27. Jan. geschl. – **M** *(Montag geschl.)* a la carte 24/49 – **12 Z : 19 B** 37/42 - 70/80.

In Regensburg-Irl ② : 7 km :

Held, Irl 11, (09401) 10 41, Fax 7682, , – – 25/80
22.- 30. Dez. geschl. – **M** a la carte 23/49 – **70 Z : 120 B** 75/108 - 140/170 Fb.

In Regensburg-Stadtamhof :

XX Schildbräu mit Zim, Stadtamhof 24, 8 57 24 A e
6 Z : 12 B.

In Pentling **8401** ④ : 5 km :

Vier Jahreszeiten - Schrammel, An der Steinernen Bank 10, (09405) 3 30, Fax 33410, Biergarten, , (Halle) – Zim – 25/500. AE E VISA
M a la carte 30/51 – **100 Z : 200 B** 110/150 - 160/200 Fb – 3 Appart. 300.

In Tegernheim **8409** NO : 7 km, Richtung Walhalla B :

Minigolf-Hotel , Bergweg 2, (09403) 16 44, Fax 4122, , – – 25/120. E
27. Dez.- 7. Jan. geschl. – **M** *(Freitag geschl.)* a la carte 19/40 – **44 Z : 64 B** 39/75 - 62/110 Fb.

In Pettendorf-Mariaort **8411** ⑤ : 7 km :

Gästehaus Krieger garni, Heerbergstr. 3, (0941) 8 00 18, – 24. Dez.- 5. Jan. geschl. – **27 Z : 52 B** 50/72 - 88/110 Fb.

Gasthof Krieger, Naabstr. 20, (0941) 8 42 78, Biergarten – *Mittwoch, Ende Aug.- Anfang Sept. und Ende Dez.- Anfang Jan. geschl.* – **M** a la carte 21/41.

In Pettendorf-Adlersberg **8411** ⑤ : 8 km :

Prösslbräu (Brauerei-Gasthof in einer ehem. Klosteranlage a.d. 16. Jh.), Dominikanerinnenstr. 2, (09404) 18 22, Fax 5233, Biergarten – *20. Dez.- 21. Jan. geschl.* – **M** *(Montag geschl.)* a la carte 18,50/33 – **14 Z : 21 B** 42 - 72.

In Obertraubling **8407** ③ : 8 km :

Stocker, St.-Georg-Str. 2, (09401)5 00 45 – **38 Z : 60 B** Fb.

In Donaustauf **8405** O : 9 km, Richtung Walhalla B :

Kupferpfanne, Lessingstr. 48, (09403) 43 56, Fax 4396, – AE E VISA **M** *(Samstag bis 18 Uhr und Montag geschl.)* a la carte 26/57 – **23 Z : 44 B** 65/75 - 100/160.

Pension Walhalla garni, Ludwigstr. 37, (09403) 15 22, – **21 Z : 42 B** 50/60 - 76/88 Fb.

In Neutraubling **8402** SO : 10 km über ② :

Groitl, St. Michaelsplatz 2, (09401) 10 02 – *22. Dez.- 2. Jan. geschl.* – **M** *(nur Abendessen, Sonn- und Feiertage geschl.)* a la carte 25/40 – **26 Z : 47 B** 34/50 - 68/80 Fb.

Am See, Teichstr. 6, (09401) 14 54, – **M** *(Freitag geschl.)* 18 (mittags) und a la carte 27/43 – **17 Z : 30 B** 45 - 85.

In Köfering **8401** SO : 13 km über ③ :

Zur Post, Hauptstr. 1 (B 15), (09406) 3 34, Biergarten – .

REHAU 8673. Bayern 413 T 16, 987 ㉗ – 10 400 Ew – Höhe 540 m – 09283.

München 287 – Bayreuth 58 – Hof 14.

Fränkischer Hof, Sofienstr. 19, 10 34, Fax 3424, Biergarten – 50/120. AE E VISA **M** a la carte 34/52 – **11 Z : 15 B** 69/79 - 89/99 Fb.

Krone, Friedrich-Ebert-Str. 13, 10 01, – AE E Menu a la carte 28/62 – **14 Z : 18 B** 52/58 - 90 Fb.

REHBURG-LOCCUM 3056. Niedersachsen 411 412 K 9, 987 ⑮ – 9 800 Ew – Höhe 60 m – 05037.

Hannover 44 – ◆ Bremen 89 – Minden 28.

Rodes Hotel, Marktstr. 22 (Loccum), (05766) 2 38 – Zim *20. Dez.- 10. Jan. geschl.* – **M** *(Freitag geschl.)* a la carte 23/50 – **22 Z : 36 B** 47/56 - 88/120.

REHLINGEN-SIERSBURG 6639. Saarland 412 D 18, 242 ⑥, 57 ⑤ – 10 000 Ew – Höhe 180 m – 06833.

Saarbrücken 35 – Luxembourg 66 – ◆ Trier 63.

In Rehlingen-Niedaltdorf SW : 8 km :

Rôtisserie Biehl, Neunkircher Str. 10 (an der Tropfsteinhöhle), 3 77, – AE E. *Mittwoch ab 14 Uhr, Montag und 1.- 15. Jan. geschl.* – **M** a la carte 32/57.

REICHELSHEIM **6101.** Hessen 412 413 J 17 – 8 000 Ew – Höhe 216 m – Luftkurort – ☎ 06164

Fremdenverkehrsamt, Rathaus, ☎ 5 08 26, Fax 50833.

♦Wiesbaden 84 – ♦Darmstadt 36 – ♦Mannheim 44.

XX **Restaurant Treusch im Schwanen,** Rathausplatz 2, ☎ 22 26, Fax 809, bemerkenswerte Weinkarte – 40.
Donnerstag, 6.- 25. Jan. und Okt. 1 Woche geschl. – **M** *(auch vegetarisches Menu)* a la carte 41/80.

In Reichelsheim-Eberbach NW : 1,5 km :

Landhaus Lortz, Eberbachtal 3, ☎ 49 69, ...
18 Z : 30 B Fb – 4 Fewo.

In Reichelsheim-Erzbach SO : 6,5 km :

Berghof, Forststr. 44, ☎ 20 95, ...
2.- 12. Jan. und 4.- 27. März geschl. – **M** *(Montag geschl.)* a la carte 22/35 – **24 Z : 46 B** 53/6… - 94/118 – ½ P 61/78.

In Reichelsheim-Gumpen SW : 2,5 km :

Schützenhof, Kriemhildstr. 73 (B 47), ☎ 22 60, ...
M *(Dienstag geschl.)* a la carte 28/48 – **10 Z : 18 B** 35 - 70 – ½ P 40.

In Reichelsheim-Rohrbach SO : 5,5 km :

Zum Fürstengrund, Im Unterdorf 1, ☎ 22 65, ...
28 Z : 50 B – 3 Fewo.

In Reichelsheim - Unter-Ostern SO : 4 km :

XX Naumann - Restaurant Wetterhahn mit Zim, Formbachstr. 3, ☎ 20 67, ...
10 Z : 20 B.

I prezzi — Per ogni chiarimento sui prezzi qui riportati, consultate le pagine d'introduzione.

REICHENAU (Insel) **7752.** Baden-Württemberg 413 K 23, 427 L 2 – 4 800 Ew – Höhe 398 m – Erholungsort – ☎ 07534.

Sehenswert : In Oberzell : Stiftskirche St. Georg (Wandgemälde★★) – In Mittelzell Münster★ (Münsterschatz★).

Verkehrsbüro, Mittelzell, Ergat 5, ☎ 2 76.

♦Stuttgart 181 – ♦Konstanz 10 – Singen (Hohentwiel) 29.

Im Ortsteil Mittelzell :

Mohren, Pirminstr. 141, ☎ 4 85, Fax 1326, ... 40. AE E VISA
7.- 27. Jan. geschl. – **M** *(Dienstag und 27. Feb.- 4. März geschl.)* a la carte 35/59 – **38 Z : 70 B** 75/132 - 138/187 Fb.

Strandhotel Löchnerhaus, Schiffslände 12, ☎ 4 11, Fax 5 82, ..., Bootssteg – ... 25/70. AE E VISA.
15. Dez.- 15. Jan. geschl. – **M** a la carte 37/65 – **45 Z : 74 B** 85/115 - 160/180 Fb.

Im Ortsteil Oberzell :

Kreuz, Zelleleweg 4, ☎ 3 32, ...
über Fasching 2 Wochen, Mitte Okt.- Anfang Nov. und Weihnachten - Neujahr geschl.
M *(Montag und Donnerstag geschl.)* a la carte 28/45 – **11 Z : 22 B** 60/70 - 110.

REICHENHALL, BAD **8230.** Bayern 413 V 23, 987 ㊳, 426 K 5 – 18 500 Ew – Höhe 470 m – Heilbad – Wintersport : 470/1 600 m 1 3 3 – ☎ 08651.

Sehenswert : St. Zeno-Kirche BZ – Alte Saline AZ.

Kur- und Verkehrsverein im Kurgastzentrum, Wittelsbacherstr. 15, ☎ 30 03, Fax 2427.

♦München 136 ① – Berchtesgaden 18 ② – Salzburg 19 ①.

Stadtplan siehe gegenüberliegende Seite

Steigenberger-Hotel Axelmannstein, Salzburger Str. 4, ☎ 40 01, Telex 5611…, Fax 4001, « Park », Bade- und Massageabteilung, ... – Zim ... 25/120. AE E VISA. Rest AY
Restaurants : **Parkrestaurant M** a la carte 50/86 – **Axel-Stüberl** (regionale Küche) *(Donnerstag geschl.)* **M** a la carte 24/48 – **151 Z : 219 B** 195/265 - 265/475 Fb – 8 Appar… 520/920 – ½ P 188/320.

Kurhotel Luisenbad, Ludwigstr. 33, ☎ 60 40, Fax 62928, « Garten », Bade- und Massageabteilung, ... 25/120. E VISA. Rest AY
Nov.- 20. Dez. geschl. – **M** a la carte 50/70 – **83 Z : 120 B** 134/181 - 254/326 Fb – 3 Appa… – ½ P 165/219.

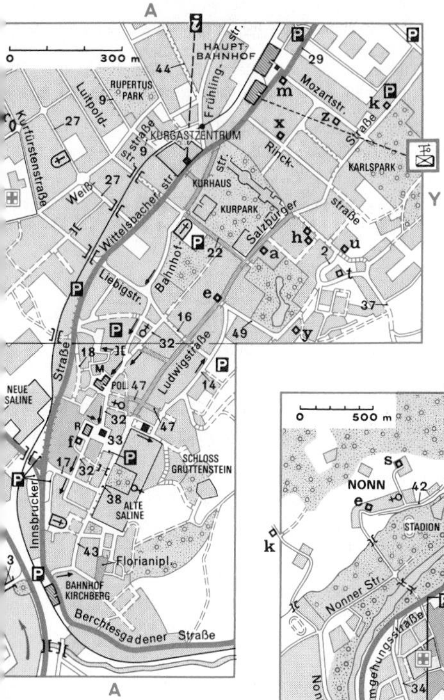

- Bahnhofstraße . . . AY
- Kaiserplatz . . . AY 16
- Ludwigstraße . . . AYZ
- Poststraße . . . AZ 32
- Salzburger Straße . . . AY

- Adolf-Schmid-Straße . . . AY 2
- Alte Luitpoldbrücke . . . BZ 3
- Friedrich-Ebert-Allee . . . AY 9
- Grabenbachstraße . . . BZ 12
- Großgmainer Straße . . . BZ 13
- Heilingbrunner Straße . . . AZ 14
- Johann-Hänsl-Straße . . . BZ 15
- Kammerbotenstraße . . . AZ 17
- Kanalstraße . . . AZ 18
- Kreta-Brücke . . . BZ 19
- Kurstraße . . . AY 22
- Lange Gasse . . . BZ 23
- Maximilianstraße . . . AY 27
- Münchner Allee . . . AY 29
- Rathausplatz . . . AZ 33

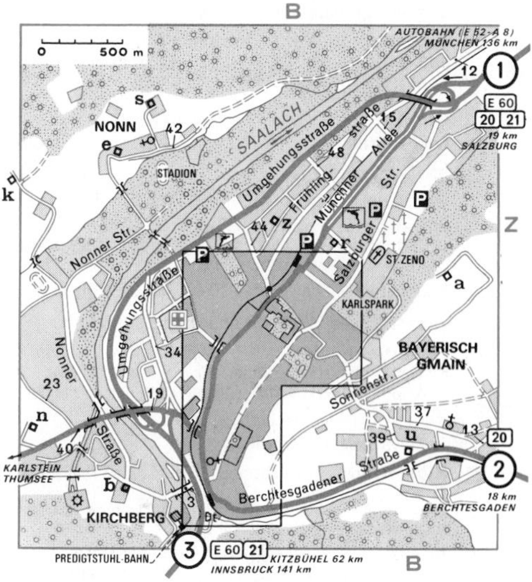

- eichenbachstraße . . . BZ 34
- eichenhaller Straße . . . AY, BZ 37
- alinenstraße . . . AZ 38
- chillerallee . . . BZ 39
- taatsstraße . . . BZ 40
- trailachweg . . . BZ 42
- iroler Straße . . . AZ 43
- raunfeldstraße . . . AY, BZ 44
- urnergasse . . . AZ 47
- oglthennstraße . . . BZ 48
- Visbacherstraße . . . AY 49

Sonnenbichl, Adolf-Schmid-Str. 2, 7 80 80, Fax 78059, - . AY **h**
15. Nov.- Jan. geschl. – (Restaurant nur für Hausgäste) – **40 Z : 60 B** 65/130 - 130/150 Fb – ½ P 85/105.

Kurhotel Alpina, Adolf-Schmid-Str. 5, 20 38, Bade- und Massageabteilung, - . AY **t**
Feb.- Okt. – (Restaurant nur für Hausgäste) – **65 Z : 89 B** 70/100 - 130/180 Fb – ½ P 90/110.

Bayerischer Hof, Bahnhofsplatz 14, 60 90, Telex 56123, Fax 609111, Bade- und Massageabteilung, - . AY **m**
6. Jan.- Feb. geschl. – **M** a la carte 25/58 – **64 Z : 91 B** 102/164 - 168/210 Fb – ½ P 106/147.

Hofwirt, Salzburger Str. 21, 6 20 21, - AY **k**
15. Jan.- 15. Feb. geschl. – **M** *(Montag geschl.)* a la carte 25/55 – **20 Z : 30 B** 75 - 130.

Tivoli garni, Tivolistr. 2, 50 03, Fax 780859, - . AY **y**
April - 15. Nov. – **20 Z : 31 B** 65/85 - 120/140 Fb.

Brauerei-Gasthof Bürgerbräu, Waaggasse 2, 60 89, Fax 608504, - - 25/45. AZ **f**
M a la carte 24/45 – **32 Z : 52 B** 77/115 - 149/175 Fb.

Kurhotel Mozart garni, Mozartstr. 8, 50 36, - . AY **z**
nur Saison – **21 Z : 36 B** Fb.

Hansi, Rinckstr. 3, 31 08 – AY **x**
15. Nov.- 25. Dez. geschl. – **M** *(auch Diät und vegetarische Gerichte)* (Montag geschl.) a la carte 24/45 – **18 Z : 28 B** 59/90 - 120/130 Fb – ½ P 75/89.

🏠 **Alfons Maria** 🌿 garni, Schillerstr. 19, ℘ 20 88, ⛫ – 📺 ☎ 🄿 – **25 Z : 30 B** Fb.　　BZ

🏠 **Kurfürst,** Kurfürstenstr. 11, ℘ 27 10, ⛫ – ☎. 🄰🄴 🄾 🄴 𝘝𝘐𝘚𝘈 ❄ Rest　　　　AY
　　15. Dez.- 15. Jan. geschl. – (nur Mittagessen für Hausgäste) – **12 Z : 18 B** 49/70 - 90/120.

🏠 **Erika** 🌿, Adolf-Schmid-Str. 3, ℘ 30 93, ≼, « Garten » – |📶| ☎ ⟷ 🄿. 🄰🄴 𝘝𝘐𝘚𝘈
　　❄ Rest　　　　　　　　　　　　　　　　　　　　　　　　　　　　　　　　　　AY
　　März - Anfang Nov. – (Restaurant nur für Hausgäste) – **36 Z : 50 B** 60/98 - 120/156 – ½ P 80/96

🏠 **Kraller** garni, Zenostr. 7, ℘ 27 52 – |📶| ☎ 🄿. ❄ – **24 Z : 32 B**.　　　　BZ

　　In Bad Reichenhall 3-Karlstein :

🏔 **Karlsteiner Stuben** 🌿, Staufenstr. 18, ℘ 13 89, 🌤, ⛫ – 🄿. ❄ Zim　　　BZ
　　10. Jan.- 8. März und 28. Okt.- 17. Dez. geschl. – **M** *(Dienstag geschl.)* a la carte 25/43 – **48 Z**
　　78 B 46/59 - 82/102 Fb – ½ P 55/73.

　　In Bad Reichenhall 1-Kirchberg :

✕✕✕ ❀ **Kirchberg-Schlößl,** Thumseestr. 11, ℘ 27 60, 🌤 – 🄿. 🄰🄴 🄾 🄴 𝘝𝘐𝘚𝘈　　BZ
　　Mittwoch und März - April 3 Wochen geschl. – **M** 35 (mittags) und a la carte 57/70
　　Spez. Fischvariation mit Hummersauce, Ente mit Apfelsauce und Preiselbeerknödel (2 Pers.),
　　Marillen- und Zwetschgenkücherl mit Vanillesauce und Rahmeis.

　　In Bad Reichenhall 4-Marzoll ① : 6 km :

🏨 **Schloßberghof** 🌿, Schloßberg 5, ℘ 7 00 50, Fax 700548, ≼, 🌤, Bade- und Massage-
　　abteilung, 🔥, ⤢s, 🏊, ⛫, ❖ – |📶| ☎ 🄿
　　3. Jan.- Feb. geschl. – **M** *(Montag geschl.)* a la carte 25/52 – **49 Z : 86 B** 100/110 - 176/196 Fb

　　In Bad Reichenhall 3-Nonn :

🏨 **Neu-Meran** 🌿, ℘ 40 78, Fax 78520, ≼ Untersberg und Predigtstuhl, 🌤, ⤢s, 🏊, ⛫
　　📺 ☎ 🄿　　　　　　　　　　　　　　　　　　　　　　　　　　　　　　　　BZ
　　10.- 31. Jan. und 15. Nov.- 12. Dez. geschl. – **M** *(Dienstag - Mittwoch geschl.)* (bemerkenswerte
　　Weinkarte) a la carte 32/70 ♨ – **20 Z : 32 B** 75/85 - 144/240.

🏨 **Alpenhotel Fuchs** 🌿, ℘ 6 10 48, Fax 64034, ≼ Untersberg und Predigtstuhl,
　　« Gartenterrasse », ⛫, ❖ – |📶| 🄿. 🄰🄴 🄾 🄴 𝘝𝘐𝘚𝘈　　　　　　　　　BZ
　　3. Nov.- 19. Dez. geschl. – **M** a la carte 27/54 – **36 Z : 60 B** 57/91 - 100/142 Fb – ½ P 69/94

🏨 **Sonnleiten** 🌿 garni, ℘ 6 10 09, ≼, ⛫ – 📺 ☎ 🄿 – **10 Z : 19 B**.　　　BZ

　　Am Thumsee W : 5 km über Staatsstraße BZ :

🏨 **Haus Seeblick** 🌿, ✉ 8230 Bad Reichenhall 3, ℘ (08651) 29 10, ≼ Thumsee und
　　Ristfeucht-Horn, Massage, ⤢s, 🏊, ⛫, ❖, ❖ – |📶| 📺 ⟷ 🄿. ❄ Rest
　　2. Nov.- 18. Dez. geschl. – (Restaurant nur für Hausgäste) – **54 Z : 90 B** 52/100 - 104/160 Fb
　　– ½ P 72/110.

　　In Bayerisch Gmain **8232 :**

🏨 **Klosterhof** 🌿, Steilhofweg 19, ℘ (08651) 40 84, Fax 66211, ≼, 🌤, ⤢s, ⛫ – 📺 ☎ 🄿
　　🄴. ❄　　　　　　　　　　　　　　　　　　　　　　　　　　　　　　　　BZ
　　12.- 24. Jan. geschl. – **M** *(Montag - Dienstag 14 Uhr geschl.)* a la carte 32/56 – **14 Z : 27 B**
　　95/130 - 140/190 Fb – ½ P 94/154.

🏠 **Rupertus** garni, Rupertistr. 3, ℘ (08651) 6 20 53, ⤢s, 🏊, ⛫ – 📺 ☎ 🄿. ❄　　über ③
　　Mitte Feb.- Okt. – **17 Z : 31 B** 55/75 - 110/140 Fb.

🏠 **Amberger,** Schillerallee 5, ℘ (08651) 50 66, Fax 5065, ⤢s, 🏊, ⛫ – 📺 ☎ ⟷ 🄿
　　(nur Abendessen für Hausgäste) – **14 Z : 21 B** 50/75 - 82/122 – 4 Fewo 62/112.　　BZ

REICHSHOF 5226. Nordrhein-Westfalen 🄌🄌🄌 G 14 – 17 300 Ew – Höhe 300 m – ✪ 02265.
🟥 Hassel, ℘ (02297) 71 31.
🇧 Verkehrsamt, Reichshof-Eckenhagen, Barbarossastr. 5, ℘ 4 70, Fax 356.
◆Düsseldorf 100 – ◆Köln 63 – Olpe 22 – Siegen 38.

　　In Reichshof 21-Eckenhagen – Luftkurort – Wintersport : 400/500 m ✻2 ✻7 :

🏨 **Berghotel Haus Leyer** 🌿, Am Aggerberg 33, ℘ 90 21, Fax 8406, ≼, 🌤, ⤢s, 🏊, ⛫
　　– 📺 ☎ 🄿. 🄰🄴 🄾 🄴 𝘝𝘐𝘚𝘈
　　M a la carte 26/56 – **16 Z : 30 B** 83/98 - 155/180 Fb.

🏠 **Aggerberg** 🌿, Am Aggerberg 20, ℘ 90 87, Fax 8756, ≼, ⛫ – 📺 ☎ 🄿
　　11 Z : 22 B Fb.

🏠 **Park-Hotel,** Hahnbucher Str. 12, ℘ 90 59, 🌤, ⤢s – |📶| ☎ 🄿 – 🏌 40
　　M *(Donnerstag geschl.)* a la carte 21/46 – **22 Z : 42 B** 70 - 120.

🏠 **Zur Post,** Hauptstr. 30, ℘ 2 15, Fax 9115, 🌤 – ☎ 🄿 – 🏌 25. 🄰🄴 🄾 𝘝𝘐𝘚𝘈
　　März geschl. – **M** *(Montag geschl.)* a la carte 19/49 – **12 Z : 22 B** 48/53 - 96/106.

　　In Reichshof-Wildbergerhütte :

🏠 **Landhaus Wuttke,** Crottorfer Str. 57, ℘ (02297) 13 30 – 🄿 – 🏌 30
　　15.- 30. Juni geschl. – **M** a la carte 21/46 – **16 Z : 34 B** 48 - 78.

REIL **5586.** Rheinland-Pfalz 412 E 16 – 1 600 Ew – Höhe 110 m – 06542 (Zell a.d. Mosel).
Mainz 110 – Bernkastel-Kues 34 – Cochem 47.

Reiler Hof, Moselstr. 27, 26 29, ≤, – P
Dez.- Jan. geschl. – **M** *(Nov. geschl.)* a la carte 21/48 – **16 Z : 30 B** 45/60 - 75/95.

REINBEK **2057.** Schleswig-Holstein 411 N 6, 987 ⑤ – 24 600 Ew – Höhe 22 m – 040 (Hamburg).
◆Kiel 113 – ◆Hamburg 17 – ◆Lübeck 56.

Sachsenwald-Congress-Hotel, Hamburger Str. 4, 72 76 10, Telex 2163074, Fax 72761215, – – 25/250. AE E VISA
M a la carte 38/75 – **66 Z : 118 B** 145/205 - 180/260 Fb.

Waldhaus Reinbek, Loddenallee 2, 7 22 68 46, – P – 25/180.

REINFELD **2067.** Schleswig-Holstein 411 O 5, 987 ⑤ – 7 200 Ew – Höhe 17 m – 04533.
◆Kiel 66 – ◆Hamburg 55 – ◆Lübeck 17.

Gästehaus Seeblick garni, Ahrensböker Str. 4, 14 23, – P
14 Z : 25 B 45/48 - 78/84.

Holsteinischer Hof mit Zim, Paul-von-Schönaich-Str. 50, 23 41 – . E
M *(Montag und 1.- 28. März geschl.)* a la carte 36/60 – **7 Z : 14 B** 45 - 90/100.

REINHARDSHAGEN **3512.** Hessen 411 412 L 12 – 4 700 Ew – Höhe 114 m – Luftkurort – 05544.
Verkehrsamt in Reinhardshagen-Vaake, Mündener Str. 44, 7 92 33, Fax 79240.
◆Wiesbaden 246 – Hann. Münden 11 – Höxter 53.

In Reinhardshagen 1-Veckerhagen :

Peter, Untere Weserstr. 2, 10 38, ≤, – P
15 Z : 27 B.

Felsenkeller , Felsenkellerstr. 25, 2 04, ≤, – P. VISA
Nov. geschl. – **M** *(Dienstag geschl.)* a la carte 23/50 – **10 Z : 17 B** 50 - 100.

REISBACH / VILS **8386.** Bayern 413 UV 21, 426 J 3 – 5 700 Ew – Höhe 405 m – 08734.
18 Reisbach-Grünbach, 70 35.
◆München 112 – Landshut 40 – ◆Regensburg 88.

Schlappinger Hof, Marktplatz 40, 77 11, Fax 4042, Biergarten – P. AE E. Zim
24. Dez.- 6. Jan. geschl. – **M** *(Mittwoch geschl.)* a la carte 19/42 – **26 Z : 35 B** 45/55 - 75/90 Fb.

REIT IM WINKL **8216.** Bayern 413 U 23, 987 ㊲, 426 J 5 – 3 500 Ew – Höhe 700 m – Luftkurort – Wintersport : 700/1 800 m 21 8 – 08640.
Sehenswert : Oberbayrische Häuser★.
9 Reit im Winkl-Birnbach, 82 16.
Verkehrsamt, Rathaus, 8 00 20, Fax 80029.
◆München 111 – Kitzbühel 35 – Rosenheim 52.

Unterwirt, Kirchplatz 2, 80 10, Fax 801150, « Garten », , – P
M a la carte 30/65 – **76 Z : 126 B** 68/150 - 136/340 Fb – 5 Appart. 226/424 – 3 Fewo 168.

Artmann's Sonnhof garni, Gartenstr. 3, 82 66, Fax 1667, ≤, , – P
21 Z : 50 B – 9 Appart. – 17 Fewo.

Gästehaus am Hauchen garni, Am Hauchen 5, 87 74, , – P.
Nov.- 15. Dez. geschl. – **26 Z : 52 B** 65/85 - 130/170 Fb.

Altenburger Hof, Frühlingstr. 3, 89 94, Fax 307, , , – P. E.
27. April - 10. Mai und Nov.- 18. Dez. geschl. – (nur Abendessen für Hausgäste) – **13 Z : 26 B** 67/90 - 110/180 Fb.

Sonnleiten, Holunderweg 1 (Ortsteil Entfelden), 88 82, Fax 301, ≤, , , – P. E VISA
Mitte April - Mitte Mai und Mitte Okt.- Mitte Dez. geschl. – **M** *(nur Abendessen, Mittwoch geschl.)* a la carte 24/50 – **25 Z : 50 B** 55/65 - 100/130 Fb – ½ P 75/95.

Sonnwinkl garni, Kaiserweg 12, 16 44, , , – P. E.
1. Nov.- 15. Dez. geschl. – **23 Z : 40 B** 50/72 - 100/144.

Zum Löwen, Tiroler Str. 1, 89 01, Fax 8903 – P
15. April - 15. Mai und 20. Okt.- 15. Dez. geschl. – **M** *(Montag geschl.)* a la carte 19/36 – **33 Z : 64 B** 50/80 - 96.

XX **Klauser's Café-Weinstube** mit Zim, Birnbacher Str. 8, ℰ 84 24, « Gartenterrasse » – 📺 ☎ **℗**
2 Z : 4 B.

XX **Zirbelstube,** Am Hauchen 10, ℰ 82 85, « Gartenterrasse » – **℗**
➡ **M** a la carte 23/50 – auch 13 Fewo 90/140.

Auf der Winklmoosalm SO : 10,5 km, Auffahrt im Sommer 5 DM Gebühr, im Winter nur
mit Bus – Höhe 1 160 m

🏠 **Alpengasthof Winklmoosalm** ⬧, Dürrnbachhornweg 6, ⊠ 8216 Reit im Winkl,
➡ ℰ (08640) 10 97, ≼, 🥘, 🍴, 🌲 – 📺 ☎ **℗**
26. April - 8. Mai und 18. Okt.- 18. Dez. geschl. – **M** *(Abendessen nur für Hausgäste, Mai -*
Okt. Freitag geschl.) a la carte 23/35 – **18 Z : 36 B** 45/75 - 90/150.

Siehe auch : *Kössen (Österreich)*

REKEN 4421. Nordrhein-Westfalen 411 412 E 11, 987 ⑭ – 12 100 Ew – Höhe 65 m – ✪ 02864.
◆Düsseldorf 83 – Bocholt 33 – Dorsten 22 – Münster (Westfalen) 53.

In Reken - Groß-Reken :

🏠 **Schmelting,** Velener Str. 3, ℰ 3 11, Fax 1395, 🥘, Damwildgehege – 📺 ☎ 🚗 **℗**
➡ ☎🅴
20. Dez.- 10. Jan. geschl. – **M** *(Freitag geschl.)* a la carte 18/47 – **23 Z : 37 B** 44 - 82.

🏠 Hartmann's-Höhe ⬧, Werenzostr. 17, ℰ 13 17, ≼, 🥘, 🌲 – ☎ **℗** – 🏌 40. 🎾 Zim
14 Z : 26 B.

RELLINGEN 2084. Schleswig-Holstein 411 M 6 – 14 000 Ew – Höhe 12 m – ✪ 04101.
◆Kiel 92 – ◆Bremen 124 – ◆Hamburg 17 – ◆Hannover 168.

🏠 **Rellinger Hof** (mit Gästehäusern), Hauptstr. 31, ℰ 2 80 71, Fax 512121 – 📺 ☎ **℗** –
🏌 25
M a la carte 27/54 – **45 Z : 70 B** 98 - 135 Fb.

In Rellingen-Krupunder SO : 5 km :

🏠🏠 **Fuchsbau,** Altonaer Str. 357, ℰ 3 10 31, Fax 33952, « Gartenterrasse », 🥘 – 📺 ☎ **℗**
– 🏌 25/80. 🅰🅴 ⓞ 🅴 𝗩𝗜𝗦𝗔 Stadtplan Hamburg S. 3 T **b**
M *(nur Abendessen, Sonn- und Feiertage geschl.)* a la carte 35/57 – **46 Z : 85 B** 97/124 -
135/150.

🏠 **Krupunder Park** (mit Gästehaus), Altonaer Str. 325, ℰ 3 12 85, 🥘 – 📺 ☎ **℗**
M a la carte 36/56 – **22 Z : 40 B** 60/95 - 105/130. Stadtplan Hamburg S. 3 T **b**

REMAGEN 5480. Rheinland-Pfalz 987 ㉔, 412 E 15 – 15 300 Ew – Höhe 65 m – ✪ 02642.
🛈 Verkehrsamt, Rathaus, Am Markt, ℰ 2 25 72, Fax 20127.
Mainz 142 – ◆Bonn 23 – ◆Koblenz 38.

In Remagen 3-Kripp SO : 3,5 km :

🦢 **Rhein-Ahr,** Quellenstr. 67, ℰ 4 41 12, Fax 46319, 🥘, 🔲 – ☎ **℗** ⓞ 🅴 𝗩𝗜𝗦𝗔
➡ 23. Dez.- 15. Jan. geschl. – **M** *(Montag geschl.)* a la carte 23/44 🍷 – **14 Z : 28 B** 60/75 - 90/
110.

In Remagen-Rolandseck N : 6 km :

X **Bellevuechen,** Bonner Str. 68 (B 9), ℰ (02228) 79 09, ≼, 🥘 – **℗**. 🅰🅴 ⓞ 🅴 𝗩𝗜𝗦𝗔
Montag - Dienstag, über Ostern und im Okt. jeweils 2 Wochen sowie Weihnachten - Anfang
Jan. geschl. – **M** (abends Tischbestellung ratsam) a la carte 53/70.

REMSCHEID 5630. Nordrhein-Westfalen 411 412 E 13, 987 ㉔ – 121 000 Ew – Höhe 366 m
– ✪ 02191.
🛈 Amt für Wirtschaft und Liegenschaften, Theodor-Heuss-Platz (Rathaus), ℰ 44 22 52.
ADAC, Fastenrathstr. 1, ℰ 2 68 60, Notruf ℰ 1 92 11.
◆Düsseldorf 39 ③ – ◆Köln 43 ② – Lüdenscheid 35 ② – Solingen 12 ③ – Wuppertal 12 ④.

Stadtplan siehe gegenüberliegende Seite

🏠🏠 **Remscheider Hof,** Bismarckstr. 39, ℰ 43 20, Telex 8513516, Fax 432158 – 🛗 🐦 Zim
📺 Rest 📺 🚗 **℗** – 🏌 25/280. 🅰🅴 ⓞ 🅴 𝗩𝗜𝗦𝗔
M *(Samstag bis 18 Uhr, Sonntag und 20. Juli - 9. Aug. geschl.)* a la carte 48/80 – **106 Z : 160 B**
192/282 - 289/404 Fb.

🏠🏠 **Café Noll,** Alleestr. 85, ℰ 4 70 00, Fax 41518 – 🛗 ☎ 🚗. 🅰🅴 🅴 **e**
➡ **M** *(bis 19 Uhr geöffnet, Sonn- und Feiertage geschl.)* 17/26 – **24 Z : 36 B** 65/95 - 145/155

X **Ratskeller,** Theodor-Heuss-Platz 2 (im Rathaus), ℰ 2 65 60, Fax 26387 – 🅰🅴 🅴 **R**
M a la carte 26/62.

REMSCHEID

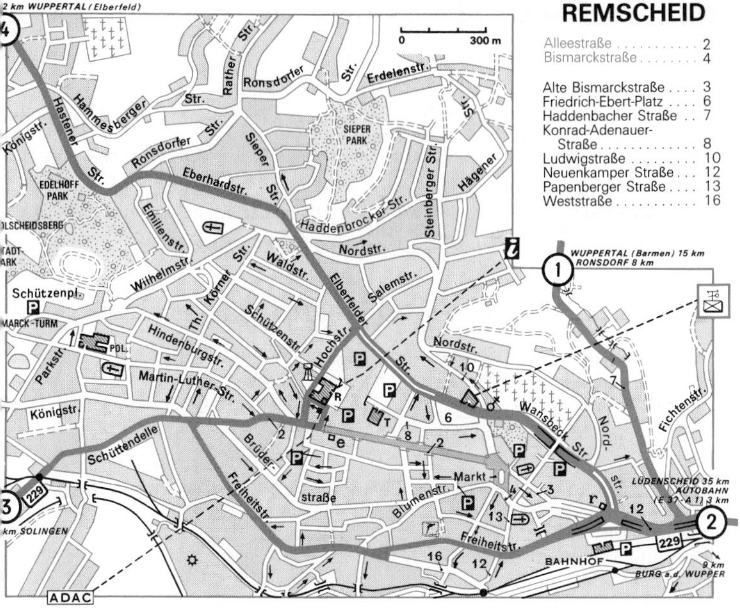

Nahe der Autobahn SO : 5 km an der Zufahrt zur Talsperre :

X **In der Mebusmühle**, ✉ 5630 Remscheid, ✆ (02191) 3 25 34, ☂, « Werkzeuge der heimischen Industrie als Wandschmuck » – Ⓟ
Montag geschl. – **M** a la carte 26/45.

An der Autobahn A 1 Ostseite, SO : 6 km :

🏨 Bundesautobahn-Hotel Remscheid-Ost, ✉ 5630 Remscheid, ✆ (02191) 3 10 61, Telex 8513659, Fax 39196, ☂ – 🛗 📺 ☎ Ⓟ – 🏛 25/180
47 Z : 100 B Fb.

In Remscheid-Lennep ② : 6 km :

🏨 **Berliner Hof** garni, Mollplatz 1, ✆ 6 01 51, Fax 60451 – ☎
33 Z : 50 B 65/115 - 150/185.

In Remscheid-Lüttringhausen ① : 6 km :

🏨 **Fischer,** Lüttringhauser Str. 131, ✆ 58 35, Fax 50734, ≘s – 📺 ☎ Ⓟ – 🏛 30. AE ⓓ E VISA. ✂
M *(Dienstag geschl.)* a la carte 31/50 – **24 Z : 36 B** 85/125 - 125/160 Fb.

🏨 **Kromberg,** Kreuzbergstr. 24, ✆ 59 00 31, Fax 51869 – 📺 ☎ 🚗. AE ⓓ E VISA
M *(Samstag geschl.)* a la carte 26/49 – **19 Z : 31 B** 80/90 - 125.

REMSECK AM NECKAR 7148. Baden-Württemberg 413 K 20 – 16 300 Ew – Höhe 212 m – ☎ 07146.

♦Stuttgart 12 – Heilbronn 44 – ♦Nürnberg 198.

In Remseck 2-Aldingen :

XX **Schiff,** Neckarstr. 1, ✆ 9 05 40 – Ⓟ. AE E
Mittwoch - Donnerstag und Ende Aug.- Anfang Sept. geschl. – Menu *(auch vegetarische Gerichte)* a la carte 38/75.

In Remseck 3-Hochberg :

XX **Gengenbach's Adler,** Am Schloß 2, ✆ 57 49, ☂ – Ⓟ
Montag und Mitte Juli - Mitte Aug. geschl. – **M** a la carte 42/62.

If you write to a hotel abroad, enclose an International Reply Coupon (available from Post Offices).

REMSHALDEN **7064.** Baden-Württemberg 413 L 20 – 13 000 Ew – Höhe 267 m – ☎ 0715 (Waiblingen).

◆Stuttgart 21 – Schwäbisch Gmünd 34 – Schwäbisch Hall 58.

In Remshalden-Grunbach :

Hirsch (Fachwerkhaus a.d.J. 1610), Reinhold-Maier-Str. 12, ☎ 7 24 52, Fax 79053, – – P – 25/60. AE VISA
2.- 20. Jan. geschl. – **M** *(Freitag geschl.)* a la carte 29/47 – **33 Z : 53 B** 55/70 - 110/120

In Remshalden-Hebsack :

Zum Lamm mit Zim (Gasthaus a.d.J. 1792), Winterbacher Str. 1, ☎ (07181) 4 50 61, 7 16 57, Fax 45410 – TV ☎ P. AE VISA.
M *(Sonntag 15 Uhr - Montag geschl.)* a la carte 37/60 – **8 Z : 10 B** 95/115 - 140/170 -(Anba mit 15 Z ab Frühjahr 1992).

RENCHEN **7592.** Baden-Württemberg 413 GH 21, 987 ㉞, 242 ⑳ – 6 000 Ew – Höhe 144 m – ☎ 07843.

◆Stuttgart 132 – Baden-Baden 38 – Offenburg 15 – Strasbourg 29.

Hanauer Hof, Poststr. 30, ☎ 3 27 – TV ☎ P. E VISA
M *(Montag geschl.)* a la carte 30/52 – **17 Z : 28 B** 65/85 - 110/150 Fb.

Ratsstube, Hauptstr. 69 (B 3), ☎ 26 60 – ☎ P
11 Z : 16 B.

RENDSBURG **2370.** Schleswig-Holstein 411 LM 4, 987 ⑤ – 31 000 Ew – Höhe 7 m – ☎ 04331

Sehenswert : Eisenbahnhochbrücke★ B.

Sorgbrück (NW : 8 km über die B 77 B), ☎ (04336) 33 33.

◆Kiel 36 ① – Neumünster 38 ① – Schleswig 30 ②.

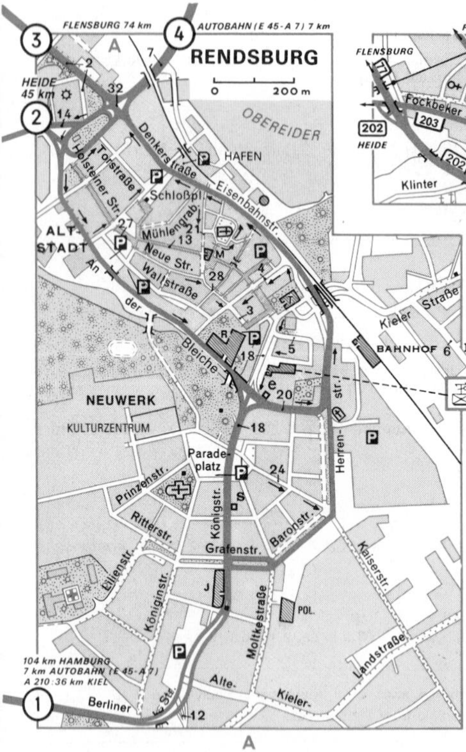

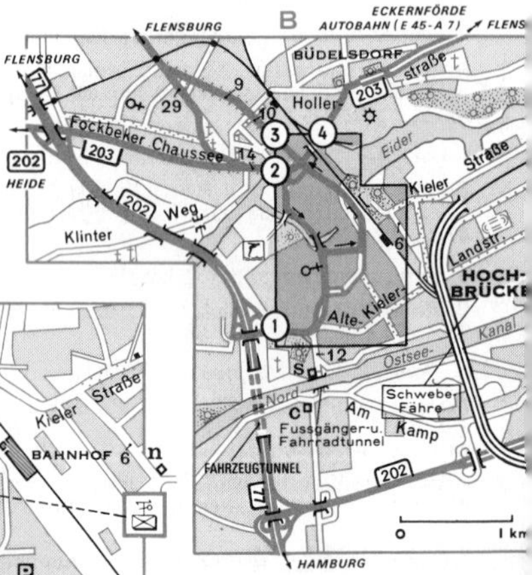

Am Holstentor . . . . A 4
Bahnhofstraße . . . . A 5
Gerhardstraße . . . . B 1(
Hohe Straße . . . . A 1
Jungfernstieg . . . . A 1
Mühlenstraße . . . . A 2
Schiffbrückenplatz . . . . A 2
Schleifmühlenstraße . . . . A 2
Thormannplatz . . . . A 3

Am Gerhardsdamm . . . . A 2
Am Gymnasium . . . . A 3
Bismarckstraße . . . . A 6
Brückenstraße . . . . A 7
Flensburger Straße . . . . B 9
Hindenburgstraße . . . . AB 1
Hollesenstraße . . . . AB 1
Materialhofstraße . . . . A 2(
Prinzessinstraße . . . . A 2
Schleswiger Chaussee . . . . B 2

Conventgarten ⑤, Hindenburgstr. 38, ✆ 5 90 50, Fax 590565, ≤, 🏨 - |$| TV ☎ P - 25/350. AE ① E VISA. ✗ B **s**
M a la carte 28/60 - **46 Z : 96 B** 95 - 140 Fb.

Pelli-Hof - Restaurant Klöndeel (historisches Gebäude a.d.J. 1720), Materialhofstr. 1, ✆ 2 22 16, Fax 23837, 🏨 - TV ☎ P - 25/100. AE ① E VISA A **e**
M a la carte 35/60 - **28 Z : 39 B** 85/95 - 130/200 Fb.

Tüxen Hotel, Lancasterstr. 44, ✆ 2 70 99, Fax 27090 - TV ☎ P. AE ① E VISA
M *(nur Abendessen, Samstag geschl.)* a la carte 30/54 - **20 Z : 40 B** 85 - 130 Fb.
über Kieler Straße B

Neuwerk, Königstr. 4, ✆ 53 66, Fax 27546 - TV ☎ P. AE ① E VISA A **s**
M *(Samstag und Sonntag nur Abendessen)* a la carte 26/55 - **21 Z : 37 B** 75 - 110 Fb.

Schützenheim ⑤, Itzehoer Chaussee (Am Südufer des Kanals), ✆ 8 90 41 - TV ☎ P. AE ① E VISA B **c**
M a la carte 26/48 - **12 Z : 20 B** 55/65 - 91/105 Fb.

Hansen, Bismarckstr. 29, ✆ 2 25 50, Fax 21647 - ⇔ - 30. AE ① E VISA A **n**
M *(Sonntag und 11. Juli - 2. Aug. geschl.)* a la carte 31/54 - **28 Z : 44 B** 45/75 - 85/120.

Am Bistensee ④ : 13 km über Büdelsdorf-Holzbunge :

Töpferhaus ⑤, ✉ 2371 Alt-Duvenstedt, ✆ (04338) 4 02, Fax 551, ≤ Bistensee, 🏨, ≘s, ✗ - TV ☎ P - 25/60. AE ① E VISA
M *(Montag geschl.)* a la carte 39/73 - **30 Z : 45 B** 110/130 - 180/220 Fb.

RENGSDORF **5455.** Rheinland-Pfalz 987 ㉔, 412 F 15 - 2 500 Ew - Höhe 300 m - Heilklimatischer Kurort - ☎ 02634.
Kurverwaltung, Westerwaldstr. 32 a, ✆ 23 41.
Mainz 118 - ♦Bonn 57 - ♦Koblenz 31.

Obere Mühle ⑤, an der Straße nach Hardert (N : 1 km), ✆ 22 29, 🏨, « Park », ≘s, 🏊, 🌳 - TV ☎ P - 25. ✗ Zim
15. Nov.- 15. Dez. geschl. - **M** *(Dienstag geschl.)* a la carte 29/57 - **17 Z : 30 B** 60/80 - 120/160.

Zur Linde, Westerwaldstr. 35, ✆ 21 55, 🏨, ≘s - |$| ☎ P - 25/80. AE ① E VISA
M a la carte 29/68 - **62 Z : 98 B** 50/90 - 90/160 Fb - ½ P 74/119.

Schmitz und Gästehaus Tanneneck, Friedrich-Ebert-Str. 8, ✆ 22 85, 🌳
M a la carte 20/40 - **30 Z : 50 B** 40/80 - 70/140.

Rengsdorfer Hof, Westerwaldstr. 26, ✆ 22 13, 🌳 - AE E VISA
10.- 25. Jan. geschl. - **M** *(Mittwoch geschl.)* a la carte 21/38 - **30 Z : 45 B** 45 - 90.

Am Wellenbad ⑤ mit Zim, Buchenweg 18, ✆ 14 22 - ⇔ P. AE ① E VISA. ✗ Zim
7.- 31. Jan. geschl. - **M** *(Dienstag geschl.)* a la carte 25/47 - **8 Z : 14 B** 38/55 - 76/110.

In Hardert **5455** NO : 3 km :

Zur Post ⑤, Mittelstr. 13, ✆ (02634) 27 27, « Garten » - ⇔ P
13 Z : 21 B.

Forst - Restaurant Schlemmereule ⑤ mit Zim, Mittelstr. 5, ✆ (02634) 23 23, Fax 3316, 🏨, « Garten », 🌳 - TV P
März 2 Wochen geschl. - **M** *(Dienstag geschl.)* a la carte 42/66 - **8 Z : 14 B** 50 - 100.

In Straßenhaus **5457** NO : 7 km :

Westfälischer Hof, Raiffeisenstr. 9, ✆ (02634) 40 70, Biergarten, ≘s, 🏊 - ☎ ⇔. AE E
M *(Donnerstag geschl.)* a la carte 27/52 - **24 Z : 46 B** 60 - 110.

RENNEROD **5439.** Rheinland-Pfalz 987 ㉔, 412 H 15 - 3 800 Ew - Höhe 450 m - ☎ 02664.
Mainz 87 - Limburg an der Lahn 28 - Siegen 42.

Röttger (mit Gästehaus ⑤, 🏊, ≘s, 🌳), Hauptstr. 50, ✆ 10 75 - TV ☎ ⇔ P. E VISA
Juli - Aug. 2 Wochen geschl. - Menu *(Sonntag 18 Uhr - Montag geschl.)* a la carte 28/59 - **Gourmet - Stübchen** *(Schließungszeiten wie Restaurant)* **M** a la carte 48/74 - **14 Z : 25 B** 68/75 - 110/150.

RENNINGEN Baden-Württemberg siehe Leonberg.

RESTHAUSEN Niedersachsen siehe Cloppenburg.

REUTLINGEN **7410.** Baden-Württemberg 413 K 21, 987 ㉟ - 109 000 Ew - Höhe 382 m - ☎ 07121.
Fremdenverkehrsamt, Listplatz 1, ✆ 30 35 26, Fax 339590.
ADAC, Lederstr. 102, ✆ 34 00 00, Telex 729545.
♦Stuttgart 41 ① - Pforzheim 77 ① - ♦Ulm (Donau) 75 ①.

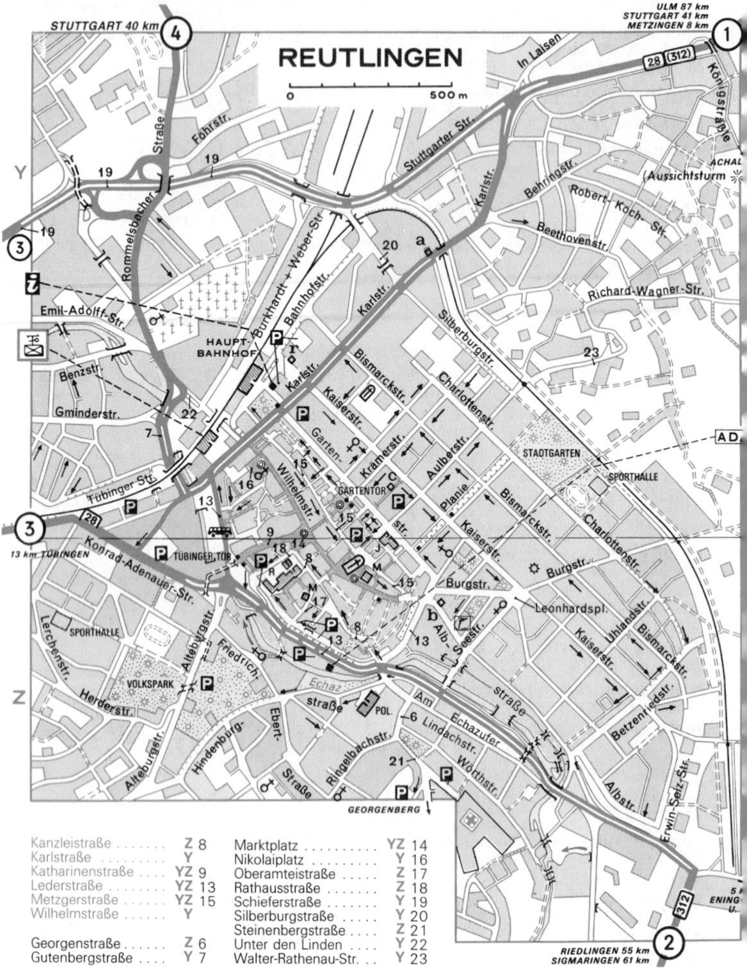

Kanzleistraße	Z 8	Marktplatz	YZ 14
Karlstraße	Y	Nikolaiplatz	Y 16
Katharinenstraße	YZ 9	Oberamteistraße	Z 17
Lederstraße	YZ 13	Rathausstraße	Z 18
Metzgerstraße	YZ 15	Schieferstraße	Y 19
Wilhelmstraße	Y	Silberburgstraße	Y 20
		Steinenbergstraße	Z 21
Georgenstraße	Z 6	Unter den Linden	Y 22
Gutenbergstraße	Y 7	Walter-Rathenau-Str.	Y 23

Fürstenhof, Kaiserpassage 5, ✆ 31 80, Telex 729976, Fax 318318, , , - Zim TV ♿ - 25/80. AE ⓓ E VISA Y
M *(Sonntag - Montag geschl.)* a la carte 52/84 - **Zum Landgraf** *(Samstag geschl.)* **M** a la carte 34/53 - **98 Z : 116 B** 145/190 - 190/210 Fb.

Württemberger Hof, Kaiserstr. 3, ✆ 1 70 56, Fax 44385 - TV ☎ ℗. AE ⓓ E VISA. Rest
M *(nur Abendessen, Freitag - Sonntag geschl.)* a la carte 35/48 - **50 Z : 68 B** 83/120 - 135/160 Fb. Y

Stadt Reutlingen, Karlstr. 55, ✆ 4 23 91 - ℗. AE ⓓ E Y
Samstag geschl. - **M** *(auch vegetarische Gerichte)* a la carte 41/68.

Zum goldenen Stern mit Zim, Burgplatz 2, ✆ 33 87 86, Fax 338195, bemerkenswerte Weinkarte Z
Ende Juli - Mitte Aug. geschl. - **M** *(Samstag 15 Uhr - Sonntag geschl.)* a la carte 35/66 - **6 Z : 10 B** 48/60 - 85/100.

Ratskeller, Marktplatz 22, ✆ 33 84 90, - 25/120 Z

Auf der Achalm O : 4,5 km, Zufahrt über Königssträßle Y - Höhe 707 m

Achalm , ✉ 7410 Reutlingen, ✆ (07121) 48 20, Fax 482100, ≤ Reutlingen und Schwäbische Alb, - TV ☎ ℗ - 25/100. AE ⓓ E VISA
24.- 30. Dez. geschl. - **M** siehe Höhenrestaurant Achalm - **43 Z : 68 B** 90/200 - 170/250 Fb.

XX **Höhenrestaurant Achalm**, ✉ 7410 Reutlingen, ✆ (07121) 48 23 33, ← Reutlingen und Schwäbische Alb, 🍴 - P. AE ⓓ E VISA
M a la carte 39/73.

In Reutlingen 11-Betzingen über ③ : 4 km :

Fortuna, Carl-Zeiss-Str. 75 (nahe der B 28), ✆ 58 40, Fax 584113, 🍴, ≘s - |☰| TV ☎ P - 🏔 25/200. AE ⓓ E VISA
M *(Sonn- und Feiertage geschl.)* a la carte 39/64 - **100 Z : 170 B** 98/150 - 170/180.

X **Lindner Grill,** Julius-Kemmler-Str. 35 (nahe der B 28), ✆ 5 25 98, Fax 56724 - P. AE E VISA
Sonn- und Feiertage geschl. - **M** a la carte 30/60.

In Reutlingen 27-Mittelstadt ① : 10 km :

Klostermühle, Neckartenzlinger Str. 90, ✆ (07127) 72 92, Fax 71279 - TV ☎ 🚗 P - 🏔 25/80. AE ⓓ E VISA
Aug. 2 Wochen geschl. - **M** *(Dienstag geschl.)* a la carte 35/58 - **14 Z : 18 B** 70/80 - 130.

In Eningen unter Achalm **7412** O : 5 km Z :

Eninger Hof, Am Kappelbach 24, ✆ (07121) 8 29 09, 🍴 - ☎ P - **16 Z : 24 B**.

RHEDA-WIEDENBRÜCK **4840.** Nordrhein-Westfalen 411 412 H 11, 987 ⑭ - 38 000 Ew - Höhe 73 m - ✆ 05242.
♦Düsseldorf 151 - Bielefeld 33 - Münster (Westfalen) 54 - Paderborn 36.

Im Stadtteil Rheda :

Reuter, Bleichstr. 3, ✆ 4 20 52, Fax 42788 - |☰| TV ☎ P. ⓓ E VISA
23. Dez.- 1. Jan. geschl. - Menu *(Freitag 15 Uhr - Samstag, 1.- 5. Jan. und Juli - Aug. 3 Wochen geschl.)* 30/85 - **28 Z : 40 B** 40/82 - 100/120.

Im Stadtteil Wiedenbrück :

Romantik-Hotel Ratskeller, Markt 11 (Eingang auch Langestraße), ✆ 70 51, Fax 7256, « Historische Gasträume mit rustikaler Einrichtung », ≘s - |☰| TV ☎ 🚗 - 🏔 30. AE ⓓ E VISA
M a la carte 40/71 - **38 Z : 60 B** 90/145 - 150/200 Fb.

Im Stadtteil Lintel O : 4 km über die B 64 :

Landhotel Pöppelbaum, Am Postdamm 86, ✆ 76 92, 🍴 - ☎ 🚗 P - 🏔 30. E
M *(Montag geschl.)* a la carte 28/52 - **15 Z : 24 B** 60 - 120.

RHEINAU Baden-Württemberg siehe Kehl.

RHEINBERG **4134.** Nordrhein-Westfalen 411 412 C 12, 987 ⑬ - 26 700 Ew - Höhe 25 m - ✆ 02843.
♦Düsseldorf 51 - ♦Duisburg 25 - Krefeld 29 - Wesel 17.

Rheintor, Rheinstr. 63, ✆ 30 31 - TV ☎ 🚗 P
24.- 31. Dez. geschl. - **M** *(Samstag geschl.)* a la carte 31/60 - **14 Z : 22 B** 60/65 - 120.

RHEINBREITBACH **5342.** Rheinland-Pfalz 412 E 15 - 4 000 Ew - Höhe 80 m - ✆ 02224 (Bad Honnef). - Mainz 140 - ♦Bonn 20 - ♦Koblenz 49.

Haus Bergblick 🐦, Gebr.-Grimm-Str. 11, ✆ 56 01, 🍴 - 🚗. ✂ Zim
M *(Mittwoch geschl.)* a la carte 26/46 - **17 Z : 35 B** 55/65 - 98/175.

RHEINBROHL **5456.** Rheinland-Pfalz 412 F 15 - 4 000 Ew - Höhe 65 m - ✆ 02635.
Mainz 124 - ♦ Bonn 37 - ♦ Koblenz 35.

X **Klauke's Krug** mit Zim, Kirchstr. 11, ✆ 24 14, Biergarten - P. AE ⓓ E VISA
März geschl. - **M** *(Dienstag geschl.)* a la carte 34/60 - **6 Z : 10 B** 40/45 - 80/90.

RHEINE **4440.** Nordrhein-Westfalen 411 412 F 10, 987 ⑭ - 69 000 Ew - Höhe 45 m - ✆ 05971.
ℹ Verkehrsverein-Tourist Information, Bahnhofstr. 14, ✆ 5 40 55.
ADAC, Tiefe Str. 32, ✆ 5 71 11, Notruf ✆ 1 92 11.
♦Düsseldorf 166 - Enschede 45 - Münster (Westfalen) 45 - ♦Osnabrück 46.

Lücke, Heilig-Geist-Platz 1, ✆ 5 40 64, Fax 2008, ≘s - |☰| TV ☎ 🚗 P - 🏔 25/100. AE ⓓ E VISA
M *(Sonntag geschl.)* a la carte 37/59 - **39 Z : 65 B** 115/125 - 145/165 Fb.

Zum Alten Brunnen, Dreierwalder Str. 25, ✆ 8 80 61, Fax 87802, « Gartenrestaurant » - TV ☎ 🚗 P. E
24. Dez.- 1. Jan. geschl. - **M** a la carte 33/65 - **19 Z : 21 B** 85/110 - 135/155.

Freye 🐦 garni, Emsstr. 1, ✆ 20 69 - ☎. AE ⓓ E VISA. ✂
17 Z : 25 B 45/75 - 78/120.

XX **Petitos Bistro,** Sandkampstr. 148/Bonifatiusstraße, ✆ 6 52 34, Fax 799420 – ✻
Montag - Mittwoch nur Mittagessen, Samstag, Sonn- und Feiertage, Juli - Aug. 3 Wochen un Dez. 2 Wochen geschl. – **M** a la carte 48/60.

In Rheine 11-Elte SO : 7,5 km :

XX **Zum Splenterkotten** mit Zim (Münsterländer Bauernhaus a.d.J. 1764), Ludgerusring 4 ✆ (05975) 2 85, Biergarten – TV ☎ P
9.- 24. März geschl. – **M** *(Montag - Dienstag geschl.)* a la carte 30/59 – **2 Z : 4 B** 80 - 14

X Hellhügel mit Zim, Roßweg 1, ✆ (05975) 81 48 – P – **9 Z : 12 B**.

In Rheine 11-Mesum SO : 7 km :

XX **Altes Gasthaus Borcharding** mit Zim, Alte Bahnhofstr. 13, ✆ (05975) 12 70, Fax 350 « Stilvolle, rustikale Einrichtung, Innenhofterrasse » – TV ☎ P – 25/60. E VISA ✻
April 2 Wochen geschl. – **M** *(bemerkenswerte Weinkarte)* (Donnerstag - Freitag 18 Uhr gesch a la carte 36/65 – **9 Z : 18 B** 50/95 - 95/150.

In Salzbergen **4442** NW : 9 km :

Zur Ems, Emsstr. 12, ✆ (05976) 10 11, – ☎ P
20. Dez.- 10. Jan. geschl. – **M** *(Montag bis 17 Uhr geschl.)* a la carte 19/46 – **19 Z : 34 B** 45/5 - 85.

RHEINFELDEN **7888.** Baden-Württemberg 413 G 24, 987 ㉞, 427 H 3 – 28 000 Ew – Höhe 283 – ✆ 07623.

♦Stuttgart 284 – Basel 19 – Bad Säckingen 15.

Danner, Am Friedrichsplatz, ✆ 85 34, Fax 63973 – TV ☎ P – 25/100. AE E VISA
M a la carte 28/60 – **36 Z : 60 B** 70/112- 112/140 Fb.

Oberrhein garni, Werderstr. 13, ✆ 10 16 – TV ☎ . ✻
21 Z : 32 B Fb.

In Rheinfelden-Eichsel N : 6 km :

XX **Café Elke,** Saaleweg 8, ✆ 44 37, « Gartenterrasse mit < » – P
Montag - Dienstag geschl. – **M** *(auch vegetarische Gerichte)* a la carte 34/65 .

In Rheinfelden-Herten W : 6 km :

Linde, Rabenfelsstr. 1, ✆ 43 65, – P
Juli geschl. – **M** *(Donnerstag-Freitag 16 Uhr geschl.)* a la carte 31/50 – **8 Z : 15 B** 31 - 6

In Rheinfelden-Riedmatt NO : 5 km :

Storchen, Brombachstr. 3 (an der B 34), ✆ 51 94, Fax 5198, – TV ☎ P. E VIS
1.- 15. Jan. geschl. – **M** *(auch vegetarische Gerichte)* (Freitag - Samstag 16 Uhr geschl.) 29/8 – **30 Z : 44 B** 80/90 - 120/140 Fb.

RHEINSTETTEN **7512.** Baden-Württemberg 413 HI 20 – 18 500 Ew – Höhe 116 m – ✆ 0724

♦Stuttgart 88 – ♦ Karlsruhe 10 – Rastatt 14.

In Rheinstetten-Neuburgweier :

XX **Zum Karpfen,** Markgrafenstr. 2, ✆ 18 73, Biergarten – E
Montag - Dienstag 18 Uhr und 17. Feb.- 8. März geschl. – **M** a la carte 32/55.

RHEINTAL Rheinland-Pfalz 987 ㉔, 412 G 16.

Sehenswert : Tal★★★ von Bingen bis Koblenz (Details siehe unter den erwähnte Rhein-Orten).

RHENS **5401.** Rheinland-Pfalz 412 F 16 – 3 000 Ew – Höhe 66 m – ✆ 02628.

Verkehrsamt, Rathaus, ✆ 7 51.

Mainz 95 – Boppard 12 – ♦Koblenz 9.

XX **Königstuhl** mit Zim, Am Rhein 1, ✆ 22 44, <, , « Haus a.d.J. 1573 mit altdeutsche Einrichtung » – P. AE E VISA
Jan. geschl. – **M** *(Montag geschl.)* a la carte 35/65 – **12 Z : 22 B** 55/85 - 98/130.

RICKENBACH **7884.** Baden-Württemberg 413 G 24, 427 H 3, 216 ⑤ – 3 500 Ew – Höhe 742 – Erholungsort – ✆ 07765. – Hennematt 7, ✆ 88 83 00.

Verkehrsamt, Rathaus, ✆ 10 17.

♦Stuttgart 216 – Basel 42 – Bad Säckingen 11 – Todtmoos 17.

Alemannenhof Engel, Hauptstr. 6, ✆ 2 59, Fax 1079, Wildgehege, , – TV ☎ P – 25/280. AE E VISA
M *(7.- 27. Jan. geschl.)* a la carte 25/59 – **64 Z : 124 B** 80/100 - 140/170.

RIEDENBURG **8422.** Bayern 413 RS 20, 987 ㉗ – 5 000 Ew – Höhe 354 m – Luftkurort – ☎ 09442. – ℹ Haus des Gastes, Marktplatz, ✆ 25 40.
♦München 132 – Ingolstadt 59 – ♦Nürnberg 108 – ♦Regensburg 40.

Tachensteiner Hof, Burgstr. 28, ✆ 17 23, –
15. Nov.- 15. Dez. geschl. – **M** *(Nov.-Feb. Mittwoch geschl.)* a la carte 24/40 – **12 Z : 23 B** 36/50 - 70/80.

In Riedenburg-Obereggersberg W : 4 km :

Schloß Eggersberg, Haus-Nr. 1, ✆ 14 98, Fax 2845, ←, – . E VISA
Jan.- Feb. geschl. – **M** *(Montag geschl.)* a la carte 41/64 – **15 Z : 26 B** 65/120 - 90/195.

RIEDENER MÜHLEN Rheinland-Pfalz siehe Mayen.

RIEDERICH Baden-Württemberg siehe Metzingen.

RIEDLINGEN **7940.** Baden-Württemberg 413 L 22, 987 ㉟ – 8 500 Ew – Höhe 540 m – ☎ 07371.
♦Stuttgart 96 – ♦Freiburg im Breisgau 159 – Ravensburg 51 – ♦Ulm (Donau) 53.

Brücke, Hindenburgstr. 4, ✆ 1 22 66, Fax 13015, – – 60. AE E VISA
M a la carte 23/50 – **35 Z : 68 B** 70 - 112/130 Fb.

Mohren, Marktplatz 7, ✆ 73 20, Fax 13119 – – 25/80. Zim
1.- 12. Jan. und Ende Juli - Mitte Aug. geschl. – **M** *(Montag geschl.)* a la carte 22/45 – **35 Z : 50 B** 34/52 - 56/80.

RIEGEL **7839.** Baden-Württemberg 413 G 22, 987 ㉞, 242 ㉜ – 2 700 Ew – Höhe 183 m – ☎ 07642 (Endingen).
♦Stuttgart 187 – ♦Freiburg im Breisgau 25 – Offenburg 45.

Riegeler Hof, Hauptstr. 69, ✆ 14 68, Fax 3653 – . AE E VISA.
M *(wochentags nur Abendessen, Sonntag 15 Uhr - Montag und Mitte Jan.- Mitte Feb. geschl.)* a la carte 29/57 – **50 Z : 100 B** 75 - 120 Fb.

In Malterdingen **7831** O : 2 km :

Zum Rebstock, Hauptstr. 45, ✆ (07644) 61 66, Fax 1716 – . AE E VISA
23. Dez.- 21. Jan. geschl. – **M** *(Samstag bis 16 Uhr und Sonntag geschl.)* a la carte 26/54 – **22 Z : 40 B** 50/65 - 78/85.

XX **Landhaus Keller,** Gartenstr. 21, ✆ (07644) 13 88, – . AE E
Donnerstag geschl. – **M** a la carte 45/68 -(Gästehaus mit 17 Z ab Frühjahr 1992).

RIEGSEE Bayern siehe Murnau.

RIELASINGEN-WORBLINGEN Baden-Württemberg siehe Singen (Hohentwiel).

RIENECK **8786.** Bayern 412 413 L 16 – 2 200 Ew – Höhe 170 m – Erholungsort – ☎ 09354.
♦München 325 – Fulda 72 – ♦Würzburg 45.

Gut Dürnhof, Burgsinner Str. 3 (N : 1 km), ✆ 10 01, Fax 1512, « Gartenterrasse », , , (Halle) – – 25/40. E VISA
M a la carte 37/55 – **33 Z : 63 B** 85/115 - 130/160 Fb.

RIESSERSEE Bayern siehe Garmisch-Partenkirchen.

RIETBERG **4835.** Nordrhein-Westfalen 411 412 I 11, 987 ⑭ – 23 500 Ew – Höhe 83 m – ☎ 05244. – 18 Gütersloher Str. 127, ✆ 23 40.
♦Düsseldorf 160 – Bielefeld 35 – Münster (Westfalen) 63 – Paderborn 27.

In Rietberg 3-Mastholte SW : 7 km :

XX ✿ **Domschenke,** Lippstädter Str. 1, ✆ (02944) 3 18 – .
Samstag bis 19 Uhr, Dienstag, 4.- 21. Jan. und 23. Juli - 19. Aug. geschl. – **M** (abends Tischbestellung ratsam) 59/116
Spez. Lachs mit Algen und Jacobsmuscheln, Überbackener Lammrücken, Karamelisierter Blätterteig mit Früchten.

RIEZLERN Österreich siehe Kleinwalsertal.

RIMBACH **8491.** Bayern 413 V 19 – 1 900 Ew – Höhe 560 m – Erholungsort – ☎ 09941 (Kötzting). – ℹ Verkehrsamt, Hohenbogenstr. 10, ✆ 89 31.
♦München 202 – Cham 20 – Deggendorf 53.

Bayerischer Hof, Dorfstr. 32, ✆ 23 14, Fax 2315, , , , –
100 Z : 200 B Fb.

RIMBACH Hessen siehe Fürth im Odenwald.

RIMPAR **8709.** Bayern 413 M 17 – 7 000 Ew – Höhe 224 m – ☎ 09365.

◆ München 285 – ◆Nürnberg 90 – Schweinfurt 35 – ◆Würzburg 9,5.

✗ **Schloßgaststätte,** im Schloß Grumbach, ☎ 38 44, 🏞, « Ehemaliges Jagdschloß a.d. 1603 » – Ⓟ
Mittwoch und 9. Juni - 8. Juli geschl. – **M** a la carte 25/45 ₰.

RIMSTING **8219.** Bayern 413 U 23 – 2 900 Ew – Höhe 563 m – Luftkurort – ☎ 08051 (Prien am Chiemsee).

Sehenswert: Chiemsee★.

🅸 Verkehrsamt, Rathaus, Schulstr. 4, ☎ 44 61, Fax 61694.

◆München 87 – Rosenheim 20 – Wasserburg am Inn 24.

In Rimsting-Greimharting SW : 4 km – Höhe 668 m

Der Weingarten ⛰, Ratzingerhöhe, ☎ 17 75, ≤ Voralpenlandschaft, Chiemsee und Alpen, 🏞, 🌳 – 🚗 Ⓟ
M *(Freitag geschl.)* a la carte 22/48 – **20 Z : 40 B** 40/45 - 80/90.

In Rimsting-Schafwaschen NO : 1 km, am Chiemsee :

Seehof ⛰, ☎ 16 97, ≤, 🏞, ⛵, 🌳 – 🚗 Ⓟ
Okt.- Nov. 3 Wochen geschl. – **M** *(Dienstag geschl.)* a la carte 19/44 ₰ – **18 Z : 35 B** 40/50 - 76/95.

RINGELAI **8391.** Bayern 413 X 20, 426 M 2 – 960 Ew – Höhe 410 m – Erholungsort – ☎ 0855 (Perlesreut).

◆München 209 – Passau 33 – ◆Regensburg 138.

Wolfsteiner Ohe ⛰, Perlesreuter Str. 5, ☎ 5 76, 🏞, ≘s, 🏊, 🌳 – ☎ Ⓟ
9. Nov.- 3. Dez. geschl. – **M** *(im Winter Montag geschl.)* a la carte 18/30 ₰ – **26 Z : 46 B** 40/4 - 68/80 Fb.

RINGGAU **3448** Hessen 412 N 13 – 3 600 Ew – Höhe 300 m – ☎ 05659.

◆ Wiesbaden 211 – Göttingen 65 – Bad Hersfeld 47 – ◆Kassel 37.

In Ringgau - Datterode NW : 6 km :

Danica ⛰, Lohgasse 23, ☎ (05658) 10 47, 🏞, ≘s, 🏊, 🌳 – ☎ Ⓟ – 🎪 40
35 Z : 65 B Fb.

RINGSHEIM **7636.** Baden-Württemberg 413 G 22, 242 ㉘, 62 ⑳ – 2 000 Ew – Höhe 166 m – ☎ 07822.

◆Stuttgart 175 – ◆Freiburg im Breisgau 35 – Offenburg 33.

Heckenrose, an der B 3, ☎ 14 84, Fax 3764 – 🛗 ☎ Ⓟ – 🎪 40. E VISA
M *(Montag bis 17 Uhr geschl.)* a la carte 26/50 ₰ – **27 Z : 60 B** 50/100 - 95/150 Fb.

RINTELN **3260.** Niedersachsen 411 412 K 10, 987 ⑮ – 27 500 Ew – Höhe 55 m – ☎ 05751

🅸 Fremdenverkehrsbüro, Am Markt 7, ☎ 40 31 58.

◆Hannover 60 – Bielefeld 61 – Hameln 27 – ◆Osnabrück 91.

Der Waldkater ⛰, Waldkaterallee 27, ☎ 1 79 80, Fax 179883, 🏞, ≘s – 🛗 📺 ☎ 🚗 Ⓟ – 🎪 25/100. AE ⓓ E VISA
M a la carte 38/67 – **31 Z : 60 B** 115/150 - 185/270 Fb.

Zum Brückentor garni, Weserstr. 1, ☎ 4 20 95, Fax 44762 – 🛗 📺 ☎ Ⓟ. AE ⓓ E VISA 🚫
22 Z : 40 B 80/100 - 120 Fb.

Stadt Kassel, Klosterstr. 42, ☎ 4 40 64, Fax 44066 – 📺 ☎ Ⓟ
22 Z : 38 B.

In Rinteln 1-Todenmann NW : 3 km – Erholungsort :

Altes Zollhaus, Hauptstr. 5, ☎ 7 40 57, Fax 7761, ≤, 🏞, ≘s – 📺 ☎ ♿ Ⓟ – 🎪 25/50 AE ⓓ E VISA
M a la carte 31/65 – **21 Z : 36 B** 80/120 - 110/190 Fb.

Weserberghaus ⛰ garni, Weserberghausweg 1, ☎ 7 68 87, ≤, « Garten », ≘s, 🏊, 🌳 – Ⓟ. 🚫
22 Z : 33 B 35/60 - 80/104.

Nahe der BAB-Ausfahrt Bad Eilsen Ost NO : 5 km :

Schlingmühle, Bückebergstr. 2, ✉ 3061 Buchholz, ☎ (05751) 60 86, 🏞 – 📺 ☎ Ⓟ
11 Z : 18 B.

RIPPOLDSAU-SCHAPBACH, BAD **7624.** Baden-Württemberg 413 H 21, 987 ㉟ – 2 500 Ew – Höhe 564 m – Heilbad – Luftkurort – ☎ 07440.

ℹ Kurverwaltung, Kurhaus (Bad Rippoldsau), ☎ 7 22, Fax 529.

♦Stuttgart 106 – Freudenstadt 15 – Offenburg 55.

Im Ortsteil Bad Rippoldsau :

Kranz, Reichenbachstr. 2, ☎ 7 25, Fax 511, Massage, – ☎ P
15. Nov.- 15. Dez. geschl. – **M** a la carte 27/68 – **31 Z : 50 B** 90/125 - 160/180 – ½ P 100/120.

Zum letzten G'stehr, Wolftalstr. 17, ☎ 7 14, Fax 514, – ☎ P. E
Jan. 2 Wochen und Mitte Nov.- 20. Dez. geschl. – **M** *(Dienstag geschl.)* a la carte 22/41 – **21 Z : 36 B** 56/60 - 104/136 Fb – ½ P 70/74.

Klösterle Hof, Klösterleweg 2, ☎ 2 15, – P. Zim
20. Nov.- 25. Dez. geschl. – **M** *(Dienstag geschl.)* a la carte 24/53 – **10 Z : 15 B** 42 - 80 – ½ P 52.

Im Ortsteil Schapbach S : 10 km – ☎ 07839 :

Ochsenwirtshof, Wolfacher Str. 21, ☎ 2 23, – P. Zim
5. Nov.- 15. Dez. geschl. – **M** *(Donnerstag geschl.)* a la carte 25/46 – **21 Z : 40 B** 52 - 95 Fb – ½ P 65.

Sonne, Dorfstr. 31, ☎ 2 22, – P
M *(Montag geschl.)* a la carte 24/45 – **13 Z : 26 B** 45/50 - 75/95.

Adler, Dorfstr. 6, ☎ 2 15, – P – **9 Z : 20 B** Fb.

Im Ortsteil Bad Rippoldsau-Wildschapbach NW : 3 km ab Schapbach :

Grüner Baum, Wildschapbachstr. 15, ☎ (07839) 2 18, – P. Zim
10.- 31. Jan. geschl. – **M** *(Dienstag geschl.)* a la carte 20/47 – **7 Z : 15 B** 35 - 60.

RITTERSDORF Rheinland-Pfalz siehe Bitburg.

RIVERIS Rheinland-Pfalz siehe Waldrach.

ROCKENHAUSEN **6760.** Rheinland-Pfalz 412 G 18 – 5 800 Ew – Höhe 203 m – ☎ 06361.

Mainz 63 – Kaiserslautern 36 – Bad Kreuznach 30.

Pfälzer Hof, Kreuznacher Str. 30, ☎ 79 68, – TV ☎ P
23. Dez.- 10. Jan. geschl. – **M** *(Montag geschl.)* a la carte 19,50/37 – **15 Z : 30 B** 55/65 - 85/90 Fb.

RODACH **8634.** Bayern 413 P 15, 987 ㉖ – 6 100 Ew – Höhe 320 m – Erholungsort mit Heilquellenkurbetrieb – ☎ 09564. – ℹ Kurverwaltung, Markt 1 (Rathaus), ☎ 15 50.

♦München 300 – Coburg 18.

Kurhotel am Thermalbad, Kurring 2, ☎ 2 07, Fax 206, – ☎ P. Zim
M *(8.- 22. Jan. geschl.)* a la carte 26/53 – **50 Z : 96 B** 67/76 - 100/130 Fb – 12 Fewo 52/73.

Zur Alten Molkerei, Ernststr. 6, ☎ 83 80, Fax 838155, – TV ☎ P
M *(Mahlzeiten im Restaurant Roesler-Stuben)* (wochentags nur Abendessen, Donnerstag und Mitte - Ende Aug. geschl.) a la carte 26/50 – **38 Z : 69 B** 49/88 - 86/108 Fb.

Rodacher Hof, Am Markt 13, ☎ 7 27 – P – **14 Z : 24 B.**

In Rodach-Gauerstadt SO : 4,5 km :

Gasthof Wacker, Billmuthäuser Str. 1, ☎ 2 25, – ☎ P
7.- 24. Jan. und Aug. 2 Wochen geschl. – **M** *(Mittwoch - Donnerstag 17 Uhr geschl.)* a la carte 18/37 – **17 Z : 31 B** 28/36 - 50/70.

In Rodach-Heldritt NO : 3 km :

Pension Tannleite, Obere Tannleite 4, ☎ 7 44 – ☎ P
Mitte Nov.- Mitte Dez. geschl. – **M** *(nur Abendessen, Mittwoch geschl.)* a la carte 18,50/29 – **13 Z : 25 B** 38 - 60 Fb – 15 Fewo 42/75.

RODALBEN **6782.** Rheinland-Pfalz 412 413 F 19, 242 ⑧, 87 ① – 7 800 Ew – Höhe 260 m – ☎ 06331 (Pirmasens). – ℹ Verkehrsverein, Hauptstr. 110, ☎ 1 70 22.

Mainz 119 – Kaiserslautern 32 – Pirmasens 6.

Zum Grünen Kranz - Villa Bruderfels, Pirmasenser Str. 2, ☎ 1 80 36, Fax 16156 – TV ☎ P. AE E VISA
M *(Freitag geschl.)* a la carte 31/52 – **28 Z : 51 B** 46/58 - 86/100 Fb.

Pfälzer Hof mit Zim, Hauptstr. 108, ☎ 1 71 23, Fax 16379 – TV ☎ P – 25/40. AE E VISA.
6.- 27. Juli geschl. – **M** *(Donnerstag ab 18 Uhr und Montag geschl.)* a la carte 21/34 – **8 Z : 16 B** 60 - 110.

RODENBACH (MAIN-KINZIG-KREIS) Hessen siehe Hanau am Main.

RODGAU **6054.** Hessen 412 413 J 16 – 39 500 Ew – Höhe 128 m – ☎ 06106.
♦Wiesbaden 54 – Aschaffenburg 27 – ♦Frankfurt am Main 21.

In Rodgau 6-Weiskirchen :

Darmstädter Hof, Schillerstr. 7, ✆ 1 20 21 (Hotel) 1 80 20 (Rest.) – TV ☎ P
26 Z : 47 B Fb.

Siehe auch : ***Seligenstadt***

RODING **8495.** Bayern 413 U 19, 987 ㉗ – 10 400 Ew – Höhe 370 m – ☎ 09461.
Verkehrsamt, Rathaus, Schulstr. 12, ✆ 10 66, Fax 669.
♦München 163 – Amberg 62 – Cham 15 – ♦Regensburg 41 – Straubing 39.

Brauereigasthof Brantl, Schulstr. 1, ✆ 6 75, – P
M *(Mittwoch und 1.- 8. Juli geschl.)* a la carte 15/29 – **16 Z : 30 B** 35 - 60.

Blümelhuber, Blümelhubergasse 15, ✆ 25 83, Biergarten, – P
21 Z : 40 B.

In Roding-Mitterdorf NW : 1 km :

Hecht, Hauptstr. 7, ✆ 22 94, – P
Ende Okt.- Mitte Nov. geschl. – **M** a la carte 14/27 – **15 Z : 30 B** 40 - 60.

In Roding-Neubäu NW : 9 km :

Am See, Seestr. 1, ✆ (09469) 3 41, Fax 403, ≤, – P – 25/80.
M a la carte 18/38 – **57 Z : 120 B** 45/65 - 70/100.

RÖDELSEE Bayern siehe Iphofen.

RÖDENTAL Bayern siehe Coburg.

RÖDERMARK **6074.** Hessen 412 413 J 17, 987 ㉕ – 26 000 Ew – Höhe 141 m – ☎ 06106 (Rodgau). – ♦Wiesbaden 54 – Aschaffenburg 30 – ♦Darmstadt 25 – ♦Frankfurt am Main 23.

In Rödermark - Ober-Roden :

Parkhotel Atlantis, Niederröder Str. 24 (NO : 1,5 km), ✆ 7 09 20, Telex 413555, Fax 7092282, « Gartenterrasse », – Zim TV P – 25/300. AE E VISA. Rest
Weihnachten - Anfang Jan. geschl. – **M** a la carte 45/70 – **127 Z : 230 B** 189/220 - 259/290 Fb – 3 Appart. 335.

Eichenhof, Carl-Zeiss-Str. 30 (Industriegebiet), ✆ 9 40 41, Fax 94044, – TV ☎ P – 25/50. – **36 Z : 62 B** Fb.

XX **Galleria,** Breidertring 104 (Passage, 1. Etage), ✆ (06074) 9 47 70, – AE E VISA
Sonntag und Jan. 3 Wochen geschl. – **M** a la carte 43/73.

In Rödermark-Urberach :

Jägerhof, Mühlengrund 18, ✆ (06074) 6 15 02, Fax 67948, – ☎ P. AE E
M a la carte 25/50 – **24 Z : 30 B** 80 - 140 Fb.

RÖHRNBACH **8391.** Bayern 413 X 20 – 4 500 Ew – Höhe 436 m – Erholungsort – ☎ 08582.
Verkehrsamt, Rathausplatz 1, ✆ 14 71, Fax 8278.
♦München 203 – Freyung 13 – Passau 26.

Jagdhof, Marktplatz 11, ✆ 2 68, (geheizt), – P – 25/150
70 Z : 160 B Fb.

Alte Post, Marktplatz 1, ✆ 8 08 08, Fax 600, – ☎ P
15. Nov.- 20. Dez. geschl. – **M** *(Sonntag ab 14 Uhr geschl.)* a la carte 20/42 – **45 Z : 120 B** 38/55 - 76/105 Fb.

RÖMERBERG Rheinland-Pfalz siehe Speyer.

Besonders angenehme Hotels oder Restaurants
sind im Führer rot gekennzeichnet.
Sie können uns helfen, wenn Sie uns die Häuser angeben,
in denen Sie sich besonders wohl gefühlt haben.
Jährlich erscheint eine komplett überarbeitete Ausgabe
aller Roten Michelin-Führer.

XXXXX ... X

RÖSRATH **5064.** Nordrhein-Westfalen 412 E 14 – 21 900 Ew – Höhe 72 m – ☎ 02205.
♦Düsseldorf 56 – ♦Köln 16 – Siegburg 12.

XX **Klostermühle,** Zum Eulenbroicher Auel 15, ☎ 47 58, bemerkenswerte Weinkarte, « Rustikale Einrichtung » – P. ⓓ E VISA
Montag - Dienstag, Jan. 2 Wochen und Juli - Aug. 4 Wochen geschl. – **M** 40 (mittags) und a la carte 70/81.

In Rösrath 3-Forsbach N : 4 km :

Forsbacher Mühle garni, Mühlenweg 43, ☎ 42 41 – P
25 Z : 35 B.

ROETGEN **5106.** Nordrhein-Westfalen 412 B 15, 409 L 4 – 7 100 Ew – Höhe 420 m – ☎ 02471.
Verkehrsverein, Rathaus, Hauptstr. 55, ☎ 18 20.
♦Düsseldorf 96 – ♦Aachen 18 – Liège 59 – Monschau 15 – ♦Köln 85.

Marienbildchen, an der B 258 (N : 2 km), ☎ 25 23, – TV ☎ P. E. Zim
15. Juli - 15. Aug. geschl. – **M** *(Sonntag geschl.)* a la carte 37/78 – **9 Z : 16 B** 55/90 - 100/150.

XX **Zum genagelten Stein** mit Zim, Bundesstr. 2 (B 258), ☎ 22 78, – TV ☎ P. AE E VISA
Juli - Aug. 3 Wochen geschl. – **M** *(Donnerstag geschl.)* a la carte 47/75 – **5 Z : 10 B** 75/80 - 130.

An der Straße nach Monschau SO : 4 km :

XX **Fringshaus,** an der B 258, ✉ 5106 Roetgen, ☎ (02471) 31 13 – P. AE E VISA
Mittwoch, 22. Juni - 10. Juli und Dez.- 9. Jan. geschl. – **M** a la carte 23/66.

RÖTTINGEN **8701.** Bayern 413 M 18 – 1 900 Ew – Höhe 243 m – ☎ 09338.
♦München 363 – Ansbach 73 – Heilbronn 93 – ♦Würzburg 35.

XX **Rebstöckle** mit Zim, Rothenburger Str. 2, ☎ 5 31, – TV P. AE E VISA
Nov. geschl. – **M** *(Dienstag - Mittwoch 17 Uhr geschl.)* a la carte 31/46 – **7 Z : 13 B** 60 - 95.

RÖTZ **8463.** Bayern 413 U 18, 987 ㉗ – 3 400 Ew – Höhe 453 m – ☎ 09976.
♦München 204 – Amberg 56 – Cham 25 – Weiden in der Oberpfalz 56.

In Rötz-Bauhof NW : 3 km :

Pension Bergfried, ☎ 3 22, ≤ Bayerischer Wald, – ☎ P
20 Z : 35 B.

In Rötz-Grassersdorf N : 3 km :

Alte Taverne, ☎ 14 13, – P
M a la carte 16/28 – **18 Z : 30 B** 28/30 - 56/60.

In Rötz-Hillstett W : 4 km :

Die Wutzschleife, ☎ 1 80, Fax 1878, ≤, (Halle) – TV ☎ P – 25/70. ⓓ E VISA. Rest
10.- 24. Dez. geschl. – **M** a la carte 33/74 – **48 Z : 90 B** 95/160 - 170/360 Fb.

In Winklarn-Muschenried **8479** N : 10 km :

Seeschmied, Lettenstr. 6, ☎ (09676) 2 41, – P. Rest
23. Dez.- 14. Feb. geschl. – **M** *(Montag geschl.)* a la carte 26/44 – **15 Z : 30 B** 40 - 76.

ROHLSTORF-WARDER Schleswig-Holstein – siehe Bad Segeberg.

ROHRDORF **8201.** Bayern 413 T 23, 426 I 5 – 4 100 Ew – Höhe 472 m – ☎ 08032.
♦München 69 – Innsbruck 110 – Passau 178 – Rosenheim 10 – Salzburg 73.

Zur Post, Dorfplatz 14, ☎ 50 41, Fax 5844, – P. AE ⓓ E VISA
M a la carte 25/45 – **95 Z : 200 B** 31/65 - 52/86.

ROIGHEIM Baden-Württemberg siehe Möckmühl.

ROMANTISCHE STRASSE Baden-Württemberg und Bayern 987 ㉕ ㉖ ㊱, 413 M 17 bis P 24.
Sehenswert: Strecke ★★ von Würzburg bis Füssen (Details siehe unter den erwähnten Orten entlang der Strecke).

ROMROD Hessen siehe Alsfeld.

RONNENBERG Niedersachsen siehe Hannover.

RONSHAUSEN **6447.** Hessen 412 M 14 – 2 600 Ew – Höhe 210 m – Luftkurort – 06622 (Bebra). – ♦Wiesbaden 189 – Bad Hersfeld 26 – ♦Kassel 73.

Waldhotel Marbach, Berliner Str. 7, 29 78, Fax 2333. *15.- 31. Okt. geschl.* – **M** a la carte 23/39 – **31 Z : 52 B** 49/62 - 85/104.

ROSCHE **3115.** Niedersachsen 411 P 8 – 2 200 Ew – Höhe 60 m – Erholungsort – 05803. ♦Hannover 110 – Dannenberg 32 – Lüchow 28 – Uelzen 14.

Werner, Lönsstr. 11, 5 55, Fax 1429. E
M a la carte 25/45 – **54 Z : 95 B** 32/42 - 60/80.

ROSENBERG **7092.** Baden-Württemberg 413 N 19 – 2 400 Ew – Höhe 520 m – 07967 (Jagstzell). – ♦Stuttgart 105 – Aalen 30 – Ansbach 64 – Schwäbisch Hall 28.

Landgasthof Adler, Ellwanger Str. 15, 5 13.
Juli - Aug. 2 Wochen und Jan. geschl. – **M** *(Tischbestellung ratsam)* (Donnerstag - Freitag geschl.) a la carte 38/71 – **11 Z : 20 B** 69 - 110
Spez. Blutwurstkloß mit Zwiebel-Senfsauce, Rehrücken mit Preiselbeer-Pfeffersauce und Apfelschmarrn (2 Pers.), Walnußtarte mit Brunellosabayon und karamelisierter Birne.

ROSENDAHL **4428.** Nordrhein-Westfalen 411 412 E 10 – 9 500 Ew – Höhe 112 m – 02547. ♦ Düsseldorf 120 – Münster (Westfalen) 53.

In Rosendahl-Osterwick :

Zur Post, Fabianus-Kirchplatz 1, 71 35, Fax 560. AE E
M *(Sonn- und Feiertage ab 13 Uhr geschl.)* a la carte 24/46 – **13 Z : 22 B** 40/45 - 80/90.

ROSENGARTEN **2107.** Niedersachsen 411 M 6 – 11 000 Ew – Höhe 85 m – 04108. ♦Hannover 140 – ♦Bremen 90 – Buchholz in der Nordheide 8 – ♦Hamburg 27.

In Rosengarten-Nenndorf :

Rosenhof, Rußweg 6, 71 81. E
M *(nur Abendessen, Sonntag geschl.)* a la carte 34/56 – **10 Z : 20 B** 70/80 - 120/130.

In Rosengarten 3-Sieversen :

Holst, Hauptstr. 31, 80 18, Fax 7879. 25/45
50 Z : 97 B Fb.

Zur Kutsche, Hauptstr. 24, 62 12, « Cafégarten ». AE E
M a la carte 33/67.

In Rosengarten-Sottorf :

Cordes (mit Gästehaus), Sottorfer Dorfstr. 2, 80 31, Fax 6176. 25/80. AE E VISA – **M** a la carte 27/48 – **45 Z : 71 B** 30/90 - 70/140 Fb.

In Rosengarten-Tötensen :

Rosengarten, Woxdorfer Weg 2, 74 92, Fax 1877. AE E
M a la carte 31/55 – **19 Z : 30 B** 110 - 150/170 Fb.

ROSENHEIM **8200.** Bayern 413 T 23, 987 ㊲, 426 I 5 – 57 000 Ew – Höhe 451 m – 08031.
Verkehrsbüro, Münchener Str. (am Salinengarten), 30 01 10, Fax 300163.
ADAC, Kufsteiner Str. 55, 3 40 85, Notruf 1 92 11.
♦München 69 – Innsbruck 108 – Landshut 89 – Salzburg 82.

Parkhotel Crombach, Kufsteiner Str. 2, 1 20 82, Telex 525767, Fax 33727, « Gartenterrasse ». 25/120. AE E VISA
M *(Sonn- und Feiertage sowie 2.- 7. Jan. geschl.)* a la carte 35/57 – **63 Z : 93 B** 98/158 - 168/248 Fb.

Congress-Hotel garni, Brixstr. 3, 30 60, Telex 525366, Fax 306415. 25/180 – **89 Z : 178 B** Fb.

Wendelstein, Bahnhofstr. 4, 3 30 23, Fax 33024, Biergarten. AE E VISA
23. Dez.- 1. Jan. geschl. – **M** *(Sonntag geschl.)* a la carte 22/40 – **37 Z : 54 B** 92/120 - 150/180.

Weinhaus zur historischen Weinlände, Weinstr. 2, 1 27 75. AE E VISA
Sonn- und Feiertage sowie 18. Aug.- 10. Sept. geschl. – **M** a la carte 24/59.

In Rosenheim-Happing S : 3 km nahe der B 15 :

Ariadne, Kirchenweg 38, 6 20 49, Fax 69500. E VISA
30. Nov.- 21. Dez. geschl. – **M** *(Sonntag geschl.)* a la carte 32/45 – **33 Z : 61 B** 80/110 - 125/140.

In Rosenheim-Heilig Blut S : 3 km über die B 15 Richtung Autobahn :

Fortuna, Hochplattenstr. 42, 6 20 85(Hotel) 6 67 23(Rest.), Fax 68821. AE E VISA
M *(Italienische Küche)* (Dienstag und 25. Aug.- 15. Sept. geschl.) a la carte 31/54 – **18 Z : 33 B** 40/75 - 80/120.

ROSSBACH **5461.** Rheinland-Pfalz 412 F 15 – 1 400 Ew – Höhe 113 m – Luftkurort – ☎ 02638 (Waldbreitbach). – Mainz 132 – ♦Bonn 41 – ♦Koblenz 42.

Strand-Café, Neustadter Str. 9, ☎ 51 15, Fax 6241, – ☎ P. E
11. Jan.- 15. Feb. und 23. Nov.- 11. Dez. geschl. – **M** *(Nov.- Ostern Montag - Dienstag geschl.)* a la carte 21/46 – **21 Z : 34 B** 48 - 90.

Zur Post, Wiedtalstr. 55, ☎ 2 80, – P. Zim
6. Jan.- 15. März und Nov.- 15. Dez. geschl. – **M** a la carte 16/35 – **15 Z : 23 B** 31/41 - 60/74.

Haus Tanneck, Waldstr. 1, ☎ 52 15, ←, – ☎ P. Zim
10. Jan.- 15. März und 6. Nov.- 18. Dez. geschl. – **M** a la carte 18/36 – **21 Z : 38 B** 36/38 - 70/78.

ROSSFELD-RINGSTRASSE Bayern siehe Berchtesgaden.

ROSSHAUPTEN **8959.** Bayern 413 P 24, 987 ㊱, 426 E 6 – 1 700 Ew – Höhe 816 m – Wintersport : 800/1 000 m 2 2 – ☎ 08367.

Verkehrsamt, Hauptstr. 10, ☎ 3 64.

♦München 118 – Füssen 11 – Marktoberdorf 18.

Kaufmann, Füssener Str. 44, ☎ 8 23, Fax 1223, ←, – TV ☎ P. AE E
Mitte Jan.- Mitte Feb. geschl. – **M** *(Nov.- Mai Freitag geschl.)* a la carte 25/51 – **20 Z : 40 B** 39/75 - 98/140.

In Rosshaupten-Vordersulzberg W : 4 km :

Haflinger Hof, Vordersulzberg 1, ☎ (08364) 14 02, Fax 8420, ←, – ☎ P.
M a la carte 20/46 – **9 Z : 20 B** 46/60 - 80/100 – 6 Fewo 82/120.

ROSTOCK **O-2500.** Mecklenburg-Vorpommern 411 ST 4, 984 ⑦, 987 ⑥ – 252 000 Ew – Höhe 14 m – ☎ 003781.

Sehenswert : Marienkirche★★ (Astronomische Uhr★★, Bronzetaufkessel★, Turm ★) – Schiffahrtsmuseum★ – Kröpeliner Tor★ – Kulturhistorisches Museum★ (Dreikönigs-Altar★).

Ausflugsziel : Bad Doberan : Kirche★★ (Altar★, Triumphkreuz★).

Rostock-Information, Schnickmannstr. 13, ☎ 2 52 60, Fax 34602.

ADAC, Gutenbergstraße, ☎ 24 91 16, Pannenhilfezentrale ☎ 3 72 71.

♦Berlin 192 – ♦Lübeck 117 – Schwerin 89 – Stralsund 69.

Warnow, Hermann-Duncker-Platz 4, ☎ 3 73 81, Telex 31127, Fax 34728 – TV P – 25/100. AE E VISA
Restaurants : **Malmö** **M** a la carte 31/46 – **Riga** *(nur Abendessen, Sonntag geschl.)* **M** a la carte 38/54 – **Rostock** **M** a la carte 28/40 – **342 Z : 510 B** 140/195 - 220/290 Fb – 8 Appart. 360/440.

Hotel am Bahnhof, Gerhart-Hauptmann-Str. 13, ☎ 3 63 31, Fax 34679, – TV ☎
73 Z : 118 B Fb – 7 Appart.

Gastmahl des Meeres, August-Bebel-Str. 111, ☎ 2 23 01, Biergarten – TV ☎
18 Z : 43 B Fb – 3 Appart.

Ratsweinkeller, Neuer Markt 22, ☎ 2 35 77 – AE
M a la carte 20/41.

Zur Kogge (historische Seemannskneipe mit kleinem Speiseangebot), Wokreuter Str. 27, ☎ 3 44 93 – AE
Montag bis 18 Uhr geschl. – **M** a la carte 18/35.

In Rostock-Lütten Klein **O-2520** NW : 7 km :

Congress-Hotel, Leningrader Str. 45, ☎ 70 30, Fax 703294, – – 25/950. AE E VISA
M a la carte 24/35 – **160 Z : 300 B** 75/90 - 95/120 Fb.

In Rostock-Warnemünde **O-2530** NW : 11 km – Seebad.

Fährlinie Warnemünde-Gedser, Fährhafen, ☎ (04371) 5 23 07.

Gäste-Service, Heinrich-Heine-Str. 17, ☎ 53 11

Neptun, Seestraße 19, ☎ 53 71, Telex 31351, Fax 54023, ←, Massage, – Zim TV P – 25/290. AE E VISA
M a la carte 29/57 – **343 Z : 563 B** 219/289 - 319/359 Fb – 9 Appart. 490/530.

Stolteraa, Strandweg 17, ☎ 53 21, – TV ☎ P
18 Z : 31 B Fb – 4 Appart.

Eurotel am Leuchtturm, Am Leuchtturm 16, ☎ 5 25 43 – TV ☎. AE
M a la carte 21/35 – **19 Z : 38 B** 80/105 - 140 Fb – 5 Appart. 230.

Zur Post, Poststr. 6, ☎ 5 24 20.

Teepott, Am Leuchtturm, ☎ 5 40 20, ←.

In Bad Doberan **O-2560** W : 15 km – Bade- und Kurort – ☎ 0037 8193 :

Kurhaus, August-Bebel-Str. 2, ☎ 30 36, – TV ☎ P – **37 Z : 78 B** Fb.

In Kühlungsborn **O-2565** NW : 30 km – Seebad – ☎ 0037 8293.

Kurverwaltung, Straße des Friedens 26, ✆ 6 20

Arendsee, Straße des Friedens 30, ✆ 4 46, Telex 31280, Fax 6645, ≤, Massage, – TV ☎ – 25. AE E VISA. Rest
M a la carte 28/49 – **66 Z : 132 B** 150/160 - 180/200 Fb – 6 Appart. 220/250.

Brunshöver Möhl, An der Mühle 3, ✆ 9 37 – P. AE E VISA
Okt.- April Montag und 3.- 31. Jan. geschl. – **M** a la carte 25/45.

In Dierhagen **O-2591** NO : 28 km – Seebad – ☎ 0037 82596 :

Käppn Brass, Wiesenweg, ✆ 2 91, – TV ☎ P. Rest
M a la carte 20/40 – **32 Z : 64 B** 85/95 - 120/130 Fb – 6 Appart. 200/220.

ROT AM SEE **7185.** Baden-Württemberg 413 N 19 – 4 200 Ew – Höhe 419 m – ☎ 07955.
◆Stuttgart 132 – Crailsheim 18 – ◆Nürnberg 110.

Café Mack, Erlenweg 24, ✆ 23 54, – TV ☎ P. AE E VISA
M a la carte 27/52 – **26 Z : 41 B** 65/75 - 120/160.

Gasthof Lamm, Kirchgasse 18, ✆ 23 44 – P
12 Z : 19 B.

ROT AN DER ROT **7956.** Baden-Württemberg 413 MN 22, 426 C 4 – 3 800 Ew – Höhe 604 m – ☎ 08395.
◆ Stuttgart 149 – Memmingen 17 – Ravensburg 46 – ◆Ulm (Donau) 58.

Landhotel Seefelder, Theodor-Her-Str. 11, ✆ 70 86, Fax 7468, – TV ☎ P – 25/100. AE E VISA
Jan. und Aug. jeweils 2 Wochen geschl. – **M** a la carte 30/57 – **16 Z : 30 B** 60/85 - 110/135 Fb.

ROTENBURG/FULDA **6442.** Hessen 987 ㉕, 412 M 14 – 14 800 Ew – Höhe 198 m – Luftkurort – ☎ 06623.
Verkehrs- und Kulturamt, Marktplatz 15 (Rathaus), ✆ 55 55.
◆Wiesbaden 187 – Bad Hersfeld 20 – ◆Kassel 59.

Rodenberg, Panoramastr. 98, ✆ 88 11 00, Fax 888410, ≤, Massage, (geheizt), (Halle) – Zim TV P – 25/250. AE E VISA. Rest
M a la carte 57/83 – **98 Z : 187 B** 135/145 - 205/245 Fb – 10 Appart. 265/389.

Silbertanne, Am Wäldchen 2, ✆ 20 83 – ☎ P. AE E VISA
6.- 31. Jan. und 6.- 14. Juli geschl. – **M** *(Dienstag geschl.)* a la carte 29/60 – **11 Z : 22 B** 55/90 - 120/150 – ½ P 80/110.

ROTENBURG (WÜMME) **2720.** Niedersachsen 411 L 7, 987 ⑮ – 19 500 Ew – Höhe 28 m – ☎ 04261.
Hof Emmen Westerholz (N : 5 km), ✆ (04263) 33 52.
Fremdenverkehrsamt im Rathaus, Große Str. 1, ✆ 7 11 00.
◆Hannover 107 – ◆Bremen 46 – ◆Hamburg 80.

Wachtelhof, Gerberstr. 6, ✆ 85 30, Fax 853200, « Elegante Einrichtung im Landhausstil », Massage, – TV – 25/150. AE E VISA.
M a la carte 66/96 – **38 Z : 76 B** 198 - 245/360 Fb.

Stadtpark-Hotel, Pferdemarkt 3, ✆ 30 55, Fax 2161 – TV ☎ P – 25/50
29 Z : 53 B Fb.

Bürgerhof, Am Galgenberg 2, ✆ 52 74, Fax 63924 – ☎ P. AE E VISA
M *(Montag - Dienstag 17 Uhr und 12. Okt.- 2. Nov. geschl.)* a la carte 26/43 – **20 Z : 38 B** 70/90 - 100/130.

Deutsches Haus, Große Str. 51, ✆ 33 00 – P. AE E VISA.
Sonntag 14 Uhr - Montag und Sept. 2 Wochen geschl. – **M** a la carte 27/50.

In Rotenburg-Waffensen W : 6 km :

Lerchenkrug, an der B 75, ✆ (04268) 3 43 – P. AE E VISA
Montag - Dienstag, 1.- 16. Jan. und 1.- 24. Juli geschl. – **M** a la carte 38/71.

In Ahausen-Eversen **2724** SW : 10 km :

Gasthaus Dönz, Dorfstr. 10, ✆ (04269) 52 53, « Ehemaliger Bauernhof » – TV P
M *(Montag bis 18 Uhr geschl.)* a la carte 30/54 – **10 Z : 15 B** 45 - 85.

In Bothel **2725** SO : 8 km :

✿ **Botheler Landhaus,** Hemsbünder Str. 10, ✆ (04266) 15 17, – P. AE E VISA
nur Abendessen, Sonntag - Montag geschl. – **M** (Tischbestellung ratsam) a la carte 53/80
Spez. Lachs mit seinem Kaviar auf Rieslingsauce, Deichlammrücken mit Lavendelkruste auf Balsamikosauce, Topfengratin mit Pflaumen.

ROTH KREIS ROTH **8542.** Bayern 413 Q 19, 987 ㉖ – 22 000 Ew – Höhe 340 m – ☎ 09171.
Abenberg (W : 11 km), ☎ (09178) 55 41.
♦München 149 – Ansbach 52 – Donauwörth 67 – ♦Nürnberg 28.

Ratsstuben im Schloß Ratibor (Schloßanlage a.d. 16. Jh.), Hauptstr. 1, ☎ 65 05 – – 40. AE E
Sonntag 15 Uhr - Montag geschl. – **M** a la carte 34/74.

Seerose (mit Gästehaus), Obere Glasschleife 1 (NO : 1,5 km), ☎ (09171) 24 80, –
M *(Montag geschl.)* a la carte 19/35 – **15 Z : 28 B** 45 - 75.

In Roth 1-Pfaffenhofen N : 2,5 km :

Jägerhof, Äußere Nürnberger Str. 40, ☎ 20 38, Fax 2402 – – 25/60. AE E
M *(Dienstag bis 14 Uhr geschl.)* a la carte 39/59 – **24 Z : 48 B** 65/100 - 110/200 Fb.

ROTH/OUR **5529.** Rheinland-Pfalz 412 B 17, 409 L 26, 214 ⑲ – 280 Ew – Höhe 220 m – ☎ 06566 (Körperich) – Mainz 193 – Bitburg 29 – Neuerburg 18 – Vianden 2.

Ourtaler Hof, Ourtalstr. 27, ☎ 2 18, , – . E
20. Dez.- Feb. geschl. – **M** a la carte 26/49 – **27 Z : 45 B** 32/80 - 60/90.

ROTHENBERG (ODENWALDKREIS) **6121.** Hessen 412 413 J 18 – 2 500 Ew – Höhe 450 m – Erholungsort – ☎ 06275.
♦Wiesbaden 118 – ♦Frankfurt am Main 87 – Heidelberg 31 – Heilbronn 74 – ♦Mannheim 49.

Zum Hirsch, Schulstr. 3, ☎ 2 63 –
24. Feb.- 8. März geschl. – **M** *(Montag geschl.)* a la carte 20/40 – **28 Z : 55 B** 27/40 - 58/78 Fb.

In Rothenberg - Ober-Hainbrunn SW : 8 km :

Zur Krone mit Zim, Neckarstr. 4, ☎ 2 58, , – . Zim
Mitte Okt.- Mitte Nov. geschl. – **M** *(Montag geschl.)* a la carte 19/40 – **5 Z : 9 B** 40 - 76.

ROTHENBURG OB DER TAUBER **8803.** Bayern 413 N 18, 987 ㉖ – 11 000 Ew – Höhe 425 m – ☎ 09861 – **Sehenswert** : Mittelalterliches Stadtbild★★★ – Rathaus★ (Turm ≤★) Y **R** – Kalkturm ≤★ Z – St.- Jakob-Kirche (Hl.-Blut-Altar★★) Y – Spital★ Z – Spitaltor★ Z – Stadtmauer★ YZ.
Ausflugsziel : Detwang : Kirche (Kreuzaltar★) 2 km über ④.
Städt. Verkehrsamt, Rathaus, ☎ 4 04 92, Telex 61379, Fax 86807.
♦München 236 ② – Ansbach 35 ② – ♦Stuttgart 134 ② – ♦Würzburg 62 ①.

Stadtplan siehe gegenüberliegende Seite

Eisenhut (mit Gästehaus), Herrngasse 3, ☎ 70 50, Telex 61367, Fax 70545, « Historisches Patrizierhaus a.d. 15. Jh ; Gartenterrasse » – – 25/80. AE E VISA. Rest
M a la carte 56/90 – **80 Z : 140 B** 185/205 - 260/350 Fb – 4 Appart. 480/580. Y **e**

Bären (mit Gästehaus), Hofbronnengasse 9, ☎ 60 31, Telex 61380, Fax 4875, « Geschmackvolle Einrichtung », – . E VISA Z **b**
4. Jan.- Ostern und Nov. geschl. – **M** *(nur Abendessen, Montag - Dienstag geschl.)* a la carte 67/85 – **30 Z : 58 B** 180/195 - 250/320 Fb.

Romantik-Hotel Markusturm, Rödergasse 1, ☎ 20 98, Fax 2692, « Geschmackvolle Einrichtung », – . AE E VISA Y **m**
10.- 31. Jan. geschl. – **M** a la carte 34/68 – **24 Z : 48 B** 130/230 - 180/300 Fb – 2 Fewo 250.

Goldener Hirsch, Untere Schmiedgasse 16, ☎ 70 80, Telex 61372, Fax 708100, « Restaurant Blaue Terrasse mit ≤ Taubertal » – – 25/80. AE E VISA
18. Dez.- Jan. geschl. – **M** a la carte 47/84 – **73 Z : 135 B** 120/190 - 180/295. Z **n**

Tilman Riemenschneider, Georgengasse 11, ☎ 20 86, Telex 61384, Fax 2979, , – . AE E VISA Y **z**
M a la carte 38/66 – **65 Z : 125 B** 100/200 - 150/330 Fb.

Glocke, Am Plönlein 1, ☎ 30 25, Fax 86711 – – 25/60. AE E VISA. Rest
24. Dez.- 6. Jan. geschl. – **M** *(Sonntag ab 14 Uhr geschl.)* a la carte 26/64 – **25 Z : 44 B** 83/135 - 140/170. Z **g**

Burg-Hotel garni, Klostergasse 1, ☎ 50 37, Telex 61315, Fax 1487, ≤ Taubertal – . AE E VISA
14 Z : 28 B 150/170 - 180/270. Y **x**

Merian garni, Ansbacher Str. 42, ☎ 30 96, Telex 61357, Fax 86787 – . AE E VISA Z **p**
5. April - 20. Dez. – **32 Z : 56 B** 130/180 - 180/320 Fb.

Reichs-Küchenmeister, Kirchplatz 8, ☎ 20 46, Fax 86965, , – . AE E VISA Y **s**
M *(Nov.- April Dienstag geschl.)* a la carte 34/62 – **30 Z : 60 B** 90/120 - 120/190 – 3 Appart. 200/260.

Meistertrunk garni, Herrngasse 26, ☎ 60 77, – . AE E VISA Y **n**
Jan.- Feb. und Nov. geschl. – **15 Z : 30 B** 75/100 - 120/220.

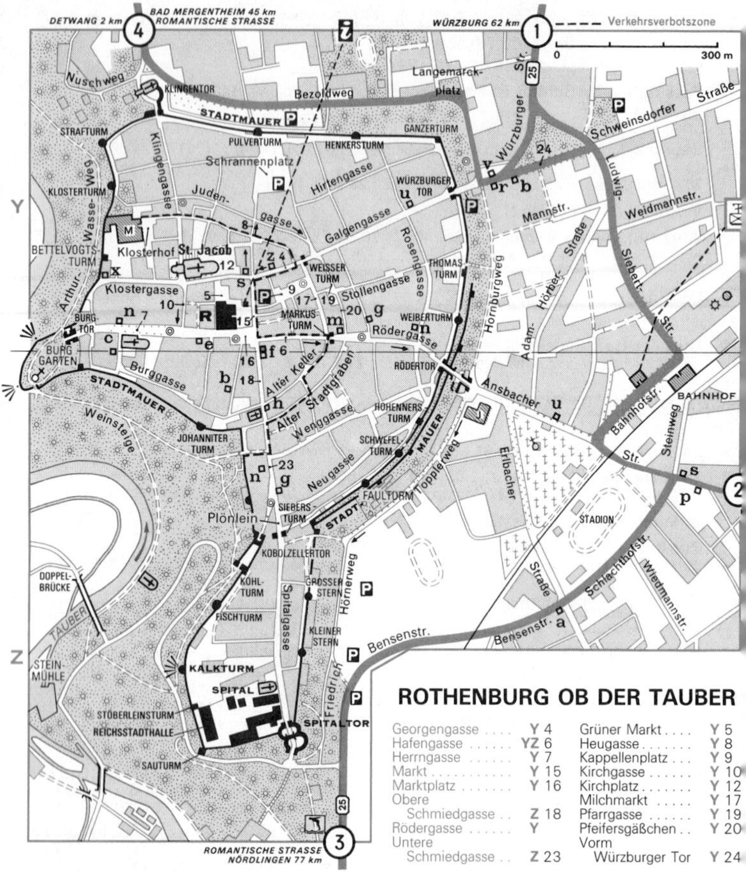

ROTHENBURG OB DER TAUBER

Georgengasse	Y 4	Grüner Markt	Y 5
Hafengasse	YZ 6	Heugasse	Y 8
Herrngasse	Y 7	Kappellenplatz	Y 9
Markt	Y 15	Kirchgasse	Y 10
Marktplatz	Y 16	Kirchplatz	Y 12
Obere Schmiedgasse	Z 18	Milchmarkt	Y 17
Rödergasse	Y	Pfarrgasse	Y 19
Untere Schmiedgasse	Z 23	Pfeifersgäßchen	Y 20
		Vorm Würzburger Tor	Y 24

Zum Rappen (mit Gasthof), Vorm Würzburger Tor 6, ✆ 60 71, Telex 61319, Fax 6076 – 25/300. AE E VISA — Y **r**
3. Jan.- 7. Feb. geschl. – **M** *(Montag geschl.)* a la carte 27/63 – **73 Z : 125 B** 60/195 - 100/250 Fb.

Roter Hahn, Obere Schmiedgasse 21, ✆ 50 88, Telex 61304, Fax 5140 – AE E VISA. Rest — Z **h**
7. Jan.- 10. Feb. geschl. – **M** *(11. Feb.- 12. März geschl.)* a la carte 26/56 – **39 Z : 75 B** 85/140 - 115/220 Fb.

Mittermeier, Vorm Würzburger Tor 9, ✆ 50 41, Fax 5040 – — Y **v**
7. Jan.- 25. Feb. geschl. – **M** a la carte 30/62 – **21 Z : 43 B** 80/140 - 140/220.

Spitzweg garni (Haus a.d.J. 1536 mit rustikaler Einrichtung), Paradeisgasse 2, ✆ 60 61 – — Y **g**
10 Z : 20 B.

Bayerischer Hof, Ansbacher Str. 21, ✆ 60 63 – AE E VISA — Z **u**
6. Jan.- 15. März geschl. – **M** *(Sonntag 14 Uhr - Montag geschl.)* a la carte 27/55 – **9 Z : 20 B** 65/90 - 110/130.

Klosterstüble, Heringsbronnengasse 5, ✆ 67 74, Fax 6474 – E VISA
M *(Sonntag und Montag jeweils ab 14 Uhr, Dienstag sowie 24. Dez. - Feb. geschl.)* a la carte 27/50 – **12 Z : 24 B** 66 - 116/136 Fb. — YZ **c**

Café Frei garni, Galgengasse 39, ✆ 50 06 – AE E VISA — Y **u**
14. Aug.- 7. Sept. geschl. – **14 Z : 29 B** 65/85 - 98/112.

Linde, Vorm Würzburger Tor 12, ✆ 74 44, Fax 6038 – AE E VISA — Y **b**
Feb. geschl. – **M** *(Dienstag geschl.)* a la carte 21/51 – **27 Z : 60 B** 60/80 - 100/135 Fb.

🏨 **Goldenes Faß,** Ansbacher Str. 39, 𝒫 34 31, Fax 8371 – ⓟ. 𝐀𝐄 ⓞ 𝐄 *VISA* Z **s**
➡ **M** *(Montag - Dienstag nur Abendessen, 6. Jan.- 28. Feb. und 5.- 26. Nov. geschl.)* a la carte 24/55 – **38 Z : 75 B** 50/80 - 95/160.

🏨 **Alter Ritter,** Bensenstr. 1, 𝒫 74 97, Telex 61316, Fax 5832 – ⓟ. 𝐀𝐄 ⓞ 𝐄 *VISA* Z **a**
Feb. geschl. – (nur Abendessen für Hausgäste) – **26 Z : 53 B** 55/85 - 95/130 Fb.

🏦 **Zum Greifen,** Obere Schmiedgasse 5, 𝒫 22 81, ⇌ – ⇥⇤ Rest ⓟ. 𝐀𝐄 𝐄 *VISA* YZ **f**
➡ 30. Aug.- 9. Sept. und 22. Dez.- 4. Feb. geschl. – **M** *(Sonntag - Montag geschl.)* a la carte 20/42 ⅜ – **22 Z : 36 B** 40/68 - 70/98.

✕ **Baumeisterhaus,** Obere Schmiedgasse 3, 𝒫 34 04, Fax 86871, « Patrizierhof a.d. 16. Jh. »
– 𝐀𝐄 ⓞ 𝐄 *VISA* YZ **f**
M a la carte 32/61.

In Windelsbach-Linden 8801 NO : 7 km über Schweinsdorfer Str. Y :

🏦 **Gasthof Linden - Gästehaus Keitel** ⑤, 𝒫 (09861) 43 34, ⇌, ⏠ – ⇐⇒ ⓟ. 𝐄
➡ 11. Jan.- Mitte Feb. geschl. – **M** *(Montag geschl.)* a la carte 17,50/41 ⅜ – **19 Z : 36 B** 38 - 76.

In Steinsfeld-Reichelshofen 8801 ① : 8 km :

🏨 **Landwehrbräu,** an der B 25, 𝒫 (09865) 8 33, Fax 716, ⇌ – |≡| 𝐓𝐕 ☎ ⅙ ⇐⇒ ⓟ – ⚔ 30.
𝐀𝐄 ⓞ 𝐄 *VISA*
22. Dez.- Jan. geschl. – **M** a la carte 28/55 – **30 Z : 60 B** 75/100 - 110/140 Fb.

Europe	Si le nom d'un hôtel figure en petits caractères demandez, à l'arrivée, les conditions à l'hôtelier.

ROTHENFELDE, BAD 4502. Niedersachsen 𝟜𝟙𝟙 𝟜𝟙𝟚 H 10, 𝟡𝟠𝟟 ⑭ – 6 900 Ew – Höhe 112 m – Heilbad – 🕿 05424.

🖪 Kur- und Verkehrsverein, Salinenstr. 2, 𝒫 18 75.
◆Hannover 135 – Bielefeld 32 – Münster (Westfalen) 45 – ◆Osnabrück 25.

🏩 **Residenz und Kurhaus,** Parkstr. 1, 𝒫 64 30, Fax 643130, ⇌, ⇍𝐬, ▣ – |≡| 𝐓𝐕 ☎ ⓟ –
⚔ 25/250. 𝐀𝐄 ⓞ 𝐄 *VISA*
M a la carte 31/58 – **56 Z : 110 B** 95/125 - 160/190 Fb – 10 Appart. – 3 Fewo – ½ P 105/150.

🏨 **Zur Post,** Frankfurter Str. 2, 𝒫 10 66, Fax 69540, « Restaurant Alte Küche », ⇍𝐬, ▣, ⏠
– |≡| 𝐓𝐕 ☎ ⓟ – ⚔ 30. 𝐀𝐄 ⓞ 𝐄 *VISA*
M *(auch vegetarische Gerichte)* a la carte 29/67 – **44 Z : 64 B** 85/95 - 150/160 Fb – ½ P 95/105.

🏦 **Dreyer** garni, Salinenstr. 7, 𝒫 10 08 – 𝐓𝐕 ☎. ⚘
16 Z : 26 B 58/61 - 100/104 Fb – 3 Fewo 70/75.

🏦 **Drei Birken,** Birkenstr. 3, 𝒫 13 78, Bade- und Massageabteilung, ⇍𝐬, ▣, ⏠ – 𝐓𝐕 ☎ ⇐⇒
ⓟ. 𝐀𝐄
3. Jan.- 24. Feb. geschl. – **M** *(Dienstag geschl.)* a la carte 26/58 – **25 Z : 45 B** 62/85 - 100/150 Fb.

🏦 **Parkhotel Gätje** ⑤ (kleiner Park), Parkstr. 10, 𝒫 10 88, Fax 1732, ⇌, ⇍𝐬, ⏠ – |≡| ⇥⇤ Rest
𝐓𝐕 ☎ ⓟ. 𝐀𝐄 ⓞ 𝐄 *VISA*
M a la carte 30/64 – **35 Z : 54 B** 59/105 - 102/162 – ½ P 69/98.

✕✕ **La Brochette,** An der Springmühle, 𝒫 51 24 – ⓟ. 𝐀𝐄 ⓞ 𝐄 *VISA*
Donnerstag und Jan. geschl. – **M** *(wochentags nur Abendessen)* (Tischbestellung ratsam) a la carte 47/77.

In Bad Rothenfelde-Aschendorf :

🏦 Kröger, Versmolder Str. 26, 𝒫 47 88, « Gartenterrasse », ⇍𝐬, ▣, ⏠ – 𝐓𝐕 ☎ ⇐⇒ ⓟ
9 Z : 15 B.

ROTT Rheinland-Pfalz siehe Flammersfeld.

ROTTACH-EGERN 8183. Bayern 𝟜𝟙𝟛 S 23, 𝟡𝟠𝟟 ㊲, 𝟜𝟚𝟞 H 5 – 6 500 Ew – Höhe 731 m – Heilklimatischer Kurort – Wintersport : 740/1 700 m ⬙1 ⬙6 ⬙2 – 🕿 08022 (Tegernsee).

🖪 Kuramt, Nördliche Hauptstr. 9 (Rathaus), 𝒫 67 13 41, Telex 526153, Fax 671329.
◆München 56 – Miesbach 21 – Bad Tölz 22.

🏩 **Bachmair am See** ⑤, Seestr. 47, 𝒫 27 20, Telex 526920, Fax 272790, ≤, « Park », Bade-
und Massageabteilung, ⚘, ⇍𝐬, ▣ (geheizt), ▣, ⏠, ✕ Sport-Center – |≡| 𝐓𝐕 ⚙ ⇐⇒ ⓟ
– ⚔ 25/160. 𝐀𝐄 ⓞ.
M 38/Buffet (mittags), 58/72 (abends) – **Gourmet Restaurant** *(nur Abendessen, Dienstag geschl.)* **M** a la carte 80/111 – **Bayerische Stub'n** *(nur Abendessen, Sonntag - Montag geschl.)* **M** a la carte 44/65 – **282 Z : 461 B** (½ P) 190/310 - 320/460 Fb – 77 Appart.

🏩 **Walter's Hof im Malerwinkel** ⑤, Seestr. 77, 𝒫 27 70, Fax 27754, ≤, ⇌, ⇍𝐬, ▣, ⏠
– |≡| 𝐓𝐕 ⇐⇒ ⓟ. 𝐀𝐄 ⓞ 𝐄 *VISA*. ⚘ Rest
M a la carte 56/85 – **36 Z : 59 B** 160/340 - 280/500 Fb – 3 Appart. 600.

Gästehaus Maier zum Kirschner garni, Seestr. 23, ☎ 6 71 10, Fax 671137, ≘s, ⚐ – |♦| TV ☎ P
25. Nov.- 12. Dez. geschl. – **30 Z : 50 B** 85/90 - 130/190 – 11 Fewo 180/210.

Gästehaus Haltmair garni, Seestr. 35, ☎ 27 50, Fax 27564, ≤, ⚐ – |♦| TV ☎ P. ⚘
30 Z : 55 B 60/100 - 130/190 Fb – 9 Fewo 120/195.

Franzen-Restaurant Pfeffermühle, Karl-Theodor-Str. 2a, ☎ 60 87, Fax 5619, ⛱ – ☎ ⇔ P. E
30. März - 13. April und 23. Nov.- 12. Dez. geschl. – **M** *(Nov.- Dez. Mittwoch - Donnerstag geschl.)* a la carte 44/65 – **14 Z : 28 B** 115/150 - 160/320.

Reuther ⛰ garni, Salitererweg 6, ☎ 2 40 24, ⚐ – TV ☎ P. AE ⓓ E. ⚘
26 Z : 42 B 55/75 - 100/130.

Zur Post, Nördliche Hauptstr. 17, ☎ 2 60 85, Fax 5455, Biergarten – ☎ P. E VISA
M a la carte 31/54 – **45 Z : 72 B** 84/95 - 130/170 Fb.

Seerose ⛰ garni, Stielerstr. 13, ☎ 20 21, ⚐ – |♦| ☎ P
Nov.- 20. Dez. geschl. – **19 Z : 38 B** 74 - 113/123.

Gästehaus Pfatischer garni, Ludwig-Thoma-Str. 63, ☎ 2 60 53, ≘s, ⛶, ⚐ – ☎ P
18 Z : 32 B.

Café Sonnenhof ⛰ garni, Sonnenmoosstr. 20, ☎ 58 12, ≤, « Garten » – ☎ ⇔ P
Nov.- 20. Dez. geschl. – **14 Z : 24 B** 52/66 - 90/105.

XXX Oberland, Südl. Hauptstr. 2 (1. Etage), ☎ 2 47 64
wochentags nur Abendessen, im Bistro auch Mittagessen.

In Rottach-Berg O : 1,5 km Richtung Sutten :

Café Angermaier ⛰ (ehemaliges Forst- und Bauernhaus), Berg 1, ☎ 2 60 19, ≤, ⛱, ⚐ – TV ☎ P
20 Z : 33 B Fb.

An der Talstation der Wallbergbahn S : 3 km :

X **Alpenwildpark,** Am Höhenrain 1, ✉ 8183 Rottach-Egern, ☎ (08022) 58 32, « Terrasse mit ≤ » – P
Mittwoch - Donnerstag, 23. März - 10. April und 26. Okt.- 4. Dez. geschl. – **M** a la carte 23/46.

Weißach siehe unter : ***Kreuth***

ROTTENBUCH **8121.** Bayern 413 PQ 23, 426 EF 5 – 1 700 Ew – Höhe 763 m – Erholungsort – ☎ 08867.

Sehenswert : Mariä-Geburts-Kirche★.

Ausflugsziele : Wies (Kirche★★) SW : 12 km – Echelsbacher Brücke★ S : 3 km.

ℹ Verkehrsverein im Rathaus, Klosterhof 36, ☎ 14 64, Fax 1858.

♦München 96 – Füssen 30 – Landsberg am Lech 40.

Café am Tor garni, Klosterhof 1, ☎ 2 55 – P. E
4.- 30. Nov. geschl. – **12 Z : 20 B** 38/50 - 80/90.

In Rottenbuch-Moos NW : 2 km :

Moosbeck-Alm ⛰, Moos 38, ☎ 13 47, « Gartenterrasse », ⛶ (geheizt), ⚐, ⚔ – TV ⇔ P
10.- 31. Jan. und 29. Nov.- 13. Dez. geschl. – **M** *(Nov.- April Dienstag geschl.)* a la carte 26/41 ⅌ – **17 Z : 34 B** 60/70 - 90/110 Fb – ½ P 66/86.

ROTTENBURG AM NECKAR **7407.** Baden-Württemberg 413 J 21, 987 ㉟ – 35 000 Ew – Höhe 349 m – ☎ 07472.

ℹ Verkehrsamt, Marktplatz 18 (Rathaus), ☎ 16 52 74.

♦Stuttgart 52 – Freudenstadt 47 – Reutlingen 26 – Villingen-Schwenningen 76.

Martinshof, Eugen-Bolz-Platz 5, ☎ 2 10 21, Fax 24691 – |♦| TV ☎ P – 🏛 25/90
34 Z : 48 B Fb.

Württemberger Hof, Tübinger Str. 14, ☎ 66 60 – P
M *(Sonntag 15 Uhr - Montag geschl.)* a la carte 31/50 – **17 Z : 26 B** 48/65 - 70/110.

Schloß Weitenburg siehe unter : ***Starzach***

ROTTENDORF Bayern siehe Würzburg.

ROTTHALMÜNSTER **2399.** Bayern 413 W 21, 426 L 3 – 4 400 Ew – Höhe 359 m – ☎ 08533.

♦München 148 – Passau 37 – Salzburg 110.

In Rotthalmünster-Asbach NW : 4 km :

Klosterhof St. Benedikt ⛰, ☎ 6 81 (Hotel) 18 59(Rest.) – ☎ – 🏛 65
25 Z : 31 B.

ROTTWEIL **7210.** Baden-Württemberg 413 IJ 22, 987 ㉟ – 24 000 Ew – Höhe 600 m – ☎ 0741.
Sehenswert : Heiligkreuzmünster (Altäre★) – Kapellenkirche (Turm★) – Hauptstraße ≤★ – Lorenzkapelle (Plastiken-Sammlung★).
Städt. Verkehrsbüro, Rathaus, Rathausgasse, ☎ 49 42 80, Fax 494355.
◆Stuttgart 98 – Donaueschingen 33 – Offenburg 83 – Tübingen 59.

Johanniterbad, Johannsergasse 12, ☎ 60 83, Fax 41273 – TV – 25/50. AE E VISA
2.- 17. Jan. geschl. – **M** *(Sonntag ab 15 Uhr geschl.)* a la carte 34/70 – **27 Z : 43 B** 65/119 - 124/160 Fb.

Lamm, Hauptstr. 45, ☎ 4 50 15, Fax 44273 – TV. AE E VISA
M *(Montag geschl.)* a la carte 33/69 – **11 Z : 19 B** 70/95 - 100/145.

Romantik-Hotel Haus zum Sternen (Haus a.d. 14. Jh.), Hauptstr. 60, ☎ 70 06, Telex 762816, Fax 23950, « Stilvolle Einrichtung » – TV
M *(Dienstag geschl.)* a la carte 42/69 *(auch vegetarische Gerichte)* – **12 Z : 19 B** 95/145 - 185/250.

Park-Hotel, Königstr. 21, ☎ 60 64, Fax 8695 – TV.
5.- 8. März und 23. Dez.- 6. Jan. geschl. – **M** *(Samstag sowie Sonn- und Feiertage geschl.)* a la carte 33/55 – **15 Z : 27 B** 86/105 - 135/150.

Bären, Hochmaurenstr. 1, ☎ 2 20 46 – TV
23. Dez.- 13. Jan. geschl. – **M** *(Sonntag ab 14 Uhr und Samstag geschl.)* a la carte 26/53 – **31 Z : 56 B** 55/100 - 90/150 Fb.

Villa Duttenhofer - Restaurant L'Etoile, Königstr. 1, ☎ 4 31 05, Fax 41595, – . AE E VISA
Sonntag 15 Uhr - Montag und 20. Juli - 20. Aug. geschl. – **M** a la carte 47/94.

RUDERSBERG **7062.** Baden-Württemberg 413 L 20 – 9 600 Ew – Höhe 278 m – ☎ 07183.
◆Stuttgart 36 – Heilbronn 47 – Göppingen 37.

In Rudersberg-Schlechtbach S : 1 km :

Sonne, Heilbronner Str. 70, ☎ 61 88 – TV. E
2.- 6. Jan. geschl. – **M** *(Freitag geschl.)* a la carte 28/52 – **36 Z : 46 B** 68/88 - 125/135 Fb.

RUDOLSTADT **0-6820.** Thüringen 984 ㉓ – 32 000 Ew – Höhe 209 m – ☎ 0037 7926.
Sehenswert : Schloß Heidecksburg★ (Säle im Rocaille-Stil★★).
Erfurt 62 – ◆Berlin 263 – Coburg 79 – Suhl 65.

Ratskeller, Markt 7, ☎ 2 22 07

RÜCKERSDORF **8501.** Bayern 413 Q 18 – 4 000 Ew – Höhe 326 m – ☎ 0911 (Nürnberg).
◆München 174 – Bayreuth 65 – ◆Nürnberg 14.

Wilder Mann, Hauptstr. 37 (B 14), ☎ 57 01 11, Fax 570116, – TV – 25/45. AE E VISA
24. Dez.- 6. Jan. geschl. – **M** a la carte 25/57 – **51 Z : 83 B** 89/95 - 136/160 Fb.

RÜCKHOLZ Bayern siehe Seeg.

RÜDESHEIM AM RHEIN **6220.** Hessen 412 G 17, 987 ㉔ – 9 600 Ew – Höhe 85 m – ☎ 06722.
Städt. Verkehrsamt, Rheinstr. 16, ☎ 29 62, Telex 42171, Fax 3485.
◆Wiesbaden 31 – ◆Koblenz 65 – Mainz 34.

Central-Hotel, Kirchstr. 6, ☎ 30 36, Telex 42110, Fax 2807 – TV. AE E VISA
März - Nov. – **M** a la carte 29/64 – **56 Z : 100 B** 95/133 - 155/196.

Traube-Aumüller, Rheinstr. 6, ☎ 30 38, Telex 42144, Fax 1573, , , – TV – 35. AE E VISA
März - 20. Nov. – **M** a la carte 28/57 – **123 Z : 225 B** 80/170 - 120/300.

Felsenkeller, Oberstr. 39, ☎ 20 94, Telex 42156, Fax 47202 – . AE E VISA. Zim
Ostern-Okt. – **M** *(wochentags nur Abendessen)* a la carte 26/62 – **60 Z : 113 B** 90/150 - 140/180 Fb.

Trapp, Kirchstr. 7, ☎ 10 41, Telex 42160, Fax 47745 – TV. AE E VISA
Mitte März - Mitte Nov. – **M** *(nur Abendessen)* a la carte 27/60 – **32 Z : 60 B** 85/180 - 130/190.

Rüdesheimer Hof, Geisenheimer Str. 1, ☎ 20 11, Telex 42148, Fax 48194, – . AE E VISA
Mitte Feb.- Mitte Nov. – **M** a la carte 25/56 – **42 Z : 83 B** 75/100 - 110/150 Fb.

Rheinstein, Rheinstr. 20, ☎ 20 04, Telex 42130, Fax 47688, ≤, – . AE E VISA
Mitte April - Anfang Nov. – **M** a la carte 25/40 – **43 Z : 80 B** 70/90 - 100/150 Fb.

Zum Bären, Schmidtstr. 24, ☎ 10 91, Telex 42100, Fax 1094, – . E VISA
M *(Sonntag 14 Uhr - Montag geschl.)* a la carte 26/51 – **26 Z : 46 B** 75/155 - 100/210 Fb.

Haus Dries garni, Kaiserstr. 1, ☎ 24 20, Telex 420009, Fax 2663, , – . AE E VISA.
Mitte April - Anfang Nov. – **48 Z : 96 B** 78 - 115.

Außerhalb NW : 5 km über die Straße zum Niederwald-Denkmal :

🏨 **Jagdschloß Niederwald** 🦌, ✉ 6220 Rüdesheim, 𝒫 (06722) 10 04, Telex 42152, Fax 47970, « Gartenterrasse », 🛋, 🔲, 🐎, 🎱 – 📳 📺 ☎ 🚗 🅿 – 🍴 25/60. ① 🇪 𝑉𝐼𝑆𝐴. ✿ Rest
Jan.- 15. Feb. geschl. – **M** a la carte 48/85 – **52 Z : 92 B** 145/225 - 225/360 Fb.

In Rüdesheim 2-Assmannshausen NW : 5 km :

🏨 **Krone Assmannshausen**, Rheinuferstr. 10, 𝒫 40 30, Fax 3049, ≤, « Historisches Hotel a.d. 16. Jh., Laubenterrasse », ⊿ (geheizt), 🐎 – 📳 📺 🚗 🅿 – 🍴 40. 🄰🄴 ① 🇪 𝑉𝐼𝑆𝐴
Jan.- Feb. geschl. – **M** a la carte 62/106 – **55 Z : 100 B** 178/320 - 260/490 Fb – 9 Appart. 600/850.

🏨 **Anker**, Rheinuferstr. 7, 𝒫 29 12, Telex 42179, Fax 48130, ≤, 🍸 – 📳 ☎ 🅿. 🄰🄴 ① 🇪 𝑉𝐼𝑆𝐴
März - Mitte Nov. – **M** a la carte 30/52 ⅛ – **52 Z : 97 B** 75/128 - 108/178.

🏨 **Unter den Linden,** Rheinallee 1, 𝒫 22 88, Fax 47201, ≤, « Laubenterrasse » – 📺 🚗 🅿. 🇪 𝑉𝐼𝑆𝐴
April - Mitte Nov. – **M** a la carte 30/74 – **28 Z : 53 B** 65/100 - 120/160.

🏨 **Alte Bauernschänke - Nassauer Hof** (Fachwerkhaus a.d.J. 1408), Niederwaldstr. 23, 𝒫 23 13, Telex 42178, Fax 47912, 🍸 – 📳. 🄰🄴 🇪 𝑉𝐼𝑆𝐴
Mitte März - Mitte Nov. – **M** a la carte 27/56 – **56 Z : 100 B** 80/90 - 120/160.

🏨 **Lamm,** Rheinuferstr. 6, 𝒫 20 55, Fax 4325, ≤, 🍸 – 📳 📺 ☎. 🇪 𝑉𝐼𝑆𝐴
März - Nov. – **M** a la carte 28/58 – **34 Z : 65 B** 75/140 - 120/180.

🏨 **Schön,** Rheinuferstr. 3, 𝒫 22 25, Fax 2190, ≤, 🍸 – ☎ 🅿
Mitte März - Okt. – **M** a la carte 39/68 – **25 Z : 50 B** 75/100 - 110/165.

🏨 **Ewige Lampe und Haus Resi,** Niederwaldstr. 14, 𝒫 24 17
➝ *6. Jan.- 27. Feb. geschl.* – **M** *(Dienstag geschl.)* a la carte 23/52 ⅛ – **24 Z : 44 B** 50/90 - 90/150.

🏨 **Café Post,** Rheinuferstr. 2, 𝒫 23 26, Fax 48249, ≤, 🍸 – 📳. 🄰🄴 ① 🇪 𝑉𝐼𝑆𝐴
März - Nov. – **M** a la carte 28/55 – **14 Z : 28 B** 70/100 - 90/160.

🍴 **Altes Haus** (mit Zim. und Gästehaus), Lorcher Str. 8, 𝒫 20 51, Fax 2053 (Fachwerkhaus
➝ a.d.J. 1578) – 📺 ☎ 🚗. 🇪 𝑉𝐼𝑆𝐴. ✿ Zim
6. Jan.- Feb. geschl. – **M** *(Dienstag - Donnerstag nur Abendessen, Nov.- April Dienstag - Mittwoch geschl.)* a la carte 24/55 ⅛ – **26 Z : 48 B** 65/130 - 100/150.

In Rüdesheim-Presberg N : 13 km :

🏨 **Haus Grolochblick** 🦌, Schulstr. 8, 𝒫 (06726) 7 38, ≤, 🐎 – 🅿. ✿ Zim
Mitte Feb.- Mitte Nov. – (Restaurant nur für Hausgäste) – **20 Z : 38 B** 35 - 70.

RÜGEN (Insel) Mecklenburg-Vorpommern 𝟿𝟾𝟺 ③. 𝟿𝟾𝟽 ⑦ – Seebad.
Ausflugsziele : Stubbenkammer : Königsstuhl★★ (N : 7 km ab Saßnitz) – Kap Arkona★ (NO : 7 km ab Altenkirchen).

⚓ Fährlinie Saßnitz-Trelleborg, 𝒫 (00378277) 6 70.

ab Saßnitz : ◆Berlin 290 – Greifswald 83 – Stralsund 51.

Binz O-2337 – 2 000 Ew – Höhe 5 m – Seebad – ✆ 0037 8278.
Saßnitz 18 km.

🏨 **Kurhaus Binz,** Strandpromenade 27, 𝒫 51 31, Telex 31584, Fax 2393, 🍸 – 📺 🅿. 🄰🄴 🇪
➝ 𝑉𝐼𝑆𝐴. ✿ Rest
6.- 31. Jan. geschl. – **M** a la carte 19/40 – **40 Z : 80 B** 62/132 - 104/160 Fb.

Göhren O-2345 – 2 500 Ew – Höhe 30 m – Seebad – ✆ 0037 82798.
Saßnitz 35 km.

🏨 **Nordperd** 🦌, Nordperdstr. 11, 𝒫 70, Telex 31573, Fax 7160, ≤, 🍸, Massage, 🛋 – 📳 📺 ☎ 🅿. 🄰🄴 ① 🇪 𝑉𝐼𝑆𝐴. ✿
M a la carte 26/47 – **53 Z : 107 B** 140 - 200 Fb – 3 Appart. 270.

Sellin O-2356 – 2 000 Ew – Höhe 20 m – Seebad – ✆ 0037 82793.
Saßnitz 30 km.

🏨 **Cliff-Hotel Rügen** 🦌, Siedlung am Wald, 𝒫 80, Telex 31555, Fax 8490, ≤, 🍸, Massage, 🛋, 🔲, 🐟, 🐎, 🎱 – 📳 📺 🅿 – 🍴 25/80. 🄰🄴 ① 🇪 𝑉𝐼𝑆𝐴. ✿
M a la carte 30/52 ⅛ – **168 Z : 336 B** 140/240 - 260/480 Fb – 102 Appart.

RÜLZHEIM 6729. Rheinland-Pfalz 𝟺𝟷𝟸 𝟺𝟷𝟹 H 19 – 8 000 Ew – Höhe 112 m – ✆ 07272.
Mainz 117 – ◆Karlsruhe 27 – Landau in der Pfalz 16 – Speyer 25.

🏨 **Südpfalz** garni, Schubertring 48, 𝒫 80 61, Fax 75796 – ☎ 🅿. 🄰🄴 ① 🇪 𝑉𝐼𝑆𝐴
20. Dez.- 3. Jan. geschl. – **23 Z : 46 B** 60/70 - 90/110 Fb.

RÜSSELSHEIM **6090.** Hessen 987 ㉔ ㉕, 412 413 I 17 – 63 000 Ew – Höhe 88 m – ☎ 06142

– Verkehrsamt, Mainstr. 7, ✆ 60 02 13, Fax 600243.

ADAC, Marktplatz 8, ✆ 6 30 27, Telex 4182850.

♦Wiesbaden 19 – ♦Darmstadt 27 – ♦Frankfurt am Main 24 – Mainz 12.

Columbia, Stahlstr., ✆ 87 60, Fax 876805, – Zim – 25/150. AE E VISA
M a la carte 47/82 – **151 Z : 229 B** 190 - 240 Fb – 10 Appart. 380/550.

Dorint-Hotel, Eisenstr. 54 (Gewerbegebiet Im Hasengrund), ✆ 60 70, Telex 4182842, Fax 607510, – Zim – 25/120. AE E VISA
Restaurants : – **Le pavillon** *(nur Abendessen)* **M** a la carte 59/79 – **Brasserie M** a la carte 33/57 – **126 Z : 202 B** 185/290 - 235/350 Fb.

City-Hotel, Marktstr. 2, ✆ 6 50 51, Telex 4182187, Fax 61180, – – 25. AE E VISA
23. Dez.- 2. Jan. geschl. – **M** *(Samstag - Sonntag geschl.)* a la carte 33/61 – **84 Z : 150 B** 140/220 - 175/250 Fb.

Marina (Italienische Küche), Berliner Str. 52, ✆ 4 14 11 – AE E VISA
Samstag geschl. – **M** a la carte 28/65.

In Raunheim **6096** NO : 4 km :

City Hotel garni, Ringstr. 107 (Stadtzentrum), ✆ (06142) 4 40 66, Telex 4182814, Fax 21138 – . AE E VISA
27 Z : 47 B 110/155 - 125/185 Fb.

RÜTHEN Nordrhein-Westfalen siehe Warstein.

RUHPOLDING **8222.** Bayern 413 U 23, 987 ㊲ ㊳, 426 J 5 – 6 400 Ew – Höhe 655 m – Luftkurort – Wintersport : 740/1 636 m 1 20 4 – ☎ 08663.

Kurverwaltung, Hauptstr. 60, ✆ 12 68, Fax 766.

♦München 115 – Bad Reichenhall 23 – Salzburg 43 – Traunstein 14.

Steinbach-Hotel, Maiergschwendter Str. 10, ✆ 54 40, Fax 370, Massage, – – 30
Ende Okt.- Mitte Dez. geschl. – **M** *(Sonntag geschl.)* a la carte 41/65 – **84 Z : 144 B** 90/145 - 150/220 Fb – 4 Appart. 280.

Zur Post, Hauptstr. 35, ✆ 54 30, Fax 1483, – . E.
M *(Mittwoch geschl.)* a la carte 26/53 – **66 Z : 100 B** 80/100 - 120/160 Fb.

Sonnenhof, Hauptstr. 70, ✆ 54 10, Fax 54160, – – 30. AE E VISA
16. Nov.- 20. Dez. geschl. – **M** *(Montag geschl.)* a la carte 38/57 – **40 Z : 80 B** 95/105 - 130/180 Fb.

Maiergschwendt, Maiergschwendt 1 (SW : 1,5 km), ✆ 90 33, Fax 9498, Massage, –
20. Nov.- 20. Dez. geschl. – **M** *(auch vegetarische Gerichte)* a la carte 32/45 – **27 Z : 50 B** 70/90 - 130/190 Fb.

Sporthotel am Westernberg, Am Wundergraben 4, ✆ 16 74, Fax 638, (Halle) – . Rest
2. Nov.- 18. Dez. geschl. – (nur Abendessen für Hausgäste) – **36 Z : 60 B** 70/140 - 120/220 Fb – 6 Appart. 260/320 – 2 Fewo 120/150.

Ruhpoldinger Hof, Hauptstr. 30, ✆ 12 12, Fax 5777, Biergarten, –
35 Z : 70 B Fb – 4 Appart. – 4 Fewo.

Haus Flora garni, Zellerstr. 13, ✆ 59 54, –
Nov.- 15. Dez. geschl. – **28 Z : 46 B** 75/85 - 130/220 Fb.

Sonnenbichl, Brandstätter Str. 48, ✆ 12 35, Fax 5840, –
25. April - 2. Mai und Nov.- 15. Dez. geschl. – **M** *(Montag geschl.)* a la carte 22/47 – **16 Z : 29 B** 47/85 - 90/120 Fb.

Almhof garni, Maiergschwendter Str. 5, ✆ 14 52, – . – **20 Z : 34 B.**

Haus Hahn, Niederfeldstr. 16, ✆ 93 90, –
3. Nov.- 17. Dez. geschl. – (nur Abendessen für Hausgäste) – **14 Z : 30 B** 75 - 120.

Diana, Kurhausstr. 1, ✆ 97 05 –
Nov.-15. Dez. geschl. – **M** a la carte 25/55 – **26 Z : 48 B** 55/70 - 98/120 – ½ P 68/89.

Vier Jahreszeiten garni, Brandstätter Str. 41, ✆ 17 49, –
15 Z : 25 B 38/50 - 60/76.

Fischerwirt, Rauschbergstr. 1 (Zell, SO : 2 km), ✆ 17 05, –
8. April - 6. Mai und 21. Okt.- 18. Dez. geschl. – **M** *(Montag und Donnerstag geschl.)* a la carte 21/39 – **18 Z : 32 B** 45/55 - 85.

Berggasthof Weingarten mit Zim, Weingarten 1 (SW : 3 km), ✆ 92 19, Ruhpolding und Trauntal, –
21. April - 1. Mai und Nov.- 20. Dez. geschl. – **M** *(Montag geschl.)* a la carte 22/36 – **6 Z : 12 B** 40/50 - 60/74.

RUHSTORF **8399.** Bayern 413 WX 21, 426 L 3 – 6 200 Ew – Höhe 318 m – ☎ 08531.
♦München 155 – Passau 24 – Salzburg 118.

- **Antoniushof,** Ernst-Hatz-Str. 2, ☎ 30 44, Fax 31318, « Garten », – 40. AE E VISA
  M *(Montag bis 18 Uhr geschl.)* a la carte 32/60 – **29 Z : 48 B** 54/130 - 95/184 Fb.
- **Mathäser,** Hauptstr. 19, ☎ 31 70, – 30
  M *(Freitag geschl.)* a la carte 20/56 – **30 Z : 55 B** 57/68 - 94/116 Fb.

RUHWINKEL Schleswig-Holstein siehe Bornhöved.

RUMBACH **6749.** Rheinland-Pfalz 412 413 G 19, 242 ⑫, 87 ② – 500 Ew – Höhe 230 m – ☎ 06394.
Mainz 150 – Landau in der Pfalz 38 – Pirmasens 31 – Wissembourg 19.

- **Haus Waldeck**, Im Langenthal 75, ☎ 4 94, – E.
  Ende Nov.- Anfang Dez. geschl. – **M** *(Montag - Freitag nur Abendessen)* a la carte 21/45 – **15 Z : 31 B** 38/60 - 68/70.

In Nothweiler **6749** S : 3,5 km :

- **Landgasthaus Wegelnburg** (mit Pension Kraft), Hauptstr. 15, ☎ (06394) 2 84, – Rest
  5.- 25. Jan. und 22. Nov.- 1. Dez. geschl. – **M** *(Montag 14 Uhr - Dienstag geschl.)* a la carte 21/38 – **16 Z : 35 B** 45/60 - 80/90.

RUNDING Bayern siehe Cham.

SAALFELD **0-6800.** Thüringen 984 ㉓ – 34 000 Ew – Höhe 300 m – ☎ 0037792.
Ausflugsziel : Feengrotten★, SO : 1 km.
Tourist-Information, Blankenburger Str. 4, ☎ 39 50.
Erfurt 78 – ♦Berlin 269 – Coburg 73 – Suhl 65.

- Das Loch, Blankenburger Str. 6, ☎ 21 03 – – 25/70 – **18 Z : 36 B** Fb.
- Am Hohen Schwarm, Schwarmgasse 18, ☎ 28 84, –
  (Restaurant nur für Hausgäste) – **10 Z : 24 B** Fb.

In Leutenberg **0-6804** SO : 18 km :

- Schloß Friedensburg, ☎ (003779294) 2 63, Fax 362, « Hotel in einer Burganlage a.d. 16. Jh. », Bade- und Massageabteilung, – – 25. Rest
  27 Z : 40 B – 7 Appart.

SAARBRÜCKEN **6600.** Saarland 987 ㉔, 412 E 19, 242 ⑦ – 200 000 Ew – Höhe 191 m – ☎ 0681.
Saarbrücken-Ensheim (SO : 12 km, über Saarbrücker Straße X), ☎ (06893) 8 31.
☎ 3 08 55 79 – Messegelände (X), ☎ 5 30 56.
Verkehrsverein und Städt. Verkehrsamt im Hauptbahnhof, ☎ 3 65 15.
Verkehrsverein, Rathaus, Rathausplatz, ☎ 3 69 01, Fax 390353.
ADAC, Am Staden 9, ☎ 68 70 00, Notruf ☎ 1 92 11.
♦Bonn 212 ⑦ – Luxembourg 93 ⑥ – ♦Mannheim 128 ③ – Metz 67 ⑤ – Strasbourg 124 ④ – ♦Wiesbaden 162 ③.

Stadtplan siehe gegenüberliegende Seite

- **Bauer Hotel Rodenhof,** Kalmanstr. 47-51, ☎ 4 77 22, Telex 4421477, Fax 43785, Massage, – – 25/50. AE E VISA X **e**
  M a la carte 47/74 – **110 Z : 250 B** 189/209 - 229/249 Fb – 14 Appart. 459/507.
- **Pullman Kongreß-Hotel,** Hafenstr. 8, ☎ 3 06 91, Telex 4428942, Fax 372266, – Zim – 25/75. AE E VISA AY **x**
  M a la carte 38/79 – **150 Z : 300 B** 195/215 - 225/255 Fb – 5 Appart. 300/420.
- **Am Triller**, Trillerweg 57, ☎ 58 00 00, Telex 4421123, Fax 58000303, – – 25/130. AE E VISA AZ **a**
  21. Dez.- 1. Jan. geschl. – **M** a la carte 39/66 – **130 Z : 240 B** 110/160 - 180/265 Fb.
- **La Résidence** garni, Faktoreistr. 2, ☎ 3 88 20, Fax 35570, – – 25/150. E VISA AY **x**
  130 Z : 194 B 99/180 - 185/215 Fb – 14 Appart. 285.
- **Domicil Leidinger** garni, Mainzer Str. 10, ☎ 3 80 11, Fax 38013 – AE E VISA BZ **n**
  50 Z : 77 B 125/155 - 165/195 Fb.
- **Novotel,** Zinzinger Str. 9, ☎ 5 86 30, Telex 4428836, Fax 582242, – – 25/250. AE E VISA X **v**
  M a la carte 38/62 – **99 Z : 198 B** 144 - 181 Fb.

SAARBRÜCKEN

Bahnhofstraße	AY	
Berliner Promenade	AY	3
St. Johanner Markt	BZ	39
Viktoriastraße	AY	47
Am Stadtgraben	AZ	2
Bleichstraße	BZ	4
Brebacher Landstraße	X	5
Breite Straße	X	6
Brückenstraße	X	7
Deutschherrnstraße	AZ	8
Deutschmühlental	X	9
Dudweiler Landstraße	X	10
Eschbergerweg	X	12
Feldmannstraße	X	13
Gersweilerstraße	X	14
Hochstraße	X	15
Hohe Wacht	X	16
Karl-Marx-Straße	AY	17
Lebacher Straße	X	18
Lerchesflurweg	X	20
Ludwigstraße	AY	22
Neumarkt	AZ	28
Obertorstraße	BZ	29
Parallelstraße	X	30
Paul-Marien-Straße	BZ	32
Präsident-Baltz-Straße	BZ	34
Reichsstraße	AY	35
Richard-Wagner-Straße	AB	36
Saarbrücker Straße	X	37
Saaruferstraße	X	38
Scheidter Straße	BY	40
Schillerplatz	BZ	41
Spichererbergstraße	X	42
Stephanstraße	BY	43
Türkenstraße	BZ	46
Wilhelm-Heinrich-Brücke	AY	48

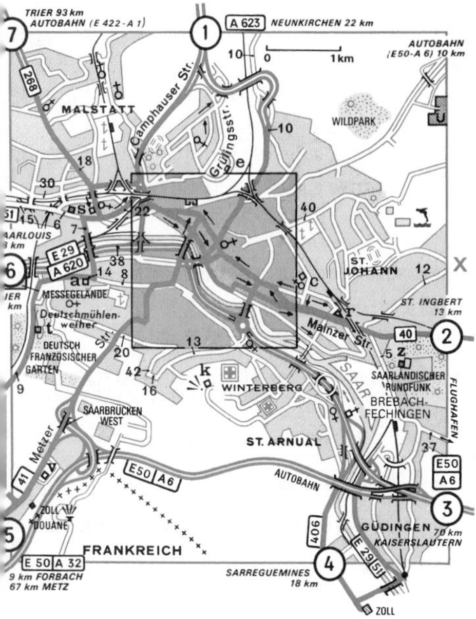

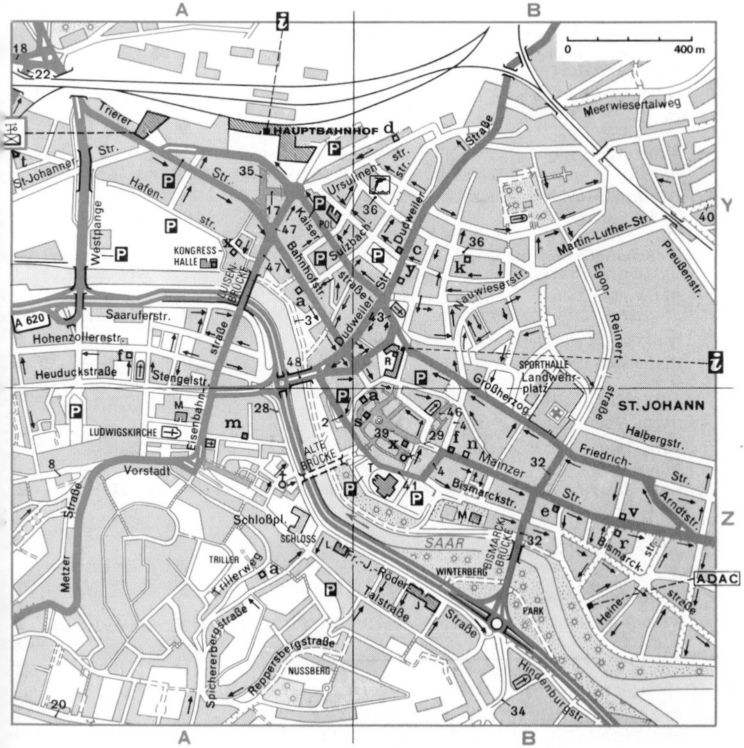

Christine garni, Gersweiler Str. 39, ✆ 5 88 90, Telex 4428736, Fax 55086, ≘s, 🏊 - |‡| TV ☎ ♿ ⇔ P - 🎤 25/65. AE ⓓ E VISA X **a**
über Weihnachten geschl. - **70 Z : 98 B** 99/140 - 140/180 Fb - 4 Appart. 220/260.

Haus Kiwit 🕊, Theodor-Heuss-Straße, ✆ 85 20 77, « Terrasse mit ≤ », ≘s - TV ☎ P - 🎤 30. AE ⓓ E VISA X **k**
M *(Samstag geschl.)* a la carte 34/60 - **19 Z : 35 B** 75/140 - 125/180 Fb.

Park-Hotel, Deutschmühlental 4, ✆ 58 10 33 (Hotel) 58 10 44 (Rest.), Fax 53060, 🍴 - |‡| TV ☎ P - 🎤 25/60. AE ⓓ E VISA X **t**
M *(Mittwoch und Jan. geschl.)* 40/70 - **42 Z : 66 B** 80/110 - 110/150 Fb.

Bauer Hotel Windsor garni, Hohenzollernstr. 41, ✆ 5 60 52, Fax 57105 - |‡| TV ☎ P. AE ⓓ E VISA. ✂ AY **f**
38 Z : 63 B 109/129 - 149/169 Fb.

City-Hotel 🕊 garni, Richard-Wagner-Str. 67, ✆ 3 40 88, Fax 32035 - |‡| TV ☎ ⇔ P. AE E VISA BY **k**
20. Dez.- 10. Jan. geschl. - **37 Z : 68 B** 90/115 - 120/150 Fb.

Kirchberg-Hotel garni, St. Josef-Str. 18, ✆ 4 77 83, ≘s, 🏊 - |‡| ☎ ⇔ X **s**
38 Z : 58 B Fb.

Bruchwiese, Preussenstr. 68, ✆ 6 63 94, Fax 47455, 🍴 - TV ☎ ⇔. AE ⓓ E VISA X **c**
M *(Sonntag ab 15 Uhr und 27. Dez.- 15. Jan. geschl.)* a la carte 38/68 - **13 Z : 23 B** 110/120 - 130/180 Fb.

Meran garni, Mainzer Str. 69, ✆ 6 53 81, Fax 61520, ≘s, 🏊 - |‡| ☎. AE ⓓ E VISA BZ **r**
51 Z : 66 B 68/95 - 117/128 Fb.

Römerhof, Am Kieselhumes 4, ✆ 6 17 07 - TV ☎ P X **r**
20. Dez.- 6. Jan. geschl. - (nur Abendessen für Hausgäste) - **22 Z : 40 B** 85/105 - 120/150 Fb.

Stadt Hamburg garni, Bahnhofstr. 71, ✆ 3 46 92, Fax 374330 - |‡| ☎. AE ⓓ E VISA
24. Dez.- 1. Jan. geschl. - **28 Z : 40 B** 53/90 - 100/121 Fb. AY **a**

Saarbrücken Continental garni, Dudweiler Str. 35, ✆ 3 96 52, Fax 3905373 - |‡| TV ☎. AE ⓓ E VISA BY **y**
22. Dez.- 3. Jan. geschl. - **48 Z : 77 B** 75/120 - 110/150 Fb.

Kaiserhof, Mainzer Str. 78, ✆ 6 64 26, Fax 64120 - |‡| ☎ ⇔. AE ⓓ E VISA BZ **v**
(nur Abendessen für Hausgäste) - **23 Z : 42 B** 53/80 - 95/120 Fb.

Atlantic garni, Ursulinenstr. 59, ✆ 3 10 18, Fax 374503 - |‡| ☎. AE ⓓ E VISA BY **d**
16 Z : 27 B 50/84 - 80/139.

XXX **La Touraine,** Am alten Hafen (Kongreßhalle, 1. Etage), ✆ 4 93 33, Fax 49003, 🍴 - P - 🎤 25/700. ⓓ E VISA AY
Samstag bis 19 Uhr, Sonntag und Juli - Aug. 2 Wochen geschl. - **M** a la carte 47/76.

XXX **Kuntze's Handelshof,** Wilhelm-Heinrich-Str. 17, ✆ 5 69 20 - AE ⓓ E VISA AZ **m**
Sonntag 15 Uhr - Montag und Juli - Aug. 2 Wochen geschl. - **M** a la carte 60/83.

XX **Bitburger Residenz,** Dudweiler Str. 56 (1. Etage), ✆ 37 23 12 - P. AE E BY **c**
Samstag bis 18 Uhr, Sonn- und Feiertage, über Fasching und Juli - Aug. 2 Wochen geschl. - **M** a la carte 47/65 - **Brasserie M** a la carte 30/55.

XX **Fröschengasse,** Fröschengasse 18, (1. Etage), ✆ 37 17 15 - AE ⓓ E VISA BZ **a**
Samstag bis 18 Uhr, Sonn- und Feiertage sowie 11. Aug.- 1. Sept. geschl. - **M** a la carte 44/79.

XX **Ratskeller,** Kaltenbachstraße (im Rathaus), ✆ 3 47 80, Fax 3904968 - ⓓ E VISA BY **R**
Sonntag 15 Uhr - Montag geschl. - **M** *(auch vegetarische Gerichte)* a la carte 28/56.

XX Rebstock, St. Johanner Markt 43, ✆ 3 68 95 BZ **x**

XX **Ristorante Roma** (Italienische Küche), Klausener Str. 25, ✆ 4 54 70, Fax 4170105 - AE ⓓ E VISA AY **t**
Montag geschl. - **M** a la carte 46/69.

X Horch, Mainzer Str. 2, ✆ 3 44 15 BZ **f**

X **Yang Tsao** (China-Restaurant), Mainzer Str. 49a, ✆ 6 81 40 - AE ⓓ E VISA BZ **e**
M a la carte 30/72.

X **Gasthaus zum Stiefel** (Brauereigaststätte), Am Stiefel 2, ✆ 3 12 46, Fax 37018, 🍴 - AE ⓓ E VISA BZ **s**
Sonntag geschl. - **M** a la carte 31/56.

X **Jörgs Bistro,** Breite Str. 47, ✆ 4 29 80 - ⓓ E VISA X **s**
Samstag bis 18 Uhr, Sonntag und Juli - Aug. 4 Wochen geschl. - **M** a la carte 31/65.

Auf dem Halberg SO : 4 km :

XXX **Schloß Halberg,** ✉ 6600 Saarbrücken 3, ✆ (0681) 6 31 81 - ▤ P - 🎤 25/120. AE ⓓ E VISA X **z**
Sonn- und Feiertage ab 18 Uhr geschl. - **M** a la carte 50/78.

In Saarbrücken-Altenkessel **6623** ⑥ : 8 km :

Wahlster, Gerhardstr. 12, ✆ (06898) 8 13 94, 🌳 - TV ☎
M *(nur Abendessen, Sonn- und Feiertage geschl.)* a la carte 31/46 - **26 Z : 36 B** 55/60 - 90/100.

In Saarbrücken - Brebach-Fechingen **6604** SO : 8 km über Saarbrücker Str. X :

Budapest, Bliesransbacher Str. 74, ✆ (06893) 20 23, Fax 1698, ≘ - ☎ ⇔ Ⓟ. E
M *(nur Abendessen)* a la carte 23/42 - **22 Z : 38 B** 70/75 - 100/105.

In Saarbrücken-Bübingen **6601** SO : 9 km über die B 51 X :

Angelo, Saargemünder Str. 28, ✆ (06805) 10 81, Fax 1082, ☂ - TV ☎ ⇔ Ⓟ. ✻
12 Z : 24 B.

In Saarbrücken - Dudweiler **6602** NO : 6,5 km über Meerwiesertalweg BY :

Burkhart, Kantstr. 58, ✆ (06897) 70 17, Fax 7019, « Gartenterrasse » - TV ☎ Ⓟ. AE E VISA
Okt. 1 Woche geschl. - **M** *(Sonntag geschl.)* a la carte 34/67 - **14 Z : 20 B** 60/90 - 90/130.

In Kleinblittersdorf **6601** SO : 13 km über die B 51 X :

Zum Dom, Elsässer Str. 51, ✆ (06805) 10 35 (Hotel) 12 78 (Rest.), Fax 8659 - TV ☎ Ⓟ. E
M *(Samstag bis 17 Uhr geschl.)* a la carte 27/42 - **12 Z : 24 B** 62/78 - 89/160.

Roter Hahn, Saarbrücker Str. 20, ✆ (06805) 30 55 - 🏛 60
Montag 15 Uhr - Dienstag geschl. - **M** a la carte 30/54.

SAARBURG **5510.** Rheinland-Pfalz 412 C 18, 987 ㉓, 409 M 7 - 6 500 Ew - Höhe 148 m - Erholungsort - ☎ 06581.

ℹ Verkehrsamt, Graf-Siegfried-Str. 32, ✆ 8 12 15.

Mainz 176 - ♦Saarbrücken 71 - Thionville 44 - ♦Trier 24.

Zunftstube, Am Markt 11, ✆ 36 96 - ☎. AE ⓞ E VISA
Feb. 3 Wochen geschl. - **M** *(Donnerstag geschl.)* a la carte 26/46 ⅓ - **7 Z : 14 B** 42/46 - 72/84.

Brizin - Restaurant Chez Claude ⑤, Kruterberg 14 (S : 1 km), ✆ 21 33, ≤, ☂ - Ⓟ. AE ⓞ E VISA. ✻ Rest
ab Rosenmontag 2 Wochen geschl. - **M** *(Dienstag geschl.)* a la carte 35/65 - **8 Z : 13 B** 35/45 - 70.

Burg-Restaurant, Schloßberg 12 (in der Burg), ✆ 26 22, « Terrasse mit ≤ » - Ⓟ. AE ⓞ E VISA
Montag - Dienstag und Jan. 2 Wochen geschl. - **M** a la carte 36/62.

Saarburger Hof mit Zim, Graf-Siegfried-Str. 37, ✆ 23 58, Fax 2194, ☂ - TV ☎. AE ⓞ E VISA
27. Dez.- Jan. geschl. - **M** *(Montag - Dienstag 18 Uhr geschl.)* a la carte 37/66 ⅓ - **6 Z : 12 B** 70/85 - 110/140.

In Trassem **5511** SW : 4,5 km :

St. Erasmus, Kirchstr. 6a, ✆ (06581) 26 84, Fax 1234, ☂, ⛱ - ☎ Ⓟ - 🏛 25. AE ⓞ E VISA
M *(Mittwoch geschl.)* a la carte 21/49 ⅓ - **23 Z : 46 B** 45/48 - 78/88.

SAARLOUIS **6630.** Saarland 987 ㉓㉔, 412 D 19, 242 ⑥ - 39 000 Ew - Höhe 185 m - ☎ 06831.

⛳18 Wallerfangen - Gisingen (W : 10 km), ✆ (06837) 4 01.

ℹ Stadt-Info, Großer Markt, ✆ 44 32 63.

♦Saarbrücken 28 ② - Luxembourg 75 ⑤ - Metz 57 ④ - ♦Trier 70 ⑤.

Stadtpläne siehe nächste Seite

Ratskeller garni, Kleiner Markt 7, ✆ 20 90, Fax 48347 - TV ☎. AE ⓞ E VISA — B **d**
29 Z : 50 B 80/110 - 130 Fb.

City-Hotel Posthof, Postgäßchen 5 (Passage), ✆ 20 40, Fax 2983 - |♦| TV ☎. AE ⓞ E VISA. ✻ — B **a**
M *(Freitag-Samstag 18 Uhr und 1.- 19. Jan. geschl.)* a la carte 33/61 - **43 Z : 53 B** 85/140 - 160/190 Fb.

Peter Zaunmüller, Postgäßchen 6, ✆ 4 03 40, ☂ - ⓞ E VISA ✻ — B **r**
Montag ab 14 Uhr, Sonn- und Feiertage sowie über Fasching geschl. - **M** a la carte 40/80.

Restaurant Müller - Via Veneto, In den Kasematten, ✆ 4 25 74, ☂ - AE ⓞ E VISA ✻
Donnerstag bis 18 Uhr, Montag und 1.- 14. Juli geschl. - **M** a la carte 38/60. — B **s**

Marché vital, Französische Str. 7 (Untergeschoß), ✆ 28 27, Fax 84758 - AE ⓞ E VISA
Sonn- und Feiertage geschl. - **M** a la carte 25/56. — B **d**

In Saarlouis 5 - Beaumarais W : 3 km über Wallerfanger Straße A :

Altes Pfarrhaus Beaumarais - Engels Restaurant (ehem. Sommer-Residenz a.d.J. 1762), Hauptstr. 2, ✆ 63 83 (Hotel) 6 08 48 (Rest.), Fax 62898, ☂, « Gemälde-Ausstellung und Antiquitäten » - TV ♿ Ⓟ - 🏛 60. AE ⓞ E VISA
M *(Samstag bis 19 Uhr und Sonntag geschl.)* a la carte 70/93 - **35 Z : 65 B** 110/170 - 170/250.

In Saarlouis 3-Fraulautern :

Hennrich, Rodener Str. 56, ✆ 8 00 91 - TV ☎ ⇔ Ⓟ — A **e**
M *(Montag und Aug. 1 Woche geschl.)* a la carte 32/55 - **21 Z : 36 B** 50/70 - 120 Fb.

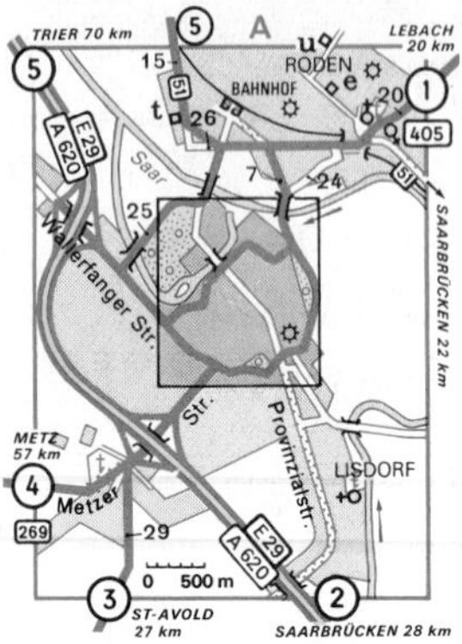

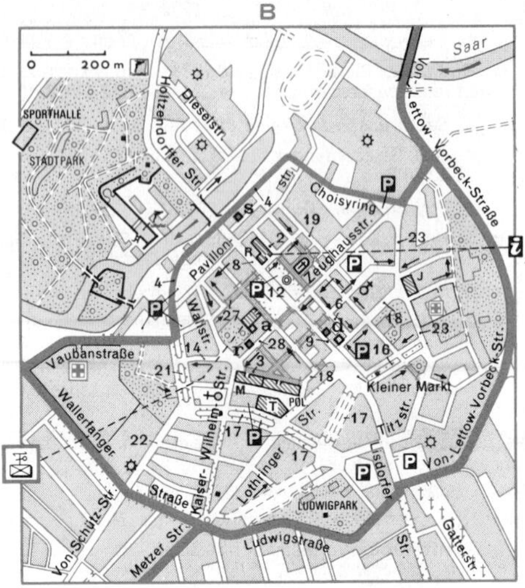

SAARLOUIS

Bibelstraße . . . . B 6
Deutsche Straße . . . . B 8
Französische Straße . . . . B 9
Großer Markt . . . . B 12
Kleiner Markt . . . . B
Lisdorfer Straße . . . . B
Schlächterstraße . . . . B 27
Silberherzstraße . . . . B 28
Zeughausstraße . . . . B

Adlerstraße . . . . B 2
Alte Brauereistraße . . . . B 3
Anton-Merziger-Ring . . . . B 4
Brückenstraße . . . . A 7
Handwerkerstraße . . . . B 14
Herrenstraße . . . . A 15
Hohenzollernring . . . . B 16
Kaiser-Friedrich-Ring . . . . B 17
Karcherstraße . . . . B 18
Kavalleriestraße . . . . B 19
Lebacher Straße . . . . A 20
Luxemburger Ring . . . . B 21
Neue Brauereistraße . . . . B 22
Prälat-Subtil-Ring . . . . B 23
Saarlouiser Straße . . . . A 24
St. Nazairer Allee . . . . A 25
Schanzenstraße . . . . A 26
Überherrner Straße . . . . A 29

In Saarlouis-Picard ④ : 4 km :

Taffing's Mühle, Am Taffingsweiher, 20 45, Fax 46789, - - 40
12 Z : 19 B Fb.

In Saarlouis-Roden :

Zur Saarmühle, Zur Saarmühle 1 (B 51), 8 00 10 - . A t
M *(nur Abendessen)* a la carte 22/48 - **23 Z : 42 B** 65/105 - 95/145 Fb.

In Wallerfangen **6634** W : 4 km über Wallerfanger Straße A :

Villa Fayence mit Zim, Hauptstr. 12, (06831) 6 20 66, Fax 62068, , « Villa a.d.J. 1835 in einem großen Park » - .
Montag geschl. - **M** a la carte 58/98 - **Bistro** *(Sonntag bis 18 Uhr und Montag geschl.)* **M** a la carte 40/68 - **4 Z : 8 B** 145/190 - 200/260
Spez. Langustinenravioli in Currysauce, Lammrückenfilet mit Schalotten-Senfkruste, Orangensuppe mit Mandeleis und Feigenkrapfen.

Bernard Epe, Hauptstr. 15, (06831) 66 69 - .
Montag und Juli - Aug. 2 Wochen geschl. - **M** a la carte 42/62.

In Wallerfangen 5-Kerlingen **6634** W : 9 km über Wallerfanger Straße A :

Haus Scheidberg, (06837) 7 50, Fax 7530, , , , - - 25/150.
1.- 15. Jan. geschl. - **M** a la carte 32/59 - **49 Z : 76 B** 65/80 - 98/110 Fb.

In Überherrn-Berus **6636** ③ : 9,5 km :

Margaretenhof, Orannastraße, (06836) 20 10, , , , , - .
27. Dez.- 10. Jan. geschl. - **M** *(nur Abendessen, Donnerstag geschl.)* a la carte 29/57 - **14 Z : 24 B** 75/90 - 110/128 Fb.

Les hôtels ou restaurants agréables sont indiqués dans le guide par un signe rouge.
Aidez-nous en nous signalant les maisons où, par expérience, vous savez qu'il fait bon vivre.
Votre guide Michelin sera encore meilleur.

SAAROW-PIESKOW, BAD **O-1242** Brandenburg 984 ⑯, 987 ⑱ – 3 800 Ew – Höhe 65 m – ☎ 0037 3591
♦Berlin 62 – Brandenburg 118 – ♦Frankfurt/Oder 36.

In Petersdorf **O-1241** N : 3,5 km :

✕ Seeschloß Petersdorf, Seestr. 13, ☎ (00373591) 20 96, 🏞 – Ⓟ.

SAARWELLINGEN **6632.** Saarland 412 D 18, 242 ⑥, 57 ⑥ – 14 200 Ew – Höhe 200 m – ☎ 06838 – ♦Saarbrücken 25 – Lebach 14 – Saarlouis 4,5.

Maurer, Schloßstr. 58, ☎ 27 35 – 🚗 Ⓟ
2.- 19. Aug. geschl. – **M** *(Freitag geschl.)* a la carte 22/58 – **25 Z : 40 B** 40/45 - 76/86.

In Saarwellingen 3-Reisbach O : 6 km :

✕✕ **Landhaus Kuntz** mit Zim, Kirchplatz 3, ☎ 5 05, Fax 504, « Hübsche Inneneinrichtung » – TV ☎ Ⓟ. Ⓓ VISA
M *(bemerkenswerte Weinkarte, Tischbestellung ratsam)* (Samstag bis 19 Uhr und Sonntag - Montag 19 Uhr geschl.) a la carte 41/82 – **7 Z : 12 B** 85/110 - 125/160 Fb.

SACHSA, BAD **3423.** Niedersachsen 411 O 12, 987 ⑯ – 9 000 Ew – Höhe 360 m – Heilklimatischer Kurort – Wintersport : 500/650 m ⛷4 ⛷1 – ☎ 05523.
Kurverwaltung, Am Kurpark 6, ☎ 3 00 90.
♦Hannover 129 – ♦Braunschweig 95 – Göttingen 62.

Harzhotel Romantischer Winkel ⛰, Bismarckstr. 23, ☎ 10 05, Fax 7171, 🏞, ≘s, 🏊, 🌳 – 🛗 TV 🚗 Ⓟ – 🏛 40. AE E VISA. ✖ Rest
Mitte Nov.- Mitte Dez. geschl. – **M** a la carte 38/73 – **72 Z : 115 B** 90/140 - 165/220 Fb – ½ P 109/146.

Birkenhof ⛰ garni, Tannenweg 6, ☎ 10 77, Fax 3711, ≘s, 🏊 – 🚗 Ⓟ
20 Z : 34 B.

SACHSENHEIM **7123.** Baden-Württemberg 413 K 20 – 14 800 Ew – Höhe 260 m – ☎ 07147.
♦Stuttgart 31 – Heilbronn 31 – Ludwigsburg 15 – Pforzheim 29.

In Sachsenheim 1-Großsachsenheim :

Schloßhotel, Obere Str. 15, ☎ 30 33 – ☎ Ⓟ. ✖
M *(auch vegetarische Gerichte)* (Mittwoch geschl.) a la carte 25/43 – **10 Z : 16 B** 75/95 - 120/140.

In Sachsenheim-Ochsenbach NW : 10 km :

✕✕ **Landgasthof zum Schwanen,** Dorfstr. 47, ☎ (07046) 21 35, 🏞 – Ⓟ
Sonntag 15 Uhr - Dienstag 18 Uhr und 7.Jan.- 7. Feb. geschl. – Menu (Tischbestellung ratsam) a la carte 38/63.

SÄCKINGEN, BAD **7880.** Baden-Württemberg 413 GH 24, 987 ㉞, 427 H 3 – 16 000 Ew – Höhe 290 m – Heilbad – ☎ 07761.
Sehenswert : Fridolinsmünster★ – Überdachte Rheinbrücke★.
Kurverwaltung, Waldshuter Str. 20, ☎ 5 13 16.
♦Stuttgart 205 – Basel 31 – Donaueschingen 82 – Schaffhausen 67 – Zürich 58.

Zur Flüh ⛰, Weihermatten 38, ☎ 85 13, 🏞, ≘s, 🏊 – TV ☎ 🚗 Ⓟ
40 Z : 55 B Fb.

✕✕ **Fuchshöhle** (Haus a.d. 17. Jh.), Rheinbrückstr. 7, ☎ 73 13 – Ⓓ E
Sonntag - Montag, über Fastnacht und Juli jeweils 2 Wochen geschl. – Menu a la carte 38/67.

✕ **Margarethen-Schlößle,** Balther Platz 1, ☎ 15 25, 🏞
Dienstag 18 Uhr - Mittwoch und Jan. geschl. – **M** a la carte 32/59.

SALACH **7335.** Baden-Württemberg 413 M 20 – 6 400 Ew – Höhe 365 m – ☎ 07162 (Süßen).
♦Stuttgart 52 – Göppingen 8 – ♦Ulm (Donau) 43.

Bernhardus, Weberstr. 15, ☎ 80 61 – 🛗 TV ☎ Ⓟ – 🏛 35. AE Ⓓ E VISA
M *(Sonntag ab 15 Uhr geschl.)* a la carte 31/61 – **29 Z : 58 B** 95 - 162 Fb.

Klaus, Hauptstr. 87 b, ☎ 80 36, Fax 41215, 🏞, 🏊, 🌳 – 🛗 TV ☎ Ⓟ. AE E VISA
M *(nur Abendessen, Samstag - Sonntag geschl.)* a la carte 30/55 – **18 Z : 21 B** 95 - 170 Fb.

Garni, Hauffstr. 12, ☎ 83 07 – 🚗 Ⓟ. E
19 Z : 26 B 38/50 - 80/90.

Bei der Ruine Staufeneck O : 3 km :

✕✕ ✿ **Burgrestaurant Staufeneck** ⛰ mit Zim, ✉ 7335 Salach, ☎ (07162) 50 28, Fax 44300, ⩽ Gingen und Filstal, 🏞 – 🛗 ☎ Ⓟ – 🏛 25/140. AE Ⓓ E VISA
1.- 16. Aug. geschl. – **M** *(Donnerstag geschl.)* a la carte 50/80 – **4 Z : 5 B** 60 - 120
Spez. Kalbskopfterrine, Seeteufel auf Saubohnen, Reh in zwei Gängen serviert.

SALEM **7777.** Baden-Württemberg 413 K 23, 987 ㉟, 427 L 2 – 9 000 Ew – Höhe 445 m – ☎ 07553.

Sehenswert: Ehemaliges Kloster★ (Klosterkirche★) – Schloß★.

Reisebüro Salem, Schloßseeallee 20 (Mimmenhausen), ✆ 70 11, Fax 8452.

♦Stuttgart 149 – Bregenz 62 – Sigmaringen 47.

Schwanen, beim Schloß, ✆ 2 83, – ☎ P
Jan.- 14. März geschl. – **M** *(Donnerstag geschl.)* a la carte 28/50 – **15 Z : 30 B** 65/75 - 95/110.

Salmannsweiler Hof, Salmannsweiler Weg 5, ✆ 70 46, – ☎ P
Mitte - Ende März und Mitte Okt.- Anfang Nov. geschl. – **M** *(Donnerstag 14 Uhr - Freitag geschl.)* a la carte 28/59 – **10 Z : 21 B** 60/75 - 90/120.

Lindenbaum - Gästehaus Jehle, Neufracher Str. 1, ✆ 2 11, – P
25. Okt.- 15. Nov. geschl. – **M** *(Sonntag 14 Uhr - Montag geschl.)* a la carte 24/38 – **8 Z : 14 B** 35 - 65/70.

In Salem 2-Mimmenhausen S : 2 km :

Hirschen, Bodenseestr. 135, ✆ 3 76, – P
M *(Mittwoch geschl.)* a la carte 25/48 – **8 Z : 16 B** 48 - 85.

SALZBERGEN Nordrhein-Westfalen siehe Rheine.

SALZBURG **A-5020.** Österreich 413 W 23, 987 ㊳, 426 K 5 – 140 000 Ew – Höhe 425 m – ☎ 0662 (innerhalb Österreich).

Sehenswert: ≤★★ auf die Stadt (vom Mönchsberg) X und ≤★★ (von der Hettwer-Bastei) Y – Hohensalzburg★★ X, Z : ≤★★ (von der Kuenburgbastei), ★★ (vom Reckturm), Burgmuseum★ – Petersfriedhof★★ Z – Stiftskirche St. Peter★★ Z – Residenz★★ Z – Haus der Natur★★ Y **M2** – Franziskanerkirche★Z **A** – Getreidegasse★ Y – Mirabellgarten★ V (Monumentaltreppe★★ des Schloßes) – Barockmuseum★ V **M3** – Dom★ Z.

Ausflugsziele: Gaisbergstraße★★ (≤★) über ① – Untersberg★ über ② : 10 km (mit) – Schloß Hellbrunn★ über Nonntaler Hauptstraße X.

9 Salzburg-Wals, Schloß Klessheim, ✆ 85 08 51 ; 9 in Hof (① : 20 km), ✆ (06229) 23 90 ; 18 in St. Lorenz (① : 29 km), ✆ (06232) 38 35.

Festspiel-Preise : siehe S. 8
Prix pendant le festival : voir p. 16
Prices during tourist events : see p. 24
Prezzi duranti i festival : vedere p. 32.

Innsbrucker Bundesstr. 95 (über ③), ✆ 85 12 23 - City Air Terminal (Autobusbahnhof), Südtirolerplatz V.

✆ 71 54 14 22.

Salzburger Messegelände, Linke Glanzeile 65, ✆ 3 45 66.

Tourist-Information, Mozartplatz 5, ✆ 84 75 68.

ÖAMTC, Alpenstr. 102, (über ②), ✆ 2 05 01, Fax 2050145.

Wien 292 ① – Innsbruck 177 ③ – ♦München 140 ③.

Die Preise sind in der Landeswährung (ö. S.) angegeben.

Stadtpläne siehe nächste Seiten

Salzburg Sheraton Hotel, Auerspergstr. 4, ✆ 88 99 90, Telex 632518, Fax 881776, « Terrasse im Kurpark », direkter Zugang zum Kurmittelhaus – Zim – 25/150. AE E VISA. Rest V s
Restaurants : **Mirabell M** a la carte 425/745 – **Bistro M** a la carte 180/420 – **165 Z : 330 B** 2750/4350 - 3250/5050 Fb – 9 Appart. 5700/8300.

Österreichischer Hof, Schwarzstr. 5, ✆ 8 89 77, Telex 633590, Fax 8897714, « Terrassen an der Salzach mit ≤ Altstadt und Festung » – Zim – 25/70. AE E VISA Y b
Restaurants : **Zirbelzimmer M** a la carte 425/675 – **Salzach Grill M** a la carte 230/455 – **119 Z : 228 B** 2250/3200 - 3100/4900 Fb – 3 Appart.

Bristol, Makartplatz 4, ✆ 7 35 57, Telex 633337, Fax 8735576 – Rest – 80. AE E VISA. Rest Y a
Mitte April - Dez. – **M** 270 (mittags) und a la carte 420/620 – **75 Z : 130 B** 2250/3980 - 2950/5200 Fb – 10 Appart. 6900/8000.

Schloß Mönchstein, Am Mönchsberg 26, ✆ 8 48 55 50, Telex 632080, Fax 848559, ≤ Salzburg und Umgebung, , « Schlößchen mit eleganter, stilvoller Einrichtung, Hochzeitskappelle, Park », , – P – 40. AE E VISA. Rest X e
M a la carte 460/750 – **17 Z : 33 B** 2000/3200 - 2600/8000.

Goldener Hirsch, Getreidegasse 37, ✆ 84 85 11, Telex 632967, Fax 848517845, « Patrizierhaus a.d.J. 1407 mit stilvoller Einrichtung » – Zim Rest – 40. AE E VISA Y e
M a la carte 375/610 – **71 Z : 135 B** 1950/4750 - 3750/7000 Fb – 3 Appart. 7800.

SALZBURG

Auerspergstraße . . . . V 3
Bürglsteinstraße . . . . X 5
Erzabt-Klotz-Str. . . . . X 9
Gstättengasse . . . . X 12
Kaiserschützenstr. . . . . V 20
Nonntaler Hauptstr. . . . . X 29
Späthgasse . . . . X 37

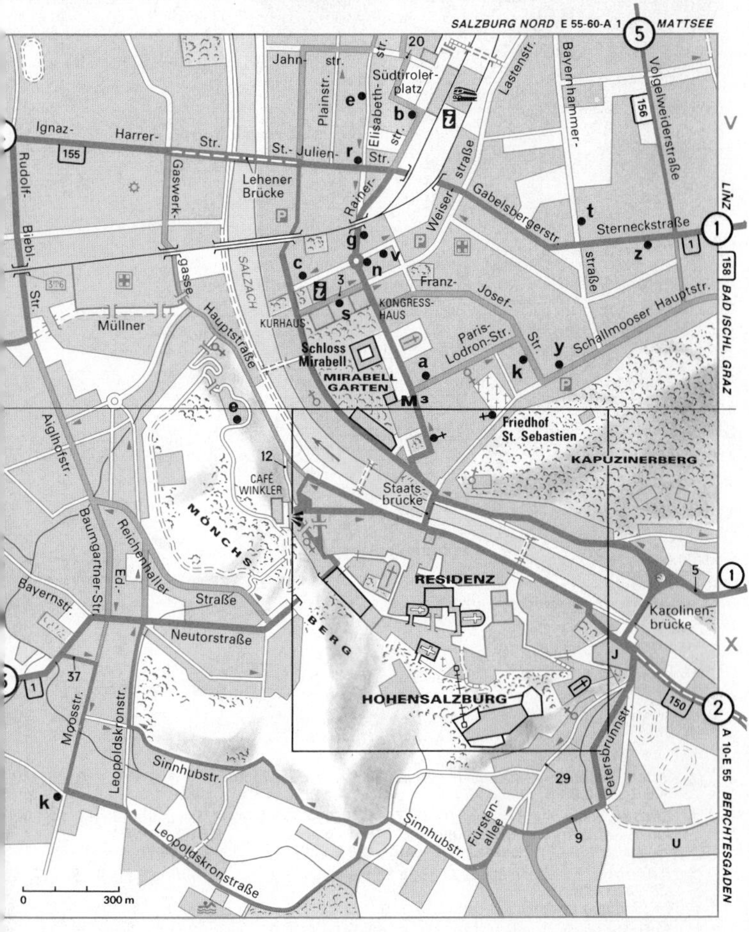

Rosenberger, Bessarabierstr.94, ✆ 4 35 46, Telex 3622405, Fax 43951095, – Zim – 25/360. AE VISA über ④
M a la carte 210/380 – **120 Z : 240 B** 980/1050 - 1360/1500 Fb.

Dorint - Hotel, Sterneckstr. 20, ✆ 88 20 31, Telex 631075, Fax 8820319, – Zim Rest – 25/260. AE VISA V **z**
M a la carte 280/430 – **140 Z : 280 B** 1100/1820 - 1500/2450 Fb.

Mercure, Bayerhamerstr. 14, ✆ 88 14 38, Telex 632341, Fax 71111411, – Zim – 25/200. AE VISA V **t**
M a la carte 268/450 – **121 Z : 242 B** 1800 - 2100 Fb.

Theater-Hotel, Schallmooser Hauptstr. 13, ✆ 8 81 68 10, Telex 632319, , Massage, – – 40. Rest V **y**
58 Z : 120 B Fb – 11 Appart.

Carlton garni, Markus-Sittikus-Str. 3, ✆ 88 21 91, Fax 87478447, – . AE VISA V **c**
40 Z : 80 B 1400/1750 - 1700/2250 Fb – 13 Appart. 2200/2900.

Novotel Salzburg City, Franz-Josef-Str. 26, ✆ 88 20 41, Telex 632886, Fax 874240 – – 25/140. AE VISA V **k**
M a la carte 260/430 – **140 Z : 280 B** 1200/1550 - 1500/1950 Fb.

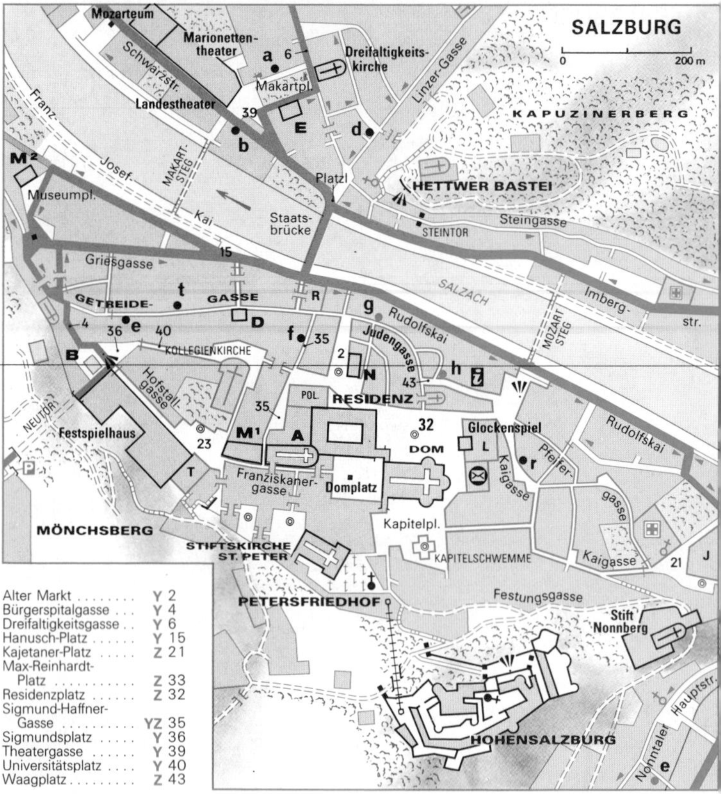

Pitter, Rainerstr. 6, ☎ 7 85 71, Telex 633532, Fax 7857190, – TV ☎ – 25/150
200 Z : 340 B Fb. V n

Europa, Rainerstr. 31, ☎ 88 99 30, Telex 633424, Fax 889938, Restaurant in der 14. Etage mit ≤ Salzburg und Umgebung – TV ☎ P – 25/80. AE E VISA V b
(Restaurant nur für Hausgäste) – **104 Z : 156 B** 930/1190 - 1310/2000 Fb.

Austrotel, Mirabellplatz 8, ☎ 88 16 88, Telex 632361, Fax 881687 – TV ☎ – 45
AE E VISA V a
M *(Sonntag geschl.)* a la carte 225/330 – **73 Z : 116 B** 1550 - 2400 Fb.

Schaffenrath, Alpenstr. 115, ☎ 2 31 53, Telex 633207, Fax 29314, , Massage, –
TV ☎ P – 25/100. AE E VISA über ②
M a la carte 200/400 – **50 Z : 100 B** 990/1700 - 1400/2600 Fb.

Kasererhof, Alpenstr. 6, ☎ 2 12 65, Telex 633477, Fax 28376, , – TV ☎ P. AE
E VISA über ②
Feb. geschl. – **M** *(Samstag - Sonntag geschl.)* a la carte 310/540 – **54 Z : 100 B** 1260/1810 - 2215/3515 Fb – 6 Appart..

Hohenstauffen garni, Elisabethstr. 19, ☎ 87 76 69, Fax 87219351 – TV ☎ . AE
E VISA V e
27 Z : 53 B 720/950 - 1240/1640.

Stieglbräu (Brauerei-Gasthof), Rainerstr. 14, ☎ 7 76 92 (Hotel) 7 76 94 (Rest.), Telex 633671, Fax 7769271, – TV ☎ P – 25 V g
50 Z : 100 B Fb.

Fuggerhof garni, Eberhard-Fugger-Str. 9, ☎ 6 41 29 00, Telex 632533, Fax 6412904, ≤, ,
 – TV ☎ P. über Bürglsteinstr. X
20. Dez.- 20. Jan. geschl. – **20 Z : 40 B** 950/1400 - 1200/2400.

Zum Hirschen, St.-Julien-Str. 21, ☎ 88 90 30, Telex 632691, Fax 8890358, , Massage,
 – TV ☎ P – 25/50. AE E VISA V r
Nov. geschl. – **M** a la carte 185/345 – **70 Z : 125 B** 710/1160 - 1240/1980 Fb – 5 Appart. 1920/2940.

Elefant ⑤, Sigmund-Haffner-Gasse 4, ✆ 84 33 97, Telex 632725, Fax 84010928 – |♦| TV ☎. AE E VISA Y f
M *(außer im Aug. Dienstag geschl.)* a la carte 200/390 – **Ratsherrnkeller M** a la carte 195/375 – **38 Z : 60 B** 650/800 - 1200/1800 Fb.

Weiße Taube ⑤ garni, Kaigasse 9, ✆ 84 24 04, Telex 633065, Fax 84178350 – |♦| ☎. AE ⓓ E VISA. ✻ Z r
33 Z : 59 B 750/1200 - 1250/1600.

Nußdorfer Hof garni, Moosstr. 36, ✆ 82 48 38, Telex 632515, Fax 8249379, ≘s, ⛱ (geheizt), ⛱, ✂ – |♦| TV ☎ ⇐ Ⓟ. E X k
Nov. geschl. – **35 Z : 65 B** 650/1280 - 1080/1480 Fb.

Gablerbräu, Linzer Gasse 9, ✆ 8 89 65, Telex 631067, Fax 8896555, ⛱ – |♦| ☎ – 🏂 25/60. AE ⓓ E VISA Y d
M a la carte 180/320 – **54 Z : 92 B** 710/1420 - 1260/2100 Fb.

Markus Sittikus garni, Markus-Sittikus-Str. 20, ✆ 8 71 12 10, Telex 632720, Fax 87112158 – |♦| TV ☎. AE ⓓ E VISA V v
20.- 26. Dez. geschl. – **40 Z : 63 B** 590/750 - 980/1180.

Café Winkler (modernes Café-Restaurant mit Spiel-Casino), Mönchsberg 32 (Zufahrt mit |♦|, 19 ö.S.), ✆ 8 41 21 50, Telex 633967, Fax 84525830, ⩽ Salzburg, ⛱ – 🏂 120. AE ⓓ E VISA Y
Montag - Dienstag 14 Uhr geschl. – **M** 335/425 (mittags) und a la carte 450/645.

K u. K Restaurant am Waagplatz, Waagplatz 2 (1. Etage), ✆ 84 21 56, Fax 84215770, ⛱, « Mittelalterliches Essen mit Theateraufführung im Freysauff-Keller (auf Vorbestellung) » (Tischbestellung ratsam). Z h

Mozart, Getreidegasse 22 (1. Etage, |♦|), ✆ 84 37 46, Fax 846852 – AE ⓓ E VISA Y t
Donnerstag - Freitag 19 Uhr und 11. Juni - 3. Juli geschl. – **M** (Tischbestellung ratsam) a la carte 340/505.

Zum Mohren, Judengasse 9, ✆ 84 23 87 – ✻ Y g
Sonn- und Feiertage sowie 1.- 30. Juni geschl. – **M** (Tischbestellung ratsam) a la carte 240/370.

In Salzburg-Aigen **A-5026** über Bürglsteinstr. X :

Doktorwirt, Glaser Str. 9, ✆ 2 29 73, Telex 632938, Fax 2897524, ⛱, ≘s, ⛱ (geheizt), ⛱ – TV ☎ Ⓟ. AE ⓓ E VISA. ✻ Rest
9.- 25. Feb. und Mitte Okt.- Nov. geschl. – **M** *(Montag geschl.)* a la carte 180/370 ♨ – **39 Z : 75 B** 750/1100 - 1000/1500 Fb.

Gasthof Schloß Aigen, Schwarzenbergpromenade 37, ✆ 2 12 84, ⛱ – Ⓟ. AE ⓓ E VISA
Mittwoch - Donnerstag 18 Uhr, Feb. 1 Woche und 2.- 8. Sept. geschl. – **M** a la carte 170/400 ♨.

In Salzburg-Liefering **A-5020** über ④ :

Brandstätter, Münchner Bundesstr. 69, ✆ 83 45 35, Fax 83453590, ⛱, ≘s, ⛱, ⛱ – |♦| TV ☎ Ⓟ – 🏂 40
22.- 27. Dez. geschl. – Menu *(Tischbestellung ratsam)* (2.- 16. Jan. geschl.) a la carte 255/555 ♨ – **36 Z : 63 B** 770/980 - 1120/2380.

In Salzburg-Maria Plain **A-5101** über Plainstr. V :

Maria Plain ⑤ (Landgasthof aus dem 17. Jh.), Plainbergweg 41, ✆ 5 07 01, Telex 632801, Fax 5070119, « Gastgarten mit ⩽ » – |♦| TV ☎ ⇐ Ⓟ – 🏂 40. ⓓ
3.- 16. Feb. und 13.- 23. Juli geschl. – **M** *(Okt.- März Dienstag 14 Uhr - Mittwoch geschl.)* a la carte 230/325 – **30 Z : 56 B** 748/822 - 985/1680 Fb – 3 Appart. 1848.

In Salzburg-Nonntal **A-5020** :

Purzelbaum (Restaurant im Bistrostil), Zugallistr. 7, ✆ 84 88 43, ⛱ – AE ⓓ E VISA ✻
Sonntag geschl. – **M** (abends Tischbestellung ratsam) a la carte 370/520. Z e

In Salzburg-Parsch **A-5020** über Bürglsteinstr. X :

Fondachhof ⑤, Gaisbergstr. 46, ✆ 64 13 31, Fax 641576, ⩽, « 200-jähriges Herrenhaus in einem Park », ≘s, ⛱ (geheizt), ⛱ – |♦| TV ⇐ Ⓟ – 🏂 25. AE ⓓ E VISA. ✻ Rest
9. April - Okt. – (Restaurant nur für Hausgäste) – **28 Z : 45 B** 1200/2150 - 2350/3600 – 4 Appart. 3600/5600.

Villa Pace ⑤, Sonnleitenweg 9, ✆ 64 15 01, Telex 631141, Fax 64150122, ⩽ Salzburg und Festung, ≘s, ⛱ (geheizt), ⛱ – ⟺ Zim TV ☎ Ⓟ. AE ⓓ E VISA
April - Mitte Nov. – (Restaurant nur für Hausgäste) – **12 Z : 22 B** 2300/3000 - 3600/3850 Fb – 4 Appart. 4950/5450.

Auf dem Heuberg NO : 3 km über ① – Höhe 565 m

Schöne Aussicht ⑤, ✉ A-5023 Salzburg, ✆ (0662) 64 06 08, Telex 631153, Fax 6406902, « Gartenterrasse mit ⩽ Salzburg und Alpen », ≘s, ⛱, ⛱, ✂ – TV ☎ Ⓟ – 🏂 40. AE ⓓ E VISA. ✻
April - Okt. – **M** *(Sonntag geschl.)* a la carte 285/530 – **30 Z : 58 B** 900 - 1300/2000 Fb.

Auf dem Gaisberg über ① :

🏰🏰 **Kobenzl** ⌘, Gaisberg 11 – Höhe 750 m, ☒ A-5020 Salzburg, 𝄽 (0662) 64 15 10, Telex 633833, Fax 64223871, 🍴, « Schöne Panorama-Lage mit ≤ Salzburg und Alpen », Massage, ⇌, 🔲, 🌫, – 🆃🆅 ☎ 🅿 – 🛗 25/80. 🆎 ⓞ 🅴 𝖵𝖨𝖲𝖠 🎢 Rest
Mitte März - Mitte Nov. – **M** a la carte 350/560 – **35 Z : 70 B** 1450/2850 - 1950/5550 Fb – 4 Appart. 5900/6500.

🏛🏛 **Romantik Hotel Gersberg Alm** ⌘, Gaisberg 37 – Höhe 800 m, ☒ A-5023 Salzburg-Gnigl, 𝄽 (0662) 64 12 57, Fax 64125780, 🍴, ⇌, 🔲, 🎢 – 🆃🆅 ☎ 🅿 – 🛗 25/60. 🆎 ⓞ 🅴 𝖵𝖨𝖲𝖠 – *8. Jan.- Feb. geschl.* – **M** a la carte 265/450 – **36 Z : 68 B** 1100/2250 - 1650/2900 Fb.

🏛 **Berghotel Zistel-Alm** ⌘, Gaisberg 16 – Höhe 1 001 m, ☒ A-5026 Salzburg-Aigen, 𝄽 (0662) 64 10 67, Fax 20104200, ≤ Alpen, 🍴, 🔲, 🌫, 🏕 🎢 Rest
24 Z : 38 B – 6 Fewo.

Beim Flughafen über ③ :

🏛 **Airporthotel**, Loigstr. 20a, ☒ A-5020 Salzburg-Loig, 𝄽 (0662) 85 00 20, Telex 633634, Fax 85002044, ⇌ – 🆃🆅 ☎ 🅿 – 🛗 25. 🆎 ⓞ 🅴 𝖵𝖨𝖲𝖠 über ③
(nur Abendessen für Hausgäste) – **34 Z : 60 B** 1100/1460 - 1760/2500.

In Anif A-5081 ② : 7 km – 🕓 06246 :

🏛 **Point Hotel**, Berchtesgadener Str. 364, 𝄽 42 56, Telex 631003, Fax 4256443, 🍴, Massage, ⇌, 🔲 (geheizt), 🌫, 🎢(Halle) – 🆃🆅 ☎ 🅿 – 🛗 25/100 – **62 Z : 114 B** Fb.

🏛🏛 **Friesacher** (mit Gästehaus Aniferhof), 𝄽 20 75, Telex 632943, Fax 207549, ⇌, 🌫 – 📶 🆃🆅 ☎ 🅿 – 🛗 25
2.- 22. Jan. geschl. – **M** *(Mittwoch geschl.)* a la carte 185/380 ♨ – **70 Z : 130 B** 680/980 - 980/1480 Fb.

🏛🏛 **Hubertushof,** Neu Anif 4 (nahe der Autobahnausfahrt Salzburg Süd), 𝄽 24 78, Telex 632684, Fax 421768, 🍴 – 🆃🆅 ☎ 🅿 – 🛗 25/60. 🆎 𝖵𝖨𝖲𝖠
M a la carte 275/445 – **70 Z : 140 B** 700/850 - 1000/1400 Fb.

🏛🏛 **Romantik-Hotel Schloßwirt** (Gasthof a. d. 17.Jh. mit Biedermeier-Einrichtung), Halleiner Bundesstr. 22, 𝄽 21 75, Telex 631169, Fax 217580, 🍴, 🌫 – 📶 🆃🆅 ☎ ⇌ 🅿 🆎 ⓞ 🅴 𝖵𝖨𝖲𝖠
Feb. geschl. – **M** *(Dienstag geschl.)* a la carte 295/460 – **32 Z : 55 B** 850/1250 - 1200/2500 Fb.

In Bergheim-Lengfelden A-5101 N : 7 km über ⑤ :

🏛 **Gasthof Bräuwirt**, 𝄽 (0662) 5 21 63, Telex 631109, Fax 5216353, 🍴 – 📶 🆃🆅 ☎ ♿ ⇌ 🅿 – 🛗 25/80. 🅴 𝖵𝖨𝖲𝖠
M *(Dienstag und 13. Nov.- 4. Dez. geschl.)* a la carte 155/320 – **39 Z : 70 B** 650/800 - 850/1600 Fb.

In Hof A-5322 über ① : 20 km :

🏰🏰 **Schloß Fuschl** ⌘ (ehem. Jagdschloß a.d. 15 Jh. mit 3 Gästehäusern), 𝄽 (06229) 2 25 30, Telex 633454, Fax 2253531, ≤, 🍴, Massage, ⇌, 🔲, 🐎, 🎢 – 📶 🆃🆅 ⇌ 🅿 – 🛗 25/100. 🆎 ⓞ 🅴 𝖵𝖨𝖲𝖠 🎢 Rest – **M** 380/450 (mittags) und a la carte 475/750 – **84 Z : 160 B** 1540/2800 - 1960/3640 Fb – 5 Appart. 3500/4550.

🏛🏛 **Jagdhof am Fuschlsee** (ehemaliges Bauernhaus a.d.J. 1783, mit Gästehaus), 𝄽 (06229) 2 37 20, Telex 633454, Fax 2253531, ≤, 🍴, « Jagdmuseum », ⇌, 🔲, 🌫 – 🆃🆅 ☎ 🅿 – 🛗 25/180. 🎢 Rest – **50 Z : 96 B** Fb.

In Fuschl am See A-5330 über ① : 26 km :

🏰🏰 **Parkhotel Waldhof** ⌘, Seepromenade, 𝄽 (06226) 2 64, Telex 632487, Fax 644, ≤, 🍴, Massage, ⇌, 🔲, 🐎, 🌫, 🎢 – 📶 🆃🆅 🅿 – 🛗 25/90. 🆎 🎢 Rest
10. Jan.- März geschl. – **M** a la carte 250/480 – **70 Z : 130 B** 690/860 - 1080/2200 Fb.

✗✗ **Brunnwirt**, 𝄽 (06226) 2 36, 🍴 – 🅿 🆎 ⓞ 🅴 𝖵𝖨𝖲𝖠 –
außerhalb der Festspielzeit nur Abendessen, Sonntag und 7.- 31. Jan. geschl. –
M (Tischbestellung erforderlich) a la carte 395/620.

Am Mondsee A-5310 ① : 28 km (über Autobahn A 1) – 🕓 06232 :

🏰🏰 **Seehof** ⌘, (SO : 7 km), ☒ A-5311 Loibichl, 𝄽 2 55 00, Fax 255051, ≤, 🍴, Massage, ⇌, 🐎, 🎢 – 🆃🆅 🅿 – *Anfang Mai - Ende Sept.* – **M** a la carte 320/580 – **31 Z : 61 B** 2000/2500 - 2300/3500 Fb – 10 Appart.

🏛 🏛 ☸ **Weißes Kreuz,** Herzog-Odilo-Str. 25, ☒ A-5310 Mondsee, 𝄽 22 54, Fax 225434, 🍴, bemerkenswertes Weinangebot – 📶 🆃🆅 ⇌ 🅿 –
11. Nov.- 15. Dez. geschl. – **M** *(Tischbestellung ratsam)* (außer im Aug. Dienstag - Mittwoch geschl.) 307/760 – **10 Z : 18 B** 500/700 - 900/1200
Spez. Marinierte Reinanke mit saurem Obers, Eierschwammerl-Rahmsuppe mit Steinpilzen, Schwammerlrisotto mit Mondseefischen.

✗✗✗ ☸ **Landhaus Eschlböck-Plomberg** mit Zim, (S : 5 km), ☒ A-5310 St. Lorenz-Plomberg, 𝄽 35 72, Fax 316620, ≤, 🍴, ⇌, 🐎, 🌫 Bootssteg – 🆃🆅 ☎ ⇌ 🅿 🆎 ⓞ 🅴 𝖵𝖨𝖲𝖠
Jan. und Nov. je 3 Wochen geschl. – **M** *(Tischbestellung ratsam)* (Sept.- Mai Montag geschl.) a la carte 452/695 – **14 Z : 28 B** 750/950 - 1400/2800
Spez. Parfait von Mondseefischen, Lachsforelle mit Selleriebutter, Zwetschkentartelle mit Zwetschkensauce.

SALZDETFURTH, BAD **3202.** Niedersachsen 411 412 N 10, 987 ⑮ – 15 000 Ew – Höhe 155 m – Heilbad – ☎ 05063.

Bad Salzdetfurth-Wesseln, ✆ 15 16.

♦Hannover 47 – ♦Braunschweig 52 – Göttingen 81 – Hildesheim 16.

Relexa-Hotel, An der Peesel 1 (in Detfurth), ✆ 2 90, Telex 927444, Fax 29113, , , , – Zim – 25/300. AE E VISA. Rest
M a la carte 35/65 – **132 Z : 267 B** 150/370 - 185/430 Fb – 14 Fewo 330/600.

SALZGITTER **3320.** Niedersachsen 411 O 10, 987 ⑯ – 115 000 Ew – Höhe 80 m – ☎ 05341.

Salzgitter - Bad, Mahner Berg, ✆ 3 73 76.

Fremdenverkehrsbüro, Salzgitter-Bad, Marktplatz 11, ✆ 39 37 38.

♦Hannover 64 – ♦Braunschweig 28 – Göttingen 79 – Hildesheim 33.

In Salzgitter 51-Bad – Heilbad :

Ratskeller - Golfhotel, Marktplatz 10, ✆ 3 70 25, Telex 954485, Fax 35020, – – 25/300
52 Z : 87 B Fb.

Kniestedter Hof garni, Breslauer Str. 20, ✆ 3 60 15, – . AE E VISA
23 Z : 33 B 85/95 - 125/140 Fb.

Harß - Hof, Braunschweiger Str. 128 (B 248), ✆ 39 05 90, Fax 34084, – . AE E
M *(nur Abendessen, Freitag - Sonntag geschl.)* a la carte 29/49 – **19 Z : 32 B** 79/118 - 128/158 Fb.

Haus Liebenhall garni, Bismarckstr. 9, ✆ 3 40 91 – .
15 Z : 24 B 70/96 - 105/133.

In Salzgitter 1-Lebenstedt :

Gästehaus, Kampstr. 37, ✆ 18 90, Fax 18989 – – 30/300
47 Z : 60 B Fb.

Reinhardt's Höhe, Thiestr. 18 (Zufahrt Wehrstraße), ✆ 4 44 47 – .
nur Abendessen, Montag und Aug. 3 Wochen geschl. – Menu (Tischbestellung ratsam) a la carte 38/62.

In Steinlah **3324** NW : 6 km ab Salzgitter-Bad :

Gutshof (ehem. Gutshof a.d. 18. Jh.), Lindenstr. 5, ✆ (05341) 33 84 41, Fax 34084 –
(nur Abendessen für Hausgäste) – **19 Z : 38 B.**

SALZHAUSEN **2125.** Niedersachsen 411 N 7, 987 ⑮ – 3 200 Ew – Höhe 60 m – ☎ 04172.

♦Hannover 117 – ♦Hamburg 45 – Lüneburg 18.

Romantik-Hotel Josthof, Am Lindenberg 1, ✆ 2 92, Fax 6225, , « Alter Niedersächsischer Bauernhof » – . AE E VISA
2.- 17. Jan. geschl. – **M** *(bemerkenswerte Weinkarte)* (Nov.- März Dienstag geschl.) a la carte 42/66 – **16 Z : 30 B** 95/135 - 130/165 Fb – 5 Appart. 180/195.

Rüter's Gasthaus, Hauptstr. 1, ✆ 66 17, Fax 6610, , , – – 80. AE E VISA
M *(Nov.- April Mittwoch geschl.)* a la carte 27/48 – **20 Z : 35 B** 50/80 - 95/125 Fb.

In Garlstorf am Walde **2125** W : 5 km :

Hohe Geest, Egestorfer Landstr. 10, ✆ (04172) 71 35, Fax 14 80, – . AE E VISA.
5.- 26. Jan. geschl. – **M** *(nur Abendessen, Montag geschl.)* a la carte 45/75 – **20 Z : 35 B** 95/140 - 130/220 Fb.

Niemeyer's Heidehof, Winsener Landstr. 4, ✆ (04172) 71 27, Fax 7931, , – .
E VISA.
M *(Donnerstag bis 18 Uhr geschl.)* a la carte 36/67 – **12 Z : 22 B** 68/78 - 118 Fb.

In Gödenstorf **2125** W : 3 km :

Gasthof Isernhagen, Hauptstr. 11, ✆ (04172) 3 13, Fax 8715, , – . E VISA
23. März - 15. April geschl. – **M** *(Dienstag geschl.)* a la carte 24/46 – **10 Z : 17 B** 58 - 106.

In Gödenstorf-Lübberstedt **2125** SW : 6 km :

Gellersen's Gasthaus, Lübberstedter Str. 20, ✆ (04175) 4 94, –
Nov. geschl. – **M** *(Mittwoch geschl.)* a la carte 22/39 – **13 Z : 24 B** 38/40 - 76/80.

Erfahrungsgemäß werden bei größeren Veranstaltungen, Messen und Ausstellungen in vielen Städten und deren Umgebung erhöhte Preise verlangt.

SALZHEMMENDORF 3216. Niedersachsen 411 412 L 10 – 10 800 Ew – Höhe 200 m – Kuror
– ✪ 05153.

🛈 Fremdenverkehrsamt, Hauptstr. 33, ✆ 8 08 80.

◆Hannover 49 – Hameln 23 – Hildesheim 31.

🏨 **Ith-Saale Hotel** ⹂, Alleestr. 7, ✆ 80 60, Fax 80670, 🏤 – 🛗 📺 ☎ ♿ 🅿 – 🔬 25/100
AE ⓪ E VISA. ⚘ Zim
M 15/25 (mittags) und a la carte 31/54 – **33 Z : 66 B** 85/90 - 125/130 Fb – ½ P 80/107.

In Salzhemmendorf 2-Lauenstein NW : 3 km :

🏵 **Lauensteiner Hof**, Im Flecken 54, ✆ 64 12 – 🅿
⟶ Juli - Aug. 4 Wochen geschl. – **M** (nur Abendessen, Dienstag geschl.) a la carte 21/32 – **14 Z**
24 B 35/50 - 60/80.

SALZKOTTEN 4796. Nordrhein-Westfalen 411 412 I 11, 987 ⑭ ⑮ – 20 000 Ew – Höhe 100 m
– ✪ 05258.

🏌 Salzkotten-Thüle, Glockenpohl, ✆ 64 98.

◆Düsseldorf 157 – Lippstadt 19 – Paderborn 12.

🏨 **Walz,** Paderborner Str. 21 (B 1), ✆ 60 33, Fax 4849 – 📺 ☎ 🅿 AE ⓪ E VISA
M a la carte 30/54 – **17 Z : 30 B** 80 - 120 Fb.

🏚 **Sälzerhof** ⹂, Am Stadtgraben 26, ✆ 63 74 – 🅿 ⓪ E
20. Dez.- 10. Jan. geschl. – **M** (Freitag geschl.) a la carte 27/58 – **16 Z : 20 B** 55 - 110.

🏵 **Hermann Hentzen,** Geseker Str. 20 (B 1), ✆ 63 80 – ⟵ 🅿 ⓪ E. ⚘
⟶ 20. Juni - 11. Juli und 14. Dez.- 4. Jan. geschl. – **M** (Samstag geschl.) a la carte 15/25 – **18 Z**
29 B 35/48 - 68/85.

SALZSCHLIRF, BAD 6427. Hessen 987 ㉕, 412 L 15 – 2 900 Ew – Höhe 250 m – Heilbad –
✪ 06648.

🛈 Kur- und Verkehrsamt, Bahnhofstr. 22, ✆ 22 66, Fax 2368.

🛈 Kurverwaltung, im Kurpark, ✆ 1 81 61, Fax 18180.

◆Wiesbaden 161 – Fulda 18 – Gießen 81 – Bad Hersfeld 36.

🏨 **Kurhotel Badehof** ⹂ (mit Gästehäusern), Lindenstr. 2 (im Kurpark), ✆ 1 81 83, Fax 18179
« Terrasse mit ≤ », Bade- und Massageabteilung, 🏊, 🚿 direkter Zugang zum
Moorbadehaus – 🛗 ☎ ♿ 🅿 – 🔬 25/110. AE ⓪ E VISA. ⚘
M (auch vegetarische Gerichte) a la carte 32/59 – **170 Z : 250 B** 87/110 - 164/180 Fb –
½ P 102/115.

🏨 **Parkhotel** garni (Jugendstilhaus mit moderner Einrichtung), Bahnhofstr. 12, ✆ 30 81
Fax 2099, ⟵ – 🛗 📺 ☎. AE ⓪ E VISA – **23 Z : 44 B** 70/80 - 130/170 Fb.

🏚 **Schober,** Bahnhofstr. 16, ✆ 25 23, ⟵, 🏊, 🚿 – 🛗 🅿
(Restaurant nur für Hausgäste) – **48 Z : 58 B** 55/60 - 100/110 Fb – ½ P 65/70.

🏚 **Söderberg** ⹂, Bonifatiusstr. 6, ✆ 20 65, Fax 2067, « Gartenterrasse », 🚿 – 📺
27 Z : 50 B.

SALZUFLEN, BAD 4902. Nordrhein-Westfalen 411 412 J 10, 987 ⑮ – 53 000 Ew – Höhe 80 m
– Heilbad – ✪ 05222.

🏌 Schwaghof (N : 3 km), ✆ 1 07 73.

🛈 Kurverwaltung, Parkstr. 20, ✆ 18 30, Fax 17154.

◆Düsseldorf 191 – Bielefeld 22 – ◆Hannover 89.

🏨 **Lippischer Hof,** Mauerstr. 1a, ✆ 53 40, Fax 50571, 🏤, Bade- und Massageabteilung, ⟵
🏊 – 🛗 ⚘ Zim ⟵ 🅿 – 🔬 25/60. AE ⓪ E VISA. ⚘ Rest
M a la carte 40/88 – **70 Z : 100 B** 85/175 - 140/255 Fb.

🏨 **Maritim** ⹂, Parkstr. 53, ✆ 18 10, Telex 9312173, Fax 15953, Bade- und Massageabteilung
⟵, 🏊, 🏊, ⟵ – 🛗 ⚘ Zim 🍽 Rest 📺 ♿ ⟵ 🅿 – 🔬 25/180. AE ⓪ E VISA. ⚘ Rest
M a la carte 45/78 – **206 Z : 316 B** 177/257 - 264/324 Fb – 3 Appart. 480.

🏨 **Schwaghof** ⹂, Schwaghof (N : 3 km), ✆ 39 60, Telex 9312216, Fax 396555, ≤, 🏤, ⟵
🏊, 🚿, ⚘ – 🛗 ⚘ Zim 📺 ♿ ⟵ 🅿 – 🔬 25/200. ⓪ E VISA
M a la carte 38/69 – **86 Z : 160 B** 135 - 190 Fb – 3 Appart. 340.

🏨 **Stadt Hamburg,** Asenburgstr. 1, ✆ 66 55, Fax 1449, 🏤, 🚿 – 🛗 ☎ 🅿. AE ⓪ E VISA. ⚘
M (Donnerstag geschl.) a la carte 33/65 – **35 Z : 46 B** 98 - 150 Fb.

🏨 **Kurpark-Hotel** ⹂, Parkstr. 1, ✆ 39 90, Fax 399462, 🏤 – 🛗 📺 ☎ ♿ 🅿. ⓪ E VISA. ⚘
2. Jan.- Feb. geschl. – **M** 19/30 (mittags) und a la carte 32/60 – **44 Z : 65 B** 100/200 - 190/310 Ft
– ½ P 122/182.

🏚 **Café Bauer** ⹂, An der Hellrüsche 41, ✆ 14 32, 🏤 – 📺 ☎ 🅿 – **11 Z : 23 B** Fb.

🏚 **Eichenhof** garni, Friedenstr. 1, ✆ 5 05 15 – 📺 ☎ ⟵. AE E. ⚘
21 Z : 34 B 75/95 - 120/150 Fb.

XX **Restaurant im Kurhaus,** Parkstr. 26, ✆ 14 75, Fax 61253, 🏤 – ♿ – 🔬 25/100. ⓪ E
VISA – 14.- 30. Dez. geschl., Okt.- März Dienstag - Mittwoch Ruhetag – **M** 15/20 (mittags) und
a la carte 34/66.

SALZWEDEL **O-3560.** Sachsen-Anhalt 984 ⑮, 987 ⑯ – 23 000 Ew – Höhe 51 m – 0037 923.
Magdeburg 103 – ♦Berlin 177 – Schwerin 145.

Altmark, Wilhelm-Pieck-Str. 13, 2 34 34.

SAMERBERG **8201.** Bayern 413 T 23 – 2 200 Ew – Höhe 700 m – Erholungsort – Wintersport : 700/1 569 m 1 4 10 – 08032.
Verkehrsverein, Samerberg-Törwang, Rathaus, 86 06.
♦München 76 – Rosenheim 16 – Traunstein 44.

In Samerberg-Duft S : 6 km ab Törwang – Höhe 800 m

Berggasthof Duftbräu, 82 26, ≤ –
1.- 15. Dez. geschl. – **M** *(Jan.- März Donnerstag geschl.)* a la carte 19,50/36 – **16 Z : 28 B** 45/56 - 64/110 – ½ P 50/73.

SANDBERG **8741.** Bayern 413 MN 15 – 1 000 Ew – Höhe 470 m – 09701 (Waldberg).
♦München 362 – Fulda 48 – Schweinfurt 55.

Berghotel Silberdistel, Blumenstr. 22, 7 13, ≤ – 25 – **17 Z : 34 B.**

SANDE **2945.** Niedersachsen 411 H 6, 987 ⑭ – 9 500 Ew – 04422.
♦Hannover 217 – Oldenburg 47 – Wilhelmshaven 9.

Landhaus Tapken, Bahnhofstr. 46, 22 92, Fax 4699 – – 40/120. AE E VISA
23.- 26. Dez. geschl. – **M** *(Samstag bis 18 Uhr geschl.)* a la carte 27/47 – **20 Z : 40 B** 75/98 - 98/148 Fb.

SANDSTEDT **2856.** Niedersachsen 411 I 6 – 1 800 Ew – Höhe 15 m – 04702.
♦Hannover 163 – ♦ Bremen 44 – Bremerhaven 23.

Deutsches Haus, Osterstader Str. 23, 10 26 – AE E
M a la carte 24/40 – **13 Z : 24 B** 46 - 86.

ST. ANDREASBERG **3424.** Niedersachsen 411 O 11, 987 ⑯ – 2 600 Ew – Höhe 630 m – Heilklimatischer Kurort – Wintersport : 600/894 m 9 8 – 05582.
Sehenswert : Silberbergwerk Samson★.
Kur- und Verkehrsamt, Am Glockenberg 12 (Stadtbahnhof), 8 03 36.
♦Hannover 126 – ♦Braunschweig 72 – Göttingen 58.

Tannhäuser, Clausthaler Str. 2a, 10 55, –
18. Nov.- 19. Dez. geschl. – **M** *(Mittwoch geschl.)* a la carte 30/47 – **23 Z : 41 B** 50/100 - 95/120 Fb – ½ P 66/79.

Fernblick, St.Andreasweg 3, 2 27, ≤ –
(Restaurant nur für Pensionsgäste) – **15 Z : 25 B.**

Vier Jahreszeiten garni, Quellenweg 3, 5 21, –
10. Nov.- 15. Dez. geschl. – **14 Z : 25 B** 35/40 - 74.

Skandinavia, An der Rolle, 6 44, ≤, – Zim
M *(nur Abendessen, Montag und 4. Nov.- 19. Dez. geschl.)* a la carte 29/57 – **13 Z : 26 B** 55/70 - 76/120 – ½ P 56/88.

ST. AUGUSTIN **5205.** Nordrhein-Westfalen 412 E 14 – 56 500 Ew – Höhe 50 m – 02241.
♦ Düsseldorf 71 – ♦ Bonn 7 – Siegburg 4.

Regina, Markt 81, 2 80 51, Telex 889796, Fax 280, – – 25/350.
AE E VISA – **M** a la carte 37/70 – **59 Z : 114 B** 99/279 - 159/299 Fb.

In St. Augustin 2-Hangelar :

Hangelar, Lindenstr. 21, 2 10 25, Fax 203275, – – 35
(nur Abendessen für Hausgäste) – **31 Z : 50 B** 85/95 - 110/130 Fb.

ST. BLASIEN **7822.** Baden-Württemberg 413 H 23, 987 ㉞ ㉟, 427 I 2 – 4 400 Ew – Höhe 762 m – Heilklimatischer Kneippkurort – Wintersport : 900/ 1 350 m 7 6 – 07672.
Sehenswert : Dom★.
Städt. Kurverwaltung, Haus des Gastes, am Kurgarten, 4 14 30.
Kurverwaltung, im Rathaus Menzenschwand, (07675) 8 76.
♦Stuttgart 187 – Basel 62 – Donaueschingen 64 – ♦Freiburg im Breisgau 62 – Zürich 71.

Dom Hotel, Hauptstr. 4, 3 71, Fax 4655 – . E
Mitte Nov.- Mitte Dez. geschl. – **M** *(Mittwoch geschl.)* a la carte 28/56 – **11 Z : 21 B** 55/80 - 160 – ½ P 80/105.

Bellevue garni, Am Kalvarienberg 19, 7 86, ≤, Bade- und Massageabteilung, – – **17 Z : 28 B** 50/60 - 90/120 Fb.

In St. Blasien 3-Kutterau S : 5 km über die Straße nach Albbruck :

Vogelbacher, 28 25, – Nov.- Mitte Dez. geschl. – **M** *(Mittwoch geschl.)* a la carte 20/38 – **15 Z : 32 B** 40/45 - 70/80 Fb – ½ P 50/55.

In St. Blasien 2-Menzenschwand NW : 9 km – Luftkurort – 07675 :

Sonnenhof, Vorderdorfstr. 58, 5 01, Fax 504, Bade- und Massageabteilung –
Anfang Nov.- Mitte Dez. geschl. – **M** *(außer Saison Dienstag geschl.)* a la carte 29/52 – **28 Z : 42 B** 65/85 - 100/200 Fb – ½ P 75/105.

Waldeck, Vorderdorfstr. 74, 2 72, – **21 Z : 40 B.**

In Ibach - Mutterslehen **7822** W : 6 km – Höhe 1 000 m – Erholungsort :

Schwarzwaldgasthof Hirschen, Hauptstraße, (07672) 8 66, –
15 Z : 30 B.

ST. ENGLMAR **8449.** Bayern 413 V 19,20 – 1 400 Ew – Höhe 805 m – Luftkurort – Wintersport : 800/1 000 m 18 6 – 09965.

Verkehrsamt, Rathaus, 2 21, Fax 1463.

♦München 151 – Cham 37 – Deggendorf 30 – Straubing 31.

Angerhof, Am Anger 38, 18 60, Fax 18619, –
nach Ostern 2 Wochen und Nov.- Mitte Dez. geschl. – **M** a la carte 23/48 – **42 Z : 80 B** 71/136 - 114/182 Fb – 2 Appart. 236.

In St. Englmar-Grün NW : 3 km :

Reinerhof, 5 88, Fax 1315, – Rest
5. Nov.- 10. Dez. geschl. – (nur Abendessen für Hausgäste) – **35 Z : 66 B** 53/62 - 98/120.

Gasthof Reiner, 5 96, –
2. Nov.- 5. Dez. geschl. – **M** a la carte 15/32 – **28 Z : 56 B** 35/40 - 70/80.

In St. Englmar-Kolmberg N : 7 km :

Bernhardshöhe, Kolmberg 5, 2 58, –
23 Z : 44 B Fb.

In St. Englmar-Maibrunn NW : 5 km :

Kur- und Berghotel Maibrunn, 2 92, Fax 1464, (geheizt), – Zim
Mitte. Nov.- Mitte Dez. geschl. – **M** a la carte 18/40 – **26 Z : 55 B** 55/66 - 96/144 Fb – ½ P 66/90.

Beim Simmerl (mit Gästehaus), 5 90, Fax 1529, –
28 Z : 56 B Fb – 3 Fewo.

In St. Englmar-Rettenbach SO : 4,5 km :

Gut Schmelmerhof, 18 90, Fax 189140, « Rustikales Restaurant mit Ziegelgewölbe, Garten », Bade- und Massageabteilung, (geheizt), – 25.
M a la carte 39/72 – **52 Z : 83 B** 70/125 - 132/250 Fb – 5 Fewo 95/152 – ½ P 87/151.

ST. GEORGEN **7742.** Baden-Württemberg 413 HI 22, 987 ㉟ – 14 500 Ew – Höhe 810 m – Erholungsort – Wintersport : 800/1 000 m 5 3 – 07724.

Städt. Verkehrsamt, Rathaus, 87 94, Fax 8739.

♦Stuttgart 127 – Offenburg 65 – Schramberg 18 – Villingen-Schwenningen 14.

Kammerer garni, Hauptstr. 23, 60 15, Fax 3108 –
18 Z : 30 B 62/75 - 95/100 Fb.

Hirsch, Bahnhofstr. 70, 71 25, Fax 7865 –
M *(Freitag 14 Uhr - Samstag geschl.)* a la carte 30/55 – **20 Z : 29 B** 60/80 - 110/140 Fb.

ST. GOAR **5401.** Rheinland-Pfalz 412 G 16, 987 ㉔ – 3 500 Ew – Höhe 70 m – 06741.

Sehenswert : Burg Rheinfels★★.

Verkehrsamt, Heerstr. 120, 3 83, Fax 7209.

Mainz 63 – Bingen 28 – ♦Koblenz 35.

Schloßhotel auf Burg Rheinfels, Schloßberg 47, 80 20, Fax 7652, Rheintal, – 25/80.
M a la carte 46/73 – **44 Z : 88 B** 110/160 - 165/225 Fb.

Zum Goldenen Löwen, Heerstr. 82, 16 74, –
Mitte April - Okt. – **M** a la carte 27/65 – **12 Z : 24 B** 85 - 110/140.

Montag, Heerstr. 128, 16 29, Fax 2086, –
M a la carte 22/41 – **27 Z : 52 B** 55/110 - 80/120.

In St. Goar-Fellen NW : 3 km :

Landsknecht, an der Rheinufer-Straße (B 9), ✆ 20 11, Fax 7499, ≤, « Terrasse am Rhein », - TV ☎ ⇐ P. AE E VISA
6.- 31. Jan. geschl. - **M** *(Nov.- Feb. Dienstag geschl.)* a la carte 36/73 - **15 Z : 30 B** 75/110 - 110/280.

ST. GOARSHAUSEN **5422.** Rheinland-Pfalz 412 G 16, 987 ㉔ - 2 000 Ew - Höhe 77 m - ✆ 06771.

Ausflugsziel : Loreley★★★ ≤★★, SO : 4 km.

Verkehrsamt, Rathaus, Bahnhofstr. 8, ✆ 4 27.

Mainz 63 - ◆Koblenz 35 - Limburg an der Lahn 48 - Lorch 16.

Erholung, Nastätter Str. 15, ✆ 26 84, Fax 2502 - TV P
15. März - 15. Nov. - **M** a la carte 23/48 - **57 Z : 104 B** 40/46 - 80/92.

ST. INGBERT **6670.** Saarland 987 ㉔, 412 E 19, 242 ⑦ - 41 000 Ew - Höhe 229 m - ✆ 06894.

◆Saarbrücken 13 - Kaiserslautern 55 - Zweibrücken 25.

Goldener Stern, Ludwigstr. 37, ✆ 30 17, Fax 35623 - TV ☎ P. AE ① E VISA. ✻ Zim
M a la carte 32/66 - **23 Z : 43 B** 78/85 - 130 Fb.

Die Alte Brauerei, Kaiserstr. 101, ✆ 44 51, - P. ① E VISA
Samstag bis 18 Uhr und Montag geschl. - **M** a la carte 35/62.

An der Autobahn-Ausfahrt St. Ingbert West SW : 3 km :

Alfa-Hotel, ✉ 6670 St. Ingbert, ✆ (06894) 70 90, Fax 870146 - TV ☎ ⇐ P - 30. AE ① E VISA
M : siehe Restaurant Le jardin - **26 Z : 40 B** 95/165 - 130/249 Fb.

Le jardin, ✉ 6670 St. Ingbert, ✆ (06894) 8 71 96, Fax 870146, - P. AE ① E VISA
Sonntag 16 Uhr - Montag und 1.- 14. Jan. geschl. - **M** 52/99.

In St. Ingbert - Rohrbach O : 3 km :

Zum Mühlehannes, Obere Kaiserstr. 97, ✆ 5 20 61 - TV ☎ P. ① E VISA
M *(Samstag bis 18 Uhr geschl.)* a la carte 29/59 - **15 Z : 22 B** 50/80 - 80/125.

In St. Ingbert - Schüren N : 3 km :

Waldhof , Schüren 22, ✆ 40 11, Fax 4013, , , (geheizt), , - TV ☎ ⇐ P - 25. AE ① E VISA
26. Dez.- 11. Jan. geschl. - **M** *(Freitag - Samstag 15 Uhr geschl.)* a la carte 45/70 - **24 Z : 48 B** 90/130 - 130/180 Fb.

ST. JOHANN **7411.** Baden-Württemberg 413 L 21 - 4 400 Ew - Höhe 750 m - Erholungsort - Wintersport : 750/800 m 2 2 - ✆ 07122.

Verkehrsverein, Rathaus, Schulstr. 1 (Würtingen), ✆ 90 71.

◆Stuttgart 57 - Reutlingen 17 - ◆Ulm (Donau) 65.

In St. Johann-Lonsingen :

Grüner Baum (mit Gästehaus ,), Albstr. 4, ✆ 92 77, , - TV ⇐ P - 50
Mitte Nov.- Mitte Dez. geschl. - **M** *(Montag geschl.)* a la carte 20/47 - **42 Z : 90 B** 35/65 - 70/100 Fb.

In St. Johann-Ohnastetten :

Nußbaum Hof, Würtinger Str. 13, ✆ 34 09 - TV ⇐ P
Mitte Juli - Anfang Aug. geschl. - **M** *(Sonntag geschl.)* a la carte 26/44 - **11 Z : 25 B** 55 - 70.

ST. MÄRGEN **7811.** Baden-Württemberg 413 H 22,23, 987 ㉞, 242 ㉜ - 1 800 Ew - Höhe 898 m - Luftkurort - Wintersport : 900/1 100 m 1 2 - ✆ 07669.

Kurverwaltung, Rathaus, ✆ 10 66, Fax 1323.

◆Stuttgart 230 - ◆Freiburg im Breisgau 24 - Donaueschingen 51.

Hirschen, Feldbergstr. 9, ✆ 7 87, Fax 1303, , , - TV ☎ ⇐ P - 25/60. AE ① E VISA
Mitte Nov.- Mitte Dez. geschl. - **M** *(Mitte Okt.- Juli Mittwoch geschl.)* a la carte 28/59 - **44 Z : 80 B** 62/76 - 116/136 Fb - ½ P 83/101.

Rössle, Wagensteigstr. 7, ✆ 2 13, Fax 1352, - P
Mitte Nov.- Mitte Dez. geschl. - **M** *(Donnerstag geschl.)* a la carte 22/40 - **19 Z : 38 B** 32/36 - 62/70 - ½ P 49/54.

An der Straße nach Hinterzarten :

Neuhäusle, Erlenbach 1 (S : 4 km), ✉ 7811 St. Märgen, ✆ (07669) 2 71, ≤ Schwarzwald, –
24 Z : 44 B.

Thurnerwirtshaus, (S : 7 km) – Höhe 1 036 m, ✉ 7811 St. Märgen, ✆ (07669) 2 10, ≤, –
15. Nov.- 20. Dez. geschl. – **M** *(Montag geschl.)* a la carte 23/50 – **25 Z : 50 B** 42/65 - 74/114 – ½ P 58/86.

Dans ce guide
un même symbole, un même mot,
imprimé en noir *ou en* rouge, *en maigre ou en* **gras**,
n'ont pas tout à fait la même signifaction.
Lisez attentivement les pages explicatives.

ST. MARTIN **6731.** Rheinland-Pfalz 412 413 H 19, 242 ⑧ – 2 000 Ew – Höhe 240 m – Erholungsort – 06323.

Verkehrsamt, Haus des Gastes, ✆ 53 00.

Mainz 102 – Kaiserslautern 46 – ♦ Karlsruhe 51 – ♦ Mannheim 42.

St. Martiner Castell, Maikammerer Str. 2, ✆ 20 95, Fax 2098, – – 40
Feb.- Mitte März geschl. – **M** a la carte 35/60 – **18 Z : 39 B** 68/78 - 116 Fb – ½ P 78/88.

Winzerhof, Maikammerer Str. 22, ✆ 9 44 40, Fax 944455, – – 40. AE E VISA
2. Jan.- 9. Feb. geschl. – **M** *(Donnerstag geschl.)* a la carte 31/63 – **16 Z : 29 B** 65/81 - 120/128 Fb – ½ P 88/109.

Albert Val. Schneider, Maikammerer Str. 44, ✆ 70 81, Fax 7083, – – 25/40. AE E VISA
2.- 21. Jan. und 21.- 24. Dez. geschl. – **M** *(Sonntag ab 15 Uhr geschl.)* a la carte 33/56 – **39 Z : 71 B** 89 - 115 Fb – ½ P 86/117.

Haus am Rebenhang , Einlaubstr. 64, ✆ 44 19, ≤ St. Martin und Rheinebene, – . E
6.- 31. Jan. geschl. – **M** *(Mittwoch geschl.)* a la carte 27/58 – **20 Z : 37 B** 65/75 - 112 Fb – ½ P 81/90.

Grafenstube, Edenkobener Str. 38, ✆ 27 98
Anfang Jan.- Feb. und außer an Feiertagen Montag - Dienstag geschl. – **M** a la carte 28/58 .

ST. OSWALD-RIEDLHÜTTE **8351.** Bayern 413 X 20 – 3 200 Ew – Höhe 820 m – Erholungsort – Wintersport : 700/800 m 2 6 – 08552.

Sehenswert : Waldgeschichtliches Museum.

Verkehrsamt, Klosterallee 4 (St. Oswald), ✆ 46 66, Fax 4858.

♦München 188 – Passau 45 – ♦ Regensburg 115.

Im Ortsteil St. Oswald :

Paulushof , Goldener Steig 7, ✆ 17 17, Fax 5213, –
15. Nov.- 15. Dez. geschl. – **M** *(Dienstag geschl.)* a la carte 19/41 – **24 Z : 46 B** 52 - 94 Fb – ½ P 59/64.

Im Ortsteil Riedlhütte **8356**

Berghotel Wieshof , Anton-Hiltz-Str. 8, ✆ (08553) 4 77, –
Anfang Nov.- Mitte Dez. geschl. – **M** a la carte 17,50/41 – **15 Z : 28 B** 39/45 - 72/88 Fb – ½ P 48/56.

ST. PETER **7811.** Baden-Württemberg 413 H 22, 242 ㉜ – 2 300 Ew – Höhe 722 m – Luftkurort – Wintersport : 1 – 07660.

Sehenswert : Barockkirche (Bibliothek★).

Ausflugsziel : ≤★★ von der Straße nach St. Märgen.

Kurverwaltung, Rathaus, ✆ 2 74.

♦Stuttgart 224 – ♦Freiburg im Breisgau 18 – Waldkirch 20.

Zur Sonne, Zähringerstr. 2, ✆ 2 03, – . E
Mitte Jan.- Mitte Feb. geschl. – Menu *(Mittwoch geschl.)* a la carte 34/73 – **16 Z : 28 B** 54/58 - 102/115 – ½ P 71/83.

Zum Hirschen, Bertholdsplatz 1, ✆ 15 57,
Mitte - Ende März und Mitte Nov.- Mitte Dez. geschl. – **M** *(Donnerstag - Freitag 17 Uhr geschl.)* a la carte 28/57 – **23 Z : 39 B** 50/55 - 90/100 Fb – ½ P 58/63.

ST. PETER-ORDING **2252.** Schleswig-Holstein 411 I 4, 987 ④ – 5 500 Ew – Nordseeheil- und Schwefelbad – ☎ 04863.

Ausflugsziel : Eidersperrwerk★ SO : 16 km.

St. Peter-Böhl, ✆ 35 45.

Kurverwaltung, St. Peter-Bad, Im Bad 27, ✆ 8 39, Fax 8337.

♦Kiel 125 – Heide 40 – Husum 50.

In St. Peter-Bad :

Ambassador , Im Bad 26, ✆ 70 90, Telex 28420, Fax 2666, ≤, , , – Zim – 25/250. AE E VISA. Rest
M a la carte 40/76 – **90 Z : 180 B** 160/210 - 240/260 Fb – ½ P 158/250.

Vier Jahreszeiten , Friedrich-Hebbel-Str. 2, ✆ 70 10, Fax 2689, , , , , (Halle) – .
M a la carte 42/64 – **59 Z : 130 B** 175 - 190/260 Fb – 7 Appart. 280 – ½ P 125/205.

Tannenhof - Rungholt-Stuben, Im Bad 59, ✆ 7 04 11, Fax 70413, , – Rest . AE E.
25. Nov.- 24. Dez. geschl. – **M** *(Jan.- März Mittwoch geschl.)* a la carte 31/55 – **38 Z : 71 B** 85/120 - 128/190 Fb – 3 Fewo 110 – ½ P 84/124.

Dünenhotel Eulenhof garni, Im Bad 93, ✆ 10 92, , , – . E
8. Jan.- 15. März geschl. – **28 Z : 46 B** 60/100 - 130/170 Fb.

Fernsicht , Am Kurbad 17, ✆ 20 22, Fax 2020, ≤, – . AE E VISA
8. Nov.- 19. Dez. geschl. – **M** *(6. Jan.- Feb. geschl.)* a la carte 32/55 – **23 Z : 45 B** 75/90 - 130/160 Fb – 6 Fewo 80/150 – ½ P 90/110.

Im Ortsteil Ording :

Ordinger Hof , Am Deich 31, ✆ 22 08, Fax 2657, , – .
20. Dez.- 17. Feb. geschl. – **M** a la carte 27/60 – **12 Z : 24 B** 68/70 - 132/140 – ½ P 85/89.

Kurpension Eickstädt , Waldstr. 19, ✆ 20 58, Fax 2735, –
Mitte Dez.- Mitte Jan. geschl. – (Restaurant nur für Hausgäste) – **35 Z : 60 B** 80/100 - 150/200 – 8 Fewo 70/180 – ½ P 95/110.

Gambrinus, Strandweg 4, ✆ 29 77, –
2.- 16. März und Montag geschl. – **M** 24 (mittags) und a la carte 35/59.

ST. WENDEL **6690.** Saarland 987 ㉔, 412 E 18, 242 ③ – 28 000 Ew – Höhe 286 m – ☎ 06851.

Verkehrsamt, Rathaus, Schloßstr. 7, ✆ 80 91 32.

♦Saarbrücken 41 – Idar-Oberstein 43 – Neunkirchen/Saar 19.

Stadt St. Wendel, Tholeyer Straße (B 41), ✆ 8 00 60, Fax 800680, , – – 25/50
22 Z : 44 B Fb.

Kurschlößchen , Am Eichbösch 29, ✆ 7 08 09, – .
7 Z : 14 B.

Posthof, Brühlstr. 18, ✆ 40 28, Fax 83212 – . AE E
M *(Donnerstag geschl.)* a la carte 37/54 – **17 Z : 34 B** 70/80 - 100/135 Fb.

Palme, Wendalinusstr. 4a, ✆ 49 68, .

In St. Wendel-Bliesen NW : 5,5 km :

Kunz, Kirchstr. 22, ✆ (06854) 81 45 – . AE E VISA.
Montag geschl. – **M** 49/72.

In St. Wendel-Urweiler N : 1,5 km :

Vollmann, Hauptstr. 66, ✆ 25 54 –
M *(nur Abendessen, Samstag geschl.)* a la carte 17/33 – **13 Z : 20 B** 35/45 - 60/70.

ST. WOLFGANG **8257.** Bayern 413 T 22, 426 I 4 – 3 200 Ew – Höhe 508 m – ☎ 08085.

♦München 54 – Landshut 41 – Rosenheim 48 – Salzburg 128.

In St. Wolfgang-Großschwindau N : 1,5 km :

Goldachquelle mit Zim, an der B 15, ✆ 12 41 –
8.- 29. Jan. und 9.- 18. Sept. geschl. – Menu *(wochentags nur Abendessen, Montag - Dienstag geschl.)* a la carte 30/57 – **5 Z : 10 B** 30 - 60.

SASBACH **7831.** Baden-Württemberg 413 F 22, 242 ㉜, 87 ⑦ – 2 850 Ew – Höhe 180 m – ☎ 07642.

♦ Stuttgart 196 – ♦Freiburg im Breisgau 35 – Offenburg 52.

In Sasbach-Leiselheim SO : 2,5 km :

Leiselheimer Hof, Meerweinstr. 3, ✆ 72 70, – . Zim
27. Feb.- 5. März geschl. – **M** *(Donnerstag geschl.)* a la carte 25/53 – **12 Z : 23 B** 60 - 100 Fb.

SASBACHWALDEN **7595.** Baden-Württemberg 413 H 21, 242 ⑳ – 2 200 Ew – Höhe 260 m – Luftkurort – Kneippkurort – ☎ 07841 (Achern).

Kurverwaltung, im Kurhaus "Zum Alde Gott", ☎ 10 35, Fax 23682.

♦Stuttgart 131 – Baden-Baden 37 – Freudenstadt 45 – Offenburg 30.

Talmühle, Talstr. 36, ☎ 10 01, Fax 5404, « Gartenterrasse », – TV P – 25. E. Zim
20. Jan.- 9. Feb. geschl. – **M** a la carte 46/87 – **30 Z : 52 B** 68/120 - 136/212 – ½ P 100/138
Spez. Kutteln im Rieslingsud, Steinbutt mit Trüffelcremesauce, Passionsfrucht-Süpple mit Kokosnußeis.

Tannenhof, Murberg 6, ☎ 2 30 27, Fax 22091, ≤, Bade- und Massageabteilung, – TV ☎ P
Ende Nov.- Mitte Dez. geschl. – **M** *(wochentags nur Abendessen, Montag geschl.)* a la carte 29/47 – **17 Z : 30 B** 92/122 - 154/194 Fb – ½ P 107/152.

Engel, Talstr. 14, ☎ 30 00, Fax 26394 – TV ☎ P – 25. E VISA
2.- 24. Jan. geschl. – **M** *(Montag geschl.)* a la carte 32/70 – **14 Z : 23 B** 38/95 - 74/136.

Zum Alde Gott, Talstr. 51, ☎ 2 12 90, Fax 29579, – P – 25/300. AE E VISA
Jan. und Montag 15 Uhr - Dienstag geschl. – **M** a la carte 29/62 .

Sonne (badischer Landgasthof), Talstr. 32, ☎ 2 52 58 – P. E VISA
Mittwoch 14 Uhr - Donnerstag geschl. – Menu a la carte 28/58 .

In Sasbachwalden-Brandmatt SO : 5 km – Höhe 722 m

Berghotel Brandmatt mit Zim, ☎ 33 84, ≤ Rheinebene, , – TV P
6 Z : 12 B.

Benutzen Sie für weite Fahrten in Europa die Michelin-Länderkarten :

970 Europa, 980 Griechenland, 984 Deutschland, 985 Skandinavien-Finnland, 986 Großbritannien-Irland, 987 Deutschland-Österreich-Benelux, 988 Italien, 989 Frankreich, 990 Spanien-Portugal, 991 Jugoslawien.

SASSENBERG **4414.** Nordrhein-Westfalen 411 412 H 11, 987 ⑭ – 8 600 Ew – Höhe 57 m – ☎ 02583.

♦Düsseldorf 154 – Bielefeld 42 – Münster (Westfalen) 33 – ♦Osnabrück 37.

Börding, von-Galen-Str. 10 (B 475), ☎ 10 39 – P
M *(Montag geschl.)* a la carte 27/33 – **14 Z : 24 B** 45 - 90.

SASSENDORF, BAD **4772.** Nordrhein-Westfalen 411 412 H 12 – 9 400 Ew – Höhe 90 m – Heilbad – ☎ 02921 (Soest).

Kurverwaltung, Kaiserstr. 14, ☎ 50 11, Fax 501599.

♦Düsseldorf 123 – Beckum 27 – Lippstadt 20 – Soest 5.

Maritim-Hotel Schnitterhof, Salzstr. 5, ☎ 59 90, Telex 847311, Fax 52627, , , , – Zim TV P – 25/150. AE E VISA. Rest
M a la carte 40/70 – **142 Z : 257 B** 177/257 - 264/324 Fb – 3 Appart. 450 – ½ P 170/295.

Gästehaus Hof Hueck garni, Wiesenstr. 12, ☎ 56 77, Fax 53312 – TV ☎ P. AE E VISA.
29 Z : 58 B 105/120 - 160/180 Fb.

Hof Hueck, Im Kurpark, ☎ 57 61, Fax 53241, , « Restauriertes westfälisches Bauernhaus a.d. 17.Jh. » – TV ☎ P. AE E VISA.
M *(Montag bis 18 Uhr geschl.)* a la carte 40/78 – **16 Z : 24 B** 95/110 - 152/180 Fb – ½ P 114/134.

Wulff garni, Berliner Str. 31, ☎ 57 73, Fax 55235, , – TV ☎ P.
31 Z : 41 B 55/90 - 90/140.

SAUENSIEK **2151.** Niedersachsen 411 L 6 – 1 700 Ew – Höhe 20 m – ☎ 04169.

♦Hannover 162 – ♦Bremen 74 – ♦Hamburg 49.

Klindworth's Gasthof, Hauptstr. 1, ☎ 6 50, Fax 1450 – P. AE E VISA.
M *(Montag geschl.)* a la carte 23/35 – **15 Z : 33 B** 45 - 80.

Hüsselhus (ehem. Bauernhaus), Hauptstr. 12, ☎ 6 50 – P. AE E VISA.
wochentags nur Abendessen, Montag geschl. – **M** a la carte 33/55.

SAUERLACH **8029.** Bayern 413 R 23, 987 ㊲, 426 G 5 – 5 200 Ew – Höhe 619 m – ☎ 08104.

♦München 22 – Innsbruck 144 – Salzburg 122.

Sauerlacher Post, Tegernseer Landstr. 2, ☎ 8 30, Telex 5218117, Fax 8383, Biergarten, – TV ☎ P – 25/100
51 Z : 98 B Fb.

SAULGAU **7968.** Baden-Württemberg 413 L 22, 987 ㉟, 427 M 1 – 15 000 Ew – Höhe 593 m – ☎ 07581.

Verkehrsamt, Rathaus, Oberamteistr. 11, ☎ 42 68.

♦Stuttgart 114 – Bregenz 73 – Reutlingen 74 – ♦Ulm (Donau) 69.

Kleber-Post, Hauptstr. 100, ☎ 30 51, Fax 4437 – ☎ 🚗 P – 🏛 40. ① E VISA
M a la carte 44/81 – **40 Z : 60 B** 65/109 - 106/190 Fb.

Bären, Hauptstr. 93, ☎ 87 78 – 🚗 P
Juli - Aug. 2 Wochen und über Weihnachten 1 Woche geschl. – **M** *(Samstag geschl.)* a la carte 24/43 – **23 Z : 30 B** 38/55 - 98/115.

SCHÄFTLARN **8021.** Bayern 413 R 23 – 5 000 Ew – Höhe 693 m – ☎ 08178.

Sehenswert : Barocke Klosterkirche.

♦München 19 – ♦Augsburg 84 – Garmisch-Partenkirchen 69.

In Schäftlarn-Ebenhausen :

Gut Schwaige garni, Rodelweg 7, ☎ 40 51, Fax 4054 – TV ☎ P. AE ① E VISA
19 Z : 32 B 95/115 - 135/165 Fb.

XX Hubertus mit Zim, Wolfratshauser Str. 53 (B 11), ☎ 39 51 (Hotel) 48 51 (Rest.), – 🚗 P
(Tischbestellung ratsam) – **6 Z : 10 B**.

SCHAFFLUND **2391.** Schleswig-Holstein 411 K 2 – 1 600 Ew – Höhe 15 m – ☎ 04639.

♦Kiel 104 – Flensburg 18 – Niebüll 27.

Utspann, Hauptstr. 47 (B 199), ☎ 12 02, – TV ☎ P – 🏛 25/200
11 Z : 22 B.

SCHALKENMEHREN Rheinland-Pfalz – siehe Daun.

SCHALKSMÜHLE **5885.** Nordrhein-Westfalen 411 412 F 13 – 11 200 Ew – Höhe 225 m – ☎ 02355.

Schalksmühle-Gelstern, ☎ (02351) 5 64 60.

♦Düsseldorf 83 – Dortmund 43 – Hagen 18 – Lüdenscheid 14 – Siegen 66.

In Schalksmühle 2-Dahlerbrück :

XX **Haus im Dahl,** Im Dahl 72, ☎ 13 63, Fax 1366, €, – P
Donnerstag und 23. Dez.- 10. Jan. geschl. – **M** a la carte 37/52.

SCHALLBACH Baden-Württemberg siehe Binzen.

SCHALLSTADT **7801.** Baden-Württemberg 413 G 23, 242 ㊱, 62 ⑳ – 5 000 Ew – Höhe 233 m – ☎ 07664.

♦Stuttgart 213 – Basel 66 – ♦Freiburg im Breisgau 8,5 – Strasbourg 90.

X **Rössle,** Winzerstr. 4, ☎ 71 40,
wochentags nur Abendessen, Montag und Juli 2 Wochen geschl. – **M** a la carte 26/69.

In Schallstadt-Wolfenweiler :

XX **Zum Schwarzen Ritter,** Basler Str. 54, ☎ 6 01 36, Fax 6833, , « Kellergewölbe » – P. AE ① E VISA
Sonntag - Montag und 22. Feb.- 16. März geschl. – **M** a la carte 32/58.

SCHANDAU BAD **O-8320.** Sachsen 984 ㉔, 987 ⑱ – 3 500 Ew – Höhe 120 m – Erholungsort – ☎ 0037 5692.

Kurverwaltung, Markt 8, ☎ 23 55.

♦Dresden 40 – Chemnitz 110 – Görlitz 78.

Elbhotel, An der Elbe 2, ☎ 25 06, Fax 2036, – TV. ① E VISA
M a la carte 20/33 – **42 Z : 78 B** 70/98 - 100/110.

In Kurort Gohrisch **O-8323** SW : 4 km :

Gohrischer Hof, Pabstdorfer Str. 131, ☎ (00375691) 4 74, Fax 476, – TV P – 🏛 25/60. AE E VISA
M *(nur Abendessen)* a la carte 25/43 – **60 Z : 120 B** 90/150 - 105/265 Fb – 20 Appart. 210/480.

SCHARBEUTZ **2409.** Schleswig-Holstein 411 P 4, 987 ⑥ – 13 100 Ew – Seeheilbad – ☎ 04503 (Timmendorfer Strand).

🅸 Kur- und Erholungsbetriebe, Strandallee 134, ✆ 77 09 45.

◆Kiel 59 – ◆Lübeck 26 – Neustadt in Holstein 12.

- **Kurhotel Martensen - Die Barke,** Strandallee 123, ✆ 71 17, Fax 73540, ≤, Massage, ≘s, – TV ☎ P. AE E VISA.
  März - Okt. – **M** a la carte 36/65 – **40 Z : 60 B** 85/165 - 170/275 Fb – ½ P 107/167.
- **Appartment-Hotel Baltic** garni, Hamburger Ring 2, ✆ 7 41 41, Fax 7113, ≘s, – TV ☎ P
  Dez.- Jan. geschl. – **25 Z : 75 B** 95/120 - 130/200.
- **Petersen's Landhaus** garni, Seestr. 56a, ✆ 7 30 01, – P. E
  15. Jan.- 15. Feb. und 15. Nov.- 15. Dez. geschl. – **14 Z : 40 B** 95/115 - 136/170 Fb.
- **Wennhof,** Seestr. 62, ✆ 7 23 54, ≘s, – ☎ P. AE E VISA
  M a la carte 26/60 – **28 Z : 60 B** 65 - 140 Fb.
- **Villa Scharbeutz** garni, Seestr. 26, ✆ 7 20 08, – TV P. E
  10 Z : 19 B 70/85 - 121/132 Fb.

In Scharbeutz-Haffkrug :

- **Maris-Restaurant Tante Alma,** Strandallee 10, ✆ (04563) 51 82, Fax 1084, ≤, ≘s – TV ☎ P. AE E VISA
  M *(Okt.- Mai Montag und 26. Nov.- 24. Dez. geschl., Jan.- Feb. nur an Wochenenden geöffnet)* a la carte 26/55 – **13 Z : 25 B** 69/110 - 130/148 – 4 Fewo 120/130.

SCHEER Baden-Württemberg siehe Sigmaringen.

SCHEIBENHARDT **6729.** Rheinland-Pfalz 412 413 H 20, 242 ⑫, 87 ② – 500 Ew – Höhe 120 m – ☎ 06340.

Mainz 168 – ◆Karlsruhe 26 – Landau in der Pfalz 32 – Wissembourg 16.

In Scheibenhardt 2-Bienwaldmühle NW : 5,5 km :

- **Bienwaldmühle,** ✆ 2 76, – P
  Montag - Dienstag geschl. – **M** a la carte 35/53.

SCHEIDEGG **8999.** Bayern 413 M 24, 426 B 6, 427 N 3 – 3 700 Ew – Höhe 804 m – Heilklimatischer Kurort – Kneippkurort – Wintersport : 804/1024 m 5 2 – ☎ 08381.

🅸 Kurverwaltung, Rathausplatz 4, ✆ 8 95 55, Fax 89550.

◆München 177 – Bregenz 22 – Ravensburg 40.

- **Panorama Kurhotel**, Kurstr. 22, ✆ 80 20, Fax 80284, ≤ Alpen, Bade- und Massageabteilung, ≘s, (Halle) – ☎ P – 25/50. AE E VISA
  M *(auch Diät und vegetarische Gerichte)* a la carte 35/62 – **73 Z : 110 B** 85/140 - 160/300 Fb – 8 Fewo 85/100 – ½ P 110/125.
- **Gästehaus Allgäu**, Am Brunnenbühl 11, ✆ 52 50, ≤, ≘s, – TV P. E.
  (nur Abendessen für Hausgäste) – **14 Z : 25 B** 45/52 - 78/98 Fb – 2 Fewo 70/100 – ½ P 53/59.
- **Gästehaus Bergblick** garni, Am Brunnenbühl 12, ✆ 72 91, ≤, – P.
  10. Nov.- 1. Dez. geschl. – **14 Z : 26 B** 45/70 - 90.
- Gästehaus Montfort garni, Höhenweg 4, ✆ 14 50, ≤, – P.
  12 Z : 24 B.

SCHEINFELD **8533.** Bayern 413 O 17,18, 987 ㉖ – 4 100 Ew – Höhe 306 m – ☎ 09162.

◆München 244 – ◆Bamberg 62 – ◆Nürnberg 57 – ◆Würzburg 54.

- **Weinstube Posthorn,** Adi-Dassler-Str. 4, ✆ 4 88, Fax 7194 – TV ☎
  M *(Dienstag und Jan. geschl.)* a la carte 25/42 – **14 Z : 28 B** 50/70 - 80/120.
- Zur Schrotmühle mit Zim, Würzburger Str. 19, ✆ 4 41 – P
  7 Z : 12 B.

In Oberscheinfeld **8531** NW : 8 km :

- **Ziegelmühle** garni, ✆ (09167) 7 47, Fax 7194, ≘s, – TV P
  7 Z : 14 B 60/80 - 90/130 – 5 Fewo 90.

Gli alberghi o ristoranti ameni sono indicati nella guida con un simbolo rosso.

Contribuite a mantenere la guida aggiornata segnalandoci gli alberghi e ristoranti dove avete soggiornato piacevolmente.

XXXXX ... X

SCHELLERTEN Niedersachsen siehe Hildesheim.

SCHELLHORN Schleswig-Holstein siehe Preetz.

SCHENKENZELL **7623.** Baden-Württemberg 413 HI 22 – 2 000 Ew – Höhe 365 m – Luftkurort – 07836 (Schiltach).

Kurverwaltung, Rathaus, Reinerzaustr. 12, 22 58.

♦Stuttgart 104 – Freudenstadt 23 – Villingen-Schwenningen 46.

Sonne, Reinerzaustr. 13, 10 41, Fax 10 49, – P. AE E VISA
Jan. 2 Wochen geschl. – **M** a la carte 28/54 – **38 Z : 70 B** 67/71 - 117/126 Fb – ½ P 69/73.

Café Winterhaldenhof, Winterhalde 8, 72 48, ≤, – TV P.
2. Nov.- 20. Dez. geschl. – **M** *(Donnerstag geschl.)* a la carte 23/57 – **18 Z : 36 B** 70/88 - 112/136 Fb.

Waldblick, Schulstr. 12, 3 48, – TV P. AE
M *(Nov.- März Dienstag geschl.)* a la carte 27/55 – **13 Z : 23 B** 42/78 - 76/124 Fb.

SCHENKLENGSFELD **6436.** Hessen 412 M 14 – 4 800 Ew – Höhe 310 m – 06629.

♦Wiesbaden 178 – Fulda 38 – Bad Hersfeld 13.

Steinhauer, Hersfelder Str. 8, 2 22, – P
M *(Sonntag ab 14 Uhr geschl.)* a la carte 23/38 – **12 Z : 20 B** 35/40 - 70/80.

SCHERMBECK **4235.** Nordrhein-Westfalen 411 412 D 11, 987 ⑬ – 12 900 Ew – Höhe 34 m – 02853.

Steenbecksweg 12, (02856) 16 00.

♦Düsseldorf 69 – Dorsten 10 – Wesel 19.

Haus Hecheltjen, Weseler Str. 24, 22 14, – P
22. Dez.- 6. Jan. geschl. – **M** *(Dienstag geschl.)* a la carte 21/46 – **14 Z : 22 B** 42/45 - 80/90.

In Schermbeck-Gahlen S : 4 km :

Op den Hövel, Kirchstr. 71, 44 47, Fax 5575, – TV P
24. Dez.- 5. Jan. geschl. – **M** *(Donnerstag und 6.- 20. Jan. geschl.)* a la carte 27/48 – **16 Z : 32 B** 50 - 90.

In Schermbeck - Gahlen-Besten S : 7,5 km :

Landhaus Spickermann, Kirchhellener Str. 1, (02362) 4 11 32, Fax 41457 – P. E
wochentags nur Abendessen, Montag und März - April 2 Wochen geschl. – **M** a la carte 67/95.

In Schermbeck-Voshövel NW : 13 km :

Gaststätte Voshövel mit Zim, Am Voshövel 1, (02856) 20 82, Fax 744, – TV
P. E VISA
Feb.- März 2 Wochen geschl. – **M** *(Montag geschl.)* a la carte 28/65 – **14 Z : 27 B** 90/125 - 125/195.

SCHESSLITZ **8604.** Bayern 413 Q 17, 987 ㉖ – 6 800 Ew – Höhe 309 m – 09542.

♦München 252 – ♦Bamberg 14 – Bayreuth 47 – ♦Nürnberg 70.

In Scheßlitz-Würgau O : 5 km :

Brauerei-Gasthof Hartmann, Hauptstr. 31 (B 22), 5 37, Biergarten – P
M *(24.- 30. Dez. und Dienstag geschl.)* a la carte 20/48 – **10 Z : 18 B** 40 - 75.

Sonne, Hauptstr. 55 (B 22), 3 12, Fax 8662, – P
Aug.- Sept. und Dez.- Jan. jeweils 2 Wochen geschl. – **M** *(Montag geschl.)* a la carte 21/36 – **35 Z : 56 B** 32/41 - 52/68.

SCHIEDER-SCHWALENBERG **4938.** Nordrhein-Westfalen 411 412 K 11, 987 ⑮ – 9 000 Ew – Höhe 150 m – 05282.

Kurverwaltung (Schieder), im Kurpark, 2 98.

♦Düsseldorf 209 – Detmold 22 – ♦Hannover 80 – Paderborn 39.

Im Ortsteil Schieder – Kneippkurort :

Nessenberg, Nessenberg 1 (an der B 239, W : 2 km), 2 45, – TV P
15 Z : 27 B.

Im Ortsteil Schwalenberg :

Schwalenberger Malkasten, Neue-Tor-Str. 1, (05284) 52 78, Fax 5108, – P. Zim
35 Z : 67 B Fb.

Burg Schwalenberg, (05284) 51 67, Fax 5567, ≤ Schwalenberg und Umgebung – TV P – 50. E VISA
Jan.- Mitte Feb. geschl. – **M** *(auch vegetarische Gerichte)* a la carte 34/70 – **18 Z : 30 B** 100/150 - 160/220 Fb.

18

In Schieder-Glashütte NO : 5 km – Kneippkurort :

Herlingsburg, Bergstr. 29, ✆ 2 24, ≤, Bade- und Massageabteilung, – P
5. Jan.- 15. März geschl. – **M** a la carte 24/60 – **42 Z : 63 B** 52/70 - 95/98.

An der Straße nach Bad Pyrmont NO : 5 km ab Schieder

Fischanger, Fischanger 25, ✉ 4938 Schieder-Schwalenberg 1, ✆ (05282) 2 37, – P. E
Mitte Jan.- Mitte Feb. geschl. – **M** *(Dienstag geschl.)* a la carte 26/40 – **15 Z : 25 B** 42/47 - 84/94.

SCHIFFERSTADT **6707.** Rheinland-Pfalz 987 ㉔ ㉕, 412 413 I 18 – 18 000 Ew – Höhe 102 m – ✆ 06235.

Mainz 83 – ◆Mannheim 16 – Speyer 9,5.

Kaufmann, Bahnhofstr. 81, ✆ 49 60, Fax 496299, – TV ☎ P. AE ⓓ E VISA
27. Dez.- 6. Jan. geschl. – **M** *(Sonntag ab 14 Uhr und Samstag geschl.)* a la carte 28/65 – **35 Z : 70 B** 75/150 - 125/200 Fb.

Zur Kanne, Kirchenstr. 9, ✆ 26 64 – TV ☎ P.
27. Dez.- 15. Jan. geschl. – **M** *(Dienstag - Mittwoch 17 Uhr geschl.)* 13 (mittags) und a la carte 27/51 – **26 Z : 50 B** 75 - 120 Fb.

Palatia, Am Sportzentrum 4, ✆ 34 52, Fax 82314, – TV ☎ P. AE E VISA
M *(Montag geschl.)* a la carte 24/56 – **10 Z : 19 B** 60 - 100.

Am Museum, Kirchenstr. 13, ✆ 51 69, « Innenhofterrasse »
Montag und Juli - Aug. 4 Wochen geschl. – **M** a la carte 42/65.

SCHILLINGSFÜRST **8813.** Bayern 413 N 19 – 2 200 Ew – Höhe 515 m – Erholungsort – Wintersport : 3 – ✆ 09868.

◆ München 188 – Ansbach 28 – Heilbronn 121 – ◆ Nürnberg 86.

Die Post, Rothenburger Str. 1, ✆ 4 73, Fax 5876, ≤, – P
2.- 30. Jan. geschl. – **M** *(Montag bis 17 Uhr geschl.)* a la carte 22/48 – **14 Z : 28 B** 50/70 - 80/130 – ½ P 60/90.

Zapf, Dombühler Str. 9, ✆ 50 29, – ☎ P. AE E VISA
2.- 15. Jan. und 1.- 15. Juli geschl. – **M** *(im Winter Samstag, im Sommer Dienstag geschl.)* a la carte 22/40 – **26 Z : 44 B** 55/70 - 90/120.

SCHILTACH **7622.** Baden-Württemberg 413 HI 22, 987 ㉟ – 3 800 Ew – Höhe 325 m – Luftkurort – ✆ 07836.

Städt. Verkehrsamt, Hauptstr. 5, ✆ 6 48.

◆Stuttgart 126 – Freudenstadt 27 – Offenburg 51 – Villingen-Schwenningen 42.

Rößle mit Zim, Schenkenzeller Str. 42, ✆ 3 87 – P
über Fastnacht 2 Wochen geschl. – **M** *(Sonntag 14 Uhr - Montag geschl.)* a la carte 24/50 – **3 Z : 6 B** 44 - 88 Fb.

SCHLANGENBAD **6229.** Hessen 987 ㉔, 412 H 16 – 6 700 Ew – Höhe 318 m – Heilbad – ✆ 06129.

Verkehrsbüro, Rheingauer Str. 20, ✆ 88 21.

◆Wiesbaden 16 – ◆Koblenz 63 – Limburg an der Lahn 43 – Mainz 21.

Kurhotel Schlangenbad , Rheingauer Str. 47, ✆ 4 20, Telex 4186468, Fax 41420, Bade- und Massageabteilung, direkter Zugang zum Thermalbewegungsbad – TV P – 25/200. AE ⓓ E VISA
M a la carte 45/68 – **88 Z : 135 B** 145/215 - 210/290 Fb – 3 Appart. 450.

Schlangenbader Hof, Rheingauer Str. 7, ✆ 20 33, Fax 2055, – TV ☎ P – 25/100. AE ⓓ E
M a la carte 35/65 – **60 Z : 100 B** 102/132 - 146/176 Fb.

Sonnenhof , Mühlstr. 17, ✆ 20 71, – TV. E VISA
(Restaurant nur für Hausgäste) – **23 Z : 33 B** 60/110 - 110/180 Fb – ½ P 73/93.

Russischer Hof, Rheingauer Str. 37, ✆ 20 05, – TV ☎
(nur Abendessen für Hausgäste) – **21 Z : 36 B** Fb.

Grüner Wald, Rheingauer Str. 33, ✆ 20 61, Fax 2092, – TV. AE E VISA
M *(Dienstag und 5. Jan.- 10. Feb. geschl.)* a la carte 31/49 – **22 Z : 38 B** 50/80 - 100/130 Fb – 8 Fewo 40/90 – ½ P 69/89.

In Schlangenbad-Georgenborn SO : 2,5 km :

Gästehaus Werner garni, Mainstr. 38, ✆ 23 58 – P. E
10 Z : 17 B 40/46 - 64/84.

SCHLECHING **8211.** Bayern 413 U 23, 987 ㊲, 426 J 5 – 1 450 Ew – Höhe 570 m – Luftkurort – Wintersport : 600/1 400 m ⛷3 ⛷5 – ☎ 08649.

ℹ Verkehrsamt, Haus des Gastes, Schulstr. 4, ✆ 2 20, Fax 1330.

♦München 104 – Rosenheim 45 – Traunstein 34.

- Zur Post, Kirchplatz 7, ✆ 12 14, Fax 1332, ≤, 🏠, ≘s – ☎ Ⓟ – 🏛 25
  25 Z : 50 B Fb.
- **Zum Geigelstein** mit Zim, Hauptstr. 5, ✆ 2 81, 🏠 – Ⓟ
  20. April - 15. Mai und 15. Nov.- 25. Dez. geschl. – **M** *(Dienstag geschl.)* a la carte 24/67 – **7 Z : 12 B** 45/48 - 78/84.

In Schleching-Ettenhausen SW : 2 km :

- **Steinweidenhof** 🐚, Steinweiden 8, ✆ 5 11, ≤, 🏠, « Einrichtung im alpenländischen Stil », ≘s, 🌳 – 📺 ☎ 🚗 Ⓟ
  Nov.- 20. Dez. geschl. – **M** *(nur Abendessen, Dienstag geschl.)* a la carte 34/62 – **9 Z : 20 B** 100/180 - 120/220.

SCHLEHDORF **8118.** Bayern 413 Q 24, 426 F 6 – 1 000 Ew – Höhe 609 m – ☎ 08851 (Kochel am See).

♦ München 54 – Garmisch-Partenkirchen 31 – Bad Tölz 23.

- Klosterbräu, Seestr. 2, ✆ 2 86 – Ⓟ
  27 Z : 54 B – 5 Fewo.

SCHLEIDEN **5372.** Nordrhein-Westfalen 987 ㉓, 412 C 15 – 13 500 Ew – Höhe 348 m – ☎ 02445.

ℹ Kurverwaltung (Schleiden-Gemünd), Kurhausstr. 6, ✆ (02444) 20 12.

♦Düsseldorf 103 – ♦Aachen 57 – Düren 38 – Euskirchen 30.

- ✿ **Alte Rentei** mit Zim, Am Markt 39, ✆ 6 99, Fax 5685 – 📺 ☎. ⓓ E VISA
  M *(Montag - Dienstag geschl.)* a la carte 69/85 – **Rentei-Keller** Menu a la carte 39/61 – **7 Z : 14 B** 80/120 - 135/220
  Spez. Kalbsbries-Hummer-Terrine, Seeteufel an Rote-Bete-Sauce, Lammrückenstück in der Kräuterkruste.

In Schleiden-Gemünd NO : 6 km – Kneippkurort – ☎ 02444 :

- **Friedrichs,** Alte Bahnhofstr. 16, ✆ 6 00, Fax 3108, 🏠, ≘s – |‡| 📺 ☎ 🚗 Ⓟ – 🏛 25/40. AE ⓓ E VISA
  M *(Dienstag geschl.)* a la carte 32/60 – **21 Z : 37 B** 65/85 - 98/135 Fb.
- **Kurpark Hotel** 🐚 garni, Parkallee 1, ✆ 17 29, ≘s – 📺 ☎. 🚫
  20 Z : 30 B 50/60 - 100.
- **Haus Salzberg** 🐚, Am Lieberg 31, ✆ 4 94, ≘s, 🌳 – 📺 ☎ Ⓟ. AE E VISA
  M *(Montag und Juli - Aug. 2 Wochen geschl.)* a la carte 29/51 – **10 Z : 22 B** 58/70 - 86/130.
- **Zum Urfttal,** Alte Bahnhofstr. 12, ✆ 30 41, Fax 2688, 🌳 – |‡| ☎ Ⓟ. E
  Jan.- 15. Feb. geschl. – (nur Abendessen für Hausgäste) – **18 Z : 33 B** 48 - 86 Fb.
- **Kettner's Parkrestaurant,** Kurhausstr. 5, ✆ 7 76, Fax 5685, « Gartenterrasse » – ♿ – 🏛 25/500. E
  Montag geschl. – **M** a la carte 29/60.

SCHLESWIG **2380.** Schleswig-Holstein 411 L 3, 987 ⑤ – 26 000 Ew – Höhe 14 m – ☎ 04621.

Sehenswert : Nydam-Boot★★★ Y – Schloß Gottorf : Landesmuseum für Kunst- und Kulturgeschichte ★★, Kapelle★★, Archäologisches Landesmuseum★ Y – Dom★ (Bordesholmer Altar★★) Z – ≤★ vom Parkplatz an der B 76 Y – Fischerviertel "Holm" (Friedhof-Platz★) Z.

Ausflugsziel : Wikinger-Museum Haithabu (Schiffshalle★), S : 2 km.

ℹ Städt. Touristinformation, Plessenstr. 7, ✆ 81 42 26.

♦Kiel 53 ② – Flensburg 33 ⑤ – Neumünster 65 ③.

Stadtplan siehe nächste Seite

- **Strandhalle** 🐚, Strandweg 2 (am Jachthafen), ✆ 2 20 21, Fax 28933, ≤, 🏠, « Garten », 🏊, 🌳 – 📺 ☎ Ⓟ – 🏛 25/120. AE ⓓ E VISA — Y f
  M a la carte 31/55 – **26 Z : 44 B** 85/120 - 140/160 Fb.
- **Stadt Hamburg,** Lollfuß 108, ✆ 2 73 33, Fax 21222 – ☎ Ⓟ – 🏛 25/50. AE E VISA — Y s
  M a la carte 29/67 – **42 Z : 80 B** 69/74 - 98/120 Fb.
- **Waldhotel** 🐚, Stampfmühle 1 (am Schloß Gottorf), ✆ 2 32 88, Fax 23289, 🌳 – ☎ 🚗 Ⓟ – 🏛 25/100. AE E — X x
  M a la carte 30/52 – **9 Z : 17 B** 68/72 - 108/115.

In Schleswig-Pulverholz SW : 1,5 km, Zufahrt über Brockdorff-Rantzau-Straße Y :

- **Waldschlößchen,** Kolonnenweg 152, ✆ 38 32 83, Fax 383105, ≘s, 🏊, 🌳 – |‡| 📺 ♿ Ⓟ – 🏛 25/280. AE ⓓ E VISA. 🚫
  M a la carte 30/57 – **80 Z : 140 B** 70/105 - 115/158 Fb.

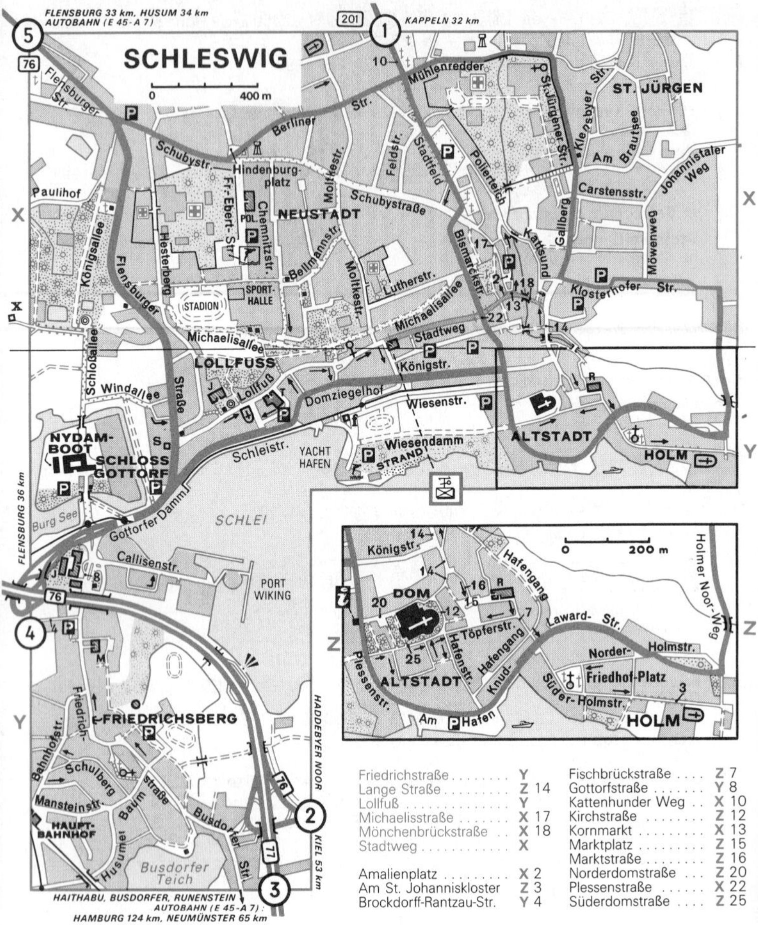

Friedrichstraße	Y		Fischbrückstraße	Z	7
Lange Straße	Z	14	Gottorfstraße	Y	8
Lollfuß	Y		Kattenhunder Weg	X	10
Michaelisstraße	X	17	Kirchstraße	Z	12
Mönchenbrückstraße	X	18	Kornmarkt	X	13
Stadtweg	X		Marktplatz	Z	15
			Marktstraße	Z	16
Amalienplatz	X	2	Norderdomstraße	Z	20
Am St. Johanniskloster	Z	3	Plessenstraße	X	22
Brockdorff-Rantzau-Str.	Y	4	Süderdomstraße	Z	25

In questa guida
uno stesso simbolo, uno stesso carattere
*stampati in rosso o in nero, in magro o in **grassetto**,*
hanno un significato diverso.
Leggete attentamente le pagine esplicative.

SCHLIENGEN **7846.** Baden-Württemberg 413 F 23, 427 G 2, 242 ⑩ – 4 000 Ew – Höhe 251 m – ☎ 07635.

♦Stuttgart 243 – Basel 28 – Müllheim 9.

✕ Holzschopf mit Zim, **Altinger Str. 1**, ✆ 12 29 – Ⓟ
7 Z : 14 B.

***In Schliengen 5-Obereggenen** O : 7 km :*

Landgasthof Graf ⛰, Kreuzweg 6, ✆ 12 64, Fax 9555, ☂, 🌲 – 🚗 Ⓟ
8. Jan.- 12. Feb. geschl. – **M** *(Mittwoch - Donnerstag 17 Uhr geschl.)* a la carte 30/57 – **15 Z : 25 B** 56/70 - 104/112 Fb.

Zum Rebstock, Kanderner Str. 4, ✆ 12 89, ☂, 🌲 – Ⓟ
Ende Juni - Anfang Juli und Mitte Nov.- Mitte Dez. geschl. – **M** *(Dienstag - Mittwoch 17 Uhr geschl.)* a la carte 34/57 🍷 – **12 Z : 18 B** 32/48 - 84/110.

SCHLIER Baden-Württemberg siehe Ravensburg.

SCHLIERSEE **8162.** Bayern 413 S 23, 987 ㊲, 426 H 5 – 6 200 Ew – Höhe 800 m – Luftkurort – Wintersport : 790/1 700 m 2 18 5 – 08026.

Sehenswert : Pfarrkirche★.

Ausflugsziel : Spitzingsattel : Aussichtspunkt ←★, S : 9 km.

Kurverwaltung, Am Bahnhof, 40 69.

♦München 62 – Rosenheim 36 – Bad Tölz 25.

Schlierseer Hof, Seestr. 21, 40 71, Telex 526945, Fax 4953, ←, « Gartenterrasse », (geheizt), – | P – 30
M a la carte 39/59 – **46 Z : 75 B** 130/180 - 180/280 Fb – 3 Appart.

Arabella Schliersee Hotel, Kirchbichlweg 18, 60 80, Telex 526947, Fax 608811, Massage, – P – 25/120. AE E VISA. Rest
M a la carte 35/56 – **60 Z : 113 B** 135/160 - 210/230 Fb – 33 Fewo 110/270 – ½ P 140/195.

Terofal, Xaver-Terofal-Platz 2, 40 45, Fax 2676, –
M *(Montag bis 17 Uhr geschl.)* a la carte 23/52 – **24 Z : 51 B** 65/100 - 105/140 Fb.

Gästehaus am Kurpark, Gartenstr. 7, 40 41, – P. Rest
(nur Abendessen für Hausgäste, außer Saison garni) – **28 Z : 47 B** Fb.

In Schliersee-Fischhausen S : 3 km :

Zum Bartlbauer, Neuhauser Str. 3, 47 33, Fax 6671, – P. AE E
Dienstag und 20. Nov.- 10. Dez. geschl. – **M** a la carte 26/52.

In Schliersee-Neuhaus S : 4 km :

Dahms, Schönfeldstr. 5, 70 94, Fax 71596, – P
16. Nov.- 15. Dez. geschl. – (nur Abendessen für Hausgäste) – **17 Z : 38 B** 80/130 - 110/190 Fb – ½ P 73/113.

Sachs, Neuhauser Str. 12, 72 38, « Einrichtung im alpenländischen Stil » – P. AE E
Montag geschl. – **M** a la carte 29/65.

In Schliersee-Spitzingsee S : 10 km – Höhe 1 085 m :

Arabella Spitzingsee Hotel, Spitzingstr. 5, 79 80, Telex 526944, Fax 798879, ←, Massage, – P – 25/80. AE VISA. Rest
M a la carte 38/66 – **125 Z : 220 B** 138/170 - 198/230 Fb – ½ P 125/190.

Gundl-Alm - Jagdhof, Spitzingstr. 8, 74 12, Fax 71530, ←, – P
Anfang - Mitte April und Mitte Nov.- Mitte Dez. geschl. – **M** a la carte 20/44 – **35 Z : 60 B** 55/80 - 90/100 – 15 Fewo 70/100 – ½ P 64/79.

Postgasthof St. Bernhard, Seeweg 1, 7 10 11, ←, – P
15. Nov.- 15. Dez. geschl. – **M** *(Donnerstag geschl.)* a la carte 22/41 – **10 Z : 20 B** 65/70 - 100/120.

SCHLIFFKOPF Baden-Württemberg siehe Schwarzwaldhochstraße.

SCHLITZ **6407.** Hessen 987 ㉕, 412 L 14 – 9 400 Ew – Höhe 240 m – Erholungsort – 06642.

Verkehrsamt, Rathaus, An der Kirche, 8 05 60.

♦Wiesbaden 165 – Fulda 20 – Bad Hersfeld 28 – ♦Kassel 91.

Guntrum, Otto-Zinßer-Str. 5, 50 93, Fax 5092 – P – 30. AE E VISA
M *(Montag geschl.)* a la carte 23/49 – **25 Z : 36 B** 50 - 86 Fb.

Vorderburg, An der Vorderburg, 50 41, – | P – 30
7. Jan.- Mitte Feb. geschl. – **M** *(Mittwoch geschl.)* a la carte 33/51 – **28 Z : 43 B** 52/70 - 96 Fb.

SCHLOSS HOLTE-STUKENBROCK **4815.** Nordrhein-Westfalen 411 412 I 11 – 21 000 Ew – Höhe 135 m – 05207.

Düsseldorf 178 – Bielefeld 18 – Detmold 19 – Paderborn 25.

Im Ortsteil Stukenbrock :

Westhoff, Hauptstr. 24 (B 68), 33 69 – | P. AE E
M *(Freitag geschl.)* a la carte 24/48 – **25 Z : 45 B** 49/54 - 79/85.

SCHLOSSBÖCKELHEIM **6558.** Rheinland-Pfalz 412 G 17 – 400 Ew – Höhe 150 m – 06758.

Mainz 56 – Idar-Oberstein 40 – Bad Kreuznach 12.

An der Nahe SO : 1,5 km :

Weinhotel Niederthäler Hof, 6558 Schlossböckelheim, (06758) 69 96, Fax 6999, – P – 30. AE E VISA
M *(auch vegetarische Gerichte)* a la carte 32/57 – **25 Z : 43 B** 69/75 - 120/140 Fb.

SCHLUCHSEE **7826.** Baden-Württemberg 413 H 23, 987 ㉞ ㉟, 427 I 2 – 2 400 Ew – Höhe 951 m – Heilklimatischer Kurort – Wintersport : 1 000/1 130 m 3 6 – 07656.

Kurverwaltung, Haus des Gastes, 77 32.

♦Stuttgart 172 – Donaueschingen 49 – ♦Freiburg im Breisgau 47 – Waldshut-Tiengen 33.

- **Hetzel-Hotel Hochschwarzwald**, Am Riesenbühl 13, 7 03 26, Telex 7722331 Fax 70323, <, , Bade- und Massageabteilung, , (geheizt), , , (Halle) – 25/200. AE E VISA. Rest
  M a la carte 39/75 – **219 Z : 450 B** 140/225 - 280/340 Fb.
- **Hegers Parkhotel Flora**, Sonnhalde 22, 4 52, Fax 1433, <, , , – . AE E VISA
  Anfang Nov.- 24. Dez. geschl. – (Restaurant nur für Hausgäste) – **34 Z : 70 B** 96/120 - 135/200 Fb – ½ P 98/150.
- **Mutzel,** Im Wiesengrund 3, 5 56, , – . AE E
  M a la carte 31/64 – **24 Z : 44 B** 70/90 - 140/170.
- Berghotel Mühle (Schwarzwaldgasthof), Mühlenweg 13 (NO : 1,5 km über Giersbühlstraße), 2 09, , –
  14 Z : 25 B Fb.
- **Schiff,** Kirchplatz 7, 2 52, Fax 1252, <, , –
  16. März - 7. April und 23. Nov.- 23. Dez. geschl. – **M** *(Okt.- Mai Montag - Dienstag, Juni - Sept. Montag geschl.)* a la carte 27/53 – **29 Z : 60 B** 75/85 - 146/170 Fb.
- **Sternen,** Dresselbacher Str. 1, 2 51, Fax 1798, , – . AE E VISA
  Nov.- 20. Dez.geschl. – **M** *(Donnerstag geschl.)* a la carte 28/62 – **36 Z : 63 B** 70/90 - 120/160 – ½ P 80/102.
- Schwarzwaldstube, Lindenstraße (im Kurhaus), 12 00, <, – .

In Schluchsee-Fischbach NW : 5 km :

- **Hirschen,** Schluchseestr. 9, 2 78, , , –
  16. Nov.- 22. Dez. geschl. – **M** *(auch vegetarische Gerichte)* (Donnerstag geschl.) a la carte 23/50 – **27 Z : 50 B** 45/60 - 100/120 – ½ P 68/78.

In Schluchsee-Seebrugg SO : 2 km :

- **Seehotel Hubertus** (mit Gästehaus), 5 24, Fax 261, <, « Ehem. Jagdschloß a.d.J. 1897, Terrasse über dem See », – . VISA
  Nov.- Dez. geschl. – **M** *(auch vegetarische Gerichte)* a la carte 45/70 – **16 Z : 30 B** 89/178 - 118/198 Fb.

SCHLÜCHTERN **6490.** Hessen 412 413 L 15, 987 ㉕ – 15 000 Ew – Höhe 208 m – 06661.

♦Wiesbaden 117 – Fulda 32 – ♦Frankfurt/Main 76 – Gießen 113.

- **Pension Elisa** garni, Zur Lieserhöhe 14, 80 94 – . E
  11 Z : 19 B 54/71 - 92/112 Fb.

SCHLÜSSELFELD **8602.** Bayern 413 O 17, 987 ㉖ – 5 200 Ew – Höhe 299 m – 09552.

♦München 227 – ♦Bamberg 44 – ♦Nürnberg 56 – ♦Würzburg 57.

- **Zum Storch,** Marktplatz 20, 10 16, Fax 1006 – . AE E VISA
  M a la carte 28/42 – **44 Z : 95 B** 36/50 - 68/90.
- Amtmann-Bräu, Kirchplatz 1, 70 63, –
  33 Z : 65 B.

In Schlüsselfeld-Attelsdorf SO : 2 km :

- **Herderich,** nahe der BAB - Ausfahrt Schlüsselfeld, 4 19 – . AE E VISA
  Mitte Nov.- Mitte Dez. geschl. – **M** *(Sonn- und Feiertage jeweils ab 15 Uhr geschl.)* a la carte 21/36 – **24 Z : 43 B** 35/40 - 70/75.

SCHMALKALDEN **0-6080** Thüringen 412 O 14, 984 ㉓, 987 ㉖ – 17 000 Ew – Höhe 296 m – 0037670.

Verkehrsamt, Mohrengasse 2, 31 82.

Erfurt 81 – ♦Berlin 345 – Bad Hersfeld 65 – Coburg 80.

- Ratskeller, Altmarkt 2, 27 42, – .

Im Ehrental NW : 4 km :

- Ehrental, O-6080 Schmalkalden, (0037670) 29 02, , , – 35
  25 Z : 52 B.

A l'occasion de certaines manifestations commerciales ou touristiques, les prix demandés par les hôteliers risquent d'être sensiblement majorés dans certaines villes et leurs alentours même éloignés.

SCHMALLENBERG **5948.** Nordrhein-Westfalen 987 ㉔, 412 H 13 – 26 000 Ew – Höhe 410 m – Luftkurort – Wintersport : 480/818 m, 15 34 – 02972.

Schmallenberg 38-Winkhausen (O : 6 km), ℰ (02975) 5 11.

Verkehrsamt, Weststr. 32, ℰ 77 55, Fax 2699.

◆Düsseldorf 168 – Meschede 35 – Olpe 38.

Störmann, Weststr. 58, ℰ 40 55, Fax 2945, « Behagliches Restaurant, Garten », – 30. AE E VISA
März 2 Wochen und 21.- 26. Dez. geschl. – **M** *(auch vegetarisches Menu)* (Sonntag ab 14 Uhr geschl.) a la carte 41/72 – **39 Z : 60 B** 60/98 - 120/198 Fb – ½ P 81/119.

In Schmallenberg 3-Bödefeld NO : 17 km :

Albers, Graf-Gottfried-Str. 2, ℰ (02977) 2 13, Fax 1426, – . E VISA
25. Nov.- 25. Dez. geschl. – **M** *(Mittwoch geschl.)* a la carte 28/59 – **45 Z : 85 B** 55/60 - 110/120 Fb – ½ P 70/85.

In Schmallenberg 12-Fleckenberg SW : 2 km :

Hubertus, Latroper Str. 24, ℰ 50 77, Fax 1731, – Rest .
5.- 25. Dez. geschl. – **M** a la carte 28/55 – **24 Z : 39 B** 60/82 - 115/170 Fb – ½ P 72/95.

In Schmallenberg 2-Fredeburg NO : 7 km – Kneippkurort – 02974 :

Kleins Wiese, (NO : 2,5 km), ℰ 3 76, – . Zim
25. Nov.- 27. Dez. geschl. – **M** a la carte 29/60 – **20 Z : 30 B** 60/85 - 130/180 Fb.

Potthucke, Am Kurhaus 4 (im Kurhaus), ℰ 13 74,
Samstag bis 17 Uhr und Montag geschl. – **M** a la carte 39/65.

Haus Waltraud mit Zim, Gartenstr. 20, ℰ 2 87, Fax 1369, – . E. Zim
Mitte Nov.- Mitte Dez. geschl. – **M** *(Donnerstag geschl.)* a la carte 27/60 – **9 Z : 18 B** 64 - 124 Fb.

In Schmallenberg 11-Grafschaft SO : 4,5 km – Luftkurort :

Maritim Hotel Grafschaft, An der Almert 11, ℰ 30 30, Telex 841557, Fax 303168, – – 25/250. AE E VISA. Rest
M a la carte 41/77 – **116 Z : 210 B** 135/235 - 226/316 Fb – 14 Appart. 400.

Gasthof Heimes, Hauptstr. 1, ℰ 10 52, – Rest .
Mitte Nov.- Mitte Dez. geschl. – **M** *(Dienstag geschl.)* a la carte 26/42 – **18 Z : 31 B** 35/56 - 70/94 Fb.

In Schmallenberg 12-Jagdhaus S : 7 km :

Jagdhaus Wiese, ℰ 30 60, Fax 306288, « Park », Massage, – .
Zim
23. Nov.- 27. Dez. geschl. – **M** *(ab 19.30 Uhr geschl.)* a la carte 32/61 – **66 Z : 105 B** 84/154 - 152/250 Fb – 12 Appart. 286 – ½ P 108/186.

Gasthaus Tröster, ℰ 63 00, – . Zim
20. Nov.- 27. Dez. geschl. – **M** *(Abendessen nur für Hausgäste)* a la carte 27/38 – **18 Z : 33 B** 57/74 - 108/122 Fb – ½ P 67/85.

In Schmallenberg 12-Latrop SO : 8 km :

Hanses Bräutigam, ℰ 50 37, Fax 4908, – . AE E VISA
10. Nov.- 25. Dez. geschl. – **M** a la carte 27/55 – **23 Z : 36 B** 72/120 - 140/170 Fb.

Zum Grubental, ℰ 63 27, – . Zim
20. Nov.- 26. Dez. geschl. – **M** *(Montag geschl.)* a la carte 25/45 – **16 Z : 27 B** 57 - 102/124 - 3 Fewo 60/80 – ½ P 61/71.

In Schmallenberg 7-Nordenau NO : 13 km – Luftkurort – 02975 :

Kur- und Sporthotel Gnacke, Astenstr. 6, ℰ 8 30, Fax 8370, « Caféterrasse mit ≤ », Bade- und Massageabteilung, – – 25/50. AE E
25. Nov.- 26. Dez. geschl. – **M** a la carte 36/61 – **57 Z : 96 B** 104/138 - 164/246 Fb – ½ P 102/141.

Tommes, Talweg 14, ℰ 2 20, Fax 8827, – . AE E
20. Nov.- 20. Dez. geschl. – **M** a la carte 27/54 – **46 Z : 80 B** 65/80 - 120/160 Fb – 6 Fewo 80/140 – ½ P 80/95.

In Schmallenberg 8-Oberkirchen O : 8 km :

Schütte, Eggeweg 2 (B 236), ℰ (02975) 8 25 01, Telex 841558, Fax 82522, « Behagliches Restaurant », (geheizt), (Halle) – – 50. AE E VISA
26. Nov.- 26. Dez. geschl. – **M** 22/40 (mittags) und a la carte 40/72 – **59 Z : 100 B** 91/175 - 164/300 Fb – 4 Appart. 350 – ½ P 112/160.

Schauerte, Alte Poststr. 13 (B 236), ℰ (02975) 3 75, –
10. Nov.- 26. Dez. geschl. – **M** *(Montag geschl.)* a la carte 26/45 – **18 Z : 31 B** 46 - 92.

In Schmallenberg 9-Ohlenbach O : 15 km :

Waldhaus Ohlenbach, Ohlenbach 10, (02975) 8 40, Fax 8448, Rothaargebirge, , , , , - . AE E VISA. Zim
Mitte Nov.-20. Dez. geschl. – **M** 80/100 und a la carte 45/80 – **50 Z : 90 B** 80/150 - 160/300 Fb – ½ P 100/170
Spez. Medaillons vom Seeteufel mit Kapernvinaigrette, Lammrücken mit Buchweizenkruste, Gefüllte Eierkuchen.

In Schmallenberg 2-Rimberg NO : 13 km :

Knoche, Rimberg 1 – Höhe 713 m, (02974) 77 70, Fax 77790, , , , , – – 25/50. E.
10.- 26. Dez. geschl. – **M** a la carte 41/65 – **54 Z : 82 B** 60/105 - 114/240 Fb – ½ P 80/125.

In Schmallenberg 11-Schanze SO : 9 km :

Gasthof Alfons Hanses, (02975) 4 73, Rothaargebirge, , , –
Mitte Nov.- Mitte Dez. geschl. – **M** *(Dienstag geschl.)* a la carte 24/42 – **14 Z : 24 B** 48 - 88.

In Schmallenberg 29-Sellinghausen N : 14 km :

Stockhausen, (02971) 8 20, Fax 82102, , , (geheizt), , , , – – 25/60. . Rest
20.- 25. Dez. geschl. – **M** a la carte 32/61 – **64 Z : 103 B** 88/112 - 174/230 Fb.

In Schmallenberg 8-Vorwald O : 13 km :

Gasthof Gut Vorwald (ehem. Gutshof a.d.J. 1797), (02975) 3 74, , , , – . AE E
20. Nov.- 26. Dez. geschl. – **M** a la carte 21/40 – **24 Z : 47 B** 40/53 - 70/102 Fb – ½ P 55/75.

In Schmallenberg 35-Westernbödefeld NO : 15 km :

Zur Schmitte, Am Roh 2, (02977) 2 68, , , –
14. Nov.- 14. Dez. geschl. – **M** *(Montag geschl.)* a la carte 20/39 – **17 Z : 32 B** 40/45 - 75/85 – ½ P 45/48.

In Schmallenberg 9-Westfeld O : 12 km :

Berghotel Hoher Knochen, am Hohen Knochen (O : 2 km) – Höhe 650 m, (02975) 4 96, Telex 841559, Fax 421, , Massage, , , , – – 25/60. E
25. Nov.- 19. Dez. geschl. – **M** a la carte 33/60 – **59 Z : 92 B** 85/109 - 150/200 Fb – 3 Appart. 260.

Bischof, Am Birkenstück 3, (02975) 2 56, Fax 8722, , –
11.- 28. März und 16.- 26. Dez. geschl. – **M** *(Mittwoch geschl.)* a la carte 22/44 – **18 Z : 35 B** 43/48 - 86/96 – ½ P 49/54.

In Schmallenberg 38-Winkhausen O : 6 km :

Deimann zum Wilzenberg, an der B 236, (02975) 8 10, Fax 81289, , Bade- und Massageabteilung, , , , , –
M a la carte 43/78 – **42 Z : 76 B** 80/105 - 140/250 Fb – 18 Fewo 75/95 – ½ P 90/125.

Bei Übernachtungen in kleineren Orten oder abgelegenen Hotels empfehlen wir, hauptsächlich in der Saison, rechtzeitige telefonische Anmeldung.

SCHMELZ **6612.** Saarland 412 D 18, 242 ②, 57 ⑥ – 17 400 Ew – Höhe 300 m – 06887.
♦Saarbrücken 30 – Dillingen/Saar 17 – Saarlouis 20 – ♦Trier 52.

Staudt mit Zim, Trierer Str. 17, 21 45 – . AE E VISA. Zim
Juli - Aug. 3 Wochen geschl. – **M** *(Freitag geschl.)* a la carte 21/50 – **4 Z : 6 B** 30 - 60.

In Schmelz 5-Hüttersdorf S : 3 km :

Wilhelm, Kanalstr. 3a, 25 84 – AE E VISA
Samstag bis 18 Uhr, Dienstag und Juli - Aug. 3 Wochen geschl. – **M** *(bemerkenswerte Weinkarte)* (Tischbestellung ratsam) a la carte 48/83.

SCHMITTEN IM TAUNUS **6384.** Hessen 412 413 I 16 – 7 800 Ew – Höhe 534 m – Luftkurort – Wintersport : 534/880 m 4 2 – 06084.
Ausflugsziel : Großer Feldberg : ** S : 8 km.
Verkehrsamt, Parkstr. 2 (Rathaus), 46 29.
♦Wiesbaden 37 – ♦Frankfurt am Main 37 – Gießen 55 – Limburg an der Lahn 39.

Kurhaus Ochs, Kanonenstr. 6, 4 80, Fax 4880, , , , – – 25/55. AE E VISA
M a la carte 27/58 – **38 Z : 60 B** 80/135 - 130/190 Fb – ½ P 91/161.

In Schmitten 3-Oberreifenberg SW : 4 km – Höhe 650 m – 06082 :

Waldhotel, Tannenwaldstr. 12 (O : 1 km), 6 42, Fax 3469, « Gartenterrasse », – 30. AE E VISA
M a la carte 33/64 – **23 Z : 32 B** 75/90 - 120/140 - ½ P 85.

Haus Reifenberg, Vorstadt 5, 29 75, – 60. Zim
M *(Dienstag und 15. Nov.- 24. Dez. geschl.)* a la carte 23/48 – **20 Z : 30 B** 40/100 - 80/160 - 6 Fewo 29/70.

Haus Burgfried garni, Arnoldshainer Weg 4, 21 31 –
12 Z : 18 B 40/50 - 80.

SCHNAITTACH **8563.** Bayern 413 R 18 – 6 900 Ew – Höhe 352 m – 09153.
♦München 178 – Amberg 49 – Bayreuth 55 – ♦Nürnberg 32.

Kampfer, Fröschau 1, 6 71, . E VISA
Mitte Dez.- Mitte Jan. geschl. – **M** *(Sonntag ab 17 Uhr und Freitag geschl.)* a la carte 21/42 – **30 Z : 43 B** 36/59 - 55/95 Fb.

In Schnaittach 2-Osternohe N : 5 km – Höhe 596 m – Erholungsort – Wintersport : 480/620 m 1 :

Igelwirt, Igelweg 6, 2 97, – 40
3.- 18. Aug. geschl. – **M** *(Montag geschl.)* a la carte 21/40 – **27 Z : 48 B** 44/50 - 70/84 - ½ P 48/57.

Goldener Stern, An der Osternohe 2, 75 86,
2.- 25. Nov. geschl. – **M** *(Donnerstag geschl.)* a la carte 18/34 – **18 Z : 35 B** 29/46 - 51/76.

Nördlich der Autobahnausfahrt Hormersdorf NO : 11 km :

Schermshöhe (mit Gästehaus,), 8571 Betzenstein, (09244) 4 66, Fax 1644, – 50. AE E
28. Okt.- 5. Dez. geschl. – **M** a la carte 22/45 – **49 Z : 82 B** 49/69 - 90/130.

SCHNEIZLREUTH Bayern siehe Inzell.

SCHNELLDORF **8816.** Bayern 413 N 19 – 3 000 Ew – Höhe 530 m – 07950.
♦München 174 – ♦Nürnberg 83 – ♦Würzburg 90.

Kellermann, Am Birkenberg 1 (nahe BAB-Ausfahrt), 20 55, Fax 24 80, – 25/70
M a la carte 27/58 – **31 Z : 58 B** 85 - 132 Fb.

SCHNEVERDINGEN **3043.** Niedersachsen 411 M 7, 987 ⑮ – 16 800 Ew – Höhe 85 m – Luftkurort – 05193.
Verkehrsamt, Schulstr. 6a, 70 66.
♦Hannover 97 – ♦Bremen 74 – ♦Hamburg 63.

Landhaus Höpen, Höpener Weg 13, 8 20, Fax 8213, – 25/80. E
M a la carte 48/85 – **44 Z : 78 B** 154/269 - 233/333 Fb – 3 Fewo 120/140.

In Schneverdingen-Barrl NO : 10 km :

Hof Barrl, an der B 3, (05198) 3 51, . AE
Mitte Jan.- Mitte Feb. geschl. – **M** *(Montag 15 Uhr - Dienstag geschl.)* a la carte 26/48 – **8 Z : 14 B** 45/55 - 80/90.

SCHÖMBERG (Kreis Calw) **7542.** Baden-Württemberg 413 I 20 – 7 100 Ew – Höhe 633 m – Heilklimatischer Kurort und Kneippkurort – Wintersport : 500/700 m, 1, 1 – 07084.
Kurverwaltung, Rathaus, 71 11.
♦Stuttgart 74 – Calw 15 – Pforzheim 24.

Mönch's Lamm, Hugo-Römpler-Str. 21, 64 12, Fax 5272 – – 40
Jan. 3 Wochen geschl. – **M** a la carte 30/56 – **40 Z : 50 B** 73/87 - 130 Fb.

Krone, Liebenzeller Str. 15, 70 77, Fax 6641 – – 40. AE E VISA
M a la carte 32/56 – **40 Z : 65 B** 60/85 - 100/130 – ½ P 75/100.

In Schömberg 3-Langenbrand NW : 2 km – Luftkurort :

Schwarzwald-Sonnenhof, Salmbacher Str. 35, 75 88, Fax 5443,
M a la carte 35/58 – **20 Z : 40 B** 45/63 - 80/110 Fb.

Ehrich, Schömberger Str. 26, 2 89, Fax 5376, – 40. AE
3. Nov.- 3. Dez. geschl. – **M** *(Montag geschl.)* a la carte 25/50 – **29 Z : 48 B** 60/75 - 110/140 Fb.

Hirsch, Forststr. 4, 75 27,
Nov. geschl. – **M** *(Donnerstag geschl.)* a la carte 21/38 – **15 Z : 25 B** 35/45 - 60/80 – ½ P 50/54.

In Schömberg 5-Oberlengenhardt SO : 3 km – Erholungsort :

Ochsen, Burgweg 3, 70 65, Fax 1713, – P. E VISA
M *(Dienstag geschl.)* a la carte 29/55 – **11 Z : 22 B** 65/75 - 110/120.

SCHÖNAICH Baden-Württemberg siehe Böblingen.

SCHÖNAU a. d. BREND **8741.** Bayern 413 N 15 – 1 400 Ew – Höhe 310 m – Erholungsort – 09775.

♦München 356 – ♦Bamberg 95 – Fulda 47 – ♦Würzburg 88.

Im Krummbachtal, Krummbachstraße 24, 8 80, Fax 8810, Biergarten, – P – 25/100. AE E VISA
M a la carte 30/52 – **32 Z : 62 B** 78/110 - 130/170 Fb – ½ P 87/132.

SCHÖNAU AM KÖNIGSSEE **8240.** Bayern 413 V 24 – 5 200 Ew – Höhe 620 m – Heilklimatischer Kurort – Wintersport : 560/1 800 m 1 6 3 – 08652 (Berchtesgaden).

Ausflugsziele : Königssee★★ S : 2 km – St. Bartholomä : Lage★ (nur mit Schiff ab Königssee erreichbar).

Verkehrsamt, im Haus des Gastes, 17 60, Fax 64526.

♦München 159 – Berchtesgaden 5 – Bad Reichenhall 23 – Salzburg 28.

Im Ortsteil Faselsberg :

Kur- und Sporthotel Alpenhof, Richard-Voss-Str. 30, 60 20, Fax 64399, – P. AE E VISA. Zim
12. Jan.- 13. Feb. und 2. Nov.- 19. Dez. geschl. – **M** a la carte 38/66 – **55 Z : 100 B** 97/150 - 190/255 Fb – ½ P 115/155.

Im Ortsteil Königssee 987 (38) :

Bergheimat, Brandnerstr. 16, 60 80, Fax 608300, – P. AE E
M a la carte 27/57 – **42 Z : 85 B** 82/119 - 163/213 Fb.

Im Ortsteil Oberschönau :

Zechmeisterlehen, Wahlstr. 35, 6 20 81, Fax 62084, – P
2. Nov.- 18. Dez. geschl. – (nur Abendessen für Hausgäste) – **39 Z : 75 B** 80/110 - 176/208 Fb – 4 Appart. 240/252.

Stoll's Hotel Alpina, Ulmenweg 14, 50 91, Fax 61608, Kehlstein, Hoher Göll, Watzmann und Hochkalter, « Garten », Bade- und Massageabteilung, (geheizt), – P. AE E VISA
4. Nov.- 17. Dez. geschl. – **M** *(Tischbestellung ratsam)* a la carte 35/62 – **50 Z : 100 B** 75/140 - 100/180 Fb – 4 Appart. 200/260 – ½ P 75/165.

Georgenhof, Modereggweg 21, 6 20 66, Fax 62067, Hoher Göll, Watzmann und Hochkalter, – P. Rest
Nov.- 15. Dez. geschl. – (nur Abendessen für Hausgäste) – **20 Z : 40 B** 65/79 - 124/156 Fb – ½ P 78/92.

Im Ortsteil Unterschönau :

Köppleck, Am Köpplwald 15, 6 10 66, Kehlstein, Jenner und Watzmann, – P
Mai - Okt. – **M** a la carte 30/50 – **28 Z : 56 B** 65 - 110 Fb.

SCHÖNAU IM SCHWARZWALD **7869.** Baden-Württemberg 413 G 23, 987 (34), 242 (36) (40) – 2 300 Ew – Höhe 542 m – Luftkurort – Wintersport : 800/1 414 m 3 4 – 07673.

Ausflugsziel : Belchen ★★★, NW : 14 km.

Kurverwaltung, Haus des Gastes, Gentnerstr. 2a, 4 08.

♦Stuttgart 186 – Basel 42 – Donaueschingen 63 – ♦Freiburg im Breisgau 38.

Adler, Talstr. 7, 6 11, – P. E VISA
3.- 23. März und 27. Okt.- 8. Nov. geschl. – **M** *(Donnerstag ab 14 Uhr und Montag geschl.)* a la carte 28/48 – **10 Z : 18 B** 50/60 - 90/120.

Kirchbühl, Kirchbühlstr. 6, 2 40, – P. E VISA. Zim
Mitte Nov.- Anfang Dez. geschl. – **M** *(Dienstag - Mittwoch 17 Uhr geschl.)* a la carte 28/62 – **10 Z : 19 B** 52/64 - 96 Fb – ½ P 63.

Vier Löwen, Talstr. 18, 2 35 – P
M *(Montag 14 Uhr - Dienstag geschl.)* a la carte 29/58 – **7 Z : 14 B** 40/48 - 78/94 Fb.

In Tunau **7869** SO : 3 km :

Zur Tanne (Schwarzwaldgasthof), Alter Weg 4, (07673) 3 10, – P
Mitte Nov.- Mitte Dez. geschl. – **M** *(Samstag ab 18 Uhr und Dienstag geschl.)* a la carte 25/40 – **15 Z : 25 B** 53/71 - 90/136 – ½ P 55/60.

SCHÖNAU (RHEIN-NECKAR-KREIS) **6917.** Baden-Württemberg 412 413 J 18 – 4 600 Ew – Höhe 175 m – ☎ 06228.

♦Stuttgart 115 – Heidelberg 18 – Mosbach 43.

Pfälzer Hof, Ringmauerweg 1, ✆ 82 88 – Ⓟ – 40. AE ⓓ E VISA
Mitte Jan.- Mitte Feb. geschl. – **M** *(Montag- Dienstag geschl., Mittwoch - Freitag nur Abendessen)* a la carte 40/85 – **13 Z : 25 B** 50/80 - 95/125.

In Schönau-Altneudorf N : 3 km :

Zum Pflug, Altneudorfer Str. 16, ✆ 82 07 – Ⓟ.

SCHÖNBERG **8351.** Bayern 413 X 20, 987 ㉘, 426 LM 2 – 3 500 Ew – Höhe 565 m – Luftkurort – Wintersport : 650/700 m ≰1 ⛷1 – ☎ 08554.

ℹ Verkehrsamt, Rathaus, ✆ 8 21, Fax 2610.

♦München 181 – Cham 74 – Deggendorf 38 – Passau 34.

Antoniushof, Unterer Markt 12, ✆ 5 75, Fax 2731, Massage, ≘s, ☒ – |♦| TV ☎ Ⓟ – 30
55 Z : 110 B Fb.

Zur Post, Marktplatz 19, ✆ 14 12, Fax 2259, – ☎ Ⓟ. AE E
12. Nov.- 4. Dez. geschl. – **M** a la carte 19/39 – **29 Z : 52 B** 40/45 - 70/74 Fb.

Dorfner, Marktplatz 3, ✆ 8 95, ≘s – Ⓟ
3.- 24. Nov. geschl. – **M** *(Freitag geschl.)* a la carte 19/39 – **10 Z : 21 B** 37 - 68 – ½ P 40/43.

SCHÖNBERG **2306.** Schleswig-Holstein 411 O 3, 987 ⑤ – 4 900 Ew – Höhe 18 m – Erholungsort – ☎ 04344.

ℹ Kurverwaltung, Rathaus, ✆ 38 35, Fax 3868.

♦Kiel 26 – Lütjenburg 22 – Preetz 19.

Stadt Kiel, Markt 8, ✆ 13 54, , ≘s – TV ☎ Ⓟ. AE ⓓ E VISA
M *(Dienstag geschl.)* a la carte 31/57 – **10 Z : 20 B** 68/90 - 116/136.

Ruser's Hotel, Albert-Koch-Str. 4, ✆ 20 13, Fax 1775, , ≘s – |♦| ☎ Ⓟ
M a la carte 22/34 – **31 Z : 65 B** 47/53 - 85/98.

In Schönberg-Kalifornien N : 5 km :

Kalifornien , Deichweg 3, ✆ 13 88, – Ⓟ. Zim
M a la carte 23/40 – **14 Z : 30 B** 45/60 - 90/120 -(Anbau mit 12 Z ab Frühjahr 1992).

SCHÖNBORN, BAD **7525.** Baden-Württemberg 987 ㉕, 412 413 I 19 – 8 900 Ew – Höhe 110 m – Heilbad – ☎ 07253.

ℹ Kurverwaltung im Haus des Gastes, Kraichgaustr. 10, ✆ 40 46, Fax 32571.

♦Stuttgart 79 – Heidelberg 25 – Heilbronn 51 – ♦Karlsruhe 37.

In Bad Schönborn - Langenbrücken :

Monica garni, Kirchbrändelring 42, ✆ 40 16, – TV ☎ Ⓟ.
13 Z : 26 B 85 - 99 Fb.

Peters garni, Franz-Peter-Sigel-Str. 39, ✆ 68 56, Fax 4437, ≘s, – TV ☎ Ⓟ.
20 Z : 30 B 55/75 - 95/100 Fb.

Zu den Drei Königen, Huttenstr. 2, ✆ 60 14, Fax 1838 – TV ☎ Ⓟ. AE ⓓ E VISA
M *(Samstag bis 17 Uhr geschl.)* a la carte 28/49 – **15 Z : 24 B** 75/80 - 110.

In Bad Schönborn - Mingolsheim :

Waldparkstube, Waldparkstr. 1, ✆ 46 73, Fax 4676 – TV ☎ Ⓟ – 30.
22. Dez.- 7. Jan. geschl. – **M** *(Freitag - Samstag geschl.)* a la carte 26/53 – **30 Z : 40 B** 95/125 - 125/160 Fb.

Gästehaus Prestel garni, Beethovenstr. 20, ✆ 41 07, – |♦| ☎ Ⓟ.
33 Z : 52 B 55/80 - 80/100.

SCHÖNECK **O-9655.** Sachsen 984 ㉗, 987 ㉗ – 3 500 Ew – Höhe 758 m – Erholungsort – Wintersport : 700/800 m ≰ ⛷6 – ☎ 0037 76394.

ℹ Fremdenverkehrsamt, Bauhofstr. 1, ✆ 4 91.

♦Dresden 162 – Bayreuth 137 – Plauen 50 – Weiden i.d. Oberpfalz 123.

In Schöneck-Kottenheide **O-9651** SO : 4 km :

Haus am Ahorn , Hämmerling 12, ✆ 4 83, , ≘s, – TV Ⓟ
22 Z : 43 B.

In Muldenberg **O-9651** NO : 5 km :

Haus Muldenberg, Am Bahnhof 2, ✆ (003776394) 2 07, ≘s – TV Ⓟ
27 Z : 54 B.

SCHÖNECKEN **5544.** Rheinland-Pfalz 987 ㉓, 412 C 16, 409 M 5 – 1 900 Ew – Höhe 400 m – ☎ 06553.

Mainz 199 – Euskirchen 76 – Prüm 7,5 – ♦Trier 56.

- **Burgfrieden** ⑤, Rammenfeld 6, ☎ 22 09, ≤, 🏞, 🍽 – 🚗 **P**. AE ⓓ E VISA
  M a la carte 35/76 – **13 Z : 26 B** 50/60 - 90/100.

SCHÖNENBERG - KÜBELBERG Rheinland-Pfalz siehe Waldmohr.

SCHÖNSEE **8476.** Bayern 413 U 18, 987 ㉗ – 2 700 Ew – Höhe 656 m – Erholungsort – Wintersport : 550/900 m ⛷5, ⛷10, Sommerrodelbahn – ☎ 09674.

ℹ Verkehrsamt, Rathaus, ☎ 4 18, Fax 318.

♦München 235 – Cham 56 – ♦Nürnberg 136 – Weiden in der Oberpfalz 51.

- **St. Hubertus** ⑤, Hubertusweg 1, ☎ 4 15, Fax 252, ≤, 🏞, « Jagdmuseum », Bade- und Massageabteilung, ≘s, 🏊, 🍽, 🎾(Halle) – 🛗 📺 ☎ 🚗 **P** – 🎤 25/150. AE ⓓ E VISA
  Mitte Jan.- Mitte März geschl. – **M** *(auch vegetarisches Menu)* a la carte 25/50 – **81 Z : 150 B** 65/110 - 108/190 Fb – 20 Fewo 90 – ½ P 76/132.
- **Haberl,** Hauptstr. 9, ☎ 2 14 – **P**
  März - April und Dez. jeweils 2 Wochen geschl. – **M** *(Montag geschl.)* a la carte 17/30 – **15 Z : 31 B** 35 - 70.

In Schönsee 3-Gaisthal SW : 6 km :

- **Gaisthaler Hof,** Schönseer Str. 16, ☎ 2 38, 🏞, ≘s, 🏊, 🍽, 🐎 (Reitschule) – 📺 ☎ **P**
  März geschl. – **M** *(Montag geschl.)* a la carte 22/32 – **24 Z : 45 B** 35/42 - 60/74.
- **Zur Waldesruh** ⑤, Am Buchberg 2, ☎ 14 93, ≤, 🏞, 🍽 – **P**
  Nov. geschl. – **M** *(Dienstag geschl.)* a la carte 20/35 ⅓ – **11 Z : 21 B** 37/45 - 64/80.

SCHÖNTAL **7109.** Baden-Württemberg 413 L 19 – 5 700 Ew – Höhe 210 m – ☎ 07943.

Sehenswert : Ehemalige Klosterkirche★ (Alabasteraltäre★★) – Klosterbauten (Ordenssaal★).

♦Stuttgart 86 – Heilbronn 44 – ♦Würzburg 67.

In Kloster Schöntal :

- **Pension Zeller** ⑤ garni, Honigsteige 21, ☎ 6 00, 🍽 – 🚗 **P**. 🚫
  20. Dez.- Mitte Jan. geschl. – **17 Z : 34 B** 30/44 - 52/68.

SCHÖNWALD **7741.** Baden-Württemberg 413 H 22, 987 ㉞ ㉟ – 2 400 Ew – Höhe 988 m – Heilklimatischer Kurort – Wintersport : 950/1 150 m ⛷5 ⛷5 – ☎ 07722 (Triberg).

ℹ Kurverwaltung, Rathaus, ☎ 86 08 31, Fax 860834.

♦Stuttgart 146 – Donaueschingen 37 – ♦Freiburg im Breisgau 56 – Offenburg 63.

- **Zum Ochsen,** Ludwig-Uhland-Str. 18, ☎ 10 45, Fax 3018, ≤, 🏞, ≘s, 🏊, 🍽, 🎾 – 📺 ☎ 🚗 **P** – 🎤 35. AE ⓓ E VISA
  M *(Dienstag - Mittwoch und 5. Nov.- 12. Dez. geschl.)* a la carte 46/80 – **42 Z : 90 B** 86/103 - 144/178 Fb – 3 Appart. 200/240 – ½ P 102/133.
- **Dorer** ⑤, Franz-Schubert-Str. 20, ☎ 10 66, Fax 1068, 🏊, 🍽, 🎾 – 📺 ☎ 🚗 **P**. AE ⓓ E VISA. 🚫 Rest
  (Restaurant nur für Hausgäste) – **19 Z : 35 B** 69/120 - 132/166 Fb – ½ P 92/110.
- **Pension Silke** ⑤, Feldbergstr. 8, ☎ 60 81, Fax 7840, ≤, 🏋, ≘s, 🏊, 🍽 – ☎ **P**. AE E VISA
  Nov.- 24. Dez. geschl. – **M** *(nur Abendessen)* a la carte 28/56 – **36 Z : 60 B** 44/53 - 76/106 Fb.
- Café Adlerschanze ⑤, Goethestr. 8, ☎ 9 50 10, Fax 950130, ≤, ≘s – 📺 ☎
  (nur Abendessen für Hausgäste) – **12 Z : 25 B.**
- **Landgasthof Falken,** Hauptstr. 5, ☎ 43 12, Fax 3233, ≘s – 📺 ☎ 🚗 **P**. AE ⓓ E VISA
  15. Nov.- 15. Dez. geschl. – **M** *(Donnerstag - Freitag 18 Uhr geschl.)* a la carte 29/67 – **15 Z : 28 B** 60/75 - 120/150.
- **An der Sonne** ⑤, Kandelstr. 7, ☎ 24 44, Fax 2447, ≘s, 🏊, 🍽 – 📺 ☎ 🚗 **P**. E VISA
  20. - 30. April und 10. Nov.- 19. Dez. geschl. – **M** *(nur Abendessen)* a la carte 24/58 ⅓ – **28 Z : 56 B** 56/79 - 100/150 Fb.
- **Löwen,** Furtwanger Str. 8 (Escheck S : 2 km), ☎ 41 14, ≤, 🍽 – 🚗 **P**. 🚫
  20. Nov.- 24. Dez. geschl. – **M** *(Mittwoch geschl.)* a la carte 25/46 ⅓ – **11 Z : 21 B** 50/55 - 90.

SCHÖNWALDE AM BUNGSBERG **2437.** Schleswig-Holstein 411 P 4, 987 ⑥ – 2 300 Ew – Höhe 100 m – Erholungsort – ☎ 04528.

♦Kiel 53 – ♦Lübeck 44 – Neustadt in Holstein 11 – Oldenburg in Holstein 17.

- **Café Feldt,** Eutiner Str. 6, ☎ 2 31, Fax 1031, 🍽 – 📺 **P**. E VISA. 🚫
  M a la carte 27/41 – **28 Z : 58 B** 45/50 - 76/90.
- XX **Altes Amt,** Eutiner Str. 39, ☎ 7 75 – **P**. 🚫
  Feb. und Dienstag geschl. – **M** (Tischbestellung erforderlich) a la carte 48/72.

SCHÖPPINGEN **4437.** Nordrhein-Westfalen 411 412 E 10 – 6 500 Ew – Höhe 94 m – ☎ 02555.
Düsseldorf 133 – Enschede 31 – Münster (Westfalen) 33 – •Osnabrück 74.

Zum Rathaus, Hauptstr. 52, ☎ 2 05, – TV ☎ P – 30. AE ① E VISA
M *(Dienstag geschl.)* 20/40 (mittags) und a la carte 38/50 – **20 Z : 40 B** 55/100 - 110/200 Fb.

Zur alten Post, Hauptstr. 82, ☎ 2 22, Fax 1020, – TV ☎ P. AE ① E VISA
M *(Mittwoch geschl.)* a la carte 19/56 – **21 Z : 42 B** 45/90 - 80/140.

In Schöppingen-Eggerode S : 4 km :

Winter, Gildestr. 3, ☎ (02545) 2 55, – P
M *(Montag geschl.)* a la carte 21/36 – **13 Z : 25 B** 45 - 90.

Haus Tegeler, Vechtestr. 24, ☎ (02545) 6 97 – ☎ P. AE ① E VISA. Zim
15. Jan.- 15. Feb. geschl. – **M** *(Donnerstag geschl.)* a la carte 29/49 – **11 Z : 18 B** 48 - 95.

SCHOLLBRUNN **8771.** Bayern 412 413 L 17 – 800 Ew – Höhe 412 m – Erholungsort – ☎ 09394.
•München 325 – Aschaffenburg 34 – Wertheim 11 – •Würzburg 49.

Zur Sonne, Brunnenstr.1, ☎ 3 44, Fax 8340, – P
M *(Dienstag geschl.)* a la carte 18/41 – **49 Z : 84 B** 55/65 - 90/100.

SCHONACH **7745.** Baden-Württemberg 413 H 22 – 4 400 Ew – Höhe 885 m – Luftkurort – Wintersport : 900/1 152 m 4 4 – ☎ 07722 (Triberg).
Kurverwaltung, Haus des Gastes, Hauptstraße, ☎ 60 33, Telex 792600, Fax 2548.
•Stuttgart 143 – Offenburg 60 – Triberg 4 – Villingen-Schwenningen 30.

Rebstock, Sommerbergstr. 10, ☎ 53 27, Fax 6799, , , – TV P. AE ① E VISA
22. Nov. - 24. Dez. und 15. März - 15. April geschl. – **M** a la carte 28/55 – **25 Z : 44 B** 59/65 - 106 Fb.

Schwanen (Schwarzwaldgasthof a.d. 18. Jh.), Hauptstr. 18, ☎ 52 96, Fax 1450, , – TV ☎ P. AE ① E VISA. Rest
22. März - 7. April und 20. Okt.- Nov. geschl. – **M** *(Montag geschl.)* a la carte 26/50 – **22 Z : 38 B** 54/64 - 110/120 Fb.

Michel's Restaurant, Triberger Str. 42, ☎ 55 16 – P
Montag - Dienstag, 7.- 13. Jan. und Juli - Aug. 3 Wochen geschl. – **M** *(auch vegetarische Gerichte)* – a la carte 43/65.

SCHONGAU **8920.** Bayern 413 P 23, 987 ㊱, 426 E 5 – 10 700 Ew – Höhe 710 m – Erholungsort – ☎ 08861.
Verkehrsverein, Bahnhofstr. 44, ☎ 72 16.
•München 83 – Füssen 36 – Garmisch-Partenkirchen 50 – Landsberg am Lech 27.

Holl , Altenstädter Str. 39, ☎ 40 51, Fax 8943, – TV ☎ P – 25. AE ① E VISA
M *(nur Abendessen, Samstag - Sonntag, Feiertage u. 20. Dez.- 15. Jan. geschl.)* a la carte 32/60 – **25 Z : 50 B** 80/95 - 130/150 Fb.

Rössle garni, Christophstr. 49 (2. Etage,), ☎ 26 46, Fax 2647 – TV ☎ P. AE ① E VISA
17 Z : 34 B 80 - 120/130 Fb.

Alte Post, Marienplatz 19, ☎ 80 58, Fax 7037 – TV ☎
24. Dez.- Mitte Jan. geschl. – **M** *(Samstag sowie Sonn- und Feiertage geschl.)* a la carte 18/42 – **31 Z : 70 B** 55/90 - 110/150 Fb.

SCHOPFHEIM **7860.** Baden-Württemberg 413 G 24, 987 ㉞, 427 H 3 – 16 000 Ew – Höhe 374 m – ☎ 07622.
Verkehrsamt, Hauptstr. 31 (Rathaus), ☎ 39 61 16.
•Stuttgart 275 – Basel 23 – •Freiburg im Breisgau 79 – Zürich 77.

Adler, Hauptstr. 100, ☎ 27 30 – ☎ P
Juli - Aug. 3 Wochen geschl. – **M** *(Freitag - Samstag 17 Uhr geschl.)* a la carte 21/47 – **17 Z : 25 B** 35/60 - 75/98 Fb.

Alte Stadtmühle, Entegaststr. 9, ☎ 24 46, Fax 2403
Dienstag - Samstag nur Abendessen, Montag und über Fastnacht 2 Wochen geschl. – **M** *(nur vegetarische Küche)* 72/145 – **Bistro** *(auch Mittagessen)* **M** a la carte 38/50.

Glöggler, Austr. 5, ☎ 21 67, .

In Schopfheim 5-Gersbach NO : 16 km – Erholungsort – Wintersport : 870/970 m 2 :

Mühle zu Gersbach , Zum Bühl 4, ☎ (07620) 2 25, Fax 371, , – TV ☎ P – 30
Anfang Jan.- Anfang Feb. geschl. – Menu *(Montag 15 Uhr - Mittwoch 15 Uhr geschl.)* a la carte 37/74 – **16 Z : 32 B** 65/90 - 92/160.

In Schopfheim-Gündenhausen W : 2 km :

Löwen, Hauptstr. 16 (B 317), 80 12, Fax 5796, - . E. Rest
2.- 14. Jan. und Aug.- Sept. 3 Wochen geschl. – **M** *(Donnerstag - Freitag 17 Uhr gesch*
a la carte 23/60 – **23 Z : 40 B** 38/75 - 68/105 Fb.

In Schopfheim-Schlechtbach NO : 12 km :

Auerhahn, Hauptstr. 5, (07620) 2 28, , –
Mitte Feb.- Mitte März geschl. – **M** *(Mittwoch 15 Uhr - Donnerstag geschl.)* a la carte 23/6
– **10 Z : 18 B** 34/44 - 58/78.

In Schopfheim-Wiechs SW : 3 km :

Krone - Landhaus Brunhilde, Am Rain 6, 3 99 40, , , , – . Zi
M *(Freitag - Samstag 17 Uhr geschl.)* a la carte 21/63 – **39 Z : 66 B** 64/75 - 110/130 F

Berghaus Hohe Flum, Auf der Hohen Flum 2, 27 82, , , –
Mitte Dez.- Jan. geschl. – **M** *(Donnerstag - Freitag geschl.)* a la carte 28/49 – **9 Z : 16 B** 5
- 94.

In Maulburg **7864** W : 3 km :

Murperch garni, Hotzenwaldstr. 1, (07622) 80 44, Fax 62084, – . AE
VISA – **14 Z : 20 B** 75/90 - 95/130 Fb.

SCHORNDORF **7060.** Baden-Württemberg 413 L 20, 987 ㉟ – 34 600 Ew – Höhe 256 m
07181. – **Sehenswert :** Oberer Marktplatz★.

♦Stuttgart 29 – Göppingen 20 – Schwäbisch Gmünd 23.

Erlenhof, Mittlere Uferstr 70 (Erlensiedlung), 7 56 54, –
Sonntag 15 Uhr - Montag und Aug. 3 Wochen geschl. – **M** a la carte 35/68.

Zum Pfauen, Höllgasse 9, 6 25 83 – E
Sonntag - Montag und Mitte - Ende Juli geschl. – **M** *(auch vegetarische Gerichte)* a la cart
25/67.

In Winterbach **7065** W : 4 km :

Am Engelberg, Ostlandstr. 2 (nahe der B 29), (07181) 70 09 60, Fax 700969, ,
– – 30. AE E VISA
Ende Juli - Mitte Aug. geschl. – **M** *(nur Abendessen, Samstag - Sonntag geschl.)* a la carte 30/5
– **36 Z : 50 B** 63/110 - 108/145.

SCHOTTEN **6479.** Hessen 987 ㉕, 412 413 K 15 – 11 100 Ew – Höhe 274 m – Luftkurort
Wintersport : 600/773 m 5 4 – 06044. – Lindenstr. 5, 13 75.

Stadtverwaltung, Vogelsbergstr. 184, 66 51.

♦Wiesbaden 100 – ♦Frankfurt am Main 72 – Fulda 52 – Gießen 41.

Haus Sonnenberg, Laubacher Str. 25, 7 71, Fax 8624, , , , , –
– 40. AE E VISA.
M a la carte 29/50 – **50 Z : 90 B** 55/65 - 85/110 Fb.

Zur Linde, Schloßgasse 3, 15 36 – AE E VISA
nur Abendessen, Dienstag geschl. – **M** a la carte 49/70.

In Schotten 19-Betzenrod : NO : 2,5 km :

Landhaus Appel, Altenhainer Str. 38, 7 05, , – – 30. AE E
2.- 8. Jan. und 13.- 30. Juli geschl. – **M** *(auch vegetarische Gerichte)* a la carte 25/48 – **26 Z**
44 B 42/52 - 64/75 Fb – ½ P 51/62.

SCHRAMBERG **7230.** Baden-Württemberg 413 HI 22, 987 ㉟ – 19 500 Ew – Höhe 420 m
Erholungsort – 07422.

Städt. Verkehrsbüro, Hauptstr. 25, 2 92 15, Fax 29209.

♦Stuttgart 118 – ♦Freiburg im Breisgau 64 – Freudenstadt 37 – Villingen-Schwenningen 32.

Parkhotel (ehem. Villa), Im Stadtpark, 2 08 18, Fax 21191, – .
E VISA
Juli geschl. – **M** *(auch vegetarische Gerichte)* (Sonntag 17 Uhr - Montag geschl.) a la carte 24/5
– **11 Z : 19 B** 65/71 - 115/125.

Hirsch mit Zim, Hauptstr. 11, 2 05 30 – . AE E VISA
Juli - Aug. 3 Wochen geschl. – **M** *(Tischbestellung ratsam)* (Sonntag 14 Uhr - Dienstag 18 Uh
geschl.) a la carte 42/82 – **5 Z : 7 B** 90/150 - 250/270.

Schilteckhof mit Zim, Schilteck 1, 36 78, , , –
Ende Feb.- Mitte März und Mitte Okt.- Mitte Nov. geschl. – **M** *(Montag - Dienstag geschl.*
a la carte 35/51 – **4 Z : 8 B** 32 - 64.

Braustube Schraivogel, Hauptstr. 51, 46 70.

Außerhalb W : 4,5 km über Lauterbacher Straße :

Burgstüble mit Zim, Hohenschramberg 1, ✉ 7230 Schramberg, ☎ (07422) 77 73, ≤ Schramberg und Schwarzwaldhöhen, – Ⓟ. AE ⓓ
7.-31. Jan. und 20.- 31. Okt. geschl. – **M** *(Mittwoch 17 Uhr - Donnerstag geschl.)* a la carte 21/47 – **6 Z : 13 B** 47 - 94 – ½ P 55.

In Schramberg-Sulgen O : 5 km :

Drei Könige, Birkenhofweg 10, ☎ 5 40 91, Fax 53612, ≤ – TV ☎ Ⓟ. E VISA.
18. Juli - 11. Aug. geschl. – (nur Abendessen für Hausgäste) – **17 Z : 30 B** 75 - 130 Fb.

Waldeslust mit Zim, Lienberg 59 (N : 3 km über Aichhalder Straße), ☎ 84 44, – TV ☎ Ⓟ
Feb.- März 3 Wochen und Okt.- Nov. 2 Wochen geschl. – **M** *(Montag 14 Uhr - Dienstag geschl.)* a la carte 34/65 – **5 Z : 10 B** 70 - 120.

Europe — Wenn der Name eines Hotels dünn gedruckt ist, dann hat uns der Hotelier Preise und Öffnungszeiten nicht oder nicht vollständig angegeben.

SCHRIESHEIM **6905.** Baden-Württemberg 412 413 I 18 – 13 300 Ew – Höhe 120 m – ☎ 06203.
♦Stuttgart 130 – ♦Darmstadt 53 – Heidelberg 8 – ♦Mannheim 18.

Neues Ludwigstal, Strahlenberger Str. 2, ☎ 6 10 28, Fax 61208, – ☎ Ⓟ
M *(Montag - Freitag nur Abendessen, Ende Jan.- Mitte Feb. geschl.)* a la carte 20/46 – **34 Z : 56 B** 50/60 - 85/100 Fb.

Gästehaus Weinstuben Hauser, Steinachstr. 12, ☎ 6 14 45 – Ⓟ
Juli - Aug. 2 Wochen und Weihnachten - 7. Jan. geschl. – **M** *(nur Abendessen, Sonntag geschl.)* a la carte 26/42 – **24 Z : 38 B** 40/45 - 60/90.

Strahlenberger Hof (ehem. Gutshof a.d.J. 1240), Kirchstr. 2, ☎ 6 30 76, « Wertvolle Einrichtung mit Kunstobjekten, Innenhof mit » – AE ⓓ E VISA
nur Abendessen, Sonn- und Feiertage geschl. – **M** a la carte 60/80.

Strahlenburg, Auf der Strahlenburg (O : 3 km), ☎ 6 12 32, Fax 68685, « Terrasse mit ≤ Schriesheim » – Ⓟ. AE ⓓ E VISA
Okt.- März Montag - Dienstag und Jan.- Mitte Feb. geschl. – **M** a la carte 35/84.

In Schriesheim-Altenbach O : 7,5 km :

Bellevue, Röschbachstr. 1, ☎ (06220) 15 20, – Ⓟ. E. Zim
M a la carte 23/40 – **10 Z : 18 B** 50/60 - 85/98.

SCHROBENHAUSEN **8898.** Bayern 413 Q 21, 987 ㊱ – 14 300 Ew – Höhe 414 m – ☎ 08252.
♦München 74 – ♦Augsburg 42 – Ingolstadt 37 – ♦Ulm (Donau) 113.

Grieser, Bahnhofstr. 36, ☎ 20 04, Fax 2007, Biergarten – TV ☎ Ⓟ – 35. AE ⓓ E VISA.
10.- 30. Aug. geschl. – Menu *(Freitag - Samstag 17 Uhr geschl.)* a la carte 35/60 – **25 Z : 33 B** 42/75 - 68/98 Fb.

In Schrobenhausen-Hörzhausen SW : 5 km :

Gästehaus Eder, Bernbacher Str. 3, ☎ 24 15, Fax 5005, – TV ☎ Ⓟ. ⓓ E VISA
1.- 16. Jan. und 20. Aug.- 14. Sept. geschl. – **M** *(überwiegend Steak-Gerichte, nur Abendessen, Sonntag geschl.)* a la carte 28/59 – **15 Z : 24 B** 55/60 - 90 Fb.

SCHÜTTORF **4443.** Niedersachsen 411 412 E 10, 987 ⑭, 408 M 5 – 13 600 Ew – Höhe 32 m – ☎ 05923.
♦Hannover 201 – Enschede 35 – Nordhorn 23 – ♦Osnabrück 63.

Löhr, Pagenstr. 1, ☎ 23 91, – Ⓟ
M a la carte 20/41 – **20 Z : 35 B** 45 - 85.

Nickisch, Nordhorner Str. 71, ☎ 18 72, Fax 1459, – Ⓟ. E
Juli - Aug. 3 Wochen geschl. – **M** a la carte 28/58.

In Schüttorf-Suddendorf SW : 3 km :

Stähle, Postweg 115, ☎ 50 24, Fax 5078, « Gartenterrasse », – TV ☎ Ⓟ. AE E
M *(Dienstag geschl.)* a la carte 28/56 – **20 Z : 41 B** 60/90 - 110/170 Fb.

SCHULD **5489.** Rheinland-Pfalz 412 D 15 – 800 Ew – Höhe 270 m – ☎ 02695 (Insul).
Mainz 176 – Adenau 11 – ♦Bonn 46.

Schäfer, Schulstr. 2, ☎ 3 40, Fax 1671, « Cafeterrasse mit ≤ » – Ⓟ
Jan.- Feb. geschl. – **M** a la carte 21/40 – **10 Z : 20 B** 45 - 90.

SCHUSSENRIED, BAD **7953.** Baden-Württemberg 413 LM 22, 987 ㉟ ㊱, 426 A 4 – 7 200 Ew – Höhe 580 m – Heilbad – ☎ 07583. – **Sehenswert:** Ehemaliges Kloster (Bibliothek ★).
Ausflugsziel: Bad Schussenried-Steinhausen : Wallfahrtskirche ★ NO : 4,5 km.
♦ Stuttgart 120 – Ravensburg 35 – ♦Ulm (Donau) 61.

Barbara, Georg-Kaess-Str. 2, ✆ 26 50, Fax 4133, – ☎. E VISA
(nur Abendessen für Hausgäste) – **20 Z : 38 B** 58/68 - 89/120 Fb.

SCHUTTERTAL **7631.** Baden-Württemberg 413 G 22, 242 ㉘ – 3 400 Ew – Höhe 421 m – Erholungsort – ☎ 07823 (Seelbach).
Verkehrsamt, Rathaus, Hauptstr. 5 (Dörlinbach), ✆ (07826) 2 38, Fax 1445.
♦Stuttgart 180 – ♦Freiburg im Breisgau 50 – Offenburg 38.

Adler, Talstr. 5, ✆ 22 76, Fax 5409, (geheizt), – – 40
22 Z : 45 B.

In Schuttertal 1 - Dörlinbach S : 2,5 km :

Löwen, Hauptstr. 4, ✆ (07826) 3 24, Fax 590, – . E
25. Feb.- 6. März und Mitte Nov.- 3. Dez. geschl. – **M** *(Dienstag geschl.)* a la carte 24/50 – **15 Z : 28 B** 40/55 - 70/100.

SCHWABACH **8540.** Bayern 413 PQ 18,19, 987 ㉖ – 35 500 Ew – Höhe 328 m – ☎ 09122.
♦München 167 – Ansbach 36 – ♦Nürnberg 15.

Löwenhof, Rosenberger Str. 11, ✆ 20 47, Fax 12625 – ☎ . AE E VISA
22. Dez.- 7. Jan. geschl. – **M** *(nur Abendessen, Sonntag geschl.)* a la carte 22/42 – **20 Z : 30 B** 80/85 - 130.

Raab - Inspektorsgarten, Äußere Rittersbacher Str. 14 (Forsthof), ✆ 8 50 53, –
☎
M *(Dienstag geschl.)* a la carte 25/50 – **12 Z : 18 B** 70/75 - 120 Fb.

Zur goldenen Sonne, Limbacher Str. 19, ✆ 51 46 – AE E VISA
Sonntag 14 Uhr - Montag, Jan. 1 Woche und Aug. 3 Wochen geschl. – **M** a la carte 46/70.

In Schwabach-Wolkersdorf N : 4 km – siehe Nürnberg (Umgebungsplan) :

Adam Drexler, Wolkersdorfer Hauptstr. 42, ✆ (0911) 63 00 99, Fax 635030, – ☎ .
AE E — AT e
Aug. geschl. – **M** *(Freitag 15 Uhr - Sonntag geschl.)* a la carte 19/38 – **45 Z : 57 B** 35/55 - 60/85.

SCHWABMÜNCHEN **8930.** Bayern 413 P 22, 987 ㊱, 426 E 4 – 11 000 Ew – Höhe 557 m – ☎ 08232. – ♦München 75 – ♦Augsburg 25 – Kempten (Allgäu) 77 – Memmingen 58.

Deutschenbaur, Fuggerstr. 11, ✆ 40 31, Fax 4034 – ☎ – 25.
24. Dez.- 9. Jan. und 31. Juli - 16. Aug. geschl. – **M** *(Freitag - Samstag geschl.)* a la carte 26/55 – **24 Z : 35 B** 58 - 95 Fb.

In Langerringen - Schwabmühlhausen **8936** S : 9 km :

Untere Mühle , ✆ (08248) 10 11, Fax 7279, , , , – ☎ – 50. AE
E VISA
M a la carte 26/60 – **25 Z : 42 B** 60/70 - 100/130 Fb.

SCHWABSTEDT **2251.** Schleswig-Holstein 411 K 3 – 1 300 Ew – Höhe 17 m – Luftkurort – ☎ 04884. – Fremdenverkehrsverein, Haus des Kurgastes, An der Treene, ✆ 4 20.
♦ Kiel 81 – Heide 33 – Husum 16 – Rendsburg 45.

Drei Kronen mit Zim, Kirchenstr. 9, ✆ 4 44 – . AE E VISA
15. Jan.- 15. Feb. geschl. – **M** *(nur Abendessen, Okt.- März Montag - Dienstag geschl.)* a la carte 42/65 – **8 Z : 16 B** 70/90 - 100/135.

SCHWÄBISCH GMÜND **7070.** Baden-Württemberg 413 M 20, 987 ㉟ ㊱ – 60 000 Ew – Höhe 321 m – Wintersport : 400/781 m 6 3 – ☎ 07171.
Sehenswert: Heiligkreuz-Münster★ Z **A.**
Verkehrsamt und Fremdenverkehrsverein, Im Kornhaus, ✆ 60 34 15 und 6 62 44, Fax 603419.
♦Stuttgart 53 ⑤ – ♦Nürnberg 151 ② – ♦Ulm (Donau) 68 ③.

Stadtplan siehe gegenüberliegende Seite

Das Pelikan, Türlensteg 9, ✆ 35 90, Telex 7248763, Fax 359359 – – 25/100. AE E VISA — Y **n**
M a la carte 34/65 – **64 Z : 110 B** 130/150 - 185/275 Fb.

Fortuna garni, Hauberweg 4, ✆ 10 90, Telex 729898, Fax 109113, – – 25. AE E VISA
75 Z : 150 B 96/120 - 148/160 Fb. — Z **s**

SCHWÄBISCH GMÜND

Bocksgasse	Z 7	Bahnhofstraße	Y 6
Hintere Schmiedgasse	Y 10	Freudental	Y 8
Kalter Markt	Y	Herlikofer Straße	Y 9
Kappelgasse	Y 16	Hofstatt	YZ 12
Kornhausstraße	Z 17	Johannisplatz	Y 13
Ledergasse	Y	Lindacher Straße	Y 19
Marktplatz	Y 21	Münsterplatz	Z 22
Vordere Schmiedgasse	Y 28	Rinderbacher Gasse	Y 24
		Rosenstraße	YZ 25
Aalener Straße	Y 2	Türlensteg	Y 26
Augustinerstraße	Z 3	Turniergraben	Z 27
Badmauer	YZ 4	Waisenhausgasse	Y 29

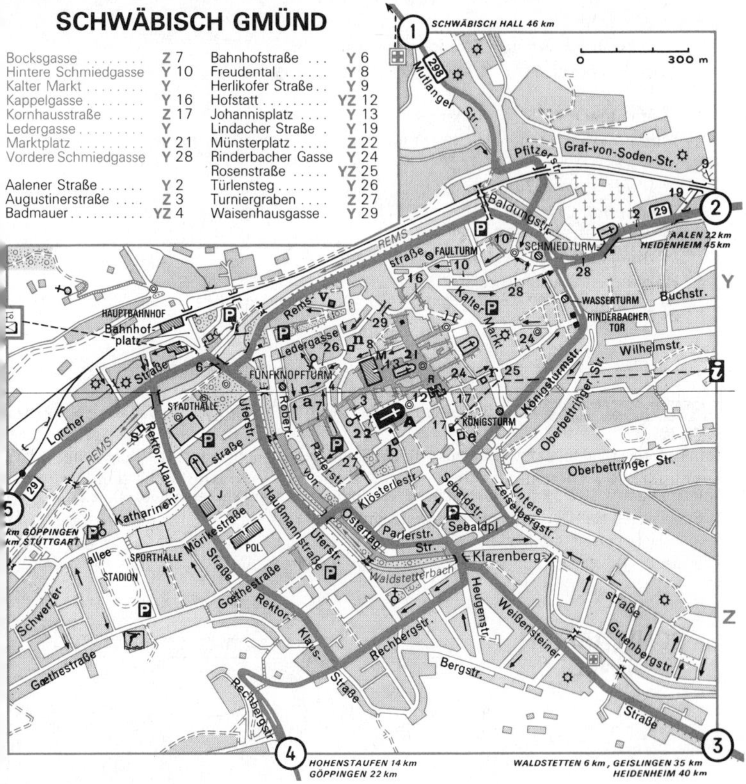

Einhorn, Rinderbacher Gasse 10, ✆ 6 30 23, Fax 61680 – |‡| TV ☎. AE ① E VISA. ✂
M *(Sonntag - Montag 18 Uhr und 15. Juli - 14. Aug. geschl.)* a la carte 32/55 – **18 Z : 32 B** 115 - 170 Fb. Y **r**

Staufen garni, Pfeifergäßle 16, ✆ 6 20 85, Fax 4824 – |‡| TV ☎ 🚗 P. AE ① E VISA
17 Z : 31 B 92 - 140 Fb. YZ **a**

Patrizier, Kornhausstr. 25, ✆ 3 04 34 – TV ☎. E Z **e**
M *(Sonn- und Feiertage geschl.)* a la carte 22/40 & – **25 Z : 40 B** 55/95 - 110/150.

Fuggerei (restauriertes Fachwerkhaus a.d. 14. Jh.), Münstergasse 2, ✆ 3 00 03, 🌳 – AE ① E VISA Z **b**
Samstag bis 18 Uhr, Dienstag, Jan. und Juli - Aug. jeweils 2 Wochen geschl. – Menu *(auch vegetarische Gerichte)* a la carte 38/73.

Stadtgarten-Restaurant (Stadthalle), Rektor-Klaus-Str. 9, ✆ 6 90 24, Fax 68261, 🌳 – P – 🏛 25/700. AE ① E Z
Montag und 1.- 8. Aug. geschl. – **M** a la carte 31/56.

Brauerei-Gaststätte Kübele, Engelgasse 2, ✆ 6 15 94 Y **v**

In Schwäbisch Gmünd - Degenfeld ③ : 14 km :

Zum Pflug, Kalte-Feld-Str. 3, ✆ (07332) 53 42, Fax 3176 – P
10.- 30. Juni geschl. – **M** *(Mittwoch 14 Uhr - Donnerstag geschl.)* a la carte 24/55 & – **8 Z : 12 B** 40/58 - 80/95.

In Schwäbisch Gmünd - Hussenhofen ② : 4,5 km :

Gelbes Haus, Hauptstr. 83, ✆ 8 23 97, Fax 88368 – |‡| TV ☎ ♿ 🚗 P – 🏛 35/50. AE ① E VISA
Aug. 3 Wochen geschl. – **M** *(Samstag geschl.)* a la carte 29/58 & – **36 Z : 55 B** 68/78 - 116/140 Fb.

In Schwäbisch Gmünd - Rechberg ④ : 8 km :

Zum Rad mit Zim, Hohenstaufenstr. 1, ✆ 4 28 20 – ☎ 🚗 P. AE ① E VISA
2.- 23. Feb. geschl. – **M** *(Montag geschl.)* a la carte 25/49 & – **5 Z : 8 B** 45 - 75.

In Schwäbisch Gmünd - Straßdorf ④ : 4 km :

Adler, Einhornstr. 31, ✆ 4 10 41, – . Zim
26 Z : 30 B.

In Mutlangen **7075** ① : 3,5 km :

Mutlangerhof , Ringstr. 49, ✆ (07171) 7 11 29, – . Zim
Juli - Aug. 3 Wochen geschl. – **M** *(Samstag geschl.)* a la carte 20/39 – **10 Z : 15 B** 52/67 - 95.

In Waldstetten **7076** S : 6 km :

Sonnenhof, Lauchgasse 19, ✆ (07171) 4 23 09, – – 25/60. AE
Montag geschl. – Menu a la carte 37/58.

In Waldstetten-Weilerstoffel **7076** S : 8 km :

Hölzle , Waldstettener Str. 19, ✆ (07171) 4 21 84, – . E
21. Jan.- 4. Feb. und 4.- 18. Aug. geschl. – **M** *(Dienstag geschl.)* a la carte 28/45 – **12 Z : 20 B** 35 - 70.

Einzelheiten über die angegebenen Übernachtungspreise siehe Einleitung.

SCHWÄBISCH HALL **7170.** Baden-Württemberg 413 M 19, 987 ㉕ – 32 600 Ew – Höhe 270 m – ✆ 0791.

Sehenswert : Marktplatz★★ : Rathaus★ **R**, Michaelskirche (Innenraum★) **D** – Kocherufer ≤★ **F**.

Ausflugsziele : Ehemaliges Kloster Groß-Comburg★ : Klosterkirche (Leuchter★★★, Antependium★) SO : 3 km – Hohenloher Freilandmuseum★ in Wackershofen, ④ : 5 km.

Schwäbisch Hall-Dörrenzimmern (SO : 12 km), ✆ 5 19 94.

Tourist-Information, Am Markt 9, ✆ 75 12 46, Fax 751375.

♦Stuttgart 68 ④ – Heilbronn 53 ① – ♦Nürnberg 138 ② – ♦Würzburg 107 ①.

SCHWÄBISCH HALL

Am Spitalbach	3
Bahnhofstraße	5
Gelbinger Gasse	
Neue Straße	18
Schwatzbühlgasse	21
Am Schuppach	2
Badtorweg	4
Crailsheimer Straße	6
Gymnasiumstraße	7
Hafenmarkt	8
Heilbronner Straße	10
Henkersbrücke	13
Im Weiler	14
Marktstraße	17
Obere Herrngasse	19
Untere Herrngasse	23
Unterlimpurger Straße	24
Weilertor	25
Zollhüttengasse	26
Zwinger	28

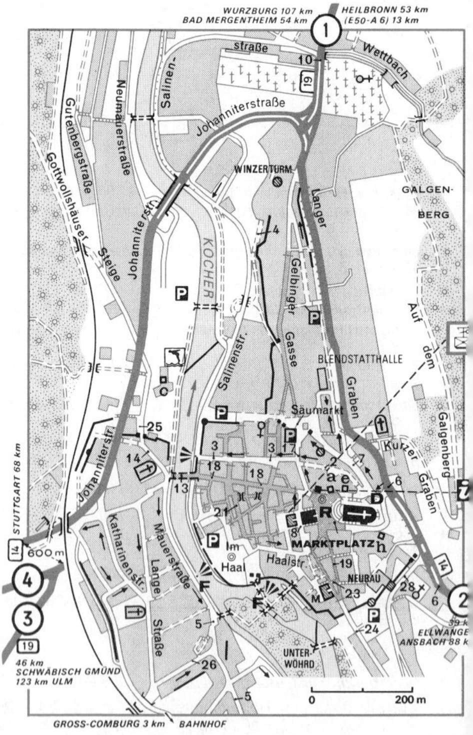

Benutzen Sie auf Ihren Reisen in Europa die Michelin-Länderkarten 1:400 000 bis 1:1 000 000.

Pour parcourir l'Europe, utilisez les cartes Michelin Grandes Routes 1/400 000 à 1/1 000 000.

Hohenlohe, Im Weilertor 14, ✆ 7 58 70, Telex 74870, Fax 758784, ≤, Massage, (geheizt), - TV - 25/80. AE E VISA. Rest c
M *(auch vegetarische Gerichte)* a la carte 38/76 - **98 Z : 150 B** 129/198 - 168/288 Fb.

Der Adelshof, Am Markt 12, ✆ 7 58 90, Telex 728436, Fax 6036, - TV P - 25/80. AE E VISA e
M *(Montag geschl.)* a la carte 36/69 - **46 Z : 60 B** 145/155 - 170/230 Fb - 3 Appart. 420.

Romantik-Hotel Goldener Adler, Am Markt 11, ✆ 61 68, Fax 7315 - TV - 50. AE E VISA a
M *(Mittwoch - Donnerstag 17 Uhr geschl.)* a la carte 43/62 - **21 Z : 40 B** 85/120 - 130/190 Fb.

Café Scholl garni, Klosterstr. 3, ✆ 7 10 46 - TV h
31 Z : 60 B 78/98 - 115/150.

In Schwäbisch Hall 4-Hessental ② : 3 km :

Krone (Haus a.d.J. 1754 mit modernem Anbau), Schmiedsgasse 1, ✆ 21 28, Telex 74870, Fax 3131, « Barocksaal », - TV P - 25/160. AE E VISA
M *(Dienstag und 12.- 20. Aug. geschl.)* a la carte 34/68 - **40 Z : 70 B** 89/119 - 128/158 Fb.

Wolf - Restaurant Eisenbahn, Karl-Kurz-Str. 2, ✆ 21 12 - TV P - 40. AE E VISA.
28. Feb.- 9. März geschl. - Menu *(Montag und 20. Juli - 3. Aug. geschl.)* a la carte 38/70 - **28 Z : 50 B** 75/95 - 122/135 Fb.

Bahnhof-Hotel, Karl-Kurz-Str. 24, ✆ 25 84 - P
14 Z : 22 B.

SCHWAIG 8501. Bayern 413 Q 18 - 8 200 Ew - Höhe 325 m - 0911 (Nürnberg).

Siehe Stadtplan Nürnberg (Umgebungsplan).

♦München 171 - Lauf 6,5 - ♦Nürnberg 11.

Schwaiger Hof garni, Röthenbacher Str. 1 b, ✆ 50 00 47, Fax 5009619 - P. AE E VISA CS u
27 Z : 56 B 89 - 138 Fb.

La Tartaruga (Italienische Küche), Nürnberger Str. 19, ✆ 50 85 55, CS c
(abends Tischbestellung ratsam).

In Schwaig 2 - Behringersdorf :

Weißes Ross, Schwaiger Str. 2, ✆ 5 07 49 71, Fax 5075900 - TV P. AE E VISA
M *(Sonntag 15 Uhr - Montag, 1.- 10. Jan., 9.- 22. Juni und 16. Aug.- 8. Sept. geschl.)* a la carte 23/40 - **18 Z : 40 B** 68 - 98. CS e

SCHWAIGERN 7103. Baden-Württemberg 987 ㉕, 412 413 K 19 - 8 900 Ew - Höhe 185 m - 07138.

18 Schwaigern-Stetten, Pfullinger Hof 1, ✆ 6 74 42.

♦Stuttgart 69 - Heilbronn 15 - ♦Karlsruhe 61.

Zum Alten Rentamt mit Zim (historisches Fachwerkhaus), Schloßstr. 6, ✆ 52 58, Fax 1325, - P
M *(Montag, jeden 1. Dienstag im Monat und 10. Jan.- 9. Feb. geschl.)* a la carte 48/85 - **14 Z : 26 B** 50/120 - 80/190.

SCHWALBACH 6635. Saarland 412 D 19, 242 ⑥ - 19 200 Ew - Höhe 160 m - 06834.

♦Saarbrücken 25 - Kaiserslautern 84 - Saarlouis 6.

In Schwalbach-Elm SO : 2 km :

Zum Mühlenthal, Bachtalstr. 214, ✆ 50 17 (Hotel) 5 21 17 (Rest.) - TV P. Rest *(nur Abendessen)* - **25 Z : 46 B** Fb.

In Schwalbach-Hülzweiler N : 3 km :

Strauß, Fraulauterner Str. 50, ✆ (06831) 5 26 31 - TV P - 35
M a la carte 22/52 - **12 Z : 24 B** 70 - 120 Fb.

SCHWALBACH, BAD 6208. Hessen 987 ㉔, 412 H 16 - 10 000 Ew - Höhe 330 m - Heilbad - 06124.

Verkehrsbüro in der Kurverwaltung, Am Kurpark, ✆ 50 20, Fax 502464.

♦Wiesbaden 18 - ♦Koblenz 60 - Limburg an der Lahn 36 - Lorch am Rhein 32 - Mainz 27.

Helenenhof, Parkstr. 9, ✆ 40 55, -
(Restaurant nur für Hausgäste) - **27 Z : 42 B** Fb.

Park-Villa garni, Parkstr. 1, ✆ 22 94
21 Z : 33 B Fb.

Café Lutz, Parkstr. 2, ✆ 86 20, - P. E
M *(Dienstag geschl.)* a la carte 25/42 - **25 Z : 35 B** 55/75 - 110/150 Fb - ½ P 72/92.

Moorgrube, im Kurhaus, ✆ 50 23 51 - P.

In Hohenstein (Oberdorf) **6209** N : 7 km, 5 km über die B 54 dann links ab :

XX **Waffenschmiede** mit Zim, Burgstr. 12 (in der Burg Hohenstein), (06120) 33 57, Fax 6330, ←, – TV ☎ P. ◐ E VISA.
Jan.- 15. Feb. sowie Ende Juli und Ende Okt. je 1 Woche geschl. – **M** *(Montag - Dienstag geschl.* a la carte 38/75 – **8 Z : 15 B** 88/110 - 145/180.

SCHWALMSTADT **3578.** Hessen 987 ㉕, 412 K 14 – 18 000 Ew – Höhe 220 m – 06691
Verkehrsbüro der Schwalm, Paradeplatz (Ziegenhain), 7 12 12.
♦Wiesbaden 154 – Bad Hersfeld 41 – ♦Kassel 70 – Marburg 43.

In Schwalmstadt 2-Ziegenhain :

Rosengarten (Fachwerkhaus a.d.J. 1620 mit Hotelanbau), Muhlystr. 3 (an der B 254) 30 84, – TV ☎ P – 25/150. AE ◐ E VISA
M a la carte 25/51 – **15 Z : 29 B** 33/57 - 55/94 Fb.

SCHWALMTAL **4056.** Nordrhein-Westfalen 412 B 13, 213 ⑫ – 15 000 Ew – Höhe 60 m – 02163.
♦Düsseldorf 44 – Krefeld 25 – Mönchengladbach 12 – Roermond 24.

Im Schwalmtal SW : 3,5 km ab Ortsteil Waldniel :

Lüttelforster Mühle , ✉ 4056 Schwalmtal 1, (02163) 4 52 77, Fax 30472, – P – 25. AE ◐ E VISA
Jan. geschl. – **M** *(Montag geschl.)* a la carte 30/67 – **11 Z : 18 B** 60 - 100.

SCHWANAU **7635.** Baden-Württemberg 413 G 21, 242 ㉔, 87 ⑤ – 5 000 Ew – Höhe 150 m – 07824.
♦Stuttgart 164 – ♦ Freiburg im Breisgau 50 – ♦ Karlsruhe 93 – Strasbourg 44.

In Schwanau-Ottenheim :

Erbprinzen (Badischer Landgasthof a.d. 17. Jh.), Schwarzwaldstr. 5, 24 42, Fax 4529 – Rest P. ◐ E VISA
über Fastnacht 2 Wochen, Juni - Juli 1 Woche und Nov. geschl. – **M** *(auch vegetarische Gerichte)* (Mittwoch bis 18 Uhr, Montag und jeden 1. Sonntag im Monat geschl.) a la carte 33/68 – **16 Z : 30 B** 43/78 - 78/119.

SCHWANDORF **8460.** Bayern 413 T 18, 19, 987 ㉗ – 20 000 Ew – Höhe 365 m – 09431.
♦München 167 – ♦Nürnberg 83 – ♦Regensburg 41 – Weiden in der Oberpfalz 46.

Zur Schwefelquelle, An der Schwefelquelle 12, 2 05 69, Fax 42260, – TV ☎ ♿ P
M *(Dienstag und 3.- 17. Juni geschl.)* a la carte 16/35 – **13 Z : 25 B** 48 - 88.

SCHWANEWEDE **2822.** Niedersachsen 411 I 7, 987 ⑭ – 17 200 Ew – Höhe 12 m – 0421 (Bremen).
♦Hannover 145 – ♦Bremen 28 – Bremerhaven 40.

In Schwanewede-Löhnhorst SO : 4 km :

Waldhotel Köster, Hauptstr. 9, 62 10 71, Fax 621073, – TV ☎ P. AE ◐ E VISA. Zim
M 23 (mittags) und a la carte 33/70 – **12 Z : 21 B** 85/92 - 120/140 Fb.

SCHWANGAU **8959.** Bayern 413 P 24, 426 E 6 – 3 600 Ew – Höhe 800 m – Heilklimatischer Kurort – Wintersport : 830/1 720 m 1 5 4 – 08362 (Füssen).
Ausflugsziele : Schloß Neuschwanstein★★ ←★★★, S : 3 km – Schloß Hohenschwangau★ S : 4 km – Alpsee★ : Pindarplatz ←★, S : 4 km.
Kurverwaltung, Rathaus, 8 19 80, Fax 819825.
♦München 116 – Füssen 3 – Kempten (Allgäu) 44 – Landsberg am Lech 60.

König Ludwig, Kreuzweg 11, 8 10 81, Fax 81779, , , , , – TV ☎ P – 25/100.
M a la carte 30/60 – **140 Z : 280 B** 100/125 - 180/220 Fb.

Weinbauer, Füssener Str. 3, 8 10 15, Fax 81606 – TV ☎ ♿ P. AE E VISA. Zim
7. Jan.- 8. Feb. geschl. – **M** *(Mittwoch geschl.)* a la carte 25/50 – **42 Z : 80 B** 50/70 - 92/128 Fb.

Post, Münchener Str. 5, 82 35, Telex 541353 – P. AE ◐ E VISA
20. Nov.- 15. Dez. geschl. – **M** *(Montag, Okt.- Ostern auch Dienstag geschl.)* a la carte 20/45 – **40 Z : 70 B** 67/90 - 114/134.

Hanselewirt, Mitteldorf 13, 82 37 – P
Nov. geschl. – **M** *(Mittwoch geschl.)* a la carte 23/40 – **10 Z : 18 B** 45 - 82.

In Schwangau-Alterschrofen :

Waldmann, Parkstr. 5, 84 26, – . AE E VISA.
28. Okt.-24. Dez. geschl. – **M** *(Mittwoch geschl.)* a la carte 23/45 – **22 Z : 42 B** 40/90 - 80/120.

In Schwangau-Brunnen :

Haus Martini, Seestr. 65, 82 57, –
Nov.- 15. Dez. geschl. – **M** *(Donnerstag geschl.)* a la carte 21/38 – **16 Z : 32 B** 46/60 - 82/90.

In Schwangau-Hohenschwangau :

Müller, Alpseestr. 16, 8 19 90, Telex 541325, Fax 819913, « Terrasse mit » – . AE E VISA
Januar und 5. Nov.-20. Dez. geschl. – **M** *(bemerkenswerte Weinkarte)* a la carte 30/80 – **45 Z : 80 B** 120/180 - 150/300 Fb – ½ P 105/210.

Lisl und Jägerhaus, Neuschwansteinstr. 1, 8 10 06, Telex 541332, Fax 81107, , – . AE VISA
Anfang Jan.- Mitte März geschl. – **M** a la carte 27/55 – **56 Z : 110 B** 50/120 - 80/240.

In Schwangau-Horn :

Rübezahl, Am Ehberg 31, 83 27, Fax 81701, , , « Gemütlich-rustikale Einrichtung », – . E
Mitte Nov.- Mitte Dez. geschl. – **M** *(Mittwoch geschl.)* a la carte 28/58 – **35 Z : 75 B** 55/70 - 100/130 Fb – ½ P 68/92.

In Schwangau-Waltenhofen :

Gasthof am See, Forggenseestr. 81, 83 93, , , , –
13. Nov.- 11. Dez. geschl. – **M** *(Dienstag geschl.)* a la carte 23/42 – **23 Z : 46 B** 48 - 74/96 – ½ P 55/66.

Kur- und Ferienhotel Waltenhofen, Marienstr. 16, 8 10 39, Fax 81719, , Bade- und Massageabteilung, , – . E VISA
Mitte Nov.- Weihnachten geschl. – **M** a la carte 25/45 – **28 Z : 56 B** 65/120 - 100/210 Fb – ½ P 75/145.

Café Gerlinde garni, Forggenseestr. 85, 82 33, , –
März 2 Wochen und Mitte Nov.-20. Dez. geschl. – **10 Z : 17 B** 45/55 - 76/104 – 9 Fewo 100/110.

Haus Kristall garni, Kreuzweg 24, 85 94, – .
5. Nov.- 15. Dez. geschl. – **11 Z : 21 B** 45/82 - 90.

SCHWANHEIM Rheinland-Pfalz siehe Hauenstein.

SCHWANSTETTEN Bayern siehe Rednitzhembach.

SCHWARMSTEDT **3033.** Niedersachsen 411 L 8, 987 ⑮ – 4 300 Ew – Höhe 30 m – 05071.
♦Hannover 42 – ♦Bremen 88 – Celle 33 – ♦Hamburg 118.

Bertram, Moorstr. 1, 80 80, Fax 80845 – – 25/60. E VISA. Rest
M a la carte 43/68 – **44 Z : 74 B** 99/115 - 140/170 Fb.

An der Straße nach Ostenholz NO : 8 km :

Heide-Kröpke, 3031 Ostenholzer Moor, (05167) 2 88, Fax 291, , , , – Zim – 30. E VISA. Rest
M a la carte 48/78 – **62 Z : 124 B** 140/160 - 185/220 Fb – 5 Appart. 280 – ½ P 123/180.

SCHWARTAU, BAD **2407.** Schleswig-Holstein 411 OP 5, 987 ⑤ ⑥ – 20 000 Ew – Höhe 10 m – Heilbad – 0451 (Lübeck).
Touristinformation, Eutiner Ring 12, 20 04 45.
♦Kiel 72 – ♦Lübeck 8 – Oldenburg in Holstein 50.

Waldhotel Riesebusch, Sonnenweg 1, 2 10 21, Fax 283646, – . AE E VISA.
24.-31. Dez. geschl. – **M** *(Donnerstag geschl.)* a la carte 36/63 – **14 Z : 24 B** 75/85 - 115/130 Fb.

SCHWARZACH **6951.** Baden-Württemberg 412 413 J 18 – 3 100 Ew – Höhe 200 m – Erholungsort – 06262 (Aglasterhausen).
♦Stuttgart 115 – Heilbronn 42 – ♦Mannheim 53 – ♦Würzburg 110.

In Schwarzach-Unterschwarzach :

Haus Odenwald, Wildparkstr. 8, 8 01, Fax 3492, , , – – 30. E
M a la carte 26/56 – **24 Z : 47 B** 72/92 - 132/138 Fb.

SCHWARZACH **8719.** Bayern 413 N 17 – 3 100 Ew – Höhe 200 m – ☎ 09324.
♦München 255 – ♦Bamberg 47 – Gerolzhofen 9 – Schweinfurt 35 – ♦Würzburg 33.

Im Ortsteil Münsterschwarzach :

Zum Benediktiner garni, Weideweg 7, ☎ 8 51, Fax 3315, – ☎ Ⓟ
32 Z : 64 B Fb.

Gasthaus zum Benediktiner, Schweinfurter Str. 31, ☎ 37 05, – Ⓟ.

SCHWARZENBACH AM WALD **8678.** Bayern 413 R 16 – 6 500 Ew – Höhe 667 m – Wintersport : 3 – ☎ 09289.
Ausflugsziel : Döbraberg : Aussichtsturm ✳★, SO : 4 km und 25 min. zu Fuß.
♦München 283 – Bayreuth 54 – Coburg 64 – Hof 24.

In Schwarzenbach - Schübelhammer SW : 7 km :

Zur Mühle, an der B 173, ☎ 4 24, – Ⓟ
21 Z : 36 B.

In Schwarzenbach - Schwarzenstein SW : 2 km :

Rodachtal, Alte Bundesstr. 173, ☎ 2 39, – Ⓟ
Mitte Okt.- Mitte Nov. geschl. – **M** *(Montag geschl.)* a la carte 18/42 – **28 Z : 43 B** 40/72 - 70/90.

In questa guida
uno stesso simbolo, uno stesso carattere
*stampati in rosso o in **nero**, in magro o in **grassetto**,*
hanno un significato diverso.
Leggete attentamente le pagine esplicative.

SCHWARZENFELD **8472.** Bayern 413 T 18, 987 ㉗ – 6 000 Ew – Höhe 363 m – ☎ 09435.
Kemnath bei Fuhrn (SO : 9 km), ☎ (09439) 4 66.
♦München 175 – ♦Nürnberg 82 – ♦Regensburg 53 – Weiden in der Oberpfalz 38.

Brauerei-Gasthof Bauer, Hauptstr. 30, ☎ 15 05, Fax 2353, – ☎ Ⓟ. E VISA
24. Dez.- 6. Jan. geschl. – **M** *(Samstag geschl.)* a la carte 19/38 – **40 Z : 70 B** 50 - 90 Fb.

In Fensterbach - Wolfringmühle **8451** W : 7,5 km :

Wolfringmühle, ☎ (09438) 16 51, Fax 1070, Biergarten, – ☎ Ⓟ – 25/100
M a la carte 21/41 – **30 Z : 65 B** 48/55 - 90/99.

SCHWARZWALDHOCHSTRASSE Baden-Württemberg 413 HJ 20, 21 – 50 km lange Höhenstraße★★ von Baden-Baden bis Freudenstadt – Wintersport : 700/1 166 m 21 6.

Plan siehe gegenüberliegende Seite

Schloßhotel Bühlerhöhe - Restaurant Imperial – Höhe 800 m, ✉ 7580 Bühl 13, ☎ (07226)5 51 00, Fax 55777, ≤ Schwarzwald und Rheinebene, « Park », Bade- und Massageabteilung, (Halle) – Rest Ⓟ – 25/120. AE E VISA. Rest
M *(wochentags nur Abendessen, Mittwoch - Donnerstag geschl.)* (bemerkenswerte Weinkarte) 115/155 – **Schloßrestaurant** (auch vegetarische Gerichte) **M** a la carte 63/85 – **90 Z : 170 B** 250/395 - 490/570 – 7 Appart. 690/1550 – ½ P 295/400
Spez. Törtchen von Taubenbrust, Gänseleber und Trüffel, Hummer auf Sojasprossen und Zuckerschoten, Gratiniertes Passionsfruchtparfait.

Plättig – Höhe 800 m, ✉ 7580 Bühl 13, ☎ (07226) 5 53 00, Fax 55444, ≤, – ☎ Ⓟ – 25/110. AE E VISA
M a la carte 42/63 – **58 Z : 86 B** 110/165 - 170/260 Fb – ½ P 113/193.

Höhenhotel Unterstmatt – Höhe 930 m, ✉ 7580 Bühl 13, ☎ (07226) 2 04, – ☎ Ⓟ. AE E VISA
2. Nov.- 15. Dez. geschl. – **M** *(März - Okt. Dienstag und Mittwoch geschl.)* a la carte 38/72 – **16 Z : 28 B** 55/90 - 110/130.

Berghotel Mummelsee – Höhe 1 036 m, ✉ 7596 Seebach, ☎ (07842)10 88, ≤, – ☎ Ⓟ. Rest
28 Z : 50 B Fb.

Auf dem Kniebis – Höhe 935 m – ✉ **7290** Freudenstadt 1-Kniebis :

Waldblick, Eichelbachstr. 47, ☎ (07442) 20 02, – ☎ Ⓟ – 25/50. Rest
April 2 Wochen und 6. Nov.- 18. Dez. geschl. – **M** *(Dienstag geschl.)* a la carte 34/55 – **32 Z : 58 B** 72/129 - 118/198 Fb – ½ P 87/127.

□ *Plättig* .... Einsam gelegenes Hotel	
■ .... Einsam gelegenes Restaurant	
○ FORBACH ..... Ort mit Unterkunftsmöglichkeiten	
□ *Plättig* .... Hôtel isolé	
■ .... Restaurant isolé	
○ FORBACH .... Localité à ressources hôtelières	
□ *Plättig* .... Isolated hotel	
■ .... Isolated restaurant	
○ FORBACH ...... Town with hotels or restaurants	
□ *Plättig* .... Albergo isolato	
■ .... Ristorante isolato	
○ FORBACH .... Localitá con risorse alberghiere	

Halten Sie beim Betreten
des Hotels oder des Restaurants
den Führer in der Hand.
Sie zeigen damit, daß Sie aufgrund
dieser Empfehlung gekommen sind.

Die Hotels sind in der Reihenfolge
von Baden-Baden
nach Freudenstadt angegeben

Les hôtels sont indiqués suivant l'itinéraire
Baden-Baden à Freudenstadt

The hotels are listed as they are found
on the route from Baden-Baden
to Freudenstadt

Gli alberghi sono indicati seguendo
l'itinerario : Baden-Baden - Freudenstadt

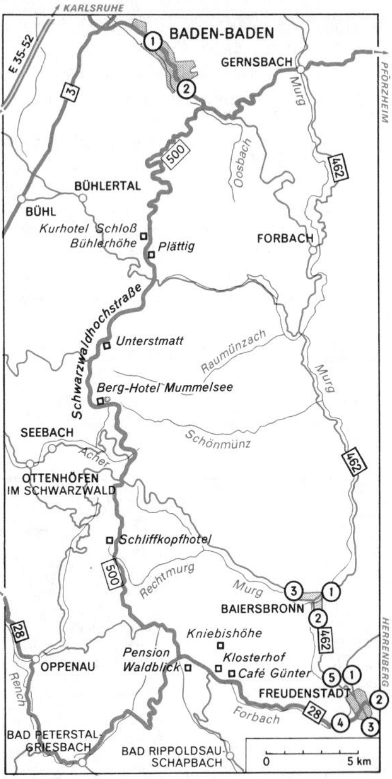

In Kniebis-Dorf – Höhe 920 m – Luftkurort – ✉ **7290** Freudenstadt 1-Kniebis – ☎ 07442 :

ℹ Kurverwaltung, Baiersbronner Str. 23, ☎ 75 70

Kniebishöhe ⛰, Alter Weg 42, ☎ 23 97, Fax 50276, ≘s – |♦| ☎ ♿ 🅿
1.- 12. April und 8. Nov.- 15. Dez. geschl. – **M** *(Dienstag geschl.)* a la carte 28/50 ♨ – **14 Z : 26 B** 45/52 - 80/116 Fb – ½ P 65/80.

Café Günter, Baiersbronner Str. 26, ☎ 21 14 – |♦| TV ☎ 🚗 🅿. E. ✂
25. März - 10. April und 1. Nov.- 18. Dez. geschl. – **M** a la carte 22/44 ♨ – **17 Z : 30 B** 40/75 - 66/120 - 3 Fewo 50/85.

Klosterhof, Alte Paßstr. 49, ☎ 21 15, ≘s, 🏊, 🌳 – |♦| TV ☎ 🅿. E VISA
Nov.- 15. Dez. geschl. – **M** *(Sonntag 14 Uhr - Montag geschl.)* a la carte 24/38 ♨ – **22 Z : 40 B** 35/60 - 60/110 Fb – 5 Fewo 60/100 – ½ P 48/73.

SCHWEICH **5502.** Rheinland-Pfalz 987 ㉓, 412 D 17 – 5 700 Ew – Höhe 125 m – ☎ 06502.

ℹ Verkehrsamt, Brückenstr. 26 (Rathaus), ☎ 40 71 17.

Mainz 149 – Bernkastel-Kues 36 – ♦Trier 13 – Wittlich 24.

Haus Grefen, Brückenstr. 31, ☎ 30 81, Fax 3083, 🌳 – ☎ 🅿. AE ① E
22. Feb.- 14. März geschl. – **M** *(Sonntag 15 Uhr - Montag 17 Uhr geschl.)* a la carte 22/44 ♨ – **23 Z : 41 B** 45/65 - 85/95 Fb.

Zur Moselbrücke, Brückenstr. 1, ☎ 10 68, Fax 7680, ☂, 🌳 – ☎ 🚗 🅿 – 🏛 25. AE ① E VISA
Jan. geschl. – **M** *(wochentags nur Abendessen, Donnerstag geschl.)* a la carte 25/50 – **23 Z : 45 B** 48/60 - 90/100 Fb.

Bender, Hofgartenstr. 21, ☎ 84 06, ≘s – 🚗 🅿
15 Z : 33 B.

Nahe der Autobahnausfahrt N : 1,5 km :

Leinenhof, ✉ 5502 Schweich, ☎ (06502) 10 51, ☂, 🌳 – ☎ 🚗 🅿
24 Z : 46 B.

SCHWEIGEN-RECHTENBACH **6749.** Rheinland-Pfalz 412 413 G 19, 242 ⑫, 87 ② – 1 300 Ew – Höhe 220 m – ☎ 06342.

Mainz 162 – ◆Karlsruhe 46 – Landau in der Pfalz 21 – Pirmasens 47 – Wissembourg 4.

- **Am deutschen Weintor** garni, Bacchusstr. 1 (Rechtenbach), ☎ 73 35 – P
  17 Z : 31 B 48/60 - 80/100 Fb.
- Schweigener Hof, Hauptstr. 2 (B 38, Schweigen), ☎ 2 44, Fax 7690, – P
  12 Z : 23 B.

Check-in :
Nicht schriftlich reservierte Zimmer werden in den meisten Hotels nur bis 18 Uhr freigehalten.
Bei späterer Anreise ist daher der ausdrückliche Hinweis auf die Ankunftzeit oder - besser noch - schriftliche Zimmerreservierung ratsam.

SCHWEINFURT **8720.** Bayern 413 N 16, 987 ㉖ – 53 000 Ew – Höhe 226 m – ☎ 09721.

ℹ Schweinfurt-Information, Rathaus, ☎ 5 14 98, Fax 21596.

ADAC, Rückertstr. 17, ☎ 2 22 62, Telex 673321.

◆München 287 ② – ◆Bamberg 57 ① – Erfurt 156 ⑤ – Fulda 85 ④ – ◆Würzburg 44 ③.

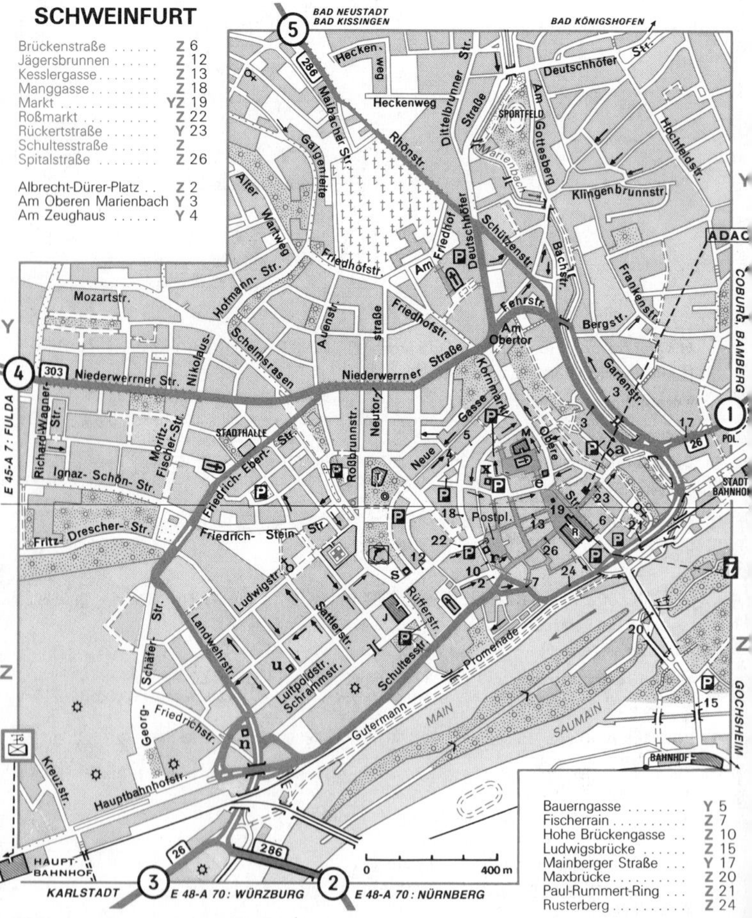

Roß - Restaurant Roß-Stuben, Postplatz 9, ✆ 2 00 10, Fax 200113, 🏖, 🏊, 🌊 - 🛗 📺 ☎ ♿ 🚗 - 🏛 25/35. AE ⓓ E VISA Z r
21. Dez.- 10. Jan. geschl. – **M** *(Montag bis 18 Uhr sowie Sonn- und Feiertage geschl.)* a la carte 32/58 - **50 Z : 90 B** 95/150 - 130/190 Fb.

Luitpold garni, Luitpoldstr. 45, ✆ 8 80 25, Fax 803607 – 📺 ☎ Ⓟ – 🏛 25/60. AE ⓓ E VISA Z n
21. Dez.- 7. Jan. geschl. - **40 Z : 65 B** 70/120 - 130/210 Fb.

Panorama garni, Am Oberen Marienbach 1, ✆ 20 40, Fax 186391 – 🛗 📺 ☎. AE ⓓ E VISA
77 Z : 154 B 118/133 - 154/200 Fb. Y a

Zum Grafen Zeppelin, Cramerstr. 7, ✆ 2 21 73 – 📺 ☎. AE ⓓ E VISA Z u
M *(Sonntag ab 15 Uhr geschl.)* a la carte 28/52 🍷 – **28 Z : 50 B** 65/92 - 108/149 Fb.

Parkhotel garni, Hirtengasse 6a, ✆ 12 77, Fax 27332 – 🛗 📺 ☎ 🚗. AE E Z s
23. Dez.- 9. Jan. geschl. - **38 Z : 55 B** 87/108 - 110/140 Fb.

Central-Hotel garni, Zehntstr. 20, ✆ 2 00 90, Telex 673349 – 🛗 📺 ☎ Y x
35 Z : 65 B Fb.

Brauhaus am Markt, Am Markt 30, ✆ 1 63 16, 🏖 – 🏛 25/200 Y e

In Bergrheinfeld **8722** ③ : 5 km :

Weißes Roß, Hauptstr. 65 (B 26), ✆ (09721) 9 00 84, 🏖 – Ⓟ – **44 Z : 66 B.**

Astoria, Schweinfurter Str. 117 (B 26), ✆ (09721) 9 00 51, Fax 97132 – ☎ 🚗 Ⓟ. AE E
17. April - 4. Mai und 20. Dez.- 7. Jan. geschl. – **M** *(Samstag bis 17 Uhr sowie Sonn- und Feiertage geschl.)* a la carte 18/35 🍷 – **70 Z : 105 B** 31/50 - 55/75.

SCHWEITENKIRCHEN

8069. Bayern 413 R 21 – 4 000 Ew – Höhe 520 m – ☎ 08444.
⛳ Reichertshausen (SW : 9 km) ✆ (08441) 70 04.
◆München 46 – ◆Augsburg 70 – Landshut 60 – ◆Nürnberg 123.

An der Autobahn A 9 :

Motel Holledau, ✉ 8069 Schweitenkirchen-Geisenhausen, ✆ (08441) 8 59 63 – ♿ 🚗 Ⓟ – 🏛 35. AE ⓓ E
M a la carte 25/51 – **25 Z : 42 B** 75/135 - 107/145.

SCHWELM

5830. Nordrhein-Westfalen 987 ⑭ ㉔, 412 E 13 – 31 200 Ew – Höhe 220 m – ☎ 02336 – ◆Düsseldorf 50 – Hagen 16 – Wuppertal 9.

Haus Wünsche 🌿 garni, Göckinghofstr. 47, ✆ 8 20 30, Fax 82126, ≤, 🏊, 🌳 – 📺 ☎ 🚗 Ⓟ – 🏛 40. ⓓ E VISA. 🐕
Juli - Aug. 3 Wochen geschl. – **19 Z : 25 B** 90 - 140.

Frese, Schulstr. 56, ✆ 29 63 – ☎. 🐕 Zim
Juli - Aug. 3 Wochen geschl. – **M** *(nur Abendessen, Freitag - Sonntag geschl.)* a la carte 30/60 – **16 Z : 25 B** 47/75 - 90/100.

SCHWENDI

7959. Baden-Württemberg 413 MN 22, 987 ㊱, 426 BC 4 – 5 300 Ew – Höhe 530 m – ☎ 07353.
◆Stuttgart 127 – Memmingen 36 – Ravensburg 67 – ◆Ulm (Donau) 35.

Zum Stern, Hauptstr. 32, ✆ 29 41 – Ⓟ
23.- 30. Dez. geschl. – **M** *(Freitag geschl.)* a la carte 14/59 🍷 – **14 Z : 20 B** 35/60 - 70/100.

SCHWENNINGEN / HEUBERG

7476. Baden-Württemberg 413 JK 22 – 1 600 Ew – Höhe 864 m – ☎ 07579.
◆Stuttgart 112 – ◆Ulm (Donau) 110 – ◆Konstanz 75 – ◆Freiburg im Breisgau 123.

Landhaus Müller mit Zim, Hauser Talstr. 23, ✆ 5 95, Fax 1899, 🏖 – Ⓟ. AE ⓓ E VISA
1.- 17. Feb. und 19.- 26. Nov. geschl. – **M** *(Dienstag geschl.)* a la carte 32/49 🍷 – **5 Z : 8 B** 47 - 94.

SCHWERIN

O-2750. Mecklenburg-Vorpommern 411 R 6, 984 ⑦ ⑪, 987 ⑥ – 130 000 Ew – Höhe 43 m – ☎ 003784.

Sehenswert : Schloß-Insel★★ (Schloß★ mit Thronsaal★, Schloßkapelle★, Schloßgarten★) – Dom★ – Staatliches Museum★.

Ausflugsziel : Ludwigslust : Schloß und Park★ S : 36 km.

ℹ Schwerin-Information, Am Markt 11, ✆ 81 23 14, Fax 864509.

ADAC, Wismarsche Str. 102, ✆ 81 23 16, Pannenhilfezentrale, ✆ (853) 27 33.

◆Berlin 207 – ◆Lübeck 67 – ◆Rostock 89.

Stadt Schwerin, Grunthalplatz 5, ✆ 52 61, Telex 32350, Fax 812498, 🏊 – 🛗 📺 ☎ – 🏛 25/60 – **166 Z : 268 B** Fb – 4 Appart.

Niederländischer Hof, Karl-Marx-Str. 12, ✆ 8 37 27, Fax 5211 – 📺 ☎
M a la carte 25/42 🍷 – **32 Z : 66 B** 70/85 - 80/110 Fb.

XX **Weinhaus Uhle,** Schusterstr. 15, *✆* 86 44 55, Fax 812261, « Weinhaus mit Gewölbe a.d. 18. Jh. » – **E** ✗
M a la carte 25/49.

X **Wald-Burg,** Schloßgartenallee 70b, *✆* 81 25 52, « Schlößchen in einem kleinen Park ».

In Schwerin-Zippendorf SO : 3 km :

🛏 **Strand-Hotel** ⬙, Am Strand 13, *✆* 21 30 53, Fax 321174, 🍽 – 📺 ☎. **E**
M a la carte 26/47 – **25 Z : 60 B** 75/100 - 100/120 Fb.

🛏 **Kongresshotel Fritz Reuter** ⬙, Räthenweg, *✆* 29 11 11, Fax 211177, ⬙, 🔲, 🔥 – 🅿 –
🔜 25/200
429 Z : 750 B Fb.

SCHWERTE 5840. Nordrhein-Westfalen 987 ⑭. 412 F 12 – 52 000 Ew – Höhe 127 m – ✪ 02304.

♦Düsseldorf 75 – Dortmund 13 – Hagen 19 – Hamm in Westfalen 40.

In Schwerte 6-Geisecke O : 5,5 km :

🛏🛏 **Gutshof Wellenbad,** Zum Wellenbad 7, *✆* 48 70, Fax 45979, 🍽 – 📺 ☎ 🅿. 🅰🅴 ⓪ **E**
VISA
M a la carte 57/88 – **11 Z : 18 B** 105 - 160/165.

In Schwerte 5-Villigst SO : 3 km :

XX Haus Becker, Am Buschufer 7, *✆* 7 31 35, « Gartenterrasse » – 🅿.

SCHWETZINGEN 6830. Baden-Württemberg 987 ㉕. 412 413 I 18 – 19 000 Ew – Höhe 102 m – ✪ 06202.

Sehenswert : Schloßgarten★★.

🅱 Verkehrsverein, Schloßplatz (Palais Hirsch), *✆* 49 33.

♦Stuttgart 118 – Heidelberg 10 – ♦Mannheim 16 – Speyer 16.

🛏🛏 **Adler-Post,** Schloßstr. 3, *✆* 1 00 36, Fax 21442, 🍽, ⬙ – ✂ Zim 📺 ☎ 🕭 ⬙ – 🔜 25/50.
🅰🅴 ⓪ **E** *VISA*
1.- 6. Jan. geschl. – **M** *(7.- 13. Jan., 7.- 28. Juli und außer Festspielzeit Sonntag 15 Uhr - Montag geschl.)* (auch vegetarische Gerichte) a la carte 38/75 – **29 Z : 49 B** 101/150 - 200/280 Fb.

🛏🛏 **Am Theater,** Hebelstr. 15 (am Meßplatz), *✆* 1 00 28, Fax 12202, 🍽 – 📺 ☎. 🅰🅴 ⓪ **E**
VISA
1.- 10. Jan. und Juli - Aug. 2 Wochen geschl. – **M** *(außer Festspielzeit Samstag bis 18 Uhr und Sonntag geschl.)* a la carte 30/62 – **23 Z : 36 B** 110/155 - 190/225 Fb – 3 Appart. 320.

🛏🛏 **Romantik-Hotel Löwe,** Schloßstr. 4, *✆* 2 60 66, Fax 10726, 🍽 – 📺 ☎ ⬙. 🅰🅴 ⓪ **E**
VISA
M *(außer Festspielzeit Sonntag 14 Uhr - Montag geschl.)* a la carte 39/87 – **20 Z : 39 B** 125/200 - 180/260 Fb – 3 Appart. 300.

🛏🛏 **Am Schloßgarten,** Zähringer Str. 61, *✆* 20 60, Fax 206333, ⬙ – 🔳 📺 ☎ 🕭 🅿 – 🔜 25/50.
🅰🅴 ⓪ **E** *VISA*
M *(24. Dez.- 6. Jan. geschl.)* a la carte 36/53 ⬙ – **69 Z : 138 B** 158/198 - 198/270 – 2 Appart. 470.

🛏 **Zum Erbprinzen,** Karlsruher Str. 1 (Schloßplatz), *✆* 1 00 42, 🍽 – ☎
23 Z : 32 B Fb.

In Ketsch 6834 SW : 5 km :

🛏🛏 **See-Hotel** ⬙, Kreuzwiesenweg 2, *✆* (06202) 66 31, Fax 62080, 🍽 – 📺 ☎ 🅿 – 🔜 35.
E *VISA*
18. Dez.- 6. Jan. geschl. – **M** *(7.- 12. Jan., Samstag bis 18 Uhr sowie Sonn- und Feiertage geschl.)* a la carte 44/76 – **42 Z : 67 B** 90/120 - 155/175 Fb.

XX **Hirsch,** Hockenheimer Str. 47, *✆* (06202) 6 14 39 – 🅰🅴 ⓪ **E**
Dienstag und 22. Juli - 8. Aug. geschl. – **M** a la carte 35/63.

SCHWIEBERDINGEN 7141. Baden-Württemberg 413 K 20 – 9 600 Ew – Höhe 251 m – ✪ 07150.

♦Stuttgart 16 – Heilbronn 42 – ♦ Karlsruhe 66 – Pforzheim 35.

🛏 **Schloßhof,** Bahnhofstr. 4, *✆* 3 32 03, Fax 31756 – 🔳 ☎ 🅿. 🅰🅴 **E** *VISA*. ✗ Zim
➔ *Juli - Aug. 3 Wochen geschl. –* **M** *(Samstag - Sonntag geschl.)* a la carte 23/60 – **21 Z : 29 B** 80/110 - 130 Fb.

We have established for your use a classification
of certain restaurants by awarding them the mention
Menu , ✿, ✿✿ or ✿✿✿.

SCHWÜLPER Niedersachsen siehe Braunschweig.

SEEBACH **7596.** Baden-Württemberg 413 H 21, 242 ⑳ – 1 500 Ew – Höhe 406 m – Luftkurort
☎ 07842 (Kappelrodeck).
ℹ Verkehrsbüro, Rathaus, Ruhesteinstr. 21, ✆ 6 96 ; Fax 3270.
Stuttgart 142 – Baden-Baden 48 – Freudenstadt 30.

Zum Adler, Ruhesteinstr. 62 (O : 2 km), ✆ 27 27, ☂, ⛱, ✂ – ☎ Ⓟ. E VISA. ✗
Feb.- März 3 Wochen geschl. – **M** *(Dienstag geschl.)* a la carte 22/51 ♁ – **10 Z : 22 B** 50/65 - 80/120 Fb.

SEEDORF Schleswig-Holstein siehe Ratzeburg.

SEEG **8959.** Bayern 413 O 24, 426 D 6 – 2 300 Ew – Höhe 854 m – Luftkurort – ☎ 08364.
ℹ Verkehrsamt, Hauptstr. 26, ✆ 6 42.
München 142 – Kempten (Allgäu) 34 – Pfronten 11.

Pension Heim ⛰ garni, Aufmberg 8, ✆ 2 58, ≤ Voralpenlandschaft, ≘s, ⛱ – ☎ Ⓟ. ✗
Nov.- 20. Dez. geschl. – **18 Z : 33 B** 60/75 - 110/120.

In Rückholz-Seeleuten **8961** SW : 2 km :

Café Panorama ⛰, Seeleuten 62, ✆ (08364) 2 48, ≤ Voralpenlandschaft, ⛱ – 🚗 Ⓟ
Nov.- 25. Dez. geschl. – (Restaurant nur für Hausgäste) – **17 Z : 30 B** 40/50 - 80/100 – ½ P 52.

SEEHAUSEN **O-3550.** Sachsen-Anhalt 984 ⑪, 987 ⑯ – 7 000 Ew – Höhe 25 m – ☎ 0037 9226.
Magdeburg 107 – ◆Berlin 132 – Schwerin 100.

Zum Altmärker, Bahnstr. 8, ✆ 25 14 – TV Ⓟ. ✗ Zim – **13 Z : 28 B.**

SEEHEIM-JUGENHEIM **6104.** Hessen 987 ㉕, 412 413 I 17 – 16 600 Ew – Höhe 140 m – Luftkurort – ☎ 06257.
◆Wiesbaden 56 – ◆Darmstadt 13 – Heidelberg 47 – Mainz 48 – ◆Mannheim 44.

Im Ortsteil Jugenheim :

Jugenheim ⛰ garni, Hauptstr. 54, ✆ 20 05 – TV ☎ Ⓟ. AE ⓓ E VISA. ✗
20. Dez.- 10. Jan. geschl. – **18 Z : 27 B** 75/90 - 105/135 Fb.

Brandhof ⛰, Im Stettbacher Tal 61 (O : 1,5 km), ✆ 26 89, Fax 3523, ☂ – TV ☎ Ⓟ – 🎤 40. E
M a la carte 28/52 – **45 Z : 70 B** 70/75 - 120/140.

Im Ortsteil Malchen :

Malchen ⛰, Im Grund 21, ✆ (06151) 5 50 31 – TV ☎ ♿ 🚗 Ⓟ. AE ⓓ E VISA
(nur Abendessen für Hausgäste) – **21 Z : 46 B** 85/110 - 140/155 Fb.

SEELBACH **7633.** Baden-Württemberg 413 G 22, 242 ㉘, 87 ⑥ – 4 500 Ew – Höhe 217 m – Luftkurort – ☎ 07823 – ◆Stuttgart 175 – ◆Freiburg im Breisgau 61 – Offenburg 33.

Ochsen, Hauptstr. 100, ✆ 20 34, Fax 2036, ☂ – 🚗 Ⓟ – 🎤 35. ⓓ E VISA. ✗ Zim
Feb. - März 3 Wochen geschl. – **M** *(Mittwoch geschl.)* a la carte 23/50 ♁ – **30 Z : 50 B** 60 - 100.

In Seelbach-Schönberg NO : 6 km – Höhe 480 m :

Geroldseck garni, ✆ 20 44, Fax 5500, ≤, ≘s, 🏊, ⛱ – ☎ 🚗 Ⓟ – 🎤 25. AE ⓓ E VISA
26 Z : 52 B 70/90 - 130/170 Fb.

Löwen (Gasthof a.d.J. 1370), an der B 415, ✆ 20 44, Fax 5500, ≤, ☂ – Ⓟ. AE ⓓ E VISA
Montag geschl. – **M** a la carte 35/67.

SEELBACH Rheinland-Pfalz siehe Hamm (Sieg).

SEEON-SEEBRUCK **8221.** Bayern 413 U 23 – 4 450 Ew – Höhe 540 m – Erholungsort – ☎ 08624 (Seeon) und 08667(Seebruck) – **Sehenswert :** Chiemsee★.
ℹ Verkehrsamt Seebruck, Am Anger 1, ✆ 71 33.
◆München 80 – Rosenheim 39 – Wasserburg am Inn 26.

Im Ortsteil Seebruck 987 ㊲, 426 J 5 – Luftkurort :

Wassermann, Ludwig-Thoma-Str.1, ✆ 87 10, Fax 871498, ≤, ☂, ≘s, 🏊 – |‡| TV ☎ Ⓟ – 🎤 40. AE ⓓ E VISA. ✗
7.- 31. Jan. geschl. – **M** a la carte 38/66 – **41 Z : 90 B** 87/95 - 140/166 Fb – 7 Fewo 150/250 – ½ P 98/123.

Post, Ludwig-Thoma-Str. 8, ✆ 2 16, Fax 13 43, Biergarten – ☎ 🚗 Ⓟ. AE ⓓ E VISA
Dez. geschl. – **M** *(Okt.- April Mittwoch geschl.)* a la carte 25/63 – **40 Z : 80 B** 62/80 - 100/120.

Segelhafen, Im Jachthafen 7, ✆ 6 11, ≤, ☂ – Ⓟ.

Im Ortsteil Seebruck-Lambach SW : 3 km ab Seebruck :

Malerwinkel, ✆ 4 88, Terrasse mit ⩽ Chiemsee und Alpen, – TV ☎ E
M (Tischbestellung ratsam) a la carte 33/64 – **20 Z : 46 B** 70/100 - 120/150 Fb.

Im Ortsteil Seeon :

Schanzenberg, Schanzenberg 1 (W : 1 km), ✆ 20 31, Fax 4305, ⩽, « Gartenterrasse Oldtimermuseum », – TV ☎ P – 30. AE E
M a la carte 33/54 – **17 Z : 38 B** 90/110 - 120/160 Fb.

Im Ortsteil Seeon-Roitham S : 4 km ab Seeon :

Gruber-Alm, Almweg 18, ✆ (08667) 6 96, Fax 1445, ⩽, – P. AE E
28. Okt.- 28. Nov. geschl. – **M** *(Dienstag geschl.)* a la carte 25/45 – **30 Z : 56 B** 38/52 - 72/9 – ½ P 54/60.

SEESEN **3370.** Niedersachsen 411 N 11, 987 ⑮ ⑯ – 22 500 Ew – Höhe 250 m – ☎ 05381
Städt. Verkehrsamt, Marktstr. 1, ✆ 7 52 43.
♦Hannover 77 – ♦Braunschweig 62 – Göttingen 53 – Goslar 26.

Goldener Löwe, Jacobsonstr. 20, ✆ 12 01, Fax 3840 – TV ☎ – 25/80. AE E VISA
M *(Samstag bis 18 Uhr geschl.)* a la carte 36/68 – **37 Z : 55 B** 95/115 - 128/150 Fb.

Alter Fritz, Frankfurter Str. 2, ✆ 18 11, Fax 3338, – TV ☎ P. AE E VISA
M a la carte 29/52 – **25 Z : 52 B** 60/90 - 90/120 Fb.

Wilhelmsbad, Frankfurter Str. 10, ✆ 10 35, Fax 47590 – TV ☎ P. E VISA
Mitte Juli - Mitte Aug. geschl. – **M** *(Sonntag geschl.)* a la carte 24/52 – **14 Z : 25 B** 70/90 - 90/140.

SEESTERMÜHE **2201.** Schleswig-Holstein 411 L 5 – 800 Ew – Höhe 3 m – ☎ 04125.
♦ Kiel 99 – Cuxhaven 77 – ♦Hamburg 43 – Itzehoe 34.

Ton Vossbau, Am Altenfeldsdeich 3, ✆ 3 13 – P
wochentags nur Abendessen.

SEEVETAL **2105.** Niedersachsen 411 N 6, 987 ⑤ ⑮ – 38 000 Ew – Höhe 25 m – ☎ 04105
Am Golfplatz 24, ✆ 23 31.
♦Hannover 130 – ♦Bremen 101 – ♦Hamburg 22 – Lüneburg 33.

In Seevetal 1-Hittfeld :

Meyer's Hotel garni, Hittfelder Twiete 1, ✆ 28 27 – TV ☎ P. AE E
16 Z : 28 B 98 - 155 Fb.

Krohwinkel, Kirchstr. 15, ✆ 25 07, Fax 53799, Spielbank im Hause – TV ☎ P – 35 AE E VISA
M a la carte 24/50 – **16 Z : 27 B** 85/95 - 135/150 Fb.

Zur Linde, Lindhorster Str. 3, ✆ 20 23, Fax 53031, « Gartenterrasse » – TV ☎ P
M a la carte 30/48 – **36 Z : 61 B** 70/80 - 110/126 Fb.

In Seevetal 1-Karoxbostel :

Derboven, Karoxbosteler Chaussee 68 (Ecke Winsener Landstraße), ✆ 24 87 – P. AE
10. Juli - 9. Aug. und 18. Dez.- 3. Jan. geschl. – **M** *(Freitag - Samstag geschl.)* a la carte 22/43 – **28 Z : 40 B** 40/65 - 68/100 Fb.

In Seevetal 3-Maschen :

Maack, Hamburger Str. 6 (B 4), ✆ 81 70, Fax 817777, – TV ☎ P – 25/60. AE E VISA
M a la carte 27/57 – **80 Z : 120 B** 65/148 - 128/198 Fb.

SEEWALD **7291.** Baden-Württemberg 413 I 21 – 2 400 Ew – Höhe 750 m – Luftkurort – Wintersport : 700/900 m 1 2 – ☎ 07448.
Rathaus in Besenfeld, Freudenstädter Str. 12, ✆ (07447) 10 07, Fax 1634.
♦Stuttgart 76 – Altensteig 13 – Freudenstadt 23.

In Seewald-Besenfeld – ☎ 07447 :

Oberwiesenhof, Freudenstädter Str. 60 (B 294), ✆ 10 01, Fax 897, , , , , – TV ☎ P – 25/50. AE E VISA. Rest
7.- 26. Jan. geschl. – **M** a la carte 35/72 – **58 Z : 90 B** 84/98 - 148/190 Fb – 7 Appart. 202 – ½ P 96/120.

Café Konradshof garni, Freudenstädter Str. 65 (B 294), 12 22, - AE
Nov.- 20. Dez. geschl. - **16 Z : 31 B** 42/50 - 68/96 Fb.

Sonnenblick, Freudenstädter Str. 40 (B 294), 3 19, Fax 738, - .
Rest
15. Nov.- 15. Dez. geschl. - **M** *(Dienstag geschl.)* a la carte 22/59 - **26 Z : 48 B** 39/50 - 70/88.

Pferdekoppel-Unterwiesenhof, Kniebisstr. 65, 3 64, (Halle, Schule) - - **14 Z : 25 B**.

In Seewald-Göttelfingen :

Traube, Altensteiger Str. 15, 2 13, - - 25/50
33 Z : 60 B.

An der Straße Göttelfingen-Altensteig SO : 4 km ab Göttelfingen :

Kropfmühle, 7291 Seewald-Omersbach, (07448) 2 44, - . E
Mitte Jan.- Feb. geschl. - **M** *(Montag geschl.)* a la carte 26/51 - **12 Z : 18 B** 24/32 - 48/64.

SEGEBERG, BAD **2360.** Schleswig-Holstein 411 NO 5, 987 ⑤ - 15 500 Ew - Höhe 45 m - Luftkurort - 04551.

Tourist-Information, Oldesloer Str. 20, 5 72 33.

◆Kiel 47 - ◆Hamburg 63 - ◆Lübeck 31 - Neumünster 26.

Intermar Kurhotel, Kurhausstr. 87, 80 40, Telex 261619, Fax 804602, - - 25/300. AE E VISA
M a la carte 37/68 - **110 Z : 220 B** 125/169 - 181/191 Fb - 50 Fewo 157.

Stadt Hamburg, Kurhausstr. 2, 22 10, Fax 92186, - . AE E VISA
M a la carte 23/52 - **21 Z : 37 B** 70/110 - 105/125 Fb.

Central Gasthof, Kirchstr. 32, 27 83 - . AE E VISA
Okt. 3 Wochen geschl. - **M** a la carte 23/48 - **11 Z : 20 B** 45/78 - 85/120.

In Bad Segeberg-Schackendorf NW : 5 km :

Immenhof, Neukoppel 1, 32 44, -
M a la carte 35/65.

In Högersdorf **2360** SW : 3,5 km :

Holsteiner Stuben mit Zim, Dorfstr. 19, (04551) 40 41, Fax 1576, - . AE E VISA
M *(Mittwoch geschl.)* a la carte 39/52 - **6 Z : 10 B** 70 - 110.

In Rohlstorf-Warder **2361** NO : 8 km :

Am See, Seestr. 25, (04559) 7 16, Fax 720, - . AE E VISA
M 27 (mittags) und a la carte 37/56 - **44 Z : 88 B** 75/99 - 120/145 Fb - ½ P 80/99.

In Leezen **2361** SW : 10 km :

Teegen, Heiderfelder Str. 5 (B 432), (04552) 2 90, Fax 9169, (Gebühr), - . AE E VISA
Juni - Juli 3 Wochen geschl. - **M** *(Montag geschl.)* a la carte 26/39 - **17 Z : 25 B** 35/75 - 70/120.

In Bark-Bockhorn **2361** W : 12 km :

Schäfer garni, Bockhorner Landstr. 10 a(B 206), (04558) 10 66, Fax 268 - . VISA
11 Z : 25 B 60/85 - 105/135.

SEHNDE **3163.** Niedersachsen 411 412 M 10, 987 ⑮ - 18 500 Ew - Höhe 64 m - 05138.

◆Hannover 17 - ◆Braunschweig 48 - Hildesheim 38.

In Sehnde 4-Bilm NW : 5 km :

Parkhotel Bilm, Behmerothsfeld 6, 20 47, Telex 922485, Fax 2359, - - 30. E VISA
M *(Samstag bis 18 Uhr, Sonntag ab 17 Uhr und 1.- 19. Jan. geschl.)* a la carte 47/82 - **52 Z : 70 B** 95/260 - 130/340 Fb.

In Sehnde 14-Müllingen SW : 7 km :

Müllinger Tivoli mit Zim, Müllinger Str. 41 (N : 1,5 km), 13 80, -
6 Z : 10 B.

SELB **8672.** Bayern 413 T 16, 987 ㉗ - 19 500 Ew - Höhe 555 m - 09287.

Verkehrsverband für Nordostbayern, Friedrich-Ebert-Str. 7, 27 59.

◆München 291 - Bayreuth 62 - Hof 27.

Rosenthal-Casino, Kasinostr. 3, 80 50, Fax 80548, « Zimmer mit moderner Einrichtung und Dekor verschiedener Künstler » - . AE E VISA
16.- 22. Aug. geschl. - **M** *(Samstag bis 17 Uhr und Sonntag geschl.)* a la carte 30/55 - **20 Z : 26 B** 85/90 - 110/120 Fb.

Schmidt, Bahnhofstr. 19, 7 89 01 (Hotel) 7 95 67 (Rest.), Fax 78694 –
M *(Donnerstag 14 Uhr - Freitag geschl.)* a la carte 21/43 – **17 Z : 30 B** 65/79 - 95/110.

Parkhotel, Franz-Heinrich-Str. 29, 7 89 91, Telex 61124, Fax 3222, – . AE E
21. Dez.- 6. Jan. geschl. – **M** *(nur Abendessen, Samstag - Sonntag und 25. Juli - 30. Aug. geschl.)* a la carte 26/50 – **40 Z : 66 B** 90/98 - 120/195 Fb.

Altselber-Stuben mit Zim, Martin-Luther-Platz 5, 22 00, Fax 2276 – . AE E VISA
9.- 19. Juni und 13. Aug.- 4. Sept. geschl. – **M** *(Freitag - Samstag 17 Uhr geschl.)* a la carte 25/52 – **11 Z : 17 B** 70/78 - 98/110 Fb.

Im Wellertal S : 6 km Richtung Schirnding :

Gut Blumenthal mit Zim (ehem. Gutshof mit Hutschenreuther-Museum), Blumenthal 2, 8672 Selb, (09235) 5 28, –
Menu *(Italienische Küche)* (Sonntag geschl.) a la carte 32/60 – **7 Z : 16 B** 60 - 80.

SELBITZ **8677.** Bayern 413 S 16 – 5 000 Ew – Höhe 525 m – 09280.
♦München 285 – Bayreuth 56 – Hof 15.

In Selbitz-Stegenwaldhaus O : 4 km über die B 173, in Sellanger rechts ab :

Leupold , 2 72, Fax 8164, –
M *(Montag geschl.)* a la carte 25/33 – **13 Z : 23 B** 35/69 - 68/84.

SELIGENSTADT **6453.** Hessen 987 ㉕, 412 413 J 16 – 18 500 Ew – Höhe 108 m – 06182.
Verkehrsbüro, Aschaffenburger Str. 1, 8 71 77.
♦Wiesbaden 58 – Aschaffenburg 17 – ♦Frankfurt am Main 25.

Mainterrasse - Ristorante La Gondola, Kleine Maingasse 18, 2 70 56, ≤, –
. AE E VISA.
über Weihnachten geschl. – **M** *(Freitag geschl.)* a la carte 34/69 – **24 Z : 33 B** 95 - 160 Fb.

Zum Ritter, Würzburger Str. 31, 2 60 34, Fax 3933 –
21. Dez.- 6. Jan. geschl. – **M** *(nur Abendessen, Samstag - Sonntag geschl.)* a la carte 21/47 – **24 Z : 36 B** 45/85 - 80/120.

In Seligenstadt-Froschhausen NW : 3 km :

Zum Lamm, Seligenstädter Str. 36, 70 64 –
20. Dez.- 6. Jan. geschl. – **M** *(Juli und Freitag - Samstag geschl.)* a la carte 20/33 – **27 Z : 36 B** 55 - 100.

An der Autobahn A 3 NW : 6 km :

Motel Weiskirchen garni, Autobahn-Nordseite, 6054 Rodgau 6, (06182) 6 80 38 –
. E
30 Z : 60 B 74/84 - 102/112 (wegen Umbau bis Frühjahr 1992 geschl.).

SELLIN Mecklenburg-Vorpommern siehe Rügen (Insel).

SELM Nordrhein-Westfalen siehe Lünen.

SELTERS **5418.** Rheinland-Pfalz 412 G 15 – 2 200 Ew – Höhe 246 m – 02626.
Mainz 94 – ♦Bonn 70 – ♦Koblenz 35 – Limburg an der Lahn 35.

Adler, Rheinstr. 24, 7 00 44, Fax 78888 – . AE E VISA.
M *(Samstag geschl.)* a la carte 32/64 – **15 Z : 23 B** 68/79 - 120/130 Fb.

SELTERS (TAUNUS) **6251.** Hessen 412 H 15 – 6 600 Ew – Höhe 140 m – 06483.
♦Wiesbaden 49 – ♦ Frankfurt am Main 62 – Limburg an der Lahn 18.

In Selters 3-Münster – Erholungsort :

Stahlmühle mit Zim, Bezirksstr. 34 (NO : 1,5 km), 56 90, Fax 6716, – . AE
Juni - Juli 2 Wochen geschl. – **M** *(Französische Küche)* (Mittwoch geschl.) a la carte 68/92 – **5 Z : 10 B** 89/138 - 137/191.

SENDEN **7913.** Bayern 413 N 22 – 19 000 Ew – Höhe 470 m – 07307.
♦München 143 – Memmingen 48 – ♦Ulm (Donau) 11.

Feyrer, Bahnhofstr. 18, 40 87, Fax 34253, – – 25/50. AE E VISA
1.- 7. Jan. geschl. – **M** *(Sonntag ab 14 Uhr geschl.)* a la carte 38/60 – **36 Z : 60 B** 95/120 - 145/160 Fb.

SENDEN **4403.** Nordrhein-Westfalen 411 412 F 11, 408 N 6 – 16 500 Ew – Höhe 60 m – ☎ 02597.
♦Düsseldorf 129 – Lüdinghausen 10 – Münster (Westfalen) 18.

XX **Haus Scharlau,** Laurentiusplatz 7, ☎ 2 89, « Gediegene, gemütliche Einrichtung » – AE ① E VISA
Montag und Juli - Aug. 2 Wochen geschl. – **M** a la carte 47/71.

In Senden-Ottmarsbocholt SO : 4 km :

XXX ✿ **Averbeck's Giebelhof,** Kirchstr. 12, ☎ (02598) 3 93, ☂, « Elegante Einrichtung » – Ⓟ. ✻
Montag - Freitag nur Abendessen, Dienstag geschl. – **M** *(bemerkenswerte Weinkarte)* 108/170 und a la carte 75/110 – **Grüner Zeisig** Menu a la carte 38/60
Spez. Schaumbrot von Wachtel und Kalbsbries, Seeteufel im Gemüsemantel, Hirschfilet mit Ahornsauce.

SENDENHORST **4415.** Nordrhein-Westfalen 411 412 G 11 – 10 600 Ew – Höhe 53 m – ☎ 02526.
⛳9 Everswinkel-Alverskirchen (NW : 7 km), ☎ (02582) 2 27.
♦Düsseldorf 136 – Beckum 19 – Münster (Westfalen) 22.

X **Zurmühlen** mit Zim, Osttor 38, ☎ 13 74 – TV. AE ① E VISA
M *(Freitag geschl.)* a la carte 27/40 – **9 Z : 15 B** 40/60 - 90/120.

In Sendenhorst-Hardt SO : 2 km :

XX **Waldmutter,** an der Straße nach Beckum, ☎ 12 72, « Gartenterrasse » – Ⓟ – 🏛 100
Feb. und Montag geschl. – **M** a la carte 30/53.

SENHEIM **5594.** Rheinland-Pfalz 412 E 16 – 700 Ew – Höhe 90 m – ☎ 02673 (Ellenz-Poltersdorf).
Mainz 104 – Cochem 16 – ♦Koblenz 74 – ♦Trier 75.

🏠 **Schützen** 🐌, Brunnenstr. 92, ☎ 43 06, Fax 4316 – 🚗 Ⓟ. AE E. ✻
April - Nov. – **M** *(Montag geschl.)* a la carte 23/46 🍷 – **15 Z : 28 B** 37/47 - 62/75 Fb – ½ P 50/54.

SESSLACH **8601.** Bayern 413 P 16 – 3 800 Ew – Höhe 271 m – ☎ 09569.
♦München 275 – ♦Bamberg 40 – Coburg 16.

XX **Mally** 🐌 mit Zim, Dr.-Josef-Otto-Kolb-Str.7, ☎ 2 28, ☂, « Moderne, elegante Einrichtung »
Jan. und Aug. geschl. – **M** *(nur Abendessen, Tischbestellung ratsam)* (Montag geschl.) a la carte 46/66 – **7 Z : 12 B** 60 - 100.

SIEGBURG **5200.** Nordrhein-Westfalen 987 ㉔, 412 E 14 – 37 000 Ew – Höhe 61 m – ☎ 02241.
ℹ Verkehrsamt, Markt 46, ☎ 10 23 83, Fax 102293.
ADAC, Humperdinckstr. 64, ☎ 6 95 50, Notruf ☎ 1 92 11.
♦Düsseldorf 67 – ♦Bonn 11 – ♦Koblenz 87 – ♦ Köln 27.

🏨 **Kranz - Parkhotel,** Mühlenstr. 32, ☎ 6 00 51, Fax 60183, ≘s – |‡| ⇔ Zim TV ♿ 🚗 – 🏛 25/100. AE ① E VISA. ✻ Rest
M a la carte 43/68 – **70 Z : 90 B** 195/225 - 235/355 Fb.

🏨 **Kaspar** garni, Elisabethstr. 11 (am Rathaus), ☎ 6 30 73, Fax 51686 – |‡| TV ☎. AE ① E VISA
22. Dez.- 5. Jan. geschl. – **25 Z : 35 B** 85/120 - 120/170 Fb.

🏨 **Zum Stern** garni, Markt 14, ☎ 6 00 21, Telex 885470, Fax 51707 – |‡| TV ☎ Ⓟ. AE ① E VISA
20.- 31. Dez. geschl. – **43 Z : 57 B** 90/110 - 140/180 Fb.

🏠 **Kaiserhof,** Kaiserstr. 80, ☎ 5 00 71, Fax 68294 – |‡| TV ☎ 🚗. AE ① E VISA
M a la carte 32/63 – **32 Z : 48 B** 80/100 - 130/150 Fb.

🏠 **Siegblick,** Nachtigallenweg 1, ☎ 6 00 77, Fax 60079, ☂ – TV ☎ 🚗 Ⓟ. E VISA
1.- 19. Jan. und Juli - Aug. 3 Wochen geschl. – **M** *(Freitag geschl.)* a la carte 31/58 – **20 Z : 31 B** 70/120 - 105/150 Fb.

SIEGEN **5900.** Nordrhein-Westfalen 987 ㉔, 412 H 14 – 112 000 Ew – Höhe 236 m – ☎ 0271.
ℹ Tourist-Information, Pavillon am Hauptbahnhof, ☎ 5 77 75.
ADAC, Koblenzer Str. 65, ☎ 33 50 44, Notruf ☎ 1 92 11.
♦Düsseldorf 130 ⑤ – ♦Bonn 99 ⑤ – Gießen 73 ③ – Hagen 88 ⑤ – ♦Köln 93 ⑤.

Stadtplan siehe nächste Seite

🏨 Park Hotel Siegen, Koblenzer Str. 135, ☎ 3 38 10, Telex 872617, Fax 3381450, ☂, Bade- und Massageabteilung, ≘s – |‡| TV ♿ 🚗 Ⓟ – 🏛 25/400 Z **a**
91 Z : 139 B Fb – 3 Appart.

🏨 **Queens Hotel am Kaisergarten,** Kampenstr. 83, ☎ 5 01 10, Telex 872734, Fax 5011150, Massage, ≘s, 🏊 – |‡| ⇔ Zim TV 🚗 Ⓟ – 🏛 25/90. AE ① E VISA Y **c**
M a la carte 37/60 – **94 Z : 126 B** 179/228 - 228/353 Fb.

SIEGEN

Alte Poststraße	YZ	2
Bahnhofstraße	Y	4
Brüder-Busch-Straße	Y	6
Hindenburgstraße	Y	18
Koblenzer Straße	Z	
Kölner Straße	Y	20
Kölner Tor	Y	21
Löhrstraße	Z	25
Marburger Straße	Y	28
Marburger Tor	Y	29
Markt	Y	31
Badstraße	Z	3
Berliner Straße	YZ	5
Burgstraße	Y	7
Eiserfelder Straße	Z	8
Fischbacherbergstraße	Y	9
Freudenberger Straße	Y	10

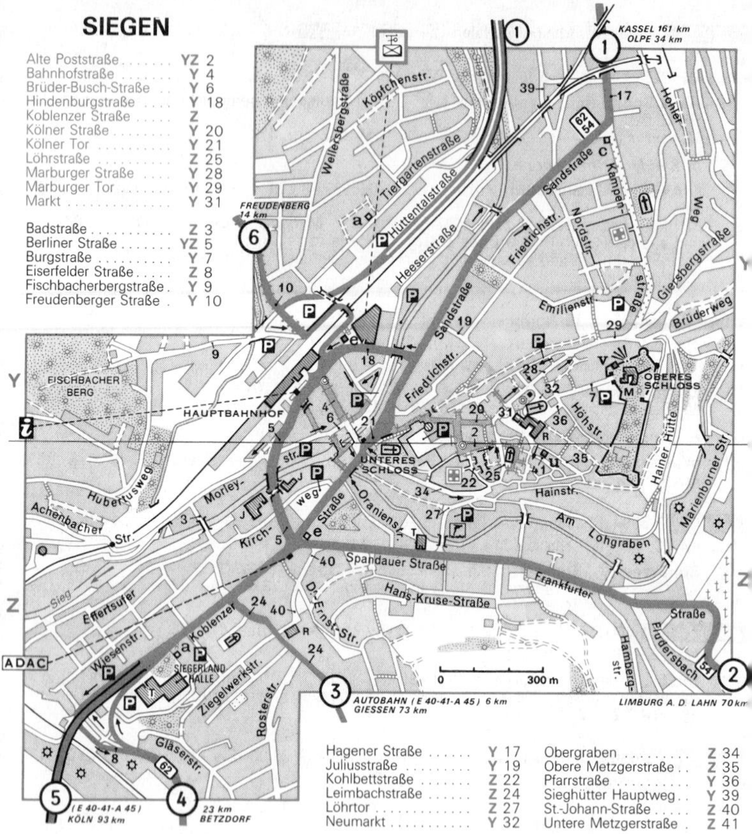

Hagener Straße	Y 17		Obergraben	Z 34	
Juliusstraße	Y 19		Obere Metzgerstraße	Z 35	
Kohlbettstraße	Z 22		Pfarrstraße	Y 36	
Leimbachstraße	Z 24		Sieghütter Hauptweg	Y 39	
Löhrtor	Z 27		St.-Johann-Straße	Z 40	
Neumarkt	Y 32		Untere Metzgerstraße	Z 41	

Kochs Ecke, Koblenzer Str. 53, ☏ 5 20 23, Fax 21070 – AE VISA — Z **e**
M *(Samstag bis 18 Uhr geschl.)* a la carte 30/62 – **40 Z : 51 B** 75/110 - 120/220 Fb.

Bürger garni, Marienborner Str. 134, ☏ 6 25 51 – Ⓟ. AE VISA
30 Z : 50 B 65/75 - 110/120 Fb. — über Marienborner Straße YZ

Jakob garni, Tiergartenstr. 61, ☏ 5 23 75 – Ⓟ — Y **a**
10 Z : 18 B 60 - 100 Fb.

Pfeffermühle, Frankfurter Str. 261, ☏ 5 45 26, Biergarten – Ⓟ — über ②

Schloß-Stuben, Im Oberen Schloß, ☏ 5 65 66, Fax 22247, ≤ Siegen, « Terrasse im Schloßhof » — Y **v**

Siegerlandhalle, Koblenzer Str. 151, ☏ 33 10 00, Fax 3381450, – & Ⓟ – 25/1500 — Z **T**

Schwarzbrenner, Untere Metzgerstr. 29, ☏ 5 12 21, « Altstadt-Haus mit rustikaler Einrichtung » — Z **u**
nur Abendessen – (Tischbestellung ratsam).

China Garten (Chinesische Küche), Hindenburgstr. 5, ☏ 5 79 55 — Y **e**

In Siegen 21-Buchen ① : 8 km :

Ongelsgrob, Buchener Str. 22, ☏ 8 13 48, – Ⓟ. Rest
(nur Abendessen) – **8 Z : 12 B**.

In Siegen 31-Eiserfeld ④ : 5 km :

Haus Hennche, Eiserntalstr. 71, ☏ 38 16 45, Fax 385240 – Ⓟ
Juli - Aug. 3 Wochen geschl. – **M** *(Samstag 14 Uhr - Sonntag geschl.)* a la carte 23/51 – **16 Z : 22 B** 45/60 - 90/120.

Haus Siegboot garni, Eiserfelder Str. 230, ☏ 38 15 23 – Ⓟ
29 Z : 44 B 80/100 - 125/130 Fb.

In Siegen 21-Geisweid ① : 6 km :

Römer garni, Rijnsburger Str. 4, ✆ 8 10 45, Fax 870140 – AE E VISA
16 Z : 20 B 70/75 - 110/120 Fb.

Ratskeller, Lindenplatz 7 (im Rathaus), ✆ 8 43 33, – – 25. AE E VISA
Samstag bis 17 Uhr, Sonntag und Aug. 3 Wochen geschl. – **M** a la carte 27/61.

In Siegen 1-Kaan-Marienborn O : 4 km über Marienborner Str. YZ :

Weißtalhalle, Blumertsfeld 2, ✆ 6 40 74 – – 40/200.

In Siegen 1-Seelbach ⑥ : 7 km :

Am Weiher, Freudenberger Str. 671, ✆ (02734) 72 84, ≤, – .

In Siegen 21-Sohlbach ① : 7 km :

Kümmel, Gutenbergstr. 7, ✆ 8 30 69, Fax 83368 – . – **10 Z : 13 B.**

In Siegen 21-Weidenau ① : 4 km :

Oderbein, Weidenauer Str. 187 (am Bahnhof), ✆ 4 50 27, Fax 46139 – – 30. AE E VISA
M *(Sonntag geschl.)* a la carte 23/59 – **37 Z : 74 B** 95/155 - 140/220 Fb.

In Wilnsdorf-Rödgen **5901** ② : 6 km :

Haus Rödgen mit Zim, Rödgener Str. 100 (B 54), ✆ (0271) 3 91 73, Fax 39174, ≤ – . AE E VISA
M a la carte 42/74 – **7 Z : 12 B** 90/120 - 140/160.

In Wilnsdorf **5901** ② : 11 km :

Kölsch, Frankfurter Str. 7 (B 54), ✆ (02739) 22 53 – . AE E
23. Dez.- 10. Jan. geschl. – **M** *(Dienstag und 31. Dez.- 10. Jan. geschl.)* a la carte 26/60 – **8 Z : 12 B** 29/55 - 70/80.

SIEGENBURG Bayern siehe Abensberg.

SIEGSDORF **8227.** Bayern 413 U 23, 987 ㊲ ㊳, 426 J 5 – 7 200 Ew – Höhe 615 m – Luftkurort – ☎ 08662.

Verkehrsamt, Rathausplatz 2, ✆ 79 93, Fax 12483.

♦München 105 – Bad Reichenhall 32 – Rosenheim 48 – Salzburg 36 – Traunstein 7.

Rehwinkel, Dr.-Liegl-Str. 33, ✆ 73 61, ≤, – . E
15. Feb.- 15. März und 28. Nov.- 8. Dez. geschl. – **M** *(Tischbestellung ratsam)* (Freitag geschl.) a la carte 26/54 – **13 Z : 26 B** 50/65 - 90/110.

Forelle, Traunsteiner Str. 1, ✆ 70 93, – – **22 Z : 45 B.**

Edelweiß, Hauptstr. 21, ✆ 92 96, – . AE E
Okt. geschl. – **M** *(Donnerstag geschl.)* a la carte 18/35 – **14 Z : 26 B** 30/34 - 55/82.

In Siegsdorf-Hammer SO : 6 km :

Hörterer, Schmiedstr. 1 (B 306), ✆ 93 21, Fax 7146, – . E VISA
Anfang Nov.- Mitte Dez. geschl. – **M** *(Mittwoch, außer Saison auch Dienstag geschl.)* a la carte 29/49 – **25 Z : 50 B** 61/80 - 110/130 Fb – 4 Fewo 100/140 – ½ P 69/89.

SIERKSDORF **2430.** Schleswig-Holstein 411 P 4 – 1 300 Ew – Höhe 15 m – Seebad – ☎ 04563.

Kurverwaltung, Vogelsang 1, ✆ 70 23.

♦Kiel 57 – ♦Lübeck 28 – Neustadt in Holstein 8,5.

Ostseestrand, Am Strande 2, ✆ 81 15, ≤, – . AE E VISA
Nov.- 10. Dez. geschl. – **M** *(Okt.- März Dienstag - Mittwoch geschl.)* a la carte 28/51 – **12 Z : 22 B** 65/90 - 90/110 – 8 Fewo 70/125.

Seehof mit Zim, Gartenweg 30, ✆ 70 31, Fax 7485, ≤ Ostsee, , « Park » –
15. Jan.- 15. Feb. geschl. – **M** *(Okt.- April Dienstag geschl.)* a la carte 31/54 – **12 Z : 25 B** 95/125 - 140/170 Fb – 10 Fewo 115/160 – ½ P 100/135.

SIGMARINGEN **7480.** Baden-Württemberg 413 K 22, 987 ㉟ – 15 000 Ew – Höhe 570 m – ☎ 07571 – Verkehrsamt, Schwabstr. 1, ✆ 10 62 23.

♦Stuttgart 101 – ♦Freiburg im Breisgau 136 – ♦Konstanz 76 – ♦Ulm (Donau) 85.

Fürstenhof, Zeppelinstr. 14 (SO : 2 km), ✆ 7 20 60, Fax 720644, ≤ – – 25/100. AE E VISA
M a la carte 34/70 – **31 Z : 65 B** 75/90 - 120/160 Fb.

Jägerhof garni, Wentelstr. 4, ✆ 20 21, Fax 50476 – . AE E VISA
18 Z : 31 B 60 - 90 Fb.

Gästehaus Schmautz garni, Im Mucketäle 33 (Gorheim), ✆ 5 15 54, ≤ –
15 Z : 24 B 45/55 - 80/85 Fb.

In Scheer **7486** SO : 10 km :

Donaublick, Bahnhofstr. 21, ✆ (07572) 67 67 (Hotel) 22 93 (Rest.), Fax 6769, – ⓟ. AE E VISA
M *(Donnerstag 14 Uhr - Freitag geschl.)* a la carte 29/52 – **11 Z : 20 B** 65/70 - 110/120 Fb.

Brunnenstube, Mengener Str. 4, ✆ (07572) 36 92 – ⓟ
Samstag bis 18 Uhr, Sonntag 15 Uhr - Montag, 7.- 14. Jan. und 1.- 19. Aug. geschl. – Menu a la carte 33/60.

SILBERSBACH Bayern siehe Lam.

SILBERSTEDT **2381.** Schleswig-Holstein 411 L 3 – 1 500 Ew – Höhe 20 m – ☎ 04626.
♦Kiel 66 – Flensburg 44 – ♦Hamburg 133 – Schleswig 15.

Schimmelreiter, Hauptstr. 56 (B 201), ✆ 10 44, Fax 1047 – ⓟ – 25/150. AE E VISA
M a la carte 38/65 – **29 Z : 51 B** 80/90 - 140 Fb.

SIMBACH AM INN **8346.** Bayern 413 VW 22, 987 ㊳, 426 KL 4 – 9 000 Ew – Höhe 345 m – ☎ 08571.
♦München 122 – Landshut 89 – Passau 54 – Salzburg 85.

Gasthof Weißbräu, Schulgasse 6, ✆ 14 18
13 Z : 25 B.

In Stubenberg-Prienbach **8399** NO : 4,5 km :

Zur Post, Poststr. 1 (an der B 12), ✆ (08571) 20 08, Fax 6740, – ⓟ. AE E VISA
22. Dez.- 20. Jan. geschl. – **M** *(Sonntag - Montag 17 Uhr geschl.)* a la carte 27/69 – **32 Z : 48 B** 70/85 - 108/140 Fb.

SIMMERATH **5107.** Nordrhein-Westfalen 987 ㉓, 412 B 15, 409 L 4 – 14 000 Ew – Höhe 540 m – ☎ 02473.
Ausflugsziel : Rurtalsperre★ O : 10 km.
Verkehrsamt, Rathaus, ✆ 88 39.
Verkehrsverein Monschauer Land, Rathaus, ✆ 17 10.
♦Düsseldorf 107 – ♦Aachen 30 – Düren 34 – Euskirchen 45 – Monschau 10.

In Simmerath-Erkensruhr SO : 12 km – Erholungsort :

Tal - Café, ✆ (02485) 4 14, Fax 1274, – ⓟ – 25/40. AE E
1.- 27. Dez. geschl. – **M** a la carte 28/57 – **30 Z : 50 B** 56/68 - 112/148 Fb – ½ P 71/91.

In Simmerath-Lammersdorf NW : 3 km :

Lammersdorfer Hof, Kirchstr. 50, ✆ 80 41 – ⓟ. E VISA. Zim
Juli - Aug. 2 Wochen geschl. – **M** *(Mittwoch geschl.)* a la carte 23/50 – **9 Z : 16 B** 50 - 80.

In Simmerath-Rurberg NO : 8,5 km :

Ziegler mit Zim, Dorfstr. 24, ✆ 23 10, – ⓟ
2.- 31. Jan. geschl. – **M** *(Donnerstag geschl.)* a la carte 22/55 – **6 Z : 10 B** 27/55 - 50/90.

SIMMERN **6540.** Rheinland-Pfalz 987 ㉔, 412 F 17 – 6 600 Ew – Höhe 330 m – ☎ 06761.
Fremdenverkehrsamt, Rathaus, ✆ 68 80, Fax 83756.
Mainz 67 – ♦Koblenz 61 – Bad Kreuznach 48 – ♦Trier 97.

Bergschlößchen, Nannhauser Straße, ✆ 40 41, Fax 12429, – ⓟ – 25. AE E VISA
9. Feb.- 15. März geschl. – **M** a la carte 22/50 – **22 Z : 42 B** 75 - 110/130.

Haus Vogelsang garni, Am Vogelsang 1, ✆ 21 62, – ⓟ
April 2 Wochen geschl. – **9 Z : 15 B** 47 - 78.

Nahe der Straße nach Oberwesel NO : 5 km :

Jagdschloß, ✉ 6540 Pleizenhausen, ✆ (06761) 22 84, – ⓟ. AE E VISA
M a la carte 21/48 – **28 Z : 45 B** 35/65 - 60/120.

An der Straße nach Laubach N : 6 km :

Birkenhof, ✉ 6540 Klosterkumbd, ✆ (06761) 50 05, Fax 5176, – ⓟ. AE E VISA.
23. Dez.- 25. Jan. geschl. – **M** *(Montag geschl.)* a la carte 34/64 – **22 Z : 40 B** 69/88 - 110/130 Fb.

SIMMERTAL **6573.** Rheinland-Pfalz 412 F 17 - 1 750 Ew - Höhe 182 m - Erholungsort - 06754.
Mainz 69 - Idar-Oberstein 26 - Bad Kreuznach 27.

Landhaus Felsengarten, Banzel-Auf der Lay 2, 84 61, - **20 Z : 39 B**.

SIMONSBERGER KOOG Schleswig-Holstein siehe Husum.

SIMONSWALD **7809.** Baden-Württemberg 413 H 22, 987 ㉞ ㉟, 242 ㉜ - 3 000 Ew - Höhe 330 m - Luftkurort - 07683 - Verkehrsamt, Talstr. 14a, 2 55, Fax 1432.
♦Stuttgart 215 - Donaueschingen 49 - ♦Freiburg im Breisgau 28 - Offenburg 73.

Tannenhof, Talstr. 13, 3 25, Fax 1466, - - 25/40. **34 Z : 68 B** Fb.

Engel, Obertalstr. 44 (SO : 4 km), 2 71, Fax 1336, - . *24. Feb.- 10. März und 24. Okt.- 22. Nov. geschl.* - **M** *(Dienstag geschl.)* a la carte 24/58 - **32 Z : 64 B** 55/70 - 85/120 Fb.

Hirschen, Talstr. 11, 2 60, - **26 Z : 50 B** Fb.

Krone-Post, Talstr. 8, 2 65, Fax 688, - *5. Nov.- 5. Dez. geschl.* - **M** *(Montag geschl.)* a la carte 20/43 - **33 Z : 60 B** 47/49 - 80/88 - ½ P 56/68.

SINDELFINGEN **7032.** Baden-Württemberg 413 JK 20, 987 ㉟ - 56 000 Ew - Höhe 449 m - 07031 (Böblingen).

Siehe auch Böblingen (Übersichtsplan).

Messehalle, Mahdentalstr. 116 (BS), 8 58 61.
Verkehrsamt, Pavillon am Rathaus, 94 3 25.
ADAC, Tilsiter Str. 15 (Breuningerland), 8 30 77, Telex 7265836.
♦Stuttgart 19 - ♦Karlsruhe 80 - Reutlingen 34 ① - ♦Ulm (Donau) 97.

Stadtplan siehe nächste Seite

Ramada, Mahdentalstr. 68, 69 60, Telex 7265385, Fax 696880, Massage, - Zim - 25/300. BS **a**
M 36/38 (Buffet) und a la carte 58/80 - **260 Z : 340 B** 239/373 - 313/396 Fb - 4 Appart. 696/1046.

Erikson-Hotel, Hanns-Martin-Schleyer-Str. 8, 93 50, Telex 7265645, Fax 935555, - Zim - 30. CX **e**
M a la carte 39/60 - **62 Z : 110 B** 221 - 292 Fb.

Holiday Inn, Schwertstr. 65 (O : 2 km), 6 19 60, Telex 7265569, Fax 84990, - Zim - 25/150. BS **d**
M a la carte 39/65 - **185 Z : 331 B** 210/290 - 265/350 Fb.

Queens Hotel Bristol, Wilh.-Haspel-Str. 101 (O : 2 km), 61 50, Telex 7265778, Fax 874981, - Zim Rest - 25/200. BS **e**
M a la carte 44/79 - **146 Z : 189 B** 230/250 - 325/385 Fb.

Berlin - Restaurant Adlon, Berliner-Platz 1, 6 19 70, Telex 7265591, Fax 6197178, - Zim Rest - 25/80. BT **c**
M *(Samstag - Sonntag geschl.)* a la carte 53/80 - **100 Z : 150 B** 198 - 264 Fb - 3 Appart. 320.

Senator garni, Riedmühlestr. 18, 69 80, Telex 7265343, Fax 698600, - . CX **b**
103 Z : 130 B 165/245 - 195/295 Fb.

Knote, Vaihinger Str. 14, 8 40 45, Fax 83302, - . DX **k**
M a la carte 42/83 - **40 Z : 60 B** 155/165 - 205/215 Fb.

Am Klostersee garni (Weinstube im Hause), Burghaldenstr. 6, 8 50 81, Fax 873398 - . DV **g**
71 Z : 135 B 135/160 - 195/205 Fb.

Linde, Marktplatz, 87 60 60, Fax 874653 - . DX **h**
24. Dez.- 7. Jan. geschl. - **M** *(Freitag 14 Uhr - Sonntag 18 Uhr und Aug. 3 Wochen geschl.)* a la carte 32/74 - **25 Z : 38 B** 75/120 - 120/180 Fb.

Parkrestaurant-Stadthalle, Schillerstr. 23, 8 24 09, Fax 873385 - - 25/120. DV
Montag geschl. - **M** a la carte 24/60.

In Sindelfingen-Maichingen NW : 5 km :

Abacon Hotel, Stuttgarter Str. 49, 3 10 61, Fax 31060, - Zim - 25/90. AS **n**
M a la carte 34/66 - **81 Z : 110 B** 135/178 - 228/238 Fb.

Alte Pfarrei, Sindelfinger Str. 49, 3 13 40 - AS **b**
Samstag und Feb. 2 Wochen geschl. - **M** a la carte 31/68.

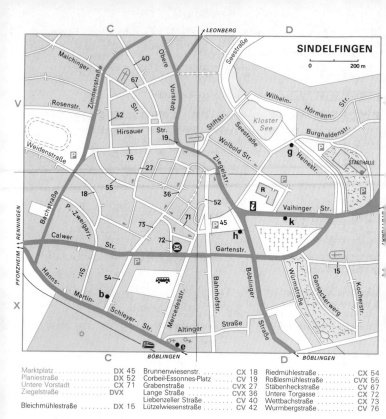

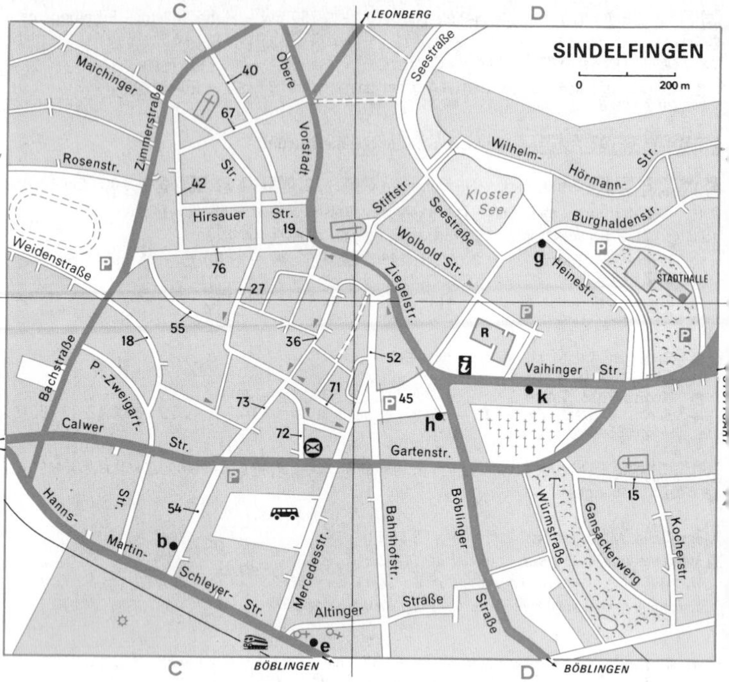

Marktplatz	DX 45	Brunnenwiesenstr.	CX 18	Riedmühlestraße	CX 54
Planiestraße	DX 52	Corbeil-Essonnes-Platz	CV 19	Roßlesmühlestraße	CVX 55
Untere Vorstadt	CX 71	Grabenstraße	CVX 27	Stäbenheckstraße	CV 67
Ziegelstraße	DVX	Lange Straße	CVX 36	Untere Torgasse	CX 72
		Liebenzeller Straße	CV 40	Wettbachstraße	CX 73
Bleichmühlestraße	DX 15	Lützelwiesenstraße	CV 42	Wurmbergstraße	CV 76

La guida cambia, cambiate la guida ogni anno.

SINGEN (HOHENTWIEL) **7700.** Baden-Württemberg 413 J 23, 987 ㉟, 427 K 2 – 44 000 Ew – Höhe 428 m – ☎ 07731.

Ausflugsziele : Hohentwiel : Lage★★ – Festungsruine ≤ ★, W : 2 km.

ℹ Verkehrsamt, August-Ruf-Str. 7, ✆ 8 54 73, Fax 69154.

ADAC, Schwarzwaldstr. 40, ✆ 6 65 63.

♦Stuttgart 154 ⑤ – ♦Freiburg im Breisgau 106 ⑤ – ♦Konstanz 32 ① – Zürich 79 ③.

Stadtplan siehe gegenüberliegende Seite

Jägerhaus, Ekkehardstr. 86, ✆ 6 50 97, Fax 63338 – |♦| TV ☎ – 🚣 40. AE ⓓ E VISA
M *(Dienstag und Juli - Aug. 3 Wochen geschl.)* a la carte 35/66 – **26 Z : 46 B** 80/95 - 115/150. B **s**

Lamm, Alemannenstr. 42, ✆ 40 20, Telex 793791, Fax 402200 – |♦| ☎ ♿ 🚗 **P**. ⓓ E VISA B **v**
28. Dez.- 17. Jan. geschl. – **M** *(Freitag geschl.)* a la carte 31/56 – **79 Z : 115 B** 98 - 150 Fb.

Widerhold, Schaffhauser Str.58 (B 34), ✆ 8 80 70, Fax 880755 – TV ☎ 🚗 **P**. ⓓ E VISA
Juli 2 Wochen und 20. Dez.- 8. Jan. geschl. – **M** *(Freitag - Samstag 17 Uhr geschl.)* a la carte 31/53 – **35 Z : 70 B** 45/78 - 80/130 Fb. A **x**

Sternen, Schwarzwaldstr. 6, ✆ 6 22 79 – TV **P** B **r**
Mitte Juli - Mitte Aug. geschl. – **M** *(Freitag geschl.)* a la carte 24/39 🌡 – **24 Z : 38 B** 35/60 - 69/110.

In Rielasingen-Worblingen **7703** ② : 4 km – ☎ 07731 :

Krone, Hauptstr. 3 (Rielasingen), ✆ 20 46, Fax 2050, ≘s – TV ☎ 🚗 **P** – 🚣 25/60. ⓓ E VISA
Juli 2 Wochen und 26. Dez.- 5. Jan. geschl. – **M** *(Montag geschl.)* a la carte 24/54 – **18 Z : 36 B** 70/85 - 110/140 Fb.

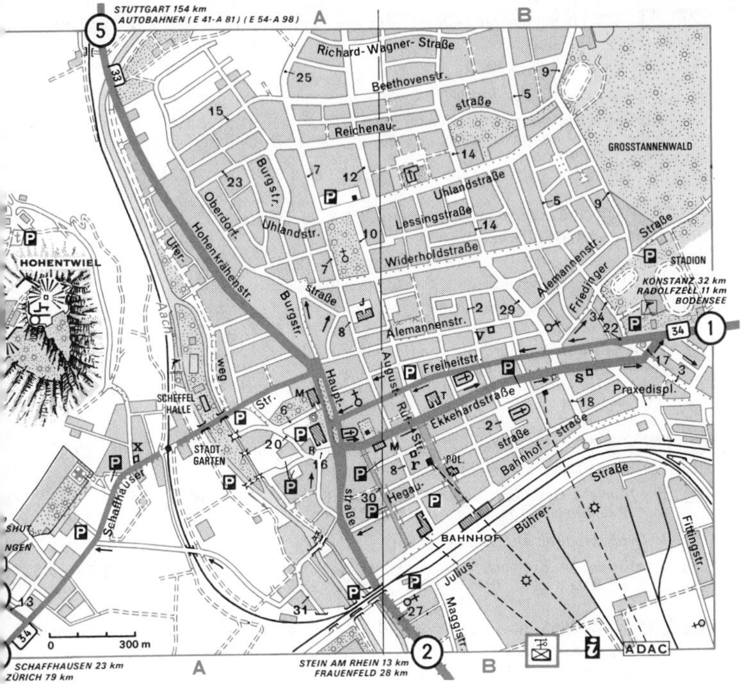

SINGEN
(HOHENTWIEL)

XX **Salzburger Stube,** Hardstr. 29 (Worblingen), ☏ 2 73 49 – Ⓟ. E VISA
Donnerstag geschl. – **M** a la carte 39/64.

XX **Zur Alten Mühle** mit Zim, Singener Str. 3 (Rielasingen), ☏ 5 20 55, ⛱, « Ehemalige Mühle mit rustikaler Einrichtung » – TV ☎ Ⓟ. E VISA
M *(Montag geschl.)* a la carte 48/73 – **6 Z : 10 B** 70 - 130.

Die Michelin-Kartenserie mit rotem Deckblatt : Nr. 980-991
empfehlenswert für Ihre Fahrten durch die Länder Europas.

SINSHEIM **6920.** Baden-Württemberg 987 ㉕, 412 413 J 19 – 28 000 Ew – Höhe 159 m – ☎ 07261.

Sehenswert : Auto- und Technikmuseum★.

ℹ Rathaus, Wilhelmstr. 14, ☏ 40 41 09.

◆Stuttgart 87 – Heilbronn 35 – ◆Mannheim 50 – ◆Würzburg 135.

Diana garni, Hauptstr. 22, ☏ 53 70, Fax 12892 – |‡| TV ☎ ⇔ Ⓟ. AE
20. Dez.- 10. Jan. geschl. – **20 Z : 23 B** 68/95 - 90/105 Fb.

XX **Poststuben,** Friedrichstr. 16 (am Bahnhof), ☏ 20 21 – Ⓟ
Freitag - Samstag 18 Uhr, April 2 Wochen und Juli - Aug. 4 Wochen geschl. – Menu a la carte 38/60.

In Zuzenhausen **6921** NW : 7 km :

XX Brauereigasthof Adler, Hoffenheimer Str. 1 (B 45), ☏ (06226) 14 93 – Ⓟ.

SINZIG **5485.** Rheinland-Pfalz 987 ㉔, 412 E 15 – 15 000 Ew – Höhe 65 m – ☎ 02642 (Remagen)
ℹ Verkehrsamt, Bad Bodendorf, Pavillon am Kurgarten, ✆ 4 26 01.
Mainz 135 – ♦Bonn 27 – ♦Koblenz 36.

In Sinzig-Bad Bodendorf NW : 3 km – Thermalheilbad :

Kurhaus Spitznagel ⛰, Weinbergstr. 29, ✆ 4 20 91, Fax 43544, « Gartenterrasse » Bade- und Massageabteilung, ♨, ≘s, ⛆, 🌳 – |⇕| ⇹ Rest 📺 ☎ 🚗 🅿 – 🏛 25. Ⓓ E VISA. ⛔ Rest
M *(Sonntag geschl.)* a la carte 31/54 – **36 Z : 59 B** 80/100 - 136/210 Fb.

SIPPLINGEN **7767.** Baden-Württemberg 413 K 23, 427 L 2 – 2 200 Ew – Höhe 401 m – Erholungsort – ☎ 07551 (Überlingen).
ℹ Verkehrsbüro, Haus des Gastes (ehem. Bahnhof), an der B 31, ✆ 80 96 29, Fax 3570.
♦Stuttgart 168 – ♦Freiburg im Breisgau 123 – ♦Konstanz 40 – Ravensburg 53 – ♦Ulm (Donau) 142.

Seeblick ⛰, Prielstr. 4, ✆ 6 12 27, Fax 67157, ≤, ≘s, ⛆ – 📺 ☎ 🅿. AE E VISA
März - Nov. – (nur Abendessen für Hausgäste) – **10 Z : 20 B** 100 - 160/180 Fb.

Zum Sternen ⛰, Burkhard-von-Hohenfels-Str. 20, ✆ 6 36 09, Fax 3169, ≤ Bodensee und Alpen, 🍽, 🌳 – 🚗 🅿
8. Jan.- 10. März geschl. – **M** (Dienstag geschl.) a la carte 25/44 🍷 – **13 Z : 31 B** 58/82 - 95/148 Fb – ½ P 61/87.

SITTENSEN **2732.** Niedersachsen 411 L 7, 987 ⑮ – 4 250 Ew – Höhe 20 m – ☎ 04282.
♦Hannover 130 – ♦Bremen 63 – ♦Hamburg 58.

Zur Mühle, Bahnhofstr. 25, ✆ 32 32, Fax 3257, ≘s – 📺 ☎ 🅿
(nur Abendessen für Hausgäste) – **11 Z : 22 B** Fb.

In Groß Meckelsen **2732** W : 5 km :

Schröder, Am Kuhbach 1, ✆ (04282) 15 80, Fax 3535, 🌳 – 📺 ☎ 🅿 – 🏛 25/50. AE Ⓓ E VISA – **M** a la carte 28/42 – **29 Z : 65 B** 63 - 95 Fb.

SOBERNHEIM **6553.** Rheinland-Pfalz 412 F 17 – 7 000 Ew – Höhe 150 m – Felke-Kurort – ☎ 06751. – ℹ Kur- und Verkehrsamt, am Bahnhof, Haus des Gastes, ✆ 8 12 41.
Mainz 64 – Idar-Oberstein 31 – Bad Kreuznach 19.

Kurhaus am Maasberg ⛰, am Maasberg (N : 2 km), ✆ 20 43, Fax 2044, 🍽, Bade- und Massageabteilung, ♨, ≘s, ⛆, ⛆, 🌳, 🎾 – |⇕| ☎ 🅿 – 🏛 25/80. ⛔ Rest
3.- 19. Jan. und 6.- 21. Dez. geschl. – **M** *(auch vegetarische Gerichte)* a la carte 34/54 – **84 Z : 109 B** 102/117 - 176/242 – ½ P 106/132.

Siehe auch : ***Schloßböckelheim*** O : 6 km

SODEN AM TAUNUS, BAD **6232.** Hessen 987 ㉔㉕, 412 413 I 16 – 18 300 Ew – Höhe 200 m – Heilbad – ☎ 06196. – ℹ Kurverwaltung, Königsteiner Str. 88 (im Kurhaus), ✆ 20 82 80.
♦Wiesbaden 31 – ♦Frankfurt am Main 17 – Limburg an der Lahn 45.

Parkhotel, Königsteiner Str. 88, ✆ 20 00, Telex 4072548, Fax 200153, 🍽, ≘s – |⇕| ⇹ Zim 📺 ♿ 🅿 – 🏛 25/900. AE Ⓓ E VISA. ⛔ Rest
M a la carte 41/78 – **130 Z : 260 B** 190/310 - 250/370 Fb.

Salina Hotel ⛰, Bismarckstr. 20, ✆ 6 20 88, Telex 4072597, Fax 28927, ≘s, ⛆, 🌳 – |⇕| 📺 ☎ 🅿 – 🏛 40. E VISA
23. Dez.- 8. Jan. geschl. – (Restaurant nur für Hausgäste) – **47 Z : 82 B** 110/165 - 170/280 Fb.

Concorde, Am Bahnhof 2, ✆ 2 70 13, Fax 27075 – |⇕| 📺 ☎ 🅿 – 🏛 30. AE Ⓓ E VISA
23. Dez.- 2. Jan. geschl. – **M** *(nur Abendessen, Freitag - Sonntag und Mitte Juli - Mitte Aug. geschl.)* a la carte 25/52 – **70 Z : 105 B** 145/265 - 190/290 Fb.

Waldfrieden ⛰ garni, Seb.-Kneipp-Str. 1, ✆ 2 50 14, Fax 62439, ≘s, 🌳 – 📺 ☎ 🚗. AE E VISA
22. Dez.- 2. Jan. geschl. – **35 Z : 45 B** 95/115 - 155/160 Fb.

Rohrwiese ⛰ garni, Rohrwiesenweg 11, ✆ 2 35 88, Fax 63887 – 📺 ☎ 🅿
36 Z : 48 B 95/125 - 150/175 Fb.

SODEN-SALMÜNSTER, BAD **6483.** Hessen 987 ㉕, 412 413 L 16 – 12 500 Ew – Höhe 150 m – Heilbad – ☎ 06056 – ⛳18 Alsberg (O : 5 km), ✆ (06056) 35 94.
ℹ Städt. Verkehrsamt, Badestr. 8, ✆ 14 33.
♦Wiesbaden 105 – ♦Frankfurt am Main 61 – Fulda 47.

Im Ortsteil Bad Soden :

Carlton, Sprudelallee 16c, ✆ 7 30 60, Fax 730666 – |⇕| ⇹ Zim 📺 ☎ 🅿 – 🏛 25/150. AE E
24. Dez.- 3. Jan. geschl. – **M** *(Samstag bis 18 Uhr geschl.)* a la carte 28/62 – **42 Z : 71 B** 9... - 160/195 Fb.

Zum Heller garni, Gerhard-Radke-Str. 1, ☏ 73 50, – – **24 Z : 46 B** 54/64 - 88/98.

Pension Sehn garni, Brüder-Grimm-Str. 11, ☏ 16 09, ←, – . E.
15. Nov.- 15. Feb. geschl. – **14 Z : 23 B** 47 - 87.

In Brachttal 5-Udenhain **6486** NW : 10 km :

Zum Bäcker, Hauptstr. 1, ☏ (06054) 55 58, Biergarten, , – – 35. E
Jan. geschl. – **M** *(Montag geschl.)* a la carte 24/44 – **18 Z : 44 B** 50/60 - 85/90 Fb.

SÖGEL **4475.** Niedersachsen 411 F 8, 987 ⑭ – 4 700 Ew – Höhe 50 m – ☏ 05952.
♦Hannover 220 – Cloppenburg 42 – Meppen 26 – Papenburg 37.

Café Jansen, Clemens-August-Str. 33, ☏ 12 30 –
M *(Montag geschl.)* a la carte 18/40 – **13 Z : 22 B** 45 - 80.

During the season, particularly in resorts, it is wise to book in advance.

SOEST

Brüderstraße . . . . . Y
Grandweg . . . . . Z
Markt . . . . . Y
Marktstraße . . . . . Z 24
Rathausstraße . . . . . YZ 32

Am Großen Teich . . . . . Y 2
Am Kützelbach . . . . . Z 3
Am Loerbach . . . . . Y 4
Am Soestbach . . . . . Y 5
Am Vreithof . . . . . YZ 6
Bischofstraße . . . . . Z 7
Brüdertor . . . . . Y 8
Damm . . . . . YZ 10
Dominikanerstraße . . . . . Y 12
Düsterpoth . . . . . Y 13
Grandwegertor . . . . . Z 14
Hospitalgasse . . . . . Z 15
Katzengasse . . . . . Y 18
Kolkstraße . . . . . Z 20
Kungelmarkt . . . . . Z 21
Lentzestraße . . . . . Y 22
Magazingasse . . . . . Y 23
Nöttentor . . . . . Y 25
Oestinghauser Str. . . . . . Y 26
Ostenhellweg . . . . . Z 27
Petrikirchhof . . . . . Z 28
Petristraße . . . . . Z 29
Propst-Nübel-Str. . . . . . Z 30
Puppenstraße . . . . . Z 31
Ritterstraße . . . . . Y 33
Sandwelle . . . . . Y 34
Teichmühlengasse . . . . . Y 35
Waisenhausstraße . . . . . Y 38
Walburgerstraße . . . . . Y 39
Walburgertor . . . . . Y 40
Westenhellweg . . . . . Z 41
Widumgasse . . . . . Y 42
Wiesenstraße . . . . . Y 43
Wildemannsgasse . . . . . YZ 45

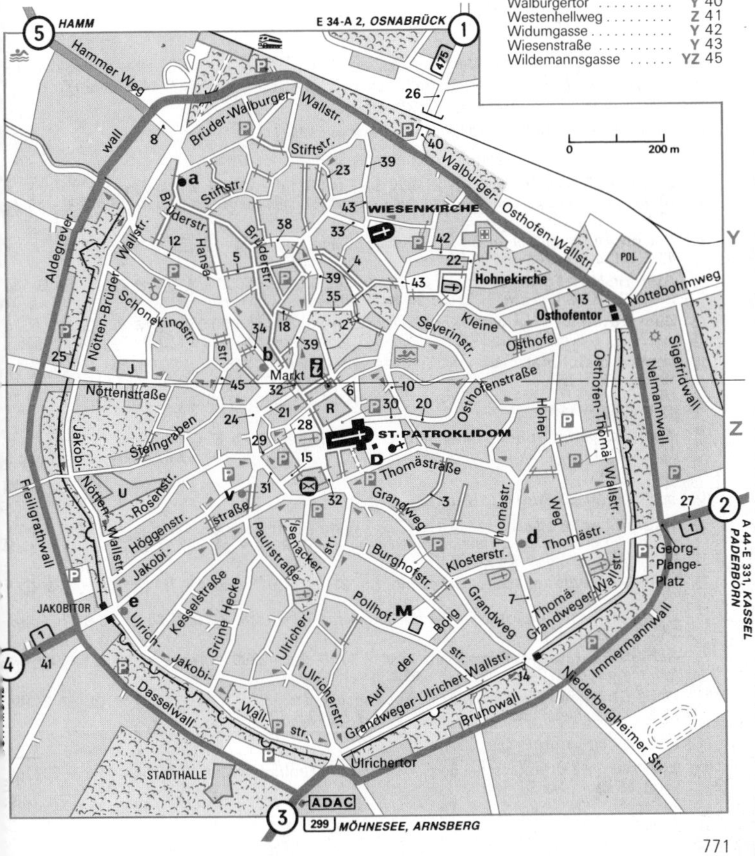

SOEST **4770.** Nordrhein-Westfalen 411 412 H 12, 987 ⑭ – 43 000 Ew – Höhe 98 m – ☎ 02921

Sehenswert : St. Patroklidom★ (Westwerk★★ und Westturm★★) Z – Wiesenkirche★ (Aldegrevers-Altar★) Y – Nikolaikapelle (Nikolai-Altar★) Z **D.**

Städt. Kultur- und Verkehrsamt, Am Seel 5, ✆ 10 33 23, Fax 103423.

ADAC, Arnsberger Str. 7, ✆ 41 16, Notruf ✆ 1 92 11.

♦Düsseldorf 118 ② – Dortmund 52 ② – ♦Kassel 121 ② – Paderborn 49 ①.

Stadtplan siehe vorhergehende Seite

Hanse, Siegmund-Schultze-Weg 100, ✆ 7 70 22, Fax 73460 – TV ☎ P – 25/50 AE D E VISA über ② und Arnsberger Str
M a la carte 28/61 – **45 Z : 70 B** 75/85 - 130/140 Fb.

Stadt Soest garni, Brüderstr. 50, ✆ 18 11, Fax 1811 – TV ☎. AE D E VISA Y a
20 Z : 34 B 65/90 - 110/130.

XX ✿ **Biermann's Restaurant** (modern-elegante Einrichtung), Thomästr. 47, ✆ 1 33 10 – P. AE D E VISA Z c
Montag und Juli - Aug. 3 Wochen geschl. – **M** (Tischbestellung ratsam) a la carte 72/86 – **Bistro M** a la carte 45/61
Spez. Salat von Meeresfrüchten, Zander mit Kartoffelkruste, Baumkuchen - Weincremepudding

XX **Im wilden Mann** mit Zim, Am Markt 11, ✆ 1 50 71, Fax 14078 – TV ☎ – 25/80. AE D VISA Y b
M a la carte 38/66 – **14 Z : 25 B** 90/100 - 140/160.

XX **Pilgrim-Haus** mit Zim, Jakobistr. 75, ✆ 18 28, Fax 12131, « Gasthaus a.d. 14. Jh. » – TV ☎. AE D E VISA Z e
über Weihnachten und Neujahr geschl. – **M** *(Montag - Freitag nur Abendessen, Dienstag geschl.)* a la carte 34/57 – **6 Z : 10 B** 92 - 148/154.

X **Altes Gasthaus im Zuckerberg** (restauriertes Fachwerkhaus, rustikale Einrichtung), Höggenstr. 1, ✆ 28 68, – E Z v
Montag und Juli - Aug. 3 Wochen geschl. – **M** a la carte 27/55.

SOLINGEN **5650.** Nordrhein-Westfalen 411 412 E 13, 987 ㉔ – 163 000 Ew – Höhe 225 m – ☎ 0212 – **Ausflugsziel :** Solingen-Gräfrath : Deutsches Klingenmuseum★ 4 km über ①.

ADAC, Schützenstr. 21, ✆ 4 50 05, Notruf ✆ 1 92 11.

♦Düsseldorf 27 ⑤ – ♦Essen 35 ① – ♦Köln 36 ④ – Wuppertal 16 ②.

Stadtplan siehe gegenüberliegende Seite

Goldener Löwe, Heinestr. 2, ✆ 1 20 30, Fax 202158 – TV ☎. Zim Z a
M *(nur Abendessen, Dienstag und Juli - Aug. 4 Wochen geschl.)* a la carte 21/43 – **15 Z : 31 B** 85/115 - 130/170.

Turmhotel garni, Kölner Str. 99, ✆ 1 30 50, Fax 13244, ≤ – TV ☎. AE E Z v
43 Z : 80 B 118/148 - 148/190 Fb.

Atlantic-Hotel garni, Goerdeler Str. 9, ✆ 1 60 01, Fax 16004 – TV ☎ P. AE D E VISA
20. Dez.- 6. Jan. geschl. – **21 Z : 30 B** 85/135 - 135/175 Fb. Z r

Zum Roten Ochsen garni, Konrad-Adenauer-Str. 20, ✆ 1 00 03 – ☎. AE E. Y e
Juli - Aug. 3 Wochen und Weihnachten - Anfang Jan. geschl. – **19 Z : 27 B** 95/110 - 145/155.

XX **Landhaus Schmalzgrube** mit Zim, Mangenberger Str. 356, ✆ 1 80 03, Fax 18005, – ☎ P. D E VISA über Mangenberger Straße YZ
M *(Samstag bis 18 Uhr und Donnerstag geschl.)* 20/26 (mittags) und a la carte 34/68 – **9 Z : 12 B** 75/90 - 130.

X **Zum goldenen Spiess,** Entenpfuhl 1, ✆ 1 08 95 – AE D E VISA Z n
Mittwoch 14 Uhr - Donnerstag und Juli - Aug. 4 Wochen geschl. – **M** 23/36 (mittags) und a la carte 39/58.

In Solingen 25-Burg ③ : 8 km :

Haus in der Straßen (Gasthof a.d. 17. Jh.), Wermelskirchener Str. 12, ✆ 4 40 11, Fax 47549, « Zinn- und historische Hausratsammlung » – TV ☎ P – 25/80. E
M a la carte 61/81 – **24 Z : 50 B** 95/105 - 150/180.

Haus Niggemann, Wermelskirchener Str. 22, ✆ 4 10 21, Fax 49175, – TV ☎ P – 25/80
Ende Dez.- Mitte Jan. geschl. – **M** *(Freitag geschl.)* a la carte 31/62 – **30 Z : 50 B** 110/140 - 160/180 Fb.

XX **Schloß-Restaurant,** Schloßplatz 1, ✆ 4 30 50, Fax 42380, « Terrasse mit ≤ » – P.
Montag und 2.- 16. Jan. geschl. – **M** a la carte 49/77.

XX **Haus Striepen - Burger Hof** mit Zim, Eschbachstr. 13, ✆ 4 24 61 – TV ☎ P. D E VISA
M 23/44 (mittags) und a la carte 35/67 – **7 Z : 13 B** 60/80 - 90/120.

In Solingen-Gräfrath ① : 6,5 km :

XX **Zur Post** mit Zim (historischer Bergischer Gasthof), Gräfrather Markt 1, ✆ 5 97 11, Fax 592751 – TV ☎ P
Juli - Aug. 4 Wochen geschl. – **M** *(Donnerstag geschl.)* a la carte 43/77 – **12 Z : 19 B** 145/165 - 190/220 Fb.

SOLINGEN

Hauptstraße . . . . Z
Kölner Straße . . . . Z
Konrad-Adenauer-Straße Y
Ohliger Tor . . . . Z 13

Breidbacher Tor . . . . Z 2
Elisenstraße . . . . Z 3
Graf-Engelbert-
Straße . . . . Z 5
Graf-Wilhelm-Platz . . . . . . Z 6

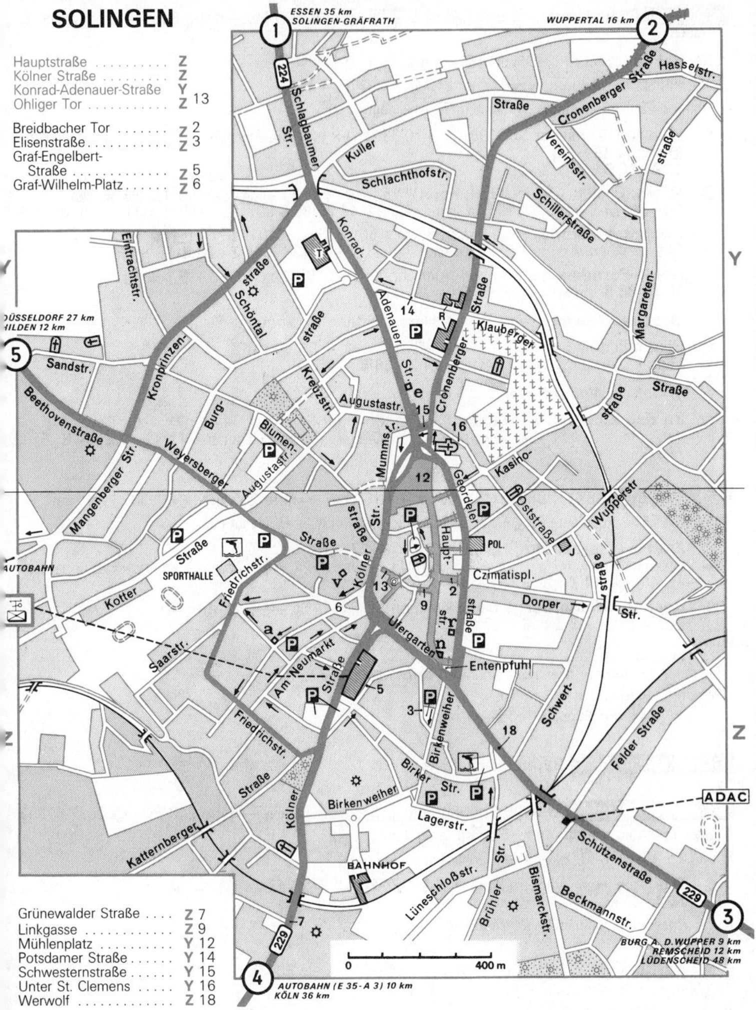

Grünewalder Straße . . . . Z 7
Linkgasse . . . . Z 9
Mühlenplatz . . . . Y 12
Potsdamer Straße . . . . . . Y 14
Schwesternstraße . . . . . . Y 15
Unter St. Clemens . . . . . Y 16
Werwolf . . . . Z 18

In Solingen 11-Ohligs ⑤ : 7 km :

Parkhotel Solingen, Hackhauser Str. 62, ℘ 7 60 41, Telex 8514547, Fax 74662, – 25/120. AE ⓓ E VISA
M a la carte 48/81 – **65 Z : 67 B** 159/195 - 250/450 Fb.

In Solingen 19 -Wald ① : 6 km :

Schwerthof, Focher Str. 82, ℘ 5 70 13 – **M** *(wochentags nur Abendessen, Donnerstag geschl.)* a la carte 29/53 – **26 Z : 37 B** 85/95 - 140/160 Fb.

Hölscher, Friedrich-Ebert-Str. 71, ℘ 31 23 51 –
M *(wochentags nur Abendessen, Donnerstag geschl.)* a la carte 29/56 – **10 Z : 15 B** 85/95 - 135/150 Fb.

Parkrestaurant Ittertal, Ittertalstr. 50, ℘ 31 47 45 – . AE ⓓ E
Samstag bis 18 Uhr, Montag und Juli - Aug. 4 Wochen geschl. – **M** a la carte 51/77.

In Solingen 1-Widdert über Brühler Straße Z :

Gaststätte Daniel Meis, Börsenstr. 109, ℘ 81 23 12, Fax 814719, –
Donnerstag geschl. – **M** a la carte 39/62.

SOLTAU **3040.** Niedersachsen 411 M 8, 987 ⑮ - 20 000 Ew - Höhe 64 m - Erholungsort - ☎ 05191.

Hof Loh, Soltau-Tetendorf (S : 3 km), ✆ 1 40 77.

Verkehrsbüro, Bornemannstr. 7, ✆ 24 74.

♦Hannover 79 - ♦Bremen 92 - ♦Hamburg 77 - Lüneburg 51.

Heidland, Winsener Str. 109, ✆ 1 70 33, Telex 924168, Fax 4263, - Zim ☎ - 25/140
46 Z : 72 B Fb.

Meyn, Poststr. 19, ✆ 20 01, Fax 17575 - ☎ - 25/150. AE E VISA
20.- 26. Dez. geschl. - **M** a la carte 42/69 - **45 Z : 85 B** 80/105 - 110/150 Fb - ½ P 85/125.

Heidehotel Anna, Saarlandstr. 2, ✆ 1 50 26, Fax 15401, - ☎
M *(nur Abendessen, Sonntag geschl.)* a la carte 20/36 - **14 Z : 23 B** 75/85 - 113/125 Fb.

Heide-Paradies garni, Lüneburger Str. 6, ✆ 30 86, Fax 18332 - ☎
16 Z : 32 B 85/95 - 125/160 Fb.

In Soltau-Friedrichseck NO : 4,5 km, Richtung Bispingen :

Haus Waldfrieden, ✆ 40 82, -
(Restaurant nur für Hausgäste) - **21 Z : 38 B**.

In Soltau-Wolterdingen N : 5 km :

Zu den Eichen-Schlößchen mit Zim, Soltauer Str. 1, ✆ 34 44, - AE E VISA
1.- 20. Juni geschl. - **M** *(nur Abendessen, Dienstag geschl.)* a la carte 43/72 - **7 Z : 14 B** 45/50 - 80/95.

SOMMERACH **8711.** Bayern 413 N 17 - 1 150 Ew - Höhe 200 m - ☎ 09381 (Volkach).

♦München 263 - ♦Bamberg 62 - ♦Nürnberg 93 - Schweinfurt 30 - ♦Würzburg 30.

Zum weißen Lamm, Hauptstr. 2, ✆ 93 77 - ☎
Weihnachten - 10. Jan. geschl. - **M** *(Mittwoch geschl., Mai - Juni nur Abendessen)* a la carte 22/46 - **14 Z : 26 B** 42/70 - 74/150 Fb.

Bocksbeutelherberge garni, Weinstr. 22, ✆ 14 65 - ☎
Dez. geschl. - **8 Z : 16 B** 52 - 82.

Europe

Si le nom d'un hôtel figure en petits caractères
demandez, à l'arrivée,
les conditions à l'hôtelier.

SOMMERHAUSEN Bayern siehe Ochsenfurt.

SONDERSHAUSEN **O-5400** Thüringen 984 ㉓ - 24 000 Ew - Höhe 200 m - ☎ 0037 62899.

Sondershausen-Information, Ferdinand-Schlufter-Str. 20, ✆ 81 11.

Erfurt 59 - ♦Berlin 246 - Halle 91 - Nordhausen 18.

Thüringer Hof, Wilhelm-Pieck-Str. 30, ✆ 80 51, Fax 2474 - ☎.
24 Z : 44 B.

Ratskeller, Markt 7, ✆ 24 76.

SONNENBÜHL **7419.** Baden-Württemberg 413 K 21 - 5 800 Ew - Höhe 720 m - Wintersport : 720/880 m 3 4 - ☎ 07128.

Sonnenbühl-Undingen, ✆ 20 18.

Fremdenverkehrsverein, Rathaus, (Erpfingen), ✆ 38 70.

♦Stuttgart 67 - ♦Konstanz 120 - Reutlingen 26.

In Sonnenbühl 2-Erpfingen - Luftkurort :

Gästehaus Sonnenmatte, Im Feriendorf Sonnenmatte, ✆ 8 91, Fax 3517, - ☎ - 25/80. AE E VISA
7. Jan.- 4. Feb. und 14.- 25. Dez. geschl. - **M** *(Sonntag 18 Uhr - Montag geschl.)* a la carte 29/45 - **20 Z : 40 B** 59 - 99 - ½ P 70/80.

Hirsch mit Zim, Im Dorf 12, ✆ 22 12, -
9.- 19. März, 6.- 16. Juli und 2.- 24. Nov. geschl. - Menu *(Dienstag - Mittwoch 18 Uhr geschl.)* a la carte 38/73 - **4 Z : 8 B** 45/55 - 90/100.

SONSBECK **4176.** Nordrhein-Westfalen 987 ⑬, 412 C 12 - 6 900 Ew - Höhe 22 m - ☎ 02838.

♦Düsseldorf 72 - Krefeld 52 - Nijmegen 58.

Waldrestaurant Höfer, Graf-Haeseler-Weg 7 (S : 2 km), ✆ 24 42 - AE E
Montag - Dienstag 18 Uhr geschl. - **M** 24/36 (mittags) und a la carte 35/72.

SONTHOFEN **8972.** Bayern 418 NO 24, 987 ㉟, 426 C 6 – 20 500 Ew – Höhe 742 m – Luftkurort – Wintersport : 750/1 050 m 3 12 – 08321.

Ofterschwang (SW : 4 km), (08321) 72 76.

24 11. – Verkehrsamt, Rathausplatz 3, 7 62 91.

♦München 152 – Kempten (Allgäu) 27 – Oberstdorf 13.

Allgäu Stern Hotel, Buchfinkenweg 2, 7 90, Telex 54402, Fax 79444, Allgäuer Berge, Bade- und Massageabteilung, – 25/250. AE E VISA. Rest
M *(auch Diät)* a la carte 49/68 – **450 Z : 850 B** 113/207 - 176/294 Fb – 60 Appart. 254/404.

Schwäbele Eck, Hindelanger Str. 9, 47 35, Fax 88310 – . AE E
Nov. geschl. – **M** *(Montag geschl.)* a la carte 25/53 – **20 Z : 42 B** 40/68 - 80/120 Fb – ½ P 55/75.

Alte Post, Promenadestr. 5, 25 08 – E
Freitag - Samstag 18 Uhr, Mitte - Ende Jan. und Juni 2 Wochen geschl. – **M** a la carte 25/52.

Rathaus Stube, Rathausplatz 2, 8 73 84, – AE E VISA
Sonntag und Jan. 3 Wochen geschl. – **M** a la carte 28/54.

In Sonthofen-Rieden NW : 1 km :

Bauer, Hans-Böckler-Str. 86, 70 91, Fax 87727, – . AE E. Rest
M *(wochentags nur Abendessen)* a la carte 23/43 – **14 Z : 26 B** 62/77 - 108/119 Fb.

In Blaichach-Ettensberg **8976** NW : 4 km :

Wolf garni, Schwandener Str. 21, (08321) 44 95, Fax 87451, – . AE E
15. Nov.- 15. Dez. geschl. – **15 Z : 30 B** 37/65 - 74/95 Fb.

In Ofterschwang-Schweineberg **8972** SW : 4 km :

Sport- und Kurhotel Sonnenalp, (08321) 7 20, Telex 54465, Fax 72242, « Außenanlagen mit Terrassen », Bade- und Massageabteilung, (geheizt), (Halle), – Rest – 25/70.
(Restaurant nur für Hausgäste) – **230 Z : 425 B** (nur ½ P) 240/367 - 490/620 Fb – 19 Appart. 650/1405 – 4 Fewo 263/410.

Dora, (08321) 35 09, Fax 84244, –
(nur Abendessen für Hausgäste) – **20 Z : 32 B** 82/112 - 144/164 Fb – 4 Appart. 284.

In Ofterschwang-Tiefenberg **8972** S : 3 km :

Gästehaus Gisela, (08321) 8 90 72, – .
Nov.- 16. Dez. geschl. – (Restaurant nur für Hausgäste) – **14 Z : 24 B** 35/55 - 95/105 Fb – ½ P 50/70.

Auf der Alpe Eck W : 8,5 km Richtung Gunzesried, Zufahrt über Privatstraße, Gebühr 6 DM, Hausgäste frei – **8976** Blaichach-Gunzesried :

Allgäuer Berghof – Höhe 1 260 m, (08321) 80 60, Fax 806219, Allgäuer Alpen, « Park », Massage, Skischule, – – 40.
Mitte Nov.-Mitte Dez. geschl. – **M** a la carte 31/59 – **68 Z : 119 B** 98/230 - 212/425 Fb – 23 Fewo 290/460.

SONTRA **6443.** Hessen 987 ㉕, 412 M 13 – 8 900 Ew – Höhe 242 m – Luftkurort – 05653.

♦Wiesbaden 201 – Göttingen 62 – Bad Hersfeld 34 – ♦Kassel 56.

Link, Bahnhofstr. 17, 6 83, – – 25/100
M a la carte 17/34 – **41 Z : 73 B** 28/42 - 56/75.

In Nentershausen 2-Weißenhasel **6446** S : 5 km :

Johanneshof, Kupferstr. 24, (06627) 7 88, Fax 789, – . E VISA
M a la carte 24/47 – **23 Z : 45 B** 55/70 - 100/110 Fb.

SOODEN - ALLENDORF, BAD **3437.** Hessen 987 ⑮ ⑯, 412 M 13 – 10 000 Ew – Höhe 160 m – Heilbad – 05652 – **Sehenswert** : Allendorf : Fachwerkhäuser★ (Bürgersches Haus★, Kirchstr. 29, Eschstruthsches Haus★★, Kirchstr. 59).

Gäste - Informationsdienst in Bad Sooden, am Kurpark, 5 01 66.

♦Wiesbaden 231 – Göttingen 36 – Bad Hersfeld 68 – ♦Kassel 36.

Im Ortsteil Bad Sooden :

Martina, Westerburgstr. 1, 20 88, Fax 2732, – . AE E VISA
M 15/30 (mittags) und a la carte 25/53 – **67 Z : 94 B** 54/90 - 99/142.

Central (mit Gästehaus - Kurhotel Kneipp), Am Haintor 3, 25 84, Bade- und Massageabteilung, – AE E
M a la carte 25/46 – **61 Z : 88 B** 48/75 - 84/120 Fb – ½ P 60/77.

Stöbers - Restaurant, Auf dem Herrengraben 2, 61 56, – AE E VISA
Dienstag und 2.- 26. Jan. geschl. – **M** a la carte 33/58.

Im Ortsteil Allendorf :

Werratal, Kirchstr. 62, 20 57, - - *20. Dez.- 20. Jan. geschl.* - **M** a la carte 22/58 - **35 Z : 50 B** 40/55 - 80/110.

Im Ortsteil Ahrenberg NW : 6 km über Ellershausen :

Berggasthof Ahrenberg, 20 03, Fax 1854, Werratal, - . AE E VISA *2. Jan.- 15. Feb. geschl.* - **M** a la carte 27/60 - **17 Z : 30 B** 45/90 - 90/140 Fb - ½ P 63/108.

SPAICHINGEN **7208.** Baden-Württemberg 413 J 22, 987 ㉟ - 9 500 Ew - Höhe 670 m - 07424.

Ausflugsziel : Dreifaltigkeitsberg★ : Wallfahrtskirche ★ NO : 6 km.

♦Stuttgart 112 - Rottweil 14 - Tuttlingen 14.

Kreuz, Hauptstr. 113, 59 55 -
12 Z : 16 B.

In Hausen ob Verena **7201** SW : 6 km :

Hofgut Hohenkarpfen, am Hohenkarpfen - Höhe 850 m, (07424) 30 31, Fax 5995, « Regionales Kunstmuseum » - TV . AE E VISA
M *(Montag und 7.- 31. Jan. geschl.)* a la carte 27/64 - **21 Z : 31 B** 75/80 - 130/160 Fb.

SPALT **8545.** Bayern 413 P 19 - 5 000 Ew - Höhe 357 m - 09175.

♦München 149 - Ansbach 35 - Ingolstadt 70 - ♦Nürnberg 45.

Krone, Hauptstr. 23, 3 70 -
15 Z : 25 B.

In Spalt-Enderndorf S : 4,5 km :

Zum Hochreiter, Enderndorf 42, 7 49, - . E
Montag und 20. Dez.- Jan. geschl. - **M** a la carte 24/43.

In Spalt-Stiegelmühle NW : 5 km :

Gasthof Blumenthal, (09873) 3 32, -
Montag - Dienstag und Ende Jan.- Mitte Feb. geschl. - Menu a la carte 32/52.

SPANGENBERG **3509.** Hessen 987 ㉕, 412 L 13 - 7 000 Ew - Höhe 265 m - Luftkurort - 05663.

Verkehrsamt, Kirchplatz 4, 72 97.

♦Wiesbaden 209 - Bad Hersfeld 50 - ♦Kassel 36.

Schloß Spangenberg (Burganlage a.d. 13. Jh.), 8 66, Telex 99988, Fax 7567, Spangenberg, - TV - 25/100.
26 Z : 51 B.

Ratskeller, Markt 1, 3 41
Sonntag 14 Uhr - Montag geschl. - **M** (Tischbestellung ratsam) a la carte 37/70.

SPARNECK Bayern siehe Münchberg.

SPEYER **6720.** Rheinland-Pfalz 987 ㉕, 412 413 I 19 - 46 000 Ew - Höhe 104 m - 06232.

Sehenswert : Dom★★ (Krypta★★★, Querschiff★★) B - ★★ vom Fuß des Heidentürmchens auf den Dom B **E** - Judenbad★ B **A** - Dreifaltigkeitskirche (Barock-Interieur★) B **B** - Historisches Museum der Pfalz (Goldener Hut★ aus Schifferstadt, Weinmuseum★) B **M1.**

Verkehrsamt, Maximilianstr. 11, 1 43 95.

Mainz 93 ① - Heidelberg 21 ② - ♦Karlsruhe 57 ② - ♦Mannheim 22 ① - Pirmasens 73 ④.

Stadtplan siehe gegenüberliegende Seite

Domhof garni, Im Bauhof 3, 1 32 90, Fax 132990 - TV - 25/120. AE E VISA B **v**
49 Z : 93 B 150/200 - 180/260 Fb.

Goldener Engel, Mühlturmstr. 1a, 1 32 60, Fax 132695 - TV . AE E VISA
23. Dez.- 2. Jan. geschl. - **M** (siehe Wirtschaft zum Alten Engel) - **42 Z : 70 B** 95/140 - 140/210 Fb. A **e**

Graf's Hotel Löwengarten, Schwerdstr. 14, 7 10 51, Telex 467666, Fax 26452 - TV - 25/40. AE E VISA. A **t**
M *(nur Abendessen, Freitag - Sonntag geschl.)* a la carte 31/60 - **42 Z : 75 B** 98/145 - 145/185 Fb.

Kurpfalz garni, Mühlturmstr. 5, 2 41 68 - . AE E VISA. A **n**
11 Z : 20 B 95/140 - 130/160.

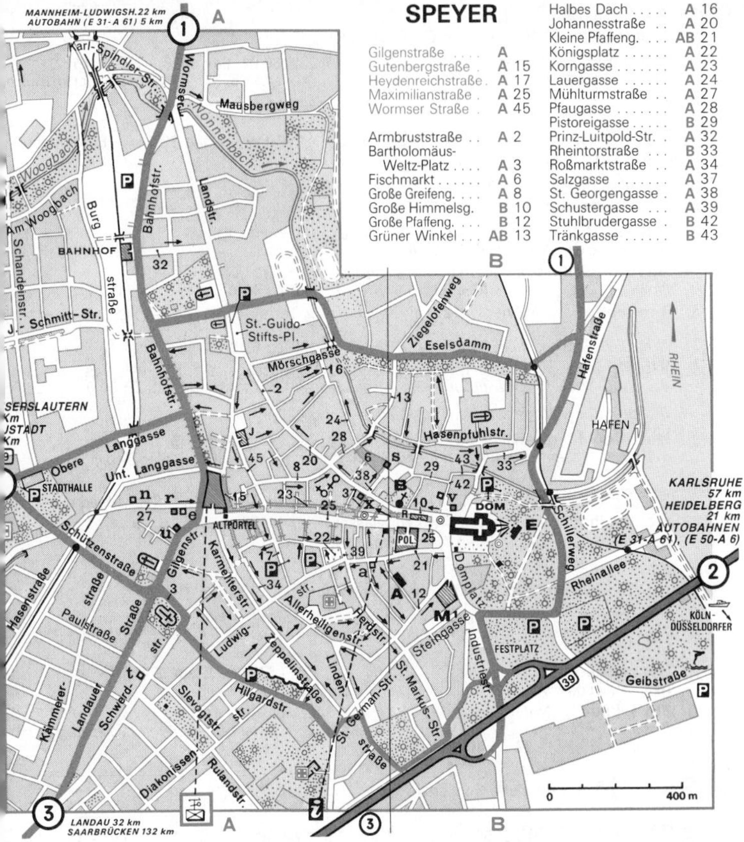

🏨 **Am Wartturm** garni, Landwehrstr. 28, ✆ 3 60 66 – ☎ Ⓟ. 🐕
15.- 31. Dez. geschl. – **17 Z : 34 B** 70/100 - 120/150. über Wormser Landstr. A

🏨 **Trutzpfaff,** Webergasse 5, ✆ 7 83 99 – Ⓟ. 🐕 A **a**
M *(Samstag geschl.)* a la carte 24/35 🍷 – **8 Z : 16 B** 65 - 95.

✕✕ **Rôtisserie Weißes Roß,** Johannesstr. 2, ✆ 2 83 80 A **x**
Montag ab 15 Uhr, Samstag und Aug. 3 Wochen geschl. – **M** a la carte 27/57 🍷.

✕✕ Kutscherhaus, Am Fischmarkt 5a, ✆ 7 05 92, Biergarten AB **s**
(Tischbestellung ratsam).

✕ **Gasthaus zm Domnapf,** Domplatz 1, ✆ 7 54 54, Fax 78099 – AE E VISA B **v**
Montag geschl. – **M** a la carte 36/60.

✕ **Pfalzgraf,** Gilgenstr. 26 b, ✆ 7 47 55 – AE E A **u**
Mittwoch 15 Uhr - Donnerstag, 25. Feb.- 10. März und 15.- 30. Juli geschl. – **M** a la carte 27/56 🍷.

✕ **Wirtschaft zum Alten Engel,** Mühlturmstr 1a, ✆ 7 09 14, « Altes Backsteingewölbe, antikes Mobiliar » – AE ① E VISA A **r**
nur Abendessen, Sonntag geschl. – **M** a la carte 33/54.

An der Rheinbrücke rechtes Ufer :

🏨 **Rheinhotel Luxhof,** ✉ 6832 Hockenheim, ✆ (06205) 30 30, Fax 30325, 🏖, ≘s – 📺 ☎ 🚗 Ⓟ – 🏛 25/80. AE ① E VISA über ②
M a la carte 28/50 – **45 Z : 80 B** 70/95 - 115/160 Fb.

In Dudenhofen **6724** ④ : 3 km :

🏨 Zum Goldenen Lamm, Landauer Str. 2, ✆ (06232) 9 43 82, Fax 98502 – 📺 Ⓟ – 🏛 25/40
24 Z : 51 B Fb.

In Römerberg 1-Berghausen **6725** ③ : 3 km :

Morgenstern, Germersheimer Str. 2b, ✆ (06232) 80 01, Fax 8028 – TV ☎ P. E
Jan. 2 Wochen geschl. – **M** *(Dienstag geschl.)* a la carte 28/57 – **Schlemmerstübchen**
M a la carte 40/60 – **14 Z : 26 B** 70/90 - 120/150 Fb.

SPIEGELAU **8356.** Bayern 413 X 20, 426 M 2 – 4 050 Ew – Höhe 730 m – Erholungsort – Wintersport : 780/830 m ⛷2 ⛷4 – ☎ 08553.

Verkehrsamt, Rathaus, Hauptstr. 30, ✆ 4 19, Fax 6424.

♦München 193 – Deggendorf 50 – Passau 45.

Hubertushof garni, Hauptstr. 1, ✆ 5 22, ≘s, – P.
Nov.- 20. Dez. geschl. – **36 Z : 65 B** 50/60 - 90/100 Fb.

Gasthof Genosko, Hauptstr. 11, ✆ 12 58 – TV ☎ P. Zim
Nov.- 15. Dez. geschl. – **M** a la carte 19/33 – **22 Z : 44 B** 50/60 - 100/120 Fb.

Tannenhof , Auf der List 27, ✆ 3 54/60 54, « Terrasse mit < », ≘s, , – P
Zim
Nov.- 20. Dez. geschl. – **M** a la carte 28/42 – **35 Z : 65 B** 54/62 - 108/116 Fb.

Waldfrieden , Waldschmidtstr. 10, ✆ 12 47, Massage, ≘s, , – P
April und Nov.- 15. Dez. geschl. – (nur Abendessen für Hausgäste) – **28 Z : 50 B** 54 - 98 Fb.

In Spiegelau-Klingenbrunn NW : 4 km – Höhe 820 m

Hochriegel, Frauenauer Str. 31, ✆ 3 43, ≘s, , – TV P.
(nur Abendessen für Hausgäste) – **40 Z : 80 B** (nur ½ P) 56/90 - 112/152 Fb.

SPIEKEROOG (Insel) **2941.** Niedersachsen 411 G 5, 987 ④ – 600 Ew – Seeheilbad – Insel der Ostfriesischen Inselgruppe. Autos nicht zugelassen – ☎ 04976.

von Neuharlingersiel (40 min.), ✆ (04976) 2 17.

Kurverwaltung, Noorderpad 25, ✆ 1 70.

♦Hannover 258 – Aurich (Ostfriesland) 33 – Wilhelmshaven 46.

Inselfriede , Süderloog 12, ✆ 2 33, Fax 617, ≘s, , – ☎. ①
10. Jan.- 15. März geschl. – **M** a la carte 28/54 – **17 Z : 27 B** 70/78 - 128/168 – 17 Fewo 95/150.

Upstalsboom , Pollerdiek 4, ✆ 3 64, ≘s, – TV ☎. AE ① E VISA
M *(nur Abendessen)* a la carte 34/52 – **30 Z : 60 B** 110 - 160 Fb.

Zur Linde , Noorderloog 5, ✆ 2 34, Fax 646, – TV ☎
6. Jan.- 5. März und 1.- 25. Dez. geschl. – **M** *(auch vegetarische Gerichte)* (Dienstag geschl.) a la carte 37/56 – **22 Z : 40 B** 60/75 - 120/160 – ½ P 85/100.

SPITZINGSEE Bayern siehe Schliersee.

SPRINGE AM DEISTER **3257.** Niedersachsen 411 412 L 10, 987 ⑮ – 29 000 Ew – Höhe 113 m – Erholungsort – ☎ 05041.

Verkehrsverein, Am Markt/Ecke Burgstraße (Haus Peters), ✆ 7 32 73.

♦Hannover 26 – Hameln 20 – Hildesheim 33.

Garni, Zum Oberntor 9, ✆ 40 11 – ☎
24. Dez.- 2. Jan. geschl. – **17 Z : 28 B** 59 - 85/90 Fb.

SPROCKHÖVEL Nordrhein-Westfalen siehe Hattingen.

STADE **2160.** Niedersachsen 411 L 6, 987 ⑤ – 45 000 Ew – Höhe 7 m – ☎ 04141.

Sehenswert : Schwedenspeicher-Museum Stade★ (Bronze-Räder★).

Ausflugsziel : Das Alte Land★.

Fremdenverkehrsamt, Bahnhofstr. 3, ✆ 40 14 50, Fax 401457.

ADAC, Hinterm Teich 1, ✆ 6 32 22, Notruf ✆ 1 92 11.

♦Hannover 178 – Bremerhaven 76 – ♦Hamburg 57.

Parkhotel Staderhof - Restaurant Contrescarpe, Schiffertorstr. 8 (Stadeum), ✆ 49 90 (Hotel) 40 91 99 (Rest.), Fax 499100, , ≘s – TV ☎ P – 25/800. AE ① E VISA
M a la carte 41/73 – **100 Z : 200 B** 95/115 - 140/180 Fb.

Herzog Widukind garni, Große Schmiedestr. 14, ✆ 4 60 96, Telex 218627, Fax 3603 – Zim TV ☎ . AE ① E VISA
45 Z : 80 B 120/130 - 150/160 Fb.

Vier Linden , Schölischer Str. 63, ✆ 4 40 11, Fax 2865, ≘s – TV ☎ P – 25/50. AE ① E VISA
M *(nur Abendessen, Sonntag geschl.)* a la carte 30/51 – **46 Z : 90 B** 75/95 - 120/135.

Zur Einkehr, Freiburger Str. 82, ✆ 23 25, Fax 2455, ⇋ - TV ☎ 🚗 P - 🏛 25/50. AE ⓓ E VISA
M a la carte 30/64 - **40 Z : 70 B** 80/95 - 120/135.

Schwedenkrone, Richeyweg 15, ✆ 8 11 74, Fax 86488 - TV ☎ P. AE ⓓ E VISA
M *(wochentags nur Abendessen, Sonntag ab 14 Uhr geschl.)* a la carte 26/48 - **31 Z : 51 B** 68/75 - 110/120.

Zur Hanse garni (mit Gästehäusern), am Burggraben 4, ✆ 4 44 41 - TV ☎ P
14 Z : 28 B Fb - 4 Fewo.

Alte Schleuse, Salzstr. 29, ✆ 30 63, ☂ - P.

Ratskeller, Hökerstr. 10, ✆ 4 42 55, ☂, « Gotisches Kreuzgewölbe a.d. 13. Jh. » - AE ⓓ E VISA
Montag und Jan. geschl. - **M** a la carte 33/61.

Insel-Restaurant, Auf der Insel 1, ✆ 20 31, ☂ - ♿ P - 🏛 40
M a la carte 33/64.

STADECKEN-ELSHEIM Rheinland-Pfalz siehe Mainz.

STADLAND **2883.** Niedersachsen 411 I 6 - 7 800 Ew - Höhe 2 m - ☎ 04732.
◆Hannover 187 - ◆Bremen 68 - Oldenburg 40.

In Stadland 1-Rodenkirchen :

Friesenhof garni, Friesenstr. 13 (B 212), ✆ 6 48, ≈, ✂ - TV ☎ 🚗 P
15 Z : 18 B 60/80 - 90/110.

STADTALLENDORF **3570.** Hessen 412 K 14 - 21 000 Ew - Höhe 255 m - ☎ 06428.
◆Wiesbaden 141 - Alsfeld 27 - Marburg 21 - Neustadt Kreis Marburg 8.

Parkhotel ⛯, Schillerstr. 1, ✆ 70 80, Telex 4821000, Fax 708259, ☂, ≈, ✂ - TV 🚗 P - 🏛 25/50. AE ⓓ E VISA. ✗ Rest
M a la carte 37/70 - **50 Z : 88 B** 89/222 - 168/308 Fb.

STADTBERGEN **8901.** Bayern 413 P 21 - 13 100 Ew - Höhe 491 m - ☎ 0821 (Augsburg).
◆München 88 - ◆ Augsburg 6 - ◆ Ulm (Donau) 74.

Café Weinberger garni, Bismarckstr. 55, ✆ 43 20 71 - 🛗 ☎ P. ✗
27 Z : 31 B.

STADTHAGEN **3060.** Niedersachsen 411 412 K 10, 987 ⑮ - 23 100 Ew - Höhe 67 m - ☎ 05721.
⛳ Obernkirchen (SW : 4 km), ✆ (05724) 46 70.
◆Hannover 44 - Bielefeld 76 - ◆Osnabrück 106.

Parkhotel ⛯ garni, Büschingstr. 10, ✆ 30 44, Fax 5559, ⇋ - TV ☎ 🚗 P. AE ⓓ E VISA
20 Z : 36 B 78/128 - 128/168.

In Stadthagen-Obernwöhren SO : 5 km :

Oelkrug ⛯, Waldstr. 2, ✆ 7 60 51, Fax 3038 - 🛗 ☎ P - 🏛 30. ✗ Rest
12. Jan.- 3. Feb. und 5. Juli - 3. Aug. geschl. - **M** *(Montag geschl.)* a la carte 32/72 - **20 Z : 33 B** 69/85 - 118/185.

In Nienstädt-Sülbeck **3065** SW : 6 km :

Sülbecker Krug mit Zim, Mindener Str. 17 (B 65), ✆ (05724) 60 31, Fax 3780 - TV ☎ 🚗 P. ⓓ E VISA
Feb. 2 Wochen geschl. - **M** *(Freitag - Samstag 17 Uhr geschl.)* a la carte 41/69 - **15 Z : 20 B** 65/95 - 120/160 Fb.

In Niedernwöhren **3066** NW : 6 km :

Landhaus Heine - Restaurant Ambiente, Brunnenstr. 17, ✆ (05721) 21 21 - P. AE ⓓ E VISA. ✗
Montag 15 Uhr - Dienstag, Jan. 2 Wochen und Juni - Juli 2 Wochen geschl. - Menu (bemerkenswerte Weinkarte) a la carte 39/63.

STADTLOHN **4424.** Nordrhein-Westfalen 411 412 D 11, 987 ⑬ ⑭, 408 L 5 - 17 400 Ew - Höhe 40 m - ☎ 02563.
ℹ Verkehrsverein, Rathaus, Markt 3, ✆ 87 48.
◆Düsseldorf 105 - Bocholt 31 - Enschede 38 - Münster (Westfalen) 56.

Tenbrock, Pfeifenofen 2, ✆ 10 72, Fax 1075, ⇋, 🏊 - ☎ P - 🏛 35. AE ⓓ E VISA
Weihnachten - Anfang Jan. und Juli - Aug. 3 Wochen geschl. - **M** *(Samstag bis 18 Uhr geschl.)* a la carte 40/63 - **30 Z : 48 B** 70/95 - 125/150.

STAFFELSTEIN **8623.** Bayern 413 PQ 16, 987 ㉖ – 10 500 Ew – Höhe 272 m – ☎ 09573.

Ausflugsziele : Ehemaliges Kloster Banz : Terrasse <★, N : 5 km – Wallfahrtskirche Vierzehnheiligen★★(Nothelfer-Altar★★), NO : 5 km.

Städt. Verkehrsamt, Alte Darre am Stadtturm, ✆ 41 92.

♦München 261 – ♦Bamberg 26 – Coburg 26.

Kurhotel, Oberauer Str. 2, ✆ 33 30, Fax 333299, Bade- und Massageabteilung, – 40. AE E VISA
M a la carte 33/49 – **113 Z : 226 B** 90 - 138 Fb.

Rödiger, Zur Herrgottsmühle 2, ✆ 8 95, Fax 1339, – – 50
51 Z : 90 B Fb.

Vierjahreszeiten garni, Annaberger Str. 1, ✆ 68 38 –
18 Z : 33 B 54 - 94.

In Staffelstein-Grundfeld NO : 4 km :

Maintal, ✆ (09571) 31 66, – .
22. Dez.- 22. Jan. geschl. – **M** *(Sonntag ab 14 Uhr und Freitag geschl.)* a la carte 20/46 – **20 Z : 32 B** 40/55 - 70/80.

In Staffelstein-Romansthal O : 3 km :

Zur schönen Schnitterin, ✆ 43 73, < –
30. Nov.- 26. Dez. geschl. – **M** *(Montag geschl.)* a la carte 20/45 – **15 Z : 27 B** 35/37 - 66/70.

STAMSRIED **8491.** Bayern 413 U 19 – 2 000 Ew – Höhe 450 m – ☎ 09466.

♦München 172 – ♦ Nürnberg 131 – Passau 124 – ♦ Regensburg 50.

Pusl, Marktplatz 6, ✆ 3 26, –
10.- 30. Nov. geschl. – **M** *(Dienstag ab 14 Uhr geschl.)* a la carte 18/38 – **22 Z : 44 B** 44 - 76/82 Fb.

STAPELFELD **2000.** Schleswig-Holstein 411 N 6 – 1 500 Ew – Höhe 20 m – ☎ 040 (Hamburg).

♦Kiel 91 – ♦Hamburg 22 – ♦Lübeck 47.

Zur Windmühle, Hauptstr. 99, ✉ 2000 Hamburg 73, ✆ 67 50 70, Fax 67507299, – – 30. AE E VISA
M a la carte 35/77 – **49 Z : 63 B** 110 - 165 Fb.

STARNBERG **8130.** Bayern 413 R 22, 987 ㊲, 426 F 4 – 20 300 Ew – Höhe 587 m – ☎ 08151.

Starnberg-Hadorf, ✆ 1 21 57 ; Gut Rieden, ✆ 88 11.

Fremdenverkehrsverband, Kirchplatz 3, ✆ 1 30 08, Fax 13289.

♦München 27 – ♦Augsburg 95 – Garmisch-Partenkirchen 70.

Tutzinger Hof, Tutzinger-Hof-Platz 7, ✆ 30 81, Fax 28138, – . AE E VISA
M a la carte 29/42 – **38 Z : 72 B** 90 - 130 Fb.

Pension Happach garni, Achheimstr. 2, ✆ 1 25 37 – .
11 Z : 20 B.

Isola d'Elba (Italienische Küche), Theresienstr. 9, ✆ 1 67 80, – . AE E VISA
M a la carte 34/62.

Starnberger Alm - Illguth's Gasthaus, Schloßbergstr. 24, ✆ 1 55 77, « Sammlung alter handwerklicher Geräte » – . AE E VISA
Dienstag - Donnerstag nur Abendessen, Sonntag - Montag, 24. Dez.- 8. Jan., 21.- 25. April und 18. Aug.- 2. Sept. geschl. – **M** a la carte 20/39.

STARZACH **7245.** Baden-Württemberg 413 J 21 – 3 000 Ew – Höhe 400 m – ☎ 07457.

Schloß Weitenburg, ✆ (07472) 80 61.

♦Stuttgart 66 – Freudenstadt 29.

In Starzach-Börstingen N : 7 km :

Schloß Weitenburg, ✆ 80 51, Fax 8054, <, « Schloß a.d.J. 1585, Park, Schloßkapelle », (Halle) – – 25/120. E VISA
M a la carte 45/77 – **35 Z : 60 B** 95/105 - 174/182 Fb.

STASSFURT **O-3250.** Sachsen-Anhalt 984 ⑲, 987 ⑯ – 27 000 Ew – Höhe 90 m – ☎ 0037936.

Magdeburg 37 – Dessau 59 – Halle 56 – Nordhausen 95.

Grüner Baum, August-Bebel-Str. 2, ✆ 62 41 66 (Hotel) 62 50 24 (Restaurant) – . Rest
27 Z : 52 B.

Kreiskulturhaus, Hecklinger Str. 81, ✆ 62 20 19, .

STAUDACH-EGERNDACH **8217.** Bayern 413 U 23 – 1 100 Ew – Höhe 600 m – ☎ 08641 (Grassau).

Verkehrsbüro, Marquartsteiner Str. 3, ✆ 25 60.

♦München 91 – Rosenheim 34 – Traunstein 20.

Im Ortsteil Staudach :

Mühlwinkl ⛰, Mühlwinkl 14, ✆ 24 14, 🍴, 🌳 – 🅿
Nov.- 10. Dez. geschl. – **M** *(Dienstag geschl.)* a la carte 18/42 🍷 – **17 Z : 30 B** 35/43 - 66/76.

Im Ortsteil Egerndach :

Gasthof Ott ⛰, ✆ 21 83, Fax 1764, 🌳 – 🚗 🅿
12. Jan.- 9. Feb. geschl. – **M** *(Montag geschl.)* a la carte 17/38 🍷 – **28 Z : 55 B** 28/38 - 56/76.

STAUFEN **7813.** Baden-Württemberg 413 G 23, 427 H 2, 242 ㊱ – 6 600 Ew – Höhe 290 m – Erholungsort – ☎ 07633.

Sehenswert : Staufenburg : Lage★.

Verkehrsamt, Rathaus, ✆ 8 05 36.

♦Stuttgart 222 – Basel 58 – ♦Freiburg im Breisgau 20.

Hirschen ⛰, Hauptstr. 19, ✆ 52 97, 🌳 – 🛗 📺 🅿
12 Z : 24 B.

Zum Löwen - Fauststube mit Zim (Gasthaus seit 1407), Hauptstr. 47, ✆ 70 78, 🍴 – ✗
10.- 23. Feb. und 5.- 15. März geschl. – **M** *(Tischbestellung ratsam)* (Nov.- März Sonntag, April - Okt. Sonntag ab 18 Uhr geschl.) a la carte 49/82 – **4 Z : 8 B** 125 - 145/165.

Kreuz-Post mit Zim, Hauptstr. 65, ✆ 52 40, 🍴 – ⓓ E VISA ✗ Zim
Jan. und Juni jeweils 2 Wochen geschl. – **M** *(Mittwoch - Donnerstag geschl.)* a la carte 35/65 🍷 – **9 Z : 16 B** 38/46 - 60/80.

STAUFENBERG **6301.** Hessen 412 J 15 – 7 400 Ew – Höhe 163 m – ☎ 06406.

♦Wiesbaden 102 – ♦Frankfurt am Main 73 – Gießen 11 – ♦Kassel 116.

Burghotel Staufenberg ⛰ (Burg a.d. 12.Jh. mit modernem Hotelanbau), Burggasse 10, ✆ 30 12, Fax 72492 – 📺 ☎ 🅿 – 🏛 25/50. ⓓ E VISA
M *(Juni - Juli 2 Wochen geschl.)* a la carte 31/65 – **26 Z : 40 B** 105/125 - 190/220 Fb.

STEBEN, BAD **8675.** Bayern 413 R 15 – 3 700 Ew – Höhe 580 m – Heilbad – Wintersport : 585/650 m ⛷1 ⛷5 – ☎ 09288.

Kurverein, ✆ 2 88.

Staatl. Kurverwaltung, Badstr. 31, ✆ 10 93.

♦München 295 – Bayreuth 66 – Hof 25.

Relexa Hotel - Parkschlößchen ⛰, Badstr. 26, ✆ 7 20, Telex 643423, Fax 72113, 🍴, Bade- und Massageabteilung, 🏋, ≘s, 🏊 – 🛗 📺 🅿 – 🏛 25/400. AE ⓓ E VISA. ✗ Rest
M *(auch Diät)* a la carte 48/73 – **123 Z : 159 B** 180 - 260 Fb – 6 Appart. 270 – ½ P 160/210.

Promenade ⛰, Badstr. 16, ✆ 10 21, ≘s – 🛗 📺 ☎ 🅿
M a la carte 22/45 – **47 Z : 60 B** 55/85 - 114/150 Fb – ½ P 80/95.

In Bad Steben-Bobengrün S : 3 km :

Spitzberg mit Zim, Nr. 66, ✆ 3 13, Biergarten, 🌳 – 🚗 🅿
30. Okt.- 21. Nov. geschl. – **M** *(Dienstag geschl.)* a la carte 22/50 – **7 Z : 12 B** 35/60 - 70/90.

In Lichtenberg **8671** NO : 3 km :

Bürgerrestaurant Harmonie, Schloßberg 2, ✆ (09288) 2 46, « Gemütliche Gasträume » – E
Dienstag 15 Uhr - Mittwoch und 20. Aug.- 15. Sept. geschl. – **M** a la carte 28/69.

STEGEN Baden-Württemberg siehe Kirchzarten.

STEIN Schleswig-Holstein siehe Laboe.

STEINACH **7619.** Baden-Württemberg 413 H 22, 242 ㉘ – 3 600 Ew – Höhe 205 m – ☎ 07832 (Haslach im Kinzigtal).

♦Stuttgart 170 – ♦Freiburg im Breisgau 50 – Offenburg 24.

Alte Bauernschänke, Kirchgasse 8, ✆ 23 44, Fax 8261, 🍴, « Restaurant im Schwarzwälder Bauernstil » – 📺 ☎ 🅿 – 🏛 25/90. AE E VISA
1.- 15. März geschl. – **M** *(auch vegetarische Gerichte)* (Sonntag - Montag 17 Uhr geschl.) a la carte 36/56 🍷 – **17 Z : 33 B** 63 - 90 Fb.

STEINAU AN DER STRASSE **6497** Hessen 412 413 L 16 – 10 000 Ew – Höhe 173 m – ☎ 06663.

◆ Wiesbaden 110 – Fulda 39 – ◆Frankfurt am Main 69 – Gießen 106 – ◆Würzburg 114.

In Steinau-Hintersteinau N : 14 km :

XX **Pfanne,** Rhönstr. 7, ☎ (06666) 2 35 – P
Dienstag und Ende Jan.- Mitte Feb. geschl. – **M** a la carte 39/57.

STEINBACH AM WALD **8641.** Bayern 413 QR 15 – 3 700 Ew – Höhe 600 m – Wintersport : 600/720 m ⛷1, ⛷3 – ☎ 09263.

◆München 300 – ◆Bamberg 83 – Bayreuth 69.

Pietz, Otto-Wiegand-Str. 4, ☎ 3 74, ⌂s, ⌂ – TV ☎ P
Mitte Nov.- Mitte Dez. geschl. – **M** *(Dienstag geschl.)* a la carte 16/36 ♁ – **35 Z : 64 B** 21/38 - 44/60.

STEINEN **7853.** Baden-Württemberg 413 G 24, 427 H 3, 216 ⑤ – 4 600 Ew – Höhe 335 m – ☎ 07627.

◆Stuttgart 269 – Basel 17 – ◆Freiburg im Breisgau 73 – Schopfheim 7.

Gästehaus Pflüger garni, Lörracher Str. 15, ☎ 14 18, ⌂ – ☎ ⇔ P
15 Z : 23 B 50/55 - 80/90.

STEINENBRONN **7049.** Baden-Württemberg 413 K 21 – 4 700 Ew – Höhe 430 m – ☎ 07157.

◆Stuttgart 20 – Reutlingen 33 – ◆Ulm (Donau) 92.

Krone, Stuttgarter Str. 47, ☎ 70 01, Fax 7006, ⌂s, ⌂ – |‡| TV ☎ ⇔ P – ⛰ 30. AE ⓓ E VISA
20. Dez.- 10. Jan. geschl. – **M** *(Sonntag 15 Uhr - Montag geschl.)* a la carte 39/76 – **45 Z : 60 B** 110/120 - 155/170 Fb.

Weinholzner Hotel garni, Stuttgarter Str. 3, ☎ 70 27, Fax 2395, ⌂s – |‡| TV ☎ ⇔ P. AE ⓓ E VISA. ✻
23 Z : 28 B 85/110 - 145/165 Fb.

Weinstube Maier, Tübinger Str. 21, ☎ 40 41 – ☎ ⇔ P. AE ⓓ E. ✻
M *(nur Abendessen, Freitag - Sonntag und Aug. 3 Wochen geschl.)* a la carte 22/45 ♁ – **23 Z : 35 B** 60/75 - 85/100 Fb.

STEINFELD **2841.** Niedersachsen 411 H 9, 987 ⑭ – 6 600 Ew – Höhe 49 m – ☎ 05492.

◆Hannover 122 – ◆Bremen 90 – Oldenburg 121 – ◆Osnabrück 45.

Schemder Bergmark ⛰, Erholungszentrum Dammer Berge (W : 3 km), ☎ 8 90, Fax 8959, ⌂, ⌂s, ⌂, ⌂, ✂ – TV ☎ P – ⛰ 25/100. AE ⓓ E VISA. ✻ Rest
M a la carte 28/62 – **40 Z : 64 B** 67/90 - 92/145 Fb.

STEINFURT **4430.** Nordrhein-Westfalen 411 412 EF 10, 987 ⑭ – 33 000 Ew – Höhe 70 m – ☎ 02551.

⛳ Steinfurt-Bagno, ☎ 51 78.

ℹ Verkehrsverein Steinfurt- Burgsteinfurt, Markt 2, ☎ 13 83.

◆Düsseldorf 162 – Enschede 39 – Münster (Westfalen) 25 – ◆Osnabrück 58.

In Steinfurt-Borghorst

Schünemann, Altenberger Str. 109, ☎ (02552) 23 30, Fax 61728 – TV ☎ ⇔ P. AE ⓓ E VISA
M *(Montag geschl.)* a la carte 31/71 – **20 Z : 40 B** 79/85 - 130/140 Fb.

Posthotel Riehemann, Münsterstr. 8, ☎ (02552) 40 59, Fax 62484, ⌂ – TV ☎ ⇔ P – ⛰ 50. ⓓ E VISA. ✻
M *(Freitag - Samstag geschl.)* a la carte 25/55 – **17 Z : 23 B** 55/75 - 95/120 Fb.

In Steinfurt-Burgsteinfurt

Zur Lindenwirtin, Ochtruper Str. 38, ☎ 20 15 – P. ✻
20. Juli - 10. Aug. geschl. – **M** *(Sonntag 14 Uhr - Montag 17.30 Uhr geschl.)* a la carte 22/46 – **18 Z : 30 B** 44/54 - 70/84.

STEINGADEN **8924.** Bayern 413 P 23, 987 ㊱, 426 E 5 – 2 600 Ew – Höhe 763 m – Erholungsort – ☎ 08862.

Sehenswert : Klosterkirche★.

Ausflugsziel : Wies : Kirche★★ SO : 5 km.

◆München 103 – Füssen 21 – Weilheim 34.

In Steingaden-Wies SO : 5 km :

X Moser ⛰, Wies 1, ☎ 5 03, ⌂ – P

STEINHEIM **4939.** Nordrhein-Westfalen 411 412 K 11, 987 ⑮ – 12 100 Ew – Höhe 144 m – ☎ 05233.
♦Düsseldorf 208 – Detmold 21 – ♦Hannover 85 – Paderborn 38.

Hubertus, Rosentalstr. 15, ☎ 52 46 – P. E
10.- 30. Aug. geschl. – **M** *(Montag geschl.)* a la carte 20/42 – **5 Z : 8 B** 50/60 - 95/110.

In Steinheim-Bergheim SW : 7 km :

Gasthof Hegge, Koobenweg 1, ☎ 52 25 – TV ☎ P. E
M *(Sonntag bis 17 Uhr und Mittwoch geschl.)* a la carte 25/36 – **11 Z : 18 B** 47 - 90.

In Steinheim 2-Sandebeck SW : 12 km :

Germanenhof, Teutoburger-Wald-Str. 29, ☎ (05238) 14 33, Fax 1331 – TV ☎ P. AE
E VISA
M *(Dienstag geschl.)* a la carte 31/65 – **16 Z : 31 B** 60/70 - 100/130.

STEINHEIM AM ALBUCH Baden-Württemberg siehe Heidenheim an der Brenz.

STEINHEIM AN DER MURR **7141.** Baden-Württemberg 413 K 20 – 9 600 Ew – Höhe 202 m – ☎ 07144 (Marbach am Neckar).
♦Stuttgart 32 – Heilbronn 28 – Ludwigsburg 16.

Hotel Mühlenscheuer garni, Mühlweg 5, ☎ 2 90 49, Fax 207012 – TV ☎ P. E VISA
23 Z : 44 B 79/89 - 139 Fb.

Zum Lamm, Marktstr. 32, ☎ 2 93 90, Fax 208798 – TV P. E VISA
M *(Montag bis 17 Uhr geschl.)* a la carte 22/48 – **24 Z : 45 B** 54/64 - 78/98 Fb.

In Steinheim 2-Kleinbottwar N : 2 km :

Rädle, Steinheimer Str. 12, ☎ (07148) 13 33 – P. E
Mitte Aug.- Mitte Sept. geschl. – **M** *(wochentags nur Abendessen, Sonntag 15 Uhr - Montag geschl.)* a la carte 32/48 – **11 Z : 17 B** 50/60 - 90/100.

STEINLAH Niedersachsen siehe Salzgitter.

STEINSFELD Bayern siehe Rothenburg o.d.T.

STEINWENDEN Rheinland-Pfalz siehe Ramstein-Miesenbach.

STEISSLINGEN **7705.** Baden-Württemberg 413 J 23, 427 K 2, 216 ⑨ – 3 500 Ew – Höhe 465 m – Erholungsort – ☎ 07738.
Verkehrsbüro, Schulstraße (Rathaus), ☎ 4 27.
♦Stuttgart 152 – ♦Konstanz 29 – Singen (Hohentwiel) 9.

Café Sättele, Schillerstr. 9, ☎ 3 58, ≤, – TV ☎ P – **16 Z : 28 B** Fb.

Schinderhannes, Singener Str. 45, ☎ 2 31, Fax 1796, – ☎ P – **12 Z : 25 B**.

Krone, Schulstr. 18, ☎ 2 25, – P
März 2 Wochen und Okt.- Nov. 3 Wochen geschl. – **M** *(Montag geschl.)* a la carte 21/52 – **13 Z : 20 B** 38 - 70.

STEMWEDE **4995.** Nordrhein-Westfalen 411 412 I 9 – 12 500 Ew – Höhe 65 m – ☎ 05745.
♦Düsseldorf 227 – Minden 36 – ♦Osnabrück 33.

In Stemwede 2-Haldem NW : 8,5 km ab Levern :

Berggasthof Wilhelmshöhe, ☎ (05474) 10 10, Fax 1371, , « Garten » – TV ☎
P. AE E VISA. Zim
27. Jan.- 18. Feb. geschl. – **M** *(Dienstag geschl.)* a la carte 26/58 – **14 Z : 22 B** 55/80 - 110/130.

STENDAL **O-3500.** Sachsen-Anhalt 984 ⑮, 987 ⑯ ⑰ – 50 000 Ew – Höhe 33 m – ☎ 0037921.
Sehenswert : Dom St. Nikolai★ (Glasfenster★) – Uenglinger Tor★.
Ausflugsziele : Tangermünde★ (Rathaus★, Neustädter Tor★), SO : 10 km – Havelberg (Dom St. Marien★, Skulpturen★★ an Lettner und Chorschranken), N : 46 km (über Tangermünde).
Stendal-Information, Kornmarkt 8, ☎ 21 61 86.
♦Berlin 125 – Dessau 133 – Magdeburg 60 – Schwerin 135.

Schwarzer Adler, Kornmarkt 5, ☎ 21 22 65, Fax 214067 – P
Ende Juli - Anfang Aug. geschl. – **M** *(Sonntag - Montag geschl.)* a la carte 20/40 – **23 Z : 43 B** 50 - 80/100.

Bahnhofshotel, Bahnhofstr. 30, ☎ 21 32 00 – TV. – **29 Z : 58 B** Fb.

Ratskeller (im Rathaus a.d.J. 1460), Kornmarkt, ☎ 21 26 65 – E
M a la carte 20/40.

STERNENFELS **7137.** Baden-Württemberg 412 413 J 19 – 2 700 Ew – Höhe 347 m – ☎ 07045 (Oberderdingen).

◆Stuttgart 52 – Heilbronn 33 – ◆Karlsruhe 41.

Zum Löwen, Heilbronner Str. 2, ☎ 6 17 – P
6 Z : 12 B.

STERUP **2396.** Schleswig-Holstein 411 M 2 – 1 400 Ew – Höhe 40 m – ☎ 04637.

◆Kiel 74 – Flensburg 30 – Schleswig 45.

Allmanns Kroog, Flensburger Str. 1, ☎ 8 20, Fax 82280 – TV ☎ P – 25/100. AE ① E VISA
M a la carte 30/61 – **30 Z : 60 B** 75/95 - 99/165.

In questa guida
uno stesso simbolo, uno stesso carattere
*stampati in rosso o in nero, in magro o in **grassetto**,*
hanno un significato diverso.
Leggete attentamente le pagine esplicative.

STEYERBERG **3074.** Niedersachsen 411 JK 9 – 5 000 Ew – Höhe 60 m – ☎ 05764.

◆Hannover 62 – ◆Bremen 74 – Minden 38 – Nienburg (Weser) 19.

Deutsches Haus, Am Markt 5, ☎ 16 12 – TV ☎ P
14 Z : 20 B.

Süllhof, Kirchstr. 41, ☎ 16 04 – ☎ P. Zim
M a la carte 15/37 – **12 Z : 16 B** 37/40 - 70/76.

STIPSHAUSEN **6581.** Rheinland-Pfalz 412 E 17 – 1 000 Ew – Höhe 500 m – Erholungsort – Wintersport : 500/746 m 2 1 – ☎ 06544.

Mainz 106 – Bernkastel-Kues 26 – Bad Kreuznach 62 – Idar-Oberstein 24.

Brunnenwiese, Mittelweg 3, ☎ 85 85, – TV ☎ P. E.
Nov. - 15. Dez. geschl. – **M** a la carte 22/35 – **10 Z : 20 B** 49 - 86.

STOCKACH **7768.** Baden-Württemberg 413 JK 23, 987 ㉟, 216 ⑨ – 13 100 Ew – Höhe 491 m – ☎ 07771.

Ausflugsziel : Haldenhof ≤★★, SO : 13 km.

◆Stuttgart 157 – ◆Freiburg im Breisgau 112 – ◆Konstanz 36 – ◆Ulm (Donau) 114.

Goldener Ochsen, Zoznegger Str. 2, ☎ 20 31, Telex 793235, Fax 2034 – ☎ P – 35. AE ① E VISA
2.- 21. Jan. geschl. – **M** *(Mittwoch bis 18 Uhr geschl.)* a la carte 38/71 – **35 Z : 54 B** 65/95 - 100/140 Fb.

Zur Linde, Goethestr. 23, ☎ 6 10 66, Fax 61220, – TV ☎ P – 50. AE ① E VISA
März 2 Wochen geschl. – **M** *(Freitag geschl.)* a la carte 31/67 – **25 Z : 47 B** 58/75 - 87/116.

Paradies, Radolfzeller Str. 36 (B 31), ☎ 35 20, – P
15. Dez.- 15. Jan. geschl. – **M** *(Freitag geschl.)* a la carte 27/51 – **36 Z : 65 B** 33/50 - 55/85 Fb.

STOCKSTADT AM MAIN **8751.** Bayern 412 413 K 17 – 7 000 Ew – Höhe 110 m – ☎ 06027.

◆München 361 – ◆ Darmstadt 36 – ◆ Frankfurt am Main 35.

Brößler, Obernburger Str. 2, ☎ 72 37, Biergarten – TV ☎ P. AE E
1.- 8. Jan. geschl. – **M** *(Samstag geschl.)* a la carte 25/58 – **34 Z : 56 B** 75/80 - 130/140 Fb.

STOLBERG **5190.** Nordrhein-Westfalen 412 B 14, 987 ㉓, 409 L 3 – 56 400 Ew – Höhe 180 m – ☎ 02402.

◆Düsseldorf 80 – ◆Aachen 11 – Düren 23 – Monschau 36.

Parkhotel am Hammerberg garni, Hammerberg 11, ☎ 1 23 40, Fax 123480, , – TV ☎ P – 25. AE ① E VISA
28 Z : 50 B 95/140 - 160/225 Fb.

Stadthalle garni, Rathausstr. 71, ☎ 2 30 56 – TV ☎ P. AE E VISA
19 Z : 25 B 75/85 - 110/120.

XXX **Romantik-Hotel Burgkeller** mit Zim, Klatterstr. 10, ☎ 2 72 72, Fax 123480, – TV ☎ P. AE ① E VISA
1.- 3. Jan. und 27. Feb.- 3. März geschl. – **M** *(Samstag bis 18 Uhr geschl.)* a la carte 45/83 – **7 Z : 12 B** 125/140 - 195/225.

In Stolberg-Zweifall SO : 6,5 km :

Sporthotel Zum Walde - Rochuskeller, Klosterstr. 4, ✆ 76 90, Fax 76910, Massage, 🏋, ⛆, 🏊, 🌳 - 🛗 📺 ☎ 🚗 🅟 - 🏃 35. AE ◑ E VISA
M *(nur Abendessen)* a la carte 39/60 - **57 Z : 142 B** 125/175 - 170/300 Fb - ½ P 110/150.

STRALSUND **O-2300.** Mecklenburg-Vorpommern 984 ③, 987 ⑦ - 70 000 Ew - Höhe 5 m - ✆ 0037821.

Sehenswert : Rathaus★ (Nordfassade★★) - Meereskundliches Museum und Aquarium★ - Nikolaikirche★ - Marienkirche★.

Stralsund-Information, Alter Markt 15, ✆ 24 39.

♦Berlin 239 - Greifswald 32 - ♦Rostock 71.

Baltic, Frankendamm 22, ✆ 53 81, 🌳 - 🛗 📺 ☎ 🅟 - **34 Z : 50 B** Fb - 3 Appart.

Scheelehaus, Fährstr. 23, ✆ 29 87
M a la carte 22/47.

STRANDE **2307.** Schleswig-Holstein 411 N 3 - 1 700 Ew - Höhe 5 m - Seebad - ✆ 04349 (Dänischenhagen) - Verkehrsbüro, Strandstr. 12, ✆ 2 90.

♦Kiel 17 - Eckernförde 26.

Strandhotel, Strandstr. 21, ✆ 80 80, Fax 80811, 🌳, ⛆ - 📺 ☎ 🅟 - **16 Z : 30 B** Fb.

Seglerhus garni, Rudolf-Kinau-Weg 2, ✆ 8 08 10 - 📺 ☎ 🅟 - **16 Z : 32 B** Fb.

Petersen's Hotel garni, Dorfstr. 9, ✆ 3 11 - 📺 ☎ 🅟. E
20 Z : 33 B 49/85 - 90/130.

Haus am Meer garni, Bülker Weg 47, ✆ 3 30, ≤ - 📺 ☎ 🅟. AE E
10 Z : 20 B 70/104 - 96/108.

Jever-Stuben, Strandstr. 15, ✆ 81 19, ≤, 🌳 - 🅟. AE ◑ E VISA - **M** a la carte 29/60.

STRASSENHAUS Rheinland-Pfalz siehe Rengsdorf.

STRAUBENHARDT **7541.** Baden-Württemberg 413 I 20 - 8 500 Ew - Höhe 416 m - ✆ 07082 (Neuenbürg) - Verkehrsamt, Rathaus Conweiler, ✆ 10 21.

♦Stuttgart 67 - Baden-Baden 38 - ♦Karlsruhe 25 - Pforzheim 17.

In Straubenhardt 4-Schwann :

Adlerhof 🐦, Mönchstr. 14 (Schwanner Warte), ✆ 5 00 51, Fax 60161, ≤, 🌳, 🌳 - 📺 ☎ 🅟
6. Jan.- 16. Feb. geschl. - **M** *(Montag - Dienstag 16 Uhr geschl.)* 22/30 und a la carte 31/60 - **25 Z : 39 B** 65 - 120/172 Fb.

Im Holzbachtal SW : 6 km :

Waldhotel Bergschmiede 🐦, ✉ 7541 Straubenhardt 6, ✆ (07248) 10 51, « Hirschgehege, Gartenterrasse », ⛆, 🏊, 🌳, 🎾 - 📺 ☎ 🚗 🅟. E VISA
7. Jan.- 6. Feb. geschl. - **M** *(Dienstag geschl.)* a la carte 42/63 🍷 - **23 Z : 35 B** 48/65 - 90/124 Fb - ½ P 75/95.

STRAUBING **8440.** Bayern 413 U 20, 987 ㉗ - 40 600 Ew - Höhe 330 m - ✆ 09421.

Sehenswert : Stadtplatz★ - Städt. Verkehrsamt, Theresienplatz 20, ✆ 1 63 07, Fax 16308.

ADAC, Am Stadtgraben 44a, ✆ 2 25 55.

♦München 120 - Landshut 51 - Passau 79 - ♦Regensburg 48.

Heimer, Schlesische Str. 131, ✆ 6 10 91, Telex 65507, Fax 60794, ⛆ - 🛗 📺 ☎ 🚗 🅟 - 🏃 25/430. AE ◑ E
M *(Sonntag und 3.- 14. Aug. geschl.)* a la carte 41/64 - **36 Z : 70 B** 85/105 - 145/210 Fb.

Villa, Bahnhofsplatz 2, ✆ 2 30 94, Fax 82482, 🌳 - 📺 ☎ 🅟. AE ◑ E VISA
M a la carte 30/58 🍷 - **15 Z : 28 B** 99/130 - 170/200 Fb.

Seethaler 🐦, Theresienplatz 25, ✆ 1 20 22, 🌳 - 📺 ☎ 🅟. AE E
M *(Sonntag - Montag und 7.- 17. Jan. geschl.)* a la carte 30/50 - **21 Z : 35 B** 85/95 - 130/150 Fb.

Theresientor, Theresienplatz 41, ✆ 84 90, Fax 849100 - 📺 ☎ ♿ 🚗. AE ◑ E VISA
M *(Sonntag geschl.)* a la carte 30/53 - **33 Z : 66 B** 80/135 - 130/195 Fb.

Wenisch, Innere Passauer Str. 59, ✆ 2 20 66, Fax 23768 - 📺 ☎ 🚗 🅟. AE ◑ E VISA
M *(Samstag 15 Uhr - Sonntag und 22. Dez.- 6. Jan. geschl.)* a la carte 17/41 - **36 Z : 50 B** 65/70 - 90/110.

Römerhof, Ittlinger Str. 136, ✆ 6 12 45, 🌳 - 📺 ☎ 🚗 🅟
(nur Abendessen) - **20 Z : 40 B** Fb.

Wittelsbach, Stadtgraben 25, ✆ 15 17 - 🛗 📺 ☎ 🅟. AE ◑ E VISA
M *(Sonntag 15 Uhr-Montag 18 Uhr geschl.)* a la carte 22/50 🍷 - **36 Z : 65 B** 60/75 - 95/120 Fb.

XX **La Mirage** mit Zim, Regensburger Str. 46, ✆ 20 51 – TV ☎ ⇔. AE ⓓ E VISA. ⚔
M *(Sonntag 14 Uhr - Montag und 7.- 23. Aug. geschl.)* a la carte 65/78 – **18 Z : 24 B** 60/80 - 120/130 Fb.

In Aiterhofen **8441** SO : 6 km :

Murrerhof, Passauer Str. 1, ✆ (09421) 3 27 40, ☂ – ⇔ Ⓟ
24. Dez.- 7. Jan. und 12.- 21. Juni geschl. – **M** *(Freitag - Samstag geschl.)* a la carte 26/48 – **25 Z : 40 B** 44/62 - 84/92 Fb.

STROMBERG KREIS KREUZNACH **6534.** Rheinland-Pfalz 987 ㉔, 412 G 17 – 2 500 Ew – Höhe 235 m – ☎ 06724.

Am Südhang 1a, ✆ 10 35.

Mainz 45 – ◆Koblenz 59 – Bad Kreuznach 18.

Golfhotel Park Village ⛰, Buchenring, ✆ 60 00, Fax 600433, ☂, 🏋, ≘s, 🎾(Halle), 18 – |♦| ⇸ Zim ▤ Rest TV Ⓟ – 🎤 25/250. AE ⓓ E VISA
M a la carte 48/70 – **129 Z : 258 B** 153/171 - 218/305 Fb.

Burghotel Stromburg ⛰, Schloßberg (O : 1,5 km), ✆ 10 26, Fax 3307, ⩽, ☂ – ☎ Ⓟ – 🎤 25/180. AE ⓓ E VISA
M a la carte 40/77 – **22 Z : 40 B** 85 - 140/160 Fb.

Goldenfels, August-Gerlach-Str. 2a, ✆ 36 05, ☂ – Ⓟ
M *(Montag geschl.)* a la carte 24/32 – **20 Z : 34 B** 45/60 - 85/90.

STRULLENDORF **8618.** Bayern 413 P 17 – 6 700 Ew – Höhe 253 m – ☎ 09543.

◆München 220 – ◆Bamberg 9 – Bayreuth 68 – ◆Nürnberg 50 – ◆Würzburg 93.

Christel, Forchheimer Str. 20, ✆ 91 18, Fax 4970, ☂, ≘s, 🏊 – |♦| TV ☎ ⇔ Ⓟ – 🎤 30. ⚔
42 Z : 60 B Fb.

STUBENBERG Bayern siehe Simbach am Inn.

STÜHLINGEN **7894.** Baden-Württemberg 413 I 23, 987 ㉟, 427 J 2 – 5 000 Ew – Höhe 501 m – Luftkurort – ☎ 07744.

ℹ Verkehrsamt, Schloßstr. 9, ✆ 5 32 34.

◆Stuttgart 156 – Donaueschingen 30 – ◆Freiburg im Breisgau 73 – Schaffhausen 21 – Waldshut-Tiengen 27.

Rebstock (mit Gästehaus), Schloßstr. 10, ✆ 3 75, ☂ – TV ⇔ Ⓟ
15. Nov.- 16. Dez. geschl. – **M** *(Donnerstag geschl.)* a la carte 22/46 🍷 – **30 Z : 52 B** 45/50 - 90/120 Fb.

Krone, Stadtweg 2, ✆ 3 21, ☂ – ☎ ⇔ Ⓟ
6.- 22. März geschl. – **M** *(Montag geschl.)* a la carte 22/43 – **20 Z : 30 B** 45 - 86.

In Stühlingen-Weizen NO : 4 km :

Zum Kreuz, Ehrenbachstr. 70 (B 315), ✆ 3 35, ☂ – ⇔ Ⓟ
Mitte Okt.- Mitte Nov. geschl. – **M** *(Montag geschl.)* a la carte 25/48 🍷 – **19 Z : 30 B** 40/45 - 80/86 – ½ P 52/55.

STUHR **2805.** Niedersachsen 411 J 7 – 28 000 Ew – Höhe 4 m – ☎ 0421 (Bremen).

◆Hannover 125 – ◆Bremen 9,5 – Wildeshausen 29.

In Stuhr 1-Brinkum SO : 4 km 987 ⑮ :

Bremer Tor, Syker Str. 4 (B 6), ✆ 8 97 03, Fax 891423 – |♦| ▤ Rest TV ☎ ♿ Ⓟ – 🎤 25/120. AE ⓓ E VISA
M a la carte 34/59 – **38 Z : 65 B** 99/109 - 136/166 Fb.

In Stuhr 1-Brinkum-Nord O : 4 km :

Zum Wiesengrund, Bremer Str. 116a (B 6), ✆ 87 50 50, Fax 876714, ☂, ≘s – |♦| ☎ Ⓟ
M a la carte 24/47 – **17 Z : 30 B** 75/80 - 110/150 Fb.

In Stuhr-Groß Mackenstedt SW : 5 km :

Delme-Tor, Moordeicher Landstr. 79 (BAB-Abfahrt Delmenhorst-Ost), ✆ (04206) 90 66, Fax 7103 – TV ☎ ♿ Ⓟ – 🎤 25/180. AE ⓓ E VISA
M a la carte 30/59 – **52 Z : 104 B** 105/115 - 140/160 Fb.

In Stuhr 1-Heiligenrode SW : 7 km :

X **Klosterhof** ⛰ mit Zim, Auf dem Kloster 2, ✆ (04206) 2 12, ☂ – Ⓟ. ⓓ E
Juli - Aug. 3 Wochen geschl. – **M** *(Dienstag geschl.)* a la carte 30/56 – **7 Z : 13 B** 39/58 - 78/116.

In Stuhr-Moordeich W : 2 km :

XX **Nobel,** Neuer Weg 13, ✆ 5 68 08, Fax 563648, ☂ – Ⓟ
Dienstag, 10.- 31. Juli und 27.- 31. Dez. geschl. – **M** a la carte 28/57.

STUTTGART **7000.** Baden-Württemberg 413 KL 20, 987 ㉟ – 559 000 Ew – Höhe 245 m – ☎ 0711.

Sehenswert : Linden-Museum★★ KY **M1** – Wilhelma★ HT und Höhenpark Killesberg★ GT – Fernsehturm (※★) HX – Galerie der Stadt Stuttgart (Otto-Dix-Sammlung★) LY **M4** – Schwäb. Brauereimuseum★ BS **M7** – Altes Schloß (Renaissance-Hof★, Württembergisches Landesmuseum★ mit der Abteilung religiöse Bildhauerei★★) LY **M3** – Staatsgalerie★ (Alte Meister★★) LY **M2** – Stifts-Kirche (Grafenstandbilder★) LY **A** – Staatl. Museum für Naturkunde (Museum am Löwentor★) HT **M5** – Daimler-Benz-Museum★ JV **M6** – Porsche-Museum★ CP – Schloß Solitude★ BR.

Ausflugsziel : Bad Cannstatt : Kurpark★ O : 4 km EU.

Kornwestheim, Aldinger Straße (N : 11 km), ☎ (07141) 87 13 19 ; Mönsheim (NW : 30 km über die A 8 AR), ☎ (07044)69 09.

Stuttgart-Echterdingen (DS), ☎ 7 90 11, City-Air-Terminal, Lautenschlagerstr. 14 (LY), ☎ 20 12 68.

siehe Kornwestheim.

Messegelände Killesberg (GT), ☎ 2 58 91, Telex 722584.

Amt für Touristik – Tourist-Info, Königstr. 1a, ☎ 2 22 82 40, Fax 2228251.

ADAC Am Neckartor 2, ☎ 2 80 00, Notruf ☎ 1 92 11.

♦Frankfurt am Main 204 ② – ♦Karlsruhe 88 ⑧ – ♦München 222 ⑥ – Strasbourg 156 ⑧.

Messe-Preise : siehe S. 8
Fairs : see p. 24
Foires et salons : voir p. 16
Fiere : vedere p. 32

Stadtpläne siehe nächste Seiten

✿ **Steigenberger-Hotel Graf Zeppelin**, Arnulf-Klett-Platz 7, ☎ 29 98 81, Telex 722418, Fax 292141, Massage, – Zim TV – 25/300. AE E VISA. Rest **M** *(nur Abendessen, Samstag, Sonn- und Feiertage sowie 6. Juli - 9. Aug. geschl.)* (Tischbestellung ratsam) a la carte 74/108 – **Bistro Zepp 7 M** a la carte 33/53 – **280 Z : 400 B** 295/385 - 400/480 Fb – 20 Appart. 650/1780 LY **s**
Spez. Steinbutt unter der Kartoffelkruste, Kaninchenrücken und Lammfilet mit Estragonsauce, Rehrücken mit Cassis-Sauce.

Inter-Continental, Neckarstr. 60, ☎ 2 02 00, Telex 721996, Fax 202012, – Zim TV – 25/500. AE E VISA HV **t**
Restaurants : **Les Continents** *(Samstag bis 18.30 Uhr geschl.)* **M** a la carte 70/100 – **Neckarstube** *(Sonntag geschl.)* **M** a la carte 38/60 – **277 Z : 554 B** 273/428 - 320/505 Fb – 24 Appart. 865/3555.

Am Schloßgarten, Schillerstr. 23, ☎ 2 02 60, Telex 722936, Fax 2026888, « Terrasse mit » – Zim TV – 25/120. AE E VISA. Rest LY **u**
M a la carte 59/92 – **125 Z : 169 B** 245/320 - 380/450 Fb.

Royal, Sophienstr. 35, ☎ 62 50 50, Telex 722449, Fax 628809 – Rest TV – 25/70. AE E VISA KZ **b**
M a la carte 44/72 – **100 Z : 130 B** 208/390 - 275/420 Fb – 2 Appart. 605.

Parkhotel, Villastr. 21, ☎ 2 80 10, Telex 723405, Fax 284353, – TV – 25/80. AE E VISA HU **r**
M a la carte 47/85 – **75 Z : 100 B** 180/240 - 250/300 Fb.

Ruff, Friedhofstr. 21, ☎ 2 58 70, Telex 721645, Fax 2587404, – TV ☎ . AE E VISA GU **a**
20. Dez.- 4. Jan., 16.- 20. April und 18. Juli - 2. Aug. geschl. – **M** *(Samstag - Sonntag 18 Uhr geschl.)* a la carte 32/57 – **85 Z : 136 B** 123/165 - 166/186 Fb.

Rega Hotel, Ludwigstr. 18, ☎ 61 93 40, Telex 722701, Fax 6193477 – TV ☎ – 30. AE E VISA FV **a**
M a la carte 31/59 – **60 Z : 110 B** 160/195 - 210 Fb.

Intercity-Hotel garni, Arnulf-Klett-Platz 2, ☎ 29 98 01, Telex 723543, Fax 2261899 – TV ☎ – 25/60. AE E VISA LY **p**
112 Z : 146 B 160/174 - 210/240 Fb.

Unger garni, Kronenstr. 17, ☎ 2 09 90, Telex 723995, Fax 2099100 – TV ☎ . AE E VISA LY **a**
21. Dez.- 6. Jan. geschl. – **80 Z : 100 B** 149/219 - 219/239 Fb.

Bergmeister garni, Rotenbergstr. 16, ☎ 28 33 63, Fax 283719, – TV ☎ . AE E VISA HV **r**
45 Z : 78 B 148/168 - 185/330 Fb.

Kronen-Hotel garni, Kronenstr. 48, ☎ 29 96 61, Telex 723632, Fax 296940, – TV ☎ . AE E VISA KY **m**
22. Dez.- 7. Jan. geschl. – **85 Z : 104 B** 110/280 - 190/280 Fb.

Wörtz zur Weinsteige, Hohenheimer Str. 30, ☎ 24 06 81, Telex 723821, Fax 6407279, « Gartenterrasse » – TV ☎. AE E VISA LZ **p**
15. Dez.- 15. Jan. geschl. – **M** *(Samstag, Sonn- und Feiertage geschl.)* a la carte 37/69 – **25 Z : 40 B** 80/220 - 110/260 Fb.

Stadthotel am Wasen garni, Schlachthofstr. 19, ☎ 48 30 61, Fax 4800509 – TV ☎ . AE E VISA. JUV **e**
31 Z : 46 B 125 - 170 Fb.

Asangstraße . . . . **ER** 2
Augsburger Straße . . . . **ER** 3
Bahnhofstraße . . . . **EP** 4
Bergheimer Steige . . . . **BR** 5
Böblinger Straße . . . . **CS** 6
Ditzinger Straße (GERLINGEN) . . . . **BR** 7
Fellbacher Straße (FELLBACH) . . . . **EP** 8
Fellbacher Straße (UNTERTÜRKHEIM) . . . . **ER** 9
Föhrichstraße . . . . **CR** 10
Furtwänglerstraße . . . . **CR** 12
Gerlinger Straße . . . . **BP** 13
Hauptstätter Straße . . . . **DR** 14
Hauptstraße (ECHTERDINGEN) . . . . **CS** 15
Hauptstraße (GERLINGEN) . . . . **BR** 16
Hechinger Straße . . . . **CS** 17
Heilbronner Straße . . . . **DP** 18
Höhenstraße . . . . **EP** 19
Kappelbergstraße . . . . **ER** 20
Korntaler Straße . . . . **CP** 22
Kornwestheimer Straße . . . . **CP** 23
Leonberger Straße . . . . **CR** 24
Löffelstraße . . . . **CS** 25
Ludwigsburger Straße . . . . **DP** 26
Neue Ramtelstraße . . . . **AR** 27
Neuhäuser Straße . . . . **DS** 29
Panoramastraße . . . . **BR** 30
Pforzheimer Straße . . . . **CP** 31
Plieninger Straße . . . . **CS** 33
Rembrandtstraße . . . . **CS** 34
Robert-Koch-Straße . . . . **BS** 35
Rohrer Straße . . . . **CS** 36
Rotenwaldstraße . . . . **CR** 37
Scharnhauser Straße . . . . **ES** 38
Schönbuchstraße . . . . **BS** 39
Steiermärker Straße . . . . **CP** 40
Stuttgarter Straße (KORNWESTHEIM) . . . . **DP** 41
Stuttgarter Straße (LEINFELDEN) . . . . **CS** 43
Stuttgarter Straße (RUIT) . . . . **ES** 44
Talstraße . . . . **DR** 45
Untertürkheimer Straße . . . . **ER** 46
Vaihinger Landstraße . . . . **CR** 47
Vaihinger Straße . . . . **CS** 48
Weilimdorfer Straße . . . . **CP** 49
Württembergstraße . . . . **ER** 50

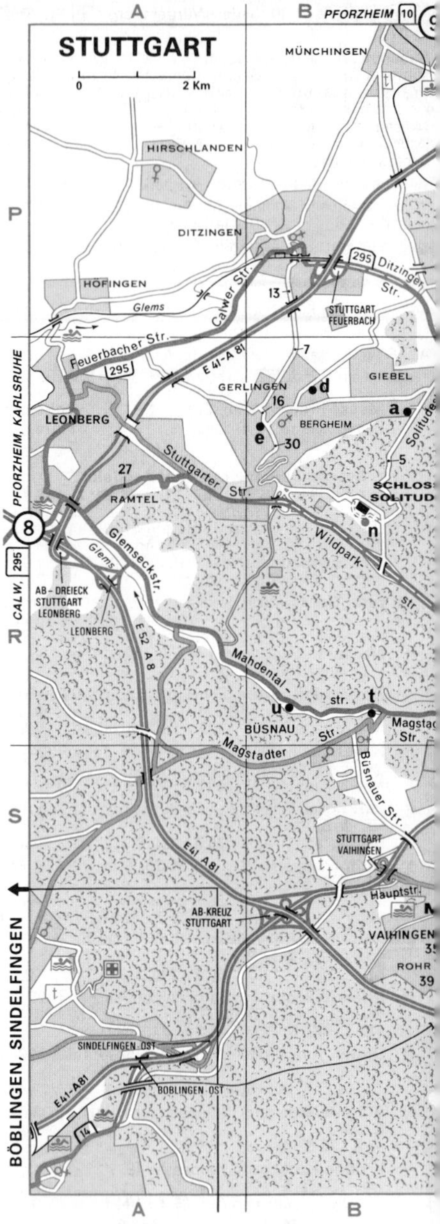

Erfahrungsgemäß werden bei größeren Veranstaltungen, Messen und Ausstellungen in vielen Städten und deren Umgebung erhöhte Preise verlangt.

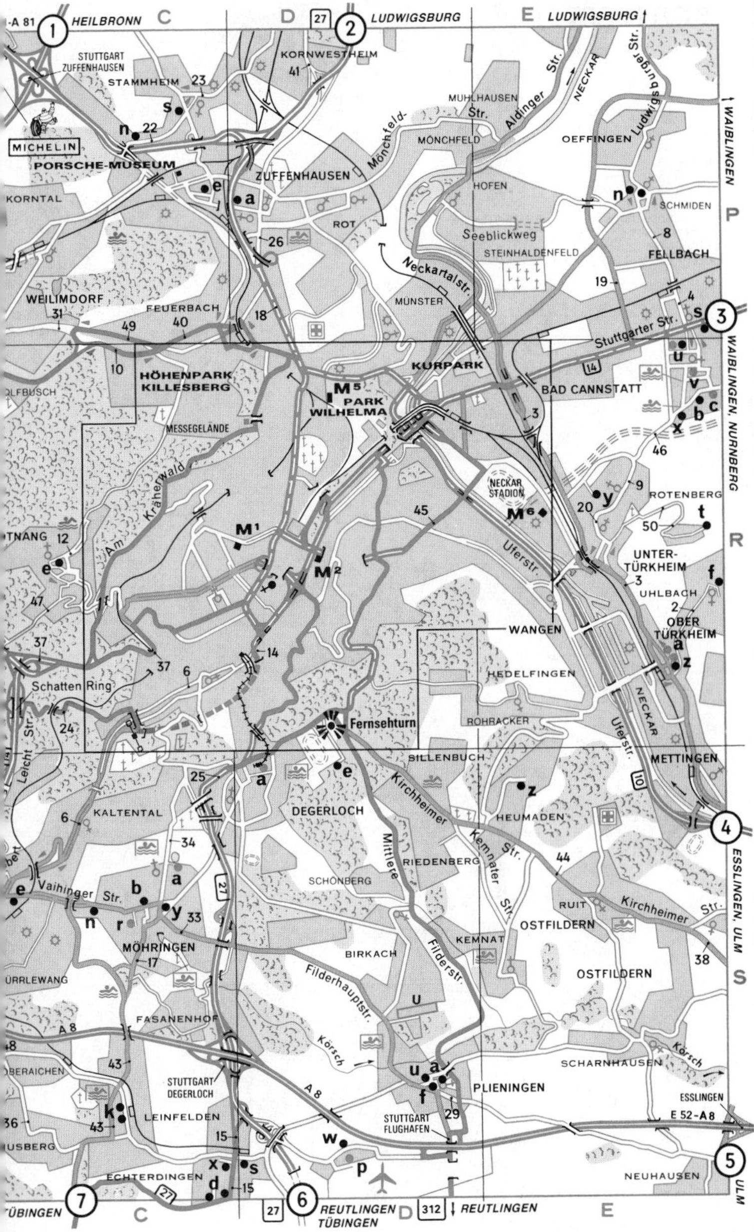

A l'occasion de certaines manifestations commerciales ou touristiques, les prix demandés par les hôteliers risquent d'être sensiblement majorés dans certaines villes et leurs alentours même éloignés.

STUTTGART

Alexanderstraße . HV 2
Am Neckartor . . HU 4
Augustenstraße . FV 7
Berliner Platz . . . . GV 8
Bismarckstraße . . FV 9
Blumenstraße . . . GV 10
Bolzstraße . . . . . GV 15
Botnanger Straße . . . . . . FV 16
Brückenstraße . . HT 17
Charlottenplatz . . GV 20
Charlottenstraße . GV 21
Dillmannstraße . . FV 22
Dobelstraße . . . . GV 23
Eberhardstraße . . GV 25

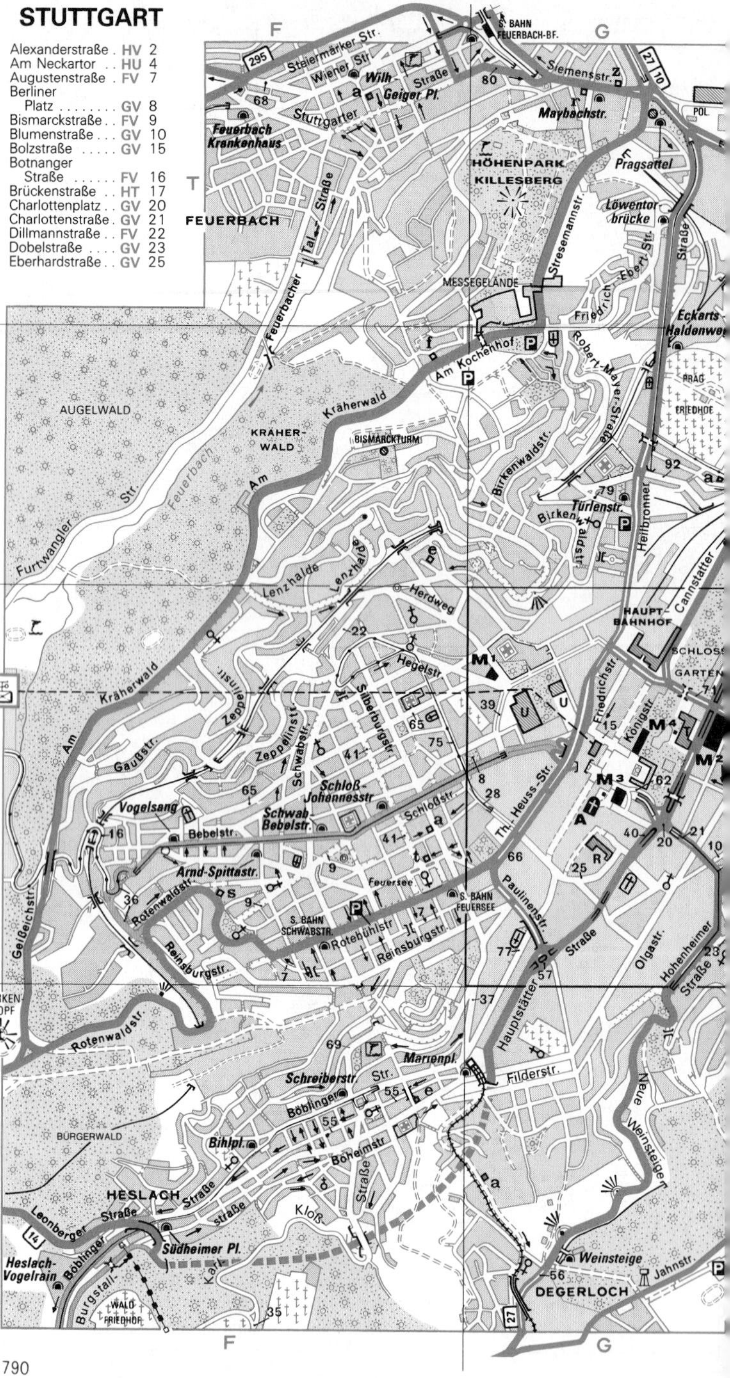

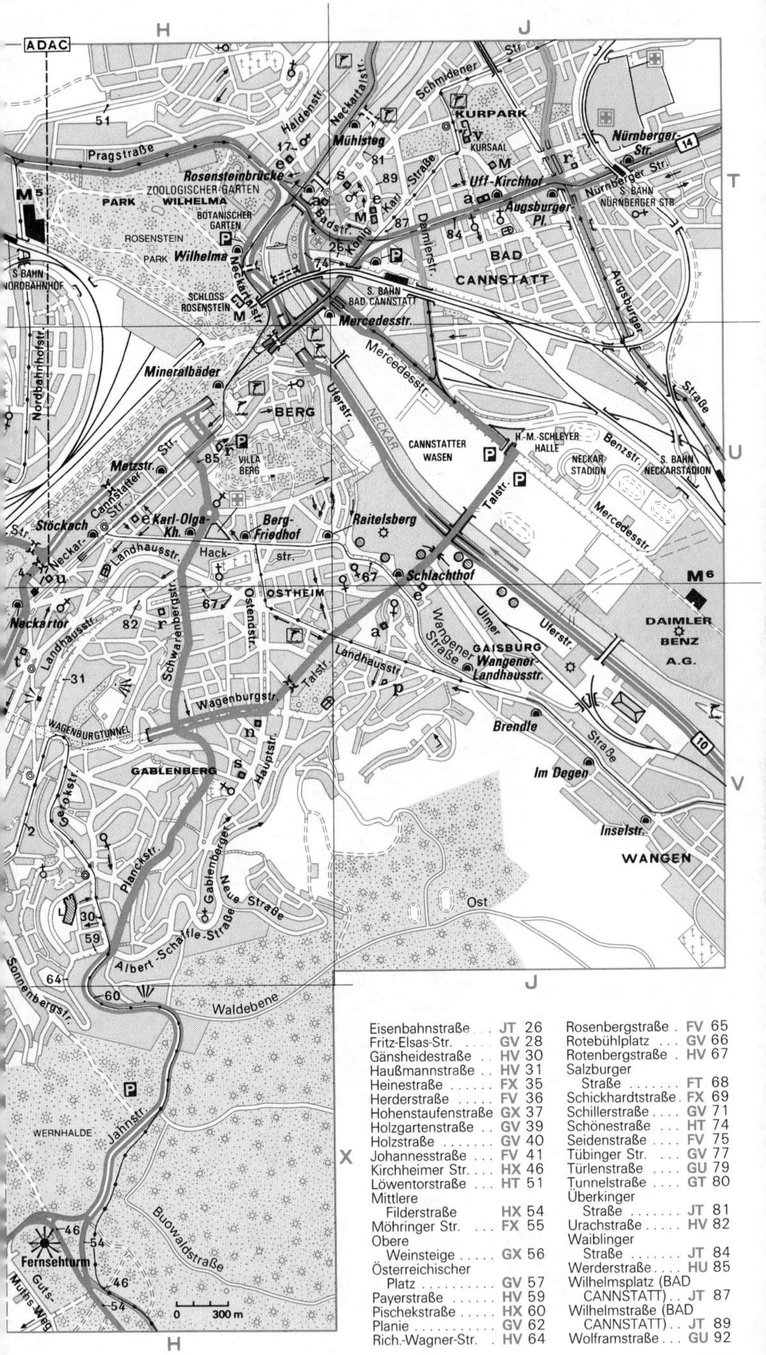

Eisenbahnstraße	JT	26
Fritz-Elsas-Str.	GV	28
Gänsheidestraße	HV	30
Haußmannstraße	HV	31
Heinestraße	FX	35
Herderstraße	FV	36
Hohenstaufenstraße	GX	37
Holzgartenstraße	GV	39
Holzstraße	GV	40
Johannesstraße	FV	41
Kirchheimer Str.	HX	46
Löwentorstraße	HT	51
Mittlere Filderstraße	HX	54
Möhringer Str.	FX	55
Obere Weinsteige	GX	56
Österreichischer Platz	GV	57
Payerstraße	HV	59
Pischekstraße	HX	60
Planie	GV	62
Rich.-Wagner-Str.	HV	64
Rosenbergstraße	FV	65
Rotebühlplatz	GV	66
Rotenbergstraße	HV	67
Salzburger Straße	FT	68
Schickhardtstraße	FX	69
Schillerstraße	GV	71
Schönestraße	HT	74
Seidenstraße	FV	75
Tübinger Str.	GV	77
Türlenstraße	GU	79
Tunnelstraße	GT	80
Überkinger Straße	JT	81
Urachstraße	HV	82
Waiblinger Straße	JT	84
Werderstraße	HU	85
Wilhelmsplatz (BAD CANNSTATT)	JT	87
Wilhelmstraße (BAD CANNSTATT)	JT	89
Wolframstraße	GU	92

STUTTGART

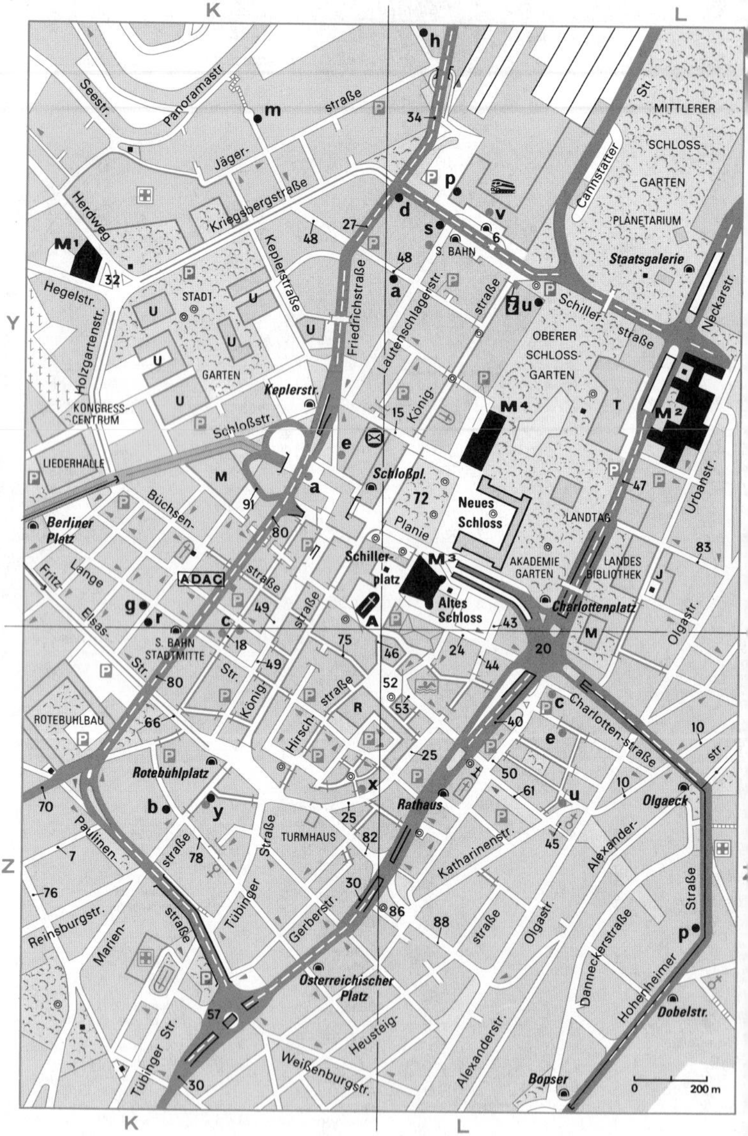

K
L
Y
Z
Seestr.
Panoramastr.
Jäger-
straße
Kriegsbergstraße
Herdweg
Hegelstr.
Holzgartenstr.
Keplerstraße
Friedrichstraße
Lautenschlagerstr.
Königstr.
Heilbronner Str.
Cannstatter Str.
MITTLERER SCHLOSS-GARTEN
PLANETARIUM
Staatsgalerie
Neckarstr.
Schillerstraße
OBERER SCHLOSS-GARTEN
S. BAHN
STADT-GARTEN
GARTEN
KONGRESS-CENTRUM
LIEDERHALLE
Keplerstr.
Schloßstr.
Schloßpl.
Neues Schloss
Planie
LANDTAG
Urbanstr.
Berliner Platz
Büchsenstraße
ADAC
Lange
Fritz-Elsas-Str.
Schiller-platz
Altes Schloss
AKADEMIE GARTEN
LANDES BIBLIOTHEK
Charlottenplatz
Olgastr.
S. BAHN STADTMITTE
Königstr.
Hirschstraße
Charlotten-straße
ROTEBÜHLBAU
Rotebühlplatz
Paulinenstraße
Rathaus
Olgaeck
TURMHAUS
Tübinger Straße
Katharinenstr.
Alexanderstr.
Reinsburgstr.
Marien-straße
Gerberstr.
Dannecker straße
Hohenheimer Straße
Österreichischer Platz
Dobelstr.
Heusteig-
Weißenburgstr.
Tübinger Str.
Alexanderstr.
Bopser
0
200 m

Azenberg, Seestr. 114, ☎ 22 10 51, Fax 297426, – 🛗 📺 ☎ 🚗 🅿. AE ⓓ E VISA FU **e**
(nur Abendessen für Hausgäste) – **55 Z : 80 B** 140/200 - 190/250 Fb.

Wartburg, Lange Str. 49, ☎ 2 04 50, Telex 721587, Fax 2045450 – 🛗 ▤ Rest 📺 ☎ 🅿 – 45 KY **g**
über Ostern und 21. Dez.- 2. Jan. geschl. – **M** *(Sonntag geschl.)* a la carte 26/51 – **81 Z : 100 B** 132/190 - 225/250 Fb.

Ketterer, Marienstr. 3, ☎ 2 03 90, Telex 722340, Fax 2039600 – 🛗 📺 ☎ 🚗. AE ⓓ E VISA KZ **y**
21. Dez.- 7. Jan. geschl. – **M** *(Freitag - Samstag und 24. Juli - 22. Aug. geschl.)* a la carte 36/60 – **107 Z : 150 B** 132/185 - 173/255 Fb.

Rieker garni, Friedrichstr. 3, ☎ 22 13 11, Fax 293894 – 🛗 📺 ☎. AE E VISA LY **d**
63 Z : 80 B 145/170 - 188/210.

Am Feuersee, Johannesstr. 2, ☎ 62 61 03 – 🛗 📺 ☎. AE ⓓ E VISA FV **t**
20.- 31. Dez. geschl. – **M** *(nur Abendessen, Samstag - Sonntag und Feiertage geschl.)* a la carte 25/50 – **38 Z : 47 B** 135/150 - 155/180 Fb.

Astoria garni, Hospitalstr. 29, ☎ 29 93 01, Telex 722783, Fax 299307 – 🛗 📺 ☎ 🅿. AE ⓓ E VISA KY **r**
22. Dez.- 2. Jan. geschl. – **55 Z : 67 B** 165/220 - 230/320 Fb.

Mack und Pflieger garni, Kriegerstr. 7, ☎ 29 29 42, Fax 293489 – 🛗 📺 ☎ 🅿. AE ⓓ E VISA LY **h**
85 Z : 110 B 73/130 - 130/195 Fb.

Bellevue, Schurwaldstr. 45, ☎ 48 10 10 – 📺 ☎ 🚗. AE ⓓ E VISA. ✻ Zim JV **p**
Mitte Juli - Mitte Aug. geschl. – **M** *(Dienstag 15 Uhr - Mittwoch geschl.)* a la carte 30/56 🍷 – **13 Z : 20 B** 85/110 - 130/145.

Münchner Hof, Neckarstr. 170, ☎ 28 30 86, Fax 2626170 – 🛗 📺 ☎. AE ⓓ E VISA HU **e**
24.Dez.- 3. Jan. geschl. – **M** *(Samstag, Sonn- und Feiertage sowie 4.- 10. Jan. geschl.)* a la carte 33/65 – **18 Z : 21 B** 92/130 - 152/160.

Haus von Lippe garni, Rotenwaldstr. 68, ☎ 63 15 11 – 🛗 ☎ 🚗 🅿 FV **s**
22. Dez.- 7. Jan. geschl. – **42 Z : 50 B** 90/110 - 170.

Killesberg garni, Am Kochenhof 60, ☎ 25 30 68/2 56 60 68, Fax 252371 – 📺 ☎. AE ⓓ E VISA FU **f**
12 Z : 24 B 120/150 - 170/200 Fb.

XXX **Alte Post,** Friedrichstr. 43, ☎ 29 30 79 – ⓓ E VISA KY **e**
Samstag und Montag jeweils bis 18 Uhr, Sonn- und Feiertage sowie 27. Juli - 8. Aug. geschl. – **M** (Tischbestellung ratsam) 46 (mittags) und a la carte 69/100.

XX **Da Franco** (modernes Restaurant mit italienischer Küche), Calwer Str. 23, ☎ 29 15 81, Fax 294549 – ▤. AE ⓓ E VISA KYZ **c**
Montag geschl. – **M** a la carte 37/71.

XX La nuova Trattoria da Franco, Calwer Str. 32 (1. Etage), ☎ 29 47 44, Fax 294945 KYZ **c**

XX **Mövenpick-La Pêcherie** (vorwiegend Fischgerichte), Kleiner Schloßplatz 11 (Eingang Theodor-Heuss-Straße), ☎ 2 26 89 34, Fax 2268728, – ▤. AE ⓓ E VISA KY **a**
M a la carte 45/75.

XX **Intercity-Restaurant,** Arnulf-Klett-Platz 2, ☎ 29 49 46, Fax 2268256 – AE ⓓ E VISA LY **v**
M a la carte 34/65.

XX **Der Goldene Adler,** Böheimstr. 38, ☎ 6 40 17 62 – 🅿. AE ⓓ E VISA FX **e**
Montag und Aug. geschl. – **M** a la carte 38/72.

XX **Gaisburger Pastetchen,** Hornbergstr. 24, ☎ 48 48 55, Fax 487565 JV **a**
Samstag bis 18 Uhr sowie Sonn- und Feiertage geschl. – **M** a la carte 65/84.

XX **Zeppelin-Stüble,** Lautenschlagerstr. 2 (im Hotel Graf Zeppelin), ☎ 2 26 40 13, – ▤. AE ⓓ E VISA LY **s**
M *(Schwäbische Küche)* (Tischbestellung ratsam) a la carte 31/59.

XX **Krämer's Bürgerstuben,** Gablenberger Hauptstr. 4, ☎ 46 54 81 – AE ⓓ E VISA HV **n**
Montag und Juli - Aug. 3 Wochen geschl. – **M** (Tischbestellung ratsam) a la carte 53/88.

X **Brauereigasthof Ketterer,** Marienstr. 3b, ☎ 29 75 51, Fax 297065 – AE E KZ **y**
Sonntag geschl. – **M** a la carte 26/54.

Schwäbische Weinstuben (kleines Speisenangebot) :

X **Kachelofen,** Eberhardstr. 10 (Eingang Töpferstraße), ☎ 24 23 78 KZ **x**
ab 17 Uhr geöffnet, Sonn- und Feiertage sowie 22. Dez.- 2. Jan. geschl. – **M** a la carte 35/47.

X **Weinstube am Stadtgraben,** Am Stadtgraben 6 (S 50 - Bad Cannstatt), ☎ 56 70 06
Samstag, Sonn- und Feiertage sowie Sept.- Okt. 2 Wochen geschl. – **M** a la carte 25/37. JT **e**

X **Weinstube Schreinerei,** Zaisgasse 4 (S 50-Bad Cannstatt), ☎ 56 74 28, – 🅿 JT **s**
Samstag 15 Uhr - Sonntag und Feiertage geschl. – **M** a la carte 34/65 🍷.

X **Bäcka-Metzger,** Aachener Str. 20 (S 50 - Bad Cannstatt), ☎ 54 41 08 HT **e**
ab 17 Uhr geöffnet, Sonn- und Feiertage, Montag sowie 23. Aug.- 14. Sept. und 23. Dez.- 10. Jan. geschl. – **M** a la carte 28/42.

X **Weinhaus Stetter,** Rosenstr. 32, ☎ 24 01 63, bemerkenswerte Weinkarte LZ **e**
Montag - Freitag ab 15 Uhr, Samstag bis 14 Uhr geöffnet, 13. Juli - 15. Aug., 24. Dez.- 8. Jan. sowie Sonn- und Feiertage geschl. – **M** *(nur Vesperkarte)* 12/17 .

X **Weinstube Träuble,** Gablenberger Hauptstr. 66, ☎ 46 54 28 – HV **s**
ab 17 Uhr geöffnet, Sonn- und Feiertage, 1.- 6. Jan. und 24. Aug.- 15. Sept. geschl. – **M** *(nur Vesperkarte)* a la carte 16/25.

X Weinstube Schellenturm, Weberstr. 72, ☎ 23 48 88, – LZ **u**
ab 17 Uhr geöffnet.

X **Weinstube Klösterle** (historisches Klostergebäude a.d.J. 1463), Marktstr. 71 (S 50-Bad Cannstatt), ☎ 56 89 62 HT **a**
ab 16 Uhr geöffnet, Sonn- und Feiertage geschl. – **M** a la carte 32/53.

X **Zur Kiste,** Kanalstr. 2, ☎ 24 40 02 KYZ **c**
Montag - Freitag ab 17 Uhr, Samstag bis 15 Uhr geöffnet, 24. Dez.- 5. Jan. sowie Sonn- und Feiertage geschl. – **M** a la carte 27/46.

In Stuttgart 1 - Botnang :

Hirsch, Eltinger Str. 2, ☎ 69 29 17, Fax 6990788 – – 25/140. E VISA.
Zim CR **e**
M *(Sonntag 15 Uhr - Montag geschl.)* a la carte 32/64 – **40 Z : 60 B** 88/110 - 128/140 Fb.

In Stuttgart 80 - Büsnau :

Relexa Hotel Stuttgart, Am Solitudering, ☎ 6 86 70, Telex 7255557, Fax 6867999, ,
– Zim – 25/120. AE E VISA. Rest BR **t**
Restaurants : **La Fenêtre** *(nur Abendessen, Sonntag - Montag und Juli - Aug. 4 Wochen geschl.)* **M** a la carte 70/95 – **Kaminrestaurant M** a la carte 40/70 – **144 Z : 257 B** 175/300 - 235/330 Fb – 9 Appart. 510.

Waldgasthaus Glemstal, Mahdentalstr. 1, ☎ 68 16 18, Fax 682822, – . AE
27. Dez.- 5. Jan. geschl. – **M** *(Dienstag geschl.)* a la carte 35/68 – **24 Z : 33 B** 90/120 - 140/170 Fb. BR **u**

In Stuttgart 50 - Bad Cannstatt :

Spahr garni, Waiblinger Str. 63 (B 14), ☎ 55 39 30, Telex 7254608, Fax 55393333 –
. AE E VISA JT **a**
62 Z : 98 B 145/175 - 210/235.

Krehl's Linde, Obere Waiblinger Str. 113, ☎ 52 75 67, Fax 548370, – . AE
E JT **r**
M *(Sonntag - Montag und Juli - Aug. 3 Wochen geschl.)* a la carte 35/79 – **25 Z : 30 B** 85/165 - 160/200 Fb.

XX **Weinstube Pfund,** Waiblinger Str. 61A, ☎ 56 63 63, , Biergarten – . AE E VISA
Samstag bis 18 Uhr, Sonn- und Feiertage, Aug. 3 Wochen und 23. Dez.- 6. Jan. geschl. – **M** a la carte 39/70. JT **a**

X **Alt Cannstadt,** Königsplatz 1 (Kursaal), ☎ 56 11 15, Fax 560080, , Biergarten –
25/300. AE E VISA JT **v**
M a la carte 29/61.

In Stuttgart 70 - Degerloch :

Waldhotel Degerloch , Guts-Muths-Weg 18, ☎ 76 50 17, Telex 7255728, Fax 7653762,
, , – – 25/100. AE E VISA DS **e**
M a la carte 35/68 – **50 Z : 68 B** 120/180 - 180/250 Fb.

Wielandshöhe, Alte Weinsteige 71, ☎ 6 40 88 48, Fax 6409408 – AE E VISA GX **a**
Montag bis 18 Uhr sowie Sonn- und Feiertage geschl. – **M** a la carte 68/90 -(Eröffnung vorgesehen Ende 1991).

XX Fäßle, Löwenstr. 51, ☎ 76 01 00 DS **a**

In Stuttgart 30 - Feuerbach :

Messehotel Europe, Siemensstr. 33, ☎ 81 48 30, Telex 7252132, Fax 8148348 – Zim
. AE E VISA GT **r**
M *(Sonn- und Feiertage geschl.)* a la carte 41/78 – **120 Z : 200 B** 230/270 - 270/500 Fb.

Kongresshotel Europe, Siemensstr. 26, ☎ 81 50 91, Telex 723650, Fax 854082, –
Zim – 25/130. AE E VISA GT **z**
M a la carte 48/81 – **150 Z : 250 B** 150/225 - 250/500 Fb.

X **Anker,** Grazer Str. 42, ☎ 85 44 19 – AE E VISA FT **a**
Sonntag ab 14 Uhr, Samstag und Feiertage sowie 23. Dez.- 6. Jan. und 3.- 26. Juli geschl. – **M** *(auch vegetarische Gerichte)* a la carte 38/69.

In Stuttgart 23 - Flughafen :

Airport Mövenpick-Hotel, Randstraße, ☎ 7 90 70, Telex 7245677, Fax 793585, ,
– Zim Rest – 25/70. AE E VISA DS **w**
M a la carte 34/66 – **230 Z : 390 B** 234/379 - 308/438 Fb.

XX **top air,** Randstraße (im Flughafen), ☎ 79 01 21 37, Fax 7979210 – – 25/220. AE E
VISA DS **p**
M a la carte 63/85.

In Stuttgart 75 - Heumaden :

Seyboldt garni, Fenchelstr. 11, ✆ 44 53 54, Fax 447863 – ☎ P ES z
24. Juli - 16. Aug. und 24. Dez.- 6. Jan. geschl. – **17 Z : 24 B** 75/85 - 105/130.

In Stuttgart 80 - Möhringen :

Gloria - Restaurant Möhringer Hexle, Sigmaringer Str. 59, ✆ 7 18 50, Fax 7185121, – TV ☎ P – 25/50. AE CS y
M a la carte 25/47 – **79 Z : 133 B** 129/142 - 175/194 Fb.

Möhringen garni, Filderbahnstr. 43, ✆ 71 60 80, Fax 7160850 – TV ☎ . AE VISA
39 Z : 60 B 165/175 - 210/310 Fb. CS b

Neotel garni, Vaihinger Str. 151, ✆ 7 80 06 35, Telex 7255179, Fax 7804314 – TV ☎ P. AE E VISA CS n
71 Z : 120 B 152/159 - 208/214 Fb.

✿ **Hirsch-Weinstuben,** Maierstr. 3, ✆ 71 13 75, bemerkenswerte Weinkarte – P. AE E VISA CS r
über Ostern 1 Woche, Montag und Samstag jeweils bis 18 Uhr sowie Sonn- und Feiertage geschl. – **M** (Tischbestellung ratsam) 59/155 und a la carte 50/85
Spez. Gänseleber in Ochsenschwanzgelee, Lachs mit Kartoffelschuppen und Ingwersauce, Kalbsbries mit Basilikumsauce.

Landgasthof Riedsee, Elfenstr. 120, ✆ 71 24 84, – P CS a

In Stuttgart 61 - Obertürkheim :

Brita Hotel - Restaurant Post, Augsburger Str. 671, ✆ 32 02 30, Fax 32023400 – Zim Rest TV ☎ – 30/100. AE E VISA. Rest ER z
24. Dez.- 6. Jan. geschl. – **M** *(Sonn- und Feiertage geschl.)* a la carte 37/66 – **70 Z : 117 B** 112/197 - 199/354 Fb.

Weinstube Paule, Augsburger Str. 643, ✆ 32 14 71 – P. AE E VISA ER a
7.- 20. Feb., 1.- 25. Aug., 24.- 30. Dez., Mittwoch 15 Uhr - Donnerstag und jeden letzten Sonntag im Monat geschl. – **M** a la carte 36/63.

Wirt am Berg, Uhlbacher Str. 14, ✆ 32 12 26 – E ER z
Juli 4 Wochen, Samstag bis 17 Uhr, Sonn- und Feiertage sowie jeden 1. Samstag im Monat geschl. – **M** *(auch vegetarische Gerichte)* a la carte 33/60.

In Stuttgart 70 - Plieningen :

Fissler-Post, Filderhauptstr. 2, ✆ 4 58 40, Fax 4584333 – TV ☎ P – 25/80. AE E VISA DS f
Menu *(auch vegetarisches Menu)* (Tischbestellung ratsam) 35/40 und a la carte 51/74 – **61 Z : 100 B** 90/170 - 120/190 Fb.

Traube, Brabandtgasse 2, ✆ 45 48 33, Fax 4569567, – ☎ P DS u
23. Dez.- 6. Jan. und Aug. 3 Wochen geschl. – **M** *(Tischbestellung erforderlich)* (Samstag - Sonntag geschl.) a la carte 51/96 – **22 Z : 28 B** 135/180 - 195/280.

Apartment Hotel garni, Scharnhauser Str. 4, ✆ 4 50 10, Fax 4501100 – TV ☎ . AE E VISA DS a
56 Z : 71 B 152/262 - 279/329 Fb.

Recknagel's Nagelschmiede, Brabandtgasse 1, ✆ 45 74 54 – P DS u
wochentags nur Abendessen.

In Stuttgart 60 - Rotenberg :

Rotenberg-Hotel garni, Stettener Str. 87, ✆ 33 12 93, Fax 330232, ≤ Stuttgart, – TV ☎ P. AE E VISA ER t
20. Dez.- 20. Jan. geschl. – **23 Z : 30 B** 112/145 - 120/180 Fb.

In Stuttgart 40 - Stammheim :

Novotel, Korntaler Str. 207, ✆ 80 10 65, Telex 7252137, Fax 803673, , – TV ☎ P – 25/200. AE E VISA CP n
M a la carte 35/58 – **117 Z : 234 B** 164/170 - 203/209 Fb.

Strobel, Korntaler Str. 35a, ✆ 80 15 32 – P CP s
34 Z : 46 B.

In Stuttgart 61 - Uhlbach :

Gästehaus Münzmay garni, Rührbrunnenweg 19, ✆ 32 40 28, – TV ☎ P ER f
20. Dez.- 7. Jan. geschl. – **15 Z : 19 B** 110/115 - 155/160 Fb.

Zum Hasenwirt, Innsbrucker Str. 5, ✆ 32 20 70, – P ER f
Sonntag 15 Uhr - Montag und 20. Juni - 13. Juli geschl. – **M** a la carte 35/60.

In Stuttgart 60 - Untertürkheim :

Spahr , Klabundeweg 10 (Zufahrt über Sattelstraße), ✆ 33 23 45, Fax 331455 – TV ☎. AE E VISA ER y
20. Dez.- 17. Jan. geschl. – (nur Abendessen für Hausgäste) – **30 Z : 41 B** 95/150 - 150/180.

In Stuttgart 80 - Vaihingen :

Fontana, Vollmöllerstr. 5, ✆ 73 00, Telex 7255763, Fax 7302525, Bade- und Massageabteilung, – Zim – 25/380. AE E VISA. Rest
Restaurants : **Fontana M** a la carte 55/89 – **Bräustube M** a la carte 35/70 – **250 Z : 450 B** 220/310 - 265/355 Fb – 5 Appart. 500/1100. CS **c**

Fremd-Gambrinus, Möhringer Landstr. 26, ✆ 73 17 67, Fax 7354743 – . E VISA. CS **e**
22. Dez.- 6. Jan. geschl. – **M** *(Dienstag und Juli - Aug. 3 Wochen geschl.)* a la carte 28/55 – **17 Z : 28 B** 110 - 150 Fb.

Zum Ochsen (Brauerei-Gaststätte), Hauptstr. 26, ✆ 73 19 38, Fax 734130 – . AE E VISA
M a la carte 32/60. BS **t**

In Stuttgart 31 - Weilimdorf :

Zum Muckestüble, Solitudestr. 25 (in Bergheim), ✆ 86 51 22, « Gartenterrasse » – BR **a**
Juli geschl. – **M** *(Dienstag geschl., Samstag und Sonntag nur Mittagessen)* a la carte 25/47 – **25 Z : 40 B** 70 - 120.

Beim Schloß Solitude :

Herzog Carl Eugen, ✉ 7000 Stuttgart, ✆ (0711) 6 99 07 45, Fax 6990771 – . AE E VISA BR **n**
Sonntag - Montag und Feiertage sowie 21. Juli - 1. Aug. geschl. – **M** a la carte 75/88 – **Schloß-Restaurant** (auch vegetarische Gerichte) *(Montag geschl.)* **M** a la carte 43/65
Spez. Gebratene Garnelen auf Artischocken-Tomatengemüse, Lammrücken in Wirsing, Nougatterrine mit marinierten Himbeeren.

In Stuttgart 40 - Zuffenhausen :

Residence, Schützenbühlstr. 16, ✆ 8 20 01 00, Fax 8200101, – Zim Rest – 25/60. AE E VISA CP **e**
M a la carte 39/63 – **120 Z : 204 B** 195 - 220 Fb.

Garten garni, Unterländer Str. 88, ✆ 13 68 60, Fax 1368650 – DP **a**
23. Dez.- 10. Jan. geschl. – **18 Z : 44 B** 130/145 - 170/185 Fb.

In Fellbach **7012** – ✆ 0711 :

Classic Congress Hotel, Tainer Str. 7, ✆ 5 85 90, Telex 7254900, Fax 5859304, – – 30. AE E VISA ER **u**
24.- 30. Dez. geschl. – **M** : siehe Rest. Alt Württemberg – **148 Z : 296 B** 195/230 - 280 Fb.

City-Hotel garni, Bruckstr. 3, ✆ 58 80 14, Fax 582627 – . AE E VISA.
3.- 19. Juli geschl. – **26 Z : 40 B** 70/80 - 95/125 Fb. EPR **s**

Alte Kelter, Kelterweg 7, ✆ 58 90 74 – . AE E VISA ER **x**
(Restaurant nur für Hausgäste) – **20 Z : 40 B** 90 - 140.

Waldhorn, Burgstr. 23, ✆ 58 21 74 – . AE E ER **b**
20. Juli - 10. Aug. und Weihnachten - Anfang Jan. geschl. – **M** *(nur Abendessen, Sonntag geschl.)* a la carte 29/40 – **18 Z : 21 B** 38/50 - 70/80.

Alt Württemberg, Tainer Str. 7 (Schwabenlandhalle), ✆ 58 00 88 – . AE E VISA
M a la carte 47/74. ER **u**

Weinstube Germania mit Zim, Schmerstr. 6, ✆ 58 20 37 – . ER **v**
Mitte Juli - Mitte Aug. und 24. Dez.- 9. Jan. geschl. – **M** *(Sonn- und Feiertage sowie Montag geschl.)* a la carte 34/58 – **8 Z : 10 B** 75/80 - 140.

Weinkeller Häussermann (Gewölbekeller a.d.J. 1732), Kappelbergstr. 1, ✆ 58 77 75 – . E ER **c**
nur Abendessen, Sonn- und Feiertage sowie Juli - Aug. 2 Wochen geschl. – **M** a la carte 35/57.

In Fellbach-Schmiden **7012** :

Hirsch, Fellbacher Str. 2, ✆ (0711) 9 51 30, Fax 5181065, – – 25. AE E EP **n**
M *(Freitag und Sonntag geschl.)* a la carte 30/59 – **114 Z : 170 B** 85/115 - 120/180 Fb.

Schmidener Eintracht, Brunnenstr. 4, ✆ (0711) 51 20 35, Fax 519915 – EP **n**
1.- 11. Jan. geschl. – **M** *(Samstag geschl.)* a la carte 37/63 – **28 Z : 41 B** 55/95 - 115/125 Fb.

In Gerlingen **7016** :

Krone, Hauptstr. 28, ✆ (07156) 2 10 04, Fax 21009 – – 25/80. AE E VISA BR **e**
M *(Montag, Sonn- und Feiertage, über Ostern und Weihnachten sowie Juli - Aug. 2 Wochen geschl.)* (Tischbestellung ratsam) a la carte 43/80 – **50 Z : 74 B** 118/152 - 165/230 Fb.

Balogh garni, Max-Eyth-Str. 16, ✆ (07156) 2 30 95, Fax 29140 – . AE E
46 Z : 54 B 85/95 - 120/145 Fb. BR **d**

In Korntal-Münchingen 2 **7015** nahe der Autobahn-Ausfahrt S-Zuffenhausen :

Mercure, Siemensstr. 50, ✆ (07150) 1 30, Telex 723589, Fax 13266, Biergarten, – – 25/170. AE E VISA CP **c**
M a la carte 45/70 – **209 Z : 300 B** 205 - 251/271 Fb – 6 Appart.

In Leinfelden-Echterdingen 1 **7022** :

Drei Morgen garni, Bahnhofstr. 39, ✆ (0711) 75 10 85 - |♦| TV ☎ 🚗 P. AE E VISA
25 Z : 33 B 95/100 - 130/150 Fb. CS **k**

Stadt Leinfelden garni, Lessingstr. 4, ✆ (0711) 75 25 10, Fax 755649 - ☎ P CS **k**
20 Z : 30 B 85/90 - 125/130.

In Leinfelden-Echterdingen 2 **7022** - ✪ 0711 :

Filderland garni, Tübinger Str. 16, ✆ 7 97 89 13, Telex 7255972, Fax 7977576 - |♦| TV ☎ 🚗 - 🏛 25. AE ⓓ E VISA CS **d**
24. Dez.- 2. Jan. geschl. - **48 Z : 96 B** 135/155 - 170/220 Fb.

Lamm, Hauptstr. 98, ✆ 79 90 65, Fax 795275 - TV ☎ P. AE ⓓ E VISA CDS **s**
M a la carte 25/49 - **26 Z : 42 B** 95/110 - 130 Fb.

Adler, Obergasse 16, ✆ 79 35 90, ≘s, ⬚ - |♦| TV ☎ P - 🏛 30 CS **x**
24. Dez.- 6. Jan. geschl. - **M** *(Samstag - Sonntag und Juli - Aug. 3 Wochen geschl.)* a la carte 30/60 - **18 Z : 24 B** 105/115 - 160/170.

Martins Klause garni, Martin-Luther-Str. 1, ✆ 94 95 90, Fax 9495959 - |♦| TV ☎ P. AE E VISA CS **d**
18 Z : 24 B 100 - 140.

In Leinfelden-Echterdingen 3 - Stetten **7022** über die B 27 DS :

Nödingerhof, Unterer Kasparswald 22, ✆ (0711) 79 90 67, Fax 7979224, ≤, 🍽 - |♦| TV ☎ 🚗 P - 🏛 35. AE ⓓ E VISA
M a la carte 27/69 - **54 Z : 70 B** 110/120 - 160/170.

MICHELIN-REIFENWERKE KGaA. Niederlassung 7015 Korntal-Münchingen 2, Siemensstr. 62 (BCP), ✆ (07150) 20, Fax 8933.

SÜDERAU **2204.** Schleswig-Holstein 411 L 5 - 750 Ew - Höhe 2 m - ✪ 04824 (Krempe).
♦Kiel 94 - ♦Hamburg 48 - Itzehoe 22.

In Süderau-Steinburg NO : 6 km :

Zur Steinburg, Hauptstr. 42, ✆ 4 74, Fax 2013 - ☎ 🚗 P. AE E
18. Dez.- 4. Jan. geschl. - **M** *(Samstag geschl.)* a la carte 23/45 - **19 Z : 30 B** 35/60 - 70/90.

SÜDERENDE Schleswig-Holstein siehe Föhr (Insel).

SÜDERGELLERSEN Niedersachsen siehe Lüneburg.

SÜDLOHN **4286.** Nordrhein-Westfalen 411 412 D 11 - 7 400 Ew - Höhe 40 m - ✪ 02862.
♦Düsseldorf 98 - Bocholt 24 - Münster (Westfalen) 64 - Winterswijk 12.

Haus Lövelt, Eschstr. 1, ✆ 72 76 - ☎ 🚗 P. AE E. ✂ Rest
M a la carte 22/47 - **14 Z : 29 B** 42/48 - 84/95.

SÜSSEN **7334.** Baden-Württemberg 413 M 20, 987 ㉟㊱ - 8 600 Ew - Höhe 364 m - ✪ 07162.
♦Stuttgart 53 - Göppingen 9 - Heidenheim an der Brenz 34 - ♦Ulm (Donau) 41.

Löwen, Hauptstr. 3, ✆ 50 88, Fax 8363 - |♦| TV ☎ P. E VISA
23. Dez.- 6. Jan. geschl. - **M** *(Montag geschl.)* a la carte 25/55 - **36 Z : 48 B** 39/90 - 90/170.

SUHL **O-6000.** Thüringen 413 OP 15, 984 ㉗, 987 ㉖ - 55 000 Ew - Höhe 450 m - Erholungsort - ✪ 003766.
ℹ Tourismus-Amt, Gothaer Str. 1, ✆ 2 21 87, Fax 27524.
ADAC, Pannenhilfezentrale, ✆ 4 01 39.
♦Berlin 328 - ♦Bamberg 94 - Erfurt 78.

Thüringentourist, Platz der Deutschen Einheit 2, ✆ 56 05, Telex 62265, Fax 24379, 🍽 - |♦| TV ☎. ✂ Rest
111 Z : 180 B Fb - 6 Appart.

Stadt Suhl, Bahnhofstr. 25, ✆ 56 81, Fax 24037, ≘s - |♦| TV ☎ P. ✂ Zim
125 Z : 200 B Fb - 6 Appart.

Haus Domberg, Dombergsweg 7, ✆ 2 24 83, ≤ - TV P
15 Z : 25 B.

Waffenschmied (Japanisches Restaurant), Gothaer Str. 8, ✆ 2 22 03.

In Vesser **O-6301** SO : 13 km - Höhe 770 m

Berghotel Stutenhaus ⛰, (W : 1,5 km), ✆ (003767292) 4 09, ≤ Thüringer Wald, 🍽, ≘s, 🌳 - 🏛 35. AE E
Nov.- 10. Dez. geschl. - **M** a la carte 19/38 - **35 Z : 75 B** 35/45 - 60/80 Fb.

SUHLENDORF **3117.** Niedersachsen 411 P 8 – 2 650 Ew – Höhe 66 m – ☎ 05820.
♦Hannover 111 – Uelzen 15.

In Suhlendorf-Kölau S : 2 km :

Brunnenhof, ☎ 17 55, Fax 1777, « Ehemaliges Bauernhaus », (Halle) – ☎ – 25/80
M a la carte 28/48 – **30 Z : 60 B** 64/96 - 118/148 Fb – 5 Appart. 152/200.

SULINGEN **2838.** Niedersachsen 411 J 8, 987 ⑭ ⑮ – 11 600 Ew – Höhe 30 m – ☎ 04271.
♦Hannover 77 – Bielefeld 100 – ♦Bremen 51 – ♦Osnabrück 84.

Zur Börse, Langestr. 50, ☎ 22 47, Fax 5780 – ☎ – 25/70
25 Z : 35 B Fb.

In Mellinghausen **2839** NO : 8 km über die B 214 :

Gesellschaftshaus Märtens, ☎ (04272) 16 04, Fax 1717, – ☎ – 25. AE E
Juni - Juli 3 Wochen geschl. – **M** *(Montag geschl.)* a la carte 29/44 – **28 Z : 42 B** 55/65 - 90/100.

SULZ AM NECKAR **7247.** Baden-Württemberg 413 I 21, 987 ㉟ – 10 700 Ew – Höhe 430 m – Erholungsort – ☎ 07454.
Rathaus, Obere Hauptstr. 2, ☎ 7 60.
♦Stuttgart 76 – Horb 16 – Rottweil 30.

In Sulz-Glatt N : 4 km :

Kaiser, Oberamtstr. 23, ☎ (07482) 10 11, – ☎ – 30
6.- 27. Jan. geschl. – **M** *(Donnerstag geschl.)* a la carte 26/55 – **30 Z : 60 B** 70/75 - 140/150 Fb – ½ P 83/88.

Zur Freystatt, Schloßplatz 11, ☎ (07482) 3 33, Fax 420, – E. Zim
Feb. geschl. – **M** *(Montag - Dienstag geschl.)* a la carte 29/57 – **30 Z : 40 B** 55/65 - 98/108.

SULZBACH AN DER MURR **7158.** Baden-Württemberg 413 L 19, 987 ㉕ – 4 900 Ew – Höhe 467 m – Erholungsort – ☎ 07193.
♦Stuttgart 41 – Heilbronn 34 – Schwäbisch Gmünd 41 – Schwäbisch Hall 27.

Krone mit Zim, Haller Str. 1, ☎ 2 87 – E VISA
Juli - Aug. 3 Wochen geschl. – **M** *(Donnerstag ab 15 Uhr und Dienstag geschl.)* a la carte 23/48 – **11 Z : 15 B** 45/55 - 80/95.

SULZBACH-LAUFEN **7166.** Baden-Württemberg 413 M 20 – 2 300 Ew – Höhe 335 m – Wintersport : 3 – ☎ 07976.
Fremdenverkehrsverein, Rathaus, Eisbachstr. 24, ☎ 2 83.
♦Stuttgart 82 – Aalen 35 – Schwäbisch Gmünd 29 – ♦Würzburg 149.

Krone, Hauptstr. 44 (Sulzbach), ☎ 2 81, Fax 1388, – ☎ – 30. AE E VISA
M *(Montag und Juli - Aug. 2 Wochen geschl.)* a la carte 28/52 – **16 Z : 32 B** 65/85 - 95/115.

SULZBACH-ROSENBERG **8458.** Bayern 413 S 18, 987 ㉗ – 19 000 Ew – Höhe 450 m – ☎ 09661.
Verkehrsamt, Bühlgasse 5, ☎ 51 01 10, Fax 4333.
♦München 205 – Bayreuth 67 – ♦Nürnberg 59 – ♦Regensburg 77.

Sperber-Bräu, Rosenberger Str. 14, ☎ 30 44
M *(Montag geschl.)* a la carte 17/30 – **24 Z : 40 B** 50/60 - 80.

Zum Bartl, Glückaufstr. 2 (B 14, N : 1,5 km), ☎ 5 39 51, –
9.- 26. Juni und 15.- 18. Sept. geschl. – **M** *(Montag geschl.)* a la carte 17/27 – **11 Z : 18 B** 40/55 - 70/95.

In Sulzbach-Rosenberg - Forsthof NW : 6 km über die B 85 :

Heldrich - Am Forsthof, Forsthof 8, ☎ 48 29, – E
23. Dez.- 18. Jan. geschl. – **M** *(Montag ab 14 Uhr geschl.)* a la carte 16/34 – **17 Z : 31 B** 35 - 60.

SULZBACH/SAAR **6603.** Saarland 987 ㉔, 412 E 19, 242 ⑦ – 19 900 Ew – Höhe 215 m – ☎ 06897.
♦Saarbrücken 11 – Kaiserslautern 61 – Saarlouis 33.

In Sulzbach-Hühnerfeld N : 1,5 km :

Dolfi, Grühlingstr. 69, ☎ 33 75, – ☎. E VISA
M *(Sonntag ab 14 Uhr und Mittwoch bis 17 Uhr geschl.)* a la carte 21/40 – **31 Z : 61 B** 50/75 - 90/180 Fb.

In Sulzbach-Neuweiler S : 2 km :

Paul, Sternplatz 1, ✆ 20 01, Fax 2293 – TV ☎. AE ⓓ E VISA
Samstag, Sonn- und Feiertage sowie 24. Dez.- 3. Jan. geschl. – **M** a la carte 34/74 – **27 Z : 40** 70/95 - 120/160 Fb.

SULZBACH/TAUNUS **6231.** Hessen 412 413 I 16 – 7 000 Ew – Höhe 190 m – ☎ 06196 (Bad Soden).

♦Wiesbaden 28 – ♦Frankfurt am Main 15 – Mainz 28.

Holiday Inn, Am Main-Taunus-Zentrum 1 (S : 1 km), ✆ 76 30, Telex 4072536, Fax 72996, ≘s, ▣, ⛱ – |‡| ⇆ Zim ▤ TV ♿ P – 🏛 25/200. AE ⓓ E VISA. ✗ Rest
Restaurants : **Feldberg M** a la carte 49/73 – **Apricot M** a la carte 37/66 – **291 Z : 565 B** 245/370 - 285/390 Fb – 3 Appart. 510/750.

Sulzbacher Hof ⛰ garni, Mühlstr. 11, ✆ 77 11, Fax 7713 – TV ☎ P
22 Z : 33 B 80/120 - 120/125 Fb.

SULZBERG Bayern siehe Kempten (Allgäu).

SULZBURG **7811.** Baden-Württemberg 413 G 23, 427 H 2, 242 ㊱ – 2 700 Ew – Höhe 474 m – Luftkurort – ☎ 07634.

ℹ Verkehrsamt, Rathaus, ✆ 7 02.

♦Stuttgart 229 – Basel 51 – ♦Freiburg im Breisgau 28.

Waldhotel Bad Sulzburg ⛰, Badstr. 67 (SO : 4 km), ✆ 82 70, Fax 8212, « Gartenterrasse », ≘s, ▣, ⛱, 🎾 – |‡| P – 🏛 25/40. ⓓ E VISA
7. Jan.- März geschl. – Menu (Tischbestellung ratsam) 38/65 – **38 Z : 67 B** 80/105 - 116/156 Fb.

XXX ✿ **Hirschen** mit Zim (Gasthof a.d. 18. Jh.), **Hauptstr. 69,** ✆ 82 08, Fax 6717, « **Einrichtung mit Antiquitäten und Stilmöbeln** »
7.- 21. Jan. und 29. Juli - 11. Aug. geschl. – **M** *(bemerkenswerte Weinkarte, Tischbestellung ratsam)* (Montag - Dienstag geschl.) a la carte 78/108 – **7 Z : 14 B** 90/160 - 130/200
Spez. Panaché von Loup de mer und Rouget mit Stockfischpurée, Maultäschle von Hummer mit Trüffel, Topfenknödel mit Zwetschgenröster.

In Sulzburg-Laufen W : 2 km :

XXX ✿ **La Vigna** (kleines Restaurant in einem Hofgebäude a.d.J. 1837), **Weinstr. 7,** ✆ 80 14, **bemerkenswerte ital. Wein- und Grappaauswahl** – P. ✗
Sonntag - Montag, Juli - Aug. 3 Wochen und 24. Dez.- 2. Jan. geschl. – **M** (Tischbestellung erforderlich) 40 (mittags) und a la carte 70/85
Spez. Risotto con crostacei, Agnolotti con tartufi, Semifreddo al caffè.

In Ballrechten-Dottingen **7801** NW : 2 km :

Winzerstube (mit Gästehaus), **Neue Kirchstr. 30 (Dottingen),** ✆ (07634) 7 05, ⛱ – TV 🚗 P
Anfang Jan.- Anfang Feb. geschl. – **M** *(Donnerstag - Freitag 17 Uhr und Juli 1 Woche geschl.)* a la carte 31/61 ⚲ – **8 Z : 14 B** 35/45 - 70/80.

SULZFELD **7519.** Baden-Württemberg 412 413 J 19 – 3 500 Ew – Höhe 192 m – ☎ 07269.

♦Stuttgart 68 – Heilbronn 33 – ♦Karlsruhe 44.

Auf Burg Ravensburg SO : 2 km – Höhe 286 m :

X **Burgschenke,** ✉ 7519 Sulzfeld, ✆ (07269) 2 31, ≤, ⛱ – P. AE E
Montag und Dez.- Feb. geschl. – **M** a la carte 35/60.

SULZHEIM **8722.** Bayern 413 O 17 – 800 Ew – Höhe 235 m – ☎ 09382 (Gerolzhofen).

♦München 214 – ♦Bamberg 55 – ♦Nürnberg 96 – Schweinfurt 15 – ♦Würzburg 44.

Landgasthof Goldener Adler, Otto-Drescher-Str. 12, ✆ 10 94 – P
20. Dez.- 10. Jan. geschl. – **M** *(Sonntag und Mitte - Ende Aug. geschl.)* a la carte 21/42 ⚲ – **42 Z : 58 B** 28/65 - 56/98 Fb.

In Sulzheim-Alitzheim :

Grob, Dorfplatz 1, ✆ 2 85 – ☎ 🚗 P – 🏛 50
M *(Samstag und Sonntag jeweils ab 14 Uhr geschl.)* a la carte 21/40 ⚲ – **34 Z : 60 B** 45/60 - 70/90 Fb.

In some towns and their surrounding areas,
hoteliers are liable to increase their prices
during certain trade exhibitions and tourist events.

SUNDERN **5768.** Nordrhein-Westfalen 411 412 GH 13, 987 ⑭ – 30 300 Ew – Höhe 250 m – ☎ 02933.

ℹ Fremdenverkehrsamt (Rathaus), Mescheder Str. 20, ✆ 8 12 51.

♦Düsseldorf 111 – Arnsberg 12 – Lüdenscheid 48.

In Sundern 9-Allendorf SW : 6,5 km :

Clute-Simon, Allendorfer Str. 85, ✆ (02393) 3 72, Fax 17284, – TV ☎ – 50. AE ◑ E VISA
März 3 Wochen geschl. – **M** *(Dienstag geschl.)* a la carte 28/61 – **14 Z : 21 B** 52 - 96 – ½ P 50/69.

In Sundern 16-Altenhellefeld SO : 7,5 km :

Gut Funkenhof ⑤, Altenhellefelder Str. 10, ✆ (02934) 7 90, Fax 1474, – – 25/80. AE ◑ E VISA
M a la carte 44/65 – **71 Z : 140 B** 105/135 - 188/218 Fb.

In Sundern 8-Dörnholthausen SW : 6 km :

Klöckener, Stockumer Str. 44, ✆ 37 28, – – 25. E
23. März - 13. April geschl. – **M** *(Dienstag geschl.)* a la carte 25/49 – **18 Z : 30 B** 48 - 96 Fb.

In Sundern 13-Langscheid NW : 4 km – Luftkurort – ☎ 02935 :

Landhaus Pichel, Langscheider Str. 70, ✆ 20 33, ←, – ☎
12 Z : 22 B Fb.

Seegarten, Zum Sorpedamm 21, ✆ 15 79, – ☎ – 30. ◑ E
M a la carte 31/59 – **24 Z : 50 B** 50/80 - 100/140 Fb.

Haus Volmert, Langscheider Str. 46, ✆ 25 00, ← – TV
M *(Mittwoch geschl.)* a la carte 26/42 – **11 Z : 20 B** 42 - 75.

Deutsches Haus, Langscheider Str. 41, ✆ 6 15, ←, –
Dienstag geschl. – **M** a la carte 25/46.

SWISTTAL **5357.** Nordrhein-Westfalen 412 D 14 – 10 000 Ew – Höhe 130 m – ☎ 02254 (Weilerswist).

♦Düsseldorf 73 – ♦Bonn 20 – Düren 43 – ♦Köln 35.

In Swisttal-Heimerzheim :

Weidenbrück ⑤, Nachtigallenweg 27, ✆ 40 66, Fax 3235 – TV
M a la carte 25/55 – **41 Z : 70 B** 40/85 - 80/100 Fb.

SYKE **2808.** Niedersachsen 411 J 8, 987 ⑮ – 19 100 Ew – Höhe 40 m – ☎ 04242.

Syke-Okel (NO : 6 km), ✆ 82 30.

♦Hannover 89 – ♦Bremen 22 – ♦Osnabrück 106.

In Syke-Steimke SO : 2,5 km :

Steimker Hof, Nienburger Str. 68 (B 6), ✆ 22 20, – TV ☎ . AE ◑ E VISA
M a la carte 28/56 – **11 Z : 20 B** 60 - 90.

SYLT (Insel) Schleswig-Holstein 411 HI 1,2, 987 ④, 984 ② – Seebad – Größte Insel der Nordfriesischen Inselgruppe mit 36 km Strand, durch den 12 km langen Hindenburgdamm (nur Eisenbahn, ca. 30 min) mit dem Festland verbunden.

Sehenswert : Gesamtbild★★ der Insel – Keitumer Kliff★.

Kampen-Wenningstedt, ✆ (04651) 4 53 11 ; Westerland, ✆ (04651) 70 37 ; Sylt-Ost, Morsum, ✆ (04654)3 87.

Westerland, ✆ (04651) 53 55.

✆ (04651) 2 24 79, Autoverladung in Niebüll.

Hörnum **2284** – 900 Ew – ☎ 04653.

ℹ Kurverwaltung, Strandweg 2, ✆ 10 65.

Nach Westerland 18 km.

Seehof, Strandstr. 2, ✆ 16 78, – . E
Mittwoch, 15. Jan.- 15. Feb. und Mitte Nov.- Mitte Dez. geschl. – **M** a la carte 39/60.

Kampen 2285 - 600 Ew - ☎ 04651.
ℹ Kurverwaltung, im Kamp-Hüs, ✆ 4 69 80, Fax 469840.
Nach Westerland 6 km.

Rungholt ⛰, Kurhausstr. 35, ✆ 44 80, Fax 44840, ≤, ≘, ☼ - ▣ 🅿. ✻
Mitte März - Okt. - (nur Abendessen für Hausgäste) - **59 Z : 98 B** 150/210 - 280/380 Fb - 9 Appart. 380/500.

Walter's Hof ⛰, Kurhausstraße, ✆ 44 90, Fax 45590, ≤, ⛱, Massage, ≘, ▢ - ▣ ☎ 🅿. ✻ Rest
M *(nur Abendessen)* a la carte 60/91 - **30 Z : 60 B** 282/311 - 360/480 Fb - 3 Appart. 520/893.

Hamburger Hof ⛰, Kurhausstr. 1, ✆ 4 10 56, Fax 43975, Massage, ≘, ☼ - ▣ ☎ 🅿. ✻
(nur Abendessen für Hausgäste) - **11 Z : 21 B** Fb.

Gogärtchen, Strönwai, ✆ 4 12 42, ⛱ - 🅿. AE ⓓ E VISA
15. Jan.- 10. April und 2. Nov.- 20. Dez. geschl. - **M** (Tischbestellung ratsam) a la carte 72/89.

Manne Pahl, Zur Uwe Düne 2, ✆ 4 25 10, Fax 44410, ⛱ - 🅿. AE ⓓ E VISA
M a la carte 46/75.

List 2282 411 I 1 - 2 400 Ew - ☎ 04652.
ℹ Kurverwaltung, Haus des Kurgastes, ✆ 10 14, Fax 1398.
Nach Westerland 18 km.

Alte Backstube, Süderhörn 2, ✆ 5 12, « Gartenterrasse » - 🅿. AE ⓓ E VISA
Mittwoch, 6. Jan.- 15. Feb. und 2. Nov.- 24. Dez. geschl. - **M** a la carte 49/75.

Sylt Ost 2280 - 6 100 Ew - ☎ 04651.
ℹ Kurverwaltung, im Ortsteil Keitum, Am Tipkenhoog 5, ✆ 33 70, Fax 33737.
Nach Westerland 5 km (ab Keitum).

Im Ortsteil Keitum - Luftkurort :

Benen Diken Hof ⛰ garni, Süderstraße, ✆ 3 10 35, Fax 35835, ≘, ▢, ☼ - ▣ 🅿. AE ⓓ E VISA. ✻
38 Z : 73 B 125/275 - 220/360 Fb - 9 Appart. 350/650.

Seiler Hof (modernisiertes Friesenhaus a.d.J. 1761), Gurtstig 7, ✆ 3 10 64, Fax 35370, « Garten », ≘ - ▣ ☎ 🅿. ✻
(nur Abendessen für Hausgäste) - **12 Z : 25 B** 125/220 - 220/260 Fb - 4 Appart. 380.

Groot's Hotel garni, Gaat 5, ✆ 34 21, Fax 32953, ≘, ☼ - ▣ ☎ 🅿. ✻
1.- 15. Dez. geschl. - **11 Z : 21 B** 140/160 - 240/320 Fb.

Wolfshof ⛰ garni, Osterweg 2, ✆ 34 45, Fax 31139, ≘, ▢, ☼ - ▣ ☎ 🅿. AE ⓓ E VISA
10. Jan.- 14. März und 15. Nov.- 15. Dez. geschl. - **15 Z : 30 B** 115/190 - 230/265 Fb.

Fisch-Fiete, Weidemannweg 3, ✆ 3 21 50, « Gartenterrasse » - 🅿
März - Okt. - **M** (Tischbestellung erforderlich) a la carte 45/90.

Im Ortsteil Morsum :

✿ **Landhaus Nösse** ⛰ mit Zim, Nösistig, ✆ (04654) 15 55, Fax 1658, ⛱, « Schöne Lage am Morsum Kliff », ☼ - ▣ ☎ 🅿. AE ⓓ E VISA. ✻
Ende Nov.- Mitte Dez. geschl. - **M** 59/65 (mittags) und a la carte 84/105 - **Bistro M** a la carte 46/76 - **9 Z : 18 B** 242/362 - 260/410 Fb - 4 Appart.
Spez. Hummer in zwei Gängen serviert, Deichlammrücken in der Kräuterkruste, Nösse Dessertteller.

Im Ortsteil Tinnum :

✿ **Romantik-Restaurant Landhaus Stricker,** Boy-Nielsen-Str. 10, ✆ (04651) 3 16 72, Fax 35455, bemerkenswerte Weinkarte - 🅿. AE ⓓ E VISA. ✻
M (Tischbestellung ratsam) 34/44 (mittags) und a la carte 77/101
Spez. Gebeizte Lammscheiben mit Pesto und Schafskäse, Edelfische mit Rieslingbutter, Gebackene Pflaumen mit Zimteis.

Wenningstedt 2283 - 2 500 Ew - Seeheilbad - ☎ 04651.
ℹ Verkehrsverein, Westerlandstr. 1, ✆ 4 32 10, Fax 45772.
Nach Westerland 4 km.

Strandhörn ⛰, Dünenstr. 1, ✆ 4 19 11, Fax 45777, ♿, ≘, ☼ - ▣ ☎ 🅿
20. Nov.- 20. Dez. und 15. Jan.- 15. Feb. geschl. - **M** *(nur Abendessen, Tischbestellung ratsam)* a la carte 65/88 - **23 Z : 43 B** 130/210 - 220/270 Fb - 12 Appart. 540/700.

Friesenhof, Hauptstr. 16, ✆ 4 10 31, Fax 45526, ≘, ☼ - ▣ ☎ 🅿. ✻ Zim
Mitte März - Okt. - **M** *(Mittwoch geschl.)* a la carte 33/60 - **14 Z : 25 B** 86/98 - 158/210 - 10 Fewo 98/170 - ½ P 101/120.

Hinkfuss am Dorfteich ⛰ mit Zim, Am Dorfteich 2, ✆ 54 61, ⛱ - ▣ ☎ 🅿. AE E VISA
Feb.- März 3 Wochen geschl. - **M** *(Tischbestellung ratsam)* (Montag - Dienstag 18 Uhr geschl.) a la carte 43/95 - **3 Z : 6 B** 125 - 195 Fb.

Westerland **2280.** 987 ④ - 9 000 Ew - Seeheilbad - ☎ 04651.

Fremdenverkehrszentrale, am Bundesbahnhof, ☎ 2 40 01, Fax 24060.

♦Kiel 136 - Flensburg 55 - Husum 53.

Stadt Hamburg, Strandstr. 2, ☎ 85 80, Telex 221223, Fax 858220 - 25/50. AE E VISA. Rest
M 34 (mittags) und a la carte 57/82 - **85 Z : 135 B** 143/309 - 276/433 - 22 Appart. 463/630 - ½ P 185/357.

Dorint-Hotel Sylt, Schützenstr. 22, ☎ 85 00, Fax 850150. AE E VISA. Rest
M a la carte 50/85 - **71 Z : 170 B** 315/410 - 370/470 Fb - 5 Appart. 525/650.

Sylter Seewolf, Böttícherstr. 13, ☎ 80 10, Fax 80199. Rest
(nur Abendessen für Hausgäste) - **44 Z : 76 B** Fb - 5 Appart.

Sylter Hof, Norderstr. 9, ☎ 85 70, Fax 85755. AE E VISA
M *(nur Abendessen)* a la carte 45/78 - **24 Z : 50 B** 175/400 - 280/480 Fb.

Miramar, Friedrichstr. 43, ☎ 85 50, Fax 855222, ≤, Massage - 30. AE E VISA. Rest
15. Nov.- 15. Dez. geschl. - **M** a la carte 34/72 - **86 Z : 160 B** 145/440 - 260/540 Fb - 8 Appart. 600/900 - ½ P 178/488.

Wünschmann, Andreas-Dirks-Str. 4, ☎ 50 25, Fax 5028 - AE.
2. Nov.- 24. Dez. geschl. - (nur Abendessen für Hausgäste) - **35 Z : 57 B** 137/265 - 208/616.

Atlantic, Johann-Möller-Str. 30, ☎ 60 46, Fax 28313. E VISA
M *(nur Abendessen, 23. Feb.- 15. März, 4. Nov.- 15. Dez. und außer Saison Donnerstag geschl.)* a la carte 46/73 - **27 Z : 47 B** 110/150 - 200/260 Fb.

Monbijou garni, Andreas-Dirks-Str. 6, ☎ 60 81, Fax 27870 -
28 Z : 52 B Fb.

Monopol garni, Steinmannstr.11, ☎ 2 40 96 -
24 Z : 36 B 95/140 - 180/200 Fb.

Vier Jahreszeiten, Johann-Möller-Str. 40, ☎ 2 30 28, Fax 28969 - AE E VISA. Rest
2. Nov.- Mitte Jan. geschl. - (nur Abendessen für Hausgäste) - **26 Z : 40 B** 95/175 - 200/230 Fb.

Gästehaus Hellner garni, Maybachstr. 8, ☎ 69 45, Fax 28226 -
19 Z : 30 B.

XXXX ✿ **Restaurant Jörg Müller** mit Zim, Süderstr. 8, ☎ 2 77 88, « Modern-elegantes Restaurant in einem Friesenhaus » - AE E VISA
Dienstag - Mittwoch 18 Uhr, 12. Jan.- 13. Feb. und 22. Nov.- 17. Dez. geschl. - **M** *(bemerkenswerte Weinkarte)* (in beiden Restaurants : Tischbestellung ratsam) a la carte 79/128 - **Pesel M** a la carte 49/78 - **3 Z : 6 B** 160/180 - 220/260
Spez. Kalbskopfsalat mit Hahnenkämmen, Pot au feu vom Hummer, Lammrücken mit Kräuterkruste.

XX **Webchristel,** Süderstr. 11, ☎ 2 29 00 -
nur Abendessen, Donnerstag geschl. - Menu (Tischbestellung ratsam) a la carte 39/84.

XX **Franz Ganser,** Bötticherstr. 2, ☎ 2 29 70 - AE E VISA
15. Feb.- 10. März geschl. - **M** (abends Tischbestellung ratsam) a la carte 65/87.

XX **See-Garten,** Andreas-Dirks-Str. 10 (Kurpromenade), ☎ 2 36 58, Fax 6872, ≤. AE E VISA
Okt.- Ostern Dienstag und Nov.- Mitte Dez. geschl. - **M** a la carte 33/53.

XX Alte Friesenstube, Gaadt 4, ☎ 12 28, « Haus a.d.J. 1648 mit rustikal-friesischer Einrichtung »
nur Abendessen - (Tischbestellung ratsam).

X Bratwurstglöckl, Friedrichstr. 37, ☎ 74 25, Fax 27884.

TABARZ **O-5808.** Thüringen - 4 000 Ew - Höhe 350 m - ☎ 0037 62299.

Erfurt 63 - ♦Berlin 427 - Bad Hersfeld 92 - Coburg 102.

Kleines Palais-Hotel garni, Lauchagrundstr. 31, ☎ 23 12, Telex 615263, Fax 2356, « Kleiner Park ». AE E VISA
10 Z : 20 B 105/125 - 140/170 - 5 Appart. 190/245.

Berghotel, Max-Alvary-Str. 9, ☎ 21 35, Telex 615265.
(nur Abendessen) - **24 Z : 43 B** Fb.

Waldhütte, Lauchagrundstr. 44, ☎ 23 34, Telex 615263, Fax 2356. AE E VISA
M a la carte 21/36 - **14 Z : 29 B** 67/92 - 85/119 - 7 Appart. 120.

TACHERTING **8221.** Bayern 413 U 22, 426 J 4 - 4 300 Ew - Höhe 473 m - ☎ 08621 (Trostberg).

♦München 92 - Altötting 22 - Rosenheim 52 - Salzburg 70.

In Engelsberg-Wiesmühl **8261** N : 3 km :

Post, Altöttinger Str. 9 (B 299), ☎ (08634) 15 14.
15 Z : 25 B.

TÄNNESBERG **8481.** Bayern 413 TU 18 – 1 500 Ew – Höhe 693 m – Erholungsort – ☎ 09655.
◆München 186 – ◆Nürnberg 106 – ◆Regensburg 69 – Weiden in der Oberpfalz 25.

Wurzer, Marktplatz 12, ☎ 2 57, – P
38 Z : 70 B.

TALHEIM **7129.** Baden-Württemberg 412 413 K 19 – 3 500 Ew – Höhe 195 m – ☎ 07133.
◆Stuttgart 48 – Heilbronn 9 – Ludwigsburg 32.

Sonne, Sonnenstr. 44, ☎ 42 97 –
Jan. 2 Wochen und 10.- 27. Aug. geschl. – **M** *(Montag geschl., Dienstag - Samstag nur Abendessen, an Sonn- und Feiertagen nur Mittagessen)* a la carte 31/50 – **27 Z : 44 B** 42/58 - 75/100 Fb.

TAMM Baden-Württemberg siehe Asperg.

TANKUMSEE Niedersachsen siehe Gifhorn.

TANN (RHÖN) **6413.** Hessen 987 ㉕ ㉖, 412 N 15 – 5 300 Ew – Höhe 390 m – Luftkurort – ☎ 06682.
Verkehrsamt, Stadtverwaltung, Marktplatz, ☎ 80 11.
◆Wiesbaden 226 – Fulda 39 – Bad Hersfeld 52.

Berghotel Silberdistel, Bergstr.10 (O : 1 km), ☎ 2 30, ≤ Tann und Rhön, –
P. AE E
M *(Dienstag geschl.)* a la carte 25/48 – **11 Z : 21 B** 38/48 - 65/91.

In Tann-Lahrbach S : 3 km :

Gasthof Kehl (mit Gästehaus), Eisenacher Str. 15, ☎ 3 87, – P – 25/40. Zim
7.- 28. Okt. geschl. – **M** *(Dienstag geschl.)* a la carte 17/37 – **26 Z : 52 B** 30/41 - 48/82 - ½ P 36/53.

TAPFHEIM Bayern siehe Donauwörth.

TARP **2399.** Schleswig-Holstein 411 L 2,3 – 5 000 Ew – Höhe 22 m – ☎ 04638.
◆Kiel 76 – Flensburg 17 – Schleswig 25.

Landgasthof Tarp, Bahnhofstr. 1, ☎ 9 92, Fax 8110 – P – 80. AE E VISA
M *(Freitag bis 17 Uhr geschl.)* a la carte 22/51 – **52 Z : 92 B** 28/40 - 56/75 Fb.

TAUBERBISCHOFSHEIM **6972.** Baden-Württemberg 413 LM 18, 987 ㉕ – 12 500 Ew – Höhe 181 m – ☎ 09341.
◆Stuttgart 117 – Heilbronn 75 – ◆Würzburg 37.

Am Brenner, Goethestr. 10, ☎ 30 91, Fax 5874, ≤, – Zim TV P – 35. AE E VISA. Rest
M *(Freitag geschl.)* a la carte 37/72 – **31 Z : 50 B** 60/80 - 98/125 Fb.

Henschker, Bahnhofstr. 18, ☎ 23 36, Fax 2143 – TV – 60. E VISA
20. Dez.- 20. Jan. geschl. – **M** *(Sonntag-Montag 17 Uhr geschl.)* a la carte 19,50/51 – **15 Z : 23 B** 50/65 - 90/105 Fb.

Badischer Hof, Hauptstr. 70, ☎ 16 24 – TV P – 25
15. Dez.- 15. Jan. geschl. – **M** *(Freitag geschl.)* a la carte 20/42 – **26 Z : 41 B** 60/70 - 79/105.

Am Schloß garni, Hauptstr. 56, ☎ 32 71 – E
9 Z : 17 B 55 - 80.

In Königheim **6976** W : 7 km :

Schwan, Hardheimer Str. 6, ☎ (09341) 38 99, – P
11 Z : 19 B.

TAUBERRETTERSHEIM Bayern siehe Weikersheim.

TAUFKIRCHEN **8252.** Bayern 413 T 21, 987 ㊲ – 8 000 Ew – Höhe 456 m – ☎ 08084.
◆München 53 – Landshut 26 – Passau 129 – Rosenheim 66 – Salzburg 126.

In Taufkirchen-Hörgersdorf SW : 6 km :

Landgasthof Forster, Hörgersdorf 23, ☎ 23 57 – P
Mittwoch - Freitag nur Abendessen, Montag - Dienstag und Ende Aug.- Mitte Sept. geschl. – Menu a la carte 34/62.

TAUNUSSTEIN **6204.** Hessen 412 H 16 – 24 700 Ew – Höhe 343 m – 06128.

♦Wiesbaden 12 – Limburg an der Lahn 38 – Bad Schwalbach 10.

In Taunusstein 4-Neuhof :

Zur Burg, Limburger Str. 47 (B 417/275), 7 10 01 – 40. AE E
M *(Samstag geschl.)* a la carte 23/55 – **24 Z : 43 B** 85/120 - 120/180.

TECKLENBURG **4542.** Nordrhein-Westfalen 411 412 G 10, 987 ⑭ – 9 000 Ew – Höhe 235 m – Luftkurort – 05482.

Westerkappeln-Velpe (NO : 9 km), (05456) 4 19 ; Wallen-Lienen (W : 3 km), (05455) 10 35.

Verkehrsbüro, Haus des Gastes, Markt 7, 4 94.

♦Düsseldorf 160 – Münster (Westfalen) 39 – ♦Osnabrück 28.

Parkhotel Burggraf, Meesenhof 7, 4 25, Fax 6125, ≤ Münsterland, 25/120. AE E VISA. Rest
M a la carte 51/84 – **44 Z : 80 B** 115/135 - 140/170 Fb – 3 Appart. 315 – ½ P 101/162.

Drei Kronen, Landrat-Schultz-Str. 15, 2 25, ≤, AE VISA
Jan. geschl. – **M** *(Donnerstag geschl.)* 20/29 (mittags) und a la carte 30/54 – **17 Z : 30 B** 60/85 - 110/130 Fb – ½ P 80/105.

Landhaus Frische, Sundernstr. 52 (am Waldfreibad), 74 10, ≤, AE E VISA. Zim
M *(auch vegetarische Gerichte)* (Montag geschl.) a la carte 25/46 – **8 Z : 18 B** 70/85 - 140 Fb.

Bismarckhöhe, Am Weingarten 43, 2 33, ≤ Münsterland, Biergarten,
15. Dez.- 15. Jan. geschl. – **M** *(Okt.- März Montag geschl.)* a la carte 21/46 – **26 Z : 50 B** 40/50 - 80/100 – ½ P 50/60.

In Tecklenburg 2-Brochterbeck W : 6,5 km :

Teutoburger Wald, Im Bocketal 2, (05455) 10 65, Fax 219, 35. AE E VISA
2.- 25. Dez. geschl. – (Restaurant nur für Hausgäste) – **28 Z : 48 B** 75/90 - 110/150 Fb – ½ P 75/100.

In Tecklenburg 4-Leeden O : 8 km :

Altes Backhaus, Am Ritterkamp 27, (05481) 65 33, E VISA
Dienstag, Ende Jan.- Anfang Feb. und Ende Aug.- Anfang Sept. geschl. – Menu a la carte 34/69.

An der Autobahn A 1 NO : 7 km :

Raststätte Tecklenburger Land (West), 4542 Tecklenburg 4 - Leeden, (05456) 5 66, Fax 568, AE E VISA
M a la carte 28/64 – **24 Z : 44 B** 70/100 - 110/140 Fb.

Price — For notes on the prices quoted in this Guide, see pages in the introduction.

TEGERNHEIM Bayern siehe Regensburg.

TEGERNSEE **8180.** Bayern 413 S 23, 987 ㊲, 426 H 5 – 4 000 Ew – Höhe 732 m – Heilklimatischer Kurort – Wintersport : 730/900 m 1 – 08022.

Kuramt, im Haus des Gastes, Hauptstr. 2, 18 01 40, Fax 3758.

♦München 53 – Miesbach 18 – Bad Tölz 19.

Bayern, Neureuthstr. 23, 18 20, Fax 3775, ≤ Tegernsee und Berge, 25/100. AE E VISA. Rest
M a la carte 43/67 – **92 Z : 151 B** 114/196 - 185/267 Fb – ½ P 123/226.

Bastenhaus garni, Hauptstr. 71, 30 80, ≤,
20 Z : 38 B 76/90 - 100/120.

Gästehaus Fackler, Karl-Stieler-Str. 14, 39 45, ≤, E.
5. Nov.- 22. Dez. geschl. – (Restaurant nur für Hausgäste) – **14 Z : 23 B** 70/90 - 105/190 Fb – ½ P 68/110.

Ledererhof garni, Schwaighofstr. 89, 6 71 80,
20 Z : 50 B.

Fischerstüberl am See, Seestr. 51, 46 72, Fax 1324, ≤,
Mitte Jan.- Mitte Feb. und 15. Nov.- 24. Dez. geschl. – **M** *(Okt.- Mai Mittwoch geschl.)* a la carte 24/48 – **20 Z : 34 B** 40/78 - 80/140 – ½ P 59/97.

Der Leeberghof mit Zim, Ellingerstr. 10, 39 66, ≤ Tegernsee und Berge, « Gartenterrasse » – AE E
M *(Montag geschl.)* a la carte 53/72 – **8 Z : 20 B** 120/150 - 220/350.

TEINACH-ZAVELSTEIN, BAD **7264.** Baden-Württemberg 413 I J 20 - 2 400 Ew - Höhe 392 m - Heilbad - ☎ 07053.

Kurverwaltung, Otto-Neidhart-Allee 6 (Bad Teinach), ✆ 84 44.

♦Stuttgart 56 - Calw 9 - Pforzheim 37.

Im Stadtteil Bad Teinach :

Bad-Hotel, Otto-Neidhart-Allee 5, ✆ 2 90, Fax 29177, freier Zugang zum Kurhaus mit ... - ... 25/80. AE E VISA.
M a la carte 40/78 - **Brunnen-Schenke M** a la carte 22/35 - **56 Z : 90 B** 110/140 - 190/230 Fb - 3 Appart. 280 - ½ P 145/155.

Mühle garni, Otto-Neidhart-Allee 2, ✆ 88 17 - ...
Nov.- 15. Dez. geschl. - **19 Z : 36 B** 46 - 92.

Schloßberg, Burgstr. 2, ✆ 12 18, Fax 1515, ... Zim
1.- 26. Dez. geschl. - **M** *(Montag geschl.)* a la carte 26/45 - **14 Z : 24 B** 47/52 - 94/100 Fb - 62/70.

Goldenes Faß, Hintere Talstr. 2, ✆ 88 03, ...
10. Jan.- 15. Feb. geschl. - **M** *(Montag geschl.)* a la carte 20/49 - **18 Z : 34 B** 42/50 - 84/88 Fb - ½ P 52/56.

Lamm, Badstr. 17, ✆ 12 22 - ... E. Zim
Mitte Jan.- Feb. geschl. - **M** *(Dienstag geschl.)* a la carte 22/42 - **21 Z : 35 B** 50/60 - 100/130 Fb.

Café Gossger garni, Zavelsteiner Str. 2, ✆ 12 38 -
Feb. geschl. - **12 Z : 17 B** 40/48 - 78/88.

Waldhorn, Hintere Talstr. 9, ✆ 88 21 - Zim
Nov.- 22. Dez. geschl. - **M** *(Donnerstag geschl.)* a la carte 23/40 - **18 Z : 28 B** 50/70 - 100/140 - 7 Fewo 100/120.

Im Stadtteil Zavelstein - Luftkurort :

Höhengasthaus Lamm, Marktplatz 3, ✆ 84 14, ... Zim
Weihnachten - Mitte Jan. geschl. - **M** *(Donnerstag geschl.)* a la carte 24/46 - **14 Z : 25 B** 50 - 100 - ½ P 70.

TEISENDORF **8221.** Bayern 413 V 23, 987 ㊳, 426 K 5 - 8 000 Ew - Höhe 504 m - Erholungsort - ☎ 08666.

♦München 120 - Bad Reichenhall 22 - Rosenheim 61 - Salzburg 22.

In Teisendorf-Achthal SW : 5 km :

Reiter mit Zim, Teisendorfer Str. 80, ✆ 3 27, ...
März - April und Nov. jeweils 3 Wochen geschl. - **M** *(Donnerstag geschl.)* a la carte 19/34 - **9 Z : 16 B** 33/35 - 66/70 - ½ P 46/48.

In Teisendorf-Holzhausen N : 2 km :

Kurhaus Seidl, ✆ 80 10, Fax 801102, ..., Bade- und Massageabteilung, ..., (Halle) - ... Rest ... 30. Zim
M *(auch Diät)* a la carte 27/49 - **66 Z : 91 B** 85/100 - 140/160 Fb.

In Teisendorf-Neukirchen SW : 8 km :

Berggasthof Schneck, Pfarrhofweg 20, ✆ 3 56, ...
7.- 30. Jan. und 2. Nov.- 24. Dez. geschl. - **M** *(Donnerstag geschl.)* a la carte 23/48 - **11 Z : 20 B** 45/80 - 75/90.

TEISING Bayern siehe Altötting.

TEISNACH **8376.** Bayern 413 VW 19 - 2 800 Ew - Höhe 467 m - ☎ 09923.

Verkehrsamt, Rathaus, ✆ 5 62, Fax 3607.

♦München 168 - Cham 40 - Deggendorf 24 - Passau 75.

In Teisnach-Kaikenried SO : 4 km :

Das kleine Sporthotel, Am Platzl 2, ✆ 5 74, ... E
M *(Montag geschl.)* a la carte 22/51 - **14 Z : 26 B** 42 - 78 Fb.

Besonders angenehme Hotels oder Restaurants sind im Führer rot gekennzeichnet.

Sie können uns helfen, wenn Sie uns die Häuser angeben, in denen Sie sich besonders wohl gefühlt haben.

Jährlich erscheint eine komplett überarbeitete Ausgabe aller Roten Michelin-Führer.

XXXXX ... X

TELGTE 4404. Nordrhein-Westfalen 411 412 G 11, 987 ⑭ – 16 800 Ew – Höhe 49 m – ✪ 02504.
Sehenswert : Heimathaus Münsterland (Hungertuch★).

🛈 Verkehrsamt, Markt 1, 𝒫 1 33 27.

◆Düsseldorf 149 – Bielefeld 62 – Münster (Westfalen) 12 – ◆Osnabrück 47.

🏨 **Heidehotel Waldhütte** 🌭, Im Klatenberg 19 (NO : 3 km, über die B 51), 𝒫 20 16, Fax 7906, « Waldpark, Gartenterrasse », ☎s, 🐎, 🌫 – 📺 ☎ 🚗 🅿 – 🔬 25/70. 🖭 ① 🗲 𝓥𝓘𝓢𝓐
M a la carte 36/66 – **28 Z : 56 B** 90/115 - 155/185 Fb.

🏨 **Marienlinde**, Münstertor 1, 𝒫 50 57, Fax 5059 – 📺 ☎ 🅿. 🖭 ① 🗲 𝓥𝓘𝓢𝓐. 🎇 Rest
(nur Abendessen für Hausgäste) – **18 Z : 34 B** 78/85 - 115/140 Fb.

🏠 **Telgter Hof**, Münsterstr. 29, 𝒫 30 44, Fax 5160 – 🛗 📺 ☎
➡ *über Ostern 2 Wochen geschl.* – **M** *(Montag geschl.)* a la carte 20/47 – **12 Z : 18 B** 52/55 - 80/100.

In Ostbevern **4412** NO : 7 km :

🏖 **Beverhof**, Hauptstr. 35, 𝒫 (02532) 51 62 – 📺 🚗 🅿
➡ **M** *(Donnerstag bis 17 Uhr geschl.)* a la carte 16/30 – **9 Z : 16 B** 40 - 80.

TENINGEN 7835. Baden-Württemberg 413 G 22, 242 ㉜, 87 ⑦ – 10 500 Ew – Höhe 189 m – ✪ 07641 (Emmendingen).

◆Stuttgart 192 – ◆Freiburg im Breisgau 20 – Offenburg 50.

In Teningen 3 - Bottingen SW : 4 km über Nimburg :

🏠 Landgasthof Rebstock, Wirtstr. 2, 𝒫 (07663) 18 43 – ☎ 🅿
20 Z : 40 B.

TENNENBRONN 7741. Baden-Württemberg 413 HI 22 – 3 700 Ew – Höhe 662 m – Luftkurort – ✪ 07729.

🛈 Verkehrsamt, Rathaus, Hauptstr. 23, 𝒫 2 02, Fax 8228.

◆Stuttgart 116 – ◆ Freiburg im Breisgau 86 – Freudenstadt 44 – Villingen-Schwenningen 24.

🏠 Adler, Hauptstr. 60, 𝒫 2 12 – 🅿
15 Z : 26 B.

TETTNANG 7992. Baden-Württemberg 413 L 23, 987 ㉟ ㊱, 427 M 2 – 16 300 Ew – Höhe 466 m – ✪ 07542.

🛈 Verkehrs- und Heimatverein, Montfortplatz 7, 𝒫 51 02 13, Fax 510275.

◆Stuttgart 160 – Bregenz 28 – Kempten (Allgäu) 65 – Ravensburg 13.

🏨 Rad, Lindauer Str. 2, 𝒫 54 00, Fax 53636, ☎s – 🛗 🍴 Rest 📺 ☎ 🚗 🅿 – 🔬 30/120
72 Z : 108 B Fb.

🏠 **Ritter**, Karlstr. 2, 𝒫 5 20 51, Fax 5797, 🌫 – 🛗 📺 ☎ 🚗 🅿. 🖭 ① 🗲 𝓥𝓘𝓢𝓐
7.- 18. Jan. und 26. Okt.- 10. Nov. geschl. – **M** *(Freitag bis 17 Uhr, im Winter Freitag - Samstag 17 Uhr geschl.)* a la carte 25/55 – **24 Z : 44 B** 65/85 - 88/125 Fb.

🏠 **Der Rosengarten**, Ravensburger Str. 1, 𝒫 68 83, Fax 54341, ☎s – 🛗 📺 ☎ 🚗 🅿 –
🔬 20/80. 🖭 🗲
M *(Sonntag 15 Uhr - Montag 17 Uhr geschl.)* a la carte 27/52 – **50 Z : 90 B** 68/86 - 91/108 Fb.

🏠 **Torstuben** (mit Gästehaus, 🛗), Bärenplatz 8, 𝒫 5 20 91, Fax 52094 – 📺 ☎ 🚗. 🗲
M *(Dienstag und 10.- 28. Feb. geschl.)* a la carte 27/47 🍸 – **12 Z : 23 B** 60/90 - 100/110 - 4 Fewo 80/160.

🏠 **Panorama** garni, Weinstr. 5, 𝒫 80 73, Fax 6252 – 📺 ☎ 🚗
15. Dez.- Jan. geschl. – **19 Z : 35 B** 60/75 - 90/115 Fb.

🏠 Bären, Bärenplatz 1, 𝒫 69 45 – 🚗 🅿
40 Z : 60 B.

In Tettnang-Laimnau SO : 8 km :

✕✕ **Landgasthof Ritter**, Ritterstr. 5, 𝒫 (07543) 55 30 – 🅿. 🎇
nur Abendessen, Montag geschl. – **M** a la carte 54/75.

TEUPITZ O-1612. Brandenburg 984 ⑯, 987 ⑰ ⑱ – 1 700 Ew – Höhe 40 m – ✪ 0037 32986.
Ausflugsziel : Spreewald★★ (Kahnfahrt ab Lübbenau, Freilandmuseum Lehde★).

◆Berlin 26 – Cottbus 81 – ◆Dresden 137 – ◆Frankfurt/Oder 70.

🏨 Schloßhotel Teupitz 🌭, Kirchstr. 8, 𝒫 2 66, ≤, 🌫, ☎s, 🎿, 🌫 – 📺 ☎ 🅿 – 🔬 30. 🎇
33 Z : 65 B Fb – 10 Appart.

In Motzen O-1601 N : 11 km :

🏠 **Residenz am Motzener See,** Töpchiner Str. 4, 𝒫 (003732989) 2 42, ≤, 🌫, ☎s, 🎿, 🌫
– 📺 🅿. 🖭. 🎇
M a la carte 25/40 – **13 Z : 27 B** 80/120 - 120/150 – 6 Appart. 160/240.

THALFANG **5509.** Rheinland-Pfalz 412 D 17, 987 ㉔ – 1 700 Ew – Höhe 440 m – Erholungsort – Wintersport : 500/818 m ⛷4 ⛷3 (am Erbeskopf) – ☎ 06504.

Ausflugsziel : Hunsrück-Höhenstraße★.

ℹ Verkehrsamt, Rathaus, Saarstr. 9, ✆ 4 43.

Mainz 121 – Bernkastel-Kues 31 – Birkenfeld 20 – ♦Trier 49.

Haus Vogelsang ⛺, Im Vogelsang 7, ✆ 10 88, – TV ☎ P. E.
M *(Mittwoch geschl.)* a la carte 21/42 – **11 Z : 20 B** 40/46 - 74/90 – ½ P 47/57.

THALHAUSEN Rheinland-Pfalz siehe Dierdorf.

THALLICHTENBERG Rheinland-Pfalz siehe Kusel.

☞ *Pour voyager rapidement, utilisez les* cartes Michelin "Grandes Routes" :

970 *Europe,* 980 *Grèce,* 984 *Allemagne,* 985 *Scandinavie-Finlande,*
986 *Grande-Bretagne-Irlande,* 987 *Allemagne-Autriche-Benelux,* 988 *Italie,*
989 *France,* 990 *Espagne-Portugal,* 991 *Yougoslavie.*

THANNHAUSEN **8907.** Bayern 413 O 22, 987 ㊱ – 5 200 Ew – Höhe 498 m – ☎ 08281.

♦München 113 – ♦Augsburg 37 – ♦Ulm (Donau) 59.

Sonnenhof, Messerschmittstr. 1 (an der B 300), ✆ 20 14, – TV ☎ P
10.- 23. Aug. geschl. – **M** a la carte 21/37 – **16 Z : 28 B** 45/50 - 80/100.

THOLEY **6695.** Saarland 987 ㉔, 412 E 18, 242 ③ – 12 000 Ew – Höhe 370 m – Erholungsort – ☎ 06853.

♦Saarbrücken 37 – Birkenfeld 25 – ♦Trier 58.

XX **Hotellerie Hubertus** mit Zim, Metzer Str. 1, ✆ 24 04, Fax 30601 – TV ☎. AE ⓓ VISA.
Samstag bis 19 Uhr, Montag und Juli - Aug. 2 Wochen geschl. – **M** a la carte 63/85 – **10 Z : 19 B** 65/90 - 110/170.

Im Ortsteil Theley N : 2 km :

Bard, Primstalstr. 22, ✆ 20 80, Fax 30473 – TV ☎ P. AE ⓓ E VISA. Zim
13. Jan.- 2. Feb. geschl. – **M** *(Samstag bis 18 Uhr und Sonntag 15 Uhr - Montag 18 Uhr geschl.)* a la carte 32/61 – **14 Z : 22 B** 30/52 - 55/95.

THUMBY **2335.** Schleswig-Holstein 411 M 3 – 550 Ew – Höhe 2 m – ☎ 04352.

♦Kiel 46 – Flensburg 61 – Schleswig 34.

In Thumby-Sieseby NW : 3 km :

XX **Schlie-Krog,** Dorfstr. 19, ✉ 2335 Damp 1, ✆ (04352) 25 31, – P.
Montag - Dienstag und Mitte Jan.- Feb. geschl. – **M** 30/45 (mittags) und a la carte 43/75.

THUMSEE Bayern siehe Reichenhall, Bad.

THURMANSBANG **8391.** Bayern 413 W 20, 426 LM 2 – 2 700 Ew – Höhe 503 m – Erholungsort – Wintersport : 490/800 m ⛷2 ⛷8 – ☎ 08504.

Ausflugsziel : Museumsdorf am Dreiburgensee SO : 4 km.

ℹ Verkehrsamt, Schulstr. 5, ✆ 16 42.

♦München 171 – Deggendorf 38 – Passau 26.

Waldhotel Burgenblick ⛺, Auf der Rast 12, ✆ 83 83, <, , , , , – P
6. Jan.- 18. Mai und Okt.- 20. Dez. geschl. – **M** a la carte 23/47 – **70 Z : 130 B** 58/68 - 104/129 Fb.

In Thurmansbang-Traxenberg W : 1,5 km :

Landgut Traxenberg ⛺, ✆ (09907) 9 12, <, , , , , , (Halle und Parcours) – TV ☎ P – 30
37 Z : 70 B Fb.

THURNAU **8656.** Bayern 413 R 16 – 4 200 Ew – Höhe 359 m – ☎ 09228.

⛳ Petershof 1, ✆ 10 22.

♦München 256 – ♦Bamberg 44 – Bayreuth 21.

Gästehaus am Pollmannsgarten ⛺ garni, Dr.-Pollmann-Str.10, ✆ 6 61, , , – TV ☎ P
8 Z : 16 B.

TIEFENBRONN **7533.** Baden-Württemberg 413 J 20, 987 ㉟ – 4 600 Ew – Höhe 432 m – ☎ 07234.

Sehenswert: Pfarrkirche (Lukas-Moser-Altar★★).

♦Stuttgart 39 – Heilbronn 73 – Pforzheim 15 – Tübingen 59.

Ochsen-Post (renoviertes Fachwerkhaus a.d. 17. Jh.), Franz-Josef-Gall-Str. 13, ☎ 80 30, Fax 5554 – TV ☎ P. AE ① E VISA
Juli - Aug. 2 Wochen und 23. Dez.- 7. Jan. geschl. – **M** *(Sonntag 15 Uhr - Dienstag 18 Uhr und an Feiertagen geschl.)* a la carte 67/85 – **19 Z : 30 B** 84/108 - 115/152 Fb.

Bauernstuben, Franz-Josef-Gall-Str. 13, ☎ 85 35, – P
nur Abendessen, Dienstag und über Fasching 3 Wochen geschl. – **M** a la carte 42/80.

In Tiefenbronn 1-Mühlhausen SO : 4 km :

Adler, Tiefenbronner Str. 20, ☎ 80 08, Fax 4256, – TV ☎ P – 40. AE ① E VISA
M a la carte 40/81 – **22 Z : 35 B** 83/89 - 129/139 Fb.

Im Würmtal W : 4 km :

Häckermühle (mit Gästehaus), Im Würmtal 5, ✉ 7533 Tiefenbronn, ☎ (07234) 61 11, – TV ☎ P. AE ① E VISA.
7.- 20. Jan. geschl. – **M** *(auch vegetarisches Menu, Tischbestellung ratsam)* (Montag - Dienstag nur Abendessen) a la carte 50/99 – **15 Z : 24 B** 75/130 - 145/180 Fb.

TIMMENDORFER STRAND **2408.** Schleswig-Holstein 411 P 4, 987 ⑥ – 7 900 Ew – Höhe 10 m – Seeheilbad – ☎ 04503.

(2 Plätze) Am Golfplatz 3, ☎ 51 52.

Kurverwaltung, im Kongresshaus, ☎ 60 09 82.

♦Kiel 64 – ♦Lübeck 21 – Lübeck-Travemünde 9.

Seeschlößchen, Strandallee 141, ☎ 60 11, Fax 601333, <, , Bade- und Massageabteilung, , , (geheizt), , – TV P – 25/80. E. Rest
13. Jan.- 15. Feb. geschl. – **M** a la carte 42/79 – **125 Z : 204 B** 165/300 - 240/320 Fb – 9 Appart. 350/500 – 30 Fewo 125/300 – ½ P 145/225.

Maritim Golf- und Sporthotel, An der Waldkapelle 26, ☎ 60 70, Telex 261433, Fax 2996, < Ostsee, , (geheizt), , , (Halle), – TV P – 25/150. AE ① E VISA. Rest
M a la carte 44/85 – **200 Z : 400 B** 169/324 - 232/378 Fb – ½ P 154/311.

Maritim Seehotel, Strandallee 73b, ☎ 60 50, Telex 261431, Fax 2932, <, Massage, , (geheizt), , – TV P – 25/600. AE ① E VISA.
Restaurants : **Seerestaurant M** a la carte 42/74 – **Orangerie** (außer an Sonn- und Feiertagen nur Abendessen) *(Montag und Feb. 3 Wochen geschl.)* **M** 90/120 – **241 Z : 464 B** 157/287 - 228/404 Fb – 7 Appart. – ½ P 152/325.

Landhaus Carstens, Strandallee 73, ☎ 25 20, « Gartenterrasse », – TV ☎ P. AE E VISA
M *(Montag geschl.)* a la carte 42/92 – **27 Z : 51 B** 150 - 260.

Royal garni, Kurpromenade 2, ☎ 50 01, Fax 6820, , – TV ☎
40 Z : 74 B 125/204 - 195/290 Fb.

Atlantis, Strandallee 60, ☎ 50 51, Fax 5056, , « Schifferklause », , – TV ☎ P – 40. E
M a la carte 30/60 – **47 Z : 80 B** 95/135 - 140/160 Fb.

von Oven's Landhaus, Strandallee 154, ☎ 60 11, Fax 601333 – TV ☎
Ostern - Okt. – **M** a la carte 35/60 – **22 Z : 40 B** 90/120 - 130/195 Fb – ½ P 90/145.

Bellevue garni, Strandallee 139 a, ☎ 6 00 30, Fax 600360, <, , – TV ☎ P
April - Okt. – **45 Z : 80 B** 110/160 - 190/245 Fb – 10 Appart. 265.

Park-Hotel garni, Am Kurpark 4, ☎ 6 00 60, – TV ☎ P
25 Z : 47 B 87/102 - 134/189 Fb.

Ancora garni, Strandallee 58, ☎ 20 16, , – TV ☎
24 Z : 47 B 95/110 - 1600/240 Fb – 4 Appart. 240.

Holsteiner Hof, Strandallee 92, ☎ 20 22, Fax 6914, – ☎ P. E
1.- 20. Nov. geschl. – **M** a la carte 44/78 – **16 Z : 30 B** 120 - 180/230 Fb – 8 Fewo 150.

Dryade, Schmilinskystr. 2, ☎ 40 51, , , – TV ☎ P. ① E VISA. Rest
Nov.- 15. Dez. geschl. – **M** a la carte 42/65 – **53 Z : 85 B** 95/135 - 160/200 Fb – 3 Appart. 230 – ½ P 123/143.

Brigitte garni, Poststr. 91, ☎ 42 91, – TV ☎ P
Jan.- Feb. geschl. – **13 Z : 24 B** 75/95 - 130/150.

Ostsee-Hotel, Poststr. 56, ☎ 24 07, , – TV ☎ P
Mitte März - Mitte Okt. – (nur Abendessen für Hausgäste) – **18 Z : 30 B** 75/100 - 116/140 Fb.

Seestern garni, Strandallee 124, ☎ 26 51 – TV P
15. März - 15. Okt. – **19 Z : 34 B** 55/70 - 95/120.

Kleines Landhaus, Strandallee 73, ☎ 6 08 59, Fax 60860, – AE ① E VISA
Dienstag - Freitag nur Abendessen, Montag geschl.) – **M** a la carte 71/92.

In Timmendorfer Strand - Hemmelsdorf S : 3 km :

XX **Am Hemmelsdorfer See** mit Zim, Seestr. 16, *ℰ* 58 50, *☛* – **ⓟ**. **E**. *%*
M *(Mittwoch - Donnerstag 17 Uhr geschl.)* a la carte 41/64 – **6 Z : 14 B** 120 (Doppelzimmer)
– ½ P 85.

In Timmendorfer Strand - Niendorf O : 1,5 km :

🏨 **Yachtclub Timmendorfer Strand,** Strandstr. 94, *ℰ* 50 61, Telex 261440, Fax 5065, **⇌**,
☒ – **⧚** **TV** **ⓟ** – **⚃** 25/60. **AE** **①** **E** **VISA**. *%* Rest
Jan. - Feb. geschl. – **M** a la carte 45/85 – **55 Z : 108 B** 134/180 - 208/320 Fb – 7 Appart. 340/420.

🏠 **Friedrichsruh,** Strandstr. 65, *ℰ* 25 93, ≤, *♔* – **⧚** **☎** **ⓟ** – **⚃**. **AE** **E**
↠ *4. Feb.- 15. März geschl.* – **M** *(Mitte Nov.- Ostern Montag - Dienstag geschl.)* a la carte 24/62
– **29 Z : 50 B** 85//105 - 135//185 Fb.

X **Fischkiste** (überwiegend Fischgerichte), Strandstr. 56, *ℰ* 35 43, Fax 4568, *♔* – **ⓟ**. **AE** **E**
Nov.- Feb. nur Freitag - Sonntag geöffnet – **M** a la carte 35/67.

TINNUM Schleswig-Holstein siehe Sylt (Insel).

TIRSCHENREUTH 8593. Bayern **413** U 17, **987** ㉗ – 10 000 Ew – Höhe 503 m – **✪** 09631.
♦München 283 – Bayreuth 63 – ♦Nürnberg 131.

🏠 Haus Elfi *≫* garni, Theresienstr. 23, *ℰ* 28 02 – **TV** **☎** *⇔* **ⓟ**. *%* – **13 Z : 23 B** Fb.

TITISEE-NEUSTADT 7820. Baden-Württemberg **413** H 23, **987** ㉞ ㉟ – 12 000 Ew – Höhe 849 m
– Heilklimatischer Kurort – Wintersport : 820/1 200 m ✂5 ⚡10 – **✪** 07651.
Sehenswert : See★. – **🛈** Kurverwaltung Titisee, im Kurhaus, *ℰ* 81 01.
🛈 Kurverwaltung Neustadt, Sebastian-Kneipp-Anlage, *ℰ* 2 06 68.
♦Stuttgart 160 ② – Basel 74 ③ – Donaueschingen 32 ② – ♦Freiburg im Breisgau 30 ④ – Zürich 95 ③.

Stadtplan siehe nächste Seite

Im Ortsteil Titisee :

🏨 **Treschers Schwarzwald-Hotel** *≫*, Seestr. 12, *ℰ* 81 11, Telex 7722341, Fax 8116, ≤, *♔*,
Bade- und Massageabteilung, **⇌**, **☒**, **🐾**, *☛*, *%* **ƒ6** – **⧚** **TV** *⇔* **ⓟ** – **⚃** 25/120. **AE**
E **VISA**
15. Nov.- 22. Dez. geschl. – **M** a la carte 53/85 – **86 Z : 150 B** 180/200 - 200/320 Fb –
½ P 150/250. BZ **x**

🏨 **Kur-Hotel Brugger am See** *≫*, Strandbadstr. 14, *ℰ* 80 10, Telex 7722332, Fax 8238, ≤,
« Gartenterrasse », Bade- und Massageabteilung, **⚗**, **⇌**, **☒**, **🐾**, *☛*, *%* – **⧚** **TV** **🕭** *⇔*
ⓟ – **⚃** 25/50. **AE** **①** **E** **VISA** AZ **s**
M a la carte 40/71 – **67 Z : 120 B** 120/180 - 180/280 Fb – ½ P 132/222.

🏨 **Maritim Titisee-Hotel** *≫*, Seestr. 16, *ℰ* 80 80, Telex 7722304, Fax 808603, ≤, *♔*, **⇌**,
☒, **🐾**, *☛* – **⧚** **TV** *⇔* **ⓟ** – **⚃** 25/100. **AE** **①** **E** **VISA**. *%* Rest BZ **e**
M a la carte 36/70 – **132 Z : 222 B** 157/247 - 238/400 Fb – ½ P 157/285.

🏩 **Seehotel Wiesler** *≫*, Strandbadstr. 5, *ℰ* 83 30, Fax 88168, ≤, *♔*, **⇌**, **☒**, **🐾**, *☛* –
⧚ **TV** **☎** *⇔* **ⓟ**. **AE** **①** **E** **VISA** BZ **t**
M a la carte 38/60 – **32 Z : 59 B** 106/131 - 152/182 Fb – ½ P 102/157.

🏩 **Parkhotel Waldeck,** Parkstr. 6, *ℰ* 80 90, Fax 80999, **⇌**, **☒**, *☛* – **TV** **☎** *⇔* **ⓟ** –
⚃ 40. **AE** **①** **E** **VISA**. *%*
1.- 20. Dez. geschl. – **M** *(nur Abendessen)* a la carte 27/58 – **45 Z : 90 B** 80/110 - 140/160 Fb
– 5 Appart. 180 – ½ P 90/130. BZ **v**

🏠 **Bären,** Neustädter Str. 35, *ℰ* 82 23, Fax 88138, **⇌**, **☒** – **⧚** **☎** **ⓟ**. **①** **E** **VISA** BZ **d**
↠ *4. Nov.- 20. Dez. geschl.* – **M** *(nur Abendessen, Montag geschl.)* a la carte 22/50 *⚭* – **58 Z :**
110 B 70/120 - 120/160 Fb – ½ P 82/122.

🏠 **Rauchfang,** Bärenhofweg 2, *ℰ* 82 55, Fax 88186, **⇌**, **☒**, *☛* – *⇸* **TV** **☎** *⇔* **ⓟ**. **①**
E **VISA**. *%* Rest AZ **b**
M *(nur Abendessen)* a la carte 29/54 – **18 Z : 34 B** 78/85 - 138/160 Fb – 12 Fewo 65/125 –
½ P 91/107.

🏠 **Seehof am See** garni, Seestr. 47, *ℰ* 83 14, ≤, **🐾**, *☛* – **⧚** **☎** *⇔* **ⓟ**. **AE** **①** **E** **VISA**
Anfang Nov.- Mitte Dez. geschl. – **25 Z : 45 B** 66/90 - 132/154 Fb. BZ **k**

Siehe auch : *Hinterzarten-Bruderhalde*

Im Ortsteil Neustadt – Kneippkurort :

🏠 **Romantik-Hotel Adler Post,** Hauptstr. 16, *ℰ* 50 66, Fax 3729, **⇌**, **☒** – **TV** **☎** *⇔* **ⓟ**.
AE **①** **E** **VISA** CZ **a**
24. März - 9. April geschl. – **M** a la carte 35/73 – **30 Z : 50 B** 88/108 - 138/178 Fb – ½ P 99/138.

🏠 **Neustädter Hof,** Am Postplatz 5, *ℰ* 50 25, Fax 4125, **⇌** – **☎** *⇔* **ⓟ** – **⚃** 30/100. *%*
↠ **E** **VISA** CZ **t**
M *(Okt.- März Sonntag ab 14 Uhr geschl.)* a la carte 23/46 *⚭* – **27 Z : 50 B** 65 - 100 – ½ P 70/85.

🏠 **Jägerhaus,** Postplatz 1, *ℰ* 50 55 – **⧚** **☎** *⇔* **ⓟ** CZ **n**
↠ *Nov. geschl.* – **M** *(Montag geschl.)* a la carte 19/48 *⚭* – **30 Z : 57 B** 60/90 - 100/170 –
½ P 68/108.

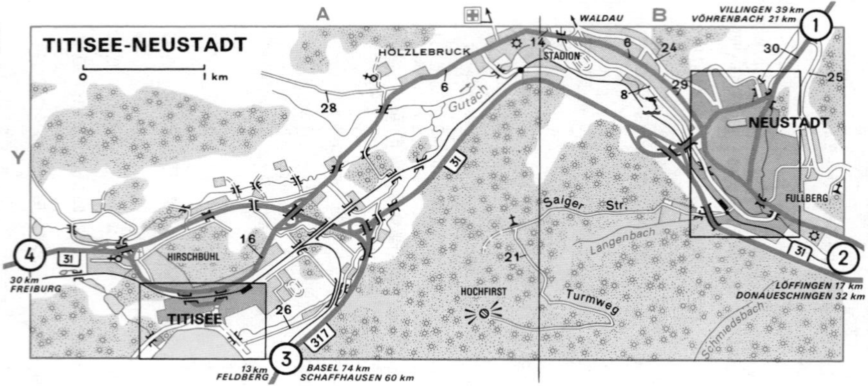

Hauptstraße	CZ	
Pfauenstraße	CZ	
Seestraße	BZ	
Bahnhofstraße	CZ	3
Donaueschinger Straße	CZ	4
Freiburger Straße	AY	6
Friedhofstraße	CZ	7
Gutachstraße	BY	8
Hermeshofweg	BZ	10
Kupfrerhammer	ABY	14
Neustädter Straße	AY	16
Parkstraße	BZ	17
Postplatz	CZ	18
Saigerkreuzweg	AY	21
Salzstraße	CZ	22
Schottenbühlstraße	BY	24
Schwarzwaldstraße	BY	25
Seebachstraße	AY	26
Spriegelsbachweg	AY	28
Titiseestraße	BY	29
Vöhrenbacher Straße	BY, CY	30
Walter-Goebel-Weg	CZ	32
Wilhelm-Fischer-Straße	CZ	33
Wilhelm-Stahl-Straße	CZ	34
Wilhelmstraße	CY	36

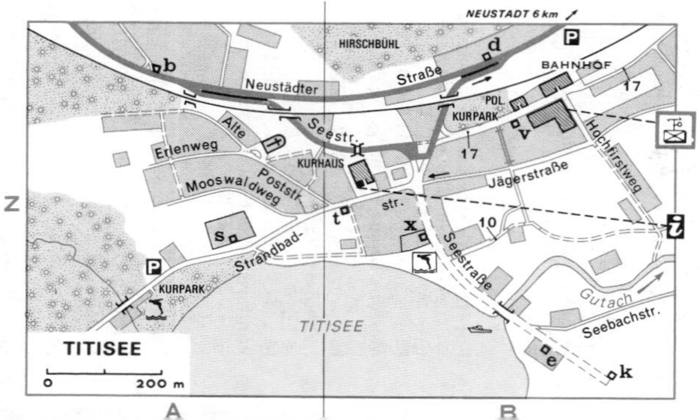

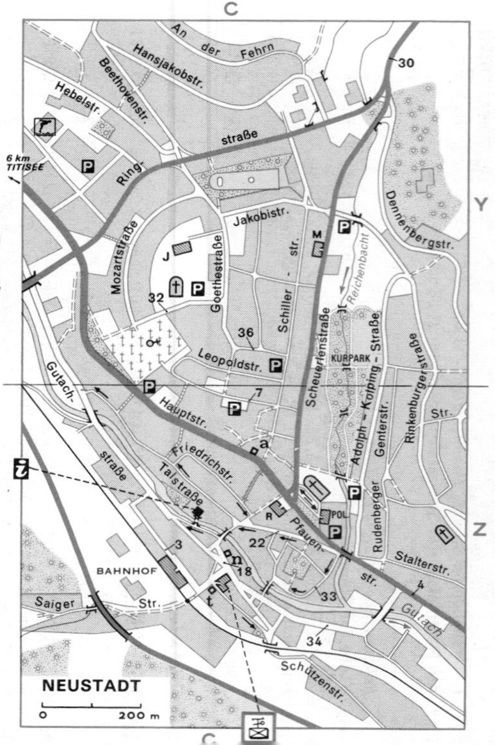

Im Jostal NW : 6 km ab Neustadt :

Josen, Jostalstr. 90, 7820 Titisee-Neustadt, (07651) 56 50, Fax 5504, - 40.
Mitte Nov.- Mitte Dez. geschl. – **M** *(Donnerstag - Freitag 17 Uhr geschl.)* 26/36 (mittags) und a la carte 43/68 – **30 Z : 60 B** 90/100 - 134/170 Fb – ½ P 86/116.

Im Ortsteil Langenordnach N : 5 km über Titiseestr. BY :

Zum Löwen "Unteres Wirtshaus", 10 64, Fax 3853,
23. März - 11. April und 16. Nov.- 19. Dez. geschl. – **M** *(Montag und Samstag geschl.)* a la carte 22/48 – **25 Z : 45 B** 47/85 - 74/160 Fb – 3 Fewo 59/89 – ½ P 46/94.

Im Ortsteil Waldau N : 10 km über Titiseestr. BY :

Traube, Sommerbergweg 1, (07669) 7 55, Fax 1350, Rest
März - April 2 Wochen und Nov.- Dez. 3 Wochen geschl. – **M** *(Dienstag geschl., Mittwoch - Donnerstag nur Abendessen)* a la carte 20/46 – **29 Z : 60 B** 40/69 - 70/118 Fb – ½ P 50/79.

TITTING 8079. Bayern 413 Q 20 – 2 500 Ew – Höhe 466 m – 08423.

♦München 119 – Ingolstadt 42 – ♦Nürnberg 73 – Weißenburg in Bayern 22.

In Titting-Emsing O : 4,5 km :

Dirsch, Hauptstr. 13, 6 23, Fax 1370, - 25/70. E
10.- 30. Aug. geschl. – **M** a la carte 22/48 – **100 Z : 173 B** 60 - 90 Fb.

TITTLING 8391. Bayern 413 X 20, 426 M 2 – 4 200 Ew – Höhe 528 m – Erholungsort – 08504.

Ausflugsziel : Museumsdorf am Dreiburgensee NW : 2,5 km.

Verkehrsamt im Grafenschlößle, Marktplatz 10, 4 01 14, Fax 40120.

♦München 197 – Passau 20.

Habereder, Marktplatz 14, 17 14,
34 Z : 62 B Fb.

In Tittling-Rothau NW : 2,5 km :

Landgasthof Schmalhofer mit Zim, Dorfstr. 9, 16 27,
12.- 25. Nov. geschl. – **M** *(Nov.- Feb. Montag geschl.)* a la carte 16/29 – **8 Z : 15 B** 27 - 54 – ½ P 35.

Am Dreiburgensee NW : 3,5 km :

Ferienhotel Dreiburgensee (mit Gästehaus, « Restauriertes Bauernhaus mit rustikaler Einrichtung »), beim Museumsdorf, 8391 Tittling, (08504) 20 92, Telex 57785, Fax 4926, - 50/200.
März - Okt. – **M** a la carte 21/44 – **240 Z : 410 B** 44/60 - 87/120 – ½ P 59/75.

Seehof Tauer, Seestr. 20, 7 60,
27 Z : 52 B Fb.

TITTMONING 8261. 413 V 22 – 5 000 Ew – Höhe 384 m – 08683.

♦München 105 – Landshut 88 – Passau 97 – Salzburg 42.

Salzachperle, Gabelsbergerstr. 1, 71 17, - 40. E
Nov. geschl. – **M** *(Freitag geschl.)* a la carte 24/53 – **20 Z : 38 B** 70/100 - 100/140.

TODTMOOS 7865. Baden-Württemberg 413 GH 23, 987 ㉞, 427 HI 2 – 2 000 Ew – Höhe 821 m – Heilklimatischer Kurort – Wintersport : 800/1 263 m 4 4 – 07674.

Ausflugsziel : Hochkopf (Aussichtsturm ★★) NW : 5 km und 1/2 Std. zu Fuß.

Kur- und Verkehrsamt, Wehratalstraße, 5 34, Fax 1054.

♦Stuttgart 201 – Basel 48 – Donaueschingen 78 – ♦Freiburg im Breisgau 76.

Schwarzwald-Kurhotel, Hauptstr. 3, 84 90, Fax 849202, Bade- und Massageabteilung, Rest
M a la carte 35/65 – **50 Z : 95 B** 105 - 170/200 Fb – ½ P 117/137.

Löwen, Hauptstr. 23, 5 05,
Nov.- 18. Dez. geschl. – **M** a la carte 17,50/54 – **39 Z : 70 B** 55/80 - 90/150 Fb – ½ P 62/92.

In Todtmoos-Strick NW : 2 km :

Rößle (Schwarzwaldgasthof a.d.J. 1670 mit Gästehaus), Kapellenweg 2, 5 25, Fax 8838, « Gartenterrasse », Rest Rest E
2. Nov.- 18. Dez. geschl. – **M** *(Dienstag geschl.)* a la carte 28/48 – **28 Z : 54 B** 75/80 - 120/170 Fb – ½ P 85/110.

In Todtmoos-Weg NW : 3 km :

Schwarzwald-Hotel, Alte Dorfstr. 29, 2 73, Fax 8395, – P. E VISA
10. Nov.- 20. Dez. geschl. – **M** *(Montag - Dienstag 17 Uhr geschl.)* a la carte 40/65 – **14 Z : 27 B** 55/80 - 100/130 Fb – ½ P 75/85.

Gersbacher Hof (Schwarzwaldgasthof), Hochkopfstr. 8, 4 44, – P
12 Z : 22 B.

TODTNAU **7868.** Baden-Württemberg 413 G 23, 987 ㉞, 242 ㊱ – 5 200 Ew – Höhe 661 m – Luftkurort – Wintersport : 660/1 388 m 21 7 – 07671.

Sehenswert : Wasserfall★.

Ausflugsziel : Todtnauberg★ (N : 6 km).

Kurverwaltung, Haus des Gastes, Meinrad-Thoma-Str. 21, 3 75.

♦Stuttgart 179 – Basel 49 – Donaueschingen 56 – ♦Freiburg im Breisgau 31.

Waldeck, Poche 6 (nahe der B 317, O : 1,5 km), 2 16, – P. AE E VISA
15. Nov.- 15. Dez. geschl. – **M** *(Dienstag - Mittwoch 17 Uhr geschl.)* a la carte 32/55 – **14 Z : 28 B** 60/70 - 95/110 – 10 Fewo – ½ P 73/95.

In Todtnau-Aftersteg NW : 3 km – Höhe 780 m – Erholungsort :

Aftersteger Mühle mit Zim, Talstr. 14, 2 13 – P. AE E
Anfang Nov.- Mitte Dez. geschl. – **M** *(Dienstag geschl.)* a la carte 28/62 – **7 Z : 15 B** 45/55 - 90/100.

In Todtnau-Brandenberg NO : 3,5 km – Höhe 800 m

Zum Hirschen, Kapellenstr. 1 (B 317), 18 44 – P
10. April - 5. Mai und 10. Nov.- 10. Dez. geschl. – **M** *(Montag 14 Uhr - Dienstag geschl.)* a la carte 26/42 – **10 Z : 14 B** 42 - 80 – ½ P 52.

Landgasthaus Kurz mit Zim, Passtr. 38 (B 317), 5 22, – P
25.- 30. April und 15. Nov.- 20. Dez. geschl. – **M** *(Mittwoch - Donnerstag 15 Uhr geschl.)* a la carte 25/51 – **6 Z : 12 B** 45/50 - 80/85 Fb – 2 Fewo 90/95.

In Todtnau-Fahl NO : 4,5 km – Höhe 900 m

Lawine (Schwarzwaldgasthof), an der B 317, (07676) 3 55, – P. AE E VISA
28. April - 12. Mai und 17. Nov.- 22. Dez. geschl. – **M** *(Donnerstag geschl.)* a la carte 25/54 – **18 Z : 33 B** 55 - 94 – ½ P 69/77.

In Todtnau-Herrenschwand S : 14 km – Höhe 1 018 m :

Waldfrieden, Dorfstr. 18, (07674) 2 32, – P.
23. März - 11. April und 9. Nov.- 18. Dez. geschl. – **M** *(Montag 14 Uhr - Dienstag geschl.)* a la carte 28/49 – **15 Z : 27 B** 38/50 - 76/100 Fb – ½ P 57/69.

In Todtnau-Muggenbrunn NW : 5 km – Höhe 960 m

Adler, Schauinslandstr. 13, 7 83, Fax 8268, – P. AE E VISA
April geschl. – **M** *(Montag geschl.)* a la carte 22/51 – **25 Z : 45 B** 50/55 - 84/94 Fb – ½ P 62/75.

Am Notschrei N : 2,5 km ab Muggenbrunn – Höhe 1 121 m

Waldhotel am Notschrei, 7801 Oberried 2, (07602) 2 19, Fax 751, – P – 25/45. AE E VISA
M *(Dienstag geschl.)* a la carte 38/62 – **32 Z : 62 B** 70/95 - 130/190 Fb – ½ P 95/125.

In Todtnau-Präg SO : 7 km :

Landhaus Sonnenhof, Hochkopfstr. 1, 5 38, – P. AE E
März 3 Wochen und Mitte Nov.- Mitte Dez. geschl. – **M** *(Montag geschl.)* a la carte 24/53 – **20 Z : 35 B** 54/64 - 90/106 Fb – ½ P 65/84.

In Todtnau-Todtnauberg N : 6 km – Höhe 1 021 m – Luftkurort :

Kur- und Sporthotel Mangler, Ennerbachstr. 28, 6 39, Fax 8693, ←, Bade- und Massageabteilung, – P.
1.- 18. Dez. geschl. – **M** a la carte 34/58 – **32 Z : 60 B** 95/125 - 150/198 Fb – ½ P 100/140.

Engel, Kurhausstr.3, 2 06, Fax 8014, – P. AE E VISA
7. Nov.- 5. Dez. geschl. – **M** a la carte 25/51 – **32 Z : 72 B** 60/75 - 92/165 Fb – ½ P 58/98.

Sonnenalm, Hornweg 21, 18 00, ← Schwarzwald und Berner Oberland, – P.
5. Nov.- 15. Dez. geschl. – (nur Abendessen für Hausgäste) – **13 Z : 26 B** 68/78 - 96/132 Fb – ½ P 71/103.

Arnica, Hornweg 26, 3 74, ← Schwarzwald und Berner Oberland, – P.
Mitte April - Anfang Mai und Nov.- Mitte Dez. geschl. – (nur Abendessen für Hausgäste) – **13 Z : 26 B** 55/80 - 100/150 Fb – ½ P 71/96.

Herrihof, Kurhausstr. 21, 2 82, ←, – P
M a la carte 20/40 – **20 Z : 40 B** 45/85 - 90/150 Fb – ½ P 63/93.

TÖGING AM INN **8266.** Bayern 413 U 22, 426 J 4 – 8 200 Ew – Höhe 397 m – ☎ 08631.
♦München 86 – Landshut 59 – Passau 90 – Salzburg 82.

XX **Schossböck,** Dortmunder Str. 2, ☎ 9 94 29, Fax 95268, ☂ – AE ⓓ E VISA
12.- 17. Jan., 9.- 22. Juni und Dienstag geschl. – **M** a la carte 41/64.

TÖLZ, BAD **8170.** Bayern 413 R 23, 987 ㊲, 426 G 5 – 13 600 Ew – Höhe 657 m – Heilbad – Heilklimatischer Kurort – Wintersport : 670/1 250 m ≰3 ⛷2 – ☎ 08041.
Sehenswert : Marktstraße★.
⛳ Flint-Kaserne, ☎ 32 10 ; ⛳ Wackersberg, Straß 124 (W : 2 km), ☎ (08041) 99 94.
ℹ Städt. Kurverwaltung, Ludwigstr. 11, ☎ 7 00 71.
♦München 53 – Garmisch-Partenkirchen 65 – Innsbruck 97 – Rosenheim 52.

Rechts der Isar :

Terrassenhotel Kolbergarten, Fröhlichgasse 5, ☎ 90 67, Fax 9069, Biergarten, ☂ – TV ☎ P. AE ⓓ E VISA
M a la carte 31/48 – **16 Z : 26 B** 80/100 - 140/160 Fb.

Posthotel Kolberbräu, Marktstr. 29, ☎ 91 58 – ▣ TV ☎ P – 🏠 25/50
M a la carte 25/49 – **43 Z : 60 B** 70/80 - 120/140.

Am Wald, Austr. 39, ☎ 90 14, Fax 72632, ☂, Bade- und Massageabteilung, ₺, ≘s, ▣, ☂ – ▣ ☎ P. AE E VISA. ✻ Zim
7. Nov.- 15. Dez. geschl. – **M** *(Dienstag geschl.)* a la carte 18/47 ♁ – **37 Z : 55 B** 53/60 - 92 Fb – ½ P 67.

XX ✿ **Altes Fährhaus** ♨ mit Zim, An der Isarlust 1, ☎ 60 30 – TV ☎ P. E. ✻ Zim
M *(Montag - Dienstag geschl.)* 85/130 und a la carte 64/95 – **5 Z : 10 B** 115 - 170
Spez. Hummer mit Basilikum, Zanderfilet mit Kräuterkruste in Weißbiersoße, Mehlspeisenpotpourri.

XX **Weinstube Schwaighofer,** Marktstr. 17, ☎ 27 62
Mittwoch, 9.- 24. Juni und 28. Okt.- 6. Nov. geschl. – **M** a la carte 45/65.

Links der Isar :

Jodquellenhof ♨, Ludwigstr. 15, ☎ 50 90, Telex 526242, Fax 509441, direkter Zugang zum Kurmittelhaus und Alpamare-Badezentrum – ▣ TV P – 🏠 25/60. AE ⓓ E VISA. ✻ Rest
M a la carte 45/70 – **81 Z : 115 B** 135/180 - 250/360 Fb – 3 Fewo 85/95 – ½ P 153/208.

Kurhotel Eberl ♨, Buchener Str. 17, ☎ 40 50, Bade- und Massageabteilung, ≘s, ▣ – ▣ TV P. ✻
Dez.- 10. Jan. geschl. – (Restaurant nur für Hausgäste) – **32 Z : 50 B** 95/144 - 180/240 Fb – 3 Appart.

Residenz ♨, Stefanie-von-Strechine-Str. 16, ☎ 80 10, Telex 526243, Fax 801127, ≘s – ▣ TV ☎ 🚗 P – 🏠 25/80. AE ⓓ E VISA
(Restaurant nur für Hausgäste) – **91 Z : 150 B** 120/155 - 150/200 Fb – ½ P 100/180.

Bellaria ♨ garni, Ludwigstr. 22, ☎ 8 00 80, Fax 800844, ≘s, ☂ – ▣ TV ☎ P. AE ⓓ E VISA. ✻
26 Z : 40 B 90/110 - 130/150 Fb.

Alpenhof ♨ garni, Buchener Str. 14, ☎ 40 31, Fax 72383, ≘s, ▣, ☂ – ▣ TV ☎ 🚗 P. ✻
28 Z : 54 B 85/114 - 140 Fb – 4 Appart. 170.

Tölzer Hof ♨, Rieschstr. 21, ☎ 80 60, Fax 806333, ☂ – ▣ TV ☎ 🚗 P – 🏠 30. AE ⓓ E VISA. ✻ Rest
(Restaurant nur für Hausgäste) – **86 Z : 170 B** 93/98 - 142/220 Fb – ½ P 95/135.

Haus an der Sonne, Ludwigstr. 12, ☎ 61 21, Fax 2609, ≘s – ▣ TV ☎ P. AE ⓓ E VISA
9. Nov.- 13. Dez. geschl. – (Restaurant nur für Hausgäste) – **22 Z : 40 B** 55/95 - 100/150.

Kurhotel Tannenberg ♨ garni, Tannenbergstr. 1, ☎ 28 68, Bade- und Massageabteilung, ⛷, ≘s, ▣, ☂ – ▣ ☎ P
16 Z : 28 B 55/80 - 100/140 Fb.

TOPPENSTEDT **2096.** Niedersachsen 411 N 7 – 1 100 Ew – Höhe 50 m – ☎ 04173.
♦Hannover 117 – ♦Hamburg 43 – Lüneburg 27.

In Toppenstedt-Tangendorf N : 4 km :

Gasthof Voßbur, Wulfsener Str. 4, ☎ 3 12, Fax 81 81, ☂ – TV ☎ 🚗 P – 🏠 25. AE ⓓ VISA
26.-31. Dez. geschl. – **M** *(Donnerstag geschl.)* a la carte 31/51 – **19 Z : 34 B** 60/70 - 95/120 Fb.

TORNESCH **2082.** Schleswig-Holstein 411 M 5 – 9 000 Ew – Höhe 11 m – ☎ 04122 (Uetersen).
♦Kiel 104 – ♦Hamburg 29 – Itzehoe 35.

Esinger Hof garni, Denkmalstr. 7 (Esingen), ☎ 5 10 71 – TV ☎ ♿ P
23 Z : 43 B 60 - 100 Fb.

TOSTERGLOPE Niedersachsen siehe Dahlenburg.

TRABEN-TRARBACH **5580.** Rheinland-Pfalz 987 ㉔, 412 E 17 – 6 500 Ew – Höhe 120 m – Luftkurort – ☎ 06541.

ℹ Kurverwaltung und Verkehrsamt in Traben, Bahnstr. 22, ✆ 90 11, Fax 2918.

Mainz 104 – Bernkastel-Kues 24 – Cochem 55 – ♦Trier 60.

Im Ortsteil Traben :

Appartementhotel Moselschlößchen, Neue Rathausstr. 12, ✆ 70 10, Fax 70155, – – 25/100. AE E VISA
M a la carte 39/66 – **44 Z : 100 B** 117/202 - 170/260 Fb.

Bellevue, Aacherstr. 1, ✆ 20 65, Telex 4729227, Fax 2551, ≤, « Um 1900 erbautes Jugendstil-Haus mit modernem Anbau », – – 25/40. AE E VISA
M a la carte 35/67 – **90 Z : 160 B** 95/155 - 160/295 Fb – ½ P 110/185.

Krone, An der Mosel 93, ✆ 60 04, Fax 4237, ≤, – . E VISA. Zim
Menu *(Montag geschl.)* a la carte 32/52 – **22 Z : 43 B** 70/85 - 98/135.

Bisenius garni, An der Mosel 56, ✆ 68 10, ≤, – . AE E VISA
12 Z : 22 B 65/90 - 120/130.

Central-Hotel, Bahnstr. 43, ✆ 62 38, Fax 5555, –
Jan. geschl. – **M** a la carte 20/37 – **37 Z : 64 B** 42/50 - 78/86 – ½ P 55/63.

Trabener Hof garni, Bahnstr. 25, ✆ 94 00
18 Z : 31 B 40/47 - 80/90.

Sonnenhof garni, Köveniger Str. 36, ✆ 64 51, –
20. Dez.- 5. Jan. geschl. – **13 Z : 25 B** 31/38 - 58/68.

Im Ortsteil Trarbach :

Moseltor, Moselstr. 1, ✆ 65 51, Fax 4922 – . E VISA
Feb. geschl. – **M** *(Dienstag geschl.)* a la carte 41/73 – **11 Z : 21 B** 65/85 - 95/140 – ½ P 77/114.

Zur Goldenen Traube, Am Markt 8, ✆ 60 14, Fax 6013 – . AE E VISA
M a la carte 27/65 – **15 Z : 28 B** 46/58 - 88/112 Fb – ½ P 73/87.

TRAITSCHING **8499.** Bayern 413 U 19 – 3 900 Ew – Höhe 400 m – ☎ 09974.

♦München 179 – Cham 7,5 – ♦ Regensburg 57 – Straubing 44.

In Traitsching-Sattelbogen SW : 6 km :

Sattelbogener Hof - Gästehaus Birkenhof, Im Wiesental 2, ✆ 8 12, Fax 814, ≤, , – – 25/150
90 Z : 160 B Fb – 6 Appart.

TRASSEM Rheinland-Pfalz siehe Saarburg.

TRAUNSTEIN **8220.** Bayern 413 UV 23, 987 ㊲ ㊳, 426 J 5 – 17 100 Ew – Höhe 600 m – Wintersport : 4 – ☎ 0861.

ℹ Städt. Verkehrsamt, im Stadtpark (Kulturzentrum), ✆ 6 52 73, Fax 65294.

ADAC, Ludwigstr. 12c, ✆ 1 53 96.

♦München 112 – Bad Reichenhall 32 – Rosenheim 53 – Salzburg 41.

Park-Hotel Traunsteiner Hof, Bahnhofstr. 11, ✆ 6 90 41, Fax 8512, Biergarten – – 30. AE E VISA. Rest
M *(Freitag 14 Uhr - Samstag, Mitte - Ende Okt. und 27. Dez.- 7.Jan. geschl.)* a la carte 31/51 – **60 Z : 85 B** 70/85 - 110/160 Fb.

Brauerei Schnitzlbaumer, Stadtplatz 13, ✆ 45 34, Fax 4203
Mitte - Ende Jan. und Sonntag geschl. – **M** a la carte 22/49.

In Traunstein-Hochberg SO : 5 km – Höhe 775 m :

Alpengasthof Hochberg, ✆ 42 02, ≤, Biergarten –
Nov. geschl. – **M** *(Dienstag - Mittwoch 15 Uhr geschl.)* a la carte 18,50/27 – **15 Z : 30 B** 35/38 - 70/76.

TREBUR **6097.** Hessen 412 413 I 17 – 10 900 Ew – Höhe 86 m – ☎ 06147.

♦Wiesbaden 25 – ♦Darmstadt 21 – ♦Frankfurt am Main 37 – Mainz 19.

Zum Erker mit Zim, Hauptstr. 1, ✆ 70 11 – . AE E
M *(Sonntag 16 Uhr - Montag geschl.)* a la carte 24/56 **5 Z : 10 B** 75 - 110.

TRECHTINGSHAUSEN Rheinland-Pfalz siehe Bingen.

TREFFELSTEIN-KRITZENTHAL Bayern siehe Waldmünchen.

TREIA **2381.** Schleswig-Holstein 411 K 3, 987 ⑤ - 1 500 Ew - Höhe 20 m - ☎ 04626.
♦Kiel 70 - Flensburg 45 - ♦Hamburg 137 - Schleswig 19.

Osterkrug mit Zim, Treenestr. 30 (B 201), ✆ 5 50, Fax 1502, « Gemütlich-rustikaler Gasthof a.d. 18. Jh. », - TV ☎ P. AE ⓓ E VISA
M a la carte 35/67 - **8 Z : 18 B** 70/90 - 110/140 Fb.

TREIS-KARDEN **5402.** Rheinland-Pfalz 412 E 16 - 2 600 Ew - Höhe 85 m - ☎ 02672.
Verkehrsamt am Rathaus (Treis), ✆ 61 37, Fax 6157.
Mainz 100 - Cochem 12 - ♦Koblenz 41.

Im Ortsteil Treis :

Alexander, Moselallee 120, ✆ 71 97, Fax 2353, ≤, - P - 40
28 Z : 59 B Fb.

Im Ortsteil Karden :

Schloß-Hotel Petry, Bahnhofstr. 80, ✆ 80 80, Fax 8423, - ☎ ♿ P - 25/50
M a la carte 22/59 - **56 Z : 115 B** 50/60 - 100/120 Fb.

Brauer, Moselstr. 26, ✆ 12 11, Fax 8910, ≤, - P.
23. Dez.- 15. Feb. geschl. - Menu *(Nov.- März Mittwoch geschl.)* a la carte 26/68 - **35 Z : 70 B** 30/42 - 60/84.

Weinhaus Stiftstor (mit Gästehaus ≤), Bahnhofstr. 17, ✆ 13 63
26 Z : 51 B Fb.

Zum Rebstock, Bahnhofstr. 47, ✆ 13 98, Fax 2169 - P. Zim
3. Jan.- 3. Feb. geschl. - **M** *(im Feb., März, Nov. und Dez. jeweils Mittwoch geschl.)* a la carte 21/46 - **32 Z : 60 B** 40/45 - 70/90.

In Treis-Karden - Lützbach O : 4 km :

Ostermann, an der B 49, ✆ 12 38, Fax 7789, ≤, , , , - TV ☎ P - 25/60 - **M** a la carte 30/65 - **26 Z : 50 B** 56 - 110 Fb.

In Müden **5401** O : 4 km :

Sewenig, Moselstr. 82, ✆ (02672) 13 34, Fax 1730, ≤, , , - TV P - 50. AE ⓓ E VISA. Rest
Jan. geschl. - **M** *(Nov.- Feb. Dienstag geschl.)* 13/34 (mittags) und a la carte 33/45 - **32 Z : 60 B** 50/60 - 90/100.

TRENDELBURG **3526.** Hessen 411 412 L 12, 987 ⑮ - 6 100 Ew - Höhe 190 m - Luftkurort - ☎ 05675.
Verkehrsamt, im Rathaus, ✆ 10 24.
♦Wiesbaden 257 - Göttingen 77 - Hameln 91 - ♦Kassel 35.

Burghotel (Burganlage a.d. 14.Jh.), ✆ 10 21, Fax 9362, ≤, - ☎ P - 25/40. AE ⓓ E VISA. Rest
M a la carte 28/70 - **25 Z : 45 B** 120/140 - 160/200 Fb.

TREUCHTLINGEN **8830.** Bayern 413 P 20, 987 ㉖ - 12 000 Ew - Höhe 414 m - Erholungsort - ☎ 09142.
Verkehrsbüro, Haus des Gastes (Schloß), ✆ 10 29, Fax 3424.
♦München 131 - ♦Augsburg 73 - ♦Nürnberg 66 - ♦Ulm (Donau) 110.

Schlosshotel , Heinrich-Aurnhammer-Str. 5, ✆ 10 51, Telex 624628, Fax 3489, , Bade- und Massageabteilung, - TV P - 25/60. AE ⓓ E
M a la carte 30/55 - **22 Z : 42 B** 95/105 - 160/220 Fb - ½ P 105/135.

Gästehaus Stuterei Stadthof garni, Luitpoldstr. 27, ✆ 10 11, Fax 1013 - TV ☎ P - 25.
22. Dez.- 6. Jan. geschl. - **30 Z : 52 B** 70 - 125.

Prinz Luitpold, Luitpoldstr. 8, ✆ 12 52 -
24. Dez.- 6. Jan. geschl. - **M** *(Sonn- und Feiertage sowie Aug. 2 Wochen geschl.)* a la carte 14/27 - **16 Z : 32 B** 34/45 - 60/74.

TRIBERG **7740.** Baden-Württemberg 413 H 22, 987 ㉞ ㉟ - 6 000 Ew - Höhe 700 m - Heilklimatischer Kurort - Wintersport : 800/1 000 m 1 2 - ☎ 07722.
Sehenswert : Wasserfall★ - Wallfahrtskirche "Maria in der Tanne" (Ausstattung★).
Kurverwaltung, Kurhaus, ✆ 8 12 30, Fax 81236.
♦Stuttgart 139 - ♦Freiburg im Breisgau 61 - Offenburg 56 - Villingen-Schwenningen 26.

✿ **Parkhotel Wehrle,** Marktplatz, ✆ 8 60 20, Fax 860290, « Park », , (geheizt), - Rest TV - P - 25/40. AE ⓓ E VISA
M 68/125 und a la carte 48/91 - **56 Z : 96 B** 92/178 - 164/284 - 2 Appart. 490 - ½ P 110/175
Spez. Das Forellen-Hors d'oeuvre, Taubenbrust im Strudelteig mit Trüffelsauce, Geeiste Quitten-Charlotte.

🏠 **Berg-Café** ॐ, Hermann-Schwer-Str. 6, ℰ 40 03, ≤, 🍴 – 📺 ☎ 🚗
Jan. geschl. – **M** *(Dienstag geschl.)* a la carte 26/30 – **9 Z : 16 B** 48/78 - 96 Fb – 3 Appart. 11€
– ½ P 64/74.

🏠 Pfaff, Hauptstr. 85, ℰ 44 79, Fax 7897, 🍴
10 Z : 21 B.

🏠 **Café Ketterer am Kurgarten,** Friedrichstr. 7, ℰ 42 29, ≤, 🍴 – ☎ 🚗 🅿 🄴 𝗩𝗜𝗦𝗔
← **M** a la carte 23/40 – **10 Z : 20 B** 50/57 - 95/98 – ½ P 67/76.

🏠 **Central** garni, Hauptstr. 64, ℰ 43 60 – |🛗| 🚗 🄰🄴 🄴 𝗩𝗜𝗦𝗔
14 Z : 28 B 50/55 - 80/90.

✗ Landgasthof zur Lilie, Am Wasserfall 1, ℰ 44 19, « Rustikale Einrichtung, Gartenterrasse »
– 🅿.

In Triberg 3-Gremmelsbach NO : 9 km (Zufahrt über die B 33 Richtung St. Georgen, auf
der Wasserscheide Sommerau links ab) :

🏠 Staude ॐ, Obertal 20 – Höhe 889 m, ℰ 48 02, ≤, 🍴, 🚜 – 🅿 – **16 Z : 31 B**.

The Guide changes,
so renew your Guide every year.

TRIER 5500. Rheinland-Pfalz 𝟵𝟴𝟳 ㉓, 𝟰𝟭𝟮 C 17, 𝟰𝟬𝟵 M 6 – 99 000 Ew – Höhe 124 m – 🕿 0651.
Sehenswert : Porta Nigra★★ DX – Liebfrauenkirche★ (Grabmal des Domherren Metternich★) DX
– Kaiserthermen★★ DY – Rheinisches Landesmuseum★★ DY – Dom★ (Domschatzkammer★
Kreuzgang ≤★, Inneres Tympanon★ des südlichen Portals) DX – Bischöfliches Museum ★ DX M1
– Palastgarten★ DY – St. Paulin★ DY – Schatzkammer der Stadtbibliothek★★ DY B – Hauptmarkt★
DX – Dreikönigenhaus★ DX K.
Ausflugsziel : Moseltal★★ (von Trier bis Koblenz).
🛈 Touristik-Information, an der Porta Nigra, ℰ 97 80 80, Telex 472689, Fax 44759.
ADAC, Fahrstr. 3, ℰ 7 60 67 Telex 472739, Notruf ℰ 1 92 11.
Mainz 162 ① – ♦Bonn 143 ① – ♦Koblenz 124 ① – Luxembourg 47 ④ – Metz 98 ③ – ♦Saarbrücken 93 ①.

Stadtplan siehe nächste Seite

🏨 **Scandic Crown Hotel,** Zurmaiener Str. 164, ℰ 14 30, Telex 472808, Fax 1432000, ≤
Massage, ≦ॐ, 🖳, 🔲 – |🛗| 🛍 Zim 📺 🅿 – 🔬 25/300. 🄰🄴 🄾 🄴 𝗩𝗜𝗦𝗔. ॐ Rest V e
M a la carte 36/61 – **217 Z : 369 B** 190/250 - 250/300 Fb.

🏨 **Dorint-Hotel,** Porta-Nigra-Platz 1, ℰ 2 70 10, Telex 472895, Fax 2701170, 🍴 – |🛗| 🛍 Zim
📺 🔥 🚗 🅿 – 🔬 25/180. 🄰🄴 🄴 𝗩𝗜𝗦𝗔. ॐ Rest DX z
Restaurants : **Porta M** a la carte 42/67 – **Latinum M** a la carte 30/53 – **106 Z : 170 B** 130/280
- 180/360 Fb.

🏨 **Europa Parkhotel,** Kaiserstr. 29, ℰ 7 19 50, Telex 472858, Fax 7195801, 🍴 – |🛗| 🛍 Zim
📺 🚗 🅿 – 🔬 25/900. 🄰🄴 🄾 🄴 𝗩𝗜𝗦𝗔 CY s
M a la carte 46/78 – **85 Z : 150 B** 168/188 - 226/236 Fb.

🏨 **Nell's Parkhotel,** Dasbachstr. 12, ℰ 2 80 91, Fax 149390, ≤, 🍴, « Park » – |🛗| 📺 ☎ 🅿
🔬 30/100 – **56 Z : 109 B** Fb. V a

🏨 **Petrisberg** ॐ garni, Sickingenstr. 11, ℰ 4 11 81, Fax 73273, ≤ Trier – ☎ 🚗 🅿. ॐ
37 Z : 70 B 80/90 - 130/150 Fb – 3 Appart. 180/200. V y

🏨 **Villa Hügel** ॐ, Bernhardstr. 14, ℰ 3 30 66, Fax 37958, ≤ – 📺 ☎ 🔥 🅿. 🄰🄴 🄾 🄴 𝗩𝗜𝗦𝗔
(nur Abendessen für Hausgäste) – **26 Z : 52 B** 85/110 - 135/170. V s

🏨 **Altstadt-Hotel** garni, Am Porta-Nigra-Platz, ℰ 4 80 41, Fax 41293 – |🛗| 📺 ☎ 🅿. 🄰🄴 🄾 🄴
𝗩𝗜𝗦𝗔
32 Z : 73 B 95/110 - 160/200 Fb. DX v

🏨 **Kessler** garni, Brückenstr. 23, ℰ 7 67 71, Fax 76773 – |🛗| 📺 ☎ 🚗. 🄰🄴 🄴 𝗩𝗜𝗦𝗔 CY r
21 Z : 40 B 80/110 - 135/160.

🏨 **Casa Calchera** garni, Engelstr. 8, ℰ 2 10 44, Fax 27881 – |🛗| 📺 ☎ 🅿. 🄰🄴 🄾 🄴 𝗩𝗜𝗦𝗔. ॐ
18 Z : 40 B 85/108 - 135/180 Fb. DX r

🏨 **Deutscher Hof,** Südallee 25, ℰ 4 60 20, Telex 472799, Fax 4602412 – |🛗| ☎ 🔥 🚗 🅿 –
🔬 25/120. 🄴 𝗩𝗜𝗦𝗔 CY g
20. Dez.- 15. Jan. geschl. – **M** a la carte 29/61 – **98 Z : 178 B** 90/120 - 130/150 Fb.

🏠 **Astoria** garni, Bruchhausenstr. 4, ℰ 7 38 90, Fax 41121 – 📺 ☎. 🄰🄴 🄾 🄴 𝗩𝗜𝗦𝗔 CX x
Weihnachten - 6. Jan. geschl. – **14 Z : 22 B** 90 - 140.

🏠 **Deutschherrenhof** garni, Deutschherrenstr. 32, ℰ 4 83 08, Fax 42395 – 📺 ☎ 🚗. 🄰🄴 🄴
𝗩𝗜𝗦𝗔
15 Z : 30 B 80/120 - 120/150. CX x

🏠 **Monopol** garni, Bahnhofsplatz 7, ℰ 7 47 55 – |🛗| ☎. 🄾 🄴 𝗩𝗜𝗦𝗔 DX t
24. Dez.- 15. Feb. geschl. – **35 Z : 71 B** 47/65 - 95 Fb.

🏠 **Zum Christophel,** Simeonstr. 1, ℰ 7 40 41, Fax 74732, 🍴 – 📺 ☎. 🄴 𝗩𝗜𝗦𝗔. ॐ Zim
← **M** a la carte 21/46 🍷 – **13 Z : 24 B** 45/85 - 80/120. DX u

🏠 **Weinhaus Haag** garni, Stockplatz 1, ℰ 7 23 66 – 🄰🄴 🄾 🄴 𝗩𝗜𝗦𝗔 DX n
16 Z : 25 B 42/70 - 75/130.

TRIER

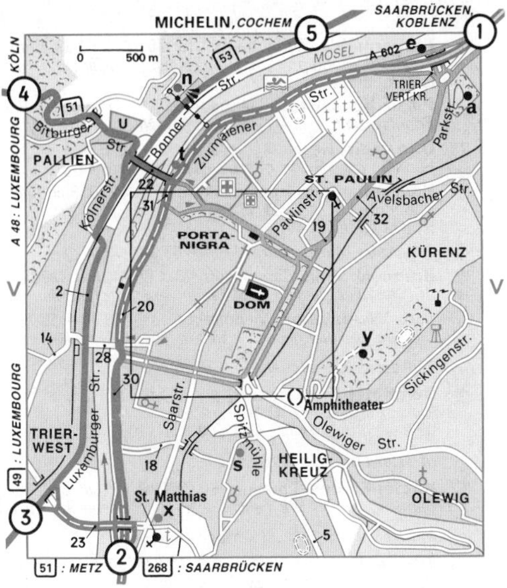

MICHELIN, COCHEM
SAARBRÜCKEN, KOBLENZ
KÖLN
A 48 : LUXEMBOURG
49 : LUXEMBOURG
51 : METZ
268 : SAARBRÜCKEN
0 500 m
MOSEL
A 602
TRIER VERT.KR.
PALLIEN
Bitburger Str.
Bonner Str.
Zurmaiener Str.
Kölnerstr.
Parkstr.
ST. PAULIN
Paulinstr.
Avelsbacher Str.
PORTA-NIGRA
DOM
KÜRENZ
Sickingenstr.
Amphitheater
Olewiger Str.
Saarstr.
Spitzmühle
Luxemburger Str.
TRIER-WEST
HEILIG-KREUZ
OLEWIG
St. Matthias
V

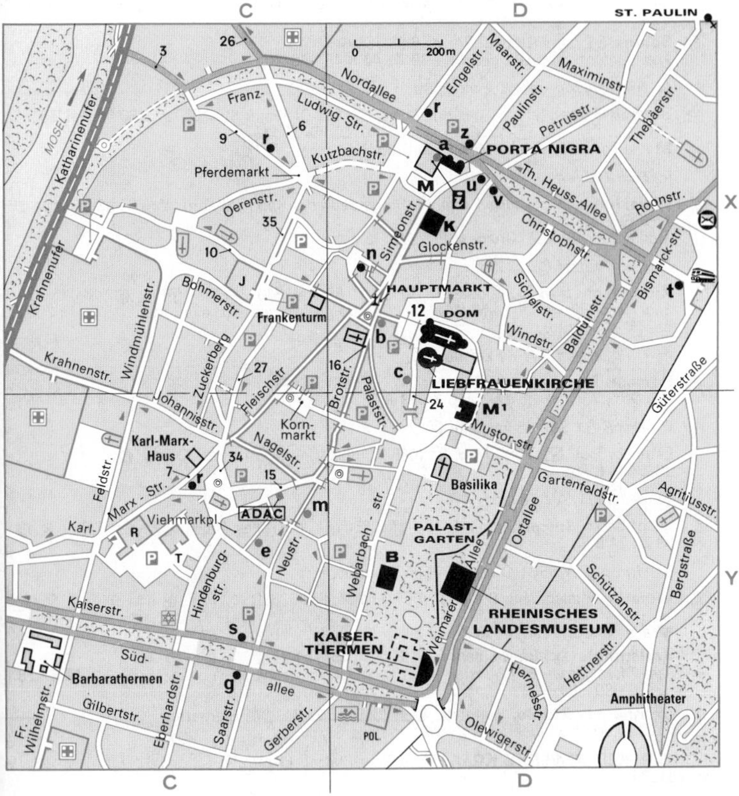

C
D
ST. PAULIN
0 200 m
MOSEL
Katharinenufer
Krahnenufer
Krahnenstr.
Windmühlenstr.
Nordallee
Franz-Ludwig-Str.
Engelstr.
Maarstr.
Maximinstr.
Paulinstr.
Petrusstr.
Thebäerstr.
PORTA NIGRA
Kutzbachstr.
Pferdemarkt
Oerenstr.
Th. Heuss-Allee
Roonstr.
Christophstr.
Simeonstr.
Glockenstr.
Bohmerstr.
Frankenturm
HAUPTMARKT
DOM
Sichelstr.
Windstr.
Balduinstr.
Bismarck-str.
Güterstraße
LIEBFRAUENKIRCHE
Zuckerberg
Fleischstr.
Johannisstr.
Brotstr.
Palaststr.
Kornmarkt
Nagelstr.
Mustor-str.
Karl-Marx-Haus
Karl-Marx-Str.
Viehmarkpl.
ADAC
Basilika
Gartenfeldstr.
Agritiusstr.
Feldstr.
Neustr.
Webarbach-str.
PALAST-GARTEN
Ostallee
Weimarer Allee
Schützenstr.
Bergstraße
Hindenburg-str.
Kaiserstr.
RHEINISCHES LANDESMUSEUM
KAISER-THERMEN
Süd-allee
Barbarathermen
Gilbertstr.
Eberhardstr.
Saarstr.
Gerberstr.
Fr. Wilhelmstr.
POL.
Hermesstr.
Hettnerstr.
Olewigerstr.
Amphitheater
X
Y

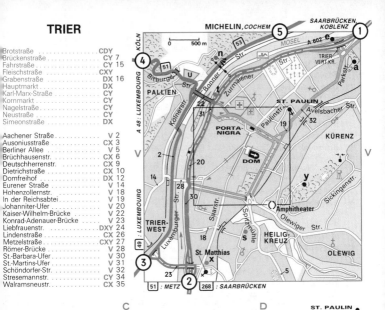

XXX **Pfeffermühle,** Zurlaubener Ufer 76, ℰ 2 61 33, bemerkenswerte Weinkarte – **P**. **E**. ⌖
Sonntag - Montag 18.30 Uhr, 23. Feb.- 4. März und 10.- 30. Juli geschl. – **M** (Tischbestellung
ratsam) a la carte 64/90. V 1

XX **Palais Kesselstatt,** Liebfrauenstr. 10, ℰ 4 02 04, Fax 73316, 🛪 – **P**. 🖭 ⓪ **E** 𝖵𝖨𝖲𝖠
Sonntag und 3.- 24. Feb. geschl. – **M** a la carte 46/74. DX c

XX **Quo vadis,** Neustr. 15, ℰ 4 83 83 – **E** 𝖵𝖨𝖲𝖠
Sonntag bis 18 Uhr geschl. – **M** a la carte 40/66. CY m

X **Zum Domstein,** Hauptmarkt 5, ℰ 7 44 90, Fax 74499, 🛪, bemerkenswerte Weinkarte
« Innenhof » – 🕭, ⓪ **E** 𝖵𝖨𝖲𝖠 DX b
M a la carte 27/48 🍸.

X Alte Kate, Matthiasstr. 71, ℰ 3 07 33, 🛪 – **P** V x

X **Brunnenhof,** Im Simeonstift, ℰ 4 85 84, Fax 74732, « Innenhof » – **E** 𝖵𝖨𝖲𝖠 DX a
➡ *10. Jan.- Feb. geschl.* – **M** (auch vegetarisches Menu) a la carte 23/48 🍸.

X **Lenz Weinstuben,** Viehmarkt 4, ℰ 4 53 10 – 🖭 **E** 𝖵𝖨𝖲𝖠 CY e
Montag und Juli geschl. – **M** a la carte 30/55 🍸.

Auf dem Kockelsberg ④ : 5 km :

🏩 **Berghotel Kockelsberg** ⌖, ✉ 5500 Trier, ℰ (0651) 8 90 38, ≤ Trier, 🛪 – ☎ **P** –
🖄 25/100. 🖭 ⓪ **E** 𝖵𝖨𝖲𝖠
M a la carte 25/47 – **32 Z : 60 B** 50/109 - 80/140.

In Trier-Ehrang ⑤ : 8 km :

XX **Kupfer-Pfanne,** Ehranger Str. 200 (B 53), ℰ 6 65 89, 🛪 – **E** ⌖
Samstag bis 18 Uhr geschl. – **M** (Tischbestellung ratsam) a la carte 43/67.

In Trier-Euren SW : 3 km über Eurener Str. V :

🏨 **Eurener Hof,** Eurener Str. 171, ℰ 8 80 77, Fax 800900, 🛪, « Rustikale Einrichtung », 🖙
🖳 – 🛗 📺 **P** – 🖄 25/70. ⌖ Rest
24.- 26. Dez. geschl. – **M** a la carte 30/72 🍸 – **60 Z : 104 B** 102/134 - 164/192 Fb – 4 Appart.
235.

🏠 **Schütz** ⌖ garni, Udostr. 74, ℰ 8 88 38, 🖛
Weihnachten - Neujahr geschl. – **30 Z : 40 B** 45 - 70/80.

In Trier-Olewig über Olewiger Str. V :

🏩 **Blesius-Garten** (ehemaliges Hofgut a.d.J. 1789), Olewiger Str. 135, ℰ 3 60 60, Fax 360633
🛪, 🖙, 🖳 – 🛗 📺 ☎ **P** – 🖄 25/110. 🖭 ⓪ **E** 𝖵𝖨𝖲𝖠
M a la carte 25/65 🍸 – **60 Z : 120 B** 90/110 - 154/176 Fb.

In Trier-Pallien :

X **Weisshaus,** Weisshaus 1 (bei der Bergstation der Kabinenbahn), ℰ 8 34 33, ≤ Trier, 🛪
– 🕭 **P** – 🖄 30. **E** V n
Montag und 6.- 30. Jan. geschl. – **M** a la carte 29/56.

In Trier-Pfalzel ⑤ : 7 km :

🏩 **Klosterschenke** ⌖, Klosterstr. 10, ℰ 60 89, Fax 64313, 🛪 – 📺 ☎ **P**. ⌖ Zim
Ende Dez.- Feb. geschl. – **M** (Montag - Dienstag 17 Uhr geschl.) a la carte 30/57 – **11 Z : 21 B**
65/75 - 115/125.

In Trier-Zewen SW : 7 km über ③ :

🏠 **Pension Rosi** ⌖ garni, Turmstr. 14, ℰ 8 70 85, 🖙, 🖛 – ☎. ⌖
22. Dez.- 15. Jan. geschl. – **10 Z : 23 B** 35/40 - 60/70.

An der B 51 SW : 5 km über ② :

🏠 Estricher Hof, ✉ 5500 Trier, ℰ (0651) 3 30 44, ≤, 🛪 – 🛗 ☎ 🕭 🖙 **P** – 🖄 40
16 Z : 36 B Fb.

In Igel 5501 SW : 8 km :

🏠 Igeler Säule, Trierer Str. 41 (B 49), ℰ (06501) 1 20 61, Fax 15861, 🛪, 🖙, 🖳 – ☎ **P**
39 Z : 74 B Fb.

In Mertesdorf 5501 O : 9 km über Trier-Ruwer :

🏠 **Weis** ⌖, Eitelsbacher Str. 4, ℰ (0651) 51 34, Fax 53630, ≤, 🛪 – 🛗 🖙 **P** – 🖄 25/100.
E. ⌖
M a la carte 27/56 🍸 – **58 Z : 88 B** 50/75 - 90/120 Fb.

🏠 **Karlsmühle** ⌖, Im Mühlengrund 1, ℰ (0651) 51 23, 🛪, 🖛 – **P**. **E**
➡ *Jan.- März garni* – **M** (Dienstag - Mittwoch 18 Uhr geschl.) a la carte 24/52 🍸 – **42 Z : 78 B**
50/80 - 80/90.

X **Grünhäuser Mühle,** Hauptstr. 4, ℰ (0651) 5 24 34, 🛪, Biergarten
wochentags nur Abendessen – **M** a la carte 32/53.

MICHELIN-REIFENWERKE KGaA. 5500 Trier-Pfalzel, Eltzstraße (über ⑤ : 7 km), ℰ 68 10,
Fax 681234.

TRIPPSTADT 6751. Rheinland-Pfalz 412 413 G 18, 242 ⑧, 87 ① – 2 800 Ew – Höhe 420 m – Luftkurort – ☎ 06306.

Verkehrsamt, Hauptstr. 32, ☎ 3 41, Fax 1529.

Mainz 96 – Kaiserslautern 13 – Pirmasens 34.

- **Zum Schwan,** Kaiserslauterer Str. 4, ☎ 3 93, « Gartenterrasse », – *Anfang Feb.- Anfang März geschl.* – **M** *(Nov.- März Dienstag geschl.)* a la carte 21/45 – **11 Z : 19 B** 30/45 - 65/75.
- **Gunst** garni, Hauptstr. 99a, ☎ 17 85, – **11 Z : 20 B** 40 - 80 – 2 Fewo 80.

In Trippstadt-Johanniskreuz SO : 9 km :

- **Waldhotel,** an der B 48, ☎ 13 04, Fax 1306, « Park, Gartenterrasse », – 25/110. E *Jan.- Mitte Feb. geschl.* – **M** *(Montag geschl.)* a la carte 24/61 – **46 Z : 80 B** 50/90 - 85/140 Fb – ½ P 61/108.

TRITTENHEIM 5501. Rheinland-Pfalz 987 ㉔, 412 D 17 – 1 300 Ew – Höhe 121 m – Erholungsort – ☎ 06507 (Neumagen-Dhron).

Verkehrsamt, Moselweinstr. 55, ☎ 22 27.

Mainz 138 – Bernkastel-Kues 25 – ♦Trier 34.

- **Moselperle,** Moselweinstr. 42, ☎ 22 21, – . AE E VISA *22. Dez.- 10. Jan. geschl.* – **M** *(Montag geschl.)* a la carte 31/46 – **14 Z : 25 B** 40/70 - 70/120 – 7 Fewo (im Gästehaus mit) 350/700 pro Woche – ½ P 60/95.

In Büdlicherbrück **5509** S : 8 km :

- **Robertmühle** , Im Dhrontal, ☎ (06509) 5 15, – **M** a la carte 21/46 – **16 Z : 30 B** 29/43 - 55/71.

In Bescheid-Mühle **5509** S : 10 km über Büdlicherbrück :

- **Forellenhof** , Im Dhrontal, ☎ (06509) 2 31, , Wildgehege, , – **M** a la carte 22/50 – **17 Z : 40 B** 44 - 88 – ½ P 56.

TROCHTELFINGEN 7416. Baden-Württemberg 413 K 22 – 5 200 Ew – Höhe 720 m – Erholungsort – Wintersport : 690/815 m 2 2 – ☎ 07124.

Verkehrsamt, Rathaus, Rathausplatz 9, ☎ 27 71.

♦Stuttgart 68 – ♦Konstanz 109 – Reutlingen 27.

- **Zum Rößle,** Marktstr. 48, ☎ 12 21, Fax 555, , – . E **M** *(Freitag ab 14 Uhr, Montag, 1.- 14. Jan. und 15.- 31. Juli geschl.)* a la carte 24/41 – **31 Z : 51 B** 45/70 - 88/110 Fb.
- XX **Ochsen,** Marktstr. 21, ☎ 22 00 *wochentags nur Abendessen, Mittwoch, Ende Jan.- Anfang Feb. und 1.- 13. Aug. geschl.* – Menu a la carte 36/67.

TROISDORF 5210. Nordrhein-Westfalen 987 ㉔, 412 E 14 – 66 000 Ew – Höhe 65 m – ☎ 02241.

Bürger-Info, Wilhelm-Hamacher-Platz 24, ☎ 80 05 22.

♦Düsseldorf 65 – ♦Köln 21 – Siegburg 5.

- **Regina** garni, Hippolytusstr. 23, ☎ 7 29 18, Telex 889796, Fax 70735 – – 30. AE E VISA. **36 Z : 53 B** 99/199 - 159/299 Fb.
- **Wald-Hotel Haus Ravensberg,** Altenrather Str. 51, ☎ 7 61 04 (Hotel) 7 74 56 (Rest.), Fax 74184 – . AE E VISA **M** a la carte 39/66 – **24 Z : 40 B** 98/120 - 130/160 Fb.
- **Canisiushaus,** Hippolytusstr. 41, ☎ 7 67 76, Fax 805362 – – 30. AE E VISA **M** *(Samstag bis 17 Uhr und Mittwoch geschl.)* 15/34 (mittags) und a la carte 27/56 – **14 Z : 18 B** 105/160 - 190/240 Fb.
- Kronprinz garni, Poststr. 87, ☎ 7 50 58, Fax 804825, – . **42 Z : 60 B** 80/95 - 110/135 Fb.
- X **Am Bergerhof,** Frankfurter Str. 82, ☎ 7 42 82, , « Rustikale Einrichtung » – VISA *Samstag bis 17 Uhr geschl.* – **M** a la carte 39/63.

TROSSINGEN 7218. Baden-Württemberg 413 I 22 – 11 600 Ew – Höhe 699 m – ☎ 07425.

Verkehrsamt, Rathaus, Schultheiß-Koch-Platz 1, ☎ 2 51 20.

♦Stuttgart 106 – Donaueschingen 27 – Rottweil 14.

- **Bären,** Hohnerstr. 25, ☎ 60 07, Fax 21395 – . AE E **M** *(Freitag 14 Uhr - Sonntag geschl.)* a la carte 32/65 – **21 Z : 32 B** 85/100 - 120/150.
- **Schoch,** Eberhardstr. 20, ☎ 70 25, , – . AE E VISA **M** *(Freitag und Juli - Aug. 2 Wochen geschl.)* a la carte 23/47 – **22 Z : 35 B** 45/78 - 75/156.

TROSTBERG **8223.** Bayern 413 U 22, 987 ㊲, 426 J 4 – 10 000 Ew – Höhe 481 m – ☎ 08621

♦München 86 – Passau 109 – Rosenheim 46 – Salzburg 64.

Zur Post, Vormarkt 30, ☎ 6 10 88 – TV ☎ P
22 Z : 34 B Fb.

When in a hurry use the Michelin Main Road Maps :

970 Europe, 980 Greece, 984 Germany, 985 Scandinavia-Finland, 986 Great Britain and Ireland, 987 Germany-Austria-Benelux, 988 Italy, 989 France, 990 Spain-Portugal and 991 Yugoslavia.

TÜBINGEN **7400.** Baden-Württemberg 413 K 21, 987 ㉟ – 78 000 Ew – Höhe 341 m – ☎ 07071

Sehenswert : Eberhardsbrücke ≤★ Z – Platanenallee★★ Z – Marktplatz★ Y – Rathaus★ Y **R** – Stiftskirche (Grabtumben★★, Turm ≤★) Y – Schloß (Renaissance-Portale★) YZ.

Ausflugsziel : Bebenhausen : ehemaliges Kloster★ 6 km über ①.

Verkehrsverein, An der Eberhardsbrücke, ☎ 3 50 11, Fax 35070.

ADAC, Wilhelmstr. 3, ☎ 5 27 27, Telex 7262888.

♦Stuttgart 46 ① – ♦Freiburg im Breisgau 155 ③ – ♦Karlsruhe 105 ① – ♦Ulm (Donau) 100 ②.

Stadtplan siehe gegenüberliegende Seite

Krone , Uhlandstr. 1, ☎ 3 10 36, Telex 7262762, Fax 38718, « Stilvolle Einrichtung » – Zim TV P – 25/90. AE E VISA Z b
22.- 30. Dez. geschl. – **M** *(auch vegetarisches Menu)* a la carte 51/85 – **48 Z : 70 B** 145/220 - 220/300 – 3 Appart. 380.

Domizil - Restaurant Carat, Wöhrdstr. 5-9, ☎ 13 90 (Hotel) 13 91 00 (Rest.), Fax 139250 – TV – 50. AE E VISA. Rest Z n
M *(Sonntag 15 Uhr - Montag sowie Feb. und Juli - Aug. je 2 Wochen geschl.)* a la carte 63/86 – **80 Z : 120 B** 140 - 180 Fb – 4 Appart. 300.

Stadt Tübingen, Stuttgarter Str. 97, ☎ 3 10 71, Fax 38245, – TV ☎ P – 25/250
68 Z : 130 B Fb. X a

Kupferhammer garni, Westbahnhofstr. 57, ☎ 4 11 11, Fax 49067 – TV ☎ P. AE E VISA X m
22. Dez.- 6. Jan. geschl. – **20 Z : 39 B** 75/90 - 105/130 Fb.

Am Bad , Am Freibad 2, ☎ 7 30 71, Fax 75336 – Zim TV ☎ P. AE E VISA
20. Dez.- 10. Jan. geschl. – (nur Abendessen für Hausgäste) – **36 Z : 54 B** 72/98 - 128/158 Fb. X f

Barbarina, Wilhelmstr. 94, ☎ 2 60 48 – ☎ P X r
(nur Abendessen) – **23 Z : 35 B** Fb.

Haus Katharina garni, Lessingweg 2, ☎ 6 70 21 – TV ☎ P X e
16 Z : 20 B 80/135 - 155/210.

Museum, Wilhelmstr. 3, ☎ 2 28 28, Fax 21429 – P – 25/70. AE E VISA Y T
M *(auch vegetarische Gerichte)* a la carte 35/75.

Landgasthof Rosenau, beim neuen Botanischen Garten, ☎ 6 64 66, Fax 60083, – P
AE E VISA über Schnarrenbergstr. X
Dienstag geschl. – **M** *(auch vegetarische Gerichte)* a la carte 43/70.

In Tübingen-Bebenhausen ① : 6 km :

Landhotel Hirsch, Schönbuchstr. 28, ☎ 6 80 27, Fax 600803, – TV ☎ P. AE E VISA
M *(auch vegetarische Gerichte)* (Dienstag geschl.) a la carte 45/76 – **12 Z : 20 B** 110/140 - 200/250 Fb.

✿ **Waldhorn,** Schönbuchstr. 49 (B 27), ☎ 6 12 70, bemerkenswerte Weinkarte – P
Montag - Dienstag, über Fasching 1 Woche und Juli - Aug. 3 Wochen geschl. – **M** (Tischbestellung ratsam) 90/150 und a la carte 72/95
Spez. Gratin von Fischen und Krustentieren, Salzwiesenlamm-Rücken mit Aromaten, Hägemark-Eisbömble.

In Tübingen-Kilchberg ⑤ : 5 km :

Gästehaus Hirsch garni, Closenweg 4/2, ☎ 7 29 35 – TV ☎ P. AE E.
24. Dez.- 10. Jan. geschl. – **20 Z : 30 B** 70/90 - 100/120.

In Tübingen-Lustnau :

Adler garni, Bebenhäuser Str. 2 (B 27), ☎ 8 18 06, Fax 83422 – P. AE E VISA X u
20. Dez.- 7. Jan. geschl. – **30 Z : 45 B** 48/80 - 84/120.

In Tübingen 6-Unterjesingen ⑥ : 6 km :

Am Schönbuchrand garni, Klemsenstr. 3, ☎ (07073) 60 47, – TV ☎ P
24. Dez.- 10. Jan. geschl. – **16 Z : 22 B** 68/80 - 98/115.

Zum Löwen, Jesinger Hauptstr. 83 (B 28), ☎ (07073) 15 15 – E
Montag - Dienstag, 7.- 16. Jan. und 15.- 30. Aug. geschl. – **M** a la carte 31/68.

TÜBINGEN

Am Markt . . . . Y
Friedrichstraße . . . . . Z 12
Holzmarkt . . . . Y 27
Karlstraße . . . . Z
Kirchgasse . . . . Y 30
Lange Gasse . . . . Y
Mühlstraße . . . . Y
Neckargasse . . . . Y 42
Pfleghofstraße . . . . . . Y 48
Wilhelmstraße . . . . . X, Y

Alberstraße . . . . X 2
Ammergasse . . . . Y 5
Derendinger Straße . X, Z 8
Froschgasse . . . . Y 15
Goethestraße . . . . . . X 18
Hirschgasse . . . . Y 21
Hölderlinstraße . . . . . X 24
Kronenstraße . . . . Y 33
Mohlstraße . . . . X 36
Münzgasse . . . . Y 39
Nürtinger Straße . . . . X 45
Pfrondorfer Straße . . X 51
Poststraße . . . . Z 54
Reutlinger Straße . . . X 57
Schmiedtorstraße . . . Y 60
Sigwartstraße . . . . . . X 63
Walter-Simon-Straße X, Z 66

Michelin hängt keine Schilder an die empfohlenen Hotels und Restaurants.

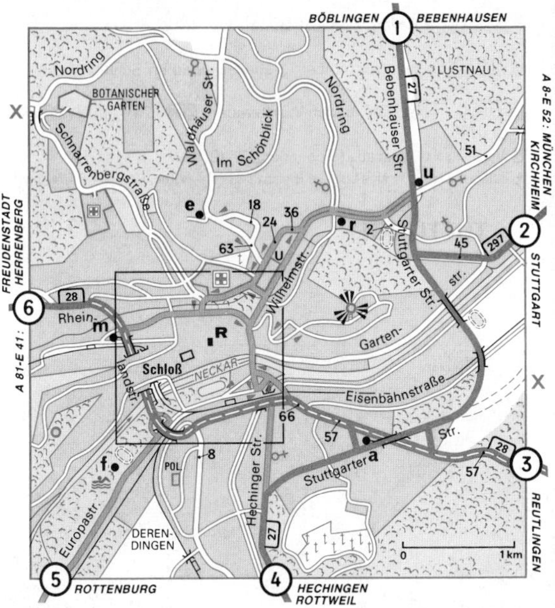

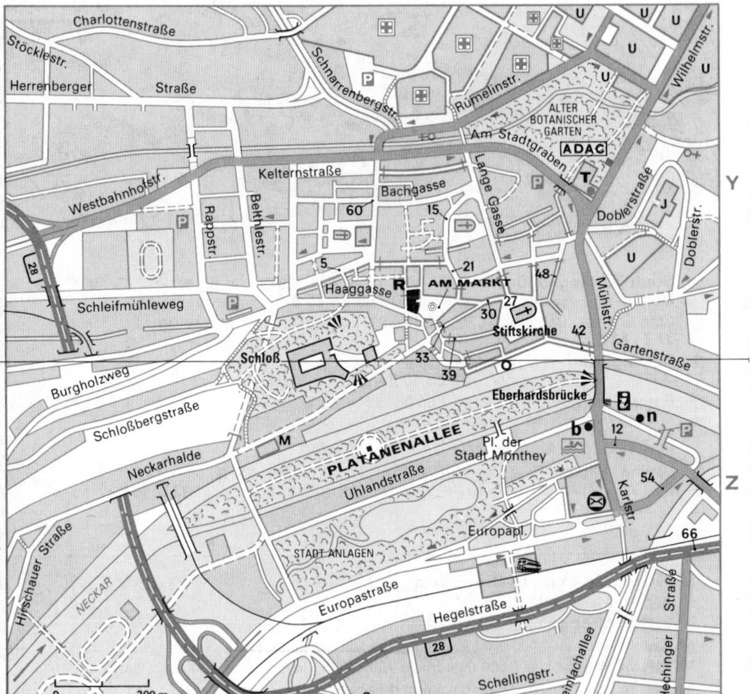

TÜSSLING Bayern siehe Altötting.

TUNAU Baden-Württemberg siehe Schönau im Schwarzwald.

TUTTLINGEN **7200.** Baden-Württemberg 413 J 23, 987 ㉟, 427 K 2 – 33 000 Ew – Höhe 645 m – ☎ 07461.

Verkehrsamt, Rathaus (Möhringen), ☎ (07462) 3 40, Fax 7572.

♦Stuttgart 128 ⑥ – ♦Freiburg im Breisgau 88 ④ – ♦Konstanz 59 ③ – ♦Ulm (Donau) 116 ②.

TUTTLINGEN

Bahnhofstraße	Z
Königstraße	YZ 9
Obere Hauptstraße	Z 15
Rathausstraße	YZ 18
Untere Hauptstraße	Y 24
Alleenstraße	YZ 2
Balinger Straße	Y 3
Bismarckstraße	Z 4
Donaueschinger Straße	Z 6
Donaustraße	YZ 7
Kronenstraße	Z 10
Ludwigstaler Straße	Y 12
Marktplatz	Z 13
Neuhauser Straße	Z 14
Schaffhauser Straße	Z 19
Stadtkirchstraße	Z 22
Untere Vorstadt	Y 25

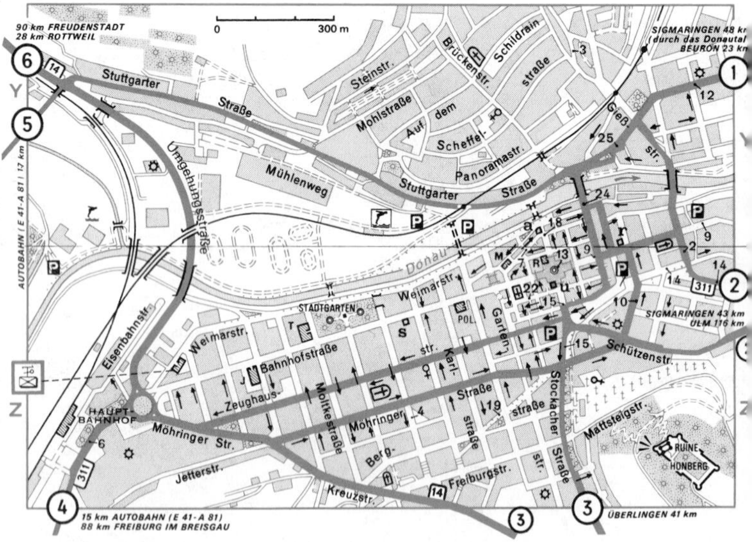

Stadt Tuttlingen, Donaustr. 30, ☎ 1 70 40, Fax 78949 – AE VISA. **M** *(Samstag geschl.)* a la carte 32/57 – **49 Z : 85 B** 99/110 - 160/190 Fb. Y **a**

Café Schlack, Bahnhofstr. 59, ☎ 7 20 81, Fax 72083 – **37 Z : 62 B** Fb. Z **s**

Rosengarten garni, Königstr. 17, ☎ 51 04 – *20. Dez.- 20. Jan. geschl.* – **25 Z : 40 B** 42/63 - 82/104. Y **r**

Engel, Obere Hauptstr. 4, ☎ 7 86 00, – AE E *Montag geschl.* – **M** a la carte 24/54. Z **u**

In Tuttlingen - Möhringen ④ : 5 km – Luftkurort :

Löwen, Mittlere Gasse 4, ☎ (07462) 62 77, – E *20. Okt.- 20. Nov. geschl.* – **M** *(Mittwoch geschl.)* a la carte 19/36 – **23 Z : 45 B** 32/55 - 60/100.

Michelin-Straßenkarten für Deutschland :

Nr. 984 im Maßstab 1:750 000

Nr. 987 im Maßstab 1:1 000 000

Nr. 411 im Maßstab 1:400 000 (Schleswig-Holstein, Niedersachsen)

Nr. 412 im Maßstab 1:400 000 (Nordrhein-Westfalen, Rheinland-Pfalz, Hessen, Saarland)

Nr. 413 im Maßstab 1:400 000 (Bayern und Baden-Württemberg)

TUTZING **8132.** Bayern 413 Q 23, 987 ㊲, 426 F 5 – 10 000 Ew – Höhe 610 m – Luftkurort – ☎ 08158.

Tutzing-Deixlfurt (W : 2 km), ☎ 36 00.

Verkehrsamt, Kirchenstr. 9, Rathaus, ☎ 20 31.

♦München 42 – Starnberg 15 – Weilheim 14.

- **Zum Reschen** garni, Marienstr. 7, ☎ 20 63, Fax 7755 – TV ☎ 🚗. AE E
  19. Dez.- 10. Jan. geschl. – **19 Z : 36 B** 90/105 - 150 Fb.
- **Engelhof,** Heinrich-Vogl-Str. 9, ☎ 30 61, Fax 6785 – TV ☎ P. E
  M *(nur Abendessen, Dienstag geschl.)* a la carte 25/55 – **10 Z : 20 B** 90 - 150 Fb – ½ P 115.
- **Café am See** , Marienstr. 16, ☎ 74 90, ≤, – TV P
  Mitte Nov.- Mitte Dez. geschl. – **M** *(Montag 15 Uhr - Dienstag geschl.)* a la carte 31/58 – **10 Z : 18 B** 80/98 - 110 – 3 Fewo 65/100.
- **Andechser Hof,** Hauptstr. 27, ☎ 18 22, Fax 6151, Biergarten – 🚗 P. E
  1.- 15. Jan. geschl. – **M** *(Donnerstag geschl.)* a la carte 28/49 – **22 Z : 38 B** 45/95 - 75/105 Fb – ½ P 58/85.
- ✿ **Härings Wirtschaft im Midgardhaus,** Midgardstr. 3, ☎ 12 16, ≤, Biergarten, « Terrasse am See » – P. AE ⓓ E VISA
  Montag und 4.- 28. Nov. geschl. – **M** (Tischbestellung ratsam) a la carte 35/80
  Spez. Zander mit Butterbröseln und Senfsauce, Rinderrouladen vom Filet mit verschiedenen Saucen, Marinierte Beeren mit Pralineneis.
- **Forsthaus Ilka - Höhe,** auf der Ilka-Höhe (SW : 2,5 km), ☎ 82 42, ≤ Starnberger See und Alpen, , Biergarten – P
  23. Dez. - 10. Jan. und Montag - Dienstag geschl., von Mai - Sept. Montag nur Abendessen und Dienstag geschl. – **M** a la carte 43/77.

Europe

Se il nome di un albergo è stampato
in carattere magro, chiedete al vostro arrivo
le condizioni che vi saranno praticate.

TWIST **4477.** Niedersachsen 411 E 9, 408 M 4 – 8 400 Ew – Höhe 20 m – ☎ 05936.

♦ Hannover 255 – ♦Bremen 147 – Groningen 99 – Nordhorn 26.

In Twist-Bült :

- **Gasthof Backers - Zum alten Dorfkrug** mit Zim, Kirchstr. 25, ☎ 3 30, – TV ☎ P. Zim
  1.- 10. Jan. und Juni - Juli 3 Wochen geschl. – Menu *(Samstag bis 18 Uhr und Dienstag geschl.)* a la carte 32/57 – **5 Z : 10 B** 40 - 70.

UCHTE **3079.** Niedersachsen 411 412 J 9, 987 ⑮ – 3 000 Ew – Höhe 33 m – ☎ 05763.

♦Hannover 68 – ♦Bremen 75 – Bielefeld 71 – ♦Osnabrück 93.

- **Dammeyer,** Bremer Str. 5, ☎ 22 51, Biergarten – TV ☎ 🚗 P. AE ⓓ E VISA
  M *(Samstag und Sonntag nur Mittagessen)* a la carte 23/44 – **17 Z : 21 B** 50/60 - 85/100 Fb.

ÜBACH-PALENBERG **5132.** Nordrhein-Westfalen 412 B 14, 408 ㉖, 409 ⑦ – 23 000 Ew – Höhe 125 m – ☎ 02451 (Geilenkirchen).

♦Düsseldorf 72 – ♦Aachen 18 – Geilenkirchen 6.

- **Stadthotel,** Freiheitstr. 8 (Übach), ☎ 40 62, Fax 4063 – TV ☎ – 25/600
  M *(wochentags nur Abendessen, Sonntag nur Mittagessen)* a la carte 19,50/42 – **18 Z : 27 B** 50/60 - 100.
- **Weydenhof,** Kirchstr. 17 (Palenberg), ☎ 4 14 10 – 🚗 P. E
  Juli geschl. – **M** *(Freitag geschl.)* a la carte 23/38 – **15 Z : 23 B** 40/75 - 70/130.

ÜBERHERRN Saarland siehe Saarlouis.

ÜBERKINGEN, BAD **7347.** Baden-Württemberg 413 M 21 – 4 500 Ew – Höhe 440 m – Heilbad – ☎ 07331 (Geislingen an der Steige).

Kurverwaltung, Gartenstr. 1, ☎ 20 09 10.

♦Stuttgart 64 – Göppingen 21 – ♦Ulm (Donau) 37.

- **Bad-Hotel,** Badstr. 12, ☎ 30 20, Fax 30220, – TV P – 25/60. AE ⓓ E.
  24.- 30. Dez. geschl. – **M** *(auch vegetarische Gerichte)* a la carte 37/66 – **20 Z : 37 B** 130/160 - 220/260 Fb – ½ P 150/180.
- **Golfhotel Altes Pfarrhaus** (restauriertes Fachwerkhaus a.d. 16. Jh. mit geschmackvoller Einrichtung), Badstr. 2, ☎ 6 30 36, Fax 63030 – TV ☎. AE ⓓ E VISA.
  Juli - Aug. 2 Wochen geschl. – **M** *(Tischbestellung ratsam)* a la carte 47/84 – **14 Z : 23 B** 98/145 - 190/290.

ÜBERLINGEN **7770.** Baden-Württemberg 413 K 23, 987 ㉟, 427 L 2 – 19 600 Ew – Höhe 403 m – Kneippheilbad und Erholungsort – ☎ 07551.

Sehenswert : Stadtbefestigungsanlagen★★ A – Münster★ B – Rathaus (Ratssaal★) B **R.**

Owingen (N : 5 km), ☎ (07551) 39 79.

Städt. Kurverwaltung, Landungsplatz 14, ☎ 40 41, Fax 66874.

♦Stuttgart 172 ③ – Bregenz 63 ② – ♦Freiburg im Breisgau 129 ③ – Ravensburg 46 ①.

ÜBERLINGEN

Christophstraße	A 3
Franziskanerstraße	B 5
Hofstatt	B
Münsterstraße	B
Bahnhofstraße	A 2
Gradebergstraße	B 6
Hafenstraße	B 8
Hizlerstraße	B 9
Hochbildstraße	B 10
Jakob-Kessenring-Str.	A 12
Klosterstraße	A 14
Krummebergstraße	B 15
Landungsplatz	B 17
Lindenstraße	B 19
Luziengasse	B 20
Marktstraße	AB 22
Obertorstraße	B 23
Owinger Straße	B 25
Pfarrhofstraße	B 26
St-Ulrich-Straße	B 28
Seestraße	B 29

Michelin puts no plaque or sign on the hotels and restaurants mentioned in this guide.

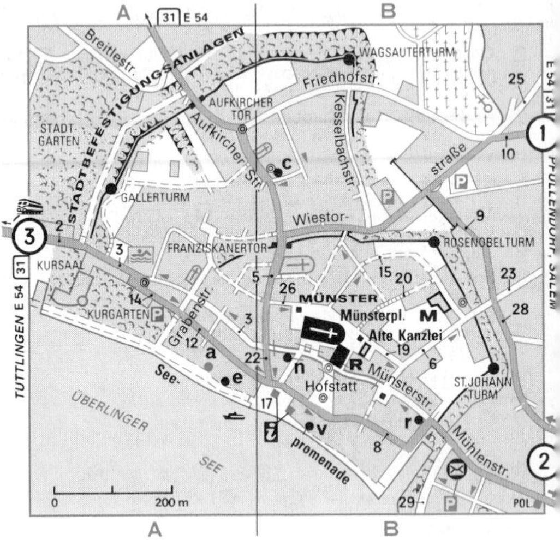

Parkhotel St. Leonhard ⑤, Obere St.-Leonhard-Str. 71, ☎ 80 80, Telex 733983, Fax 808531, ≤ Bodensee und Alpen, « Park, Wildgehege », , (Halle) – – 25/180. AE E VISA. Rest — über Obertorstr. B
M a la carte 38/77 – **144 Z : 280 B** 120/167 - 200/240 Fb – 3 Appart. 340 – ½ P 131/198.

Rosengarten, Bahnhofstr. 12, ☎ 48 95, Fax 4706, – .
20. Dez.- 10. Jan. geschl. – (nur Abendessen für Hausgäste) – **16 Z : 29 B** 110/150 - 170/230 Fb. — über ③

Seegarten ⑤, Seepromenade 7, ☎ 6 34 98, Fax 3981, ≤, « Gartenterrasse » –
Dez.- 15. Feb. geschl. – **M** a la carte 34/60 – **21 Z : 32 B** 85/115 - 150/210 – ½ P 103/138. — A **e**

Ochsen, Münsterstr. 48, ☎ 40 67, Fax 3290, – . AE E VISA — B **r**
M *(24.-31. Dez. geschl.)* a la carte 32/58 – **43 Z : 63 B** 74/92 - 120/150.

Bürgerbräu, Aufkircher Str. 20, ☎ 6 34 07, Fax 66017 – . AE E VISA. Zim — B **c**
24. Okt.- 10. Nov. und 20. Dez.- 10. Jan. geschl. – **M** *(Donnerstag - Freitag 18 Uhr geschl.)* a la carte 38/65 – **12 Z : 19 B** 85 - 140 Fb – ½ P 95/110.

Walter ⑤, Seepromenade 13, ☎ 48 01, Fax 7818, ≤, – . E. — B **v**
Dez.- Jan. geschl. – **M** *(Donnerstag geschl.)* a la carte 28/55 – **9 Z : 16 B** 90 - 160.

Stadtgarten, Bahnhofstr. 22, ☎ 45 22, Fax 5939, , – — über ③
April - Okt. – (Restaurant nur für Hausgäste) – **26 Z : 44 B** 60/65 - 130 – ½ P 78/83.

Romantik-Hotel Hecht mit Zim, Münsterstr. 8, ☎ 6 33 33, Fax 3310 – . AE E VISA. Zim — B **n**
19. Dez.- 28. Jan. geschl. – **M** *(Tischbestellung ratsam)* (Sonntag 15 Uhr - Montag geschl.) a la carte 41/78 – **14 Z : 20 B** 85/120 - 170.

Weinstube Reichert ⑤ mit Zim, Seepromenade 3, ☎ 6 38 57, Fax 67344, ≤, – . AE E VISA — A **a**
Nov.- Jan. geschl. – **M** *(Montag geschl.)* a la carte 31/56 – **8 Z : 14 B** 65/85 - 120/130.

In Überlingen-Andelshofen ① : 3 km :

Johanniter-Kreuz ⑤, Johanniterweg 11, ☎ 6 10 91, Fax 67336, , « Rustikales Restaurant in Fachwerkhaus a.d. 17. Jh. », – . AE E VISA
2.- 20. Jan. geschl. – **M** *(Montag - Dienstag 17 Uhr geschl.)* a la carte 34/66 – **26 Z : 48 B** 78/150 - 140/250 Fb.

In Überlingen 12-Lippertsreute ① : 9 km :

Landgasthof zum Adler mit Zim (Fachwerkhaus a.d.J. 1635), Hauptstr. 44, ✆ (07553) 75 24, Fax 1814 – TV 🚗 P
März und Dez. jeweils 2 Wochen geschl. – Menu *(Donnerstag 14 Uhr - Freitag geschl.)* a la carte 33/50 – **13 Z : 26 B** 45/60 - 80/120.

In Überlingen 18-Nußdorf ② : 3 km :

Seehotel Zolg, Zur Forelle 1, ✆ 6 21 49, ←, – TV ☎ P. E VISA. Zim
15. Nov.- 15. Jan. geschl. – **M** *(Montag geschl., Nov.-Mitte März garni)* a la carte 31/54 – **17 Z : 30 B** 72/80 - 108/140 Fb.

ÜBERSEE 8212. Bayern 413 U 23, 426 J 5 – 3 800 Ew – Höhe 525 m – Luftkurort – ☎ 08642.
Verkehrsamt, Feldwieser Str. 27, ✆ 2 95, Fax 6214.
♦München 95 – Rosenheim 36 – Traunstein 20.

Am Chiemsee N : 4 km :

Chiemgauhof, Julius-Exter-Promenade 21, ✉ 8212 Übersee-Feldwies, ✆ (08642) 12 81, ←, « Terrasse am See », – TV ☎ P
April - Okt. – **M** a la carte 27/55 – **16 Z : 35 B** 100 - 180 Fb.

ÜHLINGEN-BIRKENDORF 7899. Baden-Württemberg 413 HI 23, 427 I 2, 216 ⑥ ⑦ – 4 400 Ew – Höhe 644 m – Wintersport : 644/900 m 6 – ☎ 07743.
Verkehrsbüro Ühlingen, Rathaus, ✆ 55 11.
Kurverwaltung Birkendorf, Haus des Gastes, ✆ 3 80, Fax 1277.
♦Stuttgart 172 – Donaueschingen 46 – ♦Freiburg im Breisgau 67 – Waldshut-Tiengen 21.

Im Ortsteil Ühlingen – Erholungsort :

Zum Posthorn, Hauptstr. 12, ✆ 2 44, – 🚗 P
M *(Montag geschl.)* a la carte 21/41 – **16 Z : 30 B** 36 - 68.

Im Ortsteil Birkendorf – Luftkurort :

Sonnenhof, Schwarzwaldstr. 9, ✆ 58 58, – ☎ 🚗 P – 40. AE E VISA
M *(Okt.- März Montag und 10.- 20. Dez. geschl.)* a la carte 26/56 – **35 Z : 70 B** 50/80 - 90/120 Fb – ½ P 65/80.

In Ühlingen-Birkendorf-Witznau SW : 10 km :

Witznau, Schlüchttalstraße, ✆ (07747) 2 15, – P. E VISA
Montag und Feb. geschl. – **M** a la carte 27/55.

UELSEN 4459. Niedersachsen 411 412 D 9, 408 L 4 – 4 000 Ew – Höhe 22 m – Erholungsort – ☎ 05942.
♦Hannover 240 – Almelo 23 – Lingen 36 – Rheine 56.

Am Waldbad, Zum Waldbad 1, ✆ 10 61, Fax 1952, , direkter Zugang zum städtischen , – TV ☎ P – 35
M *(Montag bis 17 Uhr geschl.)* a la carte 37/51 – **12 Z : 18 B** 40/55 - 80/100.

UELZEN 3110. Niedersachsen 411 O 8, 987 ⑯ – 38 000 Ew – Höhe 35 m – ☎ 0581.
Verkehrsbüro, Veerßer Str. 43, ✆ 80 01 32.
♦Hannover 96 – ♦Braunschweig 83 – Celle 53 – Lüneburg 33.

Stadt Hamburg, Lüneburger Str. 4, ✆ 1 70 81, Fax 70262 – TV ☎ – 25/100. AE E VISA
M a la carte 36/76 – **34 Z : 56 B** 70/100 - 140/150 Fb.

Uelzener Hof, Lüneburger Str. 47, ✆ 7 39 93, Fax 70191, « Altes Fachwerkhaus » – TV ☎ 🚗. AE E VISA
M a la carte 25/62 – **29 Z : 53 B** 59 - 110/130 Fb.

Stadthalle Schützenhaus, Am Schützenplatz 1, ✆ 23 78, Fax 73326 – TV ☎ P – 25/600. AE E VISA – **M** a la carte 32/70 – **14 Z : 25 B** 48 - 94/112 Fb.

Am Stern, Sternstr. 13, ✆ 63 29, Fax 16945, – TV ☎ P – 40.
M *(nur Abendessen, Sonntag und 20. Dez.- 10. Jan. geschl.)* a la carte 23/40 – **29 Z : 51 B** 50/60 - 90/110 Fb.

ÜRZIG 5564. Rheinland-Pfalz 412 E 17 – 1 000 Ew – Höhe 106 m – ☎ 06532 (Zeltingen).
Mainz 124 – Bernkastel-Kues 10 – ♦Trier 46 – Wittlich 11.

Moselschild, Moselweinstr. 14 (B 53), ✆ 30 01, Fax 3004, ←, , « Geschmackvolle Einrichtung », Bootssteg – TV ☎ 🚗 P. AE E VISA
10.- 30. Jan. geschl. – **M** *(bemerkenswertes Angebot regionaler Weine)* a la carte 41/72 – **14 Z : 27 B** 77/95 - 130/160.

Zehnthof, Moselufer 38, ℘ 25 19, ≤, 🏛 - 🚗 Ⓟ. ✗ Zim
April - Okt. – **M** *(Mittwoch geschl.)* a la carte 31/57 🍷 - **20 Z : 40 B** 75/95 - 110/150 Fb.

Zur Traube, Moselweinstr. 16 (B 53), ℘ 45 12, ≤, 🏛 - TV 🚗 Ⓟ. E VISA
Jan.- Feb. geschl. – **M** a la carte 22/48 - **12 Z : 23 B** 35/90 - 60/130.

In Kinderbeuern **5561** N : 4,5 km :

Alte Dorfschänke, Dorfstraße 14, ℘ (06532) 24 94, « Gartenterrasse » – Ⓟ. AE E
Feb. geschl. – **M** *(Montag geschl.)* a la carte 27/60 🍷 – **12 Z : 24 B** 50 - 100.

UETERSEN **2082.** Schleswig-Holstein 411 LM 5, 987 ⑤ – 17 000 Ew – Höhe 6 m – ✆ 04122.
◆Kiel 101 – ◆Hamburg 34 – Itzehoe 35.

Hotel im Rosarium 🌿, Berliner Str. 10, ℘ 70 66, Fax 45376, « Gartenterrasse mit ≤ »
– 🛗 TV ☎ ♿ 🚗 Ⓟ – 🎤 25. AE
M a la carte 30/70 – **31 Z : 62 B** 98/155 - 128/160 Fb.

UETTINGEN **8702.** Bayern 412 413 M 17 – 1 250 Ew – Höhe 230 m – ✆ 09369.
◆München 294 – ◆ Frankfurt am Main 101 – ◆Würzburg 17.

Fränkischer Landgasthof, Marktheidenfelder Str. 3, ℘ 82 89, Fax 8094 – TV ☎ 🚗 Ⓟ.
✗
9. Nov.- 3. Dez. geschl. – **M** *(Donnerstag geschl.)* a la carte 26/43 🍷 – **9 Z : 15 B** 51/61 - 86.

UETZE **3162.** Niedersachsen 411 N 9, 987 ⑮ – 18 000 Ew – Höhe 50 m – ✆ 05173.
◆Hannover 39 – ◆Braunschweig 38 – Celle 23.

Landhaus Wilhelmshöhe mit Zim, Marktstr. 13 (N : 1,5 km Richtung Celle), ℘ 8 10, 🏛
– 🚗 Ⓟ. E
Juni - Juli 4 Wochen geschl. – **M** *(Montag - Dienstag geschl.)* a la carte 26/45 – **8 Z : 12 B** 48/68 - 84/120.

ÜXHEIM **5538.** Rheinland-Pfalz 412 D 15 – 1 500 Ew – Höhe 510 m – ✆ 02696.
⛳ Hillesheim (SW : 11 km), Kölner Straße, ℘ (06593) 12 41.
Mainz 176 – ◆Bonn 65 – ◆Koblenz 85 – ◆Trier 92.

In Üxheim-Niederehe S : 4 km :

Fasen-Schröder mit Zim, Kerpener Str. 7, ℘ 10 48, Biergarten, 🌳 – Ⓟ. E VISA
15.- 31. Okt. geschl. – **M** *(Dienstag geschl.)* a la carte 23/42 🍷 – **8 Z : 12 B** 35/40 - 68/78.

UFFENHEIM **8704.** Bayern 413 N 18, 987 ㉖ – 5 Ew – Höhe 330 m – ✆ 09842.
◆München 242 – Ansbach 40 – ◆Bamberg 88 – ◆Würzburg 38.

Grüner Baum, Marktplatz 14, ℘ 3 10, Fax 2115 – Ⓟ
M a la carte 19/49 🍷 – **45 Z : 90 B** 44/54 - 85/94.

Uffenheimer Hof, Am Bahnhof 4, ℘ 70 81, Fax 7180, Biergarten, ≘s – ☎ 🚗 Ⓟ –
🎤 25/50. AE E VISA
Ende Juli - Mitte Aug. geschl. – **M** *(Sonntag 15 Uhr - Montag geschl.)* a la carte 18/43 🍷 –
37 Z : 72 B 65 - 100.

Schwarzer Adler, Adelhofer Str. 1, ℘ 82 87, Biergarten – Ⓟ. E
3.- 24. März geschl. – **M** *(Montag geschl.)* a la carte 19/42 – **11 Z : 25 B** 30/42 - 56/72.

UHLDINGEN-MÜHLHOFEN **7772.** Baden-Württemberg 413 K 23, 427 L 2 – 6 300 Ew – Höhe 398 m – Erholungsort – ✆ 07556.
Ausflugsziel : Birnau-Maurach : Wallfahrtskirche★, NW : 3 km.
ℹ Verkehrsamt, Unteruhldingen, Schulstr. 12, ℘ 80 20, Fax 431.
◆Stuttgart 181 – Bregenz 55 – Ravensburg 38.

Im Ortsteil Maurach :

Seehalde 🌿, Maurach 1, ℘ (07556) 65 65, 🏛, ≘s, 🏊, 🌳 – TV ☎ Ⓟ
Anfang März - Mitte Dez. – **M** *(auch vegetarische Gerichte)* (Dienstag geschl.) a la carte 35/62 – **21 Z : 38 B** 88 - 150/180 Fb.

Pilgerhof 🌿, (Nähe Campingplatz), ℘ 65 52, Fax 6555, 🏛, ≘s, 🌳 – TV ☎ Ⓟ. AE ⓪
E VISA. ✗ Zim
M *(Montag und Nov. 2 Wochen geschl.)* a la carte 32/60 – **38 Z : 72 B** 95/110 - 150/190 Fb – ½ P 90/120.

Im Ortsteil Oberuhldingen :

Storchen, Aachstr. 17, ℘ 65 91, 🏛, ✗ – TV 🚗 Ⓟ. ⓪ VISA
22. Dez.- 15. Jan. geschl. – **M** a la carte 23/42 🍷 – **22 Z : 40 B** 36/74 - 65/106 Fb – 10 Fewo 95/105 – ½ P 50/70.

Im Ortsteil Seefelden :

Landgasthof Fischerhaus (Fachwerkhaus a.d. 17. Jh.), 85 63, Fax 6063, ≤, (geheizt), – TV ☎ P
Mitte März - Anfang Nov. – **M** *(Tischbestellung erforderlich)* (Montag - Dienstag geschl.) a la carte 38/61 – **27 Z : 50 B** 85/120 - 150/300 Fb – ½ P 120/195.

Im Ortsteil Unteruhldingen :

Seevilla garni, Seefelder Str. 36, 65 15 (über Hotel Seehof), Fax 5691 – TV ☎ P
30 Z : 60 B 100/160 - 140/180 Fb.

Gästehaus Bodensee garni, Seestr. 5, 67 91, – TV ☎ P. E
März - Okt. – **17 Z : 34 B** 75/100 - 124/140 Fb.

Seehof, Seefelder Str. 8, 65 15, Fax 5691, « Gartenterrasse », – TV ☎ P
M a la carte 32/68 – **20 Z : 30 B** 65/100 - 98/130 Fb.

Café Knaus, Seestr. 1, 80 08, Fax 5533, – TV ☎ P. E.
März - Mitte Nov. – **M** *(Montag geschl.)* a la carte 23/46 – **28 Z : 50 B** 80/90 - 130/180 Fb.

Mainaublick, Seefelder Str. 22, 85 17, Fax 5844, – TV ☎ P. E
Ostern - Mitte Okt. – **M** *(außer Saison Donnerstag geschl.)* a la carte 26/61 – **23 Z : 39 B** 60/90 - 120/136 Fb.

ULM (Donau) 7900. Baden-Württemberg 413 MN 21, 987 ㊱ – 110 000 Ew – Höhe 479 m – 0731.

Sehenswert : Münster★★★ (Chorgestühl★★★, Turm ★★) Y – Jahnufer (Neu-Ulm) ≤★★ Z – Fischerviertel★ Z – Ulmer Museum★ Z **M1**.

Ausflugsziel : Ulm-Wiblingen : Klosterkirche (Bibliothek★) S : 5 km.

Wochenauer Hof (S : 12 km), (07306) 21 02.

Ausstellungsgelände a. d. Donauhalle (über Wielandstr. X), 6 44 00.

Städt. Verkehrsbüro, Münsterplatz, 6 41 61, Fax 64173.

ADAC, Neue Str. 40, 6 66 66, Notruf 1 92 11.

♦Stuttgart 94 ⑥ – ♦Augsburg 80 ① – ♦München 138 ①.

Stadtplan siehe nächste Seite

Neuthor, Neuer Graben 23, 1 51 60, Telex 712401, Fax 1516513 – TV P – 25/80. AE E VISA — Y **e**
23. Dez.- 10. Jan. geschl. – **M** a la carte 32/62 – **85 Z : 130 B** 120/179 - 150/200 Fb.

Stern, Sterngasse 17, 6 30 91, Fax 63077, – TV P — Y **d**
M a la carte 31/65 – **62 Z : 90 B** 102/150 - 140/200 Fb.

Goldener Bock, Bockgasse 25, 2 80 79 – TV ☎. AE E VISA — Y **x**
M *(Sonntag geschl.)* a la carte 53/75 – **13 Z : 18 B** 90/95 - 125/130.

Astra, Steinhövelstr. 6, 2 20 84, Fax 24646 – TV ☎ . AE E — über ①
M *(Sonntag geschl.* a la carte 40/67 – **19 Z : 38 B** 115/140 - 140/160 Fb.

Ulmer Spatz, Münsterplatz 27, 6 80 81, Fax 6021925, – TV ☎. AE — Z **f**
M a la carte 27/55 – **36 Z : 52 B** 85/105 - 135/140 Fb.

Ibis, Neutorstr. 12, 61 90 01, Telex 712927, Fax 63103 – TV ☎ – 30 (nur Abendessen) – **90 Z : 135 B** Fb. — Y **y**

Am Rathaus - Reblaus garni, Kronengasse 10, 6 40 32, Fax 6021656 – ☎. AE — Z **k**
22. Dez.- 11. Jan. geschl. – **34 Z : 62 B** 65/140 - 105/200.

Roter Löwe, Ulmer Gasse 8, 6 20 31, Fax 6021502 – TV ☎ — Y **m**
M a la carte 23/44 – **30 Z : 40 B** 52/95 - 110/135 Fb.

Florian-Stuben, Keplerstr. 26, 61 02 20, « Rustikale Einrichtung im Schweizer Stil » — X **a**
Sonntag - Montag 18 Uhr und Aug. 3 Wochen geschl. – **M** (abends Tischbestellung ratsam) a la carte 62/84.

Pflugmerzler, Pfluggasse 6, 6 80 61 — Y **c**
Samstag, Sonn- und Feiertage sowie 20. Juli - 10. Aug. geschl. – **M** a la carte 43/63.

Zur Forelle, Fischergasse 25, 6 39 24 — Z **b**

Gerberhaus, Weinhofberg 9, 6 94 98 — Z **r**

In Ulm-Grimmelfingen ④ : 5 km :

Hirsch, Schultheißenstr. 9, 38 10 08, Fax 383872, « Gartenwirtschaft » – TV ☎ P. AE E VISA
24. Dez.- Mitte Jan. und Juli - Aug. 2 Wochen geschl. – **M** *(Dienstag geschl.)* a la carte 26/46 – **25 Z : 35 B** 80/92 - 110/135 Fb.

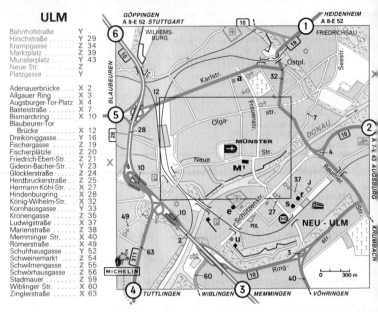

ULM

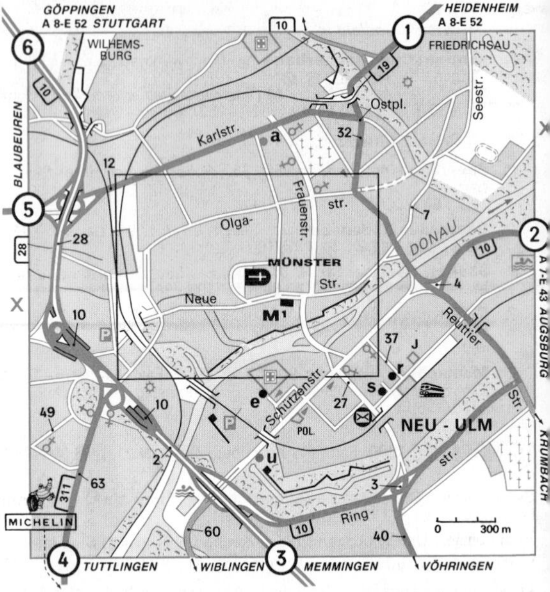

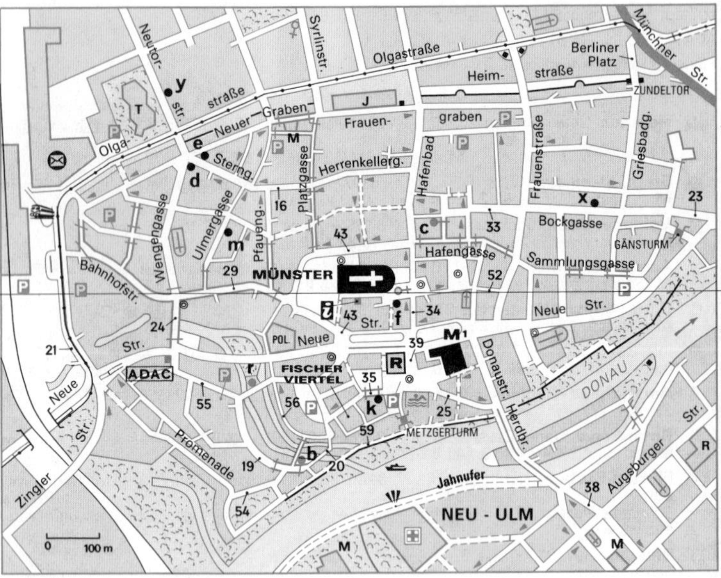

In Ulm-Lehr ⑥ : 3 km :

Engel, Loherstr. 35, ✆ 6 08 84, Fax 610395, ⛱, 🛁 - 🛗 📺 ☎ 🅟 - 🏋 40. AE ⓓ E VISA
M *(Sonn- und Feiertage ab 15 Uhr geschl.)* a la carte 29/61 - **46 Z : 70 B** 108/128 - 150/180 Fb.

In Ulm-Wiblingen S : 5 km über Wiblinger Str. :

Grüner Baum, Donautalstr. 21, ✆ 4 10 80, Fax 41882 - 📺 ☎ 🅟
M a la carte 22/47 - **42 Z : 64 B** 48/68 - 95/125 Fb.

An der Autobahn A 8 - Ausfahrt Ulm-Ost ① : 8 km :

Rasthaus Seligweiler, an der B 19, ✉ 7900 Ulm (Donau), ✆ (0731) 2 05 40, Fax 2054400, - |¦| TV ☎ ⇔ P - 🏛 40. AE ① E VISA
24., 25. und 31. Dez. geschl. - **M** a la carte 18/42 - **118 Z : 200 B** 58/99 - 96/139 Fb.

In Dornstadt **7909** ⑥ : 9 km :

Krone, Lange Str. 1 (B 10), ✆ (07348) 2 10 33, Fax 22180, , - |¦| TV ☎ P - 🏛 25/170. AE ① E VISA
21.- 28. Dez. geschl. - **M** *(auch vegetarische Gerichte)* a la carte 31/56 - **43 Z : 90 B** 65/85 - 105/135 Fb.

Siehe auch : *Neu-Ulm*

MICHELIN-REIFENWERKE KGaA. Niederlassung Dornier Str. 5 (über ④, Industriegebiet Donautal), ✆ (0731) 4 50 88, Fax 481925.

ULMET **6799.** Rheinland-Pfalz 412 F 18 - 800 Ew - Höhe 185 m - ☎ 06387.

Mainz 98 - Kaiserslautern 31 - ♦Saarbrücken 76 - ♦Trier 98.

Felschbachhof, nahe der B 420 (W : 1,5 km), ✆ 4 25, Fax 7500, , , , - TV ☎ ⇔ P - 🏛 25/50. Zim
25 Z : 50 B Fb.

ULRICHSTEIN **6314.** Hessen 412 413 K 15 - 3 200 Ew - Höhe 614 m - Erholungsort - ☎ 06645.

Sehenswert : Schloßruine ★.

♦Wiesbaden 122 - ♦Frankfurt am Main 94 - Gießen 43 - Lauterbach 21.

Landgasthof Groh, Hauptstr. 1, ✆ 3 10, - ⇔ P - 🏛 30
Mitte Feb.- Mitte März geschl. - **M** *(Montag geschl.)* a la carte 25/47 - **18 Z : 30 B** 40/60 - 70/120.

UMKIRCH **7801.** Baden-Württemberg 413 G 22, 242 ㉜ - 4 800 Ew - Höhe 207 m - ☎ 07665.

♦Stuttgart 206 - Colmar 41 - ♦Freiburg im Breisgau 9.

Heuboden garni (siehe auch Restaurant Heuboden), Gansacker 6a, ✆ 5 00 90, Fax 500996, - |¦| TV ☎ P. AE ① E VISA
50 Z : 76 B 70/110 - 110/120 Fb.

Zum Pfauen, Hugstetter Str. 2, ✆ 65 34, Fax 51949, - TV ☎ P. AE E
M *(Mittwoch geschl.)* a la carte 47/80 - **11 Z : 20 B** 75/98 - 118/158.

XXX **Heuboden,** Am Gansacker 3, ✆ 50 09 99, Fax 500991, - P - 🏛 25/60
Samstag bis 18 Uhr und Sonntag geschl. - **M** a la carte 40/74 .

UNDELOH **2111.** Niedersachsen 411 M 7 - 850 Ew - Höhe 60 m - ☎ 04189.

Sehenswert : Typisches Heidedorf★.

Ausflugsziel : Wilseder Berg★ ≤★ (SW : 5 km, nur zu Fuß oder mit Kutsche erreichbar).

Verkehrsverein, Zur Dorfeiche 27, ✆ 3 33.

♦Hannover 113 - ♦Hamburg 53 - Lüneburg 35.

Heiderose - Gästehaus Heideschmiede, Wilseder Str. 13, ✆ 3 11, Fax 314, , , , - |¦| TV ☎ P. ① E
M a la carte 27/62 - **37 Z : 75 B** 80/120 - 120/140.

Witte's Hotel, Zum Loh 2, ✆ 2 67, Fax 629, , - ☎ P. E. Zim
15. Dez.- Jan. geschl. - **M** *(Montag geschl.)* a la carte 27/50 - **22 Z : 40 B** 69 - 134.

X Undeloher Hof mit Zim, Wilseder Str. 22, ✆ 4 57, - TV ☎ P
6 Z : 12 B.

In Undeloh-Wesel NW : 5 km :

Heidelust, Weseler Dorfstr. 9, ✆ 2 72, , , - ☎ P - 🏛 30
2. Jan.- 21. Feb. und 20.- 24. Dez. geschl. - **M** *(Okt.- März Donnerstag geschl.)* a la carte 23/54 - **27 Z : 50 B** 50/60 - 92/120 Fb - 3 Fewo 65/75.

UNKEL **5463.** Rheinland-Pfalz 412 E 15 - 4 300 Ew - Höhe 58 m - ☎ 02224 (Bad Honnef).

Verkehrsamt, Linzer Str. 6, ✆ 33 09.

Mainz 137 - ♦Bonn 22 - Neuwied 28.

Rheinhotel Schulz, Vogtsgasse 4, ✆ 23 02, Fax 72111, ≤, « Gartenterrasse » - TV ☎ P - 🏛 40. AE ① E VISA.
M a la carte 46/74 - **28 Z : 41 B** 90/125 - 150/190 Fb.

Gästehaus Korf - Weinhaus Zur Traube, Vogtsgasse 2, ✆ 33 15, Rebengarten - ⇔ P
nur Hotel : Nov. - Ostern geschl. - **M** *(nur Abendessen, Dienstag und Feb.- Mitte März geschl., Nov.- April nur Donnerstag - Sonntag geöffnet)* a la carte 25/62 - **13 Z : 24 B** 39/59 - 94/98.

UNNA **4750.** Nordrhein-Westfalen 411 412 G 12, 987 ⑭ – 58 300 Ew – Höhe 96 m – ☎ 02303.

Verkehrsverein, Bahnhofstr. 45, ☎ 10 32 13.

ADAC, Friedrich-Ebert-Str. 7b, ☎ 1 27 85.

♦Düsseldorf 87 – Dortmund 21 – Soest 35.

Gut Höing garni (Gutshof a.d. 15. Jh. mit Gästehaus), Ligusterweg (nahe Eissporthalle), ☎ 6 10 52, Fax 61013, – ☎ – 25. AE E VISA
52 Z : 80 B 110 - 150/169.

Kraka, Gesellschaftsstr. 10, ☎ 18 11, Fax 2410, – ☎ – 40
M *(Sonn- und Feiertage ab 14 Uhr geschl.)* a la carte 22/48 – **23 Z : 41 B** 85/100 - 140/160.

Haus Kissenkamp, Hammer Str. 102 (N : 2 km), ☎ 6 03 77, Fax 63308, – – 30. AE E VISA
Montag und Jan. 3 Wochen geschl. – **M** a la carte 46/64.

Ölckenthurm (modernes Restaurant mit integriertem Turm a.d.J. 1475), Grabengasse 27 (am Neumarkt), ☎ 1 40 80, – 40. AE E VISA
Montag geschl. – **M** a la carte 34/60.

In Unna-Königsborn :

Le Gourmet (modern-elegantes Restaurant in einem ehem. Bahnhof), Hubert-Biernat-Str. 2, ☎ 6 31 11, Fax 65593 – . AE E VISA
Samstag bis 18 Uhr geschl. – **M** a la carte 45/75.

UNTERFÖHRING Bayern siehe München.

UNTERHACHING Bayern siehe München.

UNTERKIRNACH **7731.** Baden-Württemberg 413 HI 22 – 2 700 Ew – Höhe 800 m – Luftkurort – Wintersport : 800/900 m 3 – ☎ 07721 (Villingen-Schwenningen).

Verkehrsamt, Hauptstr. 19, ☎ 80 08 37, Fax 800840.

♦Stuttgart 122 – Donaueschingen 25 – ♦Freiburg im Breisgau 65.

Zum Stadthof, Hauptstr. 6, ☎ 5 70 77, – . AE E VISA
Sonntag ab 15 Uhr, Freitag und 12.- 30. Juli geschl. – **M** a la carte 58/90 – **Kieschtockstube M** a la carte 30/64.

Rößle-Post, Hauptstr. 16, ☎ 5 45 21 – . AE E VISA
Montag - Dienstag geschl. – **M** a la carte 35/56.

UNTERLÜSS **3104.** Niedersachsen 411 N 8 – 5 000 Ew – Höhe 110 m – ☎ 05827.

♦Hannover 80 – Celle 37 – Lüneburg 65 – Munster 31.

Zur Post, Müdener Str. 72, ☎ 3 59 –
1.- 24. Okt. geschl. – **M** *(Mittwoch geschl.)* a la carte 16/42 – **8 Z : 13 B** 33/38 - 72.

UNTERREICHENBACH **7267.** Baden-Württemberg 413 I J 20 – 2 100 Ew – Höhe 525 m – Erholungsort – ☎ 07235.

♦Stuttgart 62 – Calw 14 – Pforzheim 12.

In Unterreichenbach - Kapfenhardt :

Mönchs Waldhotel Kapfenhardter Mühle , ☎ 79 00, Fax 790190, <, , , , – – 40. AE E VISA.
M a la carte 38/72 – **65 Z : 101 B** 95/140 - 170/240 Fb – ½ P 125/165.

Jägerhof , Hasenrain 1, ☎ 81 30, , – ☎ – 40
Mitte- Ende Feb. geschl. – **M** *(Montag geschl.)* a la carte 26/48 – **14 Z : 28 B** 57 - 104 Fb – ½ P 74/79.

Untere Kapfenhardter Mühle , ☎ 2 23, Fax 7180, , , – ☎ – 25/60. E VISA
Ende Nov.- Anfang Dez. geschl. – **M** *(Nov.- Mitte April Dienstag geschl.)* a la carte 25/50 – **34 Z : 65 B** 60/90 - 110/150 Fb – ½ P 75/105.

UNTERSCHLEISSHEIM **8044.** Bayern 413 R 22, 987 ㊲ – 24 200 Ew – Höhe 474 m – ☎ 089 (München).

♦München 18 – ♦Augsburg 69 – Ingolstadt 62 – Landshut 60.

Mercure garni, Rathausplatz 8, ☎ 3 10 20 34, Telex 529888, Fax 3173596, – ☎ – 40
57 Z : 114 B Fb.

UNTERSTMATT Baden-Württemberg siehe Schwarzwaldhochstraße.

UNTERWEISSBACH / THÜR. **O-6435.** Thüringen 418 Q 15 – 1 200 Ew – Höhe 330 m – ☎ 0037 79290 (Sitzendorf).

Erfurt 66 – ♦Berlin 306 – Coburg 95 – Suhl 53.

Zum Hirsch, Lichtetalstr. 20, ✆ 4 08 – TV P
M a la carte 14/29 – **13 Z : 24 B** 42/72 - 82/94 Fb.

UNTERWÖSSEN **8218.** Bayern 413 U 23, 426 J 5 – 2 900 Ew – Höhe 600 m – Luftkurort – Wintersport : 600/900 m 5 2 – ☎ 08641 (Grassau).

Verkehrsamt, Rathaus, ✆ 82 05, Fax 8926. – ♦München 99 – Rosenheim 40 – Traunstein 29.

Zum Bräu, Hauptstr. 70, ✆ 83 03, – P. Zim
3. Nov.- 3. Dez. geschl. – **M** *(Montag geschl.)* a la carte 23/46 – **32 Z : 65 B** 55/60 - 90/120 Fb.

Haus Gabriele, Bründlsberggasse 14, ✆ 86 02, – P
6.- 25. Jan. und Nov. geschl. – (Restaurant nur für Hausgäste) – **32 Z : 60 B** 40/50 - 76/90.

In Unterwössen-Oberwössen S : 5,5 km :

Post, Dorfstr. 22, ✆ (08640) 82 91, Fax 8190, , – P. Zim
4. Nov.- 20. Dez. geschl. – **M** *(Dienstag geschl.)* a la carte 24/51 – **22 Z : 40 B** 42/65 - 90/150.

UPLENGEN **2912.** Niedersachsen 411 G 7 – 9 300 Ew – Höhe 10 m – ☎ 04956.

♦Hannover 206 – Emden 42 – Oldenburg 38 – Wilhelmshaven 48.

In Uplengen-Remels :

Uplengener Hof, Ostertorstr. 57 (B 75), ✆ 12 25 – ☎ P. VISA. Zim
Ende Juli - Anfang Aug. und 24. Dez.- 2. Jan. geschl. – **M** *(Dienstag geschl.)* a la carte 16/36 – **7 Z : 11 B** 45/59 - 80/118.

In Uplengen-Südgeorgsfehn S : 10 km ab Remels :

Ostfriesischer Fehnhof, Südgeorgsfehner Str. 85, ✆ (04489) 27 79 – P. AE E
Montag - Dienstag und Jan.- Feb. 4 Wochen geschl. – **M** a la carte 31/65.

URACH, BAD **7432.** Baden-Württemberg 413 L 21, 987 ㉟ – 11 000 Ew – Höhe 465 m – Heilbad und Luftkurort – ☎ 07125.

Kurverwaltung, Haus des Gastes, Bei den Thermen 4, ✆ 17 61, Fax 70174.

♦Stuttgart 46 – Reutlingen 19 – ♦Ulm (Donau) 56.

Parkhotel, Bei den Thermen 10, ✆ 14 10, Fax 141109 – TV ☎ P – 25/100. AE E VISA.
M a la carte 41/66 – **79 Z : 131 B** 120/140 - 180/220 Fb – ½ P 124/154.

Graf Eberhard, Bei den Thermen 2, ✆ 14 80 (Hotel) 14 85 00 (Rest.), Fax 8214, – Zim TV ☎ P – 25/50. AE E VISA. Zim
M *(auch vegetarische Gerichte)* a la carte 38/69 – **77 Z : 150 B** 115/150 - 180/250 Fb – ½ P 117/157.

Frank-Vier Jahreszeiten, Stuttgarter Str. 5, ✆ 16 96, Fax 1656 – TV ☎. E VISA
Feb. geschl. – **M** *(Freitag geschl.)* a la carte 30/65 – **32 Z : 64 B** 78/112 - 98/210 Fb – ½ P 73/120.

Ratstube (ehem. Zunfthaus a.d. 16. Jh.), Kirchstr. 7, ✆ 18 44, Fax 1846 – TV ☎ P
Feb. 3 Wochen und Nov. 1 Woche geschl. – **M** *(Montag geschl.)* a la carte 28/61 – **15 Z : 26 B** 68/90 - 102/120 Fb – ½ P 73/112.

Café Buck, Neue Str. 5, ✆ 17 17 – TV ☎. AE E
M a la carte 30/58 – **25 Z : 44 B** 59/87 - 106/144 Fb – 7 Fewo 130 – ½ P 77/110.

Breitenstein garni, Eichhaldestr. 111, ✆ 16 77, Fax 1679, ≤, Bade- und Massageabteilung, , , – TV ☎ P
16 Z : 27 B 63/90 - 114/124 Fb.

Hotel am Berg, Ulmer Str. 12, ✆ 17 14, Fax 1716, ≤ – TV ☎ P. AE E
15. Dez.- 15. Jan. geschl. – **M** *(Sonntag 15 Uhr - Montag geschl.)* a la carte 25/50 – **40 Z : 60 B** 50/100 - 90/150 – ½ P 65/90.

Bächi garni, Olgastr. 10, ✆ 18 56, (geheizt), – ☎ P. – **16 Z : 23 B** Fb.

Traube, Kirchstr. 8, ✆ 7 00 63, – ☎
Feb.- März 2 Wochen geschl. – **M** *(auch Diät und vegetarische Gerichte)* (Donnerstag geschl.) a la carte 24/55 – **12 Z : 23 B** 62/65 - 103/108.

USADEL Mecklenburg-Vorpommern siehe Neubrandenburg.

USEDOM (Insel) Mecklenburg-Vorpommern 984 ⑧, 987 ⑦.

Ab Zinnowitz : Schwerin 201 – Neubrandenburg 81 – ♦Rostock 136 – Stralsund 74.

Zinnowitz **O-2238** – Höhe 5 m – Seebad – ☎ 0037 8267.

Baltic, Dünenstraße, ✆ 20 87, Fax 6594, ≤, , (Gebühr) – P – 25/350
M a la carte 26/40 – **303 Z : 606 B** 85/95 - 115/180 Fb – 8 Appart. 300 (wegen Umbau bis Mai 1992 geschl.).

USINGEN **6390.** Hessen 987 ㉔ ㉕, 412 413 I 15 – 12 500 Ew – Höhe 270 m – ☎ 06081.
♦Wiesbaden 62 – ♦Frankfurt am Main 33 – Gießen 41 – Limburg an der Lahn 41.

Zur goldenen Sonne, Obergasse 17, ✆ 30 08 – TV ☎ P
Juni - Juli 3 Wochen geschl. – **M** *(Montag geschl.)* a la carte 24/59 – **27 Z : 44 B** 72/85 - 98/115 Fb.

USLAR **3418.** Niedersachsen 411 412 L 12, 987 ⑮ – 17 300 Ew – Höhe 173 m – Erholungsort – ☎ 05571.
Tourist-Information, Grafplatz 3, ✆ 50 51, Fax 6295.
♦Hannover 133 – ♦Braunschweig 120 – Göttingen 39 – ♦Kassel 62.

Romantik-Hotel Menzhausen, Lange Str. 12, ✆ 20 51, Fax 5820, « Reich verzierte 400-jährige Fachwerkfassade », ≘s, ⊠, ☗ – |♦| TV ☎ ⇔ P – 🕺 25/50. AE ⓓ E VISA
M a la carte 49/69 – **38 Z : 65 B** 95/165 - 145/215 Fb – 4 Appart. 285.

Unter den Linden, Graftplatz 1, ✆ 31 37, Fax 30747 – E VISA
M *(Mittwoch und Jan. geschl.)* a la carte 24/49 – **11 Z : 19 B** 40/50 - 79/100.

In Uslar - Fürstenhagen S : 12 km :

Zur Linde, Ahornallee 32, ✆ (05574) 3 22, ≘s – 🕺 30
22 Z : 43 B.

In Uslar 1-Schönhagen NW : 7 km – Erholungsort :

Fröhlich-Höche, Amelither Str. 6 (B 241), ✆ 26 12, ☗, ☗ – P
M *(Donnerstag geschl.)* a la carte 17/43 – **21 Z : 27 B** 27/40 - 54/74.

In Uslar 2-Volpriehausen O : 8 km :

Landhotel am Rothenberg, Rothenbergstr. 4, ✆ (05573) 3 62, Fax 1564, ≘s, ☗ – |♦| TV ☎ ♿ P – 🕺 25/60. AE E.
15. Dez.- Feb. geschl. – **M** a la carte 30/51 – **45 Z : 90 B** 45/75 - 80/130 Fb.

UTTING AM AMMERSEE **8919.** Bayern 413 Q 22, 987 ㊱, 426 F 4 – 2 900 Ew – Höhe 554 m – ☎ 08806.
♦München 41 – ♦Augsburg 60 – Landsberg am Lech 24.

In Utting-Holzhausen :

Sonnenhof, Ammerseestr. 1, ✆ 73 74, Fax 2789, ☗, ☗ – ☎ ⇔ P – 🕺 35
22. Dez.- 1. Feb. geschl. – **M** *(Dienstag geschl.)* a la carte 26/51 – **30 Z : 60 B** 60/90 - 85/125.

VALLENDAR **5414.** Rheinland-Pfalz 412 F 15 – 10 800 Ew – Höhe 69 m – ☎ 0261.
Mainz 115 – ♦ Bonn 65 – ♦ Koblenz 9.

Die Traube - Schlemmerstübchen, Rathausplatz 12 (1. Etage), ✆ 6 11 62, « Fachwerkhaus a.d.J. 1698 » – AE ⓓ E VISA
Samstag bis 18 Uhr, Dienstag und Juli - Aug. 2 Wochen geschl. – **M** (Tischbestellung ratsam) a la carte 44/71.

VALWIG Rheinland-Pfalz siehe Cochem.

VAREL **2930.** Niedersachsen 411 H 6, 987 ⑭ – 24 300 Ew – Höhe 10 m – ☎ 04451.
♦Hannover 204 – Oldenburg 34 – Wilhelmshaven 25.

Friesenhof (mit Gästehaus), Neumarktplatz 6, ✆ 50 75, Fax 84587 – |♦| TV ☎ ⇔ P. AE ⓓ E VISA
M a la carte 26/54 – **76 Z : 139 B** 65/95 - 120/160 Fb.

Ahrens, Bahnhofstr. 53, ✆ 57 21 – ☎ ⇔ P
M *(Samstag geschl.)* a la carte 22/44 – **15 Z : 20 B** 30/48 - 60/78.

Schienfatt, Neumarktplatz 3, ✆ 47 61, « Friesisches Heimatmuseum »
wochentags nur Abendessen, Montag und Juni - Juli 3 Wochen geschl. – **M** a la carte 40/62.

In Varel 2-Obenstrohe SW : 4,5 km :

Waldschlößchen Mühlenteich, Mühlteichstr. 78, ✆ 8 40 61, Fax 84064, ☗, Fö, ≘s, ⊠ – TV P – 🕺 25/70.
54 Z : 104 B Fb.

Landgasthof Haßmann, Wiefelsteder Str. 71, ✆ 26 02 – TV ☎ P
10 Z : 20 B.

VATERSTETTEN **8011.** Bayern 413 S 22 – 20 000 Ew – Höhe 528 m – ☎ 08106 (Zorneding).
♦München 17 – Landshut 76 – Passau 160 – Salzburg 138.

Cosima garni, Bahnhofstr. 23, ✆ 3 10 59, Fax 31104 – TV ☎ ⇔ P. AE ⓓ E VISA
22. Dez.- 6. Jan. geschl. – **31 Z : 58 B** 108/125 - 138/155.

In Vaterstetten-Neufarn NO : 7,5 km :

Stangl (mit Gasthof), Münchener Str. 1 (B 12), (089) 90 50 10, Fax 90501363, Biergarten, « Renovierter Gutshof mit Jugendstileinrichtung » – 40. – **M** a la carte 28/54 – **53 Z : 92 B** 80/140 - 130/170 Fb.

Gasthof Anderschitz, Münchener Str. 13 (B 12), (089) 9 03 51 17, Fax 9045560 – *23. Dez.- 12. Jan. geschl.* – **M** *(wochentags nur Abendessen, Samstag geschl.)* a la carte 19/48 – **24 Z : 38 B** 45/70 - 75/105 Fb.

In Vaterstetten-Parsdorf N : 4,5 km 987 ㊲ :

Erb garni (mit Gästehaus), Posthalterring 1, (089) 9 03 73 74, Fax 9044457, – – 30. **51 Z : 84 B** 70/120 - 100/150 Fb.

VECHTA **2848.** Niedersachsen 411 H 8, 987 ⑭ – 23 200 Ew – Höhe 37 m – 04441.

◆Hannover 124 – ◆Bremen 69 – Oldenburg 49 – ◆Osnabrück 61.

Igelmann, Lohner Str. 22, 50 66 – *(nur Abendessen für Hausgäste)* – **22 Z : 44 B** 70/75 - 95/110 Fb.

Schäfers, Große Str. 115, 30 50 – **M** *(wochentags nur Abendessen, Freitag geschl.)* a la carte 24/45 – **17 Z : 33 B** 70 - 98.

VEITSHÖCHHEIM **8707.** Bayern 412 413 M 17 – 9 400 Ew – Höhe 178 m – 0931 (Würzburg).

Sehenswert : Rokoko-Hofgarten★.

Tourist-Information, Rathaus, Erwin-Vornberger-Platz, 9 00 96 37.

◆München 287 – Karlstadt 17 – ◆Würzburg 7.

Hotel am Main garni (mit Gästehaus), Untere Maingasse 35, 9 80 40, Fax 9804121 – *20. Dez.- 8. Jan. geschl.* – **36 Z : 65 B** 80/90 - 120/140 Fb.

Café Müller garni, Thüngersheimer Str. 8, 98 06 00, Fax 91506 – *20. Dez.- 10. Jan. geschl.* – **7 Z : 14 B** 70 - 105 Fb.

Spundloch (mit Gästehaus), Kirchstr. 19, 9 12 13, Fax 98917, – *Jan. 3 Wochen geschl.* – **M** a la carte 23/55 – **19 Z : 38 B** 75/85 - 115/125 Fb.

VEITSRODT Rheinland-Pfalz siehe Idar-Oberstein.

VELBERT **5620.** Nordrhein-Westfalen 411 412 E 12, 987 ⑭ – 89 100 Ew – Höhe 260 m – 02051.

Verkehrsverein, Pavillon am Denkmal, Friedrichstr. 181 a, 31 32 96, Fax 54705.

◆Düsseldorf 37 – ◆Essen 16 – Wuppertal 19.

Queens Parkhotel , Günther-Weisenborn-Str. 7, 49 20, Fax 492175, ≤, « Terrasse, Park », – Zim – 25/100. **M** a la carte 45/64 – **84 Z : 150 B** 184/224 - 248/318 Fb.

Stüttgen, Friedrichstr. 168, 42 61, Fax 55561 – – 25/50. *Juli und 23.- 31. Dez. geschl.* – (nur Abendessen für Hausgäste) – **24 Z : 30 B** 98/168 - 188/228 Fb.

Zur Traube, Friedrichstr. 233, 5 32 31, Fax 59572 – **M** *(Freitag und 24. Dez.- 10. Jan. geschl.)* a la carte 23/62 – **31 Z : 40 B** 75/95 - 120/180.

In Velbert 11-Langenberg O : 5 km :

Rosenhaus, Hauptstr. 43, 30 45, Fax 1094, – – 25/40. *2.- 6. Jan. und Juli - Aug. 2 Wochen geschl.* – **M** a la carte 33/61 – **14 Z : 20 B** 90/110 - 150/160 Fb.

In Velbert 15-Neviges SO : 4 km :

Kimmeskamp , Elberfelder Str. 19, (02053) 25 46 – **8 Z : 14 B.**

Haus Stemberg, Kuhlendahler Str. 295, (02053) 56 49, Fax 40785, – *Donnerstag - Freitag, 2.- 16. April und Aug. 3 Wochen geschl.* – Menu (Tischbestellung ratsam) a la carte 32/75.

VELBURG **8436.** Bayern 413 S 19, 987 ㉗ – 4 700 Ew – Höhe 516 m – 09182.

◆München 144 – ◆Nürnberg 60 – ◆Regensburg 51.

Zum Löwen, Stadtplatz 11, 4 97, – **M** *(Samstag geschl.)* a la carte 16/22 – **25 Z : 44 B** 41 - 65 Fb.

Zur Post, Parsberger Str. 2, 16 35, Fax 2415 – – 25/200 **M** a la carte 16/31 – **101 Z : 200 B** 40/50 - 70 Fb.

In Velburg-Lengenfeld W : 3 km :

Winkler Bräustüberl, St.-Martin-Str. 6, 1 70, Fax 1710, Biergarten, , - - 25/60
7.- 20. Jan. und über Fasching geschl. – **M** a la carte 21/48 – **50 Z : 98 B** 68/85 - 98/115.

VELEN **4282.** Nordrhein-Westfalen 411 412 D 11 – 10 300 Ew – Höhe 55 m – 02863.
♦Düsseldorf 98 – Bocholt 30 – Enschede 54 – Münster (Westfalen) 52.

Sportschloß Velen, 20 30, Fax 203788, , , , (Halle) – Zim – 25/110. AE E VISA
23.- 28. Dez. geschl. – **M** *(auch vegetarische Gerichte)* a la carte 54/76 – **Orangerie - Keller** *(wochentags nur Abendessen, Dienstag geschl.)* **M** a la carte 38/64 – **114 Z : 162 B** 130/200 - 205/240 Fb.

Emming-Hillers, Kirchplatz 1, 13 70 – . Zim
20. Okt.- 9. Nov. geschl. – **M** *(Mittwoch geschl.)* a la carte 19/44 – **6 Z : 12 B** 45 - 90.

In Velen 2-Ramsdorf W : 5 km :

Rave, Hüpohlstr. 31, 52 55, Fax 6632, , –
M *(wochentags nur Abendessen, Donnerstag geschl.)* a la carte 22/45 – **43 Z : 76 B** 40 - 70.

VELLBERG **7175.** Baden-Württemberg 413 M 19 – 3 700 Ew – Höhe 369 m – Erholungsort – 07907. – **Sehenswert** : Pfarrkirche St. Martin ≤★.
Fremdenverkehrsamt im Schloß, Marktplatz, 87 70.
♦Stuttgart 81 – Aalen 49 – Schwäbisch Hall 13.

Schloß Vellberg (mit Gästehäusern), 87 60, Fax 87658, ≤, , « Schloßkapelle, Kaminzimmer, Rittersaal », – – 25/50. AE E VISA
2.- 12. Jan. und 23.- 25. Dez. geschl. – **M** *(Jan. geschl.)* a la carte 30/70 – **35 Z : 54 B** 90/140 - 100/190 Fb.

In Vellberg-Eschenau SO : 1,5 km :

Rose, Ortsstr. 13, 22 94 – . E
Montag, über Karneval 2 Wochen und Juli - Aug. 3 Wochen geschl. – Menu a la carte 25/54 .

VERDEN AN DER ALLER **2810.** Niedersachsen 411 K 8, 987 ⑮ – 25 500 Ew – Höhe 25 m – 04231.
Verkehrsamt im Pavillon, Ostertorstr. 7a, 1 23 17.
♦Hannover 88 – ♦Bremen 38 – Rotenburg (Wümme) 25.

Höltje, Obere Str. 13, 89 20, Fax 892111, , , – – 25/40. AE E VISA
M a la carte 31/70 – **46 Z : 83 B** 98/120 - 145/160 Fb.

Haag's Hotel Niedersachsenhof, Lindhooper Str. 97, 66 60, Fax 64875, , – – 25/400. AE E VISA
M a la carte 26/58 – **82 Z : 160 B** 65/85 - 98/185 Fb.

Parkhotel Grüner Jäger, Bremer Str. 48 (B 215), 50 91, Fax 82200, , , – – 25/400. AE E VISA
M a la carte 32/60 – **41 Z : 70 B** 85/108 - 125/160 Fb.

Haus Schlepegrell, Anita-Augspurg-Platz 7, 30 60 – E
nur Abendessen, Sonntag geschl. – **M** a la carte 50/65.

Landhaus Hesterberg, Hamburger Str. 27, 7 39 49, , « 350 Jahre altes, restauriertes Fachwerkhaus » – . E
Montag, Jan.- Feb. und Juni - Juli jeweils 2 Wochen geschl. – **M** a la carte 35/58.

Zum Burgberg mit Zim, Grüne Str. 36, 22 02 – . Zim
M *(Montag geschl.)* a la carte 28/64 – **3 Z : 5 B** 70 -100.

In Dörverden **2817** S : 10 km :

Pfeffermühle (mit Gästehaus), Große Str. 70 (B 215), (04234) 22 31, Fax 2150, , – . AE E VISA
M a la carte 35/51 – **17 Z : 29 B** 55/58 - 85/120 Fb.

In Dörverden-Barnstedt **2817** SO : 9 km :

Fährhaus mit Zim, (04239) 3 33, ≤, « Terrasse an der Aller » – . AE E VISA
M a la carte 30/58 – **4 Z : 8 B** 70 - 100.

VERL Nordrhein-Westfalen siehe Gütersloh.

If you write to a hotel abroad, enclose an International Reply Coupon (available from Post Offices).

VERSMOLD **4804.** Nordrhein-Westfalen 411 412 H 10, 987 ⑭ – 18 700 Ew – Höhe 70 m – 05423.

Schultenallee 1, 4 28 82.

♦Düsseldorf 165 – Bielefeld 33 – Münster (Westfalen) 44 – ♦Osnabrück 33.

Altstadthotel, Wiesenstr. 4, 30 36, Fax 43149, – 25/200
27 Z : 48 B Fb.

In Versmold-Bockhorst NO : 6 km :

Alte Schenke mit Zim, An der Kirche 3, 85 97 – . E
M *(wochentags nur Abendessen, Montag geschl.)* a la carte 44/70 – **3 Z : 5 B** 95 - 160.

VESSER Thüringen siehe Suhl.

VIECHTACH **8374.** Bayern 413 V 19, 987 ㉗ – 8 200 Ew – Höhe 450 m – Luftkurort – Wintersport : 8 – 09942.

Verkehrsamt, Stadtplatz 1, 8 08 25, Fax 6151.

♦München 174 – Cham 27 – Deggendorf 31 – Passau 82.

Schmaus, Stadtplatz 5, 16 27, Telex 69441, – 25/200.
AE E VISA. Rest
11. Jan.- 3. Feb. geschl. – **M** a la carte 30/57 – **42 Z : 74 B** 61/110 - 114/140 Fb.

In Viechtach-Neunußberg NO : 10 km :

Burggasthof Sterr-Gästehaus Burgfried , 88 20, –
Anfang Nov.- Mitte Dez. geschl. – **M** a la carte 21/37 – **36 Z : 66 B** 45/50 - 78/84 Fb – 3 Appart. 95 – 2 Fewo 65/70.

Nußberg, 13 83, Fax 6440, –
35 Z : 60 B.

VIENENBURG **3387.** Niedersachsen 411 O 11, 987 ⑯ – 11 700 Ew – Höhe 140 m – 05324.

♦Hannover 101 – ♦Braunschweig 38 – Göttingen 91 – Goslar 11.

Multhaupt, Goslarer Str. 4 (B 241), 30 27 – .
M a la carte 19/35 – **13 Z : 24 B** 43 - 70.

VIERNHEIM **6806.** Hessen 987 ㉕, 412 413 I 18 – 30 000 Ew – Höhe 100 m – 06204.

Siehe Stadtplan Mannheim-Ludwigshafen.

Alte Mannheimer Straße (beim Viernheimer Kreuz), 7 87 37.

♦Wiesbaden 82 – ♦Darmstadt 47 – Heidelberg 21 – ♦Mannheim 11.

Continental, Bürgermeister-Neff-Str. 12 (Rhein-Neckar-Zentrum), 60 90, Telex 465452, Fax 609222, – Zim Rest – 25/150. AE E VISA
M a la carte 31/64 – **121 Z : 225 B** 190/230 - 230/270 Fb. DU **r**

Central-Hotel garni, Hölderlinstr. 4, 20 81, Fax 8108, – . AE E VISA DU **n**
46 Z : 100 B 105/145 - 145/180 Fb – 3 Appart..

Post garni, Luisenstr. 3, 7 09 10, Fax 709181 – – 45. DU **a**
24 Z : 44 B Fb.

Am Kapellenberg garni, Mannheimer Str. 59, 7 70 77 – DU **e**
18 Z : 28 B 78 - 108 Fb.

Die Stubb, Luisenstr. 10, 7 23 73 – AE DU **a**
nur Abendessen, Sonntag und August geschl. – **M** (Tischbestellung ratsam) a la carte 55/87.

In Viernheim-Neuzenlache über die A 659 DU, Ausfahrt Viernheim-Ost :

Pfeffer und Salz, Neuzenlache 8, 7 70 33, , bemerkenswerte Weinkarte – . AE
Samstag bis 18 Uhr, Montag, Sonn- und Feiertage sowie Mitte Juli - Mitte Aug. geschl. – **M** (Tischbestellung ratsam) a la carte 71/101
Spez. Terrinen, Gänseleber süß-sauer, Fisch- und Wildgerichte (nach Saison).

VIERSEN **4060.** Nordrhein-Westfalen 987 ㉓, 412 C 13 – 80 000 Ew – Höhe 41 m – 02162.

♦Düsseldorf 33 – Krefeld 20 – Mönchengladbach 10 – Venlo 23.

Kaisermühle (ehemalige Mühle), An der Kaisermühle 20, 3 00 31, Fax 34751, –
. AE E VISA
M a la carte 38/69 – **12 Z : 20 B** 140/220 - 205/265.

Stadtwappen mit Zim, Gladbacher Str. 143 (B 59), 3 20 11, Fax 31414 –
Juli - Aug. 3 Wochen geschl. – **M** *(Samstag bis 18 Uhr und Montag geschl.)* a la carte 36/59 – **7 Z : 10 B** 48/65 - 80/110.

In Viersen 11-Dülken W : 5,5 km :

Ratsstube, Lange Str. 111, ✆ 43 36, Fax 4338 – TV ☎ ⇔. E VISA. ✗ Zim
Juli - Aug. 3 Wochen geschl. – **M** a la carte 31/67 – **14 Z : 20 B** 75/85 - 125/150.

In Viersen 12-Süchteln NW : 4,5 km :

XX **Restaurant Petit Chateau im Höhenhotel Gehring** mit Zim (ehem. Villa), Hindenburgstr. 67, ✆ 72 77, Fax 80359 – TV ☎ ⇔ P. AE ① E VISA
M *(Sonntag 15 Uhr - Montag geschl.)* 24/35 (mittags) und a la carte 43/70 – **7 Z : 11 B** 85 - 140.

VILLINGENDORF **7211.** Baden-Württemberg 413 I 22 – 2 400 Ew – Höhe 621 m – ✆ 0741 (Rottweil).

♦Stuttgart 89 – Oberndorf 13 – Rottweil 5,5 – Schramberg 23.

Kreuz, Hauptstr. 8, ✆ 3 40 57, 余 – ☎ P. E. ✗ Zim
1.- 11. Jan. und Juli - Aug. 3 Wochen geschl. – **M** (Mittwoch - Donnerstag 16 Uhr geschl.) a la carte 22/50 ♂ – **8 Z : 11 B** 45/50 - 86/88.

XX **Linde,** Rottweiler Str. 3, ✆ 3 18 43, Fax 34181 – P. AE E
Montag 14 Uhr - Dienstag und Juli 3 Wochen geschl. – Menu a la carte 35/71.

VILLINGEN-SCHWENNINGEN **7730.** Baden-Württemberg 413 I 22, 987 ㉟ – 78 600 Ew – Höhe 704 m – Kneippkurort – ✆ 07721.

i Verkehrsamt, Villingen, Rietstr. 8, ✆ 82 23 40, Fax 822347.

ADAC, Kaiserring 1 (Villingen), ✆ 2 40 40, Fax 28805.

♦Stuttgart 115 ③ – ♦Freiburg im Breisgau 78 ⑤ – ♦Konstanz 90 ⑤ – Offenburg 79 ① – Tübingen 83 ③.

Stadtplan siehe gegenüberliegende Seite

Im Stadtteil Villingen :

Am Franziskaner, Rietstr. 27, ✆ 29 70, ≘s – |‡| ⇔ Zim TV – 🔺 25/80. AE ① E VISA
Restaurants : **Katharinenstube** *(Sonntag - Montag geschl.)* **M** a la carte 68/90 – **Mohrenstube M** a la carte 46/61 – **98 Z : 240 B** 110/122 - 164/234 Fb. A a

Ketterer, Brigachstr. 1, ✆ 2 20 95, Fax 27918 – |‡| TV ☎. ① E VISA A r
M *(Sonntag ab 15 Uhr und Samstag geschl.)* a la carte 38/70 – **38 Z : 50 B** 85/105 - 129/163 Fb.

Bosse ⛰, Oberförster-Ganter-Str. 9 (Kurgebiet), ✆ 5 80 11, Fax 58013, 余 – TV ☎ P. AE ① E VISA. ✗ Rest über ⑥
M *(Freitag, 3.- 15. Jan. und 25. Juli - 10. Aug. geschl.)* a la carte 34/73 – **36 Z : 56 B** 89/98 - 115/160 Fb.

Im Stadtteil Schwenningen – ✆ 07720 :

Ochsen, Bürkstr. 59, ✆ 3 40 44, Fax 21590 – |‡| ⇔ Zim TV ☎ ⇔ P – 🔺 25/40. ① E VISA B a
M *(Sonntag, 1.- 18. Jan. und 9.- 29. Juli geschl.)* a la carte 47/67 – **40 Z : 60 B** 85/130 - 135/190 Fb.

Central-Hotel garni, Alte Herdstr. 12 (Muslen-Parkhaus), ✆ 3 80 03, Fax 33629 – |‡| TV ☎ ⇔ – 🔺 25/45 B c
57 Z : 96 B Fb.

Royal, August-Reitz-Str. 27, ✆ 3 40 01, Fax 34337, « Uhrensammlung », ≘s – TV ☎ ⇔
10. Juli - 15. Aug. geschl. – **M** *(nur Abendessen, Sonntag und 2.- 9. Juli geschl.)* a la carte 37/57 – **21 Z : 25 B** 75/85 - 130 Fb. B h

X **Zur Post,** Friedrich-Ebert-Str. 16, ✆ 3 53 84, 余. ✗ B r
Montag, Sonn- und Feiertage, Juli - Aug. 3 Wochen und 24.-31. Dez. geschl. – **M** a la carte 28/55.

Im Stadtteil Obereschach N : 5 km über Vockenhauser Str. A :

Sonne, Steinatstr. 17, ✆ 7 04 75, Fax 62921 – TV ☎ P
15. April - 3. Mai und 25. Okt.- 15. Nov. geschl. – **M** *(Dienstag geschl.)* a la carte 23/42 ♂ – **20 Z : 30 B** 45 - 75.

Im Stadtteil Weigheim über ③ : 7 km :

Schützen, Deißlinger Str. 2, ✆ (07425) 75 76 – ☎ P
9 Z : 16 B.

In Dauchingen **7735** NO : 4 km über Dauchinger Staße B :

Landgasthof Fleig, Villinger Str. 17, ✆ (07720) 59 09, Fax 65089 – ☎ P. E
2.- 10. Jan. und 4.- 28. Juli geschl. – **M** *(Freitag geschl.)* a la carte 29/48 – **18 Z : 29 B** 53/58 - 80/85 Fb.

Schwarzwälder Hof ⛰, Schwenninger Str. 3, ✆ (07720) 55 30, Fax 62103, ≘s – |‡| TV ☎ ⇔ P. E
Juli - Aug. 3 Wochen geschl. – **M** *(Dienstag geschl.)* a la carte 21/49 ♂ – **41 Z : 55 B** 42/48 - 75/81.

VILLINGEN - SCHWENNINGEN

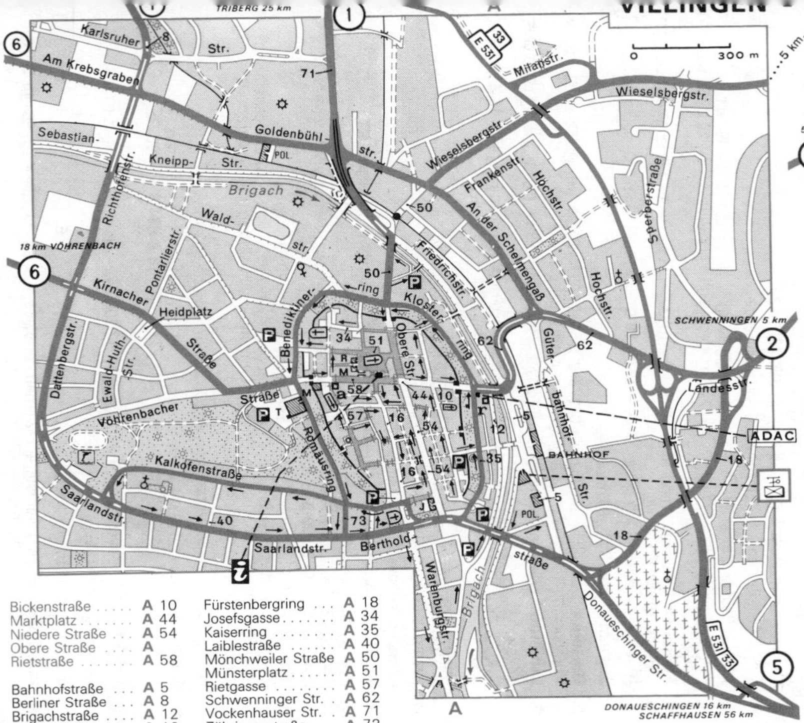

Bickenstraße	A 10	Fürstenbergring	A 18
Marktplatz	A 44	Josefsgasse	A 34
Niedere Straße	A 54	Kaiserring	A 35
Obere Straße	A	Laiblestraße	A 40
Rietstraße	A 58	Mönchweiler Straße	A 50
		Münsterplatz	A 51
Bahnhofstraße	A 5	Rietgasse	A 57
Berliner Straße	A 8	Schwenninger Str.	A 62
Brigachstraße	A 12	Vockenhauser Str.	A 71
Färberstraße	A 16	Zähringerstraße	A 73

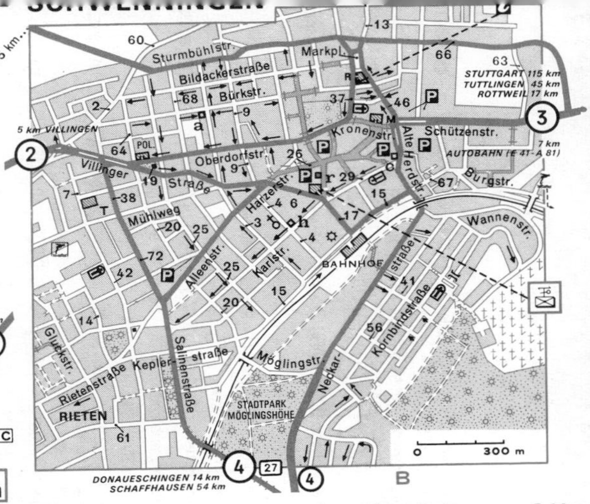

Alte Herdstraße	B	Gustav-Schwab-Straße	B 20
Dauchinger Straße	B 13	Hans-Sachs-Straße	B 25
In der Muslen	B 26	Jakob-Kienzle-Straße	B 29
Marktplatz	B	Kirchstraße	B 37
Marktstraße	B 46	Kreuzstraße	B 38
		Lammstraße	B 41
Arminstraße	B 2	Mozartstraße	B 42
Arndtstraße	B 3	Olgastraße	B 56
August-Reitz-Straße	B 4	Römerstraße	B 60
Bärenstraße	B 6	Schubertstraße	B 61
Beethovenstraße	B 7	Seestraße	B 63
Bertha-von-Suttner-Straße	B 9	Silcherstraße	B 64
David-Würth-Straße	B 14	Spittelstraße	B 66
Erzbergerstraße	B 15	Talstraße	B 67
Friedrich-Ebert-Straße	B 17	Turnerstraße	B 68
Geschw.-Scholl-Platz	B 19	Walter-Rathenau-Straße	B 72

In Brigachtal-Klengen **7734** S : 7 km über Donaueschinger Str. A :

Sternen, Hochstr. 2, ✆ (07721) 2 14 66, – P
41 Z : 61 B Fb.

VILSHOFEN **8358.** Bayern 413 W 21, 987 ㉘ ㊳, 426 L 3 – 14 600 Ew – Höhe 307 m – ✆ 08541.
♦München 164 – Passau 23 – ♦Regensburg 101.

Bayerischer Hof, Vilsvorstadt 29, ✆ 50 65, Fax 6972, – TV ☎ P. E
23.- 30. Aug. und 27. Dez.- 11. Jan. geschl. – **M** *(Samstag, im Winter auch Freitag ab 15 Uhr geschl.)* a la carte 20/39 – **27 Z : 47 B** 49/68 - 80/110 Fb.

VISSELHÖVEDE **2722.** Niedersachsen 411 L 8, 987 ⑮ – 10 000 Ew – Höhe 56 m – Erholungsort – ✆ 04262.
Verkehrsamt, Haus des Gastes, Waldweg, ✆ 16 67.
♦Hannover 81 – ♦Bremen 60 – ♦Hamburg 98 – Lüneburg 72 – Rotenburg (Wümme) 19.

In Visselhövede-Hiddingen NO : 3 km :

Röhrs Gasthaus, Neuenkirchener Str.1, ✆ 13 72, Fax 4435, « Garten », – TV ☎ P – 25/80. AE
M *(Freitag bis 17 Uhr geschl.)* a la carte 24/55 – **28 Z : 53 B** 55/60 - 90 Fb.

In Visselhövede-Jeddingen SW : 5 km :

Jeddinger Hof, Heidmark 1, ✆ 5 40, Fax 736, , – TV ☎ P – 25/50. AE E
M a la carte 28/51 – **50 Z : 108 B** 65/85 - 95/135 Fb.

VLOTHO AN DER WESER **4973.** Nordrhein-Westfalen 411 412 J 10, 987 ⑮ – 19 500 Ew – Höhe 47 m – ✆ 05733.
Vlotho-Exter, Heideholz 8 (SW : 8 km), ✆ (05228) 74 34.
♦Düsseldorf 206 – ♦Bremen 116 – ♦Hannover 76 – ♦Osnabrück 72.

Lütke, Poststr. 26, ✆ 50 75, Fax 5292 – TV ☎ P – 25/60. AE E VISA
Juli - Aug. 4 Wochen geschl. – Menu 22/32 (mittags) und a la carte 38/82 – **20 Z : 30 B** 65/70 - 90/98 Fb.

Fernblick, Lange Wand 16, ✆ 41 94, Fax 10827, ≤ Wesertal und Porta Westfalica, – TV ☎ P. AE E VISA
M *(Dienstag geschl.)* a la carte 24/64 – **18 Z : 36 B** 65 - 100/110 Fb.

In Vlotho-Exter SW : 8 km :

Grotegut, Detmolder Str. 252, ✆ (05228) 2 16, Fax 1027 – TV ☎ P. AE E VISA.
M *(Sonntag 15 Uhr - Montag 18 Uhr geschl.)* a la carte 31/69 – **12 Z : 22 B** 70 - 120.

Landhotel Ellermann, Detmolder Str. 250, ✆ (05228) 10 88 – TV ☎ P. AE E.
3.- 28. Aug. geschl. – **M** *(Dienstag und 1.- 10. Jan. geschl.)* a la carte 28/48 – **18 Z : 32 B** 60 - 100 Fb.

VÖHRENBACH **7741.** Baden-Württemberg 413 HI 22 – 3 900 Ew – Höhe 800 m – Erholungsort – Wintersport : 800/1 100 m 4 3 – ✆ 07727.
Verkehrsamt, Rathaus, Friedrichstr. 8, ✆ 50 11 15, Fax 501119.
♦Stuttgart 131 – Donaueschingen 21 – ♦Freiburg im Breisgau 56 – Villingen-Schwenningen 18.

Kreuz, Friedrichstr. 7, ✆ 70 17 – P. E
14. Mai - 5. Juni und 15. Nov.- 15. Dez. geschl. – **M** *(Freitag - Samstag 17 Uhr geschl.)* a la carte 27/47 – **15 Z : 30 B** 50/60 - 86/100.

XX ✿ **Zum Engel** (Gasthof a.d.J. 1544), Schützenstr. 2, ✆ 70 52 – P
Montag - Dienstag 18 Uhr, 7.- 17. Jan. und Juli 3 Wochen geschl. – **M** a la carte 41/70
Spez. Kutteln mit Gemüse in Gewürztraminer, Bachsaibling mit Sauerampfersauce, Ochsenschwanz im Wirsingblatt.

An der Straße nach Unterkirnach NO : 3,5 km – Höhe 963 m :

Friedrichshöhe, ✉ 7741 Vöhrenbach, ✆ (07727) 2 49, , – ☎ P – 25
Nov. geschl. – **M** *(Montag geschl.)* a la carte 21/45 – **18 Z : 34 B** 50 - 96 Fb.

VÖHRINGEN **7917.** Bayern 413 N 22, 987 ㊱ – 12 900 Ew – Höhe 498 m – ✆ 07306.
♦München 146 – Kempten (Allgäu) 75 – ♦Ulm (Donau) 22.

In Vöhringen-Illerberg 2 NO : 3 km :

XX **Burgthalschenke,** Hauptstr. 4 1/2 (Thal), ✆ 52 65, Fax 34394, – P. AE E VISA
Montag geschl. – **M** a la carte 42/70.

VÖLKLINGEN **6620.** Saarland 987 ㉔, 412 D 19, 242 ⑥ – 44 300 Ew – Höhe 185 m – ☎ 06898.

Amt für Verkehrs- und Wirtschaftsförderung, Rathaus, Hindenburgplatz, ✆ 1 32 14.

♦Saarbrücken 11 – Saarlouis 12.

✿ **Parkhotel Gengenbach,** Kühlweinstr. 70, ✆ 2 70 54, Fax 23655, « Kleiner Park, Gartenterrasse » – TV ℗. AE ⓓ E VISA
Restaurants : **Orangerie** *(Samstag bis 18 Uhr sowie Sonn- und Feiertage geschl.)* **M** a la carte 62/86 – **Schillerpark M** a la carte 33/50 – **11 Z : 22 B** 115/150 - 155/180 Fb
Spez. Terrine von Räucherfischen, Spanferkelrücken mit Majoranfüllung, Weißes Moccamousse im Baumkuchenmantel.

Montan-Hotel, Karl-Janssen-Str. 47, ✆ 2 33 11, Fax 16148 – TV ☎ ℗
M *(Samstag - Sonntag geschl.)* a la carte 29/47 – **24 Z : 28 B** 60/70 - 98/135 Fb.

In Völklingen-Fürstenhausen S : 1,5 km :

Saarhof garni, Saarbrücker Str. 65, ✆ 3 72 39 – TV ☎ ℗
14 Z : 17 B 65/79 - 130.

In Völklingen-Geislautern SW : 2 km :

Gästehaus Irene garni, Im Kirchenfeld 16, ✆ 7 81 40 – ☎ ℗
11 Z : 15 B 77 - 108.

XX Alte Post mit Zim, Ludweiler Str. 178, ✆ 70 11 – ☎ ℗
16 Z : 28 B.

VOERDE **4223.** Nordrhein-Westfalen 411 412 CD 12 – 34 000 Ew – Höhe 26 m – ☎ 02855.

♦Düsseldorf 56 – Duisburg 23 – Wesel 10.

XX **Wasserschloß Haus Voerde,** Allee 64, ✆ 36 11 – ℗. E
Samstag bis 18 Uhr und Montag geschl. – **M** a la carte 42/71.

VÖRSTETTEN Baden-Württemberg siehe Denzlingen.

VOGT **7981.** Baden-Württemberg 413 M 23, 427 N 2, 426 B 5 – 3 800 Ew – Höhe 700 m – ☎ 07529.

♦Stuttgart 178 – Kempten (Allgäu) 57 – Ravensburg 13.

XX **Landgasthaus Adler** mit Zim, Ravensburger Str. 2, ✆ 97 00, Fax 3436, « Fachwerkhaus mit elegant-rustikaler Einrichtung » – TV ☎ ℗ – 25/100
M a la carte 38/77 – **10 Z : 20 B** 89 - 149.

VOGTSBURG IM KAISERSTUHL **7818.** Baden-Württemberg 413 FG 22, 242 ㉜, 87 ⑦ – 5 100 Ew – Höhe 220 m – ☎ 07662.

♦Stuttgart 200 – Breisach 10 – ♦Freiburg im Breisgau 25 – Sélestat 28.

In Vogtsburg-Achkarren :

Zur Krone, Schloßbergstr. 15, ✆ 7 42, Fax 8715, – ☎ ℗
7. Jan. - 5. Feb. geschl. – **M** *(Mittwoch geschl.)* a la carte 28/62 – **22 Z : 41 B** 60/66 - 88/98 – ½ P 66/73.

Haus am Weinberg, In den Kapellenmatten 8, ✆ 7 78, – ☎ ℗. E
6. Jan.- 6. Feb. geschl. – (nur Abendessen für Hausgäste) – **12 Z : 26 B** 85/98 - 130/150 Fb – ½ P 87/112.

In Vogtsburg-Bickensohl :

Rebstock, Neunlindenstr. 23, ✆ 9 33 30, Fax 933320, – ℗
Jan.- 8. Feb. geschl. – **M** *(April - Nov. Montag - Dienstag 17 Uhr, Dez.- März Montag - Dienstag geschl.)* a la carte 26/65 – **13 Z : 25 B** 53/64 - 102/130.

In Vogtsburg-Bischoffingen :

Weinstube Steinbuck, Steinbuckstr. 20 (in den Weinbergen), ✆ 7 71, ≤ Kaiserstühler Rebland, – TV ☎ ℗ – 25/50. E. Zim
Ende Nov.- Anfang Dez. geschl. – **M** *(Dienstag geschl.)* a la carte 30/67 – **18 Z : 32 B** 50/65 - 90/110.

In Vogtsburg-Burkheim :

Kreuz-Post, Landstr. 1, ✆ 5 96, Fax 1298, ≤, – ☎ ℗. ⓓ E
12. Nov.- 6. Dez. geschl. – **M** *(Dienstag geschl.)* a la carte 27/45 – **16 Z : 30 B** 39/85 - 58/120 Fb.

In Vogtsburg-Oberbergen :

XXX ✿✿ **Schwarzer Adler** mit Zim, Badbergstr. 23, ✆ 7 15, Telex 772685, Fax 719, , große Auswahl an regionalen und französischen Weinen, – ☎ ℗. ⓓ E VISA. Rest
27. Jan.- 26. Feb. geschl. – **M** *(Tischbestellung ratsam)* (Mittwoch - Donnerstag geschl.) 85/150 und a la carte 50/90 – **9 Z : 18 B** 90/130 - 110/150
Spez. Unsere Gänseleber "badisch", St. Petersfisch in Grauburgunder, Getrüffelte Poularde in der Blase (ab 2 Pers.).

In Vogtsburg-Schelingen :

Zur Sonne mit Zim, Mitteldorf 5, 2 76 – . AE E
8.- 29. Jan. und 15.- 29. Juli geschl. – **M** *(Tischbestellung ratsam)* (Dienstag geschl.) a la carte 34/54 – **4 Z : 8 B** 40 - 80.

VOHENSTRAUSS **8483.** Bayern 413 U 18, 987 ㉗ – 7 000 Ew – Höhe 570 m – 09651.
Verkehrsamt, Marktplatz 9 (Rathaus), 55 30.
♦München 205 – ♦Nürnberg 108 – Passau 179 – ♦Regensburg 81.

Drei Lilien, Friedrichstr. 15, 23 61 –
M *(Dienstag bis 17 Uhr geschl.)* a la carte 19/30 – **22 Z : 50 B** 40/42 - 70/80.

Gasthof Janner, Marktplatz 20, 22 59 –
Ende Aug.- Mitte Sept. geschl. – **M** *(Samstag geschl.)* a la carte 19/30 – **14 Z : 21 B** 25/35 - 50/70.

VOLKACH **8712.** Bayern 413 N 17, 987 ㉖ – 8 500 Ew – Höhe 200 m – Erholungsort – 09381.
Sehenswert : Wallfahrtskirche "Maria im Weingarten" : Rosenkranzmadonna★ NW : 1 km.
Verkehrsamt, Rathaus, Marktplatz, 4 01 12, Fax 40138.
♦München 269 – ♦Bamberg 64 – ♦Nürnberg 98 – Schweinfurt 24 – ♦Würzburg 35.

Vier Jahreszeiten, Hauptstr. 31, 37 77, Fax 4773, , « Historisches Gebäude a.d.J. 1605 mit antiker Einrichtung » – – 25
M a la carte 36/54 – **20 Z : 40 B** 70/150 - 90/240 Fb.

Romantik-Hotel Zur Schwane, Hauptstr. 12, 5 15, Fax 4415, « Altfränkische Stuben, Innenhofterrasse » – . AE E VISA.
20. Dez.- 20. Jan. geschl. – Menu *(Montag geschl.)* 39/107 und a la carte 63/76 – **24 Z : 38 B** 80/150 - 150/200 Fb.

Gasthof und Gästehaus Rose, Oberer Markt 7, 12 94, – – 25/50. E
20. Jan.- Feb. und 6.- 11. Juli geschl. – **M** *(Donnerstag geschl.)* a la carte 24/51 – **23 Z : 44 B** 39/78 - 72/116.

Behringer, Marktplatz 5, 24 53, Fax 2424, Biergarten – . AE E
M *(Jan. geschl.)* a la carte 26/51 – **21 Z : 35 B** 55/80 - 98/125 Fb.

In Volkach-Astheim W : 1,5 km :

Schwan, Karthäuser Str. 13, 12 15, – AE E
Dienstag und Juni - Juli 3 Wochen geschl. – **M** a la carte 23/50 .

In Volkach-Escherndorf W : 3 km :

Engel, Bocksbeutelstr. 18, 24 47, Fax 6132 – . E
7. Jan.- 7. Feb. und 13.- 24. Juli geschl. – **M** *(Donnerstag geschl.)* a la carte 23/38 – **10 Z : 20 B** 35/40 - 60/65.

Zur Krone, Bocksbeutelstr. 1, 28 50 – E
Dienstag sowie Feb. und Aug. jeweils 3 Wochen geschl. – Menu a la carte 37/56 .

In Nordheim **8711** SW : 4 km :

Gasthof Markert, Am Rain 22, (09381) 47 00, Fax 3308 – – 25/60
7.- 31. Jan. geschl. – **M** a la carte 25/52 – **24 Z : 49 B** 52/57 - 88 Fb.

Zur Weininsel, Mainstr. 17, (09381) 28 75, – . Zim
27. Dez.- Mitte Jan. geschl. – **M** *(Mittwoch geschl.)* a la carte 24/34 – **9 Z : 18 B** 38 - 65.

Zehnthof Weinstuben, Hauptstr. 2, (09381) 17 02, .

In Eisenheim-Obereisenheim **8702** NW : 9,5 km :

Rose, Gaulberg 2, (09386) 2 69, Fax 1264 – . E
M *(Montag geschl.)* a la carte 20/35 – **20 Z : 40 B** 35/48 - 70/88.

VREDEN **4426.** Nordrhein-Westfalen 411 412 D 10, 987 ⑬, 408 L 5 – 18 500 Ew – Höhe 40 m – 02564.
Verkehrsverein, Markt 6, 46 00.
♦Düsseldorf 116 – Bocholt 33 – Enschede 25 – Münster (Westfalen) 65.

Hamaland, Up de Bookholt 28, 13 22 – . AE E
M *(Samstag bis 17 Uhr, Montag, 14.- 18. April und 21. Juli - 11. Aug. geschl.)* a la carte 26/49 – **9 Z : 18 B** 50/65 - 90/110.

Les bonnes tables
Nous distinguons à votre intention certains restaurants par
Menu, ✿, ✿✿ ou ✿✿✿.

WACHENHEIM **6706.** Rheinland-Pfalz 412 413 H 18, 242 ④, 57 ⑩ – 4 600 Ew – Höhe 158 m – Erholungsort – 06322 (Bad Dürkheim).

Mainz 86 – Kaiserslautern 35 – ♦Mannheim 24 – Neustadt an der Weinstraße 12.

Goldbächel, Waldstr. 99, 9 40 50, – P
10.- 24. Jan. geschl. – **M** *(Montag geschl.)* a la carte 32/59 – **16 Z : 30 B** 70/85 - 110/140 Fb – ½ P 80/95.

Burgstüb'l, Waldstr. 54, 85 59 – P. E
Mitte Feb.- Mitte März und 23.- 31. Dez. geschl. – **M** *(Mittwoch geschl.)* a la carte 19/39 – **17 Z : 32 B** 35/50 - 70/90 – ½ P 45/60.

Kapellchen, Weinstr. 29, 6 54 55 – AE E VISA
Montag und Samstag nur Abendessen, Sonntag, Jan. 1 Woche und Juli 3 Wochen geschl. – **M** a la carte 44/69.

WACHTBERG **5307.** Nordrhein-Westfalen 412 E 15 – 17 000 Ew – Höhe 230 m – 0228 (Bonn).

Wachtberg-Niederbachem, Landgrabenweg, 34 40 03.

♦Düsseldorf 99 – ♦ Bonn 20 – ♦ Koblenz 67 – ♦ Köln 52.

In Wachtberg-Adendorf :

Gasthaus Kräutergarten, Töpferstr. 30, (02225) 75 78 – P
wochentags nur Abendessen, Montag - Dienstag, 9.- 30. Juni, 5.- 13. Okt. und 21.- 29. Dez. geschl. – **M** (Tischbestellung ratsam) a la carte 55/80.

In Wachtberg-Niederbachem :

Dahl, Heideweg 9, 34 10 71, Telex 885495, Fax 345001, – P – 25/200. AE E VISA. Zim
1.- 3. März und 23.- 29. Dez. geschl. – **M** *(Sonntag geschl.)* a la carte 29/56 – **65 Z : 120 B** 80/125 - 125/155 Fb.

WADERN **6648.** Saarland 412 D 18, 57 ⑥, 242 ② – 17 000 Ew – Höhe 275 m – 06871.

♦Saarbrücken 51 – Birkenfeld 32 – ♦Trier 42.

In Wadern-Bardenbach S : 6 km :

Felsenhof, Am Fels 24, 30 41, Fax 5350, bemerkenswerte Weinkarte, – P – 40. E VISA.
M *(Sonntag ab 14 Uhr und Dienstag geschl.)* a la carte 50/74 – **35 Z : 70 B** 70/99 - 124/142 Fb.

In Wadern-Reidelbach NW : 7 km :

Reidelbacher Hof, 30 28, – P. E
2.- 26. März geschl. – **M** *(Montag geschl.)* a la carte 22/42 – **11 Z : 21 B** 42 - 66.

WADERSLOH **4724.** Nordrhein-Westfalen 411 412 H 11 – 11 000 Ew – Höhe 90 m – 02523.

♦Düsseldorf 153 – Beckum 16 – Lippstadt 11.

Bomke, Kirchplatz 7, 13 01, Fax 1366, – P. E VISA. Zim
Menu *(Samstag bis 18 Uhr, Donnerstag und 16. Juli - 7. Aug. geschl.)* a la carte 38/80 – **23 Z : 37 B** 60/75 - 110/166.

WÄSCHENBEUREN **7328** Baden-Württemberg 413 M 20 – 3 300 Ew – Höhe 408 m – 07172 (Lorch).

♦Stuttgart 54 – Göppingen 10 – Schwäbisch Gmünd 16.

In Wäschenbeuren-Wäscherhof NO : 1,5 km :

Zum Wäscherschloß, Wäscherhof 2, 73 70, – P. Zim – **25 Z : 50 B.**

WAGENFELD **2841.** Niedersachsen 411 I 9, 987 ⑭ – 6 000 Ew – Höhe 38 m – 05444.

♦Hannover 100 – ♦Bremen 74 – ♦Osnabrück 64.

Central-Hotel, Hauptstr. 68 (B 239), 3 61 – P. E
30. Juni - 25. Juli geschl. – **M** *(Freitag - Samstag 17 Uhr geschl.)* a la carte 17/38 – **12 Z : 24 B** 30/47 - 55/83.

WAGING AM SEE **8221.** Bayern 413 V 23, 987 ㊳, 426 K 5 – 5 400 Ew – Höhe 450 m – Luftkurort – 08681.

Verkehrsbüro, Wilh.-Scharnow-Str. 20, 3 13, Fax 9676.

♦München 124 – Salzburg 31 – Traunstein 12.

Eichenhof garni, Angerpoint 1 (NO : 1 km), 46 04, – P
18 Z : 30 B Fb – 2 Fewo.

Wölkhammer, Haslacher Weg 3, 40 80, Fax 4333, – P – 25/50. Zim
Nov. geschl. – **M** *(Freitag geschl.)* a la carte 21/46 – **46 Z : 90 B** 52/90 - 100/230 Fb – ½ P 69/140.

Unterwirt, Seestr. 23, ✆ 2 43, Fax 9938, ≘s, ☐ – TV ☎ – 🏛 30. AE E. ✗
3. Jan.- 1. Feb. geschl. – **M** *(Montag geschl.)* a la carte 24/41 – **36 Z : 64 B** 50/75 - 100/110 Fb – ½ P 62/70.

Gästehaus Tanner ⛰ garni, Hochfellnstr. 17, ✆ 92 19 – P. ✗
7.- 14. Jan. und 5. Nov.- 4. Dez. geschl. – **13 Z : 26 B** 40/50 - 80 Fb.

XXX ✿ **Kurhaus Stüberl,** am See (NO : 1 km), ✆ 4 00 90, Fax 400925, ← – P. AE ⊕ E VISA
nur Abendessen, Montag - Dienstag und 6. Jan.- Mitte Feb. geschl. – **M** 139/149 und a la carte 94/102
Spez. Marinierte Renke mit Apfel-Gurken-Salat, Gefüllter Kalbsschwanz, Mus von weißer Holunderblüten.

WAHLSBURG 3417. Hessen 411 412 L 12 – 2 900 Ew – Höhe 150 m – ☎ 05572.

Sehenswert : in Lippoldsberg : Ehemalige Klosterkirche★.

ℹ Verkehrsamt (Lippoldsberg), Am Mühlbach 15, ✆ 10 77.

♦Wiesbaden 265 – Göttingen 48 – Höxter 40 – Hann. Münden 30.

In Wahlsburg-Lippoldsberg – Luftkurort :

Lippoldsberger Hof ⛰, Schäferhof 16, ✆ 3 36, 🌳, 🌲 – 🚗. AE E
1.- 15. April geschl. – **M** *(Mittwoch geschl.)* a la carte 21/34 – **15 Z : 24 B** 40/46 - 76/92 – ½ P 49/53.

WAIBLINGEN 7050. Baden-Württemberg 413 KL 20, 987 ㉟ – 50 000 Ew – Höhe 229 m – ☎ 07151.

ADAC, Bahnhofstr. 75, ✆ 5 10 58.

♦Stuttgart 11 – Schwäbisch Gmünd 42 – Schwäbisch Hall 57.

Koch, Bahnhofstr. 81, ✆ 5 50 81, Fax 55976 – |♦| TV ☎ 🚗 P. AE ⊕ E VISA
23. Dez.- 8. Jan. geschl. – **M** *(Samstag bis 18 Uhr und Sonntag ab 14 Uhr geschl.)* a la carte 33/72 – **52 Z : 76 B** 120/130 - 170/230 Fb.

XX **Remsstuben,** An der Talaue (im Bürgerzentrum, 1. Etage, |♦|), ✆ 2 10 78, Fax 24206, 🌳 – ♿ P – 🏛 25/500. AE ⊕ E VISA. ✗
im Sommer Montag geschl. – **M** a la carte 42/70.

In Waiblingen 4-Hegnach NW : 3 km :

Lamm, Hauptstr. 35, ✆ 5 40 98, Fax 51519, ≘s – TV ☎ P
28. Dez.- 6. Jan. und Aug. 2 Wochen geschl. – **M** *(Mittwoch geschl.)* a la carte 22/53 – **25 Z : 40 B** 85/95 - 120/140 Fb.

In Korb **7054** NO : 3 km :

Rommel garni, Boschstr. 7 (Gewerbegebiet), ✆ (07151) 39 76, Fax 35966 – |♦| TV ☎ P. E VISA
23. Dez.- 6. Jan. geschl. – **44 Z : 73 B** 94/135 - 140/180 Fb.

In Korb-Kleinheppach **7054** O : 6 km :

Zum Lamm ⛰, Im Hofacker 2, ✆ (07151) 6 43 52 – ☎ P
Mitte Juli - Mitte Aug. geschl. – **M** *(Montag - Donnerstag nur Abendessen)* a la carte 25/45 🍷 – **17 Z : 32 B** 50/60 - 80/90.

WAISCHENFELD 8551. Bayern 413 R 17, 987 ㉖ – 3 100 Ew – Höhe 349 m – Luftkurort – ☎ 09202.

Ausflugsziel : Fränkische Schweiz★★.

ℹ Verkehrsamt im Rathaus, Marktplatz, ✆ 15 48, Fax 1571.

♦München 228 – ♦Bamberg 48 – Bayreuth 26 – ♦Nürnberg 82.

Im Wiesenttal, an der Straße nach Behringersmühle :

Café-Pension Krems ⛰, Rabeneck 17 (SW : 3 km), ✉ 8551 Waischenfeld, ✆ (09202) 2 45, ←, 🌲 – ♿ 🚗 P
10. Nov.- 20. Dez. geschl. – (Restaurant nur für Hausgäste) – **16 Z : 30 B** 40/55 - 75/85 – ½ P 55/62.

Pulvermühle ⛰, Pulvermühle 35 (SW : 1 km), ✉ 8551 Waischenfeld, ✆ (09202) 10 44, 🌳, 🌲 – ☎ 🚗 P – **9 Z : 17 B.**

Waldpension Rabeneck ⛰, Rabeneck 27 (SW : 3 km), ✉ 8551 Waischenfeld, ✆ (09202) 2 20, ←, 🌳, 🌲 – P
25 Z : 50 B.

In Waischenfeld-Langenloh SO : 2,5 km :

Gasthof Thiem ⛰, Langenloh 14, ✆ 3 57, 🌳 – TV ☎ 🚗 P. ✗ Zim
April - Okt. – **M** *(Dienstag geschl.)* a la carte 20/28 – **10 Z : 20 B** 35/40 - 60/70 – ½ P 39/49.

WALCHSEE Österreich siehe Kössen.

WALDACHTAL **7244.** Baden-Württemberg 413 I 21 – 5 100 Ew – Höhe 600 m – Wintersport : 5 – ☎ 07443. – ℹ Kurverwaltung, in Lützenhardt, Rathaus, ✆ 29 40.
♦Stuttgart 83 – Freudenstadt 17 – Tübingen 64.

In Waldachtal-Lützenhardt – Luftkurort :

Pfeiffer's Kurhotel - Restaurant Le Carosse, Willi-König-Str. 25, ✆ 24 80, Fax 248499, Bade- und Massageabteilung, – P.
10. Jan.- 10. Feb. geschl. – **M** *(auch Diät)* (Mittwoch - Donnerstag geschl.) a la carte 36/78 – **107 Z : 172 B** 50/70 - 100/140 – ½ P 80/100.

Breitenbacher Hof, Breitenbachstr. 18, ✆ 80 16, – P. Rest
30. Nov.- 26. Dez. geschl. – **M** *(Mittwoch ab 13 Uhr geschl.)* a la carte 26/44 – **23 Z : 38 B** 58/68 - 100/140 Fb.

WALDBREITBACH **5454.** Rheinland-Pfalz 412 F 15 – 2 100 Ew – Höhe 110 m – Luftkurort – ☎ 02638. – ℹ Verkehrsamt, Neuwieder Str. 61, ✆ 40 17.
Mainz 124 – ♦Bonn 48 – ♦Koblenz 38.

Zur Post, Neuwieder Str. 44, ✆ 89 90, Fax 89920, – P – 25/80. AE E VISA
M 15/29 (mittags) und a la carte 26/45 – **50 Z : 90 B** 55/65 - 110/130 Fb – ½ P 60/75.

Vier Jahreszeiten, Neuwieder Str. 67, ✆ 50 51, – P – 25/50
5. Jan.- 15. Feb. geschl. – **M** *(Montag ab 14 Uhr geschl.)* 14,50/26 (mittags) und a la carte 24/48 – **30 Z : 50 B** 40/45 - 80/90 – ½ P 48/53.

WALDBRONN **7517.** Baden-Württemberg 413 I 20 – 12 500 Ew – Höhe 260 m – ☎ 07243 (Ettlingen).
ℹ Kurverwaltung, im Haus des Kurgastes (beim Thermalbad), ✆ 60 95 50.
♦Stuttgart 71 – ♦Karlsruhe 16 – Pforzheim 22.

In Waldbronn 2-Busenbach :

Römerberg, Waldring 3a, ✆ 60 60, Fax 65923 – P – 25/90. AE E VISA. Rest
M a la carte 35/52 – **60 Z : 102 B** 108 - 170 Fb – ½ P 128.

Kurhotel Bellevue garni, Waldring 1, ✆ 60 80, Fax 608444 – P. AE E VISA
42 Z : 72 B 105 - 150 Fb.

Badner Hof - Restaurant Mormodes, Marktplatz 3, ✆ 62 84, Biergarten – . AE E VISA
M *(auch vegetarische Gerichte)* (Freitag - Samstag 18 Uhr geschl.) a la carte 37/57 – **20 Z : 32 B** 82/104 - 135/145 Fb.

Sonne, Ettlinger Str. 65, ✆ 6 14 20 – P.
(wochentags nur Abendessen) – **10 Z : 13 B** Fb.

In Waldbronn 1-Reichenbach – Luftkurort :

Weinhaus Steppe, Neubrunnenschlag 18, ✆ 6 90 21, Fax 65986, – P. E
M *(wochentags nur Abendessen, Mittwoch und 9.- 23. Aug. geschl.)* a la carte 31/58 – **25 Z : 36 B** 78/85 - 120/130 Fb – ½ P 86/104.

Krone, Kronenstr. 12, ✆ 6 11 40, – P. AE E
29. Juli - 25. Aug. geschl. – **M** *(Samstag ab 14 Uhr und Mittwoch geschl.)* a la carte 27/60 – **20 Z : 30 B** 40/75 - 80/130 Fb.

WALDBRUNN **6935.** Baden-Württemberg 412 413 K 18 – 4 200 Ew – Höhe 514 m – Luftkurort – ☎ 06274. – ℹ Verkehrsamt, Alte Marktstraße, ✆ 14 88.
♦ Stuttgart 108 – Heidelberg 37 – Heilbronn 54 – ♦Mannheim 55.

In Waldbrunn 1-Strümpfelbrunn :

Sockenbacher Hof, Zu den Kuranlagen 4, ✆ 68 31, Fax 6839, – P. AE E
23. Dez.- 7. Jan. geschl. – **M** *(auch Diät und vegetarische Gerichte)* (Donnerstag geschl.) a la carte 35/72 – **25 Z : 42 B** 85 - 170/190 Fb.

WALDECK **3544.** Hessen 987 ⑮, 412 K 13 – 6 800 Ew – Höhe 380 m – Luftkurort – ☎ 05623.
Sehenswert : Schloßterrasse ≤★.
ℹ Verkehrsamt, Altes Rathaus, Sachsenhäuser Str. 10, ✆ 53 02.
♦Wiesbaden 201 – ♦Kassel 57 – Korbach 23.

Schloß Waldeck, ✆ 58 90, Fax 589289, ≤ Edersee und Ederhöhen, – Zim P – 25/100. E VISA
5. Jan.- 15. Feb. geschl. – **M** *(Dienstag bis 18 Uhr geschl.)* a la carte 45/84 – **43 Z : 83 B** 110/145 - 195/210 Fb – 4 Appart. 260/280 – ½ P 143/185.

Roggenland, Schloßstr. 11, ✆ 50 21, Fax 6008, 🏊, 🧖, 🏊 - |‡| 📺 ☎ 🅟 - 🏛 25/100 AE ⓓ E VISA. ✂
18.- 26. Dez. geschl. - **M** a la carte 30/58 - **51 Z : 94 B** 99 - 138/168 Fb - ½ P 95/125.

Seeschlößchen ⑤, Kirschbaumweg 4, ✆ 51 13, Fax 5564, ≤ Edersee und Ederhöhen, Massage, 🧖, 🏊, 🌳 - 📺 🅟. ✂
5. Jan.- 15. März und Nov.- 15. Dez. geschl. - (Restaurant nur für Hausgäste) - **22 Z : 38 B** 60/70 - 104/140 Fb - 3 Fewo 64/136 - ½ P 64/78.

Am Edersee SW : 2 km :

Waldhotel Wiesemann ⑤, Oberer Seeweg 1, ✉ 3544 Waldeck 2, ✆ (05623) 53 48, Fax 5410, ≤ Edersee, 🏊, 🧖, 🏊, 🌳 - 📺 ☎ 🅟. ⓓ E VISA. ✂
Nov.- 20. Dez. geschl. - **M** *(Nov.- März Montag - Dienstag geschl.)* a la carte 23/59 - **15 Z : 30 B** 60/134 - 94/280 - ½ P 69/162.

Seehof ⑤, Seeweg 2, ✉ 3544 Waldeck 2, ✆ (05623) 54 88, ≤ Edersee, 🏊 - 🅟
M *(Abendessen nur für Hausgäste)* a la carte 20/39 - **14 Z : 28 B** 34/58 - 63/82.

In Waldeck - Nieder-Werbe W : 6 km :

Werbetal, Uferstr. 28, ✆ (05634) 71 96, Fax 6065, 🏊, 🐎 - 📺 ☎ 🚗 🅟. AE ⓓ E VISA. ✂
Mitte März - Mitte Dez. - **M** a la carte 30/58 - **24 Z : 48 B** 56/80 - 96/136 Fb - 2 Fewo 50/80 - ½ P 63/98.

WALDENBUCH

7035. Baden-Württemberg 413 K 21, 987 ㉟ - 8 000 Ew - Höhe 362 m - ☎ 07157.

♦Stuttgart 26 - Tübingen 20 - ♦ Ulm (Donau) 94.

Rössle, Grabenstr. 5 (B 27), ✆ 29 59, Fax 2326 - 📺 🅟. ⓓ E VISA
Juli - Aug. 3 Wochen geschl. - **M** *(Dienstag geschl.)* a la carte 40/58 - **15 Z : 20 B** 85 - 120.

WALDENBURG

7112. Baden-Württemberg 413 LM 19 - 3 000 Ew - Höhe 506 m - Luftkurort - ☎ 07942 (Neuenstein).

ℹ Verkehrsamt im Rathaus, ✆ 5 64, Fax 2014.

♦Stuttgart 82 - Heilbronn 42 - Schwäbisch Hall 19.

Panoramahotel Waldenburg, Hauptstr. 84, ✆ 20 01, Fax 8884, ≤, 🧖, 🏊 - |‡| 📺 ☎ 🚗 🅟 - 🏛 25/50. AE ⓓ E VISA
M a la carte 37/60 - **36 Z : 66 B** 100/110 - 135/210 Fb -(Anbau mit 35 Z ab Mitte 1992).

Mainzer Tor garni, Marktplatz 8, ✆ 23 35 - ☎
Anfang Okt.- Anfang Nov. geschl. - **12 Z : 23 B** 60 - 100.

Bergfried, Hauptstr. 30, ✆ 5 44, ≤, 🏊 - 🏛 40. E. ✂ Zim
Ende Dez.- Mitte Jan. geschl. - **M** *(Dienstag 15 Uhr - Mittwoch geschl.)* a la carte 31/47 ♨ - **11 Z : 20 B** 40/65 - 66/105 - ½ P 48/80.

WALDESCH

5401. Rheinland-Pfalz 412 F 16 - 2 300 Ew - Höhe 350 m - ☎ 02628.

Mainz 90 - ♦ Bonn 93 - ♦ Koblenz 11.

König von Rom ⑤, Lindenweg 10, ✆ 20 93, ≤, 🏊, 🌳 - ☎ 🚗 🅟 - 🏛 30. AE ⓓ E VISA
M a la carte 31/67 - **19 Z : 32 B** 40/80 - 82/122.

WALDFISCHBACH-BURGALBEN

6757. Rheinland-Pfalz 412 413 F 19, 987 ㉔ - 5 700 Ew - Höhe 272 m - ☎ 06333.

Mainz 110 - Kaiserslautern 26 - Pirmasens 14.

Zum Schwan, Hauptstr. 119, ✆ 30 05, Fax 5605 - 📺 ☎ 🅟. E. ✂ Zim
M *(Donnerstag geschl.)* a la carte 18/45 ♨ - **20 Z : 40 B** 55/60 - 100/110 Fb.

Pfalzgraf, Hauptstr. 47, ✆ 20 84, Fax 2538 - 🚗. AE ⓓ E VISA
2.- 26. Jan. geschl. - **M** *(Montag geschl.)* a la carte 38/63 ♨ - **32 Z : 42 B** 35/50 - 70/90.

WALDKIRCH

7808. Baden-Württemberg 413 GH 22, 987 ㉞, 242 ㉜ - 19 100 Ew - Höhe 274 m - Kneippkurort - ☎ 07681.

Ausflugsziel : Kandel ≤★ SO : 12 km.

ℹ Kurverwaltung, Marktplatz 21, ✆ 20 61 06, Fax 206179.

♦Stuttgart 204 - ♦Freiburg im Breisgau 17 - Offenburg 62.

Felsenkeller ⑤, Schwarzenbergstr. 18, ✆ 60 33, Fax 6033, ≤, Bade- und Massageabteilung, 🏋, 🧖 - 📺 ☎ 🚗 🅟. AE ⓓ E VISA
M a la carte 38/65 - **30 Z : 60 B** 78/83 - 129/139 Fb.

Rebstock, Lange Str. 46, ✆ 93 80 - 📺 🚗
12 Z : 23 B Fb.

In Waldkirch-Buchholz SW : 4 km :

Hirschen-Stube - Gästehaus Gehri, Schwarzwaldstr. 45, 98 53, – E
M *(Sonntag 15 Uhr - Montag und 12. Feb.- 5. März geschl.)* a la carte 26/58 – **20 Z : 40 B** 63/85 - 98/135 – 4 Fewo 75/145 – ½ P 74/105.

In Waldkirch-Suggental SW : 4 km :

Suggenbad, Talstr. 1, 80 46, –
Nov. 3 Wochen geschl. – **M** *(Freitag geschl.)* a la carte 31/60 – **15 Z : 28 B** 45/70 - 90/140 (Erweiterung um 20 Z in 1992).

WALDKIRCHEN **8392.** Bayern 413 X 20, 987 ㉘, 426 M 2 – 9 700 Ew – Höhe 575 m – Luftkurort – Wintersport : 600/984 m 4 – 08581.

Dorn (SO : 3 km), (08581) 10 40.

Verkehrsamt, Ringmauerstr. 14, (Bürgerhaus), 2 02 50, Fax 20213.

♦München 206 – Freyung 12 – Passau 29.

Vier Jahreszeiten, Hauzenberger Str. 48, 7 65, Telex 571131, Fax 3525, – – 25/70. AE E
M *(auch vegetarische Gerichte)* a la carte 27/52 – **112 Z : 240 B** 79/83 - 120/171 Fb – ½ P 81/104.

Gottinger (mit Aparthotel), Hauzenberger Str. 10, 80 11, Fax 3814, Biergarten, – Zim – 40. E VISA
M a la carte 22/42 – **19 Z : 40 B** 58/71 - 94/118 Fb – 38 Fewo 55/135 – ½ P 66/90.

Lamperstorfer (mit Gästehaus), Marktplatz 19, 10 00, Fax 3898 – AE E
M a la carte 20/38 – **22 Z : 41 B** 38/45 - 68/84.

In Waldkirchen-Dorn S : 3 km :

Sporthotel Reutmühle (Aparthotel), Frauenwaldstr. 7, 20 30, Telex 571121, Fax 203170, Massage, (Halle) – – 25/80. AE E VISA
M a la carte 27/51 – **140 Z : 350 B** 100/120 - 160/190 Fb – ½ P 104/144.

WALDKRAIBURG **8264.** Bayern 413 U 22, 987 ㊲, 426 J 4 – 22 000 Ew – Höhe 434 m – 08638.

♦München 71 – Landshut 60 – Passau 107 – Rosenheim 64.

Garni, Berliner Str. 35, 30 21, Fax 85394 – AE E
25 Z : 34 B 65 - 96 Fb.

WALD-MICHELBACH **6948.** Hessen 987 ㉕, 412 413 J 18 – 12 300 Ew – Höhe 346 m – Erholungsort – Wintersport : 450/593 m 1 2 – 06207.

Verkehrsamt, In der Gass 17, 4 01, Fax 1253.

♦Wiesbaden 101 – ♦Darmstadt 61 – ♦Mannheim 36.

In Wald-Michelbach 4 - Aschbach NO : 2 km :

Vettershof, Waldstr. 12, 23 13, Fax 3971 – AE E VISA
Montag, 3.- 19. Feb. und 22. Juni - 8. Juli geschl. – **M** (Tischbestellung ratsam) a la carte 39/75.

Auf der Kreidacher Höhe W : 3 km :

Kreidacher Höhe, 6948 Wald-Michelbach, (06207) 26 38, Fax 1650, « Einrichtung im Landhausstil », (geheizt), – Zim – 40. AE
M a la carte 46/71 – **34 Z : 68 B** 105/125 - 172/194 Fb.

In Wald-Michelbach 5 - Siedelsbrunn SW : 7 km – Luftkurort :

Morgenstern, Weinheimer Str. 51, 31 43, – E. Zim
M *(Montag geschl.)* a la carte 24/47 – **14 Z : 27 B** 40/54 - 70/100 Fb.

Tannenblick, Am Tannenberg 17, 53 82, –
1.- 20. Dez. geschl. – **M** *(Dienstag geschl.)* a la carte 23/47 – **16 Z : 32 B** 42 - 76 Fb.

WALDMOHR **6797.** Rheinland-Pfalz 412 413 F 18, 242 ⑦, 57 ⑦ – 5 400 Ew – Höhe 269 m – 06373.

Mainz 127 – Kaiserslautern 36 – ♦Saarbrücken 37.

Le marmiton, Am Mühlweier 1, 91 56, – E VISA
Montag - Dienstag 18 Uhr geschl. – **M** a la carte 48/70.

In Waldmohr-Waldziegelhütte NW : 2 km :

Landhaus Hess, Haus Nr. 13, 90 81, –
Juni 2 Wochen geschl. – **M** *(Mittwoch geschl.)* a la carte 28/46 – **14 Z : 20 B** 45/52 - 80/90 Fb.

An der Autobahn A 6 - Nordseite SO : 3 km :

Raststätte Waldmohr, ✉ 6797 Waldmohr, ✆ (06373) 32 35, – 🅟 – **15 Z : 21 B**.

In Schönenberg-Kübelberg **6796** NO : 5 km :

Landgut Jungfleisch mit Zim, Campingpark Ohmbachsee, ✆ (06373) 40 01, Fax 40 02, – ☎ 🅟. E VISA
Jan. geschl. – **M** a la carte 30/58 – **7 Z : 14 B** 64 - 108 - 2 Fewo 58.

WALDMÜNCHEN **8494.** Bayern 413 V 18, 987 ㉗ – 7 300 Ew – Höhe 512 m – Luftkurort – Wintersport : 750/920 m ≴3 ⛷7 – ☏ 09972 – 🅸 Verkehrsamt, Marktplatz, ✆ 2 62, Fax 3498.
◆München 210 – Cham 21 – Weiden in der Oberpfalz 70.

Schmidbräu (mit Gästehaus), Marktplatz 5, ✆ 2 21, Fax 3311 – ☎
35 Z : 66 B Fb.

In Waldmünchen-Geigant S : 9 km – Höhe 720 m :

Roßhof, ✆ (09975) 2 70, ←, – 🅟
Nov.- 18. Dez. geschl. – **M** *(außer Saison Mittwoch geschl.)* a la carte 17/33 – **23 Z : 46 B** 34/40 - 58/64.

In Waldmünchen-Herzogau SO : 4 km – Höhe 720 m :

Pension Gruber, ✆ 14 39, ←, – 🅟
(Restaurant nur für Hausgäste) – **13 Z : 23 B** 28/32 - 56/64 – 2 Fewo 54 – ½ P 36.

In Waldmünchen-Höll N : 5 km :

Hölzlwirt, ✆ 13 84, – 🅟 – **22 Z : 43 B** Fb.

In Treffelstein-Kritzenthal **8491** NW : 10 km Richtung Schönsee, nach 8 km rechts ab :

Katharinenhof, ✆ (09673) 4 12, Fax 415, « Restaurant-Stuben im ländlichen Stil », – ☎ 🅟 – 30
15. Jan.- Feb. geschl. – **M** a la carte 22/54 – **55 Z : 100 B** 55/65 - 95/100 Fb – ½ P 73/90.

WALDRACH **5501.** Rheinland-Pfalz 412 D 17 – 2 200 Ew – Höhe 130 m – ☏ 06500.
Mainz 163 – Hermeskeil 22 – ◆Trier 11 – Wittlich 36.

Waldracher Hof, Untere Kirchstr. 1, ✆ 6 19, Biergarten – ☎ 🅟 – **27 Z : 52 B**.

In Riveris **5501** SO : 3 km :

Landhaus zum Langenstein, Auf dem Eschgart 50, ✆ (06500) 2 87, – 🅟.
Rest – **M** *(Montag geschl.)* a la carte 23/39 – **21 Z : 40 B** 40/45 - 72/78.

WALDSASSEN **8595.** Bayern 413 TU 16, 17, 987 ㉗ – 8 000 Ew – Höhe 477 m – ☏ 09632.
Sehenswert : Klosterkirche★ (Chorgestühl★, Bibliothek★★).
Ausflugsziel : Kappel : Lage★★ - Wallfahrtskirche★ NW : 7 km.
🅸 Verkehrsamt, Johannisplatz 11, ✆ 88 28, Fax 8851.
◆München 311 – Bayreuth 77 – Hof 55 – Weiden in der Oberpfalz 49.

Ratsstüberl, Basilikaplatz 5, ✆ 17 82, –
M a la carte 21/37 – **20 Z : 35 B** 50/60 - 80.

Zrenner, Dr.-Otto-Seidl-Str. 13, ✆ 12 26, « Innenhofterrasse » – ☎. E
M *(Freitag geschl.)* a la carte 27/65 – **22 Z : 36 B** 55/70 - 120 Fb.

WALDSEE, BAD **7967.** Baden-Württemberg 413 M 23, 987 ㉟ ㊱, 427 ⑧ – 15 000 Ew – Höhe 587 m – Heilbad – Kneippkurort – ☏ 07524 – **Sehenswert** : Stadtsee★.
Hofgut Hopfenweiler (NO : 1 km), ✆ 59 00.
🅸 Kurverwaltung, Ravensburger Str. 1, ✆ 10 13 41, Fax 101345.
◆Stuttgart 154 – Ravensburg 21 – ◆Ulm (Donau) 66.

Grüner Baum, Hauptstr. 34, ✆ 14 37, Fax 4229 – ☎. AE E
23. Dez.- 7. Jan. geschl. – **M** *(Dienstag 14 Uhr - Mittwoch und 21. Sept.- 8. Okt. geschl.)* a la carte 35/55 – **14 Z : 25 B** 77/90 - 125/170 Fb.

Kurpension Schwabenland, Badstr. 26 (Kurgebiet), ✆ 50 11, Bade- und Massageabteilung, – ☎ 🅟.
2. Nov.- 20. Dez. geschl. – (Restaurant nur für Pensionsgäste) – **17 Z : 32 B** 46/59 - 98 – ½ P 58.

Post, Hauptstr. 1, ✆ 15 07, – ☎. E. Rest
20. Dez.- 15. Jan. geschl. – **M** *(Sonntag ab 14 Uhr und Samstag geschl.)* a la carte 19/44 – **30 Z : 40 B** 30/65 - 70/130 – ½ P 60/85.

In Bad Waldsee-Gaisbeuren SW : 4 km :

Gasthaus Adler, an der B 30, ✆ 67 47 – 🅟
Donnerstag - Freitag 17 Uhr und 25. Mai - 9. Juni geschl. – **M** a la carte 26/47.

WALDSHUT-TIENGEN **7890.** Baden-Württemberg 413 H 24, 987 ㉟, 427 I 3 – 21 500 Ew – Höhe 340 m – ☎ 07751.

Städtisches Verkehrsamt, Waldshut, im Oberen Tor, ☎ 16 14.

♦Stuttgart 180 – Basel 56 – Donaueschingen 57 – ♦Freiburg im Breisgau 80 – Zürich 45.

Im Stadtteil Waldshut :

Waldshuter Hof, Kaiserstr. 56, ☎ 20 08, Fax 7601 – |♦| TV ☎. E VISA
M *(Sonntag 15 Uhr - Montag geschl.)* a la carte 34/57 – **23 Z : 39 B** 75/80 - 125 Fb.

Fährhaus (mit Gästehaus), Konstanzer Str. 7 (B 34) (SO : 2 km), ☎ 30 12 – TV ☎ P. Zim
17 Z : 23 B.

Schwanen, Amthausstr. 2, ☎ 36 32 –
20. Feb.- 15. März geschl. – **M** *(Montag geschl.)* a la carte 33/56 – **14 Z : 24 B** 48 - 85 Fb.

Im Stadtteil Tiengen :

Bercher, Bahnhofstr. 1, ☎ (07741) 6 10 66, Fax 65766, – |♦| TV ☎ P – 25/100
M *(Sonn- und Feiertage sowie 2.- 15. Jan. geschl.)* a la carte 31/56 – **35 Z : 60 B** 58/78 - 99/135 Fb.

Brauerei Walter (Gasthof mit modernem Hotelanbau), Hauptstr. 23, ☎ (07741) 45 30, Fax 63339 – TV ☎ P. E VISA
1.- 15. Aug. geschl. – **M** *(Sonntag geschl.)* a la carte 28/51 – **26 Z : 43 B** 45/80 - 90/150 Fb.

In Lauchringen 2-Oberlauchringen **7898** SO : 4 km ab Stadtteil Tiengen :

Feldeck, Klettgaustr. 1 (B 34), ☎ (07741) 22 05, – |♦| TV ☎ P – 30
32 Z : 52 B Fb.

Adler (Historischer Gasthof a.d. 16. Jh.), Klettgaustr. 20 (B 34), ☎ (07741) 24 97 – P
24. Juli - 9. Aug. und 16. Okt.- 15. Nov. geschl. – **M** *(Donnerstag geschl.)* 14/25 (mittags) und a la carte 22/40 – **9 Z : 15 B** 25/40 - 50/80.

WALDSTETTEN Baden-Württemberg siehe Schwäbisch Gmünd.

WALLDORF **6909.** Baden-Württemberg 987 ㉕, 412 413 I 19 – 13 200 Ew – Höhe 110 m – ☎ 06227.

♦Stuttgart 107 – Heidelberg 15 – Heilbronn 54 – ♦Karlsruhe 42 – ♦Mannheim 30.

Holiday Inn - Walldorf Astoria, Roter Straße (SW : 1,5 km), ☎ 3 60, Telex 466009, Fax 36504, Massage, (geheizt), – |♦| Zim TV P – 25/150. AE E VISA. Rest
M a la carte 35/75 – **157 Z : 257 B** 265/285 - 340/360 Fb.

Vorfelder, Bahnhofstr. 28, ☎ 20 85, Fax 30541, – |♦| TV ☎ P – 25/50. AE E VISA
M *(Sonntag geschl.)* a la carte 49/84 – **35 Z : 52 B** 100/120 - 160/190 Fb -(Erweiterung um 30 Z in 1992).

Saint Max, Am neuen Schulhaus 4, ☎ 60 22 51, Fax 602100, – |♦| TV ☎ P – 25/100. AE E VISA
(Restaurant nur für Hausgäste) – **97 Z : 160 B** 120/200 - 160/250 Fb.

Zum Erbprinzen, Hauptstr. 13, ☎ 3 02 03, Fax 30288, – |♦| ☎ P
M *(Montag bis 17 Uhr geschl.)* a la carte 23/47 – **12 Z : 15 B** 85 - 110 Fb.

Haus Landgraf mit Zim (ehem. Bauernhaus a.d. 17. Jh.), Hauptstr. 25, ☎ 40 36, Fax 601071, « Stilvolle, rustikale Einrichtung, Innenhof » – TV ☎ P. AE E VISA
über Fasching 2 Wochen geschl. – **M** *(Montag geschl.)* a la carte 43/67 – **7 Z : 12 B** 85/120 - 120/150.

Zum Lamm, Hauptstr. 3, ☎ 25 16.

Lotus (Chinesische Küche), Bahnhofstr. 18, ☎ 3 06 33.

WALLDÜRN **6968.** Baden-Württemberg 987 ㉕, 412 413 L 18 – 10 500 Ew – Höhe 398 m – Erholungsort – ☎ 06282.

Walldürn-Neusaß, Mühlweg 7, ☎ 12 93.

Verkehrsamt, im alten Rathaus, Hauptstr. 27, ☎ 6 71 07.

♦Stuttgart 125 – Aschaffenburg 64 – Heidelberg 93 – ♦Würzburg 62.

Landgasthof Zum Riesen (restauriertes Fachwerkhaus a.d.J. 1724, ehemaliges Palais), Hauptstr. 14, ☎ 5 31, Fax 6618, – |♦| TV ☎ P – 40. AE E VISA
Jan. geschl. – **M** a la carte 35/76 – **28 Z : 60 B** 60/90 - 90/135 Fb.

Zum Ritter, Untere Vorstadtstr. 2, ☎ 60 55 – TV ☎ – 30. AE E VISA. Zim
Mitte Feb.- Mitte März und Ende Okt.- Anfang Nov. geschl. – **M** *(Sonntag ab 14 Uhr und Freitag geschl.)* a la carte 22/45 – **19 Z : 35 B** 30/65 - 55/100 Fb – ½ P 42/77.

In Walldürn 3-Reinhardsachsen NW : 9 km :

Haus am Frankenbrunnen ⑤, Am Kaltenbach 3, ✆ (06286) 7 15, Fax 1330, ☎, ≘, ⛱ - TV ☎ ⇔ P. ◑ E VISA. ✗ Rest
7.- 31. Jan. geschl. - **M** *(Donnerstag geschl.)* a la carte 24/51 ⚱ - **20 Z : 50 B** 75/90 - 120/140 Fb - 6 Appart. 140/160 - ½ P 80/105.

WALLENHORST Niedersachsen siehe Osnabrück.

WALLERFANGEN Saarland siehe Saarlouis.

WALLGAU **8109.** Bayern 413 Q 24, 426 F 6 - 1 100 Ew - Höhe 868 m - Erholungsort - Wintersport : 900/1 000 m ⛷1 ⛷5 - ✆ 08825 (Krün).
ℹ Verkehrsamt, Dorfplatz 7, ✆ 4 72.
♦München 93 - Garmisch-Partenkirchen 19 - Bad Tölz 47.

Parkhotel, Barmseestr. 1, ✆ 20 11, Fax 366, Massage, ≘, ▣, ⛱ - |♦| TV ♿ ⇔ P. ✗ Rest
April 2 Wochen und 5. Nov.- 20. Dez. geschl. - (nur Abendessen für Hausgäste) - **52 Z : 95 B** 110/160 - 220/260 Fb - 12 Appart. 360/400.

Post, Dorfplatz 6, ✆ 10 11, Fax 1658, Biergarten, ≘ - |♦| TV ☎ P. E VISA
5. Nov.- 19. Dez. geschl. - **M** a la carte 29/67 - **30 Z : 55 B** 59/65 - 118/139 Fb - 3 Appart. 150/180 - ½ P 84/115.

Vita Bavarica ⑤ garni, Lange Äcker 17, ✆ 5 72, ≤ Karwendel und Wettersteinmassiv, ≘, ⛱ (geheizt), ⛱ - ☎ P. ✗
25. Okt.- 18. Dez. geschl. - **13 Z : 27 B** 41/59 - 82/122.

Wallgauer Hof ⑤, Isarstr. 15, ✆ 20 24, Fax 1842, ≘, ⛱ - ☎ P. E
Nov.- 15. Dez. geschl. - (nur Abendessen für Hausgäste) - **20 Z : 38 B** 48/73 - 90/100 Fb - 3 Appart. 130/149 - ½ P 60/90.

Isartal, Dorfplatz 2, ✆ 10 44 - ⇔ P. AE E
April - Mai 3 Wochen und Nov.- 17. Dez. geschl. - **M** *(Montag 14 Uhr - Dienstag geschl.)* a la carte 23/47 - **20 Z : 35 B** 46/60 - 92 - ½ P 64.

WALLUF **6229.** Hessen 412 H 16 - 6 000 Ew - Höhe 90 m - ✆ 06123.
♦Wiesbaden 10 - ♦Koblenz 71 - Limburg an der Lahn 51 - Mainz 13.

Zum neuen Schwan ⑤ garni, Rheinstr. 3, ✆ 7 10 77, Fax 75120 - TV ☎ P. AE ◑ E VISA
15. Dez.- 8. Jan. geschl. - **23 Z : 44 B** 87/142 - 129/194 Fb.

Ruppert, Hauptstr. 61 (B 42), ✆ 7 10 89, Fax 72101 - TV ☎ P - 🏛 30. ✗ Rest
M *(Montag - Dienstag geschl.)* a la carte 21/52 ⚱ - **30 Z : 50 B** 50/70 - 100/120.

XX Schwan ⑤ mit Zim, Rheinstr. 4, ✆ 7 24 10 - P
4 Z : 8 B.

XX **Zum Treppchen,** Kirchgasse 14, ✆ 7 17 68 - E
nur Abendessen, Mittwoch, Sonn- und Feiertage sowie Feb.- März und Aug.- Sept. je 3 Wochen geschl. - **M** (Tischbestellung ratsam) a la carte 56/81.

WALSRODE **3030.** Niedersachsen 411 L 8, 987 ⑮ - 24 000 Ew - Höhe 35 m - Erholungsort - ✆ 05161.
Ausflugsziel : Vogelpark★ N : 3 km.
⛳ Walsrode-Tietlingen, ✆ (05162) 38 89.
ℹ Fremdenverkehrsamt, Lange Str. 20, ✆ 20 37, Fax 73395.
♦Hannover 61 - ♦Bremen 61 - ♦Hamburg 102 - Lüneburg 76.

Landhaus Walsrode ⑤ garni (ehem. Bauernhaus in einer Parkanlage), Oskar-Wolff-Str. 1, ✆ 80 53, Fax 2352, ⛱ (geheizt), ⛱ - ☎ ⇔ P. AE E
15. Dez.- 15. Jan. geschl. - **18 Z : 30 B** 70/165 - 125/220 Fb.

Kopp-Rats-Café, Lange Str. 4, ✆ 7 30 73 - TV ☎ P - 🏛 25/70
13 Z : 26 B.

Walsroder Hof, Lange Str. 48, ✆ 58 10 - |♦| TV ⇔ P - 🏛 30. ✗
35 Z : 50 B Fb.

Stadtschänke, Lange Str. 73, ✆ 57 76 - P
(nur Abendessen für Hausgäste) - **10 Z : 18 B.**

Hannover, Lange Str. 5, ✆ 55 16, Fax 5513, Biergarten - P. AE E VISA. ✗ Zim
M a la carte 28/51 - **26 Z : 47 B** 60/70 - 86/98.

In Walsrode-Hünzingen N : 5 km :

Forellenhof , 20 91, Fax 6585, , , - TV . AE E VISA
M a la carte 23/57 - **26 Z : 49 B** 50/65 - 90/110 - ½ P 72/77.

In Walsrode-Tietlingen O : 9 km :

Sanssouci , Tietlingen 4, (05162) 30 47, « Gartenterrasse », - TV . AE E
Feb. geschl. - **M** *(nur Abendessen, Nov.- März Donnerstag geschl.)* a la carte 32/50 - **12 Z : 22 B** 70/80 - 120/130 - ½ P 75/80.

WALTENHOFEN **8963.** Bayern 413 N 23, 24, 426 C 5,6 - 8 000 Ew - Höhe 750 m - 08303.
Verkehrsamt, Rathaus, 7 90.
♦München 131 - Bregenz 73 - Kempten (Allgäu) 6 - ♦Ulm (Donau) 97.

In Waltenhofen 2-Martinszell S : 5,5 km - Erholungsort :

Adler, Illerstr. 10, (08379) 2 07, Fax 488 - TV . E
8.- 20. Jan. geschl. - **M** a la carte 22/49 - **35 Z : 55 B** 56 - 104 Fb.

WALTROP **4355.** Nordrhein-Westfalen 411 412 F 12, 987 ⑭ - 27 000 Ew - Höhe 60 m - 02309.
♦Düsseldorf 85 - Münster (Westfalen) 50 - Recklinghausen 15.

Haus der Handweberei garni, Bahnhofstr. 95, 30 03, Fax 75899 - - 30.
18 Z : 32 B 55/60 - 90/110.

Rôtisserie Stromberg, Dortmunder Str. 5 (Eingang Isbruchstr.), 42 28 - . AE E VISA
Montag geschl. - **M** a la carte 45/73.

WANDLITZ **O-1292.** Brandenburg 984 ⑪ ⑫, 987 ⑰ - 3 000 Ew - Höhe 67 m. - 0037 3747.
♦Berlin 20 - Brandenburg 88 - ♦Frankfurt/Oder 103.

Zur Kehlheide, Bernauer Chaussee 28, 2 21 13, , , - - 30
19 Z : 40 B.

WANGEN Baden-Württemberg siehe Göppingen.

WANGEN IM ALLGÄU **7988.** Baden-Württemberg 413 M 23, 987 ㊱, 426 B 5 - 23 500 Ew - Höhe 556 m - 07522.
Sehenswert: Marktplatz★.
Gästeamt, Rathaus, Marktplatz, 7 42 11, Fax 74111.
♦Stuttgart 194 - Bregenz 27 - Ravensburg 23 - ♦Ulm (Donau) 102.

Romantik-Hotel Alte Post, Postplatz 2, 40 14, Telex 732774, Fax 2604, « Einrichtung im Barock- und Bauernstil » - TV - 25/40. AE E VISA
M *(Montag - Freitag nur Abendessen)* a la carte 44/75 - **19 Z : 31 B** 90/115 - 150/200 Fb.

Romantik-Hotel Postvilla garni, Schönhalde 2, 40 36, ≤, « Ehem. Villa mit eleganter Einrichtung », - TV . AE E VISA
8.- 20. Jan. geschl. - **10 Z : 18 B** 75/100 - 150/190 Fb.

Vierk's Privat-Hotel, Bahnhofsplatz 1, 8 00 61, Fax 22482, , - TV . E
M *(Sonntag 14 Uhr - Montag geschl.)* a la carte 34/63 - **14 Z : 28 B** 60/80 - 100/130 Fb.

Haus Waltersbühl , Max-Fischer-Str. 4, 50 57, Fax 80246, , , , , - - 25/100. Zim
1.- 22. Juli geschl. - **M** *(Sonntag ab 14 Uhr geschl.)* a la carte 26/58 - **54 Z : 96 B** 65/75 - 108/120 Fb.

Rössle garni, Ebnetstr. 2, 40 71 - TV . AE E VISA
8 Z : 17 B 75/95 - 125/175 Fb.

Mohren-Post, Herrenstr. 27, 2 10 76 -
M *(Freitag - Samstag und Sept. geschl.)* a la carte 31/53 - **14 Z : 20 B** 55/65 - 100/120.

In Wangen-Herfatz NW : 3 km, über die B 32 :

Waldberghof , Am Waldberg, 67 71, Fax 20281, , , - TV . E VISA
M *(nur Abendessen, Sonntag geschl.)* a la carte 22/40 - **16 Z : 29 B** 58/65 - 98/105 Fb.

In Wangen 4-Neuravensburg SW : 8 km :

Waldgasthof zum Hirschen , Grub 1, (07528) 72 22, « Gartenterrasse », , -
Jan. geschl. - **M** *(Montag geschl.)* a la carte 38/58 - **7 Z : 13 B** 55/75 - 95/140.

Mohren, Bodenseestr. 7, (07528) 72 45, , , - TV . AE E VISA
Nov. geschl. - **M** *(nur Abendessen, Montag geschl.)* a la carte 28/41 - **20 Z : 36 B** 58 - 96.

WANGERLAND **2949.** Niedersachsen 411 G 6 – 10 600 Ew – Höhe 1 m – ☎ 04426.
ℹ Kurverwaltung, Zum Hafen 3 (Horumersiel), ✆ 87 10, Fax 8787.
♦Hannover 242 – Emden 76 – Oldenburg 72 – Wilhelmshaven 21.

In Wangerland 3-Hooksiel 411 H 6 – Seebad :

XX **Packhaus** ⋟ mit Zim, Am alten Hafen 1, ✆ (04425) 12 33, Fax 1410, ≤, 🍽 – TV ☎ P. AE ① E VISA
M a la carte 37/60 – **6 Z : 12 B** 68/85 - 100/120.

XX **Zum Schwarzen Bären,** Lange Str. 15, ✆ (04425) 2 34, Fax 394 – P. AE ① E VISA
Mittwoch geschl. – **M** a la carte 31/57.

In Wangerland 2-Horumersiel 411 H 5 – Seebad :

🏠 Mellum ⋟, Fasanenweg 9, ✆ 6 16, 🍽, 🛋 – P
20 Z : 40 B – 4 Fewo.

In Wangerland 2-Schillig 411 H 5 – Seebad :

🏠 **Apart-Hotel Upstalsboom** ⋟, Mellumweg 6, ✆ 8 80, Fax 88101, ≤, Massage, ≘s – |‡| TV ☎ ♿ P – 🏛 25/70. AE ① E VISA. ✻ Rest
M a la carte 30/58 – **72 Z : 161 B** 80/100 - 130/220 Fb – 9 Fewo 90/155.

In Wangerland 3-Waddewarden

X **Waddewarder Hof,** Hooksieler Str. 1, ✆ (04461) 24 12 – P. E
Montag und 11. Okt.- 2. Nov. geschl. – **M** a la carte 28/50.

WANGEROOGE (Insel) **2946.** Niedersachsen 411 G 5, 987 ④ – 1 400 Ew – Seeheilbad – Insel der Ostfriesischen Inselgruppe. Autos nicht zugelassen – ☎ 04469.
⛴ von Wittmund-Harlesiel (ca. 1 h 15 min), ✆ (04464) 3 45.
ℹ Verkehrsverein, Pavillon am Bahnhof, ✆ 3 75.
♦Hannover 256 – Aurich/Ostfriesland 36 – Wilhelmshaven 41.

🏠 **Kaiserhof** ⋟, Strandpromenade 27, ✆ 2 02, Fax 1265, ≤, 🍽 – ✻
April - Sept. – **M** a la carte 28/50 – **55 Z : 88 B** 65/105 - 130/210.

WANNSEE Berlin siehe Berlin.

WARBURG **3530.** Nordrhein-Westfalen 411 412 K 12, 987 ⑮ – 23 500 Ew – Höhe 205 m – ☎ 05641.
ℹ Fremdenverkehrsamt, Zwischen den Städten 2, ✆ 9 25 55.
♦Düsseldorf 195 – ♦Kassel 34 – Marburg 107 – Paderborn 42.

🏠 **Alt Warburg,** Kalandstr. 11, ✆ 42 11, Fax 60910, « Restauriertes Fachwerkhaus a.d. 16. Jh. » – TV ☎ 🚗 – 🏛 25/60. E VISA
1.- 20. Jan. und 3.- 17. Aug. geschl. – **M** *(Sonntag 15 Uhr - Dienstag geschl.)* a la carte 57/81 – **20 Z : 38 B** 80/100 - 135/160 Fb.

🏠 **Berliner Hof** ⋟, Gerhart-Hauptmann-Str. 11, ✆ 21 37 – 🚗 P
17. Juli - 6. Aug. geschl. – **M** *(Sonntag ab 14 Uhr und Freitag geschl.)* a la carte 26/46 – **13 Z : 23 B** 45/85 - 82/120.

In Warburg 2-Scherfede NW : 10 km :

🏠 **Wulff,** Wiggenbreite 3, ✆ (05642) 2 08, 🍽, 🛋 – 🚗 P
➜ **M** *(nur Abendessen, Sonntag geschl.)* a la carte 21/42 – **8 Z : 14 B** 45 - 80.

WAREN (Müritz) **O-2060.** Mecklenburg-Vorpommern 984 ⑦ ⑪, 987 ⑦ – 25 000 Ew – Höhe 80 m – Luftkurort – ☎ 0037993.
ℹ Waren (Müritz) - Information, Neuer Markt 19, ✆ 41 72, Fax 4192.
♦Berlin 169 – ♦Hamburg 212 – Neubrandenburg 49 – ♦Rostock 81.

♀ Goldene Kugel, Große grüne Str. 16, ✆ 23 41 – TV – **10 Z : 24 B.**

In Klink **O-2065** SW : 7 km :

🏠 **Ferienhotel Klink** ⋟, ✆ (0037993) 5 70, Telex 33673, Fax 57257, ≤, 🍽, ≘s, 🏊, 🛋, 🎾 – |‡| P. AE ① E VISA
M a la carte 27/39 – **250 Z : 450 B** 72/83 - 98/103 Fb – 12 Appart. 152/166.

In some towns and their surrounding areas,
hoteliers are liable to increase their prices
during certain trade exhibitions and tourist events.

WARENDORF **4410.** Nordrhein-Westfalen 411 412 GH 11, 987 ⑭ – 34 000 Ew – Höhe 56 m – ☎ 02581.

Ausflugsziel: Freckenhorst : Stiftskirche★ (Taufbecken ★) SW : 5 km.

Vohren 41 (O : 3 km), ☎(02586) 17 92.

Verkehrsamt, Markt 1, ☎ 5 42 22.

◆Düsseldorf 150 – Bielefeld 47 – Münster (Westfalen) 27 – Paderborn 63.

Im Engel, Brünebrede 37, ☎ 70 64, Fax 62726, – – 25/100. AE E VISA
Juli geschl. – **M** *(bemerkenswerte Weinkarte)* (Donnerstag - Freitag 18 Uhr geschl.) a la carte 35/68 – **23 Z : 40 B** 65/150 - 115/300 Fb.

Mersch, Dreibrückenstr. 66, ☎ 80 18, Fax 62686, – – 30. AE E VISA
M *(nur Abendessen, Freitag geschl.)* a la carte 37/57 – **24 Z : 47 B** 70/95 - 125/150 Fb.

Wiesenhof, Lange Wieske 52, ☎ 7 80 61, Fax 7552, Biergarten, « Gartenterrasse » – . AE E VISA
6.- 19. Jan. geschl. – **M** *(Montag geschl.)* a la carte 33/68 – **16 Z : 28 B** 70/98 - 140/150 Fb.

Haus Allendorf, Neuwarendorf 16 (B 64, W : 4 km), ☎ 21 07, – . AE E
Montag - Dienstag 18 Uhr und Juli geschl. – **M** a la carte 29/65.

WARMENSTEINACH **8581.** Bayern 413 S 17, 987 ㉗ – 3 000 Ew – Höhe 558 m – Luftkurort – Wintersport : 560/1 024 m 10(Skizirkus Ochsenkopf) 7 – ☎ 09277.

Verkehrsamt, Freizeithaus, ☎ 14 01, Fax 1613.

◆München 253 – Bayreuth 24 – Marktredwitz 27.

Gästehaus Preißinger, Bergstr. 134, ☎ 15 54, <, , , –
(nur Abendessen für Hausgäste) – **33 Z : 58 B** Fb.

Krug, Siebensternweg 15, ☎ 2 09, Fax 880, « Terrasse mit < », – . AE E
M *(Montag geschl.)* a la carte 25/60 – **23 Z : 34 B** 55/80 - 96/118 – ½ P 65/81.

In Steinachtal S : 2 km :

Pension Pfeiferhaus, ✉ 8581 Warmensteinach, ☎ (09277) 2 56, , –
Anfang Feb.- Mitte März und Mitte Okt.- Mitte Dez. geschl. – **M** *(Mittwoch ab 18 Uhr geschl.)* a la carte 16/31 – **23 Z : 40 B** 32/42 - 60/84 – ½ P 40/52.

In Warmensteinach-Fleckl NO : 5 km :

Sport-Hotel Fleckl, Fleckl 5, ☎ 2 34, Fax 867, , , –
Anfang Nov.- Mitte Dez. geschl. – (nur Abendessen für Hausgäste) – **30 Z : 50 B** 45/65 - 80/176 Fb.

Berggasthof, Fleckl 20, ☎ 2 70, –
4. Nov.- 18. Dez. geschl. – **M** a la carte 18/38 – **15 Z : 30 B** 36/50 - 66/80.

In Warmensteinach - Oberwarmensteinach O : 2 km :

Goldener Stern, ☎ 2 46, –
25. Okt.- 1. Dez. geschl. – **M** *(Mittwoch geschl.)* a la carte 18/38 – **20 Z : 40 B** 36 - 48/66 – ½ P 36/48.

WARSTEIN **4788.** Nordrhein-Westfalen 411 412 HI 12, 987 ⑭ – 29 200 Ew – Höhe 300 m – ☎ 02902.

◆Düsseldorf 149 – Lippstadt 28 – Meschede 15.

Lindenhof, Ottilienstr. 4, ☎ 25 27, –
M a la carte 24/49 – **54 Z : 100 B** 45/49 - 85/90.

Hölter, Siegfriedstr. 2, ☎ 24 40 – . E.
Juli - Aug. 2 Wochen geschl. – **M** *(Montag geschl.)* a la carte 29/50 – **10 Z : 16 B** 36/44 - 70/80.

Domschänke, Dieplohstr. 12, ☎ 25 59 (Rest.) 27 23 (Gästehaus), Biergarten, « Sauerländer Fachwerkhaus » – 100
(auch Gästehaus Waldfrieden) 20 Z : 30 B.

In Warstein 2-Allagen NW : 11 km :

Postillion, Victor-Röper-Str. 5, ☎ (02925) 33 83, Fax 4037, , – – 40.
M *(Montag geschl.)* a la carte 27/52 – **14 Z : 26 B** 60/65 - 88/98.

In Warstein 1-Hirschberg SW : 7 km – Erholungsort :

Cramer (Fachwerkhaus a.d.J. 1788), Prinzenstr. 2, ☎ 29 27, « Gemütliche Gaststube » –
15 Z : 28 B.

In Warstein 2-Mülheim NW : 7 km :

Bauernstübchen, Erlenweg 45 (B 516), ☎ (02925) 28 21 – . E
Montag geschl. – **M** a la carte 25/55.

In Rüthen-Kallenhardt **4784** NO : 6 km :

Knippschild, Theodor-Ernst-Str. 1, ✆ (02902) 24 77, ☎ ⓟ. Zim
Jan. 3 Wochen und Nov. 1 Woche geschl. – Menu *(Donnerstag - Freitag 17 Uhr geschl.)* a la carte 24/57 – **21 Z : 34 B** 43/55 - 84/106.

WARTBURG Thüringen siehe Eisenach.

WARTENBERG KREIS ERDING **8059.** Bayern 413 S 21 – 3 600 Ew – Höhe 430 m – ✆ 08762.

♦München 49 – Landshut 27.

Antoniushof garni, Fichtenstr. 24, ✆ 30 43, Fax 9704, TV ☎ ⓟ. AE E VISA.
6.- 20. Jan. geschl. – **19 Z : 35 B** 66/80 - 98/110.

Reiter-Bräu, Untere Hauptstr. 2, ✆ 8 91, Fax 3729 – ☎ ⓟ. AE ⓓ E.
M *(Donnerstag und 3.- 27. Aug. geschl.)* a la carte 20/48 – **34 Z : 68 B** 63/69 - 98/105.

Bründlhof, Badstr. 44, ✆ 35 53, – ⓟ. AE ⓓ E VISA.
Dienstag - Mittwoch und 3. Feb.- 2. März geschl. – **M** a la carte 51/68.

WARTMANNSROTH Bayern siehe Hammelburg.

WASSENBERG **5143.** Nordrhein-Westfalen 987 ㉓, 412 B 13, 212 ⑳ – 13 200 Ew – Höhe 70 m – ✆ 02432.

♦Düsseldorf 57 – ♦Aachen 42 – Mönchengladbach 27 – Roermond 18.

Burg Wassenberg, Kirchstr. 17, ✆ 40 44, Fax 20191, « Hotel in einer Burganlage a.d. 16. Jh. » – TV ☎ ⓟ – 25/120. AE E VISA
16.- 26. Feb. und Juli - Aug. 2 Wochen geschl. – **M** a la carte 51/97 – **28 Z : 49 B** 95/180 - 175/260 Fb.

La Mairie, Am Rosstor 1, ✆ 51 30 – AE E
wochentags nur Abendessen, Donnerstag und Ende Juli - Mitte Aug. geschl. – **M** (Tischbestellung ratsam) a la carte 64/84.

Tante Lucie, An der Windmühle 31, ✆ 23 32, – ⓟ – 40. AE ⓓ E VISA
Montag geschl. – **M** a la carte 39/71.

WASSERBURG AM BODENSEE **8992.** Bayern 413 L 24, 426 A 6, 427 M 3 – 3 000 Ew – Höhe 406 m – Luftkurort – ✆ 08382 (Lindau im Bodensee).

Verkehrsverein, Rathaus, Bahnhofstraße, ✆ 55 82.

♦München 185 – Bregenz 15 – Ravensburg 27.

Zum lieben Augustin, Hauptstr. 19, ✆ 88 70 70, Fax 887082, Massage, – TV ☎ ⓟ. AE ⓓ E VISA
10. Jan.- Anfang März geschl. – **M** a la carte 35/59 – **29 Z : 58 B** 140 - 165 Fb – 16 Appart. 200/260 – ½ P 111/168.

Lipprandt, Hauptstr. 26, ✆ 88 70 14, Fax 887245, – TV ☎ ⓟ. E VISA
Jan.- 10. April wegen Umbau geschl. – **M** a la carte 30/57 – **36 Z : 65 B** 75/95 - 140/180 Fb – ½ P 97/122.

Seestern garni, Hauptstr. 27, ✆ 60 49, – TV ☎ ⓟ.
nur Saison – **17 Z : 34 B**.

Schloß Wasserburg, Hauptstr. 5, ✆ 56 92, Fax 8141, – TV ☎ ⓟ. AE ⓓ E VISA
M a la carte 31/50 – **14 Z : 26 B** 90/110 - 130/170.

Pfälzer Hof, Hauptstr. 83 (Lindenplatz), ✆ 65 11, – ☎ ⓟ
1.- 10. Jan. und 10.- 24. Feb. geschl., Nov.- April garni – **M** a la carte 26/45 – **10 Z : 20 B** 40/50 - 70/100.

In Wasserburg-Hege NW : 1,5 km :

Weinstube Gierer mit Zim, ✆ 2 65 63, Fax 23678, – TV ☎ ⓟ. AE ⓓ E VISA
Mitte Jan.- Feb. geschl. – **M** a la carte 34/60 – **19 Z : 35 B** 58/78 - 88/130 Fb – ½ P 69/90.

Besonders angenehme Hotels oder Restaurants sind im Führer rot gekennzeichnet.
Sie können uns helfen, wenn Sie uns die Häuser angeben, in denen Sie sich besonders wohl gefühlt haben.
Jährlich erscheint eine komplett überarbeitete Ausgabe aller Roten Michelin-Führer.

WASSERBURG AM INN **8090.** Bayern 413 T 22, 987 ㊲, 426 I 4 – 10 500 Ew – Höhe 427 m – ☎ 08071 – **Sehenswert**: Inn-Brücke : ≤★ – Heimatmuseum★.

Pfaffing (W : 7 km), Köckmühle, ✆ (08076) 17 18.

Städt. Verkehrsbüro, Rathaus, Eingang Salzsenderzeile, ✆ 1 05 22.

♦München 54 – Landshut 64 – Rosenheim 31 – Salzburg 88.

Fletzinger, Fletzingergasse 1, ✆ 80 10, Fax 40810 – 30. AE E VISA
11. Dez.- 17. Jan. geschl. – **M** *(Nov.- März Samstag geschl.)* a la carte 20/56 – **39 Z : 74 B** 72/92 - 103/140 Fb.

Paulanerstuben (prächtige Rokokofassade), Marienplatz 9, ✆ 39 03, Fax 50474, – Zim
15. April - 1. Mai und 20. Okt.- 20. Nov. geschl. – **M** *(Dienstag geschl.)* a la carte 16,50/37 – **17 Z : 35 B** 35/50 - 55/78.

Herrenhaus (spätgotisches Bürgerhaus), Herrengasse 17, ✆ 28 00 – AE E
Sonntag 15 Uhr - Montag, 25. Feb.- 4. März und 3.- 31. Aug. geschl. – Menu a la carte 37/71.

An der B 15 S : 8 km :

Fischerstüberl, Elend 1, ✉ 8091 Wasserburg-Attel, ✆ (08071) 25 98, – . AE E
ab Pfingsten 2 Wochen und Ende Okt.- Mitte Nov. geschl. – **M** *(Dienstag geschl.)* a la carte 20/52 – **15 Z : 20 B** 42 - 84.

In Wasserburg-Burgau W : 2,5 km :

Pichlmayr, Anton-Woger-Str. 4, ✆ 4 00 21, Fax 8728, , – – 25. AE E VISA
M a la carte 28/54 – **25 Z : 55 B** 65 - 110.

WASSERLIESCH Rheinland-Pfalz siehe Konz.

WASSERTRÜDINGEN **8822.** Bayern 413 O 19, 987 ㉖ – 5 900 Ew – Höhe 420 m – ☎ 09832.

♦München 154 – Ansbach 34 – Nördlingen 26 – ♦Nürnberg 69.

Zur Ente, Dinkelsbühler Str. 1, ✆ 8 14, Fax 1095, –
M a la carte 20/42 – **28 Z : 54 B** 48 - 82 Fb.

Zur Sonne, Dinkelsbühler Str. 2, ✆ 3 28 –
14 Z : 26 B.

WEDEL **2000.** Schleswig-Holstein 411 M 6, 987 ⑤ – 30 600 Ew – Höhe 2 m – ☎ 04103.

Sehenswert: Schiffsbegrüßungsanlage beim Schulauer Fährhaus ≤ ★.

♦Kiel 106 – ♦Bremen 126 – ♦Hamburg 21 – ♦Hannover 170.

Diamant garni, Schulstr. 4, ✆ 1 60 01, Fax 7740 – – 30
39 Z : 72 B Fb.

Wedel garni, Pinneberger Str. 69, ✆ 72 87, Fax 88558 – . AE E VISA
14 Z : 23 B 73/98 - 116/157.

Motel Roland, Marktplatz 8, ✆ 54 11 – . E.
23. Dez.- 1. Jan. geschl. – **M** a la carte 21/48 – **27 Z : 47 B** 75 - 104.

WEDEMARK **3002.** Niedersachsen 411 412 M 9, 987 ⑮ – 24 500 Ew – Höhe 45 m – ☎ 05130.

♦Hannover 20 – ♦Bremen 98 – Celle 27 – ♦Hamburg 128.

In Wedemark 2-Bissendorf :

Brunnenhof mit Zim, Burgwedeler Str. 1, ✆ 83 38, Fax 60324 –
10 Z : 20 B Fb.

In Wedemark 1-Brelingen :

Deutscher Hermann , Bennemühler Str. 8, ✆ 22 94 –
M *(Montag - Dienstag und Juni - Juli 3 Wochen geschl.)* a la carte 26/45 – **12 Z : 22 B** 35/70 - 70/90.

WEGBERG **5144.** Nordrhein-Westfalen 987 ㉓, 412 B 13, 213 ⑫ – 25 000 Ew – Höhe 60 m – ☎ 02434.

Schmitzhof (W : 7 km), ✆ (02436) 4 79.

♦Düsseldorf 47 – Erkelenz 9,5 – Mönchengladbach 16.

Burg Wegberg, Burgstr. 8, ✆ 13 27, Fax 25358, « Gartenterrasse » – – 25/300.

In Wegberg-Beeck SO : 2 km :

Haus Brender - Restaurant Ambiente, Im Wiesengrund 2, ✆ 10 69 – . AE E.
Samstag bis 18 Uhr, Dienstag, über Karneval, Juli - Aug. 3 Wochen und Okt.- Nov. 1 Woche geschl. – **M** a la carte 68/90.

In Wegberg-Kipshoven SO : 5 km :

Esser ⛰, von-Agris-Str. 43, ✆ (02161) 5 89 95, Fax 570854 – TV ☎ 🚗 P – 🏛 25/50. AE ⓓ E VISA
M *(Juli - Aug. 3 Wochen geschl.)* a la carte 36/57 – **20 Z : 31 B** 75/105 - 130/150 Fb.

In Wegberg-Rickelrath NO : 3 km :

XX **Molzmühle** ⛰ mit Zim, Im Bollenberg 41, ✆ 2 43 33, Fax 25723, 🌳, « Wassermühle a.d.J. 1627 » – TV ☎ P. AE E VISA
Jan. 3 Wochen geschl. – **M** *(Montag geschl.)* a la carte 45/77 – **7 Z : 14 B** 120/150 - 150/280.

In Wegberg-Tüschenbroich SW : 2 km :

XXX Tüschenbroicher Mühle, Gerderhahner Str. 1, ✆ 42 80, Fax 25917, ≤, « Terrasse am See » – P – 🏛 40

WEHINGEN **7209.** Baden-Württemberg 413 J 22 – 3 100 Ew – Höhe 777 m – ☎ 07426.
♦Stuttgart 100 – Sigmaringen 46 – Villingen-Schwenningen 40.

Café Keller, Bahnhofstr. 5, ✆ 10 68, Fax 7900 – ☎ 🚗 P. AE ⓓ E
M *(Samstag und Sonntag nur Mittagessen, Freitag geschl.)* a la carte 24/47 – **21 Z : 32 B** 55/80 - 100/130 Fb.

WEHR **7867.** Baden-Württemberg 413 G 24, 987 ㉞, 427 H 3 – 12 000 Ew – Höhe 365 m – ☎ 07762 – ℹ Kultur - und Verkehrsamt, Rathausplatz, ✆ 8 08 80.
♦Stuttgart 216 – Basel 31 – Lörrach 22 – Bad Säckingen 11 – Todtmoos 17.

Klosterhof, Frankenmatt 8 (beim Schwimmbad), ✆ 86 50, Fax 4645, 🌳 – |‡| TV ☎ P. ⓓ E VISA
M *(Sonntag ab 15 Uhr, Freitag und 1.- 22. Feb. geschl.)* a la carte 34/57 🍷 – **36 Z : 50 B** 70/90 - 130 Fb.

In Hasel **7861** N : 4 km :

Landgasthof Erdmannshöhle, Hauptstr. 14, ✆ (07762) 97 52, Fax 9643, 🌳 – TV ☎ P – 🏛 60. ⓓ E VISA
M *(Feb. nur Abendessen, Nov.- März Sonntag ab 15 Uhr geschl.)* a la carte 46/72 🍷 – **17 Z : 26 B** 65/90 - 90/140 Fb.

WEHRHEIM **6393.** Hessen 412 413 I 16 – 8 400 Ew – Höhe 320 m – ☎ 06081.
Ausflugsziel : Saalburg★ (Rekonstruktion eines Römerkastells) S : 4 km.
♦Wiesbaden 57 – ♦Frankfurt am Main 28 – Gießen 46 – Limburg an der Lahn 46.

Zum Taunus, Töpferstr. 2 (B 456), ✆ 51 68 – 🚗. E. ✻ Zim
Mitte Juli - Mitte Aug. geschl. – **M** *(nur Abendessen, Freitag geschl.)* a la carte 27/45 – **16 Z : 25 B** 50/90 - 120/150 Fb.

Am Bahnhof Saalburg SO : 3 km :

Lochmühle ⛰ (historisches Fachwerkhaus a.d. 18. Jh.), Thronerfeld 6, ✉ 6393 Wehrheim, ✆ (06175) 2 81, Fax 3198, 🌳, 🌲 – TV ☎ P. E VISA
M *(Okt.- März Montag geschl.)* a la carte 36/61 – **12 Z : 18 B** 90/151 - 172/250 Fb.

WEIBERSBRUNN **8751.** Bayern 412 413 L 17, 987 ㉕ – 2 000 Ew – Höhe 354 m – ☎ 06094.
ℹ Tourist-Information Franken, an der Autobahn A 3 (Rasthaus Spessart Südseite), ✆ (06094) 2 20 (geöffnet : Ostern - Mitte Okt.) – ♦München 337 – Aschaffenburg 19 – ♦Würzburg 61.

Brunnenhof, Hauptstr. 231, ✆ 3 64, Fax 1064, 🌳, 🌲 – |‡| TV ☎ 🚗 P – 🏛 25/100. E
M a la carte 28/58 – **52 Z : 100 B** 50/95 - 86/125 Fb.

An der Autobahn A 3 Ausfahrt Rohrbrunn :

Rasthaus und Motel im Spessart - Südseite, ✉ 8751 Rohrbrunn, ✆ (06094) 5 31, Fax 535, 🌳 – TV ☎ P
M a la carte 26/51 – **34 Z : 62 B** 92/103 - 128/133.

WEICHERING **8859.** Bayern 413 Q 20 – 1 500 Ew – Höhe 372 m – ☎ 08454.
♦ München 91 – ♦Augsburg 56 – Ingolstadt 14.

Gasthof Vogelsang ⛰, Bahnhofstr. 24, ✆ 20 79, 🌳 – ☎ P. ✻
5.- 16. März und 31. Aug.- 11. Sept. geschl. – **M** *(Montag geschl.)* a la carte 17/37 – **12 Z : 26 B** 40 - 70.

WEIDEN IN DER OBERPFALZ **8480.** Bayern 413 T 17, 987 ㉗ – 41 600 Ew – Höhe 397 m – ☎ 0961 – **Ausflugsziel :** Bayerische Ostmarkstraße ★ (bis Passau).
ℹ Verkehrsamt, Altes Rathaus, Oberer Markt, ✆ 8 14 11.
ADAC, Bürgermeister-Prechtl-Str. 21, ✆ 3 40 37, 33957.
♦München 243 ④ – Bayreuth 64 ① – ♦Nürnberg 100 ④ – ♦Regensburg 82 ③.

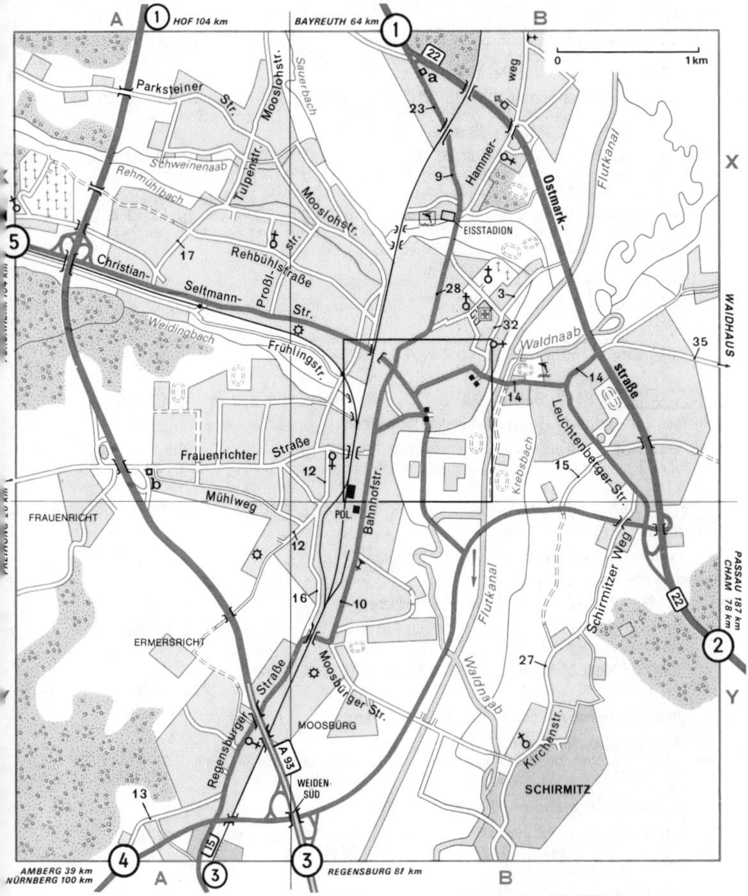

WEIDEN IN DER OBERPFALZ

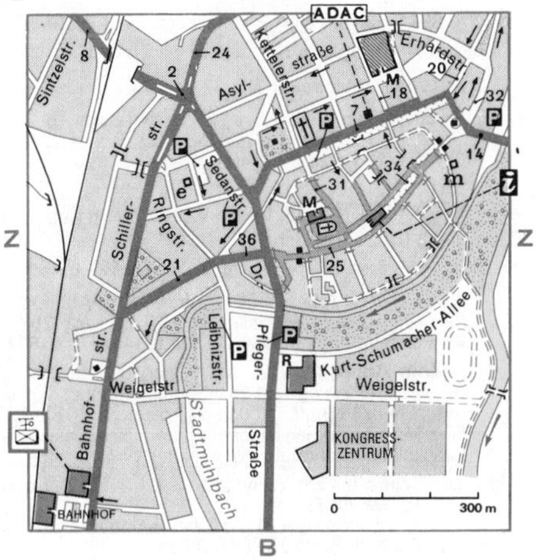

Stadtkrug, Wolframstr. 5, ✆ 3 20 25, Fax 36268, Biergarten – TV ☎ 🚗. AE ① E VISA
24. Dez.- 10. Jan. geschl. – **M** *(Samstag, Sonn- und Feiertage geschl.)* a la carte 34/58 – **52 Z : 75 B** 65/85 - 110/130 Fb. BZ **e**

Europa, Frauenrichter Str. 173, ✆ 2 50 51, Fax 61562 – |♦| TV ☎ 🚗 P. AE ① E VISA
1.- 19. Jan. und 3.- 16. Aug. geschl. – **M** *(Montag bis 18 Uhr sowie Sonn- und Feiertage geschl.)* a la carte 45/72 – **26 Z : 35 B** 60/80 - 95/130 Fb. AX **b**

Am Tor, Hinterm Wall 24, ✆ 50 14, Fax 45894, ≘s – TV ☎ 🚗 P. AE ① E VISA. ✻ Rest
M *(nur Abendessen, Samstag - Sonntag und Ende Dez.- Anfang Jan. geschl.)* a la carte 26/54 – **19 Z : 33 B** 69/115 - 98/198 Fb. BZ **m**

Waldlust, Neustädter Str. 46, ✆ 3 50 05, Fax 35009 – TV ☎ 🚗 P. AE ① E VISA BX **a**
20. Dez.- 6. Jan. geschl. – **M** *(nur Abendessen, Sonn- und Feiertage geschl.)* a la carte 21/36 ♢ – **17 Z : 31 B** 58/65 - 90/120 Fb.

In Weiden-Oberhöll ② : 7 km :

Hölltaler Hof ⛰, Oberhöll 2, ✆ 4 30 93, Fax 45339, ⛱, 🌳 – TV ☎ 🚗 P. AE ① E VISA
1.- 15. Aug. und 20.- 31. Dez. geschl. – **M** *(Montag und Sonntag jeweils bis 17 Uhr geschl.)* a la carte 21/50 ♢ – **28 Z : 40 B** 40/56 - 76/96.

WEIDENBERG **8588.** Bayern 413 S 17 – 5 400 Ew – Höhe 463 m – ☎ 09278.

♦München 244 – Bayreuth 15 – Weiden in der Oberpfalz 58.

Gasthof Kilchert, Lindenstr. 14, ✆ 2 77 – TV P
27. Okt.- Nov. geschl. – **M** *(Montag geschl.)* a la carte 16/25 ♢ – **16 Z : 33 B** 40/55 - 80/100.

WEIKERSHEIM **6992.** Baden-Württemberg 413 M 18, 987 ㉖ – 7 300 Ew – Höhe 230 m – Erholungsort – ☎ 07934.

Sehenswert : Schloß (Ausstattung★★, Rittersaal★★).

ℹ Städt. Verkehrsamt, Marktplatz, ✆ 72 72.

♦Stuttgart 128 – Ansbach 67 – Heilbronn 86 – ♦Würzburg 42.

Laurentius, Marktplatz 5, ✆ 70 07, Fax 7077, ⛱ – |♦| TV ☎. ① E VISA
Menu *(Dienstag geschl.)* 33/90 – **12 Z : 20 B** 80/95 - 130/145.

Grüner Hof, Marktplatz 10, ✆ 2 52, Fax 3056, ⛱ – ✻
Mitte Jan.- Feb. geschl. – **M** *(Montag geschl.)* a la carte 28/42 – **22 Z : 35 B** 60/75 - 95/105.

In Weikersheim - Laudenbach SO : 4,5 km :

Zur Traube, Mörikestr. 1, ✆ 88 63 – P
Jan. 3 Wochen geschl. – **M** *(Dienstag geschl.)* a la carte 24/37 ♢ – **21 Z : 37 B** 50 - 90 – ½ P 53/63.

In Tauberrettersheim **8701** NO : 4 km :

Zum Hirschen, Mühlenstr. 1, ✆ (09338) 3 22, ⛱, ≘s, 🌳 – ☎ 🚗 P
19. Feb.- 5. März und 11.- 24. Nov. geschl. – **M** *(Mittwoch geschl.)* a la carte 20/37 ♢ – **13 Z : 25 B** 50/60 - 80.

WEIL **8911.** Bayern 413 P 22 – 2 600 Ew – Höhe 573 m – ☎ 08195.

♦ München 54 – ♦Augsburg 34 – Landsberg am Lech 10.

In Weil-Pestenacker NO : 7 km :

Post ⛰, Hauptstr. 22, ✆ 2 77, 🌳 – 🚗 P
25. Aug.- 10. Sept. und 23. Dez.- 10. Jan. geschl. – **M** *(Montag - Dienstag geschl.)* a la carte 21/30 – **17 Z : 25 B** 35/40 - 70.

WEIL AM RHEIN **7858.** Baden-Württemberg 413 F 24, 427 G 3, 216 ④ – 26 000 Ew – Höhe 260 m – ☎ 07621 (Lörrach).

♦Stuttgart 261 – Basel 7,5 – ♦Freiburg im Breisgau 65 – Lörrach 5.

Atlas Hotel, Alte Str. 58 (nahe der BAB-Abfahrt Weil am Rhein), ✆ 70 70, Telex 773987, Fax 707650, ≘s, ✻(Halle) – |♦| TV P – 🏛 25/140. AE ① E VISA
M a la carte 42/69 – **160 Z : 320 B** 145/270 - 185/280 Fb.

XXX ✿ **Zum Adler** (mit Zim. und Gästehaus), **Hauptstr.** 139, ✆ 7 11 88, Fax 75676 – TV ☎ P
M *(Tischbestellung ratsam)* (Sonntag-Montag, Anfang - Mitte Jan. und Anfang - Mitte Aug. geschl.) 54/68 (mittags) und a la carte 75/101 – **25 Z : 49 B** 110/180 - 140/250 Fb
Spez. Mosaik von Gänseleber und Gemüsen, Das Beste vom Milchlamm in zwei Gängen serviert, Schokoladencharlotte mit pochierter Williamsbirne.

XX **Zur Krone** mit Zim (Landgasthof a.d. J. 1572), **Hauptstr.** 58, ✆ 7 11 64, Fax 78963 – TV ☎ 🚗 P. AE ① E VISA
1.- 15. Aug. geschl. – **M** *(Tischbestellung ratsam)* (Montag - Dienstag geschl.) a la carte 47/79 – **11 Z : 20 B** 60/130 - 90/160 Fb.

In Weil-Haltingen N : 3 km :

Rebstock, Große Gass 30, 6 22 57, Fax 65550 –
7.- 23. Jan. geschl. – **M** *(Montag - Freitag nur Abendessen)* a la carte 39/74 – **18 Z : 36 B** 60/90 - 90/150 Fb.

Weinstube zum Hirschen mit Zim (Gasthaus a.d.J. 1747), Große Gass 1, 6 23 44, « Gartenterrasse » – . VISA. Zim
M *(Montag sowie Feb. und Okt. jeweils 2 Wochen geschl.)* a la carte 42/76 – **9 Z : 15 B** 50/70 - 80/100.

In Weil-Märkt NW : 5 km :

Zur Krone mit Zim, Rheinstr. 17, 6 23 04, Fax 65350, –
Feb. und Sept. jeweils 2 Wochen geschl. – **M** *(Montag - Dienstag geschl.)* a la carte 38/69 – **5 Z : 7 B** 55/65 - 90.

WEILBACH **8761**. Bayern 412 413 K 17 – 2 100 Ew – Höhe 166 m – 09373 (Amorbach).
◆München 353 – ◆Frankfurt am Main 79 – Heilbronn 87 – ◆Mannheim 84 – ◆Würzburg 79.

In Weilbach-Ohrnbach NW : 8 km :

Zum Ohrnbachtal, Hauptstr. 5, 14 13, – . Zim
4. Jan.- 4. Feb. geschl. – **M** *(Mittwoch geschl.)* a la carte 27/44 – **23 Z : 41 B** 45/55 - 84/90 Fb.

WEILBURG **6290**. Hessen 987 ㉔, 412 413 H 15 – 13 500 Ew – Höhe 172 m – Luftkurort – 06471.
Sehenswert : Lage★.
Kur- und Verkehrsverein, Mauerstr. 10, 76 71.
◆Wiesbaden 72 – Gießen 40 – Limburg an der Lahn 22.

Schloßhotel Weilburg, Langgasse 25, 3 90 96, Telex 484730, Fax 39199, – – 25/250. VISA
M a la carte 40/65 – **43 Z : 75 B** 115/145 - 190/255 Fb.

Sibenik, Marktplatz 10, 21 30, Fax 2909, . – AE VISA
Montag bis 18 Uhr geschl. – **M** a la carte 37/63.

Weilburger Hof, Schwanengasse 14, 71 53 – AE
Montag und Anfang - Mitte Jan. geschl. – **M** 16/20 (mittags) und a la carte 24/58.

In Weilburg-Kubach O : 4 km über die B 456 :

Kubacher Hof, Hauptstr. 58, 48 22, –
M *(Montag geschl.)* a la carte 19/35 – **16 Z : 30 B** 46/50 - 92.

WEILER-SIMMERBERG IM ALLGÄU **8999**. Bayern 413 M 24, 426 B 6, 427 N 3 – 5 000 Ew – Höhe 631 m – Heilbad – Luftkurort – Wintersport : 630/900 m 5 6 – 08387.
Kur- und Verkehrsamt, Weiler, Hauptstr. 14, 6 51.
◆München 179 – Bregenz 32 – Ravensburg 42.

Im Ortsteil Weiler :

Kur- und Tennishotel Tannenhof, Lindenberger Str. 32, 12 35, Fax 1231, Bade- und Massageabteilung, (Halle) –
M a la carte 28/48 – **40 Z : 85 B** 123 - 210 Fb.

Post, Fridolin-Holzer-Str. 4, 10 70 –
12.- 19. Dez. geschl. – **M** *(Mittwoch geschl.)* a la carte 23/41 – **17 Z : 29 B** 40/60 - 78/86 Fb.

Im Ortsteil Weiler-Bremenried :

Kreuz, Bregenzer Str. 91, 4 45, –
Nov. geschl. – **M** *(Mittwoch 14 Uhr - Donnerstag geschl.)* a la carte 24/44 – **11 Z : 19 B** 48 - 88/98 – ½ P 55.

WEILHEIM **8120**. Bayern 413 Q 23, 987 ㊲, 426 F 5 – 18 500 Ew – Höhe 563 m – 0881.
18 Pähl (N : 9 km), Gut Hochschloß, (08808)13 30.
◆München 53 – Garmisch-Partenkirchen 44 – Landsberg am Lech 37.

Bräuwastl, Lohgasse 9, 45 47, Fax 69485, – Zim – 40. AE VISA
M *(auch vegetarische Gerichte)* (Sonntag geschl.) a la carte 37/63 – **48 Z : 74 B** 128 - 148 Fb.

Vollmann, Marienplatz 12, 42 55, – .
M *(Sonntag 15 Uhr - Montag, 2. Jan.- 19. Feb. und 10.- 30. Aug. geschl.)* a la carte 20/45 – **35 Z : 60 B** 50/75 - 80/110 Fb.

An der B 2 NO : 8,5 km :

Hirschberg Alm mit Zim, 8121 Pähl, (08808) 6 16, ≤, –
12 Z : 21 B.

WEILHEIM AN DER TECK **7315.** Baden-Württemberg 413 L 21, 987 ㉟ – 9 200 Ew – Höhe 385 m – ☎ 07023.

Ausflugsziel : Holzmaden : Museum Hauff★ N : 4 km.

♦Stuttgart 44 – Göppingen 15 – ♦Ulm (Donau) 52.

Zur Post, Marktplatz 12, ✆ 28 16 – 🚗 P
16 Z : 26 B.

WEILROD **6395.** Hessen 412 413 I 16 – 5 900 Ew – Höhe 370 m – Erholungsort – ☎ 06083.

Weilrod-Altweilnau, Merzhäuser Landstraße, ✆ 18 83.

♦Wiesbaden 42 – ♦Frankfurt am Main 39 – Gießen 51 – Limburg an der Lahn 33.

In Weilrod 7-Altweilnau 987 ㉔ ㉕ :

Burgrestaurant, Weilnauer Str. 1, ✆ 3 10, ←, 🌳, 🌲 – 🚗 P
2. Nov.- 12. Dez. geschl. – **M** *(Okt.- März Dienstag geschl.)* a la carte 19/33 🍷 – **23 Z : 38 B** 45/70 - 80/100.

In Weilrod 6-Neuweilnau :

Sporthotel Erbismühle 🐴, ✆ 28 80, Fax 288700, 🌳, ≘s, 🏊, 🌲, 🎾 – |\$| TV ☎ ♿ P – 🎤 25/150. AE ⓓ E VISA
M a la carte 37/64 – **75 Z : 135 B** 70/220 - 130/260 Fb.

WEIMAR **O-5300.** Thüringen 984 ㉓, 987 ㉖ – 62 000 Ew – Höhe 248 m – ☎ 0037621.

Sehenswert : Marktplatz (Rathaus, Lucas-Cranach-Haus) – Goethehaus★★ – Schillerhaus★ – Deutsches Nationaltheater (Doppelstandbild★★ von Goethe und Schiller) – Goethes Gartenhaus★★ – Stadtkirche (Cranachaltar★★) – Stadtschloß (Cranachsammlung★★★).

ℹ Weimar-Information, Marktstr. 4, ✆ 53 84, Fax 61240.

♦Berlin 262 – Chemnitz 132 – Erfurt 22.

Elephant, Markt 19, ✆ 6 14 71, Telex 618961, Fax 5310, 🌳 – |\$| TV ☎ P – 🎤 25/50. AE ⓓ E VISA
M a la carte 36/67 – **Elephantenkeller M** a la carte 20/37 – **102 Z : 162 B** 117/163 - 188/255 Fb – 3 Appart. 329/447.

Russischer Hof, Goetheplatz 2, ✆ 6 23 31, Telex 618971, Fax 62337 – |\$| TV ☎ ♿ – 🎤 25/90. AE ⓓ E VISA
M a la carte 29/55 – **84 Z : 148 B** 103/185 - 160/200 Fb.

Weißer Schwan (rekonstruiertes historisches Gasthaus), Frauentorstr. 23 (Am Frauenplan), ✆ 6 17 15. – AE ⓓ E VISA. ✗
14.- 27. Nov. geschl. – **M** (Tischbestellung ratsam) a la carte 38/58 🍷.

Alt Weimar, Prellerstr. 2, ✆ 20 56, 🌳
nur Abendessen.

WEIMAR Hessen siehe Marburg.

WEINÄHR Rheinland-Pfalz siehe Nassau.

WEINGARTEN **7987.** Baden-Württemberg 413 LM 23, 987 ㉟ ㊱, 216 ⑪ – 22 600 Ew – Höhe 458 m – ☎ 0751 (Ravensburg).

Sehenswert : Basilika★★.

ℹ Städt. Kultur- und Verkehrsamt, Münsterplatz 1, ✆ 40 51 25, Fax 405110.

♦Stuttgart 143 – Biberach an der Riß 43 – Ravensburg 4 – ♦Ulm (Donau) 85.

Mövenpick Hotel, Abt-Hyller-Str. 37, ✆ 50 40, Telex 732325, Fax 504400 – |\$| ⇔ Zim TV P – 🎤 25/600. AE ⓓ E VISA
M a la carte 30/63 – **72 Z : 122 B** 158/180 - 216/236 Fb.

Altdorfer Hof, Burachstr. 12, ✆ 5 00 90, Fax 500970 – |\$| TV ☎ 🚗 P – 🎤 25/60. AE ⓓ E VISA
20. Dez.- 11. Jan. geschl. – **M** *(Sonntag ab 15 Uhr und Freitag geschl.)* a la carte 30/52 – **46 Z : 62 B** 68/95 - 115/150 Fb.

Alt. Ochsen, Ochsengasse 5, ✆ 5 20 15, Fax 52017 – |\$| TV ☎ ♿ 🚗 P. ⓓ E VISA
15. Juli - 5. Aug. und 27. Dez.- 6. Jan. geschl. – **M** *(Dienstag geschl.)* a la carte 22/44 🍷 – **29 Z : 48 B** 41/79 - 75/115 Fb.

Bären, Kirchstr. 3, ✆ 4 23 80, Fax 43941 – TV ☎ 🚗 P. AE ⓓ E VISA
Juli 3 Wochen geschl. – **M** *(Montag geschl.)* a la carte 26/57 – **17 Z : 30 B** 58/78 - 94/125 Fb.

Bayrischer Hof garni, Abt-Hyller-Str. 22, ✆ 4 20 84, Fax 43214, ≘s – TV ☎ P. AE ⓓ E VISA
22 Z : 30 B 75/95 - 110/130.

Zur Post (Italienische Küche), Postplatz 8, ✆ 5 25 75, 🌳 – E VISA
Montag und 6.- 28. Juli geschl. – **M** a la carte 27/47.

In Wolpertswende 1 - Mochenwangen **7984** N : 7,5 km :

⚘ **Rist,** Bahnhofstr. 8, ℰ (07502) 13 74 – ⟝ 🅿
↔ *Juli geschl.* – **M** *(Freitag geschl.)* a la carte 21/31 ⅃ – **16 Z : 23 B** 38/55 - 58/75.

WEINGARTEN KREIS KARLSRUHE **7504.** Baden-Württemberg 🔲🔲 I 19 – 8 200 Ew –
Höhe 120 m – ✪ 07244.

◆Stuttgart 88 – Heidelberg 46 – ◆Karlsruhe 16.

🏠 **Zum Kärcher,** Bahnhofstr. 150, ℰ 23 57, 🏠 – 📺 ☎ 🅿 🖭
 über Ostern 2 Wochen und Juli - Aug. 3 Wochen geschl. – **M** *(Freitag und Samstag jeweils
 bis 18 Uhr sowie Sonn- und Feiertage geschl.)* a la carte 35/61 – **13 Z : 21 B** 50/75 - 90/100.

XX ✿ **Gaststuben Walk'sches Haus** mit Zim, Marktplatz 7 (B 3), ℰ 20 31, « Restauriertes
 Fachwerkhaus a.d.J. 1701 » – 📺 ☎ 🖭
 1.- 7. Jan. geschl. – **M** *(Tischbestellung ratsam)* (Sonntag geschl.) a la carte 70/103 – **13 Z :
 23 B** 90/150 - 160/200 Fb
 Spez. Terrinen, Cannelloni von Lachs, Rehmedaillon in Gewürzkuchensauce mit Gänseleber.

WEINHEIM AN DER BERGSTRASSE **6940.** Baden-Württemberg 🔲🔲 ㉕, 🔲🔲 J 18 –
42 000 Ew – Höhe 135 m – ✪ 06201.

Sehenswert : Schloßpark★.

🄱 Verkehrsverein, Bahnhofstr. 15, ℰ 1 65 03.

◆Stuttgart 137 – ◆Darmstadt 45 – Heidelberg 20 – ◆Mannheim 17.

🏠 **Fuchs'sche Mühle,** Birkenauer Talstr. 10, ℰ 6 10 31, 🏠, ⟆, 🔲 – 🔰 ☎ ⟝ 🅿 🖭 ⓞ
 E 𝘝𝘐𝘚𝘈 ✣
 M a la carte 37/63 – **21 Z : 40 B** 100/120 - 120/150 Fb.

🏠 **Zur Pfalz** ⟑, Am Marktplatz 7, ℰ 6 40 94, Fax 183102, 🏠 – 📺 ☎ 🖭 ⓞ E 𝘝𝘐𝘚𝘈
 M a la carte 35/67 – **18 Z : 31 B** 105/115 - 125/155 Fb.

🏠 **Haus Masthoff,** Lützelsachsener Str. 5, ℰ 6 30 33, Fax 16735, 🔲 – ☎ ⟝ E 𝘝𝘐𝘚𝘈
 M *(Montag geschl.)* a la carte 35/57 ⅃ – **18 Z : 30 B** 95 - 130.

XX **Schloßparkrestaurant,** Obertorstr. 9, ℰ 1 23 24, Fax 67158, ≼, 🏠 – ⓞ E 𝘝𝘐𝘚𝘈
 Dienstag und Mitte Jan.- Mitte Feb. geschl. – **M** a la carte 39/79.

In Weinheim-Lützelsachsen S : 3 km :

🏠 **Schmittberger Hof** (mit Gästehaus), Weinheimer Str. 43, ℰ 5 25 37 – 🔰 📺 🅿
 27. Dez.- 7. Jan. geschl. – **M** *(Dienstag geschl.)* a la carte 25/45 ⅃ – **34 Z : 59 B** 50/70 -
 90/100 Fb.

XX **Winzerstube,** Sommergasse 7, ℰ 5 22 98 – 🅿, 🖭 ⓞ E 𝘝𝘐𝘚𝘈
 nur Abendessen, Sonn- und Feiertage sowie Juli 2 Wochen geschl. – **M** *(auch vegetarisches
 Menu)* a la carte 55/69.

WEINSBERG **7102.** Baden-Württemberg 🔲🔲 ㉕, 🔲🔲 K 19 – 9 200 Ew – Höhe 200 m –
✪ 07134.

◆Stuttgart 53 – Heilbronn 6 – Schwäbisch Hall 42.

Außerhalb SO : 2 km :

🏠 Gutsgasthof Rappenhof, ✉ 7102 Weinsberg, ℰ (07134) 30 73, ≼, 🏠, 🚗 – ☎ 🅿
 ⚕ 40
 39 Z : 60 B Fb.

In Eberstadt **7101** NO : 4 km :

🏠 **Krone,** Hauptstr. 47, ℰ (07134) 40 86, Fax 15752, 🏠 – 📺 ☎ 🅿 🖭 ⓞ 𝘝𝘐𝘚𝘈
 M a la carte 30/61 – **18 Z : 30 B** 60/90 - 110/135 Fb.

In Erlenbach **7101** NW : 3 km :

XX **Zum Alten Stapf,** Weinsberger Str. 6, ℰ (07132) 1 64 13, nur Eigenbauweine – 🅿, E 𝘝𝘐𝘚𝘈
 Sonntag 15 Uhr - Montag und 11.- 26. Aug. geschl. – **M** a la carte 44/74 ⅃.

WEINSHEIM Rheinland-Pfalz siehe Prüm.

Grüne Michelin-Führer *in deutsch*

Paris	Provence
Bretagne	Schlösser an der Loire
Côte d'Azur (Französische Riviera)	Italien
Elsaß Vogesen Champagne	Spanien
Korsika

WEINSTADT **7056.** Baden-Württemberg 413 L 20 – 23 900 Ew – Höhe 290 m – ☎ 07151 (Waiblingen).

♦Stuttgart 16 – Esslingen am Neckar 13 – Schwäbisch Gmünd 38.

In Weinstadt 1-Beutelsbach :

Krone, Marktstr. 39, ☎ 6 51 81 – |$| ☎. Zim
M *(Mittwoch und Juli - Aug. 4 Wochen geschl.)* a la carte 34/66 – **31 Z : 62 B** 100/130 - 150/170 Fb.

In Weinstadt 2-Endersbach :

Gästehaus und Gasthof Rössle, Waiblinger Str. 2, ☎ 6 10 01 – ☎ ⊕
25 Z : 35 B.

Gästehaus Zefferer garni, Strümpfelbacher Str. 10, ☎ 60 00 34 – TV ☎ P
12 Z : 24 B 80/85 - 120/130 Fb.

Weinstube Muz, Traubenstr. 3, ☎ 6 13 21, Fax 61131 – AE E VISA
nur Abendessen, Sonn- und Feiertage geschl. – **M** a la carte 39/62.

In Weinstadt 4-Schnait :

Gasthof zum Lamm (restauriertes Fachwerkhaus a.d.J. 1797), Silcherstr. 75, ☎ 6 50 03, Fax 65005, – TV ☎ P – 25. AE
M *(Dienstag geschl.)* a la carte 35/74 – **20 Z : 32 B** 90/125 - 130/195.

In Weinstadt 5-Strümpfelbach :

Gästehaus Amalie garni, Hindenburgstr. 16, ☎ 6 11 02 – ☎ P.
Aug. 3 Wochen und 22. Dez.- 10. Jan. geschl. – **15 Z : 25 B** 50/60 - 80/100.

Lamm, Hindenburgstr. 16, ☎ 6 23 31 – AE E VISA
Montag - Dienstag, Jan. 2 Wochen und Aug. 3 Wochen geschl. – Menu 30/40 und a la carte 42/69.

WEISENDORF **8521.** Bayern 413 P 18 – 3 800 Ew – Höhe 300 m – ☎ 09135.

♦ München 204 – ♦Bamberg 53 – ♦Nürnberg 33 – ♦Würzburg 86.

Jägerhof, Auracher Bergstr. 2, ☎ 30 94, Fax 6608 – TV ☎ P – 25. E VISA
1.- 16. Aug. und 23. Dez.- 6. Jan. geschl. – **M** *(Freitag geschl.)* a la carte 23/44 – **19 Z : 35 B** 65/90 - 100/130 Fb.

WEISKIRCHEN **6649.** Saarland 412 D 18, 242 ②, 57 ⑥ – 6 400 Ew – Höhe 400 m – Heilklimatischer Kurort – ☎ 06876.

Kurverwaltung, Kirchenweg 2 (Rathaus), ☎ 72 24, Fax 70938.

♦Saarbrücken 45 – Merzig 21 – Saarburg 24 – ♦Trier 35.

Sporthotel Kurzentrum, Im Besen, ☎ 17 22 50, Telex 445441, Fax 147785, , , , (Halle) – |$| TV – 25/100
M a la carte 50/70 – **54 Z : 74 B** 85 - 149/170 Fb.

Am Holzbachtal, Im Hänfert 39, ☎ 3 50, Fax 1684, , , – P. E VISA
M a la carte 20/45 – **11 Z : 20 B** 45/50 - 75.

WEISMAIN **8628.** Bayern 413 Q 16, 987 ㉖ – 5 000 Ew – Höhe 315 m – ☎ 09575.

♦München 276 – ♦Bamberg 43 – Bayreuth 35 – Coburg 41.

Alte Post, Am Markt 14, ☎ 2 54, – TV
M a la carte 18/36 – **40 Z : 70 B** 45 - 80.

Krone, Am Markt 13, ☎ 12 66, ,
Mitte - Ende Jan. geschl. – **M** *(Samstag geschl.)* a la carte 21/32 – **38 Z : 65 B** 40/50 - 80/90.

WEISSACH **7251.** Baden-Württemberg 413 J 20 – 6 100 Ew – Höhe 350 m – ☎ 07044.

♦ Stuttgart 37 – Heilbronn 74 – ♦Karlsruhe 59 – Pforzheim 28.

In Weissach-Flacht SW : 2 km :

Adler, Leonberger Str. 39, ☎ 3 23 29
(Tischbestellung erforderlich).

Carte stradali Michelin per la Germania :

n° 984 in scala 1/750 000

n° 987 in scala 1/1 000 000

n° 411 in scala 1/400 000 (Schleswig-Holstein, Bassa Sassonia)

n° 412 in scala 1/400 000 (Renania-Vestfalia, Renania-Palatinato, Assia, Saarland)

n° 413 in scala 1/400 000 (Baviera e Bade Wurtemberg)

WEISSENBURG IN BAYERN **8832.** Bayern 413 P 19, 987 ㉖ – 17 000 Ew – Höhe 420 m – ☎ 09141.

Sehenswert: Römer-Museum (Bronze-Statuetten★) und Römer-Thermen★.

Ausflugsziel: Ellingen (Schloß: Ehrentreppe★) N: 4 km.

Städt. Verkehrsamt, Martin-Luther-Platz 3 (Römermuseum), ☎ 90 71 24.

♦München 131 – ♦Augsburg 82 – ♦Nürnberg 55 – ♦Ulm (Donau) 119.

Rose, Rosenstr. 6, ☎ 20 96, Fax 70752, – ☎. AE ① E VISA
M *(Samstag bis 18 Uhr geschl.)* a la carte 37/72 – **29 Z : 50 B** 70/140 - 110/180.

Am Ellinger Tor, Ellinger Str. 7, ☎ 40 19, Fax 73687, – ☎. AE ① E VISA
M *(Sonntag 15 Uhr - Montag geschl.)* a la carte 32/54 – **17 Z : 34 B** 68/78 - 98/104.

Wittelsbacher Hof, Friedrich-Ebert-Str. 21, ☎ 37 95 – ☎. AE ① E VISA
M *(Sonntag 15 Uhr - Montag geschl.)* 16/42 – **19 Z : 36 B** 40/55 - 80/90.

Goldener Adler mit Zim, Marktplatz 5, ☎ 24 00, – ☎. AE E VISA
M *(Okt.- Mai Freitag und Feb. geschl.)* a la carte 22/40 – **11 Z : 19 B** 65/75 - 88/125 Fb.

WEISSENHORN **7912.** Bayern 413 N 22, 987 ㊱ – 11 000 Ew – Höhe 501 m – ☎ 07309.

♦München 146 – Memmingen 41 – ♦Ulm (Donau) 22.

Löwen, Martin-Kuen-Str. 5, ☎ 50 14, Fax 5016 – ☎
1.- 15. Aug. geschl. – Menu *(Tischbestellung ratsam)* (auch vegetarische Gerichte, Sonntag geschl.) a la carte 27/72 – **16 Z : 27 B** 75/90 - 105/130 Fb.

WEISSENSBERG Bayern siehe Lindau im Bodensee.

WEISSENSTADT **8687.** Bayern 413 S 16, 987 ㉗ – 3 800 Ew – Höhe 630 m – Erholungsort – ☎ 09253.

Verkehrsamt, Rathaus, Kirchplatz 1, ☎ 7 11, Fax 1404.

♦München 265 – Bayreuth 36 – Hof 28.

Zum Waldstein, Kirchenlamitzer Str. 8, ☎ 2 70 – ☎
20. Feb.- 3. März und 28. Aug.- 9. Sept. geschl. – **M** *(Montag geschl.)* a la carte 18/42 – **14 Z : 22 B** 35/70 - 70/90.

Welzel, Wunsiedler Str. 4, ☎ 3 62, Fax 8227, Biergarten – . AE ① E VISA
M *(Donnerstag und 6. Jan.- 6. Feb. geschl.)* a la carte 25/59 – **13 Z : 24 B** 45 - 90.

✱ **Egertal,** Wunsiedler Str. 49, ☎ 2 37, Fax 500 – . ① E VISA
Montag - Freitag nur Abendessen, Dienstag und Jan. 3 Wochen geschl. – **M** (Tischbestellung ratsam) a la carte 67/87
Spez. Zander auf Kartoffelsauce, Lammnüßle mit Thymianvinaigrette, Quarkknödel mit Orangensauce.

WEISWEIL **7831.** Baden-Württemberg 413 G 22 – 1 600 Ew – Höhe 173 m – ☎ 07646.

♦Stuttgart 181 – ♦Freiburg im Breisgau 35 – Offenburg 39.

Landgasthof Baumgärtner, Sternenstr. 2, ☎ 3 47 –
Montag - Dienstag 18 Uhr und Aug. geschl. – **M** a la carte 44/70.

WEITENBURG (Schloß) Baden-Württemberg siehe Starzach.

WEITERSTADT Hessen siehe Darmstadt.

WEITNAU **8961.** Bayern 426 C 6 – 3 800 Ew – Höhe 797 m – Erholungsort – Wintersport: 850/980 m 4 3 – ☎ 08375.

♦München 155 – Bregenz 52 – Kempten (Allgäu) 25.

In Weitnau-Wengen NO: 12 km:

Engel, Alpe-Egg-Weg 2 (B 12), ☎ 3 17, – . AE ① E VISA
Nov. 3 Wochen geschl. – **M** *(Dienstag geschl.)* a la carte 22/39 – **18 Z : 32 B** 29/54 - 60/110 – ½ P 51/69.

WEMDING **8853.** Bayern 413 P 20, 987 ㉖ – 5 000 Ew – Höhe 460 m – Erholungsort – ☎ 09092.

Verkehrsamt, Haus des Gastes, ☎ 80 01, Fax 8242.

♦München 128 – ♦Augsburg 70 – Nördlingen 18 – ♦Nürnberg 93.

Meerfräulein, Wallfahrtsstr. 1, ☎ 80 21, Fax 8574, – ☎. AE E VISA
Zim
M *(Dienstag geschl.)* a la carte 30/45 – **48 Z : 90 B** 60 - 105 – ½ P 60/65.

WENDEBURG Niedersachsen siehe Peine.

WENDELSTEIN **8508.** Bayern 413 Q 18 – 13 800 Ew – Höhe 340 m – ☎ 09129.
Siehe Nürnberg (Umgebungsplan).

◆ München 157 – Ingolstadt 84 – ◆Nürnberg 12 – ◆Regensburg 100.

Zum Wenden, Hauptstr. 32, ☎ 22 45, Fax 9343 – TV ☎ . E VISA CT **c**
18. Feb.- 3. März geschl. – **M** *(Montag geschl.)* a la carte 33/56 – **18 Z : 32 B** 83/108 - 98/178.

XX **Ofenplatt'n,** Nürnberger Str. 19, ☎ 34 30 – P CT **v**
Sonntag geschl. – **M** (Tischbestellung ratsam) a la carte 68/86.

WENDEN **5963.** Nordrhein-Westfalen 412 G 14 – 17 000 Ew – Höhe 360 m – ☎ 02762.

Wenden-Ottfingen, ☎ (02762) 75 89.

◆Düsseldorf 109 – ◆Köln 72 – Olpe 11 – Siegen 22.

Zeppenfeld, Bergstr. 3, ☎ 12 46 – TV ☎ P
13 Z : 20 B.

An der Straße nach Hünsborn S : 2 km :

Landhaus Berghof, ✉ 5963 Wenden, ☎ (02762) 50 88 (Hotel) 52 66 (Rest.), ←, – ☎ P.
M *(Montag und Aug. 2 Wochen geschl.)* a la carte 30/60 – **15 Z : 24 B** 65/75 - 96/104.

In Wenden-Brün W : 5,5 km über Gerlingen :

Wacker, Mindener Str. 1, ☎ 80 88, Telex 876623, Fax 6200, , , , , – TV ☎ P – 25/90. Rest
45 Z : 100 B Fb.

WENDLINGEN AM NECKAR **7317.** Baden-Württemberg 413 L 20 – 14 800 Ew – Höhe 280 m – ☎ 07024.

◆Stuttgart 29 – Göppingen 28 – Reutlingen 31 – ◆Ulm (Donau) 69.

Erbschenk garni, Unterboihinger Str. 25, ☎ 79 51, Fax 53182, – TV ☎ P – 30. AE E VISA
28 Z : 46 B 110 - 150/165 Fb.

X Keim mit Zim, Bahnhofstr. 26, ☎ 73 87 – ☎ P – 80
9 Z : 14 B.

In Wendlingen-Unterboihingen :

Löwen, Nürtinger Str. 1, ☎ 73 43, Fax 7385, – TV ☎ P – 30. E
M *(Samstag geschl.)* a la carte 26/52 – **28 Z : 40 B** 75/95 - 120/160 Fb.

WENNINGSTEDT Schleswig-Holstein siehe Sylt (Insel).

WERBELLINSEE Brandenburg siehe Joachimsthal.

WERDOHL **5980.** Nordrhein-Westfalen 411 412 G 13, 987 ⑭ – 21 200 Ew – Höhe 185 m – ☎ 02392.

◆Düsseldorf 104 – Arnsberg 43 – Hagen 39 – Lüdenscheid 15.

In Werdohl-Kleinhammer S : 5 km über die B 229 :

Zum Dorfkrug, Brauck 7, ☎ (02392) 7 02 07 – ☎ P
14 Z : 26 B.

WERL **4760.** Nordrhein-Westfalen 411 412 G 12, 987 ⑭ – 28 100 Ew – Höhe 90 m – ☎ 02922.

Werl-Stadtwald, ☎ (02922) 25 22.

◆Düsseldorf 103 – Arnsberg 25 – Dortmund 37 – Hamm in Westfalen 17 – Soest 15.

Parkhotel Wiener Hof, Hammer Str. 1, ☎ 26 33, Fax 6448, « Gartenterrasse » – TV ☎ P – 25/40. AE E VISA
M a la carte 47/77 – **9 Z : 16 B** 70/90 - 130/145 Fb.

Bartels - Restaurant Kupferspieß, Walburgisstr. 6, ☎ 70 66 (Hotel) 13 22 (Rest.), Fax 85550 – TV ☎ P. AE E VISA
M a la carte 30/65 – **32 Z : 50 B** 70 - 130 Fb.

XX Alte Mühle, Neheimer Str. 53, ☎ 33 39 – P
nur Abendessen.

WERMELSKIRCHEN **5632.** Nordrhein-Westfalen 987 ㉔, 412 E 13 – 34 000 Ew – Höhe 310 m – ☎ 02196.

♦Düsseldorf 52 – ♦Köln 34 – Lüdenscheid 38 – Wuppertal 30.

- **Zur Eich,** Eich 7, ✆ 60 08, Fax 6000 – TV ☎ ⇔ P – 🏅 25/50. AE ⓓ E VISA
  M a la carte 34/58 – **38 Z : 50 B** 75/95 - 130/155 Fb.
- **Zum Schwanen,** Schwanen 1, ✆ 30 07, Fax 84772 – TV ☎ P
  M a la carte 35/71 – **24 Z : 36 B** 88 - 160 Fb.

In Wermelskirchen 2-Dabringhausen SW : 8 km :

- **Gasthof Zur Post** mit Zim, Altenberger Str. 90, ✆ (02193) 20 88, « Antiquitätenausstellung » – TV ☎ P
  Jan. 3 Wochen geschl. – **M** *(Montag - Dienstag 18 Uhr geschl.)* a la carte 56/72 – **8 Z : 11 B** 80 - 120.

WERNAU **7314.** Baden-Württemberg 413 L 20 – 11 400 Ew – Höhe 255 m – ☎ 07153.

♦Stuttgart 32 – Göppingen 21 – Reutlingen 34 – ♦Ulm (Donau) 67.

- **Maître,** Kranzhaldenstr. 3, ✆ 33 75, Fax 39170, 🍽 – TV ☎ P. AE ⓓ E VISA
  M *(nur Abendessen)* a la carte 25/55 – **33 Z : 42 B** 86/90 - 125/150 Fb.
- **Bad Hotel Lämmle,** beim Freibad, ✆ 33 15, Fax 37173, 🍽, ≘s, 🏊, 🌳 – TV ☎ P. AE ⓓ E VISA
  11. Juli - 8. Aug. geschl. – **M** *(nur Abendessen, Samstag geschl.)* a la carte 29/50 – **64 Z : 100 B** 92/115 - 130/155 Fb.
- **Maître** mit Zim, Kirchheimer Str. 83, ✆ 3 02 55 – TV ☎ P. AE ⓓ E VISA
  M *(Freitag geschl.)* a la carte 36/60 – **6 Z : 10 B** 86 - 140.
- **Stadthalle,** Kirchheimer Str. 70, ✆ 3 13 16 – P – 🏅 25/300
  Sonntag 17 Uhr - Montag, 1.- 7. Jan. und 15. Juli - 7. Aug. geschl. – **M** a la carte 35/53.

WERNBERG-KÖBLITZ **8475.** Bayern 413 T 18, 987 ㉗ – 5 000 Ew – Höhe 377 m – ☎ 09604.

♦München 193 – ♦Nürnberg 95 – ♦Regensburg 71 – Weiden in der Oberpfalz 18.

- **Landgasthof Burkhard** mit Zim, Marktplatz 10, ✆ 25 09 – TV ☎ P. E
  Menu *(Donnerstag geschl.)* a la carte 29/65 – **12 Z : 20 B** 75/85 - 110/180.

WERNE **4712.** Nordrhein-Westfalen 411 412 F 11,12, 987 ⑭ – 29 000 Ew – Höhe 52 m – ☎ 02389.

ℹ Touristik-Information, Markt 19 (Stadtsparkasse), ✆ 53 40 80.

♦Düsseldorf 105 – Dortmund 25 – Hamm in Westfalen 15 – Münster (Westfalen) 40.

- **Ickhorn,** Markt 1, ✆ 28 24, Fax 532789 – TV ☎ ⇔. E VISA
  Aug. 3 Wochen geschl. – **M** *(Samstag geschl.)* a la carte 27/47 – **14 Z : 22 B** 65/95 - 100/120.
- Baumhove (Fachwerkhaus a.d.J. 1484), Markt 2, ✆ 22 98, Fax 536223, « Restaurant mit rustikaler Einrichtung » – 🛗 ☎ ⇔
  18 Z : 28 B.

In Werne 3-Stockum O : 5 km :

- **Stockumer Hof,** Werner Str. 125, ✆ 34 39 – P
  27. Dez.- 12. Jan. geschl. – **M** a la carte 25/48 – **13 Z : 19 B** 55 - 98.

WERNECK **8727.** Bayern 413 N 17, 987 ㉖ – 10 000 Ew – Höhe 221 m – ☎ 09722.

♦München 295 – Schweinfurt 13 – ♦Würzburg 27.

- **Krone-Post,** Balthasar-Neumann-Str. 1, ✆ 50 90, Fax 509199 – 🛗 TV ☎ ♿ ⇔ P – 🏅 30. E VISA. ✂ Rest
  M *(Montag bis 17 Uhr geschl.)* a la carte 27/41 – **56 Z : 97 B** 68/110 - 98/130 Fb.

WERNIGERODE **O-3700.** Sachsen-Anhalt 411 P 11, 984 ⑲, 987 ⑯ – 37 000 Ew – Höhe 230 m – ☎ 0037621.

Sehenswert : Rathaus★★ – Fachwerkhäuser★★.

Ausflugsziele : Rübeland (Hermannshöhle★) SO : 14 km.

ℹ Tourist-Information, Breite Str. 12, ✆ 3 30 35.

♦Berlin 236 – ♦Braunschweig 88 – Erfurt 145 – Göttingen 98.

- **Ratskeller,** Markt 1, ✆ 3 27 04 – E
  M a la carte 23/39 🍷.

WERNITZGRÜN Sachsen siehe Markneukirchen.

WERSHOFEN **5489.** Rheinland-Pfalz 412 D 15 - 960 Ew - Höhe 497 m - ☎ 02694.
Mainz 176 - Adenau 19 - ♦Bonn 53.

Pfahl, Hauptstr. 76, ✆ 2 32, Fax 530, ≤, ≘s, ⛱ - 🅟. AE E
7.- 31. Jan. geschl. - **M** *(Dienstag geschl.)* a la carte 29/54 - **22 Z : 46 B** 39/65 - 72/100.

WERTACH **8965.** Bayern 413 O 24, 987 ㊱, 426 D 6 - 2 300 Ew - Höhe 915 m - Luftkurort - Wintersport : 915/1 450 m ≴4 ⛷3 - ☎ 08365.
ℹ Verkehrsamt, Rathaus, ✆ 2 66.
♦München 127 - Füssen 24 - Kempten (Allgäu) 25.

Gasthof Engel - Kupferpfanne, Marktstr. 7, ✆ 2 10, ☂ - ☎ 🅟
5. Nov.- 15. Dez. geschl. - **M** *(Montag geschl.)* a la carte 28/56 - **25 Z : 47 B** 50/95 - 95/120.

Alpengasthof Hirsch, Marktstr. 21, ✆ 4 31, Fax 1522, ☂ - ☎ 🅟
15. Nov.- 20. Dez. geschl. - **M** *(Donnerstag geschl.)* a la carte 25/54 - **10 Z : 20 B** 60/70 - 120/140.

Drei Mühlen, Alpenstr. 1, ✆ 3 34, ⛱ - ☎ 🚗 🅟. ⚘ Zim
21. Okt.- 20. Dez. geschl. - **M** *(Dienstag - Mittwoch geschl.)* a la carte 22/38 ♁ - **20 Z : 40 B** 55 - 90.

WERTHEIM **6980.** Baden-Württemberg 412 413 L 17, 987 ㉕ - 21 700 Ew - Höhe 142 m - ☎ 09342.
Sehenswert : Stiftskirche (Grabdenkmäler★ : Isenburgsches Epitaph★★).
Ausflugsziel : Bronnbach : Klosterkirche★ SO : 9,5 km.
ℹ Fremdenverkehrsgesellschaft, Am Spitzen Turm, ✆ 10 66.
♦Stuttgart 143 - Aschaffenburg 47 - ♦Würzburg 42.

Schwan (mit Gästehaus), Mainplatz 8, ✆ 12 78, ☂ - TV ☎ - 🏛 30. ⚘ Zim
32 Z : 65 B.

Kette, Lindenstr. 14, ✆ 10 01, ☂, ≘s - |‡| ☎ 🚗 - **30 Z : 50 B** Fb.

Bronnbacher Hof, Mainplatz 10, ✆ 77 97, Fax 39977, ☂ - |‡| TV ☎ - **37 Z : 74 B.**

In Wertheim-Bettingen O : 10 km :

✿✿ **Schweizer Stuben** ⛰, Geiselbrunnweg 11, ✆ 30 70, Telex 689190, Fax 307155, ☂, « Hotelanlage in einem Park », ≘s, ⛱ (geheizt), ⛱, 🎾 (Halle) - TV 🅟 - 🏛 30. AE ⓓ E VISA
M *(1.- 26. Jan., Sonntag bis 19 Uhr und Montag - Dienstag 19 Uhr geschl.)* (siehe auch Restaurants Taverna La vigna und Schober) 158/198 und a la carte 95/145 *(Tischbestellung erforderlich)* - **33 Z : 66 B** 210/345 - 260/395 - 11 Appart. 440/990
Spez. Suprême vom Steinbutt, Zicklein mit Olivenölsauce, Lamm in zwei Gängen.

XXX **Taverna La vigna** (Italienische Küche), Geiselbrunnweg 11, ✆ 30 70 (über Schweizer Stuben) - 🅟. AE ⓓ E VISA
Sonntag ab 15 Uhr, Dienstag - Mittwoch 18 Uhr und 28. Jan.- 18. Feb. geschl. - **M** (Tischbestellung ratsam) a la carte 78/88.

XX **Schober,** Geiselbrunnweg 11, ✆ 30 70 (über Schweizer Stuben) - 🅟. AE ⓓ E VISA
Donnerstag und Freitag nur Abendessen, Mittwoch und 2.- 23. Jan. geschl. - Menu a la carte 37/65.

In Wertheim-Dertingen O : 14 km :

Zum Roß, Aalbachstr. 45, ✆ (09397) 2 36, ☂ - 🅟
M *(Donnerstag geschl.)* a la carte 19/30 ♁ - **6 Z : 11 B** 40 - 70.

In Wertheim-Mondfeld W : 10 km - Erholungsort :

Weißes Rössel, Haagzaun 12, ✆ (09377) 12 15, Fax 1309, ☂, ⛱ - TV ☎ 🚗 🅟. AE E VISA
Jan. geschl. - **M** a la carte 24/56 - **11 Z : 22 B** 50 - 85.

In Wertheim-Reicholzheim SO : 7 km - Erholungsort :

Gästehaus Martha ⛰, Am Felder 11, ✆ 78 96, Fax 6655, ≤, ☂, ≘s, ⛱, ⛱ - ☎ 🅟. ⚘ Zim
M a la carte 25/52 ♁ - **10 Z : 18 B** 50/55 - 85/115.

In Kreuzwertheim **6983,** Bayern, auf der rechten Mainseite :

Lindenhof, Lindenstr. 41 (NO : 2 km), ✆ (09342) 10 41, ≤, ☂ - TV ☎ 🚗 🅟
20. Dez.- 14. Jan. geschl. - **M** a la carte 40/67 - **13 Z : 24 B** 80/120 - 120/210 Fb.

Herrnwiesen, In den Herrnwiesen 4, ✆ (09342) 3 70 31, ⛱ - ☎ 🚗 🅟. E
(nur Abendessen für Hausgäste) - **20 Z : 38 B** 75/110 - 110/150.

WERTHER Nordrhein-Westfalen siehe Halle in Westfalen.

WERTINGEN **8857.** Bayern 413 OP 21, 987 ㊱ - 7 000 Ew - Höhe 419 m - ☎ 08272.
♦München 90 - ♦Augsburg 32 - Donauwörth 24 - ♦Ulm (Donau) 74.

Hirsch, Schulstr. 7, ☎ 80 50 - TV ☎ ⇔ P - 25/80. E. ✂ Zim
M *(Freitag 16 Uhr - Samstag und 23. Dez.- 6. Jan. geschl.)* a la carte 18/30 - **28 Z : 40 B** 32/48 - 60/90.

WESEL **4230.** Nordrhein-Westfalen 411 412 C 11,12, 987 ⑬ - 60 000 Ew - Höhe 25 m - ☎ 0281.
Verkehrsverein, Franz-Etzel-Platz 4, ☎ 2 44 98.
♦Düsseldorf 64 - Bocholt 24 - Duisburg 31.

Zur Aue, Reeser Landstr. 14 (B 8), ☎ 2 10 00, Fax 24806 - ☎ P. AE ① E VISA
M a la carte 25/44 - **23 Z : 42 B** 45/65 - 77/110.

Lippeschlößchen, Hindenburgstr. 2 (SO : 2 km), ☎ 44 88, Fax 4733, - P. AE ① E VISA
Dienstag geschl. - **M** a la carte 43/75.

In Wesel 14-Büderich SW : 4 km :

Bürick, Venloer Str. 74 (B 58), ☎ (02803) 10 11, Fax 1013, ☎, ☐, ✂(Halle) - TV ☎ ⇔ P. AE ① E VISA
M *(Montag geschl.)* a la carte 27/57 - **65 Z : 95 B** 75/150 - 110/220 Fb.

Wacht am Rhein, Rheinallee 30, ☎ (02803) 3 02, Fax 1741, ≤, - P - 25/200. ✂ Rest
22. Dez.- 10. Jan. geschl. - **M** a la carte 24/55 - **21 Z : 32 B** 55/65 - 85/130.

In Wesel 14-Feldmark N : 4 km über Reeser Landstraße :

Waldhotel Tannenhäuschen ⑤, Am Tannenhäuschen 7, ☎ 6 10 14, Fax 64153, , ☎, ☐, - |≑| TV ⇔ P - 25/80. AE ① E VISA. ✂ Rest
M a la carte 55/80 - **46 Z : 92 B** 143/163 - 185/210 Fb - 4 Appart. 290.

In Wesel 1-Flüren NW : 5 km :

Waldschenke, Flürener Weg 49, ☎ 7 02 81, - P. AE ① E VISA
Donnerstag, 6.- 28. Feb. und Juli - Aug. 2 Wochen geschl. - **M** a la carte 29/59.

In Wesel-Lackhausen N : 4 km :

Duden Schloß, Konrad-Duden-Str. 99, ☎ 6 20 72 - TV ☎ P - 25/50
16 Z : 32 B Fb.

An der Autobahn A 3 Richtung Arnheim SO : 10 km :

Autobahnrestaurant und Waldhotel, ✉ 4224 Hünxe-Ost, ☎ (02858) 70 57, Fax 2953, - ⇔ Zim TV ☎ ♿ P. AE ① E VISA
M a la carte 27/54 - **25 Z : 45 B** 99/109 - 148/158 Fb.

In Hamminkeln 3-Marienthal **4236** NO : 14 km :

Romantik-Hotel Haus Elmer ⑤, An der Klosterkirche 12, ☎ (02856) 20 41, Fax 2061, « Gartenterrasse » - TV ☎ P - 25/50. ① E VISA. ✂ Zim
M a la carte 46/74 - **25 Z : 45 B** 98/150 - 140/200 Fb.

WESSELING **5047.** Nordrhein-Westfalen 412 D 14 - 30 000 Ew - Höhe 51 m - ☎ 02236.
♦Düsseldorf 55 - ♦Bonn 15 - ♦Köln 12.

Pontivy, Cranachstr. 75, ☎ 4 30 91, Fax 40738, Biergarten, ☎ - TV ☎ P. AE ① E VISA
M *(Samstag bis 18 Uhr geschl.)* a la carte 33/60 - **23 Z : 28 B** 95/145 - 140/220 Fb.

Haus Burum garni, Bonner Str. 83, ☎ 4 10 51, Fax 1406 - |≑| TV ☎ P. E VISA
24 Z : 30 B 65/95 - 100/140.

Kölner Hof mit Zim, Kölner Str. 83, ☎ 4 28 41 - TV ☎ P. AE E VISA. ✂ Zim
M *(Samstag und 15. Juli - 20. Aug. geschl.)* a la carte 30/66 - **8 Z : 11 B** 50/60 - 120.

WESSOBRUNN **8129.** Bayern 413 Q 23, 987 ㊱, 426 F 5 – 1 740 Ew – Höhe 701 m – ☎ 08809
Sehenswert: Benediktinerabtei (Fürstengang★).
◆München 64 – ◆Augsburg 66 – Weilheim 10.

✗ **Zur Post** mit Zim, Zöpfstr. 2, ✆ 2 08, Fax 813, 🏞 – 🚗 🅿
M *(Nov.- April Dienstag geschl.)* a la carte 26/52 – **6 Z : 11 B** 30 - 59.

WESTERHEIM **8941.** Bayern 413 NO 22 – 2 000 Ew – Höhe 580 m – ☎ 08336 (Erkheim).
◆München 102 – ◆Augsburg 83 – Memmingen 12.

In Westerheim-Günz N : 2 km :

Brauereigasthof Laupheimer, Hauptstr. 6, ✆ 76 63 – 🅿 – 🏛 30
24. Dez.- 9. Jan. geschl. – **M** *(Dienstag geschl.)* a la carte 24/49 – **11 Z : 15 B** 30/32 60/64.

WESTERHORN **2205.** Schleswig-Holstein 411 LM 5 – 950 Ew – Höhe 3 m – ☎ 04127.
◆Kiel 80 – ◆Hamburg 50 – Itzehoe 21.

✗ **Landkrog,** Birkenweg 6, ✆ 3 97 – AE ⓓ E
Dienstag - Freitag nur Abendessen, Montag, 1.- 7. Jan. und Juni - Juli 3 Wochen geschl. –
M a la carte 38/67.

WESTERLAND Schleswig-Holstein siehe Sylt (Insel).

WESTERSTEDE **2910.** Niedersachsen 411 G 7, 987 ⑭ – 18 400 Ew – Höhe 13 m – ☎ 04488.
ℹ Tourist-Information, Rathaus, Am Markt, ✆ 18 88, Fax 5555.
◆Hannover 195 – Groningen 110 – Oldenburg 24 – Wilhelmshaven 42.

Voss, Am Markt 4, ✆ 51 90, Fax 6062, ≘s, 🏊 – 🛗 ⇔ Zim 📺 ☎ 🅿 – 🏛 25/200. AE ⓓ E VISA
M a la carte 35/71 – **60 Z : 110 B** 85/115 - 140/180 Fb.

Ammerländer Hof, Langestr. 24, ✆ 22 73, Fax 72486 – 📺 ☎ 🅿. AE ⓓ E VISA
M a la carte 26/41 – **23 Z : 48 B** 68 - 98 Fb.

✗✗ **Zur Linde** mit Zim, Wilhelm-Geiler-Str. 1, ✆ 26 73, 🏞 – 📺 ☎ 🅿. AE ⓓ E VISA
M *(Sonntag geschl.)* a la carte 40/68 – **11 Z : 22 B** 80/90 - 130/140 Fb.

In Westerstede 1-Hollwege NW : 3 km :

Heinemann's Gasthaus, Liebfrauenstr. 13, ✆ 22 47, 🏞 – 📺 ☎ 🚗 🅿. ✻
23. Dez.- 4. Jan. geschl. – **M** *(Sonn- und Feiertage geschl.)* a la carte 21/35 – **18 Z : 32 B** 35/50 - 65/90.

WETTENBERG Hessen siehe Gießen.

WETTRINGEN **4441.** Nordrhein-Westfalen 411 412 EF 10, 987 ⑭, 408 MN 5 – 7 000 Ew – Höhe 55 m – ☎ 02557.
◆Düsseldorf 160 – Enschede 32 – Münster (Westfalen) 37 – ◆Osnabrück 59.

Zur Post, Kirchstr. 4 (B 70), ✆ 70 02, Fax 7004 – ☎ 🚗 🅿
Aug. 2 Wochen geschl. – **M** *(Samstag bis 18 Uhr und Sonntag geschl.)* a la carte 20/38 – **20 Z : 38 B** 44/49 - 82/87.

Zur Sonne, Metelener Str. 8 (B 70), ✆ 12 31 – 🚗 🅿. ✻
M *(nur Abendessen)* a la carte 20/31 – **9 Z : 15 B** 40 - 80.

WETTSTETTEN Bayern siehe Ingolstadt.

WETZLAR **6330.** Hessen 987 ㉔ ㉕, 412 413 I 15 – 52 000 Ew – Höhe 168 m – ☎ 06441.
ℹ Verkehrsamt, Domplatz 8, ✆ 40 53 38, Fax 405395.
ADAC, Bergstr. 2, ✆ 2 66 66, Telex 483718.
◆Wiesbaden 96 ② – Gießen 17 ② – Limburg an der Lahn 42 ⑧ – Siegen 64 ⑧.

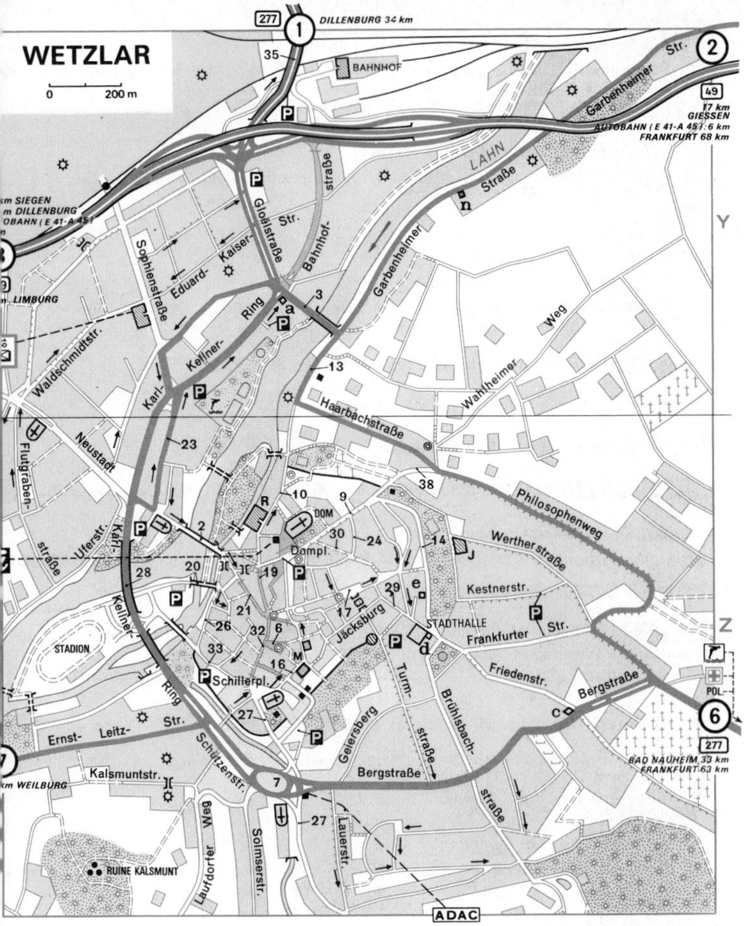

Bahnhofstraße	Y	Eisenmarkt	Z 6	Lottestraße	Z 24
Karl-Lellner-Ring	Y	Friedrich-Ebert-Platz	Z 7	Mühlgrabenstraße	Z 26
Krämerstraße	Z 19	Goethestraße	Z 9	Nauborner Straße	Z 27
Lahnstraße	Z 21	Hauser Gasse	Z 10	Neue Lahnbrücke	Z 28
Langgasse	Z 23	Hausertorstraße	Y 13	Obertorstraße	Z 29
Silhöfer Straße	Z 32	Konrad-Adenauer-Promenade	Z 14	Pfaffengasse	Z 30
		Kornblumengasse	Z 16	Steighausplatz	Z 33
Alte Lahnbrücke	Z 2	Kornmarkt	Z 17	Uberführung	Y 35
Brückenstraße	Y 3	Lahninsel	Z 20	Wöllbachertorstraße	Z 38

Mercure, Bergstr. 41, ✆ 41 70, Telex 483739, Fax 42504, ≘s, ⛶ – |‡| ▤ Rest TV Ⓟ – 25/400. AE E VISA Z **c**
M a la carte 44/62 – **144 Z : 250 B** 165/225 - 185/285 Fb.

Bürgerhof - Restaurant Postreiter, Konrad-Adenauer-Promenade 20, ✆ 4 40 68 (Hotel) 4 28 01 (Rest.), Telex 483735, Fax 47177 – |‡| TV Ⓟ. AE ⓓ E VISA Z **e**
M *(Juni - Juli 3 Wochen geschl.)* a la carte 42/70 ♂ – **44 Z : 74 B** 90/120 - 140/160 Fb.

Wetzlarer Hof, Obertorstr. 3, ✆ 4 80 21, Fax 45482, ☂ – ☎ Ⓟ – 25/50. AE ⓓ E VISA
M a la carte 32/55 – **28 Z : 45 B** 77/99 - 124/150 Fb. Z **d**

Euler Haus garni, Buderusplatz 1, ✆ 4 70 16, Fax 46439 – |‡| TV ☎ Y **a**
21. Dez.- 6. Jan. geschl. – **24 Z : 36 B** 50/90 - 90/120 Fb.

Tapferes Schneiderlein, Garbenheimer Str. 18, ✆ 4 25 51, ☂ – Ⓟ Y **n**
Sonntag - Montag und Juni - Juli 3 Wochen geschl. – **M** *(auch vegetarisches Menu)* a la carte 47/61.

In Wetzlar-Kirschenwäldchen S : 4,5 km über ⑥ :

Stoppelberg ⑤, Kirschenwäldchen 18, ☎ 2 40 15, Fax 25416, « Gartenterrasse » – ☎ 🚗 Ⓟ. ⓓ E VISA. ⚘
M *(Donnerstag geschl.)* a la carte 27/51 🍷 – **14 Z : 30 B** 66/72 - 105/120 Fb -(Anbau mit 14 Z ab Frühjahr 1992).

In Lahnau 3-Atzbach **6335** ② : 7,5 km :

XX **Bergschenke,** Bergstr. 15, ☎ (06441) 6 19 02, Fax 64644, ≤, 🏠 – Ⓟ. AE E
Montag geschl. – **M** a la carte 43/66.

WEYARN **8153.** Bayern 413 S 23, 426 H 5 – 2 700 Ew – Höhe 654 m – ☎ 08020.
♦München 37 – Innsbruck 124 – Salzburg 104.

Im Mangfalltal NW : 2,5 km :

X **Waldgasthaus Maxlmühle,** ✉ 8155 Valley, ☎ (08020) 17 72, 🏠 – Ⓟ. ⓓ
Mittwoch - Donnerstag und 28. Jan.- Feb. geschl. – Menu a la carte 32/57.

WEYERBUSCH Rheinland-Pfalz siehe Altenkirchen im Westerwald.

WEYHAUSEN Niedersachsen siehe Wolfsburg.

WEYHER Rheinland-Pfalz siehe Edenkoben.

WICKEDE (RUHR) **5757.** Nordrhein-Westfalen 411 412 G 12 – 11 600 Ew – Höhe 155 m – ☎ 02377.
♦Düsseldorf 105 – Dortmund 41 – Iserlohn 28.

XX **Haus Gerbens** mit Zim, Hauptstr. 211 (B 63), ☎ 10 13, Biergarten – TV ☎ Ⓟ. AE ⓓ E VISA
M a la carte 38/67 – **8 Z : 12 B** 65 - 110.

WIEDEN **7861.** Baden-Württemberg 413 G 23, 242 ㊱, 216 ⑤ – 500 Ew – Höhe 850 m – Erholungsort – Wintersport : 850/1 100 m, ⛷2, ⛷5 – ☎ 07673 (Schönau).
ℹ Kurbüro, Rathaus, ☎ 3 03.
♦Stuttgart 246 – Basel 50 – ♦Freiburg im Breisgau 44 – Todtnau 11.

Hirschen, Ortsstr. 8, ☎ 10 22, Fax 8516, 🏠, ≘s, 🏊, 🌳, ⚘ – |♦| ☎ 🚗 Ⓟ. E VISA
Mitte Nov.- Mitte Dez. geschl. – **M** *(Montag - Dienstag 17 Uhr geschl.)* a la carte 27/55 🍷 – **28 Z : 60 B** 38/65 - 75/124 Fb.

Moosgrund ⑤ garni, Steinbühl 16, ☎ 79 15, ≤, ≘s, 🌳 – TV Ⓟ
8 Z : 18 B 43 - 76.

An der Straße zum Belchen W : 4 km :

Berghotel Wiedener Eck – Höhe 1 050 m, ✉ 7861 Wieden, ☎ (07673) 10 06, Fax 1009, ≤, 🏠, ≘s, 🏊, 🌳 – |♦| TV ☎ 🚗 Ⓟ. ⓓ E VISA
M a la carte 28/60 – **32 Z : 54 B** 55/70 - 96/140 Fb – ½ P 73/95.

WIEFELSTEDE **2901.** Niedersachsen 411 H 7 – 11 000 Ew – Höhe 15 m – ☎ 04402 (Rastede).
♦ Hannover 188 – Oldenburg 13 – Bad Zwischenahn 14.

Sporthotel Wiefelstede ⑤, Alter Damm 9, ☎ 61 18, Fax 60761, ≘s, ⚘ (Halle) – TV ☎ Ⓟ – 🏛 25/80. AE ⓓ E VISA
M a la carte 27/62 – **55 Z : 120 B** 75 - 125/180 Fb.

XX **Hörner Kroog,** Gristedter Str. 11, ☎ 62 44, Fax 60779, 🏠, « Ammerländer Bauernhaus » – Ⓟ. AE
nur Abendessen, Dienstag und Aug. 2 Wochen geschl. – **M** a la carte 36/64.

WIEHL **5276.** Nordrhein-Westfalen 412 F 14 - 24 000 Ew - Höhe 192 m - ☎ 02262.
Kur- und Verkehrsverein, Rathaus, Bahnhofstraße, ☎ 9 92 00, Fax 99247.
♦Düsseldorf 85 - ♦Köln 48 - Siegen 53 - Waldbröl 17.

Zur Post, Hauptstr. 8, ☎ 90 91, Telex 884297, Fax 92595, Biergarten, ≘s, ⊠ - |‡| TV ☎ Ⓟ - 🏟 25/80. AE ⓓ E VISA
M a la carte 35/79 - **55 Z : 95 B** 80/190 - 120/230 Fb.

Platte, Hauptstr. 25, ☎ 90 75, Fax 97876 - ☎ ⇔ Ⓟ. AE ⓓ VISA
24. Juli - 20. Aug. geschl. - **M** a la carte 31/57 - **17 Z : 33 B** 80/90 - 140/150 Fb.

An der Tropfsteinhöhle S : 2 km :

Waldhotel Hartmann, Pfaffenberg 1, ✉ 5276 Wiehl, ☎ (02262) 90 22, Fax 93400, 🏛, ≘s, ⊠, 🌳 - |‡| TV ☎ ♿ Ⓟ - 🏟 25/50. AE ⓓ E. ✻ Zim
24.- 28. Dez. geschl. - **M** a la carte 28/56 - **40 Z : 74 B** 98/130 - 160/195 Fb.

WIENHAUSEN Niedersachsen siehe Celle.

WIESAU **8597.** Bayern 413 T 17, 987 ㉗ - 4 800 Ew - Höhe 506 m - ☎ 09634.
♦München 274 - Bayreuth 60 - Hof 70 - Weiden in der Oberpfalz 32.

Deutsches Haus, Hauptstr. 61, ☎ 12 32, 🌳 - ⇔ Ⓟ
13 Z : 24 B.

Wenn Sie ein ruhiges Hotel suchen,
benutzen Sie zuerst die Übersichtskarte in der Einleitung
oder wählen Sie im Text ein Hotel mit dem Zeichen ✎ bzw. ✎

WIESBADEN **6200.** - L Hessen 412 413 H 16, 987 ㉔, 984 ㉖ - 260 000 Ew - Höhe 115 m - Heilbad - ☎ 0611.
Wiesbaden-Delkenheim (O : 12 km), ☎ (06122) 5 22 08 ; Wiesbaden-Frauenstein (W : 6 km), ☎ (0611) 82 38 89 ; Chausseehaus (NW : 5 km), ☎ (0611) 46 02 38.
Ausstellungs- und Kongreßzentrum Rhein-Main-Halle (BZ), ☎ 14 40.
Verkehrsbüro, Rheinstr. 15, ☎ 1 72 97 80, Fax 1729799.
Verkehrsbüro, im Hauptbahnhof, ☎ 1 72 97 81.
ADAC, Grabenstr. 5, ☎ 37 70 71, Notruf ☎ 1 92 11.
♦Bonn 153 ① - ♦Frankfurt am Main 41 ② - ♦Mannheim 89 ③.

Stadtplan siehe nächste Seiten

Nassauer Hof - Restaurant Orangerie ✎, Kaiser-Friedrich-Platz 3, ☎ 13 30, Telex 4186847, Fax 133632, 🏛, Massage, ≘s, ⊠ - |‡| ⇹ Zim ▤ Rest TV ⇔ - 🏟 25/120. AE ⓓ E VISA. ✻ BY g
M (siehe auch Rest. **Die Ente vom Lehel**) a la carte 50/87 - **210 Z : 350 B** 330/405 - 455/700 Fb - 22 Appart. 950/2000.

Aukamm-Hotel ✎, Aukamm-Allee 31, ☎ 57 60, Telex 4186283, Fax 576264, 🏛 - |‡| ▤ Rest TV ⇔ Ⓟ - 🏟 25/180. AE ⓓ E VISA über Bierstadter Str. BYZ
Restaurants : **Rosenpark M** a la carte 51/83 - **Imari** (Japanische Küche) **M** a la carte 49/84 - **174 Z : 300 B** 270 - 330 Fb - 14 Appart. 625/975.

Holiday Inn Crowne Plaza, Bahnhofstr. 10, ☎ 16 20, Telex 4064404, Fax 304599, ≘s, ⊠ - |‡| ⇹ Zim ▤ TV ♿ ⇔ - 🏟 25/150. AE ⓓ E VISA BZ s
M *(auch vegetarische Gerichte)* a la carte 51/77 - **234 Z : 350 B** 290/335 - 355/400 Fb - 3 Appart. 500/1500.

Penta-Hotel, Auguste-Viktoria-Str. 15, ☎ 37 70 41, Telex 4186497, Fax 30 39 60, 🏛, ≘s - |‡| ⇹ Zim TV Ⓟ - 🏟 25/400. AE ⓓ E VISA. ✻ Rest BZ e
M a la carte 42/78 - **200 Z : 340 B** 214/304 - 268/344 Fb.

Klee am Park, Parkstr. 4, ☎ 30 50 61, Telex 4186916, Fax 304048, 🏛 - |‡| TV Ⓟ - 🏟 30. AE ⓓ E VISA. ✻
M a la carte 50/77 - **60 Z : 90 B** 160/205 - 225/320 Fb. BY q

Ramada, Abraham-Lincoln-Str. 17, ☎ 79 70, Telex 4186369, Fax 761372, 🏛, ≘s, ⊠ - |‡| ▤ TV ☎ Ⓟ - 🏟 25/70. AE ⓓ E VISA über ②
M a la carte 32/65 - **157 Z : 250 B** 206/396 - 267/492 Fb.

Oranien, Platter Str. 2, ☎ 52 50 25, Telex 4186217, Fax 525020 - |‡| TV ☎ ♿ ⇔ Ⓟ - 🏟 25/100. AE ⓓ E VISA AY r
M *(nur Abendessen, Freitag - Sonntag und 20. Juli - 15. Aug. geschl.)* a la carte 30/44 - **87 Z : 110 B** 115/135 - 179/189.

Fontana garni, Sonnenberger Str. 62, ☎ 52 00 91, Fax 521894 - |‡| TV ☎ Ⓟ. AE ⓓ E VISA. ✻ über Sonnenberger Str. BY
23 Z : 43 B 148/250 - 241/398 Fb.

Hansa Hotel, Bahnhofstr. 23, ☎ 3 99 55, Telex 4186123, Fax 300319 - |‡| ⇹ Zim TV ☎ Ⓟ - 🏟 30. AE ⓓ E VISA - *15. Dez.- 3. Jan. geschl.* - **M** *(Sonntag geschl.)* a la carte 38/57 - **86 Z : 120 B** 110/120 - 160/170 Fb. BZ c

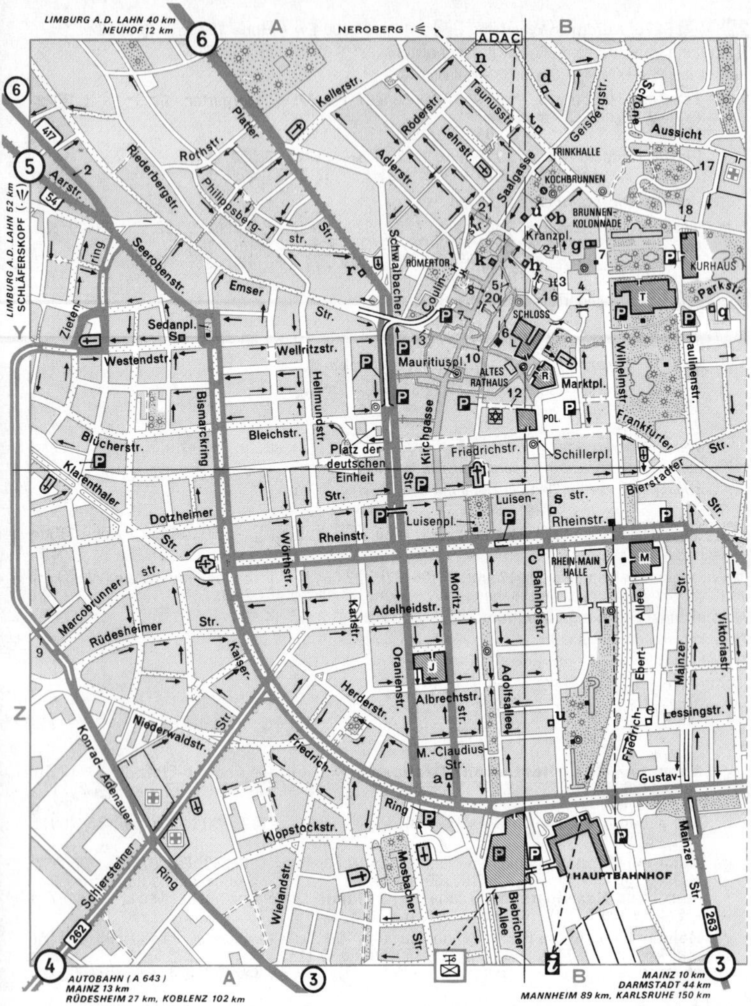

Hotel de France garni, Taunusstr. 49, ☏ 52 00 61, Fax 528174 – ⧖ TV ☎. AE ⓓ E VISA
20. Dez.- 6. Jan. geschl. – **37 Z : 65 B** 120/170 - 180/195 Fb. AY **n**

Bären garni, Bärenstr. 3, ☏ 30 10 21, Fax 301024, Massage, ⊡ – ⧖ TV ☎. AE ⓓ E VISA
60 Z : 90 B 140/180 - 200/280 Fb. ABY **h**

Am Kochbrunnen garni, Taunusstr. 15, ☏ 52 20 01, Fax 373044 – ⧖ TV ☎ ⇔. AE VISA
24 Z : 45 B 90/120 - 130/155. BY **t**

Urbis garni, Kranzplatz 10, ☏ 3 61 40, Fax 3614499 – ⧖ TV ☎. AE ⓓ E VISA BY **b**
132 Z : 184 B 132/162 - 176 Fb.

Klemm garni, Kapellenstr. 9, ☏ 58 20, Fax 582222 – TV ☎. AE ⓓ E VISA BY **d**
60 Z : 100 B 90/120 - 160 Fb.

Am Landeshaus garni, Moritzstr. 51, ☏ 37 30 41, Fax 373044 – ⧖ TV ☎ Ⓟ. AE ⓓ E VISA
22. Dez.- 5. Jan. geschl. – **21 Z : 41 B** 110/120 - 155/160 Fb. AZ **a**

Central Hotel garni, Bahnhofstr. 65, ☏ 37 20 01, Telex 4186604, Fax 372005 – ⧖ ☎
70 Z : 100 B. BZ **u**

WIESBADEN

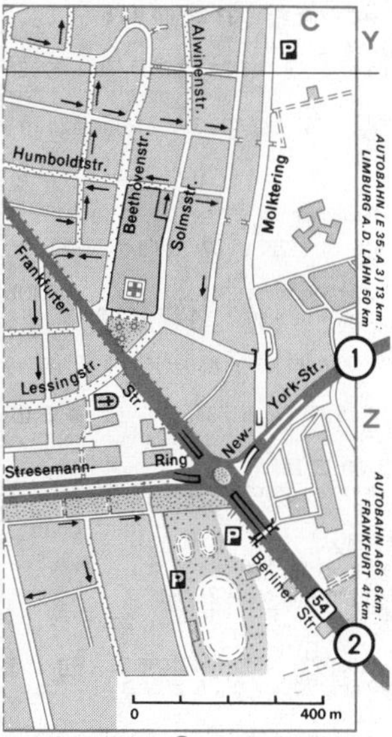

XXXX ✿ **Die Ente vom Lehel,** Kaiser-Friedrich-Platz 3 (im Hotel Nassauer Hof), ✆ 13 36 66, Fax 133632 – ▤. AE ⓓ E VISA. ✗ BY **g**
nur Abendessen, im Bistro auch Mittagessen, Montag, Sonn- und Feiertage sowie Juni - Juli 4 Wochen geschl. – **M** *(bemerkenswerte Weinkarte)* (Tischbestellung erforderlich) 120/160 und a la carte 89/110 – **Bistro** mit ☂ **M** a la carte 65/93
Spez. Steinbutt mit Trüffelsauce, Variation vom Kalb, Ente in zwei Gängen serviert.

XXX **Spielbank Restaurant - Käfer's Bistro,** Kurhausplatz 1 (im Spielcasino, Ausweispflicht), ✆ 53 62 00, Fax 536222 – AE ⓓ E VISA ✗ BY
nur Abendessen, im Bistro auch Mittagessen – **M** a la carte 45/70.

XX **Lanterna** (Italienische Küche), Westendstr. 3, ✆ 40 25 22, ☂ – AE ⓓ E VISA AY **s**
Freitag - Samstag 18 Uhr geschl. – **M** a la carte 62/90.

XX **Alte Krone,** Sonnenberger Str. 82, ✆ 56 39 47, Fax 560914 – AE ⓓ E VISA – **M** a la carte 54/80.
über Sonnenberger Str. BY

X Zboron's Restaurant Alte Münze, Kranzplatz 5, ✆ 52 48 33, ☂ ABY **u**

X Zum Dortmunder (Brauerei Gaststätte), Langgasse 34, ✆ 30 20 96, ☂ AY **k**

In Wiesbaden-Altklarenthal NW : 5 km über Klarenthaler Str. YZ :

🏨 **Landhaus Diedert** ⛰, Am Kloster Klarenthal 9, ✆ 46 10 66, « Gartenterrasse », ☂ – TV ☎ P. AE ⓓ E VISA
27. Dez.- 15. Jan. geschl. – **M** *(Samstag bis 18 Uhr und Montag geschl.)* a la carte 52/80 – **15 Z : 28 B** 150/160 - 200/330.

In Wiesbaden 1-Biebrich S : 4,5 km, über Biebricher Allee AZ :

X **Weihenstephan,** Armenruhstr. 6, ✆ 6 11 34, ☂ – AE E
Samstag geschl. – Menu a la carte 35/68.

In Wiesbaden-Dotzheim W : 3,5 km, über Dotzheimer Str. AZ :

🏨 Rheineck, Stegerwaldstr. 2, ✆ 42 10 61, Fax 429945, ⇌s – TV ☎ P – 🏛 25
(wochentags nur Abendessen) – **38 Z : 68 B** Fb.

In Wiesbaden-Nordenstadt O : 10 km über ② und die A 66, Ausfahrt Nordenstadt :

🏨 **Treff-Hotel,** Ostring 9, ✆ (06122) 80 10, Fax 801164 – |‡| TV ☎ P – 🏛 25/150. AE ⓓ E VISA
M a la carte 33/64 – **144 Z : 204 B** 155/165 - 199 Fb.

🏨 **Gästehaus Stolberg** garni, Stolberger Str. 60, ✆ 40 44, Fax 86 69, ⇌s – TV ☎ ⛟ P
49 Z : 65 B 95 - 130 Fb.

In Wiesbaden-Schierstein ④ : 5 km :

🏨 **Link's Weinstube,** Karl-Lehr-Str. 24, ✆ 2 00 20 – P
20. Juli - 20. Aug. und 15. Dez.- 15. Jan. geschl. – **M** *(nur Abendessen, Freitag-Samstag geschl.)* a la carte 24/41 🍷 – **20 Z : 25 B** 55/65 - 105/120.

WIESENSTEIG **7346.** Baden-Württemberg 413 L 21, 987 ㉟ – 2 500 Ew – Höhe 592 m – Erholungsort – Wintersport : 370/750 m ⛷2, ⛷3 – ✆ 07335.
Ausflugsziel : Reußenstein : Lage★★ der Burgruine ≤★, W : 5 km.
♦Stuttgart 57 – Göppingen 27 – ♦Ulm (Donau) 45.

In Mühlhausen im Täle **7341** NO : 3 km :

🏨 **Bodoni,** Bahnhofstr. 4, ✆ (07335) 50 73, Fax 5076, ⇌s – TV ☎ – 🏛 25. AE ⓓ E VISA
M a la carte 29/51 🍷 – **15 Z : 29 B** 80/90 - 130/140 Fb.

🏨 **Höhenblick** (mit Gästehaus), Obere Sommerbergstr. 10, ✆ (07335) 50 66, Fax 5069, ≤, ⇌s – |‡| TV ☎ P – 🏛 25/80. AE ⓓ E VISA
13. Juli - 3. Aug. und 24. Dez.- 4. Jan. geschl. – **M** *(Sonntag geschl.)* a la carte 22/47 🍷 – **76 Z : 153 B** 55/85 - 90/150.

WIESENTTAL **8551.** Bayern 413 Q 17, 987 ㉖ – 2 500 Ew – Höhe 320 m – Luftkurort – ✆ 09196.

ℹ Rathaus, Marktplatz (Muggendorf), ℰ 7 17.

♦München 226 – ♦Bamberg 38 – Bayreuth 53 – ♦Nürnberg 56.

Im Ortsteil Muggendorf :

🏨 ✿ **Feiler,** Oberer Markt 4, ℰ 3 22, Fax 362, « Innenhofterrasse » – TV ☎ 🚗 P
M *(Nov.- März nur - Freitag 18 Uhr - Sonntag und über Weihnachten geöffnet)* a la carte 57/93 – **14 Z : 29 B** 110/160 - 150/220 Fb – 4 Appart. 300
Spez. Wildkräutermaultaschen in beurre blanc (April - Juli), Bachsaibling in Strudelteig, Waldmeisterschaum mit Erdbeercoulis (April - Juli).

🏨 **Goldener Stern,** Marktplatz 6, ℰ 2 04, Fax 690, ≘s – TV ☎ P
Jan. geschl. – **M** *(Nov.- April Mittwoch geschl.)* a la carte 26/51 🍷 – **25 Z : 40 B** 50/70 - 90/110 Fb.

🏨 **Sonne,** Forchheimer Str. 2, ℰ 7 54, 🌳 – ☎ P. AE ⓓ E
◆ *7.- 30. Jan. geschl.* – **M** *(Nov.- März Montag geschl.)* a la carte 20/38 – **12 Z : 21 B** 47/55 - 90 Fb.

🏠 **Zur Wolfsschlucht,** Wiesentweg 2, ℰ 3 24, 🌳 – 🚗 P
◆ *15.- 22. Jan. und 20. Okt.- Nov. geschl.* – **M** *(Dienstag geschl.)* a la carte 22/35 – **14 Z : 24 B** 38/42 - 66/76.

🏠 **Seybert** 🐌 garni, Oberer Markt 12, ℰ 3 72 – P – *Nov. geschl.* – **14 Z : 24 B** 34/50 - 64/80.

Im Ortsteil Streitberg :

🏨 Stern's Posthotel, Dorfplatz 1, ℰ 5 79, Biergarten, 🌲 – ☎ P – **33 Z : 60 B** Fb.

✕✕ **Altes Kurhaus** mit Zim, ℰ 7 36, 🌲 – ☎ 🚗 P. ⛔ Zim
Jan.- Anfang Feb. geschl. – **M** *(Montag geschl.)* a la carte 31/70 – **7 Z : 12 B** 55/75 - 95/125.

WIESLOCH **6908.** Baden-Württemberg 987 ㉕, 412 413 J 19 – 22 500 Ew – Höhe 128 m – ✆ 06222.

⛳18 Wiesloch-Baiertal, Hohenhardter Hof, ℰ 7 20 81.

♦Stuttgart 102 – Heidelberg 14 – Heilbronn 49 – ♦Karlsruhe 48 – ♦Mannheim 36.

🏨 ✿ **Mondial - Restaurant La Chandelle,** Schwetzinger Str. 123, ℰ 57 60, Fax 576333, 🌳, ≘s, 🌲 – |♦| TV P. AE ⓓ E VISA
M *(Montag und Samstag nur Abendessen, Sonntag, über Fasching 2 Wochen und Juli - Aug. 3 Wochen geschl.)* a la carte 72/94 – **Brasserie M** a la carte 39/62 – **44 Z : 87 B** 130/200 - 170/240 Fb
Spez. Parfait von weißem und grünem Spargel, Lammrücken im Gemüsemantel, Baumkuchenterrine.

✕✕ **Freihof** (historisches Weinrestaurant), Freihofstr. 2, ℰ 25 17, Fax 51634, 🌳 – AE ⓓ E VISA
Dienstag geschl. – Menu a la carte 37/62.

✕✕ **Roberto** mit Zim, Schloßstr. 8, ℰ 5 44 59 – ☎. AE ⓓ E VISA
Juli - Aug. 2 Wochen geschl. – **M** *(Italienische Küche, Dienstag geschl.)* a la carte 36/60 – **10 Z : 16 B** 50/60 - 85/95.

✕ Langen's Turmstuben, Höllgasse 32, ℰ 10 00, 🌳 – P.

✕ **Ratsschenke,** Marktstr. 13 (im neuen Rathaus), ℰ 5 20 06 – E VISA
Montag, 15.- 22. Feb. und 30. Juni - 15. Juli geschl. – **M** a la carte 26/60.

Am Gänsberg SW : 2 km, über Hauptstraße :

🏠 **Landgasthof Gänsberg** 🐌, ✉ 6908 Wiesloch, ℰ (06222) 44 00, Fax 4406, ← – TV ☎ P
◆ *23. Dez.- 11. Jan. geschl.* – **M** *(Montag geschl.)* a la carte 24/45 🍷 – **5 Z : 7 B** 65 - 105.

WIESMOOR **2964.** Niedersachsen 411 G 6, 987 ⑭ – 11 500 Ew – Höhe 10 m – Luftkurort – ✆ 04944.

⛳18 Wiesmoor-Hinrichsfehn (S : 4,5 km), ℰ 30 40.

ℹ Verkehrsbüro, Hauptstr. 199, ℰ 8 74, Fax 1748.

♦Hannover 222 – Emden 47 – Oldenburg 51 – Wilhelmshaven 36.

🏨 Fehn-Hotel garni, Hauptstr. 153, ℰ 10 28 – |♦| ⛔ ☎ P
33 Z : 59 B Fb.

🏨 **Friesengeist,** Am Rathaus 1, ℰ 10 44, Telex 27474, Fax 5369, 🌳, ≘s, 🏊 – |♦| TV ☎ P – 🏛 25/120. AE ⓓ E VISA. ⛔ Rest
M a la carte 34/58 – **34 Z : 60 B** 67/105 - 146/206 Fb.

🏨 **Christophers,** Marktstr. 11, ℰ 20 05, 🌲 – ☎ 🚗 P
Mitte Dez.- Anfang Jan. geschl. – **M** a la carte 30/48 – **34 Z : 56 B** 38/52 - 75/100.

🏠 **Zur Post** 🐌 (mit 🏨 Gästehaus), Am Rathaus 6, ℰ 10 71 – TV ☎ 🚗 P
◆ **M** *(Montag geschl.)* a la carte 23/53 – **21 Z : 42 B** 35/45 - 70/90.

In Wiesmoor-Hinrichsfehn S : 4,5 km, ca. 3,5 km über die Straße nach Remels, dann rechts ab :

✕✕ **Blauer Fasan** 🐌 (mit Gästehaus), Fliederstr. 1, ℰ 10 47, Fax 30477, 🌳, « Blumengarten », ≘s, ⛳18 – TV ☎ P. AE ⓓ E VISA
2. Jan.- Feb. geschl. – **M** a la carte 33/87 – **26 Z : 46 B** 100/110 - 175/189.

WIESSEE, BAD **8182.** Bayern 413 S 23, 987 ㊲, 426 GH 5 – 5 000 Ew – Höhe 730 m – Heilbad – Wintersport : 730/880 m ⛷5 ⛷3 – ☎ 08022.

Sehenswert : Ortsbild★★.

Robognerhof, ☎ 87 69.

Kuramt, Adrian-Stoop-Str. 20, ☎ 8 60 30, Fax 860330.

♦München 54 – Miesbach 19 – Bad Tölz 18.

Lederer am See, Bodenschneidstr. 9, ☎ 82 91, Telex 526963, Fax 829261, ≤, « Park », – Rest
Nov.-Mitte Dez. geschl. – **M** a la carte 41/59 – **96 Z : 150 B** 95/263 - 190/296 – 17 Fewo 145/190 – ½ P 115/185.

Terrassenhof, Adrian-Stoop-Str. 50, ☎ 86 30, Fax 863142, ≤, « Gartenterrasse », Massage,
82 Z : 125 B Fb.

Rex, Münchner Str. 25, ☎ 8 20 91, Fax 83841, « Park »,
10. April - Okt. – (Restaurant nur für Hausgäste) – **62 Z : 90 B** 82/130 - 160/230 – ½ P 100/150.

Landhaus Sapplfeld, Im Sapplfeld 8, ☎ 8 20 67, Fax 83560, Massage, – Rest
10. Nov.- 20. Dez. geschl. – (nur Abendessen für Hausgäste) – **17 Z : 34 B** 110/190 - 178/230 Fb – ½ P 119/160.

Marina - Gästehaus Marinella, Furtwänglerstr. 9, ☎ 8 60 10, Fax 860140, – 40.
8. Nov.- 20. Dez. geschl. – **M** 17 (mittags) und a la carte 27/51 – **32 Z : 52 B** 75/100 - 150/170 Fb.

St. Georg garni, Jägerstr. 20, ☎ 81 97 00, Fax 819611 –
15 Z : 21 B 106/185 - 188/355 Fb.

Alpenrose garni, Freihausweg 7, ☎ 8 11 29, ≤ Tegernsee und Bad Wiessee, « Alpenländische Einrichtung »,
15 Z : 24 B 50/70 - 100/120 Fb.

Toskana, Freihausstr. 27, ☎ 8 36 95,
15. Dez.- 3. Jan. geschl. – (Restaurant nur für Hausgäste) – **17 Z : 28 B** 55/85 - 125/200 Fb – ½ P 80/110.

Landhaus Midas garni, Setzbergstr. 12, ☎ 8 11 50,
13.- 31. Jan. und 8.- 22. Dez. geschl. – **12 Z : 17 B** 85/150 - 140/180 Fb.

Bellevue-Weinstube Weinbauer garni, Hirschbergstr. 22, ☎ 8 40 37, Fax 84033,
27 Z : 50 B Fb.

Resi von der Post, Zilcherstr. 14, ☎ 8 27 88, Fax 83216,
M a la carte 29/56 – **35 Z : 49 B** 68/103 - 120/185 Fb – 3 Appart. 220 – ½ P 79/104.

Kurhotel Edelweiß, Münchner Str. 21, ☎ 8 40 47, – Rest
10. Nov.- 24. Dez. geschl. – (nur Abendessen für Hausgäste) – **40 Z : 56 B** 50/70 - 88/120 Fb – ½ P 64/82.

Concordia garni, Klosterjägerweg 4, ☎ 8 40 16,
Nov.- 20. Dez. geschl. – **36 Z : 50 B** 62/90 - 114/135.

Jägerheim garni, Freihausstr. 12, ☎ 8 17 23,
März - 10. Nov. – **28 Z : 42 B** 50/75 - 100/130.

Roseneck garni, Sonnenfeldweg 26, ☎ 8 40 51, Caféterrasse,
22 Z : 40 B Fb.

Freihaus Brenner, Freihaus 4, ☎ 8 20 04, ≤ Tegernsee und Berge, « Rustikales Berggasthaus »
M (Tischbestellung erforderlich) a la carte 43/85.

Außerhalb W : 2 km – Höhe 830 m

Berggasthof Sonnenbichl, Sonnenbichlweg 1, ✉ 8182 Bad Wiessee, ☎ (08022) 8 40 10, ≤ Tegernsee und Wallberg,
30. März - 9. April geschl. – **M** *(Abendessen nur für Hausgäste, Mittwoch - Donnerstag und 26. Okt.- 22. Dez. geschl.)* a la carte 24/51 – **9 Z : 17 B** 65/117 - 130/180.

Siehe auch : ***Kreuth***

WIGGENSBACH **8961.** Bayern 413 N 23, 426 C 5 – 3 800 Ew – Höhe 857 m – Erholungsort – Wintersport : 857/1 077 m ⛷1 ⛷3 – ☎ 08370.

Hof Waldegg, ☎ 7 33.

Verkehrsbüro, Rathaus, ☎ 84 35.

♦München 133 – ♦ Augsburg 112 – Kempten (Allgäu) 10 – ♦ Ulm (Donau) 87.

Goldenes Kreuz, Marktplatz 1, ☎ 80 90, Fax 80949, – 25/250.
M *(auch vegetarische Gerichte)* a la carte 34/62 – **24 Z : 50 B** 98/135 - 190/250 Fb.

Zum Kapitel, Marktplatz 5, ☎ 2 06.

WILDBAD IM SCHWARZWALD **7547.** Baden-Württemberg 413 I 20, 987 (35) – 10 500 Ew – Höhe 426 m – Heilbad – Luftkurort – Wintersport : 685/769 m 2 4 – 07081.

Verkehrsbüro, König-Karl-Str. 7, 1 02 80, Fax 10290.

Verkehrsbüro in Calmbach, Lindenplatz 5, 1 02 88.

♦Stuttgart 76 – Freudenstadt 39 – Pforzheim 26.

Badhotel Wildbad, Kurplatz 5, 17 60, Fax 176170, Caféterrasse, « Elegante Einrichtung », direkter Zugang zum Eberhardsbad und Kurmittelhaus – – 25/60. E VISA
M 32 (mittags) und a la carte 44/73 – **83 Z : 129 B** 117/157 - 220/250 Fb – 8 Appart. 270/290 – ½ P 135/180.

Valsana am Kurpark, Kernerstr. 182, 13 25, Fax 8612, Badeabteilung, , , – Rest – 25/70
1.- 20. Dez. geschl. – **M** a la carte 36/58 – **35 Z : 65 B** 65/130 - 180/190 Fb.

Bären, Kurplatz 4, 30 10, Fax 8915, – – 35. E VISA
10. Jan.- Feb. geschl. – **M** *(Montag geschl.)* a la carte 35/70 – **44 Z : 56 B** 62/98 - 150/195 Fb – ½ P 103/126.

Weingärtner, Olgastr. 15, 1 70 60, Fax 170670 – .
Mitte Feb.- Mitte Nov. – (Restaurant nur für Hausgäste) – **37 Z : 54 B** 55/71 - 104/111 – ½ P 72/91.

Kurhotel Post garni, Kurplatz 2, 16 11, –
40 Z : 52 B Fb.

Traube, König-Karl-Str. 31, 20 66 –
38 Z : 55 B Fb.

Sonne, Wilhelmstr. 29, 13 31 –
8. Jan.- 9. Feb. geschl. – **M** *(Mittwoch geschl.)* a la carte 23/50 – **23 Z : 40 B** 54/68 - 106/136 Fb.

Gästehaus Rothfuß garni, Olgastr. 47, 16 87, Fax 8017, , , –
Ende Nov.- 20. Dez. geschl. – **30 Z : 43 B** 49/72 - 90/122 Fb.

Alte Linde, Wilhelmstr. 74, 24 77 – . Zim
20. Okt.- 15. Dez. geschl. – **M** *(Montag geschl.)* a la carte 20/38 – **30 Z : 45 B** 42/62 - 84/124 Fb – ½ P 59/79.

Auf dem Sommerberg W : 3 km (auch mit Bergbahn zu erreichen) :

Sommerberghotel , 7547 Wildbad im Schwarzwald, (07081) 17 40, Telex 724015, Fax 174612, Wildbad und Enztal, , « Hirschgehege », Massage, , , – . E
Restaurants (Montag - Dienstag geschl., außer an Feiertagen) : **Bella Vista M** a la carte 57/83 – **Jägerstüble** (regionale Küche) **M** a la carte 41/55 – **90 Z : 120 B** 95/220 - 180/300 Fb – 11 Appart. 400/450 – ½ P 120/185.

Waldhotel Riexinger , 7547 Wildbad im Schwarzwald, (07081) 13 64, , , – . AE VISA
Mitte Nov.- Mitte Dez. geschl. – **M** a la carte 40/60 – **14 Z : 19 B** 49/59 - 96/100 Fb.

In Wildbad-Calmbach N : 4 km – Luftkurort :

Christa-Maria, Eichenstr. 4, 74 52, –
Mitte Feb.- Mitte März geschl. – **M** *(Montag - Dienstag geschl.)* a la carte 32/48 – **10 Z : 19 B** 55 - 96 – ½ P 66.

Sonne, Höfener Str. 15, 64 27 –
Nov. geschl. – **M** *(Montag geschl.)* a la carte 21/32 – **29 Z : 65 B** 38/42 - 60/88.

In Wildbad-Nonnenmiss **7546** SW : 10 km, Richtung Enzklösterle :

Tannenhöh , Eichenweg 33, (07085) 73 71, , , –
M *(Mittwoch ab 15 Uhr geschl.)* a la carte 18/40 – **16 Z : 32 B** 43/55 - 84/100.

WILDBERG **7277.** Baden-Württemberg 413 J 21 – 8 400 Ew – Höhe 395 m – Luftkurort – 07054.

♦Stuttgart 52 – Calw 15 – Nagold 12.

Bären, Marktstr. 15, 51 95, Nagoldtal, – – 50. E. Zim
15. Dez.- 6. Jan. geschl. – **M** *(Samstag geschl.)* a la carte 29/41 – **23 Z : 42 B** 58/68 - 98 Fb – ½ P 68/72.

Krone, Talstr. 68 (B 463), 52 71, Fax 393 – – 25/50. E
7.- 25. Jan. geschl. – **M** a la carte 24/45 – **18 Z : 32 B** 38/70 - 70/120 – ½ P 48/65.

In Wildberg-Schönbronn W : 5 km – Erholungsort :

Zum Löwen, Eschbachstr. 1, 56 01, , – – 40. E
M a la carte 29/47 – **22 Z : 40 B** 50 - 98.

WILDEMANN **3391.** Niedersachsen 411 N 11 - 1 350 Ew - Höhe 420 m - Kneippkurort - Wintersport : 3 - 05323 (Clausthal-Zellerfeld).

Kurverwaltung, Bohlweg 5, 61 11. - ♦Hannover 95 - ♦Braunschweig 82 - Goslar 28.

Waldgarten, Schützenstr. 31, 62 29, - . Zim
5.- 30. Nov. geschl. - **M** *(Montag geschl.)* a la carte 22/50 - **34 Z : 61 B** 50/80 - 95/130 Fb.

Rathaus, Bohlweg 37, 62 61, - . E. Zim
16. Nov.- 15. Dez. geschl. - **M** *(Donnerstag geschl.)* a la carte 19/45 - **11 Z : 19 B** 37/45 - 65/90 - ½ P 46/58.

WILDESHAUSEN **2878.** Niedersachsen 411 I 8, 987 ⑭ - 14 400 Ew - Höhe 20 m - Luftkurort - 04431. - **Sehenswert** : Alexanderkirche (Lage★).

Ausflugsziel : Visbeker Steindenkmäler★ : Visbeker Braut★, Visbeker Bräutigam★ (4 km von Visbeker Braut entfernt) SW : 11 km.

Glaner Straße (NW : 6 km), 12 32. - ♦Hannover 149 - ♦Bremen 38 - Oldenburg 37 - ♦Osnabrück 84.

Am alten Rathaus garni, Kleine Str. 4, 43 56 - - **10 Z : 18 B.**

Stadt Bremen, Huntetor 5 (B 213), 30 30 -
M a la carte 21/42 - **10 Z : 15 B** 35 - 70.

Ratskeller, Markt 1, 33 77.

An der Straße nach Oldenburg N : 1,5 km :

Gut Altona, Wildeshauser Str. 34, 2879 Dötlingen, (04431) 22 30, Fax 1652, , - - 30. AE E VISA
M a la carte 30/53 - **36 Z : 72 B** 75 - 100/120 Fb.

WILDUNGEN, BAD **3590.** Hessen 987 ㉕, 412 K 13 - 16 000 Ew - Höhe 300 m - Heilbad - 05621. - **Sehenswert** : Evangelische Stadtkirche (Wildunger Altar★★).

Talquellenweg, 37 67.

Kurverwaltung, Langemarckstr. 2, 70 41 13, Fax 704107.

♦Wiesbaden 185 - ♦Kassel 44 - Marburg 65 - Paderborn 108.

Maritim Badehotel, Dr.-Marc-Str. 4, 8 60, , Bade- und Massageabteilung, , , - - 25/200. AE E VISA. Rest
M a la carte 37/73 - **74 Z : 100 B** 135/235 - 226/316 Fb - ½ P 113/160.

Bellevue garni, Am Unterscheid 10, 20 18, , - . E
Mitte März - Mitte Nov. - **22 Z : 32 B** 48/59 - 94/110 Fb.

Café Schwarze, Brunnenallee 42, 40 64, Fax 74279, - .
M (tägl. Tanz ab 19.30 Uhr) a la carte 23/45 - **26 Z : 38 B** 38/75 - 68/110.

Homberger Hof, Am Unterscheid 12, 33 50, , , - . Rest
3.- 31. Jan. geschl. - **M** *(Dienstag geschl.)* a la carte 29/53 - **26 Z : 52 B** 45/98 - 90/150 Fb.

Villa Heilquell garni, Hufelandstr. 15, 23 92, Fax 4776 - . E
10. Jan.- 10. Feb. geschl. - **15 Z : 22 B** 55/65 - 105/130.

Rôtisserie Brombach, Langemarckstr. 13 (Neues Kurhaus), 60 70, Fax 704107, - - 25/60. AE E VISA.
Dienstag geschl. - Menu a la carte 29/71.

In Bad Wildungen - Bergfreiheit S : 12 km :

Hardtmühle, Im Urftal 5, (05626) 7 41, Fax 742, , Bade- und Massageabteilung, , , , , - - 25/40. E
10. Jan.- 5. Feb. geschl. - **M** a la carte 29/57 - **36 Z : 60 B** 65/70 - 110/160 Fb.

In Bad Wildungen-Reinhardshausen SW : 4 km über die B 253 :

Haus Orchidee und Haus Mozart garni, Masurenallee 13, 26 30, -
20 Z : 35 B 36/40 - 64/66.

WILGARTSWIESEN **6741.** Rheinland-Pfalz 412 413 G 19, 242 ⑧ - 1 200 Ew - Höhe 200 m - 06392 (Hauenstein).

Mainz 122 - Kaiserslautern 60 - Landau 22 - Pirmasens 24.

Wasgauperle, Bahnhofstr. 1, 12 37
Feb.- März 2 Wochen geschl. - **M** *(Mittwoch geschl.)* a la carte 22/35 - **9 Z : 17 B** 45/60 - 80/90.

WILHELMSFELD **6916.** Baden-Württemberg 412 413 J 18 - 3 000 Ew - Höhe 433 m - Luftkurort - Wintersport : 4 - 06220. - Verkehrsamt, Rathaus, 10 21.

♦Stuttgart 117 - Heidelberg 17 - Heilbronn 66 - ♦Mannheim 27.

Talblick mit Zim, Bergstr. 38, 16 26, , -
6.- 24. Dez. geschl. - **M** *(Montag geschl.)* a la carte 22/40 - **3 Z : 5 B** 35 - 70.

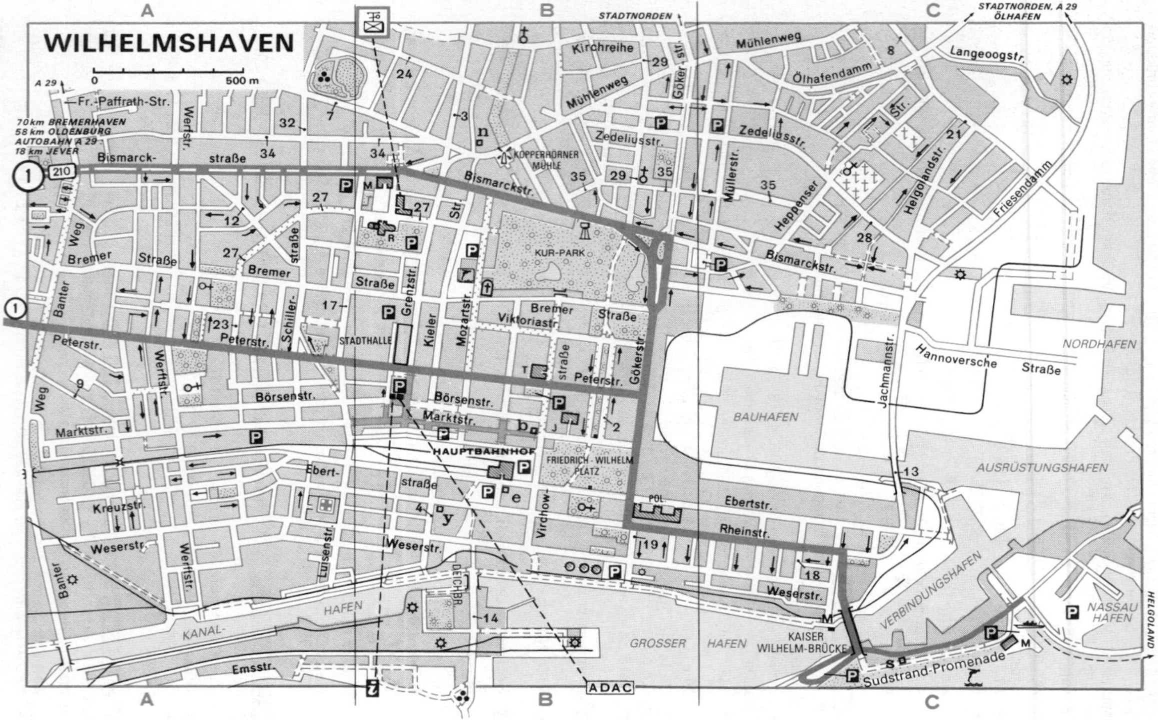

Gokerstraße	B
Marktstraße	AB

Adalbertstraße	B 2
Berliner Straße	B 3
Deichstraße	B 4
Edo-Wiemken-Straße	A 7
Freiligrathstraße	C 8
Genossenschaftsstr	A 9
Hamburger Straße	A 12
Jachmannbrücke	C 13
Jadestraße	B 14
Mitscherlichstraße	A 17
Moselstraße	C 18
Neckarstraße	B 19
Norderneystraße	C 21
Oldeoogestraße	A 23
Papingastraße	B 24
Paul-Hug-Straße	AB 27
Saarbrücker Straße	C 28
Schulstraße	B 29
Siebethsburger Straße	A 32
Stortebekerstraße	AB 34
Ulmenstraße	BC 35

Die Namen der wichtigsten Einkaufsstraßen sind am Anfang des Straßenverzeichnisses in Rot aufgeführt.

WILHELMSHAVEN **2940.** Niedersachsen 411 H 6, 987 ④ ⑭ – 94 000 Ew – Seebad – ☎ 04421.
An der Raffineriestraße, ☎ (04425) 13 22.
Wilhelmshaven-Information, Börsenstr. 55b, ☎ 2 62 61.
ADAC, Börsenstr. 55, ☎ 1 32 22, Telex 253309.
♦Hannover 228 ① – Bremerhaven 70 ① – Oldenburg 58 ①.

Stadtplan siehe vorhergehende Seite

Am Stadtpark, Friedrich-Pfaffrath-Str. 116, ☎ 86 21, Fax 8628, – AE E VISA über Friedrich-Pfaffrath-Straße A
M *(nur Abendessen, Sonntag geschl.)* a la carte 34/59 – **62 Z : 124 B** 122/152 - 204/224 Fb.

Kaiser, Rheinstr. 128, ☎ 4 20 04, Telex 253475, Fax 44242 – 25/70. AE E VISA. Rest B y
M a la carte 25/63 – **80 Z : 140 B** 68/90 - 98/250 Fb.

Seerose garni, Südstrand 112, ☎ 4 33 66, – AE E VISA. C s
15 Z : 25 B 55/80 - 95/105.

Jacobi, Freiligrathstr. 163, ☎ 6 00 51, Fax 61779, – AE E VISA über Freiligrathstr. C
M *(nur Abendessen, Freitag geschl.)* a la carte 31/53 – **15 Z : 25 B** 70/90 - 98/140.

Zur Krone, Ebertstr. 104, ☎ 4 30 48, Fax 42402 – AE E VISA B e
M a la carte 28/59 – **50 Z : 100 B** 68/110 - 98/180 Fb.

Kopperhörner Mühle garni, Kopperhörner Str. 7, ☎ 3 10 72 – AE E VISA B n
23 Z : 40 B 68 - 115/150.

Keil garni, Marktstr. 23, ☎ 4 14 14, Fax 44830 – AE E VISA B b
15 Z : 25 B 58/90 - 98/130.

Ratskeller, Rathausplatz 1, ☎ 2 19 64, Fax 136017 – – 25/60. AE E VISA B R
M a la carte 31/56.

Am Ölhafen NO : 5 km über Ölhafendamm C :

Nordsee-Hotel Wilhelmshaven, Ölhafendamm 205, ✉ 2940 Wilhelmshaven, ☎ (04421) 6 00 73, Fax 60072, – – 40. AE E VISA
M a la carte 42/61 – **32 Z : 60 B** 80/128 - 128/148 Fb.

WILKAU Sachsen siehe Zwickau.

WILLANZHEIM Bayern siehe Iphofen.

WILLEBADESSEN **3533.** Nordrhein-Westfalen 411 412 K 12 – 7 800 Ew – Höhe 250 m – Luftkurort – ☎ 05646. – Tourist-Information, Haus des Gastes, ☎ 5 95.
♦Düsseldorf 199 – Bad Driburg 17 – ♦Kassel 68 – Paderborn 27.

Der Jägerhof, Am Jägerpfad 2, ☎ 13 91, Fax 1441, – – 25/80. E
M a la carte 27/50 – **50 Z : 100 B** 60/80 - 110/150 Fb.

WILLICH **4156.** Nordrhein-Westfalen 412 C 13 – 41 000 Ew – Höhe 48 m – ☎ 02154.
♦Düsseldorf 22 – Krefeld 8 – Mönchengladbach 16.

Hotel am Park garni, Parkstr. 28, ☎ 4 01 13 – AE E VISA
24 Z : 47 B 85/130 - 130/150.

In Willich 3-Schiefbahn S : 3 km :

Stieger (Restauriertes Bauernhaus a.d.J. 1765), Unterbruch 8, ☎ 57 65, Biergarten – AE E – *Samstag bis 17 Uhr und Sonntag geschl.* – **M** a la carte 35/62.

An der Straße von Anrath nach St. Tönis NW : 9 km :

Landhaus Hochbend, Düsseldorfer Str. 11, ✉ 4154 Tönisvorst 2, ☎ (02156) 32 17, – AE E – *Montag geschl.* – **M** a la carte 59/90.

WILLINGEN (Upland) **3542.** Hessen 411 412 I 13, 987 ⑮ – 8 500 Ew – Höhe 550 m – Kneippheilbad – Wintersport : 560/843 m 7 12 – ☎ 05632.
Kurverwaltung, Rathaus, Korbacher Str. 10 (B 251), ☎ 4 01 80.
♦Wiesbaden 208 – ♦Kassel 81 – Lippstadt 62 – Marburg 88 – Paderborn 64.

Kölner Hof, Briloner Str. 48 (B 251), ☎ 60 06, Fax 6000, – – 50
M a la carte 28/58 – **62 Z : 120 B** 90 - 152/174 Fb – 8 Appart. 190/216 – 6 Fewo 70/85 – ½ P 98/130.

Rüters Parkhotel, Bergstr. 3a, ☎ 60 86, Telex 991113, Fax 69445, – – 25/40. E. Rest
M a la carte 35/60 – **47 Z : 82 B** 74/110 - 120/220 Fb.

Göbel, Korbacher Str. 5 (B 251), ☎ 60 91, Fax 6884, – Rest
25. Nov.- 15. Dez. geschl. – **M** *(Donnerstag geschl.)* a la carte 24/47 – **30 Z : 55 B** 75/85 - 150/160 Fb – 5 Fewo 60/110 – ½ P 75/98.

Sporthotel Zum hohen Eimberg, Zum hohen Eimberg 3a, ℘ 60 94, Fax 69061, ≘s, ⊠ – TV ☎ P – 25/40
M a la carte 32/63 – **42 Z : 85 B** 89/145 - 150/280 Fb.

Fürst von Waldeck, Briloner Str. 1 (B 251), ℘ 60 74, Fax 69067, Garten, ≘s, ⊠ – |♦| TV ☎ ⇔ P
26. Nov.- 15. Dez. geschl. – **M** a la carte 23/53 – **30 Z : 53 B** 77/89 - 125/160 Fb – ½ P 66/92.

Waldhotel Willingen ⛰, Am Köhlerhagen 3 (W : 2,5 km), ℘ 60 16, Fax 69039, ≤, ≘s, ⊠, ☞, ✂ (Halle) – ☎ P. AE E VISA. ✻ Rest
M a la carte 35/72 – **38 Z : 70 B** 89/112 - 178/212 Fb – 7 Appart. 300.

Bürgerstuben, Briloner Str. 40 (B 251), ℘ 60 99, Fax 6051, Bade- und Massageabteilung, ≘s, ⊠, ☞ – |♦| TV ☎ ⇔ P – **49 Z : 90 B** Fb – 8 Fewo.

Waldecker Hof, Korbacher Str. 24 (B 251), ℘ 6 93 66, Fax 69946, ≘s, ⊠, ☞ – |♦| TV ☎ ⇔ P
1.- 18. Dez. geschl. – **M** a la carte 25/53 – **39 Z : 61 B** 68/85 - 136/160 Fb.

Willinger Hof, Zum Kurgarten 3, ℘ 68 88, Fax 69895, ≘s, ⊠, ☞ – |♦| TV ☎ ⇔
20. Nov.- 17. Dez. geschl. – **M** a la carte 27/52 – **27 Z : 50 B** 70/85 - 112/120 Fb – ½ P 71/100.

Magdalenenhof, Zum hohen Eimberg 12, ℘ 60 83, ≤, ≘s, ⊠, ☞, ♞ – TV ☎ P. ✻ Rest
15. Nov.- 15. Dez. geschl. – (Restaurant nur für Hausgäste) – **14 Z : 29 B** 66/92 - 116/140 Fb.

Hof Elsenmann, Zur Hoppecke 1, ℘ 6 90 07, Fax 6480, ☞ – TV ☎ P. AE E
Mitte Nov.-Mitte Dez. geschl. – **M** a la carte 28/49 – **17 Z : 30 B** 55/70 - 120/130 Fb – ½ P 69/74.

Wald-Eck ⛰, Hoppecketalstr. 43 (W : 2,5 km), ℘ 6 94 06, ≘s, ⊠, ☞ – TV ⇔ P. ✻ Rest
M a la carte 21/39 – **17 Z : 30 B** 59 - 118 Fb – ½ P 75.

In Willingen-Schwalefeld NO : 3,5 km :

Berghaus Püttmann, Uplandstr. 51, ℘ 62 97, ≤, ≘s, ⊠ – |♦| P
Nov.- 24. Dez. geschl. – **M** a la carte 21/36 – **40 Z : 73 B** 41/45 - 80.

In Willingen-Stryck SO : 3,5 km :

Romantik-Hotel Stryckhaus ⛰, Mühlenkopfstr. 12, ℘ 60 33, Fax 69961, « Garten », ≘s, ⊥ (geheizt), ⊠, ☞ – |♦| TV ♿ ⇔ P – 35. AE ⓓ E VISA. ✻ Rest
M a la carte 42/74 – **61 Z : 100 B** 90/130 - 180/280 Fb – 3 Appart. – ½ P 125/155.

In Willingen 1-Usseln SO : 4,5 km :

Post-Hotel Usseln, Korbacher Str. 14 (B 251), ℘ 50 41, Fax 5040, ≘s, ⊠, ☞ – |♦| TV ☎ ⇔ P – 30. AE ⓓ E VISA. ✻
17. Nov.- Mitte Dez. geschl. – **M** *(Dienstag geschl.)* a la carte 33/62 – **32 Z : 65 B** 69/99 - 120/170 Fb – ½ P 78/117.

Fewotel - Der Sauerland Treff ⛰, Am Schneppelnberg 9, ℘ 3 10, Telex 991128, Fax 31413, ≤, ≘s, ⊠, ☞ – |♦| TV ☎ P – 25/80. ⓓ E VISA
M a la carte 37/56 – **110 Z : 400 B** 89/115 - 158/190 Fb – 24 Fewo 72/145 – ½ P 106/142.

Berghof ⛰, Am Schneppelnberg 14, ℘ 50 91, Fax 5317, ≘s, ⊠, ☞ – |♦| TV ☎ ♿ ⇔ P. AE ⓓ E VISA
M a la carte 28/57 – **23 Z : 45 B** 65/84 -121/158 Fb – 6 Fewo 86/106 – ½ P 83/107.

Stöcker ⛰, Birkenweg 3, ℘ 73 15, ☞ – P. ✻
20. Okt.- 20. Dez. geschl. – (Restaurant nur für Hausgäste) – **10 Z : 18 B** 36/40 - 70/76 – ½ P 45/55.

WILNSDORF

Nordrhein-Westfalen siehe Siegen.

WILSTER

2213. Schleswig-Holstein 411 L 5, 987 ⑤ – 4 400 Ew – Höhe 6 m – ☎ 04823.
♦Kiel 81 – ♦Hamburg 66 – Itzehoe 10.

Busch, Kohlmarkt 38, ℘ 82 52, Fax 6586 – P. AE ⓓ E VISA
M *(nur Abendessen)* a la carte 25/45 – **38 Z : 60 B** 55/80 - 95 Fb.

WIMPFEN, BAD

7107. Baden-Württemberg 987 ㉕, 412 413 K 19 – 6 000 Ew – Höhe 202 m – Heilbad – ☎ 07063. – **Sehenswert :** Wimpfen am Berg★★ : Hauptstraße★ – Wimpfen im Tal : Stiftskirche St. Peter (Kreuzgang★★).
Ausflugsziel : Burg Guttenberg★ : Greifvogelschutzstation N : 8 km.
ℹ Verkehrsamt, Rathaus, Marktplatz, ℘ 5 31 51.
♦Stuttgart 64 – Heilbronn 16 – ♦Mannheim 73 – ♦Würzburg 113.

Am Kurpark ⛰ garni, Kirschenweg 16, ℘ 70 91, ≘s, ☞ – TV ☎ P
8 Z : 16 B 85/115 - 120/140 Fb.

Sonne (mit Gästehaus), Hauptstr. 87, ℘ 2 45 – TV P. ✻
M *(Sonntag ab 18 Uhr und Donnerstag geschl.)* a la carte 35/56 – **20 Z : 37 B** 70 - 120.

WIMSHEIM

Baden-Württemberg siehe Pforzheim.

WINCHERINGEN **5517.** Rheinland-Pfalz 412 C 18, 409 ㉗, 242 ② – 1 400 Ew – Höhe 220 m – ☎ 06583. **Ausflugsziel :** Nennig (Mosaikfußboden★★ der ehem. Römischen Villa) S : 12 km.
Mainz 189 – Luxembourg 34 – Saarburg 13 – ◆Trier 32.

Jung, Am Markt 11, ✆ 2 57 – Ⓟ – **10 Z : 19 B**.

Haus Moselblick mit Zim, Am Mühlenberg 1, ✆ 2 88, ≤ Moseltal, – ☎ Ⓟ. E
27. Dez.- Jan. geschl. – **M** *(Dienstag geschl.)* a la carte 30/59 – **4 Z : 7 B** 35 - 66.

WINDECK **5227.** Nordrhein-Westfalen 987 ㉔, 412 F 14 – 18 600 Ew – Höhe 95 m – ☎ 02292.
Verkehrsverein, Rathausstr. 10 (Rosbach), ✆ 6 01 74.
◆Düsseldorf 114 – ◆Koblenz 77 – Limburg an der Lahn 71.

In Windeck-Schladern :

Bergischer Hof, Elmores Str. 8, ✆ 22 83, – Ⓟ
Juli geschl. – **M** *(Montag geschl.)* a la carte 21/46 – **10 Z : 20 B** 42/49 - 84/96.

WINDELSBACH Bayern siehe Rothenburg ob der Tauber.

WINDEN **7809.** Baden-Württemberg 413 H 22, 242 ㉜ – 2 600 Ew – Höhe 320 m – Erholungsort – ☎ 07682 (Elzach). – Verkehrsamt, Bahnhofstr. 1, ✆ 63 95, Fax 6399.
◆Stuttgart 192 – ◆Freiburg im Breisgau 28 – Offenburg 46.

In Winden-Oberwinden :

Elztal-Hotel Schwarzbauernhof , Rüttlersberg 5 (S : 2 km, über Bahnhofstr.), ✆ 5 14, Fax 17 67, ≤, « Freizeit- und Außenanlagen », , , , , – |‡| TV Ⓟ.
Mitte Nov.- Mitte Dez. geschl. – (Restaurant nur für Hausgäste) – **55 Z : 100 B** (nur ½ P) 96/168 - 166/296 Fb.

Lindenhof, Bahnhofstr. 14, ✆ 3 69, , , – TV ☎ Ⓟ – 25
20. Okt.- 10. Nov. geschl. – **M** *(Dienstag geschl.)* a la carte 25/60 – **21 Z : 40 B** 57/61 - 106/114 Fb – ½ P 74/78.

Waldhorn, Hauptstr. 27 (B 294), ✆ 2 32 – Ⓟ. Rest
Menu *(Mittwoch geschl.)* a la carte 28/57 – **26 Z : 50 B** 48/52 - 72/74 Fb – ½ P 58/62.

Rebstock, Hauptstr. 36, ✆ 2 27 – |‡| Ⓟ
Mitte Okt.- Mitte Nov. geschl. – **M** *(Dienstag geschl.)* a la carte 22/44 – **29 Z : 53 B** 34/41 - 60/74 – ½ P 43/54.

WINDHAGEN Nordrhein-Westfalen siehe Honnef, Bad.

WINDISCHESCHENBACH **8486.** Bayern 413 T 17, 987 ㉗ – 6 000 Ew – Höhe 428 m – ☎ 09681.
Verkehrsamt, Hauptstr. 32, ✆ 17 51, Fax 3860. – ◆München 261 – Bayreuth 49 – ◆Nürnberg 115.

Weißer Schwan, Pfarrplatz 1, ✆ 12 30, – – **28 Z : 35 B** Fb.

Oberpfälzer Hof, Hauptstr. 1, ✆ 7 88 – AE E VISA
10.- 30. Nov. geschl. – **M** *(Mittwoch geschl.)* a la carte 15/34 – **33 Z : 60 B** 35/45 - 65/85 Fb.

In Windischeschenbach-Neuhaus O : 1 km :

Zum Waldnaabtal, Marktplatz 1, ✆ 37 11 – ☎ – **12 Z : 24 B** Fb.

An der B 15 O : 9,5 km :

Igl , ✉ 8481 Püchersreuth-Baumgarten, ✆ (09681) 14 22, Fax 2798, – ☎ Ⓟ.
AE E VISA – **M** a la carte 21/56 – **31 Z : 60 B** 56/60 - 85/90.

WINDORF **8359.** Bayern 413 W 21 – 4 300 Ew – Höhe 306 m – ☎ 08541.
◆München 181 – Passau 20 – ◆ Regensburg 104 – Straubing 72.

In Windorf-Rathsmannsdorf NO : 4,5 km :

Zur Alten Post, Schloßplatz 5, ✆ (08546) 10 37, – Ⓟ. E
M *(Montag geschl.)* a la carte 20/47 – **35 Z : 63 B** 34/66 - 68/84.

WINDSHEIM, BAD **8532.** Bayern 413 O 18, 987 ㉖ – 12 500 Ew – Höhe 321 m – Heilbad – ☎ 09841.
Sehenswert : Fränkisches Freilandmuseum.
Verkehrsamt, Rathaus, Marktplatz, ✆ 9 04 40, Fax 90443.
◆München 236 – Ansbach 33 – ◆Bamberg 72 – ◆Nürnberg 44 – ◆Würzburg 57.

Reichsstadt, Pfarrgasse 20, ✆ 90 70, Fax 7447, , – |‡| Zim TV ☎ – 25/60. E
M a la carte 33/63 – **47 Z : 100 B** 85/120 - 120/175 Fb – ½ P 85/145.

Kurhotel Residenz , Erkenbrechtallee 33, ✆ 9 10, Telex 61526, Fax 912663, , Bade- und Massageabteilung, , , – |‡| TV ☎ Ⓟ – 25/600. AE E VISA
M a la carte 33/60 – **125 Z : 205 B** 106/129 - 158/210 Fb – ½ P 102/129.

Reichel's Parkhotel, Am Stauchbrunnen 7, 20 16, –
20. Dez.- 20. Jan. geschl. – (Restaurant nur für Hausgäste) – **32 Z : 56 B** 75/95 - 100/135 Fb – ½ P 70/115.

Am Kurpark, Oberntiefer Str. 40, 90 20, Fax 90243, – – 40. AE VISA
M *(Sonntag ab 18 Uhr geschl.)* a la carte 30/49 – **30 Z : 52 B** 80/90 - 100/135 Fb – ½ P 72/102.

Goldener Schwan, Rothenburger Str. 5, 50 61 –
M *(Mittwoch und 27. Dez.- 25. Jan. geschl.)* a la carte 24/50 – **22 Z : 37 B** 53/70 - 89/100 – ½ P 64/83.

Zum Storchen, Weinmarkt 6, 20 11, Fax 7140 – VISA
M *(Montag geschl.)* a la carte 24/48 – **18 Z : 30 B** 45/60 - 80/98.

WINGST **2177.** Niedersachsen 411 K 5 – 3 400 Ew – Höhe 25 m – Luftkurort – 04778.

Kurverwaltung, Dorfgemeinschaftshaus Dobrock, 3 12.

♦Hannover 218 – Bremerhaven 54 – Cuxhaven 39 – ♦Hamburg 97.

Waldschlößchen Dobrock, Wassermühle 7, 70 66, Fax 7527, « Park », , – – 25/300. AE VISA
M a la carte 27/56 – **44 Z : 78 B** 65/89 - 110/160 Fb – ½ P 77/111.

Wikings Inn, Schwimmbadallee 6, 80 90, Fax 1234, – – 25/120.
60 Z : 148 B Fb.

Forsthaus Dobrock, Hasenbeckallee 39, 2 90, « Gartenterrasse », – – 25/150
7. Jan.- Feb. geschl. – **M** *(Montag 17 Uhr- Dienstag geschl.)* a la carte 31/63 – **25 Z : 44 B** 58/75 - 100/120 – ½ P 75/90.

Peter (mit Gästehaus), Bahnhofstr. 1 (B 73), 2 79, Fax 7474 – . AE VISA.
Jan. geschl. – **M** *(Nov.- April Montag bis 18 Uhr geschl.)* a la carte 26/40 – **27 Z : 54 B** 60/65 - 100.

WINKLARN Bayern siehe Rötz.

WINKLMOOSALM Bayern siehe Reit im Winkl.

WINNENDEN **7057.** Baden-Württemberg 413 L 20, 987 ㉟ – 21 600 Ew – Höhe 292 m – 07195.

♦Stuttgart 20 – Schwäbisch Gmünd 44 – Schwäbisch Hall 48.

In Winnenden-Birkmannsweiler SO : 3 km :

Heubach-Krone, Hauptstr. 99, 78 53, Fax 71359 –
6.- 29. Juli geschl. – **M** *(Dienstag - Mittwoch geschl.)* a la carte 27/51 – **12 Z : 19 B** 38/70 - 68/98 Fb.

In Winnenden-Bürg NO : 4,5 km :

Schöne Aussicht, Neuffenstr. 18, 7 11 67, ≤ Winnenden und Umgebung, – . AE VISA
M *(Montag geschl.)* a la carte 24/60 – **16 Z : 32 B** 98 - 138 Fb.

In Berglen-Lehnenberg **7069** SO : 6 km :

Blessings Landhotel, Lessingstr. 13, (07195) 78 11, Fax 74099, – – 50. VISA
M *(Donnerstag sowie Jan. und Juli jeweils 2 Wochen geschl.)* a la carte 32/54 – **22 Z : 37 B** 95/105 - 148/158.

In Berglen-Oppelsbohm **7069** SO : 7 km :

Waldhorn (Elsässische Küche), Beethovenstr. 30, (07195) 7 13 02 –
Montag - Dienstag 17 Uhr, Okt.- Mai Montag und Dienstag geschl. – **M** a la carte 32/63.

WINNINGEN **5406.** Rheinland-Pfalz 412 F 16 – 2 600 Ew – Höhe 75 m – 02606.

Verkehrsverein, Rathaus, August-Horch-Str. 3, 22 14.

Mainz 111 – Cochem 38 – ♦Koblenz 11.

Moselblick, an der B 416, 22 75, Fax 1343, ≤, , Biergarten, Bootssteg – – 25/40. AE VISA
27. Dez.- 7. Jan. geschl. – **M** a la carte 28/64 – **34 Z : 68 B** 98 - 165 Fb.

Marktschenke, Am Markt 5, 3 55
Jan. geschl. – **M** *(Dienstag geschl.)* a la carte 20/41 – **11 Z : 21 B** 45/50 - 78/84.

Weinhaus Hoffnung, Fährstr. 37, 3 56
Montag und 15.- 30. Dez. geschl. – **M** a la carte 23/52 .

WINSEN / ALLER Niedersachsen siehe Celle.

WINSEN (LUHE) **2090**. Niedersachsen 411 N 6, 987 ⑮ – 27 000 Ew – Höhe 8 m – ✆ 04171.

Reisebüro, Rathausstr. 2, ✆ 29 10.

◆Hannover 129 – ◆Bremen 112 – ◆Hamburg 34 – Lüneburg 21.

- **Zum weißen Roß,** Marktstr. 10, ✆ 22 76, Fax 61655, « Gemütliche Restauranträume » – TV ☎ P. AE ◑ E VISA
  M *(Donnerstag geschl.)* a la carte 35/63 – **10 Z : 22 B** 75/85 - 110/160.
- **Röttings Hotel,** Rathausstr. 4, ✆ 40 98, Fax 4984 – ☎ P. AE E
  M a la carte 26/56 – **24 Z : 36 B** 45/65 - 80/120 Fb.
- **Schwabenstüble,** Lüneburger Str. 112, ✆ 7 47 67 – P. AE E
  Mittwoch geschl. – M a la carte 37/56.

WINTERBACH Baden-Württemberg siehe Schorndorf.

WINTERBERG **5788**. Nordrhein-Westfalen 412 I 13, 987 ㉔ ㉕ – 14 500 Ew – Höhe 700 m – Heilklimatischer Kurort – Wintersport : 672/841 m ⛷51 ⛷20 – ✆ 02981.

9 an der Straße nach Silbach (NW : 3 km), ✆ 17 70.

Kurverwaltung, Hauptstr. 1, ✆ 70 71, Fax 80057.

◆Düsseldorf 186 – Marburg 60 – Paderborn 79 – Siegen 69.

- ✿ **Waldhaus** ⑤, Kiefernweg 12, ✆ 20 42, Fax 3670, ←, – TV ☎ P. ◑ E VISA
  22. Nov.- 22. Dez. geschl. – M *(Montag geschl.)* 40/90 – **28 Z : 52 B** 40/100 - 110/200 Fb – 2 Fewo 80/90 – ½ P 65/125.
  Spez. Geräucherte Entensülze mit Sauerkrautsauce, Knurrhahn mit Speck in Curry, Mufflon-Crépinette mit Rosmarinsauce.
- **Sporthotel Ambassador** ⑤, Auf der Wallme 5, ✆ 20 75, Fax 2078, – TV ☎ P – 25/50. AE ◑ E VISA
  Ende Nov.- Mitte Dez. geschl. – M *(nur Abendessen)* a la carte 39/67 – **35 Z : 67 B** 105 - 170 Fb – 36 Fewo 130/160 – ½ P 113/133.
- **Zur Sonne,** Schneilstr. 1, ✆ 14 68, – P. ◑.
  April geschl. – M *(Dienstag geschl.)* a la carte 29/53 – **18 Z : 30 B** 50/55 - 100/110 Fb – 2 Fewo 65/85 – ½ P 68/73.
- **Steymann,** Schneilstr. 2, ✆ 70 05, Fax 3619, – ☎ P. ◑ E VISA Rest
  M a la carte 38/58 – **34 Z : 60 B** 65 - 130 Fb – ½ P 80.
- **Engemann-Kurve,** Haarfelder Str. 10 (B 480), ✆ 4 14, – TV ☎ P
  15. April - 15. Mai geschl. – M a la carte 25/44 – **23 Z : 36 B** 50/60 - 94/120 Fb – ½ P 64/77.
- **Winterberger Hof,** Am Waltenberg 33, ✆ 14 84, Fax 2707, Biergarten – P. E
  23. März - 12. April geschl. – M *(Mittwoch geschl.)* a la carte 29/65 – **10 Z : 18 B** 55/70 - 110/150 Fb – ½ P 70/95.
- **Haus Nuhnetal** ⑤ garni, Nuhnestr. 12, ✆ 26 17, – P
  15. April - 14. Mai geschl. – **21 Z : 37 B** 60 - 100.
- **Haus Herrloh** ⑤, Herrlohweg 3, ✆ 4 70, ←, – ☎ P. Rest
  1.- 15. April und 4. Nov.- 4. Dez. geschl. – M *(Mittwoch geschl.)* a la carte 25/55 – **16 Z : 29 B** 34/45 - 68/90 Fb – ½ P 49/60.

An der Straße nach Altastenberg W : 3 km :

- **Berghotel Nordhang - Axel's Restaurant,** In der Renau 5, ✉ 5788 Winterberg, ✆ (02981) 22 09, – TV ☎ P. AE ◑ E VISA
  M a la carte 54/77 – **11 Z : 20 B** 70 - 140 Fb – ½ P 85.

In Winterberg 8-Altastenberg W : 5 km :

- **Berghotel Astenkrone** ⑤, Astenstr 24, ✆ 80 90, Fax 809198, ←, – TV ☎ P – 25/100. AE ◑ E VISA. Rest
  M *(Montag geschl.)* a la carte 43/80 – **42 Z : 80 B** 95/165 - 195/250 Fb – ½ P 130/180.
- **Mörchen,** Astenstr. 8, ✆ 70 38, Fax 1373, – TV ☎ P. AE E
  25. Nov.- 20. Dez. geschl. – M *(auch vegetarische Gerichte)* a la carte 28/59 – **39 Z : 70 B** 70/105 - 140/190 Fb – 3 Appart. 220.
- **Sporthotel Kirchmeier** ⑤, Renauweg 54, ✆ 80 50, Telex 84509, Fax 805111, ←, (Halle) – TV ☎ P – 25/250. AE ◑ E VISA. Rest
  M a la carte 28/60 – **114 Z : 225 B** 90/110 - 180/190 Fb – ½ P 110/140.
- **Haus Clemens** ⑤, Renauweg 48, ✆ 13 58, – TV ☎ P
  12. Nov.- 25. Dez. geschl. – M *(Montag geschl.)* a la carte 24/55 – **16 Z : 27 B** 40/60 - 70/110.

In Winterberg 5-Hildfeld NO : 7 km :

- **Heidehotel** ⑤, Am Ufer 13, ✆ (02985) 80 30, Fax 345, ←, – ☎ P – 25/50
  M 19/35 (mittags) und a la carte 38/59 – **43 Z : 80 B** 92/112 - 160/220 Fb.

In Winterberg 6-Langewiese SW : 7,5 km :

Wittgensteiner Landhaus ⑤, Grenzweg 2, ☎ (02758) 2 88, ≤ Rothaargebirge und Sauerland, ☎, ⚘ – ☎ Ⓟ. ✻ Rest
(Restaurant nur für Hausgäste) – **19 Z : 36 B** 48 - 86 – ½ P 47/52.

In Winterberg 7-Neuastenberg SW : 6 km :

Berghaus Asten, Am Gerkenstein 21, ☎ 18 82, ≤, ⚘, ⚘ – Ⓟ
20. Nov.- 20. Dez. geschl. – **M** *(Mittwoch geschl.)* a la carte 24/40 – **10 Z : 16 B** 37/40 - 74/80.

In Winterberg 5-Niedersfeld N : 8,5 km :

Cramer, Ruhrstr. 50 (B 480), ☎ (02985) 4 71, Fax 1528, ⚘, ☎, ⚘, ⚘ – ☎ Ⓟ – 🏛 30. AE ⓓ E VISA. ✻ Rest
M *(Dienstag geschl.)* a la carte 37/58 – **23 Z : 44 B** 66/76 - 132/152 Fb – ½ P 89/99.

In Winterberg 2-Siedlinghausen NW : 10 km :

Schulte - Werneke ⑤, Alter Hagen 1, ☎ (02983) 82 66, Fax 1221, ⚘, « Garten mit Teich » – TV Ⓟ
26 Z : 49 B Fb.

In Winterberg 4-Silbach NW : 7 km :

Büker, Bergfreiheit 56, ☎ (02983) 3 87, ☎, ⚘ – ☎ Ⓟ – 🏛 40. AE ⓓ E VISA
März - April 3 Wochen und Ende Nov.- Weihnachten geschl. – **M** *(Mittwoch geschl.)* a la carte 29/55 – **19 Z : 34 B** 68/100 - 130/140 Fb.

WINTERBURG **6551.** Rheinland-Pfalz 412 F 17 – 300 Ew – Höhe 350 m – Erholungsort – ☎ 06756.

Mainz 65 – Kirn 25 – Bad Kreuznach 21.

Beck ⑤, Soonwaldstr. 46, ☎ 2 11, ⚘, ⚘ – TV Ⓟ – 🏛 25/80. ✻ Rest
Mitte Nov.- Mitte Dez. geschl. – (Restaurant nur für Hausgäste) – **30 Z : 60 B** 66 - 124 – ½ P 70/74.

WIPPERFÜRTH **5272.** Nordrhein-Westfalen 412 F 13, 987 ㉔ – 21 700 Ew – Höhe 275 m – ☎ 02267.

◆Düsseldorf 67 – ◆Köln 50 – Lüdenscheid 27 – Remscheid 20.

Lohmühle mit Zim, Leiersmühle 25, ☎ 50 30 – TV ☎ Ⓟ. AE E
April und Juli - Aug. jeweils 2 Wochen geschl. – **M** *(wochentags nur Abendessen, Montag geschl.)* a la carte 43/68 – **4 Z : 8 B** 89 - 135.

Zum Schützenhof, Gaulstr. 71, ☎ 93 36 – Ⓟ. AE E
Samstag bis 17 Uhr, Mittwoch, Juli - Aug. 3 Wochen und 23. Dez.- 8. Jan. geschl. – **M** a la carte 29/55.

In Wipperfürth-Neye NW : 1 km :

Neyehotel, Joseph-Mäurer-Str. 2, ☎ 70 19, ⚘, ⚘ – TV ☎ Ⓟ
(Montag - Freitag nur Abendessen) – **15 Z : 24 B**.

Landhaus Alte Mühle ⑤ mit Zim, Neyetal 2, ☎ 30 51, ≤, « Gartenterrasse » – TV ☎ Ⓟ – 🏛 30. AE E
2.- 7. Jan. und 15. Juli - 2. Aug. geschl. – **M** *(Donnerstag geschl.)* a la carte 33/59 – **4 Z : 8 B** 95 - 130/140.

In Wipperfürth-Wasserfuhr NO : 4 km Richtung Halver :

Haus Koppelberg, ☎ 50 51, Fax 2842, ⚘, ⚘ – ☎ Ⓟ. AE E
M *(Montag geschl.)* a la carte 23/48 – **11 Z : 21 B** 60 - 90.

WIRGES Rheinland-Pfalz siehe Montabaur.

WIRSBERG **8655.** Bayern 413 R 16 – 2 000 Ew – Höhe 355 m – Luftkurort – ☎ 09227 (Neuenmarkt).

ℹ Kurverwaltung, Rathaus, Sessenreuther Str. 2, ☎ 8 82.

◆München 250 – Bayreuth 21 – Hof 41.

Romantik-Hotel Post, Marktplatz 11, ☎ 8 61, Fax 5860, ☎, ⚘, ⚘ – 🛗 TV Ⓟ – 🏛 25/50. AE ⓓ E VISA
M a la carte 42/76 – **47 Z : 90 B** 118/158 - 158/238 Fb – 6 Appart. 298.

Reiterhof Wirsberg ⑤, Sessenreuther Str. 50 (SO : 1 km), ☎ 8 88, Fax 7058, ≤, ⚘, Massage, ☎, ⚘, ⚘, ⚘, ⚘ (Halle) – 🛗 TV Ⓟ – 🏛 25/80. AE ⓓ E VISA
M *(Montag-Samstag nur Abendessen)* a la carte 40/63 – **51 Z : 109 B** 125/180 - 170/250 Fb.

Am Lindenberg ⑤, Am Lindenberg 2, ☎ 8 60, ☎, ⚘, ⚘ – 🛗 TV ☎ Ⓟ – 🏛 55. AE ⓓ E
15. Nov.- 1. Dez. geschl. – **M** *(nur Abendessen)* a la carte 20/43 – **27 Z : 55 B** 65/98 - 110/150 Fb.

WISMAR **O-2400.** Mecklenburg-Vorpommern 411 R 5, 984 ⑦, 987 ⑥ – 57 000 Ew – Höhe 14 m – ☎ 0037824. – **Sehenswert:** Marktplatz★ – Nikolaikirche★ (Hauptaltar★).
ℹ Wismar-Information, Am Markt 11, ✆ 29 58.
♦Berlin 238 – ♦Lübeck 59 – ♦Rostock 58 – Schwerin 31.

Alter Schwede, Am Markt 16, ✆ 35 52 – AE E VISA
M a la carte 25/54.

In Neukloster **O-2405** SO : 18 km – ☎ 0037 8248 :

Waldhotel, Rosa-Luxemburg-Str. 28, ✆ 3 01, – **P**. E
6.- 31. Jan. geschl. – **M** a la carte 19/35 – **36 Z : 70 B** 47/57 - 74/120.

WISSEN **5248.** Rheinland-Pfalz 412 G 14, 987 ㉔ – 8 900 Ew – Höhe 155 m – Luftkurort – ☎ 02742.
Mainz 127 – ♦Köln 82 – Limburg an der Lahn 67 – Siegen 39.

Nassauer Hof, Nassauer Str. 2, ✆ 40 07 – TV ☎ **P** – 40 AE ⓓ E VISA
23. Dez. - 6. Jan. geschl. – **M** a la carte 23/55 – **12 Z : 20 B** 65 - 90 – ½ P 85.

WITTDÜN Schleswig-Holstein siehe Amrum (Insel).

WITTEN **5810.** Nordrhein-Westfalen 411 412 F 12, 987 ⑭ – 105 000 Ew – Höhe 80 m – ☎ 02302. – ℹ Verkehrsverein, Marktstr. 16, ✆ 58 15 73, Fax 86653.
♦Düsseldorf 62 – Bochum 10 – Dortmund 21 – Hagen 17.

Parkhotel, Bergerstr. 23, ✆ 58 80, Fax 588555, , Bade- und Massageabteilung, , – TV ☎ **P** – 25/70. AE ⓓ E VISA
M a la carte 35/60 – **65 Z : 130 B** 141 - 182 Fb.

Haus Hohenstein, Hohenstein 32, ✆ 15 61, Fax 1684, , « Kleiner Park », – TV ☎ **P** – 25/100. AE ⓓ E VISA
M *(auch vegetarische Gerichte)* a la carte 30/61 – **33 Z : 41 B** 127/135 - 170 Fb.

Theater-Stuben, Bergerstr. 25 (Städt. Saalbau), ✆ 5 44 40, Fax 23320, – **P** – 25/500
Samstag bis 18 Uhr und 15. Juli - 25. Aug. geschl. – **M** a la carte 34/61.

In Witten-Annen :

Specht, Westfalenstr. 104, ✆ 6 03 93, – ☎ **P**
M *(nur Abendessen, Sonn- und Feiertage nur Mittagessen, 15. Juli - 15. Aug. geschl.)* a la carte 21/37 – **17 Z : 28 B** 50/75 - 90/110.

WITTENBERG (Lutherstadt) **O-4600.** Sachsen-Anhalt 984 ⑲, 987 ⑰ – 51 000 Ew – Höhe 65 m – ☎ 0037451. – **Sehenswert:** Markt★ – Lutherhaus★ – Schloßkirche★ – Stadtkirche (Reformations-Altar★).
Ausflugsziel: Wörlitz : Schloß★ und Park★★ (W : 20 km).
ℹ Wittenberg-Information, Collegienstr. 29, ✆ 22 39.
♦Berlin 78 – Dessau 36 – ♦Dresden 151 – ♦Leipzig 74.

Goldener Adler, Markt 7, ✆ 20 53 – 30 – **40 Z : 80 B** Fb.

WITTENBERGE **O-2900.** Brandenburg 984 ⑪, 987 ⑯ – 30 000 Ew – Höhe 24 m – ☎ 0037 8546.
♦Berlin 150 – Brandenburg 136.

Ratskeller, August-Bebel-Str. 20 (Rathaus), ✆ 34 15.

WITTINGEN **3120.** Niedersachsen 411 P 8, 987 ⑯ – 11 400 Ew – Höhe 80 m – ☎ 05831.
♦Hannover 93 – ♦Braunschweig 65 – Celle 50 – Lüneburg 64.

Nöhre, Bahnhofstr. 2, ✆ 10 15, Fax 7405, , – TV ☎ **P** – 25/100. Zim
M *(nur Abendessen, Sonntag geschl.)* a la carte 19/38 – **30 Z : 50 B** 35/65 - 65/110 Fb.

Rühlings-Hotel, Bahnhofstr. 51, ✆ 4 11 – **P**
Mitte Juli - Mitte Aug. geschl. – **M** *(Sonntag geschl.)* a la carte 22/43 – **11 Z : 15 B** 30/35 - 60/70.

Stadthalle, Schützenstr. 21, ✆ 24 40 – **P** – 25/80
Mittwoch geschl. – **M** 15/27 (mittags) und a la carte 21/48.

WITTLICH **5560.** Rheinland-Pfalz 412 D 17, 987 ㉓ ㉔ – 17 000 Ew – Höhe 155 m – ☎ 06571.
ℹ Fremdenverkehrsverein, altes Rathaus, Marktplatz, ✆ 40 86.
Mainz 129 – ♦Koblenz 91 – ♦Trier 37.

Lindenhof, Am Mundwald (S : 2 km über die B 49), ✆ 69 20, Fax 692502, ≤, , , – TV ☎ **P** – 25/300. AE ⓓ E VISA
M a la carte 37/72 – **40 Z : 80 B** 83/97 - 154/174 Fb – 30 Fewo 105/159.

Well garni, Marktplatz 5, ✆ 70 88, Fax 69883 – TV ☎ AE ⓓ E VISA
21 Z : 40 B 55/75 - 95/100 Fb.

In Dreis **5561** SW : 8 km :

Waldhotel Sonnora, Auf dem Eichelfeld, (06578) 4 06, Fax 1402, ≤, « Garten » –
6. Jan.- 6. Feb. geschl. – **M** *(Tischbestellung ratsam)* (Montag - Dienstag geschl.) 105/128 und a la carte 74/92 – **20 Z : 38 B** 60 - 100/120
Spez. Ravioli von Langustinen in Krustentiersauce, Gegrillter Steinbutt in warmer Nußöl-Vinaigrette, Taube mit Gänseleber im Kohlblatt gedämpft.

WITTMUND **2944.** Niedersachsen 411 G 6, 987 ④ – 19 500 Ew – Höhe 8 m – 04462.

Fremdenverkehrsamt, Rathaus, Knochenburgstr. 11, 83 38.

♦Hannover 237 – Emden 51 – Oldenburg 67 – Wilhelmshaven 26.

In Wittmund-Ardorf SW : 8 km :

Hilgensteen, Heglitzer Str. 20, (04466) 2 89, Biergarten –
Okt.- März Dienstag geschl. – Menu *(auch vegetarisches Menu)* a la carte 33/63.

In Wittmund 2-Harlesiel N : 14 km :

Wien, Am Yachthafen 32, (04464) 2 59, ≤, –
18 Z : 31 B.

WITTSTOCK **O-1930.** Brandenburg 984 ⑪, 987 ⑰ – 14 000 Ew – Höhe 66 m – 0037363.

♦Berlin 108 – Brandenburg 110 – ♦Frankfurt/Oder 215.

In Heiligengrabe **O-1931** W : 6 km :

Heiligengraber Krug mit Zim, Wittstocker Str. 31, (003736392) 2 42 – 35
M *(Montag ab 15 Uhr geschl.)* a la carte 20/34 – **7 Z : 10 B** 45/55 - 60/80.

WITZENHAUSEN **3430.** Hessen 411 412 M 12, 987 ⑮ – 18 700 Ew – Höhe 140 m – 05542.

Städt. Verkehrsamt, Rathaus, 57 45, Fax 72157.

♦Wiesbaden 248 – Göttingen 26 – ♦Kassel 36.

Stadt Witzenhausen garni, Am Sande 8, 40 41, Fax 71971 – AE E VISA
21 Z : 40 B 60 - 85/90 Fb.

Zur Burg garni, Oberburgstr. 10, 25 06 – E VISA
20 Z : 39 B 48/52 - 80/98.

In Witzenhausen 11-Dohrenbach S : 4 km – Luftkurort :

Zum Stern, Rainstr. 12, 30 93, Fax 71097, – AE E
M a la carte 25/54 – **12 Z : 24 B** 55 - 90 – ½ P 45/50.

Zur Warte, Warteweg 1, 30 90, – E
M *(Donnerstag geschl.)* a la carte 19,50/41 – **18 Z : 32 B** 46 - 90 Fb.

WITZWORT Schleswig-Holstein siehe Husum.

WÖRISHOFEN, BAD **8939.** Bayern 413 O 22,23, 987 ㊱, 426 D 4 – 13 500 Ew – Höhe 626 m – Kneippheilbad – 08247.

Rieden, Schlingener Str. 27 (SO : 8 km), (08346) 7 77 ; Türkheim, Augsburger Str. 51 (N : 9 km), (08245) 33 22.

Städt. Kurdirektion im Kurhaus, Hauptstr. 16, 35 02 55.

♦München 80 – ♦Augsburg 50 – Kempten (Allgäu) 55 – Memmingen 43.

Kurhotel Residenz, Bahnhofstr. 8, 35 20, Telex 531534, Fax 352214, Bade- und Massageabteilung, (geheizt), – 40. AE E
21. Nov.- 20. Dez. geschl. – **M** a la carte 46/75 – **113 Z : 185 B** 135/255 - 260/430 Fb – 33 Appart. 320/520 – 15 Fewo 100/140 – ½ P 180/310.

Kurhotel Tanneck, Hartenthaler Str. 29, 30 70, Telex 531522, Fax 307280, Bade- und Massageabteilung, (geheizt), – – 60.
(Restaurant nur für Hausgäste) – **110 Z : 170 B** 80/190 - 150/260 Fb – 7 Appart. 340/420 – ½ P 105/240.

Kurhotel Kreuzer, F.-Kreuzer-Str. 1a, 35 30, Fax 353138, Massage, – AE
23. Nov.- 18. Jan. geschl. – **M** *(auch Diät und vegetarische Gerichte)* (Donnerstag geschl.) a la carte 37/66 – **100 Z : 140 B** 90/210 - 180/260 Fb – 6 Appart. 320/370 – 7 Fewo 130/270 – ½ P 140/235.

Der Sonnenhof, Hermann-Aust-Str. 11, 40 21, Telex 539122, Fax 8938, Bade- und Massageabteilung, –
Mitte Nov.- Ende Jan. geschl. – **M** *(auch Diät)* a la carte 59/78 – **98 Z : 150 B** 115/240 - 200/300 Fb – 12 Appart. 310/340 – ½ P 133/248.

Kneipp-Kurhotel Fontenay, Eichwaldstr. 10, 30 60, Fax 306185, Massage, – Rest. AE E.
(Restaurant nur für Hausgäste) – **50 Z : 60 B** 100/180 - 180/260 Fb – 3 Appart. 280/360 – ½ P 115/180.

Kur- und Sporthotel Tannenbaum, Am Tannenbaum 1, 3 00 80, Fax 300820, Bade - und Massageabteilung, – 40. AE E VISA. Zim
M a la carte 33/54 – **45 Z : 70 B** 80/169 - 180/290 Fb – ½ P 105/155.

Kurhotel Edelweiß, Bürgermeister-Singer-Str. 11, 3 50 10, Bade- und Massageabteilung, – Zim
Dez. - 10. Jan. geschl. – (Restaurant nur für Hausgäste) – **52 Z : 80 B** 60/110 - 110/190 Fb.

Kurhotel Eichinger, Hartenthaler Str. 22, 20 37, Massage, –
(Restaurant nur für Hausgäste) – **34 Z : 55 B** 55/70 - 90/130 Fb – 2 Fewo 87 – ½ P 79/84.

Kurhotel Eichwald, Eichwaldstr. 20, 60 94, Massage, – Rest
Nov.- 22. Dez. geschl. – **M** *(auch Diät)* a la carte 29/49 – **53 Z : 95 B** 90/110 - 160/180 Fb – ½ P 130/150.

Kurhotel Sonnengarten, Adolf-Scholz-Allee 5, 30 90, Fax 1068, Bade- und Massageabteilung, – Zim – 25/100. AE E VISA
M a la carte 32/51 – **78 Z : 116 B** 80/130 - 160/340 Fb – ½ P 90/180.

Kurhotel Brandl, Hildegardstr. 3, 20 56, Fax 2058, Bade- und Massageabteilung, – Rest
Dez.- Mitte Feb. geschl. – (Restaurant nur für Hausgäste) – **24 Z : 36 B** 78/130 - 138/206 Fb – ½ P 97/134.

Allgäuer Hof, Türkheimer Str. 2, 50 98, Fax 5090, – AE E VISA.
6.- 20. Juli geschl. – **M** a la carte 28/55 – **32 Z : 48 B** 78/88 - 106/118 Fb.

Alpenhof, Gammenrieder Str. 6, 3 00 50, Fax 300568, Massage, –
Mitte Nov.- Mitte Jan. geschl. – (Restaurant nur für Hausgäste) – **24 Z : 37 B** 55/79 - 100/158 Fb.

Adler, Hauptstr. 40, 20 91, Fax 2095, – AE E VISA
M *(Freitag geschl.)* a la carte 21/39 – **48 Z : 65 B** 36/55 - 80/110 Fb.

Löwenbräu, Hermann-Aust-Str. 2, 50 56, –
15. Dez.- 7. Jan. geschl. – **M** *(auch Diät und vegetarische Gerichte)* (Montag - Dienstag 17 Uhr geschl.) a la carte 25/49 – **22 Z : 32 B** 63/78 - 112/148 Fb – 6 Fewo 50/80.

Schwabenhof garni, Füssener Str. 12 (Eingang am Trieb), 50 76, Fax 4292, Massage, –
Dez.- Jan. geschl. – **22 Z : 33 B** 55/90 - 110/160 Fb.

Sonnenbüchl mit Zim, Sonnenbüchl 1, 67 91, – AE E
7. Jan.- 1. Feb. geschl. – Menu *(auch vegetarische Gerichte)* (Donnerstag ab 15 Uhr und Montag geschl.) a la carte 34/65 – **4 Z : 7 B** 60/80 - 120/140.

Landhaus Alfons, Kaufbeurer Str. 6, 67 50, – E
Dienstag, 9. Jan.- 9. Feb. und 30. Juni - 10. Juli geschl. – **M** a la carte 32/58.

In Bad Wörishofen 3-Schlingen SO : 4 km :

Jagdhof, Allgäuer Str.1, 48 79, Fax 2534 – AE E
2. Jan.- 6. Feb. und außer an Feiertagen Montag - Dienstag geschl.) – **M** a la carte 38/69.

WOERLITZ **O-4414.** Sachsen-Anhalt 984 ⑲ 987 ⑰ – 2 000 Ew – Höhe 63 m – 0037 4795.

Sehenswert: Schloß und Park ★★.

Magdeburg 78 – ◆Berlin 115 – Dessau 36 – Wittenberg 21.

Zum Stein, Erdmannsdorffstr. 228, 3 54, Biergarten – – 25/50. Zim
20 Z : 40 B Fb.

WÖRTH AM RHEIN **6729.** Rheinland-Pfalz 412 413 H 19, 987 ㉔㉕ – 18 400 Ew – Höhe 104 m – 07271.

Mainz 154 – ◆Karlsruhe 12 – Landau in der Pfalz 23.

Anker, Wilhelmstr. 7, 7 93 66 –
16 Z : 27 B.

In Wörth-Maximiliansau SO : 1,5 km :

Einigkeit, Karlstr. 16, 44 44
Sonntag und Juli - Aug. 2 Wochen geschl. – **M** a la carte 42/66.

If you write to a hotel abroad, enclose an International Reply Coupon (available from Post Offices).

WÖRTH AN DER DONAU **8404.** Bayern 413 U 19,20, 987 ㉗ – 3 800 Ew – Höhe 360 m – ☎ 09482.

♦München 147 – ♦Regensburg 25 – Straubing 23.

Butz, Kirchplatz 3, ☎ 22 46, Fax 2459 – TV ☎ P
54 Z : 80 B.

WÖRTHSEE **8031.** Bayern 413 Q 22, 426 F 4 – 4 000 Ew – Höhe 590 m – ☎ 08153.

Gut Schluifeld, ☎ 38 72.

♦München 32 – Augsburg 55 – Garmisch-Partenkirchen 75.

In Wörthsee-Auing :

Florianshof garni, Hauptstr. 48, ☎ 88 20, Fax 88298, ≘s, ✂ – TV ☎ P. E
50 Z : 93 B 45/60 - 75/80 Fb.

In Wörthsee-Etterschlag :

Geierhof garni, Inninger Str. 4, ☎ 88 40 – TV ☎ P
34 Z : 68 B Fb.

WOLFACH **7620.** Baden-Württemberg 413 H 22, 987 ㉞ ㉟ – 6 000 Ew – Höhe 262 m – Luftkurort – ☎ 07834.

Sehenswert : Dorotheen-Glashütte.

Kur- und Verkehrsamt, Hauptstr. 28, ☎ 9 75 34, Fax 97536.

♦Stuttgart 137 – ♦Freiburg im Breisgau 58 – Freudenstadt 38 – Offenburg 40.

Hecht, Hauptstr. 51, ☎ 5 38 – ☎ P. ⓓ E VISA
5. - 31. Jan. geschl. – **M** *(Montag bis 18 Uhr geschl.)* a la carte 25/50 – **13 Z : 24 B** 52 - 90 – ½ P 62/69.

Schwarzwaldhotel, Kreuzbergstr. 26, ☎ 40 11, – TV P
Mitte März - Okt. – (nur Abendessen für Hausgäste) – **10 Z : 16 B** 54/68 - 110/130 – ½ P 75/88.

In Wolfach-Kirnbach S : 5 km :

Sonne, Talstr. 103, ☎ 69 55, Fax 4696 – TV ☎ P. AE ⓓ E VISA
Nov. geschl. – **M** *(Montag geschl.)* a la carte 24/55 – **18 Z : 36 B** 60/75 - 100/170 Fb – ½ P 68/103.

In Wolfach-St. Roman NO : 12 km – Höhe 673 m :

Adler (mit Gästehaus), ☎ (07836) 3 42, Fax 7434, Wildgehege, ≘s, – ☎ P – 25/70. E
7.- 19. Jan. geschl. – **M** *(Montag geschl.)* a la carte 25/52 – **28 Z : 55 B** 68 - 109/126 Fb – ½ P 72/85.

WOLFEGG **7962.** Baden-Württemberg 413 M 23, 987 ㊱, 427 N 2 – 3 000 Ew – Höhe 673 m – Luftkurort – ☎ 07527.

Verkehrsamt, Rathaus, Rötenbacher Str. 11, ☎ 62 71.

♦Stuttgart 167 – Bregenz 46 – Ravensburg 17 – ♦Ulm (Donau) 76.

Zur Post (mit Gästehaus, ≘s), Rötenbacher Str. 5, ☎ 68 52, Fax 5116, – ☎ P. E
17.- 31. März geschl. – **M** *(Dienstag geschl.)* a la carte 22/36 – **20 Z : 38 B** 48/55 - 80/85 Fb – ½ P 58/66.

WOLFENBÜTTEL **3340.** Niedersachsen 411 O 10, 987 ⑯ – 50 000 Ew – Höhe 75 m – ☎ 05331.

Sehenswert : Stadtbild★★ – Fachwerkhäuser★★ – Stadtmarkt★ – Schloß (Turm★).

Tourist-Information, Stadtmarkt 9, ☎ 8 64 87, Fax 86444.

♦Hannover 74 ⑤ – ♦Braunschweig 12 ⑤ – Goslar 31 ②.

Stadtplan siehe gegenüberliegende Seite

Landhaus Dürkop garni, Alter Weg 47, ☎ 70 53, Fax 72638, ≘s – TV ☎ P. AE E über ⑤
30 Z : 51 B 85/89 - 130/170 Fb.

Bayrischer Hof, Brauergildenstr. 5, ☎ 50 78, Fax 29286, Biergarten – TV ☎ s
M a la carte 26/55 – **18 Z : 29 B** 80/100 - 140/150 Fb.

Waldhaus, Adersheimer Str. 75, ☎ 4 32 65, Fax 41050 – ☎ P. AE ⓓ E VISA über ③
M a la carte 36/63 – **35 Z : 64 B** 93/103 - 145/155 Fb.

Altstadt, Harzstr. 1, ☎ 2 74 74, Fax 6042 a
Dienstag geschl. – **M** 21/26 (mittags) und a la carte 39/65.

In Wolfenbüttel-Ahlum über ① : 4 km :

Landhaus Spill, Adenemer Weg 25, ☎ 70 61, Fax 76472, Biergarten – TV ☎ P. AE ⓓ E VISA
M a la carte 33/55 – **30 Z : 53 B** 105/115 - 140/165 Fb.

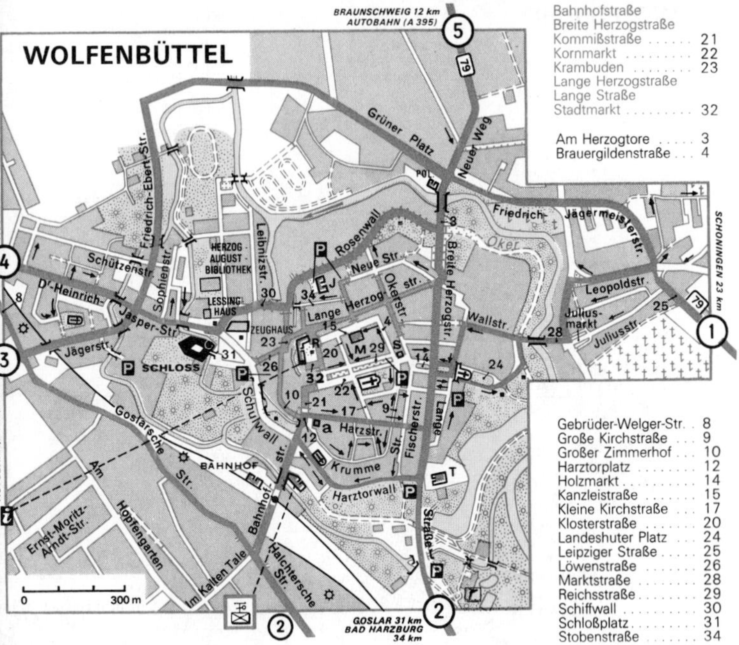

Bahnhofstraße
Breite Herzogstraße
Kommißstraße 21
Kornmarkt 22
Krambuden 23
Lange Herzogstraße
Lange Straße
Stadtmarkt 32

Am Herzogtore 3
Brauergildenstraße ... 4

Gebrüder-Welger-Str. .. 8
Große Kirchstraße ... 9
Großer Zimmerhof ... 10
Harztorplatz 12
Holzmarkt 14
Kanzleistraße 15
Kleine Kirchstraße ... 17
Klosterstraße 20
Landeshuter Platz ... 24
Leipziger Straße 25
Löwenstraße 26
Marktstraße 28
Reichsstraße 29
Schiffwall 30
Schloßplatz 31
Stobenstraße 34

WOLFERTSCHWENDEN **8941.** Bayern 413 N 23, 426 C 5 – 1 300 Ew – Höhe 676 m – ☎ 08334 (Grönenbach). – ◆München 129 – Kempten (Allgäu) 27 – Memmingen 15.

- **Weißenhorn,** Hauptstr. 4, ✆ 2 20, – ☎ P. Zim
  über Pfingsten 2 Wochen und Ende Nov. 1 Woche geschl. – **M** *(Montag geschl.)* a la carte 28/58 – **12 Z : 24 B** 60/68 - 108.

WOLFHAGEN **3549.** Hessen 411 412 K 13, 987 ⑮ – 13 000 Ew – Höhe 280 m – ☎ 05692.
◆Wiesbaden 238 – ◆Kassel 31 – Paderborn 68.

- **Zum Schiffchen** (Fachwerkhaus a.d. 16. Jh.), Hans-Staden-Str. 27, ✆ 22 75, Fax 8761 – TV ☎ P. AE E VISA
  2.- 17. Jan. geschl. – **M** *(Sonntag 15 Uhr - Montag 17 Uhr geschl.)* a la carte 21/43 – **19 Z : 28 B** 35/45 - 70/80 Fb.

WOLFRAMS-ESCHENBACH **8802.** Bayern 413 P 19 – 2 000 Ew – Höhe 445 m – ☎ 09875.
◆München 177 – Ansbach 16 – Nördlingen 54 – ◆Nürnberg 48.

- **Alte Vogtei** (Haus a.d. 14. Jh.), Hauptstr. 21, ✆ 2 70, Fax 705 – TV ☎ P. E
  24.- 30. Dez. geschl. – **M** *(Montag geschl.)* a la carte 21/43 – **18 Z : 33 B** 49/60 - 98/110.
- **Pension Seitz**, Duchselgasse 1, ✆ 2 30, , (geheizt), – P
  (Restaurant nur für Hausgäste) – **20 Z : 35 B** 42 - 78 Fb.

WOLFRATSHAUSEN **8190.** Bayern 413 R 23, 987 ㊲, 426 G 5 – 15 500 Ew – Höhe 577 m – ☎ 08171. – Egling-Riedhof (0 : 3 km), ✆ (08171) 70 65.
◆München 29 – Garmisch-Partenkirchen 57 – Bad Tölz 23 – Weilheim 31.

- **Thalhammer** garni, Sauerlacher Str. 47 d, ✆ 71 49, Fax 76185, – TV ☎ P. E
  23. Dez.- 7. Jan. geschl. – **23 Z : 40 B** 75/120 - 120/195 Fb.
- **Humplbräu,** Obermarkt 2, ✆ 71 15, Fax 76291 – TV ☎ P. AE E
  Juni und 24.- 31. Dez. geschl. – **M** *(Sonntag 14 Uhr - Montag geschl.)* a la carte 23/45 – **32 Z : 64 B** 55/80 - 88/120 – 8 Fewo 100/120.

In Egling **8195** O : 7 km :

- **Zur Post,** Hauptstr. 11, ✆ (08176) 3 84, – ☎ P. E. Zim – *Nov. 3 Wochen geschl.* – **M** *(Montag - Dienstag geschl.)* a la carte 21/46 – **8 Z : 14 B** 49 - 88.

Siehe auch : ***Geretsried***

WOLFSBURG

Bahnhofspassage	Y	4
Heßlinger Straße	Y	
Kaufhof	Y	19
Porschestraße	Y	
Rothenfelder Straße	Y	
Berliner Brücke	XY	7
Dresdener Ring	X	8
Eichendorffstraße	Y	9
Fallersleber Straße	X	12
Ganghoferstraße	Y	13
Hochring	X	17
Klieverhagen	Y	22
Königsberger Straße	X	23
Lerchenweg	X	24
Marktplatz	Y	25
Pestalozziallee	Y	26
Röntgenstraße	X	27
Rothenfelder Markt	Y	28
Schlesierweg	X	29
Schulenburgallee	X	33
Stadtwaldstraße	X	34

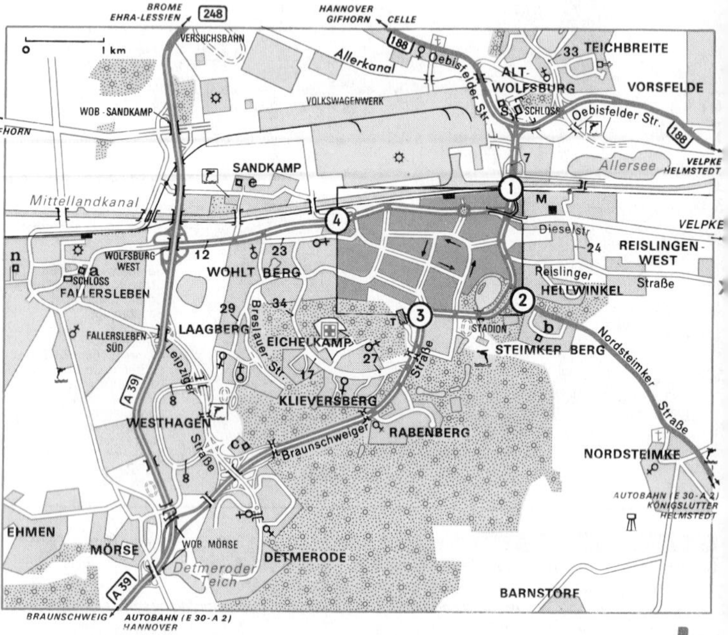

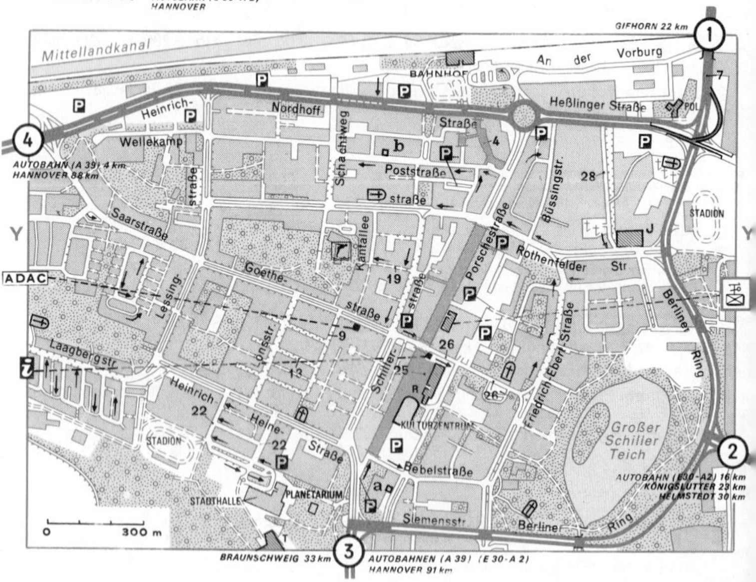

WOLFSBURG 3180. Niedersachsen 411 P 9, 987 ⑯ – 128 500 Ew – Höhe 60 m – ☎ 05361.

Tourist-Information, Pavillon, Rathausplatz, ☎ 28 28 28, Fax 282500.

ADAC, Goethestr. 44, ☎ 2 50 84, Notruf ☎ 1 92 11.

♦Hannover 91 ③ – ♦Berlin 229 ② – ♦Braunschweig 33 ③ – Celle 80 ③ – Magdeburg 91 ②.

Stadtplan siehe gegenüberliegende Seite

Holiday-Inn, Rathausstr. 1, ☎ 20 70, Telex 958475, Fax 207981, – Zim – 25/120. AE E VISA Y a
M a la carte 36/66 – **207 Z : 318 B** 200/216 - 232/282 Fb.

Goya, Poststr. 34, ☎ 2 30 66, Fax 23777 – AE E VISA Y b
M *(nur Abendessen, Samstag - Sonntag und 15. Juli - 15. Aug. geschl.)* a la carte 28/55 – **40 Z : 48 B** 105/150 - 120/180 Fb.

Alter Wolf, Schloßstr. 21, ☎ 6 10 15, Fax 64264, « Gartenterrasse » – 25/100. AE E VISA X s
M *(Sonntag ab 15 Uhr geschl.)* a la carte 37/72 – **31 Z : 41 B** 80/100 - 140/180.

In Wolfsburg-Brackstedt NW : 8 km über die B 188 X :

Brackstedter Mühle (ehem. Mühle a.d. 16. Jh.), Mühlenweg 2, ☎ (05366) 4 08, Fax 417, – AE E VISA
M a la carte 35/71 – **48 Z : 80 B** 90/140 - 125/170 Fb.

In Wolfsburg 12-Fallersleben – ☎ 05362 :

Ludwig im Park - Restaurant La Fontaine, Gifhorner Str. 25, ☎ 5 10 51, Fax 3515, « Stilvolle Einrichtung » – 30. AE E VISA. Rest X n
Juni - Juli 4 Wochen geschl. – **M** *(nur Abendessen, Sonntag - Montag geschl.)* 59/128 – **40 Z : 50 B** 150/160 - 210/250 Fb.

Zur Börse, Sandkämperstr. 6, ☎ 23 95 – AE E VISA X a
Weihnachten - Neujahr geschl. – **M** *(Samstag - Sonntag 18 Uhr geschl.)* a la carte 33/61 – **15 Z : 25 B** 90 - 140/210 Fb.

In Wolfsburg 27-Hattorf SW : 10 km über die A 39 X :

Landhaus Dieterichs, Krugstr. 31, ☎ (05308) 40 80, Fax 408104, –
23. Dez.- 1. Jan. geschl. – (nur Abendessen für Hausgäste) – **47 Z : 80 B** 48/70 - 85/110 Fb.

In Wolfsburg 16-Sandkamp :

Jäger garni, Fasanenweg 5, ☎ 3 10 11, Fax 31015, – X e
20. Dez.- 7. Jan. geschl. – **20 Z : 32 B** 85/130 - 130/140 Fb.

In Wolfsburg 1-Steimkerberg :

Parkhotel Steimkerberg, Unter den Eichen 55, ☎ 50 50, Fax 505250, – – 25/60. AE E VISA X b
M *(Sonntag und Juni - Juli 3 Wochen geschl.)* a la carte 62/75 – **40 Z : 60 B** 160 - 225 Fb.

In Wolfsburg 11-Vorsfelde über die B 188 X :

Vorsfelder Hof, Achtenbüttler Weg 2, ☎ (05363) 41 81, Fax 40668 – AE E VISA
M *(nur Abendessen, Sonntag geschl.)* a la carte 28/50 – **51 Z : 75 B** 75/98 - 125/155 Fb.

Conni, Bahnhofstr. 19, ☎ (05363) 9 77 70, Fax 71441, –
M *(nur Abendessen, 6.- 18. April und 27. Dez.- 3. Jan. geschl.)* a la carte 28/55 – **28 Z : 46 B** 75 - 120.

In Wolfsburg 1-Westhagen :

Simonshof, Braunschweiger Str. 200, ☎ 7 55 76, Fax 75414, – X c
(wochentags nur Abendessen) – **46 Z : 86 B** Fb.

In Weyhausen **3171** NW : 9 km über die B 188 X :

Alte Mühle, Wolfsburger Str. 72 (B 188), ☎ (05362) 6 20 21, Telex 958345, Fax 7710, « Moderner Hotelbau mit rustikalem Restaurant », – – 25/120. AE E VISA
M a la carte 56/86 – **50 Z : 84 B** 196 - 250 Fb.

WOLFSCHLUGEN Baden-Württemberg siehe Nürtingen.

WOLFSTEIN 6759. Rheinland-Pfalz 412 F 18 – 2 500 Ew – Höhe 188 m – ☎ 06304.

Mainz 83 – Kaiserslautern 23 – Bad Kreuznach 47.

In Wolfstein-Reckweilerhof N : 3 km :

Reckweilerhof, an der B 270, ☎ 6 18, – E VISA
M *(Montag ab 14 Uhr geschl.)* a la carte 16/46 – **18 Z : 38 B** 39 - 74.

WOLNZACH **8069.** Bayern 413 R 21, 987 ㊲ – 7 300 Ew – Höhe 414 m – ☎ 08442.
♦München 59 – Ingolstadt 31 – Landshut 47 – ♦Regensburg 65.

Schloßhof, Schloßstr. 12, ☎ 35 49 – 🚗 – *24. Dez.- 15. Jan. geschl.* – **M** *(Samstag geschl.)*
a la carte 15,50/27 🍷 – **20 Z : 30 B** 45/85 - 80/120.

WOLPERTSWENDE Baden-Württemberg siehe Weingarten.

WOLSFELD Rheinland-Pfalz siehe Bitburg.

WORMS **6520.** Rheinland-Pfalz 412 413 I 18, 987 ㉔㉕ – 76 000 Ew – Höhe 100 m – ☎ 06241.
Sehenswert: Dom★★ (Westchor★★, Reliefs aus dem Leben Christi★) Z – Judenfriedhof★ Z – Kunsthaus Heylshof★ Z **M2.** – ℹ Verkehrsverein, Neumarkt 14, ☎ 85 35 60. – **ADAC,** Ludwigstr. 19, ☎ 66 17. – Mainz 45 ① – ♦Darmstadt 43 ② – Kaiserslautern 53 ④ – ♦Mannheim 22 ③.

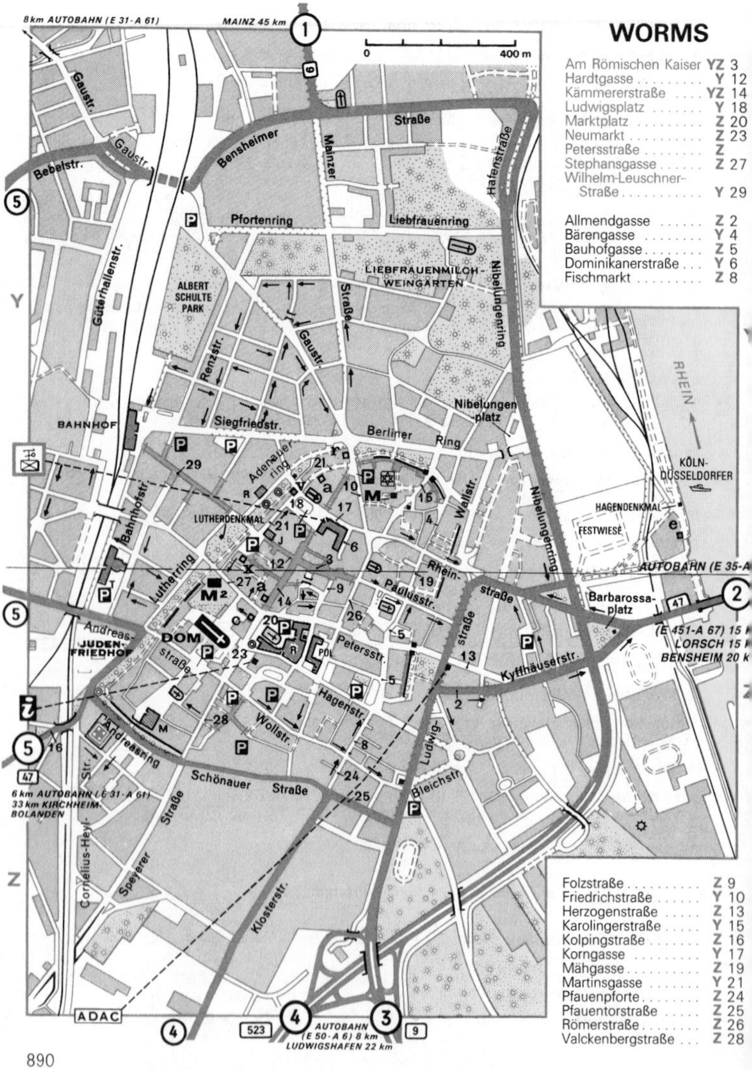

WORMS

Am Römischen Kaiser	YZ	3
Hardtgasse	Y	12
Kämmererstraße	YZ	14
Ludwigsplatz	Y	18
Marktplatz	Z	20
Neumarkt	Z	23
Petersstraße	Z	
Stephansgasse	Z	27
Wilhelm-Leuschner-Straße	Y	29
Allmendgasse	Z	2
Bärengasse	Y	4
Bauhofgasse	Z	5
Dominikanerstraße	Y	6
Fischmarkt	Z	8
Folzstraße	Z	9
Friedrichstraße	Y	10
Herzogenstraße	Z	13
Karolingerstraße	Y	15
Kolpingstraße	Z	16
Korngasse	Y	17
Mähgasse	Z	19
Martinsgasse	Y	21
Pfauenpforte	Z	24
Pfauentorstraße	Z	25
Römerstraße	Z	26
Valckenbergstraße	Z	28

Nibelungen garni, Martinsgasse 16, ✆ 69 77, Telex 467829, Fax 87210 – ⎙ TV ☎ ♿ P – 50. AE ◑ E VISA Y a
20. Dez.- 6. Jan. geschl. – **46 Z : 68 B** 110/130 - 180/200 Fb.

Dom-Hotel, Obermarkt 10, ✆ 69 13, Telex 467846, Fax 23515 – ⎙ TV ☎ – 50. AE ◑ E VISA Y x
M *(Samstag bis 18 Uhr und Sonntag geschl.)* a la carte 39/71 – **60 Z : 90 B** 94/110 - 125/195 Fb.

Faber - Restaurant Martinspforte, Martinspforte 7, ✆ 67 55 (Hotel) 8 83 60 (Rest.) – ⎙ TV ☎ – **17 Z : 30 B** Fb. Y r

Kriemhilde, Hofgasse 2, ✆ 62 78, Fax 6277 – ☎. ◑ E VISA Z c
M *(Samstag geschl.)* a la carte 20/47 – **20 Z : 32 B** 60/85 - 95/120 Fb.

Central garni, Kämmererstr. 5, ✆ 64 58 – ⎙ TV ☎. AE ◑ E VISA Z a
20. Dez.- 5. Jan. geschl. – **19 Z : 30 B** 78/125 - 125/135.

Tivoli (Italienische Küche), Adenauer-Ring 4, ✆ 2 84 85, Fax 46104 – AE ◑ E VISA Y v
Dienstag und Juli - Aug. 4 Wochen geschl. – **M** a la carte 35/61.

Rheinischer Hof - Rheincafé, Am Rhein 3, ✆ 2 39 50, Fax 24978, ≤, – P. E Y e
Montag und Mitte Dez.- Mitte Jan. geschl. – **M** a la carte 28/54.

In Worms 21 - Pfeddersheim ⑤ : 5,5 km :

Pfeddersheimer Hof, Zellertalstr. 35 (B 47), ✆ (06247) 8 11, Biergarten – P. ◑ VISA
M *(Freitag geschl.)* a la carte 22/46 – **18 Z : 34 B** 48 - 75 Fb.

In Worms 31-Rheindürkheim ① : 9 km :

✿ **Rôtisserie Dubs,** Kirchstr. 6, ✆ (06242) 20 23 – E
Samstag bis 18 Uhr, Dienstag sowie Jan. und Juli - Aug. jeweils 2 Wochen geschl. – **M** *(bemerkenswerte Weinkarte)* a la carte 62/102
Spez. Süßwasserfische in Kartoffel-Trüffelgratin, Kaninchencanneloni mit Basilikumlinsen, Lammrücken in der Kruste.

WORPSWEDE **2862.** Niedersachsen 411 J 7 – 8 600 Ew – Höhe 50 m – Erholungsort – ☎ 04792.
Vollersode, Giehlermühlen (N : 18 km), ✆ (04763) 73 13.
Fremdenverkehrsbüro, Bergstr. 13, ✆ 14 77.
♦Hannover 142 – ♦Bremen 25 – Bremerhaven 59.

Eichenhof garni, Ostendorfer Str. 13, ✆ 26 76, – TV ☎ P. AE ◑ E VISA
19. Dez.- Mitte Feb. geschl. – **16 Z : 33 B** 102/142 - 150/182 Fb.

Hotel am Kunstcentrum garni, Hans-am-Ende-Weg 4, ✆ 5 50, Fax 3878, – ☎ P. AE ◑ E VISA.
20.- 30. Dez. geschl. – **25 Z : 43 B** 89/110 - 125/178.

Haar garni, Hembergstr. 13, ✆ 12 88, – P – **15 Z : 26 B.**

Bonner's Hotel garni, Hinterm Berg 24, ✆ 12 73, Fax 3426, – TV ☎ P. AE ◑ E VISA
8 Z : 16 B 98/120 - 148/168 Fb.

Deutsches Haus, Findorffstr. 3, ✆ 12 05, Fax 2379, – P. AE ◑ E
M *(Montag - Dienstag geschl.)* a la carte 28/52 – **9 Z : 14 B** 60/98 - 95/115.

WREMEN **2851.** Niedersachsen 411 I 6 – 1 500 Ew – Höhe 2 m – ☎ 04705.
♦Hannover 195 – Bremerhaven 18 – Cuxhaven 32.

Zur Börse, Lange Str. 22, ✆ 4 24 – AE ◑ E VISA
Mittwoch und 20. Jan.- 16. Feb. geschl. – **M** *(auch vegetarische Gerichte)* a la carte 38/64.

WRIEDEL Niedersachsen siehe Amelinghausen.

WÜLFRATH **5603.** Nordrhein-Westfalen 411 412 E 13 – 20 700 Ew – Höhe 195 m – ☎ 02058.
♦Düsseldorf 21 – ♦Essen 24 – ♦Köln 50 – Wuppertal 15.

Ratskeller, Wilhelmstr. 131, ✆ 55 01 – E VISA
Samstag bis 18 Uhr, Mittwoch und Juli - Aug. 4 Wochen geschl. – **M** a la carte 31/58.

WÜNNENBERG **4798.** Nordrhein-Westfalen 411 412 J 12, 987 ⑮ – 10 200 Ew – Höhe 271 m – Luftkurort – Kneippkurort – ☎ 02953.
Verkehrsamt, Im Aatal 3, ✆ 17 20, Fax 7430.
♦Düsseldorf 169 – Brilon 20 – ♦Kassel 84 – Paderborn 28.

Jagdhaus , Schützenstr. 58, ✆ 2 23, Fax 8819, – TV ☎ P – 25/60. AE ◑ E VISA
1.- 18. Aug. geschl. – **M** *(Dienstag ab 14 Uhr geschl.)* a la carte 23/57 – **40 Z : 75 B** 80/95 - 140/200 Fb – ½ P 78/91.

Park-Café Haus Rabenskamp garni, Hoppenberg 2, ✆ 83 49 – P
16 Z : 26 B.

In Wünnenberg-Bleiwäsche S : 8 km :

Waldwinkel (mit Gästehaus), Roter Landweg, 70 70, Fax 707222, ≤, « Gartenterrasse », Bade- und Massageabteilung, - - 30. AE E VISA. Rest
M *(auch Diät und vegetarische Gerichte)* a la carte 33/65 - **74 Z : 140 B** 95/125 - 190/360 Fb - ½ P 120/205.

In Wünnenberg-Haaren N : 7,5 km :

Münstermann, Paderborner Str. 7, (02957) 10 20, - - 40. E. Zim
16. Juli - 7. Aug. und 12. Dez.- 15. Jan. geschl. - **M** *(nur Abendessen, Donnerstag geschl.)* a la carte 22/40 - **43 Z : 69 B** 44/56 - 72/90.

WÜNSDORF **O-1635.** Brandenburg 984 ⑯987 ⑰ - 3 000 Ew - Höhe 80 m - 0037 32392.
♦Berlin 36 - Brandenburg 98 - Cottbus 101 - ♦Frankfurt/Oder 79.

Strandhotel Seeschänke, Seestr. 56, 3 12, Bootssteg, - - 20. Zim
M a la carte 23/30 - **23 Z : 46 B** 50/80 - 100/120 - 4 Appart. 130/140.

WÜRSELEN **5102.** Nordrhein-Westfalen 412 B 14, 213 ㉔, 408 J 9 - 33 600 Ew - Höhe 180 m - 0241.
♦Düsseldorf 80 - ♦Aachen 6,5 - Mönchengladbach 47.

Park-Hotel, Aachener Str. 2 (B 57), 8 25 36, Fax 18742/88742 - . AE E VISA.
M *(Sonntag ab 14 Uhr geschl.)* a la carte 21/49 - **44 Z : 69 B** 68 - 100.

Rathaus-Restaurant, Morlaix-Platz 3, 51 30, Fax 18540 - . AE E VISA
Montag geschl. - **M** a la carte 35/74.

In Würselen-Bardenberg NW : 2,5 km :

Alte Mühle mit Zim, Im Wurmtal, 1 50 66/8 50 66, Fax 87402, - - 25/80. AE E
M a la carte 32/60 - **20 Z : 34 B** 95 - 140.

WÜRZBURG **8700.** Bayern 413 M 17, 987 ㉕ ㉖ - 124 000 Ew - Höhe 182 m - 0931.
Sehenswert : Residenz★★ (Kaisersaal★★, Hofkirche★★, Treppenhaus★, Hofgarten★, Martin-von Wagner-Museum★ : Antikensammlung★ mit griechischen Vasen★★) Y - Haus zum Falken★ X **N** - Mainbrücke★ Y - St.-Kilian-Dom : Apostelaltar mit Riemenschneider-Skulpturen★, Grabmale★ der Fürst-Bischöfe Y - Festung Marienberg★ : Mainfränkisches Museum★★, Fürstengarten ≤★ Z - Käppele (Terrasse ≤★★) Z **A**.
Ausflugsziele : Romantische Straße★★ (von Würzburg bis Füssen) - Bocksbeutelstraße★ (Maintal).

3 43 43.

Verkehrsamt, Pavillon vor dem Hauptbahnhof, 3 74 36 und Marktplatz (Haus zum Falken), 3 73 98.

Verkehrsamt im Würtzburg-Palais, am Congress-Centrum, 3 73 35, Fax 37652.

ADAC, Sternplatz 1, 5 23 26, Notruf 1 92 11.

♦München 281 ② - ♦Darmstadt 123 ④ - ♦Frankfurt am Main 119 ④ - Heilbronn 105 ④ - ♦Nürnberg 110 ②.

Stadtplan siehe gegenüberliegende Seite

Maritim Hotel Würzburg, Pleichertorstr. 5, 3 05 30, Telex 680005, Fax 18682, - Zim - 25/1650. AE E VISA X **k**
Restaurants : **Palais** *(nur Abendessen, Aug. sowie Sonn- und Feiertage geschl.)* **M** a la carte 73/99 - **Weinstube M** 29 (mittags Buffet) und a la carte 27/71 - **293 Z : 540 B** 263/323 - 314/374 Fb - 4 Appart. 520/650.

Rebstock (Rokokofassade a.d.J. 1737), Neubaustr. 7, 3 09 30, Telex 68684, Fax 3093100 - Zim Rest - 25/80. AE E VISA Y **v**
M *(Sonn- und Feiertage ab 15 Uhr geschl.)* 30/50 (mittags) und a la carte 50/77 - **Fränkische Weinstube** (regionale Küche) *(ab 15 Uhr geöffnet, Dienstag geschl.)* **M** a la carte 25/48 - **81 Z : 116 B** 153/217 - 250/490 Fb.

Dorint-Hotel, Eichstraße, 3 05 40, Telex 68514, Fax 3054423, , Bade- und Massageabteilung, - Zim Rest - 25/120. AE E X **f**
Restaurants : **Residenz** **M** 28 (mittags Buffet) und a la carte 55/68 - **Frankenstube M** a la carte 35/49 - **159 Z : 253 B** 195/230 - 240/400 Fb.

Amberger, Ludwigstr. 17, 5 01 79, Telex 68465, Fax 54136 - - 25/45. AE E VISA X **t**
24. Dez.- 6. Jan. geschl. - **M** *(auch vegetarische Gerichte)* (Sonntag 15 Uhr - Montag geschl.) a la carte 32/59 - **71 Z : 115 B** 130/150 - 200/320 Fb.

Pannonia Hotel am Mainufer, Dreikronenstr. 27, 4 19 30, Fax 4193460 - - 30/40. AE E VISA Z **a**
M a la carte 34/61 - **137 Z : 225 B** 125/145 - 165/205.

WÜRZBURG

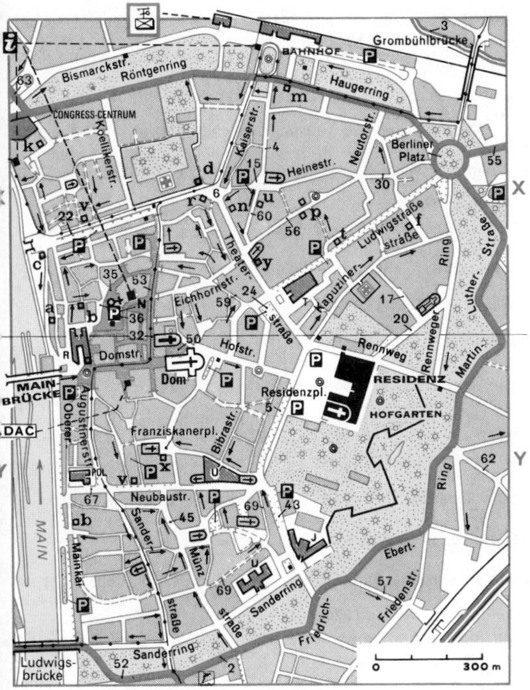

BAHNHOF
Grombühlbrücke
Bismarckstr.
Röntgenring
Haugerring
CONGRESS-CENTRUM
Koellikerstr.
Kaiserstr.
Heinestr.
Neutorstr.
Berliner Platz
Ludwigstraße
Theaterstraße
Eichhornstr.
Kapuzinerstraße
Rennweg
Rennweger Ring
Martin-Luther-Straße
Hofstr.
Domstr.
Dom
MAIN-BRÜCKE
Residenzpl.
RESIDENZ
HOFGARTEN
Augustinerstr.
Oberer
Franziskanerpl.
Bibrastr.
Neubaustr.
Sanderstraße
Münz
Sanderring
Ring
Ebert-
Friedrich-
Friedenstr.
MAIN
Mainkai
Ludwigsbrücke
DAC
POL
0
300 m
X
Y

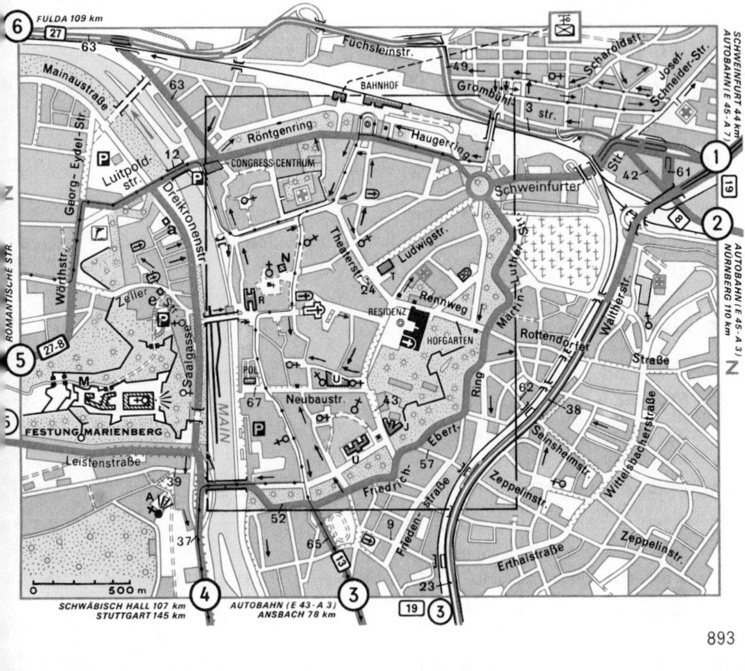

FULDA 109 km
Füchsleinstr.
Mainaustraße
BAHNHOF
Grombühl
Scharoldstr.
Josef-Schneider-Str.
SCHWEINFURT 44 km
AUTOBAHN (E 45-A 7)
Röntgenring
Haugerring
CONGRESS-CENTRUM
Georg-Eydel-Str.
Luitpoldstr.
Dreikronenstr.
Schweinfurter Str.
Theaterstr.
Ludwigstr.
Rennweg
RESIDENZ
HOFGARTEN
Martin-Luther-Str.
Rottendorfer Straße
Waltherstr.
AUTOBAHN (E 45-A 3)
NÜRNBERG 110 km
Wörthstr.
Zeller Str.
Saalgasse
FESTUNG MARIENBERG
ROMANTISCHE STR.
MAIN
Neubaustr.
Ring
Ebert-
Friedrich-
Friedenstraße
Seinsheimstr.
Wittelsbacherstraße
Zeppelinstr.
Erthalstraße
Leistenstraße
POL
0
500 m
SCHWÄBISCH HALL 107 km
STUTTGART 145 km
AUTOBAHN (E 43-A 3)
ANSBACH 78 km
Z

Walfisch, Am Pleidenturm 5, 5 00 55, Telex 68499, Fax 51690, Main und Festung - 25/60. Y **b**
M *(auch vegetarische Gerichte)* (Sonntag ab 15 Uhr und 23.- 27. Dez. geschl.) a la carte 38/63 - **41 Z : 60 B** 140/180 - 200/280 Fb.

Grüner Baum (Restaurant in einem Weinkeller a.d. 16. Jh.), Zeller Str. 35, 4 70 81, Fax 408688 - Z **e**
24. Dez.- 2. Jan. geschl. - **M** *(nur Abendessen, Sonntag - Montag und Mai - Aug. geschl.)* a la carte 24/40 - **24 Z : 48 B** 120/160 - 160/195 Fb.

Würzburger Hof garni, Barbarossaplatz 2, 5 38 14, Telex 68453, Fax 58324 - X **r**
22. Dez.- 6. Jan. geschl. - **36 Z : 60 B** 100/160 - 160/250 Fb.

Alter Kranen garni, Kärrnergasse 11, 5 00 39, Fax 50030 -
17 Z : 26 B 90/120 - 120/130. X **a**

Strauss - Restaurant Würtzburg, Juliuspromenade 5, 3 05 70, Fax 3057555 - 60. X **v**
Jan.- 6. Feb. geschl. - **M** *(Dienstag geschl.)* a la carte 31/54 - **75 Z : 125 B** 85/100 - 115/130 Fb.

Schönleber garni, Theaterstr. 5, 1 20 68, Fax 16012 - X **n**
34 Z : 50 B 55/120 - 90/150.

Zur Stadt Mainz (altfränkische Gaststuben), Semmelstr. 39, 5 31 55, Fax 58510 - X **p**
20. Dez.- 20. Jan. geschl. - **M** *(Tischbestellung ratsam)* (Feiertage und Sonntag 15 Uhr - Montag geschl.) 23/30 (mittags) und a la carte 28/63 - **15 Z : 27 B** 120/140 - 180/200 Fb.

St. Josef garni, Semmelstr. 28, 30 86 80, Fax 3086860 - X **p**
2.- 28. Aug. und 22. Dez.- 7. Jan. geschl. - **35 Z : 50 B** 85/110 - 140/180.

Franziskaner garni, Franziskanerplatz 2, 1 50 01, Fax 57743 - Y **x**
23. Dez.- 6. Jan. geschl. - **47 Z : 74 B** 65/100 - 130/180 Fb.

Stift Haug garni, Textorstr. 16, 5 33 93, Fax 53345 - X **u**
20 Z : 30 B 50/90 - 85/120.

Bahnhofhotel Excelsior garni, Hauger Ring 2, 5 04 84, Telex 68435, Fax 58777 - X **m**
46 Z : 62 B 55/110 - 100/200 Fb - 3 Appart. 220.

Weinrestaurant - Haus des Frankenweins, Kranenkai 1, 5 70 77, Fax 17175, - X **c**
Nov.- April Montag Ruhetag, 27. Dez.- 21. Jan. geschl. - **M** a la carte 32/58.

Ratskeller - Ratsbierstube, Langgasse 1, 1 30 21, Fax 13022 - Y **R**
M a la carte 30/56.

Fränkische Weinstuben :

Weinhaus zum Stachel, Gressengasse 1, 5 27 70, « Innenhof 'Stachelhof' » - X **b**
ab 16 Uhr geöffnet, Sonntag, Anfang - Mitte Jan. und Mitte Aug.- Anfang Sept. geschl. - **M** a la carte 27/55.

Bürgerspital-Weinstuben, Theaterstr. 19, 1 38 61, Fax 571512, - X **y**
Dienstag und Aug. 3 Wochen geschl. - **M** a la carte 25/41.

Juliusspital, Juliuspromenade 19, 5 40 80 X **d**
Mittwoch geschl. - **M** a la carte 28/47.

In Würzburg-Heidingsfeld ④ : 3 km :

Post Hotel garni, Mergentheimer Str. 162, 6 50 05, Telex 68471, Fax 65850 -
66 Z : 130 B 79/129 - 119/189 Fb.

In Würzburg-Lindleinsmühle ① : 2 km :

Lindleinsmühle garni, Frankenstr. 15, 2 30 46, Fax 21780, -
21 Z : 39 B 55/60 - 95/110 Fb.

In Würzburg-Versbach ① : 3 km :

Mühlenhof, Frankenstr. 205, 2 10 01, Fax 29275, - 25/100.
M a la carte 33/58 - **34 Z : 70 B** 95/150 - 150/175 Fb.

In Würzburg-Zellerau ⑤ : 2 km :

Wittelsbacher Höh, Hexenbruchweg 10, 4 20 85, Telex 680085, Fax 415458, Würzburg, « Gartenterrasse », - 25/80.
M a la carte 36/75 - **74 Z : 140 B** 99/169 - 165/230 Fb.

Im Steinbachtal SW : 5 km über ④ :

Waldesruh, Steinbachtal 82, 8700 Würzburg, (0931) 8 76 25, -
Montag bis 15 Uhr und Mitte - Ende Jan. geschl. - **M** a la carte 29/57.

Auf dem Steinberg ⑥ : 6,5 km, schmale Zufahrt ab Unterdürrbach :

Schloß Steinburg 🔇, ✉ 8700 Würzburg, ✆ (0931) 9 30 61, Telex 680102, Fax 97121, ≤ Würzburg und Marienberg, « Gartenterrasse », ≘, ◻ - TV ☎ ⇐ P - 🏛 25/80. AE ◑ E VISA
M a la carte 35/66 - **50 Z : 90 B** 95/130 - 150/240 Fb.

In Höchberg **8706** ⑤ : 4 km :

Lamm, Hauptstr. 76, ✆ (0931) 40 90 94, Fax 408973, 🏖 - |‡| TV ☎ ⇐ - 🏛 25/60. AE E VISA
27. Dez.- 15. Jan. geschl. - **M** *(Mittwoch geschl.)* a la carte 26/53 🍷 - **38 Z : 60 B** 75/100 - 130/175 Fb.

In Rottendorf **8702** ② : 6 km :

Zum Kirschbaum, Würzburger Str. 18, ✆ (09302) 8 12, Fax 3548 - |‡| TV P
M *(Nov.- Feb. Samstag geschl.)* 16/19 (mittags) und a la carte 20/42 🍷 - **61 Z : 84 B** 80 - 140/150.

Waldhaus, nahe der B 8, ✆ (09302) 12 56, Fax 623, 🏖 - P
Donnerstag, 9.- 15. März, 17. Aug.- 6. Sept. und 21.- 28. Dez. geschl. - **M** a la carte 25/54 🍷.

In Biebelried **8710** ② : 12 km, nahe der Autobahnausfahrt A 3 und A 7 :

Leicht (altfränkische Gaststuben), Würzburger Str. 3 (B 8), ✆ (09302) 8 14, Fax 3163, ≘ - |‡| ⇐ P. ◑ E VISA
Ende Dez.- Anfang Jan. sowie Ostern und Pfingsten geschl. - **M** *(Sonntag geschl.)* a la carte 34/66 - **70 Z : 105 B** 95/140 - 150/190 Fb.

In Erlabrunn **8702** ⑥ : 12 km :

Weinhaus Flach (mit Gästehaus 🔇), Würzburger Str. 16, ✆ (09364) 13 19, Fax 5310, 🏖 - ☎ P - 🏛 40. ✗ Zim
20. Jan.- 9. Feb. und 25. Aug.- 6. Sept. geschl. - **M** *(Dienstag geschl.)* a la carte 19,50/49 🍷 - **22 Z : 35 B** 45/60 - 80/90.

Gästehaus Tenne garni, Würzburger Str. 4, ✆ (09364) 93 84, « Bäuerliche Einrichtung » - P. ✗
13 Z : 21 B 45 - 80.

WÜSTENROT **7156.** Baden-Württemberg 413 L 19 - 5 900 Ew - Höhe 485 m - Erholungsort - ✆ 07945.

♦Stuttgart 58 - Heilbronn 27 - Schwäbisch Hall 24.

Waldhotel Raitelberg 🔇, Schönblickstr. 39, ✆ 83 11, Fax 2031, 🏖, ≘, 🌳 - ⇆ TV ☎ P - 🏛 30
35 Z : 55 B Fb.

In Wüstenrot-Neulautern SW : 4 km :

Café Waldeck 🔇, Waldeck 7, ✆ (07194) 3 23, ≤, 🏖, 🌳 - P. E. ✗ Zim
Mitte Dez.- Mitte Feb. geschl. - **M** a la carte 25/51 🍷 - **17 Z : 28 B** 32/48 - 64/96 - ½ P 40/55.

WUNSIEDEL **8592.** Bayern 413 ST 16, 987 ㉗ - 10 000 Ew - Höhe 537 m - ✆ 09232.

Ausflugsziel : Luisenburg : Felsenlabyrinth★★ S : 3 km.

ℹ Verkehrsamt, Jean-Paul-Str. 5 (Fichtelgebirgshalle), ✆ 60 21 62, Fax 602169.

♦München 280 - Bayreuth 48 - Hof 36.

Wunsiedler Hof, Jean-Paul-Str. 3, ✆ 40 81, Fax 2462, 🏖 - |‡| TV ☎ ⇐ P - 🏛 25/500. AE ◑ E
M a la carte 27/63 - **35 Z : 70 B** 70/80 - 110/130 Fb.

Kronprinz von Bayern, Maximilianstr. 27, ✆ 35 09, Fax 7640 - TV ☎ P
M *(Montag geschl.)* a la carte 24/54 - **27 Z : 45 B** 55/70 - 100/160.

In Wunsiedel-Juliushammer O : 3,5 km Richtung Arzberg :

Juliushammer 🔇, ✆ 10 85, Telex 641279, Fax 8147, ≘, ⛱ (geheizt), ◻, 🌳, 🎾 - TV ☎ P. AE ◑ E VISA
M a la carte 24/50 - **33 Z : 80 B** 60/89 - 96/110 Fb - 4 Fewo 90/150.

Bei der Luisenburg SW : 2 km :

✿ **Jägerstueberl**, Luisenburg 5, ✉ 8592 Wunsiedel, ✆ (09232) 44 34, Fax 1556, 🏖 - P. ◑ E
wochentags nur Abendessen, an Sonn- und Feiertagen nur Mittagessen, Montag und 7.- 22. Sept. geschl. - **M** a la carte 54/70
Spez. Mariniertes Forellenfilet, Zander mit Steinpilzen, Kalbshaxe in Weißbiersauce (2 Pers.).

WUNSTORF **3050.** Niedersachsen 411 412 L 9, 987 ⑮ - 40 000 Ew - Höhe 50 m - ☎ 05031.

Städt. Verkehrsamt, Steinhude, Meerstr. 2, (Strandterrassen), ✆ 17 45.

♦Hannover 23 - Bielefeld 94 - ♦Bremen 99 - ♦Osnabrück 124.

Wehrmann, Kolenfelder Str. 86, ✆ 1 21 63, Fax 4231 - TV ☎ P - 25/150.
Juli und 23. Dez.- 2. Jan. geschl. - **M** *(nur Abendessen, Sonn- und Feiertage geschl.)* a la carte 24/33 - **25 Z : 33 B** 62/72 - 95/105.

In Wunstorf 2-Steinhude NW : 8 km - Erholungsort - ☎ 05033 :

Haus am Meer, Uferstr. 3, ✆ 10 22, ≤, « Gartenterrasse » - TV ☎ P. E
Dez.- Jan. geschl. - **M** a la carte 33/62 - **13 Z : 26 B** 65/110 - 95/160 - ½ P 78/140.

Tiedemann garni, Am Knick 4, ✆ 53 94 -
8 Z : 14 B 38/55 - 70/80.

Schweers-Harms-Fischerhus, Graf-Wilhelm-Str. 9, ✆ 52 28, « Altes niedersächsisches Bauernhaus » - P. AE E VISA
Montag und 2. Jan.- 6. Feb. geschl. - **M** a la carte 26/53.

Strandterrassen, Meerstr. 2, ✆ 50 00, ≤, - P. E VISA
15. Jan.- 28. Feb. geschl. - **M** a la carte 28/50.

Les prix — Pour toutes précisions sur les prix indiqués dans ce guide, reportez-vous aux pages de l'introduction.

WUPPERTAL **5600.** Nordrhein-Westfalen 411 412 E 13, 987 ⑭ - 380 000 Ew - Höhe 167 m - ☎ 0202.

Sehenswert : Schwebebahn★ - Von-der-Heydt-Museum★ Z **M1**.

Siebeneickerstr. 386 (AX), ✆ (02053) 71 77 ; Frielinghausen 1, ✆ (0202) 64 82 20 (SO : 19 km).

Informationszentrum, Wuppertal-Elberfeld, Pavillon Döppersberg, ✆ 5 63 21 80.

ADAC, Wuppertal-Elberfeld, Hofkamp 137, ✆ 2 45 23 33, Notruf ✆ 1 92 11.

♦Düsseldorf 36 ④ - Dortmund 48 ① - Duisburg 55 ⑦ - ♦Essen 35 ⑤ - ♦Köln 56 ①.

Stadtpläne siehe nächste Seiten

In Wuppertal 2-Barmen :

Golfhotel Juliana, Mollenkotten 195, ✆ 6 47 50, Telex 8591227, Fax 6475777, « Terrasse mit ≤ », Bade- und Massageabteilung, , , , , - Zim TV P - 25/150. AE E VISA — BX **u**
M a la carte 52/86 - **140 Z : 273 B** 190/220 - 250/450 Fb.

Villa Christina garni, Richard-Strauss-Allee 18, ✆ 62 17 36, « Ehem. Villa in einem kleinen Park », (geheizt), - TV ☎ P. E — DZ **y**
22. Dez.- 7. Jan. geschl. - **7 Z : 11 B** 80/90 - 135/140.

Paas, Schmiedestr. 55 (B 51), ✆ 66 17 06 - ☎ P. AE E VISA — BX **n**
M *(Samstag geschl.)* a la carte 27/52 - **12 Z : 18 B** 80 - 120.

Schmitz Jägerhaus, Jägerhaus 87, ✆ 46 46 02, - P. AE E VISA. — BY **t**
Dienstag geschl. - **M** a la carte 33/73.

Palette Röderhaus, Sedanstr. 68, ✆ 50 62 81, , « Antiker Hausrat, Gemäldegalerie » - AE E VISA — DZ **d**
nur Abendessen, Sonntag - Montag, an Feiertagen und Mitte Juli - Anfang Aug. geschl. - **M** a la carte 30/58.

Jagdhaus Mollenkotten, Mollenkotten 144, ✆ 52 26 43, - P. AE E VISA — BX **e**
Montag - Dienstag, 5.- 19. Jan. und 19. Juli - 14. Aug. geschl. - **M** a la carte 26/60.

Maître, Hugostr. 12, ✆ 50 55 89 - E VISA — BX **a**
nur Abendessen, Montag und Juli - Aug. 2 Wochen geschl. - **M** a la carte 33/55.

Zum Futterplatz, Obere Lichtenplatzer Str. 102, ✆ 55 63 49 - P. E — BY **a**
Dienstag geschl. - **M** a la carte 51/79.

Villa Foresta, Forestastr. 11, ✆ 62 19 75, « Gartenterrasse » - P — BXY **r**
M a la carte 30/58.

Im Vockendahl, Märkische Str. 124, ✆ 52 05 17 - P. E — BX **c**
Dienstag geschl. - **M** a la carte 31/63.

In Wuppertal 12-Cronenberg :

Zur Post garni, Hauptstr. 49, ✆ 47 40 41 - TV ☎ P. AE E VISA. — AY **e**
17 Z : 22 B 60/98 - 140/150.

In Wuppertal 1-Elberfeld :

Kaiserhof, Döppersberg 50, ✆ 4 30 60, Telex 8591405, Fax 456959, - Zim TV - 25/200. AE E VISA — CZ **a**
M a la carte 41/72 - **160 Z : 236 B** 187/292 - 314/347 Fb - 4 Appart. 522/744.

Zur Post garni, Poststr. 4, ✆ 45 01 31, Fax 451791, - TV ☎. E VISA — CZ **p**
Weihnachten - 6. Jan. geschl. - **51 Z : 71 B** 115/165 - 155/180 Fb.

Alte Freiheit	CZ 2	Werth	DZ	Brandströmstraße	DZ 10
Höhne	DZ			Brausenwerther Brücke	CZ 12
Poststraße	CZ 78	Auer Schulstraße	CZ 3	Brüningstraße	CZ 14
Turmhof	CZ 96	Beckmannshof	DZ 4	Bundesallee	CZ 15

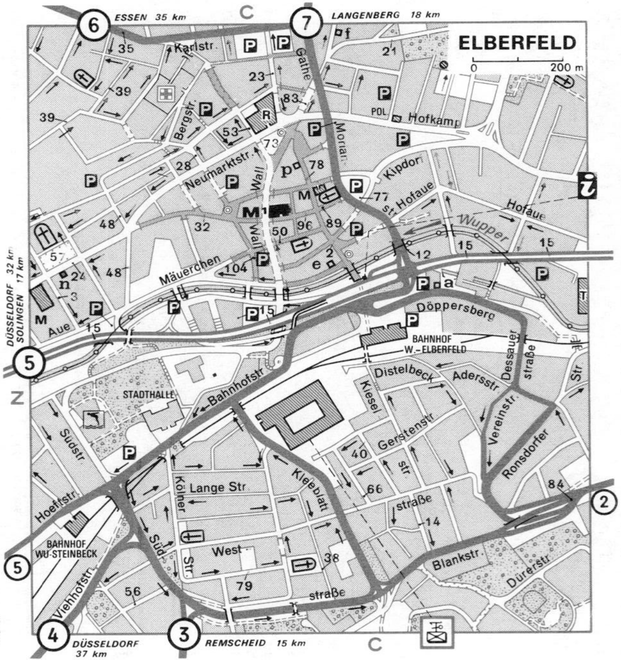

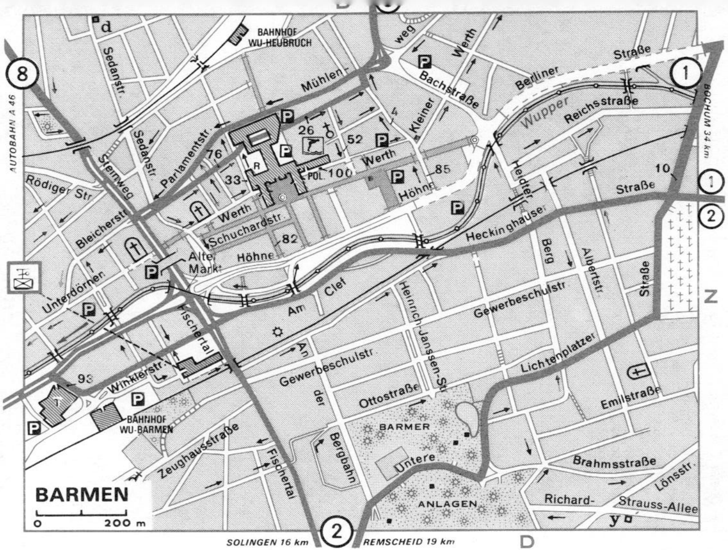

Else-Lasker-Schuler-Str	CZ 21	Hopfenstraße	CZ 40	Platz am Kolk	CZ 77
Friedrichstraße	CZ 23	Kasinostraße	CZ 48	Prinzenstraße	CZ 79
Friedrich-Ebert-Straße	CZ 24	Kirchstraße	CZ 50	Rolingswerth	DZ 82
Große Flurstraße	DZ 26	Kleine Flurstraße	DZ 52	Rommelsputt	CZ 83
Grunstraße	CZ 28	Klotzbahn	CZ 53	Ronsdorfer Str	CZ 84
Herzogstraße	CZ 32	Lahnstraße	CZ 56	Rudolf-Herzog-Straße	DZ 85
Heubruch	DZ 33	Laurentiusplatz	CZ 57	Schöne Gasse	CZ 89
Hochstraße	CZ 35	Malzstraße	CZ 66	Spinnstraße	DZ 93
Holzer Straße	CZ 38	Neumarkt	CZ 73	Wegnerstraße	DZ 100
Hombüchel	CZ 39	Paul-Humburg-Straße	DZ 76	Wirmhof	CZ 104

WUPPERTAL

- Blombacher Bach . . . . . BY 7
- Briller Straße . . . . AY 13
- Cronenberger Straße . . . AY 16
- Dahler Straße . . . . BX 18
- Freudenberger Str. . . . . AY 22
- Hans-Böckler-Straße . . . . AX 29
- Haspeler Straße . . . . AY 30
- Höhenstraße . . . . AX 36
- Jägerhofstraße . . . . AY 42
- Jesinghauser Straße . . . BX 44
- Kapellenweg . . . . ABY 46
- Lenneper Straße . . . . . . BY 59
- Liebigstraße . . . . BX 61
- Lönsstraße . . . . BY 63
- Lüttringhauser Straße . . BY 64
- Märkische Straße . . . . . . BX 67
- Marktstraße . . . . BY 68
- Mörikestraße . . . . BX 71
- Nützenberger Straße . . . AY 72
- Oberdüsseler Weg . . . . . AX 74
- Oberer Grifflenweg . . . . AY 75
- Rauental . . . . BX 80
- Rauentaler Bergstraße . BX 81
- Schmiedestraße . . . . BX 86
- Schönebecker Straße . . BX 87
- Staubenthaler Straße . . BY 92
- Tannenbergstraße . . . . . AY 95
- Varresbecker Straße . . . AY 97
- Virchowstraße . . . . AY 98
- Westkotter Straße . . . . . BX 102

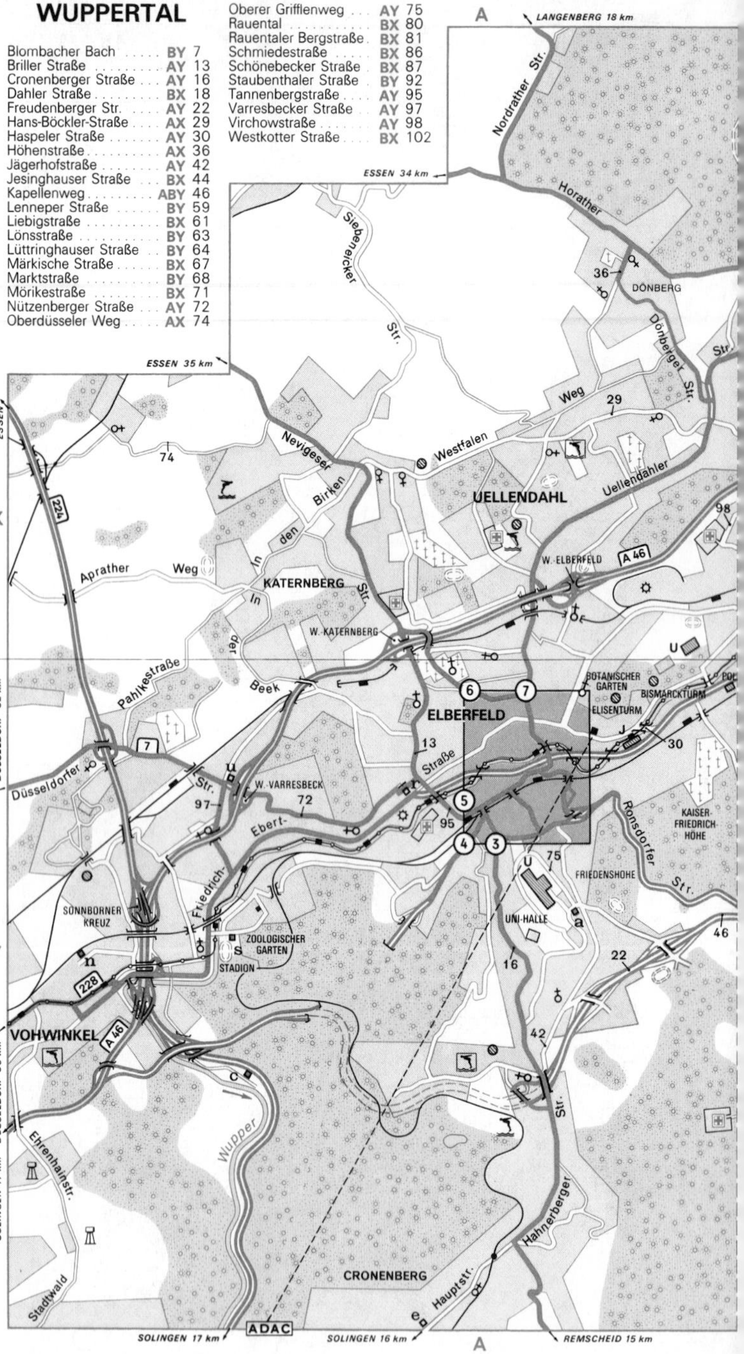

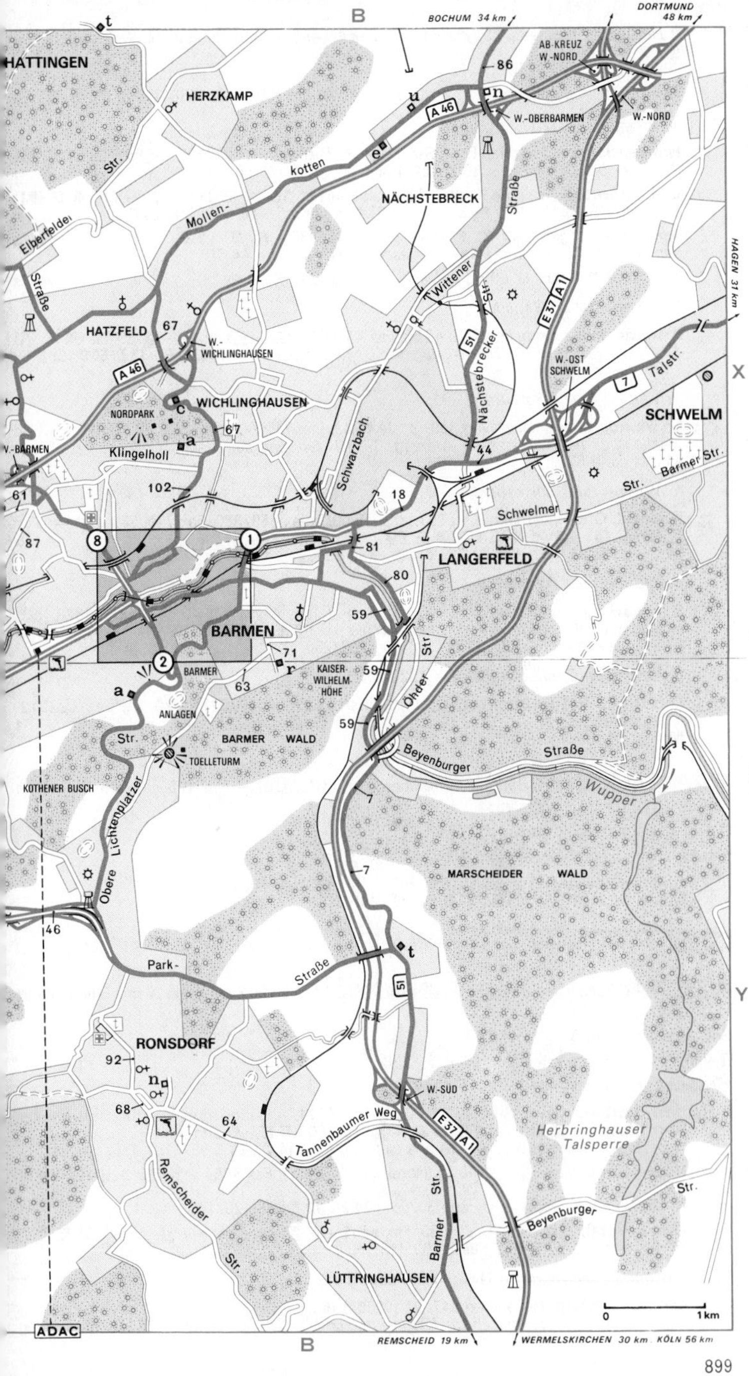
B
BOCHUM 34 km
DORTMUND 48 km
HATTINGEN
HERZKAMP
AB-KREUZ W-NORD
86
A 46
W.-OBERBARMEN
W.-NORD
Mollen-
kotten
Str.
NÄCHSTEBRECK
Straße
Elberfelder
Straße
HAGEN 31 km
Wittener
Str.
E 37 A1
51
Nächstebrecker
HATZFELD
67
W.-WICHLINGHAUSEN
A 46
W.-OST SCHWELM
7
Talstr.
X
WICHLINGHAUSEN
NORDPARK
67
Schwarzbach
SCHWELM
Klingelholl
W.-BARMEN
44
Barmer Str.
Str.
102
18
61
Schwelmer
87
8
1
81
LANGERFELD
80
59
BARMEN
71
2
BARMER
63
KAISER-WILHELM-HÖHE
59
Öhder Str.
ANLAGEN
59
Beyenburger
Straße
BARMER
WALD
TOELLETURM
KOTHENER BUSCH
Wupper
7
Lichtenplatzer
Obere
7
MARSCHEIDER
WALD
46
Park-
Straße
51
Y
RONSDORF
92
W.-SÜD
68
64
E 37 A1
Herbringhauser Talsperre
Tannenbaumer Weg
Remscheider
Str.
Barmer
Str.
Beyenburger
Str.
LÜTTRINGHAUSEN
0
1 km
ADAC
REMSCHEID 19 km
WERMELSKIRCHEN 30 km . KÖLN 56 km
B

Rubin garni, Paradestr. 59, ✆ 45 00 77, Fax 456489, « Sammlung alter Werkzeuge » – TV ☎ P. CZ **f**
16 Z : 22 B 80/90 - 110/125 Fb.

Astor garni, Schloßbleiche 4, ✆ 45 05 11, Telex 8591892, Fax 453844 – TV ☎. AE E VISA CZ **e**
45 Z : 55 B 105/140 - 140/180 Fb.

Hanseatic garni, Friedrich-Ebert-Str. 116a, ✆ 31 00 88, Fax 309233 – TV ☎. AE E VISA
22. Dez.- 5. Jan. geschl. – **16 Z : 24 B** 85/100 - 120/140 Fb. AY **r**

XX **La Lanterna** (Italienische Küche), Friedrich-Ebert-Str.15, ✆ 30 41 51, – P. E VISA
Sonntag, 25. April - 10. Mai und 14.- 29. Aug. geschl. – **M** a la carte 37/60. CZ **n**

X **Am Husar,** Jägerhofstr. 2, ✆ 42 48 28, Fax 437986 – P. AE E AY **a**
Samstag bis 18 Uhr und Mittwoch geschl. – **M** a la carte 44/70.

X Zum alten Kuhstall, Boettinger Weg 3, ✆ 74 34 27, – P AY **s**

In Wuppertal 21-Ronsdorf :

Atlantic, In der Krim 11, ✆ 46 40 55, Fax 4660645, – TV ☎ P – 30. AE E VISA
23. Dez.- 2. Jan. geschl. – **M** *(Samstag bis 18 Uhr geschl.)* a la carte 32/59 – **33 Z : 66 B** 108/168 - 138/208 Fb. BY **n**

In Wuppertal 11-Sonnborn :

XXX **Le Menu,** Rutenbecker Weg 159, ✆ 74 42 43, Fax 741960, – P. E VISA AY **c**
wochentags nur Abendessen, Montag, 1.- 10. Jan. und Juli - Aug. 3 Wochen geschl. – **M** a la carte 52/90.

In Wuppertal 1-Varresbeck :

Novotel, Otto-Hausmann-Ring 203, ✆ 7 19 00, Telex 8592350, Fax 7190333 – Zim TV ☎ P – 25/250. AE E VISA AY **u**
M a la carte 36/58 – **128 Z : 256 B** 149 - 186 Fb.

In Wuppertal 11-Vohwinkel :

XXX **Scarpati** mit Zim (Italienische Küche), Scheffelstr. 41, ✆ 78 40 74, Fax 789828, , « Jugendstilvilla mit mod. Restaurant-Anbau » – TV ☎ P. AE E VISA. AY **n**
M a la carte 68/88 – **7 Z : 11 B** 130/180 - 180/250.

In Hattingen-Oberelfringhausen **4320** N : 8 km :

XXX **Landhaus Felderbachtal,** Felderbachstr. 133, ✆ (0202) 52 20 11, Fax 522012, « Gartenterrasse » – P – 25/50. AE E VISA BX **t**
M (Tischbestellung ratsam) a la carte 61/86.

WURZACH, BAD **7954.** Baden-Württemberg 413 M 23, 987 ㊱, 426 B 5 – 12 000 Ew – Höhe 652 m – Moorheilbad – ✆ 07564.

Kurverwaltung, Mühltorstr. 1, ✆ 30 21 53.

♦Stuttgart 159 – Bregenz 66 – Kempten (Allgäu) 47 – ♦Ulm (Donau) 68.

Rößle, Schulstr. 12, ✆ 20 55, Fax 2057 – TV ☎ – 50. AE E
M a la carte 31/78 – **21 Z : 34 B** 80/90 - 140/150 – ½ P 95/115.

WYK Schleswig-Holstein siehe Föhr (Insel).

XANTEN **4232.** Nordrhein-Westfalen 987 ⑬, 412 C 12 – 16 600 Ew – Höhe 26 m – Erholungsort – ✆ 02801.

Sehenswert : Dom St. Viktor★.

Verkehrsamt, Rathaus, Karthaus 2, ✆ 3 72 38.

♦Düsseldorf 66 – Duisburg 42 – Kleve 26 – Wesel 16.

Van Bebber, Klever Str. 12, ✆ 66 23, Fax 5914, « Historischer Gasthof mit antiker Einrichtung » – Zim TV ☎ P – 25/100. AE E. Zim
Juli - Aug. 3 Wochen geschl. – **M** a la carte 42/64 – **14 Z : 28 B** 95/115 - 175/195.

Hövelmann, Markt 31, ✆ 40 81 (Hotel) 30 03 (Rest.), Fax 4084 – TV ☎ P. AE E VISA
M *(Donnerstag geschl.)* a la carte 30/56 – **24 Z : 42 B** 80 - 120/140.

Limes Hotel, Niederstr. 1, ✆ 7 80, Fax 5484 – TV ☎ – 25/80. AE E VISA
M a la carte 33/52 – **40 Z : 80 B** 109 - 159 Fb.

In Xanten-Obermörmter NW : 15 km über die B 57 :

XXX **Landhaus Köpp,** Husenweg 147, ✆ (02804) 16 26 – P
Sonntag 14 Uhr - Montag 18 Uhr, Donnerstag und 2.- 30. Jan. geschl. – **M** (Tischbestellung ratsam) a la carte 49/72.

ZABERFELD **7129.** Baden-Württemberg 412 413 J 19 – 2 900 Ew – Höhe 227 m – ☎ 07046.
♦Stuttgart 54 – Heilbronn 26 – ♦Karlsruhe 48.

In Zaberfeld-Leonbronn NW : 3 km :

X **Löwen** mit Zim, Zaberfelder Str. 11, ☎ 26 03 – ☎ P. AE ◑ E VISA. ✻ Zim
15. Jan.- 15. Feb. und 6.- 15. Nov. geschl. – **M** *(Donnerstag geschl.)* a la carte 30/61 ♁ – **5 Z : 9 B** 48 - 78.

ZEIL AM MAIN **8729.** Bayern 413 O 16 – 5 300 Ew – Höhe 237 m – ☎ 09524.
♦München 270 – ♦Bamberg 29 – Schweinfurt 27.

Kolb, Krumer Str. 1, ☎ 90 11, 🏡 – TV ☎ P
22. Dez.- 7. Jan. geschl. – **M** a la carte 20/43 ♁ – **21 Z : 37 B** 42/64 - 79/99.

ZEISKAM Rheinland-Pfalz siehe Bellheim.

ZEITLOFS Bayern siehe Brückenau, Bad.

ZELL AM HARMERSBACH **7615.** Baden-Württemberg 413 H 21, 242 ㉘ – 7 000 Ew – Höhe 223 m – Erholungsort – ☎ 07835.
Verkehrsbüro, Alte Kanzlei 2, ☎ 7 83 47.
♦Stuttgart 168 – ♦Freiburg im Breisgau 55 – Freudenstadt 43 – Offenburg 22.

Sonne, Hauptstr. 5, ☎ 56 44, Fax 1278, 🏡 – TV ☎ 🚗 P. AE E
Mitte Jan.- Mitte Feb. und Mitte Juli - Mitte Aug. geschl. – **M** *(Donnerstag geschl.)* a la carte 28/60 – **19 Z : 34 B** 58/65 - 98/120 – ½ P 70/87.

Zum Schwarzen Bären, Kirchstr. 5, ☎ 2 51, Fax 5251 – |‡| ☎ 🚗 P. E. ✻ Zim
10.- 20. Juli und 20. Nov.- 10. Dez. geschl. – **M** *(auch vegetarische Gerichte)* (Mittwoch geschl.) a la carte 25/62 – **24 Z : 45 B** 55/70 - 100/120 Fb – ½ P 75/85.

Kleebad ♨, Jahnstr. 8, ☎ 33 15, 🏡, 🌲 – ♿ P. ✻
20. Nov.- 20. Dez. geschl. – (Restaurant nur für Hausgäste) – **21 Z : 33 B** 43/50 - 82/88 – ½ P 59/62.

In Zell-Unterharmersbach :

Rebstock, Hauptstr. 104, ☎ 39 13, 🌲 – P. E
8. Jan. - 10. Feb. geschl. – **M** *(Dienstag geschl.)* a la carte 23/54 ♁ – **18 Z : 32 B** 48 - 88 – ½ P 60/64.

ZELL AM WALDSTEIN Bayern siehe Münchberg.

ZELL AN DER MOSEL **5583.** Rheinland-Pfalz 987 ㉔, 412 E 16 – 5 500 Ew – Höhe 94 m – ☎ 06542.
Tourist - Information, Rathaus, Balduinstr. 44, ☎ 7 01 22.
Mainz 105 – Cochem 39 – ♦Trier 69.

Zum grünen Kranz, Balduinstr. 12, ☎ 45 49, ≤, ≘s, 🏊 – |‡| ☎. VISA
M a la carte 25/58 – **32 Z : 55 B** 55/85 - 110/140.

Zur Post, Schloßstr. 25, ☎ 42 17, 🏡 – |‡| P. AE ◑ E VISA. ✻
Feb. geschl. – **M** *(Montag geschl.)* a la carte 23/47 ♁ – **16 Z : 30 B** 50/55 - 100/110.

Am Brunnen - Restaurant Belle Epoque, Balduinstr. 51, ☎ 40 60, ≤
M *(Tischbestellung ratsam)* a la carte 44/83 – **19 Z : 33 B** 65/75 - 130/150.

In Zell-Kaimt :

Zur Schröter-Klause ♨ garni (mit Weinstube), Marientaler Au 58, ☎ 4 16 55, 🏡, ≘s, 🌲, 🎾 – P
Mitte März - Mitte Nov. – **9 Z : 16 B** 45/55 - 85/100 Fb.

In Zell - Merl :

X **Bürgerstube,** Mühlental 29, ☎ 2 17 71 – E
Dienstag und Jan. geschl. – **M** a la carte 19/51 ♁.

Michelin-Straßenkarten für Deutschland :
Nr. 984 im Maßstab 1:750 000
Nr. 987 im Maßstab 1:1 000 000
Nr. 411 im Maßstab 1:400 000 (Schleswig-Holstein, Niedersachsen)
Nr. 412 im Maßstab 1:400 000 (Nordrhein-Westfalen, Rheinland-Pfalz, Hessen, Saarland)
Nr. 413 im Maßstab 1:400 000 (Bayern und Baden-Württemberg)

ZELL IM WIESENTAL **7863.** Baden-Württemberg 413 G 23, 242 ⑳, 427 H 2 - 6 400 Ew - Höhe 444 m - Erholungsort - ✆ 07625.

Verkehrsbüro, Schopfheimer Str. 3, ✆ 1 33 15.

♦Stuttgart 196 - Basel 32 - Donaueschingen 73 - ♦Freiburg im Breisgau 48.

- **Löwen,** Schopfheimer Str. 2, ✆ 2 08, Fax 8086, Biergarten - ☎ ⇔ P. ⓓ E
  M *(Donnerstag 14 Uhr - Samstag 18 Uhr geschl.)* a la carte 26/56 ⅓ - **36 Z : 65 B** 40/65 - 75/110 Fb.

In Zell-Pfaffenberg N : 5,5 km - Höhe 700 m

- **Berggasthof Schlüssel** ⛰, Pfaffenberg 2, ✆ 3 75, ≤, « Terrasse » - P
  Mitte Jan.- Mitte Feb. geschl. - Menu *(Montag - Dienstag geschl.)* a la carte 27/59 ⅓ - **12 Z : 18 B** 43 - 76 - ½ P 51.

ZELLINGEN **8705.** Bayern 412 413 M 17 - 5 800 Ew - Höhe 166 m - ✆ 09364.

♦München 296 - Aschaffenburg 60 - Bad Kissingen 53 - ♦Würzburg 16.

In Zellingen - Retzbach :

- **Zum Löwen,** Untere Hauptstr. 9, ✆ 99 17, Fax 5774, ≘s, ▣ - TV ☎ P - 25/200. AE ⓓ E VISA
  M a la carte 23/47 ⅓ - **33 Z : 60 B** 75 - 110 Fb.

Europe — Si le nom d'un hôtel figure en petits caractères demandez, à l'arrivée, les conditions à l'hôtelier.

ZELTINGEN-RACHTIG **5553.** Rheinland-Pfalz 412 E 17 - 2 500 Ew - Höhe 105 m - Erholungsort - ✆ 06532.

Verkehrsamt, Zeltingen, Uferallee 13, ✆ 24 04, Fax 3847.

Mainz 121 - Bernkastel-Kues 8 - ♦Koblenz 99 - ♦Trier 43 - Wittlich 10.

In Zeltingen :

- **St. Stephanus,** Uferallee 9, ✆ 20 55, Fax 3970, ≤, 🏠, ≘s, ▣ - |‡| TV ☎ P - 25/100. AE ⓓ E VISA
  M a la carte 30/59 - **49 Z : 94 B** 119/129 - 144/164 Fb.
- **Nicolay zur Post,** Uferallee 7, ✆ 20 91, Fax 2306, ≤, 🏠, ≘s, ▣ - |‡| ☎ ⇔ P - 25/100. AE ⓓ E VISA. ✗ Rest
  6. Jan.- Feb. geschl. - **M** *(Montag geschl.)* a la carte 38/59 - **37 Z : 70 B** 85/100 - 110/170 Fb.
- **Zeltinger Hof,** ✆ 23 83, Fax 4083, 🏠 - E VISA
  3.- 31. Jan. geschl. - **M** *(Nov.- April Mittwoch geschl.)* a la carte 22/41 ⅓ - **9 Z : 16 B** 47/80 - 80/100 Fb.
- Winzerverein, Burgstr. 7, ✆ 23 21, Fax 2119, ≤, 🏠, ≘s - ☎ P
  nur Saison - **52 Z : 90 B**.

In Rachtig :

- **Deutschherrenhof,** Deutschherrenstraße, ✆ 23 64, Fax 4088, ≤, 🏠 - TV P
  2.- 22. Jan. geschl. - **M** *(Nov.- März Dienstag geschl.)* a la carte 25/50 - **30 Z : 60 B** 60/90 - 90/150 Fb - ½ P 63/115.

ZEMMER Rheinland-Pfalz siehe Kordel.

ZENTING **8359.** Bayern 413 W 20, 426 L 2 - 1 300 Ew - Höhe 450 m - Wintersport : 600/1 000 m ⛷2 - ✆ 09907.

♦München 172 - Cham 89 - Deggendorf 30 - Passau 33.

Im Ortsteil Ranfels S : 4 km :

- Zur Post ⛰, Schloßbergweg 4, ✆ 2 30, Biergarten, ≘s - TV P
  22 Z : 44 B Fb.
- **Birkenhof** ⛰, Ranfels 26, ✆ 2 69, ≤, 🏠, ⛱ (geheizt), 🏠, 🐎 - P
  Nov.- Mitte Dez. geschl. - **M** a la carte 18/41 - **19 Z : 39 B** 43/44 - 84/88 Fb.

ZERBST **O-3400.** Sachsen-Anhalt 984 ⑲, 987 ⑰ - 19 000 Ew - Höhe 68 m - ✆ 0037925.

Magdeburg 42 - ♦Berlin 137 - Dessau 30.

- **Trepzik** garni, Käsperstr. 15, ✆ 44 83 - TV
  10 Z : 20 B 55 - 90.
- XX **Parkhotel Vogelherd,** Lindauer Str. 78 (N : 2,5 km), ✆ 22 66, ≤, 🏠, « Kleiner Teich und Pavillon mit Grill » - P. ✗
  Montag - Dienstag und 11.- 24. Aug. geschl. - **M** a la carte 25/46 (Anbau mit 12 Zim. bis Frühjahr 1992).

ZERF **5504.** Rheinland-Pfalz 412 D 18, 57 ⑤ – 1 500 Ew – Höhe 400 m – ☎ 06587.
Mainz 160 – ◆Saarbrücken 61 – ◆Trier 22.

Zur Post mit Zim, Marktplatz 1, ✆ 2 43, – ☎ P
M *(Donnerstag geschl.)* a la carte 27/43 – **3 Z : 6 B** 36 - 72.

In Greimerath **5501** S : 7 km :

Dohm - Hotel Zur Post, Hauptstr. 73, ✆ (06587) 8 57 – ☎ P
Dez.- Jan. 2 Wochen geschl. – **M** *(Dienstag geschl.)* a la carte 21/42 – **12 Z : 22 B** 32/45 - 60/80.

ZEVEN **2730.** Niedersachsen 411 K 7, 987 ⑮ – 11 900 Ew – Höhe 30 m – ☎ 04281.
◆Hannover 147 – ◆Bremen 55 – Bremerhaven 60 – ◆Hamburg 74.

Hotel Landhaus garni, Kastanienweg 17, ✆ 30 22, Fax 3411, – TV ☎ P. AE E.
15 Z : 29 B 58 - 91 Fb.

Paulsen, Meyerstr. 22, ✆ 25 17, Fax 8340 – TV ☎ P – 25/80. AE E VISA
M *(Sonn- und Feiertage geschl.)* a la carte 32/63 – **36 Z : 72 B** 70/85 - 100/115 Fb.

Garni, Poststr. 20, ✆ 34 92, Fax 8414, – TV ☎ P.
22 Z : 40 B Fb.

Spreckels, Bremer Str. 2, ✆ 24 33 – TV P.
M *(Samstag - Sonntag nur Abendessen)* a la carte 20/43 – **26 Z : 42 B** 50/55 - 90/100.

In Gyhum-Sick **2730** S : 10 km :

Niedersachsen-Hof, Sick 13 (an der B 71), ✆ (04286) 10 56 – ☎ P – 25. Zim
15 Z : 22 B.

ZIERENBERG **3501.** Hessen 411 412 K 12 – 6 700 Ew – Höhe 280 m – Luftkurort – ☎ 05606.
◆Wiesbaden 235 – ◆Kassel 20 – Warburg 28.

In Zierenberg 4-Burghasungen SW : 6 km :

Panorama, Ludwig-Müller-Str.1, ✆ 90 21, Fax 7895, ← – TV ☎ P – 40. E VISA
M a la carte 28/56 – **19 Z : 36 B** 78 - 128 Fb.

ZINNOWITZ Mecklenburg-Vorpommern siehe Usedom (Insel).

ZINNWALD - GEORGENFELD **O-8231.** Sachsen 984 ㉔, 987 ㉘ – 770 Ew – Höhe 810 m – Erholungsort – ☎ 0037 52696 (Altenberg).
◆Dresden 49 – Chemnitz 119 – Görlitz 147.

Lugsteinhof, ✆ 42 16, – P
63 Z : 147 B.

ZIRNDORF **8502.** Bayern 413 P 18, 987 ㉖ – 21 000 Ew – Höhe 290 m – ☎ 0911 (Nürnberg).
Siehe Nürnberg (Umgebungsplan).
◆München 175 – Ansbach 35 – ◆Nürnberg 9.

Rangau, Banderbacher Str. 27, ✆ 60 70 17, Fax 609204 – Zim TV ☎ P – 25/40.
E. — AS c
M *(Montag geschl.)* a la carte 27/60 – **14 Z : 28 B** 89/112 - 138/158 Fb.

Knorz garni, Volkhardtstr. 18, ✆ 60 70 61 – ☎ — AS u
16 Z : 28 B 55/60 - 80/90.

Kneippkurhotel, Achterplätzchen 5, ✆ 60 90 03, Fax 603001, – ☎ P — AS m
M *(Sonntag - Montag 17 Uhr geschl.)* a la carte 25/45 – **19 Z : 28 B** 55 - 85 Fb.

In Zirndorf-Wintersdorf SW : 5 km über Rothenburger Straße AS :

Landgasthof Lämmermann, Ansbacher Str. 28, ✆ (09127) 88 19, – ☎ P
23. Dez.- 6. Jan. geschl. – **M** *(Montag und 20. Aug.- 5. Sept. geschl.)* a la carte 20/47 – **24 Z : 35 B** 38/65 - 68/105 Fb.

ZITTAU **O-8800.** Sachsen 984 ㉔, 987 ⑱ – 37 000 Ew – Höhe 242 m – ☎ 0037522.
Zittau-Information, Rathausplatz 6, ✆ 39 86.
◆Berlin 297 – ◆Dresden 99 – Görlitz 35.

In Oybin **O-8806** SW : 9 km – Höhe 450 m – Kurort :

Oybiner Hof, Hauptstr. 5, ✆ (003752294) 2 97, – TV P. E
M a la carte 19/41 – **46 Z : 98 B** 94 - 126 Fb – ½ P 83/114.

In Jonsdorf **O-8805** SW : 10 km – Höhe 450 m – Kurort :

Kurhaus, Auf der Heide, ✆ (003752294) 2 52, – TV ☎ P
M a la carte 19/30 – **23 Z : 46 B** 45/50 - 70/100 Fb – ½ P 55/65.

ZORGE **3421.** Niedersachsen 411 O 12 – 1 600 Ew – Höhe 340 m – Luftkurort – ☎ 05586.
Kurverwaltung, Am Kurpark 4, ✆ 2 51.
♦Hannover 137 – Braunlage 15 – Göttingen 70.

- **Landhotel Kunzental**, Im Förstergarten 7, ✆ 12 61, Fax 660, – *Mitte Nov.- 20. Dez. geschl.* – **M** *(Donnerstag geschl.)* a la carte 23/60 – **24 Z : 46 B** 60/75 - 110/161 – ½ P 70.
- **Wolfsbach,** Hohegeißer Str. 25, ✆ 4 26, – *1.- 20. Nov. geschl.* – (Restaurant nur für Hausgäste) – **16 Z : 25 B** 39/58 - 74/81.

ZORNEDING **8011.** Bayern 413 S 22 – 7 000 Ew – Höhe 560 m – ☎ 08106.
♦München 20 – Wasserburg am Inn 34.

- Eschenhof garni, Anton-Grandauer-Str. 17, ✆ 28 82, Fax 22075, – **23 Z : 32 B** Fb.
- **Neuwirt,** Münchner Str. 4 (B 304), ✆ 28 25, Fax 29916, – *27. Juli - 14. Aug. geschl.* – **M** a la carte 22/55 – **30 Z : 52 B** 90 - 120 Fb.

ZUZENHAUSEN Baden-Württemberg siehe Sinsheim.

ZWEIBRÜCKEN **6660.** Rheinland-Pfalz 987 ㉔, 412 413 F 19, 87 ⑪ – 35 900 Ew – Höhe 226 m – ☎ 06332.
Verkehrsamt, Schillerstr. 6, ✆ 87 16 90.
ADAC, Poststr. 14, ✆ 1 58 48.
Mainz 139 – Pirmasens 25 – ♦Saarbrücken 41.

- **Europas Rosengarten**, Rosengartenstr. 60, ✆ 4 90 41, Fax 45367, – 25/80. AE E VISA
M a la carte 31/51 – **48 Z : 100 B** 73/80 - 111/120 Fb.
- **Rosen Hotel** garni, Von-Rosen-Str. 2, ✆ 7 60 14, Fax 3653 – AE E VISA
39 Z : 50 B 55/60 - 90 Fb.
- **Hitschler** mit Zim, Fruchtmarktstr. 8, ✆ 7 55 74 – E VISA
Menu *(Freitag - Samstag 18 Uhr geschl.)* a la carte 27/55 – **9 Z : 13 B** 48 - 84.

Außerhalb O : 3 km :

- **Romantik-Hotel Fasanerie**, Fasaneriestraße, ✉ 6660 Zweibrücken, ✆ (06332) 4 40 74, Telex 451182, Fax 45176, « Terrasse mit », – Zim – 25/100. AE E VISA
M a la carte 51/77 – **50 Z : 100 B** 120/150 - 160/240 Fb.

In Battweiler **6661** NO : 9 km :

- **Schweizer Haus,** Hauptstr. 17, ✆ (06337) 3 83 – AE E VISA
M *(Dienstag geschl.)* a la carte 34/53 – **6 Z : 12 B** 75/90 - 100/120.

ZWESTEN **3584.** Hessen 412 K 13 – 3 300 Ew – Höhe 215 m – Luftkurort – ☎ 05626.
Kurverwaltung, Rathaus, ✆ 7 73.
♦Wiesbaden 171 – Bad Wildungen 11 – ♦Kassel 43 – Marburg 50 – Paderborn 115.

- **Altenburg,** Hardtstr. 1, ✆ 7 35, Fax 738, – 25/80. AE E VISA. Rest
M *(Donnerstag und Feb. geschl.)* a la carte 24/55 – **45 Z : 73 B** 58/78 - 106/126 Fb.
- **Landhotel Kern,** Brunnenstr. 10, ✆ 7 86, Fax 788, – 25/50. AE E VISA
5. Jan.- 7. Feb. geschl. – **M** *(Dienstag geschl.)* a la carte 26/48 – **60 Z : 80 B** 60 - 110.

ZWICKAU **O-9540.** Sachsen 984 ㉓, 987 ㉗ – 116 000 Ew – Höhe 434 m – ☎ 003774.
Sehenswert: Dom St. Marien★ (Hauptaltar★★, Beweinung Christi★, Heiliges Grab★, Kanzel★).
Zwickau-Information, Hauptstr. 6, ✆ 2 60 07. – ADAC, Feodorstr. 2a, ✆ 4 26 26.
♦Berlin 245 – ♦Dresden 106 – ♦Leipzig 80.

- Stadt Zwickau, Bahnhofstr. 67, ✆ 2 47 81, Fax 22568, –
90 Z : 155 B Fb.
- Goldener Anker, Hauptmarkt 26, ✆ 2 59 36, .
- **Zur Posthalterei,** Wilhelm-Pieck-Str. 27, ✆ 2 53 50, – E
erster Mittwoch im Monat geschl. – **M** a la carte 18/48.
- Ringgaststätte, Dr.-Friedrichs-Ring 21 a, ✆ 2 25 96.

In Wilkau-Hasslau **O-9533** SO : 7 km :

- Schützenhaus, Culitzscher Str. 26, ✆ (003774) 27 12 65 – – **16 Z : 32 B** Fb.

ZWIEFALTEN **7942.** Baden-Württemberg 413 L 22, 987 ㉟ - 2 300 Ew - Höhe 540 m - Erholungsort - ☎ 07373.

Sehenswert: Ehemalige Klosterkirche★★.

♦Stuttgart 84 - Ravensburg 63 - Reutlingen 43 - ♦Ulm (Donau) 50.

Zur Post, Hauptstr. 44, ☎ 3 02, - P
7. Jan.- 4. Feb. geschl. - **M** *(Montag 14 Uhr - Dienstag geschl.)* a la carte 25/40 - **13 Z : 25 B** 35/50 - 60/70 - 2 Fewo 40/90 - ½ P 50/64.

ZWIESEL **8372.** Bayern 413 W 19, 987 ㉘, 426 L 1 - 10 500 Ew - Höhe 585 m - Luftkurort - Wintersport : 600/700 m ⛷2 ⛷10 - ☎ 09922.

Verkehrsamt, Stadtplatz 27 (Rathaus), ☎ 13 08, Fax 5655.

♦München 179 - Cham 59 - Deggendorf 36 - Passau 63.

Zur Waldbahn, Bahnhofplatz 2, ☎ 30 01, « Garten », - ☎ P. Zim
25. Okt.- 1. Dez. geschl. - **M** a la carte 27/44 - **28 Z : 56 B** 55/70 - 90/120 Fb - ½ P 60/85.

Kapfhammer, Holzweberstr. 6, ☎ 13 06, - P
Nov.- Mitte Dez. geschl. - **M** a la carte 24/40 - **36 Z : 68 B** 50/65 - 90/100.

Deutscher Rhein, Stadtplatz 42, ☎ 16 51 - TV ☎ P. AE E VISA
M a la carte 23/50 - **18 Z : 41 B** 68/70 - 95/110 Fb - ½ P 73/85.

Magdalenenhof garni, Ahornweg 17, ☎ 92 21, ≤, - TV ☎ P
32 Z : 64 B 59/63 - 98/126 Fb - 16 Fewo 64/82.

Kurhotel Sonnenberg, Augustinerstr. 9, ☎ 20 31, ≤, - ☎ P
Mitte Nov.- Mitte Dez. geschl. - **M** a la carte 27/46 - **22 Z : 39 B** 50/70 - 103/140 Fb.

Zwieseler Hof, Regener Str. 5, ☎ 26 31, - ☎ P. AE E
Dez. 2 Wochen geschl. - **M** a la carte 19/48 - **19 Z : 35 B** 37/45 - 65/80 Fb.

Zum Goldwäscher, Jahnstr. 28, ☎ 95 12, Fax 6921, - ☎ P
Ende Nov.- Mitte Dez. geschl. - **M** a la carte 24/52 - **10 Z : 18 B** 40/65 - 70/80.

In Zwiesel-Rabenstein NW : 5 km - Höhe 750 m :

Linde, Lindenweg 9, ☎ 16 61, Fax 1650, ≤ Zwiesel u. Bayer. Wald, - TV ☎ P. Rest
Nov.- 20. Dez. geschl. - **M** *(nur Abendessen)* a la carte 23/51 - **39 Z : 75 B** 55/65 - 92/102 Fb.

In Lindberg-Zwieslerwaldhaus **8372** N : 10 km - Höhe 700 m - Wintersport : ⛷4 :

Waldhotel Naturpark, ☎ (09925) 5 81, - TV P. E
3. Nov.- 25. Dez. geschl. - **M** *(Dienstag geschl.)* a la carte 22/42 - **17 Z : 32 B** 40/52 - 76/92 Fb - ½ P 50/63.

ZWINGENBERG **6144.** Hessen 412 413 I 17 - 5 600 Ew - Höhe 97 m - ☎ 06251 (Bensheim an der Bergstraße).

♦Wiesbaden 61 - ♦Darmstadt 23 - Mainz 62 - ♦Mannheim 37 - Heidelberg 45.

Zur Bergstraße garni, Bahnhofstr. 8, ☎ 7 60 35, Telex 72275 - TV ☎ P.
20. Dez.- 7. Jan. geschl. - **21 Z : 39 B** 110/140 - 150/180 Fb.

Zum Löwen, Löwenplatz 6 (B 3), ☎ 7 11 34, Fax 79511 - TV ☎ P. E
M *(Montag geschl.)* a la carte 35/62 - **10 Z : 20 B** 100/120 - 130/160.

XX **Freihof** mit Zim, Marktplatz 8, ☎ 7 95 59 - TV ☎ P. E VISA.
M *(abends Tischbestellung ratsam)* (Sonntag und Juni - Juli 3 Wochen geschl.) a la carte 57/74 - **10 Z : 16 B** 75/95 - 120/130.

ZWISCHENAHN, BAD **2903.** Niedersachsen 411 GH 7, 987 ⑭ - 24 500 Ew - Höhe 11 m - Moorheilbad - ☎ 04403.

Sehenswert: Parkanlagen★.

Kurverwaltung, Auf dem Hohen Ufer 24, ☎ 5 90 81, Fax 61158.

♦Hannover 185 - Groningen 121 - Oldenburg 17 - Wilhelmshaven 53.

Am Kurgarten garni, Unter den Eichen 30, ☎ 5 90 11, Fax 59620, - TV AE E.
19 Z : 35 B 120/140 - 180/260 Fb.

Seehotel Fährhaus, Auf dem Hohen Ufer 8, ☎ 60 00, Fax 4712, ≤, « Terrasse am See », Bootssteg - TV ☎ P - 25/150. E VISA
M a la carte 41/61 - **54 Z : 100 B** 90/170 - 140/185 Fb - ½ P 84/119.

Bad Zwischenahn, Am Badepark 5, ☎ 5 90 84, Fax 59221, - TV ☎ P - 25/60
50 Z : 97 B Fb - 5 Appart.

Burg-Hotel, Zum Rosenteich 14, ☎ 10 93, Fax 58744, - TV ☎ P - 25. AE E VISA
M a la carte 32/55 - **47 Z : 91 B** 99/185 - 160/290 Fb - ½ P 91/110.

Kopenhagen, Brunnenweg 8, ✆ 5 90 88, Fax 64010, 🏖, ≘ – TV ☎ P. AE ① E
M a la carte 25/55 – **12 Z : 24 B** 75/105 - 150/200 Fb – ½ P 82/122.

La mer garni, Weißer Weg 20, ✆ 5 90 78, Fax 4415, 🏊, 🌳 – TV ☎ P. ✱
15 Z : 27 B 76/98 - 148 Fb.

Haus Ammerland 🐎, Rosmarinweg 24, ✆ 10 74, 🌳 – TV ☎ P. E. ✱
(nur Abendessen für Hausgäste) – **23 Z : 45 B** 60/90 - 110/140 – 8 Appart. – 4 Fewo 75/120 – ½ P 72/112.

Am Torfteich 🐎 garni, Rosmarinweg 7, ✆ 10 33, ≘ – TV ☎ P
12 Z : 21 B 73/88 - 110/150 Fb.

Hof von Oldenburg, Am Brink 4, ✆ 21 69, Fax 58054, 🏖 – TV ☎ 🚗 P. ① E VISA
M a la carte 27/69 – **11 Z : 22 B** 65/85 - 140/160 Fb.

Der Ahrenshof, Burgweg 7, ✆ 39 89, Fax 64027, « Einrichtung eines Ammerländer Bauernhauses, Gartenterrasse » – P. AE ① E VISA
M (abends Tischbestellung ratsam) 24/56 (mittags) und a la carte 42/94.

In Bad Zwischenahn - Aschhauserfeld NO : 4 km Richtung Wiefelstede :

Romantik-Hotel Jagdhaus Eiden 🐎, ✆ 69 80 00, Fax 698398, 🏖, Spielcasino im Hause, « Gartenterrasse », ≘, 🏊, 🌳 – 🚭 Zim TV P – 🏛 30/60. AE ① E VISA. ✱ Zim
M *(bemerkenswerte Weinkarte)* a la carte 41/75 – **64 Z : 112 B** 88/195 - 145/260 Fb – ½ P 108/175.

Pension Andrea garni, Wiefelsteder Str. 43, ✆ 47 41, 🌳 – TV ☎ P. AE ①
16 Z : 26 B 65/75 - 130/150.

Haus Borggräfe 🐎 garni, Veilchenweg 17, ✆ 34 55, ≘, 🏊, 🌳 – TV ☎ P
14 Z : 24 B 60/80 - 110/130.

Apicius, im Jagdhaus Eiden, ✆ 69 84 16 – P. AE ① E VISA. ✱
nur Abendessen, Sonntag - Montag, 1.- 21. Jan. und 5.- 20. Juni geschl. – **M** *(bemerkenswerte Weinkarte)* (Tischbestellung ratsam) a la carte 62/102.

Goldener Adler, Wiefelsteder Str. 47, ✆ 26 97, 🏖, « Ammerländer Bauernhaus » – P. AE E
Montag - Dienstag und Mitte Jan.- Ende Feb. geschl. – **M** a la carte 48/70.

In Bad Zwischenahn - Aue NO : 6 km Richtung Wiefelstede :

Klosterhof, Wiefelsteder Str. 67, ✆ 87 10, Fax 8860, 🏖, « Ammerländer Bauernhaus » – P. AE ① E VISA
Montag geschl. – **M** a la carte 37/58.

Orte mit mindestens einem Hotel mit 🎾, ⛳9, 🏇 oder ♿

Localités possédant au moins un hôtel avec 🎾, ⛳9, 🏇 ou ♿

Places with at least one hotel with 🎾, ⛳9, 🏇 or ♿

Località che possiedono come minimo un albergo con 🎾, ⛳9 🏇 o ♿

	🎾	⛳9	🏇	♿
Aachen				x
Achern				x
Achim				x
Adenau			x	
Ahaus				x
Ahrensburg			x	
Aibling, Bad	x			x
Alfdorf		x		
Alsfeld	x			
Altensteig	x			
Altötting	x			
Alzenau	x			
Alzey	x			
Amberg	x			
Amorbach	x			
Ankum	x			x
Arendsee				x
Argenbühl	x			
Aschaffenburg				x
Attendorn	x		x	
Augsburg				x
Aurich				x
Backnang	x			
Baden-Baden	x			x
Badenweiler	x			x
Baierbrunn				x
Baiersbronn	x			x
Bamberg				x
Barnstorf				x
Barsinghausen	x			
Bayersoien				x
Beckum				x
Bederkesa				x
Beilngries				x
Bellingen, Bad				x
Bendorf	x			
Berg	x			
Bergzabern, Bad				x
Berlin	x			x
Bernau a.Ch.				x
Bernkastel-Kues	x			x
Bernried	x			
Bertrich, Bad				x
Bevensen, Bad	x	x	x	x
Bexbach	x			

	🎾	⛳9	🏇	♿
Bielefeld				x
Bippen	x			
Birkenau	x			
Birnbach, Bad				x
Bischofsgrün	x			x
Bischofsmais	x			x
Bissendorf				x
Bitburg	x			
Bocholt				x
Bochum				x
Bodenmais	x			
Bodenteich			x	x
Böblingen				x
Böbrach	x			
Boll				x
Bollendorf	x		x	
Bonn				x
Boppard	x			
Bramsche	x			
Bramstedt, Bad				x
Braunlage	x			
Braunschweig	x			x
Bregenz (A)	x			x
Breisach				x
Breitenbach a.H.				x
Breitnau	x			x
Bremen				x
Bremerhaven				x
Brensbach	x			
Bruchsal				x
Brückenau, Bad			x	x
Brunsbüttel				x
Buchenberg	x			
Büsum	x			x
Burgdorf	x			
Burghausen				x
Calw	x			
Celle				x
Chemnitz	x			x
Chieming	x		x	
Cochem				x
Colmberg		x		
Cuxhaven				x
Dahn				x
Darmstadt				x

Datteln	x			
Daun				x
Dernbach (Kreis Neuwied)	x			
Detmold				x
Diepholz	x			
Dierdorf	x			
Dinklage				x
Ditzenbach, Bad				x
Dörentrup				x
Döttesfeld	x			
Donaueschingen		x	x	x
Dortmund	x			x
Dresden				x
Driburg, Bad	x	x	x	
Drolshagen	x			
Duderstadt				x
Dürkheim, Bad				x
Dürrheim, Bad				x
Düsseldorf				x
Duisburg				x
Durbach				x
Ebersberg	x			
Ebrach				x
Eckernförde	x			x
Egestorf	x		x	
Eichstätt				x
Eigeltingen			x	
Eisenberg	x			
Eisenberg (Pfalz)				x
Eisenschmitt	x			
Ellwangen			x	
Eltville				x
Emmendingen				x
Emmerich				x
Ems, Bad				x
Emstal				x
Erlangen				x
Erlensee				x
Eschbach	x			
Eschenlohe				x
Eschwege	x			
Esens				x
Eslohe	x			x
Essen	x			x
Esslingen				x
Ettal	x			
Ettlingen				x
Euskirchen				x
Extertal			x	
Fehmarn				x
Feldafing	x			
Feuchtwangen	x			
Filderstadt				x
Fischen im Allgäu	x			
Fischerbach				x
Fleckeby	x			
Flensburg	x			x
Frankfurt am Main	x			x
Freiamt	x			
Freiburg im Breisgau	x			x
Freilassing	x			
Freising				x
Freudenstadt			x	
Freyung				x
Friedrichshafen	x			x
Fürstenberg	x			
Fürth				x
Gaggenau			x	x
Gaienhofen	x		x	
Garmisch-Partenkirchen	x			
Geiselwind		x		
Gelnhausen				x
Gelsenkirchen				x
Gernsbach	x			
Gerolstein	x			x
Gersfeld	x			
Gifhorn				x
Gladenbach				x
Glottertal	x			
Gmund a. T.	x			
Goch	x			
Göppingen				x
Göttingen	x			x
Goslar	x			x
Gottmadingen				x
Grafenau	x			x
Grafenwiesen	x			
Grainau	x			
Grasellenbach	x			
Grassau	x			
Grefrath	x			
Griesbach i. R.	x			
Grömitz	x			
Gronau in Westfalen	x		x	
Groß-Umstadt				x
Grünberg	x			
Gütersloh				x
Gummersbach	x			
Gutach im Breisgau	x			x
Haan				x
Hadamar				x
Häusern	x			
Halblech	x			
Halle i. W.	x			
Hamburg				x
Hamm in Westf.				x
Hammelburg	x			
Hanau				x
Handeloh	x			
Hann. Münden	x			
Hannover	x			x
Hardegsen				x
Harpstedt	x			x
Harzburg, Bad	x			
Haselünne	x			
Hauzenberg	x			
Heidelberg				x
Heilbronn				x
Heimborn	x			
Heimbuchental	x			
Heitersheim				x
Herford				x
Herleshausen	x			x
Herrenberg				x
Herrsching am Ammersee	x			
Hersbruck	x			
Herxheim	x			
Herzberg				x
Hilden				x
Hildesheim				x
Hillerse	x			
Hindelang	x			
Hinterzarten	x			x
Hirschau			x	
Hitzacker				x
Höfen				x
Höhr-Grenzhausen	x		x	x
Hofbieber	x			
Hofheim am Taunus	x			x

Hohenroda	x		x	x
Hohenwestedt	x			
Hollfeld	x			
Honnef, Bad	x		x	x
Horben	x			
Horn-Bad Meinberg	x			x
Hornberg (Schwarzwaldbahn)	x			
Ingolstadt				x
Inzell				x
Iserlohn	x			
Isny	x			
Jesteburg				x
Joachimsthal				x
Jungholz in Tirol				x
Kämpfelbach				x
Kaisersbach	x			
Kamp-Lintfort	x			
Karlshafen, Bad				x
Karlsruhe				x
Kassel				x
Katzenelnbogen	x			
Kaufbeuren				x
Kelkheim	x			
Kell am See				x
Kelsterbach				x
Kenzingen	x	x		
Kevelaer	x		x	x
Kiel				x
Kissingen, Bad	x			x
Kleinwalsertal	x			
Kleve				x
Kleve, Kreis Steinburg			x	
Koblenz				x
Köln	x			x
König, Bad	x			
Königsfeld im Schwarzwald	x			
Königslutter	x			
Königstein	x			
Königstein im T.	x			
Kössen	x		x	
Kohlgrub, Bad				x
Konstanz	x			
Krefeld				x
Kreuth	x			x
Krozingen, Bad				x
Kümmersbruck	x			
Kyllburg	x			x
Laasphe, Bad	x			
Laer, Bad	x			
Lahnstein	x			x
Lalling	x			
Lam	x			
Landshut	x			
Langen				x
Lautenbach				x
Lauterberg, Bad	x			x
Leer				x
Leipzig				x
Lembruch				x
Lemgo				x
Lenzkirch	x			x
Lichtenfels				x
Limburg a.d.L.				x
Lindau im Bodensee	x			x
Lindlar		x		
Lippstadt				x
Löf	x			
Löffingen	x			
Löwenstein				x
Lohmar	x			
Lorch am Rhein				x
Ludwigsburg				x
Ludwigshafen am Rhein	x			
Lübeck				x
Lügde	x			
Lüneburg				x
Magdeburg				x
Maikammer				x
Mainau (Insel)				x
Mainz	x			x
Malente-Gremsmühlen	x			x
Mannheim				x
Marbach				x
Marburg				x
Markterlbach			x	
Marktheidenfeld				x
Marl				x
Masserberg	x			
Mayen	x			
Mechernich	x			
Mehring				x
Memmingen				x
Menden				x
Mendig				x
Meppen				x
Mergentheim, Bad				x
Merzig	x			
Mettlach	x			x
Mettmann	x			
Minden				x
Mittenwald				x
Mönchberg	x			
Mönchengladbach				x
Mörlenbach				x
Moers				x
Monheim				x
Monschau	x			x
Montabaur				x
Mossautal	x			
Much	x			
Mühldorf am Inn				x
Müllheim				x
München	x			x
Münder am Deister, Bad				x
Münster (Westfalen)	x	x		x
Münstertal	x			
Nagold	x			
Nassau	x			
Nastätten	x			
Nauheim, Bad				x
Naumburg	x		x	
Neckarsulm				x
Neckarwestheim		x		
Nenndorf, Bad				x
Neresheim	x			
Nettetal				x
Neualbenreuth	x			
Neuburg a.d.D.	x			
Neuenahr-Ahrweiler, Bad	x			x
Neuenkirchen/Steinfurt	x			
Neukirchen vorm Wald	x		x	x
Neumagen-Dhron	x			
Neumünster				x
Neunkirchen am Brand	x			
Neuss	x			x
Neustadt a.d.W.				x
Neu-Ulm				x
Nidda				x

Niederstotzingen	x			
Nörten-Hardenberg				x
Norderney (Insel)	x			
Norderstedt				x
Nordhorn				x
Nümbrecht	x			
Nürnberg	x			x
Oberaula	x			x
Oberelsbach	x			
Oberkirch	x			
Oberried	x			x
Oberstaufen	x			
Oberstdorf				x
Oberthulba				x
Obervolfach				x
Obing	x			
Ochsenfurt	x			
Ockfen				x
Öhringen	x	x		
Oer-Erkenschwick				x
Oestrich-Winkel				x
Oeynhausen, Bad				x
Offenbach				x
Offenburg				x
Oldenburg				x
Osnabrück	x			x
Osterhofen	x			
Osterholz-Scharmbeck				x
Ostfildern				x
Owschlag	x			
Passau				x
Pattensen				x
Peine				x
Petersberg	x			
Petershagen	x			
Peterstal-Griesbach, Bad	x			
Pforzheim				x
Pfronten	x			x
Philippsreut	x			
Piding	x			
Pinneberg				x
Pliezhausen				x
Pommersfelden	x			
Prien am Chiemsee				x
Quickborn				x
Radolfzell	x			
Rahden	x			
Ramsau	x			
Ransbach-Baumbach	x			
Ratingen	x			x
Ratzeburg				x
Recklinghausen	x			
Regensburg	x			x
Reichelsheim	x		x	
Reichenhall, Bad	x		x	x
Reinbek				x
Reinhardshagen				x
Reit im Winkl	x			x
Rendsburg	x			
Reutlingen				x
Rieneck			x	
Rimbach				x
Rinteln				x
Rippoldsau-Schapbach, Bad	x			
Rockenhausen	x			
Rötz	x			
Rosenheim				x
Rosshaupten			x	
Rostock				x
Rotenburg/Fulda	x			
Rothenburg o.d.T.				x
Rottach-Egern	x			
Rottenbuch	x			
Rüdesheim	x			
Rügen-Sellin	x			
Rüsselsheim				x
Ruhpolding	x		x	
Saarbrücken				x
Saarlouis				x
Salzburg (A)	x			x
Salzgitter				x
Salzhemmendorf				x
Salzschlirf, Bad				x
Salzuflen, Bad	x			x
Sande				x
St. Augustin				x
St. Englmar	x		x	
St. Ingbert	x			
St. Peter-Ording	x			
Sassendorf, Bad				x
Schandau, Bad	x			
Scheidegg	x			x
Schlangenbad				x
Schleiden				x
Schleswig				x
Schliersee	x			x
Schluchsee	x			x
Schmallenberg	x		x	x
Schönau am Königssee	x			
Schönsee	x		x	
Schönwald	x			
Schüttorf				x
Schuttertal			x	
Schwabmünchen	x			
Schwäbisch Gmünd				x
Schwäbisch Hall				x
Schwandorf				x
Schwangau	x			x
Schwarmstedt	x			x
Schwarzach				x
Schwarzenfeld	x			
Schwarzwaldhochstraße	x			x
Schweinfurt				x
Schweitenkirchen				x
Schwetzingen				x
Seebach	x			
Seeheim-Jugenheim				x
Seesen				x
Seewald	x		x	
Siegburg				x
Siegen				x
Simbach am Inn	x			
Simonswald	x			
Sindelfingen				x
Singen (Hohentwiel)				x
Sobernheim	x			
Soden a.T., Bad				x
Soltau				x
Sonnenbühl	x			
Sonthofen	x	x		
Speyer				x
Stade				x
Stadland	x			
Stadtallendorf	x			
Starzach			x	
Steinfeld	x			
Stipshausen				x
Straubenhardt	x			
Straubing				x

Stromberg	x	x		
Stuhr				x
Stuttgart	x			x
Suhlendorf	x		x	
Suligen				x
Sulzbach/Rosenberg	x			
Sulzbach/Taunus				x
Sulzburg	x			
Sylt (Insel)				x
Teinach-Zavelstein, Bad	x			
Teisendorf	x			
Thurmannsbang	x		x	
Timmendorfer Strand	x	x		x
Titisee-Neustadt	x			x
Todtmoos	x			
Tornesch				x
Traitsching				x
Treis-Karden				x
Trier				x
Trittenhein			x	
Tübingen				x
Überlingen	x			
Uelzen				x
Uetersen				x
Uhldingen-Mühlhofen	x			
Ulm (Donau)				x
Ulmet	x			
Unterreichenbach	x			
Unterwössen				x
Uslar				x
Velbert				x
Velburg				x
Velen	x			
Verden a.d.A.				x
Viernheim				x
Vogtsburg	x			
Wadern	x			
Waiblingen				x
Waischenfeld				x
Waldbrunn	x			
Waldeck				x
Waldkirchen	x			
Wald-Michelbach	x			x
Walldorf	x			x
Wallgau				x
Walsrode			x	
Wangen im Allgäu	x			
Wangerland				x
Waren	x			
Wedel				x
Weil am Rhein	x			
Weilbach	x			
Weiler-Simmerberg	x			
Weilheim				x
Weilrod	x			x
Weimar				x
Weingarten				x
Weiskirchen	x			x
Wenden	x			
Werneck				x
Wertheim	x			
Wesel	x			x
Wieden	x			
Wiefelstede	x			
Wiehl				x
Wiesbaden				x
Wiesmoor		x		
Wiessee, Bad	x			
Wiggensbach				x
Wildbad im Schwarzwald	x			x
Wildeshausen	x			
Wildungen, Bad	x			x
Wilhelmshaven				x
Willingen (Upland)	x		x	x
Winden	x			
Windsheim, Bad				x
Wingst	x			
Winterberg	x			x
Wirsberg	x		x	
Wittlich				x
Wörishofen, Bad	x			x
Wörthsee	x			
Wolfach			x	
Worms				x
Würzburg				x
Wunsiedel	x			
Wuppertal	x	x		x
Xanten				x
Zell am H.				x
Zell an der Mosel	x			
Zenting			x	
Zirndorf				x
Zittau				x
Zweibrücken				x
Zwesten				x

Entfernungen
Distances - Distanze

Einige Erklärungen

In jedem Ortstext finden Sie Entfernungen zur Landeshauptstadt und zu den nächstgrößeren Städten in der Umgebung. Sind diese in der nebenstehenden Tabelle aufgeführt, so wurden sie durch eine Raute ♦ gekennzeichnet. Die Kilometerangaben der Tabelle ergänzen somit die Angaben des Ortstextes.

Da die Entfernung von einer Stadt zu einer anderen nicht immer unter beiden Städten zugleich aufgeführt ist, sehen Sie bitte unter beiden entsprechenden Ortstexten nach. Eine weitere Hilfe sind auch die am Rande der Stadtpläne erwähnten Kilometerangaben.

Die Entfernungen gelten ab Stadtmitte unter Berücksichtigung der günstigsten (nicht immer kürzesten) Strecke.

Quelques précisions

Au texte de chaque localité vous trouverez la distance de la capitale du « Land » et des villes environnantes. Lorsque ces villes sont celles du tableau ci-contre, leur nom est précédé d'un losange ♦. Les distances intervilles du tableau les complètent.

La distance d'une localité à une autre n'est pas toujours répétée en sens inverse : voyez au texte de l'une ou l'autre. Utilisez aussi les distances portées en bordure des plans.

Les distances sont comptées à partir du centre-ville et par la route la plus pratique, c'est-à-dire celle qui offre les meilleures conditions de roulage, mais qui n'est pas nécessairement la plus courte.

Commentary

The text on each town includes its distances to the "land" capital and to its neighbours. Towns specified in the table opposite are preceded by a lozenge ♦ in the text. The distances in the table complete those given under individual town headings for calculating total distances.

To avoid excessive repetition some distances have only been quoted once, you may, therefore, have to look under both town headings. Note also that some distances appear in the margins of the town plans.

Distances are calculated from centres and along the best roads from a motoring point of view – not necessarily the shortest.

Qualche chiarimento

Nel testo di ciascuna località troverete la distanza dalla capitale del « land » e dalle città circostanti. Quando queste città appaiono anche nella tabella a lato, il loro nome è preceduto da una losanga ♦. Le distanze tra le città della tabella le completano.

La distanza da una località ad un'altra non è sempre ripetuta in senso inverso : vedete al testo dell'una o dell'altra. Utilizzate anche le distanze riportate a margine delle piante.

Le distanze sono calcolate a partire dal centro delle città e seguendo la strada più pratica, ossia quella che offre le migliori condizioni di viaggio, ma che non è necessariamente la più breve.

Entfernungen zwischen den grösseren Städten

Distances entre principales villes

Distances between major towns

Distanze tra le principali città

	Aachen	Augsburg	Bamberg	Berlin	Bonn	Braunschweig	Bremen	Darmstadt	Dresden	Düsseldorf	Essen	Frankfurt/Main	Frankfurt/Oder	Freiburg	Hamburg	Hannover	Karlsruhe	Kassel	Kiel	Koblenz	Köln	Konstanz	Leipzig	Lübeck	Mannheim	München	Nürnberg	Osnabrück	Regensburg	Rostock	Saarbrücken	Stuttgart	Trier	Ulm	Wiesbaden
Augsburg	569																																		
Bamberg	466	238																																	
Berlin	639	591	405																																
Bonn	91	499	384	600																															
Braunschweig	415	553	393	230	376																														
Bremen	380	681	521	391	341	167																													
Darmstadt	268	328	216	595	186	361	475																												
Dresden	672	512	326	198	633	393	554	538																											
Düsseldorf	81	558	435	563	73	339	290	237	596																										
Essen	121	579	438	531	93	307	252	258	564	31																									
Frankfurt/Main	260	325	212	566	178	332	446	33	534	229	250																								
Frankfurt/Oder	711	678	503	105	677	305	461	651	190	634	602	621																							
Freiburg	480	352	412	803	410	596	710	239	724	469	490	268	903																						
Hamburg	490	709	549	289	451	195	120	517	513	400	362	488	393	752																					
Hannover	356	566	406	288	317	64	123	374	451	280	248	345	359	609	151																				
Karlsruhe	354	232	286	677	284	470	584	113	598	343	364	142	771	134	626	483																			
Kassel	309	408	248	385	270	151	279	216	363	233	201	187	468	451	307	164	325																		
Kiel	576	808	648	356	537	294	206	616	580	486	448	587	460	851	96	250	725	406																	
Koblenz	152	426	331	625	63	391	423	133	609	148	175	125	686	337	533	399	211	246	619																
Köln	69	518	395	575	28	351	316	197	608	40	68	189	646	429	426	292	303	245	512	106															
Konstanz	575	233	412	803	505	686	805	334	724	564	585	363	917	124	842	699	238	541	941	432	524														
Leipzig	593	433	247	183	554	319	480	459	111	517	485	455	254	645	442	377	519	284	509	530	529	645													
Lübeck	548	767	607	284	509	253	178	575	508	458	420	546	378	810	66	209	684	365	92	591	484	900	437												
Mannheim	284	286	271	641	214	407	521	50	583	279	301	79	761	197	563	420	71	262	662	141	240	292	504	621											
München	627	68	232	585	569	625	753	386	506	620	641	397	676	410	781	638	290	480	880	484	580	258	427	839	344										
Nürnberg	480	171	61	434	398	454	582	230	355	449	470	226	527	377	610	467	251	309	709	345	409	377	276	668	236	165									
Osnabrück	267	582	422	424	228	200	121	362	587	177	139	333	495	597	231	141	471	185	317	310	203	692	513	289	408	654	483								
Regensburg	579	137	160	513	497	553	681	329	434	548	569	325	609	465	709	566	339	408	808	444	508	371	355	767	324	122	100	582							
Rostock	674	787	604	222	640	372	303	695	446	597	565	665	327	1004	183	326	872	484	196	722	609	1013	375	117	870	785	637	404	712						
Saarbrücken	250	413	384	752	212	518	554	168	710	278	306	197	816	210	674	531	143	373	773	193	236	309	631	732	128	471	363	441	451	995					
Stuttgart	416	164	240	631	346	514	642	175	552	405	426	204	730	208	670	527	88	369	769	273	365	180	473	728	133	222	205	533	293	831	260				
Trier	157	458	429	739	143	505	484	213	755	203	236	201	800	303	594	460	203	360	680	124	167	464	676	652	173	516	408	371	496	841	93	305			
Ulm	499	80	263	616	429	537	665	258	537	488	509	287	721	201	693	550	162	392	792	356	448	146	458	751	216	138	190	566	207	822	343	94	388		
Wiesbaden	235	365	247	594	153	360	441	44	569	204	225	41	649	276	516	373	150	215	615	102	164	371	490	574	89	432	261	328	360	693	162	212	164	295	
Würzburg	373	209	96	497	291	357	485	123	418	342	363	119	699	319	513	370	193	212	612	238	302	319	339	571	178	281	110	386	209	737	291	147	336	193	154

Beispiel Example
Exemple Esempio
Karlsruhe – Stuttgart **88 km**

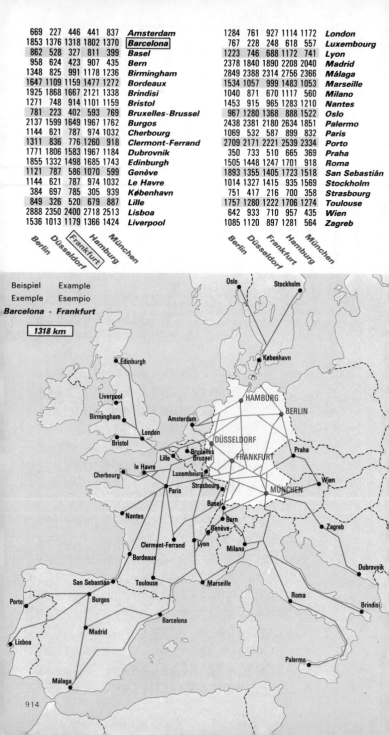

Berlin	Düsseldorf	Frankfurt	Hamburg	München	
669	227	446	441	837	**Amsterdam**
1853	1376	1318	1802	1370	**Barcelona**
862	528	327	811	399	**Basel**
958	624	423	907	435	**Bern**
1348	825	991	1178	1236	**Birmingham**
1647	1109	1159	1477	1272	**Bordeaux**
1925	1868	1667	2121	1338	**Brindisi**
1271	748	914	1101	1159	**Bristol**
781	223	402	593	769	**Bruxelles-Brussel**
2137	1599	1649	1967	1762	**Burgos**
1144	621	787	974	1032	**Cherbourg**
1311	836	776	1260	918	**Clermont-Ferrand**
1771	1806	1583	1967	1184	**Dubrovnik**
1855	1332	1498	1685	1743	**Edinburgh**
1121	787	586	1070	599	**Genève**
1144	621	787	974	1032	**Le Havre**
384	697	785	305	939	**København**
849	326	520	679	887	**Lille**
2888	2350	2400	2718	2513	**Lisboa**
1536	1013	1179	1366	1424	**Liverpool**

Berlin	Düsseldorf	Frankfurt	Hamburg	München	
1284	761	927	1114	1172	**London**
767	228	248	618	557	**Luxembourg**
1223	746	688	1172	741	**Lyon**
2378	1840	1890	2208	2040	**Madrid**
2849	2388	2314	2756	2366	**Málaga**
1534	1057	999	1483	1053	**Marseille**
1040	871	670	1117	560	**Milano**
1453	915	965	1283	1210	**Nantes**
967	1280	1368	888	1522	**Oslo**
2438	2381	2180	2634	1851	**Palermo**
1069	532	587	899	832	**Paris**
2709	2171	2221	2539	2334	**Porto**
350	733	510	665	369	**Praha**
1505	1448	1247	1701	918	**Roma**
1893	1355	1405	1723	1518	**San Sebastián**
1014	1327	1415	935	1569	**Stockholm**
751	417	216	700	358	**Strasbourg**
1757	1280	1222	1706	1274	**Toulouse**
642	933	710	957	435	**Wien**
1085	1120	897	1281	564	**Zagreb**

Beispiel Example
Exemple Esempio
Barcelona - Frankfurt

1318 km

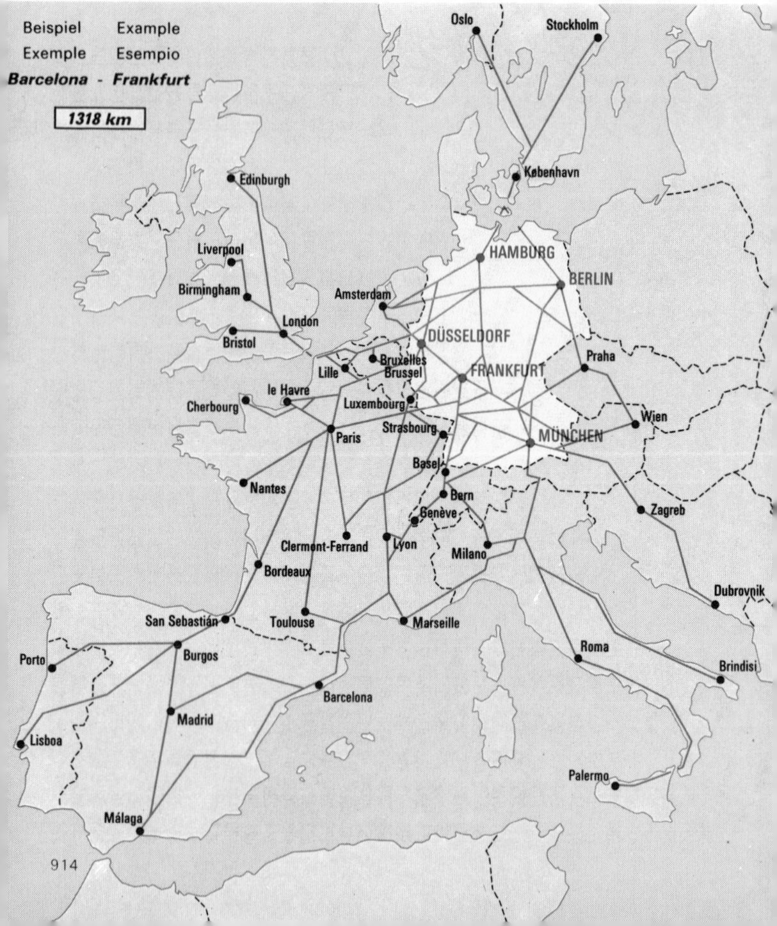

HAUPTVERKEHRSSTRASSEN

□ Hotels und Motels an der Autobahn

◇ Freizeitparks
Siehe auch S. 920

PRINCIPALES ROUTES

□ Hôtels d'autoroutes

◇ Parcs de récréation
voir aussi p. 920

MAIN ROADS

□ Motorway hotels

◇ Leisure centres
see also p. 920

PRINCIPALI STRADE

□ Alberghi autostradali

◇ Parchi di divertimenti
verdere anche p. 920

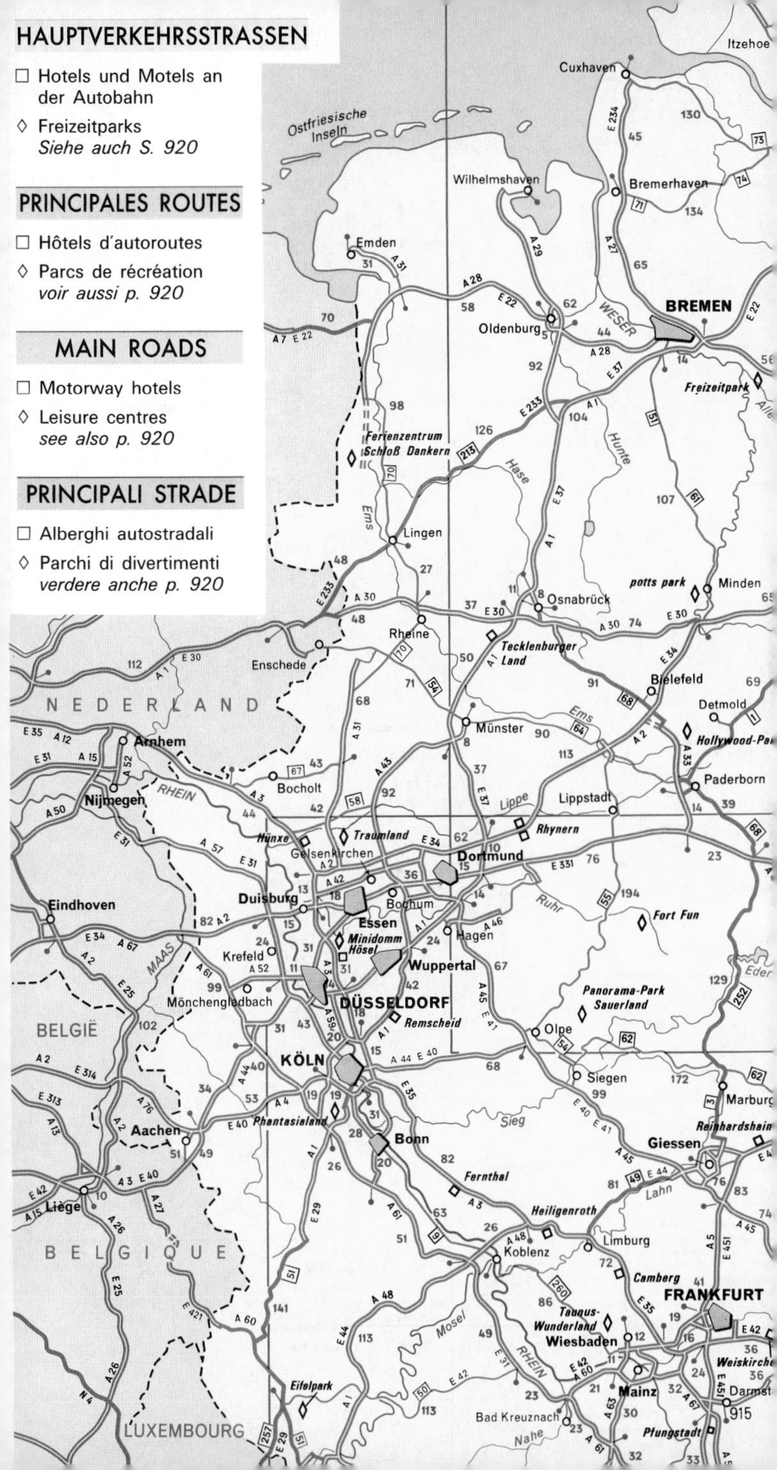

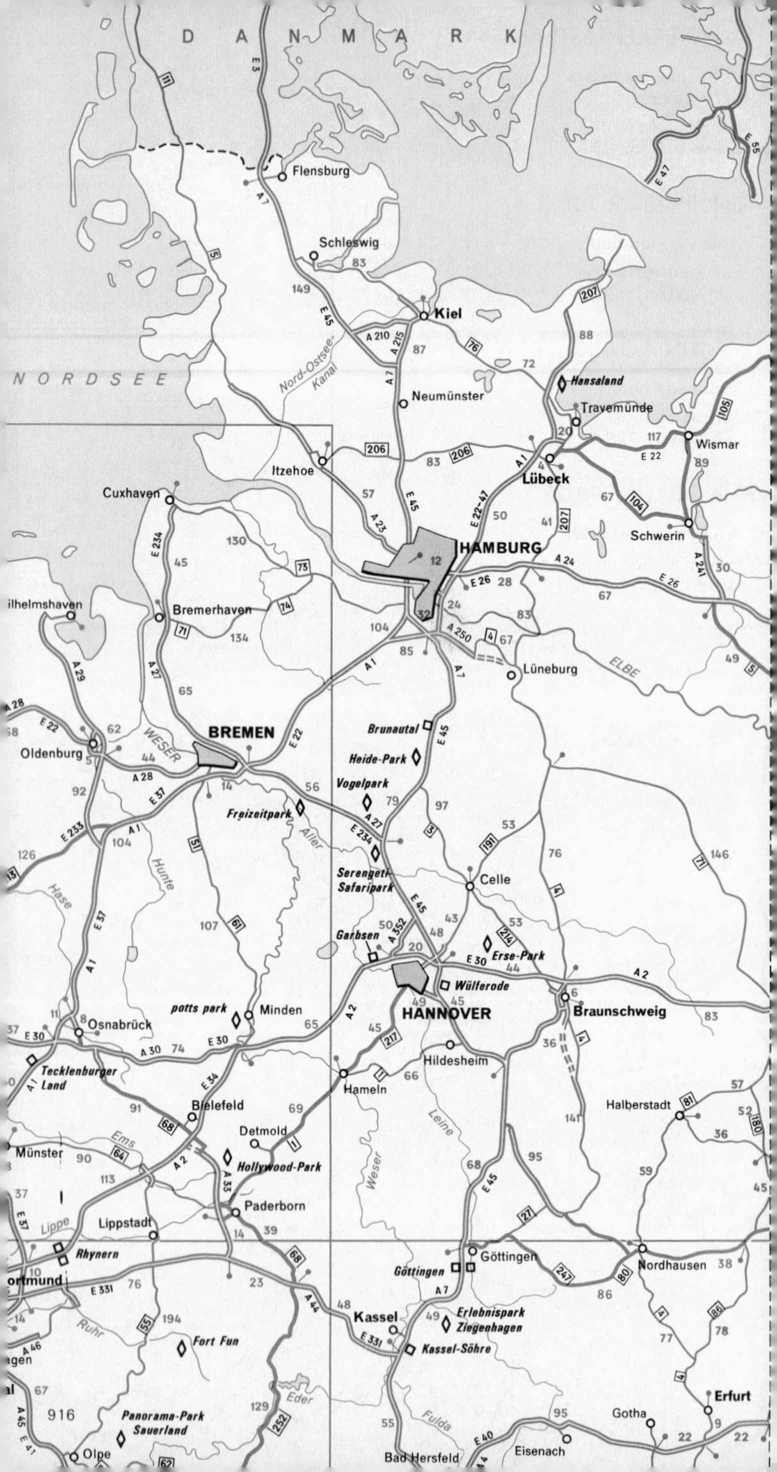

DANMARK
NORDSEE
Flensburg
Schleswig
Kiel
Nord-Ostsee-Kanal
Neumünster
Hansaland
Travemünde
Wismar
Lübeck
Itzehoe
Cuxhaven
Schwerin
HAMBURG
Wilhelmshaven
Bremerhaven
Lüneburg
ELBE
WESER
Oldenburg
BREMEN
Brunautal
Heide-Park
Vogelpark
Freizeitpark
Aller
Hunte
Hase
Serengeti-Safaripark
Celle
Garbsen
Erse-Park
Wülferode
Braunschweig
HANNOVER
potts park
Minden
Osnabrück
Tecklenburger Land
Hildesheim
Hameln
Halberstadt
Bielefeld
Detmold
Ems
Münster
Hollywood-Park
Leine
Weser
Paderborn
Lippstadt
Lippe
Rhynern
Göttingen
Nordhausen
Dortmund
Ruhr
Kassel
Erlebnispark Ziegenhagen
Kassel-Söhre
Fort Fun
Hagen
Eder
Fulda
Panorama-Park Sauerland
Erfurt
Gotha
Olpe
Bad Hersfeld
Eisenach
916

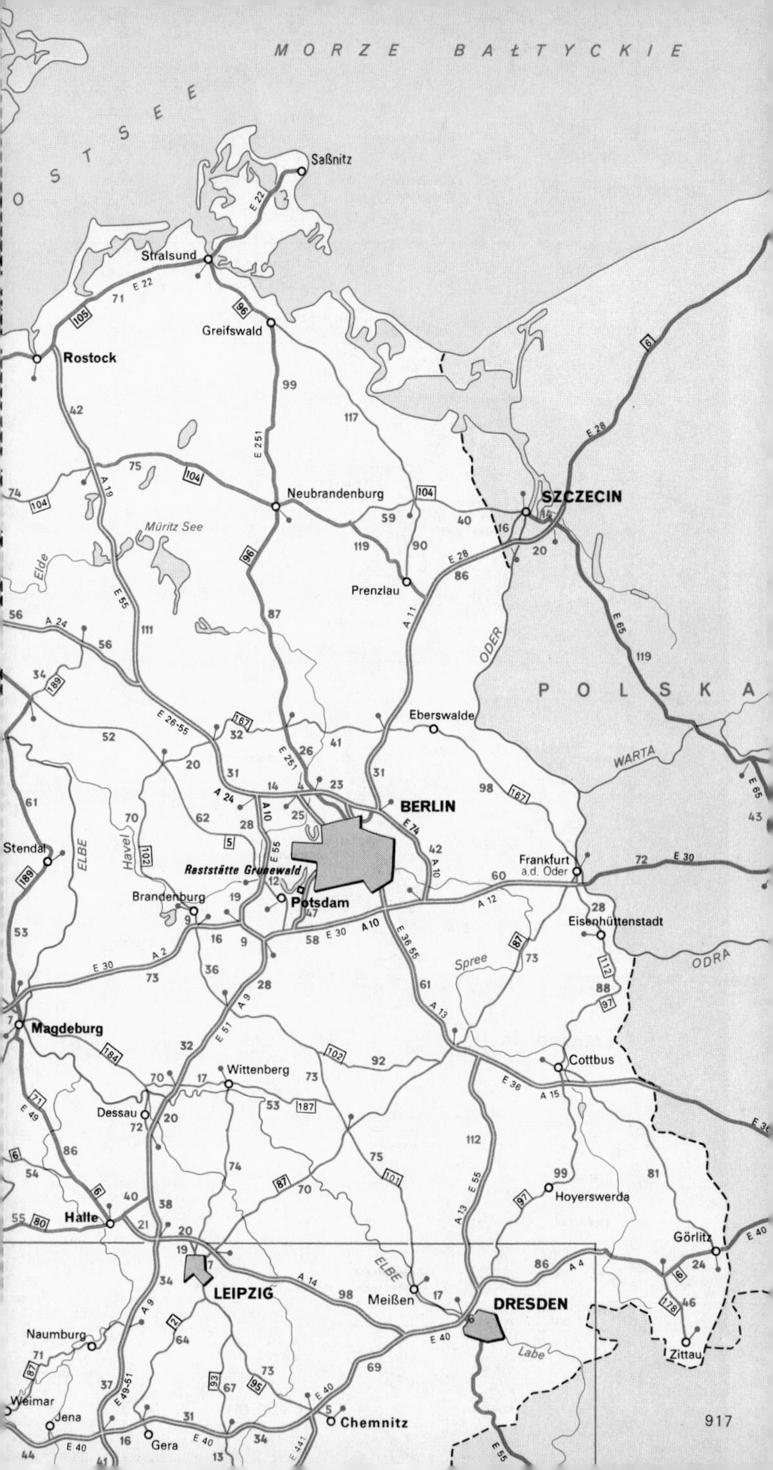
MORZE BAŁTYCKIE
OSTSEE
Saßnitz
Stralsund
Greifswald
Rostock
Neubrandenburg
Müritz See
Elde
SZCZECIN
Prenzlau
ODER
POLSKA
WARTA
Eberswalde
BERLIN
Stendal
ELBE
Havel
Raststätte Grunewald
Potsdam
Brandenburg
Frankfurt
a.d. Oder
Eisenhüttenstadt
ODRA
Spree
Magdeburg
Wittenberg
Cottbus
Dessau
Halle
Hoyerswerda
Görlitz
LEIPZIG
Meißen
DRESDEN
Labe
Zittau
Naumburg
Weimar
Jena
Gera
Chemnitz

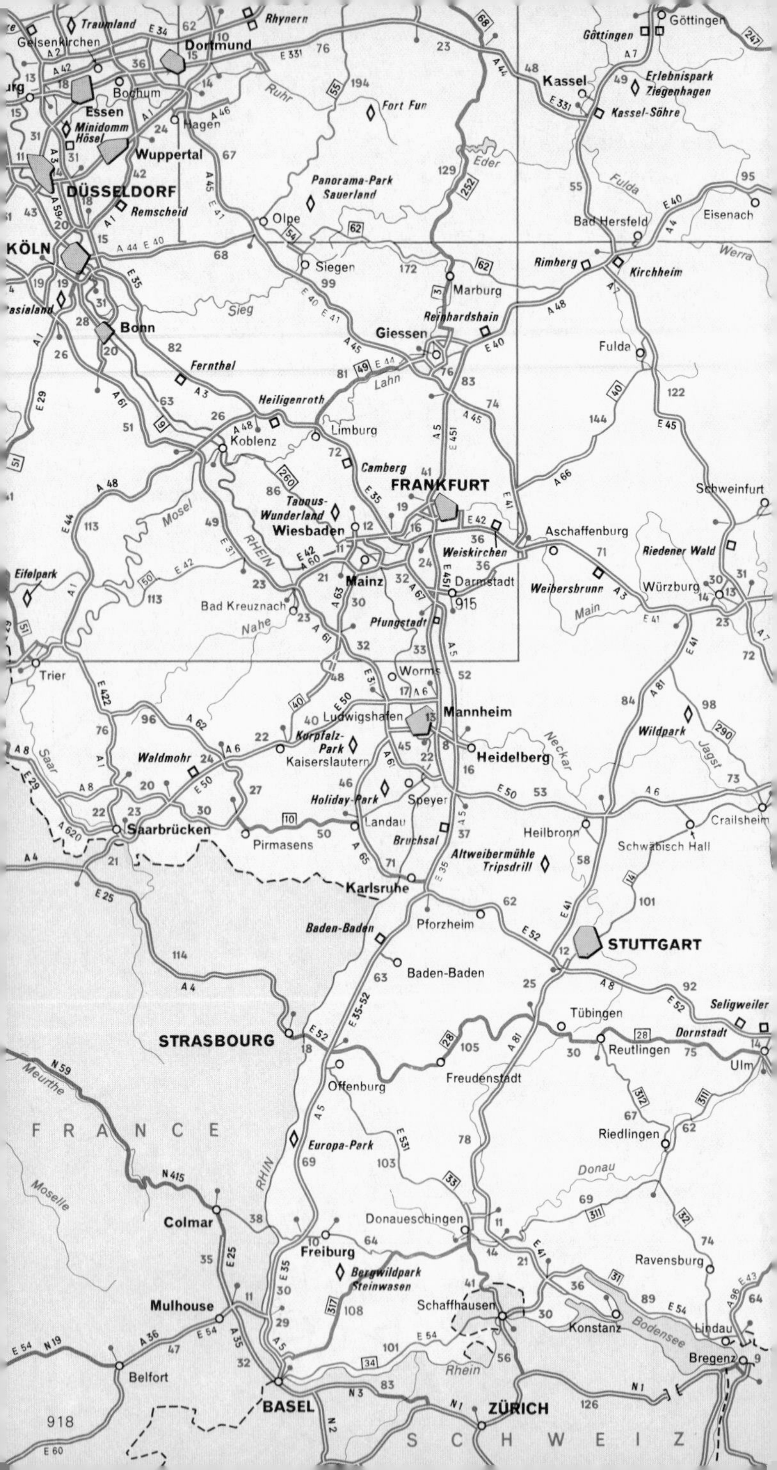
Traumland
Rhynern
Göttingen
Gelsenkirchen
Dortmund
Bochum
Essen
Minidomm
Hösel
Hagen
Wuppertal
DÜSSELDORF
Remscheid
KÖLN
Bonn
Ruhr
Fort Fun
Kassel
Erlebnispark
Ziegenhagen
Kassel-Söhre
Eder
Fulda
Panorama-Park
Sauerland
Olpe
Siegen
Sieg
Marburg
Rimberg
Kirchheim
Bad Hersfeld
Eisenach
Werra
Reinhardshain
Giessen
Fulda
Fernthal
Lahn
Heiligenroth
Limburg
Koblenz
Camberg
FRANKFURT
Taunus-
Wunderland
Wiesbaden
Mosel
RHEIN
Weiskirchen
Aschaffenburg
Riedener Wald
Schweinfurt
Eifelpark
Mainz
Darmstadt
915
Weibersbrunn
Würzburg
Main
Bad Kreuznach
Nahe
Pfungstadt
Trier
Worms
Ludwigshafen
Mannheim
Wildpark
Jagst
Neckar
Saar
Waldmohr
Kaiserslautern
Kurpfalz-
Park
Heidelberg
Holiday-Park
Speyer
Crailsheim
Saarbrücken
Pirmasens
Landau
Bruchsal
Heilbronn
Schwäbisch Hall
Altweibermühle
Tripsdrill
Karlsruhe
Pforzheim
Baden-Baden
STUTTGART
Seligweiler
Tübingen
Dornstadt
STRASBOURG
Reutlingen
Ulm
Offenburg
Freudenstadt
Meurthe
FRANCE
Riedlingen
Europa-Park
Donau
Moselle
RHIN
Colmar
Donaueschingen
Freiburg
Bergwildpark
Steinwasen
Ravensburg
Mulhouse
Schaffhausen
Konstanz
Bodensee
Lindau
Belfort
Rhein
Bregenz
918
BASEL
ZÜRICH
SCHWEIZ

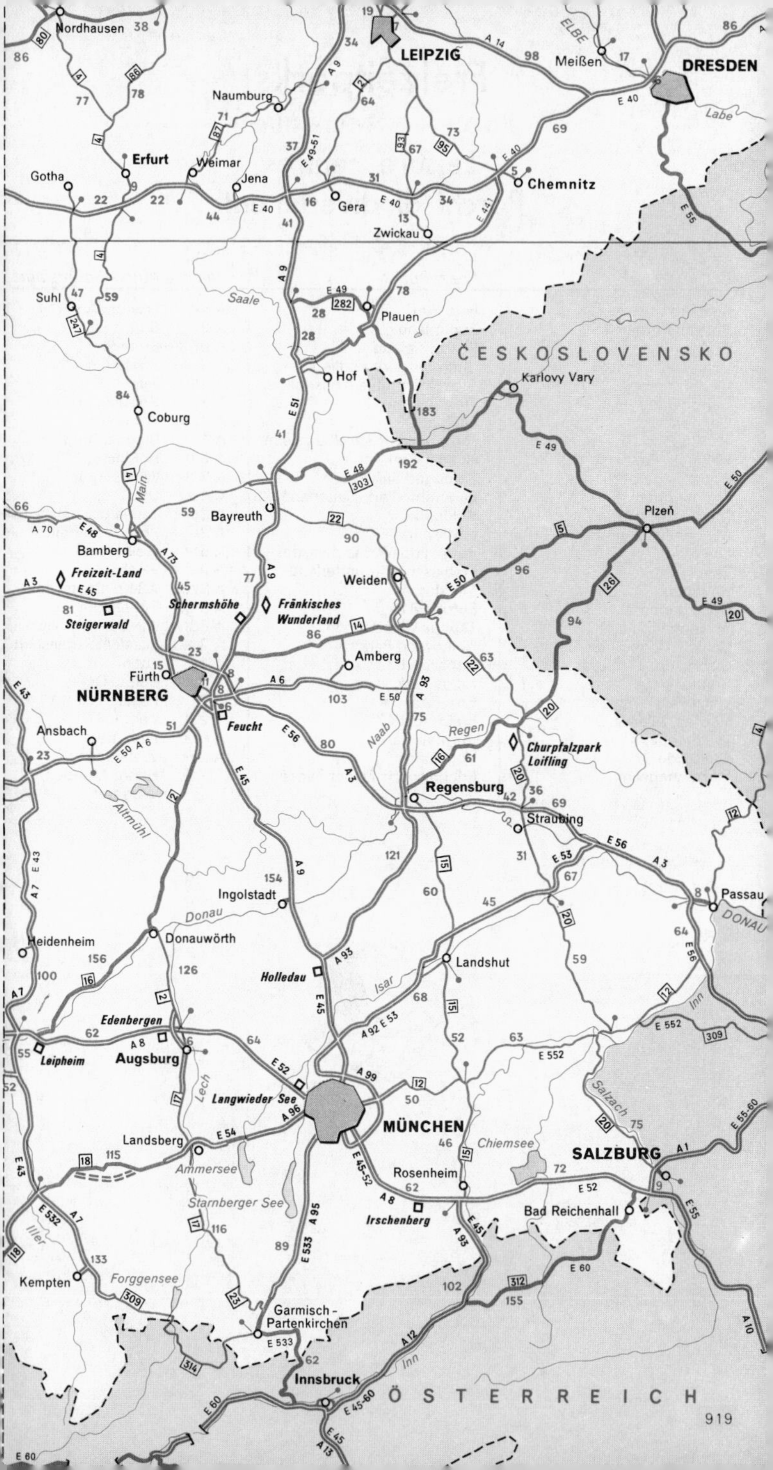
Nordhausen
LEIPZIG
DRESDEN
Meißen
ELBE
Labe
Naumburg
Erfurt
Weimar
Gotha
Jena
Gera
Chemnitz
Zwickau
Saale
Suhl
Plauen
Hof
ČESKOSLOVENSKO
Karlovy Vary
Coburg
Main
Bayreuth
Bamberg
Freizeit-Land
Steigerwald
Schermshöhe
Fränkisches Wunderland
Weiden
Plzeň
Amberg
Fürth
NÜRNBERG
Feucht
Ansbach
Altmühl
Naab
Regen
Churpfalzpark Loifling
Regensburg
Straubing
Passau
DONAU
Donau
Ingolstadt
Donauwörth
Heidenheim
Holledau
Landshut
Isar
Inn
Edenbergen
Augsburg
Leipheim
Lech
Langwieder See
MÜNCHEN
Salzach
Chiemsee
SALZBURG
Landsberg
Ammersee
Starnberger See
Rosenheim
Irschenberg
Bad Reichenhall
Iller
Kempten
Forggensee
Garmisch-Partenkirchen
Innsbruck
ÖSTERREICH

Freizeitparks
Parcs de récréation
Leisure centres
Parchi di divertimenti

Ort	*Freizeitpark*	*nächste Autobahn-Ausfahrt*	
Bestwig	Fort Fun	A 44	Erwitte/Anröchte
Bottrop-Kirchhellen	Traumland	A 2	Bottrop
Brühl	Phantasialand	A 553	Brühl-Süd
Cham	Churpfalzpark Loifling	A 3	Straubing
Cleebronn	Altweibermühle Tripsdrill	A 81	Ilsfeld
Geiselwind	Freizeit-Land	A 3	Geiselwind
Gondorf	Eifelpark	A 1/48	Wittlich
Haren/Ems	Ferienzentrum Schloß Dankerm	A 1	Cloppenburg
Haßloch/Pfalz	Holiday-Park	A 61	Haßloch
Hodenhagen	Serengeti-Safaripark	A 7	Westenholz
Kirchhundem	Panorama-Park Sauerland	A 45	Olpe
Mergentheim, Bad	Wildpark	A 81	Tauberbischofsheim
Minden-Dützen	potts park	A 2	Porta Westfalica
Oberried	Bergwildpark Steinwasen	A 5	Freiburg-Mitte
Plech	Fränkisches Wunderland	A 9	Plech
Ratingen	Minidomm	A 3/52	AB-Kr. Breitscheid
Rust/Baden	Europa-Park	A 5	Ettenheim
Schlangenbad	Taunus-Wunderland	A 66	Wiesbaden-Frauenstein
Schloß Holte-Stukenbrock	Hollywood-Park	A 2	Bielefeld-Sennestadt
Sierksdorf	Hansapark	A 1	Eutin
Soltau	Heide-Park	A 7	Soltau-Ost
Uetze	Erse-Park	A 2	Peine
Verden/Aller	Freizeitpark	A 27	Verden-Ost
Wachenheim	Kurpfalz-Park	A 650	Feuerberg
Walsrode	Vogelpark	A 27	Walsrode-Süd
Witzenhausen	Erlebnispark Ziegenhagen	A 7	Hann. Münden/ Werratal

Ferientermine

(Angegeben ist jeweils der erste und letzte Tag der Sommerferien)

Vacances scolaires

(Premier et dernier jour des vacances d'été)

School holidays

(Dates of summer holidays)

Vacanze scolastiche

(Primo ed ultimo giorno di vacanza dell' estate)

Land	*1992*	*1993*
Baden-Württemberg	2.7. - 15.8	1.7. - 14.8.
Bayern	30.7. - 14.9	22.7. - 6.9.
Berlin	25.6. - 8.8	24.6. - 7.8.
Brandenburg	29.6. - 7.8	18.6. - 31.7.
Bremen	25.6. - 8.8	18.6. - 31.7.
Hamburg	18.6. - 1.8	5.7. - 14.8.
Hessen	22.6. - 31.7	26.7. - 3.9.
Mecklenburg-Vorpom.	13.7. - 21.8	1.7. - 14.8.
Niedersachsen	25.6. - 5.8	18.6. - 31.7.
Nordrhein-Westfalen	16.7. - 29.8	8.7. - 21.8.
Rheinland-Pfalz	23.7. - 2.9	15.7. - 25.8.
Saarland	23.7. - 5.9	15.7. - 28.8.
Sachsen	6.7. - 14.8	15.7. - 25.8.
Sachsen-Anhalt	20.7. - 28.8	15.7. - 25.8.
Schleswig-Holstein	18.6. - 1.8	2.7. - 14.8.
Thüringen	13.7. - 21.8	29.7. - 11.9.

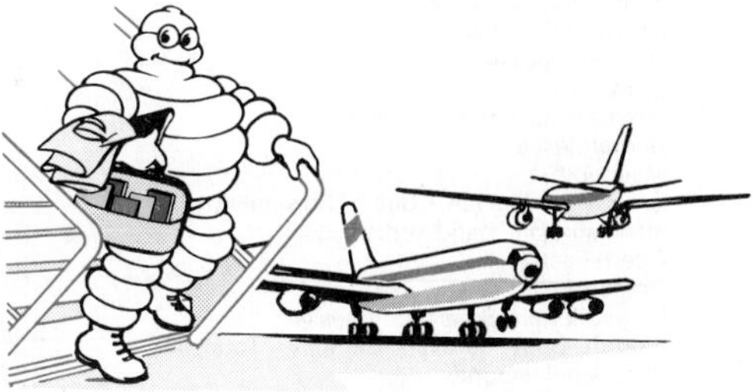

Auszug aus dem Messe- und Veranstaltungskalender

Extrait du calendrier des foires et autres manifestations

Excerpt from the calendar of fairs and other events

Estratto del calendario delle fiere ed altre manifestazioni

Messe- und Ausstellungsgelände sind im Ortstext angegeben.

Baden-Baden	Frühjahrs-Meeting	23. 5. - 31. 5.
	Rennwoche	28. 8. - 6. 9.
Bayreuth	Wagner-Festspiele	25. 7. - 28. 8.
Berlin	Internationale Grüne Woche	17. 1. - 26. 1.
	Internationale Tourismus-Börse (ITB)	7. 3. - 12. 3.
	Auto-Ausstellung Berlin (AAA)	10.10. - 18.10.
Bielefeld	Urlaub - Touristik - Freizeit	25. 4. - 3. 5.
Brandenburg	Camping - Reise - Freizeit	1. 5. - 4. 5.
Bregenz (A)	Festspiele	22. 7. - 22. 8.
Chemnitz	Techno	24.10. - 1.11.
Dortmund	Internationale Zweirad-Ausstellung	4. 3. - 8. 3.
Dürkheim, Bad	Dürkheimer Wurstmarkt	11. 9. - 21. 9.
Düsseldorf	Internationale Bootsausstellung	18. 1. - 26. 1.
	IGEDO - Internationale Modemesse	8. 3. - 11. 3.
	IGEDO - Internationale Modemesse	6. 9. - 9. 9.
	HOGATEC - Internationale Modemesse	30.11. - 4.12.
Essen	Camping-Touristik	21. 3. - 29. 3.
	Internationaler Caravan-Salon	26. 9. - 4.10.
	Motor-Show	27.11. - 6.12.
Frankfurt	Internationale Frankfurter Messen	15. 2. - 19. 2.
		22. 8. - 26. 8.
	Frankfurter Buchmesse	30. 9. - 5.10.
	Internationale Touristica	21.11. - 29.11.
Freiburg	Camping- und Freizeitausstellung	14. 3. - 22. 3.
Friedrichshafen	IBO - Messe	28. 3. - 5. 4.
	Internationale Wassersportausstellung (INTERBOOT)	19. 9. - 27. 9.
Hamburg	REISEN - Tourismus, Caravan, Auto	15. 2. - 23. 2.
	INTERNORGA	13. 3. - 18. 3.
	Internationale Boots-Ausstellung	31.10. - 8.11.
Hannover	ABF (Ausstellung Auto-Boot-Freizeit)	15. 2. - 23. 2.
	Hannover Messe CeBIT	11. 3. - 18. 3.
	Hannover Messe INDUSTRIE	1. 4. - 8. 4.
Heidelberg	Schloß-Spiele	25. 7. - 30. 8.
Hersfeld, Bad	Festspiele und Opern	19. 6. - 20. 8.
Karlsruhe	Offerta	24.10. - 1.11.
Kempten i.A.	Allgäuer Festwoche	14. 8. - 23. 8.
Kiel	FREIZEIT - Camping - Boote - Touristik	27. 3. - 29. 3.
Köln	Internationale Möbelmesse	21. 1. - 26. 1.
	DOMOTECHNIKA	18. 2. - 21. 2.
Leipzig	Frühjahrsmesse	5. 3. - 10. 3.
	Auto	28. 3. - 5. 4.
	Internationale Buchmesse	23. 4. - 27. 4.
	Herbstmesse	3. 9. - 8. 9.
Mannheim	Maimarkt	25. 4. - 5. 5.
München	C - B - R (Caravan - Boot - Reisemarkt)	1. 2. - 9. 2.
	Internationale Handwerksmesse	14. 3. - 22. 3.
	Opern-Festspiele	6. 7. - 31. 7.
	Oktoberfest	19. 9. - 4.10.
Nürnberg	Internationale Spielwarenmesse	6. 2. - 12. 2.
	Freizeit -Boot -Caravan -Camping -Touristik	22. 2. - 1. 3.
	Christkindlesmarkt	28.11. - 24.12.

Offenburg	Oberrhein-Messe	25. 9. - 4.10.
Sarrbrücken	FREIZEIT Touristik -Camping -Sport	21. 3. - 29. 3.
	Internationale Saarmesse	25. 4. - 3. 5.
Salzburg (A)	Festspiele	11. 4. - 20. 4.
	Festspiele	26. 7. - 31. 8.
Segeberg, Bad	Karl-May-Spiele	4. 7. - 30. 8.
Stuttgart	CMT -Ausstellung für Caravan, Motor, Touristik	18. 1. - 26. 1.
	Intergastra	22. 2. - 27. 2.
	Cannstatter Volksfest	26. 9. - 11.10.
	AMA -Auto-und Motorrad-Ausstellung	24.10. - 1.11.
Ulm	Leben-Wohnen-Freizeit	4. 4. - 12. 4.
Villingen - Schwenningen	Südwest-Messe	13. 6. - 21. 6.
Wunsiedel	Luisenburg-Festspiele	26. 6. - 9. 8.

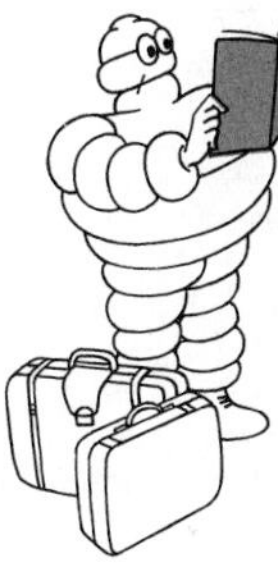

Telefon-Vorwahlnummern europäischer Länder
Indicatifs téléphoniques européens
European dialling codes
Indicativi telefonici dei paesi europei

	von de from dal		nach en to in	von de from dal	nach en to in
AND	Andorra	1949*	Deutschland	003362	Andorra
B	Belgien	0049*	»	0032	Belgien
BG	Bulgarien	0049	»	00359	Bulgarien
DK	Dänemark	00949	»	0045	Dänemark
SF	Finnland	99049	»	00358	Finnland
F	Frankreich	1949*	»	0033	Frankreich
GR	Griechenland	0049	»	0030	Griechenland
GB	Großbritannien	01049	»	0044	Großbritannien
IRL	Irland	1649	»	00353	Irland
I	Italien	0049	»	0039	Italien
YU	Jugoslawien	9949	»	0038	Jugoslawien
FL	Liechtenstein	0049	»	0041	Liechtenstein
L	Luxemburg	0049	»	00352	Luxemburg
M	Malta	049	»	00356	Malta
MC	Monaco	1949*	»	003393	Monaco
NL	Niederlande	0949*	»	0031	Niederlande
N	Norwegen	09549	»	0047	Norwegen
A	Österreich	06	»	0043	Österreich
PL	Polen	049 oder 0049	»	0048	Polen
P	Portugal	0049 u. 0749	»	00351	Portugal
RO	Rumänien		»	0040	Rumänien
S	Schweden	00949	»	0046	Schweden
CH	Schweiz	0049	»	0041	Schweiz
E	Spanien	0749*	»	0034	Spanien
CS	Tschechoslowakei	0049	»	0042	Tschechoslowakei
SU	UdSSR (nur von Moskau)	81049	»	007	UdSSR
H	Ungarn	0049*	»	0036	Ungarn

Wichtig : Bei Auslandsgesprächen von und nach Deutschland darf die voranstehende Null (0) der Ortsnetzkennzahl nicht gewählt werden, ausgenommen bei Gesprächen von Luxemburg und Österreich nach Deutschland.

** nach den ersten beiden Vorwahlziffern erneuten Wählton abwarten, dann weiterwählen.*

Important : Pour les communications d'un pays étranger (Luxembourg et Autriche exceptés) vers l'Allemagne, le zéro (0) initial de l'indicatif interurbain allemand n'est pas à chiffrer.

** après les deux premiers chiffres : attendre la tonalité.*

Note : When making an international call (excluding Luxemburg and Austria) to Germany do not dial the first « 0 » of the city codes.

** After the first two digits wait for the dialling tone.*

Importante : per comunicare con la Germania da un paese straniero (Lussemburgo e Austria esclusi) non bisogna comporre lo zero (0) iniziale dell'indicativo interurbano tedesco.

** composte le prime due cifre, aspettare il segnale di « libero ».*

Touristikabteilung

Satz, Druck und Bindung : MAURY Imprimeur à Malesherbes - Frankreich - N° 36373 G

MANUFACTURE FRANÇAISE DES PNEUMATIQUES MICHELIN

Société en commandite par actions au capital de 2 000 000 000 de francs

Place des Carmes-Déchaux - 63 Clermont-Ferrand (France)

R.C.S. Clermont-Fd B 855 200 507

Dépôt légal 12-91 - ISBN 3 92 107 802-4

925

411
Deutschland
Schleswig-Holstein
Niedersachsen
Ortsverzeichnis
1/400 000 - 1 cm : 4 km
Stadtpläne:
Berlin
Bremen
Hamburg
Hannover
CARTE ROUTIÈRE ET TOURISTIQUE
MICHELIN
412
Deutschland
Nordrhein-Westfalen
Rheinland-Pfalz
Hessen, Saarland
Ortsverzeichnis
1/400 000 - 1 cm : 4 km
Stadtpläne:
Berlin
Dortmund
Düsseldorf
Essen
Frankfurt
Köln
CARTE ROUTIÈRE ET TOURISTIQUE
MICHELIN
413
Deutschland
Bayern
Baden-Württemberg
Ortsverzeichnis
1/400 000 - 1 cm : 4 km
Stadtpläne:
München
Nürnberg
Stuttgart
CARTE ROUTIÈRE ET TOURISTIQUE
MICHELIN
984
Deutschland
1/750 000 - 1 cm: 7,5 km
Vergrößerter Ausschnitt
aus der Michelin-Karte Nr. 987 1:1 000 000
CARTE ROUTIÈRE ET TOURISTIQUE
MICHELIN